Collection **marabout service**

✔ KU-215-364

Les langues chez Marabout

- Le courrier des affaires en anglais (MS 88)
- 5000 mots d'allemand (MS 66)
- 5000 mots d'anglais (MS 67)
- 5000 mots d'espagnol (MS 68)
- 5000 mots d'italien (MS 69)
- Dictionnaire anglais/français des affaires (FL 15)
- Dictionnaire Collins allemand/français, français/allemand (MS 251)
- Dictionnaire Collins anglais/français, français/anglais (MS 252)
- Dictionnaire Collins espagnol/français, français/espagnol (MS 253)
- Dictionnaire Collins italien/français, français/italien (MS 254)
- La grammaire facile de l'allemand (MS 60)
- La grammaire facile de l'anglais (MS 58)
- La grammaire facile de l'espagnol (MS 64)
- La grammaire facile du français (MS 61)
- Je parle allemand (FL 6)
- Je parle anglais (FL 5)
- Je parle espagnol (FL 9)
- Les pièges de l'anglais (MS 62)
- 15 minutes par jour pour apprendre l'allemand (GM 10)
- 15 minutes par jour pour apprendre l'anglais (GM 1)
- 15 minutes par jour pour apprendre l'espagnol (GM 40)
- 15 minutes par jour pour apprendre l'italien (GM 114)
- 15 minutes par jour pour apprendre le néerlandais (GM 6)

Livre + cassette audio

- 15 minutes par jour pour apprendre l'allemand (GM 1010)
- 15 minutes par jour pour apprendre l'anglais (GM 1001)
- 15 minutes par jour pour apprendre l'espagnol (GM 1040)
- 15 minutes par jour pour apprendre l'italien (GM 1140)

PIERRE-HENRI COUSIN

DICTIONNAIRE
COLLINS
FRANÇAIS/ANGLAIS
ANGLAIS/FRANÇAIS

Pierre-Henri Cousin

avec la collaboration de
Claude Nimmo, Lorna Sinclair, Philippe Patry,
Hélène Lewis, Elisabeth Campbell, Renée Birks

Secrétariat de rédaction : Catherine Love,
Lesley Robertson

Ce dictionnaire est une adaptation du Collins Gem
Français-Anglais Anglais-Français

INTRODUCTION

L'usager qui désire comprendre l'anglais - qui déchiffre - trouvera dans ce dictionnaire un vocabulaire moderne et très complet, comprenant de nombreux composés et locutions appartenant à la langue contemporaine. Il trouvera aussi dans l'ordre alphabétique les principales formes irrégulières, avec un renvoi à la forme de base où figure la traduction, ainsi qu'abréviations, sigles et noms géographiques choisis parmi les plus courants.

L'usager qui veut s'exprimer - communiquer - dans la langue étrangère trouvera un traitement détaillé du vocabulaire fondamental, avec de nombreuses indications le guidant vers la traduction juste, et lui montrant comment l'utiliser correctement.

The user whose aim is to read and understand French will find in this dictionary a comprehensive and up-to-date wordlist including numerous phrases in current use. He will also find listed alphabetically the main irregular forms with a cross-reference to the basic form where a translation is given, as well as some of the most common abbreviations, acronyms and geographical names.

The user who wishes to communicate and to express himself in the foreign language will find clear and detailed treatment of all the basic words, with numerous indications pointing to the appropriate translation, and helping him to use it correctly.

ABRÉVIATIONS

ABBREVIATIONS

adjectif, locution adjective	**a**	adjective, adjectival phrase
abréviation	**ab(b)r**	abbreviation
adverbe, locution adverbiale	**ad**	adverb, adverbial phrase
administration	**ADMIN**	administration
agriculture	**AGR**	agriculture
anatomie	**ANAT**	anatomy
architecture	**ARCHIT**	architecture
l'automobile	**AUT(O)**	the motor car and motoring
aviation, voyages aériens	**AVIAT**	flying, air travel
biologie	**BIO(L)**	biology
botanique	**BOT**	botany
anglais de Grande-Bretagne	**Brit**	British English
conjonction	**cj**	conjunction
langue familière (! emploi vulgaire)	**col (!)**	colloquial usage (! particularly offensive)
commerce, finance, banque	**COMM**	commerce, finance, banking
construction	**CONSTR**	building
nom utilisé comme adjectif, ne peut s'employer ni comme attribut, ni après le nom qualifié	**cpd**	compound element: noun used as an adjective and which cannot follow the noun it qualifies
cuisine, art culinaire	**CULIN**	cookery
déterminant: article, adjectif démonstratif ou indéfini etc	**dét, det**	determiner: article, demonstrative etc.
économie	**ECON**	economics
électricité, électronique	**ELEC**	electricity, electronics
exclamation, interjection	**excl**	exclamation, interjection
féminin	**f**	feminine
langue familière (! emploi vulgaire)	**fam (!)**	colloquial usage (! particularly offensive)
emploi figuré	**fig**	figurative use
(verbe anglais) dont la particule est inséparable du verbe	**fus**	(phrasal verb) where the particle cannot be separated from main verb
dans la plupart des sens; généralement	**gén, gen**	in most or all senses; generally
géographie, géologie	**GEO**	geography, geology
géométrie	**GEOM**	geometry
invariable	**inv**	invariable
irrégulier	**irg**	irregular
domaine juridique	**JUR**	law
grammaire, linguistique	**LING**	grammar, linguistics
masculin	**m**	masculine
mathématiques, algèbre	**MATH**	mathematics, calculus
médecine	**MED**	medical term, medicine
masculin ou féminin, suivant le sexe	**m/f**	either masculine or feminine depending on sex
domaine militaire, armée	**MIL**	military matters
musique	**MUS**	music
nom	**n**	noun
navigation, nautisme	**NAVIG, NAUT**	sailing, navigation
adjectif ou nom numérique	**num**	numeral adjective or noun
	o.s.	oneself
péjoratif	**péj, pej**	derogatory, pejorative
photographie	**PHOT(O)**	photography
physiologie	**PHYSIOL**	physiology
pluriel	**pl**	plural
politique	**POL**	politics
participe passé	**pp**	past participle
préposition	**prép, prep**	preposition
psychologie, psychiatrie	**PSYCH**	psychology, psychiatry

temps du passé	**pt**	past tense
nom non comptable: ne peut s'utiliser au pluriel	**q**	collective (uncountable) noun: is not used in the plural
quelque chose	**qch**	
quelqu'un	**qn**	
religions, domaine ecclésiastique	**REL**	religions, church service
	sb	somebody
enseignement, système scolaire et universitaire	**SCOL**	schooling, schools and universities
singulier	**sg**	singular
	sth	something
subjonctif	**sub**	subjunctive
sujet (grammatical)	**su(b)j**	(grammatical) subject
techniques, technologie	**TECH**	technical term, technology
télécommunications	**TEL**	telecommunications
télévision	**TV**	television
typographie	**TYP(O)**	typography, printing
anglais des USA	**US**	American English
verbe	**vb**	verb
verbe ou groupe verbal à fonction intransitive	**vi**	verb or phrasal verb used intransitively
verbe ou groupe verbal à fonction transitive	**vt**	verb or phrasal verb used transitively
zoologie	**ZOOL**	zoology
marque déposée	**®**	registered trademark
indique une équivalence culturelle	**≈**	introduces a cultural equivalent

TRANSCRIPTION PHONÉTIQUE   PHONETIC TRANSCRIPTION

CONSONNES   CONSONANTS

NB. **p**, **b**, **t**, **d**, **k**, **g** sont suivis d'une aspiration en anglais/are not aspirated in French.

*p*oupée *p*oupe	**p**	*p*uppy *p*ope
*b*om*b*e	**b**	*b*a*b*y ca*b*
*t*en*t*e *th*ermal	**t**	*t*en*t* s*t*rut
*d*in*d*e	**d**	*d*ad*d*y men*d*ed
*c*o*q* *qu*i *k*épi sa*c* pastè*qu*e	**k**	*c*ork *k*iss *ch*ord lo*ck*
*g*a*g* *g*are ba*gu*e *g*rin*g*alet	**g**	*g*a*g* *g*uess
*s*ale *c*e *ç*a de*ss*ou*s* na*t*ion tou*s*	**s**	*s*o ri*c*e *s*truts ki*ss* cre*s*cent
*z*éro mai*s*on ro*s*e	**z**	cou*s*in pod*s* buz*z* *z*ero
ta*che* *ch*at	**ʃ**	*sh*eep *s*ugar cra*sh* ma*sh*er
*g*ilet *j*uge	**ʒ**	plea*s*ure bei*g*e
	tʃ	*ch*urch
	dʒ	*j*udge *g*eneral ve*g*
*f*er *ph*are ga*ff*e para*ph*e	**f**	*f*arm ra*ff*le
val*v*e	**v**	*v*ery bra*v*e re*v*
	θ	*th*in slo*th* ma*th*s
	ð	*th*at o*th*er loa*the* clo*th*es
*l*ent sa*ll*e so*l*	**l**	*l*ittle p*l*ace ba*ll*
*r*are ve*n*ir *r*ent*r*er	**R**	
	r	*r*at *r*are sti*rr*ing st*r*ut
*m*a*m*an fe*mm*e	**m**	*m*u*mm*y ra*m* bo*mb*er co*mb*
*n*on *n*o*nn*e	**n**	*n*o ra*n* ru*nn*ing
*gn*ôle a*gn*eau vi*gn*e	**ɲ**	
	ŋ	si*ng*ing ra*ng* ba*nk*
*h*op ! (avec h aspiré)	**h**	*h*at re*h*eat
*y*eux pa*ill*e p*i*ed *h*ier	**j**	*y*et
*n*ou*er* ou*i*	**w**	*w*all be*w*ail
*hu*ile l*u*i	**ɥ**	
	x	lo*ch*

DIVERS   MISCELLANEOUS

dans la transcription de l'anglais: le r final se prononce en liaison devant une voyelle	**∗**	in French wordlist: no liaison
dans la transcription de l'anglais: précède la syllabe accentuée	**'**	in French transcription: no liaison

VOYELLES		VOWELS

NB. La mise en équivalence de certains sons n'indique qu'une ressemblance approximative.
The pairing of some vowel sounds only indicates approximate equivalence.

ici vie lyre	i i:	heel bead
	ɪ	hit pity
jou*er été* fermé*e*	e	
lait jouet merci	ɛ	set tent
patte plat amour	a æ	bat apple
bas pâte	ɑ ɑ:	after car calm
	ʌ	fun cousin
le premier	ə	over above
beurre peur	œ	
peu deux	ø ə:	urn fern work
mort or homme	ɔ	wash pot
geôle mot dôme eau gauche	o ɔ:	born cork
genou roue	u	full soot
	u:	boon lewd
rue vêtu urne	y	

DIPHTONGUES | | DIPHTHONGS

ɪə	beer tier
ɛə	tear fair there
eɪ	date plaice day
aɪ	life buy cry
au	owl foul now
əu	low no
ɔɪ	boil boy oily
uə	poor tour

VOYELLES NASALES | | NASAL VOWELS

matin plein	ɛ̃
brun	œ̃
vent sang an dans	ɑ̃
non pont	õ

FRANÇAIS-ANGLAIS
FRENCH-ENGLISH

A

a *vb voir* avoir.

à (*à + le* = **au**, *à + les* = **aux**) [a, o] *prép* (*situation*) at, in ; (*direction, attribution*) to ; (*provenance*) from ; (*moyen*) with, by ; **payé au mois** paid by the month ; **100 km/unités à l'heure** 100 km/units per hour ; à **3 heures/minuit** at 3 o'clock/midnight ; **au mois de juin** in the month of June ; **se chauffer au gaz** to heat one's house with gas ; **à bicyclette** by bicycle *ou* on a bicycle ; **l'homme aux yeux bleus** the man with the blue eyes ; **à la semaine prochaine!** see you next week! ; **à la russe** the Russian way, in the Russian fashion.

abaisser [abese] *vt* to lower, bring down ; (*manette*) to pull down ; (*fig*) to debase ; to humiliate ; **s'~** *vi* to go down ; (*fig*) to demean o.s. ; **s'~ à faire/à qch** to stoop *ou* descend to doing/to sth.

abandon [abɑ̃dɔ̃] *nm* abandoning ; deserting ; giving up ; relinquishing ; (*SPORT*) withdrawal ; (*fig*) lack of constraint ; relaxed pose *ou* mood ; **être à l'~** to be in a state of neglect.

abandonné, e [abɑ̃dɔne] *a* (*solitaire*) deserted.

abandonner [abɑ̃dɔne] *vt* to leave, abandon, desert ; (*projet, activité*) to abandon, give up ; (*SPORT*) to retire *ou* withdraw from ; (*céder*) to surrender, relinquish ; **s'~** *vi* to let o.s. go ; **s'~ à** (*paresse, plaisirs*) to give o.s. up to.

abasourdir [abazuʀdiʀ] *vt* to stun, stagger.

abat-jour [abaʒuʀ] *nm inv* lampshade.

abats [aba] *nmpl* (*de bœuf, porc*) offal *sg* ; (*de volaille*) giblets.

abattage [abataʒ] *nm* cutting down, felling ; (*entrain*) go, dynamism.

abattement [abatmɑ̃] *nm* enfeeblement ; dejection, despondency ; (*déduction*) reduction ; **~ fiscal** ≈ tax allowance.

abattis [abati] *nmpl* giblets.

abattoir [abatwaʀ] *nm* abattoir, slaughterhouse.

abattre [abatʀ(ə)] *vt* (*arbre*) to cut down, fell ; (*mur, maison*) to pull down ; (*avion, personne*) to shoot down ; (*animal*) to shoot, kill ; (*fig*) to wear out, tire out ; to demoralize ; **s'~** *vi* to crash down ; **s'~ sur** to beat down on ; to rain down on.

abbaye [abei] *nf* abbey.

abbé [abe] *nm* priest ; (*d'une abbaye*) abbot ; **M. l'~** Father.

abc, ABC [abese] *nm* alphabet primer ; (*fig*) rudiments *pl*.

abcès [apsɛ] *nm* abscess.

abdication [abdikasjɔ̃] *nf* abdication.

abdiquer [abdike] *vi* to abdicate // *vt* to renounce, give up.

abdomen [abdɔmɛn] *nm* abdomen ; **abdominal, e, aux** *a* abdominal // *nmpl*: **faire des abdominaux** to do exercises for the stomach muscles.

abécédaire [abesedɛʀ] *nm* alphabet primer.

abeille [abɛj] *nf* bee.

aberrant, e [abɛʀɑ̃, -ɑ̃t] *a* absurd.

abêtir [abetiʀ] *vt* to turn into a half-wit.

abhorrer [abɔʀe] *vt* to abhor, loathe.

abîme [abim] *nm* abyss, gulf.

abîmer [abime] *vt* to spoil, damage ; **s'~** *vi* to get spoilt *ou* damaged ; (*tomber*) to sink, founder.

abject, e [abʒɛkt] *a* abject, despicable.

abjurer [abʒyʀe] *vt* to abjure, renounce.

ablation [ablɑsjɔ̃] *nf* removal.

ablutions [ablysjɔ̃] *nfpl*: **faire ses ~** to perform one's ablutions.

abnégation [abnegɑsjɔ̃] *nf* (self-)abnegation.

aboiement [abwamɑ̃] *nm* bark, barking *q*.

abois [abwa] *nmpl*: **aux ~** at bay.

abolir [abɔliʀ] *vt* to abolish ; **abolition** *nf* abolition.

abominable [abɔminabl(ə)] *a* abominable.

abondance [abɔ̃dɑ̃s] *nf* abundance ; (*richesse*) affluence.

abondant, e [abɔ̃dɑ̃, -ɑ̃t] *a* plentiful, abundant, copious.

abonder [abɔ̃de] *vi* to abound, be plentiful ; **~ en** to be full of, abound in ; **~ dans le sens de qn** to concur with sb.

abonné, e [abɔne] *nm/f* subscriber ; season ticket holder.

abonnement [abɔnmɑ̃] *nm* subscription ; (*pour transports en commun, concerts*) season ticket.

abonner [abɔne] *vt*: **s'~ à** to subscribe to, take out a subscription to.

abord [abɔʀ] *nm*: **être d'un ~ facile** to be approachable ; **~s** *nmpl* surroundings ; **au premier ~** at first sight, initially ; **d'~** *ad* first.

abordable [abɔʀdabl(ə)] *a* approachable ; reasonably priced.

abordage [abɔʀdaʒ] *nm* boarding.

aborder [abɔʀde] *vi* to land // *vt* (*sujet, difficulté*) to tackle ; (*personne*) to approach ; (*rivage etc*) to reach ; (*NAVIG: attaquer*) to board ; (: *heurter*) to collide with.

aborigène [abɔʀiʒɛn] *nm* aborigine, native.

aboulique [abulik] *a* totally lacking in willpower.

aboutir [abutiʀ] *vi* (*négociations etc*) to succeed ; **~ à/dans/sur** to end up at/in/on ; **aboutissants** *nmpl voir* **tenants**.

aboyer [abwaje] *vi* to bark.

abracadabrant, e [abʀakadabʀɑ̃, -ɑ̃t] *a* incredible, preposterous.

abrasif, ive [abʀazif, -iv] *a, nm* abrasive.

abrégé [abʀeʒe] *nm* summary.

abréger [abʀeʒe] *vt* (*texte*) to shorten, abridge ; (*mot*) to shorten, abbreviate ; (*réunion, voyage*) to cut short, shorten.

abreuver [abʀœve] *vt* to water; *(fig)*: ~ **qn de** to shower *ou* swamp sb with; **s'**~ *vi* to drink; **abreuvoir** *nm* watering place.

abréviation [abʀevjɑsjɔ̃] *nf* abbreviation.

abri [abʀi] *nm* shelter; **à l'**~ under cover; **à l'**~ **de** sheltered from; *(fig)* safe from.

abricot [abʀiko] *nm* apricot; **abricotier** *nm* apricot tree.

abriter [abʀite] *vt* to shelter; *(loger)* to accommodate; **s'**~ to shelter, take cover.

abroger [abʀɔʒe] *vt* to repeal, abrogate.

abrupt, e [abʀypt] *a* sheer, steep; *(ton)* abrupt.

abruti, e [abʀyti] *nm/f (fam)* idiot, moron.

abrutir [abʀytiʀ] *vt* to daze; to exhaust; to stupefy.

abscisse [apsis] *nf* abscissa, X axis.

absence [apsɑ̃s] *nf* absence; *(MÉD)* blackout; mental blank.

absent, e [apsɑ̃, -ɑ̃t] *a* absent; *(chose)* missing, lacking; *(distrait: air)* vacant, faraway // *nm/f* absentee; **absentéisme** *nm* absenteeism; **s'absenter** *vi* to take time off work; *(sortir)* to leave, go out.

absinthe [apsɛ̃t] *nf (boisson)* absinth(e); *(BOT)* wormwood, absinth(e).

absolu, e [apsɔly] *a* absolute; *(caractère)* rigid, uncompromising; ~**ment** *ad* absolutely.

absolution [apsɔlysjɔ̃] *nf* absolution.

absolutisme [apsɔlytism(ə)] *nm* absolutism.

absolve *etc vb voir* **absoudre.**

absorbant, e [apsɔʀbɑ̃, -ɑ̃t] *a* absorbent.

absorbé, e [apsɔʀbe] *a* engrossed, absorbed.

absorber [apsɔʀbe] *vt* to absorb; *(gén MÉD, manger, boire)* to take.

absoudre [apsudʀ(ə)] *vt* to absolve.

abstenir [apstəniʀ]: **s'**~ *vi (POL)* to abstain; **s'**~ **de qch/de faire** to refrain from sth/from doing; **abstention** *nf* abstention; **abstentionnisme** *nm* abstentionism.

abstinence [apstinɑ̃s] *nf* abstinence.

abstraction [apstʀaksjɔ̃] *nf* abstraction; **faire** ~ **de** to set *ou* leave aside.

abstraire [apstʀɛʀ] *vt* to abstract; **abstrait, e** *a* abstract.

absurde [apsyʀd(ə)] *a* absurd // *nm* absurdity; absurd; **par l'**~ *ad* absurdio; **absurdité** *nf* absurdity.

abus [aby] *nm (excès)* abuse, misuse; *(injustice)* abuse; ~ **de confiance** breach of trust; embezzlement.

abuser [abyze] *vi* to go too far, overstep the mark // *vt* to deceive, mislead; ~ **de** *vt (force, droit)* to misuse; *(alcool)* to take to excess; *(violer, duper)* to take advantage of; **s'**~ *(se méprendre)* to be mistaken; **abusif, ive** *a* exorbitant; excessive; improper.

acabit [akabi] *nm*: **de cet** ~ of that type.

académicien, ne [akademisjɛ̃, -jɛn] *nm/f* academician.

académie [akademi] *nf (société)* learned society; *(école: d'art, de danse)* academy; *(ART: nu)* nude; *(SCOL: circonscription)* ≈ regional education authority; **l'A**~ **(française)** the French Academy; **académique** *a* academic.

acajou [akaʒu] *nm* mahogany.

acariâtre [akaʀjɑtʀ(ə)] *a* sour(-tempered).

accablement [akɑbləmɑ̃] *nm* despondency, depression.

accabler [akɑble] *vt* to overwhelm, overcome; *(suj: témoignage)* to condemn, damn; ~ **qn d'injures** to heap *ou* shower abuse on sb; ~ **qn de travail** to overburden sb with work; **accablé de dettes/soucis** weighed down with debts/cares.

accalmie [akalmi] *nf* lull.

accaparer [akapaʀe] *vt* to monopolize; *(sujet: travail etc)* to take up (all) the time *ou* attention of.

accéder [aksede]: ~ **à** *vt (lieu)* to reach; *(fig: pouvoir)* to accede to; *(: poste)* to attain; *(accorder: requête)* to grant, accede to.

accélérateur [akseleʀatœʀ] *nm* accelerator.

accélération [akseleʀɑsjɔ̃] *nf* speeding up; acceleration.

accélérer [akseleʀe] *vt (mouvement, travaux)* to speed up // *vi (AUTO)* to accelerate.

accent [aksɑ̃] *nm* accent; *(inflexions expressives)* tone (of voice); *(PHONÉTIQUE, fig)* stress; **aux** ~**s de** *(musique)* to the strains of; **mettre l'**~ **sur** *(fig)* to stress; ~ **aigu/grave** acute/grave accent.

accentuation [aksɑ̃tɥɑsjɔ̃] *nf* accenting; stressing.

accentuer [aksɑ̃tɥe] *vt (LING: orthographe)* to accent; *(: phonétique)* to stress, accent; *(fig)* to accentuate, emphasize; to increase; **s'**~ *vi* to become more marked *ou* pronounced.

acceptable [aksɛptabl(ə)] *a* satisfactory, acceptable.

acceptation [aksɛptɑsjɔ̃] *nf* acceptance.

accepter [aksɛpte] *vt* to accept; ~ **de faire** to agree to do; *(tolérer)*: ~ **que qn fasse** to agree to sb doing, let sb do.

acception [aksɛpsjɔ̃] *nf* meaning, sense.

accès [aksɛ] *nm (à un lieu)* access; *(MÉD)* attack; fit, bout; outbreak // *nmpl (routes etc)* means of access, approaches; **d'**~ **facile** easily accessible; ~ **de colère** fit of anger; ~ **de joie** burst of joy; **donner** ~ **à** *(lieu)* to give access to; *(carrière)* to open the door to; **avoir** ~ **auprès de qn** to have access to sb.

accessible [aksesibl(ə)] *a* accessible; *(livre, sujet)*: ~ **à qn** within the reach of sb; *(sensible)*: ~ **à la pitié/l'amour** open to pity/love.

accession [aksesjɔ̃] *nf*: ~ **à** accession to; attainment of.

accessit [aksesit] *nm (SCOL)* ≈ certificate of merit.

accessoire [akseswaʀ] *a* secondary, of secondary importance; incidental // *nm* accessory; *(THÉÂTRE)* prop; **accessoiriste** *nm/f (TV, CINÉMA)* property man/girl.

accident [aksidɑ̃] *nm* accident; **par** ~ by chance; ~ **de la route** road accident; **accidenté e** a damaged *ou* injured (in an accident); *(relief, terrain)* uneven; hilly; **accidentel, le** *a* accidental.

acclamation [aklamɑsjɔ̃] *nf*: **par** ~

(*vote*) by acclamation; ~s *nfpl* cheers, cheering *sg*.

acclamer [aklame] *vt* to cheer, acclaim.

acclimatation [aklimatasjɔ̃] *nf* acclimatization.

acclimater [aklimate] *vt* to acclimatize; **s'~** *vi* to become acclimatized.

accointances [akwɛ̃tɑ̃s] *nfpl*: **avoir des ~ avec** to have contacts with.

accolade [akɔlad] *nf* (*amicale*) embrace; (*signe*) brace; **donner l'~ à qn** to embrace sb.

accoler [akɔle] *vt* to place side by side.

accommodant, e [akɔmɔdɑ̃, -ɑ̃t] *a* accommodating.

accommodement [akɔmɔdmɑ̃] *nm* compromise.

accommoder [akɔmɔde] *vt* (*CULIN*) to prepare; (*points de vue*) to reconcile; **s'~ de** to put up with; to make do with.

accompagnateur, trice [akɔ̃paɲatœʀ, -tʀis] *nm/f* (*MUS*) accompanist; (*de voyage: guide*) guide; (*: d'enfants*) accompanying adult; (*: de voyage organisé*) courier.

accompagnement [akɔ̃paɲmɑ̃] *nm* (*MUS*) accompaniment.

accompagner [akɔ̃paɲe] *vt* to accompany, be *ou* go *ou* come with; (*MUS*) to accompany.

accompli, e [akɔ̃pli] *a* accomplished.

accomplir [akɔ̃pliʀ] *vt* (*tâche, projet*) to carry out; (*souhait*) to fulfil; **s'~** *vi* to be fulfilled; **accomplissement** *nm* carrying out; fulfilment.

accord [akɔʀ] *nm* (*entente, convention, LING*) agreement; (*entre des styles, tons etc*) harmony; (*consentement*) agreement, consent; (*MUS*) chord; **se mettre d'~** to come to an agreement (with each other); **être d'~** to agree; **~ parfait** (*MUS*) tonic chord.

accordéon [akɔʀdeɔ̃] *nm* (*MUS*) accordion; **accordéoniste** *nm/f* accordionist.

accorder [akɔʀde] *vt* (*faveur, délai*) to grant; (*harmoniser*) to match; (*MUS*) to tune; **s'~** to get on together; to agree; (*LING*) to agree; **accordeur** *nm* (*MUS*) tuner.

accoster [akɔste] *vt* (*NAVIG*) to draw alongside; (*personne*) to accost // *vi* (*NAVIG*) to berth.

accotement [akɔtmɑ̃] *nm* (*de route*) verge, shoulder; **~s non stabilisés** soft verges.

accoter [akɔte] *vt*: **~ qch contre/à** to lean *ou* rest sth against/on; **s'~ contre/à** to lean against/on.

accouchement [akuʃmɑ̃] *nm* delivery, (child)birth; labour.

accoucher [akuʃe] *vi* to give birth, have a baby; (*être en travail*) to be in labour // *vt* to deliver; **~ d'un garçon** to give birth to a boy; **accoucheur** *nm*: **(médecin) accoucheur** obstetrician; **accoucheuse** *nf* midwife.

accouder [akude]: **s'~** *vi*: **s'~ à/contre** to rest one's elbows on/against; **accoudoir** *nm* armrest.

accouplement [akupləmɑ̃] *nm* mating; coupling.

accoupler [akuple] *vt* to couple; (*pour la reproduction*) to mate; **s'~** to mate.

accourir [akuʀiʀ] *vi* to rush *ou* run up.

accoutrement [akutʀəmɑ̃] *nm* (*péj*) getup, rig-out.

accoutumance [akutymɑ̃s] *nf* (*gén*) adaptation; (*MÉD*) addiction.

accoutumé, e [akutyme] *a* (*habituel*) customary, usual.

accoutumer [akutyme] *vt*: **~ qn à qch/faire** to accustom sb to sth/to doing; **s'~ à** to get accustomed *ou* used to.

accréditer [akʀedite] *vt* (*nouvelle*) to substantiate; **~ qn (auprès de)** to accredit sb (to).

accroc [akʀo] *nm* (*déchirure*) tear; (*fig*) hitch, snag.

accrochage [akʀɔʃaʒ] *nm* hanging (up); hitching (up); (*AUTO*) (minor) collision, bump; (*MIL*) encounter, engagement; (*dispute*) clash, brush.

accroche-cœur [akʀɔʃkœʀ] *nm* kiss-curl.

accrocher [akʀɔʃe] *vt* (*suspendre*): **~ qch à** to hang sth (up) on; (*attacher: remorque*): **~ qch à** to hitch sth (up) to; (*heurter*) to catch; to catch on; to hit; (*déchirer*): **~ qch (à)** to catch sth (on); (*MIL*) to engage; (*fig*) to catch, attract; **s'~** (*se disputer*) to have a clash *ou* brush; **s'~ à** (*rester pris à*) to catch on; (*agripper, fig*) to hang on *ou* cling to.

accroissement [akʀwasmɑ̃] *nm* increase.

accroître [akʀwatʀ(ə)] *vt* to increase; **s'~** *vi* to increase.

accroupi, e [akʀupi] *a* squatting, crouching (down).

accroupir [akʀupiʀ]: **s'~** *vi* to squat, crouch (down).

accru, e [akʀy] *pp de* **accroître**.

accu [aky] *nm abr de* **accumulateur**.

accueil [akœj] *nm* welcome; **comité d'~** reception committee.

accueillir [akœjiʀ] *vt* to welcome; (*loger*) to accommodate.

acculer [akyle] *vt*: **~ qn à** *ou* **contre** to drive sb back against; **~ qn dans** to corner sb in; **~ qn à** (*faillite*) to drive sb to the brink of.

accumulateur [akymylatœʀ] *nm* accumulator.

accumulation [akymylasjɔ̃] *nf* accumulation; **chauffage/radiateur à ~** (night-)storage heating/heater.

accumuler [akymyle] *vt* to accumulate, amass; **s'~** *vi* to accumulate; to pile up.

accusateur, trice [akyzatœʀ, -tʀis] *nm/f* accuser // *a* accusing; (*document, preuve*) incriminating.

accusatif [akyzatif] *nm* (*LING*) accusative.

accusation [akyzasjɔ̃] *nf* (*gén*) accusation; (*JUR*) charge; (*partie*): **l'~** the prosecution; **mettre en ~** to indict.

accusé, e [akyze] *nm/f* accused; defendant; **~ de réception** acknowledgement of receipt.

accuser [akyze] *vt* to accuse; (*fig*) to emphasize, bring out; to show; **~ qn de** to accuse sb of; (*JUR*) to charge sb with; **~ qch de** (*rendre responsable*) to blame sth for; **~ réception de** to acknowledge receipt of.

acerbe [asɛʀb(ə)] *a* caustic, acid.

acéré, e [aseʀe] *a* sharp.

achalandé, e [aʃalɑ̃de] *a*: **bien ~** well-stocked ; well-patronized.

acharné, e [aʃaʀne] *a* (*lutte, adversaire*) fierce, bitter ; (*travail*) relentless, unremitting.

acharnement [aʃaʀnəmɑ̃] *nm* fierceness ; relentlessness.

acharner [aʃaʀne] *s'~ vi*: **s'~ sur** to go at fiercely, hound ; **s'~ contre** to set o.s. against ; to dog, pursue ; **s'~ à faire** to try doggedly to do ; to persist in doing.

achat [aʃa] *nm* buying *q* ; purchase ; **faire l'~ de** to buy, purchase ; **faire des ~s** to do some shopping, buy a few things.

acheminer [aʃmine] *vt* (*courrier*) to forward, dispatch ; (*troupes*) to convey, transport ; (*train*) to route ; **s'~ vers** to head for.

acheter [aʃte] *vt* to buy, purchase ; (*soudoyer*) to buy ; **~ qch à** (*marchand*) to buy *ou* purchase sth from ; (*ami etc: offrir*) to buy sth for ; **acheteur, euse** *nm/f* buyer ; shopper ; (*COMM*) buyer ; (*JUR*) vendee, purchaser.

achevé, e [aʃve] *a*: **d'un ridicule ~** thoroughly *ou* absolutely ridiculous.

achèvement [aʃɛvmɑ̃] *nm* completion ; finishing.

achever [aʃve] *vt* to complete, finish ; to end ; (*blessé*) to finish off ; **s'~ vi** to end.

achoppement [aʃɔpmɑ̃] *nm*: **pierre d'~** stumbling block.

acide [asid] *a* acid, sharp ; (*CHIMIE*) acid(ic) // *nm* (*CHIMIE*) acid ; **acidifier** *vt* to acidify ; **acidité** *nf* acidity ; sharpness ; **acidulé, e** *a* slightly acid ; **bonbons acidulés** acid drops.

acier [asje] *nm* steel ; **aciérie** *nf* steelworks *sg*.

acné [akne] *nf* acne.

acolyte [akɔlit] *nm* (*péj*) confederate.

acompte [akɔ̃t] *nm* deposit ; (*versement régulier*) instalment ; (*sur somme due*) payment on account ; **un ~ de 100 F** 100 F on account.

acoquiner [akɔkine]: **s'~ avec** *vt* (*péj*) to team up with.

à-côté [akote] *nm* side-issue ; (*argent*) extra.

à-coup [aku] *nm* (*du moteur*) (hic)cough ; (*fig*) jolt ; **sans ~s** smoothly ; **par ~s** by fits and starts.

acoustique [akustik] *nf* (*d'une salle*) acoustics *pl* ; (*science*) acoustics *sg* // *a* acoustic.

acquéreur [akeʀœʀ] *nm* buyer, purchaser.

acquérir [akeʀiʀ] *vt* to acquire ; (*par achat*) to purchase, acquire ; (*valeur*) to gain ; **ce que ses efforts lui ont acquis** what his efforts have won *ou* gained (for) him.

acquiescer [akjese] *vi* (*opiner*) to agree ; (*consentir*): **~ (à qch)** to acquiesce *ou* assent (to sth).

acquis, e [aki, -iz] *pp de* **acquérir** // *nm* (accumulated) experience ; **être ~ à** (*plan, idée*) to fully agree with ; **son aide nous est ~e** we can count on *ou* be sure of her help.

acquisition [akizisjɔ̃] *nf* acquisition ; purchase ; **faire l'~ de** to acquire ; to purchase.

acquit [aki] *vb voir* **acquérir** // *nm* (*quittance*) receipt ; **pour ~** received ; **par ~ de conscience** to set one's mind at rest.

acquittement [akitmɑ̃] *nm* acquittal ; payment, settlement.

acquitter [akite] *vt* (*JUR*) to acquit ; (*facture*) to pay, settle ; **s'~ de** to discharge ; to fulfil, carry out.

âcre [ɑkʀ(ə)] *a* acrid, pungent.

acrobate [akʀɔbat] *nm/f* acrobat.

acrobatie [akʀɔbasi] *nf* (*art*) acrobatics *sg* ; (*exercice*) acrobatic feat ; **~ aérienne** aerobatics *sg* ; **acrobatique** *a* acrobatic.

acte [akt(ə)] *nm* act, action ; (*THÉÂTRE*) act ; **~s** *nmpl* (*compterendu*) proceedings ; **prendre ~ de** to note, take note of ; **faire ~ de présence** to put in an appearance ; **l'~ d'accusation** the charges ; the bill of indictment ; **~ de naissance** birth certificate.

acteur, trice [aktœʀ, -tʀis] *nm/f* actor/actress.

actif, ive [aktif, -iv] *a* active // *nm* (*COMM*) assets *pl* ; (*fig*): **avoir à son ~** to have to one's credit ; **mettre à son ~** to add to one's list of achievements.

action [aksjɔ̃] *nf* (*gén*) action ; (*COMM*) share ; **une bonne ~** a good deed ; **~ en diffamation** libel action ; **actionnaire** *nm/f* shareholder ; **actionner** *vt* to work ; to activate.

active [aktiv] *a voir* **actif** ; **~ment** *ad* actively.

activer [aktive] *vt* to speed up ; **s'~ vi** to bustle about ; to hurry up.

activiste [aktivist(ə)] *nm/f* activist.

activité [aktivite] *nf* activity ; **volcan en ~** active volcano.

actrice [aktʀis] *nf voir* **acteur**.

actualiser [aktɥalize] *vt* to actualize ; to bring up to date.

actualité [aktɥalite] *nf* (*d'un problème*) topicality ; (*évènements*): **l'~** current events ; **les ~s** (*CINÉMA, TV*) the news.

actuel, le [aktɥɛl] *a* (*présent*) present ; (*d'actualité*) topical ; (*non virtuel*) actual ; **~lement** *ad* at present ; at the present time.

acuité [akɥite] *nf* acuteness.

acupuncteur, acupuncteur [akypɔ̃k-tœʀ] *nm* acupuncturist.

acuponcture, acupuncture [akypɔ̃k-tyʀ] *nf* acupuncture.

adage [adaʒ] *nm* adage.

adagio [adadʒjo] *nm* adagio.

adaptateur, trice [adaptatœʀ, -tʀis] *nm/f* adapter // *nm* (*ÉLEC*) adapter.

adaptation [adaptasjɔ̃] *nf* adaptation.

adapter [adapte] *vt* to adapt ; **~ qch à** (*approprier*) to adapt sth to (fit) ; **~ qch sur/dans/à** (*fixer*) to fit sth on/into/to ; **s'~ (à)** (*suj: personne*) to adapt (to).

additif [aditif] *nm* additional clause ; (*CHIMIE*) additive.

addition [adisjɔ̃] *nf* addition ; (*au café*) bill ; **additionnel, le** *a* additional.

additionner [adisjɔne] *vt* to add (up) ; **~**

un produit d'eau to add water to a product.

adepte [adεpt(ə)] *nm/f* follower.

adéquat, e [adekwa, -at] *a* appropriate, suitable.

adhérence [adeRɑ̃s] *nf* adhesion.

adhérent, e [adeRɑ̃, -ɑ̃t] *nm/f* (*de club*) member.

adhérer [adeRe] *vi* (*coller*) to adhere, stick ; ~ **à** *vt* (*coller*) to adhere *ou* stick to ; (*se rallier à: parti, club*) to join ; to be a member of ; (: *opinion, mouvement*) to support ; **adhésif, ive** *a* adhesive, sticky // *nm* adhesive ; **adhésion** *nf* joining ; membership ; support.

ad hoc [adɔk] *a* ad hoc.

adieu, x [adjø] *excl* goodbye // *nm* farewell ; **dire ~ à qn** to say goodbye *ou* farewell to sb.

adipeux, euse [adipø, -øz] *a* bloated, fat ; (ANAT) adipose.

adjacent, e [adʒasɑ̃, -ɑ̃t] *a* adjacent.

adjectif [adʒεktif] *nm* adjective ; ~ **attribut** adjectival complement ; ~ **épithète** attributive adjective.

adjoindre [adʒwɛ̃dR(ə)] *vt*: ~ **qch à** to attach sth to ; to add sth to ; ~ **qn à** (*personne*) to appoint sb as an assistant to ; (*comité*) to appoint sb to, attach sb to ; **s'~** (*collaborateur etc*) to take on, appoint ; **adjoint, e** *nm/f* assistant ; **adjoint au maire** deputy mayor ; **directeur adjoint** assistant manager ; **adjonction** *nf* attaching ; addition ; appointment.

adjudant [adʒydɑ̃] *nm* (MIL) warrant officer.

adjudicataire [adʒydikatεR] *nm/f* successful bidder, purchaser ; successful tenderer.

adjudication [adʒydikasjɔ̃] *nf* sale by auction ; (*pour travaux*) invitation to tender.

adjuger [adʒyʒe] *vt* (*prix, récompense*) to award ; (*lors d'une vente*) to auction (off) ; **s'~** *vt* to take for o.s.

adjurer [adʒyRe] *vt*: ~ **qn de faire** to implore *ou* beg sb to do.

adjuvant [adʒyvɑ̃] *nm* adjuvant ; additive ; stimulant.

admettre [admεtR(ə)] *vt* (*visiteur, nouveau-venu*) to admit, let in ; (*candidat: SCOL*) to pass ; (TECH: *gaz, eau, air*) to admit ; (*tolérer*) to allow, accept ; (*reconnaître*) to admit, acknowledge.

administrateur, trice [administRatœR, -tRis] *nm/f* (COMM) director ; (ADMIN) administrator.

administratif, ive [administRatif, -iv] *a* administrative.

administration [administRasjɔ̃] *nf* administration ; **l'A~** ≈ the Civil Service.

administré, e [administRe] *nm/f*: **ses ~s** the citizens in his care.

administrer [administRe] *vt* (*firme*) to manage, run ; (*biens, remède, sacrement etc*) to administer.

admirable [admiRabl(ə)] *a* admirable, wonderful.

admirateur, trice [admiRatœR, -tRis] *nm/f* admirer.

admiratif, ive [admiRatif, -iv] *a* admiring.

admiration [admiRasjɔ̃] *nf* admiration.

admirer [admiRe] *vt* to admire.

admis, e *pp de* **admettre**.

admissible [admisibl(ə)] *a* (*candidat*) eligible ; (*comportement*) admissible, acceptable.

admission [admisjɔ̃] *nf* admission ; acknowledgement ; **tuyau d'~** intake pipe ; **demande d'~** application for membership.

admonester [admɔnεste] *vt* to admonish.

adolescence [adɔlesɑ̃s] *nf* adolescence.

adolescent, e [adɔlesɑ̃, -ɑ̃t] *nm/f* adolescent.

adonner [adɔne]: **s'~ à** *vt* (*sport*) to devote o.s. to ; (*boisson*) to give o.s. over to.

adopter [adɔpte] *vt* to adopt ; (*projet de loi etc*) to pass ; **adoptif, ive** *a* (*parents*) adoptive ; (*fils, patrie*) adopted ; **adoption** *nf* adoption.

adoration [adɔRasjɔ̃] *nf* adoration ; worship.

adorer [adɔRe] *vt* to adore ; (REL) to worship, adore.

adosser [adose] *vt*: ~ **qch à** *ou* **contre** to stand sth against ; **s'~ à** *ou* **contre** to lean with one's back against.

adoucir [adusiR] *vt* (*goût, température*) to make milder ; (*avec du sucre*) to sweeten ; (*peau, voix*) to soften ; (*caractère, personne*) to mellow ; (*peine*) to soothe, allay ; **s'~** *vi* to become milder ; to soften ; to mellow.

adresse [adRεs] *nf* (*voir adroit*) skill, dexterity ; (*domicile*) address ; **à l'~ de** (*pour*) for the benefit of.

adresser [adRese] *vt* (*lettre: expédier*) to send ; (: *écrire l'adresse sur*) to address ; (*injure, compliments*) to address ; ~ **qn à un docteur/bureau** to refer *ou* send sb to a doctor/an office ; ~ **la parole à qn** to speak to *ou* address sb ; **s'~ à** (*parler à*) to speak to, address ; (*s'informer auprès de*) to go and see, go and speak to ; (: *bureau*) to enquire at ; (*suj: livre, conseil*) to be aimed at.

Adriatique [adRiatik] *nf*: **l'~** the Adriatic.

adroit, e [adRwa, -wat] *a* (*joueur, mécanicien*) skilful, dext(e)rous ; (*politicien etc*) shrewd, skilled ; **adroitement** *ad* skilfully ; dext(e)rously.

aduler [adyle] *vt* to adulate.

adulte [adylt(ə)] *nm/f* adult, grown-up // *a* (*chien, arbre*) fully-grown, mature ; (*attitude*) adult, grown-up ; **l'âge ~** adulthood.

adultère [adyltεR] *a* adulterous // *nm/f* adulterer/adulteress // *nm* (*acte*) adultery ; **adultérin, e** *a* born of adultery.

advenir [advəniR] *vi* to happen ; **qu'est-il advenu de** what has become of.

adverbe [advεRb(ə)] *nm* adverb.

adversaire [advεRsεR] *nm/f* (SPORT, *gén*) opponent, adversary ; (MIL) adversary, enemy ; (*non partisan*): ~ **de** opponent of.

adverse [advεRs(ə)] *a* opposing.

adversité [advεRsite] *nf* adversity.

aérateur [aeRatœR] *nm* ventilator.

aération [aeRasjɔ̃] *nf* airing ; ventilation ;

conduit d'~ ventilation shaft; **bouche d'~** air-vent.

aéré, e [aere] a (*pièce, local*) airy, well-ventilated; (*tissu*) loose-woven.

aérer [aere] vt to air; (*fig*) to lighten; **s'~** vi to get some (fresh) air.

aérien, ne [aerjɛ̃ -jɛn] a (AVIAT) air cpd, aerial; (*câble, métro*) overhead; (*fig*) light.

aéro... [aero] préfixe: **~-club** nm flying club; **~drome** nm aerodrome; **~dynamique** a aerodynamic, streamlined // nf aerodynamics sg; **~gare** nf airport (buildings); (*en ville*) air terminal; **~glisseur** nm hovercraft; **~nautique** a aeronautical // nf aeronautics sg; **~naval, e** a air and sea cpd // nf the Fleet Air Arm; **~phagie** nf aerophagy; **~port** nm airport; **~porté, e** a airborne, airlifted; **~sol** nm aerosol; **~spatial, e, aux** a aerospace; **~train** nm hovertrain.

affable [afabl(ə)] a affable.

affadir [afadiʀ] vt to make insipid ou tasteless.

affaiblir [afebliʀ] vt to weaken; **s'~** vi to weaken, grow weaker; **affaiblissement** nm weakening.

affaire [afɛʀ] nf (*problème, question*) matter; (*criminelle, judiciaire*) case; (*scandaleuse etc*) affair; (*entreprise*) business; (*marché, transaction*) (business) deal; (*piece of*) business q; (*occasion intéressante*) good deal, bargain; **~s** nfpl affairs; (*activité commerciale*) business sg; (*effets personnels*) things, belongings; te **sont mes ~s** (*cela me concerne*) that's my business; **ceci fera l'~** this will do (nicely); **avoir ~ à** to be faced with; to be dealing with; **les A~s étrangères** (POL) Foreign Affairs; **s'affairer** vi to busy o.s., bustle about; **affairisme** nm (political) racketeering.

affaisser [afese]: **s'~** vi (*terrain, immeuble*) to subside, sink; (*personne*) to collapse.

affaler [afale]: **s'~** vi: **s'~ dans/sur** to collapse ou slump into/onto.

affamer [afame] vt to starve.

affectation [afɛktɑsjɔ̃] nf allotment; appointment; posting; (*voir affecté*) affectedness.

affecté, e [afɛkte] a affected.

affecter [afɛkte] vt (*émouvoir*) to affect, move; (*feindre*) to affect, feign; (*telle ou telle forme etc*) to take on, assume; **~ qch à** to allocate ou allot sth to; **~ qn à** to appoint sb to; (*diplomate*) to post sb to; **~ qch d'un coefficient** etc to modify sth by a coefficient etc, tag a coefficient etc onto sth.

affectif, ive [afɛktif, -iv] a emotional, affective.

affection [afɛksjɔ̃] nf affection; (*mal*) ailment; **affectionner** vt to be fond of.

affectueux, euse [afɛktɥø, -øz] a affectionate.

afférent, e [aferɑ̃, -ɑ̃t] a: **~ à** pertaining ou relating to.

affermir [afɛʀmiʀ] vt to consolidate, strengthen.

affichage [afiʃaʒ] nm billposting; (*électronique*) display; **~ numérique** ou **digital** digital display.

affiche [afiʃ] nf poster; (*officielle*) (public) notice; (THÉÂTRE) bill.

afficher [afiʃe] vt (*affiche*) to put up, post up; (*réunion*) to announce by (means of) posters ou public notices; (*électroniquement*) to display; (*fig*) to exhibit, display; **s'~** (péj) to flaunt o.s.

affilée [afile]: **d'~** ad at a stretch.

affiler [afile] vt to sharpen.

affilier [afilje] vt: **s'~ à** to become affiliated to.

affiner [afine] vt to refine; **s'~** vi to become (more) refined.

affinité [afinite] nf affinity.

affirmatif, ive [afiʀmatif, -iv] a affirmative // nf: **répondre par l'affirmative** to reply yes ou in the affirmative; **dans l'affirmative** if (the answer is) yes, if he does (ou you do etc).

affirmation [afiʀmɑsjɔ̃] nf assertion.

affirmer [afiʀme] vt (*prétendre*) to maintain, assert; (*autorité etc*) to assert.

affleurer [aflœʀe] vi to show on the surface.

affliction [afliksjɔ̃] nf affliction.

affligé, e [afliʒe] a distressed, grieved; **~ de** (*maladie, tare*) afflicted with.

affliger [afliʒe] vt (*peiner*) to distress, grieve.

affluence [aflyɑ̃s] nf crowds pl; **heures d'~** rush hours; **jours d'~** busiest days.

affluent [aflyɑ̃] nm tributary.

affluer [aflye] vi (*secours, biens*) to flood in, pour in; (*sang*) to rush, flow; **afflux** nm flood, influx; rush.

affoler [afɔle] vt to throw into a panic; **s'~** vi to panic.

affranchir [afʀɑ̃ʃiʀ] vt to put a stamp ou stamps on; (*à la machine*) to frank; (*esclave*) to enfranchise, emancipate; (*fig*) to free, liberate; **affranchissement** nm franking; freeing; **tarifs d'affranchissement** postal rates; **affranchissement insuffisant** insufficient postage.

affres [afʀ(ə)] nfpl: **dans les ~ de** in the throes of.

affréter [afʀete] vt to charter.

affreux, euse [afʀø, -øz] a (*laid*) hideous, ghastly; (*épouvantable*) dreadful, awful.

affriolant, e [afʀijɔlɑ̃, -ɑ̃t] a tempting, arousing.

affront [afʀɔ̃] nm affront.

affronter [afʀɔ̃te] vt to confront, face.

affubler [afyble] vt (péj): **~ qn de** to rig ou deck sb out in; (*surnom*) to attach to sb.

affût [afy] nm (*de canon*) gun carriage; **à l'~ (de)** (*gibier*) lying in wait (for); (*fig*) on the look-out (for).

affûter [afyte] vt to sharpen, grind.

afin [afɛ̃]: **~ que** cj so that, in order that; **~ de faire** in order to do, so as to do.

a fortiori [afɔʀsjɔʀi] ad all the more, a fortiori.

A.F.P. sigle f = Agence France Presse.

africain, e [afʀikɛ̃, -ɛn] a, nm/f African.

Afrique [afʀik] nf: **l'~** Africa; **l'~ du Sud** South Africa.

agacer [agase] vt to pester, tease; (*involontairement*) to irritate, aggravate; (*aguicher*) to excite, lead on.

âge [aʒ] *nm* age; **quel ~ as-tu?** how old are you?; **prendre de l'~** to be getting on (in years), grow older; **l'~ ingrat** the awkward *ou* difficult age; **l'~ mûr** maturity, middle age; **âgé, e** a old, elderly; **âgé de 10 ans** 10 years old.

agence [aʒɑ̃s] *nf* agency, office; (*succursale*) branch; **~ immobilière** estate agent's (office); **~ matrimoniale** marriage bureau; **~ de voyages** travel agency.

agencer [aʒɑ̃se] *vt* to put together; to arrange, lay out.

agenda [aʒɛ̃da] *nm* diary.

agenouiller [aʒnuje]: **s'~** *vi* to kneel (down).

agent [aʒɑ̃] *nm* (*aussi*: **~ de police**) policeman; (ADMIN) official, officer; (*fig: élément, facteur*) agent; **~ d'assurances** insurance broker; **~ de change** stockbroker; **~ (secret)** (secret) agent.

agglomération [aglɔmeʀasjɔ̃] *nf* town; built-up area; **l'~ parisienne** the urban area of Paris.

aggloméré [aglɔmeʀe] *nm* (*bois*) chipboard; (*pierre*) conglomerate.

agglomérer [aglɔmeʀe] *vt* to pile up; (TECH: *bois, pierre*) to compress.

agglutiner [aglytine] *vt* to stick together; **s'~** *vi* to congregate.

aggraver [agʀave] *vt* to worsen, aggravate; (JUR: *peine*) to increase; **s'~** *vi* to worsen.

agile [aʒil] a agile, nimble; **agilité** *nf* agility, nimbleness.

agir [aʒiʀ] *vi* (*se comporter*) to behave, act; (*faire quelque chose*) to act, take action; (*avoir de l'effet*) to act; **il s'agit de** it's a matter *ou* question of; it is about; (*il importe que*) **il s'agit de faire** we (*ou* you etc) must do; **agissements** *nmpl* (*gén péj*) schemes, intrigues.

agitateur, trice [aʒitatœʀ, -tʀis] *nm/f* agitator.

agitation [aʒitasjɔ̃] *nf* (hustle and) bustle; agitation, excitement; (*politique*) unrest, agitation.

agité, e [aʒite] a fidgety, restless; agitated, perturbed; (*journée*) hectic; **une mer ~e** a rough *ou* choppy sea; **un sommeil ~ (a)** disturbed *ou* broken sleep.

agiter [aʒite] *vt* (*bouteille, chiffon*) to shake; (*bras, mains*) to wave; (*préoccuper, exciter*) to trouble, perturb; **s'~** *vi* to bustle about; (*dormeur*) to toss and turn; (*enfant*) to fidget; (POL) to grow restless.

agneau, x [aɲo] *nm* lamb.

agonie [agɔni] *nf* mortal agony, pangs *pl* of death; (*fig*) death throes *pl.*

agonir [agɔniʀ] *vt*: **~ qn d'injures** to hurl abuse at sb.

agoniser [agɔnize] *vi* to be dying.

agrafe [agʀaf] *nf* (*de vêtement*) hook, fastener; (*de bureau*) staple; **agrafer** *vt* to fasten; to staple; **agrafeuse** *nf* stapler.

agraire [agʀɛʀ] a agrarian; (*mesure, surface*) land *cpd.*

agrandir [agʀɑ̃diʀ] *vt* (*magasin, domaine*) to extend, enlarge; (*trou*) to make bigger; (PHOTO) to enlarge, blow up; **s'~** *vi* to be extended; to be enlarged; **agrandissement** *nm* extension; enlarge-

ment; **agrandisseur** *nm* (PHOTO) enlarger.

agréable [agʀeabl(ə)] a pleasant, nice.

agréé, e [agʀee] a: **concessionnaire ~** registered dealer.

agréer [agʀee] *vt* (*requête*) to accept; **~ à** *vt* to please, suit; **veuillez ~ ...** (*formule épistolaire*) yours faithfully.

agrégation [agʀegasjɔ̃] *nf highest teaching diploma in France* (*competitive examination*); **agrégé, e** *nm/f* holder of the *agrégation.*

agréger [agʀeʒe]: **s'~** *vi* to aggregate.

agrément [agʀemɑ̃] *nm* (*accord*) consent, approval; (*attraits*) charm, attractiveness; (*plaisir*) pleasure.

agrémenter [agʀemɑ̃te] *vt* to embellish, adorn.

agrès [agʀɛ] *nmpl* (gymnastics) apparatus *sg.*

agresser [agʀese] *vt* to attack.

agresseur [agʀesœʀ] *nm* aggressor, attacker; (POL, MIL) aggressor.

agressif, ive [agʀesif, -iv] a aggressive.

agression [agʀesjɔ̃] *nf* attack; (POL, MIL, PSYCH) aggression.

agressivité [agʀesivite] *nf* aggressiveness.

agreste [agʀɛst(ə)] a rustic.

agricole [agʀikɔl] a agricultural, farm *cpd.*

agriculteur [agʀikyltœʀ] *nm* farmer.

agriculture [agʀikyltyʀ] *nf* agriculture, farming.

agripper [agʀipe] *vt* to grab, clutch; (*pour arracher*) to snatch, grab; **s'~ à** to cling (on) to, clutch, grip.

agronome [agʀɔnɔm] *nm/f* agronomist.

agronomie [agʀɔnɔmi] *nf* agronomy, agronomics *sg.*

agrumes [agʀym] *nmpl* citrus fruit(s).

aguerrir [ageʀiʀ] *vt* to harden.

aguets [agɛ]: **aux ~** *ad*: **être aux ~** to be on the look-out.

aguicher [agiʃe] *vt* to entice.

ahurissement [ayʀismɑ̃] *nm* stupefaction.

ai *vb voir* **avoir.**

aide [ɛd] *nm/f* assistant // *nf* assistance, help; (*secours financier*) aid; **à l'~ de** (*avec*) with the help *ou* aid of; **aller à l'~ de qn** to go to sb's aid *ou* to help sb; **venir en ~ à qn** to help sb, come to sb's assistance; **appeler (qn) à l'~** to call for help (from sb); **~ comptable** *nm* accountant's assistant; **~ électricien** *nm* electrician's mate; **~ familiale** *nf* mother's help, home help; **~ de laboratoire** *nm/f* laboratory assistant; **~ sociale** *nf* (*assistance*) ≈ social security; **~ soignant, e** *nm/f* auxiliary nurse; **~-mémoire** *nm inv* memoranda pages *pl*; (key facts) handbook.

aider [ede] *vt* to help; **~ à qch** (*faciliter*) to help (towards) sth; **s'~ de** (*se servir de*) to use, make use of.

aie etc *vb voir* **avoir.**

aïe [aj] *excl* ouch.

aïeul, e [ajœl] *nm/f* grandparent, grandfather/grandmother; forbear.

aïeux [ajø] *nmpl* grandparents; forbears, forefathers.

aigle [ɛgl(ə)] *nm* eagle.
aigre [ɛgR(ə)] *a* sour, sharp; (*fig*) sharp, cutting; **~-doux, douce** *a* bitter-sweet; **~let, te** *a* sourish, sharpish; **aigreur** *nf* sourness, sharpness; **aigreurs d'estomac** heartburn *sg*; **aigrir** *vt* (*personne*) to embitter; (*caractère*) to sour; **s'aigrir** *vi* to become embittered; to sour; (*lait etc*) to turn sour.
aigu, ë [egy] *a* (*objet, arête*) sharp, pointed; (*son, voix*) high-pitched, shrill; (*note*) high(-pitched); (*douleur, intelligence*) acute, sharp.
aigue-marine [ɛgmaRin] *nf* aquamarine.
aiguillage [egɥijaʒ] *nm* (RAIL) points *pl*.
aiguille [egɥij] *nf* needle; (*de montre*) hand; **~ à tricoter** knitting needle.
aiguiller [egɥije] *vt* (*orienter*) to direct; (RAIL) to shunt; **aiguilleur** *nm* (RAIL) pointsman; **aiguilleur du ciel** air traffic controller.
aiguillon [egɥijɔ̃] *nm* (*d'abeille*) sting; (*fig*) spur, stimulus; **aiguillonner** *vt* to spur *ou* goad on.
aiguiser [egize] *vt* to sharpen, grind; (*fig*) to stimulate; to sharpen; to excite.
ail [aj] *nm* garlic.
aile [ɛl] *nf* wing; **ailé, e** *a* winged; **aileron** *nm* (*de requin*) fin; (*d'avion*) aileron; (*de voiture*) aerofoil; **ailette** *nf* (TECH) fin; blade; wing; **ailier** *nm* winger.
aille *etc vb voir* **aller.**
ailleurs [ajœR] *ad* elsewhere, somewhere else; **partout/nulle part ~** everywhere/nowhere else; **d'~** *ad* (*du reste*) moreover, besides; **par ~** *ad* (*d'autre part*) moreover, furthermore.
aimable [ɛmabl(ə)] *a* kind, nice; **~ment** *ad* kindly.
aimant [ɛmɑ̃] *nm* magnet.
aimant, e [ɛmɑ̃, -ɑ̃t] *a* loving, affectionate.
aimanter [ɛmɑ̃te] *vt* to magnetize.
aimer [eme] *vt* to love; (*d'amitié, affection, par goût*) to like; (*souhait*): **j'aimerais...** I would like...; **bien ~ qn/qch** to quite like sb/sth; **j'aime mieux** *ou* **autant vous dire que** I may as well tell you that; **j'aimerais autant y aller maintenant** I'd sooner *ou* rather go now; **j'aimerais mieux y aller maintenant** I'd much rather go now.
aine [ɛn] *nf* groin.
aîné, e [ene] *a* elder, older; (*le plus âgé*) eldest, oldest // *nm/f* oldest child *ou* one, oldest boy *ou* son/girl *ou* daughter; **il est mon ~ (de 2 ans)** (*rapports non familiaux*) he's (2 years) older than me, he's 2 years my senior; **~s** *nmpl* (*fig: anciens*) elders; **aînesse** *nf*: **droit d'aînesse** birthright.
ainsi [ɛ̃si] *ad* (*de cette façon*) like this, in this way, thus; (*ce faisant*) thus // *cj* thus, so; **~ que** (*comme*) (just) as; (*et aussi*) as well as; **pour ~ dire** so to speak, as it were; **et ~ de suite** and so on (and so forth).
air [ɛR] *nm* air; (*mélodie*) tune; (*expression*) look, air; **en l'~** (up) into the air; **tirer en l'~** to fire shots in the air; **prendre l'~** to get some (fresh) air; (*avion*) to take off; **avoir l'~** (*sembler*) to look, appear; **avoir l'~ de** to look like; **avoir l'~ de faire** to look as though one is doing, appear to be doing.

aire [ɛR] *nf* (*zone, fig, MATH*) area; (*nid*) eyrie; **~ d'atterrissage** landing strip; landing patch; **~ de jeu** play area; **~ de lancement** launching site; **~ de stationnement** parking area; (*d'autoroute*) lay-by.
aisance [ɛzɑ̃s] *nf* ease; (*richesse*) affluence; **être dans l'~** to be well-off, be affluent.
aise [ɛz] *nf* comfort // *a*: **être bien ~ que** to be delighted that; **~s** *nfpl*: **aimer ses ~s** to like one's (creature) comforts; **prendre ses ~s** to make o.s. comfortable; **frémir d'~** to shudder with pleasure; **être à l'~** *ou* **à son ~** to be comfortable; (*pas embarrassé*) to be at ease; (*financièrement*) to be comfortably off; **se mettre à l'~** to make o.s. comfortable; **être mal à l'~** *ou* **à son ~** to be uncomfortable; to be ill at ease; **mettre qn mal à l'~** to make sb feel ill at ease; **à votre ~** please yourself, just as you like; **en faire à son ~** to do as one likes; **aisé, e** *a* easy; (*assez riche*) well-to-do, well-off; **aisément** *ad* easily.
aisselle [ɛsɛl] *nf* armpit.
ait *vb voir* **avoir.**
ajonc [aʒɔ̃] *nm* gorse *q*.
ajouré, e [aʒuRe] *a* openwork *cpd*.
ajournement [aʒuRnəmɑ̃] *nm* adjournment; deferment; postponement.
ajourner [aʒuRne] *vt* (*réunion*) to adjourn; (*décision*) to defer, postpone; (*candidat*) to refer; (*conscrit*) to defer.
ajout [aʒu] *nm* addition.
ajouter [aʒute] *vt* to add; **~ à** *vt* (*accroître*) to add to; **s'~ à** to add to; **~ foi à** to lend *ou* give credence to.
ajustage [aʒystaʒ] *nm* fitting.
ajusté, e [aʒyste] *a*: **bien ~** (*robe etc*) close-fitting.
ajustement [aʒystəmɑ̃] *nm* adjustment.
ajuster [aʒyste] *vt* (*régler*) to adjust; (*vêtement*) to alter; (*coup de fusil*) to aim; (*cible*) to aim at; (*TECH, gén: adapter*): **~ qch à** to fit sth to; **ajusteur** *nm* metal worker.
alambic [alɑ̃bik] *nm* still.
alanguir [alɑ̃giR]: **s'~** *vi* to grow languid.
alarme [alaRm(ə)] *nf* alarm; **donner l'~** to give *ou* raise the alarm; **alarmer** *vt* to alarm; **s'alarmer** *vi* to become alarmed.
Albanie [albani] *nf*: **l'~** Albania.
albâtre [albɑtR(ə)] *nm* alabaster.
albatros [albatRos] *nm* albatross.
albinos [albinos] *nm/f* albino.
album [albɔm] *nm* album.
albumen [albymɛn] *nm* albumen.
albumine [albymin] *nf* albumin; **avoir** *ou* **faire de l'~** to suffer from albuminuria.
alcalin, e [alkalɛ̃, -in] *a* alkaline.
alchimie [alʃimi] *nf* alchemy; **alchimiste** *nm* alchemist.
alcool [alkɔl] *nm*: **l'~** alcohol; **un ~** a spirit, a brandy; **~ à brûler** methylated spirits; **~ à 90°** surgical spirit; **~ique** *a*, *nm/f* alcoholic; **~isé, e** *a* alcoholic; **~isme** *nm* alcoholism; **alco(o)test** ® *nm* breathalyser; (*test*) breath-test.
alcôve [alkov] *nf* alcove, recess.

aléas [alea] *nmpl* hazards ; **aléatoire** *a* uncertain.

alentour [alɑ̃tuʀ] *ad* around (about) ; ~**s** *nmpl* surroundings ; **aux** ~**s de** in the vicinity *ou* neighbourhood of, around about ; (*temps*) (a)round about.

alerte [alɛʀt(ə)] *a* agile, nimble ; brisk, lively // *nf* alert ; warning ; **donner l'**~ to give the alert ; **alerter** *vt* to alert.

alèse [alɛz] *nf* (*drap*) undersheet, drawsheet.

aléser [aleze] *vt* to ream.

alevin [alvɛ̃] *nm* alevin, young fish.

algarade [algaʀad] *nf* row, dispute.

algèbre [alʒɛbʀ(ə)] *nf* algebra ; **algébrique** *a* algebraic.

Alger [alʒe] *n* Algiers.

Algérie [alʒeʀi] *nf* Algeria ; **algérien, ne** *a, nm/f* Algerian.

Algérois, e [alʒeʀwa, -waz] *nm/f* inhabitant *ou* native of Algiers // *nm*: **l'**~ the Algiers region.

algorithme [algɔʀitm(ə)] *nm* algorithm.

algue [alg(ə)] *nf* (*gén*) seaweed *q* ; (*BOT*) alga (*pl* algae).

alibi [alibi] *nm* alibi.

aliénation [aljenɑsjɔ̃] *nf* alienation.

aliéné, e [aljene] *nm/f* insane person, lunatic (*péj*).

aliéner [aljene] *vt* to alienate ; (*bien, liberté*) to give up ; **s'**~ *vt* to alienate.

alignement [aliɲmɑ̃] *nm* alignment ; lining up ; **à l'**~ in line.

aligner [aliɲe] *vt* to align, line up ; (*idées, chiffres*) to string together ; (*adapter*): ~ **qch sur** to bring sth into alignment with ; **s'**~ (*soldats etc*) to line up ; **s'**~ **sur** (*POL*) to align o.s. on.

aliment [alimɑ̃] *nm* food ; **alimentaire** *a* food *cpd* ; (*péj: besogne*) done merely to earn a living, done as a potboiler ; **produits alimentaires** foodstuffs, foods.

alimentation [alimɑ̃tɑsjɔ̃] *nf* feeding ; supplying ; (*commerce*) food trade ; (*produits*) groceries *pl* ; (*régime*) diet.

alimenter [alimɑ̃te] *vt* to feed ; (*TECH*): ~ (**en**) to supply (with) ; to feed (with) ; (*fig*) to sustain, keep going.

alinéa [alinea] *nm* paragraph ; **'nouvel** ~**'** new line.

aliter [alite]: **s'**~ *vi* to take to one's bed.

alizé [alize] *a, nm*: (**vent**) ~ trade wind.

allaiter [alete] *vt* to (breast-)feed, nurse ; (*suj: animal*) to suckle.

allant [alɑ̃] *nm* drive, go.

allécher [aleʃe] *vt*: ~ **qn** to make sb's mouth water ; to tempt sb, entice sb.

allée [ale] *nf* (*de jardin*) path ; (*en ville*) avenue, drive. ~**s et venues** *nfpl* comings and goings.

allégation [alegɑsjɔ̃] *nf* allegation.

alléger [aleʒe] *vt* (*voiture*) to make lighter ; (*chargement*) to lighten ; (*souffrance*) to alleviate, soothe.

allégorie [alegɔʀi] *nf* allegory.

allègre [alɛgʀ(ə)] *a* lively, jaunty ; gay, cheerful.

allégresse [alegʀɛs] *nf* (*joie*) elation, gaiety.

alléguer [alege] *vt* to put forward (as proof *ou* an excuse).

Allemagne [aləmaɲ] *nf*: **l'**~ Germany ; **l'**~ **de l'Est/Ouest** East/West Germany ; **allemand, e** *a, nm/f, nm* (*langue*) German.

aller [ale] *nm* (*trajet*) outward journey ; (*billet*) single *ou* one-way ticket // *vi* (*gén*) to go ; ~ **à** (*convenir*) to suit ; (*suj: forme, pointure etc*) to fit ; ~ **avec** (*couleurs, style etc*) to go (well) with ; **je vais y aller/me fâcher** I'm going to go/to get angry ; ~ **voir** to go and see, go to see ; **comment allez-vous** *ou* **ça va**? how are you? ; **comment ça va**? (*affaires etc*) how are things? ; **il va bien/mal** he's well/not well, he's fine/ill ; **ça va bien/mal** (*affaires etc*) it's going well/not going well ; **il y va de leur vie** their lives are at stake ; **s'en** ~ *vi* (*partir*) to be off, go, leave ; (*disparaître*) to go away ; ~ **et retour** *nm* (*trajet*) return trip *ou* journey ; (*billet*) return (ticket).

allergie [alɛʀʒi] *nf* allergy ; **allergique** *a* allergic ; **allergique à** allergic to.

alliage [aljaʒ] *nm* alloy.

alliance [aljɑ̃s] *nf* (*MIL, POL*) alliance ; (*mariage*) marriage ; (*bague*) wedding ring ; **neveu par** ~ nephew by marriage.

allié, e [alje] *nm/f* ally ; **parents et** ~**s** relatives and relatives by marriage.

allier [alje] *vt* (*métaux*) to alloy ; (*POL, gén*) to ally ; (*fig*) to combine ; **s'**~ to become allies ; (*éléments, caractéristiques*) to combine ; **s'**~ **à** to become allied to *ou* with.

allô [alo] *excl* hullo, hallo.

allocataire [alɔkatɛʀ] *nm/f* beneficiary.

allocation [alɔkɑsjɔ̃] *nf* allowance ; ~ (**de**) **chômage** unemployment benefit ; ~ (**de**) **logement** rent allowance *ou* subsidy ; ~**s familiales** family allowance(s).

allocution [alɔkysjɔ̃] *nf* short speech.

allonger [alɔ̃ʒe] *vt* to lengthen, make longer ; (*étendre: bras, jambe*) to stretch (out) ; **s'**~ *vi* to get longer ; (*se coucher*) to lie down, stretch out ; ~ **le pas** to hasten one's step(s).

allouer [alwe] *vt*: ~ **qch à** to allocate sth to, allot sth to.

allumage [alymaʒ] *nm* (*AUTO*) ignition.

allume... [alym] *préfixe*: ~**-cigare** *nm inv* cigar lighter ; ~**-gaz** *nm inv* gas lighter.

allumer [alyme] *vt* (*lampe, phare, radio*) to put *ou* switch on ; (*pièce*) to put *ou* switch the light(s) on in ; (*feu*) to light ; **s'**~ *vi* (*lumière, lampe*) to come *ou* go on.

allumette [alymɛt] *nf* match.

allumeuse [alymøz] *nf* (*péj*) teaser, vamp.

allure [alyʀ] *nf* (*vitesse*) speed ; pace ; (*démarche*) walk ; (*maintien*) bearing ; (*aspect, air*) look ; **avoir de l'**~ to have style *ou* a certain elegance ; **à toute** ~ at top *ou* full speed.

allusion [alyzjɔ̃] *nf* allusion ; (*sous-entendu*) hint ; **faire** ~ **à** to allude *ou* refer to ; to hint at.

alluvions [alyvjɔ̃] *nfpl* alluvial deposits, alluvium *sg*.

almanach [almana] *nm* almanac.

aloi [alwa] *nm*: **de bon** ~ of genuine worth *ou* quality.

alors [alɔʀ] *ad* then, at that time // *cj* then, so ; ~ **que** *cj* (*au moment où*) when, as ; (*pendant que*) while, when ; (*tandis que*) whereas, while.

alouette [alwɛt] *nf* (sky)lark.
alourdir [aluʀdiʀ] *vt* to weigh down, make heavy.
aloyau [alwajo] *nm* sirloin.
alpage [alpaʒ] *nm* high mountain pasture.
Alpes [alp(ə)] *nfpl*: **les ~** the Alps; **alpestre** *a* alpine.
alphabet [alfabɛ] *nm* alphabet; (*livre*) ABC (book), primer; **alphabétique** *a* alphabetic(al); **alphabétiser** *vt* to teach to read and write; to eliminate illiteracy in.
alpin, e [alpɛ̃, -in] *a* alpine; **alpinisme** *nm* mountaineering, climbing; **alpiniste** *nm/f* mountaineer, climber.
Alsace [alzas] *nf* Alsace; **alsacien, ne** *a*, *nm/f* Alsatian.
altérer [alteʀe] *vt* to falsify; to distort; to debase; to impair; (*donner soif à*) to make thirsty; **s'~** *vi* to deteriorate; to spoil.
alternance [altɛʀnɑ̃s] *nf* alternation; **en ~** alternately.
alternateur [altɛʀnatœʀ] *nm* alternator.
alternatif, ive [altɛʀnatif, -iv] *a* alternating // *nf* (*choix*) alternative; **alternativement** *ad* alternately.
alterner [altɛʀne] *vt* to alternate // *vi*: **~ (avec)** to alternate (with); **(faire) ~ qch avec qch** to alternate sth with sth.
Altesse [altɛs] *nf* Highness.
altier, ière [altje, -jɛʀ] *a* haughty.
altimètre [altimɛtʀ(ə)] *nm* altimeter.
altiste [altist(ə)] *nm/f* viola player, violist.
altitude [altityd] *nf* altitude, height; **à 1000 m d'~** at a height *ou* an altitude of 1000 m; **en ~** at high altitudes.
alto [alto] *nm* (*instrument*) viola // *nf* (*contr*)alto.
altruisme [altʀyism(ə)] *nm* altruism.
aluminium [alyminjɔm] *nm* aluminium.
alunir [alyniʀ] *vi* to land on the moon.
alvéole [alveɔl] *nf* (*de ruche*) alveolus; **alvéolé, e** *a* honeycombed.
amabilité [amabilite] *nf* kindness, amiability; **il a eu l'~ de** he was kind *ou* good enough to.
amadou [amadu] *nm* touchwood, amadou.
amadouer [amadwe] *vt* to coax, cajole; to mollify, soothe.
amaigrir [amegʀiʀ] *vt* to make thin *ou* thinner; **régime amaigrissant** slimming diet.
amalgamer [amalgame] *vt* to amalgamate.
amande [amɑ̃d] *nf* (*de l'amandier*) almond; (*de noyau de fruit*) kernel; **amandier** *nm* almond (tree).
amant [amɑ̃] *nm* lover.
amarre [amaʀ] *nf* (NAVIG) (mooring) rope *ou* line; **~s** moorings; **amarrer** *vt* (NAVIG) to moor; (*gén*) to make fast.
amas [ama] *nm* heap, pile.
amasser [amɑse] *vt* to amass; **s'~** *vi* to pile up; to accumulate; to gather.
amateur [amatœʀ] *nm* amateur; **en ~** (*péj*) amateurishly; **musicien/sportif ~** amateur musician/sportsman; **~ de musique/sport** *etc* music/sport *etc* lover; **~isme** *nm* amateurism; (*péj*) amateurishness.

amazone [amazon] *nf*: **en ~** sidesaddle.
ambages [ɑ̃baʒ]: **sans ~** *ad* without beating about the bush, plainly.
ambassade [ɑ̃basad] *nf* embassy; (*mission*): **en ~** on a mission; **ambassadeur, drice** *nm/f* ambassador/ambassadress.
ambiance [ɑ̃bjɑ̃s] *nf* atmosphere.
ambiant, e [ɑ̃bjɑ̃, -ɑ̃t] *a* (*air, milieu*) surrounding; (*température*) ambient.
ambidextre [ɑ̃bidɛkstʀ(ə)] *a* ambidextrous.
ambigu, ë [ɑ̃bigy] *a* ambiguous; **ambiguïté** *nf* ambiguousness *q*, ambiguity.
ambitieux, euse [ɑ̃bisjø, -øz] *a* ambitious.
ambition [ɑ̃bisjɔ̃] *nf* ambition; **ambitionner** *vt* to have as one's aim *ou* ambition.
ambivalent, e [ɑ̃bivalɑ̃, -ɑ̃t] *a* ambivalent.
ambre [ɑ̃bʀ(ə)] *nm*: **~ (jaune)** amber; **~ gris** ambergris.
ambulance [ɑ̃bylɑ̃s] *nf* ambulance; **ambulancier, ière** *nm/f* ambulance man/woman.
ambulant, e [ɑ̃bylɑ̃, -ɑ̃t] *a* travelling, itinerant.
âme [ɑm] *nf* soul; **~ sœur** kindred spirit.
améliorer [ameljɔʀe] *vt* to improve; **s'~** *vi* to improve, get better.
aménagement [amenaʒmɑ̃] *nm* fitting out; laying out; developing; **~s** *nmpl* developments; **l'~ du territoire** ≈ town and country planning; **~s fiscaux** tax adjustments.
aménager [amenaʒe] *vt* (*agencer, transformer*) to fit out; to lay out; (: *quartier, territoire*) to develop; (*installer*) to fix up, put in; **ferme aménagée** converted farmhouse.
amende [amɑ̃d] *nf* fine; **mettre à l'~** to penalize; **faire ~ honorable** to make amends.
amender [amɑ̃de] *vt* (*loi*) to amend; (*terre*) to enrich; **s'~** *vi* to mend one's ways.
amène [amɛn] *a* affable; **peu ~** unkind.
amener [amne] *vt* to bring; (*causer*) to bring about; (: *baisser: drapeau, voiles*) to strike; **s'~** *vi* (*fam*) to show up, turn up.
amenuiser [amənɥize]: **s'~** *vi* to grow slimmer, lessen; to dwindle.
amer, amère [amɛʀ] *a* bitter.
américain, e [ameʀikɛ̃, -ɛn] *a*, *nm/f* American.
Amérique [ameʀik] *nf* America; **l'~ centrale** Central America; **l'~ latine** Latin America; **l'~ du Nord** North America; **l'~ du Sud** South America.
amerrir [ameʀiʀ] *vi* to land (on the sea).
amertume [amɛʀtym] *nf* bitterness.
améthyste [ametist(ə)] *nf* amethyst.
ameublement [amœbləmɑ̃] *nm* furnishing; (*meubles*) furniture; **articles d'~** furnishings; **tissus d'~** soft furnishings, fabrics.
ameuter [amøte] *vt* (*badauds*) to draw a crowd of; (*peuple*) to rouse, stir up.
ami, e [ami] *nm/f* friend; (*amant/maîtresse*) boyfriend/girlfriend // *a*: **pays/groupe ~** friendly country/group; **être (très) ~ avec qn** to be (very)

good friends with sb; **être** ~ **de l'ordre** to be a lover of order; **un** ~ **des arts** a patron of the arts; **un** ~ **des chiens** a dog lover.

amiable [amjabl(ə)]: **à l'**~ ad (JUR) out of court; (gén) amicably.

amiante [amjɑ̃t] nm asbestos.

amibe [amib] nf amoeba (pl ae).

amical, e, aux [amikal, -o] a friendly // nf (club) association.

amidon [amidɔ̃] nm starch; **amidonner** vt to starch.

amincir [amɛ̃siʀ] vt (objet) to thin (down); ~ **qn** to make sb thinner ou slimmer; **s'**~ vi to get thinner; to get slimmer.

amiral, aux [amiʀal, -o] nm admiral; **amirauté** nf admiralty.

amitié [amitje] nf friendship; **prendre** ~ **à** to take a liking to, befriend; **faire** ou **présenter ses** ~**s à qn** to send sb one's best wishes ou kind regards.

ammoniac [amɔnjak] nm: **(gaz)** ~ ammonia.

ammoniaque [amɔnjak] nf ammonia (water).

amnésie [amnezi] nf amnesia; **amnésique** a amnesic.

amnistie [amnisti] nf amnesty; **amnistier** vt to amnesty.

amoindrir [amwɛ̃dʀiʀ] vt to reduce.

amollir [amɔliʀ] vt to soften.

amonceler [amɔ̃sle] vt, **s'**~ vi to pile ou heap up; (fig) to accumulate.

amont [amɔ̃]: **en** ~ ad upstream; (sur une pente) uphill; **en** ~ **de** prép upstream from; uphill from, above.

amorce [amɔʀs(ə)] nf (sur un hameçon) bait; (explosif) cap; primer; priming; (fig: début) beginning(s), start; **amorcer** vt to bait; to prime; to begin, start.

amorphe [amɔʀf(ə)] a passive, lifeless.

amortir [amɔʀtiʀ] vt (atténuer: choc) to absorb, cushion; (bruit, douleur) to deaden; (COMM: dette) to pay off, amortize; (: mise de fonds) to write off; (: matériel) to write off, depreciate; ~ **un abonnement** to make a season ticket pay (for itself).

amour [amuʀ] nm love; (liaison) love affair, love; (statuette etc) cupid; **faire l'**~ to make love; **s'**~**acher de** (péj) to become infatuated with; ~**ette** nf passing fancy; ~**eux, euse** a (regard, tempérament) amorous; (vie, problèmes) love cpd; (personne): ~**eux (de qn)** in love (with sb) // nm/f lover // nmpl courting couple(s); **être** ~**eux de qch** to be passionately fond of sth; **un** ~**eux de la nature** a nature lover; ~**-propre** nm self-esteem, pride.

amovible [amɔvibl(ə)] a removable, detachable.

ampère [ɑ̃pɛʀ] nm amp(ere); ~**mètre** nm ammeter.

amphibie [ɑ̃fibi] a amphibious.

amphithéâtre [ɑ̃fiteɑtʀ(ə)] nm amphitheatre; (d'université) lecture hall ou theatre.

amphore [ɑ̃fɔʀ] nf amphora.

ample [ɑ̃pl(ə)] a (vêtement) roomy, ample; (gestes, mouvement) broad; (ressources) ample; ~**ment** ad amply; ~**ment**

suffisant ample, more than enough; **ampleur** nf (importance) scale, size; extent, magnitude.

amplificateur [ɑ̃plifikatœʀ] nm amplifier.

amplifier [ɑ̃plifje] vt (son, oscillation) to amplify; (fig) to expand, increase.

amplitude [ɑ̃plityd] nf amplitude; (des températures) range.

ampoule [ɑ̃pul] nf (électrique) bulb; (de médicament) phial; (aux mains, pieds) blister.

ampoulé, e [ɑ̃pule] a (péj) turgid, pompous.

amputation [ɑ̃pytasjɔ̃] nf amputation.

amputer [ɑ̃pyte] vt (MÉD) to amputate; (fig) to cut ou reduce drastically; ~ **qn d'un bras/pied** to amputate sb's arm/foot.

amulette [amylɛt] nf amulet.

amusant, e [amyzɑ̃, -ɑ̃t] a (divertissant, spirituel) entertaining, amusing; (comique) funny, amusing.

amusé, e [amyze] a amused.

amuse-gueule [amyzgœl] nm inv appetizer, snack.

amusement [amyzmɑ̃] nm (voir amusé) amusement; (voir amuser) entertaining, amusing; (jeu etc) pastime, diversion.

amuser [amyze] vt (divertir) to entertain, amuse; (égayer, faire rire) to amuse; (détourner l'attention de) to distract; **s'**~ vi (jouer) to amuse o.s., play; (se divertir) to enjoy o.s., have fun; (fig) to mess about; **s'**~ **de qch** (trouver comique) to find sth amusing; **s'**~ **avec ou de qn** (duper) to make a fool of sb; **amusette** nf idle pleasure, trivial pastime; **amuseur** nm entertainer; (péj) clown.

amygdale [amidal] nf tonsil; **opérer qn des** ~**s** to take sb's tonsils out.

an [ɑ̃] nm year.

anachronique [anakʀɔnik] a anachronistic; **anachronisme** nm anachronism.

anagramme [anagʀam] nf anagram.

anal, e, aux [anal, -o] a anal.

analgésique [analʒezik] nm analgesic.

analogie [analɔʒi] nf analogy.

analogue [analɔg] a: ~ **(à)** analogous (to), similar (to).

analphabète [analfabɛt] nm/f illiterate.

analyse [analiz] nf (gén) analysis; (MÉD) test; **faire l'**~ **de** to analyse; ~ **grammaticale** grammatical analysis, parsing (SCOL); **analyser** vt to analyse; (MÉD) to test; **analyste** nm/f analyst; (psychanalyste) (psycho)analyst; **analytique** a analytical.

ananas [anana] nm pineapple.

anarchie [anaʀʃi] nf (gén, POL) anarchy; **anarchisme** nm anarchism; **anarchiste** a anarchistic // nm/f anarchist.

anathème [anatɛm] nm: **jeter l'**~ **sur**, **lancer l'**~ **contre** to anathematize, curse.

anatomie [anatɔmi] nf anatomy; **anatomique** a anatomical.

ancestral, e, aux [ɑ̃sɛstʀal, -o] a ancestral.

ancêtre [ɑ̃sɛtʀ(ə)] nm/f ancestor; (fig): **l'**~ **de** the forerunner of; ~**s** nmpl (aïeux) ancestors, forefathers.

anche [ɑ̃ʃ] *nf* reed.

anchois [ɑ̃ʃwa] *nm* anchovy.

ancien, ne [ɑ̃sjɛ̃, -jɛn] *a* old ; *(de jadis, de l'antiquité)* ancient ; *(précédent, ex-)* former, old // *nm/f (dans une tribu)* elder ; **un ~ ministre** a former minister ; **être plus ~ que qn dans une maison** to have been in a firm longer than sb ; to be senior to sb (in a firm) ; **anciennement** *ad* formerly ; **ancienneté** *nf* oldness ; antiquity ; *(ADMIN)* (length of) service ; seniority.

ancrage [ɑ̃kraʒ] *nm* anchoring ; *(NAVIG)* anchorage ; *(CONSTR)* cramp(-iron), anchor.

ancre [ɑ̃kr(ə)] *nf* anchor ; **jeter/lever l'~** to cast/weigh anchor ; **à l'~** at anchor.

ancrer [ɑ̃kre] *vt (CONSTR: câble etc)* to anchor ; *(fig)* to fix firmly ; **s'~** *vi (NAVIG)* to (cast) anchor.

Andorre [ɑ̃dɔr] *n* Andorra.

andouille [ɑ̃duj] *nf (CULIN) sausage made of chitterlings ; (fam)* clot, nit.

âne [ɑn] *nm* donkey, ass ; *(péj)* dunce, fool.

anéantir [aneɑ̃tir] *vt* to annihilate, wipe out ; *(fig)* to obliterate, destroy ; to overwhelm.

anecdote [anɛkdɔt] *nf* anecdote ; **anecdotique** *a* anecdotal.

anémie [anemi] *nf* anaemia ; **anémié, e** *a* anaemic ; *(fig)* enfeebled ; **anémique** *a* anaemic.

anémone [anemɔn] *nf* anemone ; **~ de mer** sea anemone.

ânerie [ɑnri] *nf* stupidity ; stupid *ou* idiotic •comment *etc.*

ânesse [ɑnɛs] *nf* she-ass.

anesthésie [anɛstezi] *nf* anaesthesia ; **faire une ~ locale à qn** to give sb a local anaesthetic ; **anesthésier** *vt* to anaesthetize ; **anesthésique** *a* anaesthetic ; **anesthésiste** *nm/f* anaesthetist.

anfractuosité [ɑ̃fraktɥozite] *nf* crevice.

ange [ɑ̃ʒ] *nm* angel ; **être aux ~s** to be over the moon ; **~ gardien** guardian angel ; **angélique** *a* angelic(al).

angélus [ɑ̃ʒelys] *nm* angelus.

angine [ɑ̃ʒin] *nf* sore throat, throat infection *(tonsillitis or pharyngitis)* ; **~ de poitrine** angina (pectoris).

anglais, e [ɑ̃glɛ, -ɛz] *a* English // *nm/f* : **A~, e** Englishman/woman // *nm (langue)* English ; **les A~** the English ; **~es** *nfpl (cheveux)* ringlets ; **filer à l'~e** to take French leave.

angle [ɑ̃gl(ə)] *nm* angle ; *(coin)* corner ; **~ droit/obtus/aigu** right/obtuse/acute angle.

Angleterre [ɑ̃glətɛr] *nf* : **l'~** England.

anglican, e [ɑ̃glikɑ̃, -an] *a* Anglican.

anglicisme [ɑ̃glisism(ə)] *nm* anglicism.

angliciste [ɑ̃glisist(ə)] *nm/f* English scholar ; student of English.

anglo... [ɑ̃glɔ] *préfixe* Anglo-, anglo(-) ; **~phile** *a* anglophilic ; **~phobe** *a* anglophobic ; **~phone** *a* English-speaking ; **~saxon, ne** *a* Anglo-Saxon.

angoisse [ɑ̃gwas] *nf* : **l'~** anguish *q* ; **angoisser** *vt* to harrow, cause anguish to.

anguille [ɑ̃gij] *nf* eel ; **~ de mer** conger (eel).

angulaire [ɑ̃gylɛr] *a* angular.

anguleux, euse [ɑ̃gylø, -øz] *a* angular.

anicroche [anikrɔʃ] *nf* hitch, snag.

animal, e, aux [animal, -o] *a, nm* animal ; **~ier** *a* : **peintre ~ier** animal painter.

animateur, trice [animatœr, -tris] *nm/f (de télévision, music-hall)* compère ; *(de maison de jeunes)* leader, organizer.

animation [animasjɔ̃] *nf (voir animé)* business ['bɪznɪs] ; liveliness ; *(CINÉMA)* technique) animation.

animé, e [anime] *a (rue, lieu)* busy, lively ; *(conversation, réunion)* lively, animated ; *(opposé à inanimé, aussi LING)* animate.

animer [anime] *vt (ville, soirée)* to liven up, enliven ; *(mettre en mouvement)* to drive ; *(stimuler)* to drive, impel ; **s'~** *vi* to liven up, come to life.

animosité [animozite] *nf* animosity.

anis [ani] *nm (CULIN)* aniseed ; *(BOT)* anise.

ankyloser [ɑ̃kiloze] : **s'~** *vi* to get stiff, to ankylose.

annales [anal] *nfpl* annals.

anneau, x [ano] *nm (de rideau, bague)* ring ; *(de chaîne)* link.

année [ane] *nf* year ; **l'~ scolaire/fiscale** the school/tax year ; **~-lumière** *nf* light year.

annexe [anɛks(ə)] *a (problème)* related ; *(document)* appended ; *(salle)* adjoining // *nf (bâtiment)* annex(e) ; *(de document, ouvrage)* annex, appendix ; *(jointe à une lettre, un dossier)* enclosure.

annexer [anɛkse] *vt (pays, biens)* to annex ; **~ qch à** *(joindre)* to append sth to ; **annexion** *nf* annexation.

annihiler [aniile] *vt* to annihilate.

anniversaire [anivɛrsɛr] *nm* birthday ; *(d'un événement, bâtiment)* anniversary // *a* : **jour ~** anniversary.

annonce [anɔ̃s] *nf* announcement ; *(signe, indice)* sign ; *(aussi* : **~ publicitaire)** advertisement ; *(CARTES)* declaration ; **les petites ~s** the classified advertisements, the small ads.

annoncer [anɔ̃se] *vt* to announce ; *(être le signe de)* to herald ; **s'~ bien/difficile** to look promising/difficult ; **annonceur, euse** *nm/f (TV, RADIO: speaker)* announcer ; *(publicitaire)* advertiser ; **l'Annonciation** *nf* the Annunciation.

annotation [anɔtasjɔ̃] *nf* annotation.

annoter [anɔte] *vt* to annotate.

annuaire [anɥɛr] *nm* yearbook, annual ; **~ téléphonique** (telephone) directory, phone book.

annuel, le [anɥɛl] *a* annual, yearly ; **~lement** *ad* annually, yearly.

annuité [anɥite] *nf* annual instalment.

annulaire [anylɛr] *nm* ring *ou* third finger.

annulation [anylasjɔ̃] *nf* cancellation ; annulment ; quashing.

annuler [anyle] *vt (rendez-vous, voyage)* to cancel, call off ; *(mariage)* to annul ; *(jugement)* to quash ; *(résultats)* to declare void ; *(MATH, PHYSIQUE)* to cancel out.

anoblir [anɔblir] *vt* to ennoble.

anode [anɔd] *nf* anode.

anodin, e [anɔdɛ̃, -in] *a* harmless ; insignificant, trivial.

anomalie [anɔmali] *nf* anomaly.

ânonner [ɑnɔne] *vi, vt* to read in a drone ; to read in a fumbling manner.

anonymat [anɔnima] *nm* anonymity.

anonyme [anɔnim] *a* anonymous ; (*fig*) impersonal.

anorak [anɔʀak] *nm* anorak.

anormal, e, aux [anɔʀmal, -o] *a* abnormal ; (*insolite*) unusual, abnormal.

anse [ɑ̃s] *nf* (*de panier, tasse*) handle ; (GÉO) cove.

antagoniste [ɑ̃tagɔnist(ə)] *a* antagonistic // *nm* antagonist.

antan [ɑ̃tɑ̃]: **d'~** *a* of yesteryear, of long ago.

antarctique [ɑ̃taʀktik] *a* Antarctic // *nm*: **l'A~** the Antarctic.

antécédent [ɑ̃tesedɑ̃] *nm* (LING) antecedent ; **~s** *nmpl* (MÉD *etc*) past history *sg*.

antédiluvien, ne [ɑ̃tedilyvjɛ̃, -jɛn] *a* (*fig*) ancient, antediluvian.

antenne [ɑ̃tɛn] *nf* (*de radio, télévision*) aerial ; (*d'insecte*) antenna (*pl* ae), feeler ; (*poste avancé*) outpost ; (*petite succursale*) sub-branch ; **passer à l'~** to go on the air ; **prendre l'~** to tune in ; **2 heures d'~** 2 hours' broadcasting time.

antépénultième [ɑ̃tepenyltjɛm] *a* antepenultimate, last but two.

antérieur, e [ɑ̃teʀjœʀ] *a* (*d'avant*) previous, earlier ; (*de devant*) front ; **~ à** prior *ou* previous to ; **passé/futur ~** (LING) past/future anterior ; **~ement** *ad* earlier ; previously ; **~ement à** prior *ou* previous to ; **antériorité** *nf* precedence (*in time*).

anthologie [ɑ̃tɔlɔʒi] *nf* anthology.

anthracite [ɑ̃tʀasit] *nm* anthracite.

anthropo... [ɑ̃tʀɔpɔ] *préfixe*: **~centrisme** *nm* anthropocentrism ; **~logie** *nf* anthropology ; **~logue** *nm/f* anthropologist ; **~métrie** *nf* anthropometry ; **~morphisme** *nm* anthropomorphism ; **~phage** *a* cannibalistic, anthropophagous.

anti... [ɑ̃ti] *préfixe* anti... ; **~aérien, ne** *a* anti-aircraft ; **~abri ~aérien** air-raid shelter ; **~alcoolique** *a* against alcohol ; **ligue ~alcoolique** temperance league ; **~atomique** a: **abri ~atomique** fallout shelter ; **~biotique** *nm* antibiotic ; **~brouillard** a: **phare ~brouillard** fog lamp ; **~cancéreux, euse** *a* cancer *cpd*.

antichambre [ɑ̃tiʃɑ̃bʀ(ə)] *nf* antechamber, anteroom ; **faire ~** to wait (for an audience).

antichar [ɑ̃tiʃaʀ] *a* anti-tank.

anticipation [ɑ̃tisipasjɔ̃] *nf* anticipation ; payment in advance ; **livre/film d'~** science fiction book/film.

anticipé, e [ɑ̃tisipe] *a* (*règlement, paiement*) early, in advance ; (*joie etc*) anticipated, early ; **avec mes remerciements ~s** thanking you in advance *ou* anticipation.

anticiper [ɑ̃tisipe] *vt* (*événement, coup*) to anticipate, foresee ; (*paiement*) to pay *ou* make in advance // *vi* to look *ou* think ahead ; to jump ahead ; to anticipate ; **~ sur** to anticipate.

anticlérical, e, aux [ɑ̃tikleʀikal, -o] *a* anticlerical.

anticonceptionnel, le [ɑ̃tikɔ̃sɛpsjɔnɛl] *a* contraceptive.

anticorps [ɑ̃tikɔʀ] *nm* antibody.

anticyclone [ɑ̃tisiklon] *nm* anticyclone.

antidater [ɑ̃tidate] *vt* to backdate, predate.

antidérapant, e [ɑ̃tideʀapɑ̃, -ɑ̃t] *a* non-skid.

antidote [ɑ̃tidɔt] *nm* antidote.

antienne [ɑ̃tjɛn] *nf* (*fig*) chant, refrain.

antigel [ɑ̃tiʒɛl] *nm* antifreeze.

Antilles [ɑ̃tij] *nfpl*: **les ~** the West Indies.

antilope [ɑ̃tilɔp] *nf* antelope.

antimilitariste [ɑ̃timilitaʀist(ə)] *a* antimilitarist.

antimite(s) [ɑ̃timit] *a, nm*: **(produit) ~** mothproofer ; moth repellent.

antiparasite [ɑ̃tipaʀazit] *a* (RADIO, TV) anti-interference ; **dispositif ~** suppressor.

antipathie [ɑ̃tipati] *nf* antipathy ; **antipathique** *a* unpleasant, disagreeable.

antiphrase [ɑ̃tifʀaz] *nf*: **par ~** ironically

antipodes [ɑ̃tipɔd] *nmpl* (GÉO): **les ~** the antipodes ; (*fig*): **être aux ~ de** to be the opposite extreme of.

antiquaire [ɑ̃tikɛʀ] *nm/f* antique dealer.

antique [ɑ̃tik] *a* antique ; (*très vieux*) ancient, antiquated.

antiquité [ɑ̃tikite] *nf* (*objet*) antique ; **l'A~** Antiquity ; **magasin d'~s** antique shop.

antirabique [ɑ̃tiʀabik] *a* rabies *cpd*.

antiraciste [ɑ̃tiʀasist(ə)] *a* antiracist, antiracialist.

antirides [ɑ̃tiʀid] *a* (*crème*) anti-wrinkle.

antirouille [ɑ̃tiʀuj] *a inv*: **peinture ~** anti-rust paint ; **traitement ~** rustproofing.

antisémite [ɑ̃tisemit] *a* anti-semitic ; **antisémitisme** *nm* anti-semitism.

antiseptique [ɑ̃tisɛptik] *a, nm* antiseptic.

antitétanique [ɑ̃titetanik] *a* tetanus *cpd*.

antithèse [ɑ̃titɛz] *nf* antithesis.

antituberculeux, euse [ɑ̃titybɛʀkylø, -øz] *a* tuberculosis *cpd*.

antivol [ɑ̃tivɔl] *a, nm*: **(dispositif) ~** anti-theft device.

antre [ɑ̃tʀ(ə)] *nm* den, lair.

anus [anys] *nm* anus.

anxiété [ɑ̃ksjete] *nf* anxiety.

anxieux, euse [ɑ̃ksjø, -øz] *a* anxious, worried.

aorte [aɔʀt(ə)] *nf* aorta.

août [u] *nm* August.

apaisement [apɛzmɑ̃] *nm* calming, soothing ; appeasement ; **~s** *nmpl* soothing reassurances ; pacifying words.

apaiser [apeze] *vt* (*colère*) to calm, quell, soothe ; (*faim*) to appease, assuage ; (*douleur*) to soothe ; (*personne*) to calm (down), pacify ; **s'~** *vi* (*tempête, bruit*) to die down, subside.

apanage [apanaʒ] *nm*: **être l'~ de** to be the privilege *ou* prerogative of.

aparté [apaʀte] *nm* (THÉÂTRE) aside ; (*entretien*) private conversation ; **en ~** *ad* in an aside ; in private.

apathie [apati] *nf* apathy ; **apathique** *a* apathetic.

apatride [apatʀid] *nm/f* stateless person.

apercevoir [apɛʀsəvwaʀ] *vt* to see ; **s'~ de** *vt* to notice ; **s'~ que** to notice that.

aperçu [apɛRsy] nm (vue d'ensemble) general survey ; (intuition) insight.

apéritif, ive [apeRitif, -iv] nm (boisson) aperitif ; (réunion) pre-lunch (ou -dinner) drinks pl // a which stimulates the appetite ; **prendre l'~** to have drinks (before lunch ou dinner) ou an aperitif.

apesanteur [apəzɑ̃tœR] nf weightlessness.

à-peu-près [apópRɛ] nm inv (péj) vague approximation.

apeuré, e [apœRe] a frightened, scared.

aphone [afɔn] a voiceless.

aphrodisiaque [afRɔdizjak] a, nm aphrodisiac.

aphte [aft(ə)] nm mouth ulcer.

aphteuse [aftøz] af: **fièvre ~** foot-and-mouth disease.

apiculteur [apikyltœR] nm beekeeper.

apiculture [apikyltyR] nf beekeeping, apiculture.

apitoyer [apitwaje] vt to move to pity ; **~ qn sur** to move sb to pity for, make sb feel sorry for ; **s'~ (sur)** to feel pity ou compassion (for).

aplanir [aplaniR] vt to level ; (fig) to smooth away, iron out.

aplati, e [aplati] a flat, flattened.

aplatir [aplatiR] vt to flatten ; **s'~** vi to become flatter ; to be flattened ; (fig) to lie flat on the ground ; (: fam) to fall flat on one's face ; (: péj) to grovel.

aplomb [aplɔ̃] nm (équilibre) balance, equilibrium ; (fig) self-assurance ; nerve ; **d'~** ad steady ; (CONSTR) plumb.

apocalypse [apɔkalips(ə)] nf apocalypse.

apogée [apɔʒe] nm (fig) peak, apogee.

apolitique [apɔlitik] a apolitical.

apologie [apɔlɔʒi] nf vindication, praise.

apoplexie [apɔplɛksi] nf apoplexy.

a, posteriori [apɔsteRjɔRi] ad after the event, with hindsight, a posteriori.

apostolat [apɔstɔla] nm (REL) apostolate, discipleship ; (gén) proselytism, preaching ; **apostolique** a apostolic.

apostrophe [apɔstRɔf] nf (signe) apostrophe ; (appel) interpellation.

apostropher [apɔstRɔfe] vt (interpeller) to shout at, address sharply.

apothéose [apɔteoz] nf pinnacle (of achievement) ; grand finale.

apôtre [apotR(ə)] nm apostle, disciple.

apparaître [apaRɛtR(ə)] vi to appear // vb avec attribut to appear, seem ; **il apparaît que** it appears that.

apparat [apaRa] nm: **tenue/dîner d'~** ceremonial dress/dinner ; **~ critique** (d'un texte) critical apparatus.

appareil [apaRɛj] nm piece of apparatus, device ; appliance ; (politique, syndical) machinery ; (avion) (aero)plane, aircraft inv ; (téléphonique) phone ; (dentier) brace ; **~ digestif/reproducteur** digestive/reproductive system ou apparatus ; **qui est à l'~?** who's speaking? ; **dans le plus simple ~** in one's birthday suit ; **~ de photographie, ~(-photo)** nm camera ; **~ 24 x 36** ou **petit format** 35mm. camera.

appareillage [apaRɛjaʒ] nm (appareils) equipment ; (NAVIG) casting off, getting under way.

appareiller [apaReje] vi (NAVIG) to cast off, get under way // vt (assortir) to match up.

apparemment [apaRamɑ̃] ad apparently.

apparence [apaRɑ̃s] nf appearance ; **en ~** apparently, seemingly.

apparent, e [apaRɑ̃, -ɑ̃t] a visible ; obvious ; (superficiel) apparent ; **coutures ~es** topstitched seams ; **poutres ~es** exposed beams.

apparenté, e [apaRɑ̃te] a: **~ à** related to ; (fig) similar to.

appariteur [apaRitœR] nm attendant, porter (in French universities).

apparition [apaRisjɔ̃] nf appearance ; (surnaturelle) apparition.

appartement [apaRtəmɑ̃] nm flat.

appartenance [apaRtənɑ̃s] nf: **~ à** belonging to, membership of.

appartenir [apaRtəniR]: **~ à** vt to belong to ; (faire partie de) to belong to, be a member of ; **il lui appartient de** it is up to him to, it is his duty to.

apparu, e pp de **apparaître**.

appas [apɑ] nmpl (d'une femme) charms.

appât [apɑ] nm (PÊCHE) bait ; (fig) lure, bait ; **appâter** vt (hameçon) to bait ; (poisson, fig) to lure, entice.

appauvrir [apovRiR] vt to impoverish ; **s'~** vi to grow poorer, become impoverished.

appel [apɛl] nm call ; (nominal) roll call ; (: SCOL) register ; (MIL: recrutement) call up ; (JUR) appeal ; **faire ~ à** (invoquer) to appeal to ; (avoir recours à) to call on ; (nécessiter) to call for, require ; **faire ou interjeter ~** (JUR) to appeal, lodge an appeal ; **faire l'~** to call the roll ; to call the register ; **sans ~** (fig) final, irrevocable ; **~ d'air** in-draught ; **d'offres** (COMM) invitation to tender ; **faire un ~ de phares** to flash one's headlights ; **~ (téléphonique)** (tele)phone call.

appelé [aple] nm (MIL) conscript.

appeler [aple] vt to call ; (faire venir: médecin etc) to call, send for ; (fig: nécessiter) to call for, demand ; **être appelé à** (fig) to be destined to ; **~ qn à comparaître** (JUR) to summon sb to appear ; **en ~ à** to appeal to ; **s'~**: **elle s'appelle Gabrielle** her name is Gabrielle, she's called Gabrielle ; **comment ça s'appelle?** what is it called? ~

appellation [apelasjɔ̃] nf designation, appellation.

appendice [apɛ̃dis] nm appendix ; **appendicite** nf appendicitis.

appentis [apɑ̃ti] nm lean-to.

appesantir [apəzɑ̃tiR]: **s'~** vi to grow heavier ; **s'~ sur** (fig) to dwell at length on.

appétissant, e [apetisɑ̃, -ɑ̃t] a appetizing, mouth-watering.

appétit [apeti] nm appetite ; **avoir un gros/petit ~** to have a big/small appetite ; **bon ~!** enjoy your meal!

applaudir [aplodiR] vt to applaud // vi to applaud, clap ; **~ à** vt (décision) to applaud, commend ; **applaudissements** nmpl applause sg, clapping sg.

application [aplikasjɔ̃] nf application.

applique [aplik] *nf* wall lamp.
appliqué, e [aplike] *a* (*élève etc*) industrious, assiduous ; (*science*) applied.
appliquer [aplike] *vt* to apply ; (*loi*) to enforce ; **s'~** *vi* (*élève etc*) to apply o.s. ; **s'~ à faire qch** to apply o.s. to doing sth, take pains to do sth.
appoint [apwɛ̃] *nm* (extra) contribution *ou* help ; **avoir/faire l'~** (*en payant*) to have/give the right change *ou* money ; **chauffage d'~** extra heating.
appointements [apwɛtmã] *nmpl* salary.
appontement [apɔ̃tmã] *nm* landing stage, wharf.
apport [apɔʀ] *nm* supply ; contribution.
apporter [apɔʀte] *vt* to bring.
apposer [apoze] *vt* to append ; to affix.
apposition [apozisjɔ̃] *nf* appending ; affixing ; (*LING*) **en ~** in apposition.
appréciable [apʀesjabl(ə)] *a* (*important*) appreciable, significant.
appréciation [apʀesjɑsjɔ̃] *nf* appreciation ; estimation, assessment ; **~s** (*avis*) assessment *sg*, appraisal *sg*.
apprécier [apʀesje] *vt* to appreciate ; (*évaluer*) to estimate, assess.
appréhender [apʀeɑ̃de] *vt* (*craindre*) to dread ; (*arrêter*) to apprehend ; **~ que** to fear that ; **~ de faire** to dread doing.
appréhension [apʀeɑ̃sjɔ̃] *nf* apprehension.
apprendre [apʀɑ̃dʀ(ə)] *vt* to learn ; (*événement, résultats*) to learn of, hear of ; **~ qch à qn** (*informer*) tò tell sb (of) sth ; (*enseigner*) to teach sb sth ; **~ à faire qch** to learn to do sth ; **~ à qn à faire qch** to teach sb to do sth ; **apprenti, e** *nm/f* apprentice ; (*fig*) novice, beginner ; **apprentissage** *nm* learning ; (*COMM, SCOL: période*) apprenticeship.
apprêt [apʀɛ] *nm* (*sur un cuir, une étoffe*) dressing ; (*sur un mur*) size ; (*sur un papier*) finish.
apprêté, e [apʀete] *a* (*fig*) affected.
apprêter [apʀete] *vt* to dress, finish.
appris, e *pp de* **apprendre**.
apprivoiser [apʀivwaze] *vt* to tame.
approbateur, trice [apʀɔbatœʀ, -tʀis] *a* approving.
approbation [apʀɔbɑsjɔ̃] *nf* approval.
approche [apʀɔʃ] *nf* approaching ; approach ; **à l'~ du bateau/de l'ennemi** as the ship/enemy approached *ou* drew near.
approché, e [apʀɔʃe] *a* approximate.
approcher [apʀɔʃe] *vi* to approach, come near // *vt* (*vedette, artiste*) to come close to, approach ; (*rapprocher*): **~ qch (de qch)** to bring *ou* put *ou* move sth near (to sth) ; **~ de** *vt* to draw near to ; (*quantité, moment*) to approach ; **s'~ de** *vt* to approach, go *ou* come *ou* move near to.
approfondi, e [apʀɔfɔ̃di] *a* thorough, detailed.
approfondir [apʀɔfɔ̃diʀ] *vt* to deepen, make deeper ; (*fig*) to go (deeper *ou* further) into.
approprié, e [apʀɔpʀije] *a*: **~ (à)** appropriate (to), suited to.
approprier [apʀɔpʀije] : **s'~** *vt* to appropriate, take over.

approuver [apʀuve] *vt* to agree with ; (*autoriser: loi, projet*) to approve, pass ; (*trouver louable*) to approve of.
approvisionnement [apʀɔvizjɔnmã] *nm* supplying ; (*provisions*) supply, stock.
approvisionner [apʀɔvizjɔne] *vt* to supply ; (*compte bancaire*) to pay funds into ; **~ qn en** to supply sb with ; **s'~ en** to stock up with.
approximatif, ive [apʀɔksimatif, -iv] *a* approximate, rough ; vague ; **approximativement** *ad* approximately, roughly ; vaguely.
Appt *abr de* **appartement.**
appui [apɥi] *nm* support ; **prendre ~ sur** to lean on ; to rest on ; **à l'~ de** (*pour prouver*) in support of ; **l'~ de la fenêtre** the windowsill, the window ledge ; **appui-tête** *nm*, **appuie-tête** *nm inv* headrest.
appuyer [apɥije] *vt* (*poser*): **~ qch sur/contre** to lean *ou* rest sth on/against ; (*soutenir: personne, demande*) to support, back (up) ; **~ sur** (*bouton*) to press, push ; (*frein*) to press on, push down ; (*mot, détail*) to stress, emphasize ; (*suj: chose: peser sur*) to rest (heavily) on, press against ; **s'~ sur** *vt* to lean on ; to rely on ; **~ à droite** to bear (to the) right.
âpre [ɑpʀ(ə)] *a* acrid, pungent ; (*fig*) harsh ; bitter ; **~ au gain** grasping, greedy.
après [apʀɛ] *prép* after // *ad* afterwards ; **2 heures ~** 2 hours later ; **~ qu'il est ou soit parti/avoir fait** after he left/having done ; **d'~** *prép* (*selon*) according to ; **~ coup** *ad* after the event, afterwards ; **~ tout** *ad* (*au fond*) after all ; **et (puis) ~?** so what? ; **~-demain** *ad* the day after tomorrow ; **~-guerre** *nm* postwar years *pl* ; **~-midi** *nm ou nf inv* afternoon ; **~-ski** *nm inv* (*chaussure*) snow boot ; (*moment*) après-ski.
à-propos [apʀɔpo] *nm* (*d'une remarque*) aptness ; **faire preuve d'~** to show presence of mind, do the right thing.
apte [apt(ə)] *a*: **~ à qch/faire qch** capable of sth/doing sth ; **~ (au service)** (*MIL*) fit (for service) ; **aptitude** *nf* ability, aptitude.
aquarelle [akwaʀɛl] *nf* (*tableau*) watercolour ; (*genre*) watercolours *pl*, aquarelle.
aquarium [akwaʀjɔm] *nm* aquarium.
aquatique [akwatik] *a* aquatic, water *cpd*.
aqueduc [akdyk] *nm* aqueduct.
aqueux, euse [akø, -øz] *a* aqueous.
arabe [aʀab] *a* Arabic ; (*désert, cheval*) Arabian ; (*nation, peuple*) Arab // *nm/f*: **A~** Arab // *nm* (*langue*) Arabic.
arabesque [aʀabɛsk(ə)] *nf* arabesque.
Arabie [aʀabi] *nf*: **l'~ (Séoudite)** Saudi Arabia.
arable [aʀabl(ə)] *a* arable.
arachide [aʀaʃid] *nf* (*plante*) groundnut (plant) ; (*graine*) peanut, groundnut.
araignée [aʀeɲe] *nf* spider ; **~ de mer** spider crab.
araser [aʀaze] *vt* to level ; to plane (down).
aratoire [aʀatwaʀ] *a*: **instrument ~** ploughing implement.
arbalète [aʀbalɛt] *nf* crossbow.
arbitrage [aʀbitʀaʒ] *nm* refereeing ; umpiring ; arbitration.

arbitraire [aʀbitʀɛʀ] a arbitrary.
arbitre [aʀbitʀ(ə)] nm (SPORT) referee; (: TENNIS, CRICKET) umpire; (fig) arbiter, judge; (JUR) arbitrator; **arbitrer** vt to referee; to umpire; to arbitrate.
arborer [aʀbɔʀe] vt to bear, display; to sport.
arboriculture [aʀbɔʀikyltyʀ] nf arboriculture.
arbre [aʀbʀ(ə)] nm tree; (TECH) shaft; ~ **généalogique** family tree; ~ **de transmission** (AUTO) driveshaft; **arbrisseau, x** nm shrub.
arbuste [aʀbyst(ə)] nm small shrub, bush.
arc [aʀk] nm (arme) bow; (GÉOM) arc; (ARCHIT) arch; ~ **de cercle** arc of a circle; **en ~ de cercle** a semi-circular; **A~ de triomphe** Triumphal Arch.
arcade [aʀkad] nf arch(way); ~s arcade sg, arches; ~ **sourcilière** arch of the eyebrows.
arcanes [aʀkan] nmpl mysteries.
arc-boutant [aʀkbutɑ̃] nm flying buttress.
arc-bouter [aʀkbute]: s'~ vi: s'~ **contre** to lean ou press against.
arceau, x [aʀso] nm (métallique etc) hoop.
arc-en-ciel [aʀkɑ̃sjɛl] nm rainbow.
archaïque [aʀkaik] a archaic; **archaïsme** nm archaism.
arche [aʀʃ(ə)] nf arch; ~ **de Noé** Noah's Ark.
archéologie [aʀkeɔlɔʒi] nf archeology; **archéologique** a archeological; **archéologue** nm/f archeologist.
archer [aʀʃe] nm archer.
archet [aʀʃɛ] nm bow.
archevêché [aʀʃəveʃe] nm archbishopric; archbishop's palace.
archevêque [aʀʃəvɛk] nm archbishop.
archi... [aʀʃi] préfixe (très) dead, extra; ~**simple** dead simple; ~**bondé** chock-a-block, packed solid.
archipel [aʀʃipɛl] nm archipelago.
architecte [aʀʃitɛkt(ə)] nm architect.
architecture [aʀʃitɛktyʀ] nf architecture.
archives [aʀʃiv] nfpl archives; **archiviste** nm/f archivist.
arçon [aʀsɔ̃] nm voir **cheval**.
arctique [aʀktik] a Arctic // nm: **l'A~** the Arctic; **l'océan A~** the Arctic Ocean.
ardemment [aʀdamɑ̃] ad ardently, fervently.
ardent, e [aʀdɑ̃, -ɑ̃t] a (soleil) blazing; (fièvre) raging; (amour) ardent, passionate; (prière) fervent; **ardeur** nf blazing heat; fervour, ardour.
ardoise [aʀdwaz] nf slate.
Ardt abr de **arrondissement**.
ardu, e [aʀdy] a arduous, difficult.
are [aʀ] nm are, 100 square metres.
arène [aʀɛn] nf arena; ~s nfpl bull-ring sg.
arête [aʀɛt] nf (de poisson) bone; (d'une montagne) ridge; (GÉOM, gén) edge (where two faces meet).
argent [aʀʒɑ̃] nm (métal) silver; (monnaie) money; ~ **liquide** ready money, (ready) cash; ~ **de poche** pocket money; **argenté, e** a silver(y); (métal) silver-plated; **argenter** vt to silver(-plate); **argenterie** nf silverware; silver plate.

argentin, e [aʀʒɑ̃tɛ̃, -in] a (son) silvery; (d'Argentine) Argentinian, Argentine // nm/f Argentinian, Argentine.
Argentine [aʀʒɑ̃tin] nf: **l'~** Argentina, the Argentine.
argile [aʀʒil] nf clay; **argileux, euse** a clayey.
argot [aʀgo] nm slang; **argotique** a slang cpd; slangy.
arguer [aʀgɥe]: ~ **de** vt to put forward as a pretext ou reason.
argument [aʀgymɑ̃] nm argument.
argumenter [aʀgymɑ̃te] vi to argue.
argus [aʀgys] nm guide to second-hand car prices.
arguties [aʀgysi] nfpl pettifoggery sg, quibbles.
aride [aʀid] a arid.
aristocrate [aʀistɔkʀat] nm/f aristocrat.
aristocratie [aʀistɔkʀasi] nf aristocracy; **aristocratique** a aristocratic.
arithmétique [aʀitmetik] a arithmetic(al) // nf arithmetic.
armateur [aʀmatœʀ] nm shipowner.
armature [aʀmatyʀ] nf framework; (de tente etc) frame; (de soutien-gorge) bone, wiring.
arme [aʀm(ə)] nf weapon; (section de l'armée) arm; ~s nfpl (blason) (coat of) arms; **les** ~s (profession) soldiering sg; **passer par les** ~s to execute (by firing squad); **en** ~s in arms; **prendre/présenter les** ~s to take up/present arms; **se battre à l'** ~ **blanche** to fight with blades; ~ **à feu** firearm.
armée [aʀme] nf army; ~ **de l'air** Air Force; **l'** ~ **du Salut** the Salvation Army; ~ **de terre** Army.
armement [aʀməmɑ̃] nm (matériel) arms pl, weapons pl; (: d'un pays) arms pl, armament.
armer [aʀme] vt to arm; (arme à feu) to cock; (appareil-photo) to wind on; ~ **qch de** to fit sth with; to reinforce sth with; ~ **qn de** to arm ou equip sb with.
armistice [aʀmistis] nm armistice.
armoire [aʀmwaʀ] nf (tall) cupboard; (penderie) wardrobe.
armoiries [aʀmwaʀi] nfpl coat sg of arms.
armure [aʀmyʀ] nf armour q, suit of armour.
armurier [aʀmyʀje] nm gunsmith; armourer.
aromates [aʀɔmat] nmpl seasoning sg, herbs (and spices).
aromatisé, e [aʀɔmatize] a flavoured.
arôme [aʀom] nm aroma; fragrance.
arpège [aʀpɛʒ] nm arpeggio.
arpentage [aʀpɑ̃taʒ] nm (land) surveying.
arpenter [aʀpɑ̃te] vt (salle, couloir) to pace up and down.
arpenteur [aʀpɑ̃tœʀ] nm land surveyor.
arqué, e [aʀke] a bow, bandy; arched.
arrachage [aʀaʃaʒ] nm: ~ **des mauvaises herbes** weeding.
arrache-pied [aʀaʃpje]: **d'** ~ ad relentlessly.
arracher [aʀaʃe] vt to pull out; (page etc) to tear off, tear out; (déplanter: légume) to lift; (: herbe, souche) to pull up; (bras etc: par explosion) to blow off; (: par accident)

to tear off; **~ qch à qn** to snatch sth from sb; *(fig)* to wring sth out of sb, wrest sth from sb; **~ qn à** *(solitude, rêverie)* to drag sb out of; *(famille etc)* to tear ou wrench sb away from; **s'~** *vt (article très recherché)* to fight over.

arraisonner [aRɛzɔne] *vt (bateau)* to board and search.

arrangeant, e [aRɑ̃ʒɑ̃, -ɑ̃t] *a* accommodating, obliging.

arrangement [aRɑ̃ʒmɑ̃] *nm* arrangement.

arranger [aRɑ̃ʒe] *vt (gén)* to arrange; *(réparer)* to fix, put right; *(régler)* to settle, sort out; *(convenir à)* to suit, be convenient for; **s'~** *(se mettre d'accord)* to come to an agreement ou arrangement; **je vais m'~** I'll try and manage; **ça va s'~** it'll sort itself out; **s'~ pour faire** to manage so that one can do; **arrangeur** *nm (MUS)* arranger.

arrestation [aRɛstasjɔ̃] *nf* arrest.

arrêt [aRɛ] *nm* stopping; *(de bus etc)* stop; *(JUR)* judgment, decision; *(FOOTBALL)* save; **~s** *nmpl (MIL)* arrest *sg*; **être à l'~** to be stopped, have come to a halt; **rester** ou **tomber en ~ devant** to stop short in front of; **sans ~** without stopping, non-stop; continually; **~ de travail** stoppage (of work).

arrêté [aRete] *nm* order, decree.

arrêter [aRete] *vt* to stop; *(chauffage etc)* to turn off, switch off; *(fixer: date etc)* to appoint, decide on; *(criminel, suspect)* to arrest; **~ de faire** to stop doing; **s'~** *vi* to stop.

arrhes [aR] *nfpl* deposit *sg*.

arrière [aRjɛR] *nm* back; *(SPORT)* fullback // *a inv:* **siège/roue ~** back ou rear seat/wheel; **à l'~** *ad* behind, at the back; **en ~** *ad* behind; *(regarder)* back, behind; *(tomber, aller)* backwards; **en ~ de** *prép* behind; **arriéré, e** *a (péj)* backward // *nm (d'argent)* arrears *pl*; **~-boutique** *nf* back shop; **~-garde** *nf* rearguard; **~-goût** *nm* aftertaste; **~-grand-mère** *nf* great-grandmother; *nm* great-grandfather; **~-pays** *nm inv* hinterland; **~-pensée** *nf* ulterior motive; mental reservation; **~-petits-enfants** *nmpl* great-grandchildren; **~-plan** *nm* background; **~-saison** *nf* late autumn; **~-train** *nm* hindquarters *pl*.

arrimer [aRime] *vt* to stow; to secure, fasten securely.

arrivage [aRivaʒ] *nm* arrival.

arrivée [aRive] *nf* arrival; *(ligne d'arrivée)* finish; **~ d'air/de gaz** air/gas inlet; **à mon ~** when I arrived.

arriver [aRive] *vi* to arrive; *(survenir)* to happen, occur; **il arrive à Paris à 8h** he gets to ou arrives at Paris at 8; **~ à** *(atteindre)* to reach; **~ à faire qch** to succeed in doing sth; **il arrive que** it happens that; **il lui arrive de faire** he sometimes does; **arriviste** *nm/f* go-getter.

arrogance [aRɔgɑ̃s] *nf* arrogance.

arrogant, e [aRɔgɑ̃, -ɑ̃t] *a* arrogant.

arroger [aRɔʒe]: **s'~** *vt* to assume (without right).

arrondi, e [aRɔ̃di] *a* round // *nm* roundness.

arrondir [aRɔ̃diR] *vt (forme, objet)* to

round; *(somme)* to round off; **s'~** *vi* to become round(ed).

arrondissement [aRɔ̃dismɑ̃] *nm (ADMIN)* ≈ district.

arrosage [aRozaʒ] *nm* watering; **tuyau d'~** hose(pipe).

arroser [aRoze] *vt* to water; *(victoire)* to celebrate (over a drink); *(CULIN)* to baste; **arroseuse** *nf* water cart; **arrosoir** *nm* watering can.

arsenal, aux [aRsənal, -o] *nm (NAVIG)* naval dockyard; *(MIL)* arsenal; *(fig)* gear, paraphernalia.

arsenic [aRsənik] *nm* arsenic.

art [aR] *nm* art; **~s et métiers** applied arts and crafts; **~s ménagers** homecraft *sg*, domestic science *sg*.

artère [aRtɛR] *nf (ANAT)* artery; *(rue)* main road; **artériel, le** *a* arterial; **artériosclérose** *nf* arteriosclerosis.

arthrite [aRtRit] *nf* arthritis.

arthrose [aRtroz] *nf* (degenerative) osteoarthritis.

artichaut [aRtiʃo] *nm* artichoke.

article [aRtikl(ə)] *nm* article; *(COMM)* item, article; **à l'~ de la mort** at the point of death; **~ de fond** *(PRESSE)* feature article.

articulaire [aRtikylɛR] *a* of the joints, articular.

articulation [aRtikylasjɔ̃] *nf* articulation; *(ANAT)* joint.

articuler [aRtikyle] *vt* to articulate; **s'~ (sur)** *(ANAT, TECH)* to articulate (to).

artifice [aRtifis] *nm* device, trick.

artificiel, le [aRtifisjɛl] *a* artificial; **~lement** *ad* artificially.

artificier [aRtifisje] *nm* pyrotechnist.

artificieux, euse [aRtifisjø, -øz] *a* guileful, deceitful.

artillerie [aRtijRi] *nf* artillery, ordnance; **artilleur** *nm* artilleryman, gunner.

artisan [aRtizɑ̃] *nm* artisan, craftsman; *(self-employed)* craftsman; **l'~ de la victoire** the architect of victory; **artisanal, e, aux** *a* of ou made by craftsmen; *(péj)* cottage industry *cpd*, unsophisticated; **artisanat** *nm* arts and crafts *pl*.

artiste [aRtist(ə)] *nm/f* artist; *(de variétés)* entertainer; performer; singer; actor/actress; **artistique** *a* artistic.

aryen, ne [aRjɛ̃, -jɛn] *a* Aryan.

as *vb* [a] *voir* **avoir** // *nm* [ɑs] ace.

ascendance [asɑ̃dɑ̃s] *nf (origine)* ancestry.

ascendant, e [asɑ̃dɑ̃, -ɑ̃t] *a* upward // *nm* ascendancy; **~s** *nmpl* ascendants.

ascenseur [asɑ̃sœR] *nm* lift.

ascension [asɑ̃sjɔ̃] *nf* ascent; climb; **l'A~** *(REL)* the Ascension.

ascète [asɛt] *nm/f* ascetic; **ascétique** *a* ascetic.

asepsie [asɛpsi] *nf* asepsis; **aseptique** *a* aseptic; **aseptiser** *vt* to sterilize; to disinfect.

asiatique [azjatik] *a, nm/f* Asiatic, Asian.

Asie [azi] *nf* Asia.

asile [azil] *nm (refuge)* refuge, sanctuary; *(POL)*: **droit d'~** (political) asylum; *(pour malades mentaux)* home, asylum; *(pour vieillards)* home.

aspect [aspε] *nm* appearance, look; (*fig*) aspect, side; (*LING*) aspect; **à l'~ de** at the sight of.

asperge [aspεRʒ(ə)] *nf* asparagus *q*.

asperger [aspεRʒe] *vt* to spray, sprinkle.

aspérité [aspeRite] *nf* excrescence, protruding bit (of rock *etc*).

aspersion [aspεRsjɔ̃] *nf* spraying, sprinkling.

asphalte [asfalt(ə)] *nm* asphalt; **asphalter** *vt* to asphalt.

asphyxie [asfiksi] *nf* suffocation, asphyxia, asphyxiation; **asphyxier** *vt* to suffocate, asphyxiate; (*fig*) to stifle.

aspic [aspik] *nm* (*ZOOL*) asp; (*CULIN*) aspic.

aspirant, e [aspiRɑ̃, -ɑ̃t] *a*: **pompe ~e** suction pump // *nm* (*NAVIG*) midshipman.

aspirateur [aspiRatœR] *nm* vacuum cleaner, hoover.

aspiration [aspiRɑsjɔ̃] *nf* inhalation; sucking (up); drawing up; **~s** *nfpl* (*ambitions*) aspirations.

aspirer [aspiRe] *vt* (*air*) to inhale; (*liquide*) to suck (up); (*suj: appareil*) to suck *ou* draw up; **~ à** *vt* to aspire to.

aspirine [aspiRin] *nf* aspirin.

assagir [asaʒiR] *vt*, **s'~** *vi* to quieten down, sober down.

assaillant, e [asajɑ̃, -ɑ̃t] *nm/f* assailant, attacker.

assaillir [asajiR] *vt* to assail, attack; **~ qn de** (*questions*) to assail *ou* bombard sb with.

assainir [aseniR] *vt* to clean up; to purify.

assaisonnement [asεzɔnmɑ̃] *nm* seasoning.

assaisonner [asεzɔne] *vt* to season.

assassin [asasɛ̃] *nm* murderer; assassin.

assassinat [asasina] *nm* murder; assassination.

assassiner [asasine] *vt* to murder; to assassinate.

assaut [aso] *nm* assault, attack; **prendre d'~** to (take by) storm, assault; **donner l'~** to attack; **faire ~ de** (*rivaliser*) to vie with *ou* rival each other in.

assécher [aseʃe] *vt* to drain.

assemblage [asɑ̃blaʒ] *nm* assembling; (*MENUISERIE*) joint; **un ~ de** (*fig*) a collection of.

assemblée [asɑ̃ble] *nf* (*réunion*) meeting; (*public, assistance*) gathering; assembled people; (*POL*) assembly; **l'A~ Nationale** the (French) National Assembly.

assembler [asɑ̃ble] *vt* (*joindre, monter*) to assemble, put together; (*amasser*) to gather (together), collect (together); **s'~** *vi* to gather, collect.

assener, asséner [asene] *vt*: **~ un coup à qn** to deal sb a blow.

assentiment [asɑ̃timɑ̃] *nm* assent, consent; approval.

asseoir [aswaR] *vt* (*malade, bébé*) to sit up; to sit down; (*autorité, réputation*) to establish; **~ qch sur** to build sth on; to base sth on; **s'~** *vi* to sit (o.s.) down.

assermenté, e [asεRmɑ̃te] *a* sworn, on oath.

asservir [asεRviR] *vt* to subjugate, enslave.

assesseur [asesœR] *nm* (*JUR*) assessor.

asseye *etc vb voir* **asseoir.**

assez [ase] *ad* (*suffisamment*) enough, sufficiently; (*passablement*) rather, quite, fairly; **est-il ~ fort/rapide?** is he strong/fast enough *ou* sufficiently strong/fast?; **il est passé ~ vite** he went past rather *ou* quite *ou* fairly fast; **~ de pain/livres** enough *ou* sufficient bread/books; **travailler ~** to work sufficiently (hard), work (hard) enough.

assidu, e [asidy] *a* assiduous, painstaking; regular; **assiduités** *nfpl* assiduous attentions.

assied *etc vb voir* **asseoir.**

assiéger [asjeʒe] *vt* to besiege, lay siege to; (*suj: foule, touristes*) to mob, besiege.

assiérai *etc vb voir* **asseoir.**

assiette [asjεt] *nf* plate; (*contenu*) plate(ful); (*équilibre*) seat; seating; trim; **~ anglaise** assorted cold meats; **~ creuse** (soup) dish, soup plate; **~ à dessert** dessert plate; **~ de l'impôt** basis of (tax) assessment; **~ plate** (dinner) plate.

assigner [asiɲe] *vt*: **~ qch à** (*poste, part, travail*) to assign *ou* allot sth to; (*limites*) to set *ou* fix sth to; (*cause, effet*) to ascribe *ou* attribute sth to; **~ qn à** (*affecter*) to assign sb to; **~ qn à résidence** (*JUR*) to assign a forced residence to sb.

assimiler [asimile] *vt* to assimilate, absorb; (*comparer*): **~ qch/qn à** to liken *ou* compare sth/sb to; **ils sont assimilés aux infirmières** (*ADMIN*) they are classed as nurses; **s'~** *vi* (*s'intégrer*) to be assimilated *ou* absorbed.

assis, e [asi, -iz] *pp de* **asseoir** // *a* sitting (down), seated // *nf* (*CONSTR*) course; (*GÉO*) stratum (*pl a*); (*fig*) basis (*pl* bases), foundation; **~es** *nfpl* (*JUR*) assizes; (*congrès*) (annual) conference.

assistance [asistɑ̃s] *nf* (*public*) audience; (*aide*) assistance; **porter ~ à qn** to give sb assistance; **l'A~ (publique)** (-1953) ≈ National Assistance; Child Care.

assistant, e [asistɑ̃, -ɑ̃t] *nm/f* assistant; (*d'université*) probationary lecturer; **les ~s** *nmpl* (*auditeurs etc*) those present; **~e sociale** social worker.

assisté, e [asiste] *a* (*AUTO*) power assisted.

assister [asiste] *vt* to assist; **~ à** *vt* (*scène, événement*) to witness; (*conférence, séminaire*) to attend, be (present) at; (*spectacle, match*) to see, watch.

association [asɔsjɑsjɔ̃] *nf* association.

associé, e [asɔsje] *nm/f* associate; partner.

associer [asɔsje] *vt* to associate; **~ qn à** (*profits*) to give sb a share of; (*affaire*) to make sb a partner in; (*joie, triomphe*) to include sb in; **~ qch à** (*joindre, allier*) to combine sth with; **s'~** (*suj pl*) to join together; (*COMM*) to form a partnership; **s'~ à** *vt* (*collaborateur*) to take on (as a partner); **~ à qn pour faire** to join (forces) *ou* join together with sb to do; **s'~ à** to be combined with; (*opinions, joie de qn*) to share in.

assoiffé, e [aswafe] *a* thirsty.

assolement [asɔlmɑ̃] *nm* (systematic) rotation of crops.

assombrir [asɔ̃bRiR] *vt* to darken ; (*fig*) to fill with gloom ; **s'~** *vi* to darken ; to cloud over ; to become gloomy.

assommer [asɔme] *vt* to batter to death ; (*étourdir, abrutir*) to knock out ; to stun ; (*fam: ennuyer*) to bore stiff.

Assomption [asɔ̃psjɔ̃] *nf*: **l'~** the Assumption.

assorti, e [asɔRti] *a* matched, matching ; **fromages/légumes**   **~s** assorted cheeses/vegetables ; **~** *a* matching.

assortiment [asɔRtimɑ̃] *nm* assortment, selection.

assortir [asɔRtiR] *vt* to match ; **~ qch à** to match sth with ; **~ qch de** to accompany sth with ; **s'~ de** to be accompanied by.

assoupi, e [asupi] *a* dozing, sleeping ; (*fig*) (be)numbed ; dulled ; stilled.

assoupir [asupiR] : **s'~** *vi* to doze off.

assouplir [asupliR] *vt* to make supple ; (*fig*) to relax.

assourdir [asuRdiR] *vt* (*bruit*) to deaden, muffle ; (*suj: bruit*) to deafen.

assouvir [asuviR] *vt* to satisfy, appease.

assujettir [asyʒetiR] *vt* to subject, subjugate ; **~ qn à** (*règle, impôt*) to subject sb to.

assumer [asyme] *vt* (*fonction, emploi*) to assume, take on.

assurance [asyRɑ̃s] *nf* (*certitude*) assurance ; (*confiance en soi*) (self-)confidence ; (*contrat*) insurance (policy) ; (*secteur commercial*) insurance ; **~ maladie** health insurance ; **~ tous risques** (*AUTO*) comprehensive insurance ; **~s sociales** ≈ National Insurance ; **~vie** *nf* life assurance *ou* insurance.

assuré, e [asyRe] *a* (*victoire etc*) certain, sure ; (*démarche, voix*) assured, (self-)confident ; (*certain*): **~ de** confident of // *nm/f* insured (person) ; **~ social** ≈ member of the National Insurance scheme ; **~ment** *ad* assuredly, most certainly.

assurer [asyRe] *vt* (*COMM*) to insure ; (*stabiliser*) to steady ; to stabilize ; (*victoire etc*) to ensure, make certain ; (*frontières, pouvoir*) to make secure ; (*service, garde*) to provide ; to operate ; (*garantir*): **~ qch à qn** to secure *ou* guarantee sth for sb ; (*certifier*) to assure sb of sth ; **~ à qn que** to assure sb that ; **~ qn de** to assure sb of ; **s'~ (contre)** (*COMM*) to insure o.s. (against) ; **s'~ de/que** (*vérifier*) to make sure of/that ; **s'~ (de)** (*aide de qn*) to secure (for o.s.) ; **assureur** *nm* insurance agent ; insurers *pl*.

astérisque [asteRisk(ə)] *nm* asterisk.

asthmatique [asmatik] *a* asthmatic.

asthme [asm(ə)] *nm* asthma.

asticot [astiko] *nm* maggot.

astiquer [astike] *vt* to polish, shine.

astre [astR(ə)] *nm* star.

astreignant, e [astRɛɲɑ̃, -ɑ̃t] *a* demanding.

astreindre [astRɛdR(ə)] *vt*: **~ qn à qch** to force sth upon sb ; **~ qn à faire** to compel *ou* force sb to do.

astringent, e [astRɛ̃ʒɑ̃, -ɑ̃t] *a* astringent.

astrologie [astRɔlɔʒi] *nf* astrology ; **astrologue** *nm/f* astrologer.

astronaute [astRɔnot] *nm/f* astronaut.

astronautique [astRɔnotik] *nf* astronautics *sg*.

astronome [astRɔnɔm] *nm/f* astronomer.

astronomie [astRɔnɔmi] *nf* astronomy ; **astronomique** *a* astronomic(al).

astuce [astys] *nf* shrewdness, astuteness ; (*truc*) trick, clever way ; (*plaisanterie*) wisecrack ; **astucieux, euse** *a* shrewd, clever, astute.

asymétrique [asimetRik] *a* asymmetric(al).

atelier [atəlje] *nm* workshop ; (*de peintre*) studio.

athée [ate] *a* atheistic // *nm/f* atheist.

Athènes [atɛn] *n* Athens.

athlète [atlɛt] *nm/f* (*SPORT*) athlete ; (*costaud*) muscleman ; **athlétique** *a* athletic ; **athlétisme** *nm* athletics *sg*.

atlantique [atlɑ̃tik] *a* Atlantic // *nm*: **l'(océan) A~** the Atlantic (Ocean).

atlas [atlas] *nm* atlas.

atmosphère [atmosfɛR] *nf* atmosphere ; **atmosphérique** *a* atmospheric.

atome [atom] *nm* atom ; **atomique** *a* (*bombe, pile*) atomic, nuclear ; (*usine*) nuclear ; (*nombre, masse*) atomic.

atomiseur [atomizœR] *nm* atomiser.

atone [atɔn] *a* lifeless.

atours [atuR] *nmpl* attire *sg*, finery *sg*.

atout [atu] *nm* trump ; (*fig*) asset ; trump card ; '**~ pique/trèfle**' spades/clubs are trumps.

âtre [ɑtR(ə)] *nm* hearth.

atroce [atRɔs] *a* atrocious ; dreadful ; **atrocité** *nf* atrocity.

atrophie [atRɔfi] *nf* atrophy.

atrophier [atRɔfje] : **s'~** *vi* to atrophy.

attabler [atable] : **s'~** *vi* to sit down at (the) table.

attachant, e [ataʃɑ̃, -ɑ̃t] *a* engaging, lovable, likeable.

attache [ataʃ] *nf* clip, fastener ; (*fig*) tie ; **à l'~** (*chien*) tied up.

attaché, e [ataʃe] *a*: **être ~ à** (*aimer*) to be attached to // *nm* (*ADMIN*) attaché ; **~-case** *nm inv* attaché case.

attachement [ataʃmɑ̃] *nm* attachment.

attacher [ataʃe] *vt* to tie up ; (*étiquette*) to attach, tie on ; (*souliers*) to do up // *vi* (*poêle, riz*) to stick ; **s'~ à** (*par affection*) to become attached to ; **s'~ à faire qch** to endeavour to do sth ; **~ qch à** to tie *ou* fasten *ou* attach sth to.

attaquant [atakɑ̃] *nm* (*MIL*) attacker ; (*SPORT*) striker, forward.

attaque [atak] *nf* attack ; (*cérébrale*) stroke ; (*d'épilepsie*) fit.

attaquer [atake] *vt* to attack ; (*en justice*) to bring an action against, sue ; (*travail*) to tackle, set about // *vi* to attack ; **s'~ à** to attack ; (*épidémie, misère*) to tackle, attack.

attardé, e [ataRde] *a* (*passants*) late ; (*enfant*) backward ; (*conceptions*) old-fashioned.

attarder [ataRde] : **s'~** *vi* to linger ; to stay on.

atteindre [atɛ̃dR(ə)] *vt* to reach; (*blesser*) to hit; (*contacter*) to reach, contact, get in touch with; (*émouvoir*) to affect.

atteint, e [atɛ̃, -ɛ̃t] *a* (*MÉD*): **être ~ de** to be suffering from // *nf* attack; **hors d'~e** out of reach; **porter ~e à** to strike a blow at; to undermine.

attelage [atlaʒ] *nm* (*de remorque etc*) coupling; (*animaux*) team; (*harnachement*) harness; yoke.

atteler [atle] *vt* (*cheval, bœufs*) to hitch up; (*wagons*) to couple; **s'~ à** (*travail*) to buckle down to.

attelle [atɛl] *nf* splint.

attenant, e [atnɑ̃, -ɑ̃t] *a*: **~ (à)** adjoining.

attendre [atɑ̃dR(ə)] *vt* (*gén*) to wait for; (*être destiné ou réservé à*) to await, be in store for // *vi* to wait; **s'~ à (ce que)** (*escompter*) to expect (that); **~ un enfant** to be expecting (a baby); **~ de faire/d'être** to wait until one does/is; **~ que** to wait until; **~ qch de** to expect sth of; **en attendant** *ad* meanwhile, in the meantime; be that as it may.

attendri, e [atɑ̃dRi] *a* tender.

attendrir [atɑ̃dRiR] *vt* to move (to pity); (*viande*) to tenderize; **s'~ (sur)** to be moved ou touched (by); **attendrissant, e** *a* moving, touching; **attendrissement** *nm* emotion; pity.

attendu [atɑ̃dy] *nm*: **~s** reasons adduced for a judgment; **~ que** *cj* considering that, since.

attentat [atɑ̃ta] *nm* assassination attempt; **~ à la bombe** bomb attack; **~ à la pudeur** indecent exposure *q*; indecent assault *q*.

attente [atɑ̃t] *nf* wait; (*espérance*) expectation.

attenter [atɑ̃te]: **~ à** *vt* (*liberté*) to violate; **~ à la vie de qn** to make an attempt on sb's life.

attentif, ive [atɑ̃tif, -iv] *a* (*auditeur*) attentive; (*travail*) scrupulous; careful; **~ à** paying attention to; mindful of; careful to.

attention [atɑ̃sjɔ̃] *nf* attention; (*prévenance*) attention, thoughtfulness *q*; **à l'~ de** for the attention of; **faire ~ (à)** to be careful (of); **faire ~ (à ce) que** to be ou make sure that; **~!** careful!, watch ou mind (out)!; **attentionné, e** *a* thoughtful, considerate.

attentisme [atɑ̃tism(ə)] *nm* wait-and-see policy.

attentivement [atɑ̃tivmɑ̃] *ad* attentively.

atténuer [atenɥe] *vt* to alleviate, ease; to lessen; to mitigate the effects of; **s'~** *vi* to ease; to abate.

atterrer [atere] *vt* to dismay, appal.

atterrir [ateRiR] *vi* to land; **atterrissage** *nm* landing; **atterrissage sur le ventre** belly landing.

attestation [atɛstasjɔ̃] *nf* certificate; **~ médicale** doctor's certificate.

attester [atɛste] *vt* to testify to, vouch for; (*démontrer*) to attest, testify to; **~ que** to testify that.

attiédir [atjedir]: **s'~** *vi* to become lukewarm; (*fig*) to cool down.

attifé, e [atife] *a* (*fam*) got up, rigged out.

attique [atik] *nm*: **appartement en ~** penthouse (flat).

attirail [atiRaj] *nm* gear; (*péj*) paraphernalia.

attirance [atiRɑ̃s] *nf* attraction; (*séduction*) lure.

attirant, e [atiRɑ̃, -ɑ̃t] *a* attractive, appealing.

attirer [atiRe] *vt* to attract; (*appâter*) to lure, entice; **~ qn dans un coin/vers soi** to draw sb into a corner/towards one; **~ l'attention de qn (sur)** to attract sb's attention (to); to draw sb's attention (to); **s'~ des ennuis** to bring trouble upon o.s., get into trouble.

attiser [atize] *vt* (*feu*) to poke (up), stir up; (*fig*) to fan the flame of, stir up.

attitré, e [atitRe] *a* qualified; accredited; appointed.

attitude [atityd] *nf* attitude; (*position du corps*) bearing.

attouchements [atuʃmɑ̃] *nmpl* touching *sg*; (*sexuels*) fondling *sg*, stroking *sg*.

attraction [atRaksjɔ̃] *nf* (*gén*) attraction; (*de cabaret, cirque*) number.

attrait [atRɛ] *nm* appeal, attraction; lure; **éprouver de l'~ pour** to be attracted to; **~s** *nmpl* attractions.

attrape [atRap] *nf* voir **farce** // *préfixe*: **~-nigaud** *nm* con.

attraper [atRape] *vt* (*gén*) to catch; (*habitude, amende*) to get, pick up; (*fam: duper*) to take in.

attrayant, e [atRɛjɑ̃, -ɑ̃t] *a* attractive.

attribuer [atRibɥe] *vt* (*prix*) to award; (*rôle, tâche*) to allocate, assign; (*imputer*): **~ qch à** to attribute sth to, ascribe sth to, put sth down to; **s'~** *vt* (*s'approprier*) to claim for o.s.

attribut [atRiby] *nm* attribute; (*LING*) complement.

attribution [atRibysjɔ̃] *nf* awarding; allocation, assignment; attribution; **~s** *nfpl* (*compétence*) attributions.

attrister [atRiste] *vt* to sadden.

attroupement [atRupmɑ̃] *nm* crowd, mob.

attrouper [atRupe]: **s'~** *vi* to gather.

au [o] *prép* + *dét* voir **à**.

aubade [obad] *nf* dawn serenade.

aubaine [obɛn] *nf* godsend; (*financière*) windfall.

aube [ob] *nf* dawn, daybreak; **à l'~** at dawn ou daybreak; **à l'~ de** (*fig*) at the dawn of.

aubépine [obepin] *nf* hawthorn.

auberge [obɛRʒ(ə)] *nf* inn; **~ de jeunesse** youth hostel.

aubergine [obɛRʒin] *nf* aubergine.

aubergiste [obɛRʒist(ə)] *nm/f* inn-keeper, hotel-keeper.

aucun, e [okœ̃, -yn] *dét* no, *tournure négative* + any; (*positif*) any // *pronom* none, *tournure négative* + any; any(one); **il n'y a ~ livre** there isn't any book, there is no book; **je n'en vois ~ qui** I can't see any which, I (can) see none which; **sans ~ doute** without any doubt; **plus qu'~ autre** more than any other; **~ des deux** neither of the two; **~ d'entre eux** none of them; **d'~s** (*certains*) some;

aucunement ad in no way, not in the least.
audace [odas] nf daring, boldness ; (péj)
audacity ; **audacieux, euse** a daring, bold.
au-delà [odla] ad beyond // nm: l'~ the
beyond ; ~ **de** prép beyond.
au-dessous [odsu] ad underneath ;
below ; ~ **de** prép under(neath), below ;
(limite, somme etc) below, under ; (dignité,
condition) below.
au-dessus [odsy] ad above ; ~ **de** prép
above.
au-devant [odvɑ̃] : ~ **de** prép: **aller** ~ **de**
(personne, danger) to go (out) and meet ;
(souhaits de qn) to anticipate.
audience [odjɑ̃s] nf audience ; (JUR:
séance) hearing ; **trouver** ~ **auprès de** to
arouse much interest among, get the (interested) attention of.
audio-visuel, le [odjovizɥɛl] a audio-
visual.
auditeur, trice [oditœR, -tRis] nm/f (à la
radio) listener ; (à une conférence) member
of the audience, listener ; ~ **libre** unregis-
tered student (attending lectures).
audition [odisjɔ̃] nf (ouïe, écoute) hearing ;
(JUR: de témoins) examination ; (MUS,
THÉÂTRE: épreuve) audition ; **auditionner** vt,
vi to audition.
auditoire [oditwaR] nm audience.
auditorium [oditɔRjɔm] nm (public)
studio.
auge [oʒ] nf trough.
augmentation [ogmɑ̃tɑsjɔ̃] nf increasing ; raising ; increase ; ~ **(de salaire)** rise
(in salary).
augmenter [ogmɑ̃te] vt (gén) to increase ;
(salaire, prix) to increase, raise, put up ;
(employé) to increase the salary of, give
a (salary) rise to // vi to increase.
augure [ogyR] nm soothsayer, oracle ; **de
bon/mauvais** ~ of good/ill omen.
augurer [ogyRe] vt: ~ **qch de** to foresee
sth (coming) out of ; ~ **bien de** to augur
well for.
auguste [ogyst(ə)] a august, noble,
majestic.
aujourd'hui [oʒuRdɥi] ad today.
aumône [omon] nf alms sg (pl inv) ; **faire
l'**~ **(à qn)** to give alms (to sb) ; **faire l'**~
de qch à qn (fig) to favour sb with sth.
aumônerie [omonRi] nf chaplaincy.
aumônier [omonje] nm chaplain.
auparavant [oparavɑ̃] ad before(hand).
auprès [opRɛ] : ~ **de** prép next to, close
to ; (recourir, s'adresser) to ; (en
comparaison de) compared with, next to.
auquel [okɛl] prép + pronom voir **lequel**.
aurai etc vb voir **avoir**.
auréole [oReɔl] nf halo ; (tache) ring.
auriculaire [oRikylɛR] nm little finger.
aurons etc vb voir **avoir**.
aurore [oRɔR] nf dawn, daybreak ; ~
boréale northern lights pl.
ausculter [oskylte] vt to auscultate.
auspices [ospis] nmpl: **sous les** ~ **de**
under the patronage ou auspices of ; **sous
de bons/mauvais** ~ under fa-
vourable/unfavourable auspices.
aussi [osi] ad (également) also, too ; (de
comparaison) as // cj therefore, consequently ; ~ **fort que** as strong as ; **moi**

~ me too, so do I ; ~ **bien que** (de même
que) as well as.
aussitôt [osito] ad straight away, immediately ; ~ **que** as soon as ; ~ **envoyé**
as soon as it is (ou was) sent.
austère [ostɛR] a austere ; **austérité** nf
austerity.
austral, e [ostRal] a southern.
Australie [ostRali] nf Australia ;
australien, ne a, nm/f Australian.
autant [otɑ̃] ad so much ; (comparatif): ~
(que) as much (as) ; (nombre) as many
(as) ; ~ **(de)** so much (ou many) ; as much
(ou many) ; ~ **partir** we (ou you.etc) had
better leave ; **y en a-t-il** ~ **(qu'avant)?**
are there as many (as before)? ; is there
as much (as before)? ; **il n'est pas
découragé pour** ~ he isn't discouraged
for all that ; **pour** ~ **que** cj assuming, as
long as ; **d'**~ **plus/mieux (que)** all the
more/the better (since).
autarcie [otaRsi] nf autarchy.
autel [otɛl] nm altar.
auteur [otœR] nm author ; l'~ **de cette
remarque** the person who said that ; ~-
compositeur nm composer-songwriter.
authentifier [otɑ̃tifje] vt to authenticate.
authentique [otɑ̃tik] a authentic, genuine.
auto [oto] nf car.
auto... [oto] préfixe auto..., self- ;
~**biographie** nf autobiography.
autobus [otobys] nm bus.
autocar [otokaR] nm coach.
autochtone [otoktɔn] nm/f native.
auto-collant, e [otokɔlɑ̃, -ɑ̃t] a self-
adhesive ; (enveloppe) self-seal // nm
sticker.
auto-couchettes [otokuʃɛt] a: **train** ~
car sleeper train.
autocratique [otokRatik] a autocratic.
autocritique [otokRitik] nf self-criticism.
autodéfense [otodefɑ̃s] nf self-defence ;
groupe d'~ vigilance committee.
autodidacte [otodidakt(ə)] nm/f self-
taught person.
auto-école [otoekɔl] nf driving school.
autofinancement [otofinɑ̃smɑ̃] nm self-
financing.
autogestion [otoʒɛstjɔ̃] nf self-
management.
autographe [otogRaf] nm autograph.
automate [otomat] nm automaton.
automatique [otomatik] a automatic //
nm: l'~ ≈ subscriber trunk dialling ;
~**ment** ad automatically ; **automatiser** vt
to automate ; **automatisme** nm
automatism.
automne [otɔn] nm autumn.
automobile [otomɔbil] a motor cpd // nf
(motor) car ; l'~ motoring ; the car
industry ; **automobiliste** nm/f motorist.
autonome [otonɔm] a autonomous ;
autonomie nf autonomy ; (POL) self-
government, autonomy ; **autonomie de
vol** range.
autopsie [otopsi] nf post mortem
(examination), autopsy.
autorisation [otoRizɑsjɔ̃] nf permission,
authorization ; (papiers) permit ; **avoir l'**~
de faire to be allowed ou have permission
to do, be authorized to do.

autorisé, e [ɔtɔRize] a (opinion, sources) authoritative.

autoriser [ɔtɔRize] vt to give permission for, authorize; (fig) to allow (of), sanction; ~ qn à faire to give permission to sb to do, authorize sb to do.

autoritaire [ɔtɔRitɛR] a authoritarian.

autorité [ɔtɔRite] nf authority; faire ~ to be authoritative.

autoroute [ɔtɔRut] nf motorway.

auto-stop [ɔtɔstɔp] nm: l'~ hitch-hiking; faire de l'~ to hitch-hike; prendre qn en ~ to give sb a lift; ~peur, euse nm/f hitch-hiker, hitcher.

autour [otuR] ad around; ~ de prép around; (environ) around, about; tout ~ ad all around.

autre [otR(ə)] a other; un ~ verre (supplémentaire) one more glass, another glass; (différent) another glass, a different glass; un ~ another (one); l'~ the other (one); les ~s (autrui) others; l'un et l'~ both (of them); se détester etc l'un l'~/les uns les ~s to hate etc each other/one another; se sentir ~ to feel different; d'une semaine à l'~ from one week to the next; (incessamment) any week now; ~ chose something else; ~ part ad somewhere else; d'~ part ad on the other hand; entre ~s among others; among other things; nous/vous ~s us/you (lot).

autrefois [otRəfwa] ad in the past.

autrement [otRəmã] ad differently; in another way; (sinon) otherwise; ~ dit in other words.

Autriche [otRiʃ] nf Austria; **autrichien, ne** a, nm/f Austrian.

autruche [otRyʃ] nf ostrich.

autrui [otRyi] pronom others.

auvent [ovã] nm canopy.

aux [o] prép + dét voir à.

auxiliaire [ɔksiljɛR] a, nm, nf auxiliary.

auxquels, auxquelles [okɛl] prép + pronom voir **lequel**.

av. abr de **avenue**.

avachi, e [avaʃi] a limp, flabby.

aval [aval] nm (accord) endorsement, backing; (GÉO): en ~ downstream, downriver; (sur une pente) downhill; en ~ de downstream ou downriver from; downhill from.

avalanche [avalãʃ] nf avalanche; ~ poudreuse powder snow avalanche.

avaler [avale] vt to swallow.

avance [avãs] nf (de troupes etc) advance; progress; (d'argent) advance; (opposé à retard) lead; being ahead of schedule; ~s nfpl overtures; (amoureuses) advances; **une ~ de 300 m/4 h** (SPORT) a 300 m/4 hour lead; (être) en ~ (to be) early; (sur un programme) (to be) ahead of schedule; **payer d'~** to pay in advance; à l'~ in advance, beforehand.

avancé, e [avãse] a advanced; well on ou under way // nf projection; overhang; jutting part.

avancement [avãsmã] nm (professionnel) promotion.

avancer [avãse] vi to move forward, advance; (projet, travail) to make progress; (être en saillie) to overhang; to project; to

jut out; (montre, réveil) to be fast; to gain // vt to move forward, advance; (argent) to advance; s'~ vi to move forward, advance; (fig) to commit o.s.; to overhang; to project; to jut out; **j'avance (d'une heure)** I'm (an hour) fast.

avanies [avani] nfpl snubs.

avant [avã] prép before // ad: trop/plus ~ too far/further forward // a inv: siège/roue ~ front seat/wheel // nm (d'un véhicule, bâtiment) front; (SPORT: joueur) forward; ~ qu'il parte/de faire before he leaves/doing; ~ tout (surtout) above all; à l'~ (dans un véhicule) in (the) front; en ~ ad forward(s); en ~ de prép in front of.

avantage [avãtaʒ] nm advantage; (TENNIS): ~ service/dehors advantage ou van in/out; ~s sociaux fringe benefits; ~ en nature perk.

avantager vt (favoriser) to favour; (embellir) to flatter; **avantageux, euse** a attractive; attractively priced.

avant-bras [avãbRa] nm inv forearm.

avant-centre [avãsãtR(ə)] nm centre-forward.

avant-coureur [avãkuRœR] a: signe ~ forerunner.

avant-dernier, ère [avãdɛRnje, -jɛR] a, nm/f next to last, last but one.

avant-garde [avãgaRd(ə)] nf (MIL) vanguard; (fig) avant-garde.

avant-goût [avãgu] nm foretaste.

avant-hier [avãtjɛR] ad the day before yesterday.

avant-poste [avãpɔst(ə)] nm outpost.

avant-première [avãpRəmjɛR] nf (de film) preview.

avant-projet [avãpRɔʒe] nm pilot study.

avant-propos [avãpRɔpo] nm foreword.

avant-veille [avãvɛj] nf: l'~ two days before.

avare [avaR] a miserly, avaricious // nm/f miser; ~ de (compliments etc) sparing of; **avarice** nf avarice, miserliness; **avaricieux, euse** a miserly, niggardly.

avarié, e [avaRje] a rotting, going off.

avaries [avaRi] nfpl (NAVIG) damage sg.

avatar [avataR] nm misadventure; metamorphosis (pl phoses).

avec [avɛk] prép with; (à l'égard de) to(wards), with.

avenant, e [avnã, -ãt] a pleasant; à l'~ ad in keeping.

avènement [avɛnmã] nm (d'un roi) accession, succession; (d'un changement) advent, coming.

avenir [avniR] nm future; à l'~ in future; **politicien d'~** politician with prospects ou a future.

Avent [avã] nm: l'~ Advent.

aventure [avãtyR] nf adventure; (amoureuse) affair; **s'aventurer** vi to venture; **aventureux, euse** a adventurous, venturesome; (projet) risky, chancy; **aventurier, ère** nm/f adventurer // nf (péj) adventuress.

avenu, e [avny] a: nul et non ~ null and void.

avenue [avny] nf avenue.

avérer [aveRe]: s'~ vb avec attribut to prove (to be).

averse [avɛʀs(ə)] nf shower.

aversion [avɛʀsjɔ̃] nf aversion, loathing.

averti, e [avɛʀti] a (well-)informed.

avertir [avɛʀtiʀ] vt: ~ qn (de qch/que) to warn sb (of sth/that); (renseigner) to inform sb (of sth/that); **avertissement** nm warning; **avertisseur** nm horn, hooter.

aveu, x [avø] nm confession.

aveugle [avœgl(ə)] a blind; ~ment nm blindness; **aveuglément** ad blindly; **aveugler** vt to blind; **à l'aveuglette** ad groping one's way along; (fig) in the dark, blindly.

aviateur, trice [avjatœʀ, -tʀis] nm/f aviator, pilot.

aviation [avjasjɔ̃] nf aviation; (sport) flying; (MIL) air force.

avide [avid] a eager; (péj) greedy, grasping; **avidité** nf eagerness; greed.

avilir [aviliʀ] vt to debase.

aviné, e [avine] a intoxicated, drunken.

avion [avjɔ̃] nm aeroplane; **aller (quelque part) en ~** to go (somewhere) by plane, fly (somewhere); **par ~** by airmail; **~ à réaction** jet (aeroplane).

aviron [aviʀɔ̃] nm oar; (sport): **l'~** rowing.

avis [avi] nm opinion; (notification) notice; **être d'~ que** to be of the opinion that; **changer d'~** to change one's mind; **jusqu'à nouvel ~** until further notice.

avisé, e [avize] a sensible, wise; **être bien/mal ~ de faire** to be well-/ill-advised to do.

aviser [avize] vt (voir) to notice, catch sight of; (informer): ~ **qn de/que** to advise ou inform sb of/that // vi to think about things, assess the situation; **s'~ de qch/que** to become suddenly aware of sth/that; **s'~ de faire** to take it into one's head to do.

avocat, e [avɔka, -at] nm/f (JUR) barrister; (fig) advocate, champion // nm (CULIN) avocado (pear); **l'~ de la défense/partie civile** the counsel for the defence/plaintiff; ~ **d'affaires** business lawyer; ~ **général** assistant public prosecutor; ~-**stagiaire** nm ≈ barrister doing his articles.

avoine [avwan] nf oats pl.

avoir [avwaʀ] nm assets pl, resources pl // vt (gén) to have; (fam: duper) to do // vb auxiliaire to have; ~ **à faire qch** to have to do sth; **il a 3 ans** he is 3 (years old); **voir faim, peur** etc; ~ **3 mètres de haut** to be 3 metres high; **il y a** there is + sg, there are + pl; (temporel): **il y a 10 ans** 10 years ago; **il y a 10 ans/longtemps que je le sais** I've known it for 10 years/a long time; **il y a 10 ans qu'il est arrivé** it's 10 years since he arrived; **il ne peut y en ~ qu'un** there can only be one; **il n'y a qu'à we** (ou you etc) will just have to; **qu'est-ce qu'il y a?** what's the matter?, what is it?; **en ~ à ou contre qn** to have a down on sb.

avoisinant, e [avwazinɑ̃, -ɑ̃t] a neighbouring.

avoisiner [avwazine] vt to be near ou close to; (fig) to border ou verge on.

avortement [avɔʀtəmɑ̃] nm abortion.

avorter [avɔʀte] vi (MÉD) to have an abortion; (fig) to fail.

avorton [avɔʀtɔ̃] nm (péj) little runt.

avoué, e [avwe] a avowed // nm (JUR) ≈ solicitor.

avouer [avwe] vt (crime, défaut) to confess (to); ~ **avoir fait/que** to admit ou confess to having done/that.

avril [avʀil] nm April.

axe [aks(ə)] nm axis (pl axes); (de roue etc) axle; (fig) main line; ~ **routier** trunk road, main road; ~ **de symétrie** symmetry axis; **axer** vt: **axer qch sur** to centre sth on.

ayant droit [ɛjɑ̃dʀwa] nm assignee; ~ **à** (pension etc) person eligible for ou entitled to.

ayons etc vb voir **avoir**.

azalée [azale] nf azalea.

azimut [azimyt] nm azimuth; **tous ~s** a (fig) omnidirectional.

azote [azɔt] nm nitrogen; **azoté, e** a nitrogenous.

azur [azyʀ] nm (couleur) azure, sky blue; (ciel) sky, skies pl.

azyme [azim] a: **pain ~** unleavened bread.

B

B.A. sigle f (= bonne action) good deed (for the day).

babiller [babije] vi to prattle, chatter; (bébé) to babble.

babines [babin] nfpl chops.

babiole [babjɔl] nf (bibelot) trinket; (vétille) trifle.

bâbord [babɔʀ] nm: **à ou par ~** to port, on the port side.

babouin [babwɛ̃] nm baboon.

bac [bak] nm (SCOL) abr de **baccalauréat**; (bateau) ferry; (récipient) tub; tray; tank; ~ **à glace** ice-tray.

baccalauréat [bakalɔʀea] nm ≈ GCE A-levels.

bâche [baʃ] nf tarpaulin, canvas sheet.

bachelier, ère [baʃəlje, -ljɛʀ] nm/f holder of the baccalauréat.

bâcher [baʃe] vt to cover (with a canvas sheet ou a tarpaulin).

bachot [baʃo] nm abr de **baccalauréat**.

bacille [basil] nm bacillus (pl i).

bâcler [bɑkle] vt to botch (up).

bactérie [bakteʀi] nf bacterium (pl ia); **bactériologie** nf bacteriology.

badaud, e [bado, -od] nm/f idle onlooker, stroller.

baderne [badɛʀn(ə)] nf (péj): **(vieille) ~** old fossil.

badigeon [badiʒɔ̃] nm distemper; colourwash; **badigeonner** vt to distemper; to colourwash; (barbouiller) to daub.

badin, e [badɛ̃, -in] a light-hearted, playful.

badinage [badinaʒ] nm banter.

badine [badin] nf switch (stick).

badiner [badine] vi: ~ **avec qch** to treat sth lightly.

badminton [badmintɔn] nm badminton.

baffe [baf] nf (fam) slap, clout.

bafouer [bafwe] vt to deride, ridicule.

bafouiller [bafuje] vi, vt to stammer.

bâfrer [bɑfʀe] vi, vt (fam) to guzzle, gobble.

bagage [bagaʒ] nm: ~s luggage sg; ~ littéraire (stock of) literary knowledge; ~s à main hand-luggage.

bagarre [bagaʀ] nf fight, brawl; **il aime la ~** he loves a fight, he likes fighting; **se bagarrer** vi to have a fight ou scuffle, fight.

bagatelle [bagatɛl] nf trifle, trifling sum ou matter.

bagnard [baɲaʀ] nm convict.

bagne [baɲ] nm penal colony.

bagnole [baɲɔl] nf (fam) car, motor.

bagout [bagu] nm glibness; **avoir du ~** to have the gift of the gab.

bague [bag] nf ring; ~ de fiançailles engagement ring; ~ de serrage clip.

baguenauder [bagnode]: **se ~** vi to trail around, loaf around.

baguer [bage] vt to ring.

baguette [bagɛt] nf stick; (cuisine chinoise) chopstick; (de chef d'orchestre) baton; (pain) stick of (French) bread; ~ magique magic wand; ~ de tambour drumstick.

bahut [bay] nm chest.

baie [bɛ] nf (GÉO) bay; (fruit) berry; ~ (vitrée) picture window.

baignade [bɛɲad] nf bathing.

baigné, e [beɲe] a: ~ de bathed in; soaked with; flooded with.

baigner [beɲe] vt (bébé) to bath // vi: **dans son sang** to lie in a pool of blood; **~ dans la brume** to be shrouded in mist; **se ~** vi to have a swim, go swimming ou bathing; **baigneur, euse** nm/f bather; **baignoire** nf bath(tub).

bail, baux [baj, bo] nm lease.

bâillement [bɑjmɑ̃] nm yawn.

bâiller [bɑje] vi to yawn; (être ouvert) to gape.

bailleur [bajœʀ] nm: ~ de fonds sponsor, backer.

bâillon [bɑjɔ̃] nm gag; **bâillonner** vt to gag.

bain [bɛ̃] nm bath; **prendre un ~** to have a bath; ~ de foule walkabout; ~ de soleil sunbathing q; **prendre un ~ de soleil** to sunbathe; ~s de mer sea bathing sg; ~-marie nm double boiler; **faire chauffer au ~-marie** (boîte etc) to immerse in boiling water.

baïonnette [bajɔnɛt] nf bayonet.

baisemain [bɛzmɛ̃] nm kissing a lady's hand.

baiser [beze] nm kiss // vt (main, front) to kiss; (fam!) to screw (!).

baisse [bɛs] nf fall, drop; '~ sur la viande' 'meat prices down'.

baisser [bese] vt to lower; (radio, chauffage) to turn down; (AUTO: phares) to dip // vi to fall, drop, go down; **se ~** vi to bend down.

bajoues [baʒu] nfpl chaps, chops.

bal [bal] nm dance; (grande soirée) ball; ~ costumé fancy-dress ball; ~ musette dance (with accordion accompaniment).

balade [balad] nf walk, stroll; (en voiture) drive.

balader [balade] vt (traîner) to trail round; **se ~** vi to go for a walk ou stroll; to go for a drive.

baladeuse [baladøz] nf inspection lamp.

baladin [baladɛ̃] nm wandering entertainer.

balafre [balafʀ(ə)] nf gash, slash; (cicatrice) scar; **balafrer** vt to gash, slash.

balai [balɛ] nm broom, brush; ~-brosse nm deck scrubber.

balance [balɑ̃s] nf scales pl; (de précision) balance; (signe): **la B~** Libra, the Scales; **être de la B~** to be Libra; ~ des comptes/forces balance of payments/power; ~ romaine steelyard.

balancer [balɑ̃se] vt to swing; (lancer) to fling, chuck; (renvoyer, jeter) to chuck out // vi to swing; **se ~** vi to swing; to rock; to sway; **se ~ de** (fam) not to care about; **balancier** nm (de pendule) pendulum; (de montre) balance wheel; (perche) (balancing) pole; **balançoire** nf swing; (sur pivot) seesaw.

balayer [baleje] vt (feuilles etc) to sweep up, brush up; (pièce) to sweep; (chasser) to sweep away; to sweep aside; (suj: radar) to scan; (: phares) to sweep across; **balayeur, euse** nm/f roadsweeper // nf (engin) roadsweeper; **balayures** nfpl sweepings.

balbutier [balbysje] vi, vt to stammer.

balcon [balkɔ̃] nm balcony; (THÉÂTRE) dress circle.

baldaquin [baldakɛ̃] nm canopy.

baleine [balɛn] nf whale; (de parapluie, corset) rib; **baleinière** nf whaleboat.

balise [baliz] nf (NAVIG) beacon; (marker) buoy; (AVIAT) runway light, beacon; (AUTO, SKI) sign, marker; **baliser** vt to mark out (with beacons ou lights etc).

balistique [balistik] nf ballistics sg.

balivernes [balivɛʀn(ə)] nfpl twaddle sg, nonsense sg.

ballade [balad] nf ballad.

ballant, e [balɑ̃, -ɑ̃t] a dangling.

ballast [balast] nm ballast.

balle [bal] nf (de fusil) bullet; (de sport) ball; (du blé) chaff; (paquet) bale; ~ perdue stray bullet.

ballerine [balʀin] nf ballet dancer; ballet shoe.

ballet [balɛ] nm ballet.

ballon [balɔ̃] nm (de sport) ball; (jouet, AVIAT) balloon; (de vin) glass; ~ de football football.

ballonner [balɔne] vt: **j'ai le ventre ballonné** I feel bloated.

ballon-sonde [balɔ̃sɔ̃d] nm sounding balloon.

ballot [balo] nm bundle; (péj) nitwit.

ballottage [balɔtaʒ] nm (POL) second ballot.

ballotter [balɔte] vi to roll around; to toss // vt to shake ou throw about; to toss.

balluchon [balyʃɔ̃] nm bundle (of clothes).

balnéaire [balneɛʀ] a seaside cpd.

balourd, e [baluʀ, -uʀd(ə)] a clumsy, doltish; **balourdise** nf clumsiness, doltishness; blunder.

balte [balt] a Baltic.

Baltique [baltik] *nf*: **la (mer)** ~ the Baltic (Sea).

baluchon [balyʃɔ̃] *nm* = **balluchon.**

balustrade [balystʀad] *nf* railings *pl*, handrail.

bambin [bɑ̃bɛ̃] *nm* little child.

bambou [bɑ̃bu] *nm* bamboo.

ban [bɑ̃] *nm* round of applause, cheer ; ~**s** *nmpl* (*de mariage*) banns ; **être/mettre au** ~ **de** to be outlawed/to outlaw from ; **le** ~ **et l'arrière-**~ **de sa famille** every last one of his relatives.

banal, e [banal] *a* banal, commonplace ; (*péj*) trite ; **four/moulin** ~ village oven/mill ; ~**ité** *nf* banality ; truism, trite remark.

banane [banan] *nf* banana ; ~**raie** *nf* banana plantation ; **bananier** *nm* banana tree ; banana boat.

banc [bɑ̃] *nm* seat, bench ; (*de poissons*) shoal ; ~ **des accusés** dock ; ~ **d'essai** (*fig*) testing ground ; ~ **de sable** sandbank ; ~ **des témoins** witness box.

bancaire [bɑ̃kɛʀ] *a* banking, bank *cpd*.

bancal, e [bɑ̃kal] *a* wobbly ; bandy-legged.

bandage [bɑ̃daʒ] *nm* bandaging ; bandage ; ~ **herniaire** truss.

bande [bɑ̃d] *nf* (*de tissu etc*) strip ; (*MÉD*) bandage ; (*motif*) stripe ; (*magnétique etc*) tape ; (*groupe*) band ; (*péj*): ~ **de bunch** ou crowd of ; **par la** ~ in a roundabout way ; **donner de la** ~ to list ; **faire** ~ **à part** to keep to o.s. ; ~ **dessinée** strip cartoon ; ~ **perforée** punched tape ; ~ **de roulement** (*de pneu*) tread ; ~ **sonore** sound track.

bandeau, x [bɑ̃do] *nm* headband ; (*sur les yeux*) blindfold ; (*MÉD*) head bandage.

bander [bɑ̃de] *vt* (*blessure*) to bandage ; (*muscle*) to tense ; ~ **les yeux à qn** to blindfold sb.

banderole [bɑ̃dʀɔl] *nf* banner, streamer.

bandit [bɑ̃di] *nm* bandit ; **banditisme** *nm* violent crime, armed robberies *pl*.

bandoulière [bɑ̃duljɛʀ] *nf*: **en** ~ (slung ou worn) across the shoulder.

banjo [bɑ̃dʒo] *nm* banjo.

banlieue [bɑ̃ljø] *nf* suburbs *pl*; **lignes/quartiers de** ~ suburban lines/areas ; **trains de** ~ commuter trains.

bannière [banjɛʀ] *nf* banner.

bannir [baniʀ] *vt* to banish.

banque [bɑ̃k] *nf* bank ; (*activités*) banking ; ~ **d'affaires** merchant bank.

banqueroute [bɑ̃kʀut] *nf* bankruptcy.

banquet [bɑ̃kɛ] *nm* dinner ; (*d'apparat*) banquet.

banquette [bɑ̃kɛt] *nf* seat.

banquier [bɑ̃kje] *nm* banker.

banquise [bɑ̃kiz] *nf* ice field.

baptême [batɛm] *nm* christening ; baptism ; ~ **de l'air** first flight ; **baptiser** *vt* to christen.

baquet [bakɛ] *nm* tub, bucket.

bar [baʀ] *nm* bar.

baragouin [baʀagwɛ̃] *nm* gibberish.

baraque [baʀak] *nf* shed ; (*fam*) house ; ~ **foraine** fairground stand.

baraqué, e [baʀake] *a* well-built, hefty.

baraquements [baʀakmɑ̃] *nmpl* huts (*for refugees, workers etc*).

baratin [baʀatɛ̃] *nm* (*fam*) smooth talk, patter ; **baratiner** *vt* to chat up.

barbare [baʀbaʀ] *a* barbaric // *nm/f* barbarian.

barbe [baʀb(ə)] *nf* beard ; **quelle** ~ (*fam*) what a drag ou bore ; ~ **à papa** candy-floss.

barbelé [baʀbəle] *nm* barbed wire *q*.

barbiche [baʀbiʃ] *nf* goatee.

barbiturique [baʀbityʀik] *nm* barbiturate.

barboter [baʀbɔte] *vi* to paddle, dabble // *vt* (*fam*) to filch.

barboteuse [baʀbɔtøz] *nf* rompers *pl*.

barbouiller [baʀbuje] *vt* to daub ; **avoir l'estomac barbouillé** to feel queasy ou sick.

barbu, e [baʀby] *a* bearded.

barda [baʀda] *nm* (*fam*) kit, gear.

barde [baʀd(ə)] *nf* (*CULIN*) sliver of fat bacon.

bardé, e [baʀde] *a*: ~ **de médailles** *etc* bedecked with medals *etc*.

barder [baʀde] *vi* (*fam*): **ça va** ~ sparks will fly, things are going to get hot.

barème [baʀɛm] *nm* scale ; table ; ~ **des salaires** salary scale.

barguigner [baʀgiɲe] *vi*: **sans** ~ without (any) humming and hawing ou shilly-shallying.

baril [baʀil] *nm* barrel ; keg.

barillet [baʀijɛ] *nm* (*de revolver*) cylinder.

bariolé, e [baʀjɔle] *a* many-coloured, rainbow-coloured.

baromètre [baʀɔmɛtʀ(ə)] *nm* barometer.

baron [baʀɔ̃] *nm* baron ; **baronne** *nf* baroness.

baroque [baʀɔk] *a* (*ART*) baroque ; (*fig*) weird.

baroud [baʀud] *nm*: ~ **d'honneur** gallant last stand.

barque [baʀk(ə)] *nf* small boat.

barrage [baʀaʒ] *nm* dam ; (*sur route*) road-block, barricade.

barre [baʀ] *nf* bar ; (*NAVIG*) helm ; (*écrite*) line, stroke ; (*JUR*): **comparaître à la** ~ to appear as a witness ; ~ **fixe** (*GYM*) horizontal bar ; ~ **à mine** crowbar ; ~**s parallèles** (*GYM*) parallel bars.

barreau, x [baʀo] *nm* bar ; (*JUR*): **le** ~ the Bar.

barrer [baʀe] *vt* (*route etc*) to block ; (*mot*) to cross out ; (*chèque*) to cross ; (*NAVIG*) to steer ; **se** ~ *vi* (*fam*) to clear off.

barrette [baʀɛt] *nf* (*pour cheveux*) (hair) slide.

barreur [baʀœʀ] *nm* helmsman ; (*aviron*) coxswain.

barricade [baʀikad] *nf* barricade ; **barricader** *vt* to barricade ; **se barricader chez soi** (*fig*) to lock o.s. in.

barrière [baʀjɛʀ] *nf* fence ; (*obstacle*) barrier.

barrique [baʀik] *nf* barrel, cask.

baryton [baʀitɔ̃] *nm* baritone.

bas, basse [bɑ, bɑs] *a* low // *nm* bottom, lower part ; (*chaussette*) stocking // *nf* (*MUS*) bass // *ad* low ; **plus** ~ lower down ; (*dans un texte*) further on, below ; (*parler*) more softly ; **au** ~ **mot** at the lowest estimate ; **enfant en** ~ **âge** infant, young child; **en** ~ down below; at (ou to) the bottom; (dans une maison) downstairs; **en** ~ **de** at the bottom of; **mettre** ~ vi to give birth; **à** ~ **...!** 'down with ...!'; ~ **morceaux** nmpl (viande) cheap cuts.

basalte [bazalt(ə)] nm basalt.

basané, e [bazane] a tanned, bronzed.

bas-côté [bakote] nm (de route) verge; (d'église) (side) aisle.

bascule [baskyl] nf: (jeu de) ~ seesaw; (balance à) ~ scales pl; **fauteuil à** ~ rocking chair; **système à** ~ tip-over device; rocker device.

basculer [baskyle] vi to fall over, topple (over); (benne) to tip up // vt (gén: **faire** ~) to topple over; to tip out, tip up.

base [baz] nf base; (POL) rank and file; (fondement, principe) basis (pl bases); **de** ~ basic; **à** ~ **de café** etc coffee etc -based; **baser** vt to base; **se baser sur** (données, preuves) to base one's argument on.

bas-fond [baf5] nm (NAVIG) shallow; ~**s** (fig) dregs.

basilic [bazilik] nm (CULIN) basil.

basilique [bazilik] nf basilica.

basket(-ball) [baskɛt(bɔl)] nm basketball.

basque [bask(ə)] a, nm/f Basque.

bas-relief [baʀəljɛf] nm bas relief.

basse [bas] a, nf voir **bas**; ~**-cour** nf farm-yard.

bassin [basɛ̃] nm (cuvette) bowl; (pièce d'eau) pond, pool; (de fontaine, GÉO) basin; (ANAT) pelvis; (portuaire) dock.

bassiste [basist(ə)] nm/f (double) bass player.

bastingage [bastɛ̃gaʒ] nm (ship's) rail.

bastion [bastj5] nm bastion.

bas-ventre [bavɑ̃tʀ(ə)] nm (lower part of the) stomach.

bat vb voir **battre**.

bât [ba] nm packsaddle.

bataille [bataj] nf battle; fight.

bataillon [bataj5] nm battalion.

bâtard, e [bataʀ, -aʀd(ə)] nm/f illegitimate child, bastard (péj).

bateau, x [bato] nm boat, ship.

batelier, -ière [batəlje, -jɛʀ] nm/f (de bac) ferryman.

bat-flanc [baflɑ̃] nm inv raised boards for sleeping, in cells, army huts etc.

bâti, e [bati] a: **bien** ~ well-built // nm (armature) frame.

batifoler [batifɔle] vi to frolic ou lark about.

bâtiment [batimɑ̃] nm building; (NAVIG) ship, vessel; (industrie) building trade.

bâtir [batiʀ] vt to build.

bâtisse [batis] nf building.

bâton [bat5] nm stick; **à** ~**s rompus** informally.

bâtonnier [batɔnje] nm ≈ president of the Bar.

batraciens [batʀasjɛ̃] nmpl amphibians.

bats vb voir **battre**.

battage [bataʒ] nm (publicité) (hard) plugging.

battant [batɑ̃] nm (de cloche) clapper; (de volets) shutter, flap; (de porte) side; **porte à double** ~ double door.

battement [batmɑ̃] nm (de cœur) beat; (intervalle) interval (between classes, trains etc); ~ **de paupières** blinking q (of eyelids); **10 minutes de** ~ 10 minutes to spare.

batterie [batʀi] nf (MIL, ÉLEC) battery; (MUS) drums pl, drum kit; ~ **de cuisine** pots and pans pl, kitchen utensils pl.

batteur [batœʀ] nm (MUS) drummer; (appareil) whisk; **batteuse** nf (AGR) threshing machine.

battre [batʀ(ə)] vt to beat; (suj: pluie, vagues) to beat ou lash against; (œufs etc) to beat up, whisk; (blé) to thresh; (passer au peigne fin) to scour // vi (cœur) to beat; (volets etc) to bang, rattle; **se** ~ vi to fight; ~ **la mesure** to beat time; ~ **en brèche** to demolish; ~ **son plein** to be at its height, be going full swing; ~ **pavillon britannique** to fly the British flag; ~ **des mains** to clap one's hands; ~ **des ailes** to flap its wings; ~ **en retraite** to beat a retreat.

battue [baty] nf (chasse) beat; (policière etc) search, hunt.

baume [bom] nm balm.

bauxite [boksit] nf bauxite.

bavard, e [bavaʀ, -aʀd(ə)] a (very) talkative; gossipy; **bavardage** nm chatter q; gossip q; **bavarder** vi to chatter; (indiscrètement) to gossip; to blab.

bave [bav] nf dribble; (de chien etc) slobber, slaver; (d'escargot) slime; **baver** vi to dribble; to slobber, slaver; **bavette** nf bib; **baveux, euse** a dribbling; (omelette) runny.

bavure [bavyʀ] nf smudge; (fig) hitch, flaw.

bayer [baje] vi: ~ **aux corneilles** to stand gaping.

bazar [bazaʀ] nm general store; (fam) jumble; **bazarder** vt (fam) to chuck out.

B.C.G. sigle m (= bacille Calmette-Guérin) BCG.

bd. abr de **boulevard**.

B.D. sigle f = **bande dessinée**.

béant, e [beɑ̃, -ɑ̃t] a gaping.

béat, e [bea, -at] a showing open-eyed wonder; blissful; **béatitude** nf bliss.

beau(bel), belle, beaux [bo, bɛl] a beautiful, fine, lovely; (homme) handsome // nf (SPORT) decider // ad: **il fait** ~ the weather's fine ou fair; **un** ~ **jour** one (fine) day; **de plus belle** more than ever, even more; **on a** ~ **essayer** however hard ou no matter how hard we try; **faire le** ~ (chien) to sit up and beg.

beaucoup [boku] ad a lot; much (gén en tournure négative); **il ne boit pas** ~ he doesn't drink much ou a lot; ~ **de** (nombre) many, a lot of; (quantité) a lot of, much; ~ **plus/trop** etc far ou much more/too much; **de** ~ by far.

beau-fils [bofis] nm son-in-law; (remariage) stepson.

beau-frère [bofʀɛʀ] nm brother-in-law.

beau-père [bopɛʀ] nm father-in-law; stepfather.

beauté [bote] nf beauty; **de toute** ~ beautiful; **en** ~ with a flourish, brilliantly.

beaux-arts [bozaʀ] nmpl fine arts.

beaux-parents [bopaʀɑ̃] *nmpl* wife's/husband's family *sg ou pl*, in-laws.
bébé [bebe] *nm* baby.
bec [bɛk] *nm* beak, bill; (*de plume*) nib; (*de récipient*) spout; lip; (*fam*) mouth; ~ **de gaz** (street) gaslamp; ~ **verseur** pouring lip.
bécane [bekan] *nf* bike.
bécasse [bekas] *nf* (*ZOOL*) woodcock; (*fam*) silly goose.
bec-de-lièvre [bɛkdəljɛvʀ(ə)] *nm* harelip.
bêche [bɛʃ] *nf* spade; **bêcher** *vt* to dig.
bécoter [bekɔte]: **se** ~ *vi* to smooch.
becquée [beke] *nf*: **donner la** ~ **à** to feed.
becqueter [bɛkte] *vt* to peck (at).
bedaine [bədɛn] *nf* paunch.
bedeau, x [bədo] *nm* beadle.
bedonnant, e [bədɔnɑ̃, -ɑ̃t] *a* paunchy, potbellied.
bée [be] *a*: **bouche** ~ gaping.
beffroi [befʀwa] *nm* belfry.
bégayer [begeje] *vt, vi* to stammer.
bègue [bɛg] *nm/f*: **être** ~ to have a stammer.
bégueule [begœl] *a* prudish.
béguin [begɛ̃] *nm*: **avoir le** ~ **de** *ou* **pour** to have a crush on.
beige [bɛʒ] *a* beige.
beignet [bɛɲɛ] *nm* fritter.
bel [bɛl] *a voir* **beau.**
bêler [bele] *vi* to bleat.
belette [bəlɛt] *nf* weasel.
belge [bɛlʒ(ə)] *a, nm/f* Belgian.
Belgique [bɛlʒik] *nf* Belgium.
bélier [belje] *nm* ram; (*engin*) (battering) ram; (*signe*): **le B**~ Aries, the Ram; **être du B**~ to be Aries.
belle [bɛl] *af, nf voir* **beau**; ~-**fille** *nf* daughter-in-law; (*remariage*) stepdaughter; ~-**mère** *nf* mother-in-law; stepmother; ~-**sœur** *nf* sister-in-law.
belligérant, e [beliʒeʀɑ̃, -ɑ̃t] *a* belligerent.
belliqueux, euse [belikø, -øz] *a* aggressive, warlike.
belvédère [bɛlvedɛʀ] *nm* panoramic viewpoint (*or small building at such a place*).
bémol [bemɔl] *nm* (*MUS*) flat.
bénédiction [benediksjɔ̃] *nf* blessing.
bénéfice [benefis] *nm* (*COMM*) profit; (*avantage*) benefit; **bénéficiaire** *nm/f* beneficiary; **bénéficier de** *vt* to enjoy; to benefit by *ou* from; to get, be given; **bénéfique** *a* beneficial.
benêt [bənɛ] *nm* simpleton.
bénévole [benevɔl] *a* voluntary, unpaid.
bénin, igne [benɛ̃, -iɲ] *a* minor, mild; (*tumeur*) benign.
bénir [beniʀ] *vt* to bless; **bénit, e** *a* consecrated; **eau bénite** holy water; **bénitier** *nm* stoup, font (*for holy water*).
benjamin, e [bɛ̃ʒamɛ̃, -in] *nm/f* youngest child.
benne [bɛn] *nf* skip; (*de téléphérique*) (cable) car; ~ **basculante** tipper.
benzine [bɛ̃zin] *nf* benzine.
béotien, ne [beɔsjɛ̃, -jɛn] *nm/f* philistine.
B.E.P.C. *sigle m voir* **brevet.**
béquille [bekij] *nf* crutch; (*de bicyclette*) stand.

bercail [bɛʀkaj] *nm* fold.
berceau, x [bɛʀso] *nm* cradle, crib.
bercer [bɛʀse] *vt* to rock, cradle; (*suj: musique etc*) to lull; ~ **qn de** (*promesses etc*) to delude sb with; **berceuse** *nf* lullaby.
béret (basque) [beʀɛ(bask(ə))] *nm* beret.
berge [bɛʀʒ(ə)] *nf* bank.
berger, ère [bɛʀʒe, -ɛʀ] *nm/f* shepherd/shepherdess; **bergerie** *nf* sheep pen.
berline [bɛʀlin] *nf* (*AUTO*) saloon (car).
berlingot [bɛʀlɛ̃go] *nm* (*emballage*) carton (*pyramid shaped*).
berlue [bɛʀly] *nf*: **j'ai la** ~ I must be seeing things.
berne [bɛʀn(ə)] *nf*: **en** ~ at half-mast.
berner [bɛʀne] *vt* to fool.
besogne [bəzɔɲ] *nf* work q, job; **besogneux, euse** *a* hard-working.
besoin [bəzwɛ̃] *nm* need; (*pauvreté*): **le** ~ need, want; ~**s** (**naturels**) nature's needs; **faire ses** ~**s** to relieve o.s.; **avoir** ~ **de qch/faire qch** to need sth/to do sth; **au** ~ if need be; **pour les** ~**s de la cause** for the purpose in hand.
bestial, e, aux [bɛstjal, -o] *a* bestial, brutish.
bestiaux [bɛstjo] *nmpl* cattle.
bestiole [bɛstjɔl] *nf* (tiny) creature.
bétail [betaj] *nm* livestock, cattle *pl*.
bête [bɛt] *nf* animal; (*bestiole*) insect, creature // *a* stupid, silly; **il cherche la petite** ~ he's being pernickety *ou* overfussy; ~ **noire** pet hate, bugbear; ..~ **sauvage** wild beast; ~ **de somme** beast of burden.
bêtise [betiz] *nf* stupidity; stupid thing (to say *ou* do).
béton [betɔ̃] *nm* concrete; ~ **armé** reinforced concrete; **bétonner** *vt* to concrete (over); **bétonnière** *nf* cement mixer.
betterave [bɛtʀav] *nf* (*rouge*) beetroot; ~ **fourragère** mangel-wurzel; ~ **sucrière** sugar beet.
beugler [bøgle] *vi* to low; (*radio etc*) to blare // *vt* (*chanson etc*) to bawl out.
beurre [bœʀ] *nm* butter; **beurrer** *vt* to butter; **beurrier** *nm* butter dish.
beuverie [bœvʀi] *nf* drinking session.
bévue [bevy] *nf* blunder.
bi... [bi] *préfixe* bi..., two-.
biais [bjɛ] *nm* (*moyen*) device, expedient; (*aspect*) angle; **en** ~, **de** ~ (*obliquement*) at an angle; (*fig*) indirectly; **biaiser** *vi* (*fig*) to sidestep the issue.
bibelot [biblo] *nm* trinket, curio.
biberon [bibʀɔ̃] *nm* (feeding) bottle; **nourrir au** ~ to bottle-feed.
bible [bibl(ə)] *nf* bible.
biblio... [biblijo] *préfixe*: ~**bus** *nm* mobile library van; ~**graphie** *nf* bibliography; ~**phile** *nm/f* booklover; ~**thécaire** *nm/f* librarian; ~**thèque** *nf* library; (*meuble*) bookcase.
biblique [biblik] *a* biblical.
bicarbonate [bikaʀbɔnat] *nm*: ~ (**de soude**) bicarbonate of soda.
biceps [bisɛps] *nm* biceps.
biche [biʃ] *nf* doe.

bichonner [biʃɔne] vt to groom.
bicolore [bikɔlɔʀ] a two-coloured.
bicoque [bikɔk] nf (péj) shack.
bicorne [bikɔʀn(ə)] nm cocked hat.
bicyclette [bisiklɛt] nf bicycle.
bide [bid] nm (fam: ventre) belly; (THÉÂTRE) flop.
bidet [bidɛ] nm bidet.
bidon [bidɔ̃] nm can // a inv (fam) phoney.
bidonville [bidɔ̃vil] nm shanty town.
bielle [bjɛl] nf connecting rod.
bien [bjɛ̃] nm good; (patrimoine) property q; **faire du ~ à qn** to do sb good; **dire du ~ de** to speak well of; **changer en ~** to turn to the good; **~s de consommation** consumer goods // ad (travailler) well; **~ jeune** rather young; **~ assez** quite enough; **~ mieux** very much better; **~ du temps/ des gens** quite a time/a number of people; **j'espère ~ y aller** I do hope to go; **je veux ~ le faire** (concession) I'm (quite) willing to do it; **il faut ~ le faire** it has to be done; **~ sûr** certainly **~; c'est ~ fait** (mérité) it serves him (ou her etc) right; **croyant ~ faire** thinking he was doing the right thing // a inv (à l'aise): **être ~** to be fine; **ce n'est pas ~ de** it's not right to; **cette maison est ~** this house is (very) good; **elle est ~** (jolie) she's good-looking; **des gens ~** (parfois péj) respectable people; **être ~ avec qn** to be on good terms with sb; **~ que** cj although; **~-aimé**, e a, nm/f
•**beloved; ~-être** nm well-being; **~faisance** nf charity; **~faisant, e** a (chose) beneficial; **~fait** nm act of generosity, benefaction; (de la science etc) benefit; **~faiteur, trice** nm/f benefactor/benefactress; **~fondé** nm soundness; **~fonds** nm property; **~heureux, euse** a happy; (REL) blessed, blest.
biennal, e, aux [bjenal, -o] a biennial.
bienséance [bjɛ̃seɑ̃s] nf propriety, decorum q.
bienséant, e [bjɛ̃seɑ̃, -ɑ̃t] a proper, seemly.
bientôt [bjɛ̃to] ad soon; **à ~** see you soon.
bienveillance [bjɛ̃vɛjɑ̃s] nf kindness.
bienveillant, e [bjɛ̃vɛjɑ̃, -ɑ̃t] a kindly.
bienvenu, e [bjɛ̃vny] a welcome // nm/f: **être le ~/la ~e** to be welcome // nf: **souhaiter la ~e à** to welcome; **~e à** welcome to.
bière [bjɛʀ] nf (boisson) beer; (cercueil) bier; **~ blonde** lager; **~ brune** brown ale; **~ (à la) pression** draught beer.
biffer [bife] vt to cross out.
bifteck [biftɛk] nm steak.
bifurcation [bifyʀkasjɔ̃] nf fork (in road).
bifurquer [bifyʀke] vi (route) to fork; (véhicule) to turn off.
bigame [bigam] a bigamous; **bigamie** nf bigamy.
bigarré, e [bigaʀe] a multicoloured; (disparate) motley.
bigorneau, x [bigɔʀno] nm winkle.
bigot, e [bigo, -ɔt] (péj) a churchy // nm/f church fiend.
bigoudi [bigudi] nm curler.
bijou, x [biʒu] nm jewel; **~terie** nf

jeweller's (shop); jewellery; **~tier, ière** nm/f jeweller.
bikini [bikini] nm bikini.
bilan [bilɑ̃] nm (COMM) balance sheet(s); end of year statement; (fig) (net) outcome; (: de victimes) toll; **faire le ~ de** to assess; to review; **déposer son ~** to file a bankruptcy statement.
bilatéral, e, aux [bilateʀal, -o] a bilateral.
bile [bil] nf bile; **se faire de la ~** (fam) to worry o.s. sick.
biliaire [biljɛʀ] a biliary.
bilieux, euse [biljø, -jøz] a bilious; (fig: colérique) testy.
bilingue [bilɛ̃g] a bilingual.
billard [bijaʀ] nm billiards sg; billiard table.
bille [bij] nf (gén) ball; (du jeu de billes) marble; (de bois) log.
billet [bijɛ] nm (aussi: **~ de banque**) (bank)note; (de cinéma, de bus etc) ticket; (courte lettre) note; **~ circulaire** round-trip ticket; **~ de faveur** complimentary ticket; **~ de loterie** lottery ticket; **~ de quai** platform ticket.
billion [biljɔ̃] nm billion.
billot [bijo] nm block.
bimensuel, le [bimɑ̃sɥɛl] a bimonthly, two-monthly.
bimoteur [bimɔtœʀ] a twin-engined.
binaire [binɛʀ] a binary.
binocle [binɔkl(ə)] nm pince-nez.
binôme [binom] nm binomial.
bio... [bjo] préfixe bio... ; **~-dégradable** a biodegradable; **~graphe** nm/f biographer; **~graphie** nf biography; **~graphique** a biographical; **~logie** nf biology; **~logique** a biological; **~logiste** nm/f biologist.
bipède [bipɛd] nm biped, two-footed creature.
biplan [biplɑ̃] nm biplane.
biréacteur [biʀeaktœʀ] nm twin- engined jet.
bis, e [bi, biz] a (couleur) greyish brown // ad [bis]: **12** = 12a ou A // excl, nm [bis] encore // nf (baiser) kiss; (vent) North wind.
bisannuel, le [bizanɥɛl] a biennial.
bisbille [bisbij] nf: **être en ~ avec qn** to be at loggerheads with sb.
biscornu, e [biskɔʀny] a crooked, weird-(-looking).
biscotte [biskɔt] nf rusk.
biscuit [biskɥi] nm biscuit; sponge cake.
bise [biz] a, nf voir **bis**.
biseau, x [bizo] nm bevelled edge; **en ~** bevelled; **~ter** vt to bevel.
bison [bizɔ̃] nm bison.
bisque [bisk(ə)] nf: **~ d'écrevisses** shrimp bisque.
bissectrice [bisɛktʀis] nf bisector.
bisser [bise] vt to encore.
bissextile [bisɛkstil] a: **année ~** leap year.
bissexué, e [bisɛksɥe] a bisexual.
bistouri [bistuʀi] nm lancet.
bistre [bistʀ(ə)] a bistre.
bistro(t) [bistʀo] nm bistrot, café.

bitte [bit] *nf*: ~ **d'amarrage** bollard (*NAUT*).
bitume [bitym] *nm* asphalt.
bivouac [bivwak] *nm* bivouac;
bivouaquer *vi* to bivouac.
bizarre [bizar] *a* strange, odd.
blafard, e [blafar, -ard(ə)] *a* wan.
blague [blag] *nf* (*propos*) joke; (*farce*)
trick; **sans** ~! no kidding!; ~ **à tabac**
tobacco pouch.
blaguer [blage] *vi* to joke // *vt* to tease;
blagueur, euse *a* teasing // *nm/f* joker.
blaireau, x [blɛro] *nm* (*ZOOL*) badger;
(*brosse*) shaving brush.
blâmable [blɑmabl(ə)] *a* blameworthy.
blâme [blɑm] *nm* blame; (*sanction*) reprimand.
blâmer [blɑme] *vt* to blame.
blanc, blanche [blɑ̃, blɑ̃ʃ] *a* white; (*non
imprimé*) blank; (*innocent*) pure // *nm* (*couleur*)
white, white man/woman // *nm* (*couleur*)
white; (*linge*): **le** ~ whites *pl*; (*espace non
écrit*) blank; (*aussi*: ~ **d'œuf**)
(egg-)white; (*aussi*: ~ **de poulet**) breast,
white meat; (*aussi*: **vin** ~) white wine //
nf (*MUS*) minim; **chèque en** ~ blank
cheque; **à** ~ *ad* (*chauffer*) white-hot;
(*tirer, charger*) with blanks; ~**-bec** *nm*
greenhorn; **blancheur** *nf* whiteness.
blanchir [blɑ̃ʃir] *vt* (*gén*) to whiten;
(*linge*) to launder; (*CULIN*) to blanch; (*fig*:
disculper) to clear // *vi* to grow white;
(*cheveux*) to go white; **blanchissage** *nm*
(*du linge*) laundering; **blanchisserie** *nf*
laundry; **blanchisseur, euse** *nm/f*
launderer.
blanc-seing [blɑ̃sɛ̃] *nm* signed blank
paper.
blaser [blaze] *vt* to make blasé.
blason [blazɔ̃] *nm* coat of arms.
blasphème [blasfɛm] *nm* blasphemy;
blasphémer *vi* to blaspheme // *vt* to
blaspheme against.
blatte [blat] *nf* cockroach.
blazer [blazɛr] *nm* blazer.
blé [ble] *nm* wheat; ~ **en herbe** wheat on
the ear.
bled [blɛd] *nm* (*péj*) hole; (*en Afrique du
nord*): **le** ~ the interior.
blême [blɛm] *a* pale.
blennoragie [blenɔraʒi] *nf* blennorrhoea.
blessant, e [blɛsɑ̃, -ɑ̃t] *a* hurtful.
blessé, e [blese] *a* injured // *nm/f* injured
person; casualty.
blesser [blese] *vt* to injure; (*délibérément*:
MIL etc) to wound; (*suj: souliers etc,
offenser*) to hurt; **se** ~ to injure o.s.; **se**
~ **au pied** *etc* to injure one's foot *etc*.
blessure [blesyr] *nf* injury; wound.
blet, te [blɛ, blɛt] *a* overripe.
bleu [blø] *a* blue; (*bifteck*) very rare // *nm*
(*couleur*) blue; (*novice*) greenhorn;
(*contusion*) bruise; (*vêtement*: *aussi*: ~**s**)
overalls *pl*; **au** ~ (*CULIN*) au bleu.
bleuet [bløɛ] *nm* cornflower.
bleuir [bløir] *vt, vi* to turn blue.
bleuté, e [bløte] *a* blue-shaded.
blindage [blɛ̃daʒ] *nm* armour-plating.
blinder [blɛ̃de] *vt* to armour; (*fig*) to
harden.
blizzard [blizar] *nm* blizzard.

bloc [blɔk] *nm* (*de pierre etc*) block; (*de
papier à lettres*) pad; (*ensemble*) group,
block; **serré à** ~ tightened right down;
en ~ as a whole; wholesale; ~
opératoire operating theatre suite.
blocage [blɔkaʒ] *nm* blocking; jamming;
freezing; (*PSYCH*) hang-up.
bloc-moteur [blɔkmɔtœr] *nm* engine
block.
bloc-notes [blɔknɔt] *nm* note pad.
blocus [blɔkys] *nm* blockade.
blond, e [blɔ̃, -ɔ̃d] *a* fair, blond; (*sable,
blés*) golden // *nm/f* fair-haired *ou* blond
man/woman; ~ **cendré** ash blond;
blondeur *nf* fairness.
bloquer [blɔke] *vt* (*passage*) to block;
(*pièce mobile*) to jam; (*crédits, compte*) to
freeze; (*regrouper*) to group; ~ **les freins**
to jam on the brakes.
blottir [blɔtir]: **se** ~ *vi* to huddle up.
blouse [bluz] *nf* overall.
blouson [bluzɔ̃] *nm* lumber jacket; ~
noir (*fig*) ≈ teddy boy.
blues [bluz] *nm* blues *pl*.
bluet [blyɛ] *nm* = **bleuet**.
bluff [blœf] *nm* bluff; ~**er** *vi, vt* to bluff.
boa [bɔa] *nm* boa.
bobard [bɔbar] *nm* (*fam*) tall story.
bobèche [bɔbɛʃ] *nf* candle-ring.
bobine [bɔbin] *nf* reel; (*machine à coudre*)
spool; (*ÉLEC*) coil.
bocage [bɔkaʒ] *nm* grove, copse.
bocal, aux [bɔkal, -o] *nm* jar.
bock [bɔk] *nm* (beer) glass; glass of beer.
bœuf [bœf, *pl* bø] *nm* ox (*pl* oxen), steer;
(*CULIN*) beef.
bohème [bɔɛm] *a* happy-go-lucky, uncon-
ventional.
bohémien, ne [bɔemjɛ̃, -jɛn] *nm/f* gipsy.
boire [bwar] *vt* to drink; (*s'imprégner de*)
to soak up; ~ **un verre** to have a drink.
bois [bwa] *nm* wood; **de** ~, **en** ~
wooden; ~ **de lit** bedstead.
boisé, e [bwaze] *a* wooded.
boiser [bwaze] *vt* (*galerie de mine*) to
timber; (*chambre*) to panel; (*terrain*) to
plant with trees.
boiseries [bwazri] *nfpl* panelling *sg*.
boisson [bwasɔ̃] *nf* drink; **pris de** ~
drunk, intoxicated; ~**s alcoolisées**
alcoholic beverages *ou* drinks; ~**s**
gazeuses fizzy drinks.
boîte [bwat] *nf* box; **aliments en** ~
canned *ou* tinned foods; ~ **de
sardines/petits pois** can *ou* tin of
sardines/peas; ~ **d'allumettes** box of
matches; (*vide*) matchbox; ~ **de
conserves** can *ou* tin (of food); ~
crânienne cranium, brainpan; ~ **à gants**
glove compartment; ~ **aux lettres**
letterbox; ~ **de nuit** night club; ~
postale (B.P.) P.O. Box; ~ **de vitesses**
gear box.
boiter [bwate] *vi* to limp; (*fig*) to wobble;
to be shaky; **boiteux, euse** *a* lame;
wobbly; shaky.
boîtier [bwatje] *nm* case; ~ **de montre**
watch case.
boive *etc vb voir* **boire**.
bol [bɔl] *nm* bowl; **un** ~ **d'air** a dose of
fresh air.

bolet [bɔlɛ] *nm* boletus (mushroom).

bolide [bɔlid] *nm* racing car; **comme un ~** at top speed, like a rocket.

bombance [bɔ̃bɑ̃s] *nf*: **faire ~** to have a feast, revel.

bombardement [bɔ̃baʀdəmɑ̃] *nm* bombing.

bombarder [bɔ̃baʀde] *vt* to bomb; **~ qn de** (*cailloux, lettres*) to bombard sb with; **~ qn directeur** to thrust sb into the director's seat; **bombardier** *nm* bomber.

bombe [bɔ̃b] *nf* bomb; (*atomiseur*) (aerosol) spray; **faire la ~** (*fam*) to go on a binge.

bombé, e [bɔ̃be] *a* rounded; bulging; cambered.

.bomber [bɔ̃be] *vi* to bulge; to camber // *vt*: **~ le torse** to swell out one's chest.

bon, bonne [bɔ̃, bɔn] *a* good; (*charitable*): **~ (envers)** good (to), kind (to); (*juste*): **le ~ numéro/moment** the right number/moment; (*approprié*): **~ à/pour** fit to/for // *nm* (*billet*) voucher; (*aussi*: **~ cadeau**) gift coupon *ou* voucher // *nf* (*domestique*) maid // *ad*: **il fait ~** it's *ou* the weather's fine; **sentir ~** to smell good; **tenir ~** to stand firm, hold out; **pour de ~** for good; **de bonne heure** early; **~ anniversaire!** happy birthday!; **~ voyage!** have a good journey!, enjoy your trip!; **bonne chance!** good luck!; **bonne année!** happy New Year!; **bonne nuit!** good night!; **~ enfant** *a inv* accommodating, easy-going; **~ d'essence** *nm* petrol coupon; **~ marché** *a inv, ad* cheap; **~ mot** *nm* witticism; **~ sens** *nm* common sense; **~ à tirer** *nm* pass for press; **~ du Trésor** *nm* Treasury bond; **~ vivant** *nm* jovial chap; **bonne d'enfant** *nf* nanny; **bonne femme** *nf* (*péj*) woman; female; **bonne à tout faire** *nf* general help; **bonnes œuvres** *nfpl* charitable works; charities.

bonasse [bɔnas] *a* soft, meek.

bonbon [bɔ̃bɔ̃] *nm* (boiled) sweet.

bonbonne [bɔ̃bɔn] *nf* demijohn; carboy.

bonbonnière [bɔ̃bɔnjɛʀ] *nf* sweet box, bonbonnière.

bond [bɔ̃] *nm* leap; **faire un ~** to leap in the air.

bonde [bɔ̃d] *nf* (*d'évier etc*) plug; (: *trou*) plughole; (*de tonneau*) bung; bunghole.

bondé, e [bɔ̃de] *a* packed (full).

bondir [bɔ̃diʀ] *vi* to leap.

bonheur [bɔnœʀ] *nm* happiness; **porter ~ (à qn)** to bring (sb) luck; **au petit ~** haphazardly; **par ~** fortunately.

bonhomie [bɔnɔmi] *nf* goodnaturedness.

bonhomme [bɔnɔm] *nm* (*pl* **bonshommes** [bɔ̃zɔm]) fellow // *a* goodnatured; **aller son ~ de chemin** to carry on in one's own sweet way; **~ de neige** snowman.

boni [bɔni] *nm* profit.

bonification [bɔnifikasjɔ̃] *nf* bonus.

bonifier [bɔnifje] *vt* to improve.

boniment [bɔnimɑ̃] *nm* patter *q*.

bonjour [bɔ̃ʒuʀ] *excl, nm* good morning (*ou* afternoon); hello; **dire ~ à qn** to say hello *ou* good morning/afternoon to sb.

bonne [bɔn] *a, nf voir* **bon**; **~ment** *ad*: **tout ~ment** quite simply.

bonnet [bɔnɛ] *nm* bonnet, hat; (*de soutiengorge*) cup; **~ d'âne** dunce's cap; **~ de bain** bathing cap; **~ de nuit** nightcap.

bonneterie [bɔnɛtʀi] *nf* hosiery.

bon-papa [bɔ̃papa] *nm* grandpa, grandad.

bonsoir [bɔ̃swaʀ] *excl* good evening.

bonté [bɔ̃te] *nf* kindness *q*; **avoir la ~ de** to be kind *ou* good enough to.

borborygme [bɔʀbɔʀigm] *nm* rumbling noise.

bord [bɔʀ] *nm* (*de table, verre, falaise*) edge; (*de rivière, lac*) bank; (*de route*) side; (**monter**) **à ~** (to go) on board; **jeter par-dessus ~** to throw overboard; **le commandant/les hommes du ~** the ship's master/crew; **au ~ de la mer** at the seaside; **être au ~ des larmes** to be on the verge of tears.

bordage [bɔʀdaʒ] *nm* planking *q*, plating *q*.

bordeaux [bɔʀdo] *nm* Bordeaux (wine) // *a inv* maroon.

bordée [bɔʀde] *nf* broadside; **une ~ d'injures** a volley of abuse.

bordel [bɔʀdɛl] *nm* brothel.

border [bɔʀde] *vt* (*être le long de*) to border; to line; (*garnir*): **~ qch de** to line sth with; to trim sth with; (*qn dans son lit*) to tuck up.

bordereau, x [bɔʀdəʀo] *nm* docket; slip; statement, invoice.

bordure [bɔʀdyʀ] *nf* border; (*sur un vêtement*) trim(ming), border; **en ~ de** on the edge of.

borgne [bɔʀɲ(ə)] *a* one-eyed; **hôtel ~** shady hotel.

borne [bɔʀn(ə)] *nf* boundary stone; (*gén*: **~ kilométrique**) kilometre-marker, ≈ milestone; **~s** *nfpl* (*fig*) limits; **dépasser les ~s** to go too far; **sans ~(s)** boundless.

borné, e [bɔʀne] *a* narrow; narrow-minded.

borner [bɔʀne] *vt* to limit; to confine; **se ~ à faire** to content o.s. with doing; to limit o.s. to doing.

bosquet [bɔskɛ] *nm* copse, grove.

bosse [bɔs] *nf* (*de terrain etc*) bump; (*enflure*) lump; (*du bossu, du chameau*) hump; **avoir la ~ des maths** *etc* to have a gift for maths *etc*; **il a roulé sa ~** he's been around.

bosseler [bɔsle] *vt* (*ouvrer*) to emboss; (*abîmer*) to dent.

bosser [bɔse] *vi* (*fam*) to work; to slog (hard).

bossu, e [bɔsy] *nm/f* hunchback.

bot [bo] *am*: **pied ~** club foot.

botanique [bɔtanik] *nf*: **la ~** botany // *a* botanic(al).

botaniste [bɔtanist(ə)] *nm/f* botanist.

botte [bɔt] *nf* (*soulier*) (high) boot; (*ESCRIME*) thrust; (*gerbe*): **~ de paille** bundle of straw; **~ de radis/d'asperges** bunch of radishes/asparagus; **~s de caoutchouc** wellington boots.

botter [bɔte] *vt* to put boots on; to kick; (*fam*): **ça me botte** I fancy that.

bottier [bɔtje] *nm* bootmaker.
bottin [bɔtɛ̃] *nm* directory.
bottine [bɔtin] *nf* ankle boot, bootee.
bouc [buk] *nm* goat ; (*barbe*) goatee ; ~ **émissaire** scapegoat.
boucan [bukɑ̃] *nm* din, racket.
bouche [buʃ] *nf* mouth ; **faire le ~ à ~ à qn** to give sb the kiss of life, to practise mouth-to-mouth resuscitation on sb ; ~ **de chaleur** hot air vent ; ~ **d'égout** manhole ; ~ **d'incendie** fire hydrant ; ~ **de métro** métro entrance.
bouché, e [buʃe] *a* (*temps, ciel*) overcast ; (*péj: personne*) thick ; (*JAZZ: trompette*) muted ; **avoir le nez ~** to have a blocked (-up) nose.
bouchée [buʃe] *nf* mouthful ; **~s à la reine** chicken vol-au-vents.
boucher [buʃe] *nm* butcher // *vt* (*pour colmater*) to stop up ; to fill up ; (*obstruer*) to block (up) ; **se ~ le nez** to hold one's nose ; **se ~** (*tuyau etc*) to block up, get blocked up.
bouchère [buʃɛʀ] *nf* (woman) butcher ; butcher's wife.
boucherie [buʃʀi] *nf* butcher's (shop) ; butchery, (*fig*) slaughter.
bouche-trou [buʃtʀu] *nm* (*fig*) stop-gap.
bouchon [buʃɔ̃] *nm* (*en liège*) cork ; (*autre matière*) stopper ; (*fig: embouteillage*) holdup ; (*PÊCHE*) float ; ~ **doseur** measuring cap.
bouchonner [buʃɔne] *vt* to rub down.
boucle [bukl(ə)] *nf* (*forme, figure*) loop ; (*objet*) buckle ; ~ **(de cheveux)** curl ; ~ **d'oreilles** earring.
bouclé, e [bukle] *a* curly ; (*tapis*) uncut.
boucler [bukle] *vt* (*fermer: ceinture etc*) to fasten up ; (: *magasin*) to shut ; (*terminer*) to finish off ; to complete ; (: *budget*) to balance ; (*enfermer*) to shut away ; to lock up ; (: *quartier*) to seal off // *vi* to curl.
bouclier [buklije] *nm* shield.
bouddhiste [budist(ə)] *nm/f* Buddhist.
bouder [bude] *vi* to sulk // *vt* to turn one's nose up at ; to refuse to have anything to do with ; **bouderie** *nf* sulking *q* ; **boudeur, euse** *a* sullen, sulky.
boudin [budɛ̃] *nm* (*CULIN*) black pudding ; (*TECH*) roll.
boudoir [budwaʀ] *nm* boudoir.
boue [bu] *nf* mud.
bouée [bwe] *nf* buoy ; ~ **(de sauvetage)** lifebuoy.
boueux, euse [bwø, -øz] *a* muddy // *nm* refuse collector.
bouffe [buf] *nf* (*fam*) grub, food.
bouffée [bufe] *nf* puff ; ~ **de fièvre/de honte** flush of fever/shame ; ~ **d'orgueil** fit of pride.
bouffer [bufe] *vi* (*fam*) to eat ; (*COUTURE*) to puff out // *vt* (*fam*) to eat.
bouffi, e [bufi] *a* swollen.
bouffon, ne [bufɔ̃, -ɔn] *a* farcical, comical // *nm* jester.
bouge [buʒ] *nm* (low) dive ; hovel.
bougeoir [buʒwaʀ] *nm* candlestick.
bougeotte [buʒɔt] *nf:* **avoir la ~** to have the fidgets.
bouger [buʒe] *vi* to move ; (*dent etc*) to

be loose ; (*changer*) to alter ; (*agir*) to stir // *vt* to move.
bougie [buʒi] *nf* candle ; (*AUTO*) sparking plug.
bougon, ne [bugɔ̃, -ɔn] *a* grumpy.
bougonner [bugɔne] *vi, vt* to grumble.
bougre [bugʀ(ə)] *nm* chap ; (*fam*): **ce ~ de** that confounded.
bouillabaisse [bujabɛs] *nf* bouillabaisse.
bouillant, e [bujɑ̃, -ɑ̃t] *a* (*qui bout*) boiling ; (*très chaud*) boiling (hot) ; (*fig: ardent*) hot-headed.
bouilleur de cru [bujœʀdəkʀy] *nm* (home) distiller.
bouillie [buji] *nf* gruel ; (*de bébé*) cereal ; **en ~** (*fig*) crushed.
bouillir [bujiʀ] *vi, vt* to boil ; ~ **de colère** *etc* to seethe with anger *etc*.
bouilloire [bujwaʀ] *nf* kettle.
bouillon [bujɔ̃] *nm* (*CULIN*) stock *q* ; (*bulles, écume*) bubble ; ~ **de culture** culture medium.
bouillonner [bujɔne] *vi* to bubble ; (*fig*) to bubble up ; to foam.
bouillotte [bujɔt] *nf* hot-water bottle.
boulanger, ère [bulɑ̃ʒe, -ɛʀ] *nm/f* baker // *nf* (woman) baker ; baker's wife.
boulangerie [bulɑ̃ʒʀi] *nf* bakery, baker's (shop) ; (*commerce*) bakery ; ~ **industrielle** bakery ; **~-pâtisserie** *nf* baker's and confectioner's (shop).
boule [bul] *nf* (*gén*) ball ; (*pour jouer*) bowl ; ~ **de neige** snowball ; **faire ~ de neige** to snowball.
bouleau, x [bulo] *nm* (silver) birch.
bouledogue [buldɔg] *nm* bulldog.
boulet [bulɛ] *nm* (*aussi:* ~ **de canon**) cannonball ; (*de bagnard*) ball and chain ; (*charbon*) (coal) nut.
boulette [bulɛt] *nf* ball.
boulevard [bulvaʀ] *nm* boulevard.
bouleversement [bulvɛʀsəmɑ̃] *nm* (*politique, social*) upheaval.
bouleverser [bulvɛʀse] *vt* (*émouvoir*) to overwhelm ; (*causer du chagrin*) to distress ; (*pays, vie*) to disrupt ; (*papiers, objets*) to turn upside down, upset.
boulier [bulje] *nm* abacus ; (*de jeu*) scoring board.
boulimie [bulimi] *nf* compulsive eating, bulimia.
boulon [bulɔ̃] *nm* bolt ; **boulonner** *vt* to bolt.
boulot [bulo] *nm* (*fam: travail*) work.
boulot, te [bulo, -ɔt] *a* plump, tubby.
bouquet [bukɛ] *nm* (*de fleurs*) bunch (of flowers), bouquet ; (*de persil etc*) bunch ; (*parfum*) bouquet ; (*fig*) crowning piece.
bouquetin [buktɛ̃] *nm* ibex.
bouquin [bukɛ̃] *nm* book ; **bouquiner** *vi* to read ; to browse around (in a bookshop) ; **bouquiniste** *nm/f* bookseller.
bourbeux, euse [buʀbø, -øz] *a* muddy.
bourbier [buʀbje] *nm* (quag)mire.
bourde [buʀd(ə)] *nf* (*erreur*) howler ; (*gaffe*) blunder.
bourdon [buʀdɔ̃] *nm* bumblebee.
bourdonnement [buʀdɔnmɑ̃] *nm* buzzing.

bourdonner [buʀdɔne] *vi* to buzz.
bourg [buʀ] *nm* town.
bourgade [buʀgad] *nf* township.
bourgeois, e [buʀʒwa, -waz] *a* (*souvent péj*) ≈ (upper) middle class ; bourgeois // *nm/f* (*autrefois*) burgher.
bourgeoisie [buʀʒwazi] *nf* ≈ upper middle classes *pl* ; bourgeoisie : **petite ~** middle classes.
bourgeon [buʀʒɔ̃] *nm* bud ; **bourgeonner** *vi* to bud.
Bourgogne [buʀgɔɲ] *nf*: **la ~** Burgundy // *nm*: **b~** burgundy (wine).
bourguignon, ne [buʀgiɲɔ̃, -ɔn] *a* of *ou* from Burgundy, Burgundian ; **bœuf ~** bœuf bourguignon.
bourlinguer [buʀlɛ̃ge] *vi* to knock about a lot, get around a lot.
bourrade [buʀad] *nf* shove, thump.
bourrage [buʀaʒ] *nm*: **~ de crâne** brain-washing ; (*SCOL*) cramming.
bourrasque [buʀask(ə)] *nf* squall.
bourratif, ive [buʀatif, -iv] *a* filling, stodgy.
bourreau, x [buʀo] *nm* executioner ; (*fig*) torturer ; **~ de travail** glutton for work.
bourreler [buʀle] *vt*: **être bourrelé de remords** to be racked by remorse.
bourrelet [buʀlɛ] *nm* draught excluder ; (*de peau*) fold *ou* roll (of flesh).
bourrer [buʀe] *vt* (*pipe*) to fill ; (*poêle*) to pack ; (*valise*) to cram (full) ; **~ de** to cram (full) with ; to stuff with ; **~ de coups** to hammer blows on, pummel.
bourrique [buʀik] *nf* (*âne*) ass.
bourru, e [buʀy] *a* a surly, gruff.
bourse [buʀs(ə)] *nf* (*subvention*) grant ; (*porte-monnaie*) purse ; **la B~** the Stock Exchange ; **boursier, ière** *a* (*COMM*) Stock Market *cpd* // *nm/f* (*SCOL*) grant-holder.
boursouflé, e [buʀsufle] *a* swollen, puffy ; (*fig*) bombastic, turgid.
boursoufler [buʀsufle] *vt* to puff up, bloat ; **se ~** *vi* (*visage*) to swell *ou* puff up ; (*peinture*) to blister.
bous *vb voir* **bouillir**.
bousculade [buskylad] *nf* rush ; crush.
bousculer [buskyle] *vt* to knock over ; to knock into ; (*fig*) to push, rush.
bouse [buz] *nf*: **~ (de vache)** (cow) dung q.
bousiller [buzije] *vt* (*fam*) to wreck.
boussole [busɔl] *nf* compass.
bout [bu] *vb voir* **bouillir** // *nm* bit ; (*extrémité*: *d'un bâton etc*) tip ; (: *d'une ficelle, table, rue, période*) end ; **au ~ de** (*après*) at the end of, after ; **pousser qn à ~** to push sb to the limit (of his patience) ; **venir à ~ de** to manage to overcome *ou* finish (off) ; **à ~ portant** at point-blank range ; **~ filtre** filter tip.
boutade [butad] *nf* quip, sally.
boute-en-train [butɑ̃tʀɛ̃] *nm inv* live wire.
bouteille [butɛj] *nf* bottle ; (*de gaz butane*) cylinder.
boutique [butik] *nf* shop ; **boutiquier, ière** *nm/f* shopkeeper.
bouton [butɔ̃] *nm* (*BOT*) bud ; (*MÉD*) spot ; (*électrique etc*) button ; (*de porte*) knob ; **~ de manchette** cuff-link ; **~ d'or** butter-

cup ; **boutonner** *vt* to button up, do up ;
boutonneux, euse a spotty ; **boutonnière** *nf* buttonhole ; **~-pression** *nm* press stud, snap fastener.
bouture [butyʀ] *nf* cutting.
bouvreuil [buvʀœj] *nm* bullfinch.
bovidé [bɔvide] *nm* bovine.
bovin, e [bɔvɛ̃, -in] *a* bovine ; **~s** *nmpl* cattle.
bowling [boliŋ] *nm* (tenpin) bowling ; (*salle*) bowling alley.
box [bɔks] *nm* lock-up (garage) ; cubicle ; (*d'écurie*) loose-box ; **le ~ des accusés** the dock.
boxe [bɔks(ə)] *nf* boxing ; **boxer** *vi* to box ; **boxeur** *nm* boxer.
boyau, x [bwajo] *nm* (*corde de raquette etc*) (cat) gut ; (*galerie*) passage(way) ; (*narrow*) gallery ; (*pneu de bicyclette*) tube-less tyre // *nmpl* (*viscères*) entrails, guts.
boycotter [bɔjkɔte] *vt* to boycott.
B.P. *sigle de* **boîte postale**.
bracelet [bʀaslɛ] *nm* bracelet ; **~-montre** *nm* wristwatch.
braconner [bʀakɔne] *vi* to poach ; **braconnier** *nm* poacher.
brader [bʀade] *vt* to sell off, sell cheaply.
braguette [bʀagɛt] *nf* fly, flies *pl*.
brailler [bʀaje] *vi* to bawl, yell // *vt* to bawl out, yell out.
braire [bʀɛʀ] *vi* to bray.
braise [bʀɛz] *nf* embers *pl*.
braiser [bʀeze] *vt* to braise.
bramer [bʀame] *vi* to bell ; (*fig*) to wail.
brancard [bʀɑ̃kaʀ] *nm* (*civière*) stretcher ; (*bras, perche*) shaft ; **brancardier** *nm* stretcher-bearer.
branchages [bʀɑ̃ʃaʒ] *nmpl* branches, boughs.
branche [bʀɑ̃ʃ] *nf* branch ; (*de lunettes*) side-piece.
brancher [bʀɑ̃ʃe] *vt* to connect (up) ; (*en mettant la prise*) to plug in.
branchies [bʀɑ̃ʃi] *nfpl* gills.
brandir [bʀɑ̃diʀ] *vt* to brandish, wield.
brandon [bʀɑ̃dɔ̃] *nm* firebrand.
branle [bʀɑ̃l] *nm*: **donner le ~ à** to set in motion.
branle-bas [bʀɑ̃lba] *nm inv* commotion.
branler [bʀɑ̃le] *vi* to be shaky, be loose // *vt*: **~ la tête** to shake one's head.
braquage [bʀakaʒ] *nm* (*fam*) stick-up ; (*AUTO*): **rayon de ~** turning circle.
braquer [bʀake] *vi* (*AUTO*) to turn (the wheel) // *vt* (*revolver etc*): **~ qch sur** to aim sth at, point sth at ; (*mettre en colère*): **~ qn** to antagonize sb, put sb's back up.
bras [bʀa] *nm* arm // *nmpl* (*fig*: *travailleurs*) labour *sg*, hands ; **saisir qn à ~-le-corps** to take hold of sb (a)round the waist ; **à ~ raccourcis** with fists flying ; **~ droit** (*fig*) right-hand man ; **~ de levier** lever arm ; **~ de mer** arm of the sea, sound.
brasero [bʀazeʀo] *nm* brazier.
brasier [bʀazje] *nm* blaze, (blazing) inferno.
brassage [bʀasaʒ] *nm* mixing.
brassard [bʀasaʀ] *nm* armband.
brasse [bʀas] *nf* (*nage*) breast-stroke ;

(*mesure*) fathom ; ~ **papillon** butterfly (-stroke).
brassée [bʀase] nf armful.
brasser [bʀase] vt to mix ; ~ **l'argent/les affaires** to handle a lot of money/business.
brasserie [bʀasʀi] nf (*restaurant*) brasserie ; (*usine*) brewery.
brasseur [bʀasœʀ] nm (*de bière*) brewer ; ~ **d'affaires** big businessman.
brassière [bʀasjɛʀ] nf (baby's) vest.
bravache [bʀavaʃ] nm blusterer, braggart.
bravade [bʀavad] nf: **par** ~ **out of** bravado.
brave [bʀav] a (*courageux*) brave ; (*bon, gentil*) good, kind.
braver [bʀave] vt to defy.
bravo [bʀavo] excl bravo // nm cheer.
bravoure [bʀavuʀ] nf bravery.
break [bʀɛk] nm (*AUTO*) estate car.
brebis [bʀəbi] nf ewe ; ~ **galeuse** black sheep.
brèche [bʀɛʃ] nf breach, gap ; **être sur la** ~ (*fig*) to be on the go.
bredouille [bʀəduj] a empty-handed.
bredouiller [bʀəduje] vi, vt to mumble, stammer.
bref, brève [bʀɛf, bʀɛv] a a short, brief // ad in short // nf: (*voyelle*) **brève** short vowel ; **d'un ton** ~ sharply, curtly ; **en** ~ in short, in brief.
brelan [bʀəlã] nm three of a kind ; ~ **d'as** three aces.
brème [bʀɛm] nf bream.
Brésil [bʀezil] nm Brazil ; **b~ien, ne** a, nm/f Brazilian.
Bretagne [bʀətaɲ] nf Brittany.
bretelle [bʀətɛl] nf (*de fusil etc*) sling ; (*de combinaison, soutien-gorge*) strap ; (*autoroute*) slip road ; ~**s** nfpl (*pour pantalon*) braces.
breton, ne [bʀətɔ̃, -ɔn] a, nm/f Breton.
breuvage [bʀœvaʒ] nm beverage, drink.
brève [bʀɛv] a, nf voir **bref**.
brevet [bʀəvɛ] nm diploma, certificate ; ~ (**d'invention**) patent ; ~ **d'apprentissage** certificate of apprenticeship ; ~ **d'études du premier cycle (B.E.P.C.)** ≈ O levels ; **breveté, e** a patented ; (*diplômé*) qualified ; **breveter** vt to patent.
bréviaire [bʀevjɛʀ] nm breviary.
bribes [bʀib] nfpl bits, scraps ; snatches ; **par** ~ **piecemeal.**
bric-à-brac [bʀikabʀak] nm inv bric-a-brac, jumble.
bricolage [bʀikɔlaʒ] nm: **le** ~ do-it-yourself (jobs).
bricole [bʀikɔl] nf trifle ; small job.
bricoler [bʀikɔle] vi to do D.I.Y. jobs ; to potter about ; to do odd jobs // vt to fix up ; to tinker with ; **bricoleur, euse** nm/f handyman, D.I.Y. enthusiast.
bride [bʀid] nf bridle ; (*d'un bonnet*) string, tie ; **à** ~ **abattue** flat out, hell for leather ; **tenir en** ~ to keep in check ; **lâcher la** ~ **à, laisser la** ~ **sur le cou à** to give free rein to.
bridé, e [bʀide] a: **yeux** ~**s** slit eyes.
brider [bʀide] vt (*réprimer*) to keep in check ; (*cheval*) to bridle ; (*CULIN: volaille*) to truss.

bridge [bʀidʒ(ə)] nm bridge.
brièvement [bʀijɛvmã] ad briefly.
brièveté [bʀijɛvte] nf brevity.
brigade [bʀigad] nf (*POLICE*) squad ; (*MIL*) brigade ; (*gén*) team.
brigand [bʀigã] nm brigand.
brigandage [bʀigãdaʒ] nm robbery.
briguer [bʀige] vt to aspire to.
brillamment [bʀijamã] ad brilliantly.
brillant, e [bʀijã, -ãt] a brilliant ; bright ; (*luisant*) shiny, shining // nm (*diamant*) brilliant.
briller [bʀije] vi to shine.
brimade [bʀimad] nf vexation, harassment q ; bullying q.
brimbaler [bʀɛbale] vb = **bringuebaler.**
brimer [bʀime] vt to harass ; to bully.
brin [bʀɛ] nm (*de laine, ficelle etc*) strand ; (*fig*): **un** ~ **de** a bit of ; ~ **d'herbe** blade of grass ; ~ **de muguet** sprig of lily of the valley ; ~ **de paille** wisp of straw.
brindille [bʀɛdij] nf twig.
bringuebaler [bʀɛgbale] vi to shake (about) // vt to cart about.
brio [bʀijo] nm brilliance ; (*MUS*) brio ; **avec** ~ brilliantly, with panache.
brioche [bʀijɔʃ] nf brioche (bun) ; (*fam: ventre*) paunch.
brique [bʀik] nf brick // a inv brick red.
briquer [bʀike] vt to polish up.
briquet [bʀikɛ] nm (*cigarette*) lighter.
brisant [bʀizã] nm reef ; (*vague*) breaker.
brise [bʀiz] nf breeze.
brise-glace [bʀizglas] nm inv icebreaker.
brise-jet [bʀizʒɛ] nm inv tap swirl.
brise-lames [bʀizlam] nm inv breakwater.
briser [bʀize] vt to break ; **se** ~ vi to break ; **briseur, euse de grève** nm/f strike-breaker.
britannique [bʀitanik] a British // nm/f British person ; **les B~s** the British.
broc [bʀo] nm pitcher.
brocanteur, euse [bʀɔkãtœʀ, -øz] nm/f junkshop owner ; junk dealer.
broche [bʀɔʃ] nf brooch ; (*CULIN*) spit ; (*fiche*) spike, peg ; **à la** ~ spit-roast, roasted on a spit.
broché, e [bʀɔʃe] a (*livre*) paper-backed.
brochet [bʀɔʃɛ] nm pike inv.
brochette [bʀɔʃɛt] nf skewer ; ~ **de décorations** row of medals.
brochure [bʀɔʃyʀ] nf pamphlet, brochure, booklet.
broder [bʀɔde] vt to embroider // vi to embroider the facts ; **broderie** nf embroidery.
bromure [bʀɔmyʀ] nm bromide.
broncher [bʀɔ̃ʃe] vi: **sans** ~ without flinching ; without turning a hair.
bronches [bʀɔ̃ʃ] nfpl bronchial tubes ; **bronchite** nf bronchitis ; **broncho-pneumonie** [bʀɔ̃kɔ-] nf bronco-pneumonia q.
bronze [bʀɔ̃z] nm bronze.
bronzé, e [bʀɔ̃ze] a tanned.
bronzer [bʀɔ̃ze] vt to tan // vi to get a tan ; **se** ~ to sunbathe.
brosse [bʀɔs] nf brush ; **donner un coup de** ~ **à qch** to give sth a brush ; **coiffé**

en ~ with a crewcut ; ~ **à cheveux** hairbrush ; ~ **à dents** toothbrush ; ~ **à habits** clothesbrush ; **brosser** vt (nettoyer) to brush ; (fig: tableau etc) to paint ; to draw.

brouette [bʀuɛt] nf wheelbarrow.

brouhaha [bʀuaa] nm hubbub.

brouillard [bʀujaʀ] nm fog.

brouille [bʀuj] nf quarrel.

brouiller [bʀuje] vt to mix up ; to confuse ; (RADIO) to cause interference to ; to jam ; (rendre trouble) to cloud ; (désunir: amis) to set at odds ; se ~ vi (ciel, vue) to cloud over ; (détails) to become confused ; se ~ (avec) to fall out (with).

brouillon, ne [bʀujɔ̃, -ɔn] a disorganised ; unmethodical // nm draft.

broussailles [bʀusaj] nfpl undergrowth sg ; **broussailleux, euse** a bushy.

brousse [bʀus] nf: **la ~** the bush.

brouter [bʀute] vt to graze on // vi to graze ; (AUTO) to judder.

broutille [bʀutij] nf trifle.

broyer [bʀwaje] vt to crush ; ~ **du noir** to be down in the dumps.

bru [bʀy] nf daughter-in-law.

brucelles [bʀysɛl] nfpl: (**pinces**) ~ tweezers.

bruine [bʀɥin] nf drizzle.

bruiner [bʀɥine] vb impersonnel: **il bruine** it's drizzling, there's a drizzle.

bruire [bʀɥiʀ] vi to murmur ; to rustle.

bruit [bʀɥi] nm: **un ~** a noise, a sound ; (fig: rumeur) a rumour ; **le ~** noise ; **pas/trop de ~** no/too much noise ; **sans ~** without a sound, noiselessly ; ~ **de fond** background noise.

bruitage [bʀɥitaʒ] nm sound effects pl ; **bruiteur, euse** nm/f sound-effects engineer.

brûlant, e [bʀylɑ̃, -ɑ̃t] a burning (hot) ; (liquide) boiling (hot) ; (regard) fiery ; (sujet) red-hot.

brûlé, e [bʀyle] a (fig: démasqué) blown // nm: **odeur de ~** smell of burning.

brûle-pourpoint [bʀylpuʀpwɛ̃] **à ~** ad point-blank.

brûler [bʀyle] vt to burn ; (suj: eau bouillante) to scald ; (consommer: électricité, essence) to use ; (feu rouge, signal) to go through (without stopping) // vi to burn ; (jeu) to be warm ; se ~ to burn o.s. ; to scald o.s. ; **se la cervelle** to blow one's brains out ; ~ (**d'impatience**) **de faire qch** to burn with impatience ou be dying to do sth.

brûleur [bʀylœʀ] nm burner.

brûlure [bʀylyʀ] nf (lésion) burn ; (sensation) burning (sensation) ; ~**s d'estomac** heartburn sg.

brume [bʀym] nf mist ; **brumeux, euse** a misty ; (fig) hazy.

brun, e [bʀœ̃, -yn] a brown ; (cheveux, personne) dark // nm (couleur) brown ; **brunir** vi to get a tan // vt to tan.

brusque [bʀysk(ə)] a (soudain) abrupt, sudden ; (rude) abrupt, brusque ; ~**ment** ad (soudainement) abruptly ; suddenly ; **brusquer** vt to rush ; **brusquerie** nf abruptness, brusqueness.

brut, e [bʀyt] a raw, crude, rough ; (COMM) gross // nf brute ; (**champagne**) ~ brut

champagne ; (**pétrole**) ~ crude (oil).

brutal, e, aux [bʀytal, -o] a brutal ; ~**iser** vt to handle roughly, manhandle ; ~**ité** nf brutality q.

brute [bʀyt] a, nf voir **brut.**

Bruxelles [bʀysɛl] n Brussels.

bruyamment [bʀɥijamɑ̃] ad noisily.

bruyant, e [bʀɥijɑ̃, -ɑ̃t] a noisy.

bruyère [bʀyjɛʀ] nf heather.

bu, e pp de **boire.**

buanderie [bɥɑ̃dʀi] nf laundry.

buccal, e, aux [bykal, -o] a: **par voie** ~**e** orally.

bûche [byʃ] nf log ; **prendre une ~** (fig) to come a cropper ; ~ **de Noël** Yule log.

bûcher [byʃe] nm pyre ; bonfire // vb (fam) vi to swot, slog away // vt to swot up.

bûcheron [byʃʀɔ̃] nm woodcutter.

bucolique [bykɔlik] a bucolic, pastoral.

budget [bydʒɛ] nm budget ; **budgétaire** [bydʒetɛʀ] a budgetary, budget cpd.

buée [bɥe] nf (sur une vitre) mist ; (de l'haleine) steam.

buffet [byfɛ] nm (meuble) sideboard ; (de réception) buffet ; ~ (**de gare**) station buffet.

buffle [byfl(ə)] nm buffalo.

buis [bɥi] nm box tree ; (bois) box(wood).

buisson [bɥisɔ̃] nm bush.

buissonnière [bɥisɔnjɛʀ] af: **faire l'école** ~ to play truant.

bulbe [bylb(ə)] nm (BOT, ANAT) bulb ; (coupole) onion-shaped dome.

bulgare [bylgaʀ] a, nm/f Bulgarian.

Bulgarie [bylgaʀi] nf Bulgaria.

bulldozer [buldozœʀ] nm bulldozer.

bulle [byl] nf bubble ; (papale) bull ; ~ **de savon** soap bubble.

bulletin [byltɛ̃] nm (communiqué, journal) bulletin ; (papier) form ; ticket ; (SCOL) report ; ~ **d'informations** news bulletin ; ~ **météorologique** weather report ; ~ **de santé** medical bulletin ; ~ (**de vote**) ballot paper.

buraliste [byʀalist(ə)] nm/f tobacconist ; clerk.

bure [byʀ] nf homespun ; frock.

bureau, x [byʀo] nm (meuble) desk ; (pièce, service) office ; ~ **de change** (foreign) exchange office ou bureau ; ~ **de location** box office ; ~ **de poste** post office ; ~ **de tabac** tobacconist's (shop) ; ~ **de vote** polling station ; ~**crate** nm bureaucrat ; ~**cratie** [-kʀasi] nf bureaucracy ; ~**cratique** a bureaucratic.

burette [byʀɛt] nf (de mécanicien) oilcan ; (de chimiste) burette.

burin [byʀɛ̃] nm cold chisel ; (ART) burin.

buriné, e [byʀine] a (fig: visage) craggy, seamed.

burlesque [byʀlɛsk(ə)] a ridiculous ; (LITTÉRATURE) burlesque.

burnous [byʀnu(s)] nm burnous.

bus vb [by] voir **boire** // nm [bys] bus.

buse [byz] nf buzzard.

busqué, e [byske] a: **nez** ~ hook(ed) nose.

buste [byst(ə)] nm (ANAT) chest ; bust ; (sculpture) bust.

but [by] vb voir **boire** // nm [parfois byt] (cible) target ; (fig) goal ; aim ; (FOOTBALL etc) goal ; **de ~ en blanc** point-blank ; **avoir pour ~ de faire** to aim to do ; **dans le ~ de** with the intention of.

butane [bytan] nm butane ; calor gas.

buté, e [byte] a stubborn, obstinate // nf (TECH) stop ; (ARCHIT) abutment.

buter [byte] vi: **~ contre/sur** to bump into ; to stumble against // vt to antagonize ; **se ~** vi to get obstinate ; to dig in one's heels.

buteur [bytœR] nm striker.

butin [byte] nm booty, spoils pl ; (d'un vol) loot.

butiner [bytine] vi to gather nectar.

butor [bytɔR] nm (fig) lout.

butte [byt] nf mound, hillock ; **être en ~ à** to be exposed to.

buvais etc vb voir **boire**.

buvard [byvaR] nm blotter.

buvette [byvɛt] nf refreshment room ; refreshment stall.

buveur, euse [byvœR, -øz] nm/f drinker.

byzantin, e [bizɑ̃tɛ̃, -in] a Byzantine.

C

c' [s] dét voir **ce**.

ça [sa] pronom (pour désigner) this ; (: plus loin) that ; (comme sujet indéfini) it ; **~ m'étonne que** it surprises me that ; **~ va?** how are you? ; how are things? ; (d'accord?) OK?, all right? ; **c'est ~** that's right.

çà [sa] ad: **~ et là** here and there.

caban [kabɑ̃] nm reefer jacket, donkey jacket.

cabane [kaban] nf hut, cabin.

cabanon [kabanɔ̃] nm chalet ; (country) cottage.

cabaret [kabaRɛ] nm night club.

cabas [kabɑ] nm shopping bag.

cabestan [kabɛstɑ̃] nm capstan.

cabillaud [kabijo] nm cod inv.

cabine [kabin] nf (de bateau) cabin ; (de plage) (beach) hut ; (de piscine etc) cubicle ; (de camion, train) cab ; (d'avion) cockpit ; **~ d'ascenseur** lift cage ; **~ d'essayage** fitting room ; **~ spatiale** space capsule ; **~ (téléphonique)** call ou (tele)phone box, (tele)phone booth.

cabinet [kabinɛ] nm (petite pièce) closet ; (de médecin) surgery ; (de notaire etc) office ; (: clientèle) practice ; (POL) Cabinet ; (d'un ministre) advisers pl ; **~s** nmpl (w.-c.) toilet sg, loo sg ; **~ d'affaires** business consultants' (bureau), business partnership ; **~ de toilette** toilet ; **~ de travail** study.

câble [kɑbl(ə)] nm cable.

câbler [kɑble] vt to cable.

cabosser [kabɔse] vt to dent.

cabotage [kabɔtaʒ] nm coastal navigation ; **caboteur** nm coaster.

cabotinage [kabɔtinaʒ] nm playacting ; third-rate acting, ham acting.

cabrer [kabRe] : **se ~** vi (cheval) to rear up ; (avion) to nose up ; (fig) to revolt, rebel ; to jib.

cabri [kabRi] nm kid.

cabriole [kabRijɔl] nf caper ; somersault.

cabriolet [kabRijɔlɛ] nm convertible.

cacahuète [kakaɥɛt] nf peanut.

cacao [kakao] nm cocoa (powder) ; (boisson) cocoa.

cachalot [kaʃalo] nm sperm whale.

cache [kaʃ] nm mask, card (for masking) // nf hiding place.

cache-cache [kaʃkaʃ] nm: **jouer à ~** to play hide-and-seek.

cachemire [kaʃmiR] nm cashmere // a: **dessin ~** paisley pattern.

cache-nez [kaʃne] nm inv scarf, muffler.

cache-pot [kaʃpo] nm inv flower-pot holder.

cacher [kaʃe] vt to hide, conceal ; **~ qch à qn** to hide ou conceal sth from sb ; **se ~** to hide ; to be hidden ou concealed ; **il ne s'en cache pas** he makes no secret of it.

cachet [kaʃɛ] nm (comprimé) tablet ; (sceau: du roi) seal ; (: de la poste) postmark ; (rétribution) fee ; (fig) style, character ; **cacheter** vt to seal.

cachette [kaʃɛt] nf hiding place ; **en ~** on the sly, secretly.

cachot [kaʃo] nm dungeon.

cachotterie [kaʃɔtRi] nf mystery ; **faire des ~s** to be secretive.

cactus [kaktys] nm cactus.

cadastre [kadastR(ə)] nm cadastre, land register.

cadavérique [kadaveRik] a deathly (pale), deadly pale.

cadavre [kadavR(ə)] nm corpse, (dead) body.

cadeau, x [kado] nm present, gift ; **faire un ~ à qn** to give sb a present ou gift ; **faire ~ de qch à qn** to make a present of sth to sb, give sb sth as a present.

cadenas [kadna] nm padlock ; **cadenasser** vt to padlock.

cadence [kadɑ̃s] nf (MUS) cadence ; rhythm ; (de travail etc) rate ; **~s** nfpl (en usine) production rate sg ; **en ~** rhythmically ; in time ; **cadencé, e** a rhythmic(al).

cadet, te [kadɛ, -ɛt] a younger ; (le plus jeune) youngest // nm/f youngest child ou one, youngest boy ou son/girl ou daughter ; **il est mon ~ (de deux ans)** he's (2 years) younger than me, he's 2 years my junior ; **les ~s** (SPORT) the minors (15 - 17 years).

cadran [kadRɑ̃] nm dial ; **~ solaire** sundial.

cadre [kadR(ə)] nm frame ; (environnement) surroundings pl ; (limites) scope // nm/f (ADMIN) managerial employee, executive // a: **loi ~** outline ou blueprint law ; **~ moyen/supérieur** (ADMIN) middle/senior management employee, junior/senior executive ; **rayer qn des ~s** to discharge sb ; to dismiss sb ; **dans le ~ de** (fig) within the framework ou context of.

cadrer [kadRe] vi: **~ avec** to tally ou correspond with // vt (CINÉMA) to centre.

caduc, uque [kadyk] a obsolete ; (BOT) deciduous.

cafard [kafaʀ] *nm* cockroach ; **avoir le ~** to be down in the dumps, be feeling low.

café [kafe] *nm* coffee ; (*bistro*) café // *a inv* coffee-coloured ; **~ au lait** white coffee ; **~ noir** black coffee ; **~ tabac** tobacconist's or newsagent's also serving coffee and spirits ; **~ine** *nf* caffeine ; **cafetier, ière** *nm/f* café-owner // *nf* (*pot*) coffee-pot.

cafouiller [kafuje] *vi* to get in a shambles ; to work in fits and starts.

cage [kaʒ] *nf* cage ; **~ (des buts)** goal ; **en ~** in a cage, caged up *ou* in ; **~ d'ascenseur** lift shaft ; **~ d'escalier** (stair)well ; **~ thoracique** rib cage.

cageot [kaʒo] *nm* crate.

cagibi [kaʒibi] *nm* shed.

cagneux, euse [kaɲø, -øz] *a* knock-kneed.

cagnotte [kaɲɔt] *nf* kitty.

cagoule [kagul] *nf* cowl ; hood ; (*SKI etc*) cagoule.

cahier [kaje] *nm* notebook ; (*TYPO*) signature ; **~ de revendications/doléances** list of claims/grievances ; **~ de brouillons** roughbook, jotter ; **~ des charges** schedule (of conditions) ; **~ d'exercices** exercise book.

cahin-caha [kaɛ̃kaa] *ad*: **aller ~** to jog along ; (*fig*) to be so-so.

cahot [kao] *nm* jolt, bump ; **cahoter** *vi* to bump along, jog along.

cahute [kayt] *nf* shack, hut.

caïd [kaid] *nm* big chief, boss.

caille [kaj] *nf* quail.

caillé, e [kaje] *a*: **lait ~** curdled milk, curds *pl*.

cailler [kaje] *vi* (*lait*) to curdle ; (*sang*) to clot.

caillot [kajo] *nm* (blood) clot.

caillou, x [kaju] *nm* (little) stone ; **~ter** *vt* (*chemin*) to metal ; **~teux, euse** *a* stony ; pebbly.

Caire [kɛʀ] *nm*: **le ~** Cairo.

caisse [kɛs] *nf* box ; (*où l'on met la recette*) cashbox ; till ; (*où l'on paye*) cash desk ; check-out ; (*de banque*) cashier's desk ; teller's desk ; (*TECH*) case, casing ; **~ enregistreuse** cash register ; **~ d'épargne** savings bank ; **~ de retraite** pension fund ; **caissier, ière** *nm/f* cashier.

caisson [kɛsɔ̃] *nm* box, case.

cajoler [kaʒɔle] *vt* to wheedle, coax ; to surround with love and care, make a fuss of.

cake [kɛk] *nm* fruit cake.

calaminé, e [kalamine] *a* (*AUTO*) coked up.

calamité [kalamite] *nf* calamity, disaster.

calandre [kalɑ̃dʀ(ə)] *nf* radiator grill ; (*machine*) calender, mangle.

calanque [kalɑ̃k] *nf* rocky inlet.

calcaire [kalkɛʀ] *nm* limestone // *a* (*eau*) hard ; (*GÉO*) limestone *cpd*.

calciné, e [kalsine] *a* burnt to ashes.

calcium [kalsjɔm] *nm* calcium.

calcul [kalkyl] *nm* calculation ; **le ~** (*SCOL*) arithmetic ; **~ différentiel/intégral** differential/integral calculus ; **~ (biliaire)** (gall)stone ; **~ (rénal)** (kidney) stone ; **~ateur** *nm*, **~atrice** *nf* calculator.

calculer [kalkyle] *vt* to calculate, work out, reckon ; (*combiner*) to calculate.

cale [kal] *nf* (*de bateau*) hold ; (*en bois*) wedge, chock ; **~ sèche** dry dock.

calé, e [kale] *a* (*fam*) clever, bright.

calebasse [kalbɑs] *nf* calabash, gourd.

caleçon [kalsɔ̃] *nm* pair of underpants, trunks *pl* ; **~ de bain** bathing trunks *pl*.

calembour [kalɑ̃buʀ] *nm* pun.

calendes [kalɑ̃d] *nfpl*: **renvoyer aux ~ grecques** to postpone indefinitely.

calendrier [kalɑ̃dʀije] *nm* calendar ; (*fig*) timetable.

cale-pied [kalpje] *nm inv* toe clip.

calepin [kalpɛ̃] *nm* notebook.

caler [kale] *vt* to wedge, chock up ; **~ (son moteur/véhicule)** to stall (one's engine/vehicle).

calfater [kalfate] *vt* to caulk.

calfeutrer [kalføtʀe] *vt* to (make) draughtproof ; **se ~** to make o.s. snug and comfortable.

calibre [kalibʀ(ə)] *nm* (*d'un fruit*) grade ; (*d'une arme*) bore, calibre ; (*fig*) calibre ; **calibrer** *vt* to grade.

calice [kalis] *nm* (*REL*) chalice ; (*BOT*) calyx.

califourchon [kalifuʀʃɔ̃]: **à ~** *ad* astride ; **à ~ sur** astride, straddling.

câlin, e [kɑlɛ̃, -in] *a* cuddly, cuddlesome ; tender.

câliner [kɑline] *vt* to fondle, cuddle.

calleux, euse [kalø, -øz] *a* horny, callous.

calligraphie [kaligʀafi] *nf* calligraphy.

calmant [kalmɑ̃] *nm* tranquillizer, sedative ; painkiller.

calme [kalm(ə)] *a* calm, quiet // *nm* calm(ness), quietness ; **~ plat** (*NAVIG*) dead calm.

calmer [kalme] *vt* to calm (down) ; (*douleur, inquiétude*) to ease, soothe ; **se ~** to calm down.

calomnie [kalɔmni] *nf* slander ; (*écrite*) libel ; **calomnier** *vt* to slander ; to libel ; **calomnieux, euse** *a* slanderous ; libellous.

calorie [kalɔʀi] *nf* calorie.

calorifère [kalɔʀifɛʀ] *nm* stove.

calorifique [kalɔʀifik] *a* calorific.

calorifuge [kalɔʀify3] *a* (heat-) insulating, heat-retaining.

calot [kalo] *nm* forage cap.

calotte [kalɔt] *nf* (*coiffure*) skullcap ; (*gifle*) slap ; **~ glaciaire** icecap.

calque [kalk(ə)] *nm* (*dessin*) tracing ; (*fig*) carbon copy.

calquer [kalke] *vt* to trace ; (*fig*) to copy exactly.

calvaire [kalvɛʀ] *nm* (*croix*) wayside cross, calvary ; (*souffrances*) suffering, martyrdom.

calvitie [kalvisi] *nf* baldness.

camaïeu [kamajø] *nm*: **(motif en) ~** monochrome motif.

camarade [kamaʀad] *nm/f* friend, pal ; (*POL*) comrade ; **~rie** *nf* friendship.

cambouis [kɑ̃bwi] *nm* engine oil.

cambrer [kɑ̃bʀe] *vt* to arch ; **se ~** to arch one's back ; **pied très cambré** foot with high arches ou insteps.

cambriolage [kɑ̃bʀijɔlaʒ] *nm* burglary.

cambrioler [kɑ̃bʀijɔle] *vt* to burgle ; **cambrioleur, euse** *nm/f* burglar.

cambrure [kũbRyR] *nf* (*de la route*) camber.

cambuse [kũbyz] *nf* storeroom.

came [kam] *nf*: **arbre à ~s** camshaft ; **arbre à ~s en tête** overhead camshaft.

camée [kame] *nm* cameo.

caméléon [kameleɔ̃] *nm* chameleon.

camelot [kamlo] *nm* street pedlar.

camelote [kamlɔt] *nf* rubbish, trash, junk.

caméra [kameRa] *nf* camera ; (*d'amateur*) cine-camera.

camion [kamjɔ̃] *nm* lorry, truck ; (*plus petit, fermé*) van ; **~-citerne** *nm* tanker ; **camionnage** *nm* haulage ; **camionnette** *nf* (small) van ; **camionneur** *nm* (*entrepreneur*) haulage contractor ; (*chauffeur*) lorry *ou* truck driver ; van driver.

camisole [kamizɔl] *nf*: **~ (de force)** strait jacket.

camomille [kamɔmij] *nf* camomile ; (*boisson*) camomile tea.

camouflage [kamuflaʒ] *nm* camouflage.

camoufler [kamufle] *vt* to camouflage ; (*fig*) to conceal, cover up.

camouflet [kamufle] *nm* snub.

camp [kũ] *nm* camp ; (*fig*) side ; **~ de nudistes/vacances** nudist/holiday camp ; **~ de concentration** concentration camp.

campagnard, e [kũpaɲaR, -aRd(ə)] *a* country *cpd* // *nm/f* countryman/woman.

campagne [kũpaɲ] *nf* country, countryside ; (*MIL, POL, COMM*) campaign ; **à la ~** in the country ; **faire ~ pour** to campaign for.

campement [kũpmũ] *nm* camp, encampment.

camper [kũpe] *vi* to camp // *vt* to pull *ou* put on firmly ; to sketch ; **se ~ devant** to plant o.s. in front of ; **campeur, euse** *nm/f* camper.

camphre [kũfR(ə)] *nm* camphor.

camping [kũpiŋ] *nm* camping ; (**terrain de) ~** campsite, camping site ; **faire du ~** to go camping.

camus, e [kamy, -yz] *a*: **nez ~** pug nose.

Canada [kanada] *nm*: **le ~ Canada** ; **canadien, ne** *a, nm/f* Canadian // *nf* (*veste*) fur-lined jacket.

canaille [kanɑj] *nf* (*péj*) scoundrel // *a* raffish, rakish.

canal, aux [kanal, -o] *nm* canal ; (*naturel*) channel ; (*ADMIN*): **par le ~ de** through (the medium of), via.

canalisation [kanalizasjɔ̃] *nf* (*tuyau*) pipe.

canaliser [kanalize] *vt* to canalize ; (*fig*) to channel.

canapé [kanape] *nm* settee, sofa ; (*CULIN*) canapé, open sandwich.

canard [kanaR] *nm* duck.

canari [kanaRi] *nm* canary.

cancans [kũkũ] *nmpl* (malicious) gossip *sg*.

cancer [kũsɛR] *nm* cancer ; (*signe*): **le C~** Cancer, the Crab ; **être du C~** to be Cancer ; **cancéreux, euse** *a* cancerous ; suffering from cancer ; **cancérigène** *a* carcinogenic.

cancre [kũkR(ə)] *nm* dunce.

cancrelat [kũkRəla] *nm* cockroach.

candélabre [kũdelabR(ə)] *nm* candelabrum ; street lamp, lamppost.

candeur [kũdœR] *nf* ingenuousness, guilelessness.

candi [kũdi] *a inv*: **sucre ~** (sugar-)candy.

candidat, e [kũdida, -at] *nm/f* candidate ; (*à un poste*) applicant, candidate ; **candidature** *nf* candidature ; application ; **poser sa candidature** to submit an application, apply.

candide [kũdid] *a* ingenuous, guileless, naïve.

cane [kan] *nf* (female) duck.

caneton [kantɔ̃] *nm* duckling.

canette [kanɛt] *nf* (*de bière*) (flip-top) bottle ; (*de machine à coudre*) spool.

canevas [kanva] *nm* (*COUTURE*) canvas (for tapestry work) ; (*fig*) framework, structure.

caniche [kaniʃ] *nm* poodle.

canicule [kanikyl] *nf* scorching heat ; midsummer heat, dog days *pl*.

canif [kanif] *nm* penknife, pocket knife.

canin, e [kanɛ̃, -in] *a* canine // *nf* canine (tooth), eye tooth ; **exposition ~e** dog show.

caniveau, x [kanivo] *nm* gutter.

canne [kan] *nf* (walking) stick ; **~ à pêche** fishing rod ; **~ à sucre** sugar cane.

canné, e [kane] *a* (*chaise*) cane *cpd*.

cannelle [kanɛl] *nf* cinnamon.

cannelure [kanlyR] *nf* flute, fluting.

cannibale [kanibal] *nm/f* cannibal.

canoë [kanɔe] *nm* canoe ; (*sport*) canoeing.

canon [kanɔ̃] *nm* (*arme*) gun ; (*d'une arme: tube*) barrel ; (*fig*) model ; canon // *a*: **droit ~** canon law ; **~ rayé** rifled barrel.

cañon [kaɲɔ̃] *nm* canyon.

canoniser [kanɔnize] *vt* to canonize.

canonnade [kanɔnad] *nf* cannonade.

canonnier [kanɔnje] *nm* gunner.

canonnière [kanɔnjɛR] *nf* gunboat.

canot [kano] *nm* boat, ding(h)y ; **~ pneumatique** rubber *ou* inflatable ding(h)y ; **~ de sauvetage** lifeboat ; **canoter** *vi* to go rowing.

canotier [kanɔtje] *nm* boater.

cantate [kũtat] *nf* cantata.

cantatrice [kũtatRis] *nf* (opera) singer.

cantine [kũtin] *nf* canteen.

cantique [kũtik] *nm* hymn.

canton [kũtɔ̃] *nm* district regrouping several *communes* ; (*en Suisse*) canton.

cantonade [kũtɔnad]: **à la ~** *ad* to everyone in general ; from the rooftops.

cantonner [kũtɔne] *vt* (*MIL*) to billet ; to station ; **se ~ dans** to confine o.s. to.

cantonnier [kũtɔnje] *nm* roadmender, roadman.

canular [kanylaR] *nm* hoax.

caoutchouc [kautʃu] *nm* rubber ; **~ mousse** foam rubber ; **caoutchouté, e** *a* rubberized ; **caoutchouteux, euse** *a* rubbery.

cap [kap] *nm* (*GÉO*) cape ; headland ; (*fig*) hurdle ; watershed ; (*NAVIG*): **changer de ~** to change course ; **mettre le ~ sur** to head *ou* steer for.

C.A.P. *sigle m* = *Certificat d'aptitude professionnelle* (*obtained after trade apprenticeship*).

capable [kapabl(ə)] *a* able, capable ; ~ **de qch/faire** capable of sth/doing ; **livre** ~ **d'intéresser** book liable *ou* likely to be of interest.

capacité [kapasite] *nf* (*compétence*) ability ; (*JUR, contenance*) capacity ; ~ (**en droit**) basic legal qualification.

cape [kap] *nf* cape, cloak ; **rire sous** ~ to laugh up one's sleeve.

C.A.P.E.S. [kapɛs] *sigle m* = *Certificat d'aptitude au professorat de l'enseignement du second degré.*

capharnaüm [kafaRnaɔm] *nm* shambles *sg.*

capillaire [kapilɛR] *a* (*soins, lotion*) hair *cpd* ; (*vaisseau etc*) capillary ; **capillarité** *nf* capillarity.

capilotade [kapilɔtad]: **en** ~ *ad* crushed to a pulp ; smashed to pieces.

capitaine [kapitɛn] *nm* captain ; ~ **des pompiers** fire chief, firemaster ; ~**rie** *nf* (*du port*) harbour master's (office).

capital, e, aux [kapital -o] *a* major ; of paramount importance ; fundamental ; (*JUR*) capital // *nm* capital ; (*fig*) stock ; asset // *nf* (*ville*) capital ; (*lettre*) capital (letter) // *nmpl* (*fonds*) capital *sg,* money *sg* ; ~ (**social**) authorized capital ; ~**iser** *vt* to amass, build up ; (*COMM*) to capitalize ; ~**isme** *nm* capitalism ; ~**iste** *a, nm/f* capitalist.

capiteux, euse [kapitø, -øz] *a* heady ; sensuous, alluring.

capitonner [kapitɔne] *vt* to pad.

capitulation [kapitylasjɔ̃] *nf* capitulation.

capituler [kapityle] *vi* to capitulate.

caporal, aux [kapɔral, -o] *nm* lance corporal.

capot [kapo] *nm* (*AUTO*) bonnet.

capote [kapɔt] *nf* (*de voiture*) hood ; (*de soldat*) greatcoat.

capoter [kapɔte] *vi* to overturn.

câpre [kɑpR(ə)] *nf* caper.

caprice [kapRis] *nm* whim, caprice ; passing fancy ; ~**s** (*de la mode etc*) vagaries ; **capricieux, euse** *a* capricious ; whimsical ; temperamental.

Capricorne [kapRikɔRn] *nm*: **le** ~ Capricorn, the Goat ; **être du** ~ to be Capricorn.

capsule [kapsyl] *nf* (*de bouteille*) cap ; (*amorce*) primer ; cap ; (*BOT etc, spatiale*) capsule.

capter [kapte] *vt* (*ondes radio*) to pick up ; (*eau*) to harness ; (*fig*) to win, capture.

captieux, euse [kapsjø, -øz] *a* specious.

captif, ive [kaptif, -iv] *a* captive // *nm/f* captive, prisoner.

captiver [kaptive] *vt* to captivate.

captivité [kaptivite] *nf* captivity ; **en** ~ in captivity.

capture [kaptyR] *nf* capture, catching *q* ; catch.

capturer [kaptyRe] *vt* to capture, catch.

capuche [kapyʃ] *nf* hood.

capuchon [kapyʃɔ̃] *nm* hood ; (*de stylo*) cap, top.

capucin [kapysɛ̃] *nm* Capuchin monk.

capucine [kapysin] *nf* (*BOT*) nasturtium.

caquet [kakɛ] *nm*: **rabattre le** ~ **à qn** to bring sb down a peg or two.

caqueter [kakte] *vi* (*poule*) to cackle ; (*fig*) to prattle, blether.

car [kaR] *nm* coach // *cj* because, for ; ~ **de reportage** broadcasting *ou* radio van.

carabine [kaRabin] *nf* carbine, rifle.

caracoler [kaRakɔle] *vi* to caracole, prance.

caractère [kaRaktɛR] *nm* (*gén*) character ; **en** ~**s gras** in bold type ; **en petits** ~**s** in small print ; **avoir du** ~ to have character ; **avoir bon/mauvais** ~ to be good-/ill-natured *ou* -tempered ; **caractériel, le** *a* (of) character // *nm/f* emotionally disturbed child.

caractérisé, e [kaRakteRize] *a*: **c'est une grippe/de l'insubordination** ~**e** it is a clear-(cut) case of flu/insubordination.

caractériser [kaRakteRize] *vt* to characterize ; **se** ~ **par** to be characterized *ou* distinguished by.

caractéristique [kaRakteRistik] *a, nf* characteristic.

carafe [kaRaf] *nf* decanter ; carafe.

carambolage [kaRɑ̃bɔlaʒ] *nm* multiple crash, pileup.

caramel [kaRamɛl] *nm* (*bonbon*) caramel, toffee ; (*substance*) caramel ; **caraméliser** *vt* to caramelize.

carapace [kaRapas] *nf* shell.

carat [kaRa] *nm* carat ; **or à 18** ~**s** 18-carat gold.

caravane [kaRavan] *nf* caravan ; **caravanier** *nm* caravanner ; **caravaning** *nm* caravanning ; (*emplacement*) caravan site.

carbone [kaRbɔn] *nm* carbon ; (*feuille*) carbon, sheet of carbon paper ; (*double*) carbon (copy).

carbonique [kaRbɔnik] *a*: **gaz** ~ carbonic acid gas ; **neige** ~ dry ice.

carbonisé, e [kaRbɔnize] *a* charred.

carboniser [kaRbɔnize] *vt* to carbonize ; to burn down, reduce to ashes.

carburant [kaRbyRɑ̃] *nm* (motor) fuel.

carburateur [kaRbyRatœR] *nm* carburettor.

carburation [kaRbyRasjɔ̃] *nf* carburation.

carcan [kaRkɑ̃] *nm* (*fig*) yoke, shackles *pl.*

carcasse [kaRkas] *nf* carcass ; (*de véhicule etc*) shell.

carder [kaRde] *vt* to card.

cardiaque [kaRdjak] *a* cardiac, heart *cpd* // *nm/f* heart patient.

cardigan [kaRdigɑ̃] *nm* cardigan.

cardinal, e, aux [kaRdinal, -o] *a* cardinal // *nm* (*REL*) cardinal.

cardiologie [kaRdjɔlɔʒi] *nf* cardiology ; **cardiologue** *nm/f* cardiologist, heart specialist.

carême [kaRɛm] *nm*: **le C**~ Lent.

carence [kaRɑ̃s] *nf* incompetence, inadequacy ; (*manque*) deficiency ; ~ **vitaminique** vitamin deficiency.

carène [kaRɛn] *nf* hull.

caréner [kaRene] *vt* (*NAVIG*) to careen ; (*carrosserie*) to streamline.

caressant, e [karɛsɑ̃, -ɑ̃t] *a* affectionate; caressing, tender.
caresse [karɛs] *nf* caress.
caresser [karese] *vt* to caress, stroke, fondle; (*fig: projet, espoir*) to toy with.
cargaison [kargɛzɔ̃] *nf* cargo, freight.
cargo [kargo] *nm* cargo boat, freighter.
caricatural, e, aux [karikatyral, -o] *a* caricatural, caricature-like.
caricature [karikatyr] *nf* caricature; (*politique etc*) (satirical) cartoon; **caricaturiste** *nm/f* caricaturist; (satirical) cartoonist.
carie [kari] *nf*: **la ~ (dentaire)** tooth decay; **une ~** a hole (in a tooth); **carié, e** *a*: **dent cariée** bad *ou* decayed tooth.
carillon [karijɔ̃] *nm* (*d'église*) bells *pl*; (*pendule*) chimes *pl*; (*de porte*): **~ (électrique)** (electric) door chime *ou* bell; **carillonner** *vi* to ring, chime, peal.
carlingue [karlɛ̃g] *nf* cabin.
carnage [karnaʒ] *nm* carnage, slaughter.
carnassier, ière [karnasje, -jɛr] *a* carnivorous // *nm* carnivore.
carnation [karnɑsjɔ̃] *nf* complexion; **~s** (*PEINTURE*) flesh tones.
carnaval [karnaval] *nm* carnival.
carné, e [karne] *a* meat, meat-based.
carnet [karnɛ] *nm* (*calepin*) notebook; (*de tickets, timbres etc*) book; (*d'école*) school report; (*journal intime*) diary; **~ de chèques** cheque book; **~ de commandes** order book; **~ à souches** counterfoil book.
carnier [karnje] *nm* gamebag.
carnivore [karnivɔr] *a* carnivorous // *nm* carnivore.
carotide [karɔtid] *nf* carotid (artery).
carotte [karɔt] *nf* carrot.
carpe [karp(ə)] *nf* carp.
carpette [karpɛt] *nf* rug.
carquois [karkwa] *nm* quiver.
carre [kar] *nf* (*de ski*) edge.
carré, e [kare] *a* a square; (*fig: franc*) straightforward // *nm* (*de terrain, jardin*) patch, plot; (*NAVIG: salle*) wardroom; (*MATH*) square; **élever un nombre au ~** to square a number; **mètre/kilomètre ~** square metre/kilometre; (*CARTES*): **d'as/de rois** four aces/kings.
carreau, x [karo] *nm* (*en faïence etc*) (floor) tile; (*wall*) tile; (*de fenêtre*) (window) pane; (*motif*) check, square; (*CARTES: couleur*) diamonds *pl*; (: *carte*) diamond; **tissu à ~x** checked fabric.
carrefour [karfur] *nm* crossroads *sg*.
carrelage [karlaʒ] *nm* tiling.
carreler [karle] *vt* to tile.
carrelet [karlɛ] *nm* (*poisson*) plaice.
carreleur [karlœr] *nm* (floor) tiler.
carrément [karemɑ̃] *ad* straight out, bluntly; straight; definitely.
carrer [kare]: **se ~** *vi*: **se ~ dans un fauteuil** to settle *ou* s. comfortably *ou* ensconce o.s. in an armchair.
carrier [karje] *nm*: (**ouvrier**) **~** quarryman, quarrier.
carrière [karjɛr] *nf* (*de roches*) quarry; (*métier*) career; **militaire de ~** professional soldier; **faire ~ dans** to make one's career in.

carriole [karjɔl] *nf* (*péj*) old cart.
carrossable [karɔsabl(ə)] *a* suitable for (motor) vehicles.
carrosse [karɔs] *nm* (horse-drawn) coach.
carrosserie [karɔsri] *nf* body, coachwork *q*; (*activité, commerce*) coachbuilding; **atelier de ~** coachbuilder's workshop; (*pour réparations*) body repairs shop, panel beaters' (yard); **carrossier** *nm* coachbuilder; (*dessinateur*) car designer.
carrousel [karuzɛl] *nm* (*ÉQUITATION*) carousel; (*fig*) merry-go-round.
carrure [karyr] *nf* build; (*fig*) stature, calibre.
cartable [kartabl(ə)] *nm* (*d'écolier*) satchel, (school)bag.
carte [kart(ə)] *nf* (*de géographie*) map; (*marine, du ciel*) chart; (*de fichier, d'abonnement etc, à jouer*) card; (*au restaurant*) menu; (*aussi*: **~ postale**) (post)card; (*aussi*: **~ de visite**) (visiting) card; **avoir/donner ~ blanche** to have/give carte blanche *ou* a free hand; **à la ~** (*au restaurant*) à la carte; **~ de crédit** credit card; **~ d'état-major** ≈ Ordnance Survey map; **la ~ grise** (*AUTO*) the (car) registration book; **~ d'identité** identity card; **~ perforée** punch(ed) card; **la ~ verte** (*AUTO*) the green card; **la ~ des vins** the wine list; **~-lettre** *nf* letter-card.
carter [kartɛr] *nm* (*AUTO: d'huile*) sump; (: *de la boîte de vitesses*) casing; (*de bicyclette*) chain guard.
cartilage [kartilaʒ] *nm* (*ANAT*) cartilage.
cartographe [kartɔgraf] *nm/f* cartographer.
cartographie [kartɔgrafi] *nf* cartography, map-making.
cartomancien, ne [kartɔmɑ̃sjɛ̃, -ɛn] *nm/f* fortune-teller (with cards).
carton [kartɔ̃] *nm* (*matériau*) cardboard; (*boîte*) (cardboard) box; (*d'invitation*) invitation card; (*ART*) sketch; cartoon; **faire un ~** (*au tir*) to have a go at the rifle range; to score a hit; **~ (à dessin)** portfolio; **cartonnage** *nm* cardboard (packing); **cartonné, e** *a* (*livre*) hardback, cased; **~-pâte** *nm* pasteboard; **de ~-pâte** (*fig*) cardboard *cpd*.
cartouche [kartuʃ] *nf* cartridge; (*de cigarettes*) carton; **cartouchière** *nf* cartridge belt.
cas [kɑ] *nm* case; **faire peu de ~/grand ~ de** to attach little/great importance to; **en aucun ~** on no account, under no circumstances (whatsoever); **au ~ où** in case; **en ~ de** in case of, in the event of; **en ~ de besoin** if need be; **en tout ~** in any case, at any rate; **~ de conscience** matter of conscience.
casanier, ière [kazanje, -jɛr] *a* stay-at-home.
casaque [kazak] *nf* (*de jockey*) blouse.
cascade [kaskad] *nf* waterfall, cascade; (*fig*) stream, torrent.
cascadeur, euse [kaskadœr, -øz] *nm/f* stuntman/girl.
case [kɑz] *nf* (*hutte*) hut; (*compartiment*) compartment; (*pour le courrier*)

pigeonhole; (*sur un formulaire, de mots croisés, d'échiquier*) square.

casemate [kazmat] *nf* blockhouse.

caser [kaze] *vt* to put; to tuck; to put up; (*péj*) to find a job for; to find a husband for.

caserne [kazɛʀn(ə)] *nf* barracks *sg ou pl*; **~ment** *nm* barrack buildings *pl*.

cash [kaʃ] *ad*: **payer ~** to pay cash down.

casier [kɑzje] *nm* (*à journaux etc*) rack; (*de bureau*) filing cabinet; (: *à cases*) set of pigeonholes; (*case*) compartment; pigeonhole; (: *à clef*) locker; (*PÊCHE*) lobster pot; **~ à bouteilles** bottle rack; **~ judiciaire** police record.

casino [kazino] *nm* casino.

casque [kask(ə)] *nm* helmet; (*chez le coiffeur*) (hair-)drier; (*pour audition*) (head-)phones *pl*, headset.

casquette [kaskɛt] *nf* cap.

cassant, e [kɑsɑ̃, -ɑ̃t] *a* brittle; (*fig*) brusque, abrupt.

cassate [kasat] *nf*: (**glace**) **~** cassata.

cassation [kɑsɑsjɔ̃] *nf*: **recours en ~** appeal to the Supreme Court.

casse [kas] *nf* (*pour voitures*): **mettre à la ~** to scrap, send to the breakers; (*dégâts*): **il y a eu de la ~** there were a lot of breakages.

casse... [kɑs] *préfixe*: **~-cou** *a inv* daredevil, reckless; **crier ~-cou à qn** to warn sb (*against a risky undertaking*); **~-croûte** *nm inv* snack; **~-noisette(s)**, **~-noix** *nm inv* nutcrackers *pl*; **~-pieds** *a, nm/f inv* (*fam*): **il est ~-pieds, c'est un ~-pieds** he's a pain (in the neck).

casser [kɑse] *vt* to break; (*ADMIN: gradé*) to demote; (*JUR*) to quash // *vi*, **se ~** to break.

casserole [kasʀɔl] *nf* saucepan; **à la ~** (*CULIN*) braised.

casse-tête [kɑstɛt] *nm inv* (*fig*) brain teaser; headache (*fig*).

cassette [kasɛt] *nf* (*bande magnétique*) cassette; (*coffret*) casket.

cassis [kasis] *nm* blackcurrant; (*de la route*) dip, bump.

cassonade [kasɔnad] *nf* brown sugar.

cassoulet [kasulɛ] *nm* cassoulet.

cassure [kɑsyʀ] *nf* break, crack.

castagnettes [kastaɲɛt] *nfpl* castanets.

caste [kast(ə)] *nf* caste.

castor [kastɔʀ] *nm* beaver.

castrer [kastʀe] *vt* to castrate; to geld; to doctor.

cataclysme [kataklism(ə)] *nm* cataclysm.

catacombes [katakɔ̃b] *nfpl* catacombs.

catadioptre [katadjɔptʀ(ə)] *nm* = **cataphote**.

catafalque [katafalk(ə)] *nm* catafalque.

catalogue [katalɔg] *nm* catalogue.

cataloguer [katalɔge] *vt* to catalogue, to list; (*péj*) to put a label on.

catalyse [kataliz] *nf* catalysis; **catalyseur** *nm* catalyst.

cataphote [katafɔt] *nm* reflector.

cataplasme [kataplasm(ə)] *nm* poultice.

catapulte [katapylt(ə)] *nf* catapult; **catapulter** *vt* to catapult.

cataracte [kataʀakt(ə)] *nf* cataract;

opérer qn de la ~ to operate on sb for (a) cataract.

catarrhe [kataʀ] *nm* catarrh.

catastrophe [katastʀɔf] *nf* catastrophe, disaster; **catastrophique** *a* catastrophic, disastrous.

catch [katʃ] *nm* (all-in) wrestling; **~eur, euse** *nm/f* (all-in) wrestler.

catéchiser [kateʃize] *vt* to catechize; to indoctrinate; to lecture; **catéchisme** *nm* catechism; **catéchumène** [katekymɛn] *nm/f* catechumen (*trainee convert*).

catégorie [kategɔʀi] *nf* category.

catégorique [kategɔʀik] *a* categorical.

cathédrale [katedʀal] *nf* cathedral.

cathode [katɔd] *nf* cathode.

catholicisme [katɔlisism(ə)] *nm* (Roman) Catholicism.

catholique [katɔlik] *a, nm/f* (Roman) Catholic; **pas très ~** a bit shady *ou* fishy.

catimini [katimini]: **en ~** *ad* on the sly, on the quiet.

cauchemar [koʃmaʀ] *nm* nightmare; **~desque** *a* nightmarish.

caudal, e, aux [kodal, -o] *a* caudal, tail *cpd*.

causal, e [kozal] *a* causal; **~ité** *nf* causality.

cause [koz] *nf* cause; (*JUR*) lawsuit, case; brief; **à ~ de** because of, owing to; **pour ~ de** on account of; owing to; **(et) pour ~** and for (a very) good reason; **être en ~** to be at stake; to be involved; to be in question; **mettre en ~** to implicate; to call into question; **remettre en ~** to challenge, call into question.

causer [koze] *vt* to cause // *vi* to chat, talk.

causerie [kozʀi] *nf* talk.

caustique [kostik] *a* caustic.

cauteleux, euse [kotlø, -øz] *a* wily.

cautériser [koteʀize] *vt* to cauterize.

caution [kosjɔ̃] *nf* guarantee, security; (*JUR*) bail (bond); (*fig*) backing, support; **payer la ~ de qn** to stand bail for sb; **libéré sous ~** released on bail.

cautionnement [kosjɔnmɑ̃] *nm* (*somme*) guarantee, security.

cautionner [kosjɔne] *vt* to guarantee; (*soutenir*) to support.

cavalcade [kavalkad] *nf* (*fig*) stampede.

cavalerie [kavalʀi] *nf* cavalry.

cavalier, ière [kavalje, -jɛʀ] *a* (*désinvolte*) offhand // *nm/f* rider; (*au bal*) partner // *nm* (*ÉCHECS*) knight; **faire ~ seul** to go it alone.

cave [kav] *nf* cellar; (*cabaret*) (cellar) nightclub // *a*: **yeux ~s** sunken eyes.

caveau, x [kavo] *nm* vault.

caverne [kavɛʀn(ə)] *nf* cave.

caverneux, euse [kavɛʀnø, -øz] *a* cavernous.

caviar [kavjaʀ] *nm* caviar(e).

cavité [kavite] *nf* cavity.

CC *sigle voir* **corps.**

C.C.P. *sigle m voir* **compte.**

CD *sigle voir* **corps.**

ce(c'), cet, cette, ces [sə, sɛt, se] *dét* (*gén*) this; these *pl*; (*non-proximité*) that; those *pl*; **cette nuit** (*qui vient*) tonight; (*passée*) last night // *pronom*: **~ qui, ~**

que what; (*chose qui* ...): **il est bête, ~ qui me chagrine** he's stupid, which saddens me; **tout ~ qui bouge** everything that *ou* which moves; **tout ~ que je sais** all I know; **~ dont j'ai parlé** what I talked about; **ce que c'est grand** how big it is!; what a size it is!; **c'est un peintre, ce sont des peintres** he's *ou* he is a painter, they are painters; **c'est le facteur** *etc (à la porte)* it's the postman *etc*; **c'est une voiture** it's a car; **qui est-ce?** who is it?; *(en désignant)* who is he/she?; **qu'est-ce?** what is it?; *voir aussi* **-ci, est-ce que, n'est-ce pas, c'est-à-dire.**

ceci [səsi] *pronom* this.

cécité [sesite] *nf* blindness.

céder [sede] *vt* to give up // *vi (pont, barrage)* to give way; *(personne)* to give in; **~ à** to yield to, give in to.

cédille [sedij] *nf* cedilla.

cèdre [sɛdR(ə)] *nm* cedar.

C.E.E. *sigle f* (= *Communauté économique européenne*) EEC (European Economic Community).

ceindre [sɛ̃dR(ə)] *vt (mettre)* to put on, don; *(entourer)*: **~ qch de qch** to put sth round sth.

ceinture [sɛ̃tyR] *nf* belt; *(taille)* waist; *(fig)* ring; belt; circle; **~ de sécurité** safety *ou* seat belt; **~ (de sécurité) à enrouleur** inertia reel seat belt; **ceinturer** *vt (saisir)* to grasp (round the waist); *(entourer)* to surround; **ceinturon** *nm* belt.

cela [səla] *pronom* that; *(comme sujet indéfini)* it; **~ m'étonne que** it surprises me that; **quand/où ~?** when/where (was that)?

célèbre [selɛbR(ə)] *a* famous.

célébrer [selebRe] *vt* to celebrate; *(louer)* to extol.

célébrité [selebRite] *nf* fame; *(star)* celebrity.

céleri [sɛlRi] *nm*: **~(-rave)** celeriac; **~ (en branche)** celery.

célérité [seleRite] *nf* speed, swiftness.

céleste [selɛst(ə)] *a* celestial; heavenly.

célibat [seliba] *nm* celibacy; bachelor/spinsterhood.

célibataire [selibatɛR] *a* single, unmarried // *nm/f* bachelor/unmarried *ou* single woman.

celle, celles [sɛl] *pronom voir* **celui.**

cellier [selje] *nm* storeroom.

cellophane [selɔfan] *nf* cellophane.

cellulaire [selylɛR] *a (BIO)* cell *cpd*, cellular; **voiture ou fourgon ~** prison *ou* police van.

cellule [selyl] *nf (gén)* cell.

cellulite [selylit] *nf* excess fat, cellulitis.

cellulose [selyloz] *nf* cellulose.

celui, celle, ceux, celles [səlɥi, sɛl, sø] *pronom* the one; **~ qui bouge** the one which *ou* that moves; *(personne)* the one who moves; **~ que je vois** the one (which *ou* that) I see; the one (whom) I see; **~ dont je parle** the one I'm talking about; **~ qui veut** *(valeur indéfinie)* whoever wants, the man *ou* person who wants; **~ du salon/du dessous** the one in (*ou* from) the lounge/below; **~ de mon frère** my

brother's; **celui-ci/-là, celle-ci/-là** this/that one; **ceux-ci, celles-ci** these ones; **ceux-là, celles-là** those (ones).

cénacle [senakl(ə)] *nm (literary)* coterie *ou* set.

cendre [sɑ̃dR(ə)] *nf* ash; **~s** *(d'un foyer)* ash(es), cinders; *(volcaniques)* ash *sg*; *(d'un défunt)* ashes; **sous la ~** *(CULIN)* in (the) embers; **cendré, e** *a (couleur)* ashen; *(piste)* **cendrée** cinder track; **cendrier** *nm* ashtray.

cène [sɛn] *nf*: **la ~** (Holy) Communion; *(ART)* the Last Supper.

censé, e [sɑ̃se] *a*: **être ~ faire** to be supposed to do.

censeur [sɑ̃sœR] *nm (SCOL)* vice-principal, deputy-head; *(CINÉMA, POL)* censor.

censure [sɑ̃syR] *nf* censorship.

censurer [sɑ̃syRe] *vt (CINÉMA, PRESSE)* to censor; *(POL)* to censure.

cent [sɑ̃] *num* a hundred, one hundred; **centaine** *nf*: **une centaine (de)** about a hundred, a hundred or so; *(COMM)* a hundred; **plusieurs centaines (de)** several hundred; **des centaines (de)** hundreds (of); **centenaire** a hundred-year-old // *nm/f* centenarian // *nm (anniversaire)* centenary; **centième** *num* hundredth; **centigrade** *nm* centigrade; **centigramme** *nm* centigramme; **centilitre** *nm* centilitre; **centime** *nm* centime; **centimètre** *nm* centimetre; *(ruban)* tape measure, measuring tape.

central, e, aux [sɑ̃tRal, -o] *a* central // *nm*: **~ (téléphonique)** (telephone) exchange // *nf*: **~e électrique/nucléaire** electric/nuclear power-station; **~e syndicale** group of affiliated trade unions.

centraliser [sɑ̃tRalize] *vt* to centralize.

centre [sɑ̃tR(ə)] *nm* centre; **~ de gravité** centre of gravity; **~ de tri** *(POSTES)* sorting office; **le ~-ville** the town centre; **centrer** *vt* to centre // *vi (FOOTBALL)* to centre the ball.

centrifuge [sɑ̃tRify3] *a*: **force ~** centrifugal force; **centrifuger** *vt* to centrifuge.

centripète [sɑ̃tRipɛt] *a*: **force ~** centripetal force.

centuple [sɑ̃typl(ə)] *nm*: **le ~ de qch** a hundred times sth; **au ~** a hundredfold; **centupler** *vi, vt* to increase a hundredfold.

cep [sɛp] *nm (vine)* stock; **cépage** *nm* (type of) vine.

cèpe [sɛp] *nm (edible)* boletus.

cependant [səpɑ̃dɑ̃] *ad* however, nevertheless.

céramique [seRamik] *nf* ceramic; *(art)* ceramics *sg*.

cercle [sɛRkl(ə)] *nm* circle; *(objet)* band, hoop; **~ vicieux** vicious circle.

cercueil [sɛRkœj] *nm* coffin.

céréale [seReal] *nf* cereal.

cérébral, e, aux [seRebRal, -o] *a (ANAT)* cerebral, brain *cpd*; *(fig)* mental, cerebral.

cérémonial [seRemɔnjal] *nm* ceremonial.

cérémonie [seRemɔni] *nf* ceremony; **~s** *(péj)* fuss *sg*, to-do *sg*; **cérémonieux, euse** *a* ceremonious, formal.

cerf [sɛR] *nm* stag.

cerfeuil [sɛRfœj] nm chervil.
cerf-volant [sɛRvɔlɑ̃] nm kite.
cerise [sɑRiz] nf cherry; **cerisier** nm cherry (tree).
cerné, e [sɛRne] a: **les yeux** ~**s** with dark rings ou shadows under the eyes.
cerner [sɛRne] vt (MIL etc) to surround; (fig: problème) to delimit, define.
cernes [sɛRn(ə)] nfpl (dark) rings, shadows (under the eyes).
certain, e [sɛRtɛ̃, -ɛn] a certain; (sûr): ~ (de/que) certain ou sure (of/ that) // dét certain; **d'un** ~ **âge** past one's prime, not so young; **un** ~ **temps** (quite) some time; ~**s** pronom some; **certainement** ad (probablement) most probably ou likely; (bien sûr) certainly, of course.
certes [sɛRt(ə)] ad admittedly; of course; indeed (yes).
certificat [sɛRtifika] nm certificate; **le** ~ **d'études** the school leaving certificate.
certifié, e [sɛRtifje] a: **professeur** ~ qualified teacher.
certifier [sɛRtifje] vt to certify, guarantee; ~ **à qn que** to assure sb that, guarantee to sb that.
certitude [sɛRtityd] nf certainty.
cerveau, x [sɛRvo] nm brain.
cervelas [sɛRvəla] nm saveloy.
cervelle [sɛRvɛl] nf (ANAT) brain; (CULIN) brain(s).
cervical, e, aux [sɛRvikal, -o] a cervical.
ces [se] dét voir **ce**.
césarienne [sezaRjɛn] nf caesarean (section), section.
cessantes [sɛsɑ̃t] afpl: **toutes affaires** ~ forthwith.
cessation [sɛsɑsjɔ̃] nf: ~ **des hostilités** cessation of hostilities: ~ **de paiements/commerce** suspension of payments/trading.
cesse [sɛs]: **sans** ~ ad continually, constantly, continuously; **il n'avait de** ~ **que** he would not rest until.
cesser [sese] vt to stop // vi to stop, cease; ~ **de faire** to stop doing.
cessez-le-feu [seselfø] nm inv ceasefire.
cession [sɛsjɔ̃] nf transfer.
c'est-à-dire [sɛtadiR] ad that is (to say).
cet [sɛt] dét voir **ce**.
cétacé [setase] nm cetacean.
cette [sɛt] dét voir **ce**.
ceux [sø] pronom voir **celui**.
C.F.D.T. sigle f = Confédération française et démocratique du travail (a major association of French trade unions).
C.G.C. sigle f = Confédération générale des cadres (union of managerial employees).
C.G.T. sigle f = Confédération générale du travail (a major association of French trade unions).
chacal [ʃakal] nm jackal.
chacun, e [ʃakœ̃, -yn] pronom each; (indéfini) everyone, everybody.
chagrin, e [ʃagRɛ̃, -gRin] a ill-humoured, morose // nm grief, sorrow; **avoir du** ~ to be grieved ou sorrowful; **chagriner** vt to grieve, distress; (contrarier) to bother, worry.
chahut [ʃay] nm uproar; **chahuter** vt to

rag, bait // vi to make an uproar; **chahuteur, euse** nm/f rowdy.
chai [ʃɛ] nm wine and spirit store(house).
chaîne [ʃɛn] nf chain; (RADIO, TV: stations) channel; **travail à la** ~ production line work; **faire la** ~ to form a (human) chain; ~ (haute-fidélité ou hi-fi) hi-fi system; ~ (de montage ou de fabrication) production ou assembly line; ~ (de montagnes) (mountain) range; **chaînette** nf (small) chain; **chaînon** nm link.
chair [ʃɛR] nf flesh // a: (couleur) ~ flesh-coloured; **avoir la** ~ **de poule** to have goosepimples ou gooseflesh; **bien en** ~ plump, well-padded; ~ **à saucisses** sausage meat.
chaire [ʃɛR] nf (d'église) pulpit; (d'université) chair.
chaise [ʃɛz] nf chair; ~ **de bébé** high chair; ~ **longue** deckchair.
chaland [ʃalɑ̃] nm (bateau) barge.
châle [ʃal] nm shawl.
chalet [ʃalɛ] nm chalet.
chaleur [ʃalœR] nf heat; (fig) warmth; fire, fervour; heat.
chaleureux, euse [ʃalœRø, -øz] a warm.
challenge [ʃalɑ̃ʒ] nm contest, tournament.
chaloupe [ʃalup] nf launch; (de sauvetage) lifeboat.
chalumeau, x [ʃalymo] nm blowlamp, blowtorch.
chalut [ʃaly] nm trawl (net); **chalutier** nm trawler; (pêcheur) trawlerman.
chamailler [ʃamaje]: **se** ~ vi to squabble, bicker.
chamarré, e [ʃamaRe] a richly coloured ou brocaded.
chambarder [ʃɑ̃baRde] vt to turn upside down, upset.
chambranle [ʃɑ̃bRɑ̃l] nm (door) frame.
chambre [ʃɑ̃bR(ə)] nf bedroom; (TECH) chamber; (POL) chamber, house; (JUR) court; (COMM) chamber; federation; **faire** ~ **à part** to sleep in separate rooms; **stratège en** ~ armchair strategist; ~ **à un lit/deux lits** (à l'hôtel) single-/double- ou twin-bedded room; ~ **d'accusation** court of criminal appeal; ~ **à air** (de pneu) (inner) tube; ~ **d'amis** spare ou guest room; ~ **à coucher** bedroom; **la C**~ **des députés** the Chamber of Deputies, ≈ the House (of Commons); ~ **forte** strongroom; ~ **froide** ou **frigorifique** cold room; ~ **des machines** engine-room; ~ **meublée** bed-sitter, furnished room; ~ **noire** (PHOTO) dark room.
chambrée [ʃɑ̃bRe] nf room.
chambrer [ʃɑ̃bRe] vt (vin) to bring to room temperature.
chameau, x [ʃamo] nm camel.
chamois [ʃamwa] nm chamois // a: (couleur) ~ fawn, buff (-coloured).
champ [ʃɑ̃] nm field; (PHOTO): **dans le** ~ in the picture; **prendre du** ~ to draw back; ~ **de bataille** battlefield; ~ **de courses** racecourse; ~ **de mines** minefield.
champagne [ʃɑ̃paɲ] nm champagne.
champêtre [ʃɑ̃pɛtR(ə)] a country cpd, rural.

champignon [ʃɑ̃piɲɔ̃] nm mushroom ; (terme générique) fungus (pl i) ; ~ **de couche ou de Paris** cultivated mushroom ; ~ **vénéneux** toadstool, poisonous mushroom.

champion, ne [ʃɑ̃pjɔ̃, -jɔn] a, nm/f champion ; **championnat** nm championship.

chance [ʃɑ̃s] nf: **la** ~ luck ; **une** ~ a stroke ou piece of luck ou good fortune ; (occasion) a lucky break ; ~s nfpl (probabilités) chances ; **avoir de la** ~ to be lucky ; **il a des** ~s **de gagner** he has a chance of winning.

chanceler [ʃɑ̃sle] vi to totter.

chancelier [ʃɑ̃səlje] nm (allemand) chancellor ; (d'ambassade) secretary.

chanceux, euse [ʃɑ̃sø, -øz] a lucky, fortunate.

chancre [ʃɑ̃kʀ(ə)] nm canker.

chandail [ʃɑ̃daj] nm (thick) jumper ou sweater.

Chandeleur [ʃɑ̃dlœʀ] nf: **la** ~ Candlemas.

chandelier [ʃɑ̃dəlje] nm candlestick ; (à plusieurs branches) candelabra, candlestick.

chandelle [ʃɑ̃dɛl] nf (tallow) candle ; **dîner aux** ~s a candlelight dinner.

change [ʃɑ̃ʒ] nm (COMM) exchange ; **opérations de** ~ (foreign) exchange transactions ; **contrôle des** ~s exchange control.

changeant, e [ʃɑ̃ʒɑ̃, -ɑ̃t] a changeable, fickle.

changement [ʃɑ̃ʒmɑ̃] nm change ; ~ **de vitesses** gears ; gear change.

changer [ʃɑ̃ʒe] vt (modifier) to change, alter ; (remplacer, COMM, rhabiller) to change // vi to change, alter ; **se** ~ to change (o.s.) ; ~ **de** (remplacer: adresse, nom, voiture etc) to change one's ; (échanger, alterner: côté, place, train etc) to change + npl ; ~ **de couleur/direction** to change colour/direction ; ~ **d'idée** to change one's mind ; ~ **de place avec qn** to change places with sb ; ~ **(de train etc)** to change (trains etc) ; ~ **qch en** to change sth into.

changeur [ʃɑ̃ʒœʀ] nm (personne) moneychanger ; ~ **automatique** change machine ; ~ **de disques** record changer, autochange.

chanoine [ʃanwan] nm canon.

chanson [ʃɑ̃sɔ̃] nf song.

chansonnier [ʃɑ̃sɔnje] nm cabaret artist (specializing in political satire) ; song book.

chant [ʃɑ̃] nm song ; (art vocal) singing ; (d'église) hymn ; (de poème) canto ; (TECH): **de** ~ on edge.

chantage [ʃɑ̃taʒ] nm blackmail ; **faire du** ~ to use blackmail ; **soumettre qn à un** ~ to blackmail sb.

chanter [ʃɑ̃te] vt, vi to sing ; **si cela lui chante** (fam) if he feels like it ou fancies it.

chanterelle [ʃɑ̃tʀɛl] nf chanterelle (edible mushroom).

chanteur, euse [ʃɑ̃tœʀ, -øz] nm/f singer.

chantier [ʃɑ̃tje] nm (building) site ; (sur une route) roadworks pl ; **mettre en** ~ to put in hand, start work on ; ~ **naval** shipyard.

chantonner [ʃɑ̃tɔne] vi, vt to sing to oneself, hum.

chanvre [ʃɑ̃vʀ(ə)] nm hemp.

chaos [kao] nm chaos ; **chaotique** a chaotic.

chaparder [ʃapaʀde] vt to pinch, pilfer.

chapeau, x [ʃapo] nm hat ; ~ **mou** trilby ; ~**x de roues** hub caps.

chapeauter [ʃapote] vt (ADMIN) to head, oversee.

chapelet [ʃaplɛ] nm (REL) rosary ; (fig): **un** ~ **de** a string of ; **dire son** ~ to tell one's beads.

chapelle [ʃapɛl] nf chapel ; ~ **ardente** chapel of rest.

chapelure [ʃaplyʀ] nf (dried) bread-crumbs pl.

chaperon [ʃapʀɔ̃] nm chaperon ; **chaperonner** vt to chaperon.

chapiteau, x [ʃapito] nm (ARCHIT) capital ; (de cirque) marquee, big top.

chapitre [ʃapitʀ(ə)] nm chapter ; (fig) subject, matter ; **avoir voix au** ~ to have a say in the matter.

chapitrer [ʃapitʀe] vt to lecture.

chaque [ʃak] dét each, every ; (indéfini) every.

char [ʃaʀ] nm (à foin etc) cart, waggon ; (de carnaval) float ; ~ **(d'assaut)** tank.

charabia [ʃaʀabja] nm (péj) gibberish, gobbledygook.

charade [ʃaʀad] nf riddle ; (mimée) charade.

charbon [ʃaʀbɔ̃] nm coal ; ~ **de bois** charcoal ; **charbonnage** nm: **les charbonnages de France** the (French) Coal Board sg ; **charbonnier** nm coalman.

charcuterie [ʃaʀkytʀi] nf (magasin) pork butcher's shop and delicatessen ; (produits) cooked pork meats pl ; **charcutier, ière** nm/f pork butcher.

chardon [ʃaʀdɔ̃] nm thistle.

charge [ʃaʀʒ(ə)] nf (fardeau) load, burden ; (explosif, ÉLEC, MIL, JUR) charge ; (rôle, mission) responsibility ; ~s nfpl (du loyer) service charges ; **à la** ~ **de** (dépendant de) dependent upon, supported by ; (aux frais de) chargeable to, payable by ; **j'accepte, à** ~ **de revanche** I accept, provided I can do the same for you (in return) one day ; **prendre en** ~ to take charge of ; (suj: véhicule) to take on ; (dépenses) to take care of ; ~ **utile** (AUTO) live load ; ~s **sociales** social security contributions.

chargé [ʃaʀʒe] nm: ~ **d'affaires** chargé d'affaires ; ~ **de cours** ≈ senior lecturer.

chargement [ʃaʀʒəmɑ̃] nm (action) loading, charging ; (objets) load.

charger [ʃaʀʒe] vt (voiture, fusil, caméra) to load ; (batterie) to charge // vi (MIL etc) to charge ; **se** ~ **de** to see to, take charge ou charge of ; ~ **qn de qch/faire qch** to give sb the responsibility for sth/of doing sth ; to put sb in charge of sth/doing sth.

chariot [ʃaʀjo] nm trolley ; (charrette) waggon ; (de machine à écrire) carriage ; ~ **élévateur** fork-lift truck.

charitable [ʃaʀitabl(ə)] a charitable ; kind.

charité [ʃaʀite] nf charity ; **faire la** ~ to

give to charity ; to do charitable works ;
faire la ~ à to give (something) to.
charlatan [ʃaRlatɑ̃] nm charlatan.
charmant, e [ʃaRmɑ̃, -ɑ̃t] a charming.
charme [ʃaRm(ə)] nm charm ; **charmer** vt
to charm ; **je suis charmé de** I'm delighted
to ; **charmeur, euse** nm/f charmer ;
charmeur de serpents snake charmer.
charnel, le [ʃaRnɛl] a carnal.
charnier [ʃaRnje] nm mass grave.
charnière [ʃaRnjɛR] nf hinge ; (fig)
turning-point.
charnu, e [ʃaRny] a fleshy.
charogne [ʃaRɔɲ] nf carrion q ; (fam!)
bastard (!).
charpente [ʃaRpɑ̃t] nf frame(work) ; (fig)
structure, framework ; build, frame ; **charpentier** nm carpenter.
charpie [ʃaRpi] nf: **en ~** (fig) in shreds
ou ribbons.
charretier [ʃaRtje] nm carter.
charrette [ʃaRɛt] nf cart.
charrier [ʃaRje] vt to carry (along) ; to
cart, carry.
charrue [ʃaRy] nf plough.
charte [ʃaRt(ə)] nf charter.
chas [ʃa] nm eye (of needle).
chasse [ʃas] nf hunting ; (au fusil)
shooting ; (poursuite) chase ; (aussi: **~
d'eau**) flush ; **la ~ est ouverte** the
hunting season is open ; **~ gardée** private
hunting grounds pl ; **prendre en ~**,
donner la ~ à to give chase to ; **tirer la
~ (d'eau)** to flush the toilet, pull the
chain ; **~ à courre** hunting ; **~ à l'homme**
mánhunt ; **~ sous-marine** underwater
fishing.
châsse [ʃas] nf reliquary, shrine.
chassé-croisé [ʃasekRwaze] nm (DANSE)
chassé-croisé ; (fig) mix-up where people
miss each other in turn.
chasse-neige [ʃasnɛʒ] nm inv
snowplough.
chasser [ʃase] vt to hunt ; (expulser) to
chase away ou out, drive away ou out ;
(dissiper) to chase ou sweep away ; to
dispel, drive away ; **chasseur, euse** nm/f
hunter // nm (avion) fighter ; (domestique)
page (boy), messenger (boy) ; **chasseurs
alpins** mountain infantry sg ou pl.
chassieux, ieuse [ʃasjø, -øz] a sticky,
gummy.
châssis [ʃasi] nm (AUTO) chassis ; (cadre)
frame ; (de jardin) cold frame.
chaste [ʃast(ə)] a chaste ; **~té** nf chastity.
chasuble [ʃazybl(ə)] nf chasuble.
chat [ʃa] nm cat ; **~ sauvage** wildcat.
châtaigne [ʃatɛɲ] nf chestnut ;
châtaignier nm chestnut (tree).
châtain [ʃatɛ̃] a inv chestnut (brown) ;
chestnut-haired.
château, x [ʃato] nm castle ; **~ d'eau**
water tower ; **~ fort** stronghold, fortified
castle ; **~ de sable** sandcastle.
châtier [ʃatje] vt to punish, castigate ;
(fig: style) to polish, refine ; **châtiment** nm
punishment, castigation.
chatoiement [ʃatwamɑ̃] nm
shimmer(ing).
chaton [ʃatɔ̃] nm (ZOOL) kitten ; (BOT)
catkin ; (de bague) bezel ; stone.

chatouiller [ʃatuje] vt to tickle ; (l'odorat,
le palais) to titillate ; **chatouilleux, euse**
a ticklish ; (fig) touchy, over-sensitive.
chatoyer [ʃatwaje] vi to shimmer.
châtrer [ʃatRe] vt to castrate ; to geld ; to
doctor.
chatte [ʃat] nf (she-)cat.
chaud, e [ʃo, -od] a (gén) warm ; (très
chaud) hot ; (fig) hearty ; keen ; heated ; **il
fait ~** it's warm ; it's hot ; **manger ~** to
have something hot to eat ; **avoir ~** to
be warm ; to be hot ; **ça me tient ~** it
keeps me warm ; **rester au ~** to stay in
the warmth ; **chaudement** ad warmly ;
(fig) hotly.
chaudière [ʃodjɛR] nf boiler.
chaudron [ʃodRɔ̃] nm cauldron.
chaudronnerie [ʃodRɔnRi] nf (usine)
boilerworks ; (activité) boilermaking ;
(boutique) coppersmith's workshop.
chauffage [ʃofaʒ] nm heating ; **~ central**
central heating.
chauffant, e [ʃofɑ̃, -ɑ̃t] a: **couverture ~e**
electric blanket ; **plaque ~e** hotplate.
chauffard [ʃofaR] nm (péj) reckless
driver ; roadhog ; hit-and-run driver.
chauffe-bain [ʃofbɛ̃] nm, **chauffe-eau**
[ʃofo] nm inv water-heater.
chauffer [ʃofe] vt to heat // vi to heat
up, warm up ; (trop chauffer: moteur) to
overheat ; **se ~** (se mettre en train) to
warm up ; (au soleil) to warm o.s.
chaufferie [ʃofRi] nf boiler room.
chauffeur [ʃofœR] nm driver ; (privé)
chauffeur.
chaume [ʃom] nm (du toit) thatch ; (tiges)
stubble.
chaumière [ʃomjɛR] nf (thatched)
cottage.
chaussée [ʃose] nf road(way) ; (digue)
causeway.
chausse-pied [ʃospje] nm shoe-horn.
chausser [ʃose] vt (bottes, skis) to put on ;
(enfant) to put shoes on ; (suj: soulier) to
fit ; **~ du 38/42** to take size 38/42 ; **~
grand/bien** to be big-/well-fitting ; **se ~**
to put one's shoes on.
chaussette [ʃosɛt] nf sock.
chausseur [ʃosœR] nm (marchand)
footwear specialist, shoemaker.
chausson [ʃosɔ̃] nm slipper ; **~ (aux
pommes)** (apple) turnover.
chaussure [ʃosyR] nf shoe ; (commerce)
shoe industry ou trade ; **~s montantes**
ankle boots ; **~s de ski** ski boots.
chaut [ʃo] vb: **peu me ~** it matters little
to me.
chauve [ʃov] a bald.
chauve-souris [ʃovsuRi] nf bat.
chauvin, e [ʃovɛ̃, -in] a chauvinistic,
jingoistic ; **chauvinisme** nm chauvinism ;
jingoism.
chaux [ʃo] nf lime ; **blanchi à la ~**
whitewashed.
chavirer [ʃaviRe] vi to capsize, overturn.
chef [ʃɛf] nm head, leader ; (de cuisine)
chef ; **en ~** (MIL etc) in chief ; **~
d'accusation** charge, count (of
indictment) ; **~ d'atelier** (shop) foreman ;
~ de bureau head clerk ; **~ de clinique**
senior hospital lecturer ; **~ d'entreprise**

company head; ~ **d'équipe** team leader; ~ **d'état** head of state; ~ **de famille** head of the family; ~ **de file** (de parti etc) leader; ~ **de gare** station master; ~ **d'orchestre** conductor; ~ **de rayon** department(al) supervisor; ~ **de service** departmental head.

chef-d'œuvre [ʃɛdœvʀ(ə)] nm masterpiece.

chef-lieu [ʃɛfljø] nm county town.

cheftaine [ʃɛftɛn] nf (guide) captain.

cheik [ʃɛk] nm sheik.

chemin [ʃəmɛ̃] nm path; (itinéraire, direction, trajet) way; **en ~** on the way; ~ **de fer** railway; **par** ~ **de fer** by rail; **les ~s de fer** the railways.

cheminée [ʃəmine] nf chimney; (à l'intérieur) chimney piece, fireplace; (de bateau) funnel.

cheminement [ʃəminmɑ̃] nm progress, course.

cheminer [ʃəmine] vi to walk (along).

cheminot [ʃəmino] nm railwayman.

chemise [ʃəmiz] nf shirt; (dossier) folder; ~ **de nuit** nightdress; **~rie** nf (gentlemen's) outfitters'; **chemisette** nf short-sleeved shirt.

chemisier [ʃəmizje] nm blouse.

chenal, aux [ʃənal, -o] nm channel.

chêne [ʃɛn] nm oak (tree); (bois) oak.

chenet [ʃənɛ] nm fire-dog, andiron.

chenil [ʃənil] nm kennels pl.

chenille [ʃənij] nf (ZOOL) caterpillar; (AUTO) caterpillar track; **véhicule à ~s** tracked vehicle, caterpillar; **chenillette** nf tracked vehicle.

cheptel [ʃɛptɛl] nm livestock.

chèque [ʃɛk] nm cheque; ~ **barré/sans provision** crossed/bad cheque; ~ **au porteur** cheque to bearer; **chéquier** nm cheque book.

cher, ère [ʃɛʀ] a (aimé) dear; (coûteux) expensive, dear // ad: **cela coûte** ~ it's expensive, it costs a lot of money // nf: **la bonne chère** good food; **mon ~, ma chère** my dear.

chercher [ʃɛʀʃe] vt to look for; (gloire etc) to seek; **aller** ~ to go for, go and fetch; ~ **à faire** to try to do.

chercheur, euse [ʃɛʀʃœʀ, -øz] nm/f researcher, research worker; ~ **de** seeker of; hunter of; ~ **d'or** gold digger.

chère [ʃɛʀ] a,nf voir **cher**.

chéri, e [ʃeʀi] a beloved, dear; **(mon)** ~ darling.

chérir [ʃeʀiʀ] vt to cherish.

cherté [ʃɛʀte] nf: **la** ~ **de la vie** the high cost of living.

chérubin [ʃeʀybɛ̃] nm cherub.

chétif, ive [ʃetif, -iv] a puny, stunted.

cheval, aux [ʃəval, -o] nm horse; (AUTO): ~ **(vapeur)** (C.V.) horsepower q; **50 chevaux (au frein)** 50 brake horsepower, 50 b.h.p.; **10 chevaux (fiscaux)** 10 horsepower (for tax purposes); **faire du** ~ to ride; **à** ~ on horseback; **à** ~ **sur** astride, straddling; (fig) overlapping; ~ **d'arçons** vaulting horse.

chevaleresque [ʃəvalʀɛsk(ə)] a chivalrous.

chevalerie [ʃəvalʀi] nf chivalry; knighthood.

chevalet [ʃəvalɛ] nm easel.

chevalier [ʃəvalje] nm knight; ~ **servant** escort.

chevalière [ʃəvaljɛʀ] nf signet ring.

chevalin, e [ʃəvalɛ̃, -in] a of horses, equine; (péj) horsy; **boucherie ~e** horse-meat butcher's.

cheval-vapeur [ʃəvalvapœʀ] nm voir **cheval**.

chevauchée [ʃəvoʃe] nf ride; cavalcade.

chevaucher [ʃəvoʃe] vi (aussi: se ~) to overlap (each other) // vt to be astride, straddle.

chevelu, e [ʃəvly] a with a good head of hair, hairy (péj).

chevelure [ʃəvlyʀ] nf hair q.

chevet [ʃəvɛ] nm: **au** ~ **de qn** at sb's bedside; **lampe de** ~ bedside lamp.

cheveu, x [ʃəvø] nm hair; // nmpl (chevelure) hair sg; **avoir les ~x courts** to have short hair.

cheville [ʃəvij] nf (ANAT) ankle; (de bois) peg; (pour enfoncer un clou) plug; ~ **ouvrière** (fig) kingpin.

chèvre [ʃɛvʀ(ə)] nf (she-)goat.

chevreau, x [ʃəvʀo] nm kid.

chèvrefeuille [ʃɛvʀəfœj] nm honeysuckle.

chevreuil [ʃəvʀœj] nm roe deer inv; (CULIN) venison.

chevron [ʃəvʀɔ̃] nm (poutre) rafter; (motif) chevron, v(-shape); **à ~s** chevron-patterned; herringbone.

chevronné, e [ʃəvʀɔne] a seasoned, experienced.

chevrotant, e [ʃəvʀɔtɑ̃, -ɑ̃t] a quavering.

chevrotine [ʃəvʀɔtin] nf buckshot q.

chewing-gum [ʃwiŋɡɔm] nm chewing gum.

chez [ʃe] prép (à la demeure de): ~ **qn** at (ou to) sb's house ou place; (parmi) among; ~ **moi** at home; (avec direction) home; ~ **le boulanger** (à la boulangerie) at the baker's; ~ **ce musicien** (dans ses œuvres) in this musician; **~soi** nm inv home.

chic [ʃik] a inv chic, smart; (généreux) nice, decent // nm stylishness; **avoir le** ~ **de** to have the knack of; **de** ~ ad off the cuff; ~! great!, terrific!

chicane [ʃikan] nf (obstacle) zigzag; (querelle) squabble.

chiche [ʃiʃ] a niggardly, mean // excl (à un défi) you're on!

chicorée [ʃikɔʀe] nf (café) chicory; (salade) endive.

chicot [ʃiko] nm stump.

chien [ʃjɛ̃] nm dog; (de pistolet) hammer; **en** ~ **de fusil** curled up; ~ **de garde** guard dog.

chiendent [ʃjɛ̃dɑ̃] nm couch grass.

chien-loup [ʃjɛ̃lu] nm wolfhound.

chienne [ʃjɛn] nf dog, bitch.

chier [ʃje] vi (fam!) to crap (!).

chiffe [ʃif] nf: **il est mou comme une** ~, **c'est une** ~ **molle** he's spineless ou wet.

chiffon [ʃifɔ̃] nm (de ménage) (piece of) rag.

chiffonner [ʃifɔne] vt to crumple, crease.
chiffonnier [ʃifɔnje] nm ragman, rag-and-bone man ; (meuble) chiffonier.
chiffre [ʃifʀ(ə)] nm (représentant un nombre) figure ; numeral ; (montant, total) total, sum ; (d'un code) code, cipher ; ~s romains/arabes roman/arabic figures ou numerals ; en ~s ronds in round figures ; écrire un nombre en ~s to write a number in figures ; ~ d'affaires turnover ; **chiffrer** vt (dépense) to put a figure to, assess ; (message) to (en)code, cipher.
chignole [ʃiɲɔl] nf drill.
chignon [ʃiɲɔ̃] nm chignon, bun.
Chili [ʃili] nm: le ~ Chile ; **chilien, ne** a, nm/f Chilean.
chimère [ʃimɛʀ] nf (wild) dream, chimera ; pipe dream, idle fancy.
chimie [ʃimi] nf: la ~ chemistry ; **chimique** a chemical ; **produits chimiques** chemicals ; **chimiste** nm/f chemist.
Chine [ʃin] nf: la ~ China.
chiné, e [ʃine] a flecked.
chinois, e [ʃinwa, -waz] a Chinese ; (fig: péj) pernickety, fussy // nm/f Chinese // nm (langue): le ~ Chinese.
chiot [ʃjo] nm pup(py).
chipoter [ʃipɔte] vi to nibble ; to quibble ; to haggle.
chips [ʃips] nfpl (aussi: pommes ~) crisps.
chique [ʃik] nf quid, chew.
chiquenaude [ʃiknod] nf flick, flip.
chiquer [ʃike] vi to chew tobacco.
chiromancien, ne [kiʀɔmɑ̃sjɛ̃, -ɛn] nm/f palmist.
chirurgical, e, aux [ʃiʀyʀʒikal, -o] a surgical.
chirurgie [ʃiʀyʀʒi] nf surgery ; **esthétique** plastic surgery ; **chirurgien, ne** nm/f surgeon.
chiure [ʃjyʀ] nf: ~s de mouche fly specks.
chlore [klɔʀ] nm chlorine.
chloroforme [klɔʀɔfɔʀm(ə)] nm chloroform.
chlorophylle [klɔʀɔfil] nf chlorophyll.
choc [ʃɔk] nm impact ; shock ; crash ; (moral) shock ; (affrontement) clash ; ~ opératoire/nerveux post-operative/(nervous) shock.
chocolat [ʃɔkɔla] nm chocolate ; (boisson) (hot) chocolate ; ~ à croquer plain chocolate ; ~ au lait milk chocolate.
chœur [kœʀ] nm (chorale) choir ; (OPÉRA, THÉÂTRE) chorus ; (ARCHIT) choir, chancel ; en ~ in chorus.
choir [ʃwaʀ] vi to fall.
choisi, e [ʃwazi] a (de premier choix) carefully chosen ; select ; **textes ~s** selected writings.
choisir [ʃwaziʀ] vt to choose, select.
choix [ʃwa] nm choice ; selection ; **avoir le ~** to have the choice ; **premier ~** (COMM) class ou grade one ; **de ~** choice, selected ; **au ~** as you wish ou prefer.
choléra [kɔleʀa] nm cholera.
chômage [ʃomaʒ] nm unemployment ; **mettre au ~** to make redundant, put out of work ; **être au ~** to be unemployed ou

out of work ; ~ **partiel** short-time working ; ~ **technique** lay-offs pl ; **chômer** vi to be unemployed, be idle ; **jour chômé** public holiday ; **chômeur, euse** nm/f unemployed person, person out of work.
chope [ʃɔp] nf tankard.
choquer [ʃɔke] vt (offenser) to shock ; (commotionner) to shake (up).
choral, e [kɔʀal] a choral // nf choral society, choir.
chorégraphe [kɔʀegʀaf] nm/f choreographer.
chorégraphie [kɔʀegʀafi] nf choreography.
choriste [kɔʀist(ə)] nm/f choir member ; (OPÉRA) chorus member.
chorus [kɔʀys] nm: **faire ~ (avec)** to voice one's agreement with).
chose [ʃoz] nf thing ; **c'est peu de ~** it's nothing (really) ; it's not much.
chou, x [ʃu] nm cabbage // a inv cute ; **mon petit ~** (my) sweetheart ; ~ **à la crème** cream bun (made of choux pastry).
choucas [ʃuka] nm jackdaw.
chouchou, te [ʃuʃu, -ut] nm/f (SCOL) teacher's pet.
choucroute [ʃukʀut] nf sauerkraut.
chouette [ʃwɛt] nf owl // a (fam) great, smashing.
chou-fleur [ʃuflœʀ] nm cauliflower.
chou-rave [ʃuʀav] nm kohlrabi.
choyer [ʃwaje] vt to cherish ; to pamper.
chrétien, ne [kʀetjɛ̃, -ɛn] a, nm/f Christian ; **chrétiennement** ad in a Christian way ou spirit ; **chrétienté** nf Christendom.
Christ [kʀist] nm: **le ~** Christ ; **c~** (crucifix etc) figure of Christ ; **christianiser** vt to convert to Christianity ; **christianisme** nm Christianity.
chromatique [kʀɔmatik] a chromatic.
chrome [kʀom] nm chromium ; **chromé, e** a chromium-plated.
chromosome [kʀɔmozom] nm chromosome.
chronique [kʀɔnik] a chronic // nf (de journal) column, page ; (historique) chronicle ; (RADIO, TV): **la ~ sportive/théâtrale** the sports/theatre review ; **la ~ locale** local news and gossip ; **chroniqueur** nm columnist ; chronicler.
chronologie [kʀɔnɔlɔʒi] nf chronology ; **chronologique** a chronological.
chronomètre [kʀɔnɔmɛtʀ(ə)] nm stopwatch ; **chronométrer** vt to time.
chrysalide [kʀizalid] nf chrysalis.
chrysanthème [kʀizɑ̃tɛm] nm chrysanthemum.
chu, e [ʃy] pp de **choir.**
chuchoter [ʃyʃɔte] vt, vi to whisper.
chuinter [ʃɥɛ̃te] vi to hiss.
chut [ʃyt] excl sh!
chute [ʃyt] nf fall ; (de bois, papier: déchet) scrap ; **la ~ des cheveux** hair loss ; **faire une ~ (de 10 m)** to fall (10 m) ; ~**s de pluie/neige** rain/snowfalls ; ~ **(d'eau)** waterfall ; ~ **libre** free fall.

Chypre [ʃipʀ] n Cyprus; **chypriote** a, nm/f = **cypriote**.

-ci, ci- [si] ad voir **par, ci-contre, ci-joint** etc // dét: **ce garçon-ci/-là** this/that boy; **ces femmes-ci/-là** these/those women.

ci-après [siapʀɛ] ad hereafter.

cible [sibl(ə)] nf target.

ciboire [sibwaʀ] nm ciborium (vessel).

ciboule [sibul] nf (large) chive; **ciboulette** nf (smaller) chive.

cicatrice [sikatʀis] nf scar.

cicatriser [sikatʀize] vt to heal; **se ~ to** heal (up), form a scar.

ci-contre [sikɔ̃tʀ(ə)] ad opposite.

ci-dessous [sidəsu] ad below.

ci-dessus [sidəsy] ad above.

ci-devant [sidəvɑ̃] nm/f aristocrat who lost his/her title in the French Revolution.

cidre [sidʀ(ə)] nm cider.

Cie abr de **compagnie**.

ciel [sjɛl] nm sky; (REL) heaven; **~s** nmpl (PEINTURE etc) skies; **cieux** nmpl sky sg, skies; (REL) heaven sg; **à ~ ouvert** open-air; (mine) opencast; **~ de lit** canopy.

cierge [sjɛʀʒ(ə)] nm candle.

cigale [sigal] nf cicada.

cigare [sigaʀ] nm cigar.

cigarette [sigaʀɛt] nf cigarette.

ci-gît [siʒi] ad + vb here lies.

cigogne [sigɔɲ] nf stork.

ciguë [sigy] nf hemlock.

ci-inclus, e [siɛ̃kly, -yz] a, ad enclosed.

ci-joint, e [siʒwɛ̃, -ɛt] a, ad enclosed.

cil [sil] nm (eye)lash.

ciller [sije] vi to blink.

cimaise [simɛz] nf picture rail.

cime [sim] nf top; (montagne) peak.

ciment [simɑ̃] nm cement; **~ armé** reinforced cement; **cimenter** vt to cement; **cimenterie** nf cement works sg.

cimetière [simtjɛʀ] nm cemetery; (d'église) churchyard; **~ de voitures** scrapyard.

cinéaste [sineast(ə)] nm/f film-maker.

ciné-club [sineklœb] nm film club; film society.

cinéma [sinema] nm cinema; **~scope** nm cinemascope; **~thèque** nf film archives pl ou library; **~tographique** a film cpd, cinéma cpd.

cinéphile [sinefil] nm/f film ou cinema enthusiast.

cinétique [sinetik] a kinetic.

cinglé, e [sɛ̃gle] a (fam) barmy.

cingler [sɛ̃gle] vt to lash; (fig) to sting // vi (NAVIG): **~ vers** to make ou head for.

cinq [sɛ̃k] num five.

cinquantaine [sɛ̃kɑ̃tɛn] nf: **une ~ (de)** about fifty.

cinquante [sɛ̃kɑ̃t] num fifty; **~naire** a, nm/f fifty-year-old; **cinquantième** num fiftieth.

cinquième [sɛ̃kjɛm] num fifth.

cintre [sɛ̃tʀ(ə)] nm coat-hanger; (ARCHIT) arch; **~s** nmpl (THÉÂTRE) flies.

cintré, e [sɛ̃tʀe] a curved; (chemise) fitted, slim-fitting.

cirage [siʀaʒ] nm (shoe) polish.

circoncision [siʀkɔ̃sizjɔ̃] nf circumcision.

circonférence [siʀkɔ̃feʀɑ̃s] nf circumference.

circonflexe [siʀkɔ̃flɛks(ə)] a: **accent ~** circumflex accent.

circonscription [siʀkɔ̃skʀipsjɔ̃] nf district; **~ électorale** (d'un député) constituency.

circonscrire [siʀkɔ̃skʀiʀ] vt to define, delimit; (incendie) to contain.

circonspect, e [siʀkɔ̃spɛkt] a circumspect, cautious.

circonstance [siʀkɔ̃stɑ̃s] nf circumstance; (occasion) occasion; **~s atténuantes** attenuating circumstances.

circonstancié, e [siʀkɔ̃stɑ̃sje] a detailed.

circonstanciel, le [siʀkɔ̃stɑ̃sjɛl] a: **complément/proposition ~(le)** adverbial phrase/clause.

circonvenir [siʀkɔ̃vniʀ] vt to circumvent.

circonvolutions [siʀkɔ̃vɔlysjɔ̃] nfpl twists, convolutions.

circuit [siʀkɥi] nm (trajet) tour, (round) trip; (ÉLEC, TECH) circuit; **~ automobile** motor circuit; **~ de distribution** distribution network.

circulaire [siʀkylɛʀ] a, nf circular.

circulation [siʀkylɑsjɔ̃] nf circulation; (AUTO): **la ~** (the) traffic; **mettre en ~** to put into circulation.

circuler [siʀkyle] vi to drive (along); to walk along; (train etc) to run; (sang, devises) to circulate; **faire ~ (nouvelle)** to spread (about), circulate; (badauds) to move on.

cire [siʀ] nf wax.

ciré [siʀe] nm oilskin.

cirer [siʀe] vt to wax, polish; **cireur** nm shoeshine-boy; **cireuse** nf floor polisher.

cirque [siʀk(ə)] nm circus; (arène) amphitheatre; (GÉO) cirque; (fig) chaos, bedlam; carry-on.

cirrhose [siʀoz] nf: **~ du foie** cirrhosis of the liver.

cisaille(s) [sizaj] nf(pl) (gardening) shears pl; **cisailler** vt to clip.

ciseau, x [sizo] nm: **~ (à bois)** chisel; // nmpl (pair of) scissors; **sauter en ~x** to do a scissors jump; **~ à froid** cold chisel.

ciseler [sizle] vt to chisel, carve.

citadelle [sitadɛl] nf citadel.

citadin, e [sitadɛ̃, -in] nm/f city dweller // a town cpd, city cpd, urban.

citation [sitɑsjɔ̃] nf (d'auteur) quotation; (JUR) summons sg; (MIL: récompense) mention.

cité [site] nf town; (plus grande) city; **~ ouvrière** (workers') housing estate; **~ universitaire** students' residences pl.

citer [site] vt (un auteur) to quote (from); (nommer) to name; (JUR) to summon.

citerne [sitɛʀn(ə)] nf tank.

cithare [sitaʀ] nf zither.

citoyen, ne [sitwajɛ̃, -ɛn] nm/f citizen; **citoyenneté** nf citizenship.

citron [sitʀɔ̃] nm lemon; **~ vert** lime; **citronnade** nf lemonade; **citronnier** nm lemon tree.

citrouille [sitʀuj] nf pumpkin.

civet [sivɛ] nm stew; **~ de lièvre** jugged hare.

civette [sivɛt] *nf* (*BOT*) chives *pl*; (*ZOOL*) civet (cat).

civière [sivjɛR] *nf* stretcher.

civil, e [sivil] *a* (*JUR, ADMIN, poli*) civil; (*non militaire*) civilian // *nm* civilian; **en ~** in civilian clothes; **dans le ~** in civilian life.

civilisation [sivilizɑsjɔ̃] *nf* civilization.

civiliser [sivilize] *vt* to civilize.

civique [sivik] *a* civic.

civisme [sivism(ə)] *nm* public-spiritedness.

claie [klɛ] *nf* grid, riddle.

clair, e [klɛR] *a* light; (*chambre*) light, bright; (*eau, son, fig*) clear // *ad*: **voir ~** to see clearly; **bleu ~** light blue; **tirer qch au ~** to clear sth up, clarify sth; **mettre au ~** (*notes etc*) to tidy up; **le plus ~ de son temps/argent** the better part of his time/money; **en ~** (*non codé*) in clear; **~ de lune** *nm* moonlight; **~ement** *ad* clearly.

claire-voie [klɛRvwa]: **à ~** *ad* letting the light through; openwork *cpd*.

clairière [klɛRjɛR] *nf* clearing.

clairon [klɛRɔ̃] *nm* bugle; **claironner** *vt* (*fig*) to trumpet, shout from the rooftops.

clairsemé, e [klɛRsəme] *a* sparse.

clairvoyant, e [klɛRvwajɑ̃, -ɑ̃t] *a* perceptive, clear-sighted.

clameur [klamœR] *nf* clamour.

clandestin, e [klɑ̃dɛstɛ̃, -in] *a* clandestine; (*POL*) underground, clandestine.

clapier [klapje] *nm* (*rabbit*) hutch.

clapoter [klapote] *vi* to lap; **clapotis** *nm* lap(ping).

claquage [klakaʒ] *nm* pulled *ou* strained muscle.

claque [klak] *nf* (*gifle*) slap.

claquer [klake] *vi* (*drapeau*) to flap; (*porte*) to bang, slam; (*coup de feu*) to ring out // *vt* (*porte*) to slam, bang; (*doigts*) to snap; **se ~ un muscle** to pull *ou* strain a muscle.

claquettes [klakɛt] *nfpl* tap-dancing *sg*.

clarifier [klaRifje] *vt* (*fig*) to clarify.

clarinette [klaRinɛt] *nf* clarinet.

clarté [klaRte] *nf* lightness; brightness; (*d'un son, de l'eau*) clearness; (*d'une explication*) clarity.

classe [klɑs] *nf* class; (*SCOL: local*) class(room); (: *leçon*) class; (: *élèves*) class, form; **~ touriste** economy class; **faire ses ~s** (*MIL*) to do one's (recruit's) training; **faire la ~** (*SCOL*) to be a *ou* the teacher; to teach; **aller en ~** to go to school.

classement [klɑsmɑ̃] *nm* classifying; filing; grading; closing; (*rang: SCOL*) place; (: *SPORT*) placing; (*liste: SCOL*) class list (in order of merit); (: *SPORT*) placings *pl*; **premier au ~ général** (*SPORT*) first overall.

classer [klɑse] *vt* (*idées, livres*) to classify; (*papiers*) to file; (*candidat, concurrent*) to grade; (*JUR: affaire*) to close; **se ~ premier/dernier** to come first/last; (*SPORT*) to finish first/last.

classeur [klɑsœR] *nm* (*cahier*) file; (*meuble*) filing cabinet.

classification [klasifikɑsjɔ̃] *nf* classification.

classifier [klasifje] *vt* to classify.

classique [klasik] *a* classical; (*sobre: coupe etc*) classic(al); (*habituel*) standard, classic // *nm* classic; classical author.

claudication [klodikɑsjɔ̃] *nf* limp.

clause [kloz] *nf* clause.

claustrer [klostRe] *vt* to confine.

claustrophobie [klostRofobi] *nf* claustrophobia.

clavecin [klavsɛ̃] *nm* harpsichord.

clavicule [klavikyl] *nf* clavicle, collarbone.

clavier [klavje] *nm* keyboard.

clé *ou* **clef** [kle] *nf* key; (*MUS*) clef; (*de mécanicien*) spanner // *a*: **problème ~** key problem; **~ de sol/de fa** treble/bass clef; **~ anglaise** (monkey) wrench; **~ de contact** ignition key; **~ à molette** adjustable spanner; **~ de voûte** keystone.

clémence [klemɑ̃s] *nf* mildness; leniency.

clément, e [klemɑ̃, -ɑ̃t] *a* (*temps*) mild; (*indulgent*) lenient.

cleptomane [klɛptɔman] *nm/f* = kleptomane.

clerc [klɛR] *nm*: **~ de notaire** solicitor's clerk.

clergé [klɛRʒe] *nm* clergy.

clérical, e, aux [kleRikal, -o] *a* clerical.

cliché [kliʃe] *nm* (*PHOTO*) negative; print; (*TYPO*) (printing) plate; (*LING*) cliché.

client, e [klijɑ̃, -ɑ̃t] *nm/f* (*acheteur*) customer, client; (*d'hôtel*) guest, patron; (*du docteur*) patient; (*de l'avocat*) client; **clientèle** *nf* (*du magasin*) customers *pl*, clientèle; (*du docteur, de l'avocat*) practice; **accorder sa clientèle à** to give one's custom to.

cligner [kliɲe] *vi*: **~ des yeux** to blink (one's eyes); **~ de l'œil** to wink.

clignotant [kliɲɔtɑ̃] *nm* (*AUTO*) indicator.

clignoter [kliɲɔte] *vi* (*étoiles etc*) to twinkle; (*lumière: à intervalles réguliers*) to flash; (: *vaciller*) to flicker.

climat [klima] *nm* climate; **climatique** *a* climatic.

climatisation [klimatizɑsjɔ̃] *nf* air conditioning; **climatisé, e** *a* air-conditioned.

clin d'œil [klɛ̃dœj] *nm* wink; **en un ~** in a flash.

clinique [klinik] *a* clinical // *nf* nursing home, (private) clinic.

clinquant, e [klɛ̃kɑ̃, -ɑ̃t] *a* flashy.

cliqueter [klikte] *vi* to clash; to jangle, jingle; to chink.

clitoris [klitɔRis] *nm* clitoris.

clivage [klivaʒ] *nm* cleavage.

clochard, e [klɔʃaR, -aRd(ə)] *nm/f* tramp.

cloche [klɔʃ] *nf* (*d'église*) bell; (*fam*) clot; **~ à fromage** cheese-cover.

cloche-pied [klɔʃpje]: **à ~** *ad* on one leg, hopping (along).

clocher [klɔʃe] *nm* church tower; (*en pointe*) steeple // *vi* (*fam*) to be *ou* go wrong; **de ~** (*péj*) parochial.

clocheton [klɔʃtɔ̃] *nm* pinnacle.

clochette [klɔʃɛt] *nf* bell.

cloison [klwazɔ̃] *nf* partition (wall); **cloisonner** *vt* to partition (off); to divide up; (*fig*) to compartmentalize.

cloître [klwatR(ə)] nm cloister.
cloîtrer [klwatRe] vt: **se** ~ to shut o.s. up ou away; (REL) to enter a convent ou monastery.
clopin-clopant [klɔpɛ̃klɔpɑ̃] ad hobbling along; (fig) so-so.
cloporte [klɔpɔRt(ə)] nm woodlouse (pl lice).
cloque [klɔk] nf blister.
clore [klɔR] vt to close; **clos, e** a voir **maison, huis, vase** // nm (enclosed) field.
clôture [klotyR] nf closure, closing; (barrière) enclosure, fence; **clôturer** vt (terrain) to enclose, close off; (festival, débats) to close.
clou [klu] nm nail; (MÉD) boil; ~s nmpl = **passage clouté; pneus à** ~s studded tyres; **le** ~ **du spectacle** the highlight of the show; ~ **de girofle** clove; ~**er** vt to nail down ou up; (fig): ~**er sur/contre** to pin to/against; ~**té, e** a studded.
clown [klun] nm clown; **faire le** ~ (fig) to clown (about), play the fool.
club [klœb] nm club.
C.N.R.S. sigle m = Centre national de la recherche scientifique.
coaguler [kɔagyle] vi, vt, **se** ~ to coagulate.
coaliser [kɔalize]: **se** ~ vi to unite, join forces.
coalition [kɔalisjɔ̃] nf coalition.
coasser [kɔase] vi to croak.
cobaye [kɔbaj] nm guinea-pig.
cocagne [kɔkaɲ] nf: **pays de** ~ land of plenty; **mât de** ~ greasy pole (fig).
cocaïne [kɔkain] nf cocaine.
cocarde [kɔkaRd(ə)] nf rosette.
cocardier, ère [kɔkaRdje, -ɛR] a jingoistic, chauvinistic.
cocasse [kɔkas] a comical, funny.
coccinelle [kɔksinɛl] nf ladybird.
coccyx [kɔksis] nm coccyx.
cocher [kɔʃe] nm coachman // vt to tick off; (entailler) to notch.
cochère [kɔʃɛR] af: **porte** ~ carriage entrance.
cochon, ne [kɔʃɔ̃, -ɔn] nm pig // nm/f (péj) (filthy) pig; beast; swine // a (fam) dirty, smutty; **cochonnerie** nf (fam) filth; rubbish, trash.
cochonnet [kɔʃɔnɛ] nm (BOULES) jack.
cocktail [kɔktɛl] nm cocktail; (réception) cocktail party.
coco [kɔko] nm voir **noix**; (fam) bloke, geezer.
cocon [kɔkɔ̃] nm cocoon.
cocorico [kɔkɔRiko] excl, nm cock-a-doodle-do.
cocotier [kɔkɔtje] nm coconut palm.
cocotte [kɔkɔt] nf (en fonte) casserole; ~ **(minute)** pressure cooker; ~ **en papier** paper shape; **ma** ~ (fam) sweetie (pie).
cocu [kɔky] nm cuckold.
code [kɔd] nm code // a: **éclairage** ~, **phares** ~s dipped lights; **se mettre en** ~**(s)** to dip one's (head)lights; ~ **civil** Common Law; ~ **pénal** penal code; ~ **postal** (numéro) postal code; ~ **de la route** highway code; **coder** vt to (en)code; **codifier** vt to codify.

coefficient [kɔefisjɑ̃] nm coefficient.
coercition [kɔɛRsisjɔ̃] nf coercion.
cœur [kœR] nm heart; (CARTES: couleur) hearts pl; (: carte) heart; **avoir bon** ~ to be kind-hearted; **avoir mal au** ~ to feel sick; ~ **de laitue/d'artichaut** lettuce/artichoke heart; **de tout son** ~ with all one's heart; **en avoir le** ~ **net** to be clear in one's own mind (about it); **par** ~ by heart; **de bon** ~ willingly; **avoir à** ~ **de faire** to make a point of doing; **cela lui tient à** ~ that's (very) close to his heart.
coffrage [kɔfRaʒ] nm (CONSTR: action) coffering; (: dispositif) form(work).
coffre [kɔfR(ə)] nm (meuble) chest; (d'auto) boot; **avoir du** ~ (fam) to have a lot of puff; ~**-(fort)** nm safe.
coffrer [kɔfRe] vt (fam) to put inside, lock up.
coffret [kɔfRɛ] nm casket; ~ **à bijoux** jewel box.
cogner [kɔɲe] vi to knock.
cohabiter [kɔabite] vi to live together.
cohérent, e [kɔeRɑ̃, -ɑ̃t] a· coherent, consistent.
cohésion [kɔezjɔ̃] nf cohesion.
cohorte [kɔɔRt(ə)] nf troop.
cohue [kɔy] nf crowd.
coi, coite [kwa, kwat] a: **rester** ~ to remain silent.
coiffe [kwaf] nf headdress.
coiffé, e [kwafe] a: **bien/mal** ~ with tidy/untidy hair; ~ **d'un béret** wearing a beret; ~ **en arrière** with one's hair brushed ou combed back.
coiffer [kwafe] vt (fig) to cover, top; ~ **qn** to do sb's hair; ~ **qn d'un béret** to put a beret on sb; **se** ~ to do one's hair; to put on a ou one's hat.
coiffeur, euse [kwafœR, -øz] nm/f hairdresser // nf (table) dressing table·
coiffure [kwafyR] nf (cheveux) hairstyle, hairdo; (chapeau) hat, headgear q; (art): **la** ~ hairdressing.
coin [kwɛ̃] nm corner; (pour graver) die; (pour coincer) wedge; (poinçon) hallmark; **l'épicerie du** ~ the local grocer; **dans le** ~ (les alentours) in the area, around about; locally; **au** ~ **du feu** by the fireside; **regard en** ~ side(ways) glance.
coincer [kwɛ̃se] vt to jam; (fam) to catch (out); to nab.
coïncidence [kɔɛ̃sidɑ̃s] nf coincidence.
coïncider [kɔɛ̃side] vi: ~ **(avec)** to coincide (with).
coing [kwɛ̃] nm quince.
coït [kɔit] nm coitus.
coite [kwat] af voir **coi**.
coke [kɔk] nm coke.
col [kɔl] nm (de chemise) collar; (encolure, cou) neck; (de montagne) pass; ~ **du fémur** neck of the thighbone; ~ **roulé** polo-neck; ~ **de l'utérus** cervix.
coléoptère [kɔleɔptɛR] nm beetle.
colère [kɔlɛR] nf anger; **une** ~ a fit of anger; **coléreux, euse** a, **colérique** a quick-tempered, irascible.
colifichet [kɔlifiʃɛ] nm trinket.
colimaçon [kɔlimasɔ̃] nm: **escalier en** ~ spiral staircase.

colin [kɔlɛ̃] nm hake.
colique [kɔlik] nf diarrhoea ; colic (pains).
colis [kɔli] nm parcel.
collaborateur, trice [kɔlabɔʀatœʀ, -tʀis] nm/f (aussi POL) collaborator ; (d'une revue) contributor.
collaboration [kɔlabɔʀasjɔ̃] nf collaboration.
collaborer [kɔlabɔʀe] vi to collaborate ; ~ à to collaborate on ; (revue) to contribute to.
collant, e [kɔlɑ̃, -ɑ̃t] a sticky ; (robe etc) clinging, skintight ; (péj) clinging // nm (bas) tights pl ; (de danseur) leotard.
collation [kɔlasjɔ̃] nf light meal.
colle [kɔl] nf glue ; (à papiers peints) (wallpaper) paste ; (devinette) teaser, poser.
collecte [kɔlɛkt(ə)] nf collection.
collecter [kɔlɛkte] vt to collect ; **collecteur** nm (égout) main sewer.
collectif, ive [kɔlɛktif, -iv] a collective ; (visite, billet etc) group cpd.
collection [kɔlɛksjɔ̃] nf collection ; (ÉDITION) series ; **pièce de ~** collector's item ; **faire (la) ~ de** to collect ; **collectionner** vt (tableaux, timbres) to collect ; **collectionneur, euse** nm/f collector.
collectivité [kɔlɛktivite] nf group ; **la ~** the community, the collectivity ; **les ~s locales** local communities.
collège [kɔlɛʒ] nm (école) (secondary) school ; (assemblée) body ; **collégial, e, aux** a collegiate ; **collégien, ne** nm/f schoolboy/girl.
collègue [kɔlɛg] nm/f colleague.
coller [kɔle] vt (papier, timbre) to stick (on) ; (affiche) to stick up ; (enveloppe) to stick down ; (morceaux) to stick ou glue together ; (fam: mettre, fourrer) to stick, shove ; (SCOL: fam) to keep in, give detention to // vi (être collant) to be sticky ; (adhérer) to stick ; ~ **qch sur** to stick (ou paste ou glue) sth onto) ; ~ **à** to stick to ; (fig) to cling to.
collerette [kɔlʀɛt] nf ruff ; (TECH) flange.
collet [kɔlɛ] nm (piège) snare, noose ; (cou): **prendre qn au** ~ to grab sb by the throat ; ~ **monté** a inv straight-laced.
collier [kɔlje] nm (bijou) necklace ; (de chien, TECH) collar ; ~ **(de barbe), barbe en** ~ narrow beard along the line of the jaw.
colline [kɔlin] nf hill.
collision [kɔlizjɔ̃] nf collision, crash ; **entrer en** ~ **(avec)** to collide (with).
colloque [kɔlɔk] nm colloquium, symposium.
colmater [kɔlmate] vt (fuite) to seal off ; (brèche) to plug, fill in.
colombe [kɔlɔ̃b] nf dove.
colon [kɔlɔ̃] nm settler ; (enfant) boarder (in children's holiday camp).
côlon [kɔlɔ̃] nm colon.
colonel [kɔlɔnɛl] nm colonel ; (armée de l'air) group captain.
colonial, e, aux [kɔlɔnjal, -o] a colonial ; ~**isme** nm colonialism.
colonie [kɔlɔni] nf colony ; ~ **(de vacances)** holiday camp (for children).

colonisation [kɔlɔnizasjɔ̃] nf colonization.
coloniser [kɔlɔnize] vt to colonize.
colonne [kɔlɔn] nf column ; **se mettre en** ~ **par deux/quatre** to get into twos/fours ; **en** ~ **par deux** in double file ; ~ **de secours** rescue party ; ~ **(vertébrale)** spine, spinal column.
colophane [kɔlɔfan] nf rosin.
colorant [kɔlɔʀɑ̃] nm colouring.
coloration [kɔlɔʀasjɔ̃] nf colour(ing).
colorer [kɔlɔʀe] vt to colour.
colorier [kɔlɔʀje] vt to colour (in) ; **album à** ~ colouring book.
coloris [kɔlɔʀi] nm colour, shade.
colossal, e, aux [kɔlɔsal, -o] a colossal, huge.
colporter [kɔlpɔʀte] vt to hawk, peddle ; **colporteur, euse** nm/f hawker, pedlar.
colza [kɔlza] nm rape(seed).
coma [kɔma] nm coma ; **être dans le** ~ to be in a coma ; ~**teux, euse** a comatose.
combat [kɔ̃ba] nm fight ; fighting q ; ~ **de boxe** boxing match ; ~ **de rues** street fighting q.
combatif, ive [kɔ̃batif, -iv] a of a fighting spirit.
combattant [kɔ̃batɑ̃] nm combatant ; (d'une rixe) brawler ; **ancien** ~ war veteran.
combattre [kɔ̃batʀ(ə)] vt to fight ; (épidémie, ignorance) to combat, fight against.
combien [kɔ̃bjɛ̃] ad (quantité) how much ; (nombre) how many ; (exclamatif) how ; ~ **de how much ; how many ; ~ de temps** how long, how much time ; ~ **coûte/pèse ceci?** how much does this cost/weigh?
combinaison [kɔ̃binɛzɔ̃] nf combination ; (astuce) device, scheme ; (de femme) slip ; (d'aviateur) flying suit ; (d'homme-grenouille) wetsuit ; (bleu de travail) boilersuit.
combine [kɔ̃bin] nf trick ; (péj) scheme, fiddle.
combiné [kɔ̃bine] nm (aussi ~ téléphonique) receiver.
combiner [kɔ̃bine] vt to combine ; (plan, horaire) to work out, devise.
comble [kɔ̃bl(ə)] a (salle) packed (full) // nm (du bonheur, plaisir) height ; ~**s** nmpl (CONSTR) attic sg, loft sg ; **c'est le** ~! that beats everything!, that takes the biscuit!
combler [kɔ̃ble] vt (trou) to fill in ; (besoin, lacune) to fill ; (déficit) to make good ; (satisfaire) to gratify, fulfil ; ~ **qn de joie** to fill sb with joy ; ~ **qn d'honneurs** to shower sb with honours.
combustible [kɔ̃bystibl(ə)] a combustible // nm fuel.
combustion [kɔ̃bystjɔ̃] nf combustion.
comédie [kɔmedi] nf comedy ; (fig) playacting q ; ~ **musicale** musical ; **comédien, ne** nm/f actor/actress ; (comique) comedy actor/actress, comedian/comedienne ; (fig) sham.
comestible [kɔmɛstibl(ə)] a edible.
comète [kɔmɛt] nf comet.
comique [kɔmik] a (drôle) comical ; (THÉÂTRE) comic // nm (artiste) comic,

comedian; **le ~ de qch** the funny *ou* comical side of sth.

comité [kɔmite] *nm* committee; **~ d'entreprise** work's council.

commandant [kɔmɑ̃dɑ̃] *nm* (*gén*) commander, commandant; (*MIL: grade*) major; (*armée de l'air*) squadron leader; (*NAVIG, AVIAT*) captain.

commande [kɔmɑ̃d] *nf* (*COMM*) order; **~s** *nfpl* (*AVIAT etc*) controls; **passer une ~ (de)** to put in an order (for); **sur ~** to order; **~ à distance** remote control.

commandement [kɔmɑ̃dmɑ̃] *nm* command; (*ordre*) command, order; (*REL*) commandment.

commander [kɔmɑ̃de] *vt* (*COMM*) to order; (*diriger, ordonner*) to command; **~ à** (*MIL*) to command; (*contrôler, maîtriser*) to have control over; **~ à qn de faire** to command *ou* order sb to do.

commanditaire [kɔmɑ̃ditɛʀ] *nm* sleeping partner.

commandite [kɔmɑ̃dit] *nf*: (**société en**) **~** limited partnership.

commando [kɔmɑ̃do] *nm* commando (squad).

comme [kɔm] *prép* like; (*en tant que*) as // *cj* as; (*parce que, puisque*) as, since // *ad*: **~ il est fort/c'est bon!** how strong he is/good it is!; **faites-le ~ cela** *ou* **ça** do it like this *ou* this way; **~ ci ~ ça** so-so, middling; **joli ~ tout** ever so pretty.

commémoration [kɔmemɔʀasjɔ̃] *nf* commemoration.

commémorer [kɔmemɔʀe] *vt* to commemorate.

commencement [kɔmɑ̃smɑ̃] *nm* beginning; start; commencement; **~s** (*débuts*) beginnings.

commencer [kɔmɑ̃se] *vt* to begin, start, commence; (*être placé au début de*) to begin // *vi* to begin, start, commence; **~ à** *ou* **de faire** to begin *ou* start doing.

commensal, e, aux [kɔmɑ̃sal, -o] *nm/f* companion at table.

comment [kɔmɑ̃] *ad* how; **~?** (*que dites-vous*) (I beg your) pardon?

commentaire [kɔmɑ̃tɛʀ] *nm* comment; remark; **~ (de texte)** (*SCOL*) commentary.

commentateur, trice [kɔmɑ̃tatœʀ, -tʀis] *nm/f* commentator.

commenter [kɔmɑ̃te] *vt* (*jugement, événement*) to comment (up)on; (*RADIO, TV: match, manifestation*) to cover, give a commentary on.

commérages [kɔmeʀaʒ] *nmpl* gossip *sg*.

commerçant, e [kɔmɛʀsɑ̃, -ɑ̃t] *a* commercial; shopping; trading; commercially shrewd // *nm/f* shopkeeper, trader.

commerce [kɔmɛʀs(ə)] *nm* (*activité*) trade, commerce; (*boutique*) business; **le petit ~** small shopowners *pl*, small traders *pl*; **faire ~ de** to trade in; (*fig: péj*) to trade on; **vendu dans le ~** sold in the shops; **vendu hors-~** sold directly to the public; **commercial, e, aux** *a* commercial, trading; (*péj*) commercial; **commercialiser** *vt* to market.

commère [kɔmɛʀ] *nf* gossip.

commettre [kɔmɛtʀ(ə)] *vt* to commit.

commis [kɔmi] *nm* (*de magasin*) (shop) assistant; (*de banque*) clerk; **~ voyageur** commercial traveller.

commisération [kɔmizeʀasjɔ̃] *nf* commiseration.

commissaire [kɔmisɛʀ] *nm* (*de police*) ≈ (police) superintendent; (*de rencontre sportive etc*) steward; **~-priseur** *nm* auctioneer.

commissariat [kɔmisaʀja] *nm* police station; (*ADMIN*) commissionership.

commission [kɔmisjɔ̃] *nf* (*comité, pourcentage*) commission; (*message*) message; (*course*) errand; **~s** *nfpl* (*achats*) shopping *sg*; **commissionnaire** *nm* delivery boy (*ou* man); messenger.

commissure [kɔmisyʀ] *nf*: **les ~s des lèvres** the corners of the mouth.

commode [kɔmɔd] *a* (*pratique*) convenient, handy; (*facile*) easy; (*air, personne*) easy-going; (*personne*): **pas ~** awkward (to deal with) // *nf* chest of drawers; **commodité** *nf* convenience.

commotion [kɔmosjɔ̃] *nf*: **~ (cérébrale)** concussion; **commotionné, e** *a* shocked, shaken.

commuer [kɔmɥe] *vt* to commute.

commun, e [kɔmœ̃, -yn] *a* common; (*pièce*) communal, shared; (*réunion, effort*) joint // *nf* (*ADMIN*) commune, ≈ district; (: *urbaine*) ≈ borough; **~s** *nmpl* (*bâtiments*) outbuildings; **cela sort du ~** it's out of the ordinary; **le ~ des mortels** the common run of people; **en ~ (faire)** jointly; **mettre en ~** to pool, share; **communal, e, aux** *a* (*ADMIN*) of the commune, ≈ (district *ou* borough) council *cpd*.

communauté [kɔmynote] *nf* community; (*JUR*): **régime de la ~** communal estate settlement.

commune [kɔmyn] *a, nf voir* **commun.**

communiant, e [kɔmynjɑ̃, -ɑ̃t] *nm/f* communicant; **premier ~** child taking his first communion.

communicatif, ive [kɔmynikatif, -iv] *a* (*personne*) communicative; (*rire*) infectious.

communication [kɔmynikasjɔ̃] *nf* communication; **~ (téléphonique)** (telephone) call; **vous avez la ~** this is your call, you're through; **donnez-moi la ~** put me through to; **~ interurbaine** trunk call; **~ en PCV** reverse charge call.

communier [kɔmynje] *vi* (*REL*) to receive communion; (*fig*) to be united.

communion [kɔmynjɔ̃] *nf* communion.

communiqué [kɔmynike] *nm* communiqué.

communiquer [kɔmynike] *vt* (*nouvelle, dossier*) to pass on, convey; (*maladie*) to pass on; (*peur etc*) to communicate; (*chaleur, mouvement*) to transmit // *vi* to communicate; **se ~ à** (*se propager*) to spread to.

communisme [kɔmynism(ə)] *nm* communism; **communiste** *a, nm/f* communist.

commutateur [kɔmytatœʀ] *nm* (*ÉLEC*) (change-over) switch, commutator.

compact, e [kɔ̃pakt] a dense ; compact.
compagne [kɔ̃paɲ] nf companion.
compagnie [kɔ̃paɲi] nf (firme, MIL) company ; (groupe) gathering ; (présence): **la ~ de qn** sb's company ; **tenir ~ à qn** to keep sb company ; **fausser ~ à** to give sb the slip, slip ou sneak away from sb ; **en ~ de** in the company of ; **Dupont et ~, Dupont et Cie** Dupont and Company, Dupont and Co.
compagnon [kɔ̃paɲɔ̃] nm companion ; (autrefois: ouvrier) craftsman ; journeyman.
comparable [kɔ̃paRabl(ə)] a: **~ (à)** comparable (to).
comparaison [kɔ̃paRɛzɔ̃] nf comparison ; (métaphore) simile.
comparaître [kɔ̃paRɛtR(ə)] vi: **~ (devant)** to appear (before).
comparatif, ive [kɔ̃paRatif, -iv] a comparative.
comparé, e [kɔ̃paRe] a: **littérature** etc **~e** comparative literature etc.
comparer [kɔ̃paRe] vt to compare ; **~ qch/qn à** ou **et** (pour choisir) to compare sth/sb with ou and ; (pour établir une similitude) to compare sth/sb to.
comparse [kɔ̃paRs(ə)] nm/f (péj) associate, stooge.
compartiment [kɔ̃paRtimɑ̃] nm compartment ; **compartimenté, e** a partitioned ; (fig) compartmentalized.
comparution [kɔ̃paRysjɔ̃] nf appearance.
compas [kɔ̃pa] nm (GÉOM) (pair of) compasses pl ; (NAVIG) compass.
compassé, e [kɔ̃pase] a starchy, formal.
compassion [kɔ̃pasjɔ̃] nf compassion.
compatible [kɔ̃patibl(ə)] a compatible.
compatir [kɔ̃patiR] vi: **~ (à)** to sympathize (with).
compatriote [kɔ̃patRijɔt] nm/f compatriot.
compensation [kɔ̃pɑ̃sasjɔ̃] nf compensation ; (BANQUE) clearing.
compenser [kɔ̃pɑ̃se] vt to compensate for, make up for.
compère [kɔ̃pɛR] nm accomplice.
compétence [kɔ̃petɑ̃s] nf competence.
compétent, e [kɔ̃petɑ̃, -ɑ̃t] a (apte) competent, capable ; (JUR) competent.
compétition [kɔ̃petisjɔ̃] nf (gén) competition ; (SPORT: épreuve) event ; **la ~** competitive sport ; **la ~ automobile** motor racing.
compiler [kɔ̃pile] vt to compile.
complainte [kɔ̃plɛ̃t] nf lament.
complaire [kɔ̃plɛR]: **se ~** vi: **se ~ dans/parmi** to take pleasure in/in being among.
complaisance [kɔ̃plɛzɑ̃s] nf kindness ; (péj) indulgence ; **attestation de ~** certificate produced to oblige a patient etc ; **pavillon de ~** flag of convenience.
complaisant, e [kɔ̃plɛzɑ̃, -ɑ̃t] a (aimable) kind, obliging ; (péj) over-obliging, indulgent.
complément [kɔ̃plemɑ̃] nm complement ; supplement ; remainder ; (LING) complement ; **~ d'information** (ADMIN) supplementary ou further information ; **~ d'agent** agent ; **~ (d'objet) direct/indirect** direct/indirect object ; **~**

(circonstanciel) de lieu/temps adverbial phrase of place/time ; **~ de nom** possessive phrase ; **complémentaire** a complementary ; (additionnel) supplementary.
complet, ète [kɔ̃plɛ, -ɛt] a complete ; (plein: hôtel etc) full // nm (aussi: **~-veston**) suit ; **compléter** vt (porter à la quantité voulue) to complete ; (augmenter) to complement, supplement ; to add to ; **se compléter** vt réciproque (personnes) to complement one another // vi (collection etc) to be building up.
complexe [kɔ̃plɛks(ə)] a complex // nm (PSYCH) complex, hang-up ; (bâtiments): **~ hospitalier** hospital complex ; **complexé, e** a mixed-up, hung-up ; **complexité** nf complexity.
complication [kɔ̃plikasjɔ̃] nf complexity, intricacy ; (difficulté, ennui) complication.
complice [kɔ̃plis] nm accomplice ; **complicité** nf complicity.
compliment [kɔ̃plimɑ̃] nm (louange) compliment ; **~s** nmpl (félicitations) congratulations ; **complimenter qn (sur ou de)** to congratulate ou compliment qn (on).
compliqué, e [kɔ̃plike] a complicated, complex, intricate ; (personne) complicated.
compliquer [kɔ̃plike] vt to complicate ; **se ~** vi (situation) to become complicated ; **se ~ la vie** to make life difficult ou complicated for o.s.
complot [kɔ̃plo] nm plot ; **comploter** vi, vt to plot.
comportement [kɔ̃pɔRtəmɑ̃] nm behaviour ; (TECH: d'une pièce, d'un véhicule) behaviour, performance.
comporter [kɔ̃pɔRte] vt to be composed of, consist of, comprise ; (être équipé de) to have ; (impliquer) to entail, involve ; **se ~** vi to behave ; (TECH) to behave, perform.
composant [kɔ̃pozɑ̃] nm component, constituent.
composante [kɔ̃pozɑ̃t] nf component.
composé, e [kɔ̃poze] a (visage, air) studied ; (BIO, CHIMIE, LING) compound // nm (CHIMIE, LING) compound.
composer [kɔ̃poze] vt (musique, texte) to compose ; (mélange, équipe) to make up ; (faire partie de) to make up, form ; (TYPO) to set // vi (SCOL) to sit ou do a test ; (transiger) to come to terms ; **se ~ de** to be composed of, be made up of ; **~ un numéro** (au téléphone) to dial a number.
composite [kɔ̃pozit] a heterogeneous.
compositeur, trice [kɔ̃pozitœR, -tRis] nm/f (MUS) composer ; (TYPO) compositor, typesetter.
composition [kɔ̃pozisjɔ̃] nf composition ; (SCOL) test ; (TYPO) typesetting, composition ; **de bonne ~** (accommodant) easy to deal with ; **amener qn à ~** to get sb to come to terms.
composter [kɔ̃pɔste] vt to date stamp ; to punch ; **composteur** nm date stamp ; punch ; (TYPO) composing stick.
compote [kɔ̃pɔt] nf stewed fruit q ; **~ de pommes** stewed apples ; **compotier** nm fruit dish ou bowl.
compréhensible [kɔ̃pReɑ̃sibl(ə)] a comprehensible ; (attitude) understandable.

compréhensif, ive [kɔ̃pʀeɑ̃sif, -iv] *a* understanding.

compréhension [kɔ̃pʀeɑ̃sjɔ̃] *nf* understanding ; comprehension.

comprendre [kɔ̃pʀɑ̃dʀ(ə)] *vt* to understand ; (*se composer de*) to comprise, consist of.

compresse [kɔ̃pʀɛs] *nf* compress.

compresseur [kɔ̃pʀɛsœʀ] *am voir* **rouleau**.

compression [kɔ̃pʀɛsjɔ̃] *nf* compression ; reduction.

comprimé, e [kɔ̃pʀime] *a*: **air ~** compressed air // *nm* tablet.

comprimer [kɔ̃pʀime] *vt* to compress ; (*fig: crédit etc*) to reduce, cut down.

compris, e [kɔ̃pʀi, -iz] *pp de* **comprendre** // *a* (*inclus*) included ; **~ entre** (*situé*) contained between ; **la maison ~e/non ~e, y/non ~ la maison** including/excluding the house ; **service ~** service (charge) included ; **100 F tout ~** 100 F all inclusive *ou* all-in.

compromettre [kɔ̃pʀɔmɛtʀ(ə)] *vt* to compromise.

compromis [kɔ̃pʀɔmi] *nm* compromise.

compromission [kɔ̃pʀɔmisjɔ̃] *nf* compromise, deal.

comptabilité [kɔ̃tabilite] *nf* (*activité, technique*) accounting, accountancy ; (*d'une société: comptes*) accounts *pl*, books *pl* ; (: *service*) accounts office *ou* department.

comptable [kɔ̃tabl(ə)] *nm/f* accountant // *a* accounts *cpd*, accounting.

comptant [kɔ̃tɑ̃] *ad*: **payer ~** to pay cash ; **acheter ~** to buy for cash.

compte [kɔ̃t] *nm* count, counting ; (*total, montant*) count, (right) number ; (*bancaire, facture*) account ; **~s** *nmpl* accounts, books ; (*fig*) explanation *sg* ; **faire le ~ de** to count up, make a count of ; **en fin de ~** (*fig*) all things considered, weighing it all up ; **à bon ~** at a favourable price ; (*fig*) lightly ; **avoir son ~** (*fig: fam*) to have had it ; **pour le ~ de** on behalf of ; **travailler à son ~** to work for oneself ; **rendre ~** (**à qn**) **de qch** to give (sb) an account of sth ; **~ chèques postaux (C.C.P.)** ≈ (Post Office) Giro account ; **~ courant** current account ; **~ de dépôt** deposit account ; **~ à rebours** countdown.

compte-gouttes [kɔ̃tgut] *nm inv* dropper.

compter [kɔ̃te] *vt* to count ; (*facturer*) to charge for ; (*avoir à son actif, comporter*) to have ; (*prévoir*) to allow, reckon ; (*espérer*): **~ réussir/revenir** to expect to succeed/return // *vi* to count ; (*être économe*) to economize ; (*être non négligeable*) to count, matter ; (*valoir*): **~ pour** to count for ; (*figurer*): **~ parmi** to be *ou* rank among ; **~ sur** *vt* to count (up)on ; **~ avec qch/qn** to reckon with *ou* take account of sth/sb ; **sans ~ que** besides which ; **à ~ du 10 janvier** (*COMM*) (as) from 10th January.

compte-rendu [kɔ̃tʀɑ̃dy] *nm* account, report ; (*de film, livre*) review.

compte-tours [kɔ̃ttuʀ] *nm inv* rev(olution) counter.

compteur [kɔ̃tœʀ] *nm* meter ; **~ de vitesse** speedometer.

comptine [kɔ̃tin] *nf* nursery rhyme.

comptoir [kɔ̃twaʀ] *nm* (*de magasin*) counter ; (*de café*) counter, bar ; (*colonial*) trading post.

compulser [kɔ̃pylse] *vt* to consult.

comte, comtesse [kɔ̃t, kɔ̃tɛs] *nm/f* count/countess.

con, ne [kɔ̃, kɔn] *a* (*fam!*) bloody stupid (!).

concave [kɔ̃kav] *a* concave.

concéder [kɔ̃sede] *vt* to grant ; (*défaite, point*) to concede ; **~ que** to concede that.

concentration [kɔ̃sɑ̃tʀasjɔ̃] *nf* concentration.

concentrationnaire [kɔ̃sɑ̃tʀasjɔnɛʀ] *a* of *ou* in concentration camps.

concentré [kɔ̃sɑ̃tʀe] *nm* concentrate.

concentrer [kɔ̃sɑ̃tʀe] *vt* to concentrate ; **se ~** to concentrate.

concentrique [kɔ̃sɑ̃tʀik] *a* concentric.

concept [kɔ̃sɛpt] *nm* concept.

conception [kɔ̃sɛpsjɔ̃] *nf* conception.

concerner [kɔ̃sɛʀne] *vt* to concern ; **en ce qui me concerne** as far as I am concerned ; **en ce qui concerne ceci** as far as this is concerned, with regard to this.

concert [kɔ̃sɛʀ] *nm* concert ; **de ~** *ad* in unison ; together.

concerter [kɔ̃sɛʀte] *vt* to devise ; **se ~** (*collaborateurs etc*) to put one's heads together, consult (each other).

concertiste [kɔ̃sɛʀtist(ə)] *nm/f* concert artist.

concerto [kɔ̃sɛʀto] *nm* concerto.

concession [kɔ̃sesjɔ̃] *nf* concession.

concessionnaire [kɔ̃sesjɔnɛʀ] *nm/f* agent, dealer.

concevoir [kɔ̃svwaʀ] *vt* (*idée, projet*) to conceive (of) ; (*méthode, plan d'appartement, décoration etc*) to plan, devise ; (*enfant*) to conceive ; **appartement bien-/mal conçu** well-/badly-designed *ou* -planned flat.

concierge [kɔ̃sjɛʀʒ(ə)] *nm/f* caretaker.

concile [kɔ̃sil] *nm* council, synod.

conciliabules [kɔ̃siljabyl] *nmpl* (private) discussions, confabulations.

conciliation [kɔ̃siljasjɔ̃] *nf* conciliation.

concilier [kɔ̃silje] *vt* to reconcile ; **se ~ qn/l'appui de qn** to win sb over/sb's support.

concis, e [kɔ̃si, -iz] *a* concise ; **concision** *nf* concision, conciseness.

concitoyen, ne [kɔ̃sitwajɛ̃, -jɛn] *nm/f* fellow citizen.

conclave [kɔ̃klav] *nm* conclave.

concluant, e [kɔ̃klyɑ̃, -ɑ̃t] *a* conclusive.

conclure [kɔ̃klyʀ] *vt* to conclude ; **~ à l'acquittement** to decide in favour of an acquittal ; **~ au suicide** to come to the conclusion (*ou* JUR) to pronounce) that it is a case of suicide.

conclusion [kɔ̃klyzjɔ̃] *nf* conclusion ; **~s** *nfpl* (JUR) submissions ; findings.

conçois *etc vb voir* **concevoir**.

concombre [kɔ̃kɔ̃bʀ(ə)] *nm* cucumber.

concordance [kɔ̃kɔʀdɑ̃s] *nf* concordance ; **la ~ des temps** (LING) the sequence of tenses.

concorde [kɔ̃kɔʀd(ə)] *nf* concord.

concorder [kɔ̃kɔʀde] *vi* to tally, agree.
concourir [kɔ̃kuʀiʀ] *vi* (*SPORT*) to compete ; ~ à *vt* (*effet etc*) to work towards.
concours [kɔ̃kuʀ] *nm* competition ; (*SCOL*) competitive examination ; (*assistance*) aid, help ; **recrutement par voie de** ~ recruitment by (competitive) examination ; ~ **de circonstances** combination of circumstances ; ~ **hippique** horse show.
concret, ète [kɔ̃kʀɛ, -ɛt] *a* concrete.
concrétiser [kɔ̃kʀetize] *vt* (*plan, projet*) to put in concrete form ; **se** ~ *vi* to materialize.
conçu, e [kɔ̃sy] *pp de* **concevoir.**
concubinage [kɔ̃kybinaʒ] *nm* (*JUR*) cohabitation.
·concupiscence [kɔ̃kypisɑ̃s] *nf* concupiscence.
concurremment [kɔ̃kyʀamɑ̃] *ad* concurrently ; jointly.
concurrence [kɔ̃kyʀɑ̃s] *nf* competition ; **jusqu'à** ~ **de** up to ; ~ **déloyale** unfair competition.
concurrent, e [kɔ̃kyʀɑ̃, -ɑ̃t] *a* competing // *nm/f* (*SPORT, ÉCON etc*) competitor ; (*SCOL*) candidate.
condamnation [kɔ̃danasjɔ̃] *nf* condemnation ; sentencing ; sentence ; conviction ; ~ **à mort** death sentence.
condamner [kɔ̃dane] *vt* (*blâmer*) to condemn ; (*JUR*) to sentence ; (*porte, ouverture*) to fill in, block up ; (*obliger*): ~ **qn à qch/faire** to condemn sb to sth/to do ; ~ **qn à 2 ans de prison** to sentence sb to 2 years' imprisonment ; ~ **qn à une amende** to impose a fine on sb, request sb to pay a fine.
condensateur [kɔ̃dɑ̃satœʀ] *nm* condenser.
condensation [kɔ̃dɑ̃sasjɔ̃] *nf* condensation.
condensé [kɔ̃dɑ̃se] *nm* digest.
condenser [kɔ̃dɑ̃se] *vt*, **se** ~ *vi* to condense.
condescendre [kɔ̃desɑ̃dʀ(ə)] *vi*: ~ **à** to condescend to.
condiment [kɔ̃dimɑ̃] *nm* condiment.
condisciple [kɔ̃disipl(ə)] *nm/f* school fellow, fellow student.
condition [kɔ̃disjɔ̃] *nf* condition ; ~**s** *nfpl* (*tarif, prix*) terms ; (*circonstances*) conditions ; **sans** ~ *a* unconditional // *ad* unconditionally ; **sous** ~ **que** on condition that ; **à** ~ **de/que** provided that ; **conditionnel, le** *a* conditional // *nm* conditional (tense) ; **conditionner** *vt* (*déterminer*) to determine ; (*COMM: produit*) to package ; (*fig: personne*) to condition ; **air conditionné** air conditioning ; **réflexe conditionné** conditioned reflex.
condoléances [kɔ̃dɔleɑ̃s] *nfpl* condolences.
conducteur, trice [kɔ̃dyktœʀ, -tʀis] *a* (*ÉLEC*) conducting // *nm/f* driver // *nm* (*ÉLEC etc*) conductor.
conduire [kɔ̃dɥiʀ] *vt* (*véhicule, passager*) to drive ; (*délégation, troupeau*) to lead ; **se** ~ *vi* to behave ; ~ **vers/à** to lead towards/to ; ~ **qn quelque part** to take sb somewhere ; to drive sb somewhere.

conduit [kɔ̃dɥi] *nm* (*TECH*) conduit, pipe ; (*ANAT*) duct, canal.
conduite [kɔ̃dɥit] *nf* (*en auto*) driving ; (*comportement*) behaviour ; (*d'eau, de gaz*) pipe ; **sous la** ~ **de** led by ; ~ **forcée** pressure pipe ; ~ **à gauche** left-hand drive ; ~ **intérieure** saloon (car).
cône [kon] *nm* cone.
confection [kɔ̃fɛksjɔ̃] *nf* (*fabrication*) making ; (*COUTURE*): **la** ~ the clothing industry, the rag trade ; **vêtement de** ~ ready-to-wear *ou* off-the-peg garment.
confectionner [kɔ̃fɛksjɔne] *vt* to make.
confédération [kɔ̃fedeʀasjɔ̃] *nf* confederation.
conférence [kɔ̃feʀɑ̃s] *nf* (*exposé*) lecture ; (*pourparlers*) conference ; ~ **de presse** press conference ; **conférencier, ère** *nm/f* lecturer.
conférer [kɔ̃feʀe] *vt*: ~ **à qn** (*titre, grade*) to confer on sb ; ~ **à qch/qn** (*aspect etc*) to endow sth/sb with, give (to) sth/sb.
confesser [kɔ̃fese] *vt* to confess ; **se** ~ (*REL*) to go to confession ; **confesseur** *nm* confessor.
confession [kɔ̃fɛsjɔ̃] *nf* confession ; (*culte: catholique etc*) denomination ; **confessionnal, aux** *nm* confessional ; **confessionnel, le** *a* denominational.
confetti [kɔ̃feti] *nm* confetti *q.*
confiance [kɔ̃fjɑ̃s] *nf* confidence, trust ; faith ; **avoir** ~ **en** to have confidence *ou* faith in, trust ; **mettre qn en** ~ to win sb's trust ; ~ **en soi** self-confidence.
confiant, e [kɔ̃fjɑ̃, -ɑ̃t] *a* confident ; trusting.
confidence [kɔ̃fidɑ̃s] *nf* confidence.
confident, e [kɔ̃fidɑ̃, -ɑ̃t] *nm/f* confidant/confidante.
confidentiel, le [kɔ̃fidɑ̃sjɛl] *a* confidential.
confier [kɔ̃fje] *vt*: ~ **à qn** (*objet en dépôt, travail etc*) to entrust to sb ; (*secret, pensée*) to confide to sb ; **se** ~ **à qn** to confide in sb.
configuration [kɔ̃figyʀasjɔ̃] *nf* configuration, layout.
confiné, e [kɔ̃fine] *a* enclosed ; stale.
confiner [kɔ̃fine] *vt*: **se** ~ **dans** *ou* **à** to confine o.s. to ; ~ **à** *vt* to confine to.
confins [kɔ̃fɛ̃] *nmpl*: **aux** ~ **de** on the borders of.
confirmation [kɔ̃fiʀmasjɔ̃] *nf* confirmation.
confirmer [kɔ̃fiʀme] *vt* to confirm.
confiscation [kɔ̃fiskasjɔ̃] *nf* confiscation.
confiserie [kɔ̃fizʀi] *nf* (*magasin*) confectioner's *ou* sweet shop ; ~**s** *nfpl* (*bonbons*) confectionery *sg*, sweets ; **confiseur, euse** *nm/f* confectioner.
confisquer [kɔ̃fiske] *vt* to confiscate.
confit, e [kɔ̃fi, -it] *a*: **fruits** ~**s** crystallized fruits // *nm*: ~ **d'oie** conserve of goose.
confiture [kɔ̃fityʀ] *nf* jam ; ~ **d'oranges** (orange) marmalade.
conflit [kɔ̃fli] *nm* conflict.
confluent [kɔ̃flyɑ̃] *nm* confluence.
confondre [kɔ̃fɔ̃dʀ(ə)] *vt* (*jumeaux, faits*) to confuse, mix up ; (*témoin, menteur*) to confound ; **se** ~ *vi* to merge ; **se** ~ **en**

excuses to offer profuse apologies, apologize profusely.

confondu, e [kɔ̃fɔ̃dy] a (*stupéfait*) speechless, overcome.

conformation [kɔ̃fɔʀmasjɔ̃] nf conformation.

conforme [kɔ̃fɔʀm(ə)] a: ~ à in accordance with; in keeping with; true to.

conformé, e [kɔ̃fɔʀme] a: **bien** ~ well-formed.

conformer [kɔ̃fɔʀme] vt: ~ **qch à** to model sth on; **se** ~ **à** to conform to; **conformisme** nm conformity; **conformiste** a, nm/f conformist.

conformité [kɔ̃fɔʀmite] nf conformity; agreement; **en** ~ **avec** in accordance with; in keeping with.

confort [kɔ̃fɔʀ] nm comfort; **tout** ~ (*COMM*) with all mod cons; **confortable** a comfortable.

confrère [kɔ̃fʀɛʀ] nm colleague; fellow member; **confrérie** nf brotherhood.

confrontation [kɔ̃fʀɔ̃tasjɔ̃] nf confrontation.

confronté, e [kɔ̃fʀɔ̃te] a: ~ **à** confronted by, facing.

confronter [kɔ̃fʀɔ̃te] vt to confront; (*textes*) to compare, collate.

confus, e [kɔ̃fy, -yz] a (*vague*) confused; (*embarrassé*) embarrassed.

confusion [kɔ̃fyzjɔ̃] nf (*voir confus*) confusion; embarrassment; (*voir confondre*) confusion; mixing up; (*erreur*) confusion.

congé [kɔ̃ʒe] nm (*vacances*) holiday; (*arrêt de travail*) time off q; leave q; (*MIL*) leave q; (*avis de départ*) notice; **en** ~ on holiday; off (work); on leave; **semaine/jour de** ~ week/day off; **prendre** ~ **de qn** to take one's leave of sb; **donner son** ~ **à** to hand ou give in one's notice to; ~ **de maladie** sick leave; ~**s payés** paid holiday.

congédier [kɔ̃ʒedje] vt to dismiss.

congélateur [kɔ̃ʒelatœʀ] nm freezer, deep freeze.

congeler [kɔ̃ʒle] vt to freeze.

congénère [kɔ̃ʒenɛʀ] nm/f fellow (bear ou lion *etc*), fellow creature.

congénital, e, aux [kɔ̃ʒenital, -o] a congenital.

congère [kɔ̃ʒɛʀ] nf snowdrift.

congestion [kɔ̃ʒɛstjɔ̃] nf congestion; ~ **cérébrale** stroke; ~ **pulmonaire** congestion of the lungs.

congestionner [kɔ̃ʒɛstjɔne] vt to congest; (*MÉD*) to flush.

congratuler [kɔ̃gʀatyle] vt to congratulate.

congre [kɔ̃gʀ(ə)] nm conger (eel).

congrégation [kɔ̃gʀegasjɔ̃] nf (*REL*) congregation; (*gén*) assembly; gathering.

congrès [kɔ̃gʀɛ] nm congress.

congru, e [kɔ̃gʀy] a: **la portion** ~**e** the smallest ou meanest share.

conifère [kɔnifɛʀ] nm conifer.

conique [kɔnik] a conical.

conjecture [kɔ̃ʒɛktyʀ] nf conjecture, speculation q.

conjecturer [kɔ̃ʒɛktyʀe] vt, vi to conjecture.

conjoint, e [kɔ̃ʒwɛ̃, -wɛ̃t] a joint // nm/f spouse.

conjonctif, ive [kɔ̃ʒɔ̃ktif, -iv] a: **tissu** ~ connective tissue.

conjonction [kɔ̃ʒɔ̃ksjɔ̃] nf (*LING*) conjunction.

conjonctivite [kɔ̃ʒɔ̃ktivit] nf conjunctivitis.

conjoncture [kɔ̃ʒɔ̃ktyʀ] nf circumstances pl; **la** ~ (**économique**) the economic climate ou circumstances.

conjugaison [kɔ̃ʒygɛzɔ̃] nf (*LING*) conjugation.

conjugal, e, aux [kɔ̃ʒygal, -o] a conjugal; married.

conjuguer [kɔ̃ʒyge] vt (*LING*) to conjugate; (*efforts etc*) to combine.

conjuration [kɔ̃ʒyʀasjɔ̃] nf conspiracy.

conjuré, e [kɔ̃ʒyʀe] nm/f conspirator.

conjurer [kɔ̃ʒyʀe] vt (*sort, maladie*) to avert; ~ **qn de faire qch** to beseech ou entreat sb to do sth.

connaissance [kɔnɛsɑ̃s] nf (*savoir*) knowledge q; (*personne . connue*) acquaintance; (*conscience, perception*) consciousness; **être sans** ~ to be unconscious; **perdre** ~ to lose consciousness; **à ma/sa** ~ to (the best of) my/his knowledge; **avoir** ~ **de** to be aware of; **prendre** ~ **de** (*document etc*) to peruse; **en** ~ **de cause** with full knowledge of the facts.

connaisseur, euse [kɔnɛsœʀ, -øz] nm/f connoisseur // a expert.

connaître [kɔnɛtʀ(ə)] vt to know; (*éprouver*) to experience; (*avoir*) to have; to enjoy; ~ **de nom/vue** to know by name/sight; **ils se sont connus à Genève** they (first) met in Geneva.

connecter [kɔnɛkte] vt to connect.

connexe [kɔnɛks(ə)] a closely related.

connexion [kɔnɛksjɔ̃] nf connection.

connu, e [kɔny] a (*célèbre*) well-known.

conquérant, e [kɔ̃keʀɑ̃, -ɑ̃t] nm/f conqueror.

conquérir [kɔ̃keʀiʀ] vt to conquer, win; **conquête** nf conquest.

consacrer [kɔ̃sakʀe] vt (*REL*): ~ **qch (à)** to consecrate sth (to); (*fig: usage etc*) to sanction, establish; (*employer*): ~ **qch à** to devote ou dedicate sth to; **se** ~ **à qch/faire** to dedicate ou devote o.s. to/to doing.

consanguin, e [kɔ̃sɑ̃gɛ̃, -in] a between blood relations.

conscience [kɔ̃sjɑ̃s] nf conscience; (*perception*) consciousness; **avoir/prendre** ~ **de** to be/become aware of; **perdre** ~ to lose consciousness; **avoir bonne/mauvaise** ~ to have a clear/guilty conscience; ~ **professionnelle** professional conscience; **consciencieux, euse** a conscientious; **conscient, e** a conscious; **conscient de** aware ou conscious of.

conscription [kɔ̃skʀipsjɔ̃] nf conscription.

conscrit [kɔ̃skʀi] nm conscript.

consécration [kɔ̃sekʀasjɔ̃] nf consecration.

consécutif, ive [kɔ̃sekytif, -iv] *a* consecutive; ~ à following upon.
conseil [kɔ̃sɛj] *nm* (*avis*) piece of advice, advice *q*; (*assemblée*) council; (*expert*): ~ **en recrutement** recruitment consultant // *a*: **ingénieur-~** consulting engineer, engineering consultant; **tenir** ~ to hold a meeting; to deliberate; **prendre** ~ (**auprès de qn**) to take advice (from sb); ~ **d'administration** board (of directors); ~ **de discipline** disciplinary committee; ~ **de guerre** court-martial; **le** ~ **des ministres** ≈ the Cabinet; ~ **municipal** town council.
conseiller [kɔ̃seje] *vt* (*personne*) to advise; (*méthode, action*) to recommend, advise.
conseiller, ère [kɔ̃seje, kɔ̃sɛjɛʀ] *nm/f* adviser; ~ **matrimonial** marriage guidance counsellor; ~ **municipal** town councillor.
consentement [kɔ̃sɑ̃tmɑ̃] *nm* consent.
consentir [kɔ̃sɑ̃tiʀ] *vt*: ~ (**à qch/faire**) to agree *ou* consent (to sth/to doing); ~ **qch à qn**·to grant sb sth.
conséquence [kɔ̃sekɑ̃s] *nf* consequence, outcome; ~**s** *nfpl* consequences, repercussions; **en** ~ (*donc*) consequently; (*de façon appropriée*) accordingly; **ne pas tirer à** ~ to be unlikely to have any repercussions.
conséquent, e [kɔ̃sekɑ̃, -ɑ̃t] *a* logical, rational; **par** ~ consequently.
conservateur, trice [kɔ̃sɛʀvatœʀ, -tʀis] *a* conservative // *nm/f* (*POL*) conservative; (*de musée*) curator.
conservation [kɔ̃sɛʀvasjɔ̃] *nf* preserving; preservation; retention; keeping.
conservatoire [kɔ̃sɛʀvatwaʀ] *nm* academy.
conserve [kɔ̃sɛʀv(ə)] *nf* (*gén pl*) canned *ou* tinned food; ~**s de poisson** canned *ou* tinned fish; **en** ~ canned, tinned; **de** ~ (*ensemble*) in convoy; in concert.
conserver [kɔ̃sɛʀve] *vt* (*faculté*) to retain, keep; (*amis, livres*) to keep; (*maintenir en bon état, aussi CULIN*) to preserve; **conserverie** *nf* canning factory.
considérable [kɔ̃sideʀabl(ə)] *a* considerable, significant, extensive.
considération [kɔ̃sideʀasjɔ̃] *nf* consideration; (*estime*) esteem, respect; ~**s** *nfpl* (*remarques*) reflections; **prendre en** ~ to take into consideration *ou* account; **en** ~ **de** given, because of.
considéré, e [kɔ̃sideʀe] *a* respected.
considérer [kɔ̃sideʀe] *vt* to consider; (*regarder*) to consider, study; ~ **qch comme** to regard sth as.
consigne [kɔ̃siɲ] *nf* (*COMM*) deposit; (*de gare*) left luggage (office); (*punition: SCOL*) detention; (: *MIL*) confinement to barracks; (*ordre, instruction*) orders *pl*.
consigner [kɔ̃siɲe] *vt* (*note, pensée*) to record; (*punir*) to confine to barracks; to put in detention; (*COMM*) to put a deposit on.
consistance [kɔ̃sistɑ̃s] *nf* consistency.
consistant, e [kɔ̃sistɑ̃, -ɑ̃t] *a* thick; solid.
consister [kɔ̃siste] *vi*: ~ **en/dans/à faire** to consist of/in/in doing.

consœur [kɔ̃sœʀ] *nf* (lady) colleague; fellow member.
consolation [kɔ̃sɔlasjɔ̃] *nf* consolation *q*, comfort *q*.
console [kɔ̃sɔl] *nf* console.
consoler [kɔ̃sɔle] *vt* to console; **se** ~ (**de qch**) to console o.s. (for sth).
consolider [kɔ̃sɔlide] *vt* to strengthen, reinforce; (*fig*) to consolidate.
consommateur, trice [kɔ̃sɔmatœʀ, -tʀis] *nm/f* (*ÉCON*) consumer; (*dans un café*) customer.
consommation [kɔ̃sɔmasjɔ̃] *nf* consumption; (*JUR*) consummation; (*boisson*) drink; ~ **aux 100 km** (*AUTO*) (fuel) consumption per 100 km, ≈ miles per gallon (m.p.g.).
consommé, e [kɔ̃sɔme] *a* consummate // *nm* consommé.
consommer [kɔ̃sɔme] *vt* (*suj: personne*) to eat *ou* drink, consume; (*suj: voiture, usine, poêle*) to use (up), consume; (*JUR*) to consummate // *vi* (*dans un café*) to (have a) drink.
consonance [kɔ̃sɔnɑ̃s] *nf* consonance; **nom à** ~ **étrangère** foreign-sounding name.
consonne [kɔ̃sɔn] *nf* consonant.
consorts [kɔ̃sɔʀ] *nmpl*: **et** ~ (*péj*) and company, and his bunch *ou* like.
conspirateur, trice [kɔ̃spiʀatœʀ, -tʀis] *nm/f* conspirator, plotter.
conspiration [kɔ̃spiʀasjɔ̃] *nf* conspiracy.
conspirer [kɔ̃spiʀe] *vi* to conspire, plot.
conspuer [kɔ̃spɥe] *vt* to boo, shout down.
constamment [kɔ̃stamɑ̃] *ad* constantly.
constant, e [kɔ̃stɑ̃, -ɑ̃t] *a* constant; (*personne*) steadfast.
constat [kɔ̃sta] *nm* (*d'huissier*) certified report (*by bailiff*); (*de police*) report.
constatation [kɔ̃statasjɔ̃] *nf* noticing; certifying; (*remarque*) observation.
constater [kɔ̃state] *vt* (*remarquer*) to note, notice; (*ADMIN, JUR: attester*) to certify; (*dégâts*) to note; ~ **que** (*dire*) to state that.
constellation [kɔ̃stelasjɔ̃] *nf* constellation.
constellé, e [kɔ̃stele] *a*: ~ **de** studded *ou* spangled with; spotted with.
consternation [kɔ̃stɛʀnasjɔ̃] *nf* consternation, dismay.
constipation [kɔ̃stipasjɔ̃] *nf* constipation.
constipé, e [kɔ̃stipe] *a* constipated; (*fig*) stiff.
constitué, e [kɔ̃stitɥe] *a*: ~ **de** made up *ou* composed of; (*dossier, collection*) put together, build up; **bien** ~ of sound constitution; well-formed.
constituer [kɔ̃stitɥe] *vt* (*comité, équipe*) to set up, form; (*dossier, collection*) to put together, build up; (*suj: éléments, parties: composer*) to make up, constitute; (*représenter, être*) to constitute; **se** ~ **prisonnier** to give o.s. up.
constitution [kɔ̃stitysjɔ̃] *nf* setting up; building up; (*composition*) composition, make-up; (*santé, POL*) constitution; **constitutionnel, le** *a* constitutional.
constructeur [kɔ̃stʀyktœʀ] *nm* manufacturer, builder.
construction [kɔ̃stʀyksjɔ̃] *nf* construction, building.

construire [kɔ̃stʀɥiʀ] *vt* to build, construct.

consul [kɔ̃syl] *nm* consul ; **~aire** *a* consular ; **~at** *nm* consulate.

consultation [kɔ̃syltasjɔ̃] *nf* consultation ; **~s** *nfpl* (POL) talks ; **aller à la ~** (MÉD) to go to the surgery ; **heures de ~** (MÉD) surgery hours.

consulter [kɔ̃sylte] *vt* to consult // *vi* (*médecin*) to hold surgery.

consumer [kɔ̃syme] *vt* to consume ; **se ~** *vi* to burn ; **se ~ de chagrin/douleur** to be consumed with sorrow/grief.

contact [kɔ̃takt] *nm* contact ; **au ~ de** (*air, peau*) on contact with ; (*gens*) through contact with ; **mettre/couper le ~** (AUTO) to switch on/off the ignition ; **entrer en ~** (*fils, objets*) to come into contact, make contact ; **se mettre en ~ avec** (RADIO) to make contact with ; **prendre ~ avec** (*relation d'affaires, connaissance*) to get in touch *ou* contact with ; **~er** *vt* to contact, get in touch with.

contagieux, euse [kɔ̃taʒjø, -øz] *a* contagious, infectious.

contagion [kɔ̃taʒjɔ̃] *nf* contagion.

container [kɔ̃tɛnɛʀ] *nm* container.

contaminer [kɔ̃tamine] *vt* to contaminate.

conte [kɔ̃t] *nm* tale ; **~ de fées** fairy tale.

contempler [kɔ̃tɑ̃ple] *vt* to contemplate, gaze at.

contemporain, e [kɔ̃tɑ̃pɔʀɛ̃, -ɛn] *a, nm/f* contemporary.

contenance [kɔ̃tnɑ̃s] *nf* (*d'un récipient*) capacity ; (*attitude*) bearing, attitude ; **perdre ~** to lose one's composure ; **se donner une ~** to give the impression of composure.

contenir [kɔ̃tniʀ] *vt* to contain ; (*avoir une capacité de*) to hold.

content, e [kɔ̃tɑ̃, -ɑ̃t] *a* pleased, glad ; **~ de** pleased with ; **contentement** *nm* contentment, satisfaction ; **contenter** *vt* to satisfy, please ; (*envie*) to satisfy ; **se contenter de** to content o.s. with.

contentieux [kɔ̃tɑ̃sjø] *nm* (COMM) litigation ; litigation department ; (POL *etc*) contentious issues *pl*.

contenu [kɔ̃tny] *nm* (*d'un bol*) contents *pl* ; (*d'un texte*) content.

conter [kɔ̃te] *vt* to recount, relate.

contestable [kɔ̃tɛstabl(ə)] *a* questionable.

contestation [kɔ̃tɛstasjɔ̃] *nf* questioning, contesting ; (POL): **la ~** anti-establishment activity, protest.

conteste [kɔ̃tɛst(ə)]: **sans ~** *ad* unquestionably, indisputably.

contester [kɔ̃tɛste] *vt* to question, contest // *vi* (POL, *gén*) to protest, rebel (against established authority).

conteur, euse [kɔ̃tœʀ, -øz] *nm/f* storyteller.

contexte [kɔ̃tɛkst(ə)] *nm* context.

contigu, ë [kɔ̃tigy] *a*: **~ (à)** adjacent (to).

continent [kɔ̃tinɑ̃] *nm* continent ; **continental, e, aux** *a* continental.

contingences [kɔ̃tɛ̃ʒɑ̃s] *nfpl* contingencies.

contingent [kɔ̃tɛ̃ʒɑ̃] *nm* (MIL) contingent ; (COMM) quota ; **contingenter** *vt* (COMM) to fix a quota on.

continu, e [kɔ̃tiny] *a* continuous ; (*courant*) **~** direct current, DC.

continuation [kɔ̃tinɥasjɔ̃] *nf* continuation.

continuel, le [kɔ̃tinɥɛl] *a* (*qui se répète*) constant, continual ; (*continu*) continuous.

continuer [kɔ̃tinɥe] *vt* (*travail, voyage etc*) to continue (with), carry on (with), go on (with) ; (*prolonger: alignement, rue*) to continue // *vi* (*pluie, vie, bruit*) to continue, go on ; (*voyageur*) to go on ; **~ à ou de faire** to go on ou continue doing.

continuité [kɔ̃tinɥite] *nf* continuity ; continuation.

contorsion [kɔ̃tɔʀsjɔ̃] *nf* contortion ; **se contorsionner** *vi* to contort o.s., writhe about.

contour [kɔ̃tuʀ] *nm* outline, contour ; **~s** *nmpl* (*d'une rivière etc*) windings.

contourner [kɔ̃tuʀne] *vt* to bypass, walk (*ou* drive) round.

contraceptif, ive [kɔ̃tʀasɛptif, -iv] *a, nm* contraceptive.

contraception [kɔ̃tʀasɛpsjɔ̃] *nf* contraception.

contracté, e [kɔ̃tʀakte] *a* (*muscle*) tense, contracted ; (*personne: tendu*) tense, tensed up.

contracter [kɔ̃tʀakte] *vt* (*muscle etc*) to tense, contract ; (*maladie, dette, obligation*) to contract ; (*assurance*) to take out ; **se ~** *vi* (*métal, muscles*) to contract ; **contraction** *nf* contraction.

contractuel, le [kɔ̃tʀaktɥɛl] *a* contractual // *nm/f* (*agent*) traffic warden ; (*employé*) contract employee.

contradiction [kɔ̃tʀadiksjɔ̃] *nf* contradiction ; **contradictoire** *a* contradictory, conflicting ; **débat contradictoire** (*open*) debate.

contraignant, e [kɔ̃tʀɛɲɑ̃, -ɑ̃t] *a* restricting.

contraindre [kɔ̃tʀɛ̃dʀ(ə)] *vt*: **~ qn à faire** to force *ou* compel sb to do.

contraint, e [kɔ̃tʀɛ̃, -ɛ̃t] *a* (*mine, air*) constrained, forced // *nf* constraint ; **sans ~e** unrestrainedly, unconstrainedly.

contraire [kɔ̃tʀɛʀ] *a, nm* opposite ; **~ à** contrary to ; **au ~** *ad* on the contrary.

contrarier [kɔ̃tʀaʀje] *vt* (*personne*) to annoy, bother ; (*fig*) to impede ; to thwart, frustrate ; **contrariété** *nf* annoyance.

contraste [kɔ̃tʀast(ə)] *nm* contrast ; **contraster** *vi* to contrast.

contrat [kɔ̃tʀa] *nm* contract.

contravention [kɔ̃tʀavɑ̃sjɔ̃] *nf* (*infraction*): **~ à** contravention of ; (*amende*) fine ; (*P.V. pour stationnement interdit*) parking ticket ; **dresser ~ à** (*automobiliste*) to book ; to write out a parking ticket for.

contre [kɔ̃tʀ(ə)] *prép* against ; (*en échange*) (in exchange) for // *préfixe*: **~-amiral, aux** *nm* rear admiral ; **~-attaque** *nf* counter-attack ; **~-attaquer** *vi* to counter-attack ; **~-balancer** *vt* to counter-balance ; (*fig*) to offset.

contrebande [kɔ̃tʀəbɑ̃d] *nf* (*trafic*) contraband, smuggling ; (*marchandise*) contraband, smuggled goods *pl* ; **faire la ~ de** to smuggle ; **contrebandier** *nm* smuggler.

contrebas [kɔ̃trəba]: **en ~** *ad* (down) below.

contrebasse [kɔ̃trəbas] *nf* (double) bass ; **contrebassiste** *nm/f* (double) bass player.

contrecarrer [kɔ̃trəkare] *vt* to thwart.

contrecœur [kɔ̃trəkœr]: **à ~** *ad* (be)grudgingly, reluctantly.

contrecoup [kɔ̃trəku] *nm* repercussions *pl*.

contre-courant [kɔ̃trəkurɑ̃]: **à ~** *ad* against the current.

contredire [kɔ̃trədir] *vt* (*personne*) to contradict ; (*témoignage, assertion, faits*) to refute.

contrée [kɔ̃tre] *nf* region ; land.

contre-écrou [kɔ̃trekru] *nm* lock nut.

contre-espionnage [kɔ̃trɛspjɔnaʒ] *nm* counter-espionage.

contre-expertise [kɔ̃trɛkspɛrtiz] *nf* second (expert) assessment.

contrefaçon [kɔ̃trəfasɔ̃] *nf* forgery.

contrefaire [kɔ̃trəfɛr] *vt* (*document, signature*) to forge, counterfeit ; (*personne, démarche*) to mimic ; (*dénaturer: sa voix etc*) to disguise.

contrefait, e [kɔ̃trəfɛ, -ɛt] *a* misshapen, deformed.

contreforts [kɔ̃trəfɔr] *nmpl* foothills.

contre-indication [kɔ̃trɛ̃dikasjɔ̃] *nf* contra-indication.

contre-jour [kɔ̃trəʒur]: **à ~** *ad* against the sunlight.

contremaître [kɔ̃trəmɛtr(ə)] *nm* foreman.

contre-manifestation [kɔ̃trəmanifɛstasjɔ̃] *nf* counter-demonstration.

contremarque [kɔ̃trəmark(ə)] *nf* (*ticket*) pass-out ticket.

contre-offensive [kɔ̃trɔfɑ̃siv] *nf* counter-offensive.

contrepartie [kɔ̃trəparti] *nf* compensation ; **en ~** in compensation ; in return.

contre-performance [kɔ̃trəpɛrfɔrmɑ̃s] *nf* below-average performance.

contrepèterie [kɔ̃trəpetri] *nf* spoonerism.

contre-pied [kɔ̃trəpje] *nm*: **prendre le ~ de** to take the opposing view of ; to take the opposite course to ; **prendre qn à ~** (*SPORT*) to wrong-foot sb.

contre-plaqué [kɔ̃trəplake] *nm* plywood.

contre-plongée [kɔ̃trəplɔ̃ʒe] *nf* low-angle shot.

contrepoids [kɔ̃trəpwa] *nm* counterweight, counterbalance ; **faire ~** to act as a counterbalance.

contrepoint [kɔ̃trəpwɛ̃] *nm* counter point.

contrer [kɔ̃tre] *vt* to counter.

contresens [kɔ̃trəsɑ̃s] *nm* misinterpretation ; mistranslation ; nonsense *q* ; **à ~** *ad* the wrong way.

contresigner [kɔ̃trəsiɲe] *vt* to countersign.

contretemps [kɔ̃trətɑ̃] *nm* hitch, contretemps ; **à ~** *ad* (*MUS*) out of time ; (*fig*) at an inopportune moment.

contre-terrorisme [kɔ̃trətɛrɔrism(ə)] *nm* counter-terrorism.

contre-torpilleur [kɔ̃trətɔrpijœr] *nm* destroyer.

contrevenir [kɔ̃trəvnir]: **~ à** *vt* to contravene.

contribuable [kɔ̃tribɥabl(ə)] *nm/f* taxpayer.

contribuer [kɔ̃tribɥe]: **~ à** *vt* to contribute towards ; **contribution** *nf* contribution ; **les contributions** (*bureaux*) ≈ the Tax Office, the Inland Revenue ; **contributions directes/indirectes** (*impôts*) direct/indirect taxation ; **mettre à contribution** to call upon.

contrit, e [kɔ̃tri, -it] *a* contrite.

contrôle [kɔ̃trol] *nm* checking *q*, check ; supervision ; monitoring ; **perdre le ~ de son véhicule** to lose control of one's vehicle ; **~ d'identité** identity check ; **~ des naissances** birth control.

contrôler [kɔ̃trole] *vt* (*vérifier*) to check ; (*surveiller*) to supervise ; to monitor, control ; (*maîtriser, COMM: firme*) to control ; **contrôleur, euse** *nm/f* (*de train*) (ticket) inspector ; (*de bus*) (bus) conductor/tress.

contrordre [kɔ̃trɔrdr(ə)] *nm* counter-order, countermand ; **sauf ~** unless otherwise directed.

controverse [kɔ̃trɔvɛrs(ə)] *nf* controversy ; **controversé, e** *a* much debated.

contumace [kɔ̃tymas]: **par ~** *ad* in absentia.

contusion [kɔ̃tyzjɔ̃] *nf* bruise, contusion.

convaincre [kɔ̃vɛ̃kr(ə)] *vt*: **~ qn (de qch)** to convince sb (of sth) ; **~ qn (de faire)** to persuade sb (to do) ; **~ qn de** (*JUR: délit*) to convict sb of.

convalescence [kɔ̃valesɑ̃s] *nf* convalescence ; **maison de ~** convalescent home.

convalescent, e [kɔ̃valesɑ̃, -ɑ̃t] *a*, *nm/f* convalescent.

convenable [kɔ̃vnabl(ə)] *a* (*décent*) acceptable, proper ; (*assez bon*) decent, acceptable ; adequate, passable.

convenance [kɔ̃vnɑ̃s] *nf*: **à ma/votre ~** to my/your liking ; **~s** *nfpl* proprieties.

convenir [kɔ̃vnir] *vi* to be suitable ; **~ à** to suit ; **il convient de** it is advisable to ; (*bienséant*) it is right *ou* proper to ; **~ de** *vt* (*bien-fondé de qch*) to admit (to), acknowledge ; (*date, somme etc*) to agree upon ; **~ que** (*admettre*) to admit that, acknowledge the fact that ; **~ de faire qch** to agree to do sth ; **il a été convenu que** it has been agreed that ; **comme convenu** as agreed.

convention [kɔ̃vɑ̃sjɔ̃] *nf* convention ; **~s** *nfpl* (*convenances*) convention *sg*, social conventions ; **de ~** conventional ; **~ collective** (*ÉCON*) collective agreement ; **conventionné, e** *a* (*ADMIN*) ≈ National Health *cpd* ; **conventionnel, le** *a* conventional.

conventuel, le [kɔ̃vɑ̃tɥɛl] *a* monastic ; monastery *cpd* ; conventual, convent *cpd*.

convenu, e *pp* de **convenir**.

convergent, e [kɔ̃vɛrʒɑ̃, -ɑ̃t] *a* convergent.

converger [kɔ̃vɛrʒe] *vi* to converge.

conversation [kɔ̃vɛrsasjɔ̃] *nf* conversation ; **avoir de la ~** to be a good conversationalist.

converser [kɔ̃vɛRse] *vi* to converse.

conversion [kɔ̃vɛRsjɔ̃] *nf* conversion; (*SKI*) kick turn.

convertir [kɔ̃vɛRtiR] *vt*: ~ **qn (à)** to convert sb (to); ~ **qch en** to convert sth into; **se** ~ **(à)** to be converted (to).

convexe [kɔ̃vɛks(ə)] *a* convex.

conviction [kɔ̃viksjɔ̃] *nf* conviction.

convienne *etc vb voir* **convenir.**

convier [kɔ̃vje] *vt*: ~ **qn à** (*dîner etc*) to (cordially) invite sb to; ~ **qn à faire** to urge sb to do.

convive [kɔ̃viv] *nm/f* guest (*at table*).

convocation [kɔ̃vɔkasjɔ̃] *nf* convening, convoking; invitation; summoning; (*document*) notification to attend; summons *sg*.

convoi [kɔ̃vwa] *nm* (*de voitures, prisonniers*) convoy; (*train*) train; ~ (**funèbre**) funeral procession.

convoiter [kɔ̃vwate] *vt* to covet; **convoitise** *nf* covetousness; (*sexuelle*) lust, desire.

convoler [kɔ̃vɔle] *vi*: ~ (**en justes noces**) to be wed.

convoquer [kɔ̃vɔke] *vt* (*assemblée*) to convene, convoke; (*subordonné, témoin*) to summon; ~ **qn (à)** (*réunion*) to invite sb (to attend).

convoyer [kɔ̃vwaje] *vt* to escort; **convoyeur** *nm* (*NAVIG*) escort ship; **convoyeur de fonds** security guard.

convulsions [kɔ̃vylsjɔ̃] *nfpl* convulsions.

coopératif, ive [kɔɔpeRatif, -iv] *a*, *nf* cooperative.

coopération [kɔɔpeRasjɔ̃] *nf* cooperation; (*ADMIN*): **la C—** ≈ Voluntary Service Overseas (*sometimes done in place of Military Service*).

coopérer [kɔɔpeRe] *vi*: ~ **(à)** to cooperate (in).

coordination [kɔɔRdinasjɔ̃] *nf* coordination.

coordonné, e [kɔɔRdɔne] *a* a coordinated // *nf* (*LING*) coordinate clause; ~**s** *nmpl* (*vêtements*) coordinates; ~**es** *nfpl* (*MATH*) coordinates.

coordonner [kɔɔRdɔne] *vt* to coordinate.

copain, copine [kɔpɛ̃, kɔpin] *nm/f* mate, pal // *a*: **être** ~ **avec** to be pally with.

copeau, x [kɔpo] *nm* shaving; (*de métal*) turning.

copie [kɔpi] *nf* copy; (*SCOL*) script, paper; exercise.

copier [kɔpje] *vt* to copy; **copieuse** *nf* photo-copier.

copieux, euse [kɔpjø, -øz] *a* copious, hearty.

copilote [kɔpilɔt] *nm* (*AVIAT*) co-pilot; (*AUTO*) co-driver, navigator.

copine [kɔpin] *nf voir* **copain.**

copiste [kɔpist(ə)] *nm/f* copyist, transcriber.

coproduction [kɔpRɔdyksjɔ̃] *nf* coproduction, joint production.

copropriété [kɔpRɔpRijete] *nf* coownership, joint ownership; **acheter en** ~ to buy on a co-ownership basis.

copulation [kɔpylasjɔ̃] *nf* copulation.

coq [kɔk] *nm* cock, rooster.

coq-à-l'âne [kɔkalɑn] *nm inv* abrupt change of subject.

coque [kɔk] *nf* (*de noix, mollusque*) shell; (*de bateau*) hull; **à la** ~ (*CULIN*) boiled.

coquelicot [kɔkliko] *nm* poppy.

coqueluche [kɔklyʃ] *nf* whooping-cough.

coquet, te [kɔkɛ, -ɛt] *a* flirtatious; appearance-conscious; pretty.

coquetier [kɔktje] *nm* egg-cup.

coquillage [kɔkijaʒ] *nm* (*mollusque*) shellfish *inv*; (*coquille*) shell.

coquille [kɔkij] *nf* shell; (*TYPO*) misprint; ~ **de beurre** shell of butter; ~ **de noix** nutshell; ~ **St Jacques** scallop.

coquin, e [kɔkɛ̃, -in] *a* mischievous, roguish; (*polisson*) naughty // *nm/f* (*péj*) rascal.

cor [kɔR] *nm* (*MUS*) horn; (*MÉD*): ~ (**au pied**) corn; **réclamer à** ~ **et à cri** (*fig*) to clamour for; ~ **anglais** cor anglais; ~ **de chasse** hunting horn.

corail, aux [kɔRaj, -o] *nm* coral *q*.

Coran [kɔRɑ̃] *nm*: **le** ~ the Koran.

corbeau, x [kɔRbo] *nm* crow.

corbeille [kɔRbɛj] *nf* basket; (*à la Bourse*): **la** ~ the stockbrokers' central enclosure; ~ **de mariage** (*fig*) wedding presents *pl*; ~ **à ouvrage** work-basket; ~ **à pain** bread-basket; ~ **à papier** waste paper basket *ou* bin.

corbillard [kɔRbijaR] *nm* hearse.

cordage [kɔRdaʒ] *nm* rope; ~**s** *nmpl* (*de voilure*) rigging *sg*.

corde [kɔRd(ə)] *nf* rope; (*de violon, raquette, d'arc*) string; (*trame*): **la** ~ the thread; (*ATHLÉTISME, AUTO*): **la** ~ the rails *pl*; **semelles de** ~ rope soles; ~ **à linge** washing *ou* clothes line; ~ **lisse** (*climbing*) rope; ~ **à nœuds** knotted climbing rope; ~ **raide** tight-rope; ~ **à sauter** skipping rope; ~**s vocales** vocal cords.

cordeau, x [kɔRdo] *nm* string, line; **tracé au** ~ as straight as a die.

cordée [kɔRde] *nf* (*d'alpinistes*) rope, roped party.

cordial, e, aux [kɔRdjal, -jo] *a* warm, cordial; ~**ité** *nf* warmth, cordiality.

cordon [kɔRdɔ̃] *nm* cord, string; ~ **sanitaire/de police** sanitary/police cordon; ~ **bleu** cordon bleu; ~ **ombilical** umbilical cord.

cordonnerie [kɔRdɔnRi] *nf* shoe repairer's *ou* mender's (shop).

cordonnier [kɔRdɔnje] *nm* shoe repairer *ou* mender, cobbler.

coreligionnaire [kɔRǝliʒjɔnɛR] *nm/f* (*d'un musulman, juif etc*) fellow Mahometan/Jew *etc*.

coriace [kɔRjas] *a* tough.

cormoran [kɔRmɔRɑ̃] *nm* cormorant.

cornac [kɔRnak] *nm* elephant driver.

corne [kɔRn(ə)] *nf* horn; (*de cerf*) antler; ~ **d'abondance** horn of plenty; ~ **de brume** (*NAVIG*) foghorn.

cornée [kɔRne] *nf* cornea.

corneille [kɔRnɛj] *nf* crow.

cornélien, ne [kɔRneljɛ̃, -jɛn] *a* (*débat etc*) where love and duty conflict.

cornemuse [kɔRnǝmyz] *nf* bagpipes *pl*.

corner nm [kɔʀnɛʀ] (FOOTBALL) corner (kick) // vb [kɔʀne] vt (pages) to make dog-eared // vi (klaxonner) to blare out.

cornet [kɔʀnɛ] nm (paper) cone ; (de glace) cornet, cone ; ~ à piston cornet.

cornette [kɔʀnɛt] nf cornet (headgear).

corniaud [kɔʀnjo] nm (chien) mongrel ; (péj) twit, clot.

corniche [kɔʀniʃ] nf cornice.

cornichon [kɔʀniʃɔ̃] nm gherkin.

cornue [kɔʀny] nf retort.

corollaire [kɔʀɔlɛʀ] nm corollary.

corolle [kɔʀɔl] nf corolla.

coron [kɔʀɔ̃] nm mining cottage ; mining village.

coronaire [kɔʀɔnɛʀ] a coronary.

corporation [kɔʀpɔʀasjɔ̃] nf corporate body ; (au moyen-âge) guild.

corporel, le [kɔʀpɔʀɛl] a bodily ; (punition) corporal ; **soins** ~s care sg of the body.

corps [kɔʀ] nm (gén) body ; (cadavre) (dead) body ; **à son ~ défendant** against one's will ; **à ~ perdu** headlong ; **perdu ~ et biens** lost with all hands ; **prendre ~** to take shape ; **faire ~ avec** to be joined to ; to form one body with ; ~ **d'armée** army corps ; ~ **de ballet** corps de ballet ; **le ~ consulaire (CC)** the consular corps ; ~ **à ~** ad hand-to-hand // nm clinch ; **le ~ du délit** (JUR) corpus delicti ; **le ~ diplomatique (CD)** the diplomatic corps ; **le ~ électoral** the electorate ; **le ~ enseignant** the teaching profession ; ~ **étranger** (MÉD) foreign body ; ~ **de garde** guardroom.

corpulent, e [kɔʀpylɑ̃, -ɑ̃t] a stout, corpulent.

correct, e [kɔʀɛkt] a (exact) accurate, correct ; (bienséant, honnête) correct ; (passable) adequate ; ~ement ad accurately ; correctly.

correcteur, trice [kɔʀɛktœʀ, -tʀis] nm/f (SCOL) examiner, marker ; (TYPO) proof-reader.

correction [kɔʀɛksjɔ̃] nf (voir corriger) correction ; marking ; (voir correct) correctness ; (rature, surcharge) correction, emendation ; (coups) thrashing ; ~ (des épreuves) proofreading.

correctionnel, le [kɔʀɛksjɔnɛl] a (JUR): **chambre ~le** ≈ police magistrate's court.

corrélation [kɔʀelasjɔ̃] nf correlation.

correspondance [kɔʀɛspɔ̃dɑ̃s] nf correspondence ; (de train, d'avion) connection ; **ce train assure la ~ avec l'avion de 10 heures** this train connects with the 10 o'clock plane ; **cours par ~** correspondence course ; **vente par ~** mail-order business ; **correspondancier, ère** nm/f correspondence clerk.

correspondant, e [kɔʀɛspɔ̃dɑ̃, -ɑ̃t] nm/f correspondent.

correspondre [kɔʀɛspɔ̃dʀ(ə)] vi (données, témoignages) to correspond, tally ; (chambres) to communicate ; ~ **à** to correspond to ; ~ **avec qn** to correspond with sb.

corrida [kɔʀida] nf bullfight.

corridor [kɔʀidɔʀ] nm corridor, passage.

corrigé [kɔʀiʒe] nm (SCOL) correct version ; fair copy.

corriger [kɔʀiʒe] vt (devoir) to correct, mark ; (texte) to correct, emend ; (erreur, défaut) to correct, put right ; (punir) to thrash ; ~ **qn de** (défaut) to cure sb of.

corroborer [kɔʀɔbɔʀe] vt to corroborate.

corroder [kɔʀɔde] vt to corrode.

corrompre [kɔʀɔ̃pʀ(ə)] vt (soudoyer) to bribe ; (dépraver) to corrupt.

corrosion [kɔʀozjɔ̃] nf corrosion.

corruption [kɔʀypsjɔ̃] nf bribery ; corruption.

corsage [kɔʀsaʒ] nm bodice ; blouse.

corsaire [kɔʀsɛʀ] nm pirate, corsair ; privateer.

corse [kɔʀs(ə)] a, nm/f Corsican // nf: **la C~** Corsica.

corsé, e [kɔʀse] a vigorous ; full-flavoured ; (fig) spicy ; tricky.

corselet [kɔʀsəlɛ] nm corselet.

corset [kɔʀsɛ] nm corset ; bodice.

corso [kɔʀso] nm: ~ **fleuri** procession of floral floats.

cortège [kɔʀtɛʒ] nm procession.

corvée [kɔʀve] nf chore, drudgery q ; (MIL) fatigue (duty).

cosmétique [kɔsmetik] nm hair-oil ; beauty care product.

cosmique [kɔsmik] a cosmic.

cosmonaute [kɔsmɔnɔt] nm/f cosmonaut, astronaut.

cosmopolite [kɔsmɔpɔlit] a cosmopolitan.

cosmos [kɔsmɔs] nm outer space ; cosmos.

cosse [kɔs] nf (BOT) pod, hull.

cossu, e [kɔsy] a opulent-looking, well-to-do.

costaud, e [kɔsto, -od] a strong, sturdy.

costume [kɔstym] nm (d'homme) suit ; (de théâtre) costume ; **costumé, e** a dressed up.

cote [kɔt] nf (en Bourse etc) quotation ; quoted value ; (d'un cheval): **la ~ de** the odds pl on ; (d'un candidat etc) rating ; (mesure: sur une carte) spot height ; (: sur un croquis) dimension ; (de classement) (classification) mark ; reference number ; **inscrit à la ~** quoted on the Stock Exchange ; ~ **d'alerte** danger ou flood level.

côte [kot] nf (rivage) coast(line) ; (pente) slope ; (: sur une route) hill ; (ANAT) rib ; (d'un tricot, tissu) rib, ribbing q ; ~ **à ~** ad side by side ; **la C~ (d'Azur)** the (French) Riviera.

côté [kote] nm (gén) side ; (direction) way, direction ; **de tous les ~s** from all directions ; **de quel ~ est-il parti?** which way ou in which direction did he go? ; **de ce/de l'autre ~** this/the other way ; **du ~ de** (provenance) from ; (direction) towards ; **du ~ de Lyon** (proximité) the Lyons way, near Lyons ; **de ~** ad side-ways ; on one side ; to one side ; aside ; **laisser de ~** to leave ou one side ; **mettre de ~** to put on one side, put aside ; **à ~** ad (right) nearby ; beside ; next door ; (d'autre part) besides ; **à ~ de** beside, next to ; (fig) in comparison to ; **à ~ (de la cible)** off target, wide (of the mark) ; **être aux ~s de** to be by the side of.

coteau, x [kɔto] nm hill.

côtelé, e [kotle] a ribbed; **pantalon en velours** ~ corduroy trousers pl.

côtelette [kotlɛt] nf chop.

coter [kɔte] vt (en Bourse) to quote.

coterie [kɔtʀi] nf set.

côtier, ière [kotje, -jɛʀ] a coastal.

cotisation [kɔtizasjɔ̃] nf subscription, dues pl; (pour une pension) contributions pl.

cotiser [kɔtize] vi: ~ (à) to pay contributions (to); **se** ~ to club together.

coton [kɔtɔ̃] nm cotton; ~ **hydrophile** (absorbent) cotton-wool.

côtoyer [kotwaje] vt to be close to; to rub shoulders with; to run alongside; to be bordering ou verging on.

cotte [kɔt] nf: ~ **de mailles** coat of mail.

cou [ku] nm neck.

couard, e [kwaʀ, -aʀd] a cowardly.

couchage [kuʃaʒ] nm voir **sac**.

couchant [kuʃɑ̃] a: **soleil** ~ setting sun.

couche [kuʃ] nf (strate: gén, GÉO) layer, stratum (pl a); (de peinture, vernis) coat; (de poussière, crème) layer; (de bébé) nappy, napkin; ~**s** nfpl, (MÉD) confinement sg; ~**s sociales** social levels ou strata; ~**-culotte** nf disposable nappy and waterproof pants in one.

coucher [kuʃe] nm (du soleil) setting // vt (personne) to put to bed; (: loger) to put up; (objet) to lay on its side; (écrire) to inscribe, couch // vi (dormir) to sleep, spend the night; (fam): ~ **avec qn** to sleep with sb, go to bed with sb; **se** ~ vi (pour dormir) to go to bed; (pour se reposer) to lie down; (soleil) to set, go down; **à prendre avant le** ~ (MÉD) take at night ou before going to bed; ~ **de soleil** sunset.

couchette [kuʃɛt] nf couchette; (de marin) bunk.

coucou [kuku] nm cuckoo // excl peek-a-boo.

coude [kud] nm (ANAT) elbow; (de tuyau, de la route) bend; ~ **à** ~ ad shoulder to shoulder, side by side.

cou-de-pied [kudpje] nm instep.

coudre [kudʀ(ə)] vt (bouton) to sew on; (robe) to sew (up) // vi to sew.

couenne [kwan] nf (de lard) rind.

couettes [kwɛt] nfpl bunches.

couffin [kufɛ̃] nm Moses basket; (straw) basket.

couiner [kwine] vi to squeal.

coulant, e [kulɑ̃, -ɑ̃t] a (indulgent) easy-going; (fromage etc) runny.

coulée [kule] nf (de lave, métal en fusion) flow; ~ **de neige** snowslide.

couler [kule] vi to flow, run; (fuir: stylo, récipient) to leak; (sombrer: bateau) to sink // vt (cloche, sculpture) to cast; (bateau) to sink; (fig) to ruin, bring down; **se** ~ **dans** (interstice etc) to slip into; **il a coulé une bielle** (AUTO) his big-end went.

couleur [kulœʀ] nf colour; (CARTES) suit.

couleuvre [kulœvʀ(ə)] nf grass snake.

coulisse [kulis] nf (TECH) runner; ~**s** nfpl (THÉÂTRE) wings; (fig): **dans les** ~**s** behind the scenes; **porte à** ~ sliding door; **coulisser** vi to slide, run.

couloir [kulwaʀ] nm corridor, passage; (de bus) gangway; (SPORT: de piste) lane; (GÉO) gully; ~ **de navigation** shipping lane.

coulpe [kulp(ə)] nf: **battre sa** ~ to repent openly.

coup [ku] nm (heurt, choc) knock; (affectif) blow, shock; (agressif) blow; (avec arme à feu) shot; (de l'horloge) chime; stroke; (SPORT) stroke; shot; blow; (ÉCHECS) move; ~ **de coude/genou** nudge (with the elbow)/with the knee; **à** ~**s de hache/marteau** (hitting) with an axe/a hammer; ~ **de tonnerre** clap of thunder; ~ **de sonnette** ring of the bell; ~ **de crayon/pinceau** stroke of the pencil/brush; **donner un** ~ **de balai** to sweep up, give the floor a sweep; **donner un** ~ **de chiffon** to go round with the duster; **avoir le** ~ (fig) to have the knack; **boire un** ~ to have a drink; **d'un seul** ~ (subitement) suddenly; (à la fois) at one go; in one blow; **du premier** ~ first time ou go, at the first attempt; **du même** ~ at the same time; **à** ~ **sûr** definitely, without fail; ~ **sur** ~ in quick succession; **sur le** ~ outright; **sous le** ~ **de** (surprise etc) under the influence of; **tomber sous le** ~ **de la loi** to constitute a statutory offence; ~ **de chance** stroke of luck; ~ **de couteau** stab (of a knife); ~ **dur** hard blow; ~ **d'envoi** kick-off; ~ **d'essai** first attempt; ~ **d'état** coup d'état; ~ **de feu** shot; ~ **de filet** (POLICE) haul; ~ **franc** free kick; ~ **de frein** (sharp) braking q; ~ **de fusil** rifle shot; ~ **de grâce** coup de grâce; ~ **de main**: **donner un** ~ **de main à qn** to give sb a (helping) hand; ~ **d'œil** glance; ~ **de pied** kick; ~ **de poing** punch; ~ **de soleil** sunburn; ~ **de téléphone** phone call; ~ **de tête** (fig) (sudden) impulse; ~ **de théâtre** (fig) dramatic turn of events; ~ **de vent** gust of wind.

coupable [kupabl(ə)] a guilty; (pensée) guilty, culpable // nm/f (gén) culprit; (JUR) guilty party; ~ **de** guilty of.

coupe [kup] nf (verre) goblet; (à fruits) dish; (SPORT) cup; (de cheveux, de vêtement) cut; (graphique, plan) (cross) section; **être sous la** ~ **de** to be under the control of; **faire des** ~**s sombres dans** to make drastic cuts in.

coupé [kupe] nm (AUTO) coupé.

coupe-circuit [kupsiʀkɥi] nm inv cutout, circuit breaker.

coupée [kupe] nf (NAVIG) gangway.

coupe-papier [kuppapje] nm inv paper knife.

couper [kupe] vt to cut; (retrancher) to cut (out), take out; (route, courant) to cut off; (appétit) to take away; (fièvre) to take down, reduce; (vin, cidre) to blend; (: à table) to dilute (with water) // vi to cut; (prendre un raccourci) to take a short-cut; (CARTES: diviser le paquet) to cut; (: avec l'atout) to trump; **se** ~ (se blesser) to cut o.s.; (en témoignant etc) to give o.s. away; ~ **la parole à qn** to cut sb short.

couperet [kupʀɛ] nm cleaver, chopper.

couperosé, e [kupʀoze] a blotchy.

couple [kupl(ə)] nm couple; ~ **de torsion** torque.

coupler [kuple] *vt* to couple (together).

couplet [kuplɛ] *nm* verse.

coupole [kupɔl] *nf* dome; cupola.

coupon [kupɔ̃] *nm* (*ticket*) coupon; (*de tissu*) remnant; roll; **~-réponse international** international reply coupon.

coupure [kupyʀ] *nf* cut; (*billet de banque*) note; (*de journal*) cutting; **~ de courant** power cut.

cour [kuʀ] *nf* (*de ferme, jardin*) (court)yard; (*d'immeuble*) back yard; (*JUR, royale*) court; **faire la ~ à qn** to court sb; **~ d'assises** court of assizes, ≈ Crown Court; **~ de cassation** Court of Cassation; **~ martiale** court-martial.

courage [kuʀaʒ] *nm* courage, bravery; **courageux, euse** a brave, courageous.

couramment [kuʀamɑ̃] *ad* commonly; (*avec aisance: parler*) fluently.

courant, e [kuʀɑ̃, -ɑ̃t] a (*fréquent*) common; (*COMM, gén: normal*) standard; (*en cours*) current // *nm* current; (*fig*) movement; trend; **être au ~ (de)** (*fait, nouvelle*) to know (about); **mettre qn au ~ (de)** (*fait, nouvelle*) to tell sb (about); (*nouveau travail etc*) to teach sb the basics (of); **se tenir au ~ (de)** (*techniques etc*) to keep o.s. up-to-date (on); **dans le ~ de** (*pendant*) in the course of; **le 10 ~** (*COMM*) the 10th inst; **~ d'air** draught; **~ électrique** (electric) current, power.

courbature [kuʀbatyʀ] *nf* ache; **courbaturé, e** a aching.

courbe [kuʀb(ə)] a curved // *nf* curve; **~ de niveau** contour line.

courber [kuʀbe] *vt* to bend; **~ la tête** to bow one's head; **se ~** *vi* (*branche etc*) to bend, curve; (*personne*) to bend (down).

courbette [kuʀbɛt] *nf* low bow.

coureur, euse [kuʀœʀ, -øz] *nm/f* (*SPORT*) runner (*ou* driver); (*péj*) womaniser/manhunter; **~ cycliste/automobile** racing cyclist/driver.

courge [kuʀʒ(ə)] *nf* (*BOT*) gourd; (*CULIN*) marrow.

courgette [kuʀʒɛt] *nf* courgette, zucchini.

courir [kuʀiʀ] *vi* (*gén*) to run; (*se dépêcher*) to rush; (*fig: rumeurs*) to go round; (*COMM: intérêt*) to accrue // *vt* (*SPORT: épreuve*) to compete in; (*risque*) to run; (*danger*) to face; **~ les cafés/bals** to do the rounds of the cafés/dances; **le bruit court que** the rumour is going round that; **~ après qn** to run after sb, chase (after) sb.

couronne [kuʀɔn] *nf* crown; (*de fleurs*) wreath, circlet.

couronnement [kuʀɔnmɑ̃] *nm* coronation, crowning; (*fig*) crowning achievement.

couronner [kuʀɔne] *vt* to crown.

courons *etc vb voir* **courir**.

courre [kuʀ] *vb voir* **chasse**.

courrier [kuʀje] *nm* mail, post; (*lettres à écrire*) letters *pl*; (*rubrique*) column; **long/moyen ~** a (*AVIAT*) long-/medium-haul; **~ du cœur** problem page.

courroie [kuʀwa] *nf* strap; (*TECH*) belt; **~ de transmission/de ventilateur** driving/fan belt.

courrons *etc vb voir* **courir**.

courroucé, e [kuʀuse] a wrathful.

cours [kuʀ] *nm* (*leçon*) lesson; class; (*série de leçons*) course; (*cheminement*) course; (*écoulement*) flow; (*avenue*) walk; (*COMM*) rate; price; **donner libre ~ à** to give free expression to; **avoir ~** (*monnaie*) to be legal tender; (*fig*) to be current; (*SCOL*) to have a class *ou* lecture; **en ~** (*année*) current; (*travaux*) in progress; **en ~ de route** on the way; **au ~ de** in the course of, during; **le ~ du change** the exchange rate; **~ d'eau** water course, generic term for streams, rivers; **~ du soir** night school.

course [kuʀs(ə)] *nf* running; (*SPORT: épreuve*) race; (*trajet: du soleil*) course; (: *d'un projectile*) flight; (: *d'une pièce mécanique*) travel; (*excursion*) outing; climb; (*d'un taxi, autocar*) journey, trip; (*petite mission*) errand; **~s** *nfpl* (*achats*) shopping *sg*; (*HIPPISME*) races.

court, e [kuʀ, kuʀt(ə)] a short // *ad* short // *nm:* **~ (de tennis)** (tennis) court; **tourner ~** to come to a sudden end; **à ~ de** short of; **prendre qn de ~** to catch sb unawares; **tirer à la ~e paille** to draw lots; **~-bouillon** *nm* court-bouillon; **~-circuit** *nm* short-circuit.

courtier, ère [kuʀtje, -jɛʀ] *nm/f* broker.

courtisan [kuʀtizɑ̃] *nm* courtier.

courtisane [kuʀtizan] *nf* courtesan.

courtiser [kuʀtize] *vt* to court, woo.

courtois, e [kuʀtwa, -waz] a courteous; **courtoisie** *nf* courtesy.

couru, e *pp de* **courir**.

cousais *etc vb voir* **coudre**.

cousin, e [kuzɛ̃, -in] *nm/f* cousin.

coussin [kusɛ̃] *nm* cushion.

cousu, e [kuzy] *pp de* **coudre** // *a:* **~ d'or** rolling in riches.

coût [ku] *nm* cost; **le ~ de la vie** the cost of living.

coûtant [kutɑ̃] *am:* **au prix ~** at cost price.

couteau, x [kuto] *nm* knife; **~ à cran d'arrêt** flick-knife; **~ de poche** pocket knife; **~-scie** *nm* serrated-edged knife.

coutellerie [kutɛlʀi] *nf* cutlery shop; cutlery.

coûter [kute] *vt, vi* to cost; **combien ça coûte?** how much is it?, what does it cost?; **coûte que coûte** at all costs; **coûteux, euse** a costly, expensive.

coutume [kutym] *nf* custom; **coutumier, ère** a customary.

couture [kutyʀ] *nf* sewing; dress-making; (*points*) seam.

couturier [kutyʀje] *nm* fashion designer, couturier.

couturière [kutyʀjɛʀ] *nf* dressmaker.

couvée [kuve] *nf* brood, clutch.

couvent [kuvɑ̃] *nm* (*de sœurs*) convent; (*de frères*) monastery; (*établissement scolaire*) convent (school).

couver [kuve] *vt* to hatch; (*maladie*) to be sickening for // *vi* (*feu*) to smoulder; (*révolte*) to be brewing; **~ qn/qch des yeux** to look lovingly at; to look longingly at.

couvercle [kuvɛʀkl(ə)] *nm* lid; (*de bombe aérosol etc, qui se visse*) cap, top.

couvert, e [kuvɛʀ, -ɛʀt(ə)] *pp de* **couvrir** // *a* (*ciel*) overcast; (*coiffé d'un chapeau*) wearing a hat // *nm* place setting; (*place à table*) place; (*au restaurant*) cover charge; ~s *nmpl* place settings; cutlery *sg*; ~ **de** covered with ou in; **bien** ~ (*habillé*) well wrapped up; **mettre le** ~ to lay the table; **à** ~ under cover; **sous le** ~ **de** under the shelter of; (*fig*) under cover of.

couverture [kuvɛʀtyʀ] *nf* (*de lit*) blanket; (*de bâtiment*) roofing; (*de livre, fig: d'un espion etc*) cover.

couveuse [kuvøz] *nf* (*à poules*) sitter, brooder; (*de maternité*) incubator.

couvre... [kuvʀ(ə)] *préfixe*: ~**-chef** *nm* hat; ~**-feu** *nm* curfew; ~**-lit** *nm* bedspread.

couvreur [kuvʀœʀ] *nm* roofer.

couvrir [kuvʀiʀ] *vt* to cover; **se** ~ (*ciel*) to cloud over; (*s'habiller*) to cover up, wrap up; (*se coiffer*) to put on one's hat; (*par une assurance*) to cover o.s.; **se** ~ **de** (*fleurs, boutons*) to become covered in.

crabe [kʀɑb] *nm* crab.

crachat [kʀaʃa] *nm* spittle *q*, spit *q*.

cracher [kʀaʃe] *vi* to spit // *vt* to spit out; (*fig: lave etc*) to belch (out); ~ **du sang** to spit blood.

crachin [kʀaʃɛ̃] *nm* drizzle.

crachoir [kʀaʃwaʀ] *nm* spittoon; (*de dentiste*) bowl.

craie [kʀɛ] *nf* chalk.

craindre [kʀɛ̃dʀ(ə)] *vt* to fear, be afraid of; (*être sensible à: chaleur, froid*) to be easily damaged by; ~ **de/que** to be afraid of/that.

crainte [kʀɛ̃t] *nf* fear; **de** ~ **de/que** for fear of/that; **craintif, ive** *a* timid.

cramoisi, e [kʀamwazi] *a* crimson.

crampe [kʀɑ̃p] *nf* cramp; ~ **d'estomac** stomach cramp.

crampon [kʀɑ̃pɔ̃] *nm* (*de semelle*) stud; (*ALPINISME*) crampon.

cramponner [kʀɑ̃pɔne]: **se** ~ *vi*: **se** ~ (**à**) to hang ou cling on (to).

cran [kʀɑ̃] *nm* (*entaille*) notch; (*de courroie*) hole; (*courage*) guts *pl*; ~ **d'arrêt** safety catch; ~ **de mire** bead.

crâne [kʀɑn] *nm* skull.

crâner [kʀɑne] *vi* (*fam*) to swank, show off.

crânien, ne [kʀɑnjɛ̃, -jɛn] *a* cranial, skull *cpd*, brain *cpd*.

crapaud [kʀapo] *nm* toad.

crapule [kʀapyl] *nf* villain.

craquelure [kʀaklyʀ] *nf* crack; crackle *q*.

craquement [kʀakmɑ̃] *nm* crack, snap; (*du plancher*) creak, creaking *q*.

craquer [kʀake] *vi* (*bois, plancher*) to creak; (*fil, branche*) to snap; (*couture*) to come apart, burst; (*fig*) to break down // *vt*: ~ **une allumette** to strike a match.

crasse [kʀas] *nf* grime, filth.

crassier [kʀasje] *nm* slag heap.

cratère [kʀatɛʀ] *nm* crater.

cravache [kʀavaʃ] *nf* (*riding*) crop; **cravacher** *vt* to use the crop on.

cravate [kʀavat] *nf* tie; **cravater** *vt* to put a tie on; (*fig*) to grab round the neck.

crawl [kʀol] *nm* crawl; **dos crawlé** backstroke.

crayeux, euse [kʀɛjø, -øz] *a* chalky.

crayon [kʀɛjɔ̃] *nm* pencil; (*de rouge à lèvres etc*) stick, pencil; **écrire au** ~ to write in pencil; ~ **à bille** ball-point pen; ~ **de couleur** crayon, colouring pencil.

créance [kʀeɑ̃s] *nf* (*COMM*) (financial) claim, (recoverable) debt; **créancier, ière** *nm/f* creditor.

créateur, trice [kʀeatœʀ, -tʀis] *a* creative // *nm/f* creator.

création [kʀeasjɔ̃] *nf* creation.

créature [kʀeatyʀ] *nf* creature.

crécelle [kʀesɛl] *nf* rattle.

crèche [kʀɛʃ] *nf* (*de Noël*) crib; (*garderie*) crèche, day nursery.

crédence [kʀedɑ̃s] *nf* (small) sideboard.

crédit [kʀedi] *nm* (*gén*) credit; ~s *nmpl* funds; **payer/acheter à** ~ to pay/buy on credit ou on easy terms; **faire** ~ **à qn** to give sb credit; **créditer** *vt*: **créditer un compte (de)** to credit an account (with); **créditeur, trice** *a* in credit, credit *cpd* // *nm/f* customer in credit.

crédule [kʀedyl] *a* credulous, gullible; **crédulité** *nf* credulity, gullibility.

créer [kʀee] *vt* to create; (*THÉÂTRE*) to produce (for the first time).

crémaillère [kʀemajɛʀ] *nf* (*RAIL*) rack; (*tige crantée*) trammel; **direction à** ~ (*AUTO*) rack and pinion steering; **pendre la** ~ to have a house-warming party.

crémation [kʀemasjɔ̃] *nf* cremation.

crématoire [kʀematwaʀ] *a*: **four** ~ crematorium.

crème [kʀɛm] *nf* cream; (*entremets*) cream dessert // *a inv* cream(-coloured); **un (café)** ~ ≈ a white coffee; ~ **fouettée** whipped cream; ~ **à raser** shaving cream; **crémerie** *nf* dairy; (*tearoom*) teashop; **crémeux, euse** *a* creamy; **crémier, ière** *nm/f* dairyman/woman.

créneau, x [kʀeno] *nm* (*de fortification*) crenel(le); (*fig*) gap; slot; (*AUTO*): **faire un** ~ to reverse into a parking space (*between cars alongside the kerb*).

créole [kʀeɔl] *a, nm, et* Creole.

crêpe [kʀɛp] *nf* (*galette*) pancake // *nm* (*tissu*) crêpe; (*de deuil*) black mourning crêpe; black armband (*ou hatband ou ribbon*); **semelle (de)** ~ crêpe sole; **crêpé, e** *a* (*cheveux*) backcombed; ~**rie** *nf* pancake shop *ou* restaurant.

crépi [kʀepi] *nm* roughcast; **crépir** *vt* to roughcast.

crépiter [kʀepite] *vi* to sputter, splutter; to crackle; to rattle out; to patter.

crépon [kʀepɔ̃] *nm* seersucker.

crépu, e [kʀepy] *a* frizzy, fuzzy.

crépuscule [kʀepyskyl] *nm* twilight, dusk.

crescendo [kʀeʃɛndo] *nm, ad* (*MUS*) crescendo; **aller** ~ (*fig*) to rise higher and higher, grow ever greater.

cresson [kʀesɔ̃] *nm* watercress.

crête [kʀɛt] *nf* (*de coq*) comb; (*de vague, montagne*) crest.

crétin, e [kʀetɛ̃, -in] *nm/f* cretin.

cretonne [kʀətɔn] *nf* cretonne.

creuser [krøze] *vt* (*trou, tunnel*) to dig; (*sol*) to dig a hole in; (*bois*) to hollow out; (*fig*) to go (deeply) into; **cela creuse** (**l'estomac**) that gives you a real appetite; **se ~ (la cervelle)** to rack one's brains.
creuset [krøze] *nm* crucible; (*fig*) melting pot; (*severe*) test.
creux, euse [krø, -øz] *a* hollow // *nm* hollow; (*fig: sur graphique etc*) trough; **heures creuses** slack periods; off-peak periods; **le ~ de l'estomac** the pit of the stomach.
crevaison [krøvezɔ̃] *nf* puncture.
crevasse [krøvas] *nf* (*dans le sol*) crack, fissure; (*de glacier*) crevasse; (*de la peau*) crack.
crevé, e [krøve] *a* (*fatigué*) fagged out, worn out.
crève-cœur [krɛvkœr] *nm inv* heartbreak.
crever [krøve] *vt* (*papier*) to tear, break; (*tambour, ballon*) to burst // *vi* (*pneu*) to burst; (*automobiliste*) to have a puncture; (*abcès, outre, nuage*) to burst (open); (*fam*) to die; **cela lui a crevé un œil** it blinded him in one eye.
crevette [krøvɛt] *nf*: **~ (rose)** prawn; **~ grise** shrimp.
cri [kri] *nm* cry, shout; (*d'animal: spécifique*) cry, call; **c'est le dernier ~** (*fig*) it's the latest fashion.
criant, e [krijɑ̃, -ɑ̃t] *a* (*injustice*) glaring.
criard, e [krijar, -ard(ə)] *a* (*couleur*) garish, loud; yelling.
crible [kribl(ə)] *nm* riddle; (*mécanique*) screen, jig; **passer qch au ~** to put sth through a riddle; (*fig*) to go over sth with a fine-tooth comb.
criblé, e [krible] *a*: **~ de** riddled with.
cric [krik] *nm* (*AUTO*) jack.
crier [krije] *vi* (*pour appeler*) to shout, cry (out); (*de peur, de douleur etc*) to scream, yell; (*fig: grincer*) to squeal, screech // *vt* (*ordre, injure*) to shout (out), yell (out); **crieur de journaux** *nm* newspaper seller.
crime [krim] *nm* crime; (*meurtre*) murder; **criminaliste** *nm/f* specialist in criminal law; **criminalité** *nf* criminality, crime; **criminel, le** a criminal // *nm/f* criminal; murderer; **criminel de guerre** war criminal; **criminologiste** *nm/f* criminologist.
crin [krɛ̃] *nm* hair *q*; (*fibre*) horsehair; **à tous ~s, à tout ~** diehard, out-and-out.
crinière [krinjɛr] *nf* mane.
crique [krik] *nf* creek, inlet.
criquet [krikɛ] *nm* locust; grasshopper.
crise [kriz] *nf* crisis (*pl* crises); (*MÉD*) attack; fit; **~ cardiaque** heart attack; **~ de foi** crisis of belief; **~ de foie** bilious attack; **~ de nerfs** attack of nerves.
crispation [krispɑsjɔ̃] *nf* twitch; contraction; tenseness.
crisper [krispe] *vt* to tense; (*poings*) to clench; **se ~** to tense; to clench; (*personne*) to get tense.
crisser [krise] *vi* (*neige*) to crunch; (*tissu*) to rustle; (*pneu*) to screech.
cristal, aux [kristal, -o] *nm* crystal // *nmpl* (*objets*) crystal(ware) sg; **~ de plomb** (lead) crystal; **~ de roche** rock-

crystal; **cristaux de soude** washing soda sg.
cristallin, e [kristalɛ̃, -in] *a* crystal-clear // *nm* (*ANAT*) crystalline lens.
cristalliser [kristalize] *vi, vt, se ~ vi* to crystallize.
critère [kritɛr] *nm* criterion (*pl* ia).
critique [kritik] *a* critical // *nm/f* (*de théâtre, musique*) critic // *nf* criticism; (*THÉÂTRE etc: article*) review; **la ~** (*activité*) criticism; (*personnes*) the critics *pl*.
critiquer [kritike] *vt* (*dénigrer*) to criticize; (*évaluer, juger*) to assess, examine (critically).
croasser [krɔase] *vi* to caw.
croc [kro] *nm* (*dent*) fang; (*de boucher*) hook.
croc-en-jambe [krɔkɑ̃ʒɑ̃b] *nm*: **faire un ~ à qn** to trip sb up.
croche [krɔʃ] *nf* (*MUS*) quaver; **double ~** semiquaver.
crochet [krɔʃɛ] *nm* hook; (*clef*) picklock; (*détour*) detour; (*BOXE*): **~ du gauche** left hook; (*TRICOT*: *aiguille*) crochet-hook; (*: technique*) crochet; **~s** *nmpl* (*TYPO*) square brackets; **vivre aux ~s de qn** to live ou sponge off sb; **crocheter** *vt* (*serrure*) to pick.
crochu, e [krɔʃy] *a* hooked; claw-like.
crocodile [krɔkɔdil] *nm* crocodile.
crocus [krɔkys] *nm* crocus.
croire [krwar] *vt* to believe; **~ qn honnête** to believe sb (to be) honest; **se ~ fort** to think one is strong; **~ que** to believe ou think that; **~ à, ~ en** to believe in.
crois *vb voir* **croître.**
croisade [krwazad] *nf* crusade.
croisé, e [krwaze] *a* (*veston*) double-breasted // *nm* (*guerrier*) crusader // *nf* (*fenêtre*) window, casement; **~e d'ogives** intersecting ribs; **à la ~e des chemins** at the crossroads.
croisement [krwazmɑ̃] *nm* (*carrefour*) crossroads sg; (*BIO*) crossing; crossbreed.
croiser [krwaze] *vt* (*personne, voiture*) to pass; (*route*) to cross, cut across; (*BIO*) to cross // *vi* (*NAVIG*) to cruise; **~ les jambes/bras** to cross one's legs/fold one's arms; **se ~** (*personnes, véhicules*) to pass each other; (*routes*) to cross, intersect; (*lettres*) to cross (in the post); (*regards*) to meet.
croiseur [krwazœr] *nm* cruiser (*warship*).
croisière [krwazjɛr] *nf* cruise; **vitesse de ~** (*AUTO etc*) cruising speed.
croisillon [krwazijɔ̃] *nm*: **motif/fenêtre à ~s** lattice pattern/window.
croissance [krwasɑ̃s] *nf* growing, growth; **maladie de ~** growth disease; **~ économique** economic growth.
croissant, e [krwasɑ̃, -ɑ̃t] *a* growing, rising // *nm* (*à manger*) croissant; (*motif*) crescent.
croître [krwatr(ə)] *vi* to grow; (*lune*) to wax.
croix [krwa] *nf* cross; **en ~** *a, ad* in the form of a cross; **la C~ Rouge** the Red Cross.
croquant, e [krɔkɑ̃, -ɑ̃t] *a* crisp, crunchy // *nm/f* (*péj*) yokel, (country) bumpkin.

croque... [kʀɔk] *préfixe*: **~-mitaine** *nm* bog(e)y-man ; **~-monsieur** *nm inv* toasted ham and cheese sandwich ; **~-mort** *nm* (*péj*) pallbearer.

croquer [kʀɔke] *vt* (*manger*) to crunch ; to munch ; (*dessiner*) to sketch // *vi* to be crisp *ou* crunchy.

croquet [kʀɔkɛ] *nm* croquet.

croquette [kʀɔkɛt] *nf* croquette.

croquis [kʀɔki] *nm* sketch.

cross(-country) [kʀɔs(kuntʀi)] *nm* cross-country race *ou* run ; cross-country racing *ou* running.

crosse [kʀɔs] *nf* (*de fusil*) butt ; (*de revolver*) grip ; (*d'évêque*) crook, crosier ; (*de hockey*) hockey stick.

crotte [kʀɔt] *nf* droppings *pl*.

crotté, e [kʀɔte] *a* muddy, mucky.

crottin [kʀɔtɛ̃] *nm*: **~ (de cheval)** (horse) dung *ou* manure.

crouler [kʀule] *vi* (*s'effondrer*) to collapse ; (*être délabré*) to be crumbling.

croupe [kʀup] *nf* croup, rump ; **en ~** pillion.

croupier [kʀupje] *nm* croupier.

croupir [kʀupiʀ] *vi* to stagnate.

croustillant, e [kʀustijɑ̃, -ɑ̃t] *a* crisp ; (*fig*) spicy.

croustiller [kʀustije] *vi* to be crisp *ou* crusty.

croûte [kʀut] *nf* crust ; (*du fromage*) rind ; (*de vol-au-vent*) case ; (*MÉD*) scab ; **en ~** (*CULIN*) in pastry, in a pie ; **~ aux champignons** mushrooms on toast ; **~ au fromage** cheese on toast *q* ; **~ de pain** (*morceau*) crust (of bread) ; **~ terrestre** earth's crust.

croûton [kʀutɔ̃] *nm* (*CULIN*) crouton ; (*bout du pain*) crust, heel.

croyance [kʀwajɑ̃s] *nf* belief.

croyant, e [kʀwajɑ̃, -ɑ̃t] *nm/f* believer.

C.R.S. *sigle fpl* = *Compagnies républicaines de sécurité* (a state security police force) // *sigle m* member of the C.R.S..

cru, e [kʀy] *pp de* **croire** // *a* (*non cuit*) raw ; (*lumière, couleur*) harsh ; (*paroles, description*) crude // *nm* (*vignoble*) vineyard ; (*vin*) wine // *nf* (*d'un cours d'eau*) swelling, rising ; **de son (propre) ~** (*fig*) of his own devising ; **du ~** local ; **en ~e** in spate.

crû *pp de* **croître.**

cruauté [kʀyote] *nf* cruelty.

cruche [kʀyʃ] *nf* pitcher, (earthenware) jug.

crucial, e, aux [kʀysjal, -o] *a* crucial.

crucifier [kʀysifje] *vt* to crucify.

crucifix [kʀysifi] *nm* crucifix.

cruciforme [kʀysifɔʀm(ə)] *a* cruciform, cross-shaped.

cruciverbiste [kʀysivɛʀbist(ə)] *nm/f* crossword puzzle enthusiast.

crudité [kʀydite] *nf* crudeness *q* ; harshness *q* ; **~s** *nfpl* (*CULIN*) salads.

crue [kʀy] *nf voir* **cru.**

cruel, le [kʀyɛl] *a* cruel.

crus *etc*, **crûs** *etc vb voir* **croire, croître.**

crustacés [kʀystase] *nmpl* shellfish.

crypte [kʀipt(ə)] *nf* crypt.

cubage [kyba3] *nm* cubage, cubic content.

cube [kyb] *nm* cube ; (*jouet*) brick, building block ; **mètre ~** cubic metre ; **2 au ~ = 8** 2 cubed is 8 ; **élever au ~** to cube ; **cubique** *a* cubic.

cueillette [kœjɛt] *nf* picking, gathering ; harvest *ou* crop (of fruit).

cueillir [kœjiʀ] *vt* (*fruits, fleurs*) to pick, gather ; (*fig*) to catch.

cuiller *ou* **cuillère** [kɥijɛʀ] *nf* spoon ; **~ à café** coffee spoon ; (*CULIN*) ≈ teaspoonful ; **~ à soupe** soup-spoon ; (*CULIN*) ≈ tablespoonful ; **cuillerée** *nf* spoonful.

cuir [kɥiʀ] *nm* leather ; (*avant tannage*) hide ; **~ chevelu** scalp.

cuirasse [kɥiʀas] *nf* breastplate ; **cuirassé** *nm* (*NAVIG*) battleship.

cuire [kɥiʀ] *vt* (*aliments*) to cook ; (*poterie*) to fire // *vi* to cook ; (*picoter*) to smart, sting, burn ; **bien cuit** (*viande*) well done ; **trop cuit** overdone.

cuisine [kɥizin] *nf* (*pièce*) kitchen ; (*art culinaire*) cookery, cooking ; (*nourriture*) cooking, food ; **faire la ~** to cook, make *a ou* the meal ; **cuisiner** *vt* to cook ; (*fam*) to grill // *vi* to cook ; **cuisinier, ière** *nm/f* cook // *nf* (*poêle*) cooker.

cuisse [kɥis] *nf* (*ANAT*) thigh ; (*CULIN*) leg.

cuisson [kɥisɔ̃] *nf* cooking ; firing.

cuistre [kɥistʀ(ə)] *nm* prig.

cuit, e *pp de* **cuire.**

cuivre [kɥivʀ(ə)] *nm* copper ; **les ~s** (*MUS*) the brass ; **cuivré, e** *a* coppery ; bronzed.

cul [ky] *nm* (*fam!*) arse (!), bum ; **~ de bouteille** bottom of a bottle.

culasse [kylas] *nf* (*AUTO*) cylinder-head ; (*de fusil*) breech.

culbute [kylbyt] *nf* somersault ; (*accidentelle*) tumble, fall ; **culbuter** *vi* to (take a) tumble, fall (head over heels) ; **culbuteur** *nm* (*AUTO*) rocker arm.

cul-de-jatte [kyd3at] *nm/f* legless cripple.

cul-de-sac [kydsak] *nm* cul-de-sac.

culinaire [kylinɛʀ] *a* culinary.

culminant, e [kylminɑ̃, -ɑ̃t] *a*: **point ~** highest point.

culminer [kylmine] *vi* to reach its highest point ; to tower.

culot [kylo] *nm* (*d'ampoule*) cap ; (*effronterie*) cheek, nerve.

culotte [kylɔt] *nm* (*pantalon*) pants *pl*, trousers *pl* ; (*de femme*): **(petite) ~** knickers *pl* ; **~ de cheval** riding breeches *pl*.

culotté, e [kylɔte] *a* (*pipe*) seasoned ; (*cuir*) mellowed ; (*effronté*) cheeky.

culpabilité [kylpabilite] *nf* guilt.

culte [kylt(ə)] *nm* (*religion*) religion ; (*hommage, vénération*) worship ; (*protestant*) service.

cultivateur, trice [kyltivatœʀ, -tʀis] *nm/f* farmer.

cultivé, e [kyltive] *a* (*personne*) cultured, cultivated.

cultiver [kyltive] *vt* to cultivate ; (*légumes*) to grow, cultivate.

culture [kyltyʀ] *nf* cultivation ; growing ; (*connaissances etc*) culture ; **(champs de) ~s** land(s) under cultivation ; **~ physique** physical training ; **culturel, le** *a* cultural ; **culturisme** *nm* body-building.

cumin [kymɛ̃] *nm* (*CULIN*) caraway seeds *pl*, cumin.

cumul [kymyl] *nm* (*voir cumuler*) holding (*ou* drawing) concurrently ; ~ **de peines** sentences to run consecutively.

cumuler [kymyle] *vt* (*emplois, honneurs*) to hold concurrently ; (*salaires*) to draw concurrently ; (*JUR*: *droits*) to accumulate.

cupide [kypid] *a* greedy, grasping.

curatif, ive [kyʀatif, -iv] *a* curative.

cure [kyʀ] *nf* (*MÉD*) course of treatment ; (*REL*) cure, ≈ living ; presbytery, ≈ vicarage ; **faire une** ~ **de fruits** to go on a fruit cure *ou* diet ; **n'avoir** ~ **de** to pay no attention to ; ~ **de sommeil** sleep therapy *q*.

curé [kyʀe] *nm* parish priest ; **M. le** ≈ ~ · Vicar.

cure-dent [kyʀdɑ̃] *nm* toothpick.

cure-pipe [kyʀpip] *nm* pipe cleaner.

curer [kyʀe] *vt* to clean out.

curieux, euse [kyʀjø, -øz] *a* (*étrange*) strange, curious ; (*indiscret*) curious, inquisitive ; (*intéressé*) inquiring, curious // *nmpl* (*badauds*) onlookers, bystanders ; **curiosité** *nf* curiosity, inquisitiveness ; (*objet*) curio(sity) ; (*site*) unusual feature *ou* sight.

curiste [kyʀist(ə)] *nm/f* person taking the waters at a spa.

curriculum vitae [kyʀikylɔmvite] *nm inv* (*abr* C.V.) curriculum vitae.

curry [kyʀi] *nm* curry ; **poulet au** ~ curried chicken, chicken curry.

curseur [kyʀsœʀ] *nm* (*de règle*) slide ; (*de fermeture-éclair*) slider.

cursif, ive [kyʀsif, -iv] *a*: **écriture cursive** cursive script.

cutané, e [kytane] *a* cutaneous, skin *cpd*.

cuti-réaction [kytiʀeaksjɔ̃] *nf* (*MÉD*) skin-test.

cuve [kyv] *nf* vat ; (*à mazout etc*) tank.

cuvée [kyve] *nf* vintage.

cuvette [kyvɛt] *nf* (*récipient*) bowl, basin ; (*du lavabo*) (wash)basin ; (*des w.-c.*) pan ; (*GÉO*) basin.

C.V. *sigle m* (*AUTO*) *voir* **cheval** ; (*COMM*) = **curriculum vitae**.

cyanure [sjanyʀ] *nm* cyanide.

cybernétique [sibɛʀnetik] *nf* cybernetics *sg*.

cyclable [siklabl(ə)] *a*: **piste** ~ cycle track.

cyclamen [siklamɛn] *nm* cyclamen.

cycle [sikl(ə)] *nm* cycle.

cyclique [siklik] *a* cyclic(al).

cyclisme [siklism(ə)] *nm* cycling.

cycliste [siklist(ə)] *nm/f* cyclist // *a* cycle *cpd*.

cyclomoteur [siklɔmɔtœʀ] *nm* moped ; **cyclomotoriste** *nm/f* moped-rider.

cyclone [siklon] *nm* hurricane.

cygne [siɲ] *nm* swan.

cylindre [silɛ̃dʀ(ə)] *nm* cylinder ; **moteur à 4** ~**s en ligne** straight-4 engine ; **cylindrée** *nf* (*AUTO*) (cubic) capacity ; **une (voiture de) grosse cylindrée** a big-engined car ; **cylindrique** *a* cylindrical.

cymbale [sɛ̃bal] *nf* cymbal.

cynique [sinik] *a* cynical ; **cynisme** *nm* cynicism.

cyprès [sipʀɛ] *nm* cypress.

cypriote [sipʀjɔte] *a*, *nm/f* Cypriot.

cyrillique [siʀilik] *a* Cyrillic.

cystite [sistit] *nf* cystitis.

cytise [sitiz] *nm* laburnum.

D

d' *prép*, *dét voir* **de**.

dactylo [daktilo] *nf* (*aussi*: ~**graphe**) typist ; (*aussi*: ~**graphie**) typing, typewriting ; ~**graphier** *vt* to type (out).

dada [dada] *nm* hobby-horse.

daigner [deɲe] *vt* to deign.

daim [dɛ̃] *nm* (*fallow*) deer *inv* ; (*peau*) buckskin ; (*imitation*) suede.

dallage [dalaʒ] *nm* paving.

dalle [dal] *nf* paving stone, flag(stone) ; slab.

daltonien, ne [daltɔnjɛ̃, -jɛn] *a* colour-blind.

dam [dam] *nm*: **au grand** ~ **de** much to the detriment *ou* annoyance of.

dame [dam] *nf* lady ; (*CARTES, ÉCHECS*) queen ; ~**s** *nfpl* (*jeu*) draughts *sg*.

damer [dame] *vt* to ram *ou* pack down ; ~ **le pion à** (*fig*) to get the better of.

damier [damje] *nm* draughtboard ; (*dessin*) check (pattern).

damner [dɑne] *vt* to damn.

dancing [dɑsiŋ] *nm* dance hall.

dandiner [dɑdine]: **se** ~ *vi* to sway about ; to waddle along.

Danemark [danmaʀk] *nm* Denmark.

danger [dɑʒe] *nm* danger ; **mettre en** ~ to endanger, put in danger ; **dangereux, euse** *a* dangerous.

danois, e [danwa, -waz] *a* Danish // *nm/f*: **D~, e Dane** // *nm* (*langue*) Danish.

dans [dɑ] *prép* in ; (*direction*) into, to ; (*à l'intérieur de*) in, inside ; **je l'ai pris** ~ **le tiroir/salon** I took it out of *ou* from the drawer/lounge ; **boire** ~ **un verre** to drink out of *ou* from a glass ; ~ **2 mois** in 2 months, in 2 months' time, 2 months from now ; ~ **les 20 F** about 20 F.

dansant, e [dɑsɑ, -ɑt] *a*: **soirée** ~**e** evening of dancing ; dinner dance.

danse [dɑs] *nf*: **la** ~ dancing ; (*classique*) (ballet) dancing ; **une** ~ a dance ; **danser** *vi*, *vt* to dance ; **danseur, euse** *nm/f* ballet dancer/ballerina ; (*au bal etc*) dancer ; partner ; **en danseuse** (*à vélo*) standing on the pedals.

dard [daʀ] *nm* sting (*organ*).

darder [daʀde] *vt* to shoot, send forth.

date [dat] *nf* date ; **faire** ~ to mark a milestone ; ~ **de naissance** date of birth ; **dater** *vt*, *vi* to date ; **dater de** to date from, go back to ; **à dater de** (as) from.

datif [datif] *nm* dative.

datte [dat] *nf* date ; **dattier** *nm* date palm.

dauphin [dofɛ̃] *nm* (*ZOOL*) dolphin ; (*du roi*) dauphin ; (*fig*) heir apparent.

daurade [dɔʀad] *nf* gilt-head.

davantage [davɑtaʒ] *ad* more ; (*plus longtemps*) longer ; ~ **de** more.

DCA [desea] *sigle f* (= *défense contre avions*): **la** ~ anti-aircraft defence.

de (*de* + *le* = **du**, *de* + *les* = **des**) [də, dy, de] *prép* of ; (*provenance*) from ; (*moyen*) with ; **la voiture d'Élisabeth/de mes parents** Elizabeth's/my parents' car ; **un mur de brique/bureau d'acajou** a brick wall/mahogany desk ; **augmenter** *etc* **de 10F** to increase by 10F ; **une pièce de 2 m de large** *ou* **large de 2 m** a room 2 m wide *ou* in width, a 2 m wide room ; **un bébé de 10 mois** a 10-month-old baby ; **un séjour de 2 ans** a 2-year stay ; **12 mois de crédit/travail** 12 months' credit/work // *dét:* **du vin, de l'eau, des pommes** (some) wine, (some) water, (some) apples ; **des enfants sont venus** some children came ; **a-t-il du vin?** has he got any wine? ; **il ne veut pas de pommes** he doesn't want any apples ; **il n'a pas d'enfants** he has no children, he hasn't got any children ; **pendant des mois** for months.

dé [de] *nm* (*à jouer*) die *ou* dice (*pl* dice) ; (*aussi:* ~ **à coudre**) thimble ; ~**s** *nmpl* (*jeu*) (game of) dice ; **un coup de** ~**s** a throw of the dice.

déambuler [deɑ̃byle] *vi* to stroll about.

débâcle [debɑkl(ə)] *nf* rout.

déballer [debale] *vt* to unpack.

débandade [debɑ̃dad] *nf* rout ; scattering.

débarbouiller [debaʀbuje] *vt* to wash ; **se** ~ to wash (one's face).

débarcadère [debaʀkadɛʀ] *nm* landing stage.

débardeur [debaʀdœʀ] *nm* docker, stevedore ; (*maillot*) slipover, tank top.

débarquement [debaʀkəmɑ̃] *nm* unloading ; landing ; disembarcation ; (*MIL*) landing.

débarquer [debaʀke] *vt* to unload, land // *vi* to disembark ; (*fig*) to turn up.

débarras [debaʀa] *nm* lumber room ; junk cupboard ; outhouse ; **bon** ~**!** good riddance!

débarrasser [debaʀase] *vt* to clear ; ~ **qn de** (*vêtements, paquets*) to relieve sb of ; (*habitude, ennemi*) to rid sb of ; ~ **qch de** (*fouillis etc*) to clear sth of ; **se** ~ **de** *vt* to get rid of ; to rid o.s. of.

débat [deba] *nm* discussion, debate ; ~**s** (*POL*) proceedings, debates.

débattre [debatʀ(ə)] *vt* to discuss, debate ; **se** ~ *vi* to struggle.

débauche [deboʃ] *nf* debauchery ; **une** ~ **de** (*fig*) a profusion of ; a riot of.

débaucher [deboʃe] *vt* (*licencier*) to lay off, dismiss ; (*entraîner*) to lead astray, debauch.

débile [debil] *a* weak, feeble ; ~ **mental, e** *nm/f* mental defective.

débit [debi] *nm* (*d'un liquide, fleuve*) (rate of) flow ; (*d'un magasin*) turnover (of goods) ; (*élocution*) delivery ; (*bancaire*) debit ; **avoir un** ~ **de 10 F** to be 10 F in debit ; ~ **de boissons** drinking establishment ; ~ **de tabac** tobacconist's (shop) ; **débiter** *vt* (*compte*) to debit ; (*liquide, gaz*) to yield, produce, give out ; (*couper: bois, viande*) to cut up ; (*vendre*) to retail ; (*péj: paroles etc*) to come out with, churn out ; **débiteur, trice** *nm/f* debtor // *a* in debit.

déblai [deblɛ] *nm* earth (*moved*).

déblaiement [deblɛmɑ̃] *nm* clearing ; **travaux de** ~ earth moving *sg.*

déblayer [debleje] *vt* to clear.

débloquer [debloke] *vt* (*frein*) to release ; (*prix, crédits*) to free.

déboires [debwaʀ] *nmpl* setbacks.

déboiser [debwaze] *vt* to clear of trees ; to deforest.

déboîter [debwate] *vt* (*AUTO*) to pull out ; **se** ~ **le genou** *etc* to dislocate one's knee *etc.*

débonnaire [debɔnɛʀ] *a* easy-going, good-natured.

débordé, e [debɔʀde] *a:* **être** ~ **de** (*travail, demandes*) to be snowed under with.

débordement [debɔʀdəmɑ̃] *nm* overflowing.

déborder [debɔʀde] *vi* to overflow ; (*lait etc*) to boil over // *vt* (*MIL, SPORT*) to outflank ; ~ (**de**) **qch** (*dépasser*) to extend beyond sth ; ~ **de** (*joie, zèle*) to be brimming over with *ou* bursting with.

débouché [debuʃe] *nm* (*pour vendre*) outlet ; (*perspective d'emploi*) opening ; (*sortie*): **au** ~ **de la vallée** where the valley opens out (onto the plain) ; **au** ~ **de la rue Dupont** (*sur le boulevard*) where the rue Dupont meets the boulevard.

déboucher [debuʃe] *vt* (*évier, tuyau etc*) to unblock ; (*bouteille*) to uncork, open // *vi:* ~ **de** to emerge from, come out of ; ~ **sur** to come out onto ; to open out onto ; (*fig*) to arrive at, lead up to.

débourser [debuʀse] *vt* to pay out, lay out.

debout [dəbu] *ad:* **être** ~ (*personne*) to be standing, stand ; (*: levé, éveillé*) to be up (and about) ; (*chose*) to be upright ; **être encore** ~ (*fig: en état*) to be still going ; to be still standing ; **se mettre** ~ to get up (on one's feet) ; **se tenir** ~ to stand ; ~**!** stand up! ; (*du lit*) get up! ; **cette histoire ne tient pas** ~ this story doesn't hold water.

déboutonner [debutɔne] *vt* to undo, unbutton ; **se** ~ *vi* to come undone *ou* unbuttoned.

débraillé, e [debʀaje] *a* slovenly, untidy.

débrayage [debʀɛjaʒ] *nm* (*AUTO*) clutch ; (*: action*) disengaging the clutch ; (*grève*) stoppage ; **faire un double** ~ to double-declutch.

débrayer [debʀeje] *vi* (*AUTO*) to declutch, disengage the clutch ; (*cesser le travail*) to stop work.

débridé, e [debʀide] *a* unbridled, unrestrained.

débris [debʀi] *nm* (*fragment*) fragment // *nmpl* (*déchets*) pieces ; rubbish *sg* ; debris *sg.*

débrouillard, e [debʀujaʀ, -aʀd(ə)] *a* smart, resourceful.

débrouiller [debʀuje] *vt* to disentangle, untangle ; (*fig*) to sort out, unravel ; **se** ~ *vi* to manage.

débroussailler [debʀusaje] *vt* to clear (of brushwood).

débusquer [debyske] *vt* to drive out (from cover).

début [deby] *nm* beginning, start; ~s *nmpl* beginnings; **début** *sg.*

débutant, e [debytɑ̃, -ɑ̃t] *nm/f* beginner, novice.

débuter [debyte] *vi* to begin, start; (*faire ses débuts*) to start out.

deçà [dəsa]: **en ~ de** *prép* this side of.

décacheter [dekaʃte] *vt* to unseal, open.

décade [dekad] *nf* (*10 jours*) (period of) ten days; (*10 ans*) decade.

décadence [dekadɑ̃s] *nf* decadence; decline.

décaféiné, e [dekafeine] *a* decaffeinated, caffeine-free.

décalage [dekalaʒ] *nm* gap; discrepancy; move forward *ou* back; shift forward *ou* back; ~ **horaire** time difference (between time zones); time-lag.

décalcomanie [dekalkɔmani] *nf* transfer.

décaler [dekale] *vt* (*dans le temps: avancer*) to bring forward; (: *retarder*) to put back; (*changer de position*) to shift forward *ou* back; ~ **de 2 h** to bring *ou* move forward 2 hours; to put back 2 hours.

décalquer [dekalke] *vt* to trace; (*par pression*) to transfer.

décamper [dekɑ̃pe] *vi* to clear out *ou* off.

décanter [dekɑ̃te] *vt* to (allow to) settle (and decant); **se ~** to settle.

décapant [dekapɑ̃] *nm* acid solution; scouring agent; paint stripper.

décaper [dekape] *vt* to clean; (*avec abrasif*) to scour; (*avec papier de verre*) to sand.

décapiter [dekapite] *vt* to behead; (*par accident*) to decapitate; (*fig*) to cut the top off; to remove the top men from.

décapotable [dekapɔtabl(ə)] *a* convertible.

décapoter [dekapɔte] *vt* to put down the top of.

décapsuler [dekapsyle] *vt* to take the cap *ou* top off; **décapsuleur** *nm* bottle-opener.

décathlon [dekatlɔ̃] *nm* decathlon.

décédé, e [desede] *a* deceased.

décéder [desede] *vi* to die.

déceler [desle] *vt* to discover, detect; to indicate, reveal.

décélération [deselerasjɔ̃] *nf* deceleration.

décembre [desɑ̃br(ə)] *nm* December.

décemment [desamɑ̃] *ad* decently.

décence [desɑ̃s] *nf* decency.

décennie [desni] *nf* decade.

décent, e [desɑ̃, -ɑ̃t] *a* decent.

décentraliser [desɑ̃tralize] *vt* to decentralize.

décentrer [desɑ̃tre] *vt* to decentre; **se ~** to move off-centre.

déception [desɛpsjɔ̃] *nf* disappointment.

décerner [desɛrne] *vt* to award.

décès [desɛ] *nm* death, decease.

décevoir [desvwar] *vt* to disappoint.

déchaîner [deʃene] *vt* (*passions, colère*) to unleash; (*rires etc*) to give rise to, arouse; **se ~** *vi* to rage; to burst out, explode; (*se mettre en colère*) to fly into a rage, loose one's fury.

déchanter [deʃɑ̃te] *vi* to become disillusioned.

décharge [deʃarʒ(ə)] *nf* (*dépôt d'ordures*) rubbish tip *ou* dump; (*électrique*) electrical discharge; (*salve*) volley of shots; **à la ~ de** in defence of.

déchargement [deʃarʒəmɑ̃] *nm* unloading.

décharger [deʃarʒe] *vt* (*marchandise, véhicule*) to unload; (*ÉLEC*) to discharge; (*arme: neutraliser*) to unload; (: *faire feu*) to discharge, fire; ~ **qn de** (*responsabilité*) to relieve sb of, release sb from.

décharné, e [deʃarne] *a* bony, emaciated, fleshless.

déchausser [deʃose] *vt* (*personne*) to take the shoes off; (*skis*) to take off; **se ~** to take off one's shoes; (*dent*) to come *ou* work loose.

déchéance [deʃeɑ̃s] *nf* degeneration; decay, decline; fall.

déchet [deʃɛ] *nm* (*de bois, tissu etc*) scrap; (*perte: gén COMM*) wastage, waste; ~s *nmpl* (*ordures*) refuse *sg*, rubbish *sg.*

déchiffrer [deʃifre] *vt* to decipher.

déchiqueter [deʃikte] *vt* to tear *ou* pull to pieces.

déchirant, e [deʃirɑ̃, -ɑ̃t] *a* heartbreaking, heart-rending.

déchirement [deʃirmɑ̃] *nm* (*chagrin*) wrench, heartbreak; (*gén pl: conflit*) rift, split.

déchirer [deʃire] *vt* to tear; (*mettre en morceaux*) to tear up; (*pour ouvrir*) to tear off; (*arracher*) to tear out; (*fig*) to rack; to tear; to tear apart; **se ~** *vi* to tear, rip; **se ~ un muscle** to tear a muscle.

déchirure [deʃiryr] *nf* (*accroc*) tear, rip; ~ **musculaire** torn muscle.

déchoir [deʃwar] *vi* (*personne*) to lower o.s., demean o.s.

déchu, e [deʃy] *a* fallen; deposed.

décibel [desibɛl] *nm* decibel.

décidé, e [deside] *a* (*personne, air*) determined; **c'est ~** it's decided; **être ~ à faire** to be determined to do.

décidément [desidemɑ̃] *ad* undoubtedly; really.

décider [deside] *vt*: ~ **qch** to decide on sth; ~ **de faire/que** to decide to do/that; ~ **qn (à faire qch)** to persuade *ou* induce sb (to do sth); ~ **de qch** to decide upon sth; (*suj: chose*) to determine sth; **se ~** (*à faire*) to decide (to do), make up one's mind (to do); **se ~ pour** to decide on *ou* in favour of.

décilitre [desilitr(ə)] *nm* decilitre.

décimal, e, aux [desimal, -o] *a*, *nf* decimal.

décimer [desime] *vt* to decimate.

décimètre [desimɛtr(ə)] *nm* decimetre; **double ~** (20 cm) ruler.

décisif, ive [desizif, -iv] *a* decisive; (*qui l'emporte*): **le facteur/ l'argument ~** the deciding factor/ argument.

décision [desizjɔ̃] *nf* decision; (*fermeté*) decisiveness, decision; **emporter** *ou* **faire la ~** to be decisive.

déclamation [deklamasjɔ̃] *nf* declamation; (*péj*) ranting, spouting.

déclaration [deklarasjɔ̃] *nf* declaration; registration; (*discours: POL etc*) statement; ~ **(d'amour)** declaration; ~ **de décès**

registration of death; ~ de guerre declaration of war; ~ (d'impôts) statement of income, tax declaration, ≈ tax return; ~ (de sinistre) (insurance) claim.

déclarer [deklaʀe] vt to declare, announce; (revenus, marchandises) to declare; (décès, naissance) to register; se ~ (feu, maladie) to break out; ~ que to declare that.

déclassement [deklɑsmɑ̃] nm (RAIL etc) change of class.

déclasser [deklɑse] vt to relegate; to downgrade; to lower in status.

déclenchement [deklɑ̃ʃmɑ̃] nm release; setting off.

déclencher [deklɑ̃ʃe] vt (mécanisme etc) to release; (sonnerie) to set off, activate; (attaque, grève) to launch; (provoquer) to trigger off; se ~ vi to release itself; to go off.

déclic [deklik] nm trigger mechanism; (bruit) click.

déclin [deklɛ̃] nm decline.

déclinaison [deklinɛzɔ̃] nf declension.

décliner [dekline] vi to decline // vt (invitation) to decline, refuse; (responsabilité) to refuse to accept; (nom, adresse) to state; (LING) to decline.

déclivité [deklivite] nf slope, incline; en ~ sloping, on the incline.

décocher [dekɔʃe] vt to throw; to shoot.

décoder [dekɔde] vt to decipher, decode.

décoiffer [dekwafe] vt: ~ qn to disarrange ou mess up sb's hair; to take sb's hat off; se ~ to take off one's hat.

décoincer [dekwɛ̃se] vt to unjam, loosen.

déçois etc vb voir **décevoir.**

décolérer [dekɔleʀe] vi: il ne décolère pas he's still angry, he hasn't calmed down.

décollage [dekɔlaʒ] nm (AVIAT) takeoff.

décoller [dekɔle] vt to unstick // vi (avion) to take off; se ~ to come unstuck.

décolletage [dekɔltaʒ] nm (TECH) cutting.

décolleté, e [dekɔlte] a low-necked, low-cut; wearing a low-cut dress // nm low neck(line); (bare) neck and shoulders; (plongeant) cleavage.

décolorant [dekɔlɔʀɑ̃] nm decolorant, bleaching agent.

décoloration [dekɔlɔʀasjɔ̃] nf: se faire une ~ (chez le coiffeur) to have one's hair bleached ou lightened.

décolorer [dekɔlɔʀe] vt (tissu) to fade; (cheveux) to bleach, lighten; se ~ vi to fade.

décombres [dekɔ̃bʀ(ə)] nmpl rubble sg, debris sg.

décommander [dekɔmɑ̃de] vt to cancel; (invités) to put off; se ~ to cancel one's appointment etc, cry off.

décomposé, e [dekɔ̃poze] a (visage) haggard, distorted.

décomposer [dekɔ̃poze] vt to break up; (CHIMIE) to decompose; (MATH) to factorize; se ~ vi (pourrir) to decompose; **décomposition** nf breaking up; decomposition; factorization; **en décomposition** (organisme) in a state of decay, decomposing.

décompression [dekɔ̃pʀɛsjɔ̃] nf decompression.

décompte [dekɔ̃t] nm deduction; (facture) breakdown (of an account), detailed account.

déconcentration [dekɔ̃sɑ̃tʀasjɔ̃] nf (des industries etc) dispersal.

déconcentré, e [dekɔ̃sɑ̃tʀe] a (sportif etc) who has lost (his/her) concentration.

déconcerter [dekɔ̃sɛʀte] vt to disconcert, confound.

déconfit, e [dekɔ̃fi, -it] a crestfallen, downcast.

déconfiture [dekɔ̃fityʀ] nf failure, defeat; collapse, ruin.

décongeler [dekɔ̃ʒle] vt to thaw (out).

décongestionner [dekɔ̃ʒɛstjɔne] vt (MÉD) to decongest; (rues) to relieve congestion in.

déconnecter [dekɔnɛkte] vt to disconnect.

déconseiller [dekɔ̃seje] vt: ~ qch (à qn) to advise (sb) against sth; ~ à qn de faire to advise sb against doing.

déconsidérer [dekɔ̃sideʀe] vt to discredit.

déconsigner [dekɔ̃siɲe] vt (valise) to collect (from left luggage); (bouteille) to return the deposit on.

décontenancer [dekɔ̃tnɑ̃se] vt to disconcert, discountenance.

décontracter [dekɔ̃tʀakte] vt, se ~ to relax.

déconvenue [dekɔ̃vny] nf disappointment.

décor [dekɔʀ] nm décor; (paysage) scenery; ~s nmpl (THÉÂTRE) scenery sg, décor sg; (CINÉMA) set sg.

décorateur [dekɔʀatœʀ] nm (interior) decorator; (CINÉMA) set designer.

décoratif, ive [dekɔʀatif, -iv] a decorative.

décoration [dekɔʀasjɔ̃] nf decoration.

décorer [dekɔʀe] vt to decorate.

décortiquer [dekɔʀtike] vt to shell; (riz) to hull; (fig) to dissect.

décorum [dekɔʀɔm] nm decorum; etiquette.

découcher [dekuʃe] vi to spend the night away from home.

découdre [dekudʀ(ə)] vt to unpick, take the stitching out of; se ~ to come unstitched; en ~ (fig) to fight, do battle.

découler [dekule] vi: ~ de to ensue ou follow from.

découpage [dekupaʒ] nm cutting up; carving; (image) cut-out (figure); ~ électoral division into constituencies.

découper [dekupe] vt (papier, tissu etc) to cut up; (volaille, viande) to carve; (détacher: manche, article) to cut out; se ~ sur (ciel, fond) to stand out against.

découplé, e [dekuple] a: bien ~ well-built, well-proportioned.

découpure [dekupyʀ] nf: ~s (morceaux) cut-out bits; (d'une côte, arête) indentations, jagged outline sg.

découragement [dekuʀaʒmɑ̃] nm discouragement, despondency.

décourager [dekuʀaʒe] vt to discourage, dishearten; (dissuader) to discourage, put off; se ~ to lose heart, become discouraged; ~ **qn de faire/de qch** to discourage sb from doing/from sth, put sb off doing/sth.

décousu, e [dekuzy] a unstitched; (*fig*) disjointed, disconnected.

découvert, e [dekuvɛʀ, -ɛʀt(ə)] a (*tête*) bare, uncovered; (*lieu*) open, exposed // nm (*bancaire*) overdraft // nf discovery; **à ~ ad** (*MIL*) exposed, without cover; (*fig*) openly // (*COMM*) overdrawn; **aller à la ~e de** to go in search of.

découvrir [dekuvʀiʀ] vt to discover; (*apercevoir*) to see; (*enlever ce qui couvre ou protège*) to uncover; (*montrer, dévoiler*) to reveal; **se ~** to take off one's hat; to take off some clothes; (*au lit*) to uncover o.s.; (*ciel*) to clear; **~ que** to discover that, find out that.

décrasser [dekʀase] vt to clean.

décrépi, e [dekʀepi] a peeling; with roughcast rendering removed.

décrépit, e [dekʀepi, -it] a decrepit; **décrépitude** nf decrepitude; decay.

decrescendo [dekʀeʃɛndo] nm (*MUS*) decrescendo; **aller ~** (*fig*) to decline, be on the wane.

décret [dekʀɛ] nm decree; **décréter** vt to decree; to order; to declare; **~-loi** nm statutory order.

décrié, e [dekʀije] a disparaged.

décrire [dekʀiʀ] vt to describe; (*courbe, cercle*) to follow, describe.

décrochement [dekʀɔʃmɑ̃] nm (*d'un mur etc*) recess.

décrocher [dekʀɔʃe] vt (*dépendre*) to take down; (*téléphone*) to take off the hook; (: *pour répondre*): ~ (**le téléphone**) to pick up ou lift the receiver; (*fig: contrat etc*) to get, land // vi to drop out; to switch off.

décroître [dekʀwatʀ(ə)] vi to decrease, decline, diminish.

décrue [dekʀy] nf drop in level (of the waters).

décrypter [dekʀipte] vt to decipher.

déçu, e [desy] pp de **décevoir**.

déculotter [dekylɔte] vt: ~ **qn** to take off ou down sb's trousers.

décuple [dekypl(ə)] nm: **le ~ de** ten times; **au ~** tenfold; **décupler** vt, vi to increase tenfold.

dédaigner [dedɛɲe] vt to despise, scorn; (*négliger*) to disregard, spurn; **~ de faire** to consider it beneath one to do; not to deign to do; **dédaigneux, euse** a scornful, disdainful.

dédain [dedɛ̃] nm scorn, disdain.

dédale [dedal] nm maze.

dedans [dədɑ̃] ad inside; (*pas en plein air*) indoors, inside // nm inside; **au ~** on the inside; inside; **en ~** (*vers l'intérieur*) inwards; *voir aussi* **là**.

dédicace [dedikas] nf dedication; (*manuscrite, sur une photo etc*) inscription.

dédicacer [dedikase] vt: ~ (**à qn**) to sign (for sb), autograph (for sb), inscribe (to sb).

dédier [dedje] vt to dedicate.

dédire [dediʀ]: **se ~** vi to go back on one's word; to retract, recant.

dédit [dedi] nm (*COMM*) forfeit, penalty.

dédommagement [dedɔmaʒmɑ̃] nm compensation.

dédommager [dedɔmaʒe] vt: ~ **qn (de)** to compensate sb (for); (*fig*) to repay sb (for).

dédouaner [dedwane] vt to clear through customs.

dédoublement [dedubləmɑ̃] nm splitting; (*PSYCH*): ~ **de la personnalité** split ou dual personality.

dédoubler [deduble] vt (*classe, effectifs*) to split (into two); (*couverture etc*) to unfold; (*manteau*) to remove the lining of; ~ **un train/les trains** to run a relief train/additional trains.

déduction [dedyksjɔ̃] nf (*d'argent*) deduction; (*raisonnement*) deduction, inference.

déduire [dedɥiʀ] vt: ~ **qch (de)** (*ôter*) to deduct sth (from); (*conclure*) to deduce ou infer sth (from).

déesse [deɛs] nf goddess.

défaillance [defajɑ̃s] nf (*syncope*) blackout; (*fatigue*) (sudden) weakness q; (*technique*) fault, failure; (*morale etc*) weakness; ~ **cardiaque** heart failure.

défaillant, e [defajɑ̃, -ɑ̃t] a (*JUR: témoin*) defaulting.

défaillir [defajiʀ] vi to faint; to feel faint; (*mémoire etc*) to fail.

défaire [defɛʀ] vt (*installation, échafaudage*) to take down, dismantle; (*paquet etc, nœud, vêtement*) to undo; **se ~ vi** to come undone; **se ~ de** vt (*se débarrasser de*) to get rid of; (*se séparer de*) to part with.

défait, e [defɛ, -ɛt] a (*visage*) haggard, ravaged // nf defeat.

défaitiste [defetist(ə)] a, nm/f defeatist.

défalquer [defalke] vt to deduct.

défaut [defo] nm (*moral*) fault, failing, defect; (*d'étoffe, métal*) fault, flaw, defect; (*manque, carence*) ~ **de** lack of; shortage of; **en ~** at fault; in the wrong; **faire ~** (*manquer*) to be lacking; **à ~ ad** failing that; **à ~ de** for lack ou want of; **par ~** (*JUR*) in his (ou her etc) absence.

défaveur [defavœʀ] nf disfavour.

défavorable [defavɔʀabl(ə)] a unfavourable.

défavoriser [defavɔʀize] vt to put at a disadvantage.

défectif, ive [defɛktif, -iv] a: **verbe ~** defective verb.

défection [defɛksjɔ̃] nf defection, failure to give support ou assistance; failure to appear; **faire ~** (*d'un parti etc*) to withdraw one's support, leave.

défectueux, euse [defɛktɥø, -øz] a faulty, defective; **défectuosité** nf defectiveness q; defect, fault.

défendre [defɑ̃dʀ(ə)] vt to defend; (*interdire*) to forbid; ~ **à qn qch/de faire** to forbid sb sth/to do; **se ~** to defend o.s.; **il se défend** (*fig*) he can hold his own; **ça se défend** (*fig*) it holds together; **se ~ de/contre** (*se protéger*) to protect o.s. from/against; **se ~ de** (*se garder de*) to refrain from; (*nier*): **se ~ de vouloir** to deny wanting.

défense [defɑ̃s] nf defence; (*d'éléphant etc*) tusk; '~ **de fumer/cracher**' 'no smoking/ spitting', 'smoking/spitting prohibited'; **défenseur** *nm* defender ; (JUR) counsel for the defence ; **défensif, ive** *a*, *nf* defensive.

déférent, e [deferɑ̃, -ɑ̃t] *a* (poli) deferential, deferent.

déférer [defere] *vt* (JUR) to refer ; ~ **à** *vt* (requête, décision) to defer to ; ~ **qn à la justice** to hand sb over to justice.

déferlement [defɛʀləmɑ̃] *nm* breaking ; surge.

déferler [defɛʀle] *vi* (vagues) to break ; (fig) to surge.

défi [defi] *nm* (provocation) challenge ; (bravade) defiance.

défiance [defjɑ̃s] *nf* mistrust, distrust.

déficience [defisjɑ̃s] *nf* deficiency.

déficit [defisit] *nm* (COMM) deficit ; (PSYCH etc: manque) defect ; **être en** ~ to be in deficit, be in the red.

défier [defje] *vt* (provoquer) to challenge ; (fig) to defy, brave ; **se** ~ **de** (se méfier de) to distrust, mistrust ; ~ **qn de faire** to challenge ou defy sb to do ; ~ **qn à** (jeu etc) to challenge sb to.

défigurer [defigyʀe] *vt* to disfigure ; (suj: boutons etc) to mar ou spoil (the looks of) ; (fig: œuvre) to mutilate, deface.

défilé [defile] *nm* (GÉO) (narrow) gorge ou pass ; (soldats) parade ; (manifestants) procession, march ; **un** ~ **de** (voitures, visiteurs etc) a stream of.

défiler [defile] *vi* (troupes) to march past ; (sportifs) to parade ; (manifestants) to march ; (visiteurs) to pour, stream ; **se** ~ *vi* (se dérober) to slip away, sneak off.

défini, e [defini] *a* definite.

définir [definiʀ] *vt* to define.

définitif, ive [definitif, -iv] *a* (final) final, definitive ; (pour longtemps) permanent, definitive ; (sans appel) final, definite // *nf*: **en définitive** eventually ; (somme toute) when all is said and done.

définition [definisjɔ̃] *nf* definition ; (de mots croisés) clue ; (TV) (picture) resolution.

définitivement [definitivmɑ̃] *ad* definitively ; permanently ; definitely.

déflagration [deflagʀasjɔ̃] *nf* explosion.

déflation [deflasjɔ̃] *nf* deflation ; **déflationniste** a deflationist, deflationary.

déflecteur [deflɛktœʀ] *nm* (AUTO) quarter-light.

déflorer [deflɔʀe] *vt* (jeune fille) to deflower ; (fig) to spoil the charm of.

défoncer [defɔ̃se] *vt* (caisse) to stave in ; (porte) to smash in ou down ; (lit, fauteuil) to burst (the springs of) ; (terrain, route) to rip ou plough up.

déformant, e [defɔʀmɑ̃, -ɑ̃t] *a*: **glace** ou **miroir** ~**(e)** distorting mirror.

déformation [defɔʀmasjɔ̃] *nf* loss of shape ; deformation ; distortion ; ~ **professionnelle** conditioning by one's job.

déformer [defɔʀme] *vt* to put out of shape ; (corps) to deform ; (pensée, fait) to distort ; **se** ~ *vi* to lose its shape.

défouler [defule]: **se** ~ *vi* (PSYCH) to work off one's tensions, release one's pent-up feelings ; (gén) to unwind, let off steam.

défraîchir [defʀeʃiʀ]: **se** ~ *vi* to fade ; to become worn.

défrayer [defʀeje] *vt*: ~ **qn** to pay sb's expenses ; ~ **la chronique** to be in the news, be the main topic of conversation.

défricher [defʀiʃe] *vt* to clear (for cultivation).

défroquer [defʀɔke] *vi* (gén: **se** ~) to give up the cloth, renounce one's vows.

défunt, e [defœ̃, -œ̃t] *a*: **son** ~ **père** his late father // *nm/f* deceased.

dégagé, e [degaʒe] *a* clear ; (ton, air) casual, jaunty.

dégagement [degaʒmɑ̃] *nm* emission ; freeing ; clearing ; (espace libre) clearing ; passage ; clearance ; (FOOTBALL) clearance ; **voie de** ~ slip road ; **itinéraire de** ~ alternative route (to relieve traffic congestion).

dégager [degaʒe] *vt* (exhaler) to give off, emit ; (délivrer) to free, extricate ; (MIL: troupes) to relieve ; (désencombrer) to clear ; (isoler: idée, aspect) to bring out ; ~ **qn de** (engagement, parole etc) to release ou free sb from ; **se** ~ *vi* (odeur) to emanate, be given off ; (passage, ciel) to clear ; **se** ~ **de** (fig: engagement etc) to get out of ; to go back on.

dégaîner [degene] *vt* to draw.

dégarnir [degaʀniʀ] *vt* (vider) to empty, clear ; **se** ~ *vi* to empty ; to be cleaned out ou cleared ; (tempes, crâne) to go bald.

dégâts [dega] *nmpl* damage *sg*.

dégazer [degaze] *vi* (pétrolier) to clean its tanks.

dégel [deʒɛl] *nm* thaw.

dégeler [deʒle] *vt* to thaw (out) ; (fig) to unfreeze // *vi* to thaw (out).

dégénéré, e [deʒenere] *a*, *nm/f* degenerate.

dégénérer [deʒenere] *vi* to degenerate ; (empirer) to go from bad to worse.

dégingandé, e [deʒɛ̃gɑ̃de] *a* gangling, lanky.

dégivrage [deʒivʀaʒ] *nm* defrosting ; de-icing.

dégivrer [deʒivʀe] *vt* (frigo) to defrost ; (vitres) to de-ice ; **dégivreur** *nm* defroster ; de-icer.

déglutir [deglytiʀ] *vt* to swallow.

dégonflé, e [degɔ̃fle] *a* (pneu) flat.

dégonfler [degɔ̃fle] *vt* (pneu, ballon) to let down, deflate ; **se** ~ *vi* (fam) to chicken out.

dégouliner [deguline] *vi* to trickle, drip ; ~ **de** to be dripping with.

dégoupiller [degupije] *vt* (grenade) to take the pin out of.

dégourdi, e [deguʀdi] *a* smart, resourceful.

dégourdir [deguʀdiʀ] *vt* to warm (up) ; **se** ~ **(les jambes)** to stretch one's legs (fig).

dégoût [degu] *nm* disgust, distaste.

dégoûtant, e [degutɑ̃, -ɑ̃t] *a* disgusting.

dégoûter [degute] *vt* to disgust ; **cela me dégoûte** I find this disgusting ou revolting ; ~ **qn de qch** to put sb off sth.

dégoutter [degute] *vi* to drip ; ~ **de** to be dripping with.

dégradé, e [degrade] *a* (couleur) shaded off // *nm* (PEINTURE) gradation.

dégrader [degrade] *vt* (MIL: officier) to degrade ; (abîmer) to damage, deface ;

(*avilir*) to degrade, debase ; **se ~** (*relations, situation*) to deteriorate.
dégrafer [degRafe] *vt* to unclip, unhook, unfasten.
dégraissage [degRɛsaʒ] *nm*: **~ et nettoyage à sec** dry cleaning.
dégraisser [degRese] *vt* (*soupe*) to skim ; (*vêtement*) to take the grease marks out of.
degré [dəgRe] *nm* degree ; (*d'escalier*) step ; **brûlure au 1er/2ème ~** 1st/2nd degree burn ; **équation du 1er/2ème ~** linear/quadratic equation ; **alcool à 90 ~s** 90% proof alcohol (*on Gay-Lussac scale*) ; **vin de 10 ~s** 10° wine (*on Gay-Lussac scale*) ; **par ~(s)** *ad* by degrees, gradually.
dégressif, ive [degResif, -iv] *a* on a decreasing sliding scale, degressive.
dégrever [degRəve] *vt* to grant tax relief to ; to reduce the tax burden on.
dégringoler [degRɛ̃gɔle] *vi* to tumble (down).
dégriser [degRize] *vt* to sober up.
dégrossir [degRosiR] *vt* (*bois*) to trim ; (*fig*) to work out roughly ; to knock the rough edges off.
déguenillé, e [dɛgnije] *a* ragged, tattered.
déguerpir [degɛRpiR] *vi* to clear off, scarper.
déguisement [degizmɑ̃] *nm* disguise.
déguiser [degize] *vt* to disguise ; **se ~** (*se costumer*) to dress up ; (*pour tromper*) to disguise o.s.
dégustation [degystasjɔ̃] *nf* tasting ; sampling ; savouring ; (*séance*) : **~ de vin(s)** wine-tasting session.
déguster [degyste] *vt* (*vins*) to taste ; (*fromages etc*) to sample ; (*savourer*) to enjoy, savour.
déhancher [deɑ̃ʃe] : **se ~** *vi* to sway one's hips ; to lean (one's weight) on one hip.
dehors [dəɔR] *ad* outside ; (*en plein air*) outdoors, outside // *nm* outside // *nmpl* (*apparences*) appearances, exterior *sg* ; **mettre** *ou* **jeter ~** (*expulser*) to throw out ; **au ~** outside ; outwardly ; **au ~ de** outside ; **en ~** (*vers l'extérieur*) outside ; outwards ; **en ~ de** (*hormis*) apart from.
déjà [deʒa] *ad* already ; (*auparavant*) before, already ; **quel nom, ~?** what was the name again?
déjanter [deʒɑ̃te] : **se ~** *vi* (*pneu*) to come off the rim.
déjeté, e [deʒte] *a* lop-sided, crooked.
déjeuner [deʒœne] *vi* to (have) lunch ; (*le matin*) to have breakfast // *nm* lunch ; (*petit déjeuner*) breakfast.
déjouer [deʒwe] *vt* to elude ; to foil, thwart.
delà [dəla] *ad*: **par ~, en ~ (de), au ~ (de)** beyond.
délabrer [delabRe] : **se ~** *vi* to fall into decay, become dilapidated.
délacer [delase] *vt* to unlace, undo.
délai [delɛ] *nm* (*attente*) waiting period ; (*sursis*) extension (of time) ; (*temps accordé*) time limit ; **sans ~** without delay ; **à bref ~** shortly, very soon ; at short notice ; **dans les ~s** within the time limit ; **comptez un ~ de livraison de 10 jours** allow 10 days for delivery.

délaisser [delese] *vt* to abandon, desert.
délasser [delase] *vt* (*reposer*) to relax ; (*divertir*) to divert, entertain ; **se ~** to relax.
délateur, trice [delatœR, -tRis] *nm/f* informer.
délation [delasjɔ̃] *nf* denouncement, informing.
délavé, e [delave] *a* faded.
délayer [deleje] *vt* (*CULIN*) to mix (with water *etc*) ; (*peinture*) to thin down ; (*fig*) to pad out, spin out.
delco [dɛlko] *nm* (*AUTO*) distributor.
délecter [delɛkte] : **se ~** *vi* : **se ~ de** to revel *ou* delight in.
délégation [delegasjɔ̃] *nf* delegation.
délégué, e [delege] *a* delegated // *nm/f* delegate ; representative.
déléguer [delege] *vt* to delegate.
délester [delɛste] *vt* (*navire*) to unballast.
délibération [deliberasjɔ̃] *nf* deliberation.
délibéré, e [delibeRe] *a* (*conscient*) deliberate ; (*déterminé*) determined, resolute.
délibérément [delibeRemɑ̃] *ad* deliberately.
délibérer [delibeRe] *vi* to deliberate.
délicat, e [delika, -at] *a* delicate ; (*plein de tact*) tactful ; (*attentionné*) thoughtful ; (*exigeant*) fussy, particular ; **procédés peu ~s** unscrupulous methods ; **délicatement** *ad* delicately ; (*avec douceur*) gently ; **délicatesse** *nf* delicacy, delicate nature ; tactfulness ; thoughtfulness ; **délicatesses** *nfpl* attentions, consideration *sg*.
délice [delis] *nm* delight.
délicieux, euse [delisjø, -jøz] *a* (*au goût*) delicious ; (*sensation, impression*) delightful.
délictueux, euse [deliktɥø, -ɥøz] *a* criminal.
délié, e [delje] *a* nimble, agile ; slender, fine // *nm*: **les ~s** the upstrokes (*in handwriting*).
délier [delje] *vt* to untie ; **~ qn de** (*serment etc*) to free *ou* release sb from.
délimitation [delimitasjɔ̃] *nf* delimitation, demarcation.
délimiter [delimite] *vt* to delimit, demarcate ; to determine ; to define.
délinquance [delɛ̃kɑ̃s] *nf* criminality ; **~ juvénile** juvenile delinquency.
délinquant, e [delɛ̃kɑ̃, -ɑ̃t] *a, nm/f* delinquent.
déliquescence [delikesɑ̃s] *nf*: **en ~** in a state of decay.
délire [deliR] *nm* (*fièvre*) delirium ; (*fig*) frenzy ; lunacy.
délirer [deliRe] *vi* to be delirious ; (*fig*) to be raving, be going wild.
délit [deli] *nm* (*criminal*) offence ; **~ de droit commun** violation of common law ; **~ politique** political offence ; **~ de presse** violation of the press laws.
délivrance [delivRɑ̃s] *nf* freeing, release ; (*sentiment*) relief.
délivrer [delivRe] *vt* (*prisonnier*) to (set) free, release ; (*passeport, certificat*) to issue ; **~ qn de** (*ennemis*) to set sb free from, deliver *ou* free sb from ; (*fig*) to relieve sb of ; to rid sb of.
déloger [deloʒe] *vt* (*locataire*) to turn out ; (*objet coincé, ennemi*) to dislodge.

déloyal, e, aux [delwajal, -o] a disloyal; unfair.

delta [dɛlta] nm (GÉO) delta.

déluge [delyʒ] nm (biblique) Flood, Deluge; (grosse pluie) downpour, deluge; (grand nombre): ~ de flood of.

déluré, e [delyʀe] a smart, resourceful; (péj) forward, pert.

démagnétiser [demaɲetize] vt to demagnetize.

démagogie [demagɔʒi] nf demagogy, demagoguery; **démagogique** a demagogic, popularity-seeking; vote-catching; **démagogue** a demagogic // nm demagogue.

démaillé, e [demaje] a (bas) laddered, with a run, with runs.

demain [dəmɛ̃] ad tomorrow.

demande [dəmɑ̃d] nf (requête) request; (revendication) demand; (ADMIN, formulaire) application; (ÉCON): **la ~** demand; **'~s d'emploi** situations wanted; **~ en mariage** (marriage) proposal; **~ de naturalisation** application for naturalization; **~ de poste** job application.

demandé, e [dəmɑ̃de] a (article etc): **très ~** (very) much in demand.

demander [dəmɑ̃de] vt to ask for; (question: date, heure etc) to ask; (requérir, nécessiter) to require, demand; **~ qch à qn** to ask sb for sth; to ask sb sth; **~ à qn de faire** to ask sb to do; **~ que/pourquoi** to ask that/why; **se ~ si/pourquoi** etc to wonder if/why etc; (sens purement réfléchi) to ask o.s. if/why etc; **on· vous demande au téléphone** you're wanted on the phone, someone's asking for you on the phone.

demandeur, euse [dəmɑ̃dœʀ, -øz] nm/f: **~ d'emploi** job-seeker; (job) applicant.

démangeaison [demɑ̃ʒɛzɔ̃] nf itching.

démanger [demɑ̃ʒe] vi to itch; **la main me démange** my hand is itching; **l'envie me démange de** I'm itching to.

démanteler [demɑ̃tle] vt to break up; to demolish.

démaquillant [demakijɑ̃] nm make-up remover.

démaquiller [demakije] vt: **se ~** to remove one's make-up.

démarcage [demaʀkaʒ] nm = **démarquage**.

démarcation [demaʀkɑsjɔ̃] nf demarcation.

démarchage [demaʀʃaʒ] nm (COMM) door-to-door selling.

démarche [demaʀʃ(ə)] nf (allure) gait, walk; (intervention) step; approach; (fig: intellectuelle) thought processes pl; approach; **faire des ~s auprès de qn** to approach sb.

démarcheur, euse [demaʀʃœʀ, -øz] nm/f (COMM) door-to-door salesman/woman.

démarquage [demaʀkaʒ] nm mark-down.

démarqué, e [demaʀke] a (FOOTBALL) unmarked.

démarquer [demaʀke] vt (prix) to mark down; (joueur) to stop marking.

démarrage [demaʀaʒ] nm starting q, start; **~ en côte** hill start.

démarrer [demaʀe] vi (conducteur) to start (up); (véhicule) to move off; (travaux) to get moving; (coureur: accélérer) to pull away; **démarreur** nm (AUTO) starter.

démasquer [demaske] vt to unmask.

démâter [demɑte] vt to dismast // vi to be dismasted.

démêler [demele] vt to untangle, disentangle.

démêlés [demele] nmpl problems.

démembrer [demɑ̃bʀe] vt to slice up, tear apart.

déménagement [demenaʒmɑ̃] nm (du point de vue du locataire) move; (: du déménageur) removal; **entreprise/camion de ~** removal firm/van.

déménager [demenaʒe] vt (meubles) to (re)move // vi to move (house); **déménageur** nm removal man; (entrepreneur) furniture remover.

démence [demɑ̃s] nf dementia; madness, insanity.

démener [demne]: **se ~** vi to thrash about; (fig) to exert o.s.

démenti [demɑ̃ti] nm denial, refutation.

démentiel, le [demɑ̃sjɛl] a insane.

démentir [demɑ̃tiʀ] vt (nouvelle) to refute; (suj: faits etc) to belie, refute; **~ que** to deny that; **ne pas se ~** not to fail; to keep up.

démériter [demeʀite] vi: **~ auprès de qn** to come down in sb's esteem.

démesure [deməzyʀ] nf immoderation, immoderateness; **démesuré, e** a immoderate, disproportionate.

démettre [demɛtʀ(ə)] vt: **~ qn de** (fonction, poste) to dismiss sb from; **se ~ (de ses fonctions)** to resign (from) one's duties; **se ~ l'épaule** etc to dislocate one's shoulder etc.

demeurant [dəmœʀɑ̃]: **au ~** ad for all that.

demeure [dəmœʀ] nf residence; **mettre qn en ~ de faire** to enjoin ou order sb to do; **à ~** ad permanently.

demeurer [dəmœʀe] vi (habiter) to live; (séjourner) to stay; (rester) to remain.

demi, e [dəmi] a: et **~**: **trois heures/bouteilles et ~es** three and a half hours/bottles, three hours/bottles and a half; **il est 2 heures/midi et ~e** it's half past 2/12 // nm (bière) ≈ half-pint (.25 litre); (FOOTBALL) half-back; **à ~** ad half-; **ouvrir à ~** to half-open; **à ~ fini** half-completed; **à la ~e** (heure) on the half-hour.

demi... [dəmi] préfixe half-, semi..., demi-; **~-cercle** nm semicircle; **en ~-cercle** a semicircular // ad in a half circle; **~-douzaine** nf half-dozen, half a dozen; **~-finale** nf semifinal; **~-fond** nm (SPORT) medium-distance running; **~-frère** nm half-brother; **~-gros** nm wholesale trade; **~-heure** nf half-hour, half an hour; **~-jour** nm half-light; **~-journée** nf half-day, half a day.

démilitariser [demilitaʀize] vt to demilitarize.

demi-litre [dəmilitʀ(ə)] nm half-litre, half a litre.

demi-livre [dəmilivʀ(ə)] *nf* half-pound, half a pound.

demi-longueur [dəmilɔ̃gœʀ] *nf* (SPORT) half-length, half a length.

demi-lune [dəmilyn] *ad*: en ~ semicircular.

demi-mesure [dəmimzyʀ] *nf* half-measure.

demi-mot [dəmimo]: à ~ *ad* without having to spell things out.

déminer [demine] *vt* to clear of mines; **démineur** *nm* bomb disposal expert.

demi-pension [dəmipɑ̃sjɔ̃] *nf* (à l'hôtel) half-board.

demi-pensionnaire [dəmipɑ̃sjɔnɛʀ] *nm/f* (au lycée) half-boarder.

demi-place [dəmiplas] *nf* half-fare.

démis, e [demi, -iz] *a* (épaule etc) dislocated.

demi-saison [dəmisɛzɔ̃] *nf*: vêtements de ~ spring ou autumn clothing.

demi-sel [dəmisɛl] *a inv* (beurre, fromage) slightly salted.

demi-sœur [dəmisœʀ] *nf* half-sister.

démission [demisjɔ̃] *nf* resignation; **donner sa** ~ to give ou hand in one's notice, hand in one's resignation; **démissionner** *vi* (de son poste) to resign, give ou hand in one's notice.

demi-tarif [dəmitaʀif] *nm* half-price; (TRANSPORTS) half-fare.

demi-tour [dəmituʀ] *nm* about-turn; **faire un** ~ (MIL etc) to make an about-turn; **faire** ~ to turn (and go) back; (AUTO) to do a U-turn.

démobilisation [demobilizasjɔ̃] *nf* demobilization.

démocrate [demɔkʀat] *a* democratic // *nm/f* democrat.

démocratie [demɔkʀasi] *nf* democracy; **~ populaire/libérale** people's/liberal democracy.

démocratique [demɔkʀatik] *a* democratic.

démocratiser [demɔkʀatize] *vt* to democratize.

démodé, e [demode] *a* old-fashioned.

démographie [demɔgʀafi] *nf* demography.

démographique [demɔgʀafik] *a* demographic; **poussée** ~ increase in population.

demoiselle [dəmwazɛl] *nf* (jeune fille) young lady; (célibataire) single lady, maiden lady; ~ **d'honneur** bridesmaid.

démolir [demɔliʀ] *vt* to demolish.

démolisseur [demɔlisœʀ] *nm* demolition worker.

démolition [demɔlisjɔ̃] *nf* demolition.

démon [demɔ̃] *nm* demon, fiend; evil spirit; (enfant turbulent) devil, demon; **le D~** the Devil.

démoniaque [demɔnjak] *a* fiendish.

démonstrateur, trice [demɔ̃stʀatœʀ, -tʀis] *nm/f* demonstrator.

démonstratif, ive [demɔ̃stʀatif, -iv] *a* (aussi LING) demonstrative.

démonstration [demɔ̃stʀasjɔ̃] *nf* demonstration; (aérienne, navale) display.

démonté, e [demɔ̃te] *a* (fig) raging, wild.

démonter [demɔ̃te] *vt* (machine etc) to take down, dismantle; (fig: personne) to disconcert; **se** ~ *vi* (personne) to lose countenance.

démontrer [demɔ̃tʀe] *vt* to demonstrate, show.

démoraliser [demɔʀalize] *vt* to demoralize.

démordre [demɔʀdʀ(ə)] *vi*: **ne pas** ~ **de** to refuse to give up, stick to.

démouler [demule] *vt* (gâteau) to turn out.

démoustiquer [demustike] *vt* to clear of mosquitoes.

démultiplication [demyltiplikasjɔ̃] *nf* reduction; reduction ratio.

démuni, e [demyni] *a* (sans argent) impoverished; ~ **de** without, lacking in.

démunir [demyniʀ] *vt*: ~ **qn de** to deprive sb of; **se** ~ **de** to part with, give up.

dénatalité [denatalite] *nf* fall in the birth rate.

dénaturer [denatyʀe] *vt* (goût) to alter (completely); (pensée, fait) to distort, misrepresent.

dénégations [denegasjɔ̃] *nfpl* denials.

dénicher [denife] *vt* to unearth; to track ou hunt down.

dénier [denje] *vt* to deny.

dénigrer [denigʀe] *vt* to denigrate, run down.

dénivellation [denivɛlasjɔ̃] *nf*, **dénivellement** [denivɛlmɑ̃] *nm* ramp; dip; difference in level.

dénombrer [denɔ̃bʀe] *vt* (compter) to count; (énumérer) to enumerate, list.

dénominateur [denɔminatœʀ] *nm* denominator; ~ **commun** common denominator.

dénomination [denɔminasjɔ̃] *nf* designation, appellation.

dénommer [denɔme] *vt* to name.

dénoncer [denɔ̃se] *vt* to denounce; **se** ~ to give o.s. up, come forward; **dénonciation** *nf* denunciation.

dénoter [denɔte] *vt* to denote.

dénouement [denumɑ̃] *nm* outcome, conclusion; (THÉÂTRE) dénouement.

dénouer [denwe] *vt* to unknot, undo.

dénoyauter [denwajote] *vt* to stone; **appareil à** ~, **dénoyauteur** *nm* stoner.

denrée [dɑ̃ʀe] *nf* food(stuff); ~**s alimentaires** foodstuffs.

dense [dɑ̃s] *a* dense.

densité [dɑ̃site] *nf* denseness; density; (PHYSIQUE) density.

dent [dɑ̃] *nf* tooth (pl teeth); **faire ses** ~**s** to teethe, cut (one's) teeth; **en** ~**s de scie** serrated; jagged; ~ **de lait/sagesse** milk/wisdom tooth; **dentaire** *a* dental; **denté, e** *a*: **roue dentée** cog wheel.

dentelé, e [dɑ̃tle] *a* jagged, indented.

dentelle [dɑ̃tɛl] *nf* lace q.

dentier [dɑ̃tje] *nm* denture.

dentifrice [dɑ̃tifʀis] *nm, a*: **(pâte)** ~ toothpaste.

dentiste [dɑ̃tist(ə)] *nm/f* dentist.

dentition [dɑ̃tisjɔ̃] *nf* teeth *pl*; dentition.

dénudé, e [denyde] *a* bare.

dénuder [denyde] *vt* to bare.

dénué   75   dépouiller

dénué, e [denɥe] a: ~ **de** devoid of ; lacking in.

dénuement [denymã] nm destitution.

déodorant [deɔdɔʀã] nm deodorant.

dépannage [depanaʒ] nm: **service de ~** (AUTO) breakdown service.

dépanner [depane] vt (voiture, télévision) to fix, repair ; (fig) to bail out, help out ; **dépanneuse** nf breakdown lorry.

déparer [depaʀe] vt to spoil, mar.

départ [depaʀ] nm leaving q, departure ; (SPORT) start ; (sur un horaire) departure ; **à son ~** when he left.

départager [depaʀtaʒe] vt to decide between.

département   [depaʀtəmã]   nm department.

départir [depaʀtiʀ]: **se ~ de** vt to abandon, depart from.

dépassé, e [depɑse] a superseded, outmoded.

dépassement [depɑsmã] nm (AUTO) overtaking q.

dépasser [depɑse] vt (véhicule, concurrent) to overtake ; (endroit) to pass, go past ; (somme, limite) to exceed ; (fig: en beauté etc) to surpass, outshine ; (être en saillie sur) to jut out above (ou in front of) // vi (AUTO) to overtake ; (jupon) to show.

dépaysement   [depeizmã]   nm disorientation ; change of scenery.

dépayser [depeize] vt to disorientate.

dépecer [depɑse] vt to joint, cut up ; to dismember.

dépêche [depɛʃ] nf dispatch ; ~ **(télégraphique)** wire.

dépêcher [depeʃe] vt to dispatch ; **se ~** vi to hurry.

dépeindre [depɛ̃dʀ(ə)] vt to depict.

dépendance [depãdãs] nf dependence, dependency.

dépendre [depãdʀ(ə)] vt (tableau) to take down ; ~ **de** vt to depend on ; (financièrement etc) to be dependent on.

dépens [depã] nmpl: **aux ~ de** at the expense of.

dépense [depãs] nf spending q, expense, expenditure q ; (fig) consumption ; expenditure ; **une ~ de 100 F** an outlay ou expenditure of 100 F ; ~ **physique** (physical) exertion ; ~**s publiques** public expenditure.

dépenser [depãse] vt to spend ; (gaz, eau) to use ; (fig) to expend, use up ; **se ~** (se fatiguer) to exert o.s.

dépensier, ière [depãsje, -jɛʀ] a: **il est ~** he's a spendthrift.

déperdition [depɛʀdisjɔ̃] nf loss.

dépérir [depeʀiʀ] vi to waste away ; to wither.

dépêtrer [depetʀe] vt: **se ~ de** to extricate o.s. from.

dépeupler [depœple] vt to depopulate ; **se ~** to be depopulated ; (rivière, forêt) to empty of wildlife etc.

déphasé, e [defaze] a (ÉLEC) out of phase ; (fig) out of touch.

dépilatoire [depilatwaʀ] a depilatory, hair removing.

dépistage [depistaʒ] nm (MÉD) detection.

dépister [depiste] vt to detect ; (voleur) to track down ; (poursuivants) to throw off the scent.

dépit [depi] nm vexation, frustration ; **en ~ de** prép in spite of ; **en ~ du bon sens** contrary to all good sense ; **dépité, e** a vexed, frustrated.

déplacé, e [deplase] a (propos) out of place, uncalled-for.

déplacement [deplasmã] nm moving ; shifting ; transfer ; trip, travelling q ; ~ **d'air** displacement of air ; ~ **de vertèbre** slipped disc.

déplacer [deplase] vt (table, voiture) to move, shift ; (employé) to transfer, move ; **se ~** vi to move ; (organe) to be displaced ; (voyager) to travel // vt (vertèbre etc) to displace.

déplaire [deplɛʀ] vi: **ceci me déplaît** I don't like this, I dislike this ; **il cherche à nous ~** he's trying to displease us ou be disagreeable to us ; **se ~ quelque part** to dislike it somewhere ; **déplaisant, e** a disagreeable, unpleasant.

déplaisir [depleziʀ] nm displeasure, annoyance.

dépliant [deplijã] nm leaflet.

déplier [deplije] vt to unfold.

déplisser [deplise] vt to smooth out.

déploiement   [deplwamã]   nm deployment ; display.

déplorer [deplɔʀe] vt to deplore ; to lament.

déployer [deplwaje] vt to open out, spread ; to deploy ; to display, exhibit.

dépoli, e [depɔli] a: **verre ~** frosted glass.

déportation [depɔʀtasjɔ̃] nf deportation.

déporté, e [depɔʀte] nm/f deportee ; (39-45) concentration camp prisoner.

déporter [depɔʀte] vt (POL) to deport ; (dévier) to carry off course.

déposant, e [depozã, -ãt] nm/f (épargnant) depositor.

dépose [depoz] nf taking out ; taking down.

déposer [depoze] vt (gén: mettre, poser) to lay down, put down, set down ; (à la banque, à la consigne) to deposit ; (passager) to drop (off), set down ; (démonter: serrure, moteur) to take out ; (: rideau) to take down ; (roi) to depose ; (ADMIN: faire enregistrer) to file ; to lodge ; to submit ; to register // vi to form a sediment ou deposit ; (JUR): ~ **(contre)** to testify ou give evidence (against) ; **se ~** vi to settle ; **dépositaire** nm/f (JUR) depository ; (COMM) agent ; **déposition** nf (JUR) deposition.

déposséder [deposede] vt to dispossess.

dépôt [depo] nm (à la banque, sédiment) deposit ; (entrepôt, réserve) warehouse, store ; (gare) depot ; (prison) cells pl ; ~ **légal** registration of copyright.

dépotoir [depotwaʀ] nm dumping ground, rubbish dump.

dépouille [depuj] nf (d'animal) skin, hide ; (humaine): ~ **(mortelle)** mortal remains pl.

dépouillé, e [depuje] a (fig) bare, bald ; ~ **de** stripped of ; lacking in.

dépouiller [depuje] vt (animal) to skin ; (spolier) to deprive of one's possessions ; (documents) to go through, peruse ; ~

qn/qch de to strip sb/sth of ; ~ **le scrutin** to count the votes.

dépourvu, e [depuʀvy] a: ~ **de** lacking in, without ; **au** ~ ad unprepared.

dépoussiérer [depusjeʀe] vt to remove dust from.

dépravation [depʀavɑsjɔ̃] nf depravity.

dépraver [depʀave] vt to deprave.

dépréciation [depʀesjɑsjɔ̃] nf depreciation.

déprécier [depʀesje] vt, **se** ~ vi to depreciate.

déprédations [depʀedɑsjɔ̃] nfpl damage sg.

dépression [depʀesjɔ̃] nf depression ; ~ **(nerveuse)** (nervous) breakdown.

déprimer [depʀime] vt to depress.

dépuceler [depysle] vt (fam) to take the virginity of.

depuis [dəpɥi] prép (temps: date) since ; (: période) for ; (espace) since, from ; (quantité, rang: à partir de) from // ad (ever) since ; ~ **que** (ever) since ; **quand le connaissez-vous?** how long have you known him? ; **je le connais** ~ **3 ans** I've known him for 3 years ; ~ **lors** since then.

députation [depytɑsjɔ̃] nf deputation ; (fonction) position of deputy, ≈ Parliamentary seat.

député, e [depyte] nm/f (POL) deputy, ≈ Member of Parliament.

députer [depyte] vt to delegate ; ~ **qn auprès de** to send sb (as a representative) to.

déraciner [deʀasine] vt to uproot.

déraillement [deʀajmɑ̃] nm derailment.

dérailler [deʀaje] vi (train) to be derailed ; **faire** ~ to derail.

dérailleur [deʀajœʀ] nm (de vélo) dérailleur gears pl.

déraisonnable [deʀɛzɔnabl(ə)] a unreasonable.

déraisonner [deʀɛzɔne] vi to talk nonsense, rave.

dérangement [deʀɑ̃ʒmɑ̃] nm (gêne) trouble ; (gastrique etc) disorder ; (mécanique) breakdown ; **en** ~ (téléphone) out of order.

déranger [deʀɑ̃ʒe] vt (personne) to trouble, bother ; to disturb ; (projets) to disrupt, upset ; (objets, vêtements) to disarrange ; **se** ~ to put o.s. out ; to (take the trouble to) come ou go out ; **est-ce que cela vous dérange si** do you mind if.

dérapage [deʀapaʒ] nm skid, skidding q.

déraper [deʀape] vi (voiture) to skid ; (personne, semelles, couteau) to slip ; (fig) to go out of control.

dératiser [deʀatize] vt to rid of rats.

déréglé, e [deʀegle] a (mœurs) dissolute.

dérégler [deʀegle] vt (mécanisme) to put out of order, cause to break down ; (estomac) to upset ; **se** ~ vi to break down, go wrong.

dérider [deʀide] vt, **se** ~ vi to brighten up.

dérision [deʀizjɔ̃] nf: **tourner en** ~ to deride.

dérisoire [deʀizwaʀ] a derisory.

dérivatif [deʀivatif] nm distraction.

dérivation [deʀivɑsjɔ̃] nf derivation ; diversion.

dérive [deʀiv] nf (de dériveur) centre-board ; **aller à la** ~ (NAVIG, fig) to drift.

dérivé, e [deʀive] a derived // nm (LING) derivative ; (TECH) by-product // nf (MATH) derivative.

dériver [deʀive] vt (MATH) to derive ; (cours d'eau etc) to divert // vi (bateau) to drift ; ~ **de** to derive from ; **dériveur** nm sailing dinghy.

dermatologie [dɛʀmatɔlɔʒi] nf dermatology ; **dermatologue** nm/f dermatologist.

dernier, ière [dɛʀnje, -jɛʀ] a last ; (le plus récent) latest, last ; **lundi/le mois** ~ last Monday/month ; **du** ~ **chic** extremely smart ; **les** ~**s honneurs** the last tribute ; **en** ~ ad last ; **ce** ~ the latter ; **dernièrement** ad recently ; ~**-né, dernière-née** nm/f (enfant) last-born.

dérobade [deʀɔbad] nf side-stepping q.

dérobé, e [deʀɔbe] a (porte) secret, hidden ; **à la** ~**e** surreptitiously.

dérober [deʀɔbe] vt to steal ; ~ **qch à (la vue de)** qn to conceal ou hide sth from sb('s view) ; **se** ~ vi (s'esquiver) to slip away ; to shy away ; **se** ~ **sous** (s'effondrer) to give way beneath ; **se** ~ **à** (justice, regards) to hide from ; (obligation) to shirk.

dérogation [deʀɔgɑsjɔ̃] nf (special) dispensation.

déroger [deʀɔʒe]: ~ **à** vt to go against, depart from.

dérouiller [deʀuje] vt: **se** ~ **les jambes** to stretch one's legs (fig).

déroulement [deʀulmɑ̃] nm (d'une opération etc) progress.

dérouler [deʀule] vt (ficelle) to unwind ; (papier) to unroll ; **se** ~ vi to unwind ; unroll, come unrolled ; (avoir lieu) to take place ; (se passer) to go on ; to go (off) ; to unfold.

déroute [deʀut] nf rout ; total collapse ; **mettre en** ~ to rout.

dérouter [deʀute] vt (avion, train) to reroute, divert ; (étonner) to disconcert, throw (out).

derrière [dɛʀjɛʀ] ad behind // prép behind // nm (d'une maison) back ; (postérieur) behind, bottom ; **les pattes de** ~ the back legs, the hind legs ; **par** ~ from behind ; (fig) in an underhand way, behind one's back.

des [de] dét, prép + dét voir **de.**

dès [dɛ] prép from ; ~ **que** cj as soon as ; ~ **son retour** as soon as he was (ou is) back ; ~ **lors** ad from then on ; ~ **lors que** cj from the moment (that).

D.E.S. sigle m = **diplôme d'études supérieures.**

désabusé, e [dezabyze] a disillusioned.

désaccord [dezakɔʀ] nm disagreement.

désaccordé, e [dezakɔʀde] a (MUS) out of tune.

désaffecté, e [dezafɛkte] a disused.

désaffection [dezafɛksjɔ̃] nf: ~ **pour** estrangement from.

désagréable [dezagʀeable(ə)] *a* unpleasant, disagreeable.

désagréger [dezagʀeʒe]: se ~ *vi* to disintegrate, break up.

désagrément [dezagʀemɑ̃] *nm* annoyance, trouble *q*.

désaltérer [dezalteʀe] *vt*: se ~ to quench one's thirst; ça désaltère it's thirst-quenching, it takes your thirst away.

désamorcer [dezamɔʀse] *vt* to remove the primer from; (*fig*) to defuse; to forestall.

désappointé, e [dezapwɛte] *a* disappointed.

désapprobation [dezapʀɔbɑsjɔ̃] *nf* disapproval.

désapprouver [dezapʀuve] *vt* to disapprove of.

désarçonner [dezaʀsɔne] *vt* to unseat, throw; (*fig*) to throw, nonplus.

désarmement [dezaʀməmɑ̃] *nm* disarmament.

désarmer [dezaʀme] *vt* (*MIL, aussi fig*) to disarm; (*NAVIG*) to lay up.

désarroi [dezaʀwa] *nm* helplessness, disarray.

désarticulé, e [dezaʀtikyle] *a* (*pantin, corps*) dislocated.

désarticuler [dezaʀtikyle] *vt*: se ~ (*acrobate*) to contort (o.s.).

désassorti, e [dezasɔʀti] *a* unmatching, unmatched.

désastre [dezastʀ(ə)] *nm* disaster; **désastreux, euse** *a* disastrous.

désavantage [dezavɑ̃taʒ] *nm* disadvantage; (*inconvénient*) drawback, disadvantage; **désavantager** *vt* to put at a disadvantage; **désavantageux, euse** *a* unfavourable, disadvantageous.

désavouer [dezavwe] *vt* to disown, repudiate, disclaim.

désaxé, e [dezakse] *a* (*fig*) unbalanced.

désaxer [dezakse] *vt* (*roue*) to put out of true.

desceller [desele] *vt* (*pierre*) to pull free.

descendance [desɑ̃dɑ̃s] *nf* (*famille*) descendants *pl*, issue; (*origine*) descent.

descendant, e [desɑ̃dɑ̃, -ɑ̃t] *nm/f* descendant.

descendre [desɑ̃dʀ(ə)] *vt* (*escalier, montagne*) to go (ou come) down; (*valise, paquet*) to take ou get down; (*étagère etc*) to lower; (*fam: abattre*) to shoot down // *vi* to go (ou come) down; (*chemin*) to go down; (*passager: s'arrêter*) to get out, alight; (*niveau, température*) to go ou come down, fall, drop; ~ à pied/en voiture to walk/drive down, to go down on foot/by car; ~ de (*famille*) to be descended from; ~ du train to get out of ou off the train; ~ d'un arbre to climb down from a tree; ~ de cheval to dismount, get off one's horse.

descente [desɑ̃t] *nf* descent, going down; (*chemin*) way down; (*SKI*) downhill (race); au milieu de la ~ halfway down; freinez dans les ~s use the brakes going downhill; ~ de lit bedside rug; ~ (de police) (police) raid.

description [dɛskʀipsjɔ̃] *nf* description.

désembuer [dezɑ̃bɥe] *vt* to demist.

désemparé, e [dezɑ̃paʀe] *a* bewildered, distraught; (*véhicule*) crippled.

désemparer [dezɑ̃paʀe] *vi*: sans ~ without stopping.

désemplir [dezɑ̃pliʀ] *vi*: ne pas ~ to be always full.

désenchantement [dezɑ̃ʃɑ̃tmɑ̃] *nm* disenchantment; disillusion.

désenfler [dezɑ̃fle] *vi* to become less swollen.

désengagement [dezɑ̃gaʒmɑ̃] *nm* (*POL*) disengagement.

désensibiliser [desɑ̃sibilize] *vt* (*MÉD*) to desensitize.

déséquilibre [dezekilibʀ(ə)] *nm* (*position*): être en ~ to be unsteady; (*fig: des forces, du budget*) imbalance; (*PSYCH*) unbalance.

déséquilibré, e [dezekilibʀe] *nm/f* (*PSYCH*) unbalanced person.

déséquilibrer [dezekilibʀe] *vt* to throw off balance.

désert, e [dezɛʀ, -ɛʀt(ə)] *a* deserted // *nm* desert.

déserter [dezɛʀte] *vi, vt* to desert; **déserteur** *nm* deserter; **désertion** *nf* desertion.

désertique [dezɛʀtik] *a* desert *cpd*; barren, empty.

désescalade [dezɛskalad] *nf* (*MIL*) de-escalation.

désespéré, e [dezɛspeʀe] *a* desperate; ~ment *ad* desperately.

désespérer [dezɛspeʀe] *vt* to drive to despair // *vi*, se ~ *vi* to despair; ~ de to despair of.

désespoir [dezɛspwaʀ] *nm* despair; faire le ~ de qn to be the despair of sb; en ~ de cause in desperation.

déshabillé, e [dezabije] *a* undressed // *nm* négligée.

déshabiller [dezabije] *vt* to undress; se ~ to undress (o.s.).

déshabituer [dezabitɥe] *vt*: se ~ de to get out of the habit of.

désherbant [dezɛʀbɑ̃] *nm* weed-killer.

déshériter [dezeʀite] *vt* to disinherit.

déshérités [dezeʀite] *nmpl*: les ~ the underprivileged.

déshonneur [dezɔnœʀ] *nm* dishonour, disgrace.

déshonorer [dezɔnɔʀe] *vt* to dishonour, bring disgrace upon.

déshydraté, e [dezidʀate] *a* dehydrated.

desiderata [deziderata] *nmpl* requirements.

désignation [deziɲasjɔ̃] *nf* naming, appointment; (*signe, mot*) name, designation.

désigner [deziɲe] *vt* (*montrer*) to point out, indicate; (*dénommer*) to denote, refer to; (*nommer: candidat etc*) to name, appoint.

désillusion [dezilyzjɔ̃] *nf* disillusion(ment).

désinence [dezinɑ̃s] *nf* ending, inflexion.

désinfectant, e [dezɛ̃fɛktɑ̃, -ɑ̃t] *a, nm* disinfectant.

désinfecter [dezɛ̃fɛkte] *vt* to disinfect.

désinfection [dezɛ̃fɛksjɔ̃] nf disinfection.
désintégrer [dezɛ̃tegre] vt, **se ~** vi to disintegrate.
désintéressé, e [dezɛ̃terese] a disinterested, unselfish.
désintéresser [dezɛ̃terese] vt: **se ~ (de)** to lose interest (in).
désintoxication [dezɛ̃tɔksikɑsjɔ̃] nf treatment for alcoholism.
désinvolte [dezɛ̃vɔlt(ə)] a casual, off-hand; **désinvolture** nf casualness.
désir [dezir] nm wish; (fort, sensuel) desire.
désirer [dezire] vt to want, wish for; (sexuellement) to desire; **je désire ...** (formule de politesse) I would like ...; **il désire que tu l'aides** he would like ou he wants you to help him; **~ faire** ou **to want** ou wish to do.
désireux, euse [dezirø, -øz] a: **~ de faire** anxious to do.
désistement [dezistəmɑ̃] nm withdrawal.
désister [deziste]: **se ~** vi to stand down, withdraw.
désobéir [dezɔbeir] vi: **~ (à qn/qch)** to disobey (sb/sth); **désobéissance** nf disobedience; **désobéissant, e** a disobedient.
désobligeant, e [dezɔbliʒɑ̃, -ɑ̃t] a disagreeable, unpleasant.
désodorisant [dezɔdɔrizɑ̃] nm air freshener, deodorizer.
désœuvré, e [dezœvre] a idle; **désœuvrement** nm idleness.
désolation [dezɔlɑsjɔ̃] nf distress, grief; desolation, devastation.
désolé, e [dezɔle] a (paysage) desolate; **je suis ~** I'm sorry.
désoler [dezɔle] vt to distress, grieve.
désolidariser [desɔlidarize] vt: **se ~ de** ou **d'avec** to dissociate o.s. from.
désopilant, e [dezɔpilɑ̃, -ɑ̃t] a screamingly funny, hilarious.
désordonné, e [dezɔrdɔne] a untidy, disorderly.
désordre [dezɔrdr(ə)] nm disorder(liness), untidiness; (anarchie) disorder; **~s** nmpl (POL) disturbances, disorder sg; **en ~** in a mess, untidy.
désorganiser [dezɔrganize] vt to disorganize.
désorienté, e [dezɔrjɑ̃te] a disorientated; (fig) bewildered.
désormais [dezɔrmɛ] ad in future, from now on.
désosser [dezɔse] vt to bone.
despote [dɛspɔt] nm despot; tyrant; **despotisme** nm despotism.
desquels, desquelles [dekɛl] prép + pronom voir **lequel**.
dessaisir [desezir]: **se ~ de** vt to give up, part with.
dessaler [desale] vt (eau de mer) to desalinate; (CULIN) to soak.
desséché, e [deseʃe] a dried up.
dessécher [deseʃe] vt to dry out, parch; **se ~** vi to dry out.
dessein [desɛ̃] nm design; **dans le ~ de** with the intention of; **à ~** intentionally, deliberately.
desserrer [desere] vt to loosen; (frein) to

release; (poing, dents) to unclench; (objets alignés) to space out.
dessert [desɛr] nm dessert, pudding.
desserte [desɛrt(ə)] nf (table) sideboard table; (transport): **la ~ du village est assurée par autocar** there is a coach service to the village.
desservir [desɛrvir] vt (ville, quartier) to serve; (nuire à) to go against, put at a disadvantage; **~ (la table)** to clear the table.
dessin [desɛ̃] nm (œuvre, art) drawing; (motif) pattern, design; (contour) (out)line; **~ animé** cartoon (film); **~ humoristique** cartoon.
dessinateur, trice [desinatœr, -tris] nm/f drawer; (de bandes dessinées) cartoonist; (industriel) draughtsman.
dessiner [desine] vt to draw; (concevoir: carrosserie, maison) to design.
dessoûler [desule] vt, vi to sober up.
dessous [dəsu] ad underneath, beneath // nm underside // nmpl (sous-vêtements) underwear sg; **en ~, par ~** underneath; below; **au-~** below; **de ~ le lit** from under the bed; **au-~ de** below; (peu digne de) beneath; **avoir le ~** to get the worst of it; **~-de-plat** nm inv tablemat.
dessus [dəsy] ad on top; (collé, écrit) on it // nm top; **en ~** above; **par ~** ad over it // prép over; **au-~** above; **par-~** ad over above; **au-~ de** above; **avoir le ~** to get the upper hand; **~-de-lit** nm inv bedspread.
destin [dɛstɛ̃] nm fate; (avenir) destiny.
destinataire [dɛstinatɛr] nm/f (POSTES) addressee; (d'un colis) consignee.
destination [dɛstinɑsjɔ̃] nf (lieu) destination; (usage) purpose; **à ~ de** bound for, travelling to.
destinée [dɛstine] nf fate; (existence, avenir) destiny.
destiner [dɛstine] vt: **~ qn à** (poste, sort) to destine sb for, intend sb to + verbe; **~ qn/qch à** (prédestiner) to mark sb/sth out for, destine sb/sth to + verbe; **~ qch à** (envisager d'affecter) to intend to use sth for; **~ qch à qn** (envisager de donner) to intend to give sth to sb, intend sb to have sth; (adresser) to intend sth for sb; to aim sth at sb; **se ~ à l'enseignement** to intend to become a teacher; **être destiné à** (sort) to be destined to + verbe; (usage) to be intended ou meant for; (suj: sort) to be in store for.
destituer [dɛstitɥe] vt to depose.
destructeur, trice [dɛstryktœr, -tris] a destructive.
destruction [dɛstryksjɔ̃] nf destruction.
désuet, ète [desɥɛ, -ɛt] a outdated, outmoded; **désuétude** nf: **tomber en désuétude** to fall into disuse, become obsolete.
désuni, e [dezyni] a divided, disunited.
détachant [detaʃɑ̃] nm stain remover.
détachement [detaʃmɑ̃] nm detachment.
détacher [detaʃe] vt (enlever) to detach, remove; (délier) to untie; (ADMIN): **~ qn (auprès de/à)** to send sb on secondment (to); (MIL) to detail; **se ~** vi (tomber) to come off; to come out; (se défaire) to come undone; (SPORT) to pull ou break away; **se**

~ sur to stand out against; se ~ de (se désintéresser) to grow away from.

détail [detaj] nm detail; (COMM): le ~ retail; au ~ ad (COMM) retail; separately; **donner le ~ de** to give a detailed account of; (compte) to give a breakdown of; **en ~** in detail.

détaillant [detajɑ̃] nm retailer.

détaillé, e [detaje] a (récit) detailed.

détailler [detaje] vt (COMM) to sell retail; to sell separately; (expliquer) to explain in detail; to detail; (examiner) to look over, examine.

détartrant [detaʀtʀɑ̃] nm descaling agent.

détaxer [detakse] vt to reduce the tax on; to remove the tax from.

détecter [detɛkte] vt to detect; **détecteur** nm detector; **détection** nf detection.

détective [detɛktiv] nm (Brit: policier) detective; ~ (privé) private detective ou investigator.

déteindre [detɛ̃dʀ(ə)] vi (tissu) to lose its colour; (fig): ~ sur to rub off on.

dételer [dɛtle] vt to unharness; to unhitch.

détendre [detɑ̃dʀ(ə)] vt (fil) to slacken, loosen; (relaxer) to relax; se ~ to lose its tension; to relax.

détenir [detniʀ] vt (fortune, objet, secret) to be in possession of, have (in one's possession); (prisonnier) to detain, hold; (record) to hold; ~ le pouvoir to be in power.

détente [detɑ̃t] nf relaxation; (POL) détente; (d'une arme) trigger; (d'un athlète qui saute) spring.

détenteur, trice [detɑ̃tœʀ, -tʀis] nm/f holder.

détention [detɑ̃sjɔ̃] nf possession; detention; holding; ~ **préventive** (pre-trial) custody.

détenu, e [detny] nm/f prisoner.

détergent [detɛʀʒɑ̃] nm detergent.

détérioration [deteʀjɔʀasjɔ̃] nf damaging; deterioration, worsening.

détériorer [deteʀjɔʀe] vt to damage; se ~ vi to deteriorate.

déterminant [detɛʀminɑ̃] nm (LING) determiner.

détermination [detɛʀminasjɔ̃] nf determining; (résolution) determination.

déterminé, e [detɛʀmine] a (résolu) determined; (précis) specific, definite.

déterminer [detɛʀmine] vt (fixer) to determine; (décider): ~ qn à faire to decide sb to do; se ~ à faire to make up one's mind to do.

déterrer [detɛʀe] vt to dig up.

détersif [detɛʀsif] nm detergent.

détestable [detɛstabl(ə)] a foul, ghastly; detestable, odious.

détester [detɛste] vt to hate, detest.

détonant, e [detɔnɑ̃, -ɑ̃t] a: mélange ~ explosive mixture.

détonateur [detɔnatœʀ] nm detonator.

détonation [detɔnasjɔ̃] nf detonation, bang, report (of a gun).

détoner [detɔne] vi to detonate, explode.

détonner [detɔne] vi (MUS) to go out of tune; (fig) to clash.

détour [detuʀ] nm detour; (tournant) bend, curve; **sans ~** (fig) without beating

about the bush, in a straightforward manner.

détourné, e [detuʀne] a (moyen) roundabout.

détournement [detuʀnəmɑ̃] nm diversion, rerouting; ~ **d'avion** hijacking; ~ (de fonds) embezzlement ou misappropriation (of funds); ~ de mineur corruption of a minor.

détourner [detuʀne] vt to divert; (avion) to divert, reroute; (: par la force) to hijack; (yeux, tête) to turn away; (de l'argent) to embezzle, misappropriate; se ~ to turn away.

détracteur, trice [detʀaktœʀ, -tʀis] nm/f disparager, critic.

détraquer [detʀake] vt to put out of order; (estomac) to upset; se ~ vi to go wrong.

détrempe [detʀɑ̃p] nf (ART) tempera.

détrempé, e [detʀɑ̃pe] a (sol) sodden, waterlogged.

détresse [detʀɛs] nf distress.

détriment [detʀimɑ̃] nm: au ~ de to the detriment of.

détritus [detʀitys] nmpl rubbish sg, refuse sg.

détroit [detʀwa] nm strait.

détromper [detʀɔ̃pe] vt to disabuse.

détrôner [detʀone] vt to dethrone, depose; (fig) to oust, dethrone.

détrousser [detʀuse] vt to rob.

détruire [detʀɥiʀ] vt to destroy.

dette [dɛt] nf debt.

D.E.U.G. [dœg] sigle m = diplôme d'études universitaires générales.

deuil [dœj] nm (perte) bereavement; (période) mourning; (chagrin) grief; **porter le/être en ~** to wear/be in mourning.

deux [dø] num two; les ~ both; ses ~ mains both his hands, his two hands; les ~ points the colon sg; **deuxième** num second; **~-pièces** nm inv (tailleur) two-piece suit; (de bain) two-piece (swimsuit); (appartement) two-roomed flat; **~-roues** nm inv two-wheeled vehicle; **~-temps** a two-stroke.

devais etc vb voir **devoir**.

dévaler [devale] vt to hurtle down.

dévaliser [devalize] vt to rob, burgle.

dévaloriser [devalɔʀize] vt, se ~ vi to depreciate.

dévaluation [devalɥasjɔ̃] nf depreciation; (ÉCON: mesure) devaluation.

dévaluer [devalɥe] vt to devalue.

devancer [dəvɑ̃se] vt to be ahead of; to get ahead of; to arrive before; (prévenir) to anticipate; ~ l'appel (ML) to enlist before call-up; **devancier, ière** nm/f precursor.

devant [dəvɑ̃] ad in front; (à distance: en avant) ahead // prép in front of; ahead of; (avec mouvement: passer) past; (fig) before, in front of; faced with, in the face of; in view of // nm front; **prendre les ~s** to make the first move; **les pattes de ~** the front legs, the forelegs; **par ~** (boutonner) at the front; (entrer) the front way; **aller au-~ de qn** to go out to meet sb; **aller au-~ de** (*désirs de qn*) to anticipate.

devanture [dəvɑ̃tyʀ] *nf* (*façade*) (shop) front; (*étalage*) display; (shop) window.

dévastation [devastasjɔ̃] *nf* devastation.

dévaster [devaste] *vt* to devastate.

déveine [devɛn] *nf* rotten luck *q*.

développement [devlɔpmɑ̃] *nm* development.

développer [devlɔpe] *vt* to develop; **se ~** *vi* to develop.

devenir [dəvniʀ] *vb avec attribut* to become; **~ instituteur** to become a teacher; **que sont-ils devenus?** what has become of them?

dévergondé, e [devɛʀgɔ̃de] *a* wild, shameless.

devers [dəvɛʀ] *ad*: **par ~ soi** to oneself.

déverser [devɛʀse] *vt* (*liquide*) to pour (out); (*ordures*) to tip (out); **se ~ dans** (*fleuve, mer*) to flow into; **déversoir** *nm* overflow.

dévêtir [devetiʀ] *vt*, **se ~** to undress.

devez *etc vb voir* **devoir**.

déviation [devjasjɔ̃] *nf* (*aussi* AUTO) diversion; **~ de la colonne (vertébrale)** curvature of the spine.

dévider [devide] *vt* to unwind; **dévidoir** *nm* reel.

devienne *etc vb voir* **devenir**.

dévier [devje] *vt* (*fleuve, circulation*) to divert; (*coup*) to deflect // *vi* to veer (off course); **(faire) ~** (*projectile*) to deflect; (*véhicule*) to push off course.

devin [dəvɛ̃] *nm* soothsayer, seer.

deviner [dəvine] *vt* to guess; (*prévoir*) to foretell; **~** to foresee; (*apercevoir*) to distinguish.

devinette [dəvinɛt] *nf* riddle.

devins *etc vb voir* **devenir**.

devis [dəvi] *nm* estimate, quotation.

dévisager [devizaʒe] *vt* to stare at.

devise [dəviz] *nf* (*formule*) motto, watchword; (*ÉCON*: *monnaie*) currency; **~s** *nfpl* (*argent*) currency *sg*.

deviser [dəvize] *vi* to converse.

dévisser [devise] *vt* to unscrew, undo; **se ~** *vi* to come unscrewed.

dévoiler [devwale] *vt* to unveil.

devoir [dəvwaʀ] *nm* duty; (*SCOL*) piece of homework, homework *q*; (: *en classe*) exercise // *vt* (*argent, respect*): **~ qch (à qn)** to owe (sb) sth; (*suivi de l'infinitif*: *obligation*): **il doit le faire** he has to do it, he must do it; (: *intention*): **il doit partir demain** he is (due) to leave tomorrow; (: *probabilité*): **il doit être tard** it must be late.

dévolu, e [devɔly] *a*: **~ à** allotted to // *nm*: **jeter son ~ sur** to fix one's choice on.

dévorant, e [devɔʀɑ̃, -ɑ̃t] *a* (*faim, passion*) raging.

dévorer [devɔʀe] *vt* to devour; (*suj: feu, soucis*) to consume.

dévot, e [devo, -ɔt] *a* devout, pious.

dévotion [devosjɔ̃] *nf* devoutness; **être à la ~ de qn** to be totally devoted to sb.

dévoué, e [devwe] *a* devoted.

dévouement [devumɑ̃] *nm* devotion, dedication.

dévouer [devwe]: **se ~** *vi* (*se sacrifier*): **se ~ (pour)** to sacrifice o.s. (for); (*se consacrer*): **se ~ à** to devote *ou* dedicate o.s. to.

dévoyé, e [devwaje] *a* delinquent.

devrai *etc vb voir* **devoir**.

dextérité [dɛksterite] *nf* skill, dexterity.

diabète [djabɛt] *nm* diabetes *sg*; **diabétique** *nm/f* diabetic.

diable [djɑbl(ə)] *nm* devil; **diabolique** *a* diabolical.

diabolo [djabɔlo] *nm* (*boisson*) lemonade and fruit (*ou* mint *etc*) cordial.

diacre [djakʀ(ə)] *nm* deacon.

diadème [djadɛm] *nm* diadem.

diagnostic [djagnɔstik] *nm* diagnosis *sg*; **diagnostiquer** *vt* to diagnose.

diagonal, e aux [djagɔnal, -o] *a*, *nf* diagonal; **en ~e** diagonally; **lire en ~e** to skim through.

diagramme [djagʀam] *nm* chart, graph.

dialecte [djalɛkt(ə)] *nm* dialect.

dialogue [djalɔg] *nm* dialogue; **dialoguer** *vi* to converse; (*POL*) to have a dialogue.

diamant [djamɑ̃] *nm* diamond; **diamantaire** *nm* diamond dealer.

diamètre [djamɛtʀ(ə)] *nm* diameter.

diapason [djapazɔ̃] *nm* tuning fork.

diaphragme [djafʀagm] *nm* (*ANAT, PHOTO*) diaphragm; (*contraceptif*) diaphragm, cap; **ouverture du ~** (*PHOTO*) aperture.

diapositive [djapozitiv] *nf* transparency, slide.

diapré, e [djapʀe] *a* many-coloured.

diarrhée [djaʀe] *nf* diarrhoea.

diatribe [djatʀib] *nf* diatribe.

dictaphone [diktafɔn] *nm* Dictaphone.

dictateur [diktatœʀ] *nm* dictator; **dictatorial, e, aux** *a* dictatorial; **dictature** *nf* dictatorship.

dictée [dikte] *nf* dictation; **prendre sous ~** to take down (*sth dictated*).

dicter [dikte] *vt* to dictate.

diction [diksjɔ̃] *nf* diction, delivery; **cours de ~** speech production lesson.

dictionnaire [diksjɔnɛʀ] *nm* dictionary; **~ bilingue/encyclopédique** bilingual/encyclopaedic dictionary.

dicton [diktɔ̃] *nm* saying, dictum.

didactique [didaktik] *a* technical; didactic.

dièse [djɛz] *nm* sharp.

diesel [djezɛl] *nm, a inv* diesel.

diète [djɛt] *nf* (*jeûne*) starvation diet; (*régime*) diet; **être à la ~** to be on a starvation diet.

diététicien, ne [djetetisjɛ̃, -jɛn] *nm/f* dietician.

diététique [djetetik] *nf* dietetics *sg*; **magasin ~** health food shop.

dieu, x [djø] *nm* god; **D~** God; **le bon D~** the good Lord.

diffamation [difamasjɔ̃] *nf* slander; (*écrite*) libel; **attaquer qn en ~** to sue sb for libel (*ou* slander).

diffamer [difame] *vt* to slander, defame; to libel.

différé [difeʀe] *nm* (*TV*): **en ~** (pre-)recorded.

différence [diferɑ̃s] nf difference ; **à la ~ de** unlike.

différencier [diferɑ̃sje] vt to differentiate ; **se ~** vi (organisme) to become differentiated ; **se ~ de** to differentiate o.s. from ; to differ from.

différend [diferɑ̃] nm difference (of opinion), disagreement.

différent, e [diferɑ̃, -ɑ̃t] a: **~ (de)** different (from) ; **~s objets** different ou various objects.

différentiel, le [diferɑ̃sjɛl] a, nm differential.

différer [difere] vt to postpone, put off // vi: **~ (de)** to differ (from) ; **~ de faire** to delay doing.

difficile [difisil] a difficult ; (exigeant) hard to please, difficult (to please) ; **~ment lisible** difficult ou hard to read.

difficulté [difikylte] nf difficulty ; **en ~** (bateau, alpiniste) in trouble ou difficulties ; **avoir de la ~ à faire** to have difficulty (in) doing.

difforme [difɔrm(ə)] a deformed, misshapen ; **difformité** nf deformity.

diffracter [difrakte] vt to diffract.

diffus, e [dify, -yz] a diffuse.

diffuser [difyze] vt (chaleur, bruit) to diffuse ; (émission, musique) to broadcast ; (nouvelle, idée) to circulate ; (COMM) to distribute ; **diffuseur** nm diffuser ; distributor ; **diffusion** nf diffusion ; broadcast(ing) ; circulation ; distribution.

digérer [diʒere] vt to digest ; (fig: accepter) to stomach, put up with ; **digestible** a digestible ; **digestif, ive** a digestive // nm (after-dinner) liqueur ; **digestion** nf digestion.

digital, e, aux [diʒital, -o] a digital.

digne [diɲ] a dignified ; **~ de** worthy of ; **~ de foi** trustworthy.

dignitaire [diɲitɛr] nm dignitary.

dignité [diɲite] nf dignity.

digue [dig] nf dike, dyke.

dilapider [dilapide] vt to squander, waste.

dilater [dilate] vt to dilate ; (gaz, métal) to cause to expand ; (ballon) to distend ; **se ~** vi to expand.

dilemme [dilɛm] nm dilemma.

diligence [diliʒɑ̃s] nf stagecoach, diligence ; (empressement) despatch.

diligent, e [diliʒɑ̃, -ɑ̃t] a prompt and efficient, diligent.

diluer [dilɥe] vt to dilute.

diluvien, ne [dilyvjɛ̃, -jɛn] a: **pluie ~ne** torrential rain.

dimanche [dimɑ̃ʃ] nm Sunday.

dimension [dimɑ̃sjɔ̃] nf (grandeur) size ; (cote, de l'espace) dimension.

diminuer [diminɥe] vt to reduce, decrease ; (ardeur etc) to lessen ; (personne: physiquement) to undermine ; (dénigrer) to belittle // vi to decrease, diminish, **diminutif** nm (LING) diminutive ; (surnom) pet name ; **diminution** nf decreasing, diminishing.

dinde [dɛ̃d] nf turkey.

dindon [dɛ̃dɔ̃] nm turkey.

dîner [dine] nm dinner // vi to have dinner.

dingue [dɛ̃g] a (fam) crazy.

diode [djɔd] nf diode.

diphtérie [difteri] nf diphtheria.

diphtongue [diftɔ̃g] nf diphthong.

diplomate [diplɔmat] a diplomatic // nm diplomat ; (fig) diplomatist.

diplomatie [diplɔmasi] nf diplomacy ; **diplomatique** a diplomatic.

diplôme [diplom] nm diploma, certificate ; (diploma) examination ; **diplômé, e** a qualified.

dire [dir] nm: **au ~ de** according to ; **leur ~s** what they say // vt to say ; (secret, mensonge) to tell ; **~ l'heure/la vérité** to tell the time/the truth ; **~ qch à qn** to tell sb sth ; **~ que** to say that ; **~ à qn que** to tell sb that ; **~ à qn qu'il fasse** ou **de faire** to tell sb to do ; **on dit que** they say that ; **si cela lui dit** (plaire) if he fancies it ; **que dites-vous de** (penser) what do you think of ; **on dirait que** it looks (ou sounds etc) as though.

direct, e [dirɛkt] a direct // nm (TV): **en ~** live ; **~ement** ad directly.

directeur, trice [dirɛktœr, -tris] nm/f (d'entreprise) director ; (de service) manager/eress ; (d'école) headmaster/mistress ; **~ de thèse** (SCOL) supervisor.

direction [dirɛksjɔ̃] nf management ; conducting ; supervision ; (AUTO) steering ; (sens) direction ; **sous la ~ de** (MUS) conducted by.

directive [dirɛktiv] nf directive, instruction.

dirent vb voir dire.

dirigeable [diriʒabl(ə)] a, nm: **(ballon) ~** dirigible.

dirigeant, e [diriʒɑ̃, -ɑ̃t] a managerial ; ruling // nm/f (d'un parti etc) leader ; (d'entreprise) manager, member of the management.

diriger [diriʒe] vt (entreprise) to manage, run ; (véhicule) to steer ; (orchestre) to conduct ; (recherches, travaux) to supervise, be in charge of ; (braquer: regard, arme): **~ sur** to point ou level ou aim at ; (fig: critiques): **~ contre** to aim at ; **se ~** (s'orienter) to find one's way ; **se ~ vers** ou **sur** to make ou head for.

dirigisme [diriʒism(ə)] nm (ÉCON) state intervention, interventionism.

dis etc vb voir dire.

discernement [disɛrnəmɑ̃] nm discernment, judgment.

discerner [disɛrne] vt to discern, make out.

disciple [disipl(ə)] nm/f disciple.

disciplinaire [disiplinɛr] a disciplinary.

discipline [disiplin] nf discipline ; **discipliné, e** a (well-)disciplined ; **discipliner** vt to discipline ; to control.

discontinu, e [diskɔ̃tiny] a intermittent.

discontinuer [diskɔ̃tinɥe] vi: **sans ~** without stopping, without a break.

disconvenir [diskɔ̃vnir] vi: **ne pas ~ de qch/que** not to deny sth/that.

discordance [diskɔrdɑ̃s] nf discordance ; conflict.

discordant, e [diskɔrdɑ̃, -ɑ̃t] a discordant ; conflicting.

discorde [diskɔRd(ə)] *nf* discord, dissension.

discothèque [diskɔtɛk] *nf* (*disques*) record collection ; (: *dans une bibliothèque*) record library ; (*boîte de nuit*) disco(thèque).

discourir [diskuRiR] *vi* to discourse, hold forth.

discours [diskuR] *nm* speech.

discréditer [diskRedite] *vt* to discredit.

discret, ète [diskRɛ, -ɛt] *a* discreet ; (*fig*) unobtrusive ; quiet ; **discrètement** *ad* discreetly.

discrétion [diskResjɔ] *nf* discretion ; **être à la ~ de qn** to be in sb's hands ; **à ~** unlimited ; as much as one wants.

discrimination [diskRiminɑsjɔ] *nf* discrimination ; **sans ~** indiscriminately ; **discriminatoire** *a* discriminatory.

disculper [diskylpe] *vt* to exonerate.

discussion [diskysjɔ] *nf* discussion.

discuté, e [diskyte] *a* controversial.

discuter [diskyte] *vt* (*contester*) to question, dispute ; (*débattre: prix*) to discuss // *vi* (*parler*) to talk ; (*ergoter*) to argue ; **~ de** to discuss.

dise *etc vb voir* **dire.**

disert, e [dizɛR, -ɛRt(ə)] *a* loquacious.

disette [dizɛt] *nf* food shortage.

diseuse [dizøz] *nf:* **~ de bonne aventure** fortuneteller.

disgrâce [disgRɑs] *nf* disgrace.

disgracieux, euse [disgRasjø, -jøz] *a* ungainly, awkward.

disjoindre [disʒwɛdR(ə)] *vt* to take apart ; **se ~** *vi* to come apart.

disjoncteur [disʒɔktœR] *nm* (*ÉLEC*) circuit breaker, cutout.

dislocation [dislɔkɑsjɔ] *nf* dislocation.

disloquer [dislɔke] *vt* (*membre*) to dislocate ; (*chaise*) to dismantle ; (*troupe*) to disperse ; **se ~** *vi* (*parti, empire*) to break up ; **se ~ l'épaule** to dislocate one's shoulder.

disons *vb voir* **dire.**

disparaître [dispaRɛtR(ə)] *vi* to disappear ; (*à la vue*) to vanish, disappear ; to be hidden *ou* concealed ; (*être manquant*) to go missing, disappear ; (*se perdre: traditions etc*) to die out ; **faire ~** to remove ; to get rid of.

disparate [dispaRat] *a* disparate ; ill-assorted.

disparité [dispaRite] *nf* disparity.

disparition [dispaRisjɔ] *nf* disappearance.

disparu, e [dispaRy] *nm/f* missing person ; (*défunt*) departed.

dispendieux, euse [dispãdjø, -jøz] *a* extravagant, expensive.

dispensaire [dispãsɛR] *nm* community clinic.

dispense [dispãs] *nf* exemption ; **~ d'âge** special exemption from age limit.

dispenser [dispãse] *vt* (*donner*) to lavish, bestow ; (*exempter*): **~ qn de** to exempt sb from ; **se ~ de** to avoid ; to get out of.

disperser [dispɛRse] *vt* to scatter ; (*fig: son attention*) to dissipate ; **se ~** *vi* to scatter ; (*fig*) to dissipate one's efforts.

disponibilité [dispɔnibilite] *nf* availability ; (*ADMIN*): **être en ~** to be on leave of absence.

disponible [dispɔnibl(ə)] *a* available.

dispos [dispo] *am:* **(frais et) ~** fresh (as a daisy).

disposé, e [dispoze] *a* (*d'une certaine manière*) arranged, laid-out ; **bien/mal ~** (*humeur*) in a good/bad mood ; **~ à** (*prêt à*) willing *ou* prepared to.

disposer [dispoze] *vt* (*arranger, placer*) to arrange ; (*inciter*): **~ qn à qch/faire qch** to dispose *ou* incline sb towards sth/to do sth // *vi:* **vous pouvez ~** you may leave ; **~ de** *vt* to have (at one's disposal) ; to use ; **se ~ à faire** to prepare to do, be about to do.

dispositif [dispozitif] *nm* device ; (*fig*) system, plan of action ; set-up.

disposition [dispozisjɔ] *nf* (*arrangement*) arrangement, layout ; (*humeur*) mood ; (*tendance*) tendency ; **~s** *nfpl* (*mesures*) steps, measures ; (*préparatifs*) arrangements ; (*testamentaires*) provisions ; (*aptitudes*) bent *sg*, aptitude *sg* ; **à la ~ de qn** at sb's disposal.

disproportion [dispRɔpɔRsjɔ] *nf* disproportion ; **disproportionné, e** *a* disproportionate, out of all proportion.

dispute [dispyt] *nf* quarrel, argument.

disputer [dispyte] *vt* (*match*) to play ; (*combat*) to fight ; (*course*) to run, fight ; **se ~** *vi* to quarrel, have a quarrel ; **~ qch à qn** to fight with sb for *ou* over sth.

disquaire [diskɛR] *nm/f* record dealer.

disqualification [diskalifikɑsjɔ] *nf* disqualification.

disqualifier [diskalifje] *vt* to disqualify.

disque [disk(ə)] *nm* (*MUS*) record ; (*forme, pièce*) disc ; (*SPORT*) discus ; **~ d'embrayage** (*AUTO*) clutch plate.

dissection [disɛksjɔ] *nf* dissection.

dissemblable [disãblabl(ə)] *a* dissimilar.

disséminer [disemine] *vt* to scatter.

disséquer [diseke] *vt* to dissect.

dissertation [disɛRtɑsjɔ] *nf* (*SCOL*) essay.

disserter [disɛRte] *vi:* **~ sur** to discourse upon.

dissident, e [disidã, -ãt] *a, nm/f* dissident.

dissimulation [disimylɑsjɔ] *nf* concealing ; (*duplicité*) dissimulation.

dissimuler [disimyle] *vt* to conceal ; **se ~** to conceal o.s. ; to be concealed.

dissipation [disipɑsjɔ] *nf* squandering ; unruliness ; (*débauche*) dissipation.

dissiper [disipe] *vt* to dissipate ; (*fortune*) to squander, fritter away ; **se ~** *vi* (*brouillard*) to clear, disperse ; (*doutes*) to disappear, melt away ; (*élève*) to become undisciplined *ou* unruly.

dissolu, e [disɔly] *a* dissolute.

dissolution [disɔlysjɔ] *nf* dissolving ; (*POL, JUR*) dissolution.

dissolvant, e [disɔlvã, -ãt] *a* (*fig*) debilitating // *nm* (*CHIMIE*) solvent ; **~ (gras)** nail varnish remover.

dissonant, e [disɔnã, -ãt] *a* discordant.

dissoudre [disudR(ə)] *vt* to dissolve ; **se ~** *vi* to dissolve.

dissuader [disɥade] *vt:* **~ qn de faire/de qch** to dissuade sb from doing/from sth.

dissuasion [disɥazjɔ̃] *nf* dissuasion ; **force de ~** deterrent power.

dissymétrique [disimetrik] *a* dissymmetrical.

distance [distɑ̃s] *nf* distance ; (*fig: écart*) gap ; **à ~** at *ou* from a distance ; **à une ~ de 10 km, à 10 km de ~** 10 km away, at a distance of 10 km ; **à 2 ans de ~** with a gap of 2 years ; **garder ses ~s** to keep one's distance ; **tenir la ~** (*SPORT*) to cover the distance, last the course ; **distancer** *vt* to outdistance, leave behind.

distant, e [distɑ̃, -ɑ̃t] *a* (*réservé*) distant, aloof ; (*éloigné*) distant, far away ; **~ de** (*lieu*) far away *ou* a long way from ; **~ de 5 km (d'un lieu)** 5 km away (from a place).

distendre [distɑ̃dʀ(ə)] *vt*, **se ~** *vi* to distend.

distillation [distilɑsjɔ̃] *nf* distillation, distilling.

distillé, e [distile] *a:* **eau ~e** distilled water.

distiller [distile] *vt* to distil ; (*fig*) to exude ; to elaborate ; **distillerie** *nf* distillery.

distinct, e [distɛ̃(kt), distɛ̃kt(ə)] *a* distinct ; **distinctement** *ad* distinctly ; **distinctif, ive** *a* distinctive.

distinction [distɛ̃ksjɔ̃] *nf* distinction.

distingué, e [distɛ̃ge] *a* distinguished.

distinguer [distɛ̃ge] *vt* to distinguish.

distraction [distʀaksjɔ̃] *nf* (*manque d'attention*) absent-mindedness ; (*oubli*) lapse (in concentration *ou* attention) ; (*détente*) diversion, recreation ; (*passe-temps*) distraction, entertainment.

distraire [distʀɛʀ] *vt* (*déranger*) to distract ; (*divertir*) to entertain, divert ; (*détourner: somme d'argent*) to distract, mis-appropriate ; **se ~** to amuse *ou* enjoy o.s.

distrait, e [distʀɛ, -ɛt] *a* absent-minded.

distribuer [distʀibɥe] *vt* to distribute ; to hand out ; (*CARTES*) to deal (out) ; (*courrier*) to deliver ; **distributeur** *nm* (*COMM*) distributor ; (*automatique*) (vending *ou* slot) machine ; **distribution** *nf* distribution ; (*postale*) delivery ; (*choix d'acteurs*) casting, cast ; **distribution des prix** (*SCOL*) prize giving.

district [distʀik(t)] *nm* district.

dites *vb voir* **dire**.

dit, e [di, dit] *pp de* **dire** // *a* (*fixé*): **le jour ~** the arranged day ; (*surnommé*): **X, ~ Pierrot** X, known as *ou* called Pierrot.

dithyrambique [ditiʀɑ̃bik] *a* eulogistic.

diurétique [djyʀetik] *a* diuretic.

diurne [djyʀn(ə)] *a* diurnal, daytime *cpd*.

divagations [divagɑsjɔ̃] *nfpl* wanderings, ramblings ; ravings.

divaguer [divage] *vi* to ramble ; to rave.

divan [divɑ̃] *nm* divan ; **~-lit** *nm* divan (bed).

divergence [divɛʀʒɑ̃s] *nf* divergence.

divergent, e [divɛʀʒɑ̃, -ɑ̃] *a* divergent.

diverger [divɛʀʒe] *vi* to diverge.

divers, e [divɛʀ, -ɛʀs(ə)] *a* (*varié*) diverse, varied ; (*différent*) different, various, // *dét* (*plusieurs*) various, several ; (*frais*) **~** sundries, miscellaneous (expenses).

diversement *ad* in various *ou* diverse ways ; **diversifier** *vt* to diversify.

diversion [divɛʀsjɔ̃] *nf* diversion ; **faire ~** to create a diversion.

diversité [divɛʀsite] *nf* diversity ; variety.

divertir [divɛʀtiʀ] *vt* to amuse, entertain ; **se ~** to amuse *ou* enjoy o.s. ; **divertissement** *nm* entertainment ; (*MUS*) divertimento, divertissement.

dividende [dividɑ̃d] *nm* (*MATH, COMM*) dividend.

divin, e [divɛ̃, -in] *a* divine ; **diviniser** *vt* to deify ; **divinité** *nf* divinity.

diviser [divize] *vt* (*gén, MATH*) to divide ; (*morceler, subdiviser*) to divide (up), split (up) ; **diviseur** *nm* (*MATH*) divisor ; **division** *nf* (*gén*) division.

divorce [divɔʀs(ə)] *nm* divorce ; **divorcé, e** *nm/f* divorcee ; **divorcer** *vi* to get a divorce, get divorced ; **divorcer de** *ou* **d'avec qn** to divorce sb.

divulgation [divylgɑsjɔ̃] *nf* disclosure.

divulguer [divylge] *vt* to divulge, disclose.

dix [dis] *num* ten ; **dixième** *num* tenth.

dizaine [dizɛn] *nf* (10) ten ; (*environ 10*): **une ~ (de)** about ten, ten or so.

do [do] *nm* (*note*) C ; (*en chantant la gamme*) do(h).

docile [dɔsil] *a* docile ; **docilité** *nf* docility.

dock [dɔk] *nm* dock.

docker [dɔkɛʀ] *nm* docker.

docte [dɔkt(ə)] *a* learned.

docteur [dɔktœʀ] *nm* doctor.

doctoral, e, aux [dɔktɔʀal, -o] *a* pompous, bombastic.

doctorat [dɔktɔʀa] *nm:* **~ d'Université** ≈ Ph.D. ; **~ d'état** ≈ Higher Doctorate.

doctoresse [dɔktɔʀɛs] *nf* lady doctor.

doctrinaire [dɔktʀinɛʀ] *a* doctrinaire ; pompous, sententious.

doctrine [dɔktʀin] *nf* doctrine.

document [dɔkymɑ̃] *nm* document.

documentaire [dɔkymɑ̃tɛʀ] *a, nm* documentary.

documentaliste [dɔkymɑ̃talist(ə)] *nm/f* archivist ; researcher.

documentation [dɔkymɑ̃tɑsjɔ̃] *nf* documentation, literature ; (*PRESSE, TV: service*) research.

documenté, e [dɔkymɑ̃te] *a* well-informed, well-documented ; well-researched.

documenter [dɔkymɑ̃te] *vt:* **se ~ (sur)** to gather information *ou* material (on *ou* about).

dodeliner [dɔdline] *vi:* **~ de la tête** to nod one's head gently.

dodo [dɔdo] *nm:* **aller faire ~** to go to bye-byes.

dodu, e [dɔdy] *a* plump.

dogmatique [dɔgmatik] *a* dogmatic.

dogme [dɔgm(ə)] *nm* dogma.

dogue [dɔg] *nm* mastiff.

doigt [dwa] *nm* finger ; **à deux ~s de** within an ace *ou* an inch of ; **un ~ de lait/whisky** a drop of milk/whisky ; **~ de pied** toe.

doigté [dwate] *nm* (*MUS*) fingering ; fingering technique ; (*fig: habileté*) diplomacy, tact.

doigtier [dwatje] *nm* fingerstall.

doit *etc vb voir* **devoir**.

doléances [dɔleɑ̃s] *nfpl* complaints; grievances.

dolent, e [dɔlɑ̃, -ɑ̃t] *a* doleful, mournful.

dollar [dɔlaʀ] *nm* dollar.

D.O.M. [*parfois* dɔm] *sigle m ou mpl* = *département(s) d'outre-mer*.

domaine [dɔmɛn] *nm* estate, property; *(fig)* domain, field; **tomber dans le ~ public** (*JUR*) to be out of copyright.

domanial, e, aux [dɔmanjal, -jo] *a* (*forêt, biens*) national, state *cpd*.

dôme [dom] *nm* dome.

domesticité [dɔmɛstisite] *nf* (domestic) staff.

domestique [dɔmɛstik] *a* domestic // *nm/f* servant, domestic.

domestiquer [dɔmɛstike] *vt* to domesticate.

domicile [dɔmisil] *nm* home, place of residence; **à ~** at home; **domicilié, e** *a*: **être domicilié à** to have one's home in *ou* at.

dominant, e [dɔminɑ̃, -ɑ̃t] *a* dominant; predominant.

dominateur, trice [dɔminatœʀ, -tʀis] *a* dominating; domineering.

domination [dɔminasjɔ̃] *nf* domination.

dominer [dɔmine] *vt* to dominate; (*passions etc*) to control, master; (*surpasser*) to outclass, surpass; (*surplomber*) to tower above, dominate // *vi* to be in the dominant position; **se ~** to control o.s.

dominical, e, aux [dɔminikal, -o] *a* Sunday *cpd*, dominical.

domino [dɔmino] *nm* domino; **~s** *nmpl* (*jeu*) dominoes *sg*.

dommage [dɔmaʒ] *nm* (*préjudice*) harm, injury; (*dégâts, pertes*) damage *q*; **c'est ~ de faire/que** it's a shame *ou* pity to do/that; **~s-intérêts** *nmpl* damages.

dompter [dɔ̃te] *vt* to tame; **dompteur, euse** *nm/f* trainer; liontamer.

don [dɔ̃] *nm* (*cadeau*) gift; (*charité*) donation; (*aptitude*) gift, talent; **avoir des ~s pour** to have a gift *ou* talent for.

donateur, trice [dɔnatœʀ, -tʀis] *nm/f* donor.

donation [dɔnasjɔ̃] *nf* donation.

donc [dɔ̃k] *cj* therefore, so; (*après une digression*) so, then.

donjon [dɔ̃ʒɔ̃] *nm* keep, donjon.

donné, e [dɔne] *a* (*convenu*) given // *nf* (*MATH, gén*) datum (*pl* data); **étant ~ ...** given ... .

donner [dɔne] *vt* to give; (*vieux habits etc*) to give away; (*spectacle*) to show; to put on; **~ qch à qn** to give sb sth, give sth to sb; **~ sur** (*suj: fenêtre, chambre*) to look (out) onto; **~ dans** (*piège etc*) to fall into; **se ~ à fond (à son travail)** to give one's all (to one's work); **s'en ~ à cœur joie** (*fam*) to have a great time (of it).

donneur, euse [dɔnœʀ, -øz] *nm/f* (*MÉD*) donor; (*CARTES*) dealer; **~ de sang** blood donor.

dont [dɔ̃] *pronom relatif*: **la maison ~ je vois le toit** the house whose roof I can see, the house I can see the roof of; **la maison ~ le toit est rouge** the house whose roof is red *ou* the roof of which is red; **l'homme ~ je connais la sœur** the man whose sister I know; **10 blessés, ~ 2 grièvement** 10 injured, 2 of them seriously; **2 livres, ~ l'un est 2** books, one of which is; **il y avait plusieurs personnes, ~ Gabrielle** there were several people, among whom was Gabrielle; **le fils ~ il est si fier** the son he's so proud of; **ce ~ je parle** what I'm talking about; *voir adjectifs et verbes à complément prépositionnel*: **responsable de, souffrir de** *etc*.

dorade [dɔrad] *nf* = **daurade**.

doré, e [dɔʀe] *a* golden; (*avec dorure*) gilt, gilded.

dorénavant [dɔʀenavɑ̃] *ad* from now on, henceforth.

dorer [dɔʀe] *vt* (*cadre*) to gild; (**faire**) **~** (*CULIN*) to brown (in the oven).

dorloter [dɔʀlɔte] *vt* to pamper, cosset.

dormant, e [dɔʀmɑ̃, -ɑ̃t] *a*: **eau ~e** still water.

dormeur, euse [dɔʀmœʀ, -øz] *nm/f* sleeper.

dormir [dɔʀmiʀ] *vi* to sleep; (*être endormi*) to be asleep.

dorsal, e, aux [dɔʀsal, -o] *a* dorsal.

dortoir [dɔʀtwaʀ] *nm* dormitory.

dorure [dɔʀyʀ] *nf* gilding.

doryphore [dɔʀifɔʀ] *nm* Colorado beetle.

dos [do] *nm* back; (*de livre*) spine; **'voir au ~'** 'see over'; **de ~** from the back, from behind; **à ~ de chameau** riding on a camel.

dosage [dozaʒ] *nm* mixture.

dos-d'âne [dodɑn] *nm* humpback.

dose [doz] *nf* dose.

doser [doze] *vt* to measure out; to mix in the correct proportions; (*fig*) to expend in the right amounts *ou* proportion; to strike a balance between; **doseur** *nm* measure.

dossard [dosaʀ] *nm* number (*worn by competitor*).

dossier [dosje] *nm* (*renseignements, fichier*) file; (*enveloppe*) folder, file; (*de chaise*) back.

dot [dɔt] *nf* dowry.

doter [dɔte] *vt*: **~ qn/qch de** to equip sb/sth with.

douairière [dwɛʀjɛʀ] *nf* dowager.

douane [dwan] *nf* (*poste, bureau*) customs *pl*; (*taxes*) (customs) duty; **passer la ~** to go through customs; **douanier, ière** *a* customs *cpd* // *nm* customs officer.

doublage [dublaʒ] *nm* (*CINÉMA*) dubbing.

double [dubl(ə)] *a, ad* double // *nm* (*2 fois plus*): **le ~ (de)** twice as much (*ou* many) (as), double the amount (*ou* number) (of); (*autre exemplaire*) duplicate, copy; (*sosie*) double; **en ~ (exemplaire)** in duplicate; **faire ~ emploi** to be redundant; **~ carburateur** twin carburettor; **à ~ commandes** dual-control; **~ messieurs/mixte** men's/mixed doubles *sg*; **~ toit** (*de tente*) fly sheet.

doublé, e [duble] *a* (*vêtement*): **~ (de)** lined (with).

doublement [dubləmɑ̃] *nm* doubling;

twofold increase // ad doubly; in two ways, on two counts.

doubler [duble] vt (multiplier par 2) to double; (vêtement) to line; (dépasser) to overtake, pass; (film) to dub; (acteur) to stand in for // vi to double, increase twofold; ~ (la classe) (SCOL) to repeat a year.

doublure [dublyR] nf lining; (CINÉMA) stand-in.

douce [dus] a voir doux; ~âtre a sickly sweet; ~ment ad gently; slowly; ~reux, euse a (péj) sugary, suave; **douceur** nf mildness; gentleness; softness; sweetness; **douceurs** nfpl (friandises) sweets.

douche [duʃ] nf shower; ~s nfpl (salle) shower room sg; se doucher to have ou take a shower.

doué, e [dwe] a gifted, talented; ~ de endowed with.

douille [duj] nf (ÉLEC) socket; (de projectile) case.

douillet, te [dujɛ, -ɛt] a cosy; (péj) soft.

douleur [dulœR] nf pain; (chagrin) grief, distress; il a eu la ~ de perdre son père he suffered the grief of losing his father; **douloureux, euse** a painful.

doute [dut] nm doubt; sans ~ ad no doubt.

douter [dute] vt to doubt; ~ de vt (allié) to doubt, have (one's) doubts about; (résultat) to be doubtful of; se ~ de qch/que to suspect sth/that; je m'en doutais I suspected as much.

douteux, euse [dutø, -øz] a (incertain) doubtful; (discutable) dubious, questionable; (péj) dubious-looking.

douve [duv] nf (de château) moat; (de tonneau) stave.

Douvres [duvR(ə)] n Dover.

doux, douce [du, dus] a (lisse, moelleux, pas vif: couleur, non calcaire: eau) soft; (sucré, agréable) sweet; (peu fort: moutarde etc, clément: climat) mild; (pas brusque) gentle.

douzaine [duzɛn] nf (12) dozen; (environ 12): une ~ (de) a dozen or so, twelve or so.

douze [duz] num twelve; **douzième** num twelfth.

doyen, ne [dwajɛ̃, -ɛn] nm/f (en âge, ancienneté) most senior member; (de faculté) dean.

draconien, ne [drakɔnjɛ̃, -jɛn] a draconian; stringent.

dragage [dragaʒ] nm dredging.

dragée [draʒe] nf sugared almond; (MÉD) (sugar-coated) pill.

dragon [dragɔ̃] nm dragon.

drague [drag] nf (filet) dragnet; (bateau) dredger; **draguer** vt (rivière) to dredge; to drag // vi (fam) to try and pick up girls; to chat up birds; **dragueur de mines** nm minesweeper.

drainage [drɛnaʒ] nm drainage.

drainer [drɛne] vt to drain.

dramatique [dramatik] a dramatic; (tragique) tragic // nf (TV) (television) drama.

dramatiser [dramatize] vt to dramatize.

dramaturge [dramatyRʒ(ə)] nm dramatist, playwright.

drame [dram] nm (THÉÂTRE) drama; (catastrophe) drama, tragedy.

drap [dra] nm (de lit) sheet; (tissu) woollen fabric.

drapeau, x [drapo] nm flag; sous les ~x with the colours, in the army.

draper [drape] vt to drape.

draperies [drapRi] nfpl hangings.

drapier [drapje] nm (woollen) cloth manufacturer; (marchand) clothier.

dresser [drese] vt (mettre vertical, monter: tente) to put up, erect; (fig: liste, bilan, contrat) to draw up; (animal) to train; se ~ vi (falaise, obstacle) to stand; to tower (up); (personne) to draw o.s. up; ~ qn contre qn d'autre to set sb against sb else.

dresseur, euse [drescœR, -øz] nm/f trainer.

dressoir [dreswaR] nm dresser.

dribbler [drible] vt, vi (SPORT) to dribble.

drogue [drɔg] nf drug; les ~ drugs pl.

drogué, e [drɔge] nm/f drug addict.

droguer [drɔge] vt (victime) to drug; (malade) to give drugs to; se ~ (aux stupéfiants) to take drugs; (péj: de médicaments) to dose o.s. up.

droguerie [drɔgRi] nf hardware shop.

droguiste [drɔgist(ə)] nm keeper (ou owner) of a hardware shop.

droit, e [drwa, drwat] a (non courbe) straight; (vertical) upright, straight; (fig: loyal, franc) upright, straight(forward) (opposé à gauche) right, right-hand // ad straight // nm (prérogative) right; (taxe) duty, tax; (: d'inscription) fee; (lois, branche): le ~ law // nf (ligne) straight line; avoir le ~ de to be allowed to; avoir ~ à to be entitled to; avoir le ~ de to have a ou the right to; faire ~ à to grant, accede to; être dans son ~ to be within one's rights; à ~e on the right; (direction) (to the) right; de ~e (POL) right-wing; ~ d'auteur copyright; ~s d'auteur royalties; le ~ de vote the (right to) vote.

droitier, ière [drwatje, -jɛR] nm/f right-handed person.

droiture [drwatyR] nf uprightness, straightness.

drôle [drol] a (amusant) funny, amusing; (bizarre) funny, peculiar.

dromadaire [drɔmadɛR] nm dromedary.

dru, e [dry] a (cheveux) thick, bushy; (pluie) heavy.

drugstore [drœgstɔr] nm drugstore.

D.S.T. sigle f = direction de la surveillance du territoire (the French internal security service).

du [dy] prép + dét, dét voir de.

dû, due [dy] vb voir devoir // a (somme) owing, owed; (: venant à échéance) due; (causé par): ~ à due to // nm due; (somme) dues pl.

dubitatif, ive [dybitatif, -iv] a doubtful, dubious.

duc [dyk] nm duke; **duché** nm dukedom; **duchesse** nf duchess.

duel [dyɛl] nm duel.

dûment [dymɑ̃] ad duly.

dune [dyn] *nf* dune.
Dunkerque [dœkɛʀk] *n* Dunkirk.
duo [dɥo] *nm* (MUS) duet; (*fig: couple*) duo, pair.
dupe [dyp] *nf* dupe // a: (ne pas) être ~ de (not) to be taken in by.
duper [dype] *vt* to dupe, deceive.
duperie [dypʀi] *nf* deception, dupery.
duplex [dyplɛks] *nm* (*appartement*) split-level appartment, duplex.
duplicata [dyplikata] *nm* duplicate.
duplicateur [dyplikatœʀ] *nm* duplicator.
duplicité [dyplisite] *nf* duplicity.
duquel [dykɛl] *prép + pronom voir* lequel.
dur, e [dyʀ] *a* (*pierre, siège, travail, problème*) hard; (*lumière, voix, climat*) harsh; (*sévère*) hard, harsh; (*cruel*) hard(-hearted); (*porte, col*) stiff; (*viande*) tough // a dur; ~ d'oreille hard of hearing.
durable [dyʀabl(ə)] *a* lasting.
durant [dyʀã] *prép* (*au cours de*) during; (*pendant*) for; ~ des mois, des mois ~ for months.
durcir [dyʀsiʀ] *vt, vi, se* ~ *vi* to harden.
durcissement [dyʀsismã] *nm* hardening.
durée [dyʀe] *nf* length; (*d'une pile etc*) life; (*déroulement: des opérations etc*) duration; pour une ~ illimitée for an unlimited length of time.
durement [dyʀmã] *ad* harshly.
durer [dyʀe] *vi* to last.
dureté [dyʀte] *nf* hardness; harshness; stiffness; toughness.
durit [dyʀit] *nf* ® (radiator) hose (*for car*).
dus *etc vb voir* **devoir**.
duvet [dyvɛ] *nm* down; (sac de couchage en) ~ down-filled sleeping bag.
dynamique [dinamik] *a* dynamic.
dynamisme [dinamism(ə)] *nm* dynamism.
dynamite [dinamit] *nf* dynamite.
dynamiter [dinamite] *vt* to (blow up with) dynamite.
dynamo [dinamo] *nf* dynamo.
dynastie [dinasti] *nf* dynasty.
dysenterie [disãtʀi] *nf* dysentery.
dyslexie [dislɛksi] *nf* dyslexia, word-blindness.
dyspepsie [dispɛpsi] *nf* dyspepsia.

E

eau, x [o] *nf* water // *nfpl* waters; prendre l'~ to leak, let in water; faire ~ to leak; tomber à l'~ (*fig*) to fall through; ~ de Cologne Eau de Cologne; ~ courante running water; ~ douce fresh water; ~ de Javel bleach; ~ minérale mineral water; ~ salée salt water; ~ de toilette toilet water; les E~x et Forêts (ADMIN) ≈ the National Forestry Commission; ~-de-vie *nf* brandy; ~-forte *nf* etching.
ébahi, e [ebai] *a* dumbfounded, flabbergasted.
ébats [eba] *nmpl* frolics, gambols.
ébattre [ebatʀ(ə)]: s'~ *vi* to frolic.
ébauche [ebof] *nf* (rough) outline, sketch.
ébaucher [eboʃe] *vt* to sketch out, outline; s'~ *vi* to take shape.

ébène [ebɛn] *nf* ebony.
ébéniste [ebenist(ə)] *nm* cabinetmaker; **ébénisterie** *nf* cabinetmaking; (*bâti*) cabinetwork.
éberlué, e [ebɛʀlɥe] *a* astounded, flabbergasted.
éblouir [ebluiʀ] *vt* to dazzle.
éblouissement [ebluismã] *nm* dazzle; (*faiblesse*) dizzy turn.
éborgner [ebɔʀɲe] *vt*: ~ qn to blind sb in one eye.
éboueur [ebwœʀ] *nm* dustman.
ébouillanter [ebujãte] *vt* to scald; (CULIN) to blanch.
éboulement [ebulmã] *nm* falling rocks *pl*, rock fall.
ébouler [ebule]: s'~ *vi* to crumble, collapse.
éboulis [ebuli] *nmpl* fallen rocks.
ébouriffé, e [eburife] *a* tousled, ruffled.
ébranler [ebʀãle] *vt* to shake; (*rendre instable: mur*) to weaken; s'~ *vi* (*partir*) to move off.
ébrécher [ebʀeʃe] *vt* to chip.
ébriété [ebʀijete] *nf*: en état d'~ in a state of intoxication.
ébrouer [ebʀue]: s'~ *vi* to shake o.s.; to snort.
ébruiter [ebʀɥite] *vt* to spread, disclose.
ébullition [ebylisjɔ̃] *nf* boiling point; en ~ boiling; (*fig*) in an uproar.
écaille [ekaj] *nf* (*de poisson*) scale; (*de coquillage*) shell; (*matière*) tortoiseshell; (*de roc etc*) flake.
écailler [ekaje] *vt* (*poisson*) to scale; (*huître*) to open; s'~ *vi* to flake ou peel (off).
écarlate [ekaʀlat] *a* scarlet.
écarquiller [ekaʀkije] *vt*: ~ les yeux to stare wide-eyed.
écart [ekaʀ] *nm* gap; (*embardée*) swerve; sideways leap; (*fig*) departure, deviation; à l'~ *ad* out of the way; à l'~ de *prép* away from; (*fig*) out of; ~ de conduite misdemeanour.
écarté, e [ekaʀte] *a* (*maison, route*) out-of-the-way, remote; (*ouvert*): les jambes ~es legs apart; les bras ~s arms outstretched.
écarteler [ekaʀtəle] *vt* to quarter; (*fig*) to tear.
écartement [ekaʀtəmã] *nm* space, gap; (RAIL) gauge.
écarter [ekaʀte] *vt* (*séparer*) to move apart, separate; (*éloigner*) to push back, move away; (*ouvrir: bras, jambes*) to spread, open; (: *rideau*) to draw (back); (*éliminer: candidat, possibilité*) to dismiss; s'~ *vi* to part; to move away; s'~ de to wander from.
ecchymose [ekimoz] *nf* bruise.
ecclésiastique [eklezjastik] *a* ecclesiastical // *nm* ecclesiastic.
écervelé, e [esɛʀvəle] *a* scatterbrained, featherbrained.
échafaud [eʃafo] *nm* scaffold.
échafaudage [eʃafodaʒ] *nm* scaffolding; (*fig*) heap, pile.
échafauder [eʃafode] *vt* (*plan*) to construct.

échalas [eʃala] *nm* stake, pole.
échalote [eʃalɔt] *nf* shallot.
échancrure [eʃɑ̃kRyR] *nf* (de robe) scoop neckline; (de côte, arête rocheuse) indentation.
échange [eʃɑ̃ʒ] *nm* exchange; **en ~ de** in exchange ou return for.
échanger [eʃɑ̃ʒe] *vt*: **~ qch (contre)** to exchange sth (for); **échangeur** *nm* (AUTO) interchange.
échantillon [eʃɑ̃tijɔ̃] *nm* sample; **échantillonnage** *nm* selection of samples.
échappatoire [eʃapatwaR] *nf* way out.
échappée [eʃape] *nf* (vue) vista; (CYCLISME) breakaway.
échappement [eʃapmɑ̃] *nm* (AUTO) exhaust.
échapper [eʃape]: **~ à** *vt* (gardien) to escape (from); (punition, péril) to escape; **~ à qn** (détail, sens) to escape sb; (objet qu'on tient) to slip out of sb's hands; **s'~** *vi* to escape; **l'~ belle** to have a narrow escape.
écharde [eʃaRd(ə)] *nf* splinter (of wood).
écharpe [eʃaRp(ə)] *nf* scarf (pl scarves); (de maire) sash; **avoir un bras en ~** to have one's arm in a sling; **prendre en ~** (dans une collision) to hit sideways on.
écharper [eʃaRpe] *vt* to tear to pieces.
échasse [eʃɑs] *nf* stilt.
échassier [eʃasje] *nm* wader.
échauffement [eʃofmɑ̃] *nm* overheating.
échauffer [eʃofe] *vt* (métal, moteur) to overheat; (fig: exciter) to fire, excite; **s'~** (SPORT) to warm up; (dans la discussion) to become heated.
échauffourée [eʃofuRe] *nf* clash, brawl.
échéance [eʃeɑ̃s] *nf* (d'un paiement: date) settlement date; (: somme due) financial commitment(s); (fig) deadline; **à brève/longue ~** a short-/long-term // ad in the short/long run.
échéant [eʃeɑ̃]: **le cas ~** ad if the case arises.
échec [eʃɛk] *nm* failure; (ÉCHECS): **~ et mat/au roi** checkmate/check; **~s** *nmpl* (jeu) chess *sg*; **tenir en ~** to hold in check; **faire ~ à** to foil ou thwart.
échelle [eʃɛl] *nf* ladder; (fig, d'une carte) scale; **à l'~ de** on the scale of; **sur une grande ~** on a large scale; **faire la courte ~ à qn** to give sb a leg up.
échelon [eʃlɔ̃] *nm* (d'échelle) rung; (ADMIN) grade.
échelonner [eʃlɔne] *vt* to space out, spread out.
écheveau, x [ɛʃvo] *nm* skein, hank.
échevelé, e [eʃəvle] *a* tousled, dishevelled; wild, frenzied.
échine [eʃin] *nf* backbone, spine.
échiquier [eʃikje] *nm* chessboard.
écho [eko] *nm* echo; **~s** *nmpl* (potins) gossip *sg*, rumours.
échoir [eʃwaR] *vi* (dette) to fall due; (délais) to expire; **~ à** *vt* to fall to.
échoppe [eʃɔp] *nf* stall, booth.
échouer [eʃwe] *vi* to fail // *vt* (bateau) to ground; **s'~** *vi* to run aground.
échu, e [eʃy] *pp voir* **échoir.**
éclabousser [eklabuse] *vt* to splash.

éclair [eklɛR] *nm* (d'orage) flash of lightning, lightning *q*; (fig) flash, spark; (gâteau) éclair.
éclairage [eklɛRaʒ] *nm* lighting.
éclaircie [eklɛRsi] *nf* bright ou sunny interval.
éclaircir [eklɛRsiR] *vt* to lighten; (fig) to clear up; to clarify; (CULIN) to thin (down); **s'~ la voix** to clear one's throat; **éclaircissement** *nm* clearing up; clarification.
éclairer [eklɛRe] *vt* (lieu) to light (up); (personne: avec une lampe de poche etc) to light the way for; (fig) to enlighten; to shed light on // *vi*: **~ mal/bien** to give a poor/good light; **s'~ à la bougie/l'électricité** to use candlelight/have electric lighting.
éclaireur, euse [eklɛRœR, -øz] *nm/f* (scout) (boy) scout/(girl) guide // *nm* (MIL) scout; **partir en ~** to go off to reconnoitre.
éclat [ekla] *nm* (de bombe, de verre) fragment; (du soleil, d'une couleur etc) brightness, brilliance; (d'une cérémonie) splendour; (scandale): **faire un ~** to cause a commotion; **des ~s de verre** broken glass; **flying glass**; **~ de rire** burst ou roar of laughter; **~ de voix** shout.
éclatant, e [eklatɑ̃, -ɑ̃t] *a* brilliant, bright.
éclater [eklate] *vi* (pneu) to burst; (bombe) to explode; (guerre, épidémie) to break out; (groupe, parti) to break up; **~ de rire** to burst out laughing.
éclipse [eklips(ə)] *nf* eclipse.
éclipser [eklipse] *vt* to eclipse; **s'~** *vi* to slip away.
éclopé, e [eklɔpe] *a* lame.
éclore [eklɔR] *vi* (œuf) to hatch; (fleur) to open (out).
écluse [eklyz] *nf* lock; **éclusier** *nm* lock keeper.
écœurer [ekœRe] *vt*: **~ qn** to make sb feel sick.
école [ekɔl] *nf* school; **aller à l'~** to go to school; **faire ~** to collect a following; **~ de dessin/danse** art/dancing school; **~ hôtelière** catering college; **~ normale (d'instituteurs)** teachers' training college; **~ de secrétariat** secretarial college; **écolier, ière** *nm/f* schoolboy/girl.
écologie [ekɔlɔʒi] *nf* ecology; environmental studies *pl*; **écologique** *a* ecological; environmental; **écologiste** *nm/f* ecologist; environmentalist.
éconduire [ekɔ̃dɥiR] *vt* to dismiss.
économat [ekɔnɔma] *nm* bursar's office.
économe [ekɔnɔm] *a* thrifty // *nm/f* (de lycée etc) bursar.
économie [ekɔnɔmi] *nf* (vertu) economy, thrift; (gain: d'argent, de temps etc) saving; (science) economics *sg*; (situation économique) economy; **~s** *nfpl* (pécule) savings; **économique** *a* (avantageux) economical; (ÉCON) economic.
économiser [ekɔnɔmize] *vt, vi* to save.
économiste [ekɔnɔmist(ə)] *nm/f* economist.
écoper [ekɔpe] *vi* to bale out; (fig) to cop it; **~ (de)** *vt* to get.
écorce [ekɔRs(ə)] *nf* bark; (de fruit) peel; **écorcer** *vt* to bark.

écorché [ekɔRʃe] *nm* cut-away drawing.
écorcher [ekɔRʃe] *vt* (*animal*) to skin ; (*égratigner*) to graze ; **écorchure** *nf* graze.
écossais, e [ekɔsɛ, -ɛz] *a* Scottish // *nm/f*: E~, e Scot.
Écosse [ekɔs] *l.f* Scotland.
écosser [ekɔse] *vt* to shell.
écot [eko] *nm*: **payer son ~** to pay one's share.
écouler [ekule] *vt* to sell ; to dispose of ; **s'~** *vi* (*eau*) to flow (out) ; (*jours, temps*) to pass (by).
écourter [ekuRte] *vt* to curtail, cut short.
écoute [ekut] *nf* (*RADIO, TV*): **temps/heure d'~** listening (*ou* viewing) time/hour ; **prendre l'~** to tune in ; **rester à l'~ (de)** to stay listening (to) *ou* tuned in (to) ; **~s téléphoniques** phone tapping *sg*.
écouter [ekute] *vt* to listen to ; **écouteur** *nm* (*TÉL*) receiver ; (*RADIO*) headphones *pl*, headset.
écoutille [ekutij] *nf* hatch.
écran [ekRã] *nm* screen.
écrasant, e [ekRazã, -ãt] *a* overwhelming.
écraser [ekRaze] *vt* to crush ; (*piéton*) to run over ; **s'~ (au sol)** to crash ; **s'~ contre** to crash into.
écrémer [ekReme] *vt* to skim.
écrevisse [ekRəvis] *nf* crayfish *inv*.
écrier [ekRije]: **s'~** *vi* to exclaim.
écrin [ekRɛ̃] *nm* case, box.
écrire [ekRiR] *vt* to write ; **ça s'écrit comment?** how is it spelt?, how do you write that? ; **écrit** *nm* document ; (*examen*) written paper ; **par écrit** in writing.
écriteau, x [ekRito] *nm* notice, sign.
écritoire [ekRitwaR] *nf* writing case.
écriture [ekRityR] *nf* writing ; (*COMM*) entry ; **~s** *nfpl* (*COMM*) accounts, books ; **l'É~ (sainte), les É~s** the Scriptures.
écrivain [ekRivɛ̃] *nm* writer.
écrou [ekRu] *nm* nut.
écrouer [ekRue] *vt* to imprison ; to remand in custody.
écrouler [ekRule]: **s'~** *vi* to collapse.
écru, e [ekRy] *a* (*toile*) raw, unbleached.
écueil [ekœj] *nm* reef ; (*fig*) pitfall ; stumbling block.
écuelle [ekɥɛl] *nf* bowl.
éculé, e [ekyle] *a* (*chaussure*) down-at-heel ; (*fig: péj*) hackneyed.
écume [ekym] *nf* foam ; (*CULIN*) scum ; **écumer** *vt* (*CULIN*) to skim ; (*fig*) to plunder // *vi* (*mer*) to foam ; (*fig*) to boil with rage ; **écumoire** *nf* skimmer.
écureuil [ekyRœj] *nm* squirrel.
écurie [ekyRi] *nf* stable.
écusson [ekysɔ̃] *nm* badge.
écuyer, ère [ekɥije, -ɛR] *nm/f* rider.
eczéma [ɛgzema] *nm* eczema.
édenté, e [edãte] *a* toothless.
E.D.F. *sigle f* = *Électricité de France*, ≈ Electricity Board.
édifice [edifis] *nm* building, edifice.
édifier [edifje] *vt* to build, erect ; (*fig*) to edify.
édiles [edil] *nmpl* city fathers.
édit [edi] *nm* edict.
éditer [edite] *vt* (*publier*) to publish ; (: *disque*) to produce ; (*préparer: texte*) to

edit ; éditeur, trice *nm/f* editor ; publisher ; **édition** *nf* editing *q* ; edition ; (*industrie du livre*) publishing.
éditorial, aux [editɔRjal, -o] *nm* editorial, leader ; **~iste** *nm/f* editorial *ou* leader writer.
édredon [edRədɔ̃] *nm* eiderdown.
éducatif, ive [edykatif, -iv] *a* educational.
éducation [edykasjɔ̃] *nf* education ; (*familiale*) upbringing ; (*manières*) (good) manners *pl* ; **l'É~ (Nationale)** ≈ The Department of Education ; **~ physique** physical education.
édulcorer [edylkɔRe] *vt* to sweeten ; (*fig*) to tone down.
éduquer [edyke] *vt* to educate ; (*élever*) to bring up ; (*faculté*) to train.
effacer [efase] *vt* to erase, rub out ; **s'~** *vi* (*inscription etc*) to wear off ; (*pour laisser passer*) to step aside ; **~ le ventre** to pull one's stomach in.
effarement [efaRmã] *nm* alarm.
effarer [efaRe] *vt* to alarm.
effaroucher [efaRuʃe] *vt* to frighten *ou* scare away ; to alarm.
effectif, ive [efɛktif, -iv] *a* real ; effective // *nm* (*MIL*) strength ; (*SCOL*) total number of pupils, size ; **~s** numbers, strength *sg* ; **effectivement** *ad* effectively ; (*réellement*) actually, really ; (*en effet*) indeed.
effectuer [efɛktɥe] *vt* (*opération, mission*) to carry out ; (*déplacement, trajet*) to make, complete ; (*mouvement*) to execute, make.
efféminé, e [efemine] *a* effeminate.
effervescent, e [efɛRvesã, -ãt] *a* (*cachet, boisson*) effervescent ; (*fig*) agitated, in a turmoil.
effet [efɛ] *nm* (*résultat, artifice*) effect ; (*impression*) impression ; **~s** *nmpl* (*vêtements etc*) things ; **faire de l'~** (*médicament, menace*) to have an effect, be effective ; **en ~** *ad* indeed.
effeuiller [efœje] *vt* to remove the leaves (*ou* petals) from.
efficace [efikas] *a* (*personne*) efficient ; (*action, médicament*) effective ; **efficacité** *nf* efficiency ; effectiveness.
effigie [efiʒi] *nf* effigy.
effilé, e [efile] *a* slender ; sharp ; streamlined.
effiler [efile] *vt* (*cheveux*) to thin (out) ; (*tissu*) to fray.
effilocher [efilɔʃe]: **s'~** *vi* to fray.
efflanqué, e [eflãke] *a* emaciated.
effleurer [eflœRe] *vt* to brush (against) ; (*sujet, idée*) to touch upon ; (*suj: idée, pensée*): **~ qn** to cross sb's mind.
effluves [eflyv] *nmpl* exhalation(s).
effondrement [efɔ̃dRəmã] *nm* collapse.
effondrer [efɔ̃dRe]: **s'~** *vi* to collapse.
efforcer [efɔRse]: **s'~ de** *vt*: **s'~ de faire** to try hard to.
effort [efɔR] *nm* effort ; **faire un ~** to make an effort.
effraction [efRaksjɔ̃] *nf* breaking-in ; **s'introduire par ~ dans** to break into.
effrangé, e [efRãʒe] *a* fringed ; (*effiloché*) frayed.
effrayant, e [efRɛjã, -ãt] *a* frightening, fearsome ; (*sens affaibli*) dreadful.

effrayer [efʀeje] vt to frighten, scare; (rebuter) to put off; **s'~ (de)** to be frightened ou scared (by).

effréné, e [efʀene] a wild.

effriter [efʀite]: **s'~** vi to crumble.

effroi [efʀwɑ] nm terror, dread q.

effronté, e [efʀɔ̃te] a insolent, brazen.

effroyable [efʀwajabl(ə)] a horrifying, appalling.

effusion [efyzjɔ̃] nf effusion; **sans ~ de sang** without bloodshed.

égailler [egaje]: **s'~** vi to scatter, disperse.

égal, e, aux [egal, -o] a (identique, ayant les mêmes droits) equal; (plan: surface) even, level; (constant: vitesse) steady; (équitable) even // nm/f equal; **être ~ à** (prix, nombre) to be equal to; **ça lui est ~** it's all the same to him, it doesn't matter to him; he doesn't mind; **sans ~** matchless, unequalled; **à l'~ de** (comme) just like; **d'~ à ~** as equals; **~ement** ad equally; evenly; steadily; (aussi) too, as well; **~er** vt to equal; **~iser** vt (sol, salaires) to level (out); (chances) to equalize // vi (SPORT) to equalize; **~itaire** a egalitarian; **~ité** nf equality; evenness; steadiness; (MATH) identity; **être à ~ité (de points)** to be level; **~ité de droits** equality of rights; **~ité d'humeur** evenness of temper.

égard [egaʀ] nm: **~s** nmpl consideration sg; **à cet ~** in this respect; **eu ~ à** in view of; **par ~ pour** out of consideration for; **sans ~ pour** without regard for; **à l'~ de** prép towards; concerning.

égarement [egaʀmɑ̃] nm distraction; aberration.

égarer [egaʀe] vt (objet) to mislay; (moralement) to lead astray; **s'~** vi to get lost, lose one's way; (objet) to go astray; (fig: dans une discussion) to wander.

égayer [egeje] vt (personne) to amuse; to cheer up; (récit, endroit) to brighten up, liven up.

égide [eʒid] nf: **sous l'~ de** under the aegis of.

églantier [eglɑ̃tje] nm wild ou dog rose-(-bush).

églantine [eglɑ̃tin] nf wild ou dog rose.

églefin [egləfɛ̃] nm haddock.

église [egliz] nf church; **aller à l'~** (être pratiquant) to go to church, be a churchgoer.

égocentrique [egosɑ̃tʀik] a egocentric, self-centred.

égoïsme [egoism(ə)] nm selfishness, egoism; **égoïste** a selfish, egoistic // nm/f egoist.

égorger [egɔʀʒe] vt to cut the throat of.

égosiller [egozije]: **s'~** vi to shout o.s. hoarse.

égout [egu] nm sewer; **égoutier** nm sewer worker.

égoutter [egute] vt (linge) to wring out; (vaisselle) to drain // vi, **s'~** vi to drip; **égouttoir** nm draining board; (mobile) draining rack.

égratigner [egʀatiɲe] vt to scratch; **égratignure** nf scratch.

égrener [egʀəne] vt: **~ une grappe, ~ des raisins** to pick grapes off a bunch.

égrillard, e [egʀijaʀ, -aʀd(ə)] a ribald, bawdy.

Égypte [eʒipt(ə)] nf Egypt; **égyptien, ne** a, nm/f Egyptian; **égyptologie** nf Egyptology.

eh [e] excl hey!; **~ bien** well.

éhonté, e [eɔ̃te] a shameless, brazen.

éjaculation [eʒakylɑsjɔ̃] nf ejaculation.

éjaculer [eʒakyle] vi to ejaculate.

éjectable [eʒɛktabl(ə)] a: **siège ~** ejector seat.

éjecter [eʒɛkte] vt (TECH) to eject; (fam) to kick ou chuck out.

élaboration [elabɔʀɑsjɔ̃] nf elaboration.

élaborer [elabɔʀe] vt to elaborate.

élaguer [elage] vt to prune.

élan [elɑ̃] nm (ZOOL) elk, moose; (SPORT: avant le saut) run up; (de véhicule ou objet en mouvement) momentum; (fig: de tendresse etc) surge; **prendre son ~/de l'~** to take a run up/gather speed.

élancé, e [elɑ̃se] a slender.

élancement [elɑ̃smɑ̃] nm shooting pain.

élancer [elɑ̃se]: **s'~** vi to dash, hurl o.s.; (fig: arbre, clocher) to soar (upwards).

élargir [elaʀʒiʀ] vt to widen; (vêtement) to let out; (JUR) to release; **s'~** vi to widen; (vêtement) to stretch.

élasticité [elastisite] nf (aussi ÉCON) elasticity.

élastique [elastik] a elastic // nm (de bureau) rubber band; (pour la couture) elastic q.

électeur, trice [elɛktœʀ, -tʀis] nm/f elector, voter.

élection [elɛksjɔ̃] nf election; **~s** nfpl (POL) election(s); **~ partielle** ≈ by-election.

électoral, e, aux [elɛktɔʀal, -o] a electoral, election cpd.

électorat [elɛktɔʀa] nm electorate.

électricien, ne [elɛktʀisjɛ̃, -jɛn] nm/f electrician.

électricité [elɛktʀisite] nf electricity; **allumer/éteindre l'~** to put on/off the light; **~ statique** static electricity.

électrifier [elɛktʀifje] vt (RAIL) to electrify.

électrique [elɛktʀik] a electric(al).

électriser [elɛktʀize] vt to electrify.

électro... [elɛktʀɔ] préfixe: **~aimant** nm electromagnet; **~cardiogramme** nm electrocardiogram; **~choc** nm electric shock treatment; **~cuter** vt to electrocute; **~cution** nf electrocution; **~de** nf electrode; **~encéphalogramme** nm electroencephalogram; **~gène** a: **groupe ~gène** generating set; **~lyse** nf electrolysis sg; **~magnétique** a electromagnetic; **~ménager** a: **appareils ~ménagers** domestic (electrical) appliances.

électron [elɛktʀɔ̃] nm electron.

électronicien, ne [elɛktʀɔnisjɛ̃, -jɛn] nm/f electronics engineer.

électronique [elɛktʀɔnik] a electronic // nf electronics sg.

électrophone [elɛktʀɔfɔn] nm record player.

élégance [elegɑ̃s] nf elegance.

élégant, e [elegɑ̃, -ɑ̃t] a elegant; (solution)

neat, elegant; (*attitude*, *procédé*) courteous, civilized.

élément [elemɑ̃] *nm* element; (*pièce*) component, part; **~s** *nmpl* (*aussi*: *rudiments*) elements; **élémentaire** *a* elementary; (*CHIMIE*) elemental.

éléphant [elefɑ̃] *nm* elephant.

élevage [ɛlvaʒ] *nm* breeding; (*de bovins*) cattle breeding *ou* rearing.

élévateur [elevatœʀ] *nm* elevator.

élévation [elevasjɔ̃] *nf* (*gén*) elevation; (*voir élever*) raising; (*voir s'élever*) rise.

élève [elɛv] *nm/f* pupil; **~ infirmière** *nf* student nurse.

élevé, e [ɛlve] *a* (*prix*, *sommet*) high; (*fig*: *noble*) elevated; **bien/mal ~** well-/ill-mannered.

élever [ɛlve] *vt* (*enfant*) to bring up, raise; (*bétail*, *volaille*) to breed; (*abeilles*) to keep; (*hausser*: *immeuble*, *taux*, *niveau*) to raise; (*fig*: *âme*, *esprit*) to elevate; (*édifier*: *monument*) to put up, erect; **s'~** *vi* (*avion*, *alpiniste*) to go up; (*niveau*, *température*, *aussi*: *cri etc*) to rise; (*survenir*: *difficultés*) to arise; **s'~ à** (*suj*: *frais*, *dégâts*) to amount to, add up to; **s'~ contre qch** to rise up against sth; **~ une pro-testation/critique** to raise a protest/make a criticism; **~ la voix** to raise one's voice; **~ qn au rang de** to raise *ou* elevate sb to the rank of; **éleveur, euse** *nm/f* cattle breeder.

élidé, e [elide] *a* elided.

éligible [eliʒibl(ə)] *a* eligible.

élimé, e [elime] *a* worn (thin), threadbare.

élimination [eliminasjɔ̃] *nf* elimination.

éliminatoire [eliminatwaʀ] *a* eliminatory; disqualifying // *nf* (*SPORT*) heat.

éliminer [elimine] *vt* to eliminate.

élire [eliʀ] *vt* to elect; **~ domicile à** to take up residence in *ou* at.

élision [elizjɔ̃] *nf* elision.

élite [elit] *nf* elite.

elle [ɛl] *pronom* (*sujet*) she; (*: chose*) it; (*complément*) her; it; **~s** (*sujet*) they; (*complément*) them; **~-même** herself; it-self; **~s-mêmes** themselves; *voir note sous* **il**.

ellipse [elips(ə)] *nf* ellipse; (*LING*) ellipsis *sg*; **elliptique** *a* elliptical.

élocution [elɔkysjɔ̃] *nf* delivery; **défaut d'~** speech impediment.

éloge [elɔʒ] *nm* praise (*gén q*); **faire l'~ de** to praise; **élogieux, euse** *a* laudatory, full of praise.

éloigné, e [elwaɲe] *a* distant, far-off.

éloignement [elwaɲmɑ̃] *nm* removal; putting off; estrangement; distance.

éloigner [elwaɲe] *vt* (*objet*): **~ qch (de)** to move *ou* take sth away (from); (*personne*): **~ qn (de)** to take sb away *ou* remove sb (from); (*échéance*) to put off, postpone; (*soupçons*, *danger*) to ward off; **s'~ (de)** (*personne*) to go away (from); (*véhicule*) to move away (from); (*affectivement*) to become estranged (from).

élongation [elɔ̃gasjɔ̃] *nf* strained muscle.

éloquence [elɔkɑ̃s] *nf* eloquence.

éloquent, e [elɔkɑ̃, -ɑ̃t] *a* eloquent.

élu, e [ely] *pp de* **élire** // *nm/f* (*POL*.) elected representative.

élucider [elyside] *vt* to elucidate.

élucubrations [elykybʀasjɔ̃] *nfpl* wild imaginings.

éluder [elyde] *vt* to evade.

émacié, e [emasje] *a* emaciated.

émail, aux [emaj, -o] *nm* enamel.

émaillé, e [emaje] *a* enamelled; (*fig*): **~ de** dotted with.

émanation [emanasjɔ̃] *nf* emanation, exhalation.

émanciper [emɑ̃sipe] *vt* to emancipate; **s'~** (*fig*) to become emancipated *ou* liberated.

émaner [emane]: **~ de** *vt* to come from; (*ADMIN*) to proceed from.

émarger [emaʀʒe] *vt* to sign; **~ de 1000 F à un budget** to receive 1000 F out of a budget.

émasculer [emaskyle] *vt* to emasculate.

emballage [ɑ̃balaʒ] *nm* wrapping; packaging.

emballer [ɑ̃bale] *vt* to wrap (up); (*dans un carton*) to pack (up); (*fig*: *fam*) to thrill (to bits); **s'~** *vi* (*moteur*) to race; (*cheval*) to bolt; (*fig*: *personne*) to get carried away.

embarcadère [ɑ̃baʀkadɛʀ] *nm* landing stage, pier.

embarcation [ɑ̃baʀkasjɔ̃] *nf* (small) boat, (small) craft *inv*.

embardée [ɑ̃baʀde] *nf* swerve; **faire une ~** to swerve.

embargo [ɑ̃baʀgo] *nm* embargo; **mettre l'~ sur** to put an embargo on, embargo.

embarquement [ɑ̃baʀkəmɑ̃] *nm* embarkation; loading; boarding.

embarquer [ɑ̃baʀke] *vt* (*personne*) to embark; (*marchandise*) to load; (*fam*) to cart off; to nick // *vi* (*passager*) to board; (*NAVIG*) to ship water; **s'~** *vi* to board; **s'~ dans** (*affaire*, *aventure*) to embark upon.

embarras [ɑ̃baʀa] *nm* (*obstacle*) hindrance; (*confusion*) embarrassment; (*ennuis*): **être dans l'~** to be in a predicament *ou* an awkward position; **~ gastrique** stomach upset.

embarrasser [ɑ̃baʀase] *vt* (*encombrer*) to clutter (up); (*gêner*) to hinder, hamper; (*fig*) to cause embarrassment to; to put in an awkward position; **s'~ de** to burden o.s. with.

embauche [ɑ̃boʃ] *nf* hiring; **bureau d'~** labour office.

embaucher [ɑ̃boʃe] *vt* to take on, hire; **s'~** to get o.s. hired.

embauchoir [ɑ̃boʃwaʀ] *nm* shoetree.

embaumer [ɑ̃bome] *vt* to embalm; to fill with its fragrance; **~ la lavande** to be fragrant with (the scent of) lavender.

embellir [ɑ̃beliʀ] *vt* to make more attractive; (*une histoire*) to embellish // *vi* to grow lovelier *ou* more attractive.

embêtements [ɑ̃bɛtmɑ̃] *nmpl* trouble *sg*.

embêter [ɑ̃bete] *vt* to bother; **s'~** (*s'ennuyer*) to be bored; **il ne s'embête pas!** (*ironique*) he does all right for himself!

emblée [ɑ̃ble]: **d'~** *ad* straightaway.

emblème [ɑ̃blɛm] nm emblem.
emboîter [ɑ̃bwate] vt to fit together ; s'~
dans to fit into ; s'~ (l'un dans l'autre)
to fit together ; ~ le pas à qn to follow
in sb's footsteps.
embolie [ɑ̃bɔli] nf embolism.
embonpoint [ɑ̃bɔ̃pwɛ̃] nm stoutness.
embouché, e [ɑ̃buʃe] a: mal ~ foul-
mouthed.
embouchure [ɑ̃buʃyʀ] nf (GÉO) mouth ;
(MUS) mouthpiece.
embourber [ɑ̃buʀbe]: s'~ vi to get stuck
in the mud.
embourgeoiser [ɑ̃buʀʒwaze]: s'~ vi to
adopt a middle-class outlook.
embout [ɑ̃bu] nm (de canne) tip ; (de tuyau)
nozzle.
embouteillage [ɑ̃butɛjaʒ] nm traffic jam,
(traffic) holdup.
emboutir [ɑ̃butiʀ] vt (TECH) to stamp ;
(heurter) to crash into, ram.
embranchement [ɑ̃bʀɑ̃ʃmɑ̃] nm (routier)
junction ; (classification) branch.
embraser [ɑ̃bʀaze]: s'~ vi to flare up.
embrassades [ɑ̃bʀasad] nfpl hugging and
kissing sg.
embrasser [ɑ̃bʀase] vt to kiss ; (sujet,
période) to embrace, encompass ; (carrière,
métier) to take up, enter upon.
embrasure [ɑ̃bʀɑzyʀ] nf: dans l'~ de la
porte in the door(way).
embrayage [ɑ̃bʀɛjaʒ] nm (mécanisme)
clutch.
embrayer [ɑ̃bʀeje] vi (AUTO) to let in the
clutch.
embrigader [ɑ̃bʀigade] vt to recruit.
embrocher [ɑ̃bʀɔʃe] vt to (put on a) spit.
embrouillamini [ɑ̃bʀujamini] nm (fam)
muddle.
embrouiller [ɑ̃bʀuje] vt (fils) to tangle
(up) ; (fiches, idées, personne) to muddle
up ; s'~ vi (personne) to get in a muddle.
embroussaillé, e [ɑ̃bʀusaje] a
overgrown, bushy.
embruns [ɑ̃bʀœ̃] nmpl sea spray sg.
embryon [ɑ̃bʀijɔ̃] nm embryo ;
embryonnaire a embryonic.
embûches [ɑ̃byʃ] nfpl pitfalls, traps.
embué, e [ɑ̃bɥe] a misted up.
embuscade [ɑ̃byskad] nf ambush ;
tendre une ~ à to lay an ambush for.
embusquer [ɑ̃byske] vt to put in
ambush ; s'~ vi to take up position (for
an ambush).
éméché, e [emeʃe] a tipsy, merry.
émeraude [ɛmʀod] nf emerald // a inv
emerald-green.
émerger [emɛʀʒe] vi to emerge ; (faire
saillie, aussi fig) to stand out.
émeri [ɛmʀi] nm: toile ou papier ~ emery
paper.
émérite [emeʀit] a highly skilled.
émerveiller [emɛʀveje] vt to fill with
wonder ; s'~ de to marvel at.
émetteur, trice [emɛtœʀ, -tʀis] a
transmitting ; (poste) ~ transmitter.
émet*re [emɛtʀ(ə)] vt (son, lumière) to give
out, emit ; (message etc: RADIO) to transmit ;
(billet, timbre, emprunt) to issue ;
(hypothèse, avis) to voice, put forward //

vi: ~ sur ondes courtes to broadcast on
short wave.
émeus etc vb voir émouvoir.
émeute [emøt] nf riot ; émeutier, ère
nm/f rioter.
émietter [emjete] vt to crumble ; (fig) to
split up, to disperse.
émigrant, e [emigʀɑ̃, -ɑ̃t] nm/f emigrant.
émigré, e [emigʀe] nm/f expatriate.
émigrer [emigʀe] vi to emigrate.
éminemment [eminamɑ̃] ad eminently.
éminence [eminɑ̃s] nf distinction ;
(colline) knoll, hill ; Son É~ his (ou her)
Eminence.
éminent, e [eminɑ̃, -ɑ̃t] a distinguished.
émir [emiʀ] nm emir ; ~at nm emirate.
émissaire [emisɛʀ] nm emissary.
émission [emisjɔ̃] nf emission ;
transmission ; issue ; (RADIO, TV)
programme, broadcast.
emmagasiner [ɑ̃magazine] vt to (put
into) store ; (fig) to store up.
emmailloter [ɑ̃majɔte] vt to wrap up.
emmanchure [ɑ̃mɑ̃ʃyʀ] nf armhole.
emmêler [ɑ̃mele] vt to tangle (up) ; (fig)
to muddle up ; s'~ to get into a tangle.
emménager [ɑ̃menaʒe] vi to move in ; ~
dans to move into.
emmener [ɑ̃mne] vt to take (with one) ;
(comme otage, capture) to take away ;
(SPORT, MIL: joueurs, soldats) to lead ; ~ qn
au cinéma to take sb to the cinema.
emmerder [ɑ̃mɛʀde] (fam!) vt to bug,
bother ; s'~ (s'ennuyer) to be bored stiff.
emmitoufler [ɑ̃mitufle] vt to wrap up
(warmly).
emmurer [ɑ̃myʀe] vt to wall up, immure.
émoi [emwa] nm (agitation, effervescence)
commotion ; (trouble) agitation.
émoluments [emɔlymɑ̃] nmpl
remuneration sg, fee sg.
émonder [emɔ̃de] vt to prune.
émotif, ive [emɔtif, -iv] a emotional.
émotion [emɔsjɔ̃] nf emotion ; avoir des
~s (fig) to get a fright ; émotionnel, le
a emotional.
émoulu, e [emuly] a: frais ~ de fresh
from, just out of.
émousser [emuse] vt to blunt ; (fig) to
dull.
émouvoir [emuvwaʀ] vt (troubler) to stir,
affect ; (toucher, attendrir) to move ;
(indigner) to rouse ; (effrayer) to disturb,
worry ; s'~ vi to be affected ; to be
moved ; to be roused ; to be disturbed ou
worried.
empailler [ɑ̃paje] vt to stuff.
empaler [ɑ̃pale] vt to impale.
empaqueter [ɑ̃pakte] vt to pack up.
emparer [ɑ̃paʀe]: s'~ de vt (objet) to
seize, grab ; (comme otage, MIL) to seize ;
(suj: peur, doute) to take hold of.
empâter [ɑ̃pate]: s'~ vi to thicken out.
empattement [ɑ̃patmɑ̃] nm (AUTO)
wheelbase ; (TYPO) serif.
empêchement [ɑ̃pɛʃmɑ̃] nm
(unexpected) obstacle, hitch.
empêcher [ɑ̃peʃe] vt to prevent ; ~ qn
de faire to prevent ou stop sb (from)
doing ; ~ que qch (n')arrive/qn (ne)

fasse to prevent sth from happening/sb from doing; **il n'empêche que** nevertheless, be that as it may; **il n'a pas pu s'~ de rire** he couldn't help laughing.

empêcheur [ɑ̃pɛʃœʀ] *nm*: **~ de danser en rond** spoilsport, killjoy.

empeigne [ɑ̃pɛɲ] *nf* upper(s).

empereur [ɑ̃pʀœʀ] *nm* emperor.

empesé, e [ɑ̃pəze] *a* (*fig*) stiff, starchy.

empeser [ɑ̃pəze] *vt* to starch.

empester [ɑ̃pɛste] *vt* (*lieu*) to stink out *ou* vi to stink, reek; **~ le tabac/le vin** to stink *ou* reek of tobacco/wine.

empêtrer [ɑ̃pɛtʀe] *vt*: **s'~ dans** (*fils etc*) to get tangled up in.

emphase [ɑ̃faz] *nf* pomposity, bombast.

empierrer [ɑ̃pjeʀe] *vt* (*route*) to metal.

empiéter [ɑ̃pjete]: **~ sur** *vt* to encroach upon.

empiffrer [ɑ̃pifʀe]: **s'~** *vi* (*péj*) to stuff o.s.

empiler [ɑ̃pile] *vt* to pile (up), stack (up).

empire [ɑ̃piʀ] *nm* empire; (*fig*) influence.

empirer [ɑ̃piʀe] *vi* to worsen, deteriorate.

empirique [ɑ̃piʀik] *a* empirical.

emplacement [ɑ̃plasmɑ̃] *nm* site.

emplâtre [ɑ̃plɑtʀ(ə)] *nm* plaster; (*fam*) twit.

emplette [ɑ̃plɛt] *nf*: **faire l'~ de** to purchase; **~s** *nfpl* shopping *sg*.

emplir [ɑ̃pliʀ] *vt* to fill; **s'~ (de)** to fill (with).

emploi [ɑ̃plwa] *nm* use; (*COMM, ÉCON*) employment; (*poste*) job, situation; **d'~ facile** easy to use; **~ du temps** timetable, schedule.

employé, e [ɑ̃plwaje] *nm/f* employee; **~ de bureau/banque** office/bank employee *ou* clerk.

employer [ɑ̃plwaje] *vt* (*outil, moyen, méthode, mot*) to use; (*ouvrier, main-d'œuvre*) to employ; **s'~ à faire** to apply *ou* devote o.s. to doing; **employeur, euse** *nm/f* employer.

empocher [ɑ̃pɔʃe] *vt* to pocket.

empoignade [ɑ̃pwaɲad] *nf* row, set-to.

empoigne [ɑ̃pwaɲ] *nf*: **foire d'~** free-for-all.

empoigner [ɑ̃pwaɲe] *vt* to grab; **s'~** (*fig*) to have a row *ou* set-to.

empoisonnement [ɑ̃pwazɔnmɑ̃] *nm* poisoning.

empoisonner [ɑ̃pwazɔne] *vt* to poison; (*empester: air, pièce*) to stink out; (*fam*): **~ qn** to drive sb mad.

emportement [ɑ̃pɔʀtəmɑ̃] *nm* fit of rage, anger *q*.

emporte-pièce [ɑ̃pɔʀtəpjɛs] *nm inv* (*TECH*) punch; **à l'~** *a* (*fig*) incisive.

emporter [ɑ̃pɔʀte] *vt* to take (with one); (*en dérobant ou enlevant, emmener: blessés, voyageurs*) to take away; (*entraîner*) to carry away *ou* along; (*arracher*) to tear off; to carry away; (*MIL: position*) to take; (*avantage, approbation*) to win; **s'~** *vi* (*de colère*) to fly into a rage, lose one's temper; **l'~ (sur)** to get the upper hand (of); (*méthode etc*) to prevail (over); **boissons à l'(~)** take-away drinks.

empourpré, e [ɑ̃puʀpʀe] *a* crimson.

empreint, e [ɑ̃pʀɛ̃, -ɛ̃t] *a*: **~ de** marked with; tinged with // *nf* (*de pied, main*) print; (*fig*) stamp, mark; **~e (digitale)** fingerprint.

empressé, e [ɑ̃pʀese] *a* attentive; (*péj*) overanxious to please, overattentive.

empressement [ɑ̃pʀɛsmɑ̃] *nm* (*hâte*) eagerness.

empresser [ɑ̃pʀese]: **s'~** *vi* to bustle about; **s'~ auprès de qn** to surround sb with attentions; **s'~ de faire** (*se hâter*) to hasten to do.

emprise [ɑ̃pʀiz] *nf* hold, ascendancy; **sous l'~ de** under the influence of.

emprisonnement [ɑ̃pʀizɔnmɑ̃] *nm* imprisonment.

emprisonner [ɑ̃pʀizɔne] *vt* to imprison, jail.

emprunt [ɑ̃pʀœ̃] *nm* borrowing *q*, loan (*from debtor's point of view*); (*LING etc*) borrowing; **~ public à 5%** 5% public loan.

emprunté, e [ɑ̃pʀœ̃te] *a* (*fig*) ill-at-ease, awkward.

emprunter [ɑ̃pʀœ̃te] *vt* to borrow; (*itinéraire*) to take, follow; (*style, manière*) to adopt, assume; **emprunteur, euse** *nm/f* borrower.

empuantir [ɑ̃pɥɑ̃tiʀ] *vt* to stink out.

ému, e [emy] *pp de* **émouvoir** // *a* excited; touched; moved.

émulation [emylɑsjɔ̃] *nf* emulation.

émule [emyl] *nm/f* imitator.

émulsion [emylsjɔ̃] *nf* emulsion.

en [ɑ̃] *prép in*; (*avec direction*) to; (*moyen*): **~ avion/taxi** by plane/taxi; (*composition*): **~ verre** made of glass, glass *cpd*; **se casser ~ plusieurs morceaux** to break into several pieces; **~ dormant** while sleeping, as one sleeps; **~ sortant** on going out, as he went out; **~ réparation** being repaired, under repair; **~ T/étoile** T-/star-shaped; **~ chemise/chaussettes** in one's shirt/socks; **peindre qch ~ rouge** to paint sth red; **~ soldat** as a soldier; **le même ~ plus grand** the same only *ou* but bigger // *pronom* (*provenance*): **j'~ viens** I've come from there; (*cause*): **il ~ est malade** he's ill because of it; (*complément de nom*): **j'~ connais les dangers** I know its dangers; (*indéfini*): **j'~ ai/veux** I have/want some; **as-tu?** have you got any?; **je n'~ veux pas** I don't want any; **j'~ ai assez** I've got enough (of it *ou* them); (*fig*) I've had enough; **j'~ ai 2** I've got 2 (of them); **combien y ~ a-t-il?** how many (of them) are there?; **j'~ suis fier/ai besoin** I am proud of it/need it: *voir le verbe ou l'adjectif lorsque 'en' correspond à 'de' introduisant un complément prépositionnel.*

E.N.A. [ena] *sigle f* = École Nationale d'Administration: *one of the Grandes Écoles*; **énarque** *nm/f* former E.N.A. student.

encablure [ɑ̃kablyʀ] *nf* (*NAVIG*) cable's length.

encadrement [ɑ̃kadʀəmɑ̃] *nm* framing; training; (*de porte*) frame.

encadrer [ɑ̃kadʀe] *vt* (*tableau, image*) to frame; (*fig: entourer*) to surround; to

flank ; (personnel, soldats etc) to train ;
encadreur nm (picture) framer.

encaisse [ãkɛs] nf cash in hand ; ~
or/métallique gold/gold and silver
reserves.

encaissé, e [ãkese] a steep-sided ; with
steep banks.

encaisser [ãkese] vt (chèque) to cash ;
(argent) to collect ; (fig: coup, défaite) to
take ; **encaisseur** nm collector (of debts
etc).

encan [ãkã]: à l'~ ad by auction.

encanailler [ãkɑnaje]: s'~ vi to become
vulgar ou common ; to mix with the riffraff.

encart [ãkaR] nm insert.

encastrer [ãkastRe] vt: ~ qch dans (mur)
to embed sth in(to) ; (boîtier) to fit sth into ;
s'~ dans to fit into ; (heurter) to crash into.

encaustique [ãkɔstik] nf polish, wax ;
encaustiquer vt to polish, wax.

enceinte, e [ãsɛ̃t] af: ~ (de 6 mois) (6
months) pregnant // à (mur) wall ;
(espace) enclosure ; ~ (acoustique)
speaker system.

encens [ãsã] nm incense ; **encenser** vt to
(in)cense ; (fig) to praise to the skies ;
encensoir nm thurible.

encercler [ãsɛRkle] vt to surround.

enchaîner [ãʃene] vt to chain up ;
(mouvements, séquences) to link (together)
// vi to carry on.

enchanté, e [ãʃãte] a delighted ;
enchanted ; ~ (de faire votre
connaissance) pleased to meet you, how
do you do?.

enchantement [ãʃãtmã] nm delight ;
(magie) enchantment ; comme par ~ as
if by magic.

enchanter [ãʃãte] vt to delight.

enchâsser [ãʃase] vt: ~ qch (dans) to
set sth (in).

enchère [ãʃɛR] nf bid ; faire une ~ to
(make a) bid ; mettre/vendre aux ~s to
put up for (sale by)/sell by auction.

enchevêtrer [ãʃvetRe] vt to tangle (up).

enclave [ãklav] nf enclave ; **enclaver** vt
to enclose, hem in.

enclencher [ãklãʃe] vt (mécanisme) to
engage ; s'~ vi to engage.

enclin, e [ãklɛ̃, -in] a: ~ à inclined ou
prone to.

enclore [ãklɔR] vt to enclose.

enclos [ãklo] nm enclosure.

enclume [ãklym] nf anvil.

encoche [ãkɔʃ] nf notch.

encoignure [ãkɔɲyR] nf corner.

encoller [ãkɔle] vt to paste.

encolure [ãkɔlyR] nf (tour de cou) collar
size ; (col, cou) neck.

encombrant, e [ãkɔ̃bRã, -ãt] a
cumbersome, bulky.

encombre [ãkɔ̃bR(ə)]: sans ~ ad without
mishap ou incident.

encombrement [ãkɔ̃bRəmã] nm (d'un
lieu) cluttering (up) ; (d'un objet:
dimensions) bulk.

encombrer [ãkɔ̃bRe] vt to clutter (up) ;
(gêner) to hamper ; s'~ de (bagages etc)
to load ou burden o.s. with ; ~ le passage
to block ou obstruct the way.

encontre [ãkɔ̃tR(ə)]: à l'~ de prép
against, counter to.

encorbellement [ãkɔRbɛlmã] nm
corbelled construction ; fenêtre en~ oriel
window.

encore [ãkɔR] ad (continuation) still ; (de
nouveau) again ; (restriction) even then ou
so ; (intensif): ~ plus fort/mieux even
louder/better ; pas ~ not yet ; ~ une fois
(once) again ; ~ deux jours still two days,
two more days ; si ~ if only.

encouragement [ãkuRaʒmã] nm
encouragement.

encourager [ãkuRaʒe] vt to encourage.

encourir [ãkuRiR] vt to incur.

encrasser [ãkRase] vt to foul up ; to soot
up.

encre [ãkR(ə)] nf ink ; ~ de Chine Indian
ink ; ~ sympathique invisible ink ;
encrer vt to ink ; **encreur** am: rouleau
encreur inking roller ; **encrier** nm inkwell.

encroûter [ãkRute]: s'~ vi (fig) to get
into a rut, get set in one's ways.

encyclique [ãsiklik] nf encyclical.

encyclopédie [ãsiklɔpedi] nf
encyclopaedia ; **encyclopédique** a
encyclopaedic.

endémique [ãdemik] a endemic.

endetter [ãdete] vt, s'~ vi to get into debt.

endeuiller [ãdœje] vt to plunge into
mourning ; manifestation endeuillée par
event over which a tragic shadow was cast
by.

endiablé, e [ãdjable] a furious ;
boisterous.

endiguer [ãdige] vt to dyke (up) ; (fig) to
check, hold back.

endimancher [ãdimãʃe] vt: s'~ to put
on one's Sunday best.

endive [ãdiv] nf chicory q.

endocrine [ãdɔkRin] af: glande ~
endocrine (gland).

endoctriner [ãdɔktRine] vt to
indoctrinate.

endommager [ãdɔmaʒe] vt to damage.

endormi, e [ãdɔRmi] a asleep ; (fig)
sleepy, drowsy ; sluggish.

endormir [ãdɔRmiR] vt to put to sleep ;
(MÉD: dent, nerf) to anaesthetize ; (fig:
soupçons) to allay ; s'~ vi to fall asleep,
go to sleep.

endosser [ãdose] vt (responsabilité) to
take, shoulder ; (chèque) to endorse ;
(uniforme, tenue) to put on, don.

endroit [ãdRwa] nm place ; (opposé à
l'envers) right side ; à l'~ right side out ;
the right way up ; (vêtement) the right way
out ; à l'~ de prép regarding, with regard
to.

enduire [ãdɥiR] vt to coat ; ~ qch de to
coat sth with ; **enduit** nm coating.

endurance [ãdyRãs] nf endurance.

endurant, e [ãdyRã, -ãt] a tough, hardy.

endurcir [ãdyRsiR] vt (physiquement) to
toughen ; (moralement) to harden ; s'~ vi
to become tougher ; to become hardened.

endurer [ãdyRe] vt to endure, bear.

énergétique [enɛRʒetik] a (ressources etc)
energy cpd.

énergie [enɛRʒi] nf (PHYSIQUE) energy ;
(TECH) power ; (fig: physique) energy ;

(: *morale*) vigour, spirit ; **énergique** *a* energetic ; vigorous ; (*mesures*) drastic, stringent.

énergumène [enɛʀgymɛn] *nm* rowdy character *ou* customer.

énerver [enɛʀve] *vt* to irritate, annoy ; **s'~** *vi* to get excited, get worked up.

enfance [ɑ̃fɑ̃s] *nf* (*âge*) childhood ; (*fig*) infancy ; (*enfants*) children *pl* ; **petite ~** infancy.

enfant [ɑ̃fɑ̃] *nm/f* child (*pl* children) ; **~ de chœur** *nm* (*REL*) altar boy ; **~ prodige** child prodigy ; **enfanter** *vi* to give birth // *vt* to give birth to ; **enfantillage** *nm* (*péj*) childish behaviour *q* ; **enfantin, e** *a* childlike ; child *cpd*.

enfer [ɑ̃fɛʀ] *nm* hell.

enfermer [ɑ̃fɛʀme] *vt* to shut up ; (*à clef, interner*) to lock up.

enferrer [ɑ̃feʀe]: **s'~** *vi* : **s'~ dans** to tangle o.s. up in.

enfiévré, e [ɑ̃fjevʀe] *a* (*fig*) feverish.

enfilade [ɑ̃filad] *nf* : **une ~ de** a series *ou* line of (interconnecting).

enfiler [ɑ̃file] *vt* (*vêtement*): **~ qch** to slip sth on, slip into sth ; (*insérer*): **~ qch dans** to stick sth into ; (*rue, couloir*) to take ; (*perles*) to string ; (*aiguille*) to thread ; **s'~ dans** to disappear into.

enfin [ɑ̃fɛ̃] *ad* at last ; (*en énumérant*) lastly ; (*de restriction, résignation*) still ; well ; (*pour conclure*) in a word.

enflammer [ɑ̃flame] *vt* to set fire to ; (*MÉD*) to inflame ; **s'~** to catch fire ; to become inflamed.

enflé, e [ɑ̃fle] *a* swollen ; (*péj*: *style*) bombastic, turgid.

enfler [ɑ̃fle] *vi* to swell (up) ; **s'~** *vi* to swell ; **enflure** *nf* swelling.

enfoncer [ɑ̃fɔ̃se] *vt* (*clou*) to drive in ; (*faire pénétrer*): **~ qch dans** to push *ou* knock *ou* drive sth into ; (*forcer*: *porte*) to break open ; (: *plancher*) to cause to cave in ; (*fam*: *surpasser*) to lick // *vi* (*dans la vase etc*) to sink in ; (*sol, surface porteuse*) to give way ; **s'~** *vi* to sink ; **s'~ dans** to sink into ; (*forêt, ville*) to disappear into.

enfouir [ɑ̃fwiʀ] *vt* (*dans le sol*) to bury ; (*dans un tiroir etc*) to tuck away ; **s'~ dans/sous** to bury o.s. in/under.

enfourcher [ɑ̃fuʀʃe] *vt* to mount.

enfourner [ɑ̃fuʀne] *vt* : **~ qch dans** to shove *ou* stuff sth into.

enfreindre [ɑ̃fʀɛ̃dʀ(ə)] *vt* to infringe, break.

enfuir [ɑ̃fɥiʀ] : **s'~** *vi* to run away *ou* off.

enfumer [ɑ̃fyme] *vt* to smoke out.

engagé, e [ɑ̃gaʒe] *a* (*littérature etc*) engagé, committed.

engageant, e [ɑ̃gaʒɑ̃, -ɑ̃t] *a* attractive, appealing.

engagement [ɑ̃gaʒmɑ̃] *nm* taking on, engaging ; starting ; investing ; (*d'un écrivain etc, professionnel, financier*) commitment ; (*pro-messe*) agreement, promise ; (*MIL*: *combat*) engagement ; **prendre l'~ de faire** to undertake to do ; **sans ~** (*COMM*) without obligation.

engager [ɑ̃gaʒe] *vt* (*embaucher*) to take on, engage ; (*commencer*) to start ; (*lier*) to bind, commit ; (*impliquer, entraîner*) to

involve ; (*investir*) to invest, lay out ; (*faire intervenir*) to engage ; (*inciter*): **~ qn à faire** to urge sb to do ; (*faire pénétrer*): **~ qch dans** to insert sth into ; **s'~** (*s'embaucher*) to hire o.s., get taken on ; (*MIL*) to enlist ; (*promettre, politiquement*) to commit o.s. ; (*débuter*) to start (up) ; **s'~ à faire** to undertake to do ; **s'~ dans** (*rue, passage*) to enter, turn into ; (*s'emboîter*) to engage *ou* fit into ; (*fig*: *affaire, discussion*) to enter into, embark on.

engelures [ɑ̃ʒlyʀ] *nfpl* chilblains.

engendrer [ɑ̃ʒɑ̃dʀe] *vt* to father ; (*fig*) to create, breed.

engin [ɑ̃ʒɛ̃] *nm* machine ; instrument ; vehicle ; (*AVIAT*) aircraft *inv* ; missile ; **~ (explosif)** (explosive) device.

englober [ɑ̃glɔbe] *vt* to include.

engloutir [ɑ̃glutiʀ] *vt* to swallow up ; **s'~** to be engulfed.

engoncé, e [ɑ̃gɔ̃se] *a* : **~ dans** cramped in.

engorger [ɑ̃gɔʀʒe] *vt* to obstruct, block ; **s'~** *vi* to become blocked.

engouement [ɑ̃gumɑ̃] *nm* (sudden) passion.

engouffrer [ɑ̃gufʀe] *vt* to swallow up, devour ; **s'~ dans** to rush into.

engourdi, e [ɑ̃guʀdi] *a* numb.

engourdir [ɑ̃guʀdiʀ] *vt* to numb ; (*fig*) to dull, blunt ; **s'~** *vi* to go numb.

engrais [ɑ̃gʀɛ] *nm* manure ; **~ (chimique)** (chemical) fertilizer.

engraisser [ɑ̃gʀese] *vt* to fatten (up) // *vi* (*péj*) to get fat(ter).

engrenage [ɑ̃gʀənaʒ] *nm* gears *pl*, gearing ; (*fig*) chain.

engueuler [ɑ̃gœle] *vt* (*fam*) to bawl out.

enhardir [ɑ̃aʀdiʀ]: **s'~** *vi* to grow bolder.

énigmatique [enigmatik] *a* enigmatic.

énigme [enigm(ə)] *nf* riddle.

enivrer [ɑ̃nivʀe] *vt* : **s'~** to get drunk ; **s'~ de** (*fig*) to become intoxicated with.

enjambée [ɑ̃ʒɑ̃be] *nf* stride.

enjamber [ɑ̃ʒɑ̃be] *vt* to stride over ; (*suj*: *pont etc*) to span, straddle.

enjeu, x [ɑ̃ʒø] *nm* stakes *pl*.

enjoindre [ɑ̃ʒwɛ̃dʀ(ə)] *vt* : **~ à qn de faire** to enjoin *ou* order sb to do.

enjôler [ɑ̃ʒole] *vt* to coax, wheedle.

enjoliver [ɑ̃ʒolive] *vt* to embellish ; **enjoliveur** *nm* (*AUTO*) hub cap.

enjoué, e [ɑ̃ʒwe] *a* playful.

enlacer [ɑ̃lase] *vt* (*étreindre*) to embrace, hug ; (*suj*: *lianes*) to wind round, entwine.

enlaidir [ɑ̃lediʀ] *vt* to make ugly // *vi* to become ugly.

enlèvement [ɑ̃lɛvmɑ̃] *nm* removal ; abduction, kidnapping ; **l'~ des ordures ménagères** refuse collection.

enlever [ɑ̃lve] *vt* (*ôter*: *gén*) to remove ; (: *vêtement, lunettes*) to take off ; (: *MÉD*: *organe*) to remove, take out ; (*emporter*: *ordures etc*) to collect, take away ; (*prendre*): **~ qch à qn** to take sth (away) from sb ; (*kidnapper*) to abduct, kidnap ; (*obtenir*: *prix, contrat*) to win ; (*MIL*: *position*) to take ; (*morceau de piano etc*) to execute with spirit *ou* brio.

enliser [ɑ̃lize]: **s'~** *vi* to sink, get stuck.

enluminure [ɑ̃lyminyʀ] *nf* illumination.

enneigé, e [ɑ̃neʒe] *a* snowy; snowed-up.

enneigement [ɑ̃neʒmɑ̃] *nm* depth of snow, snowfall; **bulletin d'~** snow report.

ennemi, e [ɛnmi] *a* hostile; (MIL) enemy *cpd* // *nm, nf* enemy; **être ~ de** to be strongly averse *ou* opposed to.

ennoblir [ɑ̃nobliʀ] *vt* to ennoble.

ennui [ɑ̃ɥi] *nm* (*lassitude*) boredom; (*difficulté*) trouble *q*; **avoir des ~s** to be in trouble; **ennuyer** *vt* to bother; (*lasser*) to bore; **s'ennuyer** to be bored; **s'ennuyer de** (*regretter*) to miss; **ennuyeux, euse** *a* boring, tedious; annoying.

énoncé [enɔ̃se] *nm* terms *pl*; wording; (LING) utterance.

énoncer [enɔ̃se] *vt* to say, express; (*conditions*) to set out, state.

enorgueillir [ɑ̃nɔʀgœjiʀ]: **s'~ de** *vt* to pride o.s. on; to boast.

énorme [enɔʀm(ə)] *a* enormous, huge; **énormément** *ad* enormously, tremendously; **énormément de neige/gens** an enormous amount of snow/number of people; **énormité** *nf* enormity, hugeness; outrageous remark.

enquérir [ɑ̃keʀiʀ]: **s'~ de** *vt* to inquire about.

enquête [ɑ̃kɛt] *nf* (*de journaliste, de police*) investigation; (*judiciaire, administrative*) inquiry; (*sondage d'opinion*) survey; **enquêter** *vi* to investigate; to hold an inquiry; to conduct a survey; **enquêteur, euse** *ou* **trice** *nm/f* officer in charge of the investigation; person conducting a survey.

enquiers *etc vb voir* **enquérir**.

enraciné, e [ɑ̃ʀasine] *a* deep-rooted.

enragé, e [ɑ̃ʀaʒe] *a* (MÉD) rabid, with rabies; (*fig*) fanatical.

enrageant, e [ɑ̃ʀaʒɑ̃, -ɑ̃t] *a* infuriating.

enrager [ɑ̃ʀaʒe] *vi* to be furious, be in a rage.

enrayer [ɑ̃ʀeje] *vt* to check, stop; **s'~** *vi* (*arme à feu*) to jam.

enregistrement [ɑ̃ʀʒistʀəmɑ̃] *nm* recording; (ADMIN) registration; **~ des bagages** (*à l'aéroport*) luggage check-in.

enregistrer [ɑ̃ʀʒistʀe] *vt* (MUS etc) to record; (*remarquer, noter*) to note, record; (*fig: mémoriser*) to make a mental note of; (ADMIN) to register; (*bagages: par train*) to register; (: *à l'aéroport*) to check in.

enrhumer [ɑ̃ʀyme]: **s'~** *vi* to catch a cold.

enrichir [ɑ̃ʀiʃiʀ] *vt* to make rich(er); (*fig*) to enrich; **s'~** to get rich(er).

enrober [ɑ̃ʀɔbe] *vt*: **~ qch de** to coat sth with; (*fig*) to wrap sth up in.

enrôler [ɑ̃ʀole] *vt* to enlist; **s'~ (dans)** to enlist (in).

enrouer [ɑ̃ʀwe]: **s'~** *vi* to go hoarse.

enrouler [ɑ̃ʀule] *vt* (*fil, corde*) to wind (up); **~ qch autour de** to wind sth (a)round; **s'~** to coil up; to wind; **enrouleur** *nm voir* **ceinture**.

enrubanné, e [ɑ̃ʀybane] *a* trimmed with ribbon.

ensabler [ɑ̃sable] *vt* (*port, canal*) to silt up, sand up; (*embarcation*) to strand (on a sandbank); **s'~** *vi* to silt up; to get stranded.

ensanglanté, e [ɑ̃sɑ̃glɑ̃te] *a* covered with blood.

enseignant, e [ɑ̃sɛɲɑ̃, -ɑ̃t] *a* teaching // *nm/f* teacher.

enseigne [ɑ̃sɛɲ] *nf* sign // *nm*: **~ de vaisseau** lieutenant; **à telle ~ que** so much so that; **~ lumineuse** neon sign.

enseignement [ɑ̃sɛɲmɑ̃] *nm* teaching; (ADMIN): **~ primaire/ secondaire** primary/secondary education.

enseigner [ɑ̃sɛɲe] *vt, vi* to teach; **~ qch à qn/à qn que** to teach sb sth/sb that.

ensemble [ɑ̃sɑ̃bl(ə)] *ad* together // *nm* (*assemblage, MATH*) set; (*totalité*): **l'~ du/de la** the whole *ou* entire; (*vêtement féminin*) ensemble, suit; (*unité, harmonie*) unity; (*résidentiel*) housing development; **impression/idée d'~** overall *ou* general impression/ idea; **dans l'~** (*en gros*) on the whole; **~ vocal/musical** vocal/musical ensemble.

ensemblier [ɑ̃sɑ̃blije] *nm* interior designer.

ensemencer [ɑ̃səmɑ̃se] *vt* to sow.

enserrer [ɑ̃seʀe] *vt* to hug (tightly).

ensevelir [ɑ̃səvliʀ] *vt* to bury.

ensoleillé, e [ɑ̃sɔleje] *a* sunny.

ensoleillement [ɑ̃sɔlɛjmɑ̃] *nm* period *ou* hours of sunshine.

ensommeillé, e [ɑ̃sɔmeje] *a* sleepy, drowsy.

ensorceler [ɑ̃sɔʀsəle] *vt* to enchant, bewitch.

ensuite [ɑ̃sɥit] *ad* then, next; (*plus tard*) afterwards, later; **~ de quoi** after which.

ensuivre [ɑ̃sɥivʀ(ə)]: **s'~** *vi* to follow, ensue.

entaille [ɑ̃taj] *nf* (*encoche*) notch; (*blessure*) cut.

entailler [ɑ̃taje] *vt* to notch; to cut; **s'~ le doigt** to cut one's finger.

entamer [ɑ̃tame] *vt* (*pain, bouteille*) to start; (*hostilités, pourparlers*) to open; (*fig: altérer*) to make a dent in; to shake; to damage.

entartrer [ɑ̃taʀtʀe]: **s'~** *vi* to fur up; (*dents*) to scale.

entassement [ɑ̃tasmɑ̃] *nm* (*tas*) pile, heap.

entasser [ɑ̃tase] *vt* (*empiler*) to pile up, heap up; (*tenir à l'étroit*) to cram together; **s'~** *vi* to pile up; to cram.

entendement [ɑ̃tɑ̃dmɑ̃] *nm* understanding.

entendre [ɑ̃tɑ̃dʀ(ə)] *vt* to hear; (*comprendre*) to understand; (*vouloir dire*) to mean; (*vouloir*): **~ être obéi/que** to intend *ou* mean to be obeyed/that; **j'ai entendu dire que** I've heard (it said) that; **~ raison** to see sense; **s'~** *vi* (*sympathiser*) to get on; (*se mettre d'accord*) to agree; **s'~ à qch/à faire** (*être compétent*) to be good at sth/doing.

entendu, e [ɑ̃tɑ̃dy] *a* (*réglé*) agreed; (*au courant: air*) knowing; **(c'est) ~!** all right, agreed; **c'est ~** (*concession*) all right, granted; **bien ~!** of course!

entente [ɑ̃tɑ̃t] *nf* (*entre amis, pays*) understanding, harmony; (*accord, traité*) agreement, understanding; **à double ~** (*sens*) with a double meaning.

entériner [ɑ̃teʀine] vt to ratify, confirm.

entérite [ɑ̃teʀit] nf enteritis q.

enterrement [ɑ̃teʀmɑ̃] nm burying; (cérémonie) funeral, burial.

enterrer [ɑ̃teʀe] vt to bury.

entêtant, e [ɑ̃tɛtɑ̃, -ɑ̃t] a heady.

en-tête [ɑ̃tɛt] nm heading; **papier à ~** headed notepaper.

entêté, e [ɑ̃tɛte] a stubborn.

entêter [ɑ̃tete]: **s'~** vi: **s'~ (à faire)** to persist (in doing).

enthousiasme [ɑ̃tuzjasm(ə)] nm enthusiasm; **enthousiasmer** vt to fill with enthusiasm; **s'enthousiasmer (pour qch)** to get enthusiastic (about sth); **enthousiaste** a enthusiastic.

enticher [ɑ̃tiʃe]: **s'~ de** vt to become infatuated with.

entier, ère [ɑ̃tje, -jɛʀ] a (non entamé, en totalité) whole; (total, complet) complete; (fig: caractère) unbending, averse to compromise // nm (MATH) whole; **en ~** totally, in its entirety; **lait ~** full-cream milk; **pain ~** wholemeal bread; **entièrement** ad entirely, completely, wholly.

entité [ɑ̃tite] nf entity.

entonner [ɑ̃tɔne] vt (chanson) to strike up.

entonnoir [ɑ̃tɔnwaʀ] nm (ustensile) funnel; (trou) shell-hole, crater.

entorse [ɑ̃tɔʀs(ə)] nf (MÉD) sprain; (fig): **~ à la loi/au règlement** infringement of the law/rule.

entortiller [ɑ̃tɔʀtije] vt (envelopper): **~ qch dans/avec** to wrap sth in/with; (enrouler): **~ qch autour de** to twist or wind sth (a)round; (fam): **~ qn** to get round sb; to hoodwink sb.

entourage [ɑ̃tuʀaʒ] nm circle; family (circle); entourage; (ce qui enclôt) surround.

entourer [ɑ̃tuʀe] vt to surround; (apporter son soutien à) to rally round; **~ de** to surround with; (trait) to encircle with.

entourloupettes [ɑ̃tuʀlupɛt] nfpl mean tricks.

entracte [ɑ̃tʀakt(ə)] nm interval.

entraide [ɑ̃tʀɛd] nf mutual aid ou assistance; **s'entraider** to help each other.

entrailles [ɑ̃tʀɑj] nfpl entrails; bowels.

entrain [ɑ̃tʀɛ̃] nm spirit; **avec/sans ~** spiritedly/half-heartedly.

entraînant, e [ɑ̃tʀɛnɑ̃, -ɑ̃t] a (musique) stirring, rousing.

entraînement [ɑ̃tʀɛnmɑ̃] nm training; (TECH): **~ à chaîne/galet** chain/wheel drive.

entraîner [ɑ̃tʀene] vt (tirer: wagons) to pull; (charrier) to carry ou drag along; (TECH) to drive; (emmener: personne) to take (off); (mener à l'assaut, influencer) to lead; (SPORT) to train; (impliquer) to entail; (causer) to lead to, bring about; **~ qn à faire** (inciter) to lead sb to do; **s'~** (SPORT) to train; **s'~ à qch/à faire** to train o.s. for sth/to do; **entraîneur, euse** nm/f (SPORT) coach, trainer // nm (HIPPISME) trainer // nf (de bar) hostess.

entrave [ɑ̃tʀav] nf hindrance.

entraver [ɑ̃tʀave] vt (circulation) to hold up; (action, progrès) to hinder, hamper.

entre [ɑ̃tʀ(ə)] prép between; (parmi) among(st); **l'un d'~ eux/nous** one of them/us; **ils se battent ~ eux** they are fighting among(st) themselves.

entrebâillé, e [ɑ̃tʀəbaje] a half-open, ajar.

entrechoquer [ɑ̃tʀəʃɔke]: **s'~** vi to knock ou bang together.

entrecôte [ɑ̃tʀəkot] nf entrecôte ou rib steak.

entrecouper [ɑ̃tʀəkupe] vt: **~ qch de** to intersperse sth with.

entrecroiser [ɑ̃tʀəkʀwaze] vt, **s'~** vi intertwine.

entrée [ɑ̃tʀe] nf entrance; (accès: au cinéma etc) admission; (billet) (admission) ticket; (CULIN) first course; **d'~** ad from the outset; **'~ interdite'** 'no admittance ou entry'; **'~ libre'** 'admission free'; **~ des artistes** stage door; **~ en matière** introduction; **~ de service** service entrance.

entrefaites [ɑ̃tʀəfɛt]: **sur ces ~** ad at this juncture.

entrefilet [ɑ̃tʀəfilɛ] nm paragraph (short article).

entregent [ɑ̃tʀəʒɑ̃] nm: **avoir de l'~** to have an easy manner.

entrejambes [ɑ̃tʀəʒɑ̃b] nm crotch.

entrelacer [ɑ̃tʀəlase] vt, **s'~** vi to intertwine.

entrelarder [ɑ̃tʀəlaʀde] vt to lard.

entremêler [ɑ̃tʀəmele] vt: **~ qch de** to (inter)mingle sth with.

entremets [ɑ̃tʀəmɛ] nm cream dessert.

entremetteur, euse [ɑ̃tʀəmɛtœʀ, -øz] nm/f go-between.

entremettre [ɑ̃tʀəmɛtʀ(ə)]: **s'~** vi to intervene.

entremise [ɑ̃tʀəmiz] nf intervention; **par l'~ de** through.

entrepont [ɑ̃tʀəpɔ̃] nm steerage.

entreposer [ɑ̃tʀəpoze] vt to store, put into storage.

entrepôt [ɑ̃tʀəpo] nm warehouse.

entreprenant, e [ɑ̃tʀəpʀənɑ̃, -ɑ̃t] a (actif) enterprising; (trop galant) forward.

entreprendre [ɑ̃tʀəpʀɑ̃dʀ(ə)] vt (se lancer dans) to undertake; (commencer) to begin ou start (upon); (personne) to buttonhole; to tackle; **~ de faire** to undertake to do.

entrepreneur [ɑ̃tʀəpʀənœʀ] nm: **~ (en bâtiment)** (building) contractor; **~ de pompes funèbres** (funeral) undertaker.

entreprise [ɑ̃tʀəpʀiz] nf (société) firm, concern; (action) undertaking, venture.

entrer [ɑ̃tʀe] vi to go (ou come) in, enter; **(faire) ~ qch dans** to get sth into; **~ dans** (gén) to enter; (pièce) to go (ou come) into, enter; (club) to join; (heurter) to run into; (partager: vues, craintes de qn) to share; (être une composante de) to go into; to form part of; **~ à l'hôpital** to go into hospital; **laisser ~ qn/qch** to let sb/sth in; **faire ~** (visiteur) to show in.

entresol [ɑ̃tʀəsɔl] nm entresol, mezzanine.

entre-temps [ɑ̃tʀətɑ̃] ad meanwhile, (in the) meantime.

entretenir [ɑ̃tʀətniʀ] vt to maintain; (amitié) to keep alive; (famille, maîtresse) to support, keep; **~ qn (de)** to speak to sb (about); **s'~ (de)** to converse (about).

entretien [ɑ̃trǝtjɛ̃] *nm* maintenance ; (*discussion*) discussion, talk ; (*audience*) interview.

entrevoir [ɑ̃trǝvwar] *vt* (*à peine*) to make out ; (*brièvement*) to catch a glimpse of.

entrevue [ɑ̃trǝvy] *nf* meeting ; (*audience*) interview.

énumérer [enymere] *vt* to list, enumerate.

envahir [ɑ̃vair] *vt* to invade ; (*suj: inquiétude, peur*) to come over ; **envahissant, e** *a* (*péj: personne*) interfering, intrusive ; **envahisseur** *nm* (MIL) invader.

enveloppe [ɑ̃vlɔp] *nf* (*de lettre*) envelope ; (TECH) casing ; outer layer ; **mettre sous ~** to put in an envelope.

envelopper [ɑ̃vlɔpe] *vt* to wrap ; (*fig*) to envelop, shroud.

envenimer [ɑ̃vnime] *vt* to aggravate.

envergure [ɑ̃vɛrgyr] *nf* (*d'un oiseau, avion*) wingspan ; (*fig*) scope ; calibre.

enverrai *etc vb voir* **envoyer**.

envers [ɑ̃vɛr] *prép* towards, to // on other side ; (*d'une étoffe*) wrong side ; **à l'~** upside down ; back to front ; (*vêtement*) inside out.

envie [ɑ̃vi] *nf* (*sentiment*) envy ; (*souhait*) desire, wish ; (*tache sur la peau*) birthmark ; (*filet de peau*) hangnail ; **avoir ~ de** to feel like ; (*désir plus fort*) to want ; **avoir ~ de faire** to feel like doing ; to want to do ; **avoir ~ que** to wish that ; **donner à qn l'~ de faire** to make sb want to do ; **ça lui fait ~** he would like that ; **envier** *vt* to envy ; **envieux, euse** *a* envious.

environ [ɑ̃virɔ̃] *ad:* **~ 3 h/2 km, 3 h/2 km ~** (around) about 3 o'clock/2 km, 3 o'clock/2 km or so ; **~s** *nmpl* surroundings ; **aux ~s de** around.

environnement [ɑ̃virɔnmɑ̃] *nm* environment.

environner [ɑ̃virɔne] *vt* to surround.

envisager [ɑ̃vizaʒe] *vt* (*examiner, considérer*) to view, contemplate ; (*avoir en vue*) to envisage ; **~ de faire** to consider *ou* contemplate doing.

envoi [ɑ̃vwa] *nm* sending ; (*paquet*) parcel, consignment.

envol [ɑ̃vɔl] *nm* takeoff.

envolée [ɑ̃vɔle] *nf* (*fig*) flight.

envoler [ɑ̃vɔle]: **s'~** *vi* (*oiseau*) to fly away *ou* off ; (*avion*) to take off ; (*papier, feuille*) to blow away ; (*fig*) to vanish (into thin air).

envoûter [ɑ̃vute] *vt* to bewitch.

envoyé, e [ɑ̃vwaje] *nm/f* (POL) envoy ; (PRESSE) correspondent.

envoyer [ɑ̃vwaje] *vt* to send ; (*lancer*) to hurl, throw ; **~ chercher** to send for ; **envoyeur, euse** *nm/f* sender.

éolien, ne [eɔljɛ̃, -jɛn] *a* wind *cpd*.

épagneul, e [epaɲœl] *nm/f* spaniel.

épais, se [epɛ, -ɛs] *a* thick ; **épaisseur** *nf* thickness ; **épaissir** *vt*, **s'épaissir** *vi* to thicken.

épanchement [epɑ̃ʃmɑ̃] *nm:* **un ~ de sinovie** water on the knee ; **~s** *nmpl* (*fig*) (sentimental) outpourings.

épancher [epɑ̃ʃe] *vt* to give vent to ; **s'~** *vi* to open one's heart ; (*liquide*) to pour out.

épandage [epɑ̃daʒ] *nm* manure spreading.

épanouir [epanwir]: **s'~** *vi* (*fleur*) to bloom, open out ; (*visage*) to light up ; (*fig*) to blossom (out), bloom ; to open up ; **épanouissement** *nm* blossoming ; opening up.

épargnant, e [eparɲɑ̃, -ɑ̃t] *nm/f* saver, investor.

épargne [eparɲ(ǝ)] *nf* saving.

épargner [eparɲe] *vt* to save ; (*ne pas tuer ou endommager*) to spare // *vi* to save ; **~ qch à qn** to spare sb sth.

éparpiller [eparpije] *vt* to scatter ; (*pour répartir*) to disperse ; (*fig: efforts*) to dissipate ; **s'~** *vi* to scatter ; (*fig*) to dissipate one's efforts.

épars, e [epar, -ars(ǝ)] *a* scattered.

épatant, e [epatɑ̃, -ɑ̃t] *a* (*fam*) super, splendid.

épaté, e [epate] *a:* **nez ~** flat nose (with wide nostrils).

épater [epate] *vt* to amaze ; to impress.

épaule [epol] *nf* shoulder.

épaulement [epolmɑ̃] *nm* escarpment ; retaining wall.

épauler [epole] *vt* (*aider*) to back up, support ; (*arme*) to raise (to one's shoulder) // *vi* (*tireur*) to (take) aim.

épaulette [epolɛt] *nf* (MIL) epaulette ; (*de combinaison*) shoulder strap.

épave [epav] *nf* wreck.

épée [epe] *nf* sword.

épeler [eple] *vt* to spell.

éperdu, e [epɛrdy] *a* distraught, overcome ; passionate ; frantic.

éperon [eprɔ̃] *nm* spur ; **éperonner** *vt* to spur (on) ; (*navire*) to ram.

épervier [epɛrvje] *nm* (ZOOL) sparrowhawk ; (PÊCHE) casting net.

éphèbe [efɛb] *nm* beautiful young man.

éphémère [efemɛr] *a* ephemeral, fleeting.

éphéméride [efemerid] *nf* block *ou* tear-off calendar.

épi [epi] *nm* (*de blé, d'orge*) ear ; **stationnement en ~** angled parking.

épice [epis] *nf* spice ; **épicé, e** *a* highly spiced, spicy ; (*fig*) spicy.

épicéa [episea] *nm* spruce.

épicer [epise] *vt* to spice ; (*fig*) to add spice to.

épicerie [episri] *nf* (*magasin*) grocer's shop ; (*denrées*) groceries *pl* ; **~ fine** delicatessen (shop) ; **épicier, ière** *nm/f* grocer.

épidémie [epidemi] *nf* epidemic.

épiderme [epidɛrm(ǝ)] *nm* skin, epidermis ; **épidermique** *a* skin *cpd*, epidermic.

épier [epje] *vt* to spy on, watch closely ; (*occasion*) to look out for.

épieu, x [epjø] *nm* (hunting-)spear.

épilatoire [epilatwar] *a* depilatory, hair-removing.

épilepsie [epilɛpsi] *nf* epilepsy ; **épileptique** *a, nm/f* epileptic.

épiler [epile] *vt* (*jambes*) to remove the hair from ; (*sourcils*) to pluck ; **se faire ~** to get unwanted hair removed.

épilogue [epilɔg] *nm (fig)* conclusion, dénouement.

épiloguer [epilɔge] *vi:* ~ **sur** to hold forth on.

épinard [epinaR] *nm* spinach *q.*

épine [epin] *nf* thorn, prickle ; *(d'oursin etc)* spine, prickle ; ~ **dorsale** backbone ; **épineux, euse** *a* thorny, prickly.

épingle [epɛ̃gl(ə)] *nf* pin ; **virage en** ~ **à cheveux** hairpin bend ; ~ **de cravate** tie pin ; ~ **de nourrice** *ou* **de sûreté** *ou* **double** safety pin.

épingler [epɛ̃gle] *vt (badge, décoration):* ~ **qch sur** to pin sth on(to) ; *(fam)* to catch, nick.

épinière [epinjɛR] *af voir* **moelle**.

Épiphanie [epifani] *nf* Epiphany.

épique [epik] *a* epic.

épiscopal, e, aux [episkɔpal, -o] *a* episcopal.

épiscopat [episkɔpa] *nm* bishopric, episcopate.

épisode [epizɔd] *nm* episode ; **film/roman à** ~**s** serialized film/novel, serial ; **épisodique** *a* occasional.

épissure [episyR] *nf* splice.

épistolaire [epistɔlɛR] *a* epistolary.

épitaphe [epitaf] *nf* epitaph.

épithète [epitɛt] *nf (nom, surnom)* epithet ; **adjectif** ~ attributive adjective.

épître [epitR(ə)] *nf* epistle.

éploré, e [eplɔRe] *a* in tears, tearful.

épluche-légumes [eplyʃlegym] *nm inv* potato peeler.

éplucher [eplyʃe] *vt (fruit, légumes)* to peel ; *(comptes, dossier)* to go over with a fine-tooth comb ; **éplucheur** *nm* (automatic) peeler ; **épluchures** *nfpl* peelings.

épointer [epwɛ̃te] *vt* to blunt.

éponge [epɔ̃ʒ] *nf* sponge ; **éponger** *vt (liquide)* to mop *ou* sponge up ; *(surface)* to sponge ; *(fig: déficit)* to soak up, absorb ; **s' éponger** le front to mop one's brow.

épopée [epɔpe] *nf* epic.

époque [epɔk] *nf (de l'histoire)* age, era ; *(de l'année, la vie)* time ; **d'** ~ *a (meuble)* period *cpd.*

épouiller [epuje] *vt* to pick lice off ; to delouse.

époumoner [epumɔne] : **s'** ~ *vi* to shout o.s. hoarse.

épouse [epuz] *nf* wife *(pl* wives).

épouser [epuze] *vt* to marry ; *(fig: idées)* to espouse ; (: *forme)* to fit.

épousseter [epuste] *vt* to dust.

époustouflant, e [epustuflã, -ãt] *a* staggering, mind-boggling.

épouvantable [epuvãtabl(ə)] *a* appalling, dreadful.

épouvantail [epuvãtaj] *nm (à moineaux)* scarecrow ; *(fig)* bog(e)y ; bugbear.

épouvante [epuvãt] *nf* terror ; **film d'** ~ horror film ; **épouvanter** *vt* to terrify.

époux [epu] *nm* husband // *nmpl* (married) couple.

éprendre [eprãdR(ə)] : **s'** ~ **de** *vt* to fall in love with.

épreuve [eprœv] *nf (d'examen)* test ; *(malheur, difficulté)* trial, ordeal ; *(PHOTO)* print ; *(d'imprimerie)* proof ; *(SPORT)* event ;

à l' ~ **des balles** bulletproof ; **à toute** ~ unfailing ; **mettre à l'** ~ to put to the test.

épris, e [epri, -iz] *vb voir* **éprendre**.

éprouver [epRuve] *vt (tester)* to test ; *(mettre à l'épreuve)* to put to the test ; *(marquer, faire souffrir)* to afflict, distress ; *(ressentir)* to feel.

éprouvette [epRuvɛt] *nf* test tube.

épuisé, e [epɥize] *a* exhausted ; *(livre)* out of print.

épuisement [epɥizmã] *nm* exhaustion ; **jusqu'à** ~ **des stocks** while stocks last.

épuiser [epɥize] *vt (fatiguer)* to exhaust, wear *ou* tire out ; *(stock, sujet)* to exhaust ; **s'** ~ *vi* to wear *ou* tire o.s. out, exhaust o.s. *(stock)* to run out.

épuisette [epɥizɛt] *nf* landing net ; shrimping net.

épurer [epyRe] *vt (liquide)* to purify ; *(parti, administration)* to purge ; *(langue, texte)* to refine.

équarrir [ekaRiR] *vt (pierre, arbre)* to square (off) ; *(animal)* to quarter.

équateur [ekwatœR] *nm* equator ; **(la république de) l'É** ~ Ecuador.

équation [ekwasjɔ̃] *nf* equation ; **mettre en** ~ to equate.

équatorial, e, aux [ekwatɔRjal, -o] *a* equatorial.

équerre [ekɛR] *nf (à dessin)* (set) square ; *(pour fixer)* brace ; **en** ~ at right angles ; **à l'** ~, **d'** ~ straight.

équestre [ekɛstR(ə)] *a* equestrian.

équidistant, e [ekɥidistã, -ãt] *a:* ~ **(de)** equidistant (from).

équilatéral, e, aux [ekɥilateRal, -o] *a* equilateral.

équilibrage [ekilibRaʒ] *nm (AUTO):* ~ **des roues** wheel balancing.

équilibre [ekilibR(ə)] *nm* balance ; *(d'une balance)* equilibrium ; **garder/perdre l'** ~ to keep/lose one's balance ; **être en** ~ to be balanced ; **équilibré, e** *a (fig)* well-balanced, stable ; **équilibrer** *vt* to balance ; **s'équilibrer** *(poids)* to balance ; *(fig: défauts etc)* to balance each other out ; **équilibriste** *nm/f* tightrope walker.

équinoxe [ekinɔks] *nm* equinox.

équipage [ekipaʒ] *nm* crew.

équipe [ekip] *nf* team ; *(bande: parfois péj)* bunch.

équipée [ekipe] *nf* escapade.

équipement [ekipmã] *nm* equipment ; ~**s** *nmpl* amenities, facilities ; installations.

équiper [ekipe] *vt* to equip ; *(voiture, cuisine)* to equip, fit out ; ~ **qn/qch de** to equip sb/sth with ; **s'** ~ *(sportif)* to equip o.s., kit o.s. out.

équipier, ière [ekipje, -jɛR] *nm/f* team member.

équitable [ekitabl(ə)] *a* fair.

équitation [ekitasjɔ̃] *nf* (horse-)riding.

équité [ekite] *nf* equity.

équivalence [ekivalãs] *nf* equivalence.

équivalent, e [ekivalã, -ãt] *a, nm* equivalent.

équivaloir [ekivalwaR]: ~ **à** *vt* to be equivalent to ; *(représenter)* to amount to.

équivoque [ekivɔk] *a* equivocal, ambiguous ; *(louche)* dubious // *nf* ambiguity.

érable [eʀabl(ə)] nm maple.

érafler [eʀɑfle] vt to scratch; **éraflure** nf scratch.

éraillé, e [eʀɑje] a (voix) rasping, hoarse.

ère [ɛʀ] nf era; **en l'an 1050 de notre ~** in the year 1050 A.D.

érection [eʀɛksjɔ̃] nf erection.

éreinter [eʀɛ̃te] vt to exhaust, wear out; (fig: critiquer) to slate.

ergot [ɛʀgo] nm (de coq) spur; (TECH) lug.

ériger [eʀiʒe] vt (monument) to erect; **s'~ en critique** to set o.s. up as a critic.

ermitage [ɛʀmitaʒ] nm retreat.

ermite [ɛʀmit] nm hermit.

éroder [eʀɔde] vt to erode; **érosion** nf erosion.

érotique [eʀɔtik] a erotic; **érotisme** nm eroticism.

erratum, a [eʀatɔm, -a] nm erratum (pl a).

errer [eʀe] vi to wander.

erreur [eʀœʀ] nf mistake, error; (morale) error; **être dans l'~** to be mistaken; **par ~** by mistake; **~ judiciaire** miscarriage of justice; **~ de jugement** error of judgment.

erroné, e [eʀɔne] a wrong, erroneous.

éructer [eʀykte] vt belch, eructate.

érudit, e [eʀydi, -it] a erudite, learned // nm/f scholar; **érudition** nf erudition, scholarship.

éruptif, ive [eʀyptif, -iv] a eruptive.

éruption [eʀypsjɔ̃] nf eruption; (cutanée) outbreak.

es vb voir **être**.

ès [ɛs] prép: **licencié ~ lettres/sciences** ≈ Bachelor of Arts/Science.

escabeau, x [ɛskabo] nm (tabouret) stool; (échelle) stepladder.

escadre [ɛskadʀ(ə)] nf (NAVIG) squadron; (AVIAT) wing.

escadrille [ɛskadʀij] nf (AVIAT) flight.

escadron [ɛskadʀɔ̃] nm squadron.

escalade [ɛskalad] nf climbing q; (POL etc) escalation.

escalader [ɛskalade] vt to climb, scale.

escale [ɛskal] nf (NAVIG) call; port of call; (AVIAT) stop(over); **faire ~ à** to put in at, call in at; to stop over at.

escalier [ɛskalje] nm stairs pl; **dans l'~ ou les ~s** on the stairs; **~ roulant** escalator; **~ de service** backstairs.

escalope [ɛskalɔp] nf escalope.

escamotable [ɛskamɔtabl(ə)] a retractable; fold-away.

escamoter [ɛskamɔte] vt (esquiver) to get round, evade; (faire disparaître) to conjure away.

escapade [ɛskapad] nf: **faire une ~** to go on a jaunt; to run away ou off.

escargot [ɛskaʀgo] nm snail.

escarmouche [ɛskaʀmuʃ] nf skirmish.

escarpé, e [ɛskaʀpe] a steep.

escarpement [ɛskaʀpəmɑ̃] nm steep slope.

escarpin [ɛskaʀpɛ̃] nm flat(-heeled) shoe.

escarre [ɛskaʀ] nf bedsore.

escient [esjɑ̃] nm: **à bon ~** advisedly.

esclaffer [ɛsklafe] **s'~** vi to guffaw.

esclandre [ɛsklɑ̃dʀ(ə)] nm scene, fracas.

esclavage [ɛsklavaʒ] nm slavery.

esclave [ɛsklav] nm/f slave; **être ~ de** (fig) to be a slave of.

escompte [ɛskɔ̃t] nm discount.

escompter [ɛskɔ̃te] vt (COMM) to discount; (espérer) to expect, reckon upon; **~ que** to reckon ou expect that.

escorte [ɛskɔʀt(ə)] nf escort; **escorter** vt to escort; **escorteur** nm (NAVIG) escort (ship).

escouade [ɛskwad] nf squad.

escrime [ɛskʀim] nf fencing; **escrimeur, euse** nm/f fencer.

escrimer [ɛskʀime] **s'~** vi: **s'~ à faire** to wear o.s. out doing.

escroc [ɛskʀo] nm swindler, conman.

escroquer [ɛskʀɔke] vt: **~ qn (de qch)/qch (à qn)** to swindle sb (out of sth)/sth (out of sb); **escroquerie** nf swindle.

espace [ɛspas] nm space; **~ vital** living space.

espacer [ɛspase] vt to space out; **s'~** vi (visites etc) to become less frequent.

espadon [ɛspadɔ̃] nm swordfish inv.

espadrille [ɛspadʀij] nf rope-soled sandal.

Espagne [ɛspaɲ(ə)] nf: **l'~** Spain; **espagnol, e** a Spanish // nm/f: **Espagnol, e** Spaniard // nm (langue) Spanish.

espagnolette [ɛspaɲɔlɛt] nf (window) catch; **fermé à l'~** resting on the catch.

espèce [ɛspɛs] nf (BIO, BOT, ZOOL) species inv; (gén: sorte) sort, kind, type; (péj): **~ de maladroit/de brute!** you clumsy oaf/brute!; **~s** nfpl (COMM) cash sg; (REL) species; **en l'~** ad in the case in point.

espérance [ɛspeʀɑ̃s] nf hope; **~ de vie** (DÉMOGRAPHIE) life expectancy.

espérer [ɛspeʀe] vt to hope for; **j'espère (bien)** I hope so; **~ que/faire** to hope that/to do; **~ en** to trust in.

espiègle [ɛspjɛgl(ə)] a mischievous; **~rie** nf mischievousness; piece of mischief.

espion, ne [ɛspjɔ̃, -ɔn] nm/f spy; **avion ~** spy plane.

espionnage [ɛspjɔnaʒ] nm espionage, spying.

espionner [ɛspjɔne] vt to spy (up)on.

esplanade [ɛsplanad] nf esplanade.

espoir [ɛspwaʀ] nm hope.

esprit [ɛspʀi] nm (pensée, intellect) mind; (humour, ironie) wit; (mentalité, d'une loi etc, fantôme etc) spirit; **l'~ d'équipe/de compétition** team/competitive spirit; **faire de l'~** to try to be witty; **reprendre ses ~s** to come to; **perdre l'~** to lose one's mind; **~s chagrins** faultfinders.

esquif [ɛskif] nm skiff.

esquimau, de, x [ɛskimo, -od] a, nm/f Eskimo.

esquinter [ɛskɛ̃te] vt (fam) to mess up.

esquisse [ɛskis] nf sketch; **l'~ d'un sourire/changement** the suggestion of a smile/of change.

esquisser [ɛskise] vt to sketch; **s'~** vi (amélioration) to begin to be detectable; **~ un sourire** to give a vague smile.

esquive [ɛskiv] nf (BOXE) dodging; (fig) side-stepping.

esquiver [ɛskive] vt to dodge ; **s'~** vi to slip away.

essai [esɛ] nm testing ; trying ; (tentative) attempt, try, (RUGBY) try ; (LITTÉRATURE) essay ; **~s** (AUTO) trials ; **~ gratuit** (COMM) free trial ; à l'~ on a trial basis.

essaim [esɛ̃] nm swarm ; **essaimer** vi to swarm ; (fig) to spread, expand.

essayage [esɛjaʒ] nm (d'un vêtement) trying on, fitting.

essayer [eseje] vt (gén) to try ; (vêtement, chaussures) to try (on) ; (tester: ski, voiture) to test ; (restaurant, méthode) to try (out) // vi to try ; **~ de faire** to try ou attempt to do ; **s'~ à faire** to try one's hand at doing.

essence [esɑ̃s] nf (de voiture) petrol ; (extrait de plante, PHILOSOPHIE) essence ; (espèce: d'arbre) species inv ; **prendre de l'~** to get petrol ; **~ de citron/rose** lemon/rose oil.

essentiel, le [esɑ̃sjɛl] a essential ; **emporter l'~** to take the essentials ; **c'est l'~** (ce qui importe) that's the main thing ; **l'~ de** (la majeure partie) the main part of.

esseulé, e [esœle] a forlorn.

essieu, x [esjø] nm axle.

essor [esɔR] nm (de l'économie etc) rapid expansion ; **prendre son ~** (oiseau) to fly off.

essorer [esɔRe] vt (en tordant) to wring (out) ; (par la force centrifuge) to spin-dry ; **essoreuse** nf mangle, wringer ; spin-dryer.

essouffler [esufle] vt to make breathless ; **s'~** vi to get out of breath.

essuie-glace [esɥiglas] nm inv windscreen wiper.

essuie-mains [esɥimɛ̃] nm inv hand towel.

essuyer [esɥije] vt to wipe ; (fig: subir) to suffer ; **s'~** (après le bain) to dry o.s. ; **~ la vaisselle** to dry up, dry the dishes.

est [ɛst] vb [ɛ] voir **être** // nm: **l'~** the east // a east ; (côte) east(ern) ; **à l'~** in the east ; (direction) to the east, east(wards) ; **à l'~ de** (to the) east of.

estafette [ɛstafɛt] nf (MIL) dispatch rider.

estafilade [ɛstafilad] nf gash, slash.

est-allemand, e [ɛstalmɑ̃, -ɑ̃d] a East German.

estaminet [ɛstaminɛ] nm tavern.

estampe [ɛstɑ̃p] nf print, engraving.

estampille [ɛstɑ̃pij] nf stamp.

est-ce que [ɛskə] ad: **~ c'est cher/c'était bon?** is it expensive/was it good? ; **quand est-ce qu'il part?** when does he leave?, when is he leaving? ; **qui est-ce qui le connaît/a fait ça?** who knows him/did that? ; voir aussi **que**.

esthète [ɛstɛt] nm/f aesthete.

esthéticienne [ɛstetisjɛn] nf beautician.

esthétique [ɛstetik] a attractive ; aesthetically pleasing // nf aesthetics sg.

estimation [ɛstimasjɔ̃] nf valuation ; assessment.

estime [ɛstim] nf esteem, regard.

estimer [ɛstime] vt (respecter) to esteem, hold in high regard ; (expertiser) to value ; (évaluer) to assess, estimate ; (penser): **~ que/être** to consider that/o.s. to be ;

j'estime la distance à 10 km I reckon the distance to be 10 km.

estival, e, aux [ɛstival, -o] a summer cpd.

estivant, e [ɛstivɑ̃, -ɑ̃t] nm/f (summer) holiday-maker.

estocade [ɛstɔkad] nf death-blow.

estomac [ɛstɔma] nm stomach.

estomaqué, e [ɛstɔmake] a flabbergasted.

estompe [ɛstɔ̃p] nf stump ; stump-drawing.

estomper [ɛstɔ̃pe] vt (ART) to shade off ; (fig) to blur, dim ; **s'~** vi to soften ; to become blurred.

estrade [ɛstRad] nf platform, rostrum.

estragon [ɛstRagɔ̃] nm tarragon.

estropié, e [ɛstRɔpje] nm/f cripple.

estropier [ɛstRɔpje] vt to cripple, maim ; (fig) to twist, distort.

estuaire [ɛstɥɛR] nm estuary.

estudiantin, e [ɛstydjɑ̃tɛ̃, -in] a student cpd.

esturgeon [ɛstyRʒɔ̃] nm sturgeon.

et [e] cj and ; **~ lui?** what about him? ; **~ alors!** so what!.

étable [etabl(ə)] nf cowshed.

établi [etabli] nm (work)bench.

établir [etablir] vt (papiers d'identité, facture) to make out ; (liste, programme) to draw up ; (gouvernement, artisan etc: aider à s'installer) to set up, establish ; (entreprise, atelier, camp) to set up ; (réputation, usage, fait, culpabilité) to establish ; **s'~** vi (se faire: entente etc) to be established ; **s'~** (à son compte) to set up one's own business ; **s'~ à/près de** to settle in/near.

établissement [etablismɑ̃] nm making out ; drawing up ; setting up, establishing ; (entreprise, institution) establishment ; **~ de crédit** credit institution ; **~ industriel** industrial plant, factory ; **~ scolaire** school, educational establishment.

étage [etaʒ] nm (d'immeuble) storey, floor ; (de fusée) stage ; (GÉO: de culture, végétation) level ; **au 2ème ~** on the 2nd floor ; **de bas ~** a low ; **étager** vt (cultures) to lay out in tiers ; **s'étager** vi (prix) to range ; (zones, cultures) to lie on different levels.

étagère [etaʒɛR] nf (rayon) shelf ; (meuble) shelves pl, set of shelves.

étai [etɛ] nm stay, prop.

étain [etɛ̃] nm tin ; (ORFÈVRERIE) pewter q.

étais etc vb voir **être**.

étal [etal] nm stall.

étalage [etalaʒ] nm display ; display window ; **faire ~ de** to show off, parade ; **étalagiste** nm/f window-dresser.

étale [etal] a (mer) slack.

étalement [etalmɑ̃] nm spreading, staggering.

étaler [etale] vt (carte, nappe) to spread (out) ; (peinture, liquide) to spread ; (échelonner: paiements, dates, vacances) to spread, stagger ; (exposer: marchandises) to display ; (richesses, connaissances) to parade ; **s'~** vi (liquide) to spread out ; (fam) to come a cropper ; **s'~ sur** (suj: paiements etc) to be spread out over.

étalon [etalɔ̃] nm (mesure) standard ; (cheval) stallion ; **étalonner** vt to calibrate.

étamer [etame] vt (casserole) to tin(plate) ; (glace) to silver.
étamine [etamin] nf (BOT) stamen ; (tissu) butter muslin.
étanche [etɑ̃ʃ] a (récipient) watertight ; (montre, vêtement) waterproof.
étancher [etɑ̃ʃe] vt (liquide) to stop (flowing) ; ~ **sa soif** to quench ou slake one's thirst.
étang [etɑ̃] nm pond.
étant [etɑ̃] vb voir **être, donné.**
étape [etap] nf stage ; (lieu d'arrivée) stopping place ; (: CYCLISME) staging point ; **faire** ~ **à** to stop off at.
état [eta] nm (POL, condition) state ; (d'un article d'occasion etc) condition, state ; (liste) inventory, statement ; (condition professionnelle) profession, trade ; (: sociale) status ; **en mauvais** ~ in poor condition ; **en** ~ **(de marche)** in (working) order ; **remettre en** ~ to repair ; **hors d'** ~ out of order ; **être en** ~/**hors d'** ~ **de faire** to be in a/in no fit state to do ; **en tout** ~ **de cause** in any event ; **être dans tous ses** ~ **s** to be in a state ; **faire** ~ **de** (alléguer) to put forward ; **en** ~ **d'arrestation** under arrest ; **en** ~ **de grâce** (REL) in a state of grace ; (fig) inspired ; ~ **civil** civil status ; ~ **des lieux** inventory of fixtures ; ~ **de santé** state of health ; ~ **de siège/d'urgence** state of siege/emergency ; ~ **s d'âme** moods ; ~ **s de service** service record sg ; **étatiser** vt to bring under state control.
état-major [etamaʒɔʀ] nm (MIL) staff ; (d'un parti etc) top advisers pl ; top management.
États-Unis [etazyni] nmpl: **les** ~ **(d'Amérique)** the United States (of America).
étau, x [eto] nm vice.
étayer [eteje] vt to prop ou shore up ; (fig) to back up.
et c(a)etera [ɛtsetera], **etc.** ad et cetera, and so on, etc.
été [ete] pp de **être** // nm summer.
éteignoir [etɛɲwaʀ] nm (candle) extinguisher ; (péj) killjoy, wet blanket.
éteindre [etɛ̃dʀ(ə)] vt (lampe, lumière, radio) to turn ou switch off ; (cigarette, incendie, bougie) to put out, extinguish ; (JUR: dette) to extinguish ; **s'** ~ vi to go out ; to go off ; (mourir) to pass away ; **éteint, e** a (fig) lacklustre, dull ; (volcan) extinct.
étendard [etɑ̃daʀ] nm standard.
étendre [etɑ̃dʀ(ə)] vt (appliquer: pâte, liquide) to spread ; (déployer: carte etc) to spread out ; (sur un fil: lessive, linge) to hang up ou out ; (bras, jambes, par terre: blessé) to stretch out ; (diluer) to dilute, thin ; (fig: agrandir) to extend ; (fam: adversaire) to floor ; **s'** ~ vi (augmenter, se propager) to spread ; (terrain, forêt etc): **s'** ~ **jusqu'à/de ... à** to stretch as far as/from ... to ; **s'** ~ **(sur)** (s'allonger) to stretch out (upon) ; (se reposer) to lie down (on) ; (fig: expliquer) to elaborate ou enlarge (upon).
étendu, e [etɑ̃dy] a extensive // nf (d'eau, de sable) stretch, expanse ; (importance) extent.

éternel, le [etɛʀnɛl] a eternal ; **les neiges** ~ **les** perpetual snow.
éterniser [etɛʀnize]: **s'** ~ vi to last for ages ; to stay for ages.
éternité [etɛʀnite] nf eternity ; **de toute** ~ from time immemorial.
éternuer [etɛʀnɥe] vi to sneeze.
êtes vb voir **être.**
étêter [etete] vt (arbre) to poll(ard) ; (clou, poisson) to cut the head off.
éther [etɛʀ] nm ether.
éthique [etik] a ethical // nf ethics sg.
ethnie [ɛtni] nf ethnic group.
ethnographie [ɛtnɔgʀafi] nf ethnography.
ethnologie [ɛtnɔlɔʒi] nf ethnology ; **ethnologue** nm/f ethnologist.
éthylisme [etilism(ə)] nm alcoholism.
étiage [etjaʒ] nm low water.
étiez vb voir **être.**
étinceler [etɛ̃sle] vi to sparkle.
étincelle [etɛ̃sɛl] nf spark.
étioler [etjɔle]: **s'** ~ vi to wilt.
étique [etik] a skinny, bony.
étiqueter [etikte] vt to label.
étiquette [etikɛt] nf label ; (protocole): **l'** ~ etiquette.
étirer [etiʀe] vt to stretch ; (ressort) to stretch out ; **s'** ~ vi (personne) to stretch ; (convoi, route): **s'** ~ **sur** to stretch out over.
étoffe [etɔf] nf material, fabric.
étoffer [etɔfe] vt, **s'** ~ vi to fill out.
étoile [etwal] nf star ; **à la belle** ~ in the open ; ~ **filante** shooting star ; ~ **de mer** starfish ; **étoilé, e** a starry.
étole [etɔl] nf stole.
étonnant, e [etɔnɑ̃, -ɑ̃t] a amazing.
étonnement [etɔnmɑ̃] nm surprise, amazement.
étonner [etɔne] vt to surprise, amaze ; **s'** ~ **que/de** to be amazed that/at ; **cela m'étonnerait (que)** (j'en doute) I'd be very surprised (if).
étouffant, e [etufɑ̃, -ɑ̃t] a stifling.
étouffée [etufe]: **à l'** ~ ad (CULIN) steamed ; braised.
étouffer [etufe] vt to suffocate ; (bruit) to muffle ; (scandale) to hush up // vi to suffocate ; (avoir trop chaud) to feel stifled ; **s'** ~ vi (en mangeant etc) to choke.
étourderie [etuʀdəʀi] nf heedlessness ; thoughtless blunder.
étourdi, e [etuʀdi] a (distrait) scatterbrained, heedless.
étourdir [etuʀdiʀ] vt (assommer) to stun, daze ; (griser) to make dizzy ou giddy ; **étourdissant, e** a staggering ; **étourdissement** nm dizzy spell.
étourneau, x [etuʀno] nm starling.
étrange [etʀɑ̃ʒ] a strange.
étranger, ère [etʀɑ̃ʒe, -ɛʀ] a foreign ; (pas de la famille, non familier) strange // nm/f foreigner ; stranger // nm: **à l'** ~ abroad ; **de l'** ~ from abroad ; ~ **à** (fig) unfamiliar to ; irrelevant to.
étranglement [etʀɑ̃gləmɑ̃] nm (d'une vallée etc) constriction, narrow passage.
étrangler [etʀɑ̃gle] vt to strangle ; **s'** ~ vi (en mangeant etc) to choke ; (se resserrer) to make a bottleneck.

étrave [etʀav] nf stem.

être [ɛtʀ(ə)] nm being // vb avec attribut, vi to be // vb auxiliaire to have (ou parfois be); **Il est instituteur** he is a teacher; ~ **à qn** (appartenir) to be sb's, to belong to sb; **c'est à moi/eux** it is ou it's mine/theirs; **c'est à lui de le faire** it's up to him to do it; ~ **de** (provenance, origine) to be from; (appartenance) to belong to; **nous sommes le 10 janvier** it's the 10th of January (today); **il est 10 heures, c'est 10 heures** it is ou it's 10 o'clock; **c'est à réparer** it needs repairing; **c'est à essayer** it should be tried; ~ **humain** human being; voir aussi **est-ce que, n'est-ce pas, c'est-à-dire, ce.**

étreindre [etʀɛdʀ(ə)] vt to clutch, grip; (amoureusement, amicalement) to embrace; **s'**~ to embrace; **étreinte** nf clutch, grip; embrace.

étrenner [etʀene] vt to use (ou wear) for the first time.

étrennes [etʀɛn] nfpl Christmas box sg (fig).

étrier [etʀije] nm stirrup.

étriller [etʀije] vt (cheval) to curry; (fam: battre) to trounce.

étriper [etʀipe] vt to gut; (fam): ~ **qn** to tear sb's guts out.

étriqué, e [etʀike] a skimpy.

étroit, e [etʀwa, -wat] a narrow; (vêtement) tight; (fig: serré) close, tight; **à l'**~ ad cramped; ~ **d'esprit** narrow-minded; **étroitesse** nf narrowness.

étude [etyd] nf studying; (ouvrage, rapport) study; (de notaire: bureau) office; (: charge) practice; (SCOL: salle de travail) study room; ~**s** nfpl (SCOL) studies; **être à l'**~ (projet etc) to be under consideration; **faire des** ~**s de droit/médecine** to study ou read law/medicine.

étudiant, e [etydjɑ̃, -ɑ̃t] nm/f student.

étudié, e [etydje] a (démarche) studied; (système) carefully designed.

étudier [etydje] vt, vi to study.

étui [etɥi] nm case.

étuve [etyv] nf steamroom; (appareil) sterilizer.

étuvée [etyve]: **à l'**~ ad braised.

étymologie [etimɔlɔʒi] nf etymology; **étymologique** a etymological.

eu, eue [y] pp voir **avoir.**

eucalyptus [økaliptys] nm eucalyptus.

eugénique [øʒenik] a eugenic // nf eugenics sg.

euh [ø] excl er.

eunuque [ønyk] nm eunuch.

euphémisme [øfemism(ə)] nm euphemism.

euphonie [øfɔni] nf euphony.

euphorie [øfɔʀi] nf euphoria; **euphorique** a euphoric.

eurasien, ne [øʀazjɛ̃, -ɛn] a, nm/f Eurasian.

Europe [øʀɔp] nf Europe; **européen, ne** a, nm/f European.

eus etc vb voir **avoir.**

euthanasie [øtanazi] nf euthanasia.

eux [ø] pronom (sujet) they; (objet) them.

évacuation [evakɥasjɔ̃] nf evacuation.

évacuer [evakɥe] vt (salle, région) to evacuate, clear; (occupants, population) to evacuate; (toxine etc) to evacuate, discharge.

évadé, e [evade] a escaped // nm/f escapee.

évader [evade]: **s'**~ vi to escape.

évaluation [evalɥasjɔ̃] nf assessment, evaluation.

évaluer [evalɥe] vt to assess, evaluate.

évangélique [evɑ̃ʒelik] a evangelical.

évangéliser [evɑ̃ʒelize] vt to evangelize.

évangile [evɑ̃ʒil] nm gospel.

évanouir [evanwiʀ]: **s'**~ vi to faint, pass out; (disparaître) to vanish, disappear.

évanouissement [evanwismɑ̃] nm (syncope) fainting fit; (dans un accident) loss of consciousness.

évaporation [evapɔʀasjɔ̃] nf evaporation.

évaporé, e [evapɔʀe] a giddy, scatterbrained.

évaporer [evapɔʀe]: **s'**~ vi to evaporate.

évaser [evaze] vt (tuyau) to widen, open out; (jupe, pantalon) to flare; **s'**~ vi to widen, open out.

évasif, ive [evazif, -iv] a evasive.

évasion [evazjɔ̃] nf escape; **littérature d'**~ escapist literature.

évêché [eveʃe] nm bishopric; bishop's palace.

éveil [evɛj] nm awakening; **être en** ~ to be alert.

éveillé, e [eveje] a awake; (vif) alert, sharp.

éveiller [eveje] vt to (a)waken; **s'**~ vi to (a)waken; (fig) to be aroused.

événement [evɛnmɑ̃] nm event.

éventail [evɑ̃taj] nm fan; (choix) range; **en** ~ fanned out; fan-shaped.

éventaire [evɑ̃tɛʀ] nm stall, stand.

éventer [evɑ̃te] vt (secret) to discover, lay open; (avec un éventail) to fan; **s'**~ vi (parfum) to go stale.

éventrer [evɑ̃tʀe] vt to disembowel; (fig) to tear ou rip open.

éventualité [evɑ̃tɥalite] nf eventuality; possibility; **dans l'**~ **de** in the event of.

éventuel, le [evɑ̃tɥɛl] a possible; ~**lement** ad possibly.

évêque [evɛk] nm bishop.

évertuer [evɛʀtɥe]: **s'**~ vi: **s'**~ **à faire** to try very hard to do.

éviction [eviksjɔ̃] nf ousting, supplanting; (de locataire) eviction.

évidemment [evidamɑ̃] ad obviously.

évidence [evidɑ̃s] nf obviousness; obvious fact; **de toute** ~ quite obviously ou evidently; **en** ~ conspicuous; **mettre en** ~ to highlight; to bring to the fore.

évident, e [evidɑ̃, -ɑ̃t] a obvious, evident.

évider [evide] vt to scoop out.

évier [evje] nm (kitchen) sink.

évincer [evɛ̃se] vt to oust, supplant.

évitement [evitmɑ̃] nm: **place d'**~ (AUTO) passing place.

éviter [evite] vt to avoid; ~ **de faire/que qch ne se passe** to avoid doing/sth happening; ~ **qch à qn** to spare sb sth.

évocateur, trice [evɔkatœʀ, -tʀis] a evocative, suggestive.

évocation [evɔkɑsjɔ̃] nf evocation.

évolué, e [evɔlɥe] a advanced.

évoluer [evɔlɥe] vi (enfant, maladie) to develop; (situation, moralement) to evolve, develop; (aller et venir: danseur etc) to move about, circle; **évolution** nf development; evolution; **évolutions** nfpl movements.

évoquer [evɔke] vt to call to mind, evoke; (mentionner) to mention.

ex... [ɛks] préfixe ex-.

exacerber [ɛgzasɛʀbe] vt to exacerbate.

exact, e [ɛgzakt] a (précis) exact, accurate, precise; (correct) correct; (ponctuel) punctual; **l'heure** ~e the right ou exact time; ~**ement** ad exactly, accurately, precisely; correctly; (c'est cela même) exactly.

exactions [ɛgzaksjɔ̃] nfpl exactions.

exactitude [ɛgzaktityd] nf exactitude, accurateness, precision.

ex aequo [ɛgzeko] a equally placed; **classé 1er** ~ placed equal first.

exagération [ɛgzaʒeʀɑsjɔ̃] nf exaggeration.

exagéré, e [ɛgzaʒeʀe] a (prix etc) excessive.

exagérer [ɛgzaʒeʀe] vt to exaggerate // vi (abuser) to go too far; overstep the mark; (déformer les faits) to exaggerate.

exaltation [ɛgzaltɑsjɔ̃] nf exaltation.

exalté, e [ɛgzalte] a (over)excited // nm/f (péj) fanatic.

exalter [ɛgzalte] vt (enthousiasmer) to excite, elate; (glorifier) to exalt.

examen [ɛgzamɛ̃] nm examination; (SCOL) exam, examination; **à l'**~ under consideration; (COMM) on approval; ~ **blanc** mock exam(ination); ~ **de la vue** sight test.

examinateur, trice [ɛgzaminatœʀ, -tʀis] nm/f examiner.

examiner [ɛgzamine] vt to examine.

exaspération [ɛgzaspeʀɑsjɔ̃] nf exasperation.

exaspérer [ɛgzaspeʀe] vt to exasperate; to exacerbate.

exaucer [ɛgzose] vt (vœu) to grant, fulfil; ~ **qn** to grant sb's wishes.

excavateur [ɛkskavatœʀ] nm excavator, mechanical digger.

excavation [ɛkskavɑsjɔ̃] nf excavation.

excavatrice [ɛkskavatʀis] nf = **excavateur**.

excédent [ɛksedɑ̃] nm surplus; **en** ~ surplus; ~ **de bagages** excess luggage; **excédentaire** a surplus, excess.

excéder [ɛksede] vt (dépasser) to exceed; (agacer) to exasperate.

excellence [ɛksɛlɑ̃s] nf excellence; (titre) Excellency.

excellent, e [ɛksɛlɑ̃, -ɑ̃t] a excellent.

exceller [ɛksele] vi: ~ (**dans**) to excel (in).

excentricité [ɛksɑ̃tʀisite] nf eccentricity; **excentrique** a eccentric; (quartier) outlying.

excepté, e [ɛksɛpte] a, prép: **les élèves** ~**s**, **les élèves** except for ou apart from the pupils; ~ **si** except if.

excepter [ɛksɛpte] vt to except.

exception [ɛksɛpsjɔ̃] nf exception; **à l'**~ **de** except for, with the exception of; **d'**~ (mesure, loi) special, exceptional; **exceptionnel, le** a exceptional.

excès [ɛksɛ] nm surplus // nmpl excesses; **à l'**~ (méticuleux, généreux) to excess; ~ **de vitesse** speeding q, exceeding the speed limit; ~ **de zèle** overzealousness q; **excessif, ive** a excessive.

exciper [ɛksipe]: ~ **de** vt to plead.

excitant [ɛksitɑ̃] nm stimulant.

excitation [ɛksitɑsjɔ̃] nf (état) excitement.

exciter [ɛksite] vt to excite; (suj: café etc) to stimulate; **s'**~ vi to get excited; ~ **qn à** (révolte etc) to incite sb to.

exclamation [ɛksklamɑsjɔ̃] nf exclamation.

exclamer [ɛksklame]: **s'**~ vi to exclaim.

exclure [ɛksklyʀ] vt (faire sortir) to expel; (ne pas compter) to exclude, leave out; (rendre impossible) to exclude, rule out; **exclusif, ive** a exclusive; **exclusion** nf expulsion; **à l'exclusion de** with the exclusion ou exception of; **exclusivement** ad exclusively; **exclusivité** nf exclusiveness; (COMM) exclusive rights pl; **film passant en exclusivité à** film showing only at.

excommunier [ɛkskɔmynje] vt to excommunicate.

excréments [ɛkskʀemɑ̃] nmpl excrement sg, faeces.

excroissance [ɛkskʀwasɑ̃s] nf excrescence, outgrowth.

excursion [ɛkskyʀsjɔ̃] nf (en autocar) excursion, trip; (à pied) walk, hike; **faire une** ~ to go on an excursion ou a trip; to go on a walk ou hike; **excursionniste** nm/f tripper; hiker.

excuse [ɛkskyz] nf excuse; ~**s** nfpl apology sg, apologies.

excuser [ɛkskyze] vt to excuse; **s'**~ (**de**) to apologize (for); **'excusez-moi'** 'I'm sorry'; (pour attirer l'attention) 'excuse me'.

exécrable [ɛgzekʀabl(ə)] a atrocious.

exécrer [ɛgzekʀe] vt to loathe, abhor.

exécutant, e [ɛgzekytɑ̃, -ɑ̃t] nm/f performer.

exécuter [ɛgzekyte] vt (prisonnier) to execute; (tâche etc) to execute, carry out; (MUS: jouer) to perform, execute; **s'**~ vi to comply; **exécuteur, trice** nm/f (testamentaire) executor // nm (bourreau) executioner; **exécutif, ive** a, nm (POL) executive; **exécution** nf execution; carrying out; **mettre à exécution** to carry out.

exégèse [ɛgzeʒɛz] nf exegesis.

exemplaire [ɛgzɑ̃plɛʀ] a exemplary // nm copy.

exemple [ɛgzɑ̃pl(ə)] nm example; **par** ~ for instance, for example; **donner l'**~ to set an example; **prendre** ~ **sur** to take as a model; **à l'**~ **de** just like.

exempt, e [ɛgzɑ̃, -ɑ̃t] a: ~ **de** (dispensé de) exempt from; (ne comportant pas de) free from.

exempter [ɛgzɑ̃te] vt: ~ **de** to exempt from.

exercé, e [ɛgzɛʀse] *a* trained.
exercer [ɛgzɛʀse] *vt* (*pratiquer*) to exercise, practise; (*faire usage de: prérogative*) to exercise; (*effectuer: influence, contrôle, pression*) to exert; (*former*) to exercise, train // *vi* (*médecin*) to be in practice; **s'~** (*sportif, musicien*) to practise; (*se faire sentir: pression etc*) to be exerted.
exercice [ɛgzɛʀsis] *nm* practice; exercising; (*tâche, travail*) exercise; (*activité, sportive, physique*): **l'~** exercise; (*MIL*): **l'~** drill; (*COMM, ADMIN: période*) accounting period; **en ~** (*juge*) in office; (*médecin*) practising; **dans l'~ de ses fonctions** in the discharge of his duties.
exhaler [ɛgzale] *vt* to exhale; to utter, breathe; **s'~** *vi* to rise (up).
exhaustif, ive [ɛgzostif, -iv] *a* exhaustive.
exhiber [ɛgzibe] *vt* (*montrer: papiers, certificat*) to present, produce; (*péj*) to display, flaunt **s'~** to parade; (*suj: exhibitionniste*) to expose o.s.; **exhibitionnisme** *nm* exhibitionism.
exhorter [ɛgzɔʀte] *vt*: **~ qn à faire to** urge sb to do.
exhumer [ɛgzyme] *vt* to exhume.
exigeant, e [ɛgziʒɑ̃, -ɑ̃t] *a* demanding; (*péj*) hard to please.
exigence [ɛgziʒɑ̃s] *nf* demand, requirement.
exiger [ɛgziʒe] *vt* to demand, require.
exigu, ë [ɛgzigy] *a* (*lieu*) cramped, tiny.
exil [ɛgzil] *nm* exile; **en ~** in exile; **~é, e** *nm/f* exile; **~er** *vt* to exile; **s'~er** to go into exile.
existence [ɛgzistɑ̃s] *nf* existence.
exister [ɛgziste] *vi* to exist; **il existe un/des** there is a/are (some).
exode [ɛgzɔd] *nm* exodus.
exonérer [ɛgzɔneʀe] *vt*: **~ de** to exempt from.
exorbitant, e [ɛgzɔʀbitɑ̃, -ɑ̃t] *a* exorbitant.
exorbité, e [ɛgzɔʀbite] *a*: **yeux ~s** bulging eyes.
exorciser [ɛgzɔʀsize] *vt* to exorcize.
exotique [ɛgzɔtik] *a* exotic; **exotisme** *nm* exoticism; exotic flavour ou atmosphere.
expansif, ive [ɛkspɑ̃sif, -iv] *a* expansive, communicative.
expansion [ɛkspɑ̃sjɔ̃] *nf* expansion.
expatrier [ɛkspatʀije] *vt*: **s'~** to leave one's country, expatriate o.s.
expectative [ɛkspɛktativ] *nf*: **être dans l'~** to be still waiting.
expectorer [ɛkspɛktɔʀe] *vi* to expectorate.
expédient [ɛkspedjɑ̃] *nm* (*péj*) expedient; **vivre d'~s** to live by one's wits.
expédier [ɛkspedje] *vt* (*lettre, paquet*) to send; (*troupes*) to dispatch; (*péj: travail etc*) to dispose of, dispatch; **expéditeur, trice** *nm/f* sender.
expéditif, ive [ɛkspeditif, -iv] *a* quick, expeditious.
expédition [ɛkspedisjɔ̃] *nf* sending; (*scientifique, sportive, MIL*) expedition.
expéditionnaire [ɛkspedisjɔnɛʀ] *a*: **corps ~** task force.

expérience [ɛkspeʀjɑ̃s] *nf* (*de la vie*) experience; (*scientifique*) experiment; **avoir de l'~** to have experience, be experienced; **avoir l'~ de** to have experience of.
expérimental, e, aux [ɛkspeʀimɑ̃tal, -o] *a* experimental.
expérimenté, e [ɛkspeʀimɑ̃te] *a* experienced.
expérimenter [ɛkspeʀimɑ̃te] *vt* (*technique*) to test out, experiment with.
expert, e [ɛkspɛʀ, -ɛʀt(ə)] *a, nm* expert; **~ en assurances** insurance valuer; **~-comptable** *nm* ≈ chartered accountant.
expertise [ɛkspɛʀtiz] *nf* valuation; assessment; valuer's (*ou* assessor's) report; (*JUR*) (forensic) examination.
expertiser [ɛkspɛʀtize] *vt* (*objet de valeur*) to value; (*voiture accidentée etc*) to assess damage to.
expier [ɛkspje] *vt* to expiate, atone for.
expiration [ɛkspiʀasjɔ̃] *nf* expiry; breathing out *q*.
expirer [ɛkspiʀe] *vi* (*venir à échéance, mourir*) to expire; (*respirer*) to breathe out.
explétif, ive [ɛkspletif, -iv] *a* expletive.
explicatif, ive [ɛksplikatif, -iv] *a* explanatory.
explication [ɛksplikasjɔ̃] *nf* explanation; (*discussion*) discussion; argument; **~ de texte** (*SCOL*) critical analysis (of a text).
explicite [ɛksplisit] *a* explicit; **expliciter** *vt* to make explicit.
expliquer [ɛksplike] *vt* to explain; **s'~** (*discuter*) to discuss things; to have it out; **son erreur s'explique** one can understand his mistake.
exploit [ɛksplwa] *nm* exploit, feat.
exploitant [ɛksplwatɑ̃] *nm* farmer.
exploitation [ɛksplwatasjɔ̃] *nf* exploitation; running; **~ agricole** farming concern.
exploiter [ɛksplwate] *vt* (*mine*) to exploit, work; (*entreprise, ferme*) to run, operate; (*clients, ouvriers, erreur, don*) to exploit; **exploiteur, euse** *nm/f* exploiter.
explorateur, trice [ɛksplɔʀatœʀ, -tʀis] *nm/f* explorer.
exploration [ɛksplɔʀasjɔ̃] *nf* exploration.
explorer [ɛksplɔʀe] *vt* to explore.
exploser [ɛksploze] *vi* to explode, blow up; (*engin explosif*) to go off; (*fig: joie, colère*) to burst out, explode; (*personne: de colère*) to explode, flare up; **explosif, ive** *a, nm* explosive; **explosion** *nf* explosion.
exportateur, trice [ɛkspɔʀtatœʀ, -tʀis] *a* export *cpd*, exporting // *nm* exporter.
exportation [ɛkspɔʀtasjɔ̃] *nf* exportation; export.
exporter [ɛkspɔʀte] *vt* to export.
exposant [ɛkspozɑ̃] *nm* exhibitor; (*MATH*) exponent.
exposé, e [ɛkspoze] *nm* talk // *a*: **~ au sud** facing south, with a southern aspect; **bien ~** well situated; **très ~** very exposed.
exposer [ɛkspoze] *vt* (*marchandise*) to display; (*peinture*) to exhibit, show; (*parler de: problème, situation*) to explain, set out; (*mettre en danger, orienter, PHOTO*) to expose; **~ qn/qch à** to expose sb/sth

to ; **exposition** nf displaying ; exhibiting ; setting out ; (voir exposé) aspect, situation ; (manifestation) exhibition ; (PHOTO) exposure.

exprès [ɛkspʀɛ] ad (délibérément) on purpose ; (spécialement) specially ; **faire ~ de faire qch** to do sth on purpose.

exprès, esse [ɛkspʀɛs] a (ordre, défense) express, formal // a inv, ad (PTT) express.

express [ɛkspʀɛs] a, nm: (café) ~ espresso ; (train) ~ fast train.

expressément [ɛkspʀɛsemɑ̃] ad expressly ; specifically.

expressif, ive [ɛkspʀesif, -iv] a expressive.

expression [ɛkspʀɛsjɔ̃] nf expression.

exprimer [ɛkspʀime] vt (sentiment, idée) to express ; (jus, liquide) to press out ; **s'~** vi (personne) to express o.s.

expropriation [ɛkspʀɔpʀijasjɔ̃] nf expropriation ; **frapper d'~** to put a compulsory purchase order on.

exproprier [ɛkspʀɔpʀije] vt to buy up (ou buy the property of) by compulsory purchase, expropriate.

expulser [ɛkspylse] vt to expel ; (locataire) to evict ; (FOOTBALL) to send off ; **expulsion** nf expulsion ; eviction ; sending off.

expurger [ɛkspyʀʒe] vt to expurgate, bowdlerize.

exquis, e [ɛkski, -iz] a exquisite ; delightful.

exsangue [ɛksɑ̃g] a bloodless, drained of blood.

extase [ɛkstɑz] nf ecstasy ; **s'extasier sur** to go into ecstasies ou raptures over.

extenseur [ɛkstɑ̃sœʀ] nm (SPORT) chest expander.

extensible [ɛkstɑ̃sibl(ə)] a extensible.

extensif, ive [ɛkstɑ̃sif, -iv] a extensive.

extension [ɛkstɑ̃sjɔ̃] nf (d'un muscle, ressort) stretching ; (MÉD) ; **à l'~** in traction ; (fig) extension ; expansion.

exténuer [ɛkstenɥe] vt to exhaust.

extérieur, e [ɛksteʀjœʀ] a (porte, mur etc) outer, outside ; (au dehors: escalier, w.-c.) outside ; (commerce) foreign ; (influences) external ; (apparent: calme, gaieté etc) surface cpd // nm (d'une maison, d'un récipient etc) outside, exterior ; (d'une personne: apparence) exterior ; (d'un groupe social): **l'~** the outside world ; **à l'~** outside ; (à l'étranger) abroad ; **~ement** ad on the outside ; (en apparence) on the surface ; **extérioriser** vt to show ; to exteriorize.

exterminer [ɛksteʀmine] vt to exterminate, wipe out.

externat [ɛksteʀna] nm day school.

externe [ɛkstɛʀn(ə)] a external, outer // nm/f (MÉD) non-resident medical student ; (SCOL) day pupil.

extincteur [ɛkstɛ̃ktœʀ] nm (fire) extinguisher.

extinction [ɛkstɛ̃ksjɔ̃] nf extinction ; (JUR: d'une dette) extinguishment ; **~ de voix** loss of voice.

extirper [ɛkstiʀpe] vt (tumeur) to extirpate ; (plante) to root out, pull up.

extorquer [ɛkstɔʀke] vt: **~ qch à qn** to extort sth from sb.

extra [ɛkstʀa] a inv first-rate ; top-quality // nm inv extra help.

extraction [ɛkstʀaksjɔ̃] nf extraction.

extrader [ɛkstʀade] vt to extradite ; **extradition** nf extradition.

extraire [ɛkstʀɛʀ] vt to extract ; **extrait** nm (de plante) extract ; (de film, livre) extract, excerpt.

extra-lucide [ɛkstʀalysid] a: **voyante ~** clairvoyant.

extraordinaire [ɛkstʀaɔʀdinɛʀ] a extraordinary ; (POL: mesures) special ; **ambassadeur ~** ambassador extraordinary.

extravagance [ɛkstʀavagɑ̃s] nf extravagance q ; extravagant behaviour q.

extravagant, e [ɛkstʀavagɑ̃, -ɑ̃t] a extravagant ; wild.

extraverti, e [ɛkstʀavɛʀti] a extrovert.

extrême [ɛkstʀɛm] a, nm extreme ; **~ment** ad extremely ; **~-onction** nf last rites pl, Extreme Unction ; **E~-Orient** nm Far East ; **extrémiste** a, nm/f extremist.

extrémité [ɛkstʀemite] nf end ; (situation) straits pl, plight ; (geste désespéré) extreme action ; **~s** nfpl (pieds et mains) extremities ; **à la dernière ~** (à l'agonie) on the point of death.

exubérant, e [ɛgzybeʀɑ̃, -ɑ̃t] a exuberant.

exulter [ɛgzylte] vi to exult.

exutoire [ɛgzytwaʀ] nm outlet, release.

ex-voto [ɛksvɔto] nm inv ex-voto.

F

F abr de **franc**.

fa [fa] nm inv (MUS) F ; (en chantant la gamme) fa.

fable [fabl(ə)] nf fable ; (mensonge) story, tale.

fabricant [fabʀikɑ̃] nm manufacturer, maker.

fabrication [fabʀikasjɔ̃] nf manufacture, making.

fabrique [fabʀik] nf factory.

fabriquer [fabʀike] vt to make ; (industriellement) to manufacture, make ; (fig): **qu'est-ce qu'il fabrique?** what is he doing?

fabulation [fabylasjɔ̃] nf fantasizing.

fabuleux, euse [fabylø, -øz] a fabulous, fantastic.

façade [fasad] nf front, façade ; (fig) façade.

face [fas] nf face ; (fig: aspect) side // a: **le côté ~** heads ; **perdre la ~** to lose face ; **en ~ de** prép opposite ; (fig) in front of ; **de ~** ad from the front ; face on ; **~ à** prép facing ; (fig) faced with, in the face of ; **faire ~ à** to face ; **~ à ~** ad facing each other // nm inv encounter ; **~-à-main** nm lorgnette.

facéties [fasesi] nfpl jokes, pranks.

facétieux, euse [fasesjø, -øz] a mischievous.

facette [fasɛt] nf facet.

fâché, e [fɑʃe] a angry ; (désolé) sorry.

fâcher [fɑʃe] vt to anger ; **se ~** vi to get angry ; **se ~ avec** (se brouiller) to fall out with.

fâcheux, euse [faʃø, -øz] a unfortunate, regrettable.

facial, e, aux [fasjal, -o] a facial.

faciès [fasjɛs] nm features q, facies.

facile [fasil] a easy ; (accommodant) easygoing ; **~ment** ad easily ; **facilité** nf easiness ; (disposition, don) aptitude ; **facilités** nfpl facilities ; **facilités de paiement** easy terms ; **faciliter** vt to make easier.

façon [fasɔ̃] nf (manière) way ; (d'une robe etc) making-up ; cut ; **~s** nfpl (péj) fuss sg ; **de quelle ~?** (in) what way? ; **de ~ à** so as to ; **de ~ à ce que** so that ; **de toute ~** anyway, in any case.

faconde [fakɔ̃d] nf loquaciousness, volubility.

façonner [fasɔne] vt (fabriquer) to manufacture ; (travailler: matière) to shape, fashion ; (fig) to mould, shape.

fac-similé [faksimile] nm facsimile.

facteur, trice [faktœʀ, -tʀis] nm/f postman/woman // nm (MATH, fig: élément) factor ; **~ d'orgues** organ builder ; **~ de pianos** piano maker.

factice [faktis] a artificial.

faction [faksjɔ̃] nf (groupe) faction ; (surveillance) guard ou sentry (duty) ; watch ; **en ~** on guard ; standing watch ; **factionnaire** nm guard, sentry.

factoriel, le [faktɔʀjɛl] a factorial.

factotum [faktɔtɔm] nm odd-job man, dogsbody.

facture [faktyʀ] nf (à payer: gén) bill ; (: COMM) invoice ; (d'un artisan, artiste) technique, workmanship ; **facturer** vt to invoice.

facultatif, ive [fakyltatif, -iv] a optional ; (arrêt de bus) request cpd.

faculté [fakylte] nf (intellectuelle, d'université) faculty ; (pouvoir, possibilité) power.

fadaises [fadɛz] nfpl twaddle sg.

fade [fad] a insipid.

fading [fadiŋ] nm (RADIO) fading.

fagot [fago] nm (de bois) bundle of sticks.

fagoté, e [fagɔte] a (fam): **drôlement ~** in a peculiar getup.

faible [fɛbl(ə)] a weak ; (voix, lumière, vent) faint ; (rendement, intensité, revenu etc) low // nm weak point ; weakness, soft spot ; **~ d'esprit** feeble-minded ; **faiblesse** nf weakness ; **faiblir** vi to weaken ; (lumière) to dim ; (vent) to drop.

faïence [fajɑ̃s] nf earthenware q ; piece of earthenware.

faignant, e [fɛɲɑ̃, -ɑ̃t] nm/f = **fainéant, e.**

faille [faj] vb voir **falloir** // nf (GÉO) fault ; (fig) flaw, weakness.

faillible [fajibl(ə)] a fallible.

faim [fɛ̃] nf hunger ; **avoir ~** to be hungry ; **rester sur sa ~** (aussi fig) to be left wanting more.

fainéant, e [fɛneɑ̃, -ɑ̃t] nm/f idler, loafer.

faire [fɛʀ] vt to make ; (effectuer: travail, opération) to do ; **vraiment? fit-il** really? he ` said ; **fait à la main/machine** hand-/machine-made ; **~ du bruit/des taches** to make a noise/marks ; **~ du rugby/piano** to play rugby/play the piano ; **~ le malade/l'ignorant** to act the

invalid/the fool ; **~ de qn un frustré/avocat** to make sb a frustrated person/a lawyer ; **cela ne me fait rien** (m'est égal) I don't care ou mind ; (me laisse froid) it has no effect on me ; **cela ne fait rien** it doesn't matter ; **je vous le fais 10 F** (j'en demande 10 F) I'll let you have it for 10 F ; **que faites-vous?** (quel métier etc) what do you do? ; (quelle activité: au moment de la question) what are you doing? ; **comment a-t-il fait pour** how did he manage to ; **qu'a-t-il fait de sa valise?** what has he done with his case? ; **2 et 2 font 4** 2 and 2 are ou make 4 // vb avec attribut: **ça fait 10 m/15 F** it's 10 m/15 F // vb substitut: **ne le casse pas comme je l'ai fait** don't break it as I did // vb impersonnel voir **jour, froid** etc ; **ça fait 2 ans qu'il est parti** it's 2 years since he left ; **ça fait 2 ans qu'il y est** he's been there for 2 years ; **faites!** please do! ; **il ne fait que critiquer** (sans cesse) all he (ever) does is criticize ; (seulement) he's only criticizing ; **~ vieux/démodé** to look old/old-fashioned // **~ faire: ~ réparer qch** to get ou have sth repaired ; **~ tomber/bouger qch** to make sth fall/move ; **cela fait dormir** it makes you sleep ; **~ travailler les enfants** to make the children work, get the children to work ; **~ punir les enfants** to have the children punished ; **~ démarrer un moteur/chauffer de l'eau** to start up an engine/heat some water ; **se ~ examiner la vue/opérer** to have one's eyes tested/have an operation ; **il s'est fait aider (par qn)** he got sb to help him ; **il va se ~ tuer/punir** he's going to get himself killed/get (himself) punished ; **se ~ faire un vêtement** to get a garment made for o.s. // **se ~** vi (fromage, vin) to mature ; **se ~ à** (s'habituer) to get used to ; **cela se fait beaucoup/ne se fait pas** it's done a lot/not done ; **comment se fait-il/faisait-il que** how is it/was it that ; **se ~ vieux** to be getting old ; **se ~ des amis** to make friends ; **il ne s'en fait pas** he doesn't worry.

faisable [fəzabl(ə)] a feasible.

faisan, e [fəzɑ̃, -an] nm/f pheasant.

faisandé, e [fəzɑ̃de] a high.

faisceau, x [fɛso] nm (de lumière etc) beam ; (de branches etc) bundle.

faiseur, euse [fəzœʀ, -øz] nm/f (gén:péj): **~ de** maker of // nm (bespoke) tailor.

faisons vb voir **faire.**

fait [fɛ] nm (événement) event, occurrence ; (réalité, donnée: s'oppose à hypothèse) fact ; **le ~ que/de manger** the fact that/of eating ; **être le ~ de** (causé par) to be the work of ; **être au ~ (de)** to be informed (of) ; **au ~** (à propos) by the way ; **en venir au ~** to get to the point ; **de ~** a (opposé à: de droit) de facto // ad in fact ; **du ~ de ceci/qu'il a menti** because of ou on account of this/his having lied ; **de ce ~** therefore, for this reason ; **en ~** in fact ; **en ~ de repas** by way of a meal ; **prendre ~ et cause pour qn** to support sb, side with sb ; **prendre qn sur le ~** to catch sb in the act ; **~ d'armes** feat of arms ; **~ divers** (short) news item ; **les ~s et gestes de qn** sb's actions ou doings.

fait, e [fɛ, fɛt] a (*mûr: fromage, melon*) ripe ; **un homme ~** a grown man ; **c'en est ~ de notre tranquillité** that's the end of our peace.

faîte [fɛt] nm top ; (*fig*) pinnacle, height.

faites vb voir **faire.**

faîtière [fɛtjɛʀ] nf (*de tente*) ridge pole.

fait-tout nm inv, **faitout** nm [fɛtu] stewpot.

fakir [fakiʀ] nm wizard.

falaise [falɛz] nf cliff.

fallacieux, euse [falasjø, -øz] a fallacious ; deceptive ; illusory.

falloir [falwaʀ] vb impersonnel : **il va ~ 100 F** we'll (*ou* I'll) need 100 F ; **il doit ~ du temps** that must take time ; **il me faudrait 100 F** I would need 100 F ; **il vous faut tourner à gauche après l'église** you have to *ou* want to turn left past the church ; **nous avons ce qu'il (nous) faut** we have what we need ; **il faut qu'il parte/a fallu qu'il parte** (*obligation*) he has to *ou* must leave/had to leave ; **il a fallu le faire** it had to be done // **s'en ~** : **il s'en est fallu de 100 F/5 minutes** we (*ou* they) were 100 F short/5 minutes late (*ou* early) ; **il s'en faut de beaucoup qu'il soit** he is far from being ; **il s'en est fallu de peu que cela n'arrive** it very nearly happened.

falot, e [falo, -ɔt] a a dreary, colourless // nm lantern.

falsifier [falsifje] vt to falsify ; to doctor.

famé, e [fame] a : **mal ~** disreputable, of ill repute.

famélique [famelik] a half-starved.

fameux, euse [famø, -øz] a (*illustre*) famous ; (*bon: repas, plat etc*) first-rate, first-class.

familial, e, aux [familjal, -o] a family cpd // nf (AUTO) estate car.

familiariser [familjaʀize] vt : **~ qn avec** to familiarize sb with.

familiarité [familjaʀite] nf informality ; familiarity with ; **~ avec** (*sujet, science*) familiarity with ; **~s** nfpl familiarities.

familier, ière [familje, -jɛʀ] a (*connu, impertinent*) familiar ; (*dénotant une certaine intimité*) informal, friendly ; (LING) informal, colloquial // nm regular (visitor).

famille [famij] nf family ; **il a de la ~ à Paris** he has relatives in Paris.

famine [famin] nf famine.

fan [fan] nm/f fan.

fanal, aux [fanal, -o] nm beacon ; lantern.

fanatique [fanatik] a fanatical // nm/f fanatic ; **fanatisme** nm fanaticism.

faner [fane] : **se ~** vi to fade.

faneur, euse [fanœʀ, -øz] nm/f hay-maker.

fanfare [fɑ̃faʀ] nf (*orchestre*) brass band ; (*musique*) fanfare.

fanfaron, ne [fɑ̃faʀɔ̃, -ɔn] nm/f braggart.

fange [fɑ̃ʒ] nf mire.

fanion [fanjɔ̃] nm pennant.

fanon [fanɔ̃] nm (*de baleine*) plate of baleen ; (*repli de peau*) dewlap, wattle.

fantaisie [fɑ̃tezi] nf (*spontanéité*) fancy, imagination ; (*caprice*) whim ; extravagance ; (MUS) fantasia // a : **bijou/pain ~** fancy jewellery/bread ;

fantaisiste a (*péj*) unorthodox, eccentric // nm/f (*de music-hall*) variety artist *ou* entertainer.

fantasme [fɑ̃tasm(ə)] nm fantasy.

fantasque [fɑ̃task(ə)] a whimsical, capricious ; fantastic.

fantassin [fɑ̃tasɛ̃] nm infantryman.

fantastique [fɑ̃tastik] a fantastic.

fantoche [fɑ̃tɔʃ] nm (*péj*) puppet.

fantomatique [fɑ̃tɔmatik] a ghostly.

fantôme [fɑ̃tom] nm ghost, phantom.

faon [fɑ̃] nm fawn.

farce [faʀs(ə)] nf (*viande*) stuffing ; (*blague*) (practical) joke ; (THÉÂTRE) farce ; **~s et attrapes** jokes and novelties ; **farceur, euse** nm/f practical joker ; **farcir** vt (*viande*) to stuff ; (*fig*): **farcir qch de** to stuff sth with.

fard [faʀ] nm make-up.

fardeau, x [faʀdo] nm burden.

farder [faʀde] vt to make up.

farfelu, e [faʀfəly] a a cranky, hare-brained.

farfouiller [faʀfuje] vi (*péj*) to rummage around.

farine [faʀin] nf flour ; **farineux, euse** a (*sauce, pomme*) floury // nmpl (*aliments*) starchy foods.

farouche [faʀuʃ] a a shy, timid ; savage, wild ; fierce.

fart [faʀ(t)] nm (ski) wax ; **farter** vt to wax.

fascicule [fasikyl] nm volume.

fascination [fasinɑsjɔ̃] nf fascination.

fasciner [fasine] vt to fascinate.

fascisme [faʃism(ə)] nm fascism ; **fasciste** a, nm/f fascist.

fasse etc vb voir **faire.**

faste [fast(ə)] nm splendour // a : **c'est un jour ~** it's his (*ou* our) lucky day.

fastidieux, euse [fastidjø, -øz] a a tedious, tiresome.

fastueux, euse [fastɥø, -øz] a a sumptuous, luxurious.

fat [fa] am conceited, smug.

fatal, e [fatal] a fatal ; (*inévitable*) inevitable ; **~isme** nm fatalism ; fatalistic outlook ; **~ité** nf fate ; fateful coincidence ; inevitability.

fatidique [fatidik] a fateful.

fatigant, e [fatigɑ̃, -ɑ̃t] a a tiring ; (*agaçant*) tiresome.

fatigue [fatig] nf tiredness, fatigue.

fatiguer [fatige] vt to tire, make tired ; (TECH) to put a strain on, strain ; (*fig: importuner*) to wear out // vi (*moteur*) to labour, strain ; **se ~** to get tired ; to tire o.s. (out).

fatras [fatʀa] nm jumble, hotchpotch.

fatuité [fatɥite] nf conceitedness, smugness.

faubourg [fobuʀ] nm suburb.

fauché, e [foʃe] a (*fam*) broke.

faucher [foʃe] vt (*herbe*) to cut ; (*champs, blés*) to reap ; (*fig*) to cut down ; to mow down ; **faucheur, euse** nm/f, nf (*machine*) reaper, mower.

faucille [fosij] nf sickle.

faucon [fokɔ̃] nm falcon, hawk.

faudra vb voir **falloir.**

faufiler [fofile] vt to tack, baste ; **se ~** vi : **se ~ dans** to edge one's way into ; **se ~**

parmi/entre to thread one's way among/between.

faune [fon] *nf* (ZOOL) wildlife, fauna // *nm* faun.

faussaire [fosɛʀ] *nm* forger.

fausse [fos] *a voir* faux.

faussement [fosmã] *ad* (*accuser*) wrongly, wrongfully; (*croire*) falsely, erroneously.

fausser [fose] *vt* (*objet*) to bend, buckle; (*fig*) to distort.

fausset [fosɛ] *nm:* **voix de ~** falsetto voice.

faussete [foste] *nf* wrongness; falseness.

faut *vb voir* **falloir.**

faute [fot] *nf* (*erreur*) mistake, error; (*péché, manquement*) misdemeanour; (FOOTBALL *etc*) offence; (TENNIS) fault; (*responsabilité*): **par la ~ de** through the fault of, because of; **c'est de sa/ma ~** it's his/my fault; **être en ~** to be in the wrong; **~ de** (*temps, argent*) for *ou* through lack of; **sans ~** *ad* without fail; **~ de frappe** typing error; **~ d'orthographe** spelling mistake; **~ professionnelle** professional misconduct *q.*

fauteuil [fotœj] *nm* armchair; **~ club** (big) easy chair; **~ d'orchestre** seat in the front stalls; **~ roulant** wheelchair.

fauteur [fotœʀ] *nm:* **~ de troubles** trouble-maker.

fautif, ive [fotif, -iv] *a* (*incorrect*) incorrect, inaccurate; (*responsable*) at fault, in the wrong; guilty // *nm/f* culprit.

fauve [fov] *nm* wildcat // *a* (*couleur*) fawn.

faux [fo] *nf* scythe.

faux, fausse [fo, fos] *a* (*inexact*) wrong; (*falsifié*) fake; forged; (*sournois, postiche*) false // *ad* (MUS) out of tune // *nm* (*copie*) fake, forgery; (*opposé au vrai*): **le ~** falsehood; **le ~ numéro/la fausse clef** the wrong number/key; **faire ~ bond à qn** to stand sb up; **~ col** detachable collar; **~ frais** *nmpl* extras, incidental expenses; **~ mouvement** awkward movement; **~ nez** funny nose; **~ pas** tripping *q*; (*fig*) faux pas; **~ témoignage** (*délit*) perjury; **fausse alerte** false alarm; **fausse couche** miscarriage; **~-filet** *nm* sirloin; **~-fuyant** *nm* equivocation; **~-monnayeur** *nm* counterfeiter, forger.

faveur [favœʀ] *nf* favour; (*ruban*) ribbon; **traitement de ~** preferential treatment; **à la ~ de** under cover of; thanks to; **en ~ de** in favour of.

favorable [favoʀabl(ə)] *a* favourable.

favori, te [favoʀi, -it] *a, nm/f* favourite; **~s** *nmpl* (*barbe*) sideboards, sideburns.

favoriser [favoʀize] *vt* to favour.

favoritisme [favoʀitism(ə)] *nm* (*péj*) favouritism.

FB *sigle* = franc belge.

fébrile [febʀil] *a* feverish, febrile.

fécal, e, aux [fekal, -o] *a voir* **matière.**

fécond, e [fekɔ̃, -ɔ̃d] *a* fertile; **féconder** *vt* to fertilize; **fécondité** *nf* fertility.

fécule [fekyl] *nf* potato flour.

fédéral, e, aux [fedeʀal, -o] *a* federal; **fédéralisme** *nm* federalism.

fédération [fedeʀasjɔ̃] *nf* federation.

fée [fe] *nf* fairy; **~rie** *nf* enchantment; **~rique** *a* magical, fairytale *cpd.*

feignant, e [fɛɲã, -ãt] *nm/f* = fainéant, e.

feindre [fɛ̃dʀ(ə)] *vt* to feign // *vi* to dissemble; **~ de faire** to pretend to do.

feinte [fɛ̃t] *nf* (SPORT) dummy.

fêler [fele] *vt* to crack.

félicitations [felisitasjɔ̃] *nfpl* congratulations.

félicité [felisite] *nf* bliss.

féliciter [felisite] *vt:* **~ qn (de)** to congratulate sb (on).

félin, e [felɛ̃, -in] *a* feline // *nm* (big) cat.

félon, ne [felɔ̃, -ɔn] *a* perfidious, treacherous.

fêlure [felyʀ] *nf* crack.

femelle [fəmɛl] *a* (*aussi* ÉLEC, TECH) female // *nf* female; **souris ~** female mouse, she-mouse.

féminin, e [feminɛ̃, -in] *a* feminine; (*sexe*) female; (*équipe, vêtements etc*) women's // *nm* feminine; **féministe** a feminist; **féminité** *nf* femininity.

femme [fam] *nf* woman; (*épouse*) wife (*pl* wives); **devenir ~** to attain womanhood; **~ de chambre** cleaning lady; **~ de ménage** domestic help, cleaning lady.

fémur [femyʀ] *nm* femur, thighbone.

fenaison [fənɛzɔ̃] *nf* haymaking.

fendre [fɑ̃dʀ(ə)] *vt* (*couper en deux*) to split; (*fissurer*) to crack; (*fig: traverser*) to cut through; to cleave through; **se ~** *vi* to crack; **fendu, e** *a* (*sol, mur*) cracked; (*jupe*) slit.

fenêtre [fənɛtʀ(ə)] *nf* window.

fenouil [fənuj] *nm* fennel.

fente [fɑ̃t] *nf* (*fissure*) crack; (*de boîte à lettres etc*) slit.

féodal, e, aux [feodal, -o] *a* feudal; **féodalité** *nf* feudality.

fer [fɛʀ] *nm* iron; (*de cheval*) shoe; **au ~ rouge** with a red-hot iron; **~ à cheval** horseshoe; **~ forgé** wrought iron; **~ de lance** spearhead; **~ (à repasser)** iron; **~ à souder** soldering iron.

ferai *etc vb voir* **faire.**

fer-blanc [fɛʀblã] *nm* tin(plate); **ferblanterie** *nf* tinplate making; tinware; **ferblantier** *nm* tinsmith.

férié, e [feʀje] *a:* **jour ~** public holiday.

ferions *etc vb voir* **faire.**

férir [feʀiʀ]: **sans coup ~** *ad* without meeting any opposition.

ferme [fɛʀm(ə)] *a* firm // *ad* (*travailler etc*) hard // *nf* (*exploitation*) farm; (*maison*) farmhouse.

fermé, e [fɛʀme] *a* closed, shut; (*gaz, eau etc*) off; (*fig: personne*) uncommunicative; (*: milieu*) exclusive.

ferment [fɛʀmã] *nm* ferment.

fermentation [fɛʀmãtasjɔ̃] *nf* fermentation.

fermenter [fɛʀmãte] *vi* to ferment.

fermer [fɛʀme] *vt* to close, shut; (*cesser l'exploitation de*) to close down, shut down; (*eau, lumière, électricité, robinet*) to put off, turn off; (*aéroport, route*) to close // *vi* to close, shut; to close down, shut down; **se**

~ vi (yeux) to close, shut; (fleur, blessure) to close up.

fermeté [fɛrməte] nf firmness.

fermeture [fɛrmətyr] nf closing; shutting; closing ou shutting down; putting ou turning off; (dispositif) catch; fastening, fastener; **heure de** ~ (COMM) closing time; **jour de** ~ (COMM) day on which the shop (etc) is closed; ~ **éclair** ® **ou à glissière** zip (fastener), zipper.

fermier, ière [fɛrmje, -jɛr] nm farmer // nf woman farmer; farmer's wife // a: **beurre/cidre** ~ farm butter/cider.

fermoir [fɛrmwar] nm clasp.

féroce [feros] a ferocious, fierce.

ferons vb voir **faire**.

ferraille [fɛraj] nf scrap iron; **mettre à la** ~ to scrap; **ferrailleur** nm scrap merchant.

ferré, e [fɛre] a hobnailed; steel-tipped; (fam): ~ **en** well up on, hot at.

ferrer [fɛre] vt (cheval) to shoe; (chaussure) to nail; (canne) to tip; (poisson) to strike.

ferreux, euse [fɛrø, -øz] a ferrous.

ferronnerie [fɛrɔnri] nf ironwork; ~ **d'art** wrought iron work; **ferronnier** nm craftsman in wrought iron; ironware merchant.

ferroviaire [fɛrɔvjɛr] a rail(way) cpd.

ferrure [fɛryr] nf (ornamental) hinge.

ferry-boat [fɛrebot] nm ferry.

fertile [fɛrtil] a fertile; ~ **en incidents** eventful, packed with incidents; **fertiliser** vt to fertilize; **fertilité** nf fertility.

féru, e [fery] a: ~ **de** with a keen interest in.

férule [feryl] nf: **être sous la** ~ **de qn** to be under sb's (iron) rule.

fervent, e [fɛrvã, -ãt] a fervent.

ferveur [fɛrvœr] nf fervour.

fesse [fɛs] nf buttock; **fessée** nf spanking.

festin [fɛstɛ̃] nm feast.

festival [fɛstival] nm festival; ~**ier** nm festival-goer.

festivités [fɛstivite] nfpl festivities, merry-making sg.

feston [fɛstɔ̃] nm (ARCHIT) festoon; (COUTURE) scallop.

festoyer [fɛstwaje] vi to feast.

fêtard [fɛtar] nm (péj) high liver, merry-maker.

fête [fɛt] nf (religieuse) feast; (publique) holiday; (en famille etc) celebration; (kermesse) fête, fair, festival; (du nom) feast day, name day; **faire la** ~ to live it up; **faire** ~ **à qn** to give sb a warm welcome; **les** ~**s (de fin d'année)** the Christmas and New Year holidays, the festive season; **la salle/le comité des** ~**s** the village hall/festival committee; **foraine** (fun) fair; ~ **mobile** movable feast (day); **la F**~ **Nationale** the national holiday; **la Fête-Dieu** Corpus Christi; **fêter** vt to celebrate; (personne) to have a celebration for.

fétiche [fetiʃ] nm fetish; **fétichisme** nm fetishism.

fétide [fetid] a fetid.

fétu [fety] nm: ~ **de paille** wisp of straw.

feu [fø] a inv: ~ **son père** his late father.

feu, x [fø] nm (gén) fire; (signal lumineux) light; (de cuisinière) ring; (sensation de brûlure) burning (sensation) // nmpl (éclat, lumière) fire sg; (AUTO) (traffic) lights; à ~ **doux/vif** over a slow/brisk heat; à **petit** ~ (CULIN) over a gentle heat; **faire** ~ to fire; **tué au** ~ killed in action; **mettre à** ~ (fusée) to fire off; **prendre** ~ to catch fire; **mettre le** ~ **à** to set fire to, set on fire; **faire du** ~ to make a fire; **avez-vous du** ~? (pour cigarette) have you (got) a light?; ~ **rouge/vert/orange** red/green/amber light; ~ **arrière** rear light; ~ **d'artifice** firework; (spectacle) fireworks pl; ~ **de camp** campfire; ~ **de cheminée** chimney fire; ~ **de joie** bonfire; ~ **de paille** (fig) flash in the pan; ~**x de brouillard** fog-lamps; ~**x de croisement** dipped headlights; ~**x de position** sidelights; ~**x de route** head-lights, headlamps.

feuillage [fœjaʒ] nm foliage, leaves pl.

feuille [fœj] nf (d'arbre) leaf (pl leaves); ~ **(de papier)** sheet (of paper); ~ **d'or/de métal** gold/metal leaf; ~ **d'impôts** tax form; ~ **morte** dead leaf; ~ **de température** temperature chart; ~ **de vigne** (BOT) vine leaf; (sur statue) fig leaf; ~ **volante** loose sheet.

feuillet [fœjɛ] nm leaf (pl leaves), page.

feuilleté, e [fœjte] a (CULIN) flaky.

feuilleter [fœjte] vt (livre) to leaf through.

feuilleton [fœjtɔ̃] nm serial.

feuillu, e [fœjy] a leafy; ~**s** nmpl (BOT) broad-leaved trees.

feulement [følmã] nm growl.

feutre [føtr(ə)] nm felt; (chapeau) felt hat; **feutré, e** a feltlike; (pas, voix) muffled; **feutrer** vt to felt; (fig) to muffle // vi, se **feutrer** vi to felt; **feutrine** nf (lightweight) felt.

fève [fɛv] nf broad bean.

février [fevrije] nm February.

FF sigle = franc français.

F.F.I. sigle fpl = Forces françaises de l'intérieur (1942-45) // sigle m member of the F.F.I.

fi [fi] excl: **faire** ~ **de** to snap one's fingers at.

fiacre [fjakr(ə)] nm (hackney) cab ou carriage.

fiançailles [fjɑ̃saj] nfpl engagement sg.

fiancé, e [fjɑ̃se] nm/f fiancé/fiancée // a: **être** ~ **(à)** to be engaged (to).

fiancer [fjɑ̃se]: **se** ~ vi: **se** ~ **(avec)** to become engaged (to).

fibre [fibr(ə)] nf fibre; ~ **de verre** fibre-glass, glass fibre; **fibreux, euse** a fibrous; (viande) stringy.

ficeler [fisle] vt to tie up.

ficelle [fisɛl] nf string q; piece ou length of string.

fiche [fiʃ] nf (pour fichier) (index) card; (formulaire) form; (ÉLEC) plug.

ficher [fiʃe] vt (pour un fichier) to file; (POLICE) to put on file; (planter): ~ **qch dans** to stick ou drive sth into; (fam) to do; to give; to stick ou shove; **fiche(-moi) le camp** (fam) clear off; **fiche-moi la paix** (fam) leave me alone; **se** ~ **dans** (s'enfoncer) to get stuck in, embed itself in ; **se ~ de** (*fam*) to make fun of ; not to care about.

fichier [fiʃje] *nm* file ; card index.

fichu, e [fiʃy] *pp de* **ficher** (*fam*) // *a* (*fam: fini, inutilisable*) bust, done for ; (: *intensif*) wretched, darned // *nm* (*foulard*) (head)scarf (*pl* scarves) ; **mal ~** (*fam*) feeling lousy ; useless.

fictif, ive [fiktif, -iv] *a* fictitious.

fiction [fiksjɔ̃] *nf* fiction ; (*fait imaginé*) invention.

fidèle [fidɛl] *a*: **~ (à)** faithful (to) // *nm/f* (*REL*): **les ~s** the faithful ; (*à l'église*) the congregation ; **fidélité** *nf* faithfulness ; **fidélité conjugale** marital fidelity.

fief [fjɛf] *nm* fief ; (*fig*) preserve ; stronghold.

fiel [fjɛl] *nm* gall.

fiente [fjɑ̃t] *nf* (*bird*) droppings *pl*.

fier [fje]: **se ~ à** *vt* to trust.

fier, fière [fjɛR] *a* proud ; **~ de** proud of ; **avoir fière allure** to cut a fine figure ; **~té** *nf* pride.

fièvre [fjɛvR(ə)] *nf* fever ; **avoir de la ~/39 de ~** to have a high temperature/a temperature of 39°C ; **~ typhoïde** typhoid fever ; **fiévreux, euse** *a* feverish.

fifre [fifR(ə)] *nm* fife ; fife-player.

figer [fiʒe] *vt* to congeal ; (*fig: personne*) to freeze, root to the spot ; **se ~** *vi* to congeal ; to freeze ; (*institutions etc*) to become set, stop evolving.

figue [fig] *nf* fig ; **figuier** *nm* fig tree.

figurant, e [figyRɑ̃, -ɑ̃t] *nm/f* ; (*THÉÂTRE*) walk-on ; (*CINÉMA*) extra.

figuratif, ive [figyRatif, -iv] *a* representational, figurative.

figuration [figyRɑsjɔ̃] *nf* walk-on parts *pl* ; extras *pl*.

figure [figyR] *nf* (*visage*) face ; (*image, tracé, forme, personnage*) figure ; (*illustration*) picture, diagram ; **faire ~ de** to look like.

figuré, e [figyRe] *a* (*sens*) figurative.

figurer [figyRe] *vi* to appear // *vt* to represent ; **se ~ que** to imagine that.

figurine [figyRin] *nf* figurine.

fil [fil] *nm* (*brin, fig: d'une histoire*) thread ; (*du téléphone*) cable, wire ; (*textile de lin*) linen ; (*d'un couteau: tranchant*) edge ; **au ~ des années** with the passing of the years ; **au ~ de l'eau** with the stream *ou* current ; **donner/recevoir un coup de ~** to make/get a phone call ; **~ à coudre** (*sewing*) thread *ou* yarn ; **~ électrique** electric wire ; **~ de fer** wire ; **~ de fer barbelé** barbed wire ; **~ à pêche** fishing line ; **~ à plomb** plumbline ; **~ à souder** soldering wire.

filament [filamɑ̃] *nm* (*ÉLEC*) filament ; (*de liquide*) trickle, thread.

filandreux, euse [filɑ̃dRø, -øz] *a* stringy.

filasse [filas] *a inv* white blond.

filature [filatyR] *nf* (*fabrique*) mill ; (*policière*) shadowing *q*, tailing *q*.

file [fil] *nf* line ; **~ (d'attente)** queue ; **prendre la ~** to join the (end of the) queue ; **prendre la ~ de droite** (*AUTO*) to move into the right-hand lane ; **se mettre en ~** to form a line ; (*AUTO*) to get into

lane ; **en ~ indienne** in single file ; **à la ~ ad** (*d'affilée*) in succession.

filer [file] *vt* (*tissu, toile, verre*) to spin ; (*dérouler: câble etc*) to pay *ou* let out ; to veer out ; (*prendre en filature*) to shadow, tail ; (*fam: donner*): **~ qch à qn** to slip sb sth // *vi* (*bas, maille, liquide, pâte*) to run ; (*aller vite*) to fly past *ou* by ; (*fam: partir*) to make off ; **~ doux** to behave o.s., toe the line.

filet [filɛ] *nm* net ; (*CULIN*) fillet ; (*d'eau, de sang*) trickle ; **~ (à provisions)** string bag.

filetage [filtaʒ] *nm* threading ; thread.

fileter [filte] *vt* to thread.

filial, e, aux [filjal, -o] *a* filial // *nf* (*COMM*) subsidiary.

filiation [filjɑsjɔ̃] *nf* filiation.

filière [filjɛR] *nf*: **passer par la ~** to go through the (administrative) channels ; **suivre la ~** (*dans sa carrière*) to work one's way up (through the hierarchy).

filiforme [filifɔRm(ə)] *a* spindly ; thread-like.

filigrane [filigRan] *nm* (*d'un billet, timbre*) watermark ; **en ~** (*fig*) showing just beneath the surface.

filin [filɛ̃] *nm* rope.

fille [fij] *nf* girl ; (*opposé à fils*) daughter ; **~ de joie** prostitute ; **~ de salle** waitress ; **~-mère** (*péj*) unmarried mother ; **fillette** *nf* (little) girl.

filleul, e [fijœl] *nm/f* godchild, godson/daughter.

film [film] *nm* (*pour photo*) (roll of) film ; (*œuvre*) film, picture, movie ; (*couche*) film ; **~ muet/parlant** silent/talking picture *ou* movie ; **~ d'animation** animated film ; **filmer** *vt* to film.

filon [filɔ̃] *nm* vein, lode ; (*fig*) lucrative line, money spinner.

fils [fis] *nm* son ; **~ de famille** moneyed young man.

filtre [filtR(ə)] *nm* filter ; '**~ ou sans ~?**' 'tipped or plain?' ; **~ à air** (*AUTO*) air filter ; **filtrer** *vt* to filter ; (*fig: candidats, visiteurs*) to screen // *vi* to filter (through).

fin [fɛ̃] *nf* end ; **~s** *nfpl* (*but*) ends ; **à (la) ~ mai** at the end of May ; **en ~ de semaine** at the end of the week ; **prendre ~** to come to an end ; **mettre ~ à** to put an end to ; **à la ~** in the end, eventually ; **sans ~** *a* endless // *ad* endlessly.

fin, e [fɛ̃, fin] *a* (*papier, couche, fil*) thin ; (*cheveux, poudre, pointe, visage*) fine ; (*taille*) neat, slim ; (*esprit, remarque*) subtle ; shrewd // *ad* (*moudre, couper*) finely // *nf* (*alcool*) liqueur brandy ; **~ prêt/soûl** quite ready/drunk ; **un ~ tireur** a crack shot ; **avoir la vue/l'ouïe ~e** to have sharp eyes/ears, have keen eyesight/hearing ; **or/linge/vin ~** fine gold/linen/wine ; **repas ~** gourmet meal ; **une ~ mouche** (*fig*) a sharp customer ; **~es herbes** mixed herbs.

final, e [final] *a, nf* final ; **quarts de ~e** quarter finals ; **8èmes/16èmes de ~e** 2nd/1st round (*in 5 round knock-out competition*) ; **~ement** *ad* finally, in the end ; (*après tout*) after all ; **~iste** *nm/f* finalist.

finance [finɑ̃s] nf finance; ~s nfpl (situation financière) finances; (activités financières) finance sg; **moyennant** ~ for a fee ou consideration; **financer** vt to finance; **financier, ière** a financial // nm financier.

finaud, e [fino, -od] a wily.

finesse [fines] nf thinness; fineness; neatness, slimness; subtlety; shrewdness; ~s nfpl (subtilités) niceties; finer points.

fini, e [fini] a finished; (MATH) finite; (intensif): **un égoïste** ~ an egotist through and through // nm (d'un objet manufacturé) finish.

finir [finiR] vt to finish // vi to finish, end; ~ **quelque part** to end ou finish up somewhere; ~ **de faire** to finish doing; (cesser) to stop doing; ~ **par faire** to end ou finish up doing; **il finit par m'agacer** he's beginning to get on my nerves; ~ **en pointe/tragédie** to end in a point/in tragedy; **en** ~ **avec** to be ou have done with; **il va mal** ~ he will come to a bad end.

finish [finiʃ] nm (SPORT) finish.

finissage [finisaʒ] nm finishing.

finition [finisjɔ̃] nf finishing; finish.

finlandais, e [fɛlɑ̃dɛ, -ɛz] a Finnish // nm/f Finn.

Finlande [fɛlɑ̃d] nf: **la** ~ Finland; **finnois** nm Finnish.

fiole [fjɔl] nf phial.

fiord [fjɔR(d)] nm = fjord.

fioriture [fjɔRityR] nf embellishment, flourish.

firmament [fiRmamɑ̃] nm firmament, skies pl.

firme [fiRm(ə)] nf firm.

fis vb voir **faire**.

fisc [fisk] nm tax authorities pl, ≈ Inland Revenue; ~**al, e, aux** a tax cpd, fiscal; ~**alité** nf tax system; (charges) taxation.

fission [fisjɔ̃] nf fission.

fissure [fisyR] nf crack.

fissurer [fisyRe] vt, **se** ~ vi to crack.

fiston [fistɔ̃] nm (fam) son, lad.

fit vb voir **faire**.

fixateur [fiksatœR] nm (PHOTO) fixer; (pour cheveux) hair cream.

fixatif [fiksatif] nm fixative.

fixation [fiksɑsjɔ̃] nf fixing; fastening; setting; (de ski) binding; (PSYCH) fixation.

fixe [fiks(ə)] a fixed; (emploi) steady, regular // nm (salaire) basic salary; **à heure** ~ at a set time; **menu à prix** ~ set menu.

fixé, e [fikse] a: **être** ~ (**sur**) (savoir à quoi s'en tenir) to have made up one's mind (about); to know for certain (about).

fixement [fiksəmɑ̃] ad (regarder) fixedly, steadily.

fixer [fikse] vt (attacher): ~ **qch (à/sur)** to fix ou fasten sth (to/onto); (déterminer) to fix, set; (CHIMIE, PHOTO) to fix; (poser son regard sur) to look hard at, stare at; **se** ~ (s'établir) to settle down; **se** ~ **sur** (suj: attention) to focus on.

fjord [fjɔR(d)] nm fjord, fiord.

flacon [flakɔ̃] nm bottle.

flageller [flaʒele] vt to flog, scourge.

flageoler [flaʒɔle] vi (jambes) to sag.

flageolet [flaʒɔlɛ] nm (MUS) flageolet; (CULIN) dwarf kidney bean.

flagorneur, euse [flagɔRnœR, -øz] nm/f toady, fawner.

flagrant, e [flagRɑ̃, -ɑ̃t] a flagrant, blatant; **en** ~ **délit** in the act, in flagrante delicto.

flair [flɛR] nm sense of smell; (fig) intuition; **flairer** vt (humer) to sniff (at); (détecter) to scent.

flamand, e [flamɑ̃, -ɑ̃d] a, nm (langue) Flemish // nm/f Fleming; **les F~s** the Flemish.

flamant [flamɑ̃] nm flamingo.

flambant [flɑ̃bɑ̃] ad: ~ **neuf** brand new.

flambé, e [flɑ̃be] a (CULIN) flambé // nf blaze; (fig) flaring-up, explosion.

flambeau, x [flɑ̃bo] nm (flaming) torch.

flamber [flɑ̃be] vi to blaze (up) // vt (poulet) to singe; (aiguille) to sterilize.

flamboyant, e [flɑ̃bwajɑ̃, -ɑ̃t] a flashing, blazing; flaming.

flamboyer [flɑ̃bwaje] vi to blaze (up); to flame.

flamme [flam] nf flame; (fig) fire, fervour; **en** ~**s** on fire, ablaze.

flammèche [flamɛʃ] nf (flying) spark.

flan [flɑ̃] nm (CULIN) custard tart ou pie.

flanc [flɑ̃] nm side; (MIL) flank; **à** ~ **de colline** on the hillside; **prêter le** ~ **à** (fig) to lay o.s. open to.

flancher [flɑ̃ʃe] vi to fail, pack up.

flanelle [flanɛl] nf flannel.

flâner [flɑne] vi to stroll; **flânerie** nf stroll.

flanquer [flɑ̃ke] vt to flank; (fam: mettre): ~ **qch sur/dans** to bung ou shove sth on/into; (: jeter): ~ **par terre/à la porte** to fling to the ground/chuck out.

flapi, e [flapi] a dog-tired.

flaque [flak] nf (d'eau) puddle; (d'huile, de sang etc) pool.

flash, pl flashes [flaʃ] nm (PHOTO) flash; ~ **(d'information)** newsflash.

flasque [flask(ə)] a flabby.

flatter [flate] vt to flatter; (caresser) to stroke; **se** ~ **de qch** to pride o.s. on sth; **flatterie** nf flattery q; **flatteur, euse** a flattering // nm/f flatterer.

fléau, x [fleo] nm scourge, curse; (de balance) beam; (pour le blé) flail.

flèche [flɛʃ] nf arrow; (de clocher) spire; (de grue) jib; **monter en** ~ (fig) to soar, rocket; **flécher** vt to arrow, mark with arrows; **fléchette** nf dart; **fléchettes** nfpl (jeu) darts sg.

fléchir [fleʃiR] vt (corps, genou) to bend; (fig) to sway, weaken // vi (poutre) to sag, bend; (fig) to weaken, flag; **fléchissement** nm bending; sagging; flagging.

flegmatique [flɛgmatik] a phlegmatic.

flegme [flɛgm(ə)] nm composure.

flemmard, e [flemaR, -aRd(ə)] nm/f lazybones, loafer.

flétrir [fletRiR] vt to wither; (stigmatiser) to condemn (in the most severe terms); **se** ~ vi to wither.

fleur [flœR] *nf* flower; (*d'un arbre*) blossom, bloom; **être en ~** (*arbre*) to be in blossom *ou* bloom; **tissu à ~s** flowered *ou* flowery fabric; **à ~ de terre** just above the ground; **~ de lis** fleur-de-lis.

fleurer [flœRe] *vt*: **~ la lavande** to be fragrant with the scent of lavender.

fleuret [flœRɛ] *nm* (*arme*) foil; (*sport*) fencing.

fleuri, e [flœRi] *a* in flower *ou* bloom; surrounded by flowers; (*fig*) flowery; florid.

fleurir [flœRiR] *vi* (*rose*) to flower; (*arbre*) to blossom; (*fig*) to flourish // *vt* (*tombe*) to put flowers on; (*chambre*) to decorate with flowers.

fleuriste [flœRist(ə)] *nm/f* florist.

fleuron [flœRɔ̃] *nm* jewel (*fig*).

fleuve [flœv] *nm* river.

flexible [flɛksibl(ə)] *a* flexible.

flexion [flɛksjɔ̃] *nf* flexing, bending; (*LING*) inflection.

flibustier [flibystje] *nm* buccaneer.

flic [flik] *nm* (*fam: péj*) cop.

flirter [flœRte] *vi* to flirt.

F.L.N. *sigle m* = **Front de libération nationale** (*during the Algerian war*).

flocon [flɔkɔ̃] *nm* flake; (*de laine etc: boulette*) flock; **~s d'avoine** oatflakes.

flonflons [flɔ̃flɔ̃] *nmpl* blare *sg*.

floraison [flɔRɛzɔ̃] *nf* flowering; blossoming; flourishing.

floral, e, aux [flɔRal, -o] *a* floral, flower *cpd*.

floralies [flɔRali] *nfpl* flower show *sg*.

flore [flɔR] *nf* flora.

florissant, e [flɔRisɑ̃, -ɑ̃t] *vb voir* **fleurir** // *a* flourishing.

flot [flo] *nm* flood, stream; (*marée*) flood tide; **~s** *nmpl* (*de la mer*) waves; **être à ~** (*NAVIG*) to be afloat; (*fig*) to be on an even keel; **entrer à ~s** to be streaming *ou* pouring in.

flottage [flɔtaʒ] *nm* (*du bois*) floating.

flottaison [flɔtɛzɔ̃] *nf*: **ligne de ~** waterline.

flottant, e [flɔtɑ̃, -ɑ̃t] *a* (*vêtement*) loose (-fitting); (*cours, barème*) floating.

flotte [flɔt] *nf* (*NAVIG*) fleet; (*fam*) water; rain.

flottement [flɔtmɑ̃] *nm* (*fig*) wavering, hesitation.

flotter [flɔte] *vi* to float; (*nuage, odeur*) to drift; (*drapeau*) to fly; (*vêtements*) to hang loose; (*monnaie*) to float // *vt* to float; **faire ~** to float; **flotteur** *nm* float.

flottille [flɔtij] *nf* flotilla.

flou, e [flu] *a* fuzzy, blurred; (*fig*) woolly, vague.

flouer [flue] *vt* to swindle.

fluctuation [flyktɥasjɔ̃] *nf* fluctuation.

fluet, te [flyɛ, -ɛt] *a* thin, slight.

fluide [flɥid] *a* fluid; (*circulation etc*) flowing freely // *nm* fluid; (*force*) (mysterious) power; **fluidité** *nf* fluidity; free flow.

fluor [flyɔR] *nm* fluorine.

fluorescent, e [flyɔRescent, -ɑ̃t] *a* fluorescent.

flûte [flyt] *nf* flute; (*verre*) flute glass; (*pain*) long loaf (*pl* loaves); **~! drat it!;**

petite ~ piccolo (*pl s*); **~ à bec** recorder; **~ de Pan** panpipes *pl*; **flûtiste** *nm/f* flautist, flute player.

fluvial, e, aux [flyvjal, -o] *a* river *cpd*, fluvial.

flux [fly] *nm* incoming tide; (*écoulement*) flow; **le ~ et le reflux** the ebb and flow.

fluxion [flyksjɔ̃] *nf*: **~ de poitrine** pneumonia.

FM *sigle voir* **modulation**.

F.M.I. *sigle m voir* **fonds**.

foc [fɔk] *nm* jib.

focal, e, aux [fɔkal, -o] *a* focal // *nf* focal length.

fœtal, e, aux [fetal, -o] *a* foetal, fetal.

fœtus [fetys] *nm* foetus, fetus.

foi [fwa] *nf* faith; **sous la ~ du serment** under *ou* on oath; **ajouter ~ à** to lend credence to; **digne de ~** reliable; **sur la ~ de** on the word *ou* strength of; **être de bonne/mauvaise ~** to be sincere/insincere.

foie [fwa] *nm* liver; **~ gras** foie gras.

foin [fwɛ̃] *nm* hay; **faire les ~s** to make hay; **faire du ~** (*fig: fam*) to kick up a row.

foire [fwaR] *nf* fair; (*fête foraine*) (fun) fair; **faire la ~** (*fig: fam*) to whoop it up; **~ (exposition)** trade fair.

fois [fwa] *nf*: **une/deux ~** once/twice; **trois/vingt ~** three/twenty times; **2 ~ 2** twice 2, 2 times 2; **deux/quatre ~ plus grand (que)** twice/four times as large (as); **une ~** (*dans le passé*) once; (*dans le futur*) sometime; **une ~ pour toutes** once and for all; **une ~ que c'est fait** once it's done; **une ~ parti** once he had left; **des ~** (*parfois*) sometimes; **cette ~** this (*ou* that) time; **à la ~** (*ensemble*) (all) at once; **à la ~ grand et beau** both tall and handsome.

foison [fwazɔ̃] *nf*: **une ~ de** an abundance of; **à ~** *ad* in plenty.

foisonner [fwazɔne] *vi* to abound; **~ en** *ou* **de** to abound in.

fol [fɔl] *a voir* **fou**.

folâtre [fɔlɑtR(ə)] *a* playful.

folâtrer [fɔlɑtRe] *vi* to frolic (about).

folie [fɔli] *nf* (*d'une décision, d'un acte*) madness, folly; (*état*) madness, insanity; (*acte*) folly; **la ~ des grandeurs** delusions of grandeur; **faire des ~s** (*en dépenses*) to be extravagant.

folklore [fɔlklɔR] *nm* folklore; **folklorique** *a* folk *cpd*; (*fam*) weird.

folle [fɔl] *a, nf voir* **fou**; **~ment** *ad* (*très*) madly, wildly.

follet [fɔlɛ] *am*: **feu ~** will-o'-the-wisp.

fomenter [fɔmɑ̃te] *vt* to stir up, foment.

foncé, e [fɔ̃se] *a* dark; **bleu ~** dark blue.

foncer [fɔ̃se] *vt* to make darker // *vi* to go darker; (*fam: aller vite*) to tear *ou* belt along; **~ sur** to charge at.

foncier, ière [fɔ̃sje, -jɛR] *a* (*honnêteté etc*) basic, fundamental; (*malhonnêteté*) deep-rooted; (*COMM*) real estate *cpd*; **foncièrement** *ad* basically; thoroughly.

fonction [fɔ̃ksjɔ̃] *nf* (*rôle, MATH, LING*) function; (*emploi, poste*) post, position; **~s** (*professionnelles*) duties; **entrer en ~s** to take up one's post *ou* duties; to take up office ; **voiture de** ~ car provided with the post ; **être** ~ **de** (*dépendre de*) to depend on ; **en** ~ **de** (*par rapport à*) according to ; **faire** ~ **de** to serve as ; **la** ~ **publique** the public *ou* state service.

fonctionnaire [fɔ̃ksjɔnɛʀ] *nm/f* state employee, local authority employee ; (*dans l'administration*) ≈ civil servant.

fonctionnel, le [fɔ̃ksjɔnɛl] *a* functional.

fonctionnement [fɔ̃ksjɔnmɑ̃] *nm* functioning.

fonctionner [fɔ̃ksjɔne] *vi* to work, function ; (*entreprise*) to operate, function ; **faire** ~ to work, operate.

fond [fɔ̃] *nm voir aussi* **fonds** ; (*d'un récipient, trou*) bottom ; (*d'une salle, scène*) back ; (*d'un tableau, décor*) background ; (*opposé à la forme*) content ; (*SPORT*): **le** ~ long distance (running) ; **au** ~ **de** at the bottom of ; **at the back of** ; **à** ~ **ad** (*connaître, soutenir*) thoroughly ; (*appuyer, visser*) right down *ou* home ; **à** ~ (**de train**) *ad* (*fam*) full tilt ; **dans le** ~, **au** ~ *ad* (*en somme*) basically, really ; **de** ~ **en comble** *ad* from top to bottom ; ~ **sonore** background noise ; ~ **de teint** make-up base.

fondamental, e, aux [fɔ̃damɑ̃tal, -o] *a* fundamental.

fondant, e [fɔ̃dɑ̃, -ɑ̃t] *a* (*neige*) melting ; (*poire*) that melts in the mouth ; (*chocolat*) fondant.

fondateur, trice [fɔ̃datœʀ, -tʀis] *nm/f* founder ; **membre** ~ founder member.

fondation [fɔ̃dasjɔ̃] *nf* founding ; (*établissement*) foundation ; ~**s** *nfpl* (*d'une maison*) foundations ; **travaux de** ~ foundation works.

fondé, e [fɔ̃de] *a* (*accusation etc*) well-founded ; **mal** ~ unfounded ; **être** ~ **à croire** to have grounds for believing *ou* good reason to believe ; ~ **de pouvoir** *nm* authorized representative ; (*banking*) executive (*having the signature*).

fondement [fɔ̃dmɑ̃] *nm* (*derrière*) behind ; ~**s** *nmpl* foundations ; **sans** ~ *a* (*rumeur etc*) groundless, unfounded.

fonder [fɔ̃de] *vt* to found ; (*fig*): ~ **qch sur** to base sth on ; **se** ~ **sur** (*suj: personne*) to base o.s. on.

fonderie [fɔ̃dʀi] *nf* smelting works *sg*.

fondeur [fɔ̃dœʀ] *nm*: (**ouvrier**) ~ caster.

fondre [fɔ̃dʀ(ə)] *vt* to melt ; (*dans l'eau: sucre, sel*) to dissolve ; (*fig: mélanger*) to merge, blend // *vi* to melt ; to dissolve ; (*fig*) to melt away ; (*se précipiter*): ~ **sur** to swoop down on ; **faire** ~ to melt ; to dissolve ; ~ **en larmes** to burst into tears.

fondrière [fɔ̃dʀijɛʀ] *nf* rut.

fonds [fɔ̃] *nm* (*de bibliothèque*) collection ; (*COMM*): ~ (**de commerce**) business ; (*fig*): ~ **de probité** *etc* fund of integrity *etc* // *nmpl* (*argent*) funds ; **à** ~ **perdus** *ad* with little or no hope of getting the money back ; **F~ Monétaire International (FMI)** International Monetary Fund (IMF) ; ~ **de roulement** *nm* float.

fondu, e [fɔ̃dy] *a* (*beurre, neige*) melted ; (*métal*) molten // *nm* (*CINÉMA*): ~ (**enchaîné**) dissolve // *nf* (*CULIN*) fondue.

font *vb voir* **faire**.

fontaine [fɔ̃tɛn] *nf* fountain ; (*source*) spring.

fonte [fɔ̃t] *nf* melting ; (*métal*) cast iron ; **la** ~ **des neiges** the (spring) thaw.

fonts baptismaux [fɔ̃batismo] *nmpl* (baptismal) font *sg*.

football [futbol] *nm* football, soccer ; ~ **de table** table football ; ~**eur** *nm* footballer, football *ou* soccer player.

footing [futiŋ] *nm* jogging.

for [fɔʀ] *nm*: **dans son** ~ **intérieur** in one's heart of hearts.

forage [fɔʀaʒ] *nm* drilling, boring.

forain, e [fɔʀɛ̃, -ɛn] *a* fairground *cpd* // *nm* stallholder ; fairground entertainer.

forçat [fɔʀsa] *nm* convict.

force [fɔʀs(ə)] *nf* strength ; (*puissance: surnaturelle etc*) power ; (*PHYSIQUE, MÉCANIQUE*) force ; (*effectifs*): **d'im-portantes** ~**s de police** big contingents of police ; **d'insister** by dint of insisting ; as he (*ou* I) kept on insisting ; **de** ~ **ad** forcibly, by force ; **par la** ~ using force ; **faire** ~ **de rames/voiles** to ply the oars/cram on sail ; **être de** ~ **à faire** to be up to doing ; **de première** ~ first class ; ~ **d'âme** fortitude ; ~ **de frappe** strike force ; ~ **d'inertie** force of inertia ; **la** ~ **publique** the authorities responsible for public order ; ~**s d'intervention** peace-keeping force *sg* ; **les** ~**s de l'ordre** the police.

forcé, e [fɔʀse] *a* forced ; unintended ; inevitable.

forcément [fɔʀsemɑ̃] *ad* necessarily ; inevitably ; (*bien sûr*) of course.

forcené, e [fɔʀsəne] *a* frenzied // *nm/f* maniac.

forceps [fɔʀsɛps] *nm* forceps *pl*.

forcer [fɔʀse] *vt* (*contraindre*): ~ **qn à faire** to force sb to do ; (*porte, serrure, plante*) to force ; (*moteur, voix*) to strain // *vi* (*SPORT*) to overtax o.s. ; ~ **la dose/l'allure** to overdo it/increase the pace ; ~ **l'attention/le respect** to command attention/respect.

forcing [fɔʀsiŋ] *nm*: **faire le** ~ to pile on the pressure.

forcir [fɔʀsiʀ] *vi* (*grossir*) to broaden out ; (*vent*) to freshen.

forer [fɔʀe] *vt* to drill, bore.

forestier, ière [fɔʀɛstje, -jɛʀ] *a* forest *cpd*.

foret [fɔʀɛ] *nm* drill.

forêt [fɔʀɛ] *nf* forest.

foreuse [fɔʀøz] *nf* (electric) drill.

forfait [fɔʀfɛ] *nm* (*COMM*) fixed *ou* set price ; all-in deal *ou* price ; (*crime*) infamy ; **déclarer** ~ to withdraw ; **gagner par** ~ to win by a walkover ; **travailler à** ~ to work for a lump sum ; **forfaitaire** *a* inclusive ; set ; ~**-vacances** *nm* (all-inclusive) holiday package.

forfanterie [fɔʀfɑ̃tʀi] *nf* boastfulness *q*.

forge [fɔʀʒ(ə)] *nf* forge, smithy.

forger [fɔʀʒe] *vt* to forge ; (*fig: personnalité*) to form ; (: *prétexte*) to contrive, make up ; **être forgé de toutes pièces** to be a complete fabrication.

forgeron [fɔʀʒəʀɔ̃] *nm* (black)smith.

formaliser [fɔrmalize]: se ~ vi: se ~ (de) to take offence (at).

formalité [fɔrmalite] nf formality.

format [fɔrma] nm size; **petit** ~ small size; (PHOTO) 35 mm (film).

formation [fɔrmɑsjɔ̃] nf forming; training; (MUS) group; (MIL, AVIAT, GÉO) formation; **la ~ professionnelle** professional training.

forme [fɔrm(ə)] nf (gén) form; (d'un objet) shape, form; ~s nfpl (bonnes manières) proprieties; (d'une femme) figure sg; **en ~ de poire** pear-shaped, in the shape of a pear; **être en ~** (SPORT etc) to be on form; **en bonne et due** ~ in due form; **prendre ~** to take shape.

formel, le [fɔrmɛl] a (preuve, décision) definite, positive; (logique) formal; ~lement ad (absolument) positively.

former [fɔrme] vt (gén) to form; (éduquer: soldat, ingénieur etc) to train; **se** ~ vi to form.

formidable [fɔrmidabl(ə)] a tremendous.

formol [fɔrmɔl] nm formalin, formol.

formulaire [fɔrmylɛr] nm form.

formule [fɔrmyl] nf (gén) formula; (formulaire) form; ~ **de politesse** polite phrase; letter ending.

formuler [fɔrmyle] vt (émettre: réponse, vœux) to formulate; (expliciter: sa pensée) to express.

fort, e [fɔr, fɔrt(ə)] a strong; (intensité, rendement) high, great; (corpulent) stout // ad (serrer, frapper) hard; (sonner) loud(ly); (beaucoup) greatly, very much; (très) most // nm (édifice) fort; (point fort) **strong point, forte; c'est un peu ~!** it's a bit much!; **avoir ~ à faire pour faire** to have a hard job doing; **se faire ~ de ...** to claim one can ...; ~ **bien/peu** very well/few; **au plus ~ de** (au milieu de) in the thick of, at the height of.

forteresse [fɔrtərɛs] nf fortress.

fortifiant [fɔrtifjɑ̃] nm tonic.

fortifications [fɔrtifikɑsjɔ̃] nfpl fortifications.

fortifier [fɔrtifje] vt to strengthen, fortify; (MIL) to fortify.

fortin [fɔrtɛ̃] nm (small) fort.

fortiori [fɔrtjɔri]: à ~ ad all the more so.

fortuit, e [fɔrtɥi, -it] a fortuitous, chance cpd.

fortune [fɔrtyn] nf fortune; **faire** ~ to make one's fortune; **de** ~ a makeshift; chance cpd.

fortuné, e [fɔrtyne] a wealthy, well-off.

forum [fɔrɔm] nm forum.

fosse [fos] nf (grand trou) pit; (tombe) grave; **la ~ aux lions/ours** the lions' den/bear pit; ~ **commune** common ou communal grave; ~ **(d'orchestre)** (orchestra) pit; ~ **à purin** cesspit; ~s **nasales** nasal fossae pl.

fossé [fose] nm ditch; (fig) gulf, gap.

fossette [fosɛt] nf dimple.

fossile [fosil] nm fossil // a fossilized, fossil.

fossoyeur [foswajœr] nm gravedigger.

fou(fol), folle [fu, fɔl] a mad; (déréglé etc) wild, erratic; (fam: extrême, très grand) terrific, tremendous // nm/f mad-

man/woman // nm (du roi) jester, fool; (ÉCHECS) bishop; **être** ~ **de** to be mad ou crazy about; **faire le** ~ (enfant etc) to play ou act the fool; **avoir le** ~ **rire** to have the giggles.

foudre [fudr(ə)] nf lightning; ~s nfpl (colère) wrath sg.

foudroyant, e [fudrwajɑ̃, -ɑ̃t] a lightning cpd, stunning.

foudroyer [fudrwaje] vt to strike down; **il a été foudroyé** he was struck by lightning.

fouet [fwɛ] nm whip; (CULIN) whisk; **de plein** ~ ad (se heurter) head on; ~ter vt to whip; to whisk.

fougère [fuʒɛr] nf fern.

fougue [fug] nf ardour, spirit; **fougueux, euse** a fiery, ardent.

fouille [fuj] nf search; ~s nfpl (archéologiques) excavations; **passer à la** ~ to be searched.

fouiller [fuje] vt to search; (creuser) to dig // vi: ~ **dans/parmi** to rummage in/among.

fouillis [fuji] nm jumble, muddle.

fouine [fwin] nf stone marten.

fouiner [fwine] vi (péj): ~ **dans** to nose around ou about in.

fouisseur, euse [fwisœr, -øz] a burrowing.

foulante [fulɑ̃t] af: **pompe** ~ force pump.

foulard [fular] nm scarf (pl scarves).

foule [ful] nf crowd; **la** ~ crowds pl; **les** ~s the masses; **une** ~ **de** masses of.

foulée [fule] nf stride.

fouler [fule] vt to press; (sol) to tread upon; **se** ~ (fam) to overexert o.s.; **se** ~ **la cheville** to sprain one's ankle; ~ **aux pieds** to trample underfoot.

foulure [fulyr] nf sprain.

four [fur] nm oven; (de potier) kiln; (THÉÂTRE: échec) flop.

fourbe [furb(ə)] a deceitful; ~rie nf deceitfulness; deceit.

fourbi [furbi] nm (fam) gear, clobber.

fourbir [furbir] vt: ~ **ses armes** (fig) to get ready for the fray.

fourbu, e [furby] a exhausted.

fourche [furʃ(ə)] nf pitchfork; (de bicyclette) fork.

fourchette [furʃɛt] nf fork; (STATISTIQUE) bracket, margin.

fourchu, e [furʃy] a split; forked.

fourgon [furgɔ̃] nm van; (RAIL) wag(g)on; ~ **mortuaire** hearse.

fourgonnette [furgɔnɛt] nf (delivery) van.

fourmi [furmi] nf ant; ~s nfpl (fig) pins and needles; ~**lière** nf ant-hill.

fourmiller [furmije] vi to swarm; ~ **de** to be teeming with; to be swarming with.

fournaise [furnɛz] nf blaze; (fig) furnace, oven.

fourneau, x [furno] nm stove.

fournée [furne] nf batch.

fourni, e [furni] a (barbe, cheveux) thick; (magasin): **bien** ~ **(en)** well stocked (with).

fournir [furnir] vt to supply; (preuve, exemple) to provide, supply; (effort) to put in; ~ **qch à qn** to supply sth to sb, to supply ou provide sb with sth; ~ **qn en**

(COMM) to supply sb with; **fournisseur, euse** nm/f supplier.

fourniture [fuRnityR] nf supply(ing); ~**s** nfpl supplies; ~**s de bureau** office supplies, stationery; ~**s scolaires** school stationery.

fourrage [fuRaʒ] nm fodder, forage.

fourrager [fuRaʒe] vi: ~ **dans/ parmi** to rummage through/among.

fourrager, ère [fuRaʒe, -ɛR] a fodder cpd.

fourré, e [fuRe] a (bonbon, chocolat) filled; (manteau, botte) fur-lined // nm thicket.

fourreau, x [fuRo] nm sheath; (de parapluie) cover.

fourrer [fuRe] vt (fam): ~ **qch dans** to stick ou shove sth into; **se** ~ **dans/sous** to get into/under.

fourre-tout [fuRtu] nm inv (sac) holdall; (péj) junk room ou cupboard; (fig) rag-bag.

fourreur [fuRœR] nm furrier.

fourrière [fuRjɛR] nf pound.

fourrure [fuRyR] nf fur; (sur l'animal) coat; **manteau/col de** ~ fur coat/collar.

fourvoyer [fuRvwaje]: **se** ~ vi to go astray, stray; **se** ~ **dans** to stray into.

foutre [futR(ə)] vt (fam!) = **ficher** (fam); **foutu, e** a (fam!) = **fichu, e** a.

foyer [fwaje] nm (de cheminée) hearth; (fig) seat, centre; family; home; (social) club; hostel; (salon) foyer; (OPTIQUE, PHOTO) focus sg; **lunettes à double** ~ bi-focal glasses.

fracas [fRaka] nm din; crash; roar.

fracassant, e [fRakasɑ̃, -ɑ̃t] a sensational, staggering.

fracasser [fRakase] vt to smash.

fraction [fRaksjɔ̃] nf fraction; **fractionner** vt to divide (up), split (up).

fracture [fRaktyR] nf fracture; ~ **du crâne** fractured skull; ~ **de la jambe** broken leg.

fracturer [fRaktyRe] vt (coffre, serrure) to break open; (os, membre) to fracture.

fragile [fRaʒil] a fragile, delicate; (fig) frail; **fragilité** nf fragility.

fragment [fRagmɑ̃] nm (d'un objet) fragment, piece; (d'un texte) passage, extract; **fragmentaire** a sketchy; **fragmenter** vt to split up.

frai [fRɛ] nm spawn; spawning.

fraîche [fRɛʃ] a voir frais; ~**ment** ad coolly; freshly, newly; **fraîcheur** nf coolness; freshness; **fraîchir** vi to get cooler; (vent) to freshen.

frais, fraîche [fRɛ, fRɛʃ] a (air, eau, accueil) cool; (petit pois, œufs, souvenir, couleur, troupes) fresh // ad (récemment) newly, fresh(ly); **il fait** ~ it's cool; **servir** ~ chill before serving, serve chilled // nm: **mettre au** ~ to put in a cool place; **prendre le** ~ to take a breath of cool air // nmpl (débours) expenses; (COMM) costs; charges; **faire des** ~ to spend; to go to a lot of expense; ~ **de déplacement** travel(ling) expenses; ~**généraux** overheads; ~ **de scolarité** school fees.

fraise [fRɛz] nf strawberry; (TECH) countersink (bit); (de dentiste) drill; ~ **des bois** wild strawberry; **fraiser** vt to countersink; **fraisier** nm strawberry plant.

framboise [fRɑ̃bwaz] nf raspberry; **framboisier** nm raspberry bush.

franc, franche [fRɑ̃, fRɑ̃ʃ] a (personne) frank, straightforward; (visage, rire) open; (net: refus, couleur) clear; (: coupure) clean; (intensif) downright; (exempt): ~ **de port** post free, postage paid; carriage paid // ad: **parler** ~ to be frank ou candid // nm franc.

français, e [fRɑ̃sɛ, -ɛz] a French // nm/f: **F**~, **e** Frenchman/woman // nm (langue) French; **les F**~ the French.

France [fRɑ̃s] nf: **la** ~ France.

franche [fRɑ̃ʃ] a voir franc; ~**ment** ad frankly; clearly; (tout à fait) downright.

franchir [fRɑ̃ʃiR] vt (obstacle) to clear, get over; (seuil, ligne, rivière) to cross; (distance) to cover.

franchise [fRɑ̃ʃiz] nf frankness; (douanière, d'impôt) exemption; (ASSURANCES) excess.

franciser [fRɑ̃size] vt to gallicize, Frenchify.

franc-maçon [fRɑ̃masɔ̃] nm freemason; **franc-maçonnerie** nf freemasonry.

franco [fRɑ̃ko] ad (COMM) carriage paid, postage paid.

franco... [fRɑ̃ko] préfixe: ~**phile** a francophile; ~**phone** a French-speaking // nm/f French speaker; ~**phonie** nf French-speaking communities.

franc-parler [fRɑ̃paRle] nm inv outspokenness.

franc-tireur [fRɑ̃tiRœR] nm (MIL) irregular; (fig) freelance.

frange [fRɑ̃ʒ] nf fringe.

frangipane [fRɑ̃ʒipan] nf almond paste.

franquette [fRɑ̃kɛt]: **à la bonne** ~ ad without (any) fuss.

frappe [fRap] nf (d'une dactylo, pianiste, machine à écrire) touch; (BOXE) punch; (péj) hood, thug.

frappé, e [fRape] a iced.

frapper [fRape] vt to hit, strike; (étonner) to strike; (monnaie) to strike, stamp; **se** ~ (s'inquiéter) to get worked up; ~ **à la porte** to knock (at) the door; ~ **dans ses mains** to clap one's hands; ~ **du poing sur** to bang one's fist on; **frappé de stupeur** dumbfounded.

frasques [fRask(ə)] nfpl escapades.

fraternel, le [fRatɛRnɛl] a brotherly, fraternal.

fraterniser [fRatɛRnize] vi to fraternize.

fraternité [fRatɛRnite] nf brotherhood.

fratricide [fRatRisid] a fratricidal.

fraude [fRod] nf fraud; (SCOL) cheating; **passer qch en** ~ to smuggle sth in (ou out); ~ **fiscale** tax evasion; **frauder** vi, vt to cheat; **fraudeur, euse** nm/f person guilty of fraud; candidate who cheats; tax evader; **frauduleux, euse** a fraudulent.

frayer [fReje] vt to open up, clear // vi to spawn; (fréquenter): ~ **avec** to mix ou associate with; **se** ~ **un passage dans** to clear o.s. a path through, force one's way through.

frayeur [fRɛjœR] nf fright.

fredaines [fRədɛn] nfpl mischief sg, escapades.

fredonner [fʀədɔne] vt to hum.
freezer [fʀizœʀ] nm freezing compartment.
frégate [fʀegat] nf frigate.
frein [fʀɛ̃] nm brake; **mettre un ~ à** (fig) to put a brake on, check; **~ à main** handbrake; **~ moteur** engine braking; **~s à disques** disc brakes; **~s à tambour** drum brakes.
freinage [fʀɛnaʒ] nm braking; **distance de ~** braking distance; **traces de ~** tyre marks.
freiner [fʀene] vi to brake // vt (progrès etc) to check.
frelaté, e [fʀəlate] a adulterated; (fig) tainted.
frêle [fʀɛl] a frail, fragile.
frelon [fʀəlɔ̃] nm hornet.
frémir [fʀemiʀ] vi to tremble, shudder; to shiver; to quiver.
frêne [fʀɛn] nm ash.
frénésie [fʀenezi] nf frenzy; **frénétique** a frenzied, frenetic.
fréquemment [fʀekamɑ̃] ad frequently.
fréquence [fʀekɑ̃s] nf frequency.
fréquent, e [fʀekɑ̃, -ɑ̃t] a frequent.
fréquentation [fʀekɑ̃tɑsjɔ̃] nf frequenting; seeing; **~s** nfpl company sg.
fréquenté, e [fʀekɑ̃te] a: **très ~** (very) busy; **mal ~** patronized by disreputable elements.
fréquenter [fʀekɑ̃te] vt (lieu) to frequent; (personne) to see (frequently).
frère [fʀɛʀ] nm brother.
fresque [fʀɛsk(ə)] nf (ART) fresco.
fret [fʀɛ] nm freight.
fréter [fʀete] vt to charter.
frétiller [fʀetije] vi to wriggle.
fretin [fʀətɛ̃] nm: **le menu ~** the small fry.
friable [fʀijabl(ə)] a crumbly, friable.
friand, e [fʀijɑ̃, -ɑ̃d] a: **~ de** very fond of.
friandise [fʀijɑ̃diz] nf sweet.
fric [fʀik] nm (fam) cash.
fric-frac [fʀikfʀak] nm break-in.
friche [fʀiʃ]: **en ~**, ad (lying) fallow.
friction [fʀiksjɔ̃] nf (massage) rub, rub-down; (chez le coiffeur) scalp massage; (TECH, fig) friction; **frictionner** vt to rub (down); to massage.
frigidaire [fʀiʒidɛʀ] nm ® refrigerator.
frigide [fʀiʒid] a frigid; **frigidité** nf frigidity.
frigo [fʀigo] nm fridge.
frigorifier [fʀigɔʀifje] vt to refrigerate; **frigorifique** a refrigerating.
frileux, euse [fʀilø, -øz] a sensitive to (the) cold.
frimas [fʀima] nmpl wintry weather sg.
frimousse [fʀimus] nf (sweet) little face.
fringale [fʀɛ̃gal] nf: **avoir la ~** to be ravenous.
fringant, e [fʀɛ̃gɑ̃, -ɑ̃t] a dashing.
fripé, e [fʀipe] a crumpled.
fripier, ère [fʀipje, -jɛʀ] nm/f secondhand clothes dealer.
fripon, ne [fʀipɔ̃, -ɔn] a roguish, mischievous // nm/f rascal, rogue.

fripouille [fʀipuj] nf scoundrel.
frire [fʀiʀ] vt, vi, **faire ~** to fry.
frise [fʀiz] nf frieze.
frisé, e [fʀize] a curly, curly-haired; (chicorée) **~e** curly endive.
friser [fʀize] vt, vi to curl; **se faire ~** to have one's hair curled.
frisson [fʀisɔ̃] nm shudder, shiver; quiver; **frissonner** vi to shudder, shiver; to quiver.
frit, e [fʀi, fʀit] pp de **frire** // a fried // nf: (pommes) **~es** chips, French fried potatoes; **friteuse** nf chip pan; **friture** nf (huile) (deep) fat; (plat): **friture (de poissons)** fried fish; (RADIO) crackle, crackling q.
frivole [fʀivɔl] a frivolous.
froid, e [fʀwa, fʀwad] a, nm cold; **il fait ~** it's cold; **avoir ~** to be cold; **prendre ~** to catch a chill ou cold; **jeter un ~** (fig) to cast a chill; **être en ~ avec** to be on bad terms with; **froidement** ad (accueillir) coldly; (décider) coolly.
froisser [fʀwase] vt to crumple (up), crease; (fig) to hurt, offend; **se ~** vi to crumple, crease; to take offence ou umbrage; **se ~ un muscle** to strain a muscle.
frôler [fʀole] vt to brush against; (suj: projectile) to skim past; (fig) to come within a hair's breadth of; to come very close to.
fromage [fʀomaʒ] nm cheese; **~ blanc** soft white cheese; **~ de tête** pork brawn; **fromager, ère** nm/f cheesemonger; **fromagerie** nf cheese dairy.
froment [fʀomɑ̃] nm wheat.
froncer [fʀɔ̃se] vt to gather; **~ les sourcils** to frown.
frondaisons [fʀɔ̃dɛzɔ̃] nfpl foliage sg.
fronde [fʀɔ̃d] nf sling; (fig) rebellion, rebelliousness.
front [fʀɔ̃] nm forehead, brow; (MIL) front; **avoir le ~ de faire** to have the effrontery ou front to do; **de ~** ad (se heurter) head-on; (rouler) together (i.e. 2 or 3 abreast); (simultanément) at once; **faire ~ à** to face up to; **~ de mer** (sea) front; **frontal, e, aux** a frontal.
frontalier, ière [fʀɔ̃talje, -jɛʀ] a border cpd, frontier cpd // nm/f: (travailleurs) **~s** workers who cross the border to go to work, commuters from across the border.
frontière [fʀɔ̃tjɛʀ] nf (GÉO, POL) frontier, border; (fig) frontier, boundary.
frontispice [fʀɔ̃tispis] nm frontispiece.
fronton [fʀɔ̃tɔ̃] nm pediment; (de pelote basque) (front) wall.
frottement [fʀɔtmɑ̃] nm rubbing, scraping; rubbing ou scraping noise.
frotter [fʀɔte] vi to rub, scrape // vt to rub; (pour nettoyer) to rub (up); to scrub; **~ une allumette** to strike a match.
frottoir [fʀɔtwaʀ] nm (d'allumettes) friction strip; (pour encaustiquer) (long-handled) brush.
fructifier [fʀyktifje] vi to yield a profit; **faire ~** to turn to good account.
fructueux, euse [fʀyktɥø, -øz] a fruitful; profitable.

frugal, e, aux [fʀygal, -o] *a* frugal.
fruit [fʀɥi] *nm* fruit (*gén q*); **~s de mer** seafood(s); **~s secs** dried fruit *sg*; **fruité, e** *a* fruity; **fruitier, ière** *a*: **arbre fruitier** fruit tree // *nm/f* fruiterer, greengrocer.
fruste [fʀyst(ə)] *a* unpolished, uncultivated.
frustration [fʀystʀasjɔ̃] *nf* frustration.
frustrer [fʀystʀe] *vt* to frustrate.
FS *sigle* = *franc suisse.*
fugace [fygas] *a* fleeting.
fugitif, ive [fyʒitif, -iv] *a* (*lueur, amour*) fleeting; (*prisonnier etc*) fugitive, runaway // *nm/f* fugitive.
fugue [fyg] *nf* (*d'un enfant*) running away *q*; (*MUS*) fugue; **faire une ~** to run away, abscond.
fuir [fɥiʀ] *vt* to flee from; (*éviter*) to shun // *vi* to run away; (*gaz, robinet*) to leak.
fuite [fɥit] *nf* flight; (*écoulement*) leak, leakage; (*divulgation*) leak; **être en ~** to be on the run; **mettre en ~** to put to flight; **prendre la ~** to take flight.
fulgurant, e [fylgyʀɑ̃, -ɑ̃t] *a* lightning *cpd*, dazzling.
fulminer [fylmine] *vi*: **~ (contre)** to thunder forth (against).
fume-cigarette [fymsigaʀɛt] *nm inv* cigarette holder.
fumé, e [fyme] *a* (*CULIN*) smoked; (*verres*) (grey-)tinted // *nf* smoke.
fumer [fyme] *vi* to smoke; (*soupe*) to steam // *vt* to smoke; (*terre, champ*) to manure.
fumerie [fymʀi] *nf*: **~ d'opium** opium den.
fumerolles [fymʀɔl] *nfpl* gas and smoke (*from volcano*).
fûmes *vb voir* **être.**
fumet [fymɛ] *nm* aroma.
fumeur, euse [fymœʀ, -øz] *nm/f* smoker.
fumeux, euse [fymø, -øz] *a* (*péj*) woolly.
fumier [fymje] *nm* manure.
fumigation [fymigasjɔ̃] *nf* fumigation.
fumigène [fymiʒɛn] *a* smoke *cpd*.
fumiste [fymist(ə)] *nm* (*ramoneur*) chimney sweep // *nm/f* (*péj*) shirker; phoney.
fumisterie [fymistəʀi] *nf* (*péj*) fraud, con.
fumoir [fymwaʀ] *nm* smoking room.
funambule [fynɑ̃byl] *nm* tightrope walker.
funèbre [fynɛbʀ(ə)] *a* funeral *cpd*; (*fig*) doleful; funereal.
funérailles [fyneʀaj] *nfpl* funeral *sg.*
funéraire [fyneʀɛʀ] *a* funeral *cpd*, funerary.
funeste [fynɛst(ə)] *a* disastrous; deathly.
funiculaire [fynikylɛʀ] *nm* funicular (railway).
fur [fyʀ]: **au ~ et à mesure** *ad* as one goes along; **au ~ et à mesure que** as, as soon as; **au ~ et à mesure de leur progression** as they advance (*ou* advanced).
furet [fyʀɛ] *nm* ferret.
fureter [fyʀte] *vi* (*péj*) to nose about.
fureur [fyʀœʀ] *nf* fury; (*passion*): **~ de** passion for; **faire ~** to be all the rage.

furibond, e [fyʀibɔ̃, -ɔ̃d] *a* furious.
furie [fyʀi] *nf* fury; (*femme*) shrew, vixen; **en ~** (*mer*) raging; **furieux, euse** *a* furious.
furoncle [fyʀɔ̃kl(ə)] *nm* boil, furuncle.
furtif, ive [fyʀtif, -iv] *a* furtive.
fus *vb voir* **être.**
fusain [fyzɛ̃] *nm* (*BOT*) spindle-tree; (*ART*) charcoal.
fuseau, x [fyzo] *nm* (*pour filer*) spindle; **~ horaire** time zone.
fusée [fyze] *nf* rocket; **~ éclairante** flare.
fuselage [fyzlaʒ] *nm* fuselage.
fuselé, e [fyzle] *a* slender; tapering.
fuser [fyze] *vi* (*rires etc*) to burst forth.
fusible [fyzibl(ə)] *nm* (*ÉLEC*: *fil*) fuse wire; (: *fiche*) fuse.
fusil [fyzi] *nm* (*de guerre, à canon rayé*) rifle, gun; (*de chasse, à canon lisse*) shotgun, gun; **fusilier** [-lje] *nm* rifleman; **fusillade** [-jad] *nf* gunfire *q*, shooting *q*; shooting battle; **fusiller** *vt* to shoot; **~-mitrailleur** *nm* machine gun.
fusion [fyzjɔ̃] *nf* fusion, melting; (*fig*) merging; (*COMM*) merger; **en ~** (*métal, roches*) molten; **fusionner** *vi* to merge.
fustiger [fystiʒe] *vt* to denounce.
fut *vb voir* **être.**
fût [fy] *nm* (*tonneau*) barrel, cask; (*de canon*) stock; (*d'arbre*) bole, trunk; (*de colonne*) shaft.
futaie [fytɛ] *nf* forest, plantation.
futile [fytil] *a* futile; frivolous.
futur, e [fytyʀ] *a*, *nm* future; **au ~** (*LING*) in the future; **~-iste** *a* futuristic.
fuyant, e [fɥijɑ̃, -ɑ̃t] *vb voir* **fuir** // *a* (*regard etc*) evasive; (*lignes etc*) receding; (*perspective*) vanishing.
fuyard, e [fɥijaʀ, -aʀd(ə)] *nm/f* runaway.

G

gabardine [gabaʀdin] *nf* gabardine.
gabarit [gabaʀi] *nm* (*fig*) size; calibre; (*TECH*) template.
gabegie [gabʒi] *nf* (*péj*) chaos.
gâcher [gɑʃe] *vt* (*gâter*) to spoil, ruin; (*gaspiller*) to waste; (*plâtre*) to temper; (*mortier*) to mix.
gâchette [gɑʃɛt] *nf* trigger.
gâchis [gɑʃi] *nm* waste *q.*
gadoue [gadu] *nf* sludge.
gaffe [gaf] *nf* (*instrument*) boat hook; (*erreur*) blunder; **faire ~** (*fam*) to be careful; **gaffer** *vi* to blunder.
gag [gag] *nm* gag.
gage [gaʒ] *nm* (*dans un jeu*) forfeit; (*fig*: *de fidélité*) token; **~s** *nmpl* (*salaire*) wages; (*garantie*) guarantee *sg*; **mettre en ~** to pawn; **laisser en ~** to leave as a security.
gager [gaʒe] *vt*: **~ que** to bet *ou* wager that.
gageure [gaʒyʀ] *nf*: **c'est une ~** it's attempting the impossible.
gagnant, e [gaɲɑ̃, -ɑ̃t] *a*: **billet/ numéro ~** winning ticket/number // *nm/f* winner.
gagne-pain [gaɲpɛ̃] *nm inv* job.
gagner [gaɲe] *vt* to win; (*somme d'argent, revenu*) to earn; (*aller vers, atteindre*) to

reach // vi to win; (fig) to gain; ~ **du temps/de la place** to gain time/save space; ~ **sa vie** to earn one's living; ~ **du terrain** to gain ground; ~ **à faire** (s'en trouver bien) to be better off doing.

gai, e [ge] a (un peu ivre) a gay, cheerful; (un peu ivre) merry.

gaieté [gete] nf cheerfulness; ~**s** nfpl (souvent ironique) delights; **de ~ de cœur** with a light heart.

gaillard, e [gajaʀ, -aʀd(ə)] a (robuste) sprightly; (grivois) bawdy, ribald // nm/f (strapping) fellow/wench.

gain [gɛ̃] nm (revenu) earnings pl; (bénéfice: gén pl) profits pl; (au jeu: gén pl) winnings pl; (fig: de temps, place) saving; **avoir ~ de cause** to win the case; (fig) to be proved right.

gaine [gɛn] nf (corset) girdle; (fourreau) sheath; (de fil électrique etc) outer covering; ~**-culotte** nf pantie girdle; **gainer** vt to cover.

gala [gala] nm official reception; **soirée de ~** gala evening.

galant, e [galɑ̃, -ɑ̃t] a (courtois) courteous, gentlemanly; (entreprenant) flirtatious, gallant; (aventure, poésie) amorous; **en ~e compagnie** with a lady friend/gentleman friend.

galaxie [galaksi] nf galaxy.

galbe [galb(ə)] nm curve(s); shapeliness.

gale [gal] nf scabies sg.

galéjade [galeʒad] nf tall story.

galère [galɛʀ] nf galley.

galerie [galʀi] nf gallery; (THÉÂTRE) circle; (de voiture) roof rack; (fig: spectateurs) audience; ~ **marchande** shopping arcade; ~ **de peinture** (private) art gallery.

galérien [galeʀjɛ̃] nm galley slave.

galet [galɛ] nm pebble; (TECH) wheel; ~**s** nmpl pebbles, shingle sg.

galette [galɛt] nf flat cake.

galeux, euse [galø, -øz] a: **un chien ~** a mangy dog.

galimatias [galimatja] nm (péj) gibberish.

Galles [gal] n: **le pays de ~** Wales.

gallicisme [galisism(ə)] nm French idiom; (tournure fautive) gallicism.

gallois, e [galwa, -waz] a, nm (langue) Welsh // nm/f: **G~,** e Welshman/woman.

galon [galɔ̃] nm (MIL) stripe; (décoratif) piece of braid.

galop [galo] nm gallop; **au ~** at a gallop.

galopade [galɔpad] nf stampede.

galoper [galɔpe] vi to gallop.

galopin [galɔpɛ̃] nm urchin, ragamuffin.

galvaniser [galvanize] vt to galvanize.

galvauder [galvode] vt to debase.

gambader [gɑ̃bade] vi (animal, enfant) to leap about.

gamelle [gamɛl] nf mess tin; billy can; (fam): **ramasser une ~** to come a cropper.

gamin, e [gamɛ̃, -in] nm/f kid // a mischievous, playful.

gamme [gam] nf (MUS) scale; (fig) range.

gammé, e [game] a: **croix ~e** swastika.

gang [gɑ̃g] nm gang.

ganglion [gɑ̃glijɔ̃] nm ganglion.

gangrène [gɑ̃gʀɛn] nf gangrene.

gangue [gɑ̃g] nf coating.

ganse [gɑ̃s] nf braid.

gant [gɑ̃] nm glove; ~ **de toilette** (face) flannel; ~**s de boxe** boxing gloves; **ganté, e** a: **ganté de blanc** wearing white gloves; **ganterie** nf glove trade; glove shop.

garage [gaʀaʒ] nm garage; ~ **à vélos** bicycle shed; **garagiste** nm/f garage owner; garage mechanic ou man.

garant, e [gaʀɑ̃, -ɑ̃t] nm/f guarantor // nm guarantee; **se porter ~ de** to vouch for; to be answerable for.

garantie [gaʀɑ̃ti] nf guarantee; (gage) security, surety; **(bon de) ~** guarantee ou warranty slip.

garantir [gaʀɑ̃tiʀ] vt to guarantee; (protéger): ~ **de** to protect from; **je vous garantis que** I can assure you that; **garanti 2 ans/pure laine** guaranteed for 2 years/pure wool.

garçon [gaʀsɔ̃] nm boy; (célibataire) bachelor; (jeune homme) boy, lad; ~ **boucher/ coiffeur** butcher's/hairdresser's assistant; ~ **de courses** messenger; ~ **d'écurie** stable lad; **garçonnet** nm small boy; **garçonnière** nf bachelor flat.

garde [gaʀd(ə)] nm (de prisonnier) guard; (de domaine etc) warden; (soldat, sentinelle) guardsman // nf guarding; looking after; (soldats, BOXE, ESCRIME) guard; (faction) watch; (d'une arme) hilt; (TYPO): **(page de) ~** endpaper; flyleaf; **de ~** a, ad on duty; **monter la ~** to stand guard; **être sur ses ~s** to be on one's guard; **mettre en ~** to warn; **prendre ~ (à)** to be careful (of); ~ **champêtre** nm rural policeman; ~ **du corps** nm bodyguard; ~ **d'enfants** nf child minder; ~ **des enfants** nf (après divorce) custody of the children; ~ **forestier** nm forest warden; ~ **mobile** nm, nf mobile guard; ~ **des Sceaux** nm ≈ Lord Chancellor; ~ **à vue** nf (JUR) ≈ police custody; ~**-à-vous** nm inv: **être/se mettre au ~-à-vous** to be at/stand to attention.

garde... [gaʀd(ə)] préfixe: ~**-barrière** nm/f level-crossing keeper; ~**-boue** nm inv mudguard; ~**-chasse** nm gamekeeper; ~**-fou** nm railing, parapet; ~**-malade** nf home nurse; ~**-manger** nm inv meat safe; pantry, larder; ~**-meuble** nm furniture depository; ~**-pêche** nm inv water bailiff; fisheries protection ship.

garder [gaʀde] vt (conserver) to keep; (surveiller: prisonnier, enfants) to look after; (: immeuble, lieu) to guard; ~ **le lit/la chambre** to stay in bed/indoors; **se ~** (aliment: se conserver) to keep; **se ~ de faire** to be careful not to do; **pêche/chasse gardée** private fishing/hunting (ground).

garderie [gaʀdəʀi] nf day nursery, crèche.

garde-robe [gaʀdəʀɔb] nf wardrobe.

gardeur, euse [gaʀdœʀ, -øz] nm/f (d'animaux) cowherd; goatherd.

gardien, ne [gaʀdjɛ̃, -jɛn] nm/f (garde) guard; (de prison) warder; (de domaine, réserve) warden; (de musée etc) attendant; (de phare, cimetière) keeper; (d'immeuble) caretaker; (fig) guardian; ~ **de but**

goalkeeper; ~ **de nuit** night watchman;
~ **de la paix** policeman.

gare [gaR] *nf* (railway) station // *excl*
watch out!; ~ **à ne pas ...** mind you don't
...; ~ **maritime** harbour station; ~
routière coach station.

garenne [gaREn] *nf voir* **lapin.**

garer [gaRe] *vt* to park; **se** ~ to park;
(*pour laisser passer*) to draw into the side.

gargariser [gaRgaRize]: **se** ~ *vi* to
gargle; **gargarisme** *nm* gargling *q*; gargle.

gargote [gaRgɔt] *nf* cheap restaurant.

gargouille [gaRguj] *nf* gargoyle.

gargouiller [gaRguje] *vi* to gurgle.

garnement [gaRnəmɑ̃] *nm* tearaway,
scallywag.

garni, e [gaRni] *a* (*plat*) served with
vegetables (and chips or pasta or rice) //
nm furnished accommodation *q*.

garnir [gaRniR] *vt* to decorate; to fill; to
cover; ~ **qch de** (*orner*) to decorate sth
with; to trim sth with; (*approvisionner*) to
fill *ou* stock sth with; (*protéger*) to fit sth
with; (*CULIN*) to garnish sth with.

garnison [gaRnizɔ̃] *nf* garrison.

garniture [gaRnityR] *nf* (*CULIN*) vegetables
pl; trimmings *pl*; filling; (*décoration*)
trimming; (*protection*) fittings *pl*; ~ **de
frein** brake lining; ~ **intérieure** (*AUTO*)
interior trim.

garrot [gaRo] *nm* (*MÉD*) tourniquet;
(*torture*) garrotte.

garrotter [gaRɔte] *vt* to tie up; (*fig*) to
muzzle.

gars [ga] *nm* lad; guy.

gas-oil [gazɔjl] *nm* diesel oil.

gaspillage [gaspijaʒ] *nm* waste.

gaspiller [gaspije] *vt* to waste.

gastrique [gastRik] *a* gastric, stomach *cpd*.

gastronome [gastRɔnɔm] *nm/f* gourmet.

gastronomie [gastRɔnɔmi] *nf* gastronomy.

gâteau, x [gɑto] *nm* cake; ~ **sec** biscuit.

gâter [gɑte] *vt* to spoil; **se** ~ *vi* (*dent, fruit*)
to go bad; (*temps, situation*) to change for
the worse.

gâterie [gɑtRi] *nf* little treat.

gâteux, euse [gɑtø, -øz] *a* senile.

gauche [goʃ] *a* left, left-hand; (*maladroit*)
awkward, clumsy // *nf* (*POL*) left (wing);
à ~ on the left; (*direction*) (to the) left;
à ~ **de** (on *ou* to the) left of; **à la** ~ **de**
to the left of; **gaucher, ère** *a* left-handed;
~**rie** *nf* awkwardness, clumsiness;
gauchir *vt* to warp; **gauchisant, e** *a* with
left-wing tendencies; **gauchiste** *nm/f*
leftist.

gaufre [gofR(ə)] *nf* waffle.

gaufrer [gofRe] *vt* (*papier*) to emboss;
(*tissu*) to goffer.

gaufrette [gofRɛt] *nf* wafer.

gaule [gol] *nf* (long) pole.

gaulois, e [golwa, -waz] *a* Gallic; (*grivois*)
bawdy // *nm/f*: **G**~, **e** Gaul.

gausser [gose]: **se** ~ **de** *vt* to deride.

gaver [gave] *vt* to force-feed; (*fig*): **de**
to cram with, fill up with.

gaz [gaz] *nm inv* gas; **mettre les** ~ (*AUTO*)
to put one's foot down; ~ **lacrymogène**
tear gas; ~ **de ville** town gas.

gaze [gaz] *nf* gauze.

gazéifié, e [gazeifje] *a* aerated.

gazelle [gazɛl] *nf* gazelle.

gazer [gaze] *vt* to gas // *vi* (*fam*) to be
going *ou* working well.

gazette [gazɛt] *nf* news sheet.

gazeux, euse [gazø, -øz] *a* gaseous; **eau
gazeuse** soda water.

gazoduc [gazɔdyk] *nm* gas pipeline.

gazomètre [gazɔmɛtR(ə)] *nm* gasometer.

gazon [gazɔ̃] *nm* (*herbe*) turf; grass;
(*pelouse*) lawn.

gazouiller [gazuje] *vi* to chirp; (*enfant*)
to babble.

geai [ʒɛ] *nm* jay.

géant, e [ʒeɑ̃, -ɑ̃t] *a* gigantic, giant;
(*COMM*) giant-size // *nm/f* giant.

geindre [ʒɛ̃dR(ə)] *vi* to groan, moan.

gel [ʒɛl] *nm* frost; freezing.

gélatine [ʒelatin] *nf* gelatine; **gélatineux,
euse** *a* jelly-like, gelatinous.

gelé, e [ʒəle] *a* frozen.

gelée [ʒəle] *nf* jelly; (*gel*) frost; ~
blanche hoarfrost, white frost.

geler [ʒəle] *vt, vi* to freeze; **il gèle** it's
freezing; **gelures** *nfpl* frostbite *sg*.

Gémeaux [ʒemo] *nmpl*: **les** ~ Gemini,
the Twins; **être des** ~ to be Gemini.

gémir [ʒemiR] *vi* to groan, moan;
gémissement *nm* groan, moan.

gemme [ʒɛm] *nf* gem(stone).

gênant, e [ʒɛnɑ̃, -ɑ̃t] *a* annoying;
embarrassing.

gencive [ʒɑ̃siv] *nf* gum.

gendarme [ʒɑ̃daRm(ə)] *nm* gendarme;
~**rie** *nf* military police force in countryside
and small towns; their police station or
barracks.

gendre [ʒɑ̃dR(ə)] *nm* son-in-law.

gêne [ʒɛn] *nf* (*à respirer, bouger*)
discomfort, difficulty; (*dérangement*)
bother, trouble; (*manque d'argent*)
financial difficulties *pl ou* straits *pl*;
(*confusion*) embarrassment.

gêné, e [ʒene] *a* embarrassed.

généalogie [ʒenealɔʒi] *nf* genealogy;
généalogique *a* genealogical.

gêner [ʒene] *vt* (*incommoder*) to bother;
(*encombrer*) to hamper; to be in the way;
(*déranger*) to bother; (*embarrasser*): ~ **qn**
to make sb feel ill-at-ease; **se** ~ to put
o.s. out.

général, e, aux [ʒeneRal, -o] *a, nm*
general // *nf*: (*répétition*) ~**e** final dress
rehearsal; **en** ~ usually, in general;
~**ement** *ad* generally.

généralisation [ʒeneRalizasjɔ̃] *nf*
generalization.

généralisé, e [ʒeneRalize] *a* general.

généraliser [ʒeneRalize] *vt, vi* to
generalize; **se** ~ *vi* to become widespread.

généraliste [ʒeneRalist(ə)] *nm/f* general
practitioner, G.P.

généralités [ʒeneRalite] *nfpl* generalities;
(*introduction*) general points.

générateur, trice [ʒeneRatœR, -tRis] *a*:
~ **de** which causes *ou* brings about // *nf*
generator.

génération [ʒeneRasjɔ̃] *nf* generation.

généreusement [ʒenerøzmɑ̃] *ad* generously.

généreux, euse [ʒenerø, -øz] *a* generous.

générique [ʒenerik] *a* generic // *nm* (CINÉMA) credits *pl*, credit titles *pl*.

générosité [ʒenerozite] *nf* generosity.

genèse [ʒənɛz] *nf* genesis.

genêt [ʒənɛ] *nm* broom *q*.

génétique [ʒenetik] *a* genetic // *nf* genetics *sg*.

Genève [ʒənɛv] *n* Geneva; **genevois, e** *a, nm/f* Genevan.

génial, e, aux [ʒenjal, -o] *a* of genius.

génie [ʒeni] *nm* genius; (MIL): **le** ~ **the** Engineers *pl*; ~ **civil** civil engineering.

genièvre [ʒənjɛvʀ(ə)] *nm* juniper (tree); (boisson) geneva; **grain de** ~ juniper berry.

génisse [ʒenis] *nf* heifer.

génital, e, aux [ʒenital, -o] *a* genital.

génitif [ʒenitif] *nm* genitive.

genou, x [ʒnu] *nm* knee; **à** ~**x** on one's knees; **se mettre à** ~**x** to kneel down; **genouillère** *nf* (SPORT) kneepad.

genre [ʒɑ̃ʀ] *nm* kind, type, sort; (allure) manner; (LING) gender; (ART) genre; (ZOOL etc) genus.

gens [ʒɑ̃] *nmpl* (f in some phrases) people, pl.

gentil, le [ʒɑ̃ti, -ij] *a* kind; (enfant: sage) good; (sympa: endroit etc) nice; **gentillesse** *nf* kindness; **gentiment** *ad* kindly.

génuflexion [ʒenyflɛksjɔ̃] *nf* genuflexion.

géographe [ʒeɔgʀaf] *nm/f* geographer.

géographie [ʒeɔgʀafi] *nf* geography; **géographique** *a* geographical.

geôlier [ʒolje] *nm* jailer.

géologie [ʒeɔlɔʒi] *nf* geology; **géologique** *a* geological; **géologue** *nm/f* geologist.

géomètre [ʒeɔmɛtʀ(ə)] *nm/f*: **(arpenteur-)** ~ (land) surveyor.

géométrie [ʒeɔmetʀi] *nf* geometry; **à** ~ **variable** (AVIAT) swing-wing; **géométrique** *a* geometric.

gérance [ʒeʀɑ̃s] *nf* management; **mettre en** ~ to appoint a manager for.

géranium [ʒeʀanjɔm] *nm* geranium.

gérant, e [ʒeʀɑ̃, -ɑ̃t] *nm/f* manager/manageress; ~ **d'immeuble** managing agent.

gerbe [ʒɛʀb(ə)] *nf* (de fleurs) spray; (de blé) sheaf (pl sheaves); (fig) shower, burst.

gercé, e [ʒɛʀse] *a* chapped.

gerçure [ʒɛʀsyʀ] *nf* crack.

gérer [ʒeʀe] *vt* to manage.

gériatrie [ʒeʀjatʀi] *nf* geriatrics *sg*; **gériatrique** *a* geriatric.

germain, e [ʒɛʀmɛ̃, -ɛn] *a*: **cousin** ~ first cousin.

germanique [ʒɛʀmanik] *a* Germanic.

germe [ʒɛʀm(ə)] *nm* germ.

germer [ʒɛʀme] *vi* to sprout; to germinate.

gésier [ʒezje] *nm* gizzard.

gésir [ʒeziʀ] *vi* to be lying (down); voir aussi ci-gît.

gestation [ʒɛstasjɔ̃] *nf* gestation.

geste [ʒɛst(ə)] *nm* gesture; move; motion.

gesticuler [ʒɛstikyle] *vi* to gesticulate.

gestion [ʒɛstjɔ̃] *nf* management.

gibecière [ʒibsjɛʀ] *nf* gamebag.

gibet [ʒibɛ] *nm* gallows *pl*.

gibier [ʒibje] *nm* (animaux) game; (fig) prey.

giboulée [ʒibule] *nf* sudden shower.

giboyeux, euse [ʒibwajø, -øz] *a* well-stocked with game.

gicler [ʒikle] *vi* to spurt, squirt.

gicleur [ʒiklœʀ] *nm* (AUTO) jet.

gifle [ʒifl(ə)] *nf* slap (in the face); **gifler** *vt* to slap (in the face).

gigantesque [ʒigɑ̃tɛsk(ə)] *a* gigantic.

gigogne [ʒigɔɲ] *a*: **lits** ~**s** pull-out *ou* stowaway beds; **tables/poupées** ~**s** nest of tables/dolls.

gigot [ʒigo] *nm* leg (of mutton *ou* lamb).

gigoter [ʒigɔte] *vi* to wriggle (about).

gilet [ʒilɛ] *nm* waistcoat; (pull) cardigan; (de corps) vest; ~ **pare-balles** bulletproof jacket; ~ **de sauvetage** life jacket.

gin [dʒin] *nm* gin.

gingembre [ʒɛ̃ʒɑ̃bʀ(ə)] *nm* ginger.

girafe [ʒiʀaf] *nf* giraffe.

giratoire [ʒiʀatwaʀ] *a*: **sens** ~ roundabout.

girofle [ʒiʀɔfl(ə)] *nm*: **clou de** ~ clove.

girouette [ʒiʀwɛt] *nf* weather vane *ou* cock.

gisait *etc vb voir* **gésir**.

gisement [ʒizmɑ̃] *nm* deposit.

gît *vb voir* **gésir**.

gitan, e [ʒitɑ̃, -an] *nm/f* gipsy.

gîte [ʒit] *nm* home; shelter; ~ **rural** farmhouse accommodation *q* (for tourists).

givrage [ʒivʀaʒ] *nm* icing.

givre [ʒivʀ(ə)] *nm* (hoar) frost.

glabre [glɑbʀ(ə)] *a* hairless; clean-shaven.

glace [glas] *nf* ice; (crème glacée) ice cream; (verre) sheet of glass; (miroir) mirror; (de voiture) window; ~**s** *nfpl* (GÉO) ice sheets, ice *sg*.

glacé, e [glase] *a* icy; (boisson) iced.

glacer [glase] *vt* to freeze; (boisson) to chill, ice; (gâteau) to ice; (papier, tissu) to glaze; (fig): ~ **qn** to chill sb; to make sb's blood run cold.

glaciaire [glasjɛʀ] *a* ice *cpd*; glacial.

glacial, e [glasjal] *a* icy.

glacier [glasje] *nm* (GÉO) glacier; (marchand) ice-cream maker.

glacière [glasjɛʀ] *nf* icebox.

glaçon [glasɔ̃] *nm* icicle; (pour boisson) ice cube.

glaïeul [glajœl] *nm* gladiola.

glaire [glɛʀ] *nf* (MÉD) phlegm *q*.

glaise [glɛz] *nf* clay.

gland [glɑ̃] *nm* acorn; (décoration) tassel; (ANAT) glans.

glande [glɑ̃d] *nf* gland.

glaner [glane] *vt, vi* to glean.

glapir [glapiʀ] *vi* to yelp.

glas [glɑ] *nm* knell, toll.

glauque [glok] *a* a dull blue-green.

glissade [glisad] *nf* (par jeu) slide; (chute) slip; (dérapage) skid.

glissant, e [glisɑ̃, -ɑ̃t] *a* slippery.

glissement [glismɑ̃] *nm* sliding; (fig) shift; ~ **de terrain** landslide.

glisser [glise] *vi* (*avancer*) to glide *ou* slide along; (*coulisser, tomber*) to slide; (*déraper*) to slip; (*être glissant*) to be slippery // *vt*: ~ qch sous/dans/à to slip sth under/into/to; ~ sur (*fig: détail etc*) to skate over; se ~ dans/entre to slip into/between; **glissière** *nf* slide channel; à **glissière** sliding; **glissoire** *nf* slide.

global, e, aux [glɔbal, -o] *a* overall.

globe [glɔb] *nm* globe; sous ~ under glass; ~ **oculaire** eyeball; le ~ **terrestre** the globe.

globule [glɔbyl] *nm* (*du sang*): ~ **blanc/rouge** white/red corpuscle.

globuleux, euse [glɔbylø, -øz] *a*: yeux ~ protruding eyes.

gloire [glwaʀ] *nf* glory; (*mérite*) distinction, credit; (*personne*) celebrity; **glorieux, euse** *a* glorious; **glorifier** *vt* to glorify, extol.

glossaire [glɔsɛʀ] *nm* glossary.

glousser [gluse] *vi* to cluck; (*rire*) to chuckle.

glouton, ne [glutɔ̃, -ɔn] *a* gluttonous, greedy.

glu [gly] *nf* birdlime.

gluant, e [glyã, -ãt] *a* sticky, gummy.

glycine [glisin] *nf* wisteria.

go [go]: **tout de** ~ *ad* straight out.

G.O. *sigle* = **grandes ondes**.

gobelet [gɔblɛ] *nm* tumbler; beaker; (*à dés*) cup.

gober [gɔbe] *vt* to swallow.

godet [gɔdɛ] *nm* pot.

godiller [gɔdije] *vi* to scull.

goéland [gɔelã] *nm* (sea)gull.

goélette [gɔelɛt] *nf* schooner.

goémon [gɔemɔ̃] *nm* wrack.

gogo [gɔgo] *nm* (*péj*) mug, sucker; à ~ *ad* galore.

goguenard, e [gɔgnaʀ, -aʀd(ə)] *a* mocking.

goguette [gɔgɛt] *nf*: en ~ on the binge.

goinfre [gwɛ̃fʀ(ə)] *nm* glutton; se **goinfrer** *vi* to make a pig of o.s.; se **goinfrer de** to guzzle.

goitre [gwatʀ(ə)] *nm* goitre.

golf [gɔlf] *nm* golf; golf course; ~ **miniature** crazy *ou* miniature golf.

golfe [gɔlf(ə)] *nm* gulf; bay.

gomme [gɔm] *nf* (*à effacer*) rubber, eraser; (*résine*) gum; **gommer** *vt* to erase; to gum.

gond [gɔ̃] *nm* hinge; **sortir de ses** ~s (*fig*) to fly off the handle.

gondole [gɔ̃dɔl] *nf* gondola.

gondoler [gɔ̃dɔle] *vi*, se ~ *vi* to warp; to buckle.

gondolier [gɔ̃dɔlje] *nm* gondolier.

gonflage [gɔ̃flaʒ] *nm* inflating, blowing up.

gonflé, e [gɔ̃fle] *a* swollen; bloated.

gonfler [gɔ̃fle] *vt* (*pneu, ballon*) to inflate, blow up; (*nombre, importance*) to inflate // *vi* to swell (up); (*CULIN*: pâte) to rise; **gonfleur** *nm* air pump.

gong [gɔ̃g] *nm* gong.

goret [gɔʀɛ] *nm* piglet.

gorge [gɔʀʒ(ə)] *nf* (*ANAT*) throat; (*poitrine*) breast; (*GÉO*) gorge; (*rainure*) groove.

gorgé, e [gɔʀʒe] *a*: ~ **de** filled with; (*eau*) saturated with // *nf* mouthful; sip; gulp.

gorille [gɔʀij] *nm* gorilla; (*fam*) bodyguard.

gosier [gozje] *nm* throat.

gosse [gɔs] *nm/f* kid.

gothique [gɔtik] *a* gothic.

goudron [gudʀɔ̃] *nm* tar; **goudronner** *vt* to tarmac.

gouffre [gufʀ(ə)] *nm* abyss, gulf.

goujat [guʒa] *nm* boor.

goujon [guʒɔ̃] *nm* gudgeon.

goulée [gule] *nf* gulp.

goulet [gulɛ] *nm* bottleneck.

goulot [gulo] *nm* neck; **boire au** ~ to drink from the bottle.

goulu, e [guly] *a* greedy.

goupillon [gupijɔ̃] *nm* (*REL*) sprinkler.

gourd, e [guʀ, guʀd(ə)] *a* numb (with cold).

gourde [guʀd(ə)] *nf* (*récipient*) flask.

gourdin [guʀdɛ̃] *nm* club, bludgeon.

gourmand, e [guʀmã, -ãd] *a* greedy; **gourmandise** *nf* greed; (*bonbon*) sweet.

gourmet [guʀmɛ] *nm* epicure.

gourmette [guʀmɛt] *nf* chain bracelet.

gousse [gus] *nf*: ~ **d'ail** clove of garlic.

gousset [gusɛ] *nm* (*de gilet*) fob.

goût [gu] *nm* taste; **prendre** ~ à to develop a taste *ou* a liking for.

goûter [gute] *vt* (*essayer*) to taste; (*apprécier*) to enjoy // *vi* to have (afternoon) tea // *nm* (afternoon) tea; ~ à to taste, sample; ~ **de** to have a taste of.

goutte [gut] *nf* drop; (*MÉD*) gout; (*alcool*) brandy; ~s *nfpl* (*MÉD*) (nose) drops.

goutte-à-goutte [gutagut] *nm* (*MÉD*) drip; **alimenter au** ~ to drip-feed.

gouttelette [gutlɛt] *nf* droplet.

gouttière [gutjɛʀ] *nf* gutter.

gouvernail [guvɛʀnaj] *nm* rudder; (*barre*) helm, tiller.

gouvernante [guvɛʀnãt] *nf* governess.

gouverne [guvɛʀn(ə)] *nf*: **pour sa** ~ for his guidance.

gouvernement [guvɛʀnəmã] *nm* government; **membre du** ≈ Cabinet member; **gouvernemental, e, aux** *a* government *cpd*; pro-government.

gouverner [guvɛʀne] *vt* to govern; **gouverneur** *nm* governor; commanding officer.

grâce [gʀɑs] *nf* grace; favour; (*JUR*) pardon; ~s *nfpl* (*REL*) grace *sg*; **dans les bonnes** ~s de qn in favour with sb; **faire** ~ à qn de qch to spare sb sth; **rendre** ~(s) à to give thanks to; **demander** ~ to beg for mercy; **droit de** ~ right of reprieve; ~ à *prép* thanks to; **gracier** *vt* to pardon; **gracieux, euse** *a* graceful.

gracile [gʀasil] *a* slender.

gradation [gʀadɑsjɔ̃] *nf* gradation.

grade [gʀad] *nm* rank; **monter en** ~ to be promoted.

gradé [gʀade] *nm* officer.

gradin [gʀadɛ̃] *nm* tier; step; ~s *nmpl* (*de stade*) terracing *sg*.

graduation [gʀadɥɑsjɔ̃] *nf* graduation.

graduel, le [gʀadɥɛl] *a* gradual; progressive.

graduer [gradɥe] vt (effort etc) to increase gradually; (règle, verre) to graduate; **exercices gradués** exercises graded for difficulty.

graffiti [grafiti] nmpl graffiti.

grain [grɛ̃] nm (gén) grain; (NAVIG) squall; ~ **de beauté** beauty spot; ~ **de café** coffee bean; ~ **de poivre** peppercorn; ~ **de poussière** speck of dust; ~ **de raisin** grape.

graine [grɛn] nf seed; ~**tier** nm seed merchant.

graissage [grɛsaʒ] nm lubrication, greasing.

graisse [grɛs] nf fat; (lubrifiant) grease; **graisser** vt to lubricate, grease; (tacher) to make greasy; **graisseux, euse** a greasy; (ANAT) fatty.

grammaire [gramɛr] nf grammar; **grammatical, e, aux** a grammatical.

gramme [gram] nm gramme.

grand, e [grɑ̃, grɑ̃d] a (haut) tall; (gros, vaste, large) big, large; (long) long; (sens abstraits) great // ad: ~ **ouvert** wide open; **son** ~ **frère** his older brother; **il est assez** ~ **pour** he's old enough to; **au** ~ **air** in the open (air); ~**s blessés/brûlés** casualties with severe injuries/burns; ~ **angle** nm (PHOTO) wide-angle lens sg; ~ **écart** splits pl; ~ **ensemble** housing scheme; ~ **magasin** department store; ~**e personne** grown-up; ~**es écoles** prestige schools of university level, with competitive entrance examination; ~**es lignes** (RAIL) main lines; ~**es vacances** summer holidays; **grand-chose** nm/f inv: **pas grand-chose** not much; **Grande-Bretagne** nf: **la Grande-Bretagne** (Great) Britain; **grandeur** nf (dimension) size; magnitude; (fig) greatness; **grandeur nature** life-size; **grandir** vi (enfant, arbre) to grow; (bruit, hostilité) to increase, grow // vt: **grandir qn** (suj: vêtement, chaussure) to make sb look taller; (fig) to make sb grow in stature; ~**-mère** nf grandmother; ~**-messe** nf high mass; ~**-père** nm grandfather; ~**-route** nf main road; ~**-rue** nf high street; ~**s-parents** nmpl grandparents.

grange [grɑ̃ʒ] nf barn.

granit [granit] nm granite.

granulé [granyle] nm granule.

granuleux, euse [granylø, -øz] a granular.

graphie [grafi] nf written form.

graphique [grafik] a graphic // nm graph.

graphisme [grafism(ə)] nm graphic arts pl; graphics sg.

graphologie [grafɔlɔʒi] nf graphology; **graphologue** nm/f graphologist.

grappe [grap] nf cluster; ~ **de raisin** bunch of grapes.

grappiller [grapije] vt to glean.

grappin [grapɛ̃] nm grapnel; **mettre le** ~ **sur** (fig) to get one's claws on.

gras, se [grɑ, grɑs] a (viande, soupe) fatty; (personne) fat; (surface, main) greasy; (toux) loose, phlegmy; (rire) throaty; (plaisanterie) coarse; (crayon) soft-lead; (TYPO) bold // nm (CULIN) fat; **faire la** ~**se matinée** to have a lie-in;

~**sement** ad: ~**sement payé** handsomely paid; ~**souillet, te** a podgy, plump.

gratification [gratifikasjɔ̃] nf bonus.

gratifier [gratifje] vt: ~ **qn de** to favour sb with, reward sb with; (sourire etc) to favour sb with.

gratin [gratɛ̃] nm (CULIN) cheese-topped dish; cheese topping.

gratiné, e [gratine] a (CULIN) au gratin; (fam) hellish.

gratis [gratis] ad free.

gratitude [gratityd] nf gratitude.

gratte-ciel [gratsjɛl] nm inv skyscraper.

grattement [gratmɑ̃] nm (bruit) scratching (noise).

gratte-papier [gratpapje] nm inv (péj) penpusher.

gratter [grate] vt (frotter) to scrape; (enlever) to scrape off; (bras, bouton) to scratch; **grattoir** nm scraper.

gratuit, e [gratɥi, -ɥit] a (entrée, billet) free; (fig) gratuitous.

gratuitement [gratɥitmɑ̃] ad free.

gravats [grava] nmpl rubble sg.

grave [grav] a (maladie, accident) serious, bad; (sujet, problème) serious, grave; (air) grave, solemn; (voix, son) deep, low-pitched // nm (MUS) low register; **blessé** ~ seriously injured person; ~**ment** ad seriously; gravely.

graver [grave] vt to engrave; **graveur** nm engraver.

gravier [gravje] nm gravel q; **gravillons** nmpl gravel sg, loose chippings ou gravel.

gravir [gravir] vt to climb (up).

gravitation [gravitasjɔ̃] nf gravitation.

gravité [gravite] nf seriousness; gravity; (PHYSIQUE) gravity.

graviter [gravite] vi: ~ **autour de** to revolve around.

gravure [gravyr] nf engraving; (reproduction) print; plate.

gré [gre] nm: **à son** ~ to his liking; as he pleases; **au** ~ **de** according to, following; **contre le** ~ **de qn** against sb's will; **de son (plein)** ~ of one's own free will; **de** ~ **ou de force** whether one likes it or not; **de bon** ~ willingly; **de** ~ **à** ~ (COMM) by mutual agreement; **savoir** ~ **à qn de qch** to be grateful to sb for sth.

grec, grecque [grɛk] a Greek; (classique: vase etc) Grecian // nm/f Greek.

Grèce [grɛs] nf: **la** ~ Greece.

gréement [gremɑ̃] nm rigging.

greffe [grɛf] nf grafting q, graft; transplanting q, transplant // nm (JUR) office.

greffer [grefe] vt (BOT, MÉD: tissu) to graft; (MÉD: organe) to transplant.

greffier [grefje] nm clerk of the court.

grégaire [gregɛr] a gregarious.

grège [grɛʒ] a: **soie** ~ raw silk.

grêle [grɛl] a (very) thin // nf hail.

grêlé, e [grele] a pockmarked.

grêler [grele] vb impersonnel: **il grêle** it's hailing.

grêlon [grelɔ̃] nm hailstone.

grelot [grəlo] nm little bell.

grelotter [grəlɔte] vi (trembler) to shiver.

grenade [grənad] nf (explosive) grenade; (BOT) pomegranate; ~ **lacrymogène** teargas grenade.

grenadier [grənadje] nm (MIL) grenadier; (BOT) pomegranate tree.

grenat [grəna] a inv dark red.

grenier [grənje] nm attic; (de ferme) loft.

grenouille [grənuj] nf frog.

grenu, e [grəny] a grainy, grained.

grès [grɛ] nm sandstone; (poterie) stoneware.

grésiller [grezije] vi to sizzle; (RADIO) to crackle.

grève [grɛv] nf (d'ouvriers) strike; (plage) shore; **se mettre en/faire** ~ to go on/be on strike; ~ **de la faim** hunger strike; ~ **sauvage** wildcat strike; ~ **sur le tas** sit down strike; ~ **tournante** strike by rota; ~ **du zèle** work-to-rule q.

grever [grəve] vt to put a strain on; **grevé d'impôts** crippled by taxes.

gréviste [grevist(ə)] nm/f striker.

gribouiller [gribuje] vt to scribble, scrawl // vi to doodle.

grief [grijɛf] nm grievance; **faire** ~ **à qn de** to reproach sb for.

grièvement [grijɛvmɑ̃] ad seriously.

griffe [grif] nf claw; (fig) signature.

griffer [grife] vt to scratch.

griffonner [grifone] vt to scribble.

grignoter [griɲote] vt to nibble ou gnaw at.

gril [gril] nm steak ou grill pan.

grillade [grijad] nf grill.

grillage [grijaʒ] nm (treillis) wire netting; wire fencing.

grille [grij] nf (portail) (metal) gate; (d'égout) (metal) grate; (fig) grid.

grille-pain [grijpɛ̃] nm inv toaster.

griller [grije] vt (aussi: **faire** ~: pain) to toast; (: viande) to grill; (fig: ampoule etc) to burn out, blow.

grillon [grijɔ̃] nm cricket.

grimace [grimas] nf grimace; (pour faire rire): **faire des** ~s to pull ou make faces.

grimer [grime] vt to make up.

grimper [grɛ̃pe] vi, vt to climb.

grincement [grɛ̃smɑ̃] nm grating (noise); creaking (noise).

grincer [grɛ̃se] vi (porte, roue) to grate; (plancher) to creak; ~ **des dents** to grind one's teeth.

grincheux, euse [grɛ̃ʃ/ø, -øz] a grumpy.

grippe [grip] nf flu, influenza; **grippé, e** a: **être grippé** to have flu.

gripper [gripe] vt, vi to jam.

gris, e [gri, griz] a grey; (ivre) tipsy.

grisaille [grizaj] nf greyness, dullness.

grisant, e [grizɑ̃, -ɑ̃t] a intoxicating, exhilarating.

griser [grize] vt to intoxicate.

grisonner [grizone] vi to be going grey.

grisou [grizu] nm firedamp.

grive [griv] nf thrush.

grivois, e [grivwa, -waz] a saucy.

grog [grɔg] nm grog.

grogner [grɔɲe] vi to growl; (fig) to grumble.

groin [grwɛ̃] nm snout.

grommeler [grɔmle] vi to mutter to o.s.

grondement [grɔ̃dmɑ̃] nm rumble.

gronder [grɔ̃de] vi to rumble; (fig: révolte) to be brewing // vt to scold.

gros, se [gro, gros] a big, large; (obèse) fat; (travaux, dégâts) extensive; (large: trait, fil) thick, heavy // ad: **risquer/gagner** ~ to risk/win a lot // nm (COMM): **le** ~ **de** the wholesale business; **prix de** ~ wholesale price; **par** ~ **temps/~se mer** in rough weather/heavy seas; **le** ~ **de** the main body of; the bulk of; **en** ~ roughly; (COMM) wholesale; ~ **intestin** large intestine; ~ **lot** jackpot; ~ **mot** coarse word, vulgarity; ~ **plan** (PHOTO) close-up; ~ **sel** cooking salt; ~**se caisse** big drum.

groseille [grozɛj] nf: ~ **(rouge)/ (blanche)** red/white currant; ~ **à maquereau** gooseberry; **groseillier** nm red ou white currant bush; gooseberry bush.

grosse [gros] a voir **gros.**

grossesse [grosɛs] nf pregnancy.

grosseur [grosœr] nf size; fatness; (tumeur) lump.

grossier, ière [grosje, -jɛr] a coarse; (travail) rough; crude; (évident: erreur) gross; **grossièrement** ad coarsely; roughly; crudely; (en gros) roughly.

grossir [grosir] vi (personne) to put on weight; (fig) to grow, get bigger; (rivière) to swell // vt to increase; to exaggerate; (au microscope) to magnify; (suj: vêtement): ~ **qn** to make sb look fatter; **grossissement** nm (optique) magnification.

grossiste [grosist(ə)] nm/f wholesaler.

grosso modo [grosomodo] ad roughly.

grotte [grɔt] nf cave.

grouiller [gruje] vi to mill about; to swarm about; ~ **de** to be swarming with.

groupe [grup] nm group; ~ **sanguin** blood group.

groupement [grupmɑ̃] nm grouping; group.

grouper [grupe] vt to group; **se** ~ to get together.

gruau [gryo] nm: **pain de** ~ wheaten bread.

grue [gry] nf crane.

grumeaux [grymo] nmpl lumps.

grutier [grytje] nm crane driver.

Guadeloupe [gwadlup] nf: **la** ~ Guadeloupe.

gué [ge] nm ford; **passer à** ~ to ford.

guenilles [gənij] nfpl rags.

guenon [gənɔ̃] nf female monkey.

guépard [gepar] nm cheetah.

guêpe [gɛp] nf wasp.

guêpier [gepje] nm (fig) trap.

guère [gɛr] ad (avec adjectif, adverbe): **ne ...** ~ hardly; (avec verbe): **ne ...** ~ **+ tournure négative** + much; hardly ever; **tournure négative** + (very) long; **il n'y a** ~ **que/de** there's hardly anybody (ou anything) but/hardly any.

guéridon [geridɔ̃] nm pedestal table.

guérilla [gerija] nf guerrilla warfare.

guérillero [gerijero] nm guerrilla.

guérir [gerir] vt (personne, maladie) to cure; (membre, plaie) to heal // vi (*personne*) to recover, be cured ; (*plaie*, *chagrin*) to heal ; ~ **de** to be cured of, recover from ; ~ **qn de** to cure sb of ; **guérison** *nf* curing ; healing ; recovery ; **guérissable** *a* curable ; **guérisseur, euse** *nm/f* healer.

guérite [geʀit] *nf* sentry box.

guerre [gɛʀ] *nf* war ; (*méthode*): ~ **atomique/de tranchées** atomic/ trench warfare *q* ; **en** ~ at war ; **faire la** ~ **à** to wage war against ; **de** ~ **lasse** finally ; ~ **civile/ mondiale** civil/world war ; ~ **d'usure** war of attrition ; **guerrier, ière** *a* warlike // *nm/f* warrior ; **guerroyer** *vi* to wage war.

guet [gɛ] *nm*: **faire le** ~ to be on the watch *ou* look-out.

guet-apens [gɛtapɑ̃] *nm* ambush.

guêtre [gɛtʀ(ə)] *nf* gaiter.

guetter [gete] *vt* (*épier*) to watch (intently) ; (*attendre*) to watch (out) for ; to be lying in wait for ; **guetteur** *nm* look-out.

gueule [gœl] *nf* mouth ; (*fam*) face ; mouth ; ~ **de bois** (*fam*) hangover.

gueuler [gœle] *vi* (*fam*) to bawl.

gueux [gø] *nm* beggar ; rogue.

gui [gi] *nm* mistletoe.

guichet [giʃɛ] *nm* (*de bureau, banque*) counter, window ; (*d'une porte*) wicket, hatch ; **les** ~**s** (*à la gare, au théâtre*) the ticket office ; **guichetier, ière** *nm/f* counter clerk.

guide [gid] *nm* guide.

guider [gide] *vt* to guide.

guidon [gidɔ̃] *nm* handlebars *pl*.

guignol [giɲɔl] *nm* ≈ Punch and Judy show ; (*fig*) clown.

guillemets [gijmɛ] *nmpl*: **entre** ~ in inverted commas *ou* quotation marks ; ~ **de répétition** ditto marks.

guilleret, te [gijʀɛ, -ɛt] *a* perky, bright.

guillotine [gijɔtin] *nf* guillotine ; **guillotiner** *vt* to guillotine.

guindé, e [gɛ̃de] *a* stiff, starchy.

guirlande [giʀlɑ̃d] *nf* garland ; (*de papier*) paper chain.

guise [giz] *nf*: **à votre** ~ as you wish *ou* please ; **en** ~ **de** by way of.

guitare [gitaʀ] *nf* guitar ; **guitariste** *nm/f* guitarist, guitar player.

gustatif, ive [gystatif, -iv] *a* gustatory ; *voir* **papille**.

guttural, e, aux [gytyʀal, -o] *a* guttural.

Guyane [gyijan] *n*: **la** ~ Guiana.

gymkhana [ʒimkana] *nm* rally.

gymnase [ʒimnɑz] *nm* gym(nasium).

gymnaste [ʒimnast(ə)] *nm/f* gymnast.

gymnastique [ʒimnastik] *nf* gymnastics *sg* ; (*au réveil etc*) keep fit exercises *pl*.

gynécologie [ʒinekɔlɔʒi] *nf* gynaecology ; **gynécologue** *nm/f* gynaecologist.

gypse [ʒips(ə)] *nm* gypsum.

H

h. *abr de* **heure.**

habile [abil] *a* skilful ; (*malin*) clever ; ~**té** *nf* skill, skilfulness ; cleverness.

habilité, e [abilite] *a*: ~ **à faire** entitled to do, empowered to do.

habillé, e [abije] *a* dressed ; (*chic*) dressy ; (*TECH*): ~ **de** covered with ; encased in.

habillement [abijmɑ̃] *nm* clothes *pl* ; (*profession*) clothing industry.

habiller [abije] *vt* to dress ; (*fournir en vêtements*) to clothe ; **s'**~ to dress (o.s.) ; (*se déguiser, mettre des vêtements chic*) to dress up ; **s'**~ **de/en** to dress in/dress up as ; **s'**~ **chez/à** to buy one's clothes from/at.

habit [abi] *nm* outfit ; ~**s** *pl* (*vêtements*) clothes ; ~ (**de soirée**) tails *pl* ; evening dress.

habitable [abitabl(ə)] *a* (in)habitable.

habitacle [abitakl(ə)] *nm* cockpit ; (*AUTO*) passenger cell.

habitant, e [abitɑ̃, -ɑ̃t] *nm/f* inhabitant ; (*d'une maison*) occupant, occupier ; **loger chez l'**~ to stay with the locals.

habitat [abita] *nm* housing conditions *pl* ; (*BOT, ZOOL*) habitat.

habitation [abitɑsjɔ̃] *nf* living ; residence, home ; house ; ~**s à loyer modéré (HLM)** low-rent housing *sg*, ≈ council flats.

habité, e [abite] *a* inhabited ; lived in.

habiter [abite] *vt* to live in ; (*suj: sentiment*) to dwell in // *vi*: ~ **à/dans** to live in *ou* at/in.

habitude [abityd] *nf* habit ; **avoir l'**~ **de faire** to be in the habit of doing ; (*expérience*) to be used to doing ; **d'**~ usually ; **comme d'**~ as usual.

habitué, e [abitɥe] *a*: **être** ~ **à** to be used *ou* accustomed to // *nm/f* regular visitor ; regular (customer).

habituel, le [abitɥɛl] *a* usual.

habituer [abitɥe] *vt*: ~ **qn à** to get sb used to ; **s'**~ **à** to get used to.

***hâbleur, euse** [ɑblœʀ, -øz] *a* boastful.

***hache** [ˈaʃ] *nf* axe.

***haché, e** [ˈaʃe] *a* minced ; (*fig*) jerky.

***hacher** [ˈaʃe] *vt* (*viande*) to mince ; (*persil*) to chop.

***hachis** [ˈaʃi] *nm* mince *q*.

***hachisch** [ˈaʃiʃ] *nm* hashish.

***hachoir** [ˈaʃwaʀ] *nm* chopper ; (*meat*) mincer ; chopping board.

***hachures** [ˈaʃyʀ] *nfpl* hatching *sg*.

***hagard, e** [ˈagaʀ, -aʀd(ə)] *a* wild, distraught.

***haie** [ˈɛ] *nf* (*SPORT*) hurdle ; (*fig: rang*) line, row ; **200 m** ~**s** 200 m hurdles ; ~ **d'honneur** guard of honour.

***haillons** [ˈɑjɔ̃] *nmpl* rags.

***haine** [ˈɛn] *nf* hatred ; **haineux, euse** *a* full of hatred.

***haïr** [ˈaiʀ] *vt* to detest, hate.

***halage** [ˈalaʒ] *nm*: **chemin de** ~ towpath.

***hâle** [ˈɑl] *nm* (sun)tan ; ***hâlé, e** *a* (sun)tanned, sunburnt.

haleine [alɛn] *nf* breath ; **hors d'**~ out of breath ; **tenir en** ~ to hold spellbound ; to keep in suspense ; **de longue** ~ a long-term.

***haleter** [ˈalte] *vi* to pant.

***hall** [ˈol] *nm* hall.

hallali [alali] *nm* kill.

***halle** [ˈal] *nf* (covered) market ; ~**s** *nfpl* central food market *sg*.

hallucinant, e [alysinɑ̃, -ɑ̃t] *a* staggering.
hallucination [alysinɑsjɔ̃] *nf* hallucination.
halluciné, e [alysine] *nm/f* person suffering from hallucinations; (raving) lunatic.
*__halo__ ['alo] *nm* halo.
*__halte__ ['alt(ə)] *nf* stop, break; stopping place; (RAIL) halt // *excl* stop!; **faire ~** to stop.
haltère [altɛʀ] *nm* dumbbell, barbell; **~s** *nmpl* (*activité*) weight lifting *sg*; **haltérophile** *nm/f* weight lifter.
*__hamac__ ['amak] *nm* hammock.
*__hameau, x__ ['amo] *nm* hamlet.
hameçon [amsɔ̃] *nm* (fish) hook.
*__hampe__ ['ɑ̃p] *nf* shaft.
*__hamster__ ['amstɛʀ] *nm* hamster.
*__hanche__ ['ɑ̃ʃ] *nf* hip.
*__hand-ball__ ['ɑ̃dbal] *nm* handball.
*__handicap__ ['ɑ̃dikap] *nm* handicap; *__~é,__ e* *a* handicapped // *nm/f* physically (*ou* mentally) handicapped person; **~é moteur** spastic; *__~er__ *vt* to handicap.
*__hangar__ ['ɑ̃gaʀ] *nm* shed.
*__hanneton__ ['antɔ̃] *nm* cockchafer.
*__hanter__ ['ɑ̃te] *vt* to haunt.
*__hantise__ ['ɑ̃tiz] *nf* obsessive fear.
*__happer__ ['ape] *vt* to snatch; (*suj: train etc*) to hit.
*__haranguer__ ['aʀɑ̃ge] *vt* to harangue.
*__haras__ ['aʀa] *nm* stud farm.
harassant, e ['aʀasɑ̃, -ɑ̃t] *a* exhausting.
*__harceler__ ['aʀsəle] *vt* (MIL, CHASSE) to harass, harry; (*importuner*) to plague.
*__hardes__ ['aʀd(ə)] *nfpl* rags.
*__hardi, e__ ['aʀdi] *a* bold, daring.
*__hareng__ ['aʀɑ̃] *nm* herring.
*__hargne__ ['aʀɲ(ə)] *nf* aggressiveness.
*__haricot__ ['aʀiko] *nm* bean; **~ vert/blanc** French/haricot bean.
harmonica [aʀmɔnika] *nm* mouth organ.
harmonie [aʀmɔni] *nf* harmony; **harmonieux, euse** *a* harmonious; **harmonique** *nm ou a* harmonic; **harmoniser** *vt* to harmonize.
*__harnaché, e__ ['aʀnaʃe] *a* (*fig*) rigged out.
*__harnacher__ ['aʀnaʃe] *vt* to harness.
*__harnais__ ['aʀnɛ] *nm* harness.
*__harpe__ ['aʀp(ə)] *nf* harp; *__harpiste__ *nm/f* harpist.
*__harpon__ ['aʀpɔ̃] *nm* harpoon; *__harponner__ *vt* to harpoon; (*fam*) to collar.
*__hasard__ ['azaʀ] *nm*: **le ~** chance, fate; **un ~** a coincidence; a stroke of luck; **au ~** aimlessly; at random; haphazardly; **par ~** by chance; **à tout ~** just in case; on the off chance.
*__hasarder__ ['azaʀde] *vt* (*mot*) to venture; (*fortune*) to risk; **se ~ à faire** to risk doing, venture to do.
*__hasardeux, euse__ ['azaʀdø, -øz] *a* hazardous, risky; (*hypothèse*) rash.
*__haschisch__ ['aʃiʃ] *nm* hashish.
*__hâte__ ['ɑt] *nf* haste; **à la ~** hurriedly, hastily; **en ~** posthaste, with all possible speed; **avoir ~ de** to be eager *ou* anxious to; *__hâter__ *vt* to hasten; **se hâter** to hurry; **se hâter de** to hurry *ou* hasten to.

*__hâtif, ive__ ['ɑtif, -iv] *a* hurried; hasty; (*légume*) early.
*__hausse__ ['os] *nf* rise, increase; (*de fusil*) backsight adjuster; **en ~** rising.
*__hausser__ ['ose] *vt* to raise; **~ les épaules** to shrug (one's shoulders).
*__haut, e__ ['o, 'ot] *a* high; (*grand*) tall; (*son, voix*) high(-pitched) // *ad* high // *nm* top (part); **de 3 m de ~** 3 m high, 3 m in height; **des ~s et des bas** ups and downs; **en ~ lieu** in high places; **à ~e voix** aloud, out loud; **du ~ de** from the top of; **de ~ en bas** up and down; downwards; **plus ~** higher up, further up; (*dans un texte*) above; (*parler*) louder; **en ~** up above; at (*ou* to) the top; (*dans une maison*) upstairs; **en ~ de** at the top of; **la ~e couture/coiffure** haute couture/coiffure; **~e fidélité** hi-fi, high fidelity.
*__hautain, e__ ['otɛ̃, -ɛn] *a* (*personne, regard*) haughty.
*__hautbois__ ['obwa] *nm* oboe.
*__haut-de-forme__ ['odfɔʀm(ə)] *nm* top hat.
*__hautement__ ['otmɑ̃] *ad* highly.
*__hauteur__ ['otœʀ] *nf* height; (GÉO) height, hill; (*fig*) loftiness; haughtiness; **à ~ des yeux** at eye level; **à la ~ de** (*sur la même ligne*) level with; by; (*fig*) equal to; **à la ~ (fig)** up to it, equal to the task.
*__haut-fond__ ['ofɔ̃] *nm* shallow, shoal.
*__haut-fourneau__ ['ofuʀno] *nm* blast *ou* smelting furnace.
*__haut-le-cœur__ ['olkœʀ] *nm inv* retch, heave.
*__haut-parleur__ ['opaʀlœʀ] *nm* (loud)speaker.
*__hâve__ ['av] *a* gaunt.
*__havre__ ['avʀ(ə)] *nm* haven.
*__Haye__ ['ɛ] *n*: **la ~** the Hague.
*__hayon__ ['ɛjɔ̃] *nm* tailgate.
hebdomadaire [ɛbdɔmadɛʀ] *a*, *nm* weekly.
héberger [ebɛʀʒe] *vt* to accommodate, lodge; (*réfugiés*) to take in.
hébété, e [ebete] *a* dazed.
hébraïque [ebʀaik] *a* Hebrew, Hebraic.
hébreu, x [ebʀø] *am*, *nm* Hebrew.
H.E.C. *sigle fpl* = Hautes études commerciales.
hécatombe [ekatɔ̃b] *nf* slaughter.
hectare [ɛktaʀ] *nm* hectare, 10,000 square metres.
hectolitre [ɛktolitʀ] *nm* hectolitre.
hégémonie [eʒemɔni] *nf* hegemony.
*__hein__ ['ɛ̃] *excl* eh?
*__hélas__ ['elɑs] *excl* alas! // *ad* unfortunately.
*__héler__ ['ele] *vt* to hail.
hélice [elis] *nf* propeller.
hélicoïdal, e, aux [elikɔidal, -o] *a* helical; helicoid.
hélicoptère [elikɔptɛʀ] *nm* helicopter.
héliogravure [eljogʀavyʀ] *nf* heliogravure.
héliport [elipɔʀ] *nm* heliport.
héliporté, e [elipɔʀte] *a* transported by helicopter.
hellénique [elenik] *a* Hellenic.
helvétique [ɛlvetik] *a* Swiss.

hématome [ematom] *nm* haematoma.
hémicycle [emisikl(ə)] *nm* semicircle; (POL): **l'~** ≈ the benches (of the Commons).
hémiplégie [emipleʒi] *nf* paralysis of one side, hemiplegia.
hémisphère [emisfɛR] *nf*: ~ **nord/sud** northern/southern hemisphere.
hémophile [emɔfil] *a* haemophiliac.
hémorragie [emɔraʒi] *nf* bleeding *q*, haemorrhage.
hémorroïdes [emɔRɔid] *nfpl* piles, haemorrhoids.
*****hennir** ['eniR] *vi* to neigh, whinny.
hépatite [epatit] *nf* hepatitis, liver infection.
herbe [ɛRb(ə)] *nf* grass; (CULIN, MÉD) herb; **en ~** unripe; (*fig*) budding; **herbeux, euse** a grassy; **herbicide** *nm* weed-killer; **herbier** *nm* herbarium; **herboriser** *vi* to collect plants, botanize; **herboriste** *nm/f* herbalist; **herboristerie** *nf* herbalist's shop; herb trade.
*****hère** ['ɛR] *nm*: **pauvre ~** poor wretch.
héréditaire [eRediteR] *a* hereditary.
hérédité [eRedite] *nf* heredity.
hérésie [eRezi] *nf* heresy; **hérétique** *nm/f* heretic.
*****hérissé, e** ['eRise] *a* bristling; ~ **de** spiked with; (*fig*) bristling with.
*****hérisser** ['eRise] *vt*: ~ **qn** (*fig*) to ruffle sb; **se** ~ *vi* to bristle, bristle up.
*****hérisson** ['eRisɔ̃] *nm* hedgehog.
héritage [eRitaʒ] *nm* inheritance; (*fig*) heritage; legacy; **faire un (petit) ~** to come into (a little) money.
hériter [eRite] *vi*: ~ **de qch** (**de qn**) to inherit sth (from sb); ~ **de qn** to inherit sb's property; **héritier, ière** *nm/f* heir/heiress.
hermétique [ɛRmetik] *a* airtight; watertight; (*fig*) abstruse; impenetrable; **~ment** *ad* tightly, hermetically.
hermine [ɛRmin] *nf* ermine.
*****hernie** ['ɛRni] *nf* hernia.
héroïne [eRɔin] *nf* heroine; (*drogue*) heroin.
héroïque [eRɔik] *a* heroic.
héroïsme [eRɔism(ə)] *nm* heroism.
*****héron** ['eRɔ̃] *nm* heron.
*****héros** ['eRo] *nm* hero.
*****herse** ['ɛRs(ə)] *nf* harrow; (*de château*) portcullis.
hésitant, e [ezitɑ̃, -ɑ̃t] *a* hesitant.
hésitation [ezitasjɔ̃] *nf* hesitation.
hésiter [ezite] *vi*: ~ **(à faire)** to hesitate (to do).
hétéroclite [eteRɔklit] *a* heterogeneous; (*objets*) sundry.
*****hêtre** ['ɛtR(ə)] *nm* beech.
heure [œR] *nf* hour; (SCOL) period; (*moment, moment fixé*) time; **c'est l'~** it's time; **quelle ~ est-il?** what time is it?; **être à l'~** to be on time; (*montre*) to be right; **mettre à l'~** to set right; **à toute ~** at any time; **24 ~s sur 24** round the clock, 24 hours a day; **à l'~ qu'il est** at this time (of day); by now; **sur l'~** at once; ~ **locale/d'été** local/summer time; **~s de bureau** office hours; **~s supplémentaires** overtime *sg*.

heureusement [œRøzmɑ̃] *ad* (*par bonheur*) fortunately, luckily.
heureux, euse [œRø, -øz] *a* happy; (*chanceux*) lucky, fortunate; (*judicieux*) felicitous, fortunate.
*****heurt** ['œR] *nm* (*choc*) collision; **~s** *nmpl* (*fig*) clashes.
*****heurté, e** ['œRte] *a* (*fig*) jerky, uneven.
*****heurter** ['œRte] *vt* (*mur*) to strike, hit; (*personne*) to collide with; (*fig*) to go against, upset; **se** ~ **à** *vt* to collide with; (*fig*) to come up against; **heurtoir** *nm* door knocker.
hexagone [ɛgzagɔn] *nm* hexagon.
*****hiatus** ['jatys] *nm* hiatus.
hiberner [ibɛRne] *vi* to hibernate.
*****hibou, x** ['ibu] *nm* owl.
*****hideux, euse** ['idø, -øz] *a* hideous.
hier [jɛR] *ad* yesterday; ~ **matin/soir** yesterday morning/ evening; **toute la journée d'~** all day yesterday; **toute la matinée d'~** all yesterday morning.
*****hiérarchie** ['jeRaRʃi] *nf* hierarchy;
*****hiérarchique** *a* hierarchic;
*****hiérarchiser** *vt* to organize into a hierarchy.
hiéroglyphe [jeRɔglif] *nm* hieroglyphic.
hilare [ilaR] *a* mirthful; **hilarité** *nf* hilarity, mirth.
hindou, e [ɛ̃du] *a*, *nm/f* Hindu; Indian.
hippique [ipik] *a* equestrian, horse *cpd*.
hippisme [ipism(ə)] *nm* (horse) riding.
hippodrome [ipɔdRom] *nm* racecourse.
hippopotame [ipɔpɔtam] *nm* hippopotamus.
hirondelle [iRɔ̃dɛl] *nf* swallow.
hirsute [iRsyt] *a* hairy; shaggy; tousled.
hispanique [ispanik] *a* Hispanic.
*****hisser** ['ise] *vt* to hoist, haul up; **se** ~ **sur** to haul o.s. up onto.
histoire [istwaR] *nf* (*science, événements*) history; (*anecdote, récit, mensonge*) story; (*affaire*) business *q*; (*chichis: gén pl*) fuss *q*; **~s** *nfpl* (*ennuis*) trouble *sg*; **historien, ne** *nm/f* historian; **historique** *a* historic.
hiver [ivɛR] *nm* winter; **~nal, e, aux** *a* winter *cpd*; wintry; **~ner** *vi* to winter.
H.L.M. *sigle m ou f voir* **habitation**.
*****hocher** ['ɔʃe] *vt*: ~ **la tête** to nod; (*signe négatif ou dubitatif*) to shake one's head.
*****hochet** ['ɔʃɛ] *nm* rattle.
*****hockey** ['ɔkɛ] *nm*: ~ **(sur glace/gazon)** (ice/field) hockey; *****hockeyeur** *nm* hockey player.
holding ['ɔldiŋ] *nm* holding company.
hold-up ['ɔldœp] *nm inv* hold-up.
*****hollandais, e** ['ɔlɑ̃dɛ, -ɛz] *a*, *nm* (*langue*) Dutch // *nm/f*: **H~, e** Dutchman/woman; **les H~** the Dutch.
*****Hollande** ['ɔlɑ̃d] *nf* Holland.
*****homard** ['ɔmaR] *nm* lobster.
homéopathie [ɔmeopati] *nf* homoeopathy; **homéopathique** *a* homoeopathic.
homérique [ɔmeRik] *a* Homeric.
homicide [ɔmisid] *nm* murder // *nm/f* murderer/eress; ~ **involontaire** manslaughter.
hommage [ɔmaʒ] *nm* tribute; **~s** *nmpl*: **présenter ses ~s** to pay one's respects;

rendre ~ **à** to pay tribute ou homage to ; **faire** ~ **de qch à qn** to present sb with sth.

homme [ɔm] nm man ; ~ **d'affaires** businessman ; ~ **d'État** statesman ; ~ **de main** hired man ; ~ **de paille** stooge ; ~-**grenouille** nm frogman ; ~-**orchestre** nm one-man band.

homogène [ɔmɔʒɛn] a homogeneous ; **homogénéité** nf homogeneity.

homologue [ɔmɔlɔg] nm/f counterpart, opposite number.

homologué, e [ɔmɔlɔge] a (SPORT) officially recognized, ratified ; (tarif) authorized.

homonyme [ɔmɔnim] nm (LING) homonym ; (d'une personne) namesake.

homosexualité [ɔmɔsɛksɥalite] nf homosexuality.

homosexuel, le [ɔmɔsɛksɥɛl] a homosexual.

*****Hongrie** [ˈɔɡri] nf: **la** ~ Hungary ; *****hongrois, e** a, nm/f, nm (langue) Hungarian.

honnête [ɔnɛt] a (intègre) honest ; (juste, satisfaisant) fair ; ~**ment** ad honestly ; ~**té** nf honesty.

honneur [ɔnœR] nm honour ; (mérite): l'~ **lui revient** the credit is his ; **en l'~ de** in honour of ; (événement) on the occasion of ; **faire** ~ **à** (engagements) to honour ; (famille) to be a credit to ; (fig: repas etc) to do justice to ; **être à l'~** to be in the place of honour ; **être en** ~ to be in favour ; **membre d'**~ honorary member ; **table d'**~ top table.

honorable [ɔnɔRabl(ə)] a worthy, honourable ; (suffisant) decent ; ~**ment** ad honorably ; decently.

honoraire [ɔnɔRɛR] a honorary ; ~**s** nmpl fees pl ; **professeur** ~ professor emeritus.

honorer [ɔnɔRe] vt to honour ; (estimer) to hold in high regard ; (faire honneur à) to do credit to ; **s'**~ **de** to pride o.s. upon ; **honorifique** a honorary.

*****honte** [ˈɔt] nf shame ; **avoir** ~ **de** to be ashamed of ; **faire** ~ **à qn** to make sb (feel) ashamed ; *****honteux, euse** a ashamed ; (conduite, acte) shameful, disgraceful.

hôpital, aux [ɔpital, -o] nm hospital.

*****hoquet** [ˈɔkɛ] nm hiccough ; **avoir le** ~ to have (the) hiccoughs ; **hoqueter** vi to hiccough.

horaire [ɔRɛR] a hourly // nm timetable, schedule.

*****horions** [ˈɔRjɔ̃] nmpl blows.

horizon [ɔRizɔ̃] nm horizon ; (paysage) landscape, view ; **sur l'**~ on the skyline ou horizon.

horizontal, e, aux [ɔRizɔ̃tal, -o] a horizontal ; ~**ement** ad horizontally.

horloge [ɔRlɔʒ] nf clock ; **l'**~ **parlante** the speaking clock ; **horloger, ère** nm/f watchmaker ; clockmaker ; ~**rie** nf watchmaking ; watchmaker's (shop) ; clockmaker's (shop) ; **pièces d'**~**rie** watch parts ou components.

*****hormis** [ˈɔRmi] prép save.

hormonal, e, aux [ɔRmɔnal, -o] a hormonal.

hormone [ɔRmɔn] nf hormone.

horoscope [ɔRɔskɔp] nm horoscope.

horreur [ɔRœR] nf horror ; **avoir** ~ **de** to loathe ou detest ; **horrible** a horrible ; **horrifier** vt to horrify.

horripiler [ɔRipile] vt to exasperate.

*****hors** [ˈɔR] prép except (for) ; ~ **de** out of ; ~ **pair** outstanding ; ~ **de propos** inopportune ; **être** ~ **de soi** to be beside o.s. ; ~-**bord** nm inv speedboat (with outboard motor) ; ~-**concours** a ineligible to compete ; (fig) in a class of one's own ; ~-**d'œuvre** nm inv hors d'œuvre ; ~-**jeu** nm inv offside ; ~-**la-loi** nm inv outlaw ; ~-**taxe** a duty-free ; ~-**texte** nm inv plate.

hortensia [ɔRtɑ̃sja] nm hydrangea.

horticulteur, trice [ɔRtikyltœR, -tRis] nm/f horticulturalist.

horticulture [ɔRtikyltyR] nf horticulture.

hospice [ɔspis] nm (de vieillards) home.

hospitalier, ière [ɔspitalje, -jɛR] a (accueillant) hospitable ; (MÉD: service, centre) hospital cpd.

hospitaliser [ɔspitalize] vt to take (ou send) to hospital, hospitalize.

hospitalité [ɔspitalite] nf hospitality.

hostie [ɔsti] nf host.

hostile [ɔstil] a hostile ; **hostilité** nf hostility ; **hostilités** nfpl hostilities.

hôte [ot] nm (maître de maison) host ; (invité) guest ; (client) patron ; (fig) inhabitant, occupant.

hôtel [otɛl] nm hotel ; **aller à l'**~ to stay in a hotel ; ~ (**particulier**) (private) mansion ; ~ **de ville** town hall ; **hôtelier, ière** a hotel cpd // nm/f hotelier, hotel-keeper ; ~**lerie** nf hotel business ; (auberge) inn.

hôtesse [otɛs] nf hostess ; ~ **de l'air** air hostess ou stewardess.

*****hotte** [ˈɔt] nf (panier) basket (carried on the back) ; (de cheminée) hood ; ~ **aspirante** cooker hood.

*****houblon** [ˈublɔ̃] nm (BOT) hop ; (pour la bière) hops pl.

*****houille** [ˈuj] nf coal ; ~ **blanche** hydroelectric power ; *****houiller, ère** a coal cpd ; coal-bearing.

*****houle** [ˈul] nf swell.

*****houlette** [ˈulɛt] nf: **sous la** ~ **de** under the guidance of.

*****houleux, euse** [ˈulø, -øz] a heavy, swelling ; (fig) stormy, turbulent.

*****houppe** [ˈup] nf, *****houppette** [ˈupɛt] nf powder puff.

*****hourra** [ˈuRa] nm cheer // excl hurrah!

*****houspiller** [ˈuspije] vt to scold.

*****housse** [ˈus] nf cover ; dust cover ; loose ou stretch cover ; ~ (**penderie**) hanging wardrobe.

*****houx** [ˈu] nm holly.

*****hublot** [ˈyblo] nm porthole.

*****huche** [ˈyʃ] nf: ~ **à pain** bread bin.

*****huées** [ˈɥe] nfpl boos.

*****huer** [ˈɥe] vt to boo.

huile [ɥil] nf oil ; ~ (ART) oil painting ; (fam) bigwig ; ~ **de foie de morue** cod-liver oil ; ~ **de table** salad oil ; **huiler** vt to oil ; **huileux, euse** a oily.

huis [ɥi] nm: **à** ~ **clos** in camera.

huissier [ɥisje] *nm* usher ; (*JUR*) ≈ bailiff.

***huit** ['ɥit] *num* eight ; **samedi en ~** a week on Saturday ; **dans ~ jours** in a week('s time) ; **une huitaine de jours** a week or so ; ***huitième** *num* eighth.

huître [ɥitʀ(ə)] *nf* oyster.

humain, e [ymɛ̃, -ɛn] *a* human ; (*compatissant*) humane // *nm* human (being) ; **humaniser** *vt* to humanize ; **humanitaire** *a* humanitarian ; **humanité** *nf* humanity.

humble [œ̃bl(ə)] *a* humble.

humecter [ymɛkte] *vt* to dampen ; **s'~ les lèvres** to moisten one's lips.

***humer** ['yme] *vt* to smell ; to inhale.

humeur [ymœʀ] *nf* mood ; (*tempérament*) temper ; (*irritation*) bad temper ; **de bonne/mauvaise ~** in a good/bad mood.

humide [ymid] *a* damp ; (*main, yeux*) moist ; (*climat, chaleur*) humid ; (*route*) wet ; **humidificateur** *nm* humidifier ; **humidifier** *vt* to humidify ; **humidité** *nf* humidity ; dampness ; **traces d'humidité** traces of moisture *ou* damp.

humiliation [ymiljɑsjɔ̃] *nf* humiliation.

humilier [ymilje] *vt* to humiliate.

humilité [ymilite] *nf* humility, humbleness.

humoriste [ymɔʀist(ə)] *nm/f* humorist.

humoristique [ymɔʀistik] *a* humorous ; humoristic.

humour [ymuʀ] *nm* humour ; **avoir de l'~** to have a sense of humour ; **~ noir** sick humour.

***huppé, e** ['ype] *a* crested ; (*fam*) posh.

***hurlement** ['yʀləmɑ̃] *nm* howling *q*, howl, yelling *q*, yell.

***hurler** ['yʀle] *vi* to howl, yell.

hurluberlu [yʀlybɛʀly] *nm* (*péj*) crank.

***hutte** ['yt] *nf* hut.

hybride [ibʀid] *a* hybrid.

hydratant, e [idʀatɑ̃, -ɑ̃t] *a* (*crème*) moisturizing.

hydrate [idʀat] *nm*: **~s de carbone** carbohydrates.

hydraulique [idʀolik] *a* hydraulic.

hydravion [idʀavjɔ̃] *nm* seaplane, hydroplane.

hydro... [idʀo] *préfixe*: **~carbures** *nmpl* hydrocarbon oils ; **~cution** *nf* immersion syncope ; **~électrique** *a* hydroelectric ; **~gène** *nm* hydrogen ; **~glisseur** *nm* hydroplane ; **~graphie** *nf* (*fleuves*) hydrography ; **~phile** *a voir* **coton.**

hyène [jɛn] *nf* hyena.

hygiène [iʒjɛn] *nf* hygiene ; **~ intime** personal hygiene ; **hygiénique** *a* hygienic.

hymne [imn(ə)] *nm* hymn ; **~ national** national anthem.

hypermarché [ipɛʀmaʀʃe] *nm* hypermarket.

hypermétrope [ipɛʀmetʀɔp] *a* long-sighted, hypermetropic.

hypertension [ipɛʀtɑ̃sjɔ̃] *nf* high blood pressure, hypertension.

hypnose [ipnoz] *nf* hypnosis ; **hypnotique** *a* hypnotic ; **hypnotiser** *vt* to hypnotize.

hypocrisie [ipɔkʀizi] *nf* hypocrisy.

hypocrite [ipɔkʀit] *a* hypocritical // *nm/f* hypocrite.

hypotension [ipɔtɑ̃sjɔ̃] *nf* low blood pressure, hypotension.

hypothécaire [ipoteKɛʀ] *a* hypothecary ; **garantie/prêt ~** mortgage security/loan.

hypothèque [ipotɛk] *nf* mortgage ; **hypothéquer** *vt* to mortgage.

hypothèse [ipotɛz] *nf* hypothesis ; **hypothétique** *a* hypothetical.

hystérie [isteʀi] *nf* hysteria ; **hystérique** *a* hysterical.

I

ibérique [ibeʀik] *a*: **la péninsule ~** the Iberian peninsula.

iceberg [isbɛʀg] *nm* iceberg.

ici [isi] *ad* here ; **jusqu'~** as far as this ; until now ; **d'~ là** by then ; in the meantime ; **d'~ peu** before long.

icône [ikon] *nf* icon.

iconographie [ikɔnɔgʀafi] *nf* iconography ; (collection of) illustrations.

idéal, e, aux [ideal, -o] *a* ideal // *nm* ideal ; ideals *pl* ; **~iser** *vt* to idealize ; **~iste** *a* idealistic // *nm/f* idealist.

idée [ide] *nf* idea ; **avoir dans l'~ que** to have an idea that ; **~ fixe** idée fixe, obsession ; **~s noires** black *ou* dark thoughts ; **~s reçues** accepted ideas.

identification [idɑ̃tifikɑsjɔ̃] *nf* identification.

identifier [idɑ̃tifje] *vt* to identify ; **~ qch/qn à** to identify sth/sb with ; **s'~ à** (*héros etc*) to identify with.

identique [idɑ̃tik] *a*: **~ (à)** identical (to).

identité [idɑ̃tite] *nf* identity.

idéologie [ideɔlɔʒi] *nf* ideology.

idiomatique [idjɔmatik] *a*: **expression ~** idiom, idiomatic expression.

idiot, e [idjo, idjɔt] *a* idiotic // *nm/f* idiot ; **idiotie** [-si] *nf* idiocy ; idiotic remark *etc.*

idiotisme [idjɔtism(ə)] *nm* idiom, idiomatic phrase.

idolâtrer [idɔlɑtʀe] *vt* to idolize.

idole [idɔl] *nf* idol.

idylle [idil] *nf* idyll ; **idyllique** *a* idyllic.

if [if] *nm* yew.

I.F.O.P. [ifɔp] *sigle m* = *Institut français d'opinion publique.*

igloo [iglu] *nm* igloo.

ignare [iɲaʀ] *a* ignorant.

ignifugé, e [iɲifyʒe] *a* fireproof(ed).

ignoble [iɲɔbl(ə)] *a* vile.

ignominie [iɲɔmini] *nf* ignominy ; ignominious *ou* base act.

ignorance [iɲɔʀɑ̃s] *nf* ignorance.

ignorant, e [iɲɔʀɑ̃, -ɑ̃t] *a* ignorant.

ignorer [iɲɔʀe] *vt* (*ne pas connaître*) not to know, be unaware *ou* ignorant of ; (*être sans expérience de*: *plaisir, guerre etc*) not to know about, have no experience of ; (*bouder*: *personne*) to ignore ; **j'ignore comment/si** I do not know how/if ; **~ que** to be unaware that, not to know that.

il [il] *pronom* he ; (*animal, chose, en tournure impersonnelle*) it ; NB: *en anglais les navires et les pays sont en général assimilés aux femelles, et les bébés aux choses, si le sexe n'est pas spécifié* ; **~s** they ; **il neige** it's snowing ; *voir aussi* **avoir.**

île [il] *nf* island ; **les ∼s anglo-normandes** the Channel Islands ; **les ∼s Britanniques** the British Isles.

illégal, e, aux [ilegal, -o] *a* illegal, unlawful ; **∼ité** *nf* illegality, unlawfulness ; **être dans l'∼ité** to be outside the law.

illégitime [ileʒitim] *a* illegitimate ; (*optimisme, sévérité*) unjustified ; unwarranted ; **illégitimité** *nf* illegitimacy ; **gouverner dans l'illégitimité** to rule illegally.

illettré, e [iletre] *a, nm/f* illiterate.

illicite [ilisit] *a* illicit.

illimité, e [ilimite] *a* (*immense*) boundless, unlimited ; (*congé, durée*) indefinite, unlimited.

illisible [ilizibl(ə)] *a* illegible ; (*roman*) unreadable.

illogique [iloʒik] *a* illogical.

illumination [ilyminɑsjɔ̃] *nf* illumination, floodlighting ; flash of inspiration ; **∼s** *nfpl* illuminations, lights.

illuminer [ilymine] *vt* to light up ; (*monument, rue: pour une fête*) to illuminate, floodlight ; **s'∼** *vi* to light up.

illusion [ilyzjɔ̃] *nf* illusion ; **se faire des ∼s** to delude o.s. ; **faire ∼** to delude *ou* fool people ; **∼ d'optique** optical illusion ; **illusionniste** *nm/f* conjuror ; **illusoire** *a* illusory, illusive.

illustrateur [ilystratœr] *nm* illustrator.

illustration [ilystrɑsjɔ̃] *nf* illustration ; (*d'un ouvrage: photos*) illustrations *pl*.

illustre [ilystr(ə)] *a* illustrious, renowned.

illustré, e [ilystre] *a* illustrated // *nm* illustrated magazine ; comic.

illustrer [ilystre] *vt* to illustrate ; **s'∼** to become famous, win fame.

îlot [ilo] *nm* small island, islet ; (*de maisons*) block.

image [imaʒ] *nf* (*gén*) picture ; (*comparaison, ressemblance, OPTIQUE*) image ; **∼ de marque** brand image ; (*d'un politicien*) public image ; **∼ pieuse** holy picture ; **imagé, e** *a* full of imagery.

imaginaire [imaʒiner] *a* imaginary.

imagination [imaʒinɑsjɔ̃] *nf* imagination ; (*chimère*) fancy ; **avoir de l'∼** to be imaginative, have a good imagination.

imaginer [imaʒine] *vt* to imagine ; (*inventer: expédient, mesure*) to devise, think up ; **s'∼** *vt* (*se figurer: scène etc*) to imagine, picture ; **s'∼ que** to imagine that ; **∼ de faire** (*se mettre dans l'idée de*) to dream up the idea of doing.

imbattable [ɛ̃batabl(ə)] *a* unbeatable.

imbécile [ɛ̃besil] *a* idiotic // *nm/f* idiot ; (*MÉD*) imbecile ; **imbécillité** *nf* idiocy ; imbecility ; idiotic action (*ou* remark *etc*).

imberbe [ɛ̃bɛrb(ə)] *a* beardless.

imbiber [ɛ̃bibe] *vt*: **∼ qch de** to moisten *ou* wet sth with ; **s'∼ de** to become saturated with.

imbriquer [ɛ̃brike] **s'∼** *vi* to overlap (each other) ; (*fig*) to become interlinked *ou* interwoven.

imbu, e [ɛ̃by] *a*: **∼ de** full of.

imbuvable [ɛ̃byvabl(ə)] *a* undrinkable.

imitateur, trice [imitatœr, -tris] *nm/f* (*gén*) imitator ; (*MUSIC-HALL:* d'une *personnalité*) impersonator.

imitation [imitɑsjɔ̃] *nf* imitation ; (*sketch*) imitation, impression ; impersonation ; **sac ∼ cuir** bag in imitation *ou* simulated leather.

imiter [imite] *vt* to imitate ; (*contrefaire: signature, document*) to forge, copy ; (*avoir l'aspect de*) to look like ; **il se leva et je l'imitai** he got up and I did likewise.

immaculé, e [imakyle] *a* spotless ; immaculate.

immangeable [ɛ̃mɑ̃ʒabl(ə)] *a* inedible, uneatable.

immanquable [ɛ̃mɑ̃kabl(ə)] *a* (*cible*) impossible to miss.

immatriculation [imatrikylɑsjɔ̃] *nf* registration.

immatriculer [imatrikyle] *vt* to register ; **faire/se faire ∼** to register ; **voiture immatriculée dans la Seine** car with a Seine registration (number).

immédiat, e [imedja, -at] *a* immediate // *nm*: **dans l'∼** for the time being ; **immédiatement** *ad* immediately.

immense [imɑ̃s] *a* immense.

immergé, e [imɛrʒe] *a* submerged.

immerger [imɛrʒe] *vt* to immerse, submerge ; to lay under water ; **s'∼** *vi* (*sous-marin*) to dive, submerge.

immérité, e [imerite] *a* undeserved.

immeuble [imœbl(ə)] *nm* building // *a* (*JUR*) immovable, real ; **∼ locatif** block of rented flats.

immigrant, e [imigrɑ̃, -ɑ̃t] *nm/f* immigrant.

immigration [imigrɑsjɔ̃] *nf* immigration.

immigré, e [imigre] *nm/f* immigrant.

immigrer [imigre] *vi* to immigrate.

imminent, e [iminɑ̃, -ɑ̃t] *a* imminent, impending.

immiscer [imise]: **s'∼** *vi*: **s'∼ dans** to interfere in *ou* with.

immobile [imɔbil] *a* still, motionless ; (*pièce de machine*) fixed ; (*fig*) unchanging.

immobilier, ière [imɔbilje, -jɛr] *a* property *cpd*, in real property // *nm*: **l'∼** the property *ou* the real estate business.

immobilisation [imɔbilizɑsjɔ̃] *nf* immobilization ; **∼s** *nfpl* (*COMM*) fixed assets.

immobiliser [imɔbilize] *vt* (*gén*) to immobilize ; (*circulation, véhicule, affaires*) to bring to a standstill ; **∼** (*personne*) to stand still ; (*machine, véhicule*) to come to a halt *ou* standstill.

immobilité [imɔbilite] *nf* stillness ; immobility.

immodéré, e [imɔdere] *a* immoderate, inordinate.

immoler [imɔle] *vt* to immolate, sacrifice.

immonde [imɔ̃d] *a* foul.

immondices [imɔ̃dis] *nmpl* refuse *sg* ; filth *sg*.

immoral, e, aux [imɔral, -o] *a* immoral.

immortaliser [imɔrtalize] *vt* to immortalize.

immortel, le [imɔrtɛl] *a* immortal.

immuable [imyabl(ə)] *a* immutable ; unchanging.

immunisé, e [imynize] *a:* ~ **contre** immune to.

immuniser [imynize] *vt* to immunize.

immunité [imynite] *nf* immunity; ~ **diplomatique** diplomatic immunity; ~ **parlementaire** parliamentary privilege.

impact [ɛ̃pakt] *nm* impact.

impair, e [ɛ̃pɛʀ] *a* odd // *nm* faux pas, blunder.

imparable [ɛ̃paʀabl(ə)] *a* unstoppable.

impardonnable [ɛ̃paʀdɔnabl(ə)] *a* unpardonable, unforgivable.

imparfait, e [ɛ̃paʀfɛ, -ɛt] *a* imperfect // *nm* imperfect (tense).

impartial, e, aux [ɛ̃paʀsjal, -o] *a* impartial, unbiased; ~**ité** *nf* impartiality.

impartir [ɛ̃paʀtiʀ] *vt:* ~ **qch à qn** to assign sth to sb; to bestow sth upon sb.

impasse [ɛ̃pɑs] *nf* dead-end, cul-de-sac; *(fig)* deadlock.

impassible [ɛ̃pasibl(ə)] *a* impassive.

impatience [ɛ̃pasjɑ̃s] *nf* impatience.

impatient, e [ɛ̃pasjɑ̃, -ɑ̃t] *a* impatient; **impatienter** *vt* to irritate, annoy; **s'impatienter** to get impatient; **s'impatienter de/contre** to lose patience at/with, grow impatient at/with.

impayable [ɛ̃pɛjabl(ə)] *a (drôle)* priceless.

impayé, e [ɛ̃peje] *a* unpaid.

impeccable [ɛ̃pekabl(ə)] *a* faultless, impeccable; spotlessly clean; impeccably dressed; *(fam)* smashing.

impénétrable [ɛ̃penetʀabl(ə)] *a* impenetrable.

impénitent, e [ɛ̃penitɑ̃, -ɑ̃t] *a* unrepentant.

impensable [ɛ̃pɑ̃sabl(ə)] *a* unthinkable; unbelievable.

impératif, ive [ɛ̃peʀatif, -iv] *a* imperative; *(JUR)* mandatory // *nm (LING)* imperative; ~**s** *nmpl* requirements; demands.

impératrice [ɛ̃peʀatʀis] *nf* empress.

imperceptible [ɛ̃pɛʀsɛptibl(ə)] *a* imperceptible.

imperfection [ɛ̃pɛʀfɛksjɔ̃] *nf* imperfection.

impérial, e, aux [ɛ̃peʀjal, -o] *a* imperial // *nf* upper deck; **autobus à** ~**e** double-decker bus.

impérialiste [ɛ̃peʀjalist(ə)] *a* imperialist.

impérieux, euse [ɛ̃peʀjø, -øz] *a* *(caractère, ton)* imperious; *(obligation, besoin)* pressing, urgent.

impérissable [ɛ̃peʀisabl(ə)] *a* undying; imperishable.

imperméabiliser [ɛ̃pɛʀmeabilize] *vt* to waterproof.

imperméable [ɛ̃pɛʀmeabl(ə)] *a* waterproof; *(GÉO)* impermeable; *(fig):* ~ **à** impervious to // *nm* raincoat; ~ **à l'air** airtight.

impersonnel, le [ɛ̃pɛʀsɔnɛl] *a* impersonal.

impertinence [ɛ̃pɛʀtinɑ̃s] *nf* impertinence.

impertinent, e [ɛ̃pɛʀtinɑ̃, -ɑ̃t] *a* impertinent.

imperturbable [ɛ̃pɛʀtyʀbabl(ə)] *a* imperturbable; unruffled; unshakeable.

impétrant, e [ɛ̃petʀɑ̃, -ɑ̃t] *nm/f (JUR)* applicant.

impétueux, euse [ɛ̃petyø, -øz] *a* fiery.

impie [ɛ̃pi] *a* impious, ungodly; **impiété** *nf* impiety.

impitoyable [ɛ̃pitwajabl(ə)] *a* pitiless, merciless.

implacable [ɛ̃plakabl(ə)] *a* implacable.

implanter [ɛ̃plɑ̃te] *vt (usine, industrie, usage)* to establish; *(colons etc)* to settle; *(idée, préjugé)* to implant; **s'**~ **dans** to be established in; to settle in; to become implanted in.

implication [ɛ̃plikasjɔ̃] *nf* implication.

implicite [ɛ̃plisit] *a* implicit.

impliquer [ɛ̃plike] *vt* to imply; ~ **qn (dans)** to implicate sb (in).

implorer [ɛ̃plɔʀe] *vt* to implore.

implosion [ɛ̃plozjɔ̃] *nf* implosion.

impoli, e [ɛ̃pɔli] *a* impolite, rude; ~**tesse** *nf* impoliteness, rudeness; impolite *ou* rude remark.

impondérable [ɛ̃pɔ̃deʀabl(ə)] *nm* imponderable.

impopulaire [ɛ̃pɔpylɛʀ] *a* unpopular.

importance [ɛ̃pɔʀtɑ̃s] *nf* importance; **avoir de l'**~ to be important; **sans** ~ unimportant.

important, e [ɛ̃pɔʀtɑ̃, -ɑ̃t] *a* important; *(en quantité)* considerable, sizeable; extensive; *(péj: airs, ton)* self-important // *nm:* **l'**~ the important thing.

importateur, trice [ɛ̃pɔʀtatœʀ, -tʀis] *a* importing // *nm* importer; **pays** ~ **de blé** wheat-importing country.

importation [ɛ̃pɔʀtasjɔ̃] *nf* importation; introduction; *(produit)* import.

importer [ɛ̃pɔʀte] *vt (COMM)* to import; *(maladies, plantes)* to introduce // *vi (être important)* to matter; ~ **à qn** to matter to sb; **il importe qu'il fasse** he must do, it is important that he should do; **peu m'importe** I don't mind; I don't care; **peu importe (que)** it doesn't matter (if); *voir aussi* **n'importe.**

import-export [ɛ̃pɔʀɛkspɔʀ] *nm* import-export business.

importun, e [ɛ̃pɔʀtœ̃, -yn] *a* irksome, importunate; *(arrivée, visite)* inopportune, ill-timed // *nm* intruder; **importuner** *vt* to bother.

imposable [ɛ̃pozabl(ə)] *a* taxable.

imposant, e [ɛ̃pozɑ̃, -ɑ̃t] *a* imposing.

imposer [ɛ̃poze] *vt (taxer)* to tax; ~ **qch à qn** to impose sth on sb; **s'**~ *(être nécessaire)* to be imperative; *(montrer sa prominence)* to stand out, emerge; *(artiste: se faire connaître)* to win recognition, come to the fore; **en** ~ **à** to impress.

imposition [ɛ̃pozisjɔ̃] *nf (ADMIN)* taxation.

impossibilité [ɛ̃posibilite] *nf* impossibility; **être dans l'**~ **de faire** to be unable to do, find it impossible to do.

impossible [ɛ̃posibl(ə)] *a* impossible; **il m'est** ~ **de le faire** it is impossible for me to do it, I can't possibly do it; **faire l'**~ **(pour que)** to do one's utmost (so that).

imposteur [ɛ̃pɔstœʀ] *nm* impostor.

imposture [ɛ̃pɔstyʀ] *nf* imposture, deception.

impôt [ɛpo] nm tax; (taxes) taxation; taxes pl; ~s nmpl (contributions) (income) tax sg; **payer 1000 F d'~s** to pay 1,000 F in tax; ~ **sur le chiffre d'affaires** corporation tax; ~ **foncier** land tax; ~ **sur les plus-values** capital gains tax; ~ **sur le revenu** income tax.

impotent, e [ɛpɔtɑ̃, -ɑ̃t] a disabled.

impraticable [ɛpratikabl(ə)] a (projet) impracticable, unworkable; (piste) impassable.

imprécation [ɛprekɑsjɔ̃] nf imprecation.

imprécis, e [ɛpresi, -iz] a (contours, souvenir) imprecise, vague; (tir) inaccurate, imprecise.

imprégner [ɛpreɲe] vt (tissu, tampon): ~ (de) to soak ou impregnate (with); (lieu, air): ~ (de) to fill (with); (suj: amertume, ironie) to pervade; **s'~ de** to become impregnated with; to be filled with; (fig) to absorb.

imprenable [ɛprənabl(ə)] a (forteresse) impregnable; **vue** ~ unimpeded outlook.

impresario [ɛpresarjo] nm manager, impresario.

impression [ɛpresjɔ̃] nf impression; (d'un ouvrage, tissu) printing; (PHOTO) exposure; **faire bonne** ~ to make a good impression.

impressionnant, e [ɛpresjɔnɑ̃, -ɑ̃t] a impressive; upsetting.

impressionner [ɛpresjɔne] vt (frapper) to impress; (troubler) to upset; (PHOTO) to expose.

impressionnisme [ɛpresjɔnism(ə)] nm impressionism.

imprévisible [ɛprevizibl(ə)] a unforeseeable.

imprévoyant, e [ɛprevwajɑ̃, -ɑ̃t] a lacking in foresight; (en matière d'argent) improvident.

imprévu, e [ɛprevy] a unforeseen, unexpected // nm unexpected incident; **en cas d'~** if anything unexpected happens.

imprimé [ɛprime] nm (formulaire) printed form; (POSTES) printed matter q; (tissu) printed fabric.

imprimer [ɛprime] vt to print; (apposer: visa, cachet) to stamp; (empreinte etc) to imprint; (publier) to publish; (communiquer: mouvement, impulsion) to impart, transmit; **imprimerie** nf printing; (établissement) printing works sg; (atelier) printing house, printery; **imprimeur** nm printer; **imprimeur-éditeur/-libraire** printer and publisher/bookseller.

improbable [ɛprɔbabl(ə)] a unlikely, improbable.

improductif, ive [ɛprɔdyktif, -iv] a unproductive.

impromptu, e [ɛprɔ̃pty] a impromptu; sudden.

impropre [ɛprɔpr(ə)] a inappropriate; ~ **à** unsuitable for; **impropriété** nf (de langage) incorrect usage q.

improvisé, e [ɛprɔvize] a makeshift, improvised; (jeu etc) scratch, improvised.

improviser [ɛprɔvize] vt, vi to improvise; **s'~** (secours, réunion) to be improvised; **s'~ cuisinier** to (decide to) act as cook.

improviste [ɛprɔvist(ə)]: **à l'~** ad unexpectedly, without warning.

imprudemment [ɛprydamɑ̃] ad carelessly; unwisely, imprudently.

imprudence [ɛprydɑ̃s] nf carelessness; imprudence; act of carelessness; foolish ou unwise action.

imprudent, e [ɛprydɑ̃, -ɑ̃t] a (conducteur, geste, action) careless; (remarque) unwise, imprudent; (projet) foolhardy.

impubère [ɛpybɛr] a below the age of puberty.

impudent, e [ɛpydɑ̃, -ɑ̃t] a impudent; brazen.

impudique [ɛpydik] a shameless.

impuissance [ɛpɥisɑ̃s] nf helplessness; ineffectiveness; impotence.

impuissant, e [ɛpɥisɑ̃, -ɑ̃t] a helpless; (sans effet) ineffectual; (sexuellement) impotent // nm impotent man; ~ **à faire** powerless to do.

impulsif, ive [ɛpylsif, -iv] a impulsive.

impulsion [ɛpylsjɔ̃] nf (ÉLEC, instinct) impulse; (élan, influence) impetus.

impunément [ɛpynemɑ̃] ad with impunity.

impur, e [ɛpyr] a impure; **~eté** nf impurity.

imputation [ɛpytɑsjɔ̃] nf imputation, charge.

imputer [ɛpyte] vt (attribuer): ~ **qch à** to ascribe ou impute sth to; (COMM): ~ **à** ou **sur** to charge to.

imputrescible [ɛpytresibl(ə)] a which does not rot.

inabordable [inabɔrdabl(ə)] a (lieu) inaccessible; (cher) prohibitive.

inaccentué, e [inaksɑ̃tɥe] a (LING) unstressed.

inacceptable [inakseptabl(ə)] a unacceptable; inadmissible.

inaccessible [inaksesibl(ə)] a inaccessible; unattainable; (insensible): ~ **à** impervious to.

inaccoutumé, e [inakutyme] a unaccustomed.

inachevé, e [inaʃve] a unfinished.

inactif, ive [inaktif, -iv] a inactive, idle.

inaction [inaksjɔ̃] nf inactivity.

inactivité [inaktivite] nf (ADMIN): **en** ~ out of active service.

inadapté, e [inadapte] a (gén): ~ **à** not adapted to, unsuited to; (PSYCH) maladjusted.

inadmissible [inadmisibl(ə)] a inadmissible.

inadvertance [inadvɛrtɑ̃s]: **par** ~ ad inadvertently.

inaliénable [inaljenabl(ə)] a inalienable.

inaltérable [inalterabl(ə)] a (matière) stable; (fig) unchanging; ~ **à** unaffected by; **couleur** ~ (au lavage/à la lumière) fast colour/fade-resistant colour.

inamovible [inamovibl(ə)] a fixed; (JUR) irremovable.

inanimé, e [inanime] a (matière) inanimate; (évanoui) unconscious; (sans vie) lifeless.

inanité [inanite] nf futility.

inanition [inanisjɔ̃] nf: **tomber d'~** to faint with hunger (and exhaustion).

inaperçu, e [inapɛʀsy] a: **passer** ~ to go unnoticed.
inappliqué, e [inaplike] a lacking in application.
inappréciable [inapʀesjabl(ə)] a (service) invaluable ; (différence, nuance) inappreciable.
inapte [inapt(ə)] a: ~ à incapable of ; (MIL) unfit for.
inattaquable [inatakabl(ə)] a (MIL) unassailable ; (texte, preuve) irrefutable.
inattendu, e [inatɑ̃dy] a unexpected.
inattentif, ive [inatɑ̃tif, -iv] a inattentive ; ~ à (dangers, détails) heedless of ; **inattention** nf inattention ; **faute d'inattention** careless mistake.
inaugural, e, aux [inɔgyʀal, -o] a (cérémonie) inaugural, opening ; (vol, voyage) maiden.
inauguration [inɔgyʀasjɔ̃] nf opening ; unveiling.
inaugurer [inɔgyʀe] vt (monument) to unveil ; (exposition, usine) to open ; (fig) to inaugurate.
inavouable [inavwabl(ə)] a shameful ; undisclosable.
inavoué, e [inavwe] a unavowed.
incalculable [ɛ̃kalkylabl(ə)] a incalculable.
incandescence [ɛ̃kɑ̃desɑ̃s] nf incandescence ; **porter à** ~ to heat white-hot.
incantation [ɛ̃kɑ̃tasjɔ̃] nf incantation.
incapable [ɛ̃kapabl(ə)] a incapable ; ~ **de faire** incapable of doing ; (empêché) unable to do.
incapacité [ɛ̃kapasite] nf incapability ; (JUR) incapacity ; **être dans l'** ~ **de faire** to be unable to do ; ~ **permantente/de travail** permanent/industrial disablement ; ~ **électorale** ineligibility to vote.
incarcérer [ɛ̃kaʀseʀe] vt to incarcerate.
incarnation [ɛ̃kaʀnasjɔ̃] nf incarnation.
incarné, e [ɛ̃kaʀne] a incarnate ; (ongle) ingrown.
incarner [ɛ̃kaʀne] vt to embody, personify ; (THÉÂTRE) to play ; (REL) to incarnate.
incartade [ɛ̃kaʀtad] nf prank, escapade.
incassable [ɛ̃kasabl(ə)] a unbreakable.
incendiaire [ɛ̃sɑ̃djɛʀ] a incendiary ; (fig: discours) inflammatory // nm/f fire-raiser, arsonist.
incendie [ɛ̃sɑ̃di] nm fire ; ~ **criminel** arson q ; ~ **de forêt** forest fire.
incendier [ɛ̃sɑ̃dje] vt (mettre le feu à) to set fire to, set alight ; (brûler complètement) to burn down.
incertain, e [ɛ̃sɛʀtɛ̃, -ɛn] a uncertain ; (temps) uncertain, unsettled ; (imprécis: contours) indistinct, blurred ; **incertitude** nf uncertainty.
incessamment [ɛ̃sesamɑ̃] ad very shortly.
incessant, e [ɛ̃sesɑ̃, -ɑ̃t] a incessant, unceasing.
inceste [ɛ̃sɛst(ə)] nm incest.
inchangé, e [ɛ̃ʃɑ̃ʒe] a unchanged, unaltered.
incidemment [ɛ̃sidamɑ̃] ad in passing.

incidence [ɛ̃sidɑ̃s] nf (effet, influence) effect ; (PHYSIQUE) incidence.
incident [ɛ̃sidɑ̃] nm incident ; ~ **de parcours** minor hitch ou setback ; ~ **technique** technical difficulties pl.
incinérateur [ɛ̃sineʀatœʀ] nm incinerator.
incinérer [ɛ̃sineʀe] vt (ordures) to incinerate ; (mort) to cremate.
incise [ɛ̃siz] nf (LING) interpolated clause.
incisif, ive [ɛ̃sizif, -iv] a incisive, cutting // nf incisor.
incision [ɛ̃sizjɔ̃] nf incision ; (d'un abcès) lancing.
inciter [ɛ̃site] vt: ~ **qn à faire** to incite ou prompt sb to do.
inclinaison [ɛ̃klinɛzɔ̃] nf (déclivité: d'une route etc) incline ; (: d'un toit) slope ; (état penché: d'un mur) lean ; (: de la tête) tilt ; (: d'un navire) list.
inclination [ɛ̃klinasjɔ̃] nf (penchant) inclination, tendency ; ~ **de (la) tête** nod (of the head) ; ~ **(de buste)** bow.
incliner [ɛ̃kline] vt (tête, bouteille) to tilt ; (inciter): ~ **qn à qch/à faire** to encourage sb towards sth/to do // vi: ~ **à qch/à faire** to incline towards sth/doing ; to tend towards sth/to do ; **s'** ~ (route) to slope ; **s'** ~ **(devant)** to bow (before) ; (céder) to give in ou yield (to) ; ~ **la tête** ou **le front** to give a slight bow.
inclure [ɛ̃klyʀ] vt to include ; (joindre à un envoi) to enclose ; **jusqu'au 10 mars inclus** until 10th March inclusive.
incoercible [ɛ̃kɔɛʀsibl(ə)] a uncontrollable.
incognito [ɛ̃kɔɲito] ad incognito.
incohérence [ɛ̃kɔeʀɑ̃s] nf inconsistency.
incohérent, e [ɛ̃kɔeʀɑ̃, -ɑ̃t] a inconsistent ; incoherent.
incollable [ɛ̃kɔlabl(ə)] a: **il est** ~ he's got all the answers.
incolore [ɛ̃kɔlɔʀ] a colourless.
incomber [ɛ̃kɔbe]: ~ **à** vt (suj: devoirs, responsabilité) to rest ou be incumbent upon ; (: frais, travail) to be the responsibility of.
incombustible [ɛ̃kɔbystibl(ə)] a incombustible.
incommensurable [ɛ̃kɔmɑ̃syʀabl(ə)] a immeasurable.
incommode [ɛ̃kɔmɔd] a inconvenient ; (posture, siège) uncomfortable.
incommoder [ɛ̃kɔmɔde] vt: ~ **qn** to bother ou inconvenience sb ; (embarrasser) to make sb feel uncomfortable ou ill at ease.
incomparable [ɛ̃kɔpaʀabl(ə)] a not comparable ; (inégalable) incomparable, matchless.
incompatibilité [ɛ̃kɔpatibilite] nf incompatibility ; ~ **d'humeur** (mutual) incompatibility.
incompatible [ɛ̃kɔpatibl(ə)] a incompatible.
incompétent, e [ɛ̃kɔpetɑ̃, -ɑ̃t] a (ignorant) inexpert ; (JUR) incompetent, not competent.
incomplet, ète [ɛ̃kɔplɛ, -ɛt] a incomplete.
incompréhensible [ɛ̃kɔpʀeɑ̃sibl(ə)] a incomprehensible.

incompréhensif, ive [ɛ̃kɔ̃pʀeɑ̃sif, -iv] *a* lacking in understanding; unsympathetic.

incompris, e [ɛ̃kɔ̃pʀi, -iz] *a* misunderstood.

inconcevable [ɛ̃kɔ̃svabl(ə)] *a* inconceivable.

inconciliable [ɛ̃kɔ̃siljabl(ə)] *a* irreconcilable.

inconditionnel, le [ɛ̃kɔ̃disjɔnɛl] *a* unconditional ; (*partisan*) unquestioning.

inconduite [ɛ̃kɔ̃dɥit] *nf* wild behaviour *q*.

inconfortable [ɛ̃kɔ̃fɔʀtabl(ə)] *a* uncomfortable.

incongru, e [ɛ̃kɔ̃gʀy] *a* unseemly.

inconnu, e [ɛ̃kɔny] *a* unknown ; new, strange // *nm/f* stranger ; unknown person (*ou* artist *etc*) // *nm*: **l'~** the unknown // *nf* (MATH) unknown ; (*fig*) unknown factor.

inconsciemment [ɛ̃kɔ̃sjamɑ̃] *ad* unconsciously ; thoughtlessly.

inconscience [ɛ̃kɔ̃sjɑ̃s] *nf* unconsciousness ; thoughtlessness, recklessness.

inconscient, e [ɛ̃kɔ̃sjɑ̃, -ɑ̃t] *a* unconscious ; (*irréfléchi*) thoughtless, reckless // *nm* (PSYCH): **l'~** the subconscious, the unconscious ; **~ de** unaware of.

inconsidéré, e [ɛ̃kɔ̃sideʀe] *a* illconsidered.

inconsistant, e [ɛ̃kɔ̃sistɑ̃, -ɑ̃t] *a* flimsy, weak ; runny.

inconstant, e [ɛ̃kɔ̃stɑ̃, -ɑ̃t] *a* inconstant, fickle.

incontestable [ɛ̃kɔ̃tɛstabl(ə)] *a* indisputable.

incontesté, e [ɛ̃kɔ̃tɛste] *a* undisputed.

incontinence [ɛ̃kɔ̃tinɑ̃s] *nf* incontinence.

incontinent, e [ɛ̃kɔ̃tinɑ̃, -ɑ̃t] *a* incontinent // *ad* forthwith.

incontrôlable [ɛ̃kɔ̃tʀolabl(ə)] *a* unverifiable.

inconvenant, e [ɛ̃kɔ̃vnɑ̃, -ɑ̃t] *a* unseemly, improper.

inconvénient [ɛ̃kɔ̃venjɑ̃] *nm* (*d'une situation, d'un projet*) disadvantage, drawback ; (*d'un remède, changement etc*) risk, inconvenience ; **si vous n'y voyez pas d'~** if you have no objections.

incorporation [ɛ̃kɔʀpɔʀɑsjɔ̃] *nf* (MIL) callup.

incorporer [ɛ̃kɔʀpɔʀe] *vt* **~ (à)** to mix in (with) ; (*paragraphe etc*): **~ (dans)** to incorporate (in) ; (*territoire, immigrants*): **~ (à)** to incorporate (into) ; (MIL: *appeler*) to recruit, call up ; (: *affecter*): **~ qn dans** to enlist sb into.

incorrect, e [ɛ̃kɔʀɛkt] *a* (*impropre, inconvenant*) improper ; (*défectueux*) faulty ; (*inexact*) incorrect ; (*impoli*) impolite ; (*déloyal*) underhand.

incorrigible [ɛ̃kɔʀiʒibl(ə)] *a* incorrigible.

incorruptible [ɛ̃kɔʀyptibl(ə)] *a* incorruptible.

incrédule [ɛ̃kʀedyl] *a* incredulous ; (REL) unbelieving.

increvable [ɛ̃kʀəvabl(ə)] *a* (*pneu*) puncture-proof ; (*fam*) tireless.

incriminer [ɛ̃kʀimine] *vt* (*personne*) to incriminate ; (*action, conduite*) to bring

under attack ; (*bonne foi, honnêteté*) to call into question.

incroyable [ɛ̃kʀwajabl(ə)] *a* incredible ; unbelievable.

incroyant, e [ɛ̃kʀwajɑ̃, -ɑ̃t] *nm/f* nonbeliever.

incrustation [ɛ̃kʀystɑsjɔ̃] *nf* inlaying *q* ; inlay ; (*dans une chaudière etc*) fur *q*, scale *q*.

incruster [ɛ̃kʀyste] *vt* (ART): **~ qch dans/qch de** to inlay sth into/sth with ; (*radiateur etc*) to coat with scale *ou* fur ; **s'~** *vi* (*invité*) to take root ; (*radiateur etc*) to become coated with fur *ou* scale ; **s'~ dans** (*suj*: *corps étranger, caillou*) to become embedded in.

incubateur [ɛ̃kybatœʀ] *nm* incubator.

incubation [ɛ̃kybɑsjɔ̃] *nf* incubation.

inculpation [ɛ̃kylpɑsjɔ̃] *nf* charging *q* ; charge.

inculpé, e [ɛ̃kylpe] *nm/f* accused.

inculper [ɛ̃kylpe] *vt*: **~ (de)** to charge (with).

inculquer [ɛ̃kylke] *vt*: **~ qch à** to inculcate sth in *ou* instil sth into.

inculte [ɛ̃kylt(ə)] *a* uncultivated ; (*esprit, peuple*) uncultured ; (*barbe*) unkempt.

incurable [ɛ̃kyʀabl(ə)] *a* incurable.

incurie [ɛ̃kyʀi] *nf* carelessness.

incursion [ɛ̃kyʀsjɔ̃] *nf* incursion, foray.

incurvé, e [ɛ̃kyʀve] *a* curved.

Inde [ɛ̃d] *nf*: **l'~** India.

indécence [ɛ̃desɑ̃s] *nf* indecency ; indecent remark (*ou* act *etc*).

indécent, e [ɛ̃desɑ̃, -ɑ̃t] *a* indecent.

indéchiffrable [ɛ̃deʃifʀabl(ə)] *a* indecipherable.

indécis, e [ɛ̃desi, -iz] *a* indecisive ; (*perplexe*) undecided ; **indécision** *nf* indecision ; indecisiveness.

indéfendable [ɛ̃defɑ̃dabl(ə)] *a* indefensible.

indéfini, e [ɛ̃defini] *a* (*imprécis, incertain*) undefined ; (*illimité, LING*) indefinite ; **~ment** *ad* indefinitely ; **~ssable** *a* indefinable.

indéformable [ɛ̃defɔʀmabl(ə)] *a* that keeps its shape.

indélébile [ɛ̃delebil] *a* indelible.

indélicat, e [ɛ̃delika, -at] *a* tactless ; dishonest.

indémaillable [ɛ̃demajabl(ə)] *a* run-resist.

indemne [ɛ̃dɛmn(ə)] *a* unharmed.

indemniser [ɛ̃dɛmnize] *vt*: **~ qn (de)** to compensate sb (for).

indemnité [ɛ̃dɛmnite] *nf* (*dédommagement*) compensation *q* ; (*allocation*) allowance ; **~ de licenciement** redundancy payment ; **~ de logement** housing allowance ; **~ parlementaire** ≈ M.P.'s salary.

indéniable [ɛ̃denjabl(ə)] *a* undeniable, indisputable.

indépendamment [ɛ̃depɑ̃damɑ̃] *ad* independently ; **~ de** (*abstraction faite de*) irrespective of ; (*en plus de*) over and above.

indépendance [ɛ̃depɑ̃dɑ̃s] *nf* independence.

indépendant, e [ɛ̃depɑ̃dɑ̃, -ɑ̃t] *a* independent ; **~ de** independent of ;

chambre ～e room with private entrance.

indescriptible [ɛ̃dɛskRiptibl(ə)] *a* indescribable.

indésirable [ɛ̃deziRabl(ə)] *a* undesirable.

indestructible [ɛ̃dɛstRyktibl(ə)] *a* indestructible ; (*marque, impression*) indelible.

indétermination [ɛ̃detɛRminasjɔ̃] *nf* indecision ; indecisiveness.

indéterminé, e [ɛ̃detɛRmine] *a* unspecified ; indeterminate ; indeterminable.

index [ɛ̃dɛks] *nm* (*doigt*) index finger ; (*d'un livre etc*) index ; **mettre à l'～** to blacklist.

indexé, e [ɛ̃dɛkse] *a* (*ÉCON*) : ～ **(sur)** index-linked (to).

indicateur [ɛ̃dikatœR] *nm* (*POLICE*) informer ; (*livre*) guide ; directory ; (*TECH*) gauge ; indicator ; ～ **des chemins de fer** railway timetable ; ～ **de direction** (*AUTO*) indicator ; ～ **immobilier** property gazette ; ～ **de rues** street directory ; ～ **de vitesse** speedometer.

indicatif, ive [ɛ̃dikatif, -iv] *a*: **à titre ～** for (your) information // *nm* (*LING*) indicative ; (*d'une émission*) theme *ou* signature tune ; (*téléphonique*) dialling code ; ～ **d'appel** (*RADIO*) call sign.

indication [ɛ̃dikasjɔ̃] *nf* indication ; (*renseignement*) information *q* ; ～**s** *nfpl* (*directives*) instructions.

indice [ɛ̃dis] *nm* (*marque, signe*) indication, sign ; (*POLICE: lors d'une enquête*) clue ; (*JUR: présomption*) piece of evidence ; (*SCIENCE, TECH*) index ; (*ADMIN*) grading ; rating ; ～ **d'octane** octane rating ; ～ **des prix** price index ; ～ **de traitement** salary grading.

indicible [ɛ̃disibl(ə)] *a* inexpressible.

indien, ne [ɛ̃djɛ̃, -jɛn] *a* Indian // *nm/f*: **I～, ne** (*d'Amérique*) Red Indian ; (*d'Inde*) Indian.

indifféremment [ɛ̃difeRamɑ̃] *ad* (*sans distinction*) equally (well) ; indiscriminately.

indifférence [ɛ̃difeRɑ̃s] *nf* indifference.

indifférent, e [ɛ̃difeRɑ̃, -ɑ̃t] *a* (*peu intéressé*) indifferent ; ～ **à** (*insensible à*) indifferent to, unconcerned about ; (*peu intéressant pour*) indifferent to ; immaterial to.

indigence [ɛ̃diʒɑ̃s] *nf* poverty.

indigène [ɛ̃diʒɛn] *a* native, indigenous ; local // *nm/f* native.

indigent, e [ɛ̃diʒɑ̃, -ɑ̃t] *a* destitute, poverty-stricken ; (*fig*) poor.

indigeste [ɛ̃diʒɛst(ə)] *a* indigestible.

indigestion [ɛ̃diʒɛstjɔ̃] *nf* indigestion *q*.

indignation [ɛ̃diɲasjɔ̃] *nf* indignation.

indigne [ɛ̃diɲ] *a* unworthy.

indigner [ɛ̃diɲe] *vt* to make indignant ; **s'～ (de/contre)** to be (*ou* become) indignant (at).

indignité [ɛ̃diɲite] *nf* unworthiness *q* ; shameful act.

indiqué, e [ɛ̃dike] *a* (*adéquat*) appropriate, suitable ; (*conseillé*) suitable, advisable.

indiquer [ɛ̃dike] *vt* (*désigner*) : ～ **qch/qn à qn** to point sth/sb out to sb ; (*suj: pendule, aiguille*) to show ; (*suj: étiquette, plan*) to show, indicate ; (*faire connaître:*

médecin, restaurant): ～ **qch/qn à qn** to tell sb of sth/sb ; (*renseigner sur*) to point out, tell ; (*déterminer: date, lieu*) to give, state ; (*dénoter*) to indicate, point to ; **pourriez-vous m'～ les toilettes/l'heure?** could you direct me to the toilets/tell me the time?

indirect, e [ɛ̃diRɛkt] *a* indirect.

indiscipline [ɛ̃disiplin] *nf* lack of discipline ; **indiscipliné, e** *a* undisciplined ; (*fig*) unmanageable.

indiscret, ète [ɛ̃diskRɛ, -ɛt] *a* indiscreet ; **indiscrétion** *nf* indiscretion.

indiscutable [ɛ̃diskytabl(ə)] *a* indisputable.

indispensable [ɛ̃dispɑ̃sabl(ə)] *a* indispensable ; essential.

indisponible [ɛ̃dispɔnibl(ə)] *a* unavailable.

indisposé, e [ɛ̃dispoze] *a* indisposed, unwell.

indisposer [ɛ̃dispoze] *vt* (*incommoder*) to upset ; (*déplaire à*) to antagonize.

indistinct, e [ɛ̃distɛ̃, -ɛ̃kt(ə)] *a* indistinct ; **indistinctement** *ad* (*voir, prononcer*) indistinctly ; (*sans distinction*) without distinction, indiscriminately.

individu [ɛ̃dividy] *nm* individual ; ～**aliser** *vt* to individualize ; (*personnaliser*) to tailor to individual requirements ; ～**aliste** *nm/f* individualist.

individuel, le [ɛ̃dividɥɛl] *a* (*gén*) individual ; (*opinion, contrôle, avantages*) personal ; **chambre ～le** single room ; **maison ～le** detached house ; **propriété ～le** personal *ou* private property.

indocile [ɛ̃dɔsil] *a* unruly.

indolent, e [ɛ̃dɔlɑ̃, -ɑ̃t] *a* indolent.

indolore [ɛ̃dɔlɔR] *a* painless.

indomptable [ɛ̃dɔ̃tabl(ə)] *a* untameable ; (*fig*) invincible, indomitable.

Indonésie [ɛ̃dɔnezi] *nf* Indonesia ; **indonésien, ne** *a, nm/f* Indonesian.

indu, e [ɛ̃dy] *a*: **à des heures ～es** at some ungodly hour.

indubitable [ɛ̃dybitabl(ə)] *a* indubitable.

induire [ɛ̃dɥiR] *vt*: ～ **qch de** to induce sth from ; ～ **qn en erreur** to lead sb astray, mislead sb.

indulgence [ɛ̃dylʒɑ̃s] *nf* indulgence ; leniency.

indulgent, e [ɛ̃dylʒɑ̃, -ɑ̃t] *a* (*parent, regard*) indulgent ; (*juge, examinateur*) lenient.

indûment [ɛ̃dymɑ̃] *ad* wrongfully ; without due cause.

industrialiser [ɛ̃dystRijalize] *vt* to industrialize ; **s'～** to become industrialized.

industrie [ɛ̃dystRi] *nf* industry ; ～ **du spectacle** entertainment business ; **industriel, le** *a* industrial // *nm* industrialist ; manufacturer.

industrieux, euse [ɛ̃dystRijø, -øz] *a* industrious.

inébranlable [inebRɑ̃labl(ə)] *a* (*masse, colonne*) solid ; (*personne, certitude, foi*) steadfast, unwavering.

inédit, e [inedi, -it] *a* (*correspondance etc*)

hitherto unpublished; (*spectacle*, *moyen*) novel, original.

ineffable [inefabl(ə)] *a* inexpressible, ineffable.

ineffaçable [inefasabl(ə)] *a* indelible.

inefficace [inefikas] *a* (*remède*, *moyen*) ineffective; (*machine*, *employé*) inefficient; **inefficacité** *nf* ineffectiveness; inefficiency.

inégal, e, aux [inegal, -o] *a* unequal; uneven.

inégalable [inegalabl(e)] *a* matchless.

inégalé, e [inegale] *a* unmatched, unequalled.

inégalité [inegalite] *nf* inequality; unevenness *q*; ~ **de 2 hauteurs** difference *ou* disparity between 2 heights.

inélégant, e [inelegɑ̃, -ɑ̃t] *a* inelegant; (*indélicat*) discourteous.

inéligible [ineliʒibl(ə)] *a* ineligible.

inéluctable [inelyktabl(ə)] *a* inescapable, ineluctable.

inemployé, e [inɑ̃plwaje] *a* unused.

inénarrable [inenarabl(ə)] *a* hilarious.

inepte [inɛpt(ə)] *a* inept; **ineptie** [-si] *nf* ineptitude; nonsense *q*.

inépuisable [inepɥizabl(ə)] *a* inexhaustible.

inerte [inɛrt(ə)] *a* lifeless; (*apathique*) passive, inert; (*PHYSIQUE, CHIMIE*) inert.

inertie [inɛrsi] *nf* inertia.

inespéré, e [inɛspere] *a* unhoped-for.

inesthétique [inɛstetik] *a* unsightly.

inestimable [inɛstimabl(e)] *a* priceless; (*fig: bienfait*) invaluable.

inévitable [inevitabl(ə)] *a* unavoidable; (*fatal, habituel*) inevitable.

inexact, e [inɛgzakt] *a* inaccurate, inexact; unpunctual; ~**itude** *nf* inaccuracy.

inexcusable [inɛkskyzabl(ə)] *a* inexcusable, unforgivable.

inexécutable [inɛgzekytabl(ə)] *a* impracticable, unworkable; (*MUS*) unplayable.

inexistant, e [inɛgzistɑ̃, -ɑ̃t] *a* non-existent.

inexorable [inɛgzɔrabl(ə)] *a* inexorable.

inexpérience [inɛksperjɑ̃s] *nf* inexperience, lack of experience.

inexplicable [inɛksplikabl(ə)] *a* inexplicable.

inexpliqué, e [inɛksplike] *a* unexplained.

inexploité, e [inɛksplwate] *a* unexploited, untapped.

inexpressif, ive [inɛkspresif, -iv] *a* inexpressive; expressionless.

inexprimable [inɛksprimabl(ə)] *a* inexpressible.

inexprimé, e [inɛksprime] *a* unspoken, unexpressed.

inextensible [inɛkstɑ̃sibl(ə)] *a* (*tissu*) non-stretch.

in extenso [inɛkstɛ̃so] *ad* in full.

inextricable [inɛkstrikabl(ə)] *a* inextricable.

in extremis [inɛkstremis] *ad* at the last minute // *a* last-minute; (*testament*) death bed *cpd*.

infaillibilité [ɛ̃fajibilite] *nf* infallibility.

infaillible [ɛ̃fajibl(ə)] *a* infallible; (*instinct*) infallible, unerring.

infâme [ɛ̃fɑm] *a* vile.

infanterie [ɛ̃fɑ̃tri] *nf* infantry.

infanticide [ɛ̃fɑ̃tisid] *nm/f* child-murderer/eress // *nm* (*meurtre*) infanticide.

infantile [ɛ̃fɑ̃til] *a* (*MÉD*) infantile, child *cpd*; (*ton, réaction, péj*) infantile, childish.

infarctus [ɛ̃farktys] *nm*: ~ **(du myocarde)** coronary (thrombosis).

infatigable [ɛ̃fatigabl(ə)] *a* tireless, indefatigable.

infatué, e [ɛ̃fatɥe] *a* conceited; ~ **de** full of.

infécond, e [ɛ̃fekɔ̃, -ɔ̃d] *a* infertile, barren.

infect, e [ɛ̃fɛkt] *a* vile, foul; (*repas, vin*) revolting, foul.

infecter [ɛ̃fɛkte] *vt* (*atmosphère, eau*) to contaminate; (*MÉD*) to infect; **s'**~ to become infected *ou* septic; **infectieux, euse** [-sjø, -øz] *a* infectious; **infection** [-sjɔ̃] *nf* infection.

inféoder [ɛ̃feɔde] *vt*: **s'**~ **à** to pledge allegiance to.

inférer [ɛ̃fere] *vt*: ~ **qch de** to infer sth from.

inférieur, e [ɛ̃ferjœr] *a* lower; (*en qualité, intelligence*) inferior // *nm/f* inferior; ~ **à** (*somme, quantité*) less *ou* smaller than; (*moins bon que*) inferior to; (*tâche: pas à la hauteur de*) unequal to; **infériorité** *nf* inferiority.

infernal, e, aux [ɛ̃fɛrnal, -o] *a* (*chaleur, rythme*) infernal; (*méchanceté, complot*) diabolical.

infester [ɛ̃fɛste] *vt* to infest; **infesté de moustiques** infested with mosquitoes, mosquito-ridden.

infidèle [ɛ̃fidɛl] *a* unfaithful; (*REL*) infidel; **infidélité** *nf* unfaithfulness *q*.

infiltration [ɛ̃filtrɑsjɔ̃] *nf* infiltration.

infiltrer [ɛ̃filtre]: **s'**~ *vi*: **s'**~ **dans** to penetrate into; (*liquide*) to seep into; (*fig: noyauter*) to infiltrate.

infime [ɛ̃fim] *a* minute, tiny; (*inférieur*) lowly.

infini, e [ɛ̃fini] *a* infinite // *nm* infinity; **à l'**~ (*MATH*) to infinity; (*discourir*) ad infinitum, endlessly; (*agrandir, varier*) infinitely; (*à perte de vue*) endlessly (into the distance); ~**ment** *ad* infinitely; **infinité** *nf*: **une infinité de** an infinite number of.

infinitif, ive [ɛ̃finitif, -iv] *a, nm* infinitive.

infirme [ɛ̃firm(ə)] *a* disabled // *nm/f* disabled person; ~ **de guerre** war cripple; ~ **du travail** industrially disabled person.

infirmer [ɛ̃firme] *vt* to invalidate.

infirmerie [ɛ̃firməri] *nf* sick bay.

infirmier, ière [ɛ̃firmje, -jɛr] *nm/f* nurse; **infirmière chef** sister; **infirmière diplômée** registered nurse; **infirmière visiteuse** ≈ district nurse.

infirmité [ɛ̃firmite] *nf* disability.

inflammable [ɛ̃flamabl(ə)] *a* (in)flammable.

inflammation [ɛ̃flamɑsjɔ̃] *nf* inflammation.

inflation [ɛ̃flɑsjɔ̃] *nf* inflation ; **inflationniste** *a* inflationist.

infléchir [ɛ̃fleʃiʀ] *vt* (*fig: politique*) to reorientate, redirect.

inflexible [ɛ̃flɛksibl(ə)] *a* inflexible.

inflexion [ɛ̃flɛksjɔ̃] *nf* inflexion ; ~ **de la tête** slight nod (of the head).

infliger [ɛ̃fliʒe] *vt*: ~ **qch (à qn)** to inflict sth (on sb) ; (*amende, sanction*) to impose sth (on sb).

influençable [ɛ̃flyɑ̃sabl(ə)] *a* easily influenced.

influence [ɛ̃flyɑ̃s] *nf* influence ; (*d'un médicament*) effect ; **influencer** *vt* to influence ; **influent, e** *a* influential.

influer [ɛ̃flye]: ~ **sur** *vt* to have an influence upon.

influx [ɛ̃fly] *nm*: ~ **nerveux** (nervous) impulse.

informaticien, ne [ɛ̃fɔʀmatisjɛ̃, -jɛn] *nm/f* computer scientist.

information [ɛ̃fɔʀmɑsjɔ̃] *nf* (*renseignement*) piece of information ; (*PRESSE, TV: nouvelle*) news *sg* ; (*diffusion de renseignements, INFORMATIQUE*) information ; (*JUR*) inquiry, investigation ; **voyage d'~** fact-finding trip ; **agence d'~** news agency ; **journal d'~** quality newspaper.

informatique [ɛ̃fɔʀmatik] *nf* (*techniques*) data processing ; (*science*) computer science ; **informatiser** *vt* to computerize.

informe [ɛ̃fɔʀm(ə)] *a* shapeless.

informer [ɛ̃fɔʀme] *vt*: ~ **qn (de)** to inform sb (of) // *vi* (*JUR*): ~ **contre/sur** to initiate inquiries about ; **s'~ (sur)** to inform o.s. (about) ; **s'~ (de/si)** to inquire *ou* find out (about/whether *ou* if).

infortune [ɛ̃fɔʀtyn] *nf* misfortune.

infraction [ɛ̃fʀaksjɔ̃] *nf* offence ; ~ **à** violation *ou* breach of ; **être en ~** to be in breach of the law.

infranchissable [ɛ̃fʀɑ̃ʃisabl(ə)] *a* impassable ; (*fig*) insuperable.

infrarouge [ɛ̃fʀaʀuʒ] *a, nm* infrared.

infrastructure [ɛ̃fʀastʀyktyʀ] *nf* (*d'une route etc*) substructure ; (*AVIAT, MIL*) ground installations *pl* ; (*ÉCON: touristique etc*) infrastructure.

infroissable [ɛ̃fʀwasabl(ə)] *a* crease-resistant.

infructueux, euse [ɛ̃fʀyktyɵ, -ɵz] *a* fruitless, unfruitful.

infus, e [ɛ̃fy, -yz] *a*: **avoir la science ~e** to have innate knowledge.

infuser [ɛ̃fyze] *vt* (*thé*) to brew ; (*tisane*) to infuse // *vi* to brew ; to infuse ; **infusion** *nf* (*tisane*) infusion, herb tea.

ingambe [ɛ̃gɑ̃b] *a* spry, nimble.

ingénier [ɛ̃ʒenje]: **s'~** *vi*: **s'~ à faire** to strive to do.

ingénieur [ɛ̃ʒenjœʀ] *nm* engineer ; ~ **agronome/chimiste** agricultural/chemical engineer ; ~ **du son** sound engineer.

ingénieux, euse [ɛ̃ʒenjɵ, -ɵz] *a* ingenious, clever ; **ingéniosité** *nf* ingenuity.

ingénu, e [ɛ̃ʒeny] *a* ingenuous, artless // *nf* (*THÉÂTRE*) ingénue.

ingérer [ɛ̃ʒeʀe]: **s'~** *vi*: **s'~ dans** to interfere in.

ingrat, e [ɛ̃gʀa, -at] *a* (*personne*) ungrateful ; (*sol*) barren, arid ; (*travail, sujet*) arid, thankless ; (*visage*) unprepossessing ; **ingratitude** *nf* ingratitude.

ingrédient [ɛ̃gʀedjɑ̃] *nm* ingredient.

inguérissable [ɛ̃geʀisabl(ə)] *a* incurable.

ingurgiter [ɛ̃gyʀʒite] *vt* to swallow.

inhabile [inabil] *a* clumsy ; (*fig*) inept.

inhabitable [inabitabl(ə)] *a* uninhabitable.

inhabité, e [inabite] *a* (*régions*) uninhabited ; (*maison*) unoccupied.

inhabituel, le [inabityɛl] *a* unusual.

inhalateur [inalatœʀ] *nm* inhaler ; ~ **d'oxygène** oxygen mask.

inhalation [inalɑsjɔ̃] *nf* (*MÉD*) inhalation ; **faire des ~s** to use an inhalation bath.

inhérent, e [ineʀɑ̃, -ɑ̃t] *a*: ~ **à** inherent in.

inhibition [inibisjɔ̃] *nf* inhibition.

inhospitalier, ière [inɔspitalje, -jɛʀ] *a* inhospitable.

inhumain, e [inymɛ̃, -ɛn] *a* inhuman.

inhumation [inymɑsjɔ̃] *nf* interment, burial.

inhumer [inyme] *vt* to inter, bury.

inimaginable [inimaʒinabl(ə)] *a* unimaginable.

inimitable [inimitabl(ə)] *a* inimitable.

inimitié [inimitje] *nf* enmity.

ininflammable [inɛ̃flamabl(ə)] *a* non-flammable.

inintelligent, e [inɛ̃teliʒɑ̃, -ɑ̃t] *a* unintelligent.

inintelligible [inɛ̃teliʒibl(ə)] *a* unintelligible.

inintéressant, e [inɛ̃teʀesɑ̃, -ɑ̃t] *a* uninteresting.

ininterrompu, e [inɛ̃teʀɔ̃py] *a* (*file, série*) unbroken ; (*flot, vacarme*) uninterrupted, non-stop ; (*effort*) unremitting, continuous.

iniquité [inikite] *nf* iniquity.

initial, e, aux [inisjal, -o] *a, nf* initial.

initiateur, trice [inisjatœʀ, -tʀis] *nm/f* initiator ; (*d'une mode, technique*) innovator, pioneer.

initiative [inisjativ] *nf* initiative ; **prendre l'~ de qch/de faire** to take the initiative for sth/of *ou* in doing ; **avoir de l'~** to have initiative, show enterprise.

initier [inisje] *vt*: ~ **qn à** to initiate sb into ; (*faire découvrir: art, jeu*) to introduce sb to.

injecté, e [ɛ̃ʒɛkte] *a*: **yeux ~s de sang** bloodshot eyes.

injecter [ɛ̃ʒɛkte] *vt* to inject ; **injection** [-sjɔ̃] *nf* injection ; **à injection** *a* (*AUTO*) fuel injection *cpd*.

injonction [ɛ̃ʒɔ̃ksjɔ̃] *nf* injunction, order.

injure [ɛ̃ʒyʀ] *nf* insult, abuse *q*.

injurier [ɛ̃ʒyʀje] *vt* to insult, abuse ; **injurieux, euse** *a* abusive, insulting.

injuste [ɛ̃ʒyst(ə)] *a* unjust, unfair ; **injustice** *nf* injustice.

inlassable [ɛ̃lɑsabl(ə)] *a* tireless, indefatigable.

inné, e [ine] *a* innate, inborn.

innocence [inɔsɑ̃s] *nf* innocence.

innocent, e [inɔsɑ̃, -ɑ̃t] *a* innocent // *nm/f*

innocent person ; **innocenter** vt to clear, prove innocent.

innombrable [inɔ̃bʀabl(ə)] a innumerable.

innommable [inɔmabl(ə)] a unspeakable.

innover [inɔve] vi to break new ground.

inobservation [inɔpsɛʀvasjɔ̃] nf non-observation, inobservance.

inoccupé, e [inɔkype] a unoccupied.

inoculer [inɔkyle] vt: ~ qch à qn (volontairement) to inoculate sb with sth ; (accidentellement) to infect sb with sth ; ~ qn contre to inoculate sb against.

inodore [inɔdɔʀ] a (gaz) odourless ; (fleur) scentless.

inoffensif, ive [inɔfɑ̃sif, -iv] a harmless, innocuous.

inondation [inɔ̃dasjɔ̃] nf flooding q ; flood.

inonder [inɔ̃de] vt to flood ; (fig) to inundate, overrun ; ~ de (fig) to flood ou swamp with.

inopérable [inɔpeʀabl(ə)] a inoperable.

inopérant, e [inɔpeʀɑ̃, -ɑ̃t] a inoperative, ineffective.

inopiné, e [inɔpine] a unexpected, sudden.

inopportun, e [inɔpɔʀtœ̃, -yn] a ill-timed, untimely ; inappropriate ; (moment) inopportune.

inoubliable [inublijabl(ə)] a unforgettable.

inouï, e [inwi] a unheard-of, extraordinary.

inoxydable [inɔksidabl(ə)] a stainless ; (couverts) stainless steel cpd.

inqualifiable [ɛ̃kalifjabl(ə)] a unspeakable.

inquiet, ète [ɛ̃kjɛ, -ɛt] a (par nature) anxious ; (momen-tanément) worried.

inquiétant, e [ɛ̃kjetɑ̃, -ɑ̃t] a worrying, disturbing.

inquiéter [ɛ̃kjete] vt to worry, disturb ; (harceler) to harass ; s'~ to worry, become anxious ; s'~ de to worry about ; (s'enquérir de) to inquire about.

inquiétude [ɛ̃kjetyd] nf anxiety ; donner de l'~ ou des ~s à to worry ; avoir de l'~ ou des ~s au sujet de to feel anxious ou worried about.

inquisition [ɛ̃kizisjɔ̃] nf inquisition.

insaisissable [ɛ̃sezisabl(ə)] a elusive.

insalubre [ɛ̃salybʀ(ə)] a insalubrious, unhealthy.

insanité [ɛ̃sanite] nf madness q, insanity q.

insatiable [ɛ̃sasjabl(ə)] a insatiable.

insatisfait, e [ɛ̃satisfɛ, -ɛt] a (non comblé) unsatisfied ; unfulfilled ; (mécontent) dissatisfied.

inscription [ɛ̃skʀipsjɔ̃] nf (sur un mur, écriteau etc) inscription ; (à une institution: voir s'inscrire) enrolment ; registration.

inscrire [ɛ̃skʀiʀ] vt (marquer: sur son calepin etc) to note ou write down ; (: sur un mur, une affiche etc) to write ; (: dans la pierre, le métal) to inscribe ; (mettre: sur une liste, un budget etc) to put down ; ~ qn à (club, école etc) to enrol sb at ; s'~ (pour une excursion etc) to put one's name down ; s'~ (à) (club, parti) to join ; (université) to register ou enrol (at) ; (examen, concours) to register ou enter (for) ; s'~ en faux contre to challenge.

insecte [ɛ̃sɛkt(ə)] nm insect ; **insecticide** nm insecticide.

insécurité [ɛ̃sekyʀite] nf insecurity, lack of security.

I.N.S.E.E. [inse] sigle m = Institut national de la statistique et des études économiques.

insémination [ɛ̃seminasjɔ̃] nf insemination.

insensé, e [ɛ̃sɑ̃se] a insane.

insensibiliser [ɛ̃sɑ̃sibilize] vt to anaesthetize.

insensible [ɛ̃sɑ̃sibl(ə)] a (nerf, membre) numb ; (dur, indifférent) insensitive ; (imperceptible) imperceptible.

inséparable [ɛ̃sepaʀabl(ə)] a inseparable.

insérer [ɛ̃seʀe] vt to insert ; s'~ dans to fit into ; to come within.

insidieux, euse [ɛ̃sidjø, -øz] a insidious.

insigne [ɛ̃siɲ] nm (d'un parti, club) badge // a distinguished ; ~s nmpl (d'une fonction) insignia pl.

insignifiant, e [ɛ̃siɲifjɑ̃, -ɑ̃t] a insignificant ; trivial.

insinuation [ɛ̃sinɥasjɔ̃] nf innuendo, insinuation.

insinuer [ɛ̃sinɥe] vt to insinuate, imply ; s'~ dans to seep into ; (fig) to worm one's way into ; to creep into.

insipide [ɛ̃sipid] a insipid.

insistance [ɛ̃sistɑ̃s] nf insistence ; avec ~ insistently.

insister [ɛ̃siste] vi to insist ; (s'obstiner) to keep trying ; ~ sur (détail, note) to stress.

insociable [ɛ̃sɔsjabl(ə)] a unsociable.

insolation [ɛ̃sɔlasjɔ̃] nf (MÉD) sunstroke q ; (ensoleillement) period of sunshine.

insolence [ɛ̃sɔlɑ̃s] nf insolence q.

insolent, e [ɛ̃sɔlɑ̃, -ɑ̃t] a insolent.

insolite [ɛ̃sɔlit] a strange, unusual.

insoluble [ɛ̃sɔlybl(ə)] a insoluble.

insolvable [ɛ̃sɔlvabl(ə)] a insolvent.

insomnie [ɛ̃sɔmni] nf insomnia q, sleeplessness q.

insondable [ɛ̃sɔ̃dabl(ə)] a unfathomable.

insonore [ɛ̃sɔnɔʀ] a soundproof ; **insonoriser** vt to soundproof.

insouciance [ɛ̃susjɑ̃s] nf carefree attitude ; heedless attitude.

insouciant, e [ɛ̃susjɑ̃, -ɑ̃t] a carefree ; (imprévoyant) heedless.

insoumis, e [ɛ̃sumi, -iz] a (caractère, enfant) rebellious, refractory ; (contrée, tribu) unsubdued.

insoumission [ɛ̃sumisjɔ̃] nf rebelliousness ; (MIL) absence without leave.

insoupçonnable [ɛ̃supsɔnabl(ə)] a above suspicion.

insoupçonné, e [ɛ̃supsɔne] a unsuspected.

insoutenable [ɛ̃sutnabl(ə)] a (argument) untenable ; (chaleur) unbearable.

inspecter [ɛ̃spɛkte] vt to inspect.

inspecteur, trice [ɛ̃spɛktœʀ, -tʀis] nm/f inspector ; ~ d'Académie ≈ Chief Education Officer ; ~ des finances ≈ Treasury Inspector.

inspection [ɛ̃spɛksjɔ̃] nf inspection.

inspiration [ɛ̃spiʀasjɔ̃] nf inspiration ; breathing in q ; sous l'~ de prompted by.

inspirer [ɛ̃spiʀe] vt (gén) to inspire // vi (aspirer) to breathe in ; **s'~ de** (suj: artiste) to draw one's inspiration from ; (suj: tableau) to be inspired by ; **~ à qn** (œuvre, action) to inspire sb with ; (dégoût, crainte) to fill sb with ; **ça ne m'inspire pas** I'm not keen on the idea.

instable [ɛ̃stabl(ə)] a (meuble, équilibre) unsteady ; (population, temps) unsettled ; (paix, régime, caractère) unstable.

installation [ɛ̃stalasjɔ̃] nf installation ; putting in ou up ; fitting out ; settling in ; (appareils etc) fittings pl, installations pl ; **~s** nfpl installations, plant sg ; facilities.

installer [ɛ̃stale] vt (loger) : **~ qn** to get sb settled, install sb ; (placer) to put, place ; (meuble) to put in ; (rideau, étagère, tente) to put up ; (gaz, électricité etc) to put in, install ; (appartement) to fit out ; **s'~** (s'établir: artisan, dentiste etc) to set o.s. up ; (se loger) to settle (o.s.) ; (emménager) to settle in ; (sur un siège, à un emplacement) to settle (down) ; (fig: maladie, grève) to take a firm hold ou grip.

instamment [ɛ̃stamɑ̃] ad urgently.

instance [ɛ̃stɑ̃s] nf (JUR: procédure) (legal) proceedings pl ; (ADMIN: autorité) authority ; **~s** nfpl (prières) entreaties ; **affaire en ~** matter pending ; **être en ~ de divorce** to be awaiting a divorce ; **en seconde ~** on appeal.

instant [ɛ̃stɑ̃] nm moment, instant ; **dans un ~** in a moment ; **à l'~** this instant ; **à tout ~** at any moment ; constantly ; **pour l'~** for the moment, for the time being ; **par ~s** at times ; **de tous les ~s** perpetual.

instantané, e [ɛ̃stɑ̃tane] a (lait, café) instant ; (explosion, mort) instantaneous // nm snapshot.

instar [ɛ̃staʀ]: **à l'~ de** prép following the example of, like.

instaurer [ɛ̃stɔʀe] vt to institute.

instigateur, trice [ɛ̃stigatœʀ, -tʀis] nm/f instigator.

instigation [ɛ̃stigasjɔ̃] nf: **à l'~ de qn** at sb's instigation.

instinct [ɛ̃stɛ̃] nm instinct ; **~ de conservation** instinct of self-preservation ; **instinctif, ive** a instinctive.

instituer [ɛ̃stitɥe] vt to institute, set up.

institut [ɛ̃stity] nm institute ; **~ de beauté** beauty salon ; **I~ Universitaire de Technologie (IUT)** ≈ Polytechnic.

instituteur, trice [ɛ̃stitytœʀ, -tʀis] nm/f (primary school) teacher.

institution [ɛ̃stitysjɔ̃] nf institution ; (collège) private school.

instructeur, trice [ɛ̃stʀyktœʀ, -tʀis] a (MIL): **sergent ~** drill sergeant ; (JUR): **juge ~** examining magistrate // nm/f instructor.

instructif, ive [ɛ̃stʀyktif, -iv] a instructive.

instruction [ɛ̃stʀyksjɔ̃] nf (enseignement, savoir) education ; (JUR) (preliminary) investigation and hearing ; (directive) instruction ; **~s** nfpl (mode d'emploi) directions, instructions ; **~ civique** civics sg ; **~ religieuse** religious instruction ; **~ professionnelle** vocational training.

instruire [ɛ̃stʀɥiʀ] vt (élèves) to teach ; (recrues) to train ; (JUR: affaire) to conduct the investigation for ; **s'~** to educate o.s. ; **~ qn de qch** (informer) to inform ou advise sb of sth ; **instruit, e** a educated.

instrument [ɛ̃stʀymɑ̃] nm instrument ; **~ à cordes/vent** stringed/wind instrument ; **~ de mesure** measuring instrument ; **~ de musique** musical instrument ; **~ de travail** (working) tool.

insu [ɛ̃sy] nm: **à l'~ de qn** without sb knowing (it).

insubmersible [ɛ̃sybmɛʀsibl(ə)] a unsinkable.

insubordination [ɛ̃sybɔʀdinasjɔ̃] nf rebelliousness ; (MIL) insubordination.

insuccès [ɛ̃syksɛ] nm failure.

insuffisance [ɛ̃syfizɑ̃s] nf insufficiency ; inadequacy ; **~s** nfpl (lacunes) inadequacies ; **~ cardiaque** cardiac insufficiency q.

insuffisant, e [ɛ̃syfizɑ̃, -ɑ̃t] a insufficient ; (élève, travail) inadequate.

insuffler [ɛ̃syfle] vt: **~ qch dans** to blow sth into ; **~ qch à qn** to inspire sb with sth.

insulaire [ɛ̃sylɛʀ] a island cpd ; (attitude) insular.

insulte [ɛ̃sylt(ə)] nf insult ; **insulter** vt to insult.

insupportable [ɛ̃sypɔʀtabl(ə)] a unbearable.

insurgé, e [ɛ̃syʀʒe] a, nm/f insurgent, rebel.

insurger [ɛ̃syʀʒe]: **s'~** vi: **s'~ (contre)** to rise up ou rebel (against).

insurmontable [ɛ̃syʀmɔ̃tabl(ə)] a (difficulté) insuperable ; (aversion) unconquerable.

insurrection [ɛ̃syʀɛksjɔ̃] nf insurrection, revolt.

intact, e [ɛ̃takt] a intact.

intangible [ɛ̃tɑ̃ʒibl(ə)] a intangible ; (principe) inviolable.

intarissable [ɛ̃taʀisabl(ə)] a inexhaustible.

intégral, e, aux [ɛ̃tegʀal, -o] a complete // nf (MATH) integral ; **~ement** ad in full.

intégrant, e [ɛ̃tegʀɑ̃, -ɑ̃t] a: **faire partie ~e de** to be an integral part of, be part and parcel of.

intègre [ɛ̃tɛgʀ(ə)] a upright.

intégrer [ɛ̃tegʀe] vt: **~ qch à/dans** to integrate sth into ; **s'~ à/dans** to become integrated into.

intégrité [ɛ̃tegʀite] nf integrity.

intellect [ɛ̃telɛkt] nm intellect.

intellectuel, le [ɛ̃telɛktɥel] a intellectual // nm/f intellectual ; (péj) highbrow.

intelligence [ɛ̃teliʒɑ̃s] nf intelligence ; (compréhension): **l'~ de** the understanding of ; (complicité): **regard d'~** glance of complicity ; (accord): **vivre en bonne ~ avec qn** to be on good terms with sb ; **~s** nfpl (MIL, fig) secret contacts.

intelligent, e [ɛ̃teliʒɑ̃, -ɑ̃t] a intelligent.

intelligible [ɛ̃teliʒibl(ə)] a intelligible.

intempérance [ɛ̃tɑ̃peʀɑ̃s] nf intemperance q ; overindulgence q.

intempéries [ɛ̃tɑ̃peʀi] nfpl bad weather sg.

intempestif, ive [ɛ̃tɑ̃pɛstif, -iv] *a* untimely.

intenable [ɛ̃tnabl(ə)] *a* (*chaleur*) unbearable.

intendance [ɛ̃tɑ̃dɑ̃s] *nf* (MIL) supply corps; supplies office; (SCOL: *bureau*) bursar's office.

intendant, e [ɛ̃tɑ̃dɑ̃, -ɑ̃t] *nm/f* (MIL) quartermaster; (SCOL) bursar; (*d'une propriété*) steward.

intense [ɛ̃tɑ̃s] *a* intense; **intensif, ive** *a* intensive; **intensifier** *vt*, **s'intensifier** to intensify; **intensité** *nf* intensity.

intenter [ɛ̃tɑ̃te] *vt*: ~ **un procès contre** *ou* **à** to start proceedings against.

intention [ɛ̃tɑ̃sjɔ̃] *nf* intention; (JUR) intent; **avoir l'~ de faire** to intend to do, have the intention of doing; **à l'~ de** *prép* for; (*renseignement*) for the benefit *ou* information of; (*film, ouvrage*) aimed at; **à cette ~** with this aim in view; **intentionné, e** *a*: **bien intentionné** well-meaning *ou* -intentioned; **mal intentionné** ill-intentioned; **intentionnel, le** *a* intentional, deliberate.

inter [ɛ̃tɛʀ] *nm* (TÉL) *abr de* **interurbain**; (SPORT): ~-**gauche**/ -**droit** inside-left-/ right.

intercalaire [ɛ̃tɛʀkalɛʀ] *a*: **feuillet** ~ insert; **fiche** ~ divider.

intercaler [ɛ̃tɛʀkale] *vt* to insert; **s'~ entre** to come in between; to slip in between.

intercéder [ɛ̃tɛʀsede] *vi*: ~ (**pour qn**) to intercede (on behalf of sb).

intercepter [ɛ̃tɛʀsɛpte] *vt* to intercept; (*lumière, chaleur*) to cut off; **interception** [-sjɔ̃] *nf* interception; **avion d'interception** interceptor.

interchangeable [ɛ̃tɛʀʃɑ̃ʒabl(ə)] *a* interchangeable.

interclasse [ɛ̃tɛʀklɑs] *nm* (SCOL) break (between classes).

interdiction [ɛ̃tɛʀdiksjɔ̃] *nf* ban; ~ **de séjour** (JUR) *order banning ex-prisoner from frequenting specified places.*

interdire [ɛ̃tɛʀdiʀ] *vt* to forbid; (ADMIN: *stationnement, meeting, passage*) to ban, prohibit; (: *journal, livre*) to ban; ~ **qch à qn** to forbid sb sth; ~ **à qn de faire** to forbid sb to do, prohibit sb from doing; (*suj: empêchement*) to prevent *ou* preclude sb from doing.

interdit, e [ɛ̃tɛʀdi, -it] *a* (*stupéfait*) taken aback // *nm* interdict, prohibition.

intéressant, e [ɛ̃tɛʀesɑ̃, -ɑ̃t] *a* interesting.

intéressé, e [ɛ̃tɛʀese] *a* (*parties*) involved, concerned; (*amitié, motifs*) self-interested; **les ~s** those concerned *ou* involved.

intéressement [ɛ̃tɛʀesmɑ̃] *nm* (COMM) profit-sharing.

intéresser [ɛ̃tɛʀese] *vt* (*captiver*) to interest; (*toucher*) to be of interest *ou* concern to; (ADMIN: *concerner*) to affect, concern; (COMM: *travailleur*) to give a share in the profits to; (: *partenaire*) to interest (in the business); **s'~ à** to take an interest in, be interested in.

intérêt [ɛ̃tɛʀɛ] *nm* (*gén, aussi* COMM) interest; (*égoïsme*) self-interest; **avoir des ~s dans** (COMM) to have a financial

interest *ou* a stake in; **avoir ~ à faire** to be well-advised to do.

interférer [ɛ̃tɛʀfeʀe] *vi*: ~ (**avec**) to interfere (with).

intérieur, e [ɛ̃teʀjœʀ] *a* (*mur, escalier, poche*) inside; (*commerce, politique*) domestic; (*cour, calme, vie*) inner; (*navigation*) inland // *nm* (*d'une maison, d'un récipient etc*) inside; (*d'un pays, aussi: décor, mobilier*) interior; (POL): **l'I~** the Interior, ≈ the Home Office; **à l'~ (de)** inside; (*fig*) within; **en ~** (CINÉMA) in the studio; **vêtement d'~** indoor garment.

intérim [ɛ̃teʀim] *nm* interim period; **assurer l'~ (de)** to deputize (for); **par ~** a interim // *ad* in a temporary capacity; ~**aire** *a* temporary, interim.

intérioriser [ɛ̃teʀjɔʀize] *vt* to internalize.

interjection [ɛ̃tɛʀʒɛksjɔ̃] *nf* interjection.

interligne [ɛ̃tɛʀliɲ] *nm* space between the lines // *nf* lead; **simple/double** ~ single/double spacing.

interlocuteur, trice [ɛ̃tɛʀlɔkytœʀ, -tʀis] *nm/f* speaker; **son ~** the person he was speaking to.

interlope [ɛ̃tɛʀlɔp] *a* shady.

interloquer [ɛ̃tɛʀlɔke] *vt* to take aback.

interlude [ɛ̃tɛʀlyd] *nm* interlude.

intermède [ɛ̃tɛʀmɛd] *nm* interlude.

intermédiaire [ɛ̃tɛʀmedjɛʀ] *a* intermediate; middle; half-way // *nm/f* intermediary; (COMM) middleman; **sans ~** directly; **par l'~ de** through.

interminable [ɛ̃tɛʀminabl(ə)] *a* never-ending.

intermittence [ɛ̃tɛʀmitɑ̃s] *nf*: **par ~** sporadically, intermittently.

intermittent, e [ɛ̃tɛʀmitɑ̃, -ɑ̃t] *a* intermittent.

internat [ɛ̃tɛʀna] *nm* (SCOL) boarding school.

international, e, aux [ɛ̃tɛʀnasjɔnal, -o] *a* international // *nm/f* (SPORT) international player.

interne [ɛ̃tɛʀn(ə)] *a* internal // *nm/f* (SCOL) boarder; (MÉD) houseman.

interner [ɛ̃tɛʀne] *vt* (POL) to intern; (MÉD) to confine to a mental institution.

interpellation [ɛ̃tɛʀpelasjɔ̃] *nf* interpellation; (POL) question.

interpeller [ɛ̃tɛʀpele] *vt* (*appeler*) to call out to; (*apostropher*) to shout at; (POLICE) to take in for questioning; (POL) to question.

interphone [ɛ̃tɛʀfɔn] *nm* intercom.

interposer [ɛ̃tɛʀpoze] *vt* to interpose; **s'~** *vi* to intervene; **par personnes interposées** through a third party.

interprétariat [ɛ̃tɛʀpʀetaʀja] *nm* interpreting.

interprétation [ɛ̃tɛʀpʀetasjɔ̃] *nf* interpretation.

interprète [ɛ̃tɛʀpʀɛt] *nm/f* interpreter; (*porte-parole*) spokes-man.

interpréter [ɛ̃tɛʀpʀete] *vt* to interpret.

interrogateur, trice [ɛ̃tɛʀɔgatœʀ, -tʀis] *a* questioning, inquiring // *nm/f* (SCOL) (oral) examiner.

interrogatif, ive [ɛ̃tɛʀɔgatif, -iv] *a* (LING) interrogative.

interrogation [ɛ̃terɔgɑsjɔ̃] nf question; (SCOL) (written ou oral) test.
interrogatoire [ɛ̃terɔgatwar] nm (POLICE) questioning q; (JUR) cross-examination.
interroger [ɛ̃terɔʒe] vt to question; (données, ordinateur) to consult; (SCOL) to test.
interrompre [ɛ̃terɔ̃pr(ə)] vt (gén) to interrupt; (travail, voyage) to break off, interrupt; s'~ to break off.
interrupteur [ɛ̃teryptœr] nm switch.
interruption [ɛ̃terypsjɔ̃] nf interruption; sans ~ without a break; ~ de grossesse termination of pregnancy.
intersection [ɛ̃tersɛksjɔ̃] nf intersection.
interstice [ɛ̃terstis] nm crack; slit.
interurbain [ɛ̃teryrbɛ̃] nm (TÉL) trunk call service.
intervalle [ɛ̃terval] nm (espace) space; (de temps) interval; dans l'~ in the meantime.
intervenir [ɛ̃tervənir] vi (gén) to intervene; (survenir) to take place; ~ auprès de to intervene with; la police a dû ~ police had to be called in; les médecins ont dû ~ the doctors had to operate.
intervention [ɛ̃tervɑ̃sjɔ̃] nf intervention; ~ chirurgicale (surgical) operation.
intervertir [ɛ̃tervertir] vt to invert (the order of), reverse.
interview [ɛ̃tervju] nf interview; **interviewer** vt [-ve] to interview.
intestin, e [ɛ̃testɛ̃, -in] a internal // nm intestine; ~ grêle small intestine; **intestinal, e, aux** a intestinal.
intime [ɛ̃tim] a intimate; (vie, journal) private; (conviction) inmost; (dîner, cérémonie) held among friends, quiet // nm/f close friend.
intimer [ɛ̃time] vt (JUR) to notify; ~ à qn l'ordre de faire to order sb to do.
intimider [ɛ̃timide] vt to intimidate.
intimité [ɛ̃timite] nf intimacy; privacy; private life; dans l'~ in private; (sans formalités) with only a few friends, quietly.
intitulé [ɛ̃tityle] nm title.
intituler [ɛ̃tityle] vt: comment a-t-il intitulé son livre? what title did he give his book?; s'~ to be entitled; (personne) to call o.s.
intolérable [ɛ̃tɔlerabl(ə)] a intolerable.
intolérance [ɛ̃tɔlerɑ̃s] nf intolerance.
intolérant, e [ɛ̃tɔlerɑ̃, -ɑ̃t] a intolerant.
intonation [ɛ̃tɔnɑsjɔ̃] nf intonation.
intouchable [ɛ̃tuʃabl(ə)] a (fig) above the law, sacrosanct; (REL) untouchable.
intoxication [ɛ̃tɔksikɑsjɔ̃] nf poisoning q; (fig) brainwashing; ~ alimentaire food poisoning.
intoxiquer [ɛ̃tɔksike] vt to poison; (fig) to brainwash.
intraduisible [ɛ̃traduizibl(ə)] a untranslatable; (fig) impossible to render.
intraitable [ɛ̃tretabl(ə)] a inflexible, uncompromising.
intransigeance [ɛ̃trɑ̃ziʒɑ̃s] nf intransigence.
intransigeant, e [ɛ̃trɑ̃ziʒɑ̃, -ɑ̃t] a intransigent; (morale, passion) uncompromising.

intransitif, ive [ɛ̃trɑ̃zitif, -iv] a (LING) intransitive.
intransportable [ɛ̃trɑ̃spɔrtabl(ə)] a (blessé) unable to travel.
intraveineux, euse [ɛ̃travɛnø, -øz] a intravenous.
intrépide [ɛ̃trepid] a dauntless.
intrigant, e [ɛ̃trigɑ̃, -ɑ̃t] nm/f schemer.
intrigue [ɛ̃trig] nf intrigue.
intriguer [ɛ̃trige] vi to scheme // vt to puzzle, intrigue.
intrinsèque [ɛ̃trɛ̃sɛk] a intrinsic.
introduction [ɛ̃trɔdyksjɔ̃] nf introduction.
introduire [ɛ̃trɔduir] vt to introduce; (visiteur) to show in; (aiguille, clef): ~ qch dans to insert ou introduce sth into; s'~ (techniques, usages) to be introduced; s'~ dans to gain entry into; to get o.s. accepted into; (eau, fumée) to get into.
introniser [ɛ̃trɔnize] vt to enthrone.
introspection [ɛ̃trɔspɛksjɔ̃] nf introspection.
introuvable [ɛ̃truvabl(ə)] a which cannot be found; (COMM) unobtainable.
introverti, e [ɛ̃trɔverti] nm/f introvert.
intrus, e [ɛ̃try, -yz] nm/f intruder.
intrusion [ɛ̃tryzjɔ̃] nf intrusion; interference.
intuitif, ive [ɛ̃tɥitif, -iv] a intuitive.
intuition [ɛ̃tɥisjɔ̃] nf intuition.
inusable [inyzabl(ə)] a hard-wearing.
inusité [inyzite] a not in common use; unaccustomed.
inutile [inytil] a useless; (superflu) unnecessary; **inutilisable** a unusable; **inutilité** nf uselessness.
invaincu, e [ɛ̃vɛ̃ky] a unbeaten; unconquered.
invalide [ɛ̃valid] a disabled; ~ de guerre disabled ex-serviceman; ~ du travail industrially disabled person.
invalider [ɛ̃valide] vt to invalidate.
invalidité [ɛ̃validite] nf disability.
invariable [ɛ̃varjabl(ə)] a in-variable.
invasion [ɛ̃vɑzjɔ̃] nf invasion.
invectiver [ɛ̃vɛktive] vt to hurl abuse at // vi: ~ contre to rail against.
invendable [ɛ̃vɑ̃dabl(ə)] a unsaleable; unmarketable; **invendus** nmpl unsold goods.
inventaire [ɛ̃vɑ̃ter] nm inventory; (COMM: liste) stocklist; (: opéra-tion) stocktaking q; (fig) survey.
inventer [ɛ̃vɑ̃te] vt to invent; (subterfuge) to devise, invent; (histoire, excuse) to make up, invent; ~ de faire to hit on the idea of doing; **inventeur** nm inventor; **inventif, ive** a inventive; **invention** [-sjɔ̃] nf invention.
inventorier [ɛ̃vɑ̃tɔrje] vt to make an inventory of.
inverse [ɛ̃vers(ə)] a reverse; opposite; inverse // nm inverse, reverse; en proportion ~ in inverse proportion; dans l'ordre ~ in the reverse order; en sens ~ in (ou from) the opposite direction; ~ment ad conversely; **inverser** vt to invert, reverse; (ÉLEC) to reverse; **inversion** nf inversion; reversal.

inverti, e [ɛ̃vɛʀti] nm/f homosexual.
investigation [ɛ̃vɛstigasjɔ̃] nf investigation, inquiry.
investir [ɛ̃vɛstiʀ] vt to invest; **investissement** nm investment; **investiture** nf investiture; (à une élection) nomination.
invétéré, e [ɛ̃vetere] a (habitude) ingrained; (bavard, buveur) inveterate.
invincible [ɛ̃vɛ̃sibl(ə)] a invincible, unconquerable.
invisible [ɛ̃vizibl(ə)] a invisible.
invitation [ɛ̃vitasjɔ̃] nf invitation.
invité, e [ɛ̃vite] nm/f guest.
inviter [ɛ̃vite] vt to invite; ~ qn à faire to invite sb to do; (suj: chose) to induce ou tempt sb to do.
involontaire [ɛ̃vɔlɔ̃tɛʀ] a (mouvement) involuntary; (insulte) unintentional; (complice) unwitting.
invoquer [ɛ̃vɔke] vt (Dieu, muse) to call upon, invoke; (prétexte) to put forward (as an excuse); (témoignage) to call upon; (loi, texte) to refer to; ~ la clémence de qn to beg sb ou appeal to sb for clemency.
invraisemblable [ɛ̃vʀɛsɑ̃blabl(ə)] a unlikely, improbable; incredible.
invulnérable [ɛ̃vylneʀabl(ə)] a invulnerable.
iode [jɔd] nm iodine.
ion [jɔ̃] nm ion.
ionique [jɔnik] a (ARCHIT) Ionic; (SCIENCE) ionic.
irai etc vb voir **aller.**
Irak [iʀak] nm Iraq; **irakien, ne** a, nm/f Iraqi.
Iran [iʀɑ̃] nm Iran; **Iranien, ne** nm/f Iranian.
irascible [iʀasibl(ə)] a short-tempered, irascible.
irions etc vb voir **aller.**
iris [iʀis] nm iris.
irisé, e [iʀize] a iridescent.
irlandais, e [iʀlɑ̃dɛ, -ɛz] a, nm (langue) Irish // nm/f: I~, e Irishman/woman; les I~ the Irish.
Irlande [iʀlɑ̃d] nf Ireland; ~ du Nord Northern Ireland.
ironie [iʀɔni] nf irony; **ironique** a ironical; **ironiser** vi to be ironical.
irons etc vb voir **aller.**
irradier [iʀadje] vi to radiate // vt to irradiate.
irraisonné, e [iʀɛzɔne] a irrational, unreasoned.
irrationnel, le [iʀasjɔnɛl] a irrational.
irréalisable [iʀealizabl(ə)] a unrealizable; impracticable.
irréconciliable [iʀekɔ̃siljabl(ə)] a irreconcilable.
irrécupérable [iʀekypeʀabl(ə)] a unreclaimable, beyond repair; (personne) beyond redemption ou recall.
irrécusable [iʀekyzabl(ə)] a unimpeachable.
irréductible [iʀedyktibl(ə)] a indomitable, implacable; (MATH) irreducible.
irréel, le [iʀeɛl] a unreal.
irréfléchi, e [iʀefleʃi] a thoughtless.

irréfutable [iʀefytabl(ə)] a irre-futable.
irrégularité [iʀegylaʀite] nf irregularity; unevenness q.
irrégulier, ière [iʀegylje, -jɛʀ] a irregular; uneven; (élève, athlète) erratic.
irrémédiable [iʀemedjabl(ə)] a irreparable.
irremplaçable [iʀɑ̃plasabl(ə)] a irreplaceable.
irréparable [iʀepaʀabl(ə)] a beyond repair; (fig) irreparable.
irrépressible [iʀepʀesibl(ə)] a irrepressible, uncontrollable.
irréprochable [iʀepʀɔʃabl(ə)] a irreproachable, beyond reproach; (tenue, toilette) impeccable.
irrésistible [iʀezistibl(ə)] a irresistible; (preuve, logique) compelling.
irrésolu, e [iʀezɔly] a irresolute.
irrespectueux, euse [iʀɛspɛktɥø, -øz] a disrespectful.
irrespirable [iʀɛspiʀabl(ə)] a unbreathable; (fig) oppressive, stifling.
irresponsable [iʀɛspɔ̃sabl(ə)] a irresponsible.
irrévérencieux, euse [iʀeveʀɑ̃sjø, -øz] a irreverent.
irréversible [iʀevɛʀsibl(ə)] a irreversible.
irrévocable [iʀevɔkabl(ə)] a irrevocable.
irrigation [iʀigasjɔ̃] nf irrigation.
irriguer [iʀige] vt to irrigate.
irritable [iʀitabl(ə)] a irritable.
irritation [iʀitasjɔ̃] nf irritation.
irriter [iʀite] vt (agacer) to irritate, annoy; (MÉD: enflammer) to irritate; s'~ contre/de to get annoyed ou irritated at/with.
irruption [iʀypsjɔ̃] nf irruption q; faire ~ dans to burst into.
Islam [islam] nm Islam; **islamique** a Islamic.
islandais, e [islɑ̃dɛ, -ɛz] a, nm (langue) Icelandic // nm/f Icelander.
Islande [islɑ̃d] nf Iceland.
isocèle [izɔsɛl] a isoceles.
isolant, e [izɔlɑ̃, -ɑ̃t] a insulating; (insonorisant) soundproofing.
isolation [izɔlasjɔ̃] nf insulation.
isolé, e [izɔle] a isolated; insulated.
isolement [izɔlmɑ̃] nm isolation; solitary confinement.
isoler [izɔle] vt to isolate; (prisonnier) to put in solitary confinement; (ville) to cut off, isolate; (ÉLEC) to insulate; **isoloir** nm polling booth.
Israël [isʀaɛl] nm Israel; **israélien, ne** a, nm/f Israeli; **israélite** a Jewish // nm/f Jew/Jewess.
issu, e [isy] a: ~ de descended from; (fig) stemming from // nf (ouverture, sortie) exit; (solution) way out, solution; (dénouement) outcome; à l'~ de at the conclusion ou close of; **rue sans** ~e dead end, no through road.
isthme [ism(ə)] nm isthmus.
Italie [itali] nf Italy; **italien, ne** a, nm, nf Italian.
italique [italik] nm: **en** ~ in italics.
itinéraire [itineʀɛʀ] nm itinerary, route.

itinérant, e [itineRɑ̃, -ɑ̃t] *a* itinerant, travelling.

I.U.T. *sigle m voir* **institut**.

ivoire [ivwaʀ] *nm* ivory.

ivre [ivʀ(ə)] *a* drunk; ~ **de** (*colère, bonheur*) wild with; **ivresse** *nf* drunkenness; **ivrogne** *nm/f* drunkard.

J

j' [ʒ] *pronom voir* **je**.

jabot [ʒabo] *nm* (*ZOOL*) crop; (*de vêtement*) jabot.

jacasser [ʒakase] *vi* to chatter.

jachère [ʒaʃɛʀ] *nf*: (**être**) **en** ~ (to lie) fallow.

jacinthe [ʒasɛ̃t] *nf* hyacinth.

jade [ʒad] *nm* jade.

jadis [ʒadis] *ad* in times past, formerly.

jaillir [ʒajiʀ] *vi* (*liquide*) to spurt out, gush out; (*fig*) to rear up; to burst out; to flood out.

jais [ʒɛ] *nm* jet; (**d'un noir**) **de** ~ jet-black.

jalon [ʒalɔ̃] *nm* range pole; (*fig*) milestone; **jalonner** *vt* to mark out; (*fig*) to mark, punctuate.

jalouser [ʒaluze] *vt* to be jealous of.

jalousie [ʒaluzi] *nf* jealousy; (*store*) (venetian) blind.

jaloux, se [ʒalu, -uz] *a* jealous.

jamais [ʒamɛ] *ad* never; (*sans négation*) ever; **ne** ... ~ never.

jambage [ʒɑ̃baʒ] *nm* (*de lettre*) downstroke; (*de porte*) jamb.

jambe [ʒɑ̃b] *nf* leg; **jambières** *nfpl* leggings; (*SPORT*) shin pads.

jambon [ʒɑ̃bɔ̃] *nm* ham.

jante [ʒɑ̃t] *nf* (wheel) rim.

janvier [ʒɑ̃vje] *nm* January.

Japon [ʒapɔ̃] *nm* Japan; **japonais, e** *a, nm, nf* Japanese.

japper [ʒape] *vi* to yap, yelp.

jaquette [ʒakɛt] *nf* (*de cérémonie*) morning coat; (*de livre*) dust cover, dust jacket.

jardin [ʒaʀdɛ̃] *nm* garden; ~ **d'acclimatation** zoological gardens *pl*; ~ **d'enfants** nursery school; ~ **public** (public) park, public gardens *pl*; **jardinage** *nm* gardening; **jardinier, ière** *nm/f* gardener // *nf* (*de fenêtre*) window box; **jardinière d'enfants** nursery school teacher.

jargon [ʒaʀgɔ̃] *nm* jargon.

jarre [ʒaʀ] *nf* (earthenware) jar.

jarret [ʒaʀɛ] *nm* back of knee, ham; (*CULIN*) knuckle, shin.

jarretelle [ʒaʀtɛl] *nf* suspender.

jarretière [ʒaʀtjɛʀ] *nf* garter.

jaser [ʒaze] *vi* to chatter, prattle; (*indiscrètement*) to gossip.

jasmin [ʒasmɛ̃] *nm* jasmin.

jaspe [ʒasp(ə)] *nm* jasper.

jatte [ʒat] *nf* basin, bowl.

jauge [ʒoʒ] *nf* (*capacité*) capacity, tonnage; (*instrument*) gauge; **jauger** *vt* to gauge the capacity of; (*fig*) to size up; **jauger 3000 tonneaux** to measure 3,000 tons.

jaune [ʒon] *a, nm* yellow // *nm/f* Asiatic // *ad* (*fam*): **rire** ~ to laugh on the other side of one's face; ~ **d'œuf** (egg) yolk; **jaunir** *vi, vt* to turn yellow.

jaunisse [ʒonis] *nf* jaundice.

javel [ʒavɛl] *nf voir* **eau**.

javelot [ʒavlo] *nm* javelin.

jazz [dʒaz] *nm* jazz.

J.-C. *sigle voir* **Jésus-Christ**.

je, j' [ʒ(ə)] *pronom* I.

jean [dʒin] *nm* jeans *pl*.

jérémiades [ʒeʀemjad] *nfpl* moaning *sg*.

jerrycan [ʒeʀikan] *nm* jerrycan.

jersey [ʒɛʀzɛ] *nm* jersey.

Jésus-Christ [ʒezykʀi(st)] *n* Jesus Christ; **600 avant/après** ~ *ou* J.-C. 600 B.C./A.D.

jet [ʒɛ] *nm* (*lancer*) throwing *q*, throw; (*jaillissement*) jet; spurt; (*de tuyau*) nozzle; (*avion*) [dʒɛt] jet; **arroser au** ~ to hose; **du premier** ~ at the first attempt or shot; ~ **d'eau** fountain; spray.

jetée [ʒəte] *nf* jetty; pier.

jeter [ʒəte] *vt* (*gén*) to throw; (*se défaire de*) to throw away *ou* out; (*son, lueur etc*) to give out; ~ **qch à qn** to throw sth to sb; (*de façon agressive*) to throw *ou* hurl sth at sb; ~ **un coup d'œil (à)** to take a look (at); ~ **l'effroi parmi** to spread fear among; ~ **un sort à qn** to cast a spell on sb; **se** ~ **dans** (*fleuve*) to flow into.

jeton [ʒətɔ̃] *nm* (*au jeu*) counter; (*de téléphone*) token; ~**s de présence** (director's) fees.

jette *etc vb voir* **jeter**.

jeu, x [ʒø] *nm* (*divertissement, TECH: d'une pièce*) play; (*défini par des règles, TENNIS: partie, FOOTBALL etc: façon de jouer*) game; (*THÉÂTRE etc*) acting; (*au casino*): **le** ~ gambling; (*fonctionnement*) working, interplay; (*série d'objets, jouet*) set; (*CARTES*) hand; **en** ~ at stake; at work; (*FOOTBALL*) in play; **remettre en** ~ to throw in; **entrer/mettre en** ~ to come/bring into play; ~ **de boules** game of bowls; (*endroit*) bowling pitch; (*boules*) set of bowls; ~ **de cartes** card game; (*paquet*) pack of cards; ~ **de construction** building set; ~ **d'échecs** chess set; ~ **de hasard** game of chance; ~ **de mots** pun; **le** ~ **de l'oie** snakes and ladders *sg*; ~ **d'orgue(s)** organ stop; ~ **de société** parlour game; **J**~**x olympiques (J.O.)** Olympic Games.

jeudi [ʒødi] *nm* Thursday.

jeûn [ʒœ̃]: **à** ~ *ad* on an empty stomach.

jeune [ʒœn] *a* young; **les** ~**s** young people, the young; ~ **fille** *nf* girl; ~ **homme** *nm* young man; ~ **premier** leading man; ~**s gens** *nmpl* young people.

jeûne [ʒøn] *nm* fast.

jeunesse [ʒœnɛs] *nf* youth; (*aspect*) youthfulness; youngness; (*jeunes*) young people *pl*, youth.

J. O. *sigle mpl voir* **jeu**.

joaillerie [ʒɔajʀi] *nf* jewel trade; jewellery; **joaillier, ière** *nm/f* jeweller.

jobard [ʒɔbaʀ] *nm* (*péj*) sucker, mug.

jockey [ʒɔkɛ] *nm* jockey.

joie [ʒwa] *nf* joy.
joindre [ʒwɛ̃dʀ(ə)] *vt* to join; (*à une lettre*): ~ **qch à** to enclose sth with; (*contacter*) to contact, get in touch with; ~ **les mains/talons** to put one's hands/heels together; **se** ~ **à** to join.
joint [ʒwɛ̃] *nm* joint; (*ligne*) join; (*de ciment etc*) pointing *q*; ~ **de cardan** cardan joint; ~ **de culasse** cylinder head gasket; ~ **de robinet** washer.
joli [ʒɔli] *a* pretty, attractive; **c'est du** ~! (*ironique*) that's very nice!; ~**ment** *ad* prettily, attractively; (*fam: très*) pretty.
jonc [ʒɔ̃] *nm* (bul)rush.
joncher [ʒɔ̃ʃe] *vt* (*suj: choses*) to be strewn on; **jonché de** strewn with.
jonction [ʒɔ̃ksjɔ̃] *nf* joining; **(point de)** ~ junction; **opérer une** ~ (*MIL etc*) to rendez-vous.
jongler [ʒɔ̃gle] *vi* to juggle; **jongleur, euse** *nm/f* juggler.
jonquille [ʒɔ̃kij] *nf* daffodil.
Jordanie [ʒɔʀdani] *nf*: **la** ~ Jordan.
joue [ʒu] *nf* cheek; **mettre en** ~ to take aim at.
jouer [ʒwe] *vt* (*partie, carte, coup, MUS: morceau*) to play; (*somme d'argent, réputation*) to stake, wager; (*pièce, rôle*) to perform; (*film*) to show; (*simuler: sentiment*) to affect, feign // *vi* to play; (*THÉÂTRE, CINÉMA*) to act, perform; (*bois, porte: se voiler*) to warp; (*clef, pièce: avoir du jeu*) to be loose; ~ **sur** (*miser*) to gamble on; ~ **de** (*MUS*) to play; ~ **du couteau/des coudes** to use knives/one's elbows; ~ **à** (*jeu, sport, roulette*) to play; ~ **au héros** to play the hero; ~ **avec** (*risquer*) to gamble with; **se** ~ **de** (*difficultés*) to make light of; **se** ~ **de qn** to deceive *ou* dupe sb; ~ **un tour à qn** to play a trick on sb; ~ **serré** to play a close game; ~ **de malchance** to be dogged with ill-luck.
jouet [ʒwɛ] *nm* toy; **être le** ~ **de** (*illusion etc*) to be the victim of.
joueur, euse [ʒwœʀ, -øz] *nm/f* player; **être beau/mauvais** ~ to be a good/bad loser.
joufflu, e [ʒufly] *a* chubby-cheeked, chubby.
joug [ʒu] *nm* yoke.
jouir [ʒwiʀ]: ~ **de** *vt* to enjoy; **jouissance** *nf* pleasure; (*JUR*) use; **jouisseur, euse** *nm/f* sensualist.
joujou [ʒuʒu] *nm* (*fam*) toy.
jour [ʒuʀ] *nm* day; (*opposé à la nuit*) day, daytime; (*clarté*) daylight; (*fig: aspect*) light; (*ouverture*) opening, openwork *q*; **au** ~ **le** ~ from day to day; **de nos** ~**s** these days, nowadays; **il fait** ~ it's daylight; **au** ~ in daylight; **au grand** ~ (*fig*) in the open; **mettre au** ~ to uncover, disclose; **mettre à** ~ to bring up to date, update; **donner le** ~ **à** to give birth to; **voir le** ~ to be born; **se faire** ~ to become clear.
journal, aux [ʒuʀnal, -o] *nm* (news)paper; (*personnel*) journal, diary; ~ **parlé/télévisé** radio/television news *sg*; ~ **de bord** log.
journalier, ière [ʒuʀnalje, -jɛʀ] *a* daily; (*banal*) everyday // *nm* day labourer.

journalisme [ʒuʀnalism(ə)] *nm* journalism; **journaliste** *nm/f* journalist.
journée [ʒuʀne] *nf* day; **la** ~ **continue** the 9 to 5 working day (with short lunch break).
journellement [ʒuʀnɛlmɑ̃] *ad* daily.
joute [ʒut] *nf* duel.
jouvence [ʒuvɑ̃s] *nf*: **bain de** ~ rejuvenating experience.
jovial [ʒɔvjal] *a* jovial, jolly.
joyau, x [ʒwajo] *nm* gem, jewel.
joyeux, euse [ʒwajø, -øz] *a* joyful, merry; ~ **Noël!** merry *ou* happy Christmas!; ~ **anniversaire!** many happy returns!
jubilé [ʒybile] *nm* jubilee.
jubiler [ʒybile] *vi* to be jubilant, exult.
jucher [ʒyʃe] *vt*: ~ **qch sur** to perch sth (up)on // à (*oiseau*): ~ **sur** to perch (up)on; **se** ~ **sur** to perch o.s. (up)on.
judaïque [ʒydaik] *a* (*loi*) Judaic; (*religion*) Jewish.
judaïsme [ʒydaism(ə)] *nm* Judaism.
judas [ʒyda] *nm* (*trou*) spy-hole.
judiciaire [ʒydisjɛʀ] *a* judicial.
judicieux, euse [ʒydisjø, -øz] *a* judicious.
judo [ʒydo] *nm* judo; ~**ka** *nm/f* judoka.
juge [ʒyʒ] *nm* judge; ~ **d'instruction** examining magis-trate; ~ **de paix** justice of the peace; ~ **de touche** linesman.
jugé [ʒyʒe]: **au** ~ *ad* by guesswork.
jugement [ʒyʒmɑ̃] *nm* judgment; (*JUR: au criminel*) sentence; (: *au civil*) decision; ~ **de valeur** value judgment.
jugeote [ʒyʒɔt] *nf* (*fam*) gumption.
juger [ʒyʒe] *vt* to judge; ~ **qn/qch satisfaisant** to consider sb/sth (to be) satisfactory; ~ **que** to think *ou* consider that; ~ **bon de faire** to consider it à good idea to do, see fit to do; ~ **de** *vt* to appreciate.
jugulaire [ʒygylɛʀ] *a* jugular // *nf* (*MIL*) chinstrap.
juif, ive [ʒɥif, -iv] *a* Jewish // *nm/f* Jew/Jewess.
juillet [ʒɥijɛ] *nm* July.
juin [ʒɥɛ̃] *nm* June.
jumeau, elle, x [ʒymo, -ɛl] *a, nm/f* twin; **jumelles** *nfpl* binoculars.
jumeler [ʒymle] *vt* to twin; **roues jumelées** double wheels.
jumelle [ʒymɛl] *a, nf voir* **jumeau.**
jument [ʒymɑ̃] *nf* mare.
jungle [ʒɔ̃gl(ə)] *nf* jungle.
jupe [ʒyp] *nf* skirt; ~**-culotte** *nf* divided skirt, culotte(s).
jupon [ʒypɔ̃] *nm* waist slip *ou* petticoat.
juré, e [ʒyʀe] *nm/f* juror, juryman/woman // *a*: **ennemi** ~ sworn enemy.
jurer [ʒyʀe] *vt* (*obéissance etc*) to swear, vow // *vi* (*dire des jurons*) to swear, curse; (*dissoner*): ~ **(avec)** to clash (with); (*s'engager*): ~ **de faire/que** to swear *ou* vow to do/that; (*affirmer*): ~ **que** to swear *ou* vouch that; ~ **de qch** (*s'en porter garant*) to swear to sth.
juridiction [ʒyʀidiksjɔ̃] *nf* jurisdiction; court(s) of law.
juridique [ʒyʀidik] *a* legal.

juriste [ʒyʀist(ə)] nm/f jurist; lawyer.

juron [ʒyʀɔ̃] nm curse, swearword.

jury [ʒyʀi] nm (JUR) jury; (SCOL) board (of examiners), jury.

jus [ʒy] nm juice; (de viande) gravy, (meat) juice; ~ **de fruits** fruit juice; ~ **de raisin/tomates** grape/tomato juice.

jusant [ʒyzɑ̃] nm ebb (tide).

jusque [ʒysk(ə)]: **jusqu'à** prép (endroit) as far as, (up) to; (moment) until, till; (limite) up to; ~ **sur/dans** up to, as far as; (y compris) even on/in; **jusqu'à présent** until now, so far.

juste [ʒyst(ə)] a (équitable) just, fair; (légitime) just, justified; (exact, vrai) right; (étroit, insuffisant) tight // ad right; tight; (chanter) in tune; (seulement) just; ~ **assez/au-dessus** just enough/above; **pouvoir tout ~ faire** to be only just able to do; **au** ~ exactly, actually; **le** ~ **milieu** the happy medium; **~ment** ad rightly; justly; (précisément): **c'est ~ment ce que** that's just ou precisely what; **justesse** nf (précision) accuracy; (d'une remarque) aptness; (d'une opinion) soundness; **de justesse** just, by a narrow margin.

justice [ʒystis] nf (équité) fairness, justice; (ADMIN) justice; **rendre la ~** to dispense justice; **obtenir ~** to obtain justice; **rendre ~ à qn** to do sb justice; **se faire ~** to take the law into one's own hands; (se suicider) to take one's life.

justiciable [ʒystisjabl(ə)] a: ~ **de** (JUR) answerable to.

justicier, ière [ʒystisje, -jɛʀ] nm/f judge, righter of wrongs.

justifiable [ʒystifjabl(ə)] a justifiable.

justification [ʒystifikɑsjɔ̃] nf justification.

justifier [ʒystifje] vt to justify; ~ **de** vt to prove.

jute [ʒyt] nm jute.

juteux, euse [ʒytø, -øz] a juicy.

juvénile [ʒyvenil] a young, youthful.

juxtaposer [ʒykstapoze] vt to juxtapose.

K

kaki [kaki] a inv khaki.

kaléidoscope [kaleidoskop] nm kaleidoscope.

kangourou [kɑ̃guʀu] nm kangaroo.

karaté [kaʀate] nm karate.

karting [kaʀtiŋ] nm go-carting, karting.

kayac, kayak [kajak] nm kayak.

képi [kepi] nm kepi.

kermesse [kɛʀmɛs] nf bazaar, (charity) fête; village fair.

kérosène [keʀozɛn] nm jet fuel; rocket fuel.

kibboutz [kibuts] nm kibbutz.

kidnapper [kidnape] vt to kidnap.

kilogramme [kilogʀam] nm, **kilo** nm kilogramme.

kilométrage [kilometʀaʒ] nm number of kilometres travelled, ≈ mileage.

kilomètre [kilomɛtʀ(ə)] nm kilometre.

kilométrique [kilometʀik] a (distance) in kilometres; **compteur ~** ≈ mileage indicator.

kilowatt [kilowat] nm kilowatt.

kinésithérapeute [kinezubeʀapøt] nm/f physiotherapist.

kiosque [kjosk(ə)] nm kiosk, stall.

kirsch [kiʀʃ] nm kirsch.

klaxon [klaksɔn] nm horn; **klaxonner** vi, vt to hoot.

kleptomane [klɛptoman] nm/f kleptomaniac.

km. abr de **kilomètre**; **km./h** (= kilomètres-heure) ≈ m.p.h. (miles per hour).

knock-out [nɔkawt] nm knock-out.

K.-O. [kao] a inv (knocked) out, out for the count.

kolkhoze [kɔlkoz] nm kolkhoz.

kyrielle [kiʀjɛl] nf: **une ~ de** a stream of.

kyste [kist(ə)] nm cyst.

L

l' [l] dét voir **le**.

la [la] nm (MUS) A; (en chantant la gamme) la.

la [la] dét voir **le**.

là [la] (voir aussi -ci, celui) ad there; (ici) here; (dans le temps) then; **est-ce que Catherine est ~?** is Catherine there ou in?; **elle n'est pas ~** she isn't in ou here; **c'est ~ que** this is where; ~ **où** where; **de ~** (fig) hence; **par ~** (fig) by that; **tout est ~** (fig) that's what it's all about; **~-bas** ad there.

label [label] nm stamp, seal.

labeur [labœʀ] nm toil q, toiling q.

labo [labo] nm (abr de **laboratoire**) lab.

laborantin, e [labɔʀɑ̃tɛ̃, -in] nm/f laboratory assistant.

laboratoire [labɔʀatwaʀ] nm laboratory; ~ **de langues/d'analyses** language/(medical) analysis laboratory.

laborieux, euse [labɔʀjø, -øz] a (tâche) laborious; (personne) hard-working, industrious.

labour [labuʀ] nm ploughing q; ~**s** nmpl ploughed fields; **cheval de ~** plough- ou cart-horse; **bœuf de ~** ox (pl oxen).

labourer [labuʀe] vt to plough; (fig) to make deep gashes ou furrows in; **laboureur** nm ploughman.

labyrinthe [labiʀɛ̃t] nm labyrinth, maze.

lac [lak] nm lake.

lacer [lase] vt to lace ou do up.

lacérer [laseʀe] vt to tear to shreds, lacerate.

lacet [lase] nm (de chaussure) lace; (de route) sharp bend; (piège) snare.

lâche [lɑʃ] a (poltron) cowardly; (desserré) loose, slack // nm coward.

lâcher [lɑʃe] nm (de ballons, oiseaux) release // vt to let go of; (ce qui tombe, abandonner) to drop; (oiseau, animal: libérer) to release, set free; (fig: mot, remarque) to let slip, come out with; (SPORT: distancer) to leave behind // vi (fil, amarres) to break, give way; (freins) to fail; ~ **les amarres** (NAVIG) to cast off (the moorings); ~ **les chiens** to unleash the dogs; ~ **prise** to let go.

lâcheté [lɑʃte] nf cowardice ; lowness.
lacis [lasi] nm maze.
laconique [lakɔnik] a laconic.
lacrymogène [lakrimɔʒɛn] a voir gaz, grenade.
lacté, e [lakte] a (produit, régime) milk cpd.
lacune [lakyn] nf gap.
lacustre [lakystʀ(ə)] a lake cpd, lakeside cpd.
lad [lad] nm stable-lad.
là-dedans [ladədɑ̃] ad inside (there), in it ; (fig) in that ; **là-dehors** ad out there ; **là-derrière** ad behind there ; (fig) behind that ; **là-dessous** ad underneath, under there ; (fig) behind that ; **là-dessus** ad on there ; (fig) at that point ; about that ; **là-devant** ad there (in front).
ladite [ladit] dét voir ledit.
ladre [ladʀ(ə)] a miserly.
lagon [lagɔ̃] nm lagoon.
lagune [lagyn] nf lagoon.
là-haut [la'o] ad up there.
laïc [laik] a, nm/f = laïque.
laïciser [laisize] vt to secularize.
laid, e [lɛ, lɛd] a ugly ; (fig: acte) mean, cheap ; **laideron** nm ugly girl ; **laideur** nf ugliness q ; meanness q.
laie [lɛ] nf wild sow.
lainage [lɛnaʒ] nm woollen garment ; woollen material.
laine [lɛn] nf wool ; ~ **de verre** glass wool ; **laineux, euse** a woolly.
laïque [laik] a lay, civil ; (SCOL) state cpd (as opposed to private and Roman Catholic) // nm/f layman/woman.
laisse [lɛs] nf (de chien) lead, leash ; **tenir en ~** to keep on a lead.
laisser [lese] vt to leave // vb auxiliaire: ~ **qn faire** to let sb do ; **se ~ exploiter** to let o.s. be exploited ; **se ~ aller** to let o.s. go ; **laisse-toi faire** let me (ou him) do it ; **cela ne laisse pas de surprendre** nonetheless it is surprising ; **~ aller** nm carelessness, slovenliness ; **laissez-passer** nm inv pass.
lait [lɛ] nm milk ; **frère/sœur de ~** foster brother/sister ; ~ **écrémé/ concentré** skimmed/evaporated milk ; ~ **démaquillant/de beauté** cleansing/beauty lotion ; **laitage** nm milk food ; **laiterie** nf dairy ; **laiteux, euse** a milky ; **laitier, ière** a milk cpd // nm/f milkman/dairywoman.
laiton [lɛtɔ̃] nm brass.
laitue [lety] nf lettuce.
laïus [lajys] nm (péj) spiel.
lambeau, x [lɑ̃bo] nm scrap ; **en ~x** in tatters, tattered.
lambin, e [lɑ̃bɛ̃, -in] a (péj) slow.
lambris [lɑ̃bʀi] nm panelling q ; **lambrissé, e** a panelled.
lame [lam] nf blade ; (vague) wave ; (lamelle) strip ; ~ **de fond** ground swell q ; ~ **de rasoir** razor blade.
lamé [lame] nm lamé.
lamelle [lamɛl] nf thin strip ou blade ; (de champignon) gill.
lamentable [lamɑ̃tabl(ə)] a appalling ; pitiful.
lamentation [lamɑ̃tasjɔ̃] nf wailing q, lamentation ; moaning q.

lamenter [lamɑ̃te]: **se ~** vi: **se ~ (sur)** to moan (over).
laminer [lamine] vt to laminate ; **laminoir** nm rolling mill.
lampadaire [lɑ̃padɛʀ] nm (de salon) standard lamp.
lampe [lɑ̃p(ə)] nf lamp ; (TECH) valve ; ~ **à pétrole** paraffin lamp ; ~ **de poche** torch ; ~ **à souder** blowlamp.
lampée [lɑ̃pe] nf gulp, swig.
lampe-tempête [lɑ̃ptɑ̃pɛt] nf storm lantern.
lampion [lɑ̃pjɔ̃] nm Chinese lantern.
lampiste [lɑ̃pist(ə)] nm light (maintenance) man ; (fig) underling.
lance [lɑ̃s] nf spear ; ~ **d'incendie** fire hose.
lancée [lɑ̃se] nf: **être/continuer sur sa ~** to be under way/keep going.
lance-flammes [lɑ̃sflam] nm inv flamethrower.
lance-grenades [lɑ̃sgʀənad] nm inv grenade launcher.
lancement [lɑ̃smɑ̃] nm launching.
lance-pierres [lɑ̃spjɛʀ] nm inv catapult.
lancer [lɑ̃se] nm (SPORT) throwing q, throw ; (PÊCHE) rod and reel fishing // vt to throw ; (émettre, projeter) to throw out, send out (produit, fusée, bateau, artiste) to launch ; (injure) to hurl, fling ; (proclamation, mandat d'arrêt) to issue ; (moteur) to send roaring away ; ~ **qch à qn** to throw sth to sb ; (de façon aggressive) to throw ou hurl sth at sb ; **se ~** vi (prendre de l'élan) to build up speed ; (se précipiter): **se ~ sur/contre** to rush at ; **se ~ dans** (discussion) to launch into ; (aventure) to embark on ; ~ **du poids** nm putting the shot ; **lance-roquettes** nm inv rocket launcher ; **lance-torpilles** nm inv torpedo tube.
lancinant, e [lɑ̃sinɑ̃, -ɑ̃t] a (regrets etc) haunting ; (douleur) shooting, throbbing.
landau [lɑ̃do] nm pram.
lande [lɑ̃d] nf moor.
langage [lɑ̃gaʒ] nm language.
lange [lɑ̃ʒ] nm flannel blanket ; ~**s** swaddling clothes.
langer [lɑ̃ʒe] vt to change (the nappy of) ; **table à ~** changing table.
langoureux, euse [lɑ̃guʀó, -óz] a languorous.
langouste [lɑ̃gust(ə)] nf crayfish inv ; **langoustine** nf Dublin Bay prawn.
langue [lɑ̃g] nf (ANAT, CULIN) tongue ; (LING) language ; (bande): ~ **de terre** spit of land ; **tirer la ~ (à)** to stick out one's tongue (at) ; **de ~ française** French-speaking ; ~ **maternelle** native language ; **mother tongue** ; ~ **verte** slang ; ~ **vivante** living language ; ~**-de-chat** nf finger biscuit, sponge finger.
languette [lɑ̃gɛt] nf tongue.
langueur [lɑ̃gœʀ] nf languidness.
languir [lɑ̃giʀ] vi to languish, (conversation) to flag ; **faire ~ qn** to keep sb waiting.
lanière [lanjɛʀ] nf (de fouet) lash ; (de valise, bretelle) strap.
lanterne [lɑ̃tɛʀn(ə)] nf (portable) lantern ;

(*électrique*) light, lamp; (*de voiture*) (side)light; ~ **rouge** (*fig*) tail-ender.

lapalissade [lapalisad] *nf* statement of the obvious.

laper [lape] *vt* to lap up.

lapereau, x [lapʀo] *nm* young rabbit.

lapidaire [lapidɛʀ] *a* (*fig*) terse.

lapider [lapide] *vt* to stone.

lapin [lapɛ̃] *nm* rabbit; (*peau*) rabbitskin; ~ **de garenne** wild rabbit.

laps [laps] *nm*: ~ **de temps** space of time, time *q*.

lapsus [lapsys] *nm* slip.

laquais [lakɛ] *nm* lackey.

laque [lak] *nf* lacquer; (*brute*) lac, shellac // *nm* lacquer; piece of lacquer ware; **laqué, e** *a* lacquered; with lacquer finish.

laquelle [lakɛl] *pronom voir* **lequel**.

larbin [laʀbɛ̃] *nm* (*péj*) flunkey.

larcin [laʀsɛ̃] *nm* theft.

lard [laʀ] *nm* (*graisse*) fat; (*bacon*) (streaky) bacon.

larder [laʀde] *vt* (*CULIN*) to lard.

lardon [laʀdɔ̃] *nm* (*CULIN*) lardon.

large [laʀʒ(ə)] *a* wide; broad; (*fig*) generous // *ad*: **calculer/voir** ~ to allow extra/think big // *nm* (*largeur*): **5 m de** ~ **5 m** wide *ou* in width; (*mer*): **le** ~ **the** open sea; **en** ~ *ad* sideways; **au** ~ **de** off; ~ **d'esprit** broad-minded; ~ment *ad* widely; greatly; easily; amply; generously; **largesse** *nf* generosity; **largesses** liberalities; **largeur** *nf* (*qu'on mesure*) width; (*impression visuelle*) wideness, width; breadth; broadness.

larguer [laʀge] *vt* to drop: ~ **les amarres** to cast off (the moorings).

larme [laʀm(ə)] *nf* tear; (*fig*): **une** ~ **de** a drop of; **en** ~s in tears; **larmoyant, e** *a* tearful; **larmoyer** *vi* (*yeux*) to water; (*se plaindre*) to whimper.

larron [laʀɔ̃] *nm* thief (*pl* thieves).

larve [laʀv(ə)] *nf* (*ZOOL*) larva (*pl* ae); (*fig*) worm.

larvé, e [laʀve] *a* (*fig*) latent.

laryngite [laʀɛ̃ʒit] *nf* laryngitis.

laryngologiste [laʀɛ̃gɔlɔʒist(ə)] *nm/f* throat specialist.

larynx [laʀɛ̃ks] *nm* larynx.

las, lasse [lɑ, lɑs] *a* weary.

lascar [laskaʀ] *nm* character; rogue.

lascif, ive [lasif, -iv] *a* lascivious.

laser [lazɛʀ] *a, nm*: (**rayon**) ~ laser (beam).

lasse [lɑs] *af voir* **las**.

lasser [lɑse] *vt* to weary, tire; **se** ~ **de** to grow weary *ou* tired of.

lassitude [lɑsityd] *nf* lassitude, weariness.

lasso [laso] *nm* lasso.

latent, e [latɑ̃, -ɑ̃t] *a* latent.

latéral, e, aux [lateʀal, -o] *a* side *cpd*, lateral.

latex [latɛks] *nm* latex.

latin, e [latɛ̃, -in] *a, nm, nf* Latin; **latiniste** *nm/f* Latin scholar (*ou* student); **latino-américain, e** *a* Latin-American.

latitude [latityd] *nf* latitude; (*fig*): **avoir la** ~ **de faire** to be left free *ou* be at liberty to do; **à 48° de** ~ **Nord** at latitude 48° North.

latrines [latʀin] *nfpl* latrines.

latte [lat] *nf* lath, slat; (*de plancher*) board.

lattis [lati] *nm* lathwork.

lauréat, e [lɔʀea, -at] *nm/f* winner.

laurier [lɔʀje] *nm* (*BOT*) laurel; (*CULIN*) bay leaves *pl*; ~s *nmpl* (*fig*) laurels.

lavable [lavabl(ə)] *a* washable.

lavabo [lavabo] *nm* (*de salle de bains*) washbasin; ~s *nmpl* toilet *sg*.

lavage [lavaʒ] *nm* washing *q*, wash; ~ **d'estomac/d'intestin** stomach/intestinal wash; ~ **de cerveau** brainwashing *q*.

lavande [lavɑ̃d] *nf* lavender.

lavandière [lavɑ̃djɛʀ] *nf* washerwoman.

lave [lav] *nf* lava *q*.

lave-glace [lavglas] *nm* (*AUTO*) windscreen washer.

lavement [lavmɑ̃] *nm* (*MÉD*) enema.

laver [lave] *vt* to wash; (*tache*) to wash off; (*fig*: *affront*) to avenge; **se** ~ to have a wash, wash; **se** ~ **les mains/dents** to wash one's hands/clean one's teeth; ~ **qn de** (*accusation*) to clear sb of; **laverie** *nf*: **laverie (automatique)** launderette.

lavette [lavɛt] *nf* dish cloth.

laveur, euse [lavœʀ, -øz] *nm/f* cleaner.

lave-vaisselle [lavvɛsɛl] *nm* *inv* dishwasher.

lavis [lavi] *nm* (*technique*) washing; (*dessin*) wash drawing.

lavoir [lavwaʀ] *nm* wash house; washtub.

laxatif, ive [laksatif, -iv] *a, nm* laxative.

laxisme [laksism(ə)] *nm* laxity.

layette [lɛjɛt] *nf* layette.

le(l'), la, les [l(ə), la, le] *dét* the // *pronom* (*personne*: *mâle*) him; (: *femelle*) her; (*animal, chose*) it; (*remplaçant une phrase*) it *ou non traduit*; (*indique la possession*): **se casser la jambe** *etc* to break one's leg *etc*; **voir note sous il**; **les** them; **je ne le savais pas** I didn't know (about it); **il était riche et ne l'est plus** he was once rich but no longer is; **levez la main** put your hand up; **avoir les yeux gris/le nez rouge** to have grey eyes/a red nose; **le jeudi** *etc ad* (*d'habitude*) on Thursdays *etc*; (*ce jeudi-là*) on the Thursday *etc*; **le matin/soir** *ad* in the morning/evening; mornings/evenings; **10 F le mètre/kilo** 10 F a *ou* per metre/kilo; **le tiers/quart de** a third/quarter of.

lécher [leʃe] *vt* to lick; (*laper*: *lait, eau*) to lick *ou* lap up; ~ **les vitrines** to go window-shopping.

leçon [ləsɔ̃] *nf* lesson; **faire la** ~ to teach; **faire la** ~ **à** (*fig*) to give a lecture to; ~s **de conduite** driving lessons; ~s **particulières** private lessons *ou* tuition *sg*.

lecteur, trice [lɛktœʀ, -tʀis] *nm/f* reader; (*d'université*) foreign language assistant // *nm* (*TECH*): ~ **de cassettes** cassette player.

lecture [lɛktyʀ] *nf* reading.

ledit [lədi], **ladite** [ladit], *mpl* **lesdits** [ledi], *fpl* **lesdites** [ledit] *dét* the aforesaid.

légal, e, aux [legal, -o] *a* legal; ~ement *ad* legally; ~iser *vt* to legalize; ~ité *nf* legality, lawfulness; **être dans/sortir de la** ~ité to be within/step outside the law.

légataire [legatɛʀ] *nm*: ~ **universel** sole legatee.

légation [legɑsjɔ̃] *nf* legation.
légendaire [leʒɑ̃dɛʀ] *a* legendary.
légende [leʒɑ̃d] *nf* (*mythe*) legend; (*de carte, plan*) key, legend; (*de dessin*) caption, legend.
léger, ère [leʒe, -ɛʀ] *a* light; (*bruit, retard*) slight; (*superficiel*) thoughtless; (*volage*) free and easy; flighty; **blessé ~** slightly injured person; **à la légère** *ad* (*parler, agir*) rashly, thoughtlessly; **légèrement** *ad* lightly; thoughtlessly, rashly; **légèrement plus grand** slightly bigger; **légèreté** *nf* lightness; thoughtlessness.
légiférer [leʒifeʀe] *vi* to legislate.
légion [leʒjɔ̃] *nf* legion; **~ étrangère** foreign legion; **~ d'honneur** Legion of Honour; **légionnaire** *nm* legionnaire.
législateur [leʒislatœʀ] *nm* legislator, lawmaker.
législatif, ive [leʒislatif, -iv] *a* legislative.
législation [leʒislɑsjɔ̃] *nf* legislation.
législature [leʒislatyʀ] *nf* legislature; term (of office).
légiste [leʒist(ə)] *a*: **médecin ~** forensic surgeon.
légitime [leʒitim] *a* (*JUR*) lawful, legitimate; (*fig*) justified, rightful, legitimate; **en état de ~ défense** in self-defence; **~ment** *ad* justifiably, rightfully; **légitimité** *nf* (*JUR*) legitimacy.
legs [lɛg] *nm* legacy.
léguer [lege] *vt*: **~ qch à qn** (*JUR*) to bequeath sth to sb; (*fig*) to hand sth down *ou* pass sth on to sb.
légume [legym] *nm* vegetable.
lendemain [lɑ̃dmɛ̃] *nm*: **le ~** the next *ou* following day; **le ~ matin/soir** the next *ou* following morning/evening; **le ~ de** the day after; **au ~ de** in the days following; in the wake of; **penser au ~** to think of the future; **sans ~** short-lived; **de beaux ~s** bright prospects.
lénifiant, e [lenifjɑ̃, -ɑ̃t] *a* soothing.
lent, e [lɑ̃, lɑ̃t] *a* slow; **lentement** *ad* slowly; **lenteur** *nf* slowness *q*.
lentille [lɑ̃tij] *nf* (*OPTIQUE*) lens *sg*; (*BOT*) lentil.
léopard [leɔpaʀ] *nm* leopard.
lèpre [lɛpʀ(ə)] *nf* leprosy; **lépreux, euse** *nm/f* leper // *a* (*fig*) flaking, peeling.
lequel [ləkɛl], **laquelle** [lakɛl], *mpl* **lesquels**, *fpl* **lesquelles** [lekɛl] (*avec à, de*: **auquel, duquel** *etc*) *pronom* (*interrogatif*) which, which one; (*relatif: personne: sujet*) who; (: *objet, après préposition*) whom; (: *chose*) which // *a*: **auquel cas** in which case.
les [le] *dét voir* **le**.
lesbienne [lɛsbjɛn] *nf* lesbian.
lesdits [ledi], **lesdites** [ledit] *dét voir* **ledit**.
léser [leze] *vt* to wrong.
lésiner [lezine] *vt*: **~ (sur)** to skimp (on).
lésion [lezjɔ̃] *nf* lesion, damage *q*; **~s cérébrales** brain damage.
lesquels, lesquelles [lekɛl] *pronom voir* **lequel**.
lessive [lesiv] *nf* (*poudre*) washing powder; (*linge*) washing *q*, wash; (*opération*) washing *q*; **faire la ~** to do the washing.

lessivé, e [lesive] *a* (*fam*) washed out; cleaned out.
lessiver [lesive] *vt* to wash.
lessiveuse [lesivøz] *nf* (*récipient*) (laundry) boiler.
lest [lɛst] *nm* ballast.
leste [lɛst(ə)] *a* a sprightly, nimble.
lester [lɛste] *vt* to ballast.
léthargie [letaʀʒi] *nf* lethargy.
léthargique [letaʀʒik] *a* lethargic.
lettre [lɛtʀ(ə)] *nf* letter; **~s** *nfpl* literature *sg*; (*SCOL*) arts (subjects); **à la ~** literally; **en toutes ~s** in words, in full; **~ de change** bill of exchange.
lettré, e [letʀe] *a* well-read, scholarly.
leu [lø] *voir* **queue**.
leucémie [løsemi] *nf* leukaemia.
leur [lœʀ] *dét* their // *pronom* them; **le(la) ~, les ~s** theirs; **à ~ approche** as they came near; **à ~ vue** at the sight of them.
leurre [lœʀ] *nm* (*appât*) lure; (*fig*) delusion; snare.
leurrer [lœʀe] *vt* to delude, deceive.
levain [ləvɛ̃] *nm* leaven.
levant, e [ləvɑ̃, -ɑ̃t] *a*: **soleil ~** rising sun // *nm*: **le L~** the Levant.
levé, e [ləve] *a*: **être ~** to be up.
levée [ləve] *nf* (*POSTES*) collection; (*CARTES*) trick; **~ de boucliers** general outcry; **~ du corps** collection of the body from house of the deceased, before funeral; **~ d'écrou** release from custody; **~ de terre** levee; **~ de troupes** levy.
lever [ləve] *vt* (*vitre, bras etc*) to raise; (*soulever de terre, supprimer: interdiction, siège*) to lift; (: *séance*) to close; (*impôts, armée*) to levy; (*CHASSE*) to start; to flush; (*fam: fille*) to pick up // *vi* (*CULIN*) to rise // *nm*: **au ~** on getting up; **se ~** *vi* to get up; (*soleil*) to rise; (*jour*) to break; (*brouillard*) to lift; **ça va se ~** the weather will clear; **~ du jour** daybreak; **~ du rideau** curtain; **~ de rideau** curtain raiser; **~ de soleil** sunrise.
levier [ləvje] *nm* lever; **faire ~ sur** to lever up (*ou* off); **~ de changement de vitesse** gear lever.
lèvre [lɛvʀ(ə)] *nf* lip; **petites/grandes ~s** (*ANAT*) labia minora/majora.
lévrier [levʀije] *nm* greyhound.
levure [ləvyʀ] *nf* yeast.
lexicographie [lɛksikɔgʀafi] *nf* lexicography, dictionary writing.
lexique [lɛksik] *nm* vocabulary; lexicon.
lézard [lezaʀ] *nm* lizard.
lézarde [lezaʀd(ə)] *nf* crack; **lézarder: se lézarder** *vi* to crack.
liaison [ljɛzɔ̃] *nf* (*rapport*) connection, link; (*RAIL, AVIAT etc*) link; (*amoureuse*) affair; (*PHONÉTIQUE*) liaison; **entrer/être en ~ avec** to get/be in contact with; **~ radio** radio contact.
liane [ljan] *nf* creeper.
liant, e [ljɑ̃, -ɑ̃t] *a* sociable.
liasse [ljas] *nf* wad, bundle.
Liban [libɑ̃] *nm*: **le ~** (the) Lebanon; **libanais, e** *a, nm/f* Lebanese.
libations [libɑsjɔ̃] *nfpl* libations.
libelle [libɛl] *nm* lampoon.
libeller [libele] *vt* (*chèque, mandat*): **~ (au nom de)** to make out (to); (*lettre*) to word.

libellule [libelyl] nf dragonfly.
libéral, e, aux [liberal, -o] a, nm/f liberal ;
~**iser** vt to liberalize ; ~**isme** nm
liberalism.
libéralité [liberalite] nf liberality q,
generosity q.
libérateur, trice [liberatœr, -tris] a
liberating // nm/f liberator.
libération [liberɑsjɔ̃] nf liberation,
freeing ; release ; discharge.
libérer [libere] vt (délivrer) to free,
liberate ; (: moralement, PSYCH) to liberate ;
(relâcher) to release ; to discharge ;
(dégager: gaz, cran d'arrêt) to release ; se
~ (de rendez-vous) to try and be free, get
out of previous engagements ; ~ qn de to
free sb from ; (promesse) to release sb from.
libertaire [libɛrtɛr] a libertarian.
liberté [libɛrte] nf freedom ; (loisir) free
time ; ~**s** nfpl (privautés) liberties ;
mettre/être en ~ to set/be free ; **en** ~
provisoire/surveillée/conditionnelle on
bail/ probation/parole ; ~ **d'esprit**
independence of mind ; ~ **d'opinion**
freedom of thought ; ~ **de réunion** right
to hold meetings ; ~**s individuelles**
personal freedom q.
libertin, e [libɛrtɛ̃, -in] a libertine,
licentious ; **libertinage** nm licentiousness.
libidineux, euse [libidinø, -øz] a
libidinous, lustful.
libido [libido] nf libido.
libraire [librɛr] nm/f bookseller.
librairie [librɛri] nf bookshop.
libre [libr(ə)] a free ; (route) clear ; (pas pris
ou occupé: place etc) vacant ; empty ; not
engaged ; not taken ; (SCOL) private and
Roman Catholic (as opposed to 'laïque') ; ~
de qch/de faire free from sth/ to do ;
~**-échange** nm free trade ; ~**ment** ad
freely ; ~**-service** nm self-service store.
librettiste [libretist(ə)] nm/f librettist.
Libye [libi] nf: **la** ~ Libya ; **libyen, ne** a,
nm/f Libyan.
licence [lisɑ̃s] nf (permis) permit ;
(diplôme) (first) degree ; (liberté) liberty ;
licence ; licentiousness ; **licencié, e** nm/f
(SCOL): **licencié ès lettres/en droit** ≈
Bachelor of Arts/Law ; (SPORT) member of
a sports federation.
licenciement [lisɑ̃simɑ̃] nm dismissal ;
laying off q ; redundancy.
licencier [lisɑ̃sje] vt (renvoyer) to dismiss ;
(débaucher) to make redundant ; to lay off.
licencieux, euse [lisɑ̃sjø, -øz] a
licentious.
lichen [likɛn] nm lichen.
licite [lisit] a lawful.
licorne [likɔrn(ə)] nf unicorn.
licou [liku] nm halter.
lie [li] nf dregs pl, sediment.
lié, e [lje] a: **très** ~ **avec** very friendly
with ou close to ; ~ **par** (serment) bound
by.
liège [ljɛʒ] nm cork.
lien [ljɛ̃] nm (corde, fig: affectif) bond ;
(rapport) link, connection ; ~ **de parenté**
family tie.
lier [lje] vt (attacher) to tie up ; (joindre)
to link up ; (fig: unir, engager) to bind ;
(CULIN) to thicken ; ~ **qch à** to tie sth to ;

to link sth to ; ~ **conversation avec** to
strike up a conversation with ; **se** ~ **avec**
to make friends with.
lierre [ljɛr] nm ivy.
liesse [ljɛs] nf: **être en** ~ to be celebrating
ou jubilant.
lieu, x [ljø] nm place // nmpl (habitation)
premises ; (endroit: d'un accident etc) scene
sg ; **en** ~ **sûr** in a safe place ; **en premier**
~ in the first place ; **en dernier** ~ lastly ;
avoir ~ to take place ; **avoir** ~ **de faire**
to have grounds ou good reason for doing ;
tenir ~ **de** to take the place of ; to serve
as ; **donner** ~ **à** to give rise to, give cause
for ; **au** ~ **de** instead of ; **au** ~ **qu'il y**
aille instead of him going ; ~ **commun**
commonplace ; ~ **géométrique** locus.
lieu-dit nm, pl **lieux-dits** [ljødi] locality.
lieue [ljø] nf league.
lieutenant [ljøtnɑ̃] nm lieutenant.
lièvre [ljɛvr(ə)] nm hare.
liftier [liftje] nm lift boy.
ligament [ligamɑ̃] nm ligament.
ligature [ligatyr] nf ligature ; **ligaturer** vt
to ligature.
lige [liʒ] a: **homme** ~ (péj) henchman.
ligne [liɲ] nf (gén) line ; (TRANSPORTS: liaison)
service ; (: trajet) route ; (silhouette
féminine): **garder la** ~ to keep one's
figure ; **'à la** ~' 'new paragraph' ; **entrer**
en ~ **de compte** to be taken into account ;
to come into ; ~ **de but/médiane**
goal/halfway line ; ~ **d'horizon** skyline.
lignée [liɲe] nf line ; lineage ; descendants
pl.
ligneux, euse [liɲø, -øz] a ligneous,
woody.
lignite [liɲit] nm lignite.
ligoter [ligɔte] vt to tie up.
ligue [lig] nf league ; **liguer: se liguer** vi
to form a league ; **se liguer contre** (fig)
to combine against.
lilas [lila] nm lilac.
limace [limas] nf slug.
limaille [limaj] nf: ~ **de fer** iron filings
pl.
limande [limɑ̃d] nf dab.
lime [lim] nf file ; ~ **à ongles** nail file ;
limer vt to file (down) ; (ongles) to file ;
(fig: prix) to pare down, trim.
limier [limje] nm bloodhound ; (détective)
sleuth.
liminaire [liminɛr] a (propos)
introductory.
limitation [limitasjɔ̃] nf limitation,
restriction.
limite [limit] nf (de terrain) boundary ;
(partie ou point extrême) limit ;
charge/vitesse ~ maximum speed/load ;
cas ~ borderline case ; **date** ~ deadline.
limiter [limite] vt (restreindre) to limit,
restrict ; (délimiter) to border, form the
boundary of.
limitrophe [limitrɔf] a border cpd ; ~ **de**
bordering on.
limoger [limɔʒe] vt to dismiss.
limon [limɔ̃] nm silt.
limonade [limɔnad] nf (fizzy) lemonade.
limpide [lɛ̃pid] a limpid.
lin [lɛ̃] nm flax.

linceul [lɛ̃sœl] *nm* shroud.

linéaire [lineɛʀ] *a* linear.

linge [lɛ̃ʒ] *nm* (*serviettes etc*) linen ; (*pièce de tissu*) cloth ; (*aussi*: ~ **de corps**) underwear ; (*aussi*: ~ **de toilette**) towel ; (*lessive*) washing ; ~ **sale** dirty linen.

lingerie [lɛ̃ʒʀi] *nf* lingerie, underwear.

lingot [lɛ̃go] *nm* ingot.

linguiste [lɛ̃gɥist(ə)] *nm/f* linguist.

linguistique [lɛ̃gɥistik] *a* linguistic // *nf* linguistics *sg*.

lino(léum) [lino(leɔm)] *nm* lino(leum).

lion, ne [ljɔ̃, ljɔn] *nm/f* lion/lioness ; (*signe*): **le L**~ Leo, the Lion ; **être du L**~ to be Leo ; **lionceau, x** *nm* lion cub.

lippu, e [lipy] *a* thick-lipped.

liquéfier [likefje] *vt*, **se** ~ *vi* to liquefy.

liqueur [likœʀ] *nf* liqueur.

liquidation [likidasjɔ̃] *nf* liquidation ; (*COMM*) clearance (sale).

liquide [likid] *a* a liquid // *nm* liquid ; (*COMM*): **en** ~ in ready money *ou* cash.

liquider [likide] *vt* (*société, biens, problème gênant*) to liquidate ; (*compte, problème*) to settle ; (*COMM*: articles) to clear, sell off.

liquidités [likidite] *nfpl* (*COMM*) liquid assets.

liquoreux, euse [likɔʀø, -øz] *a* syrupy.

lire [liʀ] *nf* (*monnaie*) lira // *vt*, *vi* to read ; ~ **qch à qn** to read sth (out) to sb.

lis *vb* [li] *voir* **lire** // *nm* [lis] = **lys**.

liseré [lizʀe] *nm* border, edging.

liseron [lizʀɔ̃] *nm* bindweed.

liseuse [lizøz] *nf* book-cover.

lisible [lizibl(ə)] *a* legible.

lisière [lizjɛʀ] *nf* (*de forêt*) edge ; (*de tissu*) selvage.

lisons *vb voir* **lire**.

lisse [lis] *a* smooth ; **lisser** *vt* to smooth.

liste [list(ə)] *nf* list ; **faire la** ~ **de** to list, make out a list of ; ~ **électorale** electoral roll.

lit [li] *nm* (*gén*) bed ; **faire son** ~ to make one's bed ; **aller/se mettre au** ~ to go to/get into bed ; **prendre le** ~ to take to one's bed ; **d'un premier** ~ (*JUR*) of a first marriage ; ~ **de camp** campbed.

litanie [litani] *nf* litany.

literie [litʀi] *nf* bedding ; bedclothes *pl*.

lithographie [litɔgʀafi] *nf* lithography ; (*épreuve*) lithograph.

litière [litjɛʀ] *nf* litter.

litige [litiʒ] *nm* dispute ; **litigieux, euse** *a* litigious, contentious.

litre [litʀ(ə)] *nm* litre ; (*récipient*) litre measure.

littéraire [literɛʀ] *a* literary.

littéral, e, aux [literal, -o] *a* literal.

littérature [literatyʀ] *nf* literature.

littoral, e, aux [litɔʀal, -o] *a* coastal // *nm* coast.

liturgie [lityʀʒi] *nf* liturgy ; **liturgique** *a* liturgical.

livide [livid] *a* livid, pallid.

livraison [livʀɛzɔ̃] *nf* delivery.

livre [livʀ(ə)] *nm* book // *nf* (*poids, monnaie*) pound ; ~ **de bord** logbook ; ~ **d'or** visitors' book ; ~ **de poche** paperback (*cheap and pocket size*).

livré, e [livʀe] *a*: ~ **à soi-même** left to o.s. *ou* one's own devices // *nf* livery.

livrer [livʀe] *vt* (*COMM*) to deliver ; (*otage, coupable*) to hand over ; (*secret, information*) to give away ; **se** ~ **à** (*se confier*) to confide in ; (*se rendre*) to give o.s. up to ; (*s'abandonner à: débauche etc*) to give o.s. up *ou* over to ; (*faire: pratiques, actes*) to indulge in ; (: *travail*) to be engaged in, engage in ; (: *sport*) to practise ; (: *enquête*) to carry out ; ~ **bataille** to give battle.

livresque [livʀɛsk(ə)] *a* bookish.

livret [livʀɛ] *nm* booklet ; (*d'opéra*) libretto (*pl* s) ; ~ **de caisse d'épargne** (savings) bank-book ; ~ **de famille** (official) family record book ; ~ **scolaire** (school) report book.

livreur, euse [livʀœʀ, -øz] *nm/f* delivery boy *ou* man/girl *ou* woman.

lobe [lɔb] *nm*: ~ **de l'oreille** ear lobe.

lobé, e [lɔbe] *a* (*ARCHIT*) foiled.

lober [lɔbe] *vt* to lob.

local, e, aux [lɔkal, -o] *a* local // *nm* (*salle*) premises *pl* // *nmpl* premises.

localiser [lɔkalize] *vt* (*repérer*) to locate, place ; (*limiter*) to localize, confine.

localité [lɔkalite] *nf* locality.

locataire [lɔkatɛʀ] *nm/f* tenant ; (*de chambre*) lodger.

locatif, ive [lɔkatif, -iv] *a* (*charges, réparations*) incumbent upon the tenant ; (*valeur*) rental ; (*immeuble*) with rented flats, used as a letting concern.

location [lɔkasjɔ̃] *nf* (*par le locataire*) renting ; (*par l'usager: de voiture etc*) hiring ; (*par le propriétaire*) renting out, letting ; hiring out ; ~ **de voitures** 'car hire *ou* rental' ; ~-**vente** *nf* form of hire purchase for housing.

lock-out [lɔkawt] *nm inv* lockout.

locomotion [lɔkɔmosjɔ̃] *nf* locomotion.

locomotive [lɔkɔmɔtiv] *nf* locomotive, engine ; (*fig*) pacesetter, pacemaker.

locution [lɔkysjɔ̃] *nf* phrase, locution.

logarithme [lɔgaʀitm(ə)] *nm* logarithm.

loge [lɔʒ] *nf* (*THÉÂTRE: d'artiste*) dressing room ; (: *de spectateurs*) box ; (*de concierge, franc-maçon*) lodge.

logement [lɔʒmɑ̃] *nm* accommodation *q*, flat ; housing *q* ; **chercher un** ~ to look for a flat *ou* for accommodation ; **construire des** ~**s bon marché** to build cheap housing *sg ou* flats ; **crise du** ~ housing shortage.

loger [lɔʒe] *vt* to accommodate // *vi* to live ; **se** ~: **trouver à se** ~ to find accommodation ; **se** ~ **dans** (*suj: balle, flèche*) to lodge itself in ; **logeur, euse** *nm/f* landlord/landlady.

loggia [lɔdʒja] *nf* loggia.

logiciel [lɔʒisjɛl] *nm* software.

logique [lɔʒik] *a* a logical // *nf* logic ; ~**ment** *ad* logically.

logis [lɔʒi] *nm* home ; abode, dwelling.

logistique [lɔʒistik] *nf* logistics *sg*.

loi [lwa] *nf* law ; **faire la** ~ to lay down the law.

loin [lwɛ̃] *ad far* ; (*dans le temps*) a long way off ; a long time ago ; **plus** ~ further ; **moins** ~ (**que**) not as far (as) ; ~ **de far**

from ; **pas ~ de 1000 F** not far off a 1000
F ; **au ~** far off ; **de ~** ad from a distance ;
(fig: de beaucoup) by far ; **il vient de ~**
he's come a long way ; he comes from a
long way away.

lointain, e [lwɛ̃tɛ̃, -ɛn] a faraway, distant ;
(dans le futur, passé) distant, far-off ;
(cause, parent) remote, distant // nm: **dans
le ~** in the distance.

loir [lwaʀ] nm dormouse *(pl* mice).

loisir [lwaziʀ] nm: **heures de ~** spare
time ; **~s** nmpl leisure sg ; leisure
activities ; **avoir le ~ de faire** to have the
time ou opportunity to do ; **à ~** at leisure ;
at one's pleasure.

londonien, ne [lɔ̃dɔnjɛ̃, -jɛn] a London
cpd, of London // nm/f: **L~, ne** Londoner.

Londres [lɔ̃dʀ(ə)] n London.

long, longue [lɔ̃, lɔ̃g] a long // ad: **en
savoir ~** to know a great deal // nm: **de
3 m de ~** 3 m long, 3 m in length // nf:
à la longue in the end ; **faire ~ feu** to
fizzle out ; **ne pas faire ~ feu** not to last
long ; **du ~ cours** *(NAVIG)* ocean cpd, ocean-
going ; **être ~ à faire** to take a long time
to do ; **en ~** ad lengthwise ; **(tout) le ~
de** (all) along ; **tout au ~ de** *(année, vie)*
throughout ; **de ~ en large** *(marcher)* to
and fro, up and down.

longanimité [lɔ̃ganimite] nf forbearance.

.**longe** [lɔ̃ʒ] nf *(corde)* tether ; lead ; *(CULIN)*
loin.

longer [lɔ̃ʒe] vt to go *(ou* walk *ou* drive)
along(side) ; *(suj: mur, route)* to border.

longévité [lɔ̃ʒevite] nf longevity.

longiligne [lɔ̃ʒiliɲ] a long-limbed.

longitude [lɔ̃ʒityd] nf longitude ; **à 45° de
~ ouest** at 45° longitude west.

longitudinal, e, aux [lɔ̃ʒitydinal, -o] a
longitudinal, lengthways ; running
lengthways.

longtemps [lɔ̃tɑ̃] ad (for) a long time,
(for) long ; **avant ~** before long ;
pour/pendant ~ for a long time/long ;
mettre ~ à faire to take a long time to
do.

longue [lɔ̃g] af voir **long** ; **~ment** ad for
a long time, at length.

longueur [lɔ̃gœʀ] nf length ; **~s** nfpl *(fig:
d'un film etc)* lengthy ou drawn-out parts ;
sur une ~ de 10 km for ou over 10 km ;
en ~ ad lengthwise ; **tirer en ~** to drag
on ; **à ~ de journée** all day long ; **~
d'onde** wavelength.

longue-vue [lɔ̃gvy] nf telescope.

lopin [lɔpɛ̃] nm: **~ de terre** patch of land.

loquace [lɔkas] a loquacious, talkative.

loque [lɔk] nf *(personne)* wreck ; **~s** nfpl
(habits) rags.

loquet [lɔkɛ] nm latch.

lorgner [lɔʀɲe] vt to eye ; to have one's
eye on.

lorgnon [lɔʀɲɔ̃] nm lorgnette.

loriot [lɔʀjo] nm (golden) oriole.

lors [lɔʀ] : **~ de** prép at the time of ;
during ; **~ même que** even though.

lorsque [lɔʀsk(ə)] cj when, as.

losange [lɔzɑ̃ʒ] nm diamond ; *(GÉOM)*
lozenge ; **en ~** diamond-shaped.

lot [lo] nm *(part)* share ; *(de loterie)* prize ;
(fig: destin) fate, lot.

loterie [lɔtʀi] nf lottery ; raffle.

loti, e [lɔti] a: **bien/mal ~** well-/badly off
(as regards luck, circumstances).

lotion [losjɔ̃] nf lotion.

lotir [lɔtiʀ] vt *(terrain)* to divide into plots ;
to sell by lots ; **lotissement** nm housing
development ; plot, lot.

loto [lɔto] nm lotto ; numerical lottery.

louable [lwabl(ə)] a praiseworthy,
commendable.

louage [lwaʒ] nm: **voiture de ~** hired
car ; hire car.

louange [lwɑ̃ʒ] nf: **à la ~ de** in praise
of ; **~s** nfpl praise sg.

louche [luʃ] a shady, fishy, dubious // nf
ladle.

loucher [luʃe] vi to squint ; *(fig)*: **~ sur**
to have one's eye on.

louer [lwe] vt *(maison: suj: propriétaire)* to
let, rent (out) ; (: *locataire)* to rent ; *(voiture
etc)* to hire out, rent (out) ; to hire, rent ;
(réserver) to book ; *(faire l'éloge de)* to
praise ; **'à louer'** 'to let' ; **~ qn de** to praise
sb for ; **se ~ de** to congratulate o.s. on.

loufoque [lufɔk] a crazy, zany.

loulou [lulu] nm *(chien)* spitz.

loup [lu] nm wolf *(pl* wolves) ; **~ de mer**
(marin) old seadog.

loupe [lup] nf magnifying glass ; **~ de
noyer** burr walnut.

louper [lupe] vt *(manquer)* to miss ;
(gâcher) to mess up, bungle.

lourd, e [luʀ, luʀd(ə)] a, ad heavy ; **~ de**
(conséquences, menaces) charged ou
fraught with ; **lourdaud, e** a *(péj)* clumsy ;
oafish ; **lourdement** ad heavily ; **lourdeur**
nf heaviness ; **lourdeur d'estomac**
indigestion q.

loutre [lutʀ(ə)] nf otter.

louve [luv] nf she-wolf.

louveteau, x [luvto] nm wolf-cub ; *(scout)*
cub.

louvoyer [luvwaje] vi *(NAVIG)* to tack ;
(fig) to hedge, evade the issue.

lover [lɔve]: **se ~** vi to coil up.

loyal, e, aux [lwajal, -o] a *(fidèle)* loyal,
faithful ; *(fair-play)* fair ; **loyauté** nf
loyalty, faithfulness ; fairness.

loyer [lwaje] nm rent.

lu, e [ly] pp de **lire**.

lubie [lybi] nf whim, craze.

lubrifiant [lybʀifjɑ̃] nm lubricant.

lubrifier [lybʀifje] vt to lubricate.

lubrique [lybʀik] a lecherous.

lucarne [lykaʀn(ə)] nf skylight.

lucide [lysid] a *(conscient)* lucid,
conscious ; *(perspicace)* clear-headed ;
lucid ; **lucidité** nf lucidity.

luciole [lysjɔl] nf firefly.

lucratif, ive [lykʀatif, -iv] a lucrative ;
profitable ; **à but non ~** non profit-
making.

luette [lɥɛt] nf uvula.

lueur [lɥœʀ] nf *(chatoyante)* glimmer q ;
(métallique, mouillée) gleam q ;
(rougeoyante, chaude) glow q ; *(pâle)* (faint)
light ; *(fig)* glimmer ; gleam.

luge [lyʒ] nf sledge.

lugubre [lygybʀ(ə)] a gloomy ; dismal.

lui [lɥi] *pronom* (*chose, animal*) it ; (*personne: mâle*) him ; (: *en sujet*) he ; (: *femelle*) her ; *voir note sous* **il** ; **~-même** himself ; itself.
luire [lɥiʀ] *vi* to shine ; to glow ; to gleam.
lumbago [lɔ̃bago] *nm* lumbago.
lumière [lymjɛʀ] *nf* light ; **~s** *nfpl* (*d'une personne*) knowledge *sg*, wisdom *sg* ; **à la ~ de** by the light of ; (*fig*) in the light of ; **fais de la ~** let's have some light, give us some light ; **mettre en ~** (*fig*) to bring out *ou* to light ; **~ du jour/soleil** day/sunlight.
luminaire [lyminɛʀ] *nm* lamp, light.
lumineux, euse [lyminø, -øz] *a* (*émettant de la lumière*) luminous ; (*éclairé*) illuminated ; (*ciel, journée, couleur*) bright ; (*relatif à la lumière: rayon etc*) of light, light *cpd* ; (*fig: regard*) radiant ; **luminosité** *nf* (*TECH*) luminosity.
lunaire [lynɛʀ] *a* lunar, moon *cpd*.
lunatique [lynatik] *a* whimsical, temperamental.
lunch [lœntʃ] *nm* (*réception*) buffet lunch.
lundi [lœ̃di] *nm* Monday ; **~ de Pâques** Easter Monday.
lune [lyn] *nf* moon ; **~ de miel** honeymoon.
luné, e [lyne] *a*: **bien/mal ~** in a good/bad mood.
lunette [lynɛt] *nf*: **~s** *nfpl* glasses, spectacles ; (*protectrices*) goggles ; **~ d'approche** telescope ; **~ arrière** (*AUTO*) rear window ; **~s noires** dark glasses ; **~s de soleil** sunglasses.
lurette [lyʀɛt] *nf*: **il y a belle ~** ages ago.
luron, ne [lyʀɔ̃, -ɔn] *nm/f* lad/lass ; **joyeux *ou* gai ~** gay dog.
lus *etc vb voir* **lire**.
lustre [lystʀ(ə)] *nm* (*de plafond*) chandelier ; (*fig: éclat*) lustre.
lustrer [lystʀe] *vt* (*faire briller*) to lustre ; (*poil d'un animal*) to put a sheen on ; (*user*) to make shiny.
lut *vb voir* **lire**.
luth [lyt] *nm* lute ; **luthier** *nm* (*stringed-*)instrument maker.
lutin [lytɛ̃] *nm* imp, goblin.
lutrin [lytʀɛ̃] *nm* lectern.
lutte [lyt] *nf* (*conflit*) struggle ; (*sport*) wrestling ; **lutter** *vi* to fight, struggle ; to wrestle ; **lutteur** *nm* wrestler ; (*fig*) battler, fighter.
luxation [lyksasjɔ̃] *nf* dislocation.
luxe [lyks(ə)] *nm* luxury ; **de ~** *a* luxury *cpd*.
Luxembourg [lyksɑ̃buʀ] *nm*: **le ~** Luxemburg.
luxer [lykse] *vt*: **se ~ l'épaule** to dislocate one's shoulder.
luxueux, euse [lyksɥø, -øz] *a* luxurious.
luxure [lyksyʀ] *nf* lust.
luxuriant, e [lyksyʀjɑ̃, -ɑ̃t] *a* luxuriant, lush.
luzerne [lyzɛʀn(ə)] *nf* lucerne, alfalfa.
lycée [lise] *nm* (*state*) secondary school ; **lycéen, ne** *nm/f* secondary school pupil.
lymphatique [lɛ̃fatik] *a* (*fig*) lethargic, sluggish.
lymphe [lɛ̃f] *nf* lymph.
lyncher [lɛ̃ʃe] *vt* to lynch.

lynx [lɛ̃ks] *nm* lynx.
lyophilisé, e [ljɔfilize] *a* freeze-dried.
lyre [liʀ] *nf* lyre.
lyrique [liʀik] *a* lyrical ; (*OPÉRA*) lyric ; **comédie ~** comic opera ; **théâtre ~** opera house (*for light opera*) ; **lyrisme** *nm* lyricism.
lys [lis] *nm* lily.

M

m' [m] *pronom voir* **me**.
M. [ɛm] *abr de* **Monsieur**.
ma [ma] *dét voir* **mon**.
maboul, e [mabul] *a* (*fam*) loony.
macabre [makɑbʀ(ə)] *a* macabre, gruesome.
macadam [makadam] *nm* tarmac.
macaron [makaʀɔ̃] *nm* (*gâteau*) macaroon ; (*insigne*) (round) badge.
macaronis [makaʀɔni] *nmpl* macaroni *sg*.
macédoine [masedwan] *nf*: **~ de fruits** fruit salad.
macérer [maseʀe] *vi, vt* to macerate ; (*dans du vinaigre*) to pickle.
mâchefer [maʃfɛʀ] *nm* clinker, cinders *pl*.
mâcher [maʃe] *vt* to chew ; **ne pas ~ ses mots** not to mince one's words.
machin [maʃɛ̃] *nm* (*fam*) thingummy, whatsit ; contraption, thing.
machinal, e, aux [maʃinal, -o] *a* mechanical, automatic.
machination [maʃinasjɔ̃] *nf* scheming, frame-up.
machine [maʃin] *nf* machine ; (*locomotive*) engine ; (*fig: rouages*) machinery ; **faire ~ arrière** (*NAVIG*) to go astern ; **~ à laver/coudre/ tricoter** washing/sewing/knitting machine ; **~ à écrire** typewriter ; **~ à sous** fruit machine ; **~ à vapeur** steam engine ; **~-outil** *nf* machine tool ; **~rie** *nf* machinery, plant ; (*d'un navire*) engine room ; **machinisme** *nm* mechanization ; **machiniste** *nm* (*THÉÂTRE*) scene shifter ; (*de bus, métro*) driver.
mâchoire [maʃwaʀ] *nf* jaw ; **~ de frein** brake shoe.
mâchonner [maʃɔne] *vt* to chew (at).
maçon [masɔ̃] *nm* bricklayer ; builder.
maçonner [masɔne] *vt* (*revêtir*) to face, render (with cement) ; (*boucher*) to brick up.
maçonnerie [masɔnʀi] *nf* (*murs*) brickwork ; masonry, stonework ; (*activité*) bricklaying ; building.
maçonnique [masɔnik] *a* masonic.
maculer [makyle] *vt* to stain ; (*TYPO*) to mackle.
Madame [madam], *pl* **Mesdames** [medam] *nf*: **~ X** Mrs [ˈmɪsɪz] X ; **occupez-vous de ~/Monsieur/ Mademoiselle** please serve this lady/gentleman/(young) lady ; **bonjour ~/Monsieur/Mademoiselle** good morning ; (*ton déférent*) good morning Madam/Sir/Madam ; (*le nom est connu*) good morning Mrs/Mr/Miss X ; **~/Monsieur/ Mademoiselle!** (*pour appeler*) Madam/Sir/Miss! ; **~/Monsieur/Mademoiselle** (*sur lettre*) Dear Madam/Sir/Madam ; **chère ~/cher**

Monsieur/chère **Mademoiselle** Dear Mrs/Mr/Miss X.

Mademoiselle [madmwazɛl], *pl* **Mesdemoiselles** [medmwazɛl] *nf* Miss ; *voir aussi* **Madame.**

madère [madɛʀ] *nm* Madeira (wine).

madone [madɔn] *nf* madonna.

madré, e [madʀe] *a* crafty, wily.

madrier [madʀije] *nm* beam.

madrilène [madʀilɛn] *a* of *ou* from Madrid.

maestria [maɛstʀija] *nf* (masterly) skill.

maf(f)ia [mafja] *nf* Maf(f)ia.

magasin [magazɛ̃] *nm* (*boutique*) shop ; (*entrepôt*) warehouse ; (*d'une arme*) magazine ; **en ~** (*COMM*) in stock ; **magasinier** *nm* warehouseman.

magazine [magazin] *nm* magazine.

mage [maʒ] *nm*: **les Rois M~s** the Magi, the (Three) Wise Men.

magicien, ne [maʒisjɛ̃, -jɛn] *nm/f* magician.

magie [maʒi] *nf* magic ; **magique** *a* magic ; (*enchanteur*) magical.

magistral, e, aux [maʒistʀal, -o] *a* (*œuvre, adresse*) masterly ; (*ton*) authoritative ; (*gifle etc*) sound, resounding ; (*ex cathedra*): **enseignement ~** lecturing, lectures *pl*.

magistrat [maʒistʀa] *nm* magistrate.

magistrature [maʒistʀatyʀ] *nf* magistracy, magistrature.

magma [magma] *nm* (*GÉO*) magma ; (*fig*) jumble.

magnanerie [maɲanʀi] *nf* silk farm.

magnanime [maɲanim] *a* magnanimous.

magnat [magna] *nm* tycoon, magnate.

magnésie [maɲezi] *nf* magnesia.

magnésium [maɲezjɔm] *nm* magnesium.

magnétique [maɲetik] *a* magnetic.

magnétiser [maɲetize] *vt* to magnetize ; (*fig*) to mesmerize, hypnotize.

magnétisme [maɲetism(ə)] *nm* magnetism.

magnéto [maɲeto] *nf* (*ÉLEC*) magneto.

magnétophone [maɲetɔfɔn] *nm* tape recorder ; **~ à cassettes** cassette recorder.

magnétoscope [maɲetɔskɔp] *nm* video-tape recorder.

magnificence [maɲifisɑ̃s] *nf* (*faste*) magnificence, splendour.

magnifique [maɲifik] *a* magnificent.

magnolia [maɲɔlja] *nm* magnolia.

magnum [magnɔm] *nm* magnum.

magot [mago] *nm* (*argent*) pile (of money) ; nest egg.

mahométan, e [maɔmetɑ̃, -an] *a* Mohammedan, Mahometan.

mai [mɛ] *nm* May.

maigre [mɛgʀ(ə)] *a* (very) thin, skinny ; (*viande*) lean ; (*fromage*) low-fat ; (*végétation*) thin, sparse ; (*fig*) poor, meagre, skimpy // *ad*: **faire ~** not to eat meat ; **jours ~s** days of abstinence, fish days ; **maigreur** *nf* thinness ; **maigrir** *vi* to get thinner, lose weight.

maille [maj] *nf* stitch ; **avoir ~ à partir avec qn** to have a brush with sb.

maillet [majɛ] *nm* mallet.

maillon [majɔ̃] *nm* link.

maillot [majo] *nm* (*aussi*: **~ de corps**) vest ; (*de danseur*) leotard ; (*de sportif*) jersey ; **~ de bain** bathing costume, swimsuit ; (*d'homme*) bathing trunks *pl*.

main [mɛ̃] *nf* hand ; **à la ~** in one's hand ; **se donner la ~** to hold hands ; **donner** *ou* **tendre la ~ à qn** to hold out one's hand to sb ; **se serrer la ~** to shake hands ; **serrer la ~ à qn** to shake hands with sb ; **sous la ~** to *ou* at hand ; **à ~ levée** (*ART*) freehand ; **à ~s levées** (*voter*) with a show of hands ; **attaque à ~ armée** armed attack ; **à ~ droite/gauche** to the right/left ; **à remettre en ~s propres** to be delivered personally ; **de première ~** (*renseignement*) first-hand ; (*COMM: voiture etc*) second-hand with only one previous owner ; **faire ~ basse sur** to help o.s. to ; **mettre la dernière ~ à** to put the finishing touches to ; **se faire/perdre la ~** to get one's hand in/lose one's touch ; **~ courante** handrail.

mainate [mɛnat] *nm* myna(h) bird.

main-d'œuvre [mɛ̃dœvʀ(ə)] *nf* manpower, labour.

main-forte [mɛ̃fɔʀt(ə)] *nf*: **prêter ~ à qn** to come to sb's assistance.

mainmise [mɛ̃miz] *nf* seizure ; (*fig*): **~ sur** complete hold on.

maint, e [mɛ̃, mɛt] *a* many a ; **~s** many ; **à ~es reprises** time and (time) again.

maintenant [mɛ̃tnɑ̃] *ad* now ; (*actuellement*) nowadays.

maintenir [mɛ̃tniʀ] *vt* (*retenir, soutenir*) to support ; (*contenir: foule etc*) to keep in check, hold back ; (*conserver*) to maintain, uphold ; (*affirmer*) to maintain ; **se ~** *vi* to hold ; to keep steady ; to persist.

maintien [mɛ̃tjɛ̃] *nm* maintaining, upholding ; (*attitude*) bearing.

maire [mɛʀ] *nm* mayor.

mairie [meʀi] *nf* (*résidence*) town hall ; (*administration*) town council.

mais [mɛ] *cj* but ; **~ non!** of course not! ; **~ enfin** but after all ; (*indignation*) look here!

maïs [mais] *nm* maize.

maison [mɛzɔ̃] *nf* house ; (*chez-soi*) home ; (*COMM*) firm // *a inv* (*CULIN*) home-made ; made by the chef ; (*fig*) in-house, own ; (*fam*) first-rate ; **à la ~** at home ; (*direction*) home ; **~ d'arrêt** remand home ; **~ close** brothel ; **~ de correction** reformatory ; **~ des jeunes** ≈ youth club ; **~ mère** parent company ; **~ de repos** convalescent home ; **~ de retraite** old people's home ; **~ de santé** mental home ; **maisonnée** *nf* household, family ; **maisonnette** *nf* small house, cottage.

maître, esse [mɛtʀ(ə), mɛtʀɛs] *nm/f* master/mistress ; (*SCOL*) teacher, schoolmaster/mistress // *nm* (*peintre etc*) master ; (*titre*): **M~ (Me)** Maître, term of address gen for a barrister // *nf* (*amante*) mistress // *a* (*principal, essentiel*) main ; **être ~ de** (*soi-même, situation*) to be in control of ; **se rendre ~ de** (*pays, ville*) to gain control of ; (*situation, incendie*) to bring under control ; **une maîtresse femme** a managing woman ; **~ d'armes** fencing master ; **~ chanteur** blackmailer ;

~ de chapelle choirmaster; ~ de conférences ≈ senior lecturer; ~/maîtresse d'école teacher, schoolmaster/ mistress; ~ d'hôtel (domestique) butler; (d'hôtel) head waiter; ~ de maison host; ~ nageur lifeguard; ~ à penser intellectual leader; ~ queux chef; maîtresse de maison hostess; housewife (pl wives); ~-autel nm high altar.

maîtrise [metʀiz] nf (aussi: ~ de soi) self-control, self-possession; (habileté) skill, mastery; (suprématie) mastery, command; (diplôme) ≈ master's degree.

maîtriser [metʀize] vt (cheval, incendie) to (bring under) control; (sujet) to master; (émotion) to control, master; se ~ vt réfléchi to control o.s.

majesté [maʒɛste] nf majesty.

majestueux, euse [maʒɛstɥ¢, -¢z] a majestic.

majeur, e [maʒœʀ] a (important) major; (JUR) of age; (fig) adult // nm/f person who has come of age ou attained his/her majority // nm (doigt) middle finger; en ~e partie for the most part.

major [maʒɔʀ] nm (SCOL): ~ de la promotion first of one's year.

majordome [maʒɔʀdɔm] nm majordomo.

majorer [maʒɔʀe] vt to increase.

majorette [maʒɔʀɛt] nf majorette.

majoritaire [maʒɔʀitɛʀ] a majority cpd: système/scrutin ~ majority system/ ballot.

majorité [maʒɔʀite] nf (gén) majority; (parti) party in power; en ~ mainly.

majuscule [maʒyskyl] a, nf: (lettre) ~ capital (letter).

mal, maux [mal, mo] nm (opposé au bien) evil; (tort, dommage) harm; (douleur physique) pain, ache; (maladie) illness, sickness q // ad badly // a: c'est ~ (de faire) it's bad ou wrong (to do); être ~ to be uncomfortable; être ~ avec qn to be on bad terms with sb; il comprend ~ he has difficulty in understanding; il a ~ compris he misunderstood; dire du ~ de to speak ill of; ne voir aucun ~ à to see no harm in, see nothing wrong in; craignant ~ faire fearing he was doing the wrong thing; faire du ~ à qn to hurt sb; to harm sb; se faire ~ to hurt o.s.; se faire ~ au pied to hurt one's foot; ça fait ~ it hurts; j'ai ~ (ici) it hurts (here); j'ai ~ au dos my back aches, I've got a pain in my back; avoir ~ à la tête/aux dents/au cœur to have a headache/have toothache/feel sick; avoir le ~ de l'air to be airsick; avoir le ~ du pays to be homesick; prendre ~ to be taken ill, feel unwell; ~ de mer seasickness; ~ en point a inv in a bad state; maux de ventre stomach ache sg.

malade [malad] a ill, sick; (poitrine, jambe) bad; (plante) diseased // nm/f invalid, sick person; (à l'hôpital etc) patient; tomber ~ to fall ill; être ~ du cœur to have heart trouble ou a bad heart; ~ mental mentally sick ou ill person.

maladie [maladi] nf (spécifique) disease, illness; (mauvaise santé) illness, sickness; (fig: manie) mania; ~ de peau skin disease; maladif, ive a sickly; (curiosité, besoin) pathological.

maladresse [maladʀɛs] nf clumsiness q; (gaffe) blunder.

maladroit, e [maladʀwa, -wat] a clumsy.

malaise [malɛz] nm (MÉD) feeling of faintness; feeling of discomfort; (fig) uneasiness, malaise.

malaisé, e [maleze] a difficult.

malappris, e [malapʀi, -iz] nm/f ill-mannered ou boorish person.

malaria [malaʀja] nf malaria.

malavisé, e [malavize] a ill-advised, unwise.

malaxer [malakse] vt to knead; to mix.

malchance [malʃɑ̃s] nf misfortune, ill luck q; par ~ unfortunately; malchanceux, euse a unlucky.

malcommode [malkɔmɔd] a impractical, inconvenient.

maldonne [maldɔn] nf (CARTES) misdeal; il y a ~ (fig) there's been a misunderstanding.

mâle [mɑl] a (aussi ÉLEC, TECH) male; (viril: voix, traits) manly // nm male; souris ~ male mouse, he-mouse.

malédiction [malediksjɔ̃] nf curse.

maléfice [malefis] nm evil spell.

maléfique [malefik] a evil, baleful.

malencontreux, euse [malɑ̃kɔ̃tʀ¢, -¢z] a unfortunate, untoward.

malentendu [malɑ̃tɑ̃dy] nm misunderstanding.

malfaçon [malfasɔ̃] nf fault.

malfaisant, e [malfəzɑ̃, -ɑ̃t] a evil, harmful.

malfaiteur [malfɛtœʀ] nm lawbreaker, criminal; burglar, thief (pl thieves).

malfamé, e [malfame] a disreputable, of ill repute.

malformation [malfɔʀmɑsjɔ̃] • nf malformation.

malfrat [malfʀɑ] nm villain, crook.

malgache [malgaʃ] a, nm/f Madagascan, Malagasy // nm (langue) Malagasy.

malgré [malgʀe] prép in spite of, despite; ~ tout ad all the same.

malhabile [malabil] a clumsy.

malheur [malœʀ] nm (situation) adversity, misfortune; (événement) misfortune; disaster, tragedy; malheureux, euse a (triste) unhappy, miserable; (infortuné, regrettable) unfortunate; (malchanceux) unlucky; (insignifiant) wretched // nm/f poor soul; unfortunate creature; les malheureux the destitute.

malhonnête [malɔnɛt] a dishonest; (impoli) rude; ~té nf dishonesty; rudeness q.

malice [malis] nf mischievousness; (méchanceté): par ~ out of malice ou spite; sans ~ guileless; malicieux, euse a mischievous.

malin, igne [malɛ̃, -iɲ] a (futé: f gén: maline) smart, shrewd; (MÉD) malignant; faire le ~ to show off; éprouver un ~ plaisir à to take malicious pleasure in.

malingre [malɛ̃gʀ(ə)] a puny.

malle [mal] nf trunk.

malléable [maleabl(ə)] a malleable.

malle-poste [malpɔst(ə)] *nf* mail coach.
mallette [malɛt] *nf* (small) suitcase ;
overnight case ; attaché case.
malmener [malməne] *vt* to manhandle ;
(fig) to give a rough handling to.
malodorant, e [malɔdɔʀɑ̃, -ɑ̃t] *a* foul- *ou*
ill-smelling.
malotru [malɔtʀy] *nm* lout, boor.
malpoli, e [malpɔli] *nm/f* rude individual.
malpropre [malpʀɔpʀ(ə)] *a* dirty.
malsain, e [malsɛ̃, -ɛn] *a* unhealthy.
malséant, e [malseɑ̃, -ɑ̃t] *a* unseemly,
unbecoming.
malsonnant, e [malsɔnɑ̃, -ɑ̃t] *a* offensive.
malt [malt] *nm* malt.
maltais, e [maltɛ, -ɛz] *a, nm/f* Maltese.
Malte [malt(ə)] *nf* Malta.
maltraiter [maltʀete] *vt* (*brutaliser*) to
manhandle, ill-treat.
malveillance [malvɛjɑ̃s] *nf* (*animosité*) ill
· will ; (*intention de nuire*) malevolence ; (*JUR*)
malicious intent *q.*
malveillant, e [malvɛjɑ̃, -ɑ̃t] *a*
malevolent, malicious.
malversation [malvɛʀsasjɔ̃] *nf*
embezzlement, misappropriation (of
funds).
maman [mamɑ̃] *nf* mum, mother.
mamelle [mamɛl] *nf* teat.
mamelon [mamlɔ̃] *nm* (*ANAT*) nipple ;
(*colline*) knoll, hillock.
mammifère [mamifɛʀ] *nm* mammal.
mammouth [mamut] *nm* mammoth.
manche [mɑ̃ʃ] *nf* (*de vêtement*) sleeve ;
(*d'un jeu, tournoi*) round ; (*GÉO*): **la M ~**
the Channel // *nm* (*d'outil, casserole*)
handle ; (*de pelle, pioche etc*) shaft ; (*de
violon, guitare*) neck ; (*fam*) clumsy oaf ; **~
à air** *nf* (*AVIAT*) wind-sock ; **~ à balai** *nm*
broomstick ; (*AVIAT*) joystick.
· **manchette** [mɑ̃ʃɛt] *nf* (*de chemise*) cuff ;
·(*coup*) forearm blow ; (*titre*) headline.
manchon [mɑ̃ʃɔ̃] *nm* (*de fourrure*) muff ;
~ à incandescence incandescent (gas)
mantle.
manchot [mɑ̃ʃo] *nm* one-armed man ;
armless man ; (*ZOOL*) penguin.
mandarine [mɑ̃daʀin] *nf* mandarin
(orange), tangerine.
mandat [mɑ̃da] *nm* (*postal*) postal *ou*
money order ; (*d'un député etc*) mandate ;
(*procuration*) power of attorney, proxy ;
(*POLICE*) warrant ; **~ d'amener** summons
sg ; **~ d'arrêt** warrant for arrest ; **~ de
dépôt** committal order ; **mandataire** *nm/f*
representative ; proxy.
mander [mɑ̃de] *vt* to summon.
mandibule [mɑ̃dibyl] *nf* mandible.
mandoline [mɑ̃dɔlin] *nf* mandolin(e).
manège [manɛʒ] *nm* riding school ; (*à la
foire*) roundabout, merry-go-round ; (*fig*)
game, ploy.
manette [manɛt] *nf* lever, tap.
manganèse [mɑ̃ganɛz] *nm* manganese.
mangeable [mɑ̃ʒabl(ə)] *a* edible, eatable.
mangeaille [mɑ̃ʒaj] *nf* (*péj*) grub.
mangeoire [mɑ̃ʒwaʀ] *nf* trough, manger.
manger [mɑ̃ʒe] *vt* to eat ; (*ronger: suj:
rouille etc*) to eat into *ou* away // *vi* to
eat ; **mangeur, euse** *nm/f* eater.

mangouste [mɑ̃gust(ə)] *nf* mongoose.
mangue [mɑ̃g] *nf* mango.
maniable [manjabl(ə)] *a* (*outil*) handy ;
(*voiture, voilier*) easy to handle.
maniaque [manjak] *a* finicky, fussy ;
suffering from a mania // *nm/f* maniac.
manie [mani] *nf* mania ; (*tic*) odd habit.
maniement [manimɑ̃] *nm* handling ; **~
d'armes** arms drill.
manier [manje] *vt* to handle.
manière [manjɛʀ] *nf* (*façon*) way,
manner ; **~s** *nfpl* (*attitude*) manners ;
(*chichis*) fuss *sg* ; **de ~** à so as to ; **de telle
~ que** in such a way that ; **de cette ~**
in this way *ou* manner ; **d'une ~ générale**
generally speaking, as a general rule ; **de
toute ~** in any case ; **adverbe de ~**
adverb of manner.
maniéré, e [manjeʀe] *a* affected.
manif [manif] *nf* demo (*pl* s).
manifestant, e [manifɛstɑ̃, -ɑ̃t] *nm/f*
demonstrator.
manifestation [manifɛstasjɔ̃] *nf* (*de joie,
mécontentement*) expression, demonstration ; (*symptôme*) outward sign ; (*fête etc*)
event ; (*POL*) demonstration.
manifeste [manifɛst(ə)] *a* obvious,
evident // *nm* manifesto (*pl* s).
manifester [manifɛste] *vt* (*volonté,
intentions*) to show, indicate ; (*joie, peur*)
to express, show // *vi* to demonstrate ; **se
~ vi** (*émotion*) to show *ou* express itself ;
(*difficultés*) to arise ; (*symptômes*) to
appear ; (*témoin etc*) to come forward.
manigance [manigɑ̃s] *nf* scheme.
manigancer [manigɑ̃se] *vt* to plot, devise.
manioc [manjɔk] *nm* cassava, manioc.
manipuler [manipyle] *vt* to handle ; (*fig*)
to manipulate.
manivelle [manivɛl] *nf* crank.
manne [man] *nf* (*REL*) manna ; (*fig*)
godsend.
mannequin [manukɛ̃] *nm* (*COUTURE*)
dummy ; (*MODE*) model.
manœuvre [manœvʀ(ə)] *nf* (*gén*)
manœuvre // *nm* labourer.
manœuvrer [manœvʀe] *vt* to manœuvre ;
(*levier, machine*) to operate // *vi* to
manœuvre.
manoir [manwaʀ] *nm* manor *ou* country
house.
manomètre [manɔmɛtʀ(ə)] *nm* gauge,
manometer.
manquant, e [mɑ̃kɑ̃, -ɑ̃t] *a* missing.
manque [mɑ̃k] *nm* (*insuffisance*): **~ de**
lack of ; (*vide*) emptiness, gap ; (*MÉD*)
withdrawal ; **~s** *nmpl* (*lacunes*) faults,
defects ; **~ à gagner** loss of profit *ou*
earnings.
manqué, e [mɑ̃ke] *a* failed ; **garçon ~**
tomboy.
manquement [mɑ̃kmɑ̃] *nm*: **~ à**
(*discipline, règle*) breach of.
manquer [mɑ̃ke] *vi* (*faire défaut*) to be
lacking ; (*être absent*) to be missing ;
(*échouer*) to fail // *vt* to miss // *vb
impersonnel*: **il (nous) manque encore 100
F** we are still 100 F short ; **il manque des
pages (au livre)** there are some pages
missing *ou* some pages are missing (from
the book) ; **l'argent qui leur manque** the

money they need *ou* are short of; **le pied/la voix lui manqua** he missed his footing/his voice failed him; ~ **à qn** (*absent etc*): **il/cela me manque** I miss him/this; ~ **à** *vt* (*règles etc*) to be in breach of, fail to observe; ~ **de** *vt* to lack; **ne pas** ~ **de faire: il n'a pas manqué de le dire** he sure enough said it, he didn't fail to say it; ~ **(de) faire: il a manqué (de) se tuer** he very nearly got killed.

mansarde [mɑ̃saʀd(ə)] *nf* attic; **mansardé, e** *a* attic *cpd*.

mansuétude [mɑ̃sɥetyd] *nf* leniency.

mante [mɑ̃t] *nf*: ~ **religieuse** praying mantis.

manteau, x [mɑ̃to] *nm* coat; ~ **de cheminée** mantelpiece.

mantille [mɑ̃tij] *nf* mantilla.

manucure [manykyʀ] *nf* manicurist.

manuel, le [manɥɛl] *a* manual // *nm/f* manually gifted pupil *etc* (*as opposed to intellectually gifted*) // *nm* (*ouvrage*) manual, handbook.

manufacture [manyfaktyʀ] *nf* factory.

manufacturé, e [manyfaktyʀe] *a* manufactured.

manuscrit, e [manyskʀi, -it] *a* handwritten // *nm* manuscript.

manutention [manytɑ̃sjɔ̃] *nf* (*COMM*) handling; **manutentionnaire** *nm/f* warehouseman/woman, packer.

mappemonde [mapmɔ̃d] *nf* (*plane*) map of the world; (*sphère*) globe.

maquereau, x [makʀo] *nm* (*ZOOL*) mackerel *inv*; (*fam*) pimp.

maquerelle [makʀɛl] *nf* (*fam*) madam.

maquette [makɛt] *nf* (*d'un décor, bâtiment, véhicule*) (*scale*) model; (*d'une page illustrée*) paste-up.

maquignon [makiɲɔ̃] *nm* horse-dealer.

maquillage [makijaʒ] *nm* making up; faking; (*crème etc*) make-up.

maquiller [makije] *vt* (*personne, visage*) to make up; (*truquer: passeport, statistique*) to fake; (: *voiture volée*) to do over (*respray etc*); **se** ~ to make up (one's face).

maquis [maki] *nm* (*GÉO*) scrub; (*fig*) tangle; (*MIL*) maquis, underground fighting *q*.

marabout [maʀabu] *nm* (*ZOOL*) marabou(t).

maraîcher, ère [maʀeʃe, maʀɛʃɛʀ] *a*: **cultures maraîchères** market gardening *sg* // *nm/f* market gardener.

marais [maʀɛ] *nm* marsh, swamp; ~ **salant** salt pen, saltern.

marasme [maʀasm(ə)] *nm* stagnation, slump.

marathon [maʀatɔ̃] *nm* marathon.

marâtre [maʀɑtʀ(ə)] *nf* cruel mother.

maraude [maʀod] *nf* pilfering, thieving (*of poultry, crops*); (*dans un verger*) scrumping; (*vagabondage*) prowling; **en** ~ on the prowl; (*taxi*) cruising.

marbre [maʀbʀ(ə)] *nm* (*pierre, statue*) marble; (*d'une table, commode*) marble top; (*TYPO*) stone, bed; **rester de** ~ to remain stonily indifferent; **marbrer** *vt* to mottle, blotch; (*TECH: papier*) to marble; ~**rie** *nf* monumental mason's yard; **marbrier** *nm* monumental mason.

marc [maʀ] *nm* (*de raisin, pommes*) marc; ~ **de café** coffee grounds *pl ou* dregs *pl*.

marcassin [maʀkasɛ̃] *nm* young wild boar.

marchand, e [maʀʃɑ̃, -ɑ̃d] *nm/f* shopkeeper, tradesman/woman; (*au marché*) stallholder; (*spécifique*): ~ **de cycles/tapis** bicycle/carpet dealer; ~ **de charbon/vins** coal/wine merchant // *a*: **prix/valeur** ~(**e**) market price/value; ~ **de biens** real estate agent; ~ **de couleurs** ironmonger; ~/**e de fruits** fruiterer, fruit merchant; ~/**e de journaux** newsagent; ~/**e de légumes** greengrocer; ~/**e de poisson** fishmonger, fish merchant; ~**e de quatre saisons** costermonger; ~ **de tableaux** art dealer.

marchander [maʀʃɑ̃de] *vt* (*article*) to bargain *ou* haggle over; (*éloges*) to be sparing with // *vi* to bargain, haggle.

marchandise [maʀʃɑ̃diz] *nf* goods *pl*, merchandise *q*.

marche [maʀʃ(ə)] *nf* (*d'escalier*) step; (*activité*) walking; (*promenade, trajet, allure*) walk; (*démarche*) walk, gait; (*MIL etc, MUS*) march; (*fonctionnement*) running; (*progression*) progress; course; **ouvrir/fermer la** ~ to lead the way/bring up the rear; **dans le sens de la** ~ (*RAIL*) facing the engine; **en** ~ (*monter etc*) while the vehicle is moving *ou* in motion; **mettre en** ~ to start; **remettre qch en** ~ to set *ou* start sth going again; **se mettre en** ~ (*personne*) to get moving; (*machine*) to start; ~ **arrière** reverse (gear); **faire** ~ **arrière** to reverse; (*fig*) to backtrack, back-pedal; ~ **à suivre** (*correct*) procedure; (*sur notice*) (step by step) instructions *pl*.

marché [maʀʃe] *nm* (*lieu, COMM, ÉCON*) market; (*ville*) trading centre; (*transaction*) bargain, deal; **M~ commun** Common Market; ~ **aux fleurs** flower market; ~ **noir** black market; **faire du** ~ **noir** to buy and sell on the black market; ~ **aux puces** flea market.

marchepied [maʀʃəpje] *nm* (*RAIL*) step; (*AUTO*) running board; (*fig*) stepping stone.

marcher [maʀʃe] *vi* to walk; (*MIL*) to march; (*aller: voiture, train, affaires*) to go; (*prospérer*) to go well; (*fonctionner*) to work, run; (*fam*) to go along, agree; to be taken in; ~ **sur** to walk on; (*mettre le pied sur*) to step on *ou* in; (*MIL*) to march upon; ~ **dans** (*herbe etc*) to walk in *ou* on; (*flaque*) to step in; **faire** ~ **qn** to pull sb's leg; to lead sb up the garden path; **marcheur, euse** *nm/f* walker.

mardi [maʀdi] *nm* Tuesday; **M~ gras** Shrove Tuesday.

mare [maʀ] *nf* pond; ~ **de sang** pool of blood.

marécage [maʀekaʒ] *nm* marsh, swamp; **marécageux, euse** *a* marshy, swampy.

maréchal, aux [maʀeʃal, -o] *nm* marshal; ~ **des logis** (*MIL*) sergeant.

maréchal-ferrant [maʀeʃalfeʀɑ̃] *nm* blacksmith, farrier.

maréchaussée [maʀeʃose] *nf* constabulary.

marée [maʀe] *nf* tide; (*poissons*) fresh (sea) fish; ~ **haute/basse** high/low tide;

~ **montante/ descendante** rising/ebb tide.

marelle [maʀɛl] nf: **(jouer à) la ~** (to play) hopscotch.

marémotrice [maʀemɔtʀis] af tidal.

mareyeur, euse [maʀɛjœʀ, -øz] nm/f wholesale (sea) fish merchant.

margarine [maʀgaʀin] nf margarine.

marge [maʀʒ(ə)] nf margin; **en ~** in the margin; **en ~ de** (fig) on the fringe of; cut off from; connected with; ~ **bénéficiaire** profit margin.

margelle [maʀʒɛl] nf coping.

margeur [maʀʒœʀ] nm margin stop.

marginal, e, aux [maʀʒinal, -o] a marginal.

marguerite [maʀgəʀit] nf marguerite, (oxeye) daisy.

marguillier [maʀgije] nm churchwarden.

mari [maʀi] nm husband.

mariage [maʀjaʒ] nm (union, état, fig) marriage; (noce) wedding; civil/religieux civil ou registry office/church wedding; **un ~ de raison/d'amour** a marriage of convenience/love match; ~ **blanc** unconsummated marriage; ~ **en blanc** white wedding.

marié, e [maʀje] a married // nm/f (bride)groom/bride; **les ~s** the bride and groom; **les (jeunes) ~s** the newly-weds.

marier [maʀje] vt to marry; (fig) to blend; **se ~ (avec)** to marry, get married (to); (fig) to blend (with).

marin, e [maʀɛ̃, -in] a sea cpd, marine // nm sailor // nf navy; (ART) seascape; **~e de guerre** navy; **~e marchande** merchant navy; **~e à voiles** sailing ships pl.

marinade [maʀinad] nf marinade.

marine [maʀin] af, nf voir **marin** // a inv navy (blue) // nm (MIL) marine.

mariner [maʀine] vi, vt to marinate, marinade.

marinier [maʀinje] nm bargee.

marinière [maʀinjɛʀ] nf smock // a inv: **moules ~** mussels in white wine.

marionnette [maʀjɔnɛt] nf puppet.

marital, e, aux [maʀital, -o] a marital, husband's; **~ement** ad as husband and wife.

maritime [maʀitim] a sea cpd, maritime.

marjolaine [maʀʒɔlɛn] nf marjoram.

mark [maʀk] nm mark.

marmaille [maʀmaj] nf (péj) (gang of) brats pl.

marmelade [maʀmalad] nf stewed fruit, compote; **en ~** (fig) crushed (to a pulp).

marmite [maʀmit] nf (cooking-)pot.

marmiton [maʀmitɔ̃] nm kitchen boy.

marmonner [maʀmɔne] vt, vi to mumble, mutter.

marmot [maʀmo] nm brat.

marmotte [maʀmɔt] nf marmot.

marmotter [maʀmɔte] vt (prière) to mumble, mutter.

marne [maʀn(ə)] nf marl.

Maroc [maʀɔk] nm: **le ~** Morocco; **marocain, e** a, nm/f Moroccan.

maroquin [maʀɔkɛ̃] nm morocco (leather); (fig) (minister's) portfolio.

maroquinerie [maʀɔkinʀi] nf leather craft; fine leather goods pl.

marotte [maʀɔt] nf fad.

marquant, e [maʀkɑ̃, -ɑ̃t] a outstanding.

marque [maʀk(ə)] nf mark; (SPORT, JEU: décompte des points) score; (COMM: de produits) brand; make; (: de disques) label; **à vos ~s!** (SPORT) on your marks!; ~ **de ~ a** (COMM) brand-name cpd: proprietary; (fig) high-class; distinguished; ~ **déposée** registered trademark; ~ **de fabrique** trademark.

marqué, e [maʀke] a marked.

marquer [maʀke] vt to mark; (inscrire) to write down; (bétail) to brand; (SPORT: but etc) to score; (: joueur) to mark; (accentuer: taille etc) to emphasize; (manifester: refus, intérêt) to show // vi (événement, personnalité) to stand out, be outstanding; (SPORT) to score; ~ **les points** (tenir la marque) to keep the score.

marqueterie [maʀkətʀi] nf inlaid work, marquetry.

marquis, e [maʀki, -iz] nm/f marquis ou marquess/marchioness // nf (auvent) glass canopy ou awning.

marraine [maʀɛn] nf godmother.

marrant, e [maʀɑ̃, -ɑ̃t] a (fam) funny.

marre [maʀ] ad (fam): **en avoir ~ de** to be fed up with.

marrer [maʀe]: **se ~** vi (fam) to have a (good) laugh.

marron [maʀɔ̃] nm (fruit) chestnut // a inv brown // am (péj) crooked; bogus; ~s **glacés** marrons glacés; **marronnier** nm chestnut (tree).

mars [maʀs] nm March.

Mars [maʀs] nf ou m Mars.

marsouin [maʀswɛ̃] nm porpoise.

marsupiaux [maʀsypjo] nmpl marsupials.

marteau, x [maʀto] nm hammer; (de porte) knocker; **~-piqueur** nm pneumatic drill.

martel [maʀtɛl] nm: **se mettre ~ en tête** to worry o.s.

marteler [maʀtəle] vt to hammer.

martial, e, aux [maʀsjal, -o] a martial.

martien, ne [maʀsjɛ̃, -jɛn] a Martian, of ou from Mars.

martinet [maʀtinɛ] nm (fouet) small whip; (ZOOL) swift.

martingale [maʀtɛ̃gal] nf (COUTURE) half-belt; (JEU) winning formula.

Martinique [maʀtinik] nf: **la ~** Martinique.

martin-pêcheur [maʀtɛ̃pɛʃœʀ] nm kingfisher.

martre [maʀtʀ(ə)] nf marten.

martyr, e [maʀtiʀ] nm/f martyr // a martyred; **enfants ~s** battered children.

martyre [maʀtiʀ] nm martyrdom; (fig: sens affaibli) agony, torture.

martyriser [maʀtiʀize] vt (REL) to martyr; (fig) to bully; to batter.

marxisme [maʀksism(ə)] nm Marxism.

mascarade [maskaʀad] nf masquerade.

mascotte [maskɔt] nf mascot.

masculin, e [maskylɛ̃, -in] a masculine; (sexe, population) male; (équipe, vêtements) men's; (viril) manly // nm masculine.

masochisme [mazɔʃism(ə)] *nm* masochism.

masque [mask(ə)] *nm* mask ; ~ à gaz gas mask.

masqué, e [maske] *a* masked.

masquer [maske] *vt* (*cacher: paysage, porte*) to hide, conceal ; (*dissimuler: vérité, projet*) to mask, obscure.

massacrant, e [masakʀɑ̃, -ɑ̃t] *a*: **humeur** ~**e** foul temper.

massacre [masakʀ(ə)] *nm* massacre, slaughter.

massacrer [masakʀe] *vt* to massacre, slaughter ; (*fig: texte etc*) to murder.

massage [masaʒ] *nm* massage.

masse [mas] *nf* mass ; (*péj*): **la** ~ the masses *pl* ; (*ÉLEC*) earth ; (*maillet*) sledgehammer ; ~**s** *nfpl* masses ; **une** ~ **de, des** ~**s de** (*fam*) masses *ou* loads of ; **en** ~ *ad* (*en bloc*) in bulk ; (*en foule*) en masse // *a* (*exécutions, production*) mass *cpd* ; ~ **salariale** aggregate remuneration (of employees).

massepain [maspɛ̃] *nm* marzipan.

masser [mase] *vt* (*assembler*) to gather ; (*pétrir*) to massage ; **se** ~ *vi* to gather ; **masseur, euse** *nm/f* masseur/masseuse.

massicot [masiko] *nm* guillotine.

massif, ive [masif, -iv] *a* (*porte*) solid, massive ; (*visage*) heavy, large ; (*bois, or*) solid ; (*dose*) massive ; (*déportations etc*) mass *cpd* // *nm* (*montagneux*) massif ; (*de fleurs*) clump, bank.

massue [masy] *nf* club, bludgeon.

mastic [mastik] *nm* (*pour vitres*) putty ; (*pour fentes*) filler.

mastiquer [mastike] *vt* (*aliment*) to chew, masticate ; (*fente*) to fill ; (*vitre*) to putty.

masturbation [mastyʀbasjɔ̃] *nf* masturbation.

masure [mazyʀ] *nf* tumbledown cottage.

mat, e [mat] *a* (*couleur, métal*) mat(t) ; (*bruit, son*) dull // *a inv* (*ÉCHECS*): **être** ~ to be checkmate.

mât [mɑ] *nm* (*NAVIG*) mast ; (*poteau*) pole, post.

match [matʃ] *nm* match ; ~ **nul** draw ; **faire** ~ **nul** to draw.

matelas [matla] *nm* mattress ; ~ **pneumatique** air bed *ou* mattress ; ~ **à ressorts** spring *ou* interior-sprung mattress.

matelasser [matlase] *vt* to pad ; to quilt.

matelot [matlo] *nm* sailor, seaman.

mater [mate] *vt* (*personne*) to bring to heel, subdue ; (*révolte*) to put down.

matérialiser [mateʀjalize]: **se** ~ *vi* to materialize.

matérialiste [mateʀjalist(ə)] *a* materialistic.

matériau, x [mateʀjo] *nm* material // *nmpl* material(s).

matériel, le [mateʀjɛl] *a* material // *nm* equipment *q* ; (*de camping etc*) gear *q* ; ~ **d'exploitation** (*COMM*) plant.

maternel, le [matɛʀnɛl] *a* (*amour, geste*) motherly, maternal ; (*grand-père, oncle*) maternal // *nf* (*aussi:* **école** ~**le**) (state) nursery school.

maternité [matɛʀnite] *nf* (*établissement*) maternity hospital ; (*état de mère*) motherhood, maternity ; (*grossesse*) pregnancy.

mathématicien, ne [matematisjɛ̃, -jɛn] *nm/f* mathematician.

mathématique [matematik] *a* mathematical ; ~**s** *nfpl* (*science*) mathematics *sg*.

matière [matjɛʀ] *nf* (*PHYSIQUE*) matter ; (*COMM, TECH*) material, matter *q* ; (*fig: d'un livre etc*) subject matter, material ; (*SCOL*) subject ; **en** ~ **de** as regards ; **donner** ~ **à** to give cause to ; ~ **plastique** plastic ; ~**s fécales** faeces ; ~**s grasses** fat content *sg* ; ~**s premières** raw materials.

matin [matɛ̃] *nm, ad* morning ; **matinal, e, aux** *a* (*toilette, gymnastique*) morning *cpd* ; (*de bonne heure*) early ; **être matinal** (*personne*) to be up early ; to be an early riser.

matinée [matine] *nf* morning ; (*spectacle*) matinée, afternoon performance.

mâtiner [matine] *vt* to cross.

matois, e [matwa, -waz] *a* wily.

matou [matu] *nm* tom(cat).

matraque [matʀak] *nf* cosh ; (*de policier*) truncheon ; **matraquer** *vt* to beat up (with a truncheon) ; to cosh ; (*fig: disque*) to plug.

matriarcal, e, aux [matʀijaʀkal, -o] *a* matriarchal.

matrice [matʀis] *nf* (*ANAT*) womb ; (*TECH*) mould ; (*MATH etc*) matrix.

matricule [matʀikyl] *nf* (*aussi:* **registre** ~) roll, register // *nm* (*aussi:* **numéro** ~) (*MIL*) regimental number ; (*ADMIN*) reference number.

matrimonial, e, aux [matʀimɔnjal, -o] *a* marital, marriage *cpd*.

mâture [mɑtyʀ] *nf* masts *pl*.

maturité [matyʀite] *nf* maturity ; (*d'un fruit*) ripeness, maturity.

maudire [modiʀ] *vt* to curse.

maudit, e [modi, -it] *a* (*fam: satané*) blasted, confounded.

maugréer [mogʀee] *vi* to grumble.

Mauresque [mɔʀɛsk] *a* Moorish.

mausolée [mozɔle] *nm* mausoleum.

maussade [mosad] *a* sullen.

mauvais, e [mɔvɛ, -ɛz] *a* bad ; (*faux*): **le** ~ **numéro/moment** the wrong number/moment ; (*méchant, malveillant*) malicious, spiteful // *ad*: **il fait** ~ the weather is bad ; **sentir** ~ to have a nasty smell, smell bad *ou* nasty ; **la mer est** ~**e** the sea is rough ; ~ **coup** (*fig*) criminal venture ; ~ **garçon** tough ; ~ **plaisant** hoaxer ; ~ **traitements** ill treatment *sg* ; ~**e herbe** weed ; ~**e langue** gossip, scandalmonger ; ~**e passe** difficult situation ; bad patch ; ~**e tête** rebellious *ou* headstrong customer.

mauve [mov] *a* mauve // *nf* mallow.

mauviette [movjɛt] *nf* (*péj*) weakling.

maux [mo] *nmpl voir* **mal**.

maximal, e, aux [maksimal, -o] *a* maximal.

maxime [maksim] *nf* maxim.

maximum [maksimɔm] *a, nm* maximum ; **au** ~ *ad* (*le plus possible*) to the full ; as much as one can ; (*tout au plus*) at the (very) most *ou* maximum.

mayonnaise [majɔnɛz] *nf* mayonnaise.
mazout [mazut] *nm* (fuel) oil.
me, m' [m(ə)] *pronom* me ; (*réfléchi*) myself.
Me *abr de* **Maître.**
méandres [meɑ̃dR(ə)] *nmpl* meanderings.
mec [mɛk] *nm* (*fam*) bloke.
mécanicien, ne [mekanisjɛ̃, -jɛn] *nm/f* mechanic ; (*RAIL*) (train *ou* engine) driver ; **∼-dentiste** *nm/f* dental technician.
mécanique [mekanik] *a* mechanical // *nf* (*science*) mechanics *sg* ; (*technologie*) mechanical engineering ; (*AUTO*) : **s'y connaître en ∼** to be mechanically minded ; (*mécanisme*) mechanism ; engineering ; works *pl* ; **ennui ∼** engine trouble *q* ; **mécaniser** *vt* to mechanize.
mécanisme [mekanism(ə)] *nm* mechanism.
mécanographie [mekanɔgRafi] *nf* (mechanical) data processing.
mécène [mesɛn] *nm* patron.
méchanceté [meʃɑ̃ste] *nf* nastiness, maliciousness ; nasty *ou* spiteful *ou* malicious remark (*ou* action).
méchant, e [meʃɑ̃, -ɑ̃t] *a* nasty, malicious, spiteful ; (*enfant : pas sage*) naughty ; (*animal*) vicious ; (*avant le nom: valeur péjorative*) nasty ; miserable ; (: *intensive*) terrific.
mèche [mɛʃ] *nf* (*de lampe, bougie*) wick ; (*d'un explosif*) fuse ; (*de vilebrequin, perceuse*) bit ; (*de fouet*) lash ; (*de cheveux*) lock ; **vendre la ∼** to give the game away ; **de ∼ avec** in league with.
méchoui [meʃwi] *nm* whole sheep barbecue.
mécompte [mekɔ̃t] *nm* miscalculation ; (*déception*) disappointment.
méconnaissable [mekɔnɛsabl(ə)] *a* unrecognizable.
méconnaissance [mekɔnɛsɑ̃s] *nf* ignorance.
méconnaître [mekɔnɛtR(ə)] *vt* (*ignorer*) to be unaware of ; (*mésestimer*) to misjudge.
mécontent, e [mekɔ̃tɑ̃, -ɑ̃t] *a*: ∼ (**de**) discontented *ou* dissatisfied *ou* displeased (with) ; (*contrarié*) annoyed (at) ; **mécontentement** *nm* dissatisfaction, discontent, displeasure ; annoyance ; **mécontenter** *vt* to displease.
médaille [medaj] *nf* medal ; **médaillé, e** *nm/f* (*SPORT*) medal-holder.
médaillon [medajɔ̃] *nm* (*portrait*) medallion ; (*bijou*) locket ; (*CULIN*) médaillon ; **en ∼** *a* (*carte etc*) inset.
médecin [medsɛ̃] *nm* doctor ; ∼ **généraliste** general practitioner, G.P.
médecine [medsin] *nf* medicine ; ∼ **légale** forensic medicine ; ∼ **du travail** occupational *ou* industrial medicine.
médian, e [medjɑ̃, -an] *a* (*MATH*) median.
médiateur, trice [medjatœR, -tRis] *nm/f* mediator ; arbitrator.
médiation [medjasjɔ̃] *nf* mediation ; (*dans conflit social etc*) arbitration.
médical, e, aux [medikal, -o] *a* medical.
médicament [medikamɑ̃] *nm* medicine, drug.
médicinal, e, aux [medisinal, -o] *a* medicinal.

médico-légal, e, aux [medikɔlegal, -o] *a* forensic.
médiéval, e, aux [medjeval, -o] *a* medieval.
médiocre [medjɔkR(ə)] *a* mediocre, poor ; **médiocrité** *nf* mediocrity.
médire [mediR] *vi* : ∼ **de** to speak ill of ; **médisance** *nf* scandalmongering ; piece of scandal *ou* of malicious gossip.
méditatif, ive [meditatif, -iv] *a* thoughtful.
méditation [meditasjɔ̃] *nf* meditation.
méditer [medite] *vt* (*approfondir*) to meditate on, ponder (over) ; (*combiner*) to meditate // *vi* to meditate ; ∼ **de faire** to contemplate doing, plan to do.
Méditerranée [mediteRane] *nf*: **la (mer) ∼** the Mediterranean (Sea) ; **méditerranéen, ne** *a, nm/f* Mediterranean.
médium [medjɔm] *nm* medium (*person*).
médius [medjys] *nm* middle finger.
méduse [medyz] *nf* jellyfish.
méduser [medyze] *vt* to dumbfound.
meeting [mitiŋ] *nm* (*POL, SPORT*) rally ; ∼ **d'aviation** air show.
méfait [mefɛ] *nm* (*faute*) misdemeanour, wrongdoing ; ∼**s** *nmpl* (*ravages*) ravages, damage *sg*.
méfiance [mefjɑ̃s] *nf* mistrust, distrust.
méfiant, e [mefjɑ̃, -ɑ̃t] *a* mistrustful, distrustful.
méfier [mefje]: **se ∼** *vi* to be wary ; to be careful ; **se ∼ de** *vt* to mistrust, distrust, be wary of ; (*faire attention*) to be careful about.
mégarde [megaRd(ə)] *nf*: **par ∼** accidentally ; by mistake.
mégère [meʒɛR] *nf* shrew.
mégot [mego] *nm* cigarette end.
meilleur, e [mɛjœR] *a, ad* better ; (*valeur superlative*) best // *nm*: **le ∼** (*celui qui ...*) the best (one) ; (*ce qui ...*) the best // *nf*: **la ∼e** the best (one) ; **le ∼ des deux** the better of the two ; ∼ **marché** cheaper.
mélancolie [melɑ̃kɔli] *nf* melancholy, gloom ; **mélancolique** *a* melancholic, melancholy.
mélange [melɑ̃ʒ] *nm* mixture.
mélanger [melɑ̃ʒe] *vt* (*substances*) to mix ; (*vins, couleurs*) to blend ; (*mettre en désordre*) to mix up, muddle (up).
mélasse [melas] *nf* treacle, molasses *sg*.
mêlée [mele] *nf* mêlée, scramble ; (*RUGBY*) scrum(mage).
mêler [mele] *vt* (*substances, odeurs, races*) to mix ; (*embrouiller*) to muddle (up), mix up ; **se ∼** to mix ; to mingle ; **se ∼ à** (*suj: personne*) to join ; to mix with ; (: *odeurs etc*) to mingle with ; **se ∼ de** (*suj: personne*) to meddle with, interfere in ; ∼ **qn à** (*affaire*) to get sb mixed up *ou* involved in.
mélodie [melɔdi] *nf* melody ; **mélodieux, euse** *a* melodious, tuneful ; **mélodique** *a* melodic.
mélodrame [melɔdRam] *nm* melodrama.
mélomane [melɔman] *nm/f* music lover.
melon [məlɔ̃] *nm* (*BOT*) (honeydew) melon ; (*aussi*: **chapeau ∼**) bowler (hat) ; ∼ **d'eau** watermelon.

mélopée [melɔpe] nf monotonous chant.

membrane [mɑ̃bʀan] nf membrane.

membre [mɑ̃bʀ(ə)] nm (ANAT) limb; (personne, pays, élément) member // a member; ~ (viril) (male) organ.

même [mɛm] a same // pronom: le(la) ~ the same (one) // ad even; en ~ temps at the same time; ce sont ses paroles/celles-là ~s they are his very words/the very ones; il n'a ~ pas pleuré he didn't even cry; ici ~ at this very place; à ~ la bouteille straight from the bottle; à ~ la peau next to the skin; être à ~ de faire to be in a position ou be able to do; mettre qn à ~ de faire to enable sb to do; faire de ~ to do likewise; lui de ~ so does (ou did ou is) he; de ~ que just as; il en va/est allé de ~ pour the same goes/happened for.

mémento [memɛ̃to] nm (agenda) engagement diary; (ouvrage) summary.

mémoire [memwaʀ] nf memory // nm (ADMIN, JUR) memorandum (pl a); (SCOL) dissertation, paper; ~s nmpl memoirs; avoir la ~ des chiffres to have a good memory for figures; à la ~ de to the ou in memory of; pour ~ ad for the record; de ~ d'homme in living memory; de ~ ad from memory.

mémorable [memɔʀabl(ə)] a memorable.

mémorandum [memɔʀɑ̃dɔm] nm memorandum (pl a).

mémorial, aux [memɔʀjal, -o] nm memorial.

menaçant, e [mənasɑ̃, -ɑ̃t] a threatening, menacing.

menace [mənas] nf threat.

menacer [mənase] vt to threaten.

ménage [menaʒ] nm (travail) housekeeping, housework; (couple) (married) couple; (famille, ADMIN) household; faire le ~ to do the housework; faire des ~s to go out charring; monter son ~ to set up house; se mettre en ~ (avec) to set up house (with); heureux en ~ happily married; faire bon ~ avec to get on well with; ~ de poupée doll's kitchen set; ~ à trois love triangle.

ménagement [menaʒmɑ̃] nm care and attention; ~s nmpl (égards) consideration sg, attention sg.

ménager [menaʒe] vt (traiter) to handle with tact; to treat considerately; (utiliser) to use sparingly; to use with care; (prendre soin de) to take (great) care of, look after; (organiser) to arrange; (installer) to put in; to make; ~ qch à qn (réserver) to have sth in store for sb.

ménager, ère [menaʒe, -ɛʀ] a household cpd, domestic // nf housewife (pl wives).

ménagerie [menaʒʀi] nf menagerie.

mendiant, e [mɑ̃djɑ̃, -ɑ̃t] nm/f beggar.

mendicité [mɑ̃disite] nf begging.

mendier [mɑ̃dje] vi to beg // vt to beg (for).

menées [məne] nfpl intrigues, manœuvres.

mener [məne] vt to lead; (enquête) to conduct; (affaires) to manage // vi: ~ (à la marque) to lead, be in the lead; ~ à/dans (emmener) to take to/into; ~ qch à terme ou à bien to see sth through (to a successful conclusion), complete sth successfully.

meneur, euse [mənœʀ, -øz] nm/f leader; (péj) agitator; ~ d'hommes born leader; ~ de jeu compère; quizmaster.

méningite [menɛ̃ʒit] nf meningitis q.

ménopause [menɔpoz] nf menopause.

menotte [mənɔt] nf (main) mitt, tiny hand; ~s nfpl handcuffs; passer les ~s à to handcuff.

mensonge [mɑ̃sɔ̃ʒ] nm lie; lying q; ~s, ère a false.

mensualité [mɑ̃sɥalite] nf monthly payment; monthly salary.

mensuel, le [mɑ̃sɥɛl] a monthly.

mensurations [mɑ̃syʀasjɔ̃] nfpl measurements.

mental, e, aux [mɑ̃tal, -o] a mental.

mentalité [mɑ̃talite] nf mentality.

menteur, euse [mɑ̃tœʀ, -øz] nm/f liar.

menthe [mɑ̃t] nf mint; ~ (à l'eau) peppermint cordial.

mention [mɑ̃sjɔ̃] nf (note) note, comment; (SCOL): ~ bien etc ≈ grade B etc (ou upper 2nd class etc) pass; faire ~ de to mention; mentionner vt to mention.

mentir [mɑ̃tiʀ] vi to lie; to be lying.

menton [mɑ̃tɔ̃] nm chin.

menu, e [məny] a slim, slight; tiny; (frais, difficulté) minor // ad (couper, hacher) very fine // nm menu; par le ~ (raconter) in minute detail; ~e monnaie small change.

menuet [mənɥɛ] nm minuet.

menuiserie [mənɥizʀi] nf (travail) joinery, carpentry; woodwork; (local) joiner's workshop; (ouvrage) woodwork q.

menuisier [mənɥizje] nm joiner, carpenter.

méprendre [mepʀɑ̃dʀ(ə)]: se ~ vi se ~ sur to be mistaken (about).

mépris [mepʀi] nm (dédain) contempt, scorn; (indifférence): le ~ de contempt ou disregard for; au ~ de regardless of, in defiance of.

méprisable [mepʀizabl(ə)] a contemptible, despicable.

méprisant, e [mepʀizɑ̃, -ɑ̃t] a contemptuous, scornful.

méprise [mepʀiz] nf mistake, error; misunderstanding.

mépriser [mepʀize] vt to scorn, despise; (gloire, danger) to scorn, spurn.

mer [mɛʀ] nf sea; (marée) tide; en ~ at sea; prendre la ~ to put out to sea; en haute ~ off shore, on the open sea; la ~ du Nord/Rouge the North/Red Sea.

mercantile [mɛʀkɑ̃til] a (péj) mercenary.

mercenaire [mɛʀsənɛʀ] nm mercenary, hired soldier.

mercerie [mɛʀsəʀi] nf haberdashery; haberdasher's shop.

merci [mɛʀsi] excl thank you // nf: à la ~ de qn/qch at sb's mercy/the mercy of sth; ~ beaucoup thank you very much; ~ de thank you for; sans ~ merciless.

mercier, ière [mɛʀsje, -jɛʀ] nm/f haberdasher.

mercredi [mɛʀkʀədi] nm Wednesday; ~ des Cendres Ash Wednesday.

mercure [mɛʀkyʀ] nm mercury.

merde [mɛʀd(ə)] (*fam!*) *nf* shit (!) // *excl* bloody hell (!).

mère [mɛʀ] *nf* mother; ~ **célibataire** unmarried mother.

méridien [meʀidjɛ̃] *nm* meridian.

méridional, e, aux [meʀidjɔnal, -o] *a* southern // *nm/f* Southerner.

meringue [məʀɛ̃g] *nf* meringue.

merisier [məʀizje] *nm* wild cherry (tree).

méritant, e [meʀitɑ̃, -ɑ̃t] *a* deserving.

mérite [meʀit] *nm* merit; **le ~** (**de ceci**) **lui revient** the credit (for this) is his.

mériter [meʀite] *vt* to deserve.

méritoire [meʀitwaʀ] *a* praiseworthy, commendable.

merlan [mɛʀlɑ̃] *nm* whiting.

merle [mɛʀl(ə)] *nm* blackbird.

merveille [mɛʀvɛj] *nf* marvel, wonder; **faire ~** to work wonders; **à ~** perfectly, wonderfully.

merveilleux, euse [mɛʀvɛjø, -øz] *a* marvellous, wonderful.

mes [me] *dét voir* **mon**.

mésalliance [mezaljɑ̃s] *nf* misalliance, mismatch.

mésange [mezɑ̃ʒ] *nf* tit(mouse) (*pl* mice); ~ **bleue** blue tit.

mésaventure [mezavɑ̃tyʀ] *nf* misadventure, misfortune.

Mesdames [medam] *nfpl voir* **Madame**.

Mesdemoiselles [medmwazɛl] *nfpl voir* **Mademoiselle**.

mésentente [mezɑ̃tɑ̃t] *nf* dissension, disagreement.

mésestimer [mezɛstime] *vt* to underestimate, underrate; to have low regard for.

mesquin, e [mɛskɛ̃, -in] *a* mean, petty; **mesquinerie** *nf* pettiness *q*, meanness *q*.

mess [mɛs] *nm* mess.

message [mesaʒ] *nm* message; ~ **téléphoné** telegram dictated by telephone; **messager, ère** *nm/f* messenger; **messageries** *nfpl* parcels service *sg*; distribution service *sg*.

messe [mɛs] *nf* mass; **aller à la ~** to go to mass; ~ **de minuit** midnight mass.

messie [mesi] *nm*: **le M~** the Messiah.

Messieurs [mesjø] *nmpl* (*abr* **Messrs**) *voir* **Monsieur**.

mesure [məzyʀ] *nf* (*évaluation, dimension*) measurement; (*étalon, récipient, contenu*) measure; (MUS: *cadence*) time, tempo; (: *division*) bar; (*retenue*) moderation; (*disposition*) measure, step; **sur ~** (*costume*) made-to-measure; **à la ~ de** (*fig*) worthy of; **on the same scale as**; **dans la ~ où** insofar as, inasmuch as; **à ~ que** as; **en ~** (MUS) in time *ou* tempo; **être en ~ de** to be in a position to; **dépasser la ~** (*fig*) to overstep the mark.

mesurer [məzyʀe] *vt* to measure; (*juger*) to weigh up, assess; (*limiter*) to limit, ration; (*modérer*) to moderate; (*proportionner*): ~ **qch à** to match sth to, gear sth to; **se ~ avec** to have a confrontation with; to tackle; **il mesure 1 m 80** he's 1 m 80 tall.

met *vb voir* **mettre**.

métairie [meteʀi] *nf* smallholding.

métal, aux [metal, -o] *nm* metal; ~**lique** *a* metallic; ~**lisé, e** *a* (*peinture*) metallic; ~**lurgie** *nf* metallurgy; ~**lurgiste** *nm/f* steel *ou* metal worker; metallurgist.

métamorphose [metamɔʀfoz] *nf* metamorphosis (*pl* oses).

métaphore [metafɔʀ] *nf* metaphor.

métaphysique [metafizik] *nf* metaphysics *sg* // *a* metaphysical.

métayer, ère [meteje, metɛjɛʀ] *nm/f* (tenant) farmer.

météo [meteo] *nf* weather report; ≈ Met Office.

météore [meteɔʀ] *nm* meteor.

météorologie [meteɔʀɔlɔʒi] *nf* meteorology; **météorologique** *a* meteorological, weather *cpd*.

métèque [metɛk] *nm* (*péj*) wop.

méthode [metɔd] *nf* method; (*livre, ouvrage*) manual, tutor; **méthodique** *a* methodical.

méticuleux, euse [metikylø, -øz] *a* meticulous.

métier [metje] *nm* (*profession*: *gén*) job; (: *manuel*) trade; (: *artisanal*) craft; (*technique, expérience*) (acquired) skill *ou* technique; (*aussi*: ~ **à tisser**) (weaving) loom; **être du ~** to be in the trade *ou* profession.

métis, se [metis] *a, nm/f* half-caste, half-breed.

métisser [metise] *vt* to cross.

métrage [metʀaʒ] *nm* (*de tissu*) length, ≈ yardage; (CINÉMA) footage, length; **long/moyen/court ~** full-length/medium-length/short film.

mètre [mɛtʀ(ə)] *nm* metre; (*règle*) (metre) rule; (*ruban*) tape measure; **métrique** *a* metric // *nf* metrics *sg*.

métro [metʀo] *nm* underground, subway.

métropole [metʀɔpɔl] *nf* (*capitale*) metropolis; (*pays*) home country; **métropolitain, e** *a* metropolitan.

mets [me] *nm* dish.

metteur [metœʀ] *nm*: ~ **en scène** (THÉÂTRE) producer; (CINÉMA) director; ~ **en ondes** producer.

mettre [metʀ(ə)] *vt* (*placer*) to put; (*vêtement: revêtir*) to put on; (: *porter*) to wear; (*installer: gaz, l'électricité*) to put in; (*faire fonctionner: chauffage, électricité*) to put on; (*noter, écrire*) to say, to put down; **mettons que** let's suppose *ou* say that; ~ **en bouteille/en sac** to bottle/put in bags *ou* sacks; **y ~ du sien** to pull one's weight; ~ **du temps/2 heures à faire** to take time/2 hours doing; **se ~: n'avoir rien à se ~** to have nothing to wear; **se ~ de l'encre sur les doigts** to get ink on one's fingers; **se ~ au lit** to get into bed; **se ~ au piano** (*s'asseoir*) to sit down at the piano; (*apprendre*) to start learning the piano; **se ~ à faire** to begin *ou* start doing *ou* to do; **se ~ au travail/à l'étude** to get down to work/one's studies.

meublant, e [mœblɑ̃, -ɑ̃t] *a* (*tissus etc*) effective (in the room), decorative.

meuble [mœbl(ə)] *nm* piece of furniture; furniture *q* // *a* (*terre*) loose, friable; (JUR): **biens ~s** movables; **meublé** *nm* furnished room (*ou* flatlet); **meubler** *vt* to furnish;

(*fig*): **meubler qch (de)** to fill sth (with) ; **se meubler** to furnish one's house.

meugler [møgle] *vi* to low, moo.

meule [møl] *nf* (*à broyer*) millstone ; (*à aiguiser*) grindstone ; (*à polir*) buffwheel ; (*de foin, blé*) stack ; (*de fromage*) round.

meunerie [mønʀi] *nf* flour trade ; milling ; **meunier, ière** *nm* miller // *nf* miller's wife // *af inv* (CULIN) meunière.

meure *etc vb voir* **mourir**.

meurtre [mœʀtʀ(ə)] *nm* murder ; **meurtrier, ière** *a* (*arme etc*) deadly ; (*fureur, instincts*) murderous // *nm/f* murderer/eress // *nf* (*ouverture*) loophole.

meurtrir [mœʀtʀiʀ] *vt* to bruise ; (*fig*) to wound ; **meurtrissure** *nf* bruise ; (*fig*) scar.

meus *etc vb voir* **mouvoir**.

meute [møt] *nf* pack.

mexicain, e [mɛksikɛ̃, -ɛn] *a*, *nm/f* Mexican.

Mexico [mɛksiko] *n* Mexico City.

Mexique [mɛksik] *nm*: **le ~** Mexico.

MF *sigle f voir* **modulation**.

Mgr *abr de* **Monseigneur**.

mi [mi] *nm* (MUS) E ; (*en chantant la gamme*) mi.

mi... [mi] *préfixe* half(-) ; mid- ; **à la ~-janvier** in mid-January ; **~-bureau, ~-chambre** half office, half bedroom ; **à ~-jambes** (up *ou* down) to the knees/waist ; **à ~-hauteur/-pente** halfway up *ou* down/up *ou* down the hill.

miauler [mjole] *vi* to mew.

mica [mika] *nm* mica.

mi-carême [mikaʀɛm] *nf*: **la ~** the third Thursday in Lent.

miche [miʃ] *nf* round *ou* cob loaf.

mi-chemin [miʃmɛ̃]: **à ~** *ad* halfway, midway.

mi-clos, e [miklo, -kloz] *a* half-closed.

micmac [mikmak] *nm* (*péj*) carry-on.

micro [mikʀo] *nm* mike, microphone.

microbe [mikʀɔb] *nm* germ, microbe.

microfiche [mikʀɔfiʃ] *nf* microfiche.

microfilm [mikʀɔfilm] *nm* microfilm.

microphone [mikʀɔfɔn] *nm* microphone.

microscope [mikʀɔskɔp] *nm* microscope ; **au ~** under *ou* through the microscope.

midi [midi] *nm* midday, noon ; (*moment du déjeuner*) lunchtime ; **à ~** at 12 (o'clock) *ou* midday *ou* noon ; (*sud*) south ; **en plein ~** (right) in the middle of the day ; facing south.

mie [mi] *nf* crumb (of the loaf).

miel [mjɛl] *nm* honey.

mielleux, euse [mjɛlø, -øz] *a* (*péj*) sugary, honeyed.

mien, ne [mjɛ̃, mjɛn] *pronom*: **le(la) ~(ne), les ~s** mine ; **les ~s** my family.

miette [mjɛt] *nf* (*de pain, gâteau*) crumb ; (*fig: de la conversation etc*) scrap ; **en ~s** (*fig*) in pieces *ou* bits.

mieux [mjø] *ad* better // *a* better ; (*plus joli*) better-looking // *nm* (*progrès*) improvement ; **le ~** the best (thing) ; **le(la) ~, les ~** the best ; **le ~ des deux** the better of the two ; **les livres les ~ faits** the best made books ; **de mon/ton ~** as best I/you can (*ou* could) ; **de ~ en ~** better and better ; **pour le ~** for the best ;

au ~ at best ; **au ~ avec** on the best of terms with.

mièvre [mjɛvʀ(ə)] *a* mawkish, sickly sentimental.

mignon, ne [miɲɔ̃, -ɔn] *a* sweet, cute.

migraine [migʀɛn] *nf* headache ; migraine.

migrateur, trice [migʀatœʀ, -tʀis] *a* migratory.

migration [migʀasjɔ̃] *nf* migration.

mijaurée [miʒɔʀe] *nf* pretentious girl.

mijoter [miʒɔte] *vt* to simmer ; (*préparer avec soin*) to cook lovingly ; (*affaire, projet*) to plot, cook up // *vi* to simmer.

mil [mil] *num* = **mille**.

mildiou [mildju] *nm* mildew.

milice [milis] *nf* militia ; **milicien, ne** *nm/f* militia man/woman.

milieu, x [miljø] *nm* (*centre*) middle ; (*fig*) middle course *ou* way ; happy medium ; (BIO, GÉO) environment ; (*entourage social*) milieu ; background ; circle ; (*pègre*): **le ~** the underworld ; **au ~ de** in the middle of.

militaire [militɛʀ] *a* military, army *cpd* // *nm* serviceman.

militant, e [militɑ̃, -ɑ̃t] *a*, *nm/f* militant.

militer [milite] *vi* to be a militant ; **~ pour/contre** (*suj: faits, raisons etc*) to militate in favour of/against.

mille [mil] *num a ou* one thousand // *nm* (*mesure*): **~ (marin)** nautical mile ; **mettre dans le ~** to hit the bull's-eye ; to be bang on target ; **~feuille** *nm* cream *ou* vanilla slice ; **millénaire** *nm* millennium // *a* thousand-year-old ; (*fig*) ancient ; **~-pattes** *nm inv* centipede.

millésime [milezim] *nm* year ; **millésimé, e** *a* vintage *cpd*.

millet [mijɛ] *nm* millet.

milliard [miljaʀ] *nm* milliard, thousand million ; **milliardaire** *nm/f* multi-millionaire.

millier [milje] *nm* thousand ; **un ~ (de)** a thousand or so, about a thousand ; **par ~s** in (their) thousands, by the thousand.

milligramme [miligʀam] *nm* milligramme.

millimètre [milimɛtʀ(ə)] *nm* millimetre ; **millimétré, e** *a*: **papier millimétré** graph paper.

million [miljɔ̃] *nm* million ; **deux ~s de** two million ; **toucher cinq ~s** to get five million ; **riche à ~s** worth millions ; **millionnaire** *nm/f* millionaire.

mime [mim] *nm/f* (*acteur*) mime(r) // *nm* (*art*) mime, miming.

mimer [mime] *vt* to mime ; (*singer*) to mimic, take off.

mimétisme [mimetism(ə)] *nm* (BIO) mimicry.

minique [mimik] *nf* (funny) face ; (*signes*) gesticulations *pl*, sign language *q*.

mimosa [mimoza] *nm* mimosa.

minable [minabl(ə)] *a* shabby (-looking) ; pathetic.

minauder [minode] *vi* to mince, simper.

mince [mɛ̃s] *a* thin ; (*personne, taille*) slim, slender ; (*fig: profit, connaissances*) slight, small // *excl* drat it! ; **minceur** *nf* thinness ; slimness, slenderness.

mine [min] nf (physionomie) expression, look; (extérieur) exterior, appearance; (de crayon) lead; (gisement, exploitation, explosif) mine; ~s nfpl (péj) simpering airs; **avoir bonne ~** (personne) to look well; (ironique) to look an utter idiot; **avoir mauvaise ~** to look unwell ou poorly; **faire ~ de faire** to make a pretence of doing; to make as if to do; **~ de rien** ad with a casual air; although you wouldn't think so; **~ de charbon** coalmine; **~ à ciel ouvert** opencast mine.

miner [mine] vt (saper) to undermine, erode; (MIL) to mine.

minerai [minʀɛ] nm ore.

minéral, e, aux [mineʀal, -o] a mineral; (CHIMIE) inorganic // nm mineral.

minéralogie [mineʀalɔʒi] nf mineralogy.

minéralogique [mineʀalɔʒik] a mineralogical; **plaque ~** number plate; **.numéro ~** registration number.

minet, te [minɛ, -ɛt] nm/f (chat) pussy-cat; (péj) young trendy/dollybird.

mineur, e [minœʀ] a minor // nm/f (JUR) minor, person under age // nm (travailleur) miner; **~ de fond** face worker.

miniature [minjatyʀ] a, nf miniature; **miniaturiser** vt to miniaturize.

minibus [minibys] nm minibus.

mini-cassette [minikasɛt] nf cassette '(recorder).

minier, ière [minje, -jɛʀ] a mining.

mini-jupe [miniʒyp] nf mini-skirt.

minimal, e, aux [minimal, -o] a minimum.

minime [minim] a minor, minimal // nm/f (SPORT) junior.

minimiser [minimize] vt to minimize; (fig) to play down.

minimum [minimɔm] a, nm minimum; **au ~ (au moins)** at the very least; **~ vital** living wage; subsistance level.

ministère [ministɛʀ] nm (aussi REL) ministry; (cabinet) government; **~ public** (JUR) Prosecution, State Prosecutor; **ministériel, le** a cabinet cpd; ministerial.

ministre [ministʀ(ə)] nm (aussi REL) minister; **~ d'État** senior minister (of the Interior or of Justice).

minium [minjɔm] nm red lead paint.

minois [minwa] nm little face.

minoritaire [minɔʀitɛʀ] a minority cpd.

minorité [minɔʀite] nf minority; **être en ~** to be in the ou a minority; **mettre en ~** (POL) to defeat.

minoterie [minɔtʀi] nf flour-mill.

minuit [minɥi] nm midnight.

minuscule [minyskyl] a minute, tiny // nf: **(lettre) ~** small letter.

minute [minyt] nf minute; (JUR: original) minute, draft; **à la ~** (just) this instant; there and then; **~ steak ~** minute steak; **minuter** vt to time; **minuterie** nf time switch.

minutieux, euse [minysjø, -øz] a meticulous; minutely detailed; requiring painstaking attention to detail.

mioche [mjɔʃ] nm (fam) nipper, brat.

mirabelle [miʀabɛl] nf (cherry) plum; (eau-de-vie) plum brandy.

miracle [miʀakl(ə)] nm miracle; **miraculé, e** a who has been miraculously cured (ou rescued); **miraculeux, euse** a miraculous.

mirador [miʀadɔʀ] nm (MIL) watchtower.

mirage [miʀaʒ] nm mirage.

mire [miʀ] nf: **point de ~** target; (fig) focal point; **ligne de ~** line of sight.

mirer [miʀe] vt (œufs) to candle; **se ~** vi: **se ~ dans** to gaze at one's reflection in; to be mirrored in.

mirifique [miʀifik] a wonderful.

mirobolant, e [miʀɔbɔlɑ̃, -ɑ̃t] a fantastic.

miroir [miʀwaʀ] nm mirror.

miroiter [miʀwate] vi to sparkle, shimmer; **faire ~ qch à qn** to paint sth in glowing colours for sb, dangle sth in front of sb's eyes.

miroiterie [miʀwatʀi] nf mirror factory; mirror dealer's (shop).

mis, e [mi, miz] pp de mettre // a: **bien ~** well dressed // nf (argent: au jeu) stake; (tenue) clothing; attire; **être de ~e** to be acceptable ou in season; **~e de fonds** capital outlay; **~e à mort** kill; **~e en plis** set; **~e au point** (fig) clarification (voir aussi point); **~e en scène** production.

misaine [mizɛn] nf: **mât de ~** foremast.

misanthrope [mizɑ̃tʀɔp] nm/f misanthropist.

mise [miz] a, nf voir mis.

miser [mize] vt (enjeu) to stake, bet; **~ sur** vt (cheval, numéro) to bet on; (fig) to bank ou count on.

misérable [mizeʀabl(ə)] a (lamentable, malheureux) pitiful, wretched; (pauvre) poverty-stricken; (insignifiant, mesquin) miserable // nm/f wretch; (miséreux) poor wretch.

misère [mizɛʀ] nf (extrême) poverty, destitution; **~s** nfpl woes, miseries; little troubles; **être dans la ~** to be destitute ou poverty-stricken; **salaire de ~** starvation wage; **miséreux, euse** nm/f down-and-out.

miséricorde [mizeʀikɔʀd(ə)] nf mercy, forgiveness; **miséricordieux, euse** a merciful, forgiving.

misogyne [mizɔʒin] a misogynous // nm/f misogynist.

missel [misɛl] nm missal.

missile [misil] nm missile.

mission [misjɔ̃] nf mission; **partir en ~** (ADMIN, POL) to go on an assignment; **missionnaire** nm/f missionary.

missive [misiv] nf missive.

mit vb voir mettre.

mitaine [mitɛn] nf mitt(en).

mite [mit] nf clothes moth; **mité, e** a moth-eaten.

mi-temps [mitɑ̃] nf inv (SPORT: période) half (pl halves); (: pause) half-time; **à ~** a, ad part-time.

miteux, euse [mitø, -øz] a seedy, shabby.

mitigé, e [mitiʒe] a lukewarm; mixed.

mitonner [mitɔne] vt to cook with loving care; (fig) to cook up quietly.

mitoyen, ne [mitwajɛ̃, -ɛn] a common, party cpd; **maisons ~nes** semi-detached houses; (plus de deux) terraced houses.

mitraille [mitrɑj] nf grapeshot ; shellfire.
mitrailler [mitrɑje] vt to machine-gun ;
(fig: photographier) to take shot after shot
of ; ~ qn de to pelt sb with, bombard sb
with ; **mitraillette** nf submachine gun ;
mitrailleur nm machine gunner ;
mitrailleuse nf machine gun.
mitre [mitr(ə)] nf mitre.
mitron [mitrɔ̃] nm baker's boy.
mi-voix [mivwa]: **à ~** ad in a low ou
hushed voice.
mixage [miksaʒ] nm (CINÉMA) (sound)
mixing.
mixer [miksœʀ] nm (food) mixer.
mixité [miksite] nf (SCOL) coeducation.
mixte [mikst(ə)] a (gén) mixed ; (SCOL)
mixed, coeducational ; **à usage ~** dual-
purpose ; **cuisinière ~** gas and electric
cooker ; **équipe ~.** combined team.
mixture [mikstyʀ] nf mixture ; (fig)
concoction.
M.L.F. sigle m = mouvement de libération
de la femme, ≈ Women's Lib.
Mlle, pl **Mlles** abr de **Mademoiselle.**
MM abr de **Messieurs.**
Mme, pl **Mmes** abr de **Madame.**
mnémotechnique [mnemɔtɛknik] a
mnemonic.
Mo abr de **métro.**
mobile [mɔbil] a mobile ; (pièce de
machine) moving ; (élément de meuble etc)
movable // nm (motif) motive ; (œuvre
d'art) mobile ; (PHYSIQUE) moving object ou
body.
mobilier, ière [mɔbilje, -jɛʀ] a (JUR)
personal // nm furniture ; **valeurs
mobilières** transferable securities ; **vente
mobilière** sale of personal property ou
chattels.
mobilisation [mɔbilizasjɔ̃] nf
mobilization.
mobiliser [mɔbilize] vt (MIL, gén) to
mobilize.
mobilité [mɔbilite] nf mobility.
mocassin [mɔkasɛ̃] nm moccasin.
moche [mɔʃ] a (fam) ugly ; rotten.
modalité [mɔdalite] nf form, mode ; ~s
nfpl (d'un accord etc) clauses, terms.
mode [mɔd] nf fashion ; (commerce)
fashion trade ou industry // nm (manière)
form, mode ; (LING) mood ; (MUS) mode ; **à
la ~** fashionable, in fashion ; ~ **d'emploi**
directions pl (for use) ; ~ **de vie** way of
life.
modèle [mɔdɛl] a, nm model ; (qui pose:
de peintre) sitter ; ~ **déposé** registered
design ; ~ **réduit** small-scale model ; ~
de série production model.
modelé [mɔdle] nm relief ; contours pl.
modeler [mɔdle] vt (ART) to model, mould ;
(suj: vêtement, érosion) to mould, shape ;
~ **qch sur/d'après** to model sth on.
modérateur, trice [mɔderatœʀ, -tʀis] a
moderating // nm/f moderator.
modération [mɔderasjɔ̃] nf moderation.
modéré, e [mɔdere] a, nm/f moderate.
modérer [mɔdere] vt to moderate ; **se ~**
vi to restrain o.s.
moderne [mɔdɛʀn(ə)] a modern // nm
modern style ; modern furniture ;
moderniser vt to modernize.

modeste [mɔdɛst(ə)] a modest ; **modestie**
nf modesty.
modicité [mɔdisite] nf: **la ~ des prix** etc
the low prices etc.
modification [mɔdifikasjɔ̃] nf
modification.
modifier [mɔdifje] vt to modify, alter ;
(LING) to modify ; **se ~** vi to alter.
modique [mɔdik] a modest.
modiste [mɔdist(ə)] nf milliner.
modulation [mɔdylasjɔ̃] nf modulation ;
~ **de fréquence (FM** ou **MF)** frequency
modulation.
module [mɔdyl] nm module.
moduler [mɔdyle] vt to modulate ; (air) to
warble.
moelle [mwal] nf marrow ; (fig) pith, core ;
~ **épinière** spinal chord.
moelleux, euse [mwalø, -øz] a soft ; (au
goût, à l'ouïe) mellow.
moellon [mwalɔ̃] nm rubble stone.
mœurs [mœʀ] nfpl (conduite) morals ;
(manières) manners ; (pratiques sociales,
mode de vie) habits ; **passer dans les ~**
to become the custom ; **contraire aux
bonnes ~** contrary to proprieties.
mohair [mɔɛʀ] nm mohair.
moi [mwa] pronom me ; (emphatique): ~,
je for my part, I, I myself.
moignon [mwaɲɔ̃] nm stump.
moi-même [mwamɛm] pronom myself ;
(emphatique) I myself.
moindre [mwɛ̃dʀ(ə)] a lesser ; lower ;
le(la) ~, les ~s the least, the slightest.
moine [mwan] nm monk, friar.
moineau, x [mwano] nm sparrow.
moins [mwɛ̃] ad less // cj: ~ **2 min** 2 ;
~ **je travaille, mieux je me porte** the less
I work the better I feel ; ~ **grand que** not
as tall as, less tall than ; **le(la) ~ doué(e)**
the least gifted ; **le ~** the least ; ~ **le**
(sable, eau) less ; (livres, gens) fewer ; ~
de 2 ans/100 F less than 2 years/100 F ;
~ **de midi** not yet midday ; **100 F/3 jours
de ~** 100 F/3 days less ; **3 livres en ~**
3 books fewer ; 3 books too few ; **de
l'argent en ~** less money ; **le soleil en
~** but for the sun, minus the sun ; **à ~
que** cj unless ; **à ~ de faire** unless we do
(ou he does) ; **à ~ de** (imprévu, accident)
barring any ; **au ~** at least ; **de ~ en ~**
less and less ; **pour le ~** at the very least ;
du ~ at least ; **il est ~ cinq** it's five to ;
il fait ~ cinq it's five below (freezing) ou
minus five.
moiré, e [mware] a (tissu, papier) moiré,
watered ; (reflets) shimmering.
mois [mwa] nm month ; ~ **double** (COMM)
extra month's salary.
moïse [mɔiz] nm Moses basket.
moisi, e [mwazi] a mouldy, mildewed //
nm mould, mildew ; **odeur de ~** musty
smell.
moisir [mwaziʀ] vi to go mouldy ; (fig) to
rot ; to hang about.
moisissure [mwazisyʀ] nf mould q.
moisson [mwasɔ̃] nf harvest ; (fig): **faire
une ~ de** to gather a wealth of ;
moissonner vt to harvest, reap ; (fig) to
collect ; **moissonneur, euse** nm/f
harvester, reaper // nf (machine)

harvester; **moissonneuse-batteuse** nf combine harvester.

moite [mwat] a sweaty, sticky.

moitié [mwatje] nf half (pl halves); (épouse): **sa ~** his loving wife, his better half; **la ~ half; la ~ de** half (of), half the amount (ou number) of; **la ~ du temps/des gens** half the time/the people; **à la ~ de** halfway through; **~ moins grand** half as tall; **~ plus long** half as long again, longer by half; **à ~ half** (avant le verbe); **half-** (avant l'adjectif); **de ~ by** half; **~ ~** half-and-half.

moka [mɔka] nm mocha coffee; mocha cake.

mol [mɔl] a voir **mou**.

molaire [mɔlɛʀ] nf molar.

molécule [mɔlekyl] nf molecule.

moleskine [mɔlɛskin] nf imitation leather.

molester [mɔlɛste] vt to manhandle, maul (about).

molette [mɔlɛt] nf toothed ou cutting wheel.

molle [mɔl] af voir **mou**; **~ment** ad softly; (péj) sluggishly; (protester) feebly; **mollesse** nf softness; flabbiness; limpness; sluggishness.

mollet [mɔlɛ] nm calf (pl calves) // am: **œuf ~** soft-boiled egg; **molletière** af: **bande molletière** puttee.

molletonné, e [mɔltɔne] a fleece-lined, flannelette-lined.

mollir [mɔliʀ] vi to give way; to relent; to go soft.

mollusque [mɔlysk(ə)] nm (ZOOL) mollusc.

molosse [mɔlɔs] nm big ferocious dog.

môme [mom] nm/f (fam: enfant) brat; (: fille) bird.

moment [mɔmɑ̃] nm moment; **ce n'est pas le ~** this is not the (right) time; **à un certain ~** at some point; **pour un bon ~** for a good while; **pour le ~** for the moment, for the time being; **au ~ de** at the time of; **au ~ où** as; **at a time when; à tout ~** at any time ou moment; constantly, continually; **en ce ~** at the moment; at present; **sur le ~** at the time; **par ~s** now and then, at times; **du ~ où ou que** seeing that, since; **momentané, e** a temporary, momentary.

momie [mɔmi] nf mummy.

mon [mɔ̃], **ma** [ma], pl **mes** [me] dét my.

monacal, e, aux [mɔnakal, -o] a monastic.

monarchie [mɔnaʀʃi] nf monarchy; **monarchiste** a, nm/f monarchist.

monarque [mɔnaʀk(ə)] nm monarch.

monastère [mɔnastɛʀ] nm monastery.

monastique [mɔnastik] a monastic.

monceau, x [mɔ̃so] nm heap.

mondain, e [mɔ̃dɛ̃, -ɛn] a society cpd; social; fashionable // nm/f society man/woman, socialite // nf: **la M~e, la police ~e** ≈ the vice squad; **mondanités** nfpl society life sg; (society) small talk sg; (society) gossip column sg.

monde [mɔ̃d] nm world; (haute société): **le ~** (high) society; (milieu): **être du même ~** to move in the same circles; (gens): **il y a du ~** (beaucoup de gens) there are many people; (quelques personnes) there are some people; **y a-t-il du ~ dans le salon?** is there anybody in the lounge?; **beaucoup/peu de ~** many/few people; **le meilleur** etc **du ~** the best etc in the world ou on earth; **mettre au ~** to bring into the world; **pas le moins du ~** not in the least; **se faire un ~ de qch** to make a great deal of fuss about sth; **mondial, e, aux** a (population) world cpd; (influence) world-wide; **mondialement** ad throughout the world; **mondovision** nf world coverage by satellite.

monégasque [mɔnegask(ə)] a Monegasque, of ou from Monaco.

monétaire [mɔnetɛʀ] a monetary.

mongolien, ne [mɔ̃gɔljɛ̃, -jɛn] a, nm/f mongol.

mongolisme [mɔ̃gɔlism(ə)] nm mongolism.

moniteur, trice [mɔnitœʀ, -tʀis] nm/f (SPORT) instructor/instructress; (de colonie de vacances) supervisor // nm: **~ cardiaque** cardiac monitor; **~ d'auto-école** driving instructor.

monnaie [mɔnɛ] nf (pièce) coin; (ÉCON, gén: moyen d'échange) currency; (petites pièces): **avoir de la ~** to have (some) change; **faire de la ~** to get (some) change; **avoir/faire la ~ de 20 F** to have change of/get change for 20 F; **faire à qn la ~ de 20 F** to give sb change for 20 F, change 20 F for sb; **rendre à qn la ~ (sur 20 F)** to give sb the change (out of ou from 20 F); **c'est ~ courante** it's a common occurrence; **monnayer** vt to convert into cash; (talent) to capitalize on; **monnayeur** nm voir **faux**.

monocle [mɔnɔkl(ə)] nm monocle, eyeglass.

monocorde [mɔnɔkɔʀd(ə)] a monotonous.

monoculture [mɔnɔkyltyʀ] nf single-crop farming, monoculture.

monogramme [mɔnɔgʀam] nm monogram.

monolingue [mɔnɔlɛ̃g] a monolingual.

monologue [mɔnɔlɔg] nm monologue, soliloquy; **monologuer** vi to soliloquize.

monôme [mɔnom] nm (MATH) monomial; (d'étudiants) students' rag procession.

monoplace [mɔnɔplas] a, nm, nf single-seater, one-seater.

monopole [mɔnɔpɔl] nm monopoly; **monopoliser** vt to monopolize.

monorail [mɔnɔʀaj] nm monorail, monorail train.

monosyllabe [mɔnɔsilab] nm monosyllable, word of one syllable.

monotone [mɔnɔtɔn] a monotonous; **monotonie** nf monotony.

monseigneur [mɔ̃sɛɲœʀ] nm (archevêque, évêque) Your (ou His) Grace; (cardinal) Your (ou His) Eminence; **Mgr Thomas** Bishop Thomas; Cardinal Thomas.

Monsieur [məsjø], pl **Messieurs** [mesjø] titre Mr ['mɪstə*] // nm (homme quelconque): **un/le m~** a/the gentleman; voir aussi **Madame**.

monstre [mɔ̃stʀ(ə)] nm monster // a: **un travail ~** a fantastic amount of work; an enormous job; **monstrueux, euse** a monstrous; **monstruosité** nf monstrosity.

mont [mɔ̃] *nm*: **par ~s et par vaux** up hill and down dale; **le M~ Blanc** Mont Blanc; **le ~ de Vénus** mons veneris.

montage [mɔ̃taʒ] *nm* putting up; mounting, setting; assembly; (*PHOTO*) photomontage; (*CINÉMA*) editing; **~ sonore** sound editing.

montagnard, e [mɔ̃taɲaR, -aRd(ə)] *a* mountain *cpd* // *nm/f* mountain-dweller.

montagne [mɔ̃taɲ] *nf* (*cime*) mountain; (*région*) **la ~ the mountains** *pl*; **~s russes** big dipper *sg*, switchback *sg*.

montant, e [mɔ̃tɑ̃, -ɑ̃t] *a* rising; (*robe, corsage*) high-necked // *nm* (*somme, total*), (*sum*) total, (*total*) amount; (*de fenêtre*) upright; (*de lit*) post.

mont-de-piété [mɔ̃dpjete] *nm* pawnshop.

monte-charge [mɔ̃tʃaRʒ(ə)] *nm inv* goods lift, hoist.

montée [mɔ̃te] *nf* rising, rise; ascent, climb; (*chemin*) way up; (*côte*) hill; **au milieu de la ~** halfway up; **le moteur chauffe dans les ~s** the engine overheats going uphill.

monte-plats [mɔ̃tpla] *nm inv* service lift.

monter [mɔ̃te] *vt* (*escalier, côte*) to go (*ou* come) up; (*valise, paquet*) to take (*ou* bring) up; (*cheval*) to mount; (*femelle*) to cover, serve; (*étagère*) to raise; (*tente, échafaudage*) to put up; (*machine*) to assemble; (*bijou*) to mount, set; (*COUTURE*) to set in; to sew on; (*CINÉMA*) to edit; (*THÉÂTRE*) to put on, stage; (*société etc*) to set up // *vi* to go (*ou* come) up; (*avion etc*) to climb, go up; (*chemin, niveau, température*) to go up, rise; (*passager*) to get on; (*à cheval*): **~ bien/mal** to ride well/badly; **~ à pied/en voiture** to walk/drive up, go up on foot/by car; **~ dans le train/l'avion** to get into the train/plane, board the train/plane; **~ sur** to climb up onto; **~ à cheval** to get on *ou* mount a horse; **se ~** (*s'équiper*) to equip o.s., get kitted up; **se ~ à** (*frais etc*) to add up to, come to; **~ qn contre qn** to set sb against sb; **~ la tête à qn** to give sb ideas; **monteur, euse** *nm/f* (*TECH*) fitter; (*CINÉMA*) (film) editor.

monticule [mɔ̃tikyl] *nm* mound.

montre [mɔ̃tR(ə)] *nf* watch; (*ostentation*): **pour la ~** for show; **faire ~ de** to show, display; **contre la ~** (*SPORT*) against the clock; **~-bracelet** *nf* wrist watch.

montrer [mɔ̃tRe] *vt* to show; **~ qch à qn** to show sb sth; **montreur de marionnettes** *nm* puppeteer.

monture [mɔ̃tyR] *nf* (*bête*) mount; (*d'une bague*) setting; (*de lunettes*) frame.

monument [mɔnymɑ̃] *nm* monument; **~ aux morts** war memorial; **monumental, e, aux** *a* monumental.

moquer [mɔke]: **se ~ de** *vt* to make fun of, laugh at; (*fam: se désintéresser de*) not to care about; (*tromper*): **se ~ de qn** to take sb for a ride.

moquerie [mɔkRi] *nf* mockery *q*.

moquette [mɔkɛt] *nf* fitted carpet, wall-to-wall carpeting *q*.

moqueur, euse [mɔkœR, -øz] *a* mocking.

moral, e, aux [mɔRal, -o] *a* moral // *nm* morale // *nf* (*conduite*) morals *pl*; (*règles*) moral code, ethic; (*valeurs*) moral standards *pl*, morality; (*science*) ethics *sg*, moral philosophy; (*conclusion: d'une fable etc*) moral; **au ~, sur le plan ~** morally; **faire la ~e à** to lecture, preach at; **~isateur, trice** *a* moralizing, sanctimonious; **~iser** *vt* (*sermonner*) to lecture, preach at; **~iste** *nm/f* moralist // *a* moralistic; **~ité** *nf* morality; (*conduite*) morals *pl*; (*conclusion, enseignement*) moral.

morbide [mɔRbid] *a* morbid.

morceau, x [mɔRso] *nm* piece, bit; (*d'une œuvre*) passage, extract; (*MUS*) piece; (*CULIN: de viande*) cut; **mettre en ~x** to pull to pieces *ou* bits.

morceler [mɔRsəle] *vt* to break up, divide up.

mordant, e [mɔRdɑ̃, -ɑ̃t] *a* scathing, cutting; biting // *nm* spirit; bite, punch.

mordicus [mɔRdikys] *ad* (*affirmer etc*) obstinately, stubbornly.

mordiller [mɔRdije] *vt* to nibble at, chew at.

mordoré, e [mɔRdɔRe] *a* a lustrous bronze.

mordre [mɔRdR(ə)] *vt* to bite; (*suj: lime, vis*) to bite into // *vi* (*poisson*) to bite; **~ dans** (*fruit*) to bite into; **~ sur** (*fig*) to go over into, overlap into; **~ à l'hameçon** to bite, rise to the bait.

mordu, e [mɔRdy] *pp de* **mordre** // *a* (*amoureux*) smitten // *nm/f*: **un ~ du jazz/de la voile** a jazz/sailing fanatic *ou* buff.

morfondre [mɔRfɔ̃dR(ə)]: **se ~** *vi* to fret.

morgue [mɔRg(ə)] *nf* (*arrogance*) haughtiness; (*lieu: de la police*) morgue; (: *à l'hôpital*) mortuary.

moribond, e [mɔRibɔ̃, -ɔ̃d] *a* a dying, moribund.

morille [mɔRij] *nf* morel.

morne [mɔRn(ə)] *a* dismal, dreary.

morose [mɔRoz] *a* sullen, morose.

morphine [mɔRfin] *nf* morphine; **morphinomane** *nm/f* morphine addict.

morphologie [mɔRfɔlɔʒi] *nf* morphology.

mors [mɔR] *nm* bit.

morse [mɔRs(ə)] *nm* (*ZOOL*) walrus; (*TÉL*) Morse (code).

morsure [mɔRsyR] *nf* bite.

mort, e [mɔR, mɔRt(ə)] *pp de* **mourir** // *a* dead // *nm/f* (*défunt*) dead man/woman; (*victime*): **il y a eu plusieurs ~s** several people were killed, there were several killed // *nm* (*CARTES*) dummy; **~ ou vif** dead or alive; **~ de peur/fatigue** frightened to death/dead tired.

mortadelle [mɔRtadɛl] *nf* mortadella (*type of luncheon meat*).

mortalité [mɔRtalite] *nf* mortality, death rate.

mortel, le [mɔRtɛl] *a* (*poison etc*) deadly, lethal; (*accident, blessure*) fatal; (*REL*) mortal; (*fig*) deathly; deadly boring // *nm/f* mortal.

morte-saison [mɔRtəsɛzɔ̃] *nf* slack *ou* off season.

mortier [mɔRtje] *nm* (*gén*) mortar.

mortifier [mɔrtifje] vt to mortify.

mort-né, e [mɔrne] a (enfant) stillborn ; (fig) abortive.

mortuaire [mɔrtɥɛr] a funeral cpd ; **avis ~s** death announcements, intimations ; **chapelle ~** mortuary chapel ; **couronne ~** (funeral) wreath ; **domicile ~** house of the deceased ; **drap ~** pall.

morue [mɔry] nf (ZOOL) cod inv ; (CULIN: salée) salt-cod ; **morutier** nm cod fisherman ; cod fishing boat.

morveux, euse [mɔrvø, -øz] a (fam) snotty-nosed.

mosaïque [mɔzaik] nf (ART) mosaic ; (fig) patchwork.

Moscou [mɔsku] n Moscow ; **moscovite** a of ou from Moscow // nm/f Muscovite.

mosquée [mɔske] nf mosque.

mot [mo] nm word ; (message) line, note ; (bon mot etc) saying ; sally ; **~ à ~** a, ad word for word ; **~ pour ~** word for word, verbatim ; **prendre qn au ~** to take sb at his word ; **avoir son ~ à dire** to have a say ; **~s croisés** crossword (puzzle) sg ; **~ d'ordre** watchword ; **~ de passe** password.

motard [mɔtar] nm motorcycle cop.

motel [mɔtɛl] nm motel.

moteur, trice [mɔtœr, -tris] a (ANAT, PHYSIOL) motor ; (troubles) motory ; (TECH) driving ; (AUTO): **à 4 roues motrices** 4-wheel drive // nm engine, motor ; (fig) mover, mainspring ; **à ~** power-driven, motor cpd ; **~ à deux temps** two-stroke engine ; **~ à explosion** internal combustion engine.

motif [mɔtif] nm (cause) motive ; (décoratif) design, pattern, motif ; (d'un tableau) subject, motif ; (MUS) figure, motif ; **~s** nmpl (JUR) grounds pl ; **sans ~** a groundless.

motion [mɔsjɔ̃] nf motion ; **~ de censure** motion of censure, vote of no confidence.

motivation [mɔtivasjɔ̃] nf motivation.

motivé, e [mɔtive] a (acte) justified ; (personne) motivated.

motiver [mɔtive] vt (justifier) to justify, account for ; (ADMIN, JUR, PSYCH) to motivate.

moto [mɔto] nf (motor)bike ; **~-cross** nm motocross ; **~cyclette** nf motorbike, motorcycle ; **~cyclisme** nm motorcycle racing ; **~cycliste** nm/f motorcyclist.

motorisé, e [mɔtɔrize] a (troupe) motorized ; (personne) having transport ou a car.

motrice [mɔtris] a voir **moteur** ; **motricité** nf motor functions.

motte [mɔt] nf: **~ de terre** lump of earth, clod (of earth) ; **~ de gazon** turf, sod ; **~ de beurre** lump of butter.

motus [mɔtys] excl: **~ (et bouche cousue)!** mum's the word!

mou(mol), molle [mu, mɔl] a soft ; (péj) flabby ; limp ; sluggish ; feeble // nm (abats) lights pl, lungs pl ; (de la corde): **avoir du ~** to be slack.

mouchard [muʃar, -ard(ə)] nm/f grass // nm (appareil) control device.

mouche [muʃ] nf fly ; (ESCRIME) button ; (de taffetas) patch ; **prendre la ~** to take the huff ; **faire ~** to score a bull's-eye.

moucher [muʃe] vt (enfant) to blow the nose of ; (chandelle) to snuff (out) ; **se ~** vi to blow one's nose.

moucheron [muʃrɔ̃] nm midge.

moucheté, e [muʃte] a dappled ; flecked ; (ESCRIME) buttoned.

mouchoir [muʃwar] nm handkerchief, hanky ; **~ en papier** tissue, paper hanky.

moudre [mudr(ə)] vt to grind.

moue [mu] nf pout ; **faire la ~** to pout ; (fig) to pull a face.

mouette [mwɛt] nf (sea)gull.

moufle [mufl(ə)] nf (gant) mitt(en) ; (TECH) pulley block.

mouflon [muflɔ̃] nm mouf(f)lon.

mouillage [mujaʒ] nm (NAVIG: lieu) anchorage, moorings pl.

mouillé, e [muje] a wet.

mouiller [muje] vt (humecter) to wet, moisten ; (tremper): **~ qn/qch** to make sb/sth wet ; (couper, diluer) to water down ; (mine etc) to lay // vi (NAVIG) to lie ou be at anchor ; **se ~** to get wet ; (fam) to commit o.s. ; to get o.s. involved ; **~ l'ancre** to drop ou cast anchor ; **mouillure** nf wet ; wet patch.

moulage [mulaʒ] nm moulding ; casting ; (objet) cast.

moule [mul] nf mussel // nm (creux, CULIN) mould ; (modèle plein) cast ; **~ à gâteaux** nm cake tin.

moulent vb voir aussi **moudre**.

mouler [mule] vt (brique) to mould ; (statue) to cast ; (visage, bas-relief) to make a cast of ; (lettre) to shape with care ; (suj: vêtement) to hug, fit closely round ; **~ qch sur** (fig) to model sth on.

moulin [mulɛ̃] nm mill ; (fam) engine ; **~ à café/à poivre** coffee/pepper mill ; **~ à légumes** (vegetable) shredder ; **~ à paroles** (fig) chatterbox ; **~ à prières** prayer wheel ; **~ à vent** windmill.

moulinet [mulinɛ] nm (de treuil) winch ; (de canne à pêche) reel ; (mouvement): **faire des ~s avec qch** to whirl sth around.

moulinette [mulinɛt] nf (vegetable) shredder.

moulu, e [muly] pp de **moudre**.

moulure [mulyr] nf (ornement) moulding.

mourant, e [murɑ̃, -ɑ̃t] a dying // nm/f dying man/woman.

mourir [murir] vi to die ; (civilisation) to die out ; **~ de froid/faim** to die of exposure/hunger ; **~ de faim/d'ennui** (fig) to be starving/to be bored to death ; **~ d'envie de faire** to be dying to do.

mousquetaire [muskətɛr] nm musketeer.

mousqueton [muskətɔ̃] nm (fusil) carbine ; (anneau) snap-link, karabiner.

mousse [mus] nf (BOT) moss ; (écume: sur eau, bière) froth, foam ; (: shampooing) lather ; (CULIN) mousse // nm (NAVIG) ship's boy ; **bain de ~** bubble bath ; **bas ~** stretch stockings ; **balle ~** rubber ball ; **carbonique** (fire-fighting) foam ; **~ de nylon** stretch nylon ; foam ; **~ à raser** shaving foam.

mousseline [muslin] nf muslin ; chiffon ; **pommes ~** creamed potatoes.

mousser [muse] vi to foam ; to lather.

mousseux, euse [musǿ, -ǿz] a frothy // nm: (vin) ~ sparkling wine.
mousson [musɔ̃] nf monsoon.
moussu, e [musy] a mossy.
moustache [mustaʃ] nf moustache; ~s nfpl (du chat) whiskers pl; **moustachu, e** a wearing a moustache.
moustiquaire [mustikɛʀ] nf mosquito net (ou screen).
moustique [mustik] nm mosquito.
moutarde [mutaʀd(ə)] nf mustard.
mouton [mutɔ̃] nm (ZOOL, péj) sheep inv; (peau) sheepskin; (CULIN) mutton; ~s nmpl (fig) white horses; fluffy ou fleecy clouds; bits of fluff.
mouture [mutyʀ] nf grinding; (péj) rehash.
mouvant, e [muvɑ̃, -ɑ̃t] a unsettled; changing; shifting.
mouvement [muvmɑ̃] nm (gén, aussi: mécanisme) movement; (fig) activity; impulse; reaction; gesture; (MUS: rythme) tempo (pl s); en ~ in motion; on the move; **mettre qch en** ~ to set sth in motion, set sth going; ~ **d'humeur** fit ou burst of temper; ~ **d'opinion** trend of (public) opinion; **le** ~ **perpétuel** perpetual motion; **mouvementé, e** a (vie, poursuite) eventful; (réunion) turbulent.
mouvoir [muvwaʀ] vt (levier, membre) to move; (machine) to drive; **se** ~ to move.
moyen, ne [mwajɛ̃, -ɛn] a average; (tailles, prix) medium; (de grandeur moyenne) medium-sized // nm (façon) means sg, way // nf average; (MATH) mean; (SCOL: à l'examen) pass mark; (AUTO) average speed; ~s nmpl (capacités) means; **au** ~ **de** by means of; **y a-t-il** ~ **de** ...? is it possible to ...?, can one ...?; **par quel** ~? how?, which way?, by which means?; **par tous les** ~s by every possible means, every possible way; **employer les grands** ~s to resort to drastic measures; **par ses propres** ~s all by oneself; **en** ~ **ne** on (an) average; ~s **de locomotion/d'expression** means of transport/expression; ~ **âge** Middle Ages; ~**ne d'âge** average age.
moyennant [mwajɛnɑ̃] prép (somme) for; (service, conditions) in return for; (travail, effort) with.
Moyen-Orient [mwajɛnɔʀjɑ̃] nm: **le** ~ the Middle East.
moyeu, x [mwajǿ] nm hub.
mû, mue [my] pp de **mouvoir.**
mucosité [mykozite] nf mucus q.
mucus [mykys] nm mucus q.
mue [my] pp voir **mouvoir** // nf moulting; sloughing; breaking of the voice.
muer [mɥe] vi (oiseau, mammifère) to moult; (serpent) to slough; (jeune garçon): **il mue** his voice is breaking; **se** ~ **en** to transform into.
muet, te [mɥe, -ɛt] a dumb; (fig): ~ **d'admiration** etc speechless with admiration etc; (joie, douleur, CINÉMA) silent; (LING: lettre) silent, mute; (carte) blank // nm/f mute.
mufle [myfl(ə)] nm muzzle; (goujat) boor // a boorish.
mugir [myʒiʀ] vi to bellow; to low; (fig) to howl.

muguet [mygɛ] nm lily of the valley.
mulâtre, tresse [mylɑtʀ(ə), -tʀɛs] nm/f mulatto.
mule [myl] nf (ZOOL) (she-)mule; ~s nfpl (pantoufles) mules.
mulet [mylɛ] nm (ZOOL) (he-)mule; **muletier, ière** a: **chemin muletier** mule track.
mulot [mylo] nm field mouse (pl mice).
multicolore [myltikɔlɔʀ] a multicoloured.
multinational, e, aux [myltinasjɔnal, -o] a multinational.
multiple [myltipl(ə)] a multiple, numerous; (varié) many, manifold // nm (MATH) multiple.
multiplicateur [myltiplikatœʀ] nm multiplier.
multiplication [myltiplikasjɔ̃] nf multiplication.
multiplicité [myltiplisite] nf multiplicity.
multiplier [myltiplije] vt to multiply; **se** ~ vi to multiply; to increase in number.
multitude [myltityd] nf multitude; mass; **une** ~ **de** a vast number of, a multitude of.
municipal, e, aux [mynisipal, -o] a municipal; town cpd, ≈ borough cpd.
municipalité [mynisipalite] nf (corps municipal) town council, corporation; (commune) town, municipality.
munir [myniʀ] vt: ~ **qn/qch de** to equip sb/sth with.
munitions [mynisjɔ̃] nfpl ammunition sg.
muqueuse [mykøz] nf mucous membrane.
mur [myʀ] nm wall; ~ **du son** sound barrier.
mûr, e [myʀ] a ripe; (personne) mature // nf blackberry; mulberry.
muraille [myʀaj] nf (high) wall.
mural, e, aux [myʀal, -o] a wall cpd; mural.
mûrement [myʀmɑ̃] ad: **ayant** ~ **réfléchi** having given the matter much thought.
murène [myʀɛn] nf moray (eel).
murer [myʀe] vt (enclos) to wall (in); (porte, issue) to wall up; (personne) to wall up ou in.
muret [myʀɛ] nm low wall.
mûrier [myʀje] nm blackberry bush; mulberry tree.
mûrir [myʀiʀ] vi (fruit, blé) to ripen; (abcès, furoncle) to come to a head; (fig: idée, personne) to mature // vt to ripen; to (make) mature.
murmure [myʀmyʀ] nm murmur; ~s nmpl (plaintes) murmurings, mutterings; **murmurer** vi to murmur; (se plaindre) to mutter, grumble.
musaraigne [myzaʀɛɲ] nf shrew.
musarder [myzaʀde] vi to dawdle (along); to idle (about).
musc [mysk] nm musk.
muscade [myskad] nf nutmeg.
muscat [myska] nm muscat grape; muscatel (wine).
muscle [myskl(ə)] nm muscle; **musclé, e** a muscular; **musculation** nf: **exercices de musculation** muscle-developing exercises; **musculature** nf muscle structure, muscles pl.

museau, x [myzo] *nm* muzzle.
musée [myze] *nm* museum ; art gallery.
museler [myzle] *vt* to muzzle ; **muselière** *nf* muzzle.
musette [myzɛt] *nf* (*sac*) lunchbag // *a inv* (*orchestre etc*) accordion *cpd*.
muséum [myzeɔm] *nm* museum.
musical, e, aux [myzikal, -o] *a* musical.
music-hall [myzikol] *nm* variety theatre ; (*genre*) variety.
musicien, ne [myzisjɛ̃, -jɛn] *nm/f* musician.
musique [myzik] *nf* music ; (*fanfare*) band ; **faire de la ~** to make some music ; to play an instrument ; **~ de chambre** chamber music ; **~ de fond** background music.
musqué, e [myske] *a* musky.
musulman, e [myzylmɑ̃, -an] *a, nm/f* Moslem, Muslim.
mutation [mytasjɔ̃] *nf* (*ADMIN*) transfer ; (*BIO*) mutation.
muter [myte] *vt* (*ADMIN*) to transfer.
mutilation [mytilasjɔ̃] *nf* mutilation.
mutilé, e [mytile] *nm/f* disabled person (*through loss of limbs*).
mutiler [mytile] *vt* to mutilate, maim ; (*fig*) to mutilate, deface.
mutin, e [mytɛ̃, -in] *a* (*air, ton*) mischievous, impish // *nm/f* (*MIL, NAVIG*) mutineer.
mutiner [mytine]: **se ~** *vi* to mutiny ; **mutinerie** *nf* mutiny.
mutisme [mytism(ə)] *nm* silence.
mutuel, le [mytɥɛl] *a* mutual // *nf* mutual benefit society.
myocarde [mjɔkaʀd(ə)] *nm* voir **infarctus.**
myope [mjɔp] *a* short-sighted ; **myopie** *nf* short-sightedness, myopia.
myosotis [mjozɔtis] *nm* forget-me-not.
myriade [miʀjad] *nf* myriad.
myrtille [miʀtij] *nf* bilberry, whortleberry.
mystère [mistɛʀ] *nm* mystery ; **mystérieux, euse** *a* mysterious.
mysticisme [mistisism(ə)] *nm* mysticism.
mystification [mistifikasjɔ̃] *nf* hoax ; mystification.
mystifier [mistifje] *vt* to fool ; to mystify.
mystique [mistik] *a* mystic, mystical // *nm/f* mystic.
mythe [mit] *nm* myth ; **mythique** *a* mythical.
mythologie [mitɔlɔʒi] *nf* mythology ; **mythologique** *a* mythological.
mythomane [mitɔman] *nm/f* mythomaniac.

N

n' [n] *ad voir* **ne.**
nacelle [nasɛl] *nf* (*de ballon*) basket.
nacre [nakʀ(ə)] *nf* mother of pearl ; **nacré, e** *a* pearly.
nage [naʒ] *nf* swimming ; style of swimming, stroke ; **tra-verser/s'éloigner à la ~** to swim across/away ; **en ~** bathed in perspiration.
nageoire [naʒwaʀ] *nf* fin.

nager [naʒe] *vi* to swim ; **nageur, euse** *nm/f* swimmer.
naguère [nagɛʀ] *ad* formerly.
naïf, ïve [naif, naiv] *a* naïve.
nain, e [nɛ̃, nɛn] *nm/f* dwarf.
naissance [nɛsɑ̃s] *nf* birth ; **donner ~ à** to give birth to ; (*fig*) to give rise to ; **aveugle de ~** born blind ; **Français de ~** French by birth ; **à la ~ des cheveux** at the roots of the hair.
naissant, e [nɛsɑ̃, -ɑ̃t] *a* a budding, incipient ; dawning.
naître [nɛtʀ(ə)] *vi* to be born ; (*conflit, complications*): **~ de** to arise from, be born out of ; **~ à** (*amour, poésie*) to awaken to ; **il est né en 1960** he was born in 1960 ; **il naît plus de filles que de garçons** there are more girls born than boys ; **faire ~** (*fig*) to give rise to, arouse.
naïveté [naivte] *nf* naïvety.
nantir [nɑ̃tiʀ] *vt*: **~ qn de** to provide sb with ; **les nantis** (*péj*) the well-to-do.
napalm [napalm] *nm* napalm.
nappe [nap] *nf* tablecloth ; (*fig*) sheet ; layer ; **~ron** *nm* table-mat.
naquit *etc vb voir* **naître.**
narcisse [naʀsis] *nm* narcissus.
narcissisme [naʀsisism(ə)] *nm* narcissism.
narcotique [naʀkɔtik] *a, nm* narcotic.
narguer [naʀge] *vt* to taunt.
narine [naʀin] *nf* nostril.
narquois, e [naʀkwa, -waz] *a* derisive, mocking.
narrateur, trice [naʀatœʀ, -tʀis] *nm/f* narrator.
narrer [naʀe] *vt* to tell the story of, recount.
nasal, e, aux [nazal, -o] *a* nasal.
naseau, x [nazo] *nm* nostril.
nasiller [nazije] *vi* to speak with a (nasal) twang.
nasse [nas] *nf* fish-trap.
natal, e [natal] *a* native.
nataliste [natalist(ə)] *a* supporting a rising birth rate.
natalité [natalite] *nf* birth rate.
natation [natasjɔ̃] *nf* swimming.
natif, ive [natif, -iv] *a* native.
nation [nasjɔ̃] *nf* nation ; **les N~s Unies** the United Nations.
national, e, aux [nasjɔnal, -o] *a* national // *nf*: (*route*) **~e** trunk road, ≈ A road ; **obsèques ~es** state funeral ; **~iser** *vt* to nationalize ; **~isme** *nm* nationalism ; **~ité** *nf* nationality.
natte [nat] *nf* (*tapis*) mat ; (*cheveux*) plait.
naturaliser [natyʀalize] *vt* to naturalize.
naturaliste [natyʀalist(ə)] *nm/f* naturalist.
nature [natyʀ] *nf* nature // *a, ad* (*CULIN*) plain, without seasoning or sweetening ; (*café, thé*) black, without sugar ; **payer en ~** to pay in kind ; **peint d'après ~** painted from life ; **~ morte** still-life ; **naturel, le** *a* (*gén, aussi: enfant*) natural // *nm* naturalness ; disposition, nature ; (*autochtone*) native ; **naturellement** *ad* naturally ; (*bien sûr*) of course ; **naturisme** *nm* naturism ; **naturiste** *nm/f* naturist.
naufrage [nofʀaʒ] *nm* (ship)wreck ; (*fig*) wreck ; **faire ~** to be shipwrecked ;

naufragé, e nm/f shipwreck victim, castaway.

nauséabond, e [nozeabɔ̃, -ɔ̃d] a foul, nauseous.

nausée [noze] nf nausea.

nautique [notik] a nautical, water cpd.

nautisme [notism] nm water sports.

naval, e [naval] a naval.

navet [navɛ] nm turnip ; (péj) third-rate film.

navette [navɛt] nf shuttle ; (en car etc) shuttle (service) ; **faire la ~ (entre)** to go to and fro ou shuttle (between).

navigable [navigabl(ə)] a navigable.

navigateur [navigatœR] nm (NAVIG) seafarer, sailor ; (AVIAT) navigator.

navigation [navigasjɔ̃] nf navigation, sailing ; shipping.

naviguer [navige] vi to navigate, sail.

navire [naviR] nm ship.

navrer [navRe] vt to upset, distress ; **je suis navré** I'm so sorry.

N.B. sigle (= nota bene) NB.

ne, n' [n(ə)] ad (voir **pas, plus, jamais** etc ; (explétif) non traduit.

né, e [ne] pp (voir **naître**): **~ en 1960** born in 1960 ; **~e Scott** née Scott // a: **un comédien ~** a born comedian.

néanmoins [neɑ̃mwɛ̃] ad nevertheless, yet.

néant [neɑ̃] nm nothingness ; **réduire à ~** to bring to nought ; to dash.

nébuleux, euse [nebylø, -øz] a nebulous.

nébulosité [nebylozite] nf cloud cover ; **variable** cloudy ou some cloud in places.

nécessaire [nesesɛR] a necessary // nm necessary ; (sac) kit ; **~ de couture** sewing kit ; **~ de toilette** toilet bag ; **nécessité** nf necessity ; **nécessiter** vt to require ; **nécessiteux, euse** a needy.

nec plus ultra [nekplysyltRa] nm: **le ~ de** the last word in.

nécrologique [nekRɔlɔʒik] a: **article ~** obituary ; **rubrique ~** obituary column.

nécromancien, ne [nekRɔmɑ̃sjɛ̃, -jɛn] nm/f necromancer.

nécrose [nekRoz] nf necrosis.

néerlandais, e [neɛRlɑ̃dɛ, -ɛz] a Dutch.

nef [nɛf] nf (d'église) nave.

néfaste [nefast(ə)] a baneful ; ill-fated.

négatif, ive [negatif, iv] a negative // nm (PHOTO) negative.

négligé, e [negliʒe] a (en désordre) slovenly // nm (tenue) negligee.

négligence [negliʒɑ̃s] nf carelessness q ; careless omission.

négligent, e [negliʒɑ̃, -ɑ̃t] a careless.

négliger [negliʒe] vt (épouse, jardin) to neglect ; (tenue) to be careless about ; (avis, précautions) to disregard ; **~ de faire** to fail to do, not bother to do ; **se ~ to** neglect o.s.

négoce [negɔs] nm trade.

négociant [negɔsjɑ̃] nm merchant.

négociateur [negɔsjatœR] nm negotiator.

négociation [negɔsjasjɔ̃] nf negotiation.

négocier [negɔsje] vi, vt to negotiate.

nègre [nɛgR(ə)] nm Negro ; hack(writer) // a Negro.

négresse [negRɛs] nf Negro woman.

neige [nɛʒ] nf snow ; **~ carbonique** dry ice ; **neiger** vi to snow ; **neigeux, euse** a snowy, snow-covered.

nénuphar [nenyfaR] nm water-lily.

néologisme [neɔlɔʒism(ə)] nm neologism.

néon [neɔ̃] nm neon.

néophyte [neɔfit] nm/f novice.

néo-zélandais, e [eɔzelɑ̃dɛ, -ɛz] a New Zealand cpd // nm/f New Zealander.

nerf [nɛR] nm nerve ; (fig) vim, stamina ; **nerveux, euse** a nervous ; (voiture) nippy, responsive ; (tendineux) sinewy ; **nervosité** nf excitability ; state of agitation ; nervousness.

nervure [nɛRvyR] nf vein ; (ARCHIT, TECH) rib.

n'est-ce pas [nɛspa] ad isn't it?, won't you? etc, selon le verbe qui précède ; **~ que c'est bon?** it's good, don't you think?

net, nette [nɛt] a (sans équivoque, distinct) clear ; (évident) definite ; (propre) neat, clean ; (COMM: prix, salaire) net // ad (refuser) flatly ; **s'arrêter ~** to stop dead ; **la lame a cassé ~** the blade snapped clean through ; **mettre au ~** to copy out, tidy up ; **~teté** nf clearness.

nettoyage [nɛtwajaʒ] nm cleaning ; **~ à sec** dry cleaning.

nettoyer [nɛtwaje] vi to clean ; (fig) to clean out.

neuf [nœf] num nine.

neuf, neuve [nœf, nœv] a new // nm: **repeindre à ~** to redecorate ; **remettre à ~** to do up (as good as new), refurbish.

neurasthénique [nøRastenik] a neurasthenic.

neurologie [nøRɔlɔʒi] nf neurology.

neutraliser [nøtRalize] vt to neutralize.

neutralité [nøtRalite] nf neutrality.

neutre [nøtR(ə)] a neutral ; (LING) neuter // nm (LING) neuter.

neutron [nøtRɔ̃] nm neutron.

neuve [nœv] a voir **neuf.**

neuvième [nœvjɛm] num ninth.

névé [neve] nm permanent snowpatch.

neveu, x [nəvø] nm nephew.

névralgie [nevRalʒi] nf neuralgia.

névrite [nevRit] nf neuritis.

névrose [nevRoz] nf neurosis ; **névrosé, e** a, nm/f neurotic.

nez [ne] nm nose ; **~ à ~ avec** face to face with.

ni [ni] cj: **~ l'un ~ l'autre ne sont** neither one nor the other are ; **il n'a rien dit ~ fait** he hasn't said or done anything.

niais, e [njɛ, -ɛz] a silly, thick.

niche [niʃ] nf (du chien) kennel ; (de mur) recess, niche.

nichée [niʃe] nf brood, nest.

nicher [niʃe] vi to nest ; **se ~ dans** to lodge o.s. in ; to hide in.

nickel [nikɛl] nm nickel.

nicotine [nikɔtin] nf nicotine.

nid [ni] nm nest ; **~ de poule** pothole.

nièce [njɛs] nf niece.

nième [ɛnjɛm] a: **la ~ fois** the nth time.

nier [nje] vt to deny.

nigaud, e [nigo, -od] nm/f booby, fool.

n'importe [nɛ̃pɔʀt(ə)] ad: ~ **qui/quoi/où** anybody/anything/ anywhere; ~ **quand** any time; ~ **quel** any; ~ **lequel/laquelle** any (one); ~ **comment** (sans soin) carelessly.

nippes [nip] nfpl togs.

nippon, e [nipɔ̃, -ɔn] a Japanese.

nique [nik] nf: **faire la** ~ **à** to thumb one's nose at (fig).

nitouche [nituʃ] nf (péj): **c'est une sainte** ~ she looks as if butter wouldn't melt in her mouth, she's a little hypocrite.

nitrate [nitʀat] nm nitrate.

nitroglycérine [nitʀogliseʀin] nf nitroglycerin(e).

niveau, x [nivo] nm level; (des élèves, études) standard; **de** ~ **(avec)** level (with); ~ **(à bulle)** spirit level; **le** ~ **de la mer** sea level; ~ **de vie** standard of living.

niveler [nivle] vt to level; **nivellement** nm levelling.

nobiliaire [nɔbiljɛʀ] a voir **particule**.

noble [nɔbl(ə)] a noble // nm/f noble (man/woman); **noblesse** nf nobility; (d'une action etc) nobleness.

noce [nɔs] nf wedding; (gens) wedding party (ou guests pl); **faire la** ~ (fam) to go on a binge; ~**s d'or/d'argent** golden/silver wedding.

nocif, ive [nɔsif, -iv] a harmful, noxious.

noctambule [nɔktɑ̃byl] nm night-bird, late-nighter.

nocturne [nɔktyʀn(ə)] a nocturnal // nf (SPORT) floodlit fixture.

Noël [nɔɛl] nm Christmas.

nœud [nø] nm (de corde, du bois, NAVIG) knot; (ruban) bow; (fig: liens) bond, tie; ~ **coulant** noose; ~ **papillon** bow tie.

noir, e [nwaʀ] a black; (obscur, sombre) dark // nm/f black man/woman, Negro/Negro woman // nm: **dans le** ~ in the dark // nf (MUS) crotchet; ~**ceur** nf blackness; darkness; ~**cir** vt, vi to blacken.

noise [nwaz] nf: **chercher** ~ **à** to try and pick a quarrel with.

noisetier [nwaztje] nm hazel.

noisette [nwazɛt] nf hazelnut.

noix [nwa] nf walnut; (fam) twit; (CULIN): **une** ~ **de beurre** a knob of butter; **à la** ~ (fam) worthless; ~ **de cajou** cashew nut; ~ **de coco** coconut; ~ **muscade** nutmeg.

nom [nɔ̃] nm name; (LING) noun; ~ **commun/propre** common/proper noun; ~ **d'emprunt** assumed name; ~ **de famille** surname; ~ **de jeune fille** maiden name.

nomade [nɔmad] a nomadic // nm/f nomad.

nombre [nɔ̃bʀ(ə)] nm number; **venir en** ~ to come in large numbers; **depuis** ~ **d'années** for many years; **ils sont au** ~ **de 3** there are 3 of them; **au** ~ **de mes amis** among my friends; ~ **premier/entier** prime/whole number.

nombreux, euse [nɔ̃bʀø, -øz] a many, numerous; (avec nom sg: foule etc) large; **peu** ~ few; small.

nombril [nɔ̃bʀi] nm navel.

nomenclature [nɔmɑ̃klatyʀ] nf wordlist; list of items.

nominal, e, aux [nɔminal, -o] a nominal.

nominatif [nɔminatif] nm nominative.

nomination [nɔminasjɔ̃] nf nominative.

nommément [nɔmemɑ̃] ad (désigner) by name.

nommer [nɔme] vt (baptiser) to name, give a name to; (qualifier) to call; (mentionner) to name, give the name of; (élire) to appoint, nominate; **se** ~ : **il se nomme Pascal** his name's Pascal, he's called Pascal.

non [nɔ̃] ad (réponse) no; (avec loin, sans, seulement) not; ~ **que** not that; ~ **plus** : **moi** ~ **plus** neither do I, I don't either.

nonagénaire [nɔnaʒenɛʀ] nm/f man/woman in his/her nineties.

non-alcoolisé, e [nɔnalkɔlize] a non-alcoholic.

nonchalance [nɔ̃ʃalɑ̃s] nf nonchalance, casualness.

non-fumeur [nɔ̃fymœʀ] nm non-smoker.

non-lieu [nɔ̃ljø] nm: **il y a eu** ~ the case was dismissed.

nonne [nɔn] nf nun.

nonobstant [nɔnɔpstɑ̃] prép notwithstanding.

non-sens [nɔ̃sɑ̃s] nm absurdity.

nord [nɔʀ] nm North // a northern; north; ~**-africain, e** a, nm/f North-African; ~**-est** nm North-East; **nordique** a nordic, northern European; ~**-ouest** nm North-West.

normal, e, aux [nɔʀmal, -o] a normal // nf: **la** ~**e** the norm, the average; ~**ement** ad normally; ~**iser** vi (COMM, TECH) to standardize; (POL) to normalize.

normand, e [nɔʀmɑ̃, -ɑ̃d] a of Normandy.

Normandie [nɔʀmɑ̃di] nf Normandy.

norme [nɔʀm(ə)] nf norm; (TECH) standard.

Norvège [nɔʀvɛʒ] nf Norway; **norvègien, ne** a, nm, nf Norwegian.

nos [no] dét voir **notre**.

nostalgie [nɔstalʒi] nf nostalgia.

notable [nɔtabl(ə)] a notable, noteworthy; (marqué) noticeable, marked // nm prominent citizen.

notaire [nɔtɛʀ] nm notary; solicitor.

notamment [nɔtamɑ̃] ad in particular, among others.

notarié, e [nɔtaʀje] a: **acte** ~ deed drawn up by a notary.

note [nɔt] nf (écrite, MUS) note; (SCOL) mark; (facture) bill; **prendre** ~ **de** to write down; to note; ~ **de service** memorandum.

noté, e [nɔte] a: **être bien/mal** ~ (employé etc) to have a good/bad record.

noter [nɔte] vt (écrire) to write down; (remarquer) to note, notice.

notice [nɔtis] nf summary, short article; (brochure) leaflet, instruction book.

notifier [nɔtifje] vt: ~ **qch à qn** to notify sb of sth, notify sth to sb.

notion [nɔsjɔ̃] nf notion, idea.

notoire [nɔtwaʀ] a widely known; (en mal) notorious; **le fait est** ~ **ou de notoriété publique** the fact is common knowledge.

notre, nos [nɔtʀ(ə), no] *dét* our.
nôtre [notʀ(ə)] *pronom*: **le/la ~ ** ours; **les ~s** ours; *(alliés etc)* our own people; **soyez des ~s** join us // *à* ours.
nouer [nwe] *vt* to tie, knot; *(fig: alliance etc)* to strike up; **sa gorge se noua** a lump came to her throat.
noueux, euse [nwø, -øz] *a* gnarled.
nougat [nuga] *nm* nougat.
nouilles [nuj] *nfpl* noodles; pasta *sg*.
nourri, e [nuʀi] *a (feu etc)* sustained.
nourrice [nuʀis] *nf* wet-nurse.
nourrir [nuʀiʀ] *vt* to feed; *(fig: espoir)* to harbour, nurse; **logé nourri** with board and lodging; **~ au sein** to breast-feed; **nourrissant, e** *a* nourishing, nutritious.
nourrisson [nuʀisɔ̃] *nm* (unweaned) infant.
nourriture [nuʀityʀ] *nf* food.
nous [nu] *pronom (sujet)* we; *(objet)* us; **~-mêmes** ourselves.
nouveau(nouvel), elle, x [nuvo, -ɛl] *a* new // *nm/f* new pupil (ou employee) // *nf (piece of) news sg*; *(LITTÉRATURE)* short story; **de ~, à ~** again; **je suis sans nouvelles de lui** I haven't heard from him; **~ venu, nouvelle venue** *nm/f* newcomer; **Nouvel An** New Year; **~-né, e** *nm/f* newborn baby; **Nouvelle-Zélande** *nf* New Zealand; **~té** *nf* novelty; *(COMM)* new film (ou book ou creation *etc*).
nouvel *am*, **nouvelle** *af*, *nf* [nuvɛl] *voir* **nouveau**.
novateur, trice [nɔvatœʀ, -tʀis] *nm/f* innovator.
novembre [nɔvɑ̃bʀ(ə)] *nm* November.
novice [nɔvis] *a* inexperienced // *nm/f* novice.
noyade [nwajad] *nf* drowning *q*.
noyau, x [nwajo] *nm (de fruit)* stone; *(BIO, PHYSIQUE)* nucleus; *(ÉLEC, GÉO, fig: centre)* core; **~ter** *vt (POL)* to infiltrate.
noyé, e [nwaje] *nm/f* drowning *(ou* drowned) man/woman.
noyer [nwaje] *nm* walnut (tree); *(bois)* walnut // *vt* to drown; *(fig)* to flood; to submerge; **se ~** to be drowned, drown; *(suicide)* to drown o.s.
nu, e [ny] *a* naked; *(membres)* naked, bare; *(chambre, fil, plaine)* bare // *nm (ART)* nude; **le ~ intégral** total nudity; **~-pieds** barefoot; **~-tête**, bareheaded; **à mains ~es** with one's bare hands; **se mettre ~** to strip; **mettre à ~** to bare.
nuage [nɥaʒ] *nm* cloud; **nuageux, euse** *a* cloudy.
nuance [nɥɑ̃s] *nf (de couleur, sens)* shade; **il y a une ~ (entre)** there's a slight difference (between); **une ~ de tristesse** a tinge of sadness; **nuancer** *vt (opinion)* to bring some reservations *ou* qualifications to.
nubile [nybil] *a* nubile.
nucléaire [nykleɛʀ] *a* nuclear.
nudisme [nydism] *nm* nudism; **nudiste** *nm/f* nudist.
nudité [nydite] *nf* nudity, nakedness; bareness.
nues [ny] *nfpl*: **tomber des ~** to be taken aback; **porter qn aux ~** to praise sb to the skies.

nuée [nɥe] *nf*: **une ~ de** a cloud ou host *ou* swarm of.
nuire [nɥiʀ] *vi* to be harmful; **~ à** to harm, do damage to; **nuisible** *a* harmful; **animal nuisible** pest.
nuit [nɥi] *nf* night; **il fait ~** it's dark; **cette ~** last night; tonight; **~ blanche** sleepless night; **~ de noces** wedding night; **nuitamment** *ad* by night; **nuitées** *nfpl* overnight stays, beds occupied *(in statistics)*.
nul, nulle [nyl] *a (aucun)* no; *(minime)* nil, non-existent; *(non valable)* null; *(péj)* useless, hopeless // *pronom* none, no one; **résultat ~, match ~** draw; **~ le part** *ad* nowhere; **~lement** *ad* by no means; **~lité** *nf* nullity; hopelessness; hopeless individual, nonentity.
numéraire [nymeʀɛʀ] *nm* cash; metal currency.
numération [nymeʀasjɔ̃] *nf*: **~ décimale/binaire** decimal/binary notation.
numérique [nymeʀik] *a* numerical.
numéro [nymeʀo] *nm* number; *(spectacle)* act, turn; **~ter** *vt* to number.
numismate [nymismat] *nm/f* numismatist, coin collector.
nuptial, e, aux [nypsjal, -o] *a* nuptial; wedding *cpd*.
nuque [nyk] *nf* nape of the neck.
nutritif, ive [nytʀitif, -iv] *a* nutritional; *(aliment)* nutritious.
nylon [nilɔ̃] *nm* nylon.
nymphomane [nɛ̃fɔman] *nf* nymphomaniac.

O

oasis [ɔazis] *nf* oasis *(pl* oases).
obédience [ɔbedjɑ̃s] *nf* allegiance.
obéir [ɔbeiʀ] *vi* to obey; **~ à** to obey; *(suj: moteur, véhicule)* to respond to; **obéissance** *nf* obedience; **obéissant, e** *a* obedient.
obélisque [ɔbelisk(ə)] *nm* obelisk.
obèse [ɔbɛz] *a* obese; **obésité** *nf* obesity.
objecter [ɔbʒɛkte] *vt (prétexter)* to plead, put forward as an excuse; **~ qch à** *(argument)* to put forward sth against; **~ (à qn) que** to object (to sb) that.
objecteur [ɔbʒɛktœʀ] *nm*: **~ de conscience** conscientious objector.
objectif, ive [ɔbʒɛktif, -iv] *a* objective // *nm (OPTIQUE, PHOTO)* lens *sg*, objective; *(MIL, fig)* objective; **~ à focale variable** zoom lens.
objection [ɔbʒɛksjɔ̃] *nf* objection; **~ de conscience** conscientious objection.
objectivité [ɔbʒɛktivite] *nf* objectivity.
objet [ɔbʒɛ] *nm* object; *(d'une discussion, recherche)* subject; **être ou faire l'~ de** *(discussion)* to be the subject of; *(soins)* to be given ou shown; **sans ~** a purposeless; groundless; **~ d'art** objet d'art; **~s personnels** personal items; **~s de toilette** toilet requisites; **~s trouvés** lost property *sg*.
objurgations [ɔbʒyʀgasjɔ̃] *nfpl* objurgations; entreaties.
obligation [ɔbligasjɔ̃] *nf* obligation; *(COMM)* bond, debenture; **être dans l'~ de**

faire to be obliged to do; **avoir l'~ de
faire** to be under an obligation to do;
obligatoire a compulsory, obligatory.
obligé, e [ɔbliʒe] a (*redevable*): **être très
~ à qn** to be most obliged to sb;
obligeance nf: **avoir l'obligeance de** to be
kind ou good enough to; **obligeant, e** a
obliging; kind.
obliger [ɔbliʒe] vt (*contraindre*): **~ qn à
faire** to force ou oblige sb to do; (*JUR:
engager*) to bind; (*rendre service à*) to
oblige; **je suis bien obligé** I have to.
oblique [ɔblik] a oblique; **regard ~**
sidelong glance; **en ~** ad diagonally;
obliquer vi: **obliquer vers** to turn off
towards.
oblitération [ɔbliteʀɑsjɔ̃] nf cancelling q,
cancellation.
oblitérer [ɔbliteʀe] vt (*timbre-poste*) to
cancel.
oblong, oblongue [ɔblɔ̃, -ɔ̃g] a oblong.
obnubiler [ɔbnybile] vt to obsess.
obole [ɔbɔl] nf offering.
obscène [ɔpsɛn] a obscene; **obscénité** nf
obscenity.
obscur, e [ɔpskyʀ] a dark; (*fig*) obscure;
vague; humble, lowly; **~cir** vt to darken;
(*fig*) to obscure; **s'~cir** vi to grow dark;
~ité nf darkness; **dans l'~ité** in the dark,
in darkness.
obsédé, e [ɔpsede] nm/f: **~(e) sexuel(le)**
sex maniac.
obséder [ɔpsede] vt to obsess, haunt.
obsèques [ɔpsɛk] nfpl funeral sg.
obséquieux, euse [ɔpsekjø, -øz] a
obsequious.
observateur, trice [ɔpsɛʀvatœʀ, -tʀis] a
observant, perceptive // nm/f observer.
observation [ɔpsɛʀvɑsjɔ̃] nf
observation; (*d'un règlement etc*)
observance; (*commentaire*) observation,
remark; (*reproche*) reproof; **en ~** (*MÉD*)
under observation.
observatoire [ɔpsɛʀvatwaʀ] nm
observatory; (*lieu élevé*) observation post,
vantage point.
observer [ɔpsɛʀve] vt (*regarder*) to
observe, watch; (*examiner*) to examine;
(*scientifiquement, aussi: règlement, jeûne
etc*) to observe; (*surveiller*) to watch;
(*remarquer*) to observe, notice; **faire ~
qch à qn** (*dire*) to point out sth to sb.
obsession [ɔpsesjɔ̃] nf obsession; **avoir
l'~ de** to have an obsession with.
obstacle [ɔpstakl(ə)] nm obstacle;
(*ÉQUITATION*) jump, hurdle; **faire ~ à**
(*lumière*) to block out; (*projet*) to hinder,
put obstacles in the path of; **~s antichars**
tank defences.
obstétrique [ɔpstetʀik] nf obstetrics sg.
obstination [ɔpstinɑsjɔ̃] nf obstinacy.
obstiné, e [ɔpstine] a obstinate.
obstiner [ɔpstine]: **s'~** vi to insist, dig
one's heels in; **s'~ à faire** to persist
(obstinately) in doing; **s'~ sur qch** to
keep working at sth, labour away at sth.
obstruction [ɔpstʀyksjɔ̃] nf obstruction,
blockage; (*SPORT*) obstruction; **faire de
l'~** (*fig*) to be obstructive.
obstruer [ɔpstʀye] vt to block, obstruct;
s'~ vi to become blocked.

obtempérer [ɔptɑ̃peʀe] vi to obey; **~ à**
to obey, comply with.
obtenir [ɔptəniʀ] vt to obtain, get; (*total,
résultat*) to arrive at, reach; to achieve,
obtain; **~ de pouvoir faire** to obtain
permission to do; **~ de qn qu'il fasse** to
get sb to agree to do; **obtention** nf
obtaining.
obturateur [ɔptyʀatœʀ] nm (*PHOTO*)
shutter; **~ à rideau** focal plane shutter.
obturation [ɔptyʀɑsjɔ̃] nf closing (up); **~
(dentaire)** filling; **vitesse d'~** (*PHOTO*)
shutter speed.
obturer [ɔptyʀe] vt to close (up); (*dent*)
to fill.
obtus, e [ɔpty, -yz] a obtuse.
obus [ɔby] nm shell.
obvier [ɔbvje]: **~ à** vt to obviate.
O.C. sigle voir **onde**.
occasion [ɔkazjɔ̃] nf (*aubaine, possibilité*)
opportunity; (*circonstance*) occasion;
(*COMM: article non neuf*) secondhand buy;
(: *acquisition avantageuse*) bargain; **à
plusieurs ~s** on several occasions; **avoir
l'~ de faire** to have the opportunity to
do; **être l'~ de** to occasion, give rise to;
à l'~ ad sometimes, on occasions; some
time; **d'~** a, ad secondhand;
occasionnel, le a (*fortuit*) chance cpd: (*non
régulier*) occasional; casual.
occasionner [ɔkazjɔne] vt to cause, bring
about; **~ qch à qn** to cause sb sth.
occident [ɔksidɑ̃] nm: **l'~** the west;
occidental, e, aux western; (*POL*) Western
// nm/f Westerner.
occiput [ɔksipyt] nm back of the head,
occiput.
occire [ɔksiʀ] vt to slay.
occitan, e [ɔksitɑ̃, -an] a of the langue
d'oc, of Provençal French.
occlusion [ɔklyzjɔ̃] nf: **~ intestinale**
obstruction of the bowels.
occulte [ɔkylt(ə)] a occult, supernatural.
occulter [ɔkylte] vt (*fig*) to overshadow.
occupant, e [ɔkypɑ̃, -ɑ̃t] a occupying //
nm/f (*d'un appartement*) occupier,
occupant // nm (*MIL*) occupying forces pl;
(*POL: d'usine etc*) occupier.
occupation [ɔkypɑsjɔ̃] nf occupation.
occupé, e [ɔkype] a (*MIL, POL*) occupied;
(*personne: affairé, pris*) busy; (*place, sièges*)
taken; (*toilettes, ligne*) engaged.
occuper [ɔkype] vt to occupy; (*main-
d'œuvre*) to employ; **s'~** to occupy o.s.,
keep o.s. busy; **s'~ de** (*être responsable
de*) to be in charge of; (*se charger de:
affaire*) to take charge of, deal with;
(: *clients etc*) to attend to; (*s'intéresser à,
pratiquer*) to be involved in; **ça occupe
trop de place** it takes up too much room.
occurrence [ɔkyʀɑ̃s] nf: **en l'~** in this
case.
océan [ɔseɑ̃] nm ocean; **l'~ Indien** the
Indian Ocean; **l'Océanie** nf Oceania;
océanique a oceanic; **océanographie** nf
oceanography.
ocelot [ɔslo] nm ocelot; (*fourrure*) ocelot
fur.
ocre [ɔkʀ(ə)] a inv ochre.
octane [ɔktan] nm octane.

octave [ɔktav] *nf* octave.
octobre [ɔktɔbʀ(ə)] *nm* October.
octogénaire [ɔktɔʒenɛʀ] *a, nm/f* octogenarian.
octogone [ɔktɔgɔn] *nm* octagon.
octroi [ɔktʀwa] *nm* granting.
octroyer [ɔktʀwaje] *vt*: ~ qch à qn to grant sth to sb, grant sb sth.
oculaire [ɔkylɛʀ] *a* ocular, eye *cpd* // *nm* (*de microscope*) eyepiece.
oculiste [ɔkylist(ə)] *nm/f* eye specialist, oculist.
ode [ɔd] *nf* ode.
odeur [ɔdœʀ] *nf* smell.
odieux, euse [ɔdjø, -øz] *a* odious, hateful.
odorant, e [ɔdɔʀɑ̃, -ɑ̃t] *a* a sweet-smelling, fragrant.
odorat [ɔdɔʀa] *nm* (sense of) smell.
odoriférant, e [ɔdɔʀifeʀɑ̃, -ɑ̃t] *a* sweet-smelling, fragrant.
odyssée [ɔdise] *nf* odyssey.
œcuménique [ekymenik] *a* oecumenical.
œil [œj], *pl* **yeux** [jø] *nm* eye; à l'~ (*fam*) for free; à l'~ nu with the naked eye; **tenir qn à l'~** to keep an eye *ou* a watch on sb; **avoir l'~ à** to keep an eye on; **faire de l'~ à qn** to make eyes at sb; **à l'~ vif** with a lively expression; **fermer les yeux (sur)** (*fig*) to turn a blind eye (to); **fermer l'~** to get a moment's sleep; ~ de verre glass eye.
œillade [œjad] *nf*: **lancer une ~ à qn** to wink at sb, give sb a wink; **faire des ~s à** to make eyes at.
œillères [œjɛʀ] *nfpl* blinkers.
œillet [œjɛ] *nm* (*BOT*) carnation; (*trou*) eyelet.
œnologue [enɔlɔg] *nm/f* oenologist, wine expert.
œsophage [ezɔfaʒ] *nm* oesophagus.
œuf [œf, *pl* ø] *nm* egg; **étouffer dans l'~** to nip in the bud; ~ **à la coque/dur** boiled/hard-boiled egg; ~ **au plat** fried egg; ~**s brouillés** scrambled eggs; ~ **de Pâques** Easter egg; ~ **à repriser** darning egg.
œuvre [œvʀ(ə)] *nf* (*tâche*) task, undertaking; (*ouvrage achevé, livre, tableau etc*) work; (*ensemble de la production artistique*) works *pl*; (*organisation charitable*) charity // *nm* (*d'un artiste*) works *pl*; (*CONSTR*): **le gros** ~ the shell; **être à l'~** to be at work; **mettre en** ~ (*moyens*) to make use of; ~ **d'art** work of art.
offense [ɔfɑ̃s] *nf* (*charge*) insult; (*REL*: *péché*) transgression, trespass.
offenser [ɔfɑ̃se] *vt* to offend, hurt; (*principes, Dieu*) to offend against; **s'~ de** to take offence at.
offensif, ive [ɔfɑ̃sif, -iv] *a* nf offensive; **passer à l'offensive** to go into the attack *ou* offensive.
offert, e [ɔfɛʀ, -ɛʀt(ə)] *pp de* offrir.
offertoire [ɔfɛʀtwaʀ] *nm* offertory.
office [ɔfis] *nm* (*charge*) office; (*agence*) bureau, agency; (*REL*) service // *nm ou nf* (*pièce*) pantry; **faire** ~ **de** to act as; to do duty as; **d'** ~ *ad* automatically; **bons** ~**s** (*POL*) good offices; ~ **du tourisme** tourist bureau.

officialiser [ɔfisjalize] *vt* to make official.
officiel, le [ɔfisjɛl] *a, nm/f* official.
officier [ɔfisje] *nm* officer // *vi* to officiate; ~ **de l'état-civil** registrar; ~ **ministériel** member of the legal profession; ~ *de* **police** ≈ police officer.
officieux, euse [ɔfisjø, -øz] *a* unofficial.
officinal, e, aux [ɔfisinal, -o] *a*: **plantes** ~**es** medicinal plants.
officine [ɔfisin] *nf* (*de pharmacie*) dispensary; (*pharmacie*) pharmacy; (*gén péj*: *bureau*) agency, office.
offrande [ɔfʀɑ̃d] *nf* offering.
offrant [ɔfʀɑ̃] *nm*: **au plus** ~ to the highest bidder.
offre [ɔfʀ(ə)] *nf* offer; (*aux enchères*) bid; (*ADMIN*: *soumission*) tender; (*ÉCON*): **l'**~ supply; ~ **d'emploi** job advertised; '~**s d'emploi'** situations vacant; ~ **publique d'achat (O.P.A.)** takeover bid; ~**s de service** offer of service.
offrir [ɔfʀiʀ] *vt* to offer; (*faire cadeau de*): ~ (**à qn**) to give (to sb); **s'**~ *vi* (*occasion, paysage*) to present itself // *vt* (*vacances, voiture*) to treat o.s. to; ~ (**à qn**) **de faire qch** to offer to do sth (for sb); ~ **à boire à qn** to offer sb a drink; **s'**~ **comme guide/en otage** to offer one's services as (a) guide/offer o.s. as hostage; **s'**~ **aux regards** (*suj: personne*) to expose o.s. to the public gaze.
offset [ɔfsɛt] *nm* offset (printing).
offusquer [ɔfyske] *vt* to offend; **s'**~ **de** to take offence at, be offended by.
ogive [ɔʒiv] *nf* (*ARCHIT*) diagonal rib; (*d'obus, de missile*) nose cone; **voûte en** ~ rib vault; **arc en** ~ lancet arch; ~ **nucléaire** nuclear warhead.
ogre [ɔgʀ(ə)] *nm* ogre.
oie [wa] *nf* (*ZOOL*) goose (*pl* geese).
oignon [ɔɲɔ̃] *nm* (*BOT, CULIN*) onion; (*de tulipe etc*: *bulbe*) bulb; (*MÉD*) bunion; **petits** ~**s** pickling onions.
oindre [wɛ̃dʀ(ə)] *vt* to anoint.
oiseau, x [wazo] *nm* bird; ~ **de proie** bird of prey; ~**-mouche** *nm* hummingbird.
oisellerie [wazɛlʀi] *nf* bird shop.
oiseux, euse [wazø, -øz] *a* pointless; trivial.
oisif, ive [wazif, -iv] *a* idle // *nm/f* (*péj*) man/woman of leisure; **oisiveté** *nf* idleness.
O.K. [ɔkɛ] *excl* O.K., all right.
oléagineux, euse [ɔleaʒinø, -øz] *a* oleaginous, oil-producing.
oléoduc [ɔleɔdyk] *nm* (oil) pipeline.
olfactif, ive [ɔlfaktif, -iv] *a* olfactory.
oligarchie [ɔligaʀʃi] *nf* oligarchy.
olivâtre [ɔlivɑtʀ(ə)] *a* olive-greenish; (*teint*) sallow.
olive [ɔliv] *nf* (*BOT*) olive // *a inv* olive(-green); ~**-raie** *nf* olive grove; **olivier** *nm* olive tree; (*bois*) olive wood.
olympiade [ɔlɛ̃pjad] *nf* (*période*) Olympiad; **les** ~**s** (*jeux*) the Olympiad *sg*.
olympien, ne [ɔlɛ̃pjɛ̃, -jɛn] *a* Olympian, of Olympian aloofness.
olympique [ɔlɛ̃pik] *a* Olympic.
ombilical, e, aux [ɔ̃bilikal, -o] *a* umbilical.

ombrage [ɔ̃bRaʒ] nm (ombre) (leafy) shade ; (fig) : **prendre ~ de** to take umbrage ou offence at ; **ombragé, e** a shaded, shady ; **ombrageux, euse** a (cheval) skittish, nervous ; (personne) touchy, easily offended.

ombre [ɔ̃bR(ə)] nf (espace non ensoleillé) shade ; (ombre portée, tache) shadow ; **à l'~** in the shade ; (fam) behind bars ; **à l'~ de** in the shade of ; (tout près de, fig) in the shadow of ; **tu me fais de l'~** you're in my light ; **ça nous donne de l'~** it gives us (some) shade ; **vivre dans l'~** (fig) to live in obscurity ; **laisser dans l'~** (fig) to leave in the dark ; **~ à paupières** eyeshadow ; **~ portée** shadow ; **~s chinoises** (spectacle) shadow show sg.

ombrelle [ɔ̃bRɛl] nf parasol, sunshade.

omelette [ɔmlɛt] nf omelette ; **~ au fromage/au jambon** cheese/ham omelette ; **~ aux herbes** omelette with herbs.

omettre [ɔmɛtR(ə)] vt to omit, leave out ; **~ de faire** to fail ou omit to do ; **omission** nf omission.

omni... [ɔmni] préfixe: **~bus** nm slow ou stopping train ; **~potent, e** a omnipotent ; **~scient, e** a omniscient ; **~vore** a omnivorous.

omoplate [ɔmɔplat] nf shoulder blade.

O.M.S. sigle f voir **organisation**.

on [ɔ̃] pronom (indéterminé): **~ peut le faire ainsi** you ou one can do it like this, it can be done like this ; (quelqu'un): **~ les a attaqués** they were attacked ; (nous): **~ va y aller demain** we're going tomorrow ; (les gens): **autrefois, ~ croyait aux fantômes** they used to believe in ghosts years ago ; **~ vous demande au téléphone** there's a phone call for you, there's somebody on the phone for you ; **~ ne peut plus** ad: **~ ne peut plus stupide** as stupid as can be.

oncle [ɔ̃kl(ə)] nm uncle.

onctueux, euse [ɔ̃ktɥ∅, -øz] a creamy, smooth ; (fig) smooth, unctuous.

onde [ɔ̃d] nf (PHYSIQUE) wave ; **sur l'~** on the waters ; **sur les ~s** on the radio ; **mettre en ~s** to produce for the radio ; **sur ~s courtes (o.c.)** on short wave sg ; **moyennes/ longues ~s** medium/long wave sg.

ondée [ɔ̃de] nf shower.

on-dit [ɔ̃di] nm inv rumour.

ondoyer [ɔ̃dwaje] vi to ripple, wave.

ondulant, e [ɔ̃dylɑ̃, -ɑ̃t] a swaying ; undulating.

ondulation [ɔ̃dylasjɔ̃] nf undulation.

onduler [ɔ̃dyle] vi to undulate ; (cheveux) to wave.

onéreux, euse [ɔneRø, -øz] a costly ; **à titre ~** in return for payment.

ongle [ɔ̃gl(ə)] nm (ANAT) nail ; **se faire les ~s** to do one's nails.

onglet [ɔ̃glɛ] nm (rainure) (thumbnail) groove ; (bande de papier) tab.

onguent [ɔ̃gɑ̃] nm ointment.

onomatopée [ɔnɔmatɔpe] nf onomatopoeia.

ont vb voir **avoir**.

O.N.U. [ɔny] sigle f voir **organisation**.

onyx [ɔniks] nm onyx.

onze [ɔ̃z] num eleven ; **onzième** num eleventh.

O.P.A. sigle f voir **offre**.

opacité [ɔpasite] nf opaqueness.

opale [ɔpal] nf opal.

opalin, e [ɔpalɛ̃, -in] a, nf opaline.

opaque [ɔpak] a opaque.

O.P.E.P. [ɔpɛp] sigle f (= organisation des pays exportateurs de pétrole) O.P.E.C. (organization of petroleum exporting countries).

opéra [ɔpeRa] nm opera ; (édifice) opera house ; **~-comique** nm light opera, opéra comique.

opérateur, trice [ɔpeRatœR, -tRis] nm/f operator ; **~ (de prise de vues)** cameraman.

opération [ɔpeRasjɔ̃] nf operation ; (COMM) dealing.

opératoire [ɔpeRatwaR] a operating ; (choc etc) post-operative.

opéré, e [ɔpeRe] nm/f patient (having undergone an operation).

opérer [ɔpeRe] vt (MÉD) to operate on ; (faire, exécuter) to carry out, make // vi (remède: faire effet) to act, work ; (procéder) to proceed ; (MÉD) to operate ; **s'~** vi (avoir lieu) to occur, take place ; **se faire ~** to have an operation ; **se faire ~ des amygdales/du cœur** to have one's tonsils out/have a heart operation.

opérette [ɔpeRɛt] nf operetta, light opera.

ophtalmologie [ɔftalmɔlɔʒi] nf ophthalmology ; **ophtalmologue** nm/f ophthalmologist.

opiner [ɔpine] vi: **~ de la tête** to nod assent.

opiniâtre [ɔpinjɑtR(ə)] a stubborn.

opinion [ɔpinjɔ̃] nf opinion ; **l'~ (publique)** public opinion.

opium [ɔpjɔm] nm opium.

opportun, e [ɔpɔRtœ̃, -yn] a timely, opportune ; **en temps ~** at the appropriate time ; **opportunisme** nm opportunism ; **opportuniste** a, nm/f opportunist ; **opportunité** nf timeliness, opportuneness.

opposant, e [ɔpozɑ̃, -ɑ̃t] a opposing ; **~s** nmpl opponents.

opposé, e [ɔpoze] a (direction, rive) opposite ; (faction) opposing ; (couleurs) contrasting ; (opinions, intérêts) conflicting ; (contre): **~ à** opposed to, against // nm: **l'~** the other ou opposite side (ou direction) ; (contraire) the opposite ; **à l'~** (fig) on the other hand ; **à l'~ de** on the other ou opposite side from ; (fig) contrary to, unlike.

opposer [ɔpoze] vt (meubles, objets) to place opposite each other ; (personnes, armées, équipes) to oppose ; (couleurs, termes, tons) to contrast ; **~ qch à** (comme obstacle, défense) to set sth against ; (comme objection) to put sth forward against ; to put up sth to ; (en contraste) to set sth opposite ; to match sth with ; **s'~** (sens réciproque) to conflict ; to clash ; to face each other ; to contrast ; **s'~ à** (interdire, empêcher) to oppose ; (tenir tête à) to rebel against ; **sa religion s'y oppose**

it's against his religion; **s'~ à ce que qn fasse** to be opposed to sb's doing.

opposition [ɔpozisjɔ̃] *nf* opposition; **par ~ à** as opposed to, in contrast with; **entrer en ~ avec** to come into conflict with; **être en ~ avec** (*idées, conduite*) to be at variance with; **faire ~ à un chèque** to stop a cheque.

oppresser [ɔprese] *vt* to oppress; **oppresseur** *nm* oppressor; **oppressif, ive** *a* oppressive; **oppression** *nf* oppression; (*malaise*) feeling of suffocation.

opprimer [ɔprime] *vt* to oppress; (*liberté, opinion*) to suppress, stifle; (*suj: chaleur etc*) to suffocate, oppress.

opprobre [ɔprɔbr(ə)] *nm* disgrace.

opter [ɔpte] *vi:* **~ pour** to opt for; **~ entre** to choose between.

opticien, ne [ɔptisjɛ̃, -ɛn] *nm/f* optician.

optimal, e, aux [ɔptimal, -o] *a* optimal.

optimisme [ɔptimism(ə)] *nm* optimism; **optimiste** *nm/f* optimist.

optimum [ɔptimɔm] *a* optimum.

option [ɔpsjɔ̃] *nf* option; **matière à ~** (*SCOL*) optional subject; **prendre une ~ sur** to take (out) an option on.

optique [ɔptik] *a* (*nerf*) optic; (*verres*) optical // *nf* (*PHOTO: lentilles etc*) optics *pl*; (*science, industrie*) optics *sg*; (*fig: manière de voir*) perspective.

opulence [ɔpylɑ̃s] *nf* wealth, opulence.

opulent, e [ɔpylɑ̃, -ɑ̃t] *a* wealthy, opulent; (*formes, poitrine*) ample, generous.

or [ɔr] *nm* gold // *cj* now, but; **en ~** gold *cpd*; (*fig*) golden, marvellous; **d'~** (*fig*) golden.

oracle [ɔrakl(ə)] *nm* oracle.

orage [ɔraʒ] *nm* (thunder)storm; **orageux, euse** *a* stormy.

oraison [ɔrɛzɔ̃] *nf* orison, prayer; **~ funèbre** funeral oration.

oral, e, aux [ɔral, -o] *a, nm* oral; **~ement** *ad* orally.

orange [ɔrɑ̃ʒ] *nf, a inv* orange; **orangé, e** *a* orange, orange-coloured; **orangeade** *nf* orangeade; **oranger** *nm* orange tree; **~raie** *nf* orange grove; **~rie** *nf* orangery.

orateur [ɔratœr] *nm* speaker; orator.

oratoire [ɔratwar] *nm* oratory; wayside shrine // *a* oratorical.

orbital, e, aux [ɔrbital, -o] *a* orbital.

orbite [ɔrbit] *nf* (*ANAT*) (eye-)socket; (*PHYSIQUE*) orbit; **mettre sur ~** to put into orbit; (*fig*) to launch; **dans l'~ de** (*fig*) within the sphere of influence of.

orchestration [ɔrkɛstrasjɔ̃] *nf* orchestration.

orchestre [ɔrkɛstr(ə)] *nm* orchestra; (*de jazz, danse*) band; (*places*) stalls *pl*; **orchestrer** *vt* (*MUS*) to orchestrate; (*fig*) to mount, stage-manage.

orchidée [ɔrkide] *nf* orchid.

ordinaire [ɔrdinɛr] *a* ordinary; everyday; standard // · *nm* ordinary; (*menus*) everyday fare // *nf* (*essence*) ≈ two-star (petrol); **d'~** usually, normally; **à l'~** usually, ordinarily.

ordinal, e, aux [ɔrdinal, -o] *a* ordinal.

ordinateur [ɔrdinatœr] *nm* computer.

ordination [ɔrdinasjɔ̃] *nf* ordination.

ordonnance [ɔrdɔnɑ̃s] *nf* organization; layout; (*MÉD*) prescription; (*JUR*) order; (*MIL*) orderly, batman; **d'~** (*MIL*) regulation *cpd*.

ordonné, e [ɔrdɔne] *a* tidy, orderly; (*MATH*) ordered // *nf* (*MATH*) ordinate, Y-axis.

ordonner [ɔrdɔne] *vt* (*agencer*) to organize, arrange; (: *meubles, appartement*) to lay out, arrange; (*donner un ordre*): **~ à qn de faire** to order sb to do; (*MATH*) to (arrange in) order; (*REL*) to ordain; (*MÉD*) to prescribe; (*JUR*) to order.

ordre [ɔrdr(ə)] *nm* (*gén*) order; (*propreté et soin*) orderliness, tidiness; (*nature*): **d'~ pratique** of a practical nature; **~s** *nmpl* (*REL*) holy orders; **mettre en ~** to tidy (up), put in order; **avoir de l'~** to be tidy ou orderly; **mettre bon ~ à** to put to rights, sort out; **être aux ~s de qn/sous les ~s de qn** to be at sb's disposal/under sb's command; **jusqu'à nouvel ~** until further notice; **dans le même ~ d'idées** in this connection; **donnez-nous un ~ de grandeur** give us some idea as regards size (*ou* the amount); **de premier ~** first-rate; **~ du jour** (*d'une réunion*) agenda; (*MIL*) order of the day; **à l'~ du jour** on the agenda; (*fig*) topical; (*MIL: citer*) in dispatches; **~ de route** marching orders *pl*.

ordure [ɔrdyr] *nf* filth *q*; **~s** (*balayures, déchets*) rubbish *sg*, refuse *sg*; **~s ménagères** household refuse; **ordurier, ière** *a* lewd, filthy.

oreille [ɔrɛj] *nf* (*ANAT*) ear; (*de marmite, tasse*) handle; **avoir de l'~** to have a good ear (for music).

oreiller [ɔreje] *nm* pillow.

oreillette [ɔrɛjɛt] *nf* (*ANAT*) auricle.

oreillons [ɔrɛjɔ̃] *nmpl* mumps *sg*.

ores [ɔr]: **d'~ et déjà** *ad* already.

orfèvre [ɔrfɛvr(ə)] *nm* goldsmith; silversmith; **orfèvrerie** *nf* goldsmith's (*ou* silversmith's) trade; (*ouvrage*) gold (*ou* silver) plate.

orfraie [ɔrfrɛ] *nm* white-tailed eagle; **pousser des cris d'~** to yell at the top of one's voice.

organe [ɔrgan] *nm* organ; (*porte-parole*) representative, mouthpiece; **~s de commande** (*TECH*) controls; **~s de transmission** (*TECH*) transmission system *sg*.

organigramme [ɔrganigram] *nm* organization chart; flow chart.

organique [ɔrganik] *a* organic.

organisateur, trice [ɔrganizatœr, -tris] *nm/f* organizer.

organisation [ɔrganizasjɔ̃] *nf* organization; **O~ des Nations Unies (O.N.U.)** United Nations (Organization) (U.N., U.N.O.); **O~ mondiale de la santé (O.M.S.)** World Health Organization (W.H.O.); **O~ du traité de l'Atlantique Nord (O.T.A.N.)** North Atlantic Treaty Organization (N.A.T.O.).

organiser [ɔrganize] *vt* to organize; (*mettre sur pied: service etc*) to set up; **s'~** to get organized.

organisme [ɔrganism(ə)] *nm* (*BIO*)

organism; (corps humain) body; (ADMIN, POL etc) body, organism.

organiste [ɔʀganist(ə)] nm/f organist.

orgasme [ɔʀgasm(ə)] nm orgasm, climax.

orge [ɔʀʒ(ə)] nf barley.

orgelet [ɔʀʒəlɛ] nm sty(e).

orgie [ɔʀʒi] nf orgy.

orgue [ɔʀg(ə)] nm organ; ~s nfpl organ sg; ~ de Barbarie barrel ou street organ.

orgueil [ɔʀgœj] nm pride; **orgueilleux, euse** a proud.

Orient [ɔʀjɑ̃] nm: l'~ the East, the Orient.

orientable [ɔʀjɑ̃tabl(ə)] a adjustable.

oriental, e, aux [ɔʀjɑ̃tal, -o] a oriental, eastern; (frontière) eastern // nm/f: O~, e Oriental.

orientation [ɔʀjɑ̃tasjɔ̃] nf positioning; adjustment; orientation; direction; (d'un journal) leanings pl; **avoir le sens de l'~** to have a (good) sense of direction; ~ **professionnelle** careers advising; careers advisory service.

orienté, e [ɔʀjɑ̃te] a (fig: article, journal) slanted; **bien/mal** ~ (appartement) well/badly positioned; ~ **au sud** facing south ou with a southern aspect.

orienter [ɔʀjɑ̃te] vt (situer) to position; (placer, disposer: pièce mobile) to adjust, position; (tourner) to direct, turn; (voyageur, touriste, recherches) to direct; (fig: élève) to orientate; **s'~** (se repérer) to find one's bearings; **s'~ vers** (fig) to turn towards; **orienteur** nm (SCOL) careers adviser.

orifice [ɔʀifis] nm opening, orifice.

oriflamme [ɔʀiflam] nf banner, standard.

origan [ɔʀigɑ̃] nm (CULIN) oregano.

originaire [ɔʀiʒinɛʀ] a original; **être ~ de** to be a native of; (provenir de) to originate from; to be native to.

original, e, aux [ɔʀiʒinal, -o] a original; (bizarre) eccentric // nm/f eccentric // nm (document etc, ART) original; (dactylographie) top copy; ~**ité** nf originality q; eccentricity.

origine [ɔʀiʒin] nf origin; **d'~** of origin; (pneus etc) original; (bureau postal) dispatching; **dès l'~** at ou from the outset; **à l'~** originally; **avoir son ~ dans** to have its origins in, originate in; **originel, le** a original.

oripeaux [ɔʀipo] nmpl rags.

O.R.L. nm/f ou titre = **oto-rhino-laryngologiste**.

orme [ɔʀm(ə)] nm elm.

orné, e [ɔʀne] a ornate.

ornement [ɔʀnəmɑ̃] nm ornament; (fig) embellishment, adornment; ~**s sacerdotaux** vestments; **ornemental, e, aux** a ornamental; **ornementer** vt to ornament.

orner [ɔʀne] vt to decorate, adorn; ~ **qch de** to decorate sth with.

ornière [ɔʀnjɛʀ] nf rut.

ornithologie [ɔʀnitɔlɔʒi] nf ornithology.

orphelin, e [ɔʀfəlɛ̃, -in] a orphan(ed) // nm/f orphan; ~ **de père/mère** fatherless/motherless; **orphelinat** nm orphanage.

O.R.S.E.C. [ɔʀsɛk] sigle (= organisation des secours): **le plan** ~ disaster contingency plan.

orteil [ɔʀtɛj] nm toe; **gros** ~ big toe.

O.R.T.F. sigle m = Office de la radiodiffusion et télévision française (the French broadcasting corporation).

orthodoxe [ɔʀtɔdɔks(ə)] a orthodox; **orthodoxie** nf orthodoxy.

orthographe [ɔʀtɔgʀaf] nf spelling; **orthographier** vt to spell; **mal orthographié** misspelt.

orthopédie [ɔʀtɔpedi] nf orthopaedics sg; **orthopédique** a orthopaedic; **orthopédiste** nm/f orthopaedic specialist.

ortie [ɔʀti] nf (stinging) nettle.

os [ɔs, pl o] nm bone; **sans** ~ (BOUCHERIE) off the bone, boned; ~ **à moelle** marrowbone.

O.S. sigle m voir **ouvrier**.

oscillation [ɔsilasjɔ̃] nf oscillation; ~**s** nfpl (fig) fluctuations.

osciller [ɔsile] vi (pendule) to swing; (au vent etc) to rock; (TECH) to oscillate; (fig): ~ **entre** to waver ou fluctuate between.

osé, e [oze] a daring, bold.

oseille [ozɛj] nf sorrel.

oser [oze] vi, vt to dare; ~ **faire** to dare (to) do.

osier [ozje] nm willow; **d'~, en** ~ wicker(work).

ossature [ɔsatyʀ] nf (ANAT) frame, skeletal structure; (: du visage) bone structure; (fig) framework.

osselet [ɔslɛ] nm (ANAT) ossicle; **jouer aux** ~**s** to play knucklebones.

ossements [ɔsmɑ̃] nmpl bones.

osseux, euse [ɔsø, -øz] a bony; (tissu, maladie, greffe) bone cpd.

ossifier [ɔsifje]: **s'~** vi to ossify.

ossuaire [ɔsɥɛʀ] nm ossuary.

ostensible [ɔstɑ̃sibl(ə)] a conspicuous.

ostensoir [ɔstɑ̃swaʀ] nm monstrance.

ostentation [ɔstɑ̃tasjɔ̃] nf ostentation; **faire** ~ **de** to parade, make a display of.

ostracisme [ɔstʀasism(ə)] nm ostracism; **frapper d'~** to ostracize.

ostréiculture [ɔstʀeikyltyʀ] nf oyster-farming.

otage [ɔtaʒ] nm hostage; **prendre qn comme** ~ to take sb hostage.

O.T.A.N. [ɔtã] sigle f voir **organisation**.

otarie [ɔtaʀi] nf sea-lion.

ôter [ote] vt to remove; (soustraire) to take away; ~ **qch à qn** to take sth (away) from sb; ~ **qch de** to remove sth from.

otite [ɔtit] nf ear infection.

oto-rhino(-laryngologiste) [ɔtɔʀinɔ-(laʀɛ̃gɔlɔʒist(ə)] nm/f ear nose and throat specialist.

ou [u] cj or; ~ ... ~ either ... or; ~ **bien** or (else).

où [u] ad, pronom where; (dans lequel) in which, into which; from which, out of which; (sur lequel) on which; (sens de 'que'): **au train** ~ **ça va/prix** ~ **c'est** at the rate it's going/price it is; **le jour** ~ **il est parti** the day (that) he left; **par** ~ **passer?** which way should we go?; **les villes par** ~ **il est passé** the towns he went through; **le village d'**~ **je viens** the village I come from; **la chambre** ~ **il était**

the room he was in; **d'~ vient qu'il est parti?** how come he left?

ouate [wat] nf cotton wool; (*bourre*) padding, wadding; **ouaté, e** a cotton-wool; (*doublé*) quilted; (*fig*) cocoon-like; muffled.

oubli [ubli] nm (*acte*): **l'~ de** forgetting; (*étourderie*) forgetfulness q; (*négligence*) omission, oversight; (*absence de souvenirs*) oblivion; **~ de soi** self-effacement, self-negation.

oublier [ublije] vt (*gén*) to forget; (*ne pas voir: erreurs etc*) to miss; (*ne pas mettre: virgule, nom*) to leave out; (*laisser quelque part: chapeau etc*) to leave behind; **s'~** to forget o.s.

oubliettes [ublijɛt] nfpl dungeon sg.

oublieux, euse [ublijø, -øz] a forgetful.

oued [wɛd] nm wadi.

ouest [wɛst] nm west // a inv west; (*région*) western; **à l'~** in the west; (to the) west, westwards; **à l'~ de** (to the) west of; **vent d'~** westerly wind; **~-allemand, e** a, nm/f West German.

ouf [uf] excl phew!

oui [wi] ad yes; **répondre (par) ~** to answer yes.

ouï-dire [widiʀ] nm inv: **par ~** by hearsay.

ouïe [wi] nf hearing; **~s** nfpl (*de poisson*) gills; (*de violon*) sound-hole.

ouïr [wiʀ] vt to hear; **avoir ouï dire que** to have heard it said that.

ouistiti [wistiti] nm marmoset.

ouragan [uʀagã] nm hurricane; (*fig*) storm.

ourlé, e [uʀle] a hemmed; (*fig*) rimmed.

ourler [uʀle] vt to hem.

ourlet [uʀlɛ] nm hem; (*de l'oreille*) rim.

ours [uʀs] nm bear; **~ brun/blanc** brown/polar bear; **~ mal léché** uncouth fellow; **~ (en peluche)** teddy (bear).

ourse [uʀs(ə)] nf (*ZOOL*) she-bear; **la Grande/Petite O~** the Great/Little Bear, Ursa Major/Minor.

oursin [uʀsɛ̃] nm sea urchin.

ourson [uʀsɔ̃] nm (bear-)cub.

ouste [ust(ə)] excl hop it!

outil [uti] nm tool.

outillage [utijaʒ] nm set of tools; (*d'atelier*) equipment q.

outiller [utije] vt (*ouvrier, usine*) to equip.

outrage [utʀaʒ] nm insult; **faire subir les derniers ~s à** (*femme*) to ravish; **~ aux bonnes mœurs** outrage to public decency; **~ à magistrat** contempt of court; **~ à la pudeur** indecent behaviour q.

outrageant, e [utʀaʒã, -ãt] a offensive.

outrager [utʀaʒe] vt to offend gravely; (*fig: contrevenir à*) to outrage, insult.

outrance [utʀãs] nf excessiveness q, excess; **à ~** ad excessively, to excess; **outrancier, ière** a extreme.

outre [utʀ(ə)] nf goatskin, water skin // prép besides // ad: **passer ~ à** to disregard, take no notice of; **en ~** besides, moreover; **~ que** apart from the fact that; **~ mesure** immoderately; unduly.

outré, e [utʀe] a excessive, exaggerated; outraged.

outre-Atlantique [utʀəatlãtik] ad across the Atlantic.

outrecuidance [utʀəkɥidãs] nf presumptuousness q.

outre-Manche [utʀəmãʃ] ad across the Channel.

outremer [utʀəmɛʀ] a ultramarine.

outre-mer [utʀəmɛʀ] ad overseas.

outrepasser [utʀəpase] vt to go beyond, exceed.

outrer [utʀe] vt to exaggerate; to outrage.

outsider [awtsajdœʀ] nm outsider.

ouvert, e [uvɛʀ, -ɛʀt(ə)] pp de **ouvrir** // a open; (*robinet, gaz etc*) on; **ouvertement** ad openly.

ouverture [uvɛʀtyʀ] nf opening; (*MUS*) overture; (*POL*): **l'~** the widening of the political spectrum; (*PHOTO*): **(du diaphragme)** aperture; **~s** nfpl (*propositions*) overtures; **~ d'esprit** open-mindedness; **heures d'~** (*COMM*) opening hours; **jours d'~** (*COMM*) days of opening.

ouvrable [uvʀabl(ə)] a: **jour ~** working day, weekday.

ouvrage [uvʀaʒ] nm (*tâche, de tricot etc, MIL*) work q; (*texte, livre*) work; **corbeille à ~** work basket; **~ d'art** (*GÉNIE CIVIL*) bridge or tunnel etc.

ouvragé, e [uvʀaʒe] a finely embroidered (ou worked ou carved).

ouvrant, e [uvʀã, -ãt] a: **toit ~** (*AUTO*). sunshine roof.

ouvre-boîte(s) [uvʀəbwat] nm inv tin ou can opener.

ouvre-bouteille(s) [uvʀəbutɛj] nm inv bottle-opener.

ouvreuse [uvʀøz] nf usherette.

ouvrier, ière [uvʀje, -jɛʀ] nm/f worker // nf (*ZOOL*) worker (bee) // a working-class; industrial, labour cpd; **workers'; classe ouvrière** working class; **~ qualifié** skilled worker; **~ spécialisé (O.S.)** semiskilled worker; **~ d'usine** factory worker.

ouvrir [uvʀiʀ] vt (*gén*) to open; (*brèche, passage*) to open up; (*commencer l'exploitation de, créer*) to open (up); (*eau, électricité, chauffage, robinet*) to turn on; (*MÉD: abcès*) to open up, cut open // vi to open; to open up; **s'~** vi to open; **s'~ à** (*art etc*) to open one's mind to; **s'~ à qn (de qch)** to open one's heart to sb (about sth); **s'~ les veines** to slash ou cut one's wrists; **~ l'appétit à qn** to whet sb's appetite.

ouvroir [uvʀwaʀ] nm workroom; sewing room.

ovaire [ɔvɛʀ] nm ovary.

ovale [ɔval] a oval.

ovation [ɔvasjɔ̃] nf ovation; **ovationner** vt: **ovationner qn** to give sb an ovation.

O.V.N.I. [ɔvni] sigle m (= *objet volant non identifié*) U.F.O. (unidentified flying object).

ovule [ɔvyl] nm (*PHYSIOL*) ovum (pl ova); (*MÉD*) pessary.

oxydable [ɔksidabl(ə)] a liable to rust.

oxyde [ɔksid] nm oxide; **~ de carbone** carbon monoxide.

oxyder [ɔkside]: **s'~** vi to become oxidized.

oxygène [ɔksiʒɛn] nm oxygen ; (fig): cure d'~ fresh air cure.

oxygéné, e [ɔksiʒene] a: eau ~e hydrogen peroxide.

ozone [ozɔn] nm ozone.

P

pacage [pakaʒ] nm grazing, pasture.

pachyderme [paʃidɛʀm(ə)] nm pachyderm ; elephant.

pacifier [pasifje] vt to pacify.

pacifique [pasifik] a (personne) peaceable ; (intentions, coexistence) peaceful // nm: le P~, l'océan P~ the Pacific (Ocean).

pacotille [pakɔtij] nf (péj) cheap goods pl ; de ~ cheap.

pacte [pakt(ə)] nm pact, treaty.

pactiser [paktize] vi: ~ avec to come to terms with.

pagaie [pagɛ] nf paddle.

pagaille [pagaj] nf mess, shambles sg.

pagayer [pageje] vi to paddle.

page [paʒ] nf page // nm page ; mettre en ~s to make up (into pages) ; à la ~ (fig) up-to-date.

pagne [paɲ] nm loincloth.

pagode [pagɔd] nf pagoda.

paie [pɛ] nf = paye.

paiement [pɛmɑ̃] nm = payement.

païen, ne [pajɛ̃, -jɛn] a, nm/f pagan, heathen.

paillard, e [pajaʀ, -aʀd(ə)] a bawdy.

paillasse [pajas] nf straw mattress.

paillasson [pajasɔ̃] nm doormat.

paille [paj] nf straw ; (défaut) flaw ; ~ de fer steel wool.

pailleté, e [pajte] a sequined.

paillette [pajɛt] nf speck, flake ; ~s nfpl (décoratives) sequins, spangles ; lessive en ~s soapflakes pl.

pain [pɛ̃] nm (substance) bread ; (unité) loaf (pl loaves) (of bread) ; (morceau): ~ de cire etc bar of wax etc ; ~ bis/complet brown/ wholemeal bread ; ~ d'épice gingerbread ; ~ grillé toast ; ~ de mie sandwich loaf ; ~ de seigle rye bread ; ~ de sucre sugar loaf.

pair, e [pɛʀ] a (nombre) even // nm peer ; aller de ~ (avec) to go hand in hand ou together (with) ; au ~ (FINANCE) at par ; jeune fille au ~ au pair girl.

paire [pɛʀ] nf pair ; une ~ de lunettes/tenailles a pair of glasses/pincers.

paisible [pezibl(ə)] a peaceful, quiet.

paître [pɛtʀ(ə)] vi to graze.

paix [pɛ] nf peace ; (fig) peacefulness ; peace ; faire la ~ avec to make peace with ; avoir la ~ to have peace (and quiet).

palabrer [palabʀe] vi to argue endlessly.

palace [palas] nm luxury hotel.

palais [palɛ] nm palace ; (ANAT) palate ; le P~ Bourbon the National Assembly buildings ; ~ des expositions exhibition hall ; le P~ de Justice the Law Courts pl.

palan [palɑ̃] nm hoist.

pale [pal] nf (d'hélice, de rame) blade ; (de roue) paddle.

pâle [pɑl] a pale ; bleu ~ pale blue.

paléontologie [paleɔ̃tɔlɔʒi] nf paleontology.

Palestine [palɛstin] nf: la ~ Palestine ; palestinien, ne a, nm/f Palestinian.

palet [palɛ] nm disc ; (HOCKEY) puck.

paletot [palto] nm (short) coat.

palette [palɛt] nf (de peintre) palette.

palétuvier [paletyvje] nm mangrove.

pâleur [palœʀ] nf paleness.

palier [palje] nm (d'escalier) landing ; (fig) level, plateau ; (TECH) bearing ; nos voisins de ~ our neighbours across the landing ; en ~ ad level ; par ~s in stages ; palière af landing cpd.

pâlir [paliʀ] vi to turn ou go pale ; (couleur) to fade.

palissade [palisad] nf fence.

palissandre [palisɑ̃dʀ(ə)] nm rosewood.

palliatif [paljatif] nm palliative ; (expédient) stopgap measure.

pallier [palje] vt, ~ à vt to offset, make up for.

palmarès [palmaʀɛs] nm record (of achievements) ; (SCOL) prize list ; (SPORT) list of winners.

palme [palm(ə)] nf (BOT) palm leaf (pl leaves) ; (symbole) palm ; (en caoutchouc) flipper ; ~s (académiques) decoration for services to education ; palmé, e a (pattes) webbed.

palmeraie [palməʀɛ] nf palm grove.

palmier [palmje] nm palm tree.

palmipède [palmiped] nm palmiped, webfooted bird.

palombe [palɔ̃b] nf woodpigeon, ringdove.

pâlot, te [palo, -ɔt] a pale, peaky.

palourde [paluʀd(ə)] nf clam.

palper [palpe] vt to feel, finger.

palpitant, e [palpitɑ̃, -ɑ̃t] a thrilling.

palpitation [palpitasjɔ̃] nf palpitation.

palpiter [palpite] vi (cœur, pouls) to beat ; (: plus fort) to pound, throb ; (narines, chair) to quiver.

paludisme [palydism(ə)] nm paludism, malaria.

pâmer [pame]: se ~ vi to swoon ; (fig): se ~ devant to go into raptures over ; pâmoison nf: tomber en pâmoison to swoon.

pampa [pɑ̃pa] nf pampas pl.

pamphlet [pɑ̃flɛ] nm lampoon, satirical tract.

pamplemousse [pɑ̃pləmus] nm grapefruit.

pan [pɑ̃] nm section, piece // excl bang! ; ~ de chemise shirt tail.

panacée [panase] nf panacea.

panachage [panaʃaʒ] nm blend, mix.

panache [panaʃ] nm plume ; (fig) spirit, panache.

panaché, e [panaʃe] a: œillet ~ variegated carnation ; glace ~e mixed-flavour ice cream ; salade ~e mixed salad ; bière ~e shandy.

panaris [panaʀi] nm whitlow.

pancarte [pɑ̃kaʀt(ə)] nf sign, notice ; (dans un défilé) placard.

pancréas [pɑ̃kʀeas] *nm* pancreas.
pané, e [pane] *a* fried in breadcrumbs.
panier [panje] *nm* basket; **mettre au ~** to chuck away; **~ à provisions** shopping basket; **~ à salade** Black Maria, police van; **~-repas** *nm* packed lunch.
panification [panifikasjɔ̃] *nf* bread-making.
panique [panik] *nf, a* panic; **paniquer** *vi* to panic.
panne [pan] *nf* (*d'un mécanisme, moteur*) breakdown; **être/tomber en ~** to have broken down/break down; **être en ~ d'essence** *ou* **sèche** to have run out of petrol; **~ d'électricité** *ou* **de courant** power *ou* electrical failure.
panneau, x [pano] *nm* (*écriteau*) sign, notice; (*de boiserie, de tapisserie etc*) panel; **tomber dans le ~** (*fig*) to walk into the trap; **~ d'affichage** notice board; **~ de signalisation** roadsign; **~-réclame** *nm* hoarding.
panonceau, x [panɔ̃so] *nm* sign.
panoplie [panɔpli] *nf* (*jouet*) outfit; (*d'armes*) display; (*fig*) array.
panorama [panɔʀama] *nm* panorama; **panoramique** *a* panoramic; (*carrosserie*) with panoramic windows.
panse [pɑ̃s] *nf* paunch.
pansement [pɑ̃smɑ̃] *nm* dressing, bandage; **~ adhésif** sticking plaster.
panser [pɑ̃se] *vt* (*plaie*) to dress, bandage; (*bras*) to put a dressing on, bandage; (*cheval*) to groom.
pantalon [pɑ̃talɔ̃] *nm* (*aussi:* **~s, paire de ~s**) trousers *pl*, pair of trousers; **~ de ski** ski pants *pl*.
pantelant, e [pɑ̃tlɑ̃, -ɑ̃t] *a* gasping for breath, panting.
panthère [pɑ̃tɛʀ] *nf* panther.
pantin [pɑ̃tɛ̃] *nm* jumping jack; (*péj*) puppet.
pantois [pɑ̃twa] *am*: **rester ~** to be flabbergasted.
pantomime [pɑ̃tɔmim] *nf* mime; (*pièce*) mime show.
pantouflard, e [pɑ̃tuflaʀ, -aʀd(ə)] *a* (*péj*) stay-at-home.
pantoufle [pɑ̃tufl(ə)] *nf* slipper.
panure [panyʀ] *nf* breadcrumbs *pl*.
paon [pɑ̃] *nm* peacock.
papa [papa] *nm* dad(dy).
papauté [papote] *nf* papacy.
pape [pap] *nm* pope.
paperasse [papʀas] *nf* (*péj*) bumf *q*, papers *pl*; forms *pl*; **~rie** *nf* (*péj*) red tape *q*; paperwork *q*.
papeterie [papetʀi] *nf* (*usine*) paper mill; (*magasin*) stationer's (shop).
papetier, ière [paptje, -jɛʀ] *nm/f* paper-maker; stationer; **~-libraire** *nm* bookseller and stationer.
papier [papje] *nm* paper; (*article*) article; **~s** *nmpl* (*aussi:* **~s d'identité**) (identity) papers; **~ couché/glacé** art/glazed paper; **~ (d')aluminium** aluminium foil, tinfoil; **~ d'Arménie** incense paper; **~ bible** India *ou* bible paper; **~ buvard** blotting paper; **~ calque** tracing paper; **~ carbone** carbon paper; **~ collant** sellotape ®, sticky tape; **~ hygiénique**

toilet paper; **~ journal** newsprint; (*pour emballer*) newspaper; **~ à lettres** writing paper, notepaper; **~ mâché** papier-mâché; **~ machine** typing paper; **~ peint** wallpaper; **~ pelure** India paper; **~ de soie** tissue paper; **~ de tournesol** litmus paper; **~ de verre** sandpaper.
papille [papij] *nf*: **~s gustatives** taste buds.
papillon [papijɔ̃] *nm* butterfly; (*fam: contravention*) (parking) ticket; (*TECH: écrou*) wing *ou* butterfly nut; **~ de nuit** moth.
papillote [papijɔt] *nf* curlpaper.
papilloter [papijɔte] *vi* to blink, flicker.
papoter [papɔte] *vi* to chatter.
paprika [papʀika] *nm* paprika.
paquebot [pakbo] *nm* liner.
pâquerette [pɑkʀɛt] *nf* daisy.
Pâques [pɑk] *nm, nfpl* Easter; **faire ses ~** to do one's Easter duties.
paquet [pakɛ] *nm* packet; (*colis*) parcel; (*fig: tas*): **~ de** pile *ou* heap of; **mettre le ~** (*fam*) to give one's all; **~ de mer** big wave; **paquetage** *nm* (*MIL*) kit, pack; **~-cadeau** *nm* gift-wrapped parcel.
par [paʀ] *prép* by; **finir** *etc* **~** to end *etc* with; **~ amour** out of love; **passer ~ Lyon/la côte** to go via *ou* through Lyons/along by the coast; **~ la fenêtre** (*jeter, regarder*) out of the window; **3 ~ jour/personne** 3 a *ou* per day/head; **2 ~ 2** two at a time; in twos; **~ où?** which way?; **~ ici** this way; (*dans le coin*) round here; **~-ci, ~-là** here and there.
para [paʀa] *nm* (*abr de parachutiste*) para.
parabole [paʀabɔl] *nf* (*REL*) parable; (*GÉOM*) parabola; **parabolique** *a* parabolic.
parachever [paʀaʃve] *vt* to perfect.
parachute [paʀaʃyt] *nm* parachute.
parachutiste [paʀaʃytist(ə)] *nm/f* parachutist; (*MIL*) paratrooper.
parade [paʀad] *nf* (*spectacle, défilé*) parade; (*ESCRIME, BOXE*) parry; (*ostentation*): **faire ~ de** to display, show off.
paradis [paʀadi] *nm* heaven, paradise.
paradoxal, e, aux [paʀadɔksal, -o] *a* paradoxical.
paradoxe [paʀadɔks(ə)] *nm* paradox.
parafe [paʀaf] *nm*, **parafer** [paʀafe] *vt voir* **paraphe, parapher.**
paraffine [paʀafin] *nf* paraffin; paraffin wax.
parages [paʀaʒ] *nmpl*: **dans les ~ (de)** in the area *ou* vicinity (of).
paragraphe [paʀagʀaf] *nm* paragraph.
paraître [paʀɛtʀ(ə)] *vb avec attribut* to seem, look, appear // *vi* to appear; (*être visible*) to show; (*PRESSE, ÉDITION*) to be published, come out, appear; (*briller*) to show off // *vb impersonnel*: **il paraît que** it seems *ou* appears that, they say that; **il me paraît que** it seems to me that.
parallèle [paʀalɛl] *a* parallel; (*police, marché*) unofficial // *nm* (*comparaison*): **faire un ~ entre** to draw a parallel between; (*GÉO*) parallel // *nf* parallel (line); **parallélisme** *nm* parallelism; (*AUTO*) wheel alignment; **parallélogramme** *nm* parallelogram.

paralyser [paʀalize] vt to paralyze.
paralysie [paʀalizi] nf paralysis.
paralytique [paʀalitik] a, nm/f paralytic.
paramédical, e, aux [paʀamedikal, -o] a paramedical.
paranoïaque [paʀanɔjak] nm/f paranoiac.
parapet [paʀapɛ] nm parapet.
paraphe [paʀaf] nm flourish; initials pl; signature; **parapher** vt to initial; to sign.
paraphrase [paʀafʀɑz] nf paraphrase.
parapluie [paʀaplɥi] nm umbrella; ~ **pliant** telescopic umbrella.
parasite [paʀazit] nm parasite // a (BOT, BIO) parasitic(al); ~s (TÉL) interference sg.
parasol [paʀasɔl] nm parasol, sunshade.
paratonnerre [paʀatɔnɛʀ] nm lightning conductor.
paravent [paʀavɑ̃] nm folding screen.
parc [paʀk] nm (public) park, gardens pl; (de château etc) grounds pl; (pour le bétail) pen, enclosure; (d'enfant) playpen; (MIL: entrepôt) depot; (ensemble d'unités) stock; fleet; ~ **automobile** (d'un pays) number of cars on the roads; (d'une société) car fleet; ~ **à huîtres** oyster bed; ~ **national** national park; ~ **de stationnement** car park.
parcelle [paʀsɛl] nf fragment, scrap; (de terrain) plot, parcel.
parce que [paʀsk(ə)] cj because.
parchemin [paʀʃəmɛ̃] nm parchment.
parcimonie [paʀsimɔni] nf parsimony, parsimoniousness.
parc(o)mètre [paʀk(ɔ)mɛtʀ(ə)] nm parking meter.
parcourir [paʀkuʀiʀ] vt (trajet, distance) to cover; (article, livre) to skim ou glance through; (lieu) to go all over, travel up and down; (suj: frisson, vibration) to run through; ~ **des yeux** to run one's eye over.
parcours [paʀkuʀ] nm (trajet) journey; (itinéraire) route; (SPORT: de golf etc) course; (: accompli par un concurrent) round; run; lap.
par-delà [paʀdəla] prép beyond.
par-dessous [paʀdəsu] prép, ad under(neath).
pardessus [paʀdəsy] nm overcoat.
par-dessus [paʀdəsy] prép over (the top of) // ad over (the top); ~ **le marché** on top of all that.
par-devant [paʀdəvɑ̃] prép in the presence of, before // ad at the front; round the front.
pardon [paʀdɔ̃] nm forgiveness q // excl sorry; (pour interpeller etc) excuse me; **demander** ~ **à qn (de)** to apologize to sb (for); **je vous demande** ~ I'm sorry; excuse me.
pardonner [paʀdɔne] vt to forgive; ~ **qch à qn** to forgive sb for sth.
paré, e [paʀe] a ready, prepared.
pare-balles [paʀbal] a inv bulletproof.
pare-boue [paʀbu] nm inv mudguard.
pare-brise [paʀbʀiz] nm inv windscreen.
pare-chocs [paʀʃɔk] nm inv bumper.
pareil, le [paʀɛj] a (identique) the same, alike; (similaire) similar; (tel): **un courage/livre** ~ such courage/a book,

courage/a book like this; **de** ~**s livres** such books; **j'en veux un** ~ I'd like one just like it; **rien de** ~ no (ou any) such thing, nothing (ou anything) like it; **ses** ~**s** one's fellow men; one's peers; **ne pas avoir son(sa)** ~**(le)** to be second to none; ~ **à** the same as; similar to; **sans** ~ unparalleled, unequalled; ~**lement** ad the same, alike; in such a way; (également) likewise.
parement [paʀmɑ̃] nm (CONSTR) facing; (REL): ~ **d'autel** antependium.
parent, e [paʀɑ̃, -ɑ̃t] nm/f: **un/une** ~/**e** a relative ou relation // a: **être** ~ **de** to be related to; (père et mère) **parents**; **parenté** nf (lien) relationship; (personnes) relatives pl, relations pl.
parenthèse [paʀɑ̃tɛz] nf (ponctuation) bracket, parenthesis; (MATH) bracket; (digression) parenthesis, digression; **ouvrir/ fermer la** ~ to open/close the brackets; **entre** ~**s** in brackets; (fig) incidentally.
parer [paʀe] vt to adorn; (CULIN) to dress, trim; (éviter) to ward off; ~ **à** (danger) to ward off; (inconvénient) to deal with; ~ **au plus pressé** to attend to what's most urgent.
pare-soleil [paʀsɔlɛj] nm inv sun visor.
paresse [paʀɛs] nf laziness; **paresser** vi to laze around; **paresseux, euse** a lazy; (fig) slow, sluggish // nm (ZOOL) sloth.
parfaire [paʀfɛʀ] vt to perfect; to complete.
parfait, e [paʀfɛ, -ɛt] a perfect // nm (LING) perfect (tense); (CULIN) parfait // excl fine, excellent; **parfaitement** ad perfectly // excl (most) certainly.
parfois [paʀfwa] ad sometimes.
parfum [paʀfœ̃] nm (produit) perfume, scent; (odeur: de fleur) scent, fragrance; (: de tabac, vin) aroma; (à choisir: de glace, milk-shake) flavour; **parfumé, e** a (fleur, fruit) fragrant; (papier à lettres etc) scented; (femme) wearing perfume ou scent, perfumed; **parfumé au café** coffee-flavoured, flavoured with coffee; **parfumer** vt (suj: odeur, bouquet) to perfume; (mouchoir) to put scent ou perfume on; (crème, gâteau) to flavour; **se parfumer** to put on (some) perfume ou scent; to use perfume ou scent; **parfumerie** nf (commerce) perfumery; (produits) perfumes pl; (boutique) perfume shop.
pari [paʀi] nm bet, wager; (SPORT) bet; **P~ Mutuel urbain (P.M.U.)** (State-controlled) organisation for forecast betting on horse-racing.
paria [paʀja] nm outcast.
parier [paʀje] vt to bet; **parieur** nm (turfiste etc) punter.
Paris [paʀi] n Paris; **parisien, ne** a Parisian; (GÉO, ADMIN) Paris cpd // nm/f: **Parisien, ne** Parisian.
paritaire [paʀitɛʀ] a: **commission** ~ joint commission.
parité [paʀite] nf parity.
parjure [paʀʒyʀ] nm (acte) false oath, perjury; breach of oath, perjury // nm/f perjurer; **se parjurer** to forswear ou perjure o.s.

parking [paʀkiŋ] nm (lieu) car park.
parlant, e [paʀlɑ̃, -ɑ̃t] a (fig) graphic, vivid; eloquent; (CINÉMA) talking // ad: **généralement ~** generally speaking.
parlement [paʀləmɑ̃] nm parliament; **parlementaire** a parliamentary // nm/f member of parliament; parliamentarian; negotiator, mediator.
parlementer [paʀləmɑ̃te] vi to negotiate, parley.
parler [paʀle] nm speech; dialect // vi to speak, talk; (avouer) to talk; **~ (à qn) de** to talk ou speak (to sb) about; **~ pour qn** (intercéder) to speak for sb; **~ le/en français** to speak French/in French; **~ affaires** to talk business; **~ en dormant/du nez** to talk in one's sleep/through one's nose; **sans ~ de** (fig) not to mention, to say nothing of; **tu parles!** you must be joking!
parloir [paʀlwaʀ] nm (d'une prison, d'un hôpital) visiting room; (REL) parlour.
parmi [paʀmi] prép among(st).
parodie [paʀɔdi] nf parody; **parodier** vt (œuvre, auteur) to parody.
paroi [paʀwa] nf wall; (cloison) partition; **~ rocheuse** rock face.
paroisse [paʀwas] nf parish; **paroissial, e, aux** a parish cpd; **paroissien, ne** nm/f parishioner // nm prayer book.
parole [paʀɔl] nf (faculté): **la ~** speech; (mot, promesse) word; **~s** nfpl (MUS) words, lyrics; **tenir ~** to keep one's word; **prendre la ~** to speak; **demander la ~** to ask for permission to speak; **je le crois sur ~** I'll take his word for it.
paroxysme [paʀɔksism(ə)] nm height, paroxysm.
parpaing [paʀpɛ̃] nm bond-stone, parpen.
parquer [paʀke] vt (voiture, matériel) to park; (bestiaux) to pen (in ou up); (prisonniers) to pack in.
parquet [paʀkɛ] nm (parquet) floor; (JUR): **le ~** the Public Prosecutor's department; **parqueter** vt to lay a parquet floor in.
parrain [paʀɛ̃] nm godfather; (d'un nouvel adhérent) sponsor, proposer; **parrainer** vt (nouvel adhérent) to sponsor, propose; (entreprise) to promote, sponsor.
parricide [paʀisid] nm, nf parricide.
pars vb voir **partir**.
parsemer [paʀsəme] vt (suj: feuilles, papiers) to be scattered over; **~ qch de** to scatter sth with.
part [paʀ] nf (qui revient à qn) share; (fraction, partie) part; (FINANCE) (non-voting) share; **prendre ~ à** (débat etc) to take part in; (soucis, douleur de qn) to share in; **faire ~ de qch à qn** to announce sth to sb, inform sb of sth; **pour ma ~** as for me, as far as I'm concerned; **à ~ entière** a full; **de la ~ de** (au nom de) on behalf of; (donné par) from; **de toute(s) ~(s)** from all sides ou quarters; **de ~ et d'autre** on both sides, on either side; **de ~ en ~** right through; **d'une ~ ... d'autre ~** on the one hand ... on the other hand; **à ~** ad separately; (de côté) aside // prép apart from, except for // a exceptional, special; **faire la ~ des choses** to make allowances.

partage [paʀtaʒ] nm dividing up; sharing (out) q, share-out; sharing; **recevoir qch en ~** to receive sth as one's share (ou lot); **sans ~** undivided.
partagé, e [paʀtaʒe] a (opinions etc) divided.
partager [paʀtaʒe] vt to share; (distribuer, répartir) to share (out); (morceler, diviser) to divide (up); **se ~** vt (héritage etc) to share between themselves (ou ourselves).
partance [paʀtɑ̃s]: **en ~** ad outbound, due to leave; **en ~ pour** (bound) for.
partant [paʀtɑ̃] vb voir **partir** // nm (SPORT) starter; (HIPPISME) runner.
partenaire [paʀtənɛʀ] nm/f partner.
parterre [paʀtɛʀ] nm (de fleurs) (flower) bed, border; (THÉÂTRE) stalls pl.
parti [paʀti] nm (POL) party; (décision) course of action; (personne à marier) match; **tirer ~ de** to take advantage of, turn to good account; **prendre le ~ de faire** to make up one's mind to do, resolve to do; **prendre le ~ de qn** to stand up for sb, side with sb; **prendre ~ (pour/contre)** to take sides ou a stand (for/against); **prendre son ~ de** to come to terms with; **~ pris** bias.
partial, e, aux [paʀsjal, -o] a biased, partial.
participant, e [paʀtisipɑ̃, -ɑ̃t] nm/f participant; (à un concours) entrant; (d'une société) member.
participation [paʀtisipasjɔ̃] nf participation; sharing; (COMM) interest; **la ~ aux bénéfices** profit-sharing; **la ~ ouvrière** worker participation.
participe [paʀtisip] nm participle; **~ passé/présent** past/present participle.
participer [paʀtisipe]: **~ à** vt (course, réunion) to take part in; (profits etc) to share in; (frais etc) to contribute to; (entreprise: financièrement) to cooperate in; (chagrin, succès de qn) to share (in); **~ de** vt to partake of.
particularisme [paʀtikylaʀism(ə)] nm sense of identity; specific characteristic.
particularité [paʀtikylaʀite] nf particularity; (distinctive) characteristic, feature.
particule [paʀtikyl] nf particle; **~ (nobiliaire)** nobiliary particle.
particulier, ière [paʀtikylje, -jɛʀ] a (personnel, privé) private; (spécial) special, particular; (caractéristique) characteristic, distinctive; (spécifique) particular // nm (individu: ADMIN) private individual; **'~ vend ...'** (COMM) 'for sale privately ...'; **~ à** peculiar to; **en ~** ad (surtout) in particular, particularly; (en privé) in private; **particulièrement** ad particularly.
partie [paʀti] nf (gén) part; (profession, spécialité) field, subject; (JUR etc: protagonistes) party; (de cartes, tennis etc) game; **une ~ de campagne/de pêche** an outing in the country/a fishing party ou trip; **en ~** ad partly, in part; **faire ~ de** to belong to; (suj: chose) to be part of; **prendre qn à ~** to take sb to task; (malmener) to set on sb; **en grande ~** largely, in the main; **~ civile** (JUR) private

party *associating in action with public prosecutor.*

partiel, le [paʀsjɛl] a partial // nm (SCOL) class exam.

partir [paʀtiʀ] vi (gén) to go ; (quitter) to go, leave ; (s'éloigner) to go (ou drive etc) away ou off ; (moteur) to start ; (pétard) to go off ; ~ **de** (lieu: quitter) to leave ; (: commencer à) to start from ; (date) to run ou start from ; **à ~ de** from.

partisan, e [paʀtizɑ̃, -an] nm/f partisan // a: **être ~ de qch/faire** to be in favour of sth/doing.

partitif, ive [paʀtitif, -iv] a: **article ~** article used in the partitive genitive.

partition [paʀtisjɔ̃] nf (MUS) score.

partout [paʀtu] ad everywhere ; ~ **où il allait** everywhere ou wherever he went ; **trente ~** (TENNIS) thirty all.

paru, e pp de **paraître**.

parure [paʀyʀ] nf (toilette, bijoux) finery q ; jewellery q ; (assortiment) set.

parution [paʀysjɔ̃] nf publication, appearance.

parvenir [paʀvəniʀ]: ~ **à** vt (atteindre) to reach ; (réussir): ~ **à faire** to manage to do, succeed in doing ; **faire ~ qch à qn** to have sth sent to sb.

parvenu, e [paʀvəny] nm/f (péj) parvenu, upstart.

parvis [paʀvi] nm square (in front of a church).

pas [pɑ] nm voir le mot suivant // ad not ; ~ **de** no ; **ne ... ~**: **il ne le voit** ~/**ne l'a** ~ **vu/ne le verra** ~ he doesn't see it/hasn't seen it ou didn't see it/won't see it ; **ils n'ont** ~ **de voiture/d'enfants** they haven't got a car/any children, they have no car/children ; **il m'a dit de ne** ~ **le faire** he told me not to do it ; **il n'est** ~ **plus grand** he isn't bigger, he's no bigger ; **... lui** ~ **ou** ~ **lui** he doesn't (ou isn't etc) ; **non** ~ **que** ... not that ... ; **une pomme** ~ **mûre** an apple which isn't ripe ; ~ **du tout** not at all ; ~ **plus tard qu'hier** only yesterday ; ~ **mal** a not bad, quite good (ou pretty ou nice) // ad quite well ; (beaucoup) quite a lot ; ~ **mal de** quite a lot of.

pas [pɑ] ad voir le mot précédent // nm (allure, mesure) pace ; (démarche) tread ; (enjambée, DANSE) step ; (bruit) (foot)step ; (trace) footprint ; (TECH: de vis, d'écrou) thread ; ~ **à** ~ step by step ; **au** ~ at walking pace ; **mettre qn au** ~ to bring sb to heel ; **au** ~ **de gymnastique/de course** at a jog trot/at a run ; **à** ~ **de loup** stealthily ; **faire les cent** ~ to pace up and down ; **faire les premiers** ~ to make the first move ; **sur le** ~ **de la porte** on the doorstep ; **le** ~ **de Calais** (détroit) the Straits of Dover ; ~ **de porte** (COMM) key money.

pascal, e, aux [paskal, -o] a Easter cpd.

passable [pɑsabl(ə)] a (travail) passable, tolerable.

passage [pɑsaʒ] nm (fait de passer) voir **passer** ; (lieu, prix de la traversée, extrait de livre etc) passage ; (chemin) way ; **de** ~ (touristes) passing through ; (amants etc) casual ; ~ **clouté** pedestrian crossing ; '~ **interdit**' 'no entry' ; ~ **à niveau** level crossing ; '~ **protégé**' right of way over secondary road(s) on your right ; ~ **souterrain** subway, underground passage ; ~ **à tabac** beating-up.

passager, ère [pɑsaʒe, -ɛʀ] a passing // nm/f passenger ; ~ **clandestin** stowaway.

passant, e [pɑsɑ̃, -ɑ̃t] a (rue, endroit) busy // nm/f passer-by // nm (pour ceinture etc) loop.

passe [pɑs] nf (SPORT, magnétique, NAVIG) pass // nm (passe-partout) master ou skeleton key ; **être en** ~ **de faire** to be on the way to doing.

passé, e [pɑse] a (événement, temps) past ; (couleur, tapisserie) faded // prép after // nm past ; (LING) past (tense) ; **il est** ~ **midi** ou **midi** ~ it's gone twelve ; ~ **de mode** out of fashion ; ~ **composé** perfect (tense) ; ~ **simple** past historic.

passe-droit [pɑsdʀwa] nm special privilege.

passéiste [pɑseist] a a backward-looking.

passementerie [pɑsmɑ̃tʀi] nf trimmings pl.

passe-montagne [pɑsmɔ̃taɲ] nm balaclava.

passe-partout [pɑspaʀtu] nm inv master ou skeleton key // a inv all-purpose.

passe-passe [pɑspɑs] nm: **tour de** ~ trick, sleight of hand q.

passe-plats [pɑsplɑ] nm inv serving hatch.

passeport [pɑspɔʀ] nm passport.

passer [pɑse] vi (se rendre, aller) to go ; (voiture, piétons: défiler) to pass (by), go by ; (faire une halte rapide: facteur, laitier etc) to come, call ; (: pour rendre visite) to call ou drop in ; (courant, air, lumière, franchir un obstacle etc) to get through ; (accusé, projet de loi): ~ **devant** to come before ; (film, émission) to be on ; (temps, jours) to pass, go by ; (couleur, papier) to fade ; (douleur) to pass, go away ; (CARTES) to pass ; (SCOL) to go up (to the next class) // vt (frontière, rivière etc) to cross ; (douane) to go through ; (examen) to sit, take ; (visite médicale etc) to have ; (journée, temps) to spend ; (donner): ~ **qch à qn** to pass sth to sb ; to give sb sth ; (transmettre): ~ **qch à qn** to pass sth on to sb ; (enfiler: vêtement) to slip on ; (faire entrer, mettre): **(faire)** ~ **qch dans/par** to get sth into/through ; (café) to pour the water on ; (thé, soupe) to strain ; (film, pièce) to show, put on ; (disque) to play, put on ; (marché, accord) to agree on ; (tolérer): ~ **qch à qn** to let sb get away with sth ; **se** ~ vi (avoir lieu: scène, action) to take place ; (se dérouler: entretien etc) to go ; (arriver): **que s'est-il passé?** what happened? ; (s'écouler: semaine etc) to pass, go by ; **se** ~ **de** vt to go ou do without ; **se** ~ **les mains sous l'eau/de l'eau sur le visage** to put one's hands under the tap/run water over one's face ; ~ **par** to go through ; **passe devant/par ici** go in front/this way ; ~ **sur** vt (faute, détail inutile) to pass over ; ~ **avant qch/qn** (fig) to come before sth/sb ; **laisser** ~ (air, lumière, personne) to let through ; (occasion) to let slip, miss ; (erreur) to overlook ; ~ **à la radio/fouille** to be

X-rayed/searched; ~ à la **radio/télévision** to be on the radio/on television; ~ **pour riche** to be taken for a rich man; **il passait pour avoir** he was said to have; ~ **à l'opposition** to go over to the opposition; **passons!** let's say no more (about it); ~ **en seconde**, ~ **la seconde** (*AUTO*) to change into second; ~ **qch en fraude** to smuggle sth in (*ou* out); ~ **la main par la portière** to stick one's hand out of the door; ~ **le balai/l'aspirateur** to sweep up/hoover; **je vous passe M. X** (*je vous mets en communication avec lui*) I'm putting you through to Mr X; (*je lui passe l'appareil*) here is Mr X, I'll hand you over to Mr X.

passerelle [pasʀɛl] *nf* footbridge; (*de navire, avion*) gangway.

passe-temps [pɑstɑ̃] *nm inv* pastime.

passeur, euse [pɑsœʀ, -øz] *nm/f* smuggler.

passible [pasibl(ə)] *a*: ~ **de** liable to.

passif, ive [pasif, -iv] *a* passive; (*LING*) passive; (*COMM*) liabilities *pl*.

passion [pasjɔ̃] *nf* passion; **avoir la ~ de** to have a passion for; **passionné, e** *a* passionate; impassioned; **passionnel, le** *a* of passion; **passionner** *vt* (*personne*) to fascinate, grip; **se passionner pour** to take an avid interest in; to have a passion for.

passoire [paswaʀ] *nf* sieve; (*à légumes*) colander; (*à thé*) strainer.

pastel [pastɛl] *nm, a inv* (*ART*) pastel.

pastèque [pastɛk] *nf* watermelon.

pasteur [pastœʀ] *nm* (*protestant*) minister, pastor.

pasteuriser [pastœʀize] *vt* to pasteurize.

pastiche [pastiʃ] *nm* pastiche.

pastille [pastij] *nf* (*à sucer*) lozenge, pastille; (*de papier etc*) (small) disc; ~**s pour la toux** throat lozenges.

pastis [pastis] *nm* pastis.

patate [patat] *nf* spud; ~ **douce** sweet potato.

patauger [patoʒe] *vi* (*pour s'amuser*) to splash about; (*avec effort*) to wade about; ~ **dans** (*en marchant*) to wade through.

pâte [pɑt] *nf* (*à tarte*) pastry; (*à pain*) dough; (*à frire*) batter; (*substance molle*) paste; cream; ~**s** *nfpl* (*macaroni etc*) pasta *sg*; **fromage à ~ dure/molle** hard/soft cheese; ~ **d'amandes** almond paste; ~ **brisée** shortcrust pastry; ~ **de fruits** crystallized fruit *q*; ~ **à modeler** modelling clay, Plasticine ®; ~ **à papier** paper pulp.

pâté [pɑte] *nm* (*charcuterie*) pâté; (*tache*) ink blot; (*de sable*) sandcastle, sandpie; ~ **en croûte** ≈ pork pie; ~ **de maisons** block (of houses).

pâtée [pɑte] *nf* mash, feed.

patente [patɑ̃t] *nf* (*COMM*) trading licence.

patère [patɛʀ] *nf* (coat-)peg.

paternel, le [patɛʀnɛl] *a* (*amour, soins*) fatherly; (*ligne, autorité*) paternal.

paternité [patɛʀnite] *nf* paternity, fatherhood.

pâteux, euse [pɑtø, -øz] *a* thick; pasty.

pathétique [patetik] *a* moving, pathetic.

pathologie [patɔlɔʒi] *nf* pathology.

patibulaire [patibylɛʀ] *a* sinister.

patience [pasjɑ̃s] *nf* patience.

patient, e [pasjɑ̃, -ɑ̃t] *a, nm/f* patient.

patienter [pasjɑ̃te] *vi* to wait.

patin [patɛ̃] *nm* skate; (*sport*) skating; (*de traîneau, luge*) runner; (*pièce de tissu*) cloth pad (*used as slippers to protect polished floor*); ~**s** **(à glace)** (ice) skates; ~**s à roulettes** roller skates.

patinage [patinaʒ] *nm* skating; ~ **artistique/de vitesse** figure/speed skating.

patine [patin] *nf* sheen.

patiner [patine] *vi* to skate; (*embrayage*) to slip; (*roue, voiture*) to spin; **se ~** *vi* (*meuble, cuir*) to acquire a sheen, become polished; **patineur, euse** *nm/f* skater; **patinoire** *nf* skating rink, (ice) rink.

pâtir [pɑtiʀ]: ~ **de** *vt* to suffer because of.

pâtisserie [pɑtisʀi] *nf* (*boutique*) cake shop; (*métier*) confectionery; (*à la maison*) pastry- *ou* cake-making, baking; ~**s** *nfpl* (*gâteaux*) pastries, cakes; **pâtissier, ière** *nm/f* pastrycook; confectioner.

patois [patwa] *nm* dialect, patois.

patriarche [patʀijaʀʃ(ə)] *nm* patriarch.

patrie [patʀi] *nf* homeland.

patrimoine [patʀimwan] *nm* inheritance, patrimony.

patriote [patʀijɔt] *a* patriotic // *nm/f* patriot; **patriotique** *a* patriotic.

patron, ne [patʀɔ̃, -ɔn] *nm/f* (*chef*) boss, manager/eress; (*propriétaire*) owner, proprietor/tress; (*employeur*) employer; (*MÉD*) ≈ senior consultant; (*REL*) patron saint // *nm* (*COUTURE*) pattern; ~ **de thèse** supervisor (of postgraduate thesis); **patronal, e, aux** *a* (*syndicat, intérêts*) employers'.

patronage [patʀɔnaʒ] *nm* patronage; (*parish*) youth club.

patronat [patʀɔna] *nm* employers *pl*.

patronner [patʀɔne] *vt* to sponsor, support.

patrouille [patʀuj] *nf* patrol; **patrouiller** *vi* to patrol, be on patrol.

patte [pat] *nf* (*jambe*) leg; (*pied: de chien, chat*) paw; (: *d'oiseau*) foot; (*languette*) strap; (: *de poche*) flap; à ~**s d'éléphant** a bell-bottomed; ~**s d'oie** (*fig*) crow's feet.

pattemouille [patmuj] *nf* damp cloth (*for ironing*).

pâturage [pɑtyʀaʒ] *nm* pasture.

pâture [pɑtyʀ] *nf* food.

paume [pom] *nf* palm.

paumer [pome] *vt* (*fam*) to lose.

paupière [popjɛʀ] *nf* eyelid.

paupiette [popjɛt] *nf*: ~**s de veau** veal olives.

pause [poz] *nf* (*arrêt*) break; (*en parlant, MUS*) pause.

pauvre [povʀ(ə)] *a* poor // *nm/f* poor man/woman; **les ~s** the poor; ~ **en calcium** with a low calcium content; ~**té** *nf* (*état*) poverty.

pavaner [pavane]: **se ~** *vi* to strut about.

pavé, e [pave] *a* paved; cobbled // *nm* (*bloc*) paving stone; cobblestone; (*pavage*) paving.

pavillon [pavijɔ̃] nm (de banlieue) small (detached) house; (kiosque) lodge; pavilion; (d'hôpital) ward; (MUS: de cor etc) bell; (ANAT: de l'oreille) pavilion, pinna; (drapeau) flag; ~ **de complaisance** flag of convenience.

pavoiser [pavwaze] vt to deck with flags // vi to put out flags; (fig) to rejoice, exult.

pavot [pavo] nm poppy.

payant, e [pɛjɑ̃, -ɑ̃t] a (spectateurs etc) paying; (fig: entreprise) profitable; **c'est ~** you have to pay, there is a charge.

paye [pɛj] nf pay, wages pl.

payement [pɛjmɑ̃] nm payment.

payer [peje] vt (créancier, employé, loyer) to pay; (achat, réparations, fig: faute) to pay for // vi to pay; (métier) to be well-paid; (tactique etc) to pay off; **il me l'a fait ~ 10 F** he charged me 10 F for it; **~ qch à qn** to buy sth for sb, buy sb sth; **ils nous ont payé le voyage** they paid for our trip; ~ **de sa personne** to give of o.s.; ' ~ **d'audace** to act with great daring; **cela ne paie pas de mine** it doesn't look much; **se ~ la tête de qn** to take the mickey out of sb; to take sb for a ride.

pays [pei] nm country; land; region; village; **du ~** a local.

paysage [peizaʒ] nm landscape; **paysagiste** nm/f landscape gardener; landscape painter.

paysan, ne [peizɑ̃, -an] nm/f countryman/woman; farmer; (péj) peasant // a country cpd; farming, farmers'.

Pays-Bas [peiba] nmpl: **les ~** the Netherlands.

P.C.V. sigle voir **communication**.

P.D.G. sigle m voir **président**.

péage [peaʒ] nm toll; (endroit) tollgate; **pont à ~** toll bridge.

peau, x [po] nf skin; **gants de ~** fine leather gloves; ~ **de chamois** (chiffon) chamois leather, shammy; **P~-Rouge** nm/f Red Indian, redskin.

peccadille [pekadij] nf trifle; peccadillo.

pêche [pɛʃ] nf (sport, activité) fishing; (poissons pêchés) catch; (fruit) peach; ~ **à la ligne** (en rivière) angling.

péché [peʃe] nm sin; ~ **mignon** weakness.

pêche-abricot [pɛʃabriko] nf yellow peach.

pécher [peʃe] vi (REL) to sin; (fig) to err; to be flawed.

pêcher [peʃe] nm peach tree // vi to go fishing; (en rivière) to go angling // vt to catch, land; to fish for; ~ **au chalut** to trawl.

pécheur, eresse [peʃœr, peʃRɛs] nm/f sinner.

pêcheur [pɛʃœr] nm fisherman; angler; ~ **de perles** pearl diver.

pectoraux [pɛktɔro] nmpl pectoral muscles.

pécule [pekyl] nm savings pl, nest egg; (d'un détenu) earnings pl (paid on release).

pécuniaire [pekynjɛr] a financial.

pédagogie [pedagɔʒi] nf educational methods pl, pedagogy; **pédagogique** a educational; **formation pédagogique**

teacher training; **pédagogue** nm/f teacher; educationalist.

pédale [pedal] nf pedal; **pédaler** vi to pedal; **pédalier** nm pedal and gear mechanism.

pédalo [pedalo] nm pedalo, pedal-boat.

pédant, e [pedɑ̃, -ɑ̃t] a (péj) pedantic.

pédéraste [pederast(ə)] nm homosexual, pederast.

pédestre [pedɛstr(ə)] a: **tourisme ~** hiking.

pédiatre [pedjatr(ə)] nm/f paediatrician, child specialist.

pédiatrie [pedjatri] nf paediatrics sg.

pédicure [pedikyr] nm/f chiropodist.

pègre [pɛgr(ə)] nf underworld.

peignais etc vb voir **peindre**.

peigne [pɛɲ] nm comb.

peigné, e [peɲe] a: **laine ~e** wool worsted; combed wool.

peigner [peɲe] vt to comb (the hair of); **se ~** to comb one's hair.

peignis etc vb voir **peindre**.

peignoir [peɲwar] nm dressing gown; ~ **de bain** bathrobe.

peindre [pɛ̃dr(ə)] vt to paint; (fig) to portray, depict.

peine [pɛn] nf (affliction) sorrow, sadness q; (mal, effort) trouble q, effort; (difficulté) difficulty; (punition, châtiment) punishment; (JUR) sentence; **faire de la ~ à qn** to distress ou upset sb; **prendre la ~ de faire** to go to the trouble of doing; **se donner de la ~** to make an effort; **ce n'est pas la ~ de faire** there's no point in doing, it's not worth doing; **avoir de la ~ à faire** to have difficulty doing; **à ~** ad scarcely, hardly, barely; **à ~ ... que** hardly ... than; **sous ~: sous ~ d'être puni** for fear of being punished; **défense d'afficher sous ~ d'amende** billposters will be fined; **peiner** vi to work hard; to struggle; (moteur, voiture) to labour // vt to grieve, sadden.

peintre [pɛ̃tr(ə)] nm painter; ~ **en bâtiment** house painter, painter and decorator; ~ **d'enseignes** signwriter.

peinture [pɛ̃tyr] nf painting; (couche de couleur, surface) paint; (surfaces peintes: aussi: ~s) paintwork; ~ **mate/brillante** matt/gloss paint; '~ **fraîche**' 'wet paint'.

péjoratif, ive [peʒɔratif, -iv] a pejorative, derogatory.

pelage [pəlaʒ] nm coat, fur.

pêle-mêle [pɛlmɛl] ad higgledy-piggledy.

peler [pəle] vt, vi to peel.

pèlerin [pɛlrɛ̃] nm pilgrim; **pèlerinage** nm pilgrimage; place of pilgrimage, shrine.

pélican [pelikɑ̃] nm pelican.

pelle [pɛl] nf shovel; (d'enfant, de terrassier) spade; **à ~** à gâteau cake slice; ~ **mécanique** mechanical digger; ~**ter** vt to shovel (up).

pelletier [pɛltje] nm furrier.

pellicule [pelikyl] nf film; ~**s** nfpl (MÉD) dandruff sg.

pelote [pəlɔt] nf (de fil, laine) ball; (d'épingles) pin cushion; ~ **basque** pelota.

peloter [pəlɔte] vt (fam) to feel (up); **se ~** to pet.

peloton [pələtɔ̃] nm group, squad; (CYCLISME) pack; ~ **d'exécution** firing squad.

pelotonner [pələtɔne]: se ~ vi to curl (o.s.) up.

pelouse [pəluz] nf lawn.

peluche [pəlyʃ] nf: **animal en ~** fluffy animal, soft toy; **pelucher** vi to become fluffy, fluff up.

pelure [pəlyR] nf peeling, peel q; ~ **d'oignon** onion skin.

pénal, e, aux [penal, -o] a penal.

pénaliser [penalize] vt to penalize.

pénalité [penalite] nf penalty.

penalty, ies [penalti, -z] nm (SPORT) penalty (kick).

penaud, e [pəno, -od] a sheepish, contrite.

penchant [pɑ̃ʃɑ̃] nm tendency, propensity; liking, fondness.

penché, e [pɑ̃ʃe] a slanting.

pencher [pɑ̃ʃe] vi to tilt, lean over // vt to tilt; se ~ vi to lean over; (se baisser) to bend down; se ~ **sur** to bend over; (fig: problème) to look into; se ~ **au dehors** to lean out; ~ **pour** to be inclined to favour.

pendaison [pɑ̃dɛzɔ̃] nf hanging.

pendant, e [pɑ̃dɑ̃, -ɑ̃t] a hanging (out); (ADMIN, JUR) pending // nm counterpart; matching piece // prép during; **faire ~ à** to match; to be the counterpart of; ~s **d'oreilles** drop ou pendant earrings.

pendeloque [pɑ̃dlɔk] nf pendant.

pendentif [pɑ̃dɑ̃tif] nm pendant.

penderie [pɑ̃dRi] nf wardrobe; (placard) walk-in cupboard.

pendre [pɑ̃dR(ə)] vt, vi to hang; se ~ **(à)** (se suicider) to hang o.s. (on); se ~ **à** (se suspendre) to hang from; ~ **à** to hang (down) from; ~ **qch à** (mur) to hang sth (up) on; (plafond) to hang sth (up) from.

pendule [pɑ̃dyl] nf clock // nm pendulum.

pendulette [pɑ̃dylɛt] nf small clock.

pêne [pɛn] nm bolt.

pénétrer [penetRe] vi to come ou get in // vt to penetrate; ~ **dans** to enter; (suj: projectile) to penetrate; (: air, eau) to come into, get into; se ~ **de qch** to get sth firmly set in one's mind.

pénible [penibl(ə)] a (astreignant) hard; (affligeant) painful; (personne, caractère) tiresome; ~**ment** ad with difficulty.

péniche [peniʃ] nf barge; ~ **de débarquement** landing craft inv.

pénicilline [penisilin] nf penicillin.

péninsule [penɛ̃syl] nf peninsula.

pénis [penis] nm penis.

pénitence [penitɑ̃s] nf (repentir) penitence; (peine) penance.

pénitencier [penitɑ̃sje] nm penitentiary.

pénombre [penɔ̃bR(ə)] nf half-light, darkness.

pense-bête [pɑ̃sbɛt] nm aide-mémoire.

pensée [pɑ̃se] nf thought; (démarche, doctrine) thinking q; (BOT) pansy; **en ~** in one's mind.

penser [pɑ̃se] vi to think // vt to think; (concevoir: problème, machine) to think out; ~ **à** to think of; (songer à: ami, vacances) to think of ou about; (réfléchir à: problème, offre) ~ **à qch** to think about

sth ou sth over; ~ **à faire qch** to think of doing sth; ~ **faire qch** to be thinking of doing sth, intend to do sth; **penseur** nm thinker; **pensif, ive** a pensive, thoughtful.

pension [pɑ̃sjɔ̃] nf (allocation) pension; (prix du logement) board and lodgings, bed and board; (maison particulière) boarding house; (hôtel) guesthouse, hotel; (école) boarding school; **prendre ~ chez** to take board and lodging at; **prendre qn en ~** to take sb (in) as a lodger; **mettre en ~** to send to boarding school; ~ **alimentaire** (d'étudiant) living allowance; (de divorcée) maintenance allowance; alimony; ~ **complète** full board; ~ **de famille** boarding house, guesthouse; **pensionnaire** nm/f boarder; guest; **pensionnat** nm boarding school.

pentagone [pɛ̃tagon] nm pentagon.

pente [pɑ̃t] nf slope; **en ~** a sloping.

Pentecôte [pɑ̃tkot] nf: **la ~** Whitsun; (dimanche) Whitsunday; **lundi de ~** Whit Monday.

pénurie [penyRi] nf shortage.

pépier [pepje] vi to chirp, tweet.

pépin [pepɛ̃] nm (BOT: graine) pip; (ennui) snag, hitch; (fam) brolly.

pépinière [pepinjɛR] nf tree nursery; (fig) nest, breeding-ground.

pépite [pepit] nf nugget.

perçant, e [pɛRsɑ̃, -ɑ̃t] a sharp, keen; piercing, shrill.

percée [pɛRse] nf (trouée) opening; (MIL) breakthrough; (SPORT) break.

perce-neige [pɛRsanɛʒ] nf inv snowdrop.

percepteur [pɛRsɛptœR] nm tax collector.

perceptible [pɛRsɛptibl(ə)] a perceptible.

perception [pɛRsɛpsjɔ̃] nf perception; (d'impôts etc) collection.

percer [pɛRse] vt to pierce; (ouverture etc) to make; (mystère, énigme) to penetrate // vi to come through; to break through; ~ **une dent** to cut a tooth.

perceuse [pɛRsøz] nf drill.

percevoir [pɛRsavwaR] vt (distinguer) to perceive, detect; (taxe, impôt) to collect; (revenu, indemnité) to receive.

perche [pɛRʃ(ə)] nf (ZOOL) perch; (bâton) pole.

percher [pɛRʃe] vt: ~ **qch sur** to perch sth on // vi, se ~ vi (oiseau) to perch; **perchoir** nm perch.

perclus, e [pɛRkly, -yz] a: ~ **de** (rhumatismes) crippled with.

perçois etc vb voir **percevoir**.

percolateur [pɛRkɔlatœR] nm percolator.

perçu, e pp de **percevoir**.

percussion [pɛRkysjɔ̃] nf percussion.

percuter [pɛRkyte] vt to strike; (suj: véhicule) to crash into.

perdant, e [pɛRdɑ̃, -ɑ̃t] nm/f loser.

perdition [pɛRdisjɔ̃] nf: **en ~** (NAVIG) in distress; **lieu de ~** den of vice.

perdre [pɛRdR(ə)] vt to lose; (gaspiller: temps, argent) to waste; (personne: moralement etc) to ruin // vi to lose; (sur une vente etc) to lose out; (récipient) to leak; se ~ vi (s'égarer) to get lost, lose one's way; (fig) to go to waste; to disappear, vanish.

perdreau, x [pɛrdro] *nm* (young) partridge.

perdrix [pɛrdri] *nf* partridge.

perdu, e [pɛrdy] *pp de* **perdre** // *a* (*isolé*) out-of-the-way, godforsaken; (COMM: *emballage*) non-returnable; (*malade*): **il est ~** there's no hope left for him; **à vos moments ~s** in your spare time.

père [pɛr] *nm* father; **~s** *nmpl* (*ancêtres*) forefathers; **de ~ en fils** from father to son; **~ de famille** man with a family; family man; **le ~ Noël** Father Christmas.

péremptoire [perɑ̃ptwar] *a* peremptory.

perfection [pɛrfɛksjɔ̃] *nf* perfection.

perfectionné, e [pɛrfɛksjɔne] *a* sophisticated.

perfectionnement [pɛrfɛksjɔnmɑ̃] *nm* improvement.

perfectionner [pɛrfɛksjɔne] *vt* to improve, perfect; **se ~ en anglais** to improve one's English.

perfide [pɛrfid] *a* perfidious, treacherous.

perforant, e [pɛrfɔrɑ̃, -ɑ̃t] *a* (*balle*) armour-piercing.

perforateur, trice [pɛrfɔratœr, -tris] *nm/f* punch-card operator // *nm* (*perceuse*) borer; drill // *nf* (*perceuse*) borer; drill; (*pour cartes*) card-punch; (*de bureau*) punch.

perforation [pɛrfɔrasjɔ̃] *nf* perforation; punching; (*trou*) hole.

perforatrice [pɛrfɔratris] *nf voir* **perforateur**.

perforer [pɛrfɔre] *vt* to perforate; to punch a hole (*ou* holes) in; (*ticket, bande, carte*) to punch.

performance [pɛrfɔrmɑ̃s] *nf* performance.

perfusion [pɛrfyzjɔ̃] *nf* perfusion; **faire une ~ à qn** to put sb on a drip.

péricliter [periklite] *vi* to go downhill.

péril [peril] *nm* peril; **périlleux, euse** [-jø, -øz] *a* perilous.

périmé, e [perime] *a* (out)dated; (ADMIN) out-of-date, expired.

périmètre [perimɛtr(ə)] *nm* perimeter.

période [perjɔd] *nf* period; **périodique** *a* (*phases*) periodic; (*publication*) periodical; (MATH: *fraction*) recurring // *nm* periodical; **garniture** *ou* **serviette périodique** sanitary towel.

péripéties [peripesi] *nfpl* events, episodes.

périphérie [periferi] *nf* periphery; (*d'une ville*) outskirts *pl*; **périphérique** *a* (*quartiers*) outlying; (ANAT, TECH) peripheral; (*station de radio*) operating from outside France // *nm* (AUTO) ring road.

périphrase [perifraz] *nf* circumlocution.

périple [peripl(ə)] *nm* journey.

périr [perir] *vi* to die, perish.

périscope [periskɔp] *nm* periscope.

périssable [perisabl(ə)] *a* perishable.

péritonite [peritɔnit] *nf* peritonitis.

perle [pɛrl(ə)] *nf* pearl; (*de plastique, métal, sueur*) bead.

perlé, e [pɛrle] *a*: **grève ~e** go-slow.

perler [pɛrle] *vi* to form in droplets.

perlier, ière [pɛrlje, -jɛr] *a* pearl *cpd*.

permanence [pɛrmanɑ̃s] *nf* permanence; (*local*) (duty) office; strike

headquarters; emergency service; **assurer une ~** (*service public, bureaux*) to operate *ou* maintain a basic service; **être de ~** to be on call *ou* duty; **en ~** *ad* permanently; continuously.

permanent, e [pɛrmanɑ̃, -ɑ̃t] *a* permanent; (*spectacle*) continuous // *nf* perm, permanent wave.

perméable [pɛrmeabl(ə)] *a* (*terrain*) permeable; **~ à** (*fig*) receptive *ou* open to.

permettre [pɛrmɛtr(ə)] *vt* to allow, permit; **~ à qn de faire/qch** to allow sb to do/sth.

permis [pɛrmi] *nm* permit, licence; **~ de chasse** hunting permit; **~ (de conduire)** (driving) licence; **~ de construire** planning permission; **~ d'inhumer** burial certificate; **~ poids lourds** HGV (driving) licence; **~ de séjour** residence permit.

permission [pɛrmisjɔ̃] *nf* permission; (MIL) leave; (: *papier*) pass; **en ~** on leave; **avoir la ~ de faire** to have permission to do, be allowed to do; **permissionnaire** *nm* soldier on leave.

permuter [pɛrmyte] *vt* to change around, permutate // *vi* to change, swap.

pernicieux, euse [pɛrnisjø, -øz] *a* pernicious.

pérorer [perɔre] *vi* to hold forth.

perpendiculaire [pɛrpɑ̃dikylɛr] *a, nf* perpendicular.

perpétrer [pɛrpetre] *vt* to perpetrate.

perpétuel, le [pɛrpetɥɛl] *a* perpetual; (ADMIN *etc*) permanent; for life.

perpétuer [pɛrpetɥe] *vt* to perpetuate.

perpétuité [pɛrpetɥite] *nf*: **à ~** *a, ad* for life; **être condamné à ~** to be sentenced to life imprisonment, receive a life sentence.

perplexe [pɛrplɛks(ə)] *a* perplexed, puzzled.

perquisition [pɛrkizisjɔ̃] *nf* (police) search; **perquisitionner** *vi* to carry out a search.

perron [pɛrɔ̃] *nm* steps *pl* (*in front of mansion etc*).

perroquet [pɛrɔkɛ] *nm* parrot.

perruche [pɛryʃ] *nf* budgerigar, budgie.

perruque [pɛryk] *nf* wig.

persan, e [pɛrsɑ̃, -an] *a* Persian.

persécuter [pɛrsekyte] *vt* to persecute; **persécution** *nf* persecution.

persévérant, e [pɛrseverɑ̃, -ɑ̃t] *a* persevering.

persévérer [pɛrsevere] *vi* to persevere.

persiennes [pɛrsjɛn] *nfpl* (metal) shutters.

persiflage [pɛrsiflaʒ] *nm* mockery *q*.

persil [pɛrsi] *nm* parsley.

Persique [pɛrsik] *a*: **le golfe ~** the (Persian) Gulf.

persistant, e [pɛrsistɑ̃, -ɑ̃t] *a* persistent; (*feuilles*) evergreen; **à feuillage ~** evergreen.

persister [pɛrsiste] *vi* to persist; **~ à faire qch** to persist in doing sth.

personnage [pɛrsɔnaʒ] *nm* (*notable*) personality; figure; (*individu*) character, individual; (THÉÂTRE) character; (PEINTURE) figure.

personnaliser [pɛʀsɔnalize] vt to personalize.

personnalité [pɛʀsɔnalite] nf personality.

personne [pɛʀsɔn] nf person // pronom nobody, no one ; (quelqu'un) anybody, anyone ; ~s people pl ; il n'y a ~ there's nobody in, there isn't anybody in ; **10 F par ~** 10 F per person ou a head ; ~ **âgée** elderly person ; **personnel, le** a personal // nm staff ; personnel ; **personnellement** ad personally ; **personnifier** vt to personify ; to typify.

perspective [pɛʀspɛktiv] nf (ART) perspective ; (vue, coup d'œil) view ; (point de vue) viewpoint, angle ; (chose escomptée, envisagée) prospect ; **en ~** in prospect ; in the offing.

perspicace [pɛʀspikas] a clear-sighted, gifted with (ou showing) insight.

persuader [pɛʀsɥade] vt : ~ **qn (de/de faire)** to persuade sb (of/to do) ; **persuasif, ive** a persuasive ; **persuasion** nf persuasion.

perte [pɛʀt(ə)] nf loss ; (de temps) waste ; (fig: morale) ruin ; **à ~** (COMM) at a loss ; **à ~ de vue** as far as the eye can (ou could) see ; (fig) interminably ; ~ **sèche** dead loss ; ~**s blanches** (vaginal) discharge sg.

pertinent, e [pɛʀtinã, -ãt] a apt, pertinent ; discerning, judicious.

perturbation [pɛʀtyʀbɑsjɔ̃] nf disruption ; perturbation ; ~ **(atmosphérique)** atmospheric disturbance.

perturber [pɛʀtyʀbe] vt to disrupt ; (PSYCH) to perturb, disturb.

pervenche [pɛʀvãʃ] nf periwinkle.

pervers, e [pɛʀvɛʀ, -ɛʀs(ə)] a perverted, depraved ; perverse.

perversion [pɛʀvɛʀsjɔ̃] nf perversion.

perverti, e [pɛʀvɛʀti] nm/f pervert.

pervertir [pɛʀvɛʀtiʀ] vt to pervert.

pesage [pəzaʒ] nm weighing ; (HIPPISME) weigh-in ; weighing room ; enclosure.

pesamment [pəzamã] ad heavily.

pesant, e [pəzã, -ãt] a heavy ; (fig) burdensome // nm: **valoir son ~ de** to be worth one's weight in.

pesanteur [pəzãtœʀ] nf gravity.

pèse-bébé [pɛzbebe] nm (baby) scales pl.

pesée [pəze] nf weighing ; (BOXE) weigh-in ; (pression) pressure.

pèse-lettre [pɛzlɛtʀ(ə)] nm letter scales pl.

pèse-personne [pɛzpɛʀsɔn] nm (bathroom) scales pl.

peser [pəze] vt, vb avec attribut to weigh // vi to be heavy ; (fig) to carry weight ; ~ **sur** (levier, bouton) to press, push ; (fig) to lie heavy on ; to influence ; ~ **à qn** to weigh heavy on sb.

pessaire [pesɛʀ] nm pessary.

pessimisme [pesimism(ə)] nm pessimism ; **pessimiste** a pessimistic // nm/f pessimist.

peste [pɛst(ə)] nf plague.

pester [pɛste] vi : ~ **contre** to curse.

pestiféré, e [pɛstifeʀe] nm/f plague victim.

pestilentiel, le [pɛstilãsjɛl] a foul.

pet [pɛ] nm (fam!) fart (!).

pétale [petal] nm petal.

pétanque [petãk] nf petanque (bowls).

pétarader [petaʀade] vi to backfire.

pétard [petaʀ] nm banger ; cracker ; (RAIL) detonator.

péter [pete] vi (fam: casser, sauter) to burst ; to bust ; (fam!) to fart (!).

pétiller [petije] vi (flamme, bois) to crackle ; (mousse, champagne) to bubble ; (yeux) to sparkle.

petit, e [pəti, -it] a (gén) small ; (main, objet, colline, en âge: enfant) small, little (avant le nom) ; (voyage) short, little ; (bruit etc) faint, slight ; (mesquin) mean // nm (d'un animal) young pl ; **faire des ~s** to have kittens (ou puppies etc) ; **en ~** in miniature ; **mon ~** son ; little one ; **ma ~e** dear ; little one ; **pauvre ~** poor little thing ; **la classe des ~s** the infant class ; **pour ~s et grands** for children and adults ; **les tout-petits** the little ones, the tiny tots ; ~ **à ~** bit by bit, gradually ; ~/**e ami/e** boyfriend/girlfriend ; **déjeuner** breakfast ; ~ **doigt** little finger, pinkie ; ~ **four** petit four ; ~**e vérole** smallpox ; ~**s pois** petit pois pl, garden pea(s) ; ~**-bourgeois, ~e-bourgeoise** a (péj) petit-bourgeois(e), middle-class ; ~**e-fille** nf granddaughter ; ~**-fils** nm grandson.

pétition [petisjɔ̃] nf petition.

petit-lait [pətilɛ] nm whey.

petit-nègre [pətinɛgʀ(ə)] nm (péj) pidgin French.

petits-enfants [pətizãfã] nmpl grandchildren.

pétrifier [petʀifje] vt to petrify ; (fig) to paralyze, transfix.

pétrin [petʀɛ̃] nm kneading-trough ; (fig): **dans le ~** in a jam ou fix.

pétrir [petʀiʀ] vt to knead.

pétrole [petʀɔl] nm oil ; (pour lampe, réchaud etc) paraffin (oil) ; **pétrolier, ière** a oil cpd // nm oil tanker ; **pétrolifère** a oil(-bearing).

peu [pø] ad little, tournure négative + much ; (avec adjectif) tournure négative + very // pronom few // nm little ; ~ **avant/après** shortly before/afterwards ; ~ **de** (nombre) few, négation + (very) many ; (quantité) little, négation + (very) much ; **pour ~ de temps** for (only) a short while ; **le ~ de gens qui** the few people who ; **le ~ de sable qui** what little sand, the little sand which ; **un (petit) ~** a little (bit) ; **un ~ de** a little ; **un ~ plus/moins de** slightly more/less (ou fewer) ; **de ~** (only) just ; ~ **à ~** little by little ; **à ~ près** at just about, more or less ; **à ~ près 10 kg/10 F** approximately 10 kg/10 F ; **avant ~** before long.

peuplade [pœplad] nf (horde, tribu) tribe, people.

peuple [pœpl(ə)] nm people.

peupler [pœple] vt (pays, région) to populate ; (étang) to stock ; (suj: hommes, poissons) to inhabit ; (fig: imagination, rêves) to fill.

peuplier [pøplije] nm poplar (tree).

peur [pœʀ] nf fear ; **avoir ~ (de/de faire/que)** to be frightened ou afraid (of/of doing/that) ; **faire ~ à** to frighten ;

de ~ de/que for fear of/that; ~eux, euse *a* fearful, timorous.

peut *vb voir* **pouvoir**.

peut-être [pøtɛtR(ə)] *ad* perhaps, maybe; ~ que perhaps, maybe; ~ bien qu'il fera/est he may well do/be.

peux *etc vb voir* **pouvoir**.

phalange [falɑ̃ʒ] *nf* (ANAT) phalanx (*pl* phalanges); (MIL) phalanx (*pl* es).

phallocrate [falɔkRat] *nm* male chauvinist.

phallus [falys] *nm* phallus.

phare [faR] *nm* (*en mer*) lighthouse; (*d'aéroport*) beacon; (*de véhicule*) headlamp; **mettre ses ~s** to put on the full beam; ~s de recul reversing lights.

pharmaceutique [faRmasøtik] *a* pharmaceutic(al).

pharmacie [faRmasi] *nf* (*science*) pharmacology; (*magasin*) chemist's, pharmacy; (*officine*) dispensary; (*produits*) pharmaceuticals *pl*; **pharmacien, ne** *nm/f* pharmacist, chemist.

pharyngite [faRɛ̃ʒit] *nf* pharyngitis *q*.

pharynx [faRɛ̃ks] *nm* pharynx.

phase [faz] *nf* phase.

phénomène [fenɔmɛn] *nm* phenomenon (*pl* a); (*monstre*) freak.

philanthrope [filɑ̃tRɔp] *nm/f* philanthropist.

philanthropie [filɑ̃tRɔpi] *nf* philanthropy.

philatélie [filateli] *nf* philately, stamp collecting; **philatéliste** *nm/f* philatelist, stamp collector.

philharmonique [filaRmɔnik] *a* philharmonic.

philo [filo] *nf abr de* **philosophie**.

philosophe [filɔzɔf] *nm/f* philosopher // *a* philosophical.

philosophie [filɔzɔfi] *nf* philosophy; **philosophique** *a* philosophical.

phobie [fɔbi] *nf* phobia.

phonétique [fɔnetik] *a* phonetic // *nf* phonetics *q*.

phonographe [fɔnɔgRaf] *nm* (wind-up) gramophone.

phoque [fɔk] *nm* seal; (*fourrure*) sealskin.

phosphate [fɔsfat] *nm* phosphate.

phosphore [fɔsfɔR] *nm* phosphorus.

phosphorescent, e [fɔsfɔResɑ̃, -ɑ̃t] *a* luminous.

photo [fɔto] *nf* photo(graph); **en ~** in *ou* on a photograph; **prendre en ~** to take a photo of; **aimer la/faire de la ~** to like taking/take photos; ~ d'identité passport photograph.

photo... [fɔto] *préfixe*: ~copie *nf* photocopying, photostatting; photocopy, photostat (copy); ~copier *vt* to photocopy, photostat; ~électrique *a* photoelectric; ~génique *a* photogenic; ~graphe *nm/f* photographer; ~graphie *nf* (*procédé, technique*) photography; (*cliché*) photograph; **faire de la ~graphie** to have photography as a hobby; to be a photographer; ~graphier *vt* to photograph, take; ~graphique *a* photographic; ~maton *nm* photo-booth, photomat; ~robot *nf* identikit (picture).

phrase [fRɑz] *nf* (LING) sentence; (*propos, MUS*) phrase; ~s (*péj*) flowery language *sg*.

phtisie [ftizi] *nf* consumption.

physicien, ne [fizisjɛ̃, -ɛn] *nm/f* physicist.

physiologie [fizjɔlɔʒi] *nf* physiology; **physiologique** *a* physiological.

physionomie [fizjɔnɔmi] *nf* face; **physionomiste** *nm/f* good judge of faces; person who has a good memory for faces.

physique [fizik] *a* physical // *nm* physique // *nf* physics *sg*; **au ~** physically; ~ment *ad* physically.

piaffer [pjafe] *vi* to stamp.

piailler [pjaje] *vi* to squawk.

pianiste [pjanist(ə)] *nm/f* pianist.

piano [pjano] *nm* piano.

pianoter [pjanɔte] *vi* to tinkle away (at the piano); (*tapoter*): ~ sur to drum one's fingers on.

piaule [pjol] *nf* (*fam*) pad.

piauler [pjole] *vi* to whimper; to cheep.

pic [pik] *nm* (*instrument*) pick(axe); (*montagne*) peak; (ZOOL) woodpecker; à ~ *ad* vertically; (*fig*) just at the right time.

pichenette [piʃnɛt] *nf* flick.

pichet [piʃɛ] *nm* jug.

pickpocket [pikpɔkɛt] *nm* pickpocket.

pick-up [pikœp] *nm* record player.

picorer [pikɔRe] *vt* to peck.

picotement [pikɔtmɑ̃] *nm* tickle *q*; smarting *q*; prickling *q*.

picoter [pikɔte] *vt* (*suj: oiseau*) to peck // *vi* (*irriter*) to smart, prickle.

pie [pi] *nf* magpie; (*fig*) chatterbox.

pièce [pjɛs] *nf* (*d'un logement*) room; (THÉÂTRE) play; (*de mécanisme, machine*) part; (*de monnaie*) coin; (COUTURE) patch; (*document*) document; (*de drap, fragment, de bétail, de collection*) piece; **dix francs ~** ten francs each; **vendre à la ~** to sell separately *ou* individually; **travailler/payer à la ~** to do piecework/pay piece rate; **un maillot une ~** a one-piece swimsuit; **un deux-~s cuisine** a two-room(ed) flat with kitchen; ~ à conviction exhibit; ~ d'eau ornamental lake *ou* pond; ~ d'identité: **avez-vous une ~ d'identité?** have you got any (means of) identification?; ~ montée tiered cake; ~s détachées spares, (spare) parts; **en ~s détachées** (*à monter*) in kit form.

pied [pje] *nm* foot (*pl* feet); (*de verre*) stem; (*de table*) leg; (*de lampe*) base; ~s nus barefoot; à ~ on foot; à ~ sec without getting one's feet wet; **au ~ de la lettre** literally; **au ~ levé** at a moment's notice; **de ~ en cap** from head to foot; **en ~** (*portrait*) full-length; **avoir ~** to be able to touch the bottom, not to be out of one's depth; **avoir le ~ marin** to be a good sailor; **perdre ~** to lose one's footing; **sur ~** (AGR) on the stalk, uncut; (*debout, rétabli*) up and about; **mettre sur ~** (*entreprise*) to set up; **mettre à ~** to dismiss; to lay off; **sur le ~ de guerre** ready for action; **sur ~ d'intervention** on stand-by; **faire du ~ à qn** to give sb a (warning) kick; to play footsy with sb; ~ de lit footboard; ~ de nez: **faire un ~ de nez à** to thumb one's nose at; ~ de salade lettuce plant; ~ de vigne vine;

~-à-terre *nm inv* pied-à-terre ; **~-de-biche** *nm* claw ; (*COUTURE*) presser foot ; **~-de-poule** *a inv* hound's-tooth.

piédestal, aux [pjedɛstal, -o] *nm* pedestal.

pied-noir [pjenwaʀ] *nm* Algerian-born Frenchman.

piège [pjɛʒ] *nm* trap ; **prendre au ~** to trap ; **piéger** *vt* (*avec une mine*) to boobytrap ; **lettre/voiture piégée** letter-/carbomb.

pierraille [pjɛʀaj] *nf* loose stones *pl.*

pierre [pjɛʀ] *nf* stone ; **~ à briquet** flint ; **~ fine** semiprecious stone ; **~ de taille** freestone *q* ; **~ de touche** touchstone ; **mur de ~s sèches** drystone wall.

pierreries [pjɛʀʀi] *nfpl* gems, precious stones.

piété [pjete] *nf* piety.

piétiner [pjetine] *vi* (*trépigner*) to stamp (one's foot) ; (*marquer le pas*) to stand about ; (*fig*) to be at a standstill // *vt* to trample on.

piéton, ne [pjetɔ̃, -ɔn] *nm/f* pedestrian ; **piétonnier, ière** *a* pedestrian *cpd.*

piètre [pjɛtʀ(ə)] *a* poor, mediocre.

pieu, x [pjø] *nm* post ; (*pointu*) stake.

pieuvre [pjœvʀ(ə)] *nf* octopus.

pieux, euse [pjø, -øz] *a* pious.

pigeon [piʒɔ̃] *nm* pigeon ; **~ voyageur** homing pigeon ; **pigeonnier** *nm* pigeon house.

piger [piʒe] *vi, vt* (*fam*) to understand.

pigment [pigmɑ̃] *nm* pigment.

pignon [piɲɔ̃] *nm* (*de mur*) gable ; (*d'engrenage*) cog(wheel), gearwheel ; (*graine*) pine kernel ; **avoir ~ sur rue** (*fig*) to have a prosperous business.

pile [pil] *nf* (*tas*) pile ; (*ÉLEC*) battery // *a*: **le côté ~** tails // *ad* (*s'arrêter etc*) dead ; **à deux heures ~** at two on the dot ; **jouer à ~ ou face** to toss up (for it) ; **~ ou face?** heads or tails?

piler [pile] *vt* to crush, pound.

pileux, euse [pilø, -øz] *a*: **système ~** (body) hair.

pilier [pilje] *nm* pillar.

pillard, e [pijaʀ, -aʀd(ə)] *nm/f* looter ; plunderer.

piller [pije] *vt* to pillage, plunder, loot.

pilon [pilɔ̃] *nm* pestle.

pilonner [pilɔne] *vt* to pound.

pilori [piloʀi] *nm*: **mettre** *ou* **clouer au ~** to pillory.

pilotage [pilotaʒ] *nm* piloting ; flying ; **~ sans visibilité** blind flying.

pilote [pilɔt] *nm* pilot ; (*de char, voiture*) driver // *a* pilot *cpd* ; **~ de ligne/d'essai/de chasse** airline/test/fighter pilot.

piloter [pilɔte] *vt* to pilot ; to fly ; to drive ; (*fig*): **~ qn** to guide sb round.

pilotis [piloti] *nm* pile ; stilt.

pilule [pilyl] *nf* pill ; **prendre la ~** to be on the pill.

pimbêche [pɛ̃bɛʃ] *nf* (*péj*) stuck-up girl.

piment [pimɑ̃] *nm* (*BOT*) pepper, capsicum ; (*fig*) spice, piquancy ; **~ rouge** (*CULIN*) chilli.

pimpant, e [pɛ̃pɑ̃, -ɑ̃t] *a* trim and freshlooking.

pin [pɛ̃] *nm* pine (tree) ; (*bois*) pine(wood).

pince [pɛ̃s] *nf* (*outil*) pliers *pl* ; (*de homard, crabe*) pincer, claw ; (*COUTURE*: *pli*) dart ; **~ à sucre/glace** sugar/ice tongs *pl* ; **~ à épiler** tweezers *pl* ; **~ à linge** clothes peg ; **~s de cycliste** bicycle clips.

pinceau, x [pɛ̃so] *nm* (paint)brush.

pincé, e [pɛ̃se] *a* (*air*) stiff // *nf*: **une ~e de** a pinch of.

pincer [pɛ̃se] *vt* to pinch ; (*MUS*: *cordes*) to pluck ; (*COUTURE*) to dart, put darts in ; (*fam*) to nab ; **se ~ le nez** to hold one's nose.

pince-sans-rire [pɛ̃ssɑ̃ʀiʀ] *a inv* deadpan.

pincettes [pɛ̃sɛt] *nfpl* (*pour le feu*) (fire) tongs.

pinède [pinɛd] *nf* pinewood, pine forest.

pingouin [pɛ̃gwɛ̃] *nm* penguin.

ping-pong [piŋpɔ̃g] *nm* table tennis.

pingre [pɛ̃gʀ(ə)] *a* niggardly.

pinson [pɛ̃sɔ̃] *nm* chaffinch.

pintade [pɛ̃tad] *nf* guinea-fowl.

pin-up [pinœp] *nf inv* pinup (girl).

pioche [pjɔʃ] *nf* pickaxe ; **piocher** *vt* to dig up (with a pickaxe) ; (*fam*) to swot at ; **piocher dans** to dig into.

piolet [pjolɛ] *nm* ice axe.

pion, ne [pjɔ̃, pjɔn] *nm/f* (*SCOL*: *péj*) student paid to supervise schoolchildren // *nm* (*ÉCHECS*) pawn ; (*DAMES*) piece, draught.

pionnier [pjɔnje] *nm* pioneer.

pipe [pip] *nf* pipe ; **~ de bruyère** briar pipe.

pipeau, x [pipo] *nm* (reed-)pipe.

pipe-line [pajplajn] *nm* pipeline.

pipi [pipi] *nm* (*fam*): **faire ~** to have a wee.

piquant, e [pikɑ̃, -ɑ̃t] *a* (*barbe, rosier etc*) prickly ; (*saveur, sauce*) hot, pungent ; (*fig*) racy ; biting // *nm* (*épine*) thorn, prickle ; (*de hérisson*) quill, spine ; (*fig*) spiciness, spice.

pique [pik] *nf* pike ; (*fig*) cutting remark // *nm* (*CARTES*: *couleur*) spades *pl* ; (*: carte*) spade.

piqué, e [pike] *a* (*COUTURE*) (machine-)stitched ; quilted ; (*fam*) barmy // *nm* (*AVIAT*) dive ; (*TEXTILE*) piqué.

pique-assiette [pikasjɛt] *nm/f inv* (*péj*) scrounger, sponger.

pique-nique [piknik] *nm* picnic.

piquer [pike] *vt* (*percer*) to prick ; (*planter*): **~ qch dans** to stick sth into ; (*fixer*): **~ qch à/sur** to pin sth onto ; (*MÉD*) to give a jab to ; (: *animal blessé*) to put to sleep ; (*suj*: *insecte, fumée, ortie*) to sting ; (*suj*: *poivre*) to burn ; (: *froid*) to bite ; (*COUTURE*) to machine (stitch) ; (*intérêt etc*) to arouse ; (*fam*) to pick up ; to pinch ; to nab // *vi* (*avion*) to go into a dive ; (*saveur*) to be pungent ; to be sour ; **~ sur** to swoop down on ; to head straight for ; **se ~ de faire** to pride o.s. on one's ability to do ; **~ du nez** (*avion*) to go into a nosedive ; **~ un galop/un cent mètres** to break into a gallop/put on a sprint ; **~ une crise** to throw a fit.

piquet [pikɛ] *nm* (*pieu*) post, stake ; (*de tente*) peg ; **mettre un élève au ~** to make a pupil stand in the corner ; **~ de grève** (strike-)picket ; **~ d'incendie** fire-fighting squad.

piqueté, e [pikte] a: ~ **de** dotted with.

piqûre [pikyʀ] nf (d'épingle) prick; (d'ortie) sting; (de moustique) bite; (MÉD) injection; (COUTURE) (straight) stitch; straight stitching; **faire une ~ à qn** to give sb an injection.

pirate [piʀat] nm, a pirate; ~ **de l'air** hijacker.

pire [piʀ] a worse; (superlatif): **le(la) ~** ... the worst ... // nm: **le ~ (de)** the worst (of).

pirogue [piʀɔg] nf dugout canoe.

pirouette [piʀwɛt] nf pirouette.

pis [pi] nm (de vache) udder; (pire): **le ~** the worst // a, ad worse; **pis-aller** nm inv stopgap.

pisciculture [pisikyltyʀ] nf fish farming.

piscine [pisin] nf (swimming) pool; ~ **couverte** indoor (swimming) pool.

pissenlit [pisɑ̃li] nm dandelion.

pisser [pise] vi (fam!) to pee (!); **pissotière** nf (fam) public urinal.

pistache [pistaʃ] nf pistachio (nut).

piste [pist(ə)] nf (d'un animal, sentier) track, trail; (indice) lead; (de stade, de magnétophone) track; (de cirque) ring; (de danse) floor; (de patinage) rink; (de ski) run; (AVIAT) runway.

pistil [pistil] nm pistil.

pistolet [pistɔlɛ] nm (arme) pistol, gun; (à peinture) spray gun; ~ **à bouchon/air comprimé** popgun/ airgun; ~ **mitrailleur** nm submachine gun.

piston [pistɔ̃] nm (TECH) piston; (MUS) valve; (fig) string-pulling; **pistonner** vt (candidat) to pull strings for.

pitance [pitɑ̃s] nf (péj) (means of) sustenance.

piteux, euse [pitø, -øz] a pitiful, sorry (avant le nom).

pitié [pitje] nf pity; **sans ~** a pitiless, merciless; **faire ~** to inspire pity; **il me fait ~** I pity him, I feel sorry for him; **avoir ~ de** (compassion) to pity, feel sorry for; (merci) to have pity ou mercy on.

piton [pitɔ̃] nm (clou) peg, bolt; ~ **rocheux** rocky outcrop.

pitoyable [pitwajabl(ə)] a pitiful.

pitre [pitʀ(ə)] nm clown; **pitrerie** nf tomfoolery q.

pittoresque [pitɔʀɛsk(ə)] a picturesque.

pivot [pivo] nm pivot; **pivoter** vi to swivel; to revolve.

pizza [pidza] nf pizza.

P.J. sigle f voir **police.**

Pl. abr de **place.**

placage [plakaʒ] nm (bois) veneer.

placard [plakaʀ] nm (armoire) cupboard; (affiche) poster, notice; (TYPO) galley; ~ **publicitaire** display advertisement; **placarder** vt (affiche) to put up.

place [plas] nf (emplacement, situation, classement) place; (de ville, village) square; (espace libre) room, space; (de parking) space; (siège: de train, cinéma, voiture) seat; (emploi) job; **en ~** (mettre) in its place; **sur ~** on the spot; **faire ~ à** to give way to; **faire de la ~ à** to make room for; **ça prend de la ~** it takes up a lot of room ou space; **à la ~ de** in place of, instead of; **une quatre ~s** (AUTO) a four-

seater; **il y a un 20 ~s assises/debout** there are 20 seats/is standing room for 20; ~ **forte** fortified town.

placé, e [plase] a (HIPPISME) placed; **haut ~** (fig) high-ranking.

placement [plasmɑ̃] nm placing; investment; **bureau de ~** employment agency.

placenta [plasɑ̃ta] nm placenta.

placer [plase] vt to place; (convive, spectateur) to seat; (capital, argent) to place, invest; (dans la conversation) to put ou get in; ~ **qn chez** to get sb a job at (ou with); **se ~ au premier rang** to go and stand (ou sit) in the first row.

placide [plasid] a placid.

plafond [plafɔ̃] nm ceiling.

plafonner [plafɔne] vi to reach one's (ou a) ceiling.

plage [plaʒ] nf beach; (station) (seaside) resort; (fig) band, bracket; (de disque) track, band; ~ **arrière** (AUTO) parcel ou back shelf.

plagiat [plaʒja] nm plagiarism.

plagier [plaʒje] vt to plagiarize.

plaider [plede] vi (avocat) to plead; (plaignant) to go to court, litigate // vt to plead; ~ **pour** (fig) to speak for; **plaideur, euse** nm/f litigant; **plaidoirie** nf (JUR) speech for the defence; **plaidoyer** nm (JUR) speech for the defence; (fig) plea.

plaie [plɛ] nf wound.

plaignant, e [plɛɲɑ̃, -ɑ̃t] nm/f plaintiff.

plaindre [plɛ̃dʀ(ə)] vt to pity, feel sorry for; **se ~** (gémir) to moan; (protester, rouspéter): **se ~ (à qn) (de)** to complain (to sb) (about); (souffrir): **se ~ de** to complain of.

plaine [plɛn] nf plain.

plain-pied [plɛ̃pje]: **de ~** ad at street-level; (fig) straight; **de ~ avec** on the same level as.

plainte [plɛ̃t] nf (gémissement) moan, groan; (doléance) complaint; **porter ~** to lodge a complaint; **plaintif, ive** a plaintive.

plaire [plɛʀ] vi to be a success, be successful; to please; ~ **à**: **cela me plaît** I like it; **essayer de ~ à qn** (en étant serviable etc) to try and please sb; **elle plaît aux hommes** she's a success with men, men like her; **se ~ quelque part** to like being somewhere ou like it somewhere; **se ~ à faire** to take pleasure in doing; **se qu'il vous plaira** what(ever) you like ou wish; **s'il vous plaît** please.

plaisamment [plɛzamɑ̃] ad pleasantly.

plaisance [plɛzɑ̃s] nf (aussi: **navigation de ~**) (pleasure) sailing, yachting; **plaisancier** nm amateur sailor, yachting enthusiast.

plaisant, e [plɛzɑ̃, -ɑ̃t] a pleasant; (histoire, anecdote) amusing.

plaisanter [plɛzɑ̃te] vi to joke; **pour ~** for a joke; **on ne plaisante pas avec cela** that's no joking matter; **plaisanterie** nf joke; joking q; **plaisantin** nm joker.

plaise etc vb voir **plaire.**

plaisir [plɛziʀ] nm pleasure; **faire ~ à qn** (délibérément) to be nice to sb, please sb; (suj: cadeau, nouvelle etc): **ceci me fait ~** I'm delighted ou very pleased with this; **prendre ~ à/faire** to take pleasure in/in doing; **à ~** freely; **for the sake of it**; **au ~ (de vous revoir)** (I hope to) see you again; **pour le** ou **par ~** for pleasure.

plan, e [plɑ̃, -an] a flat // nm plan; (GÉOM) plane; (fig) level, plane; (CINÉMA) shot; **au premier/second ~** in the foreground/middle distance; **à l'arrière ~** in the background; **mettre qch au premier ~** (fig) to consider sth to be of primary importance; **sur le ~ sexuel** sexually, as far as sex is concerned; **~ d'eau** stretch of water; **~ de travail** work programme ou schedule.

planche [plɑ̃ʃ] nf (pièce de bois) plank, (wooden) board; (illustration) plate; **les ~s** (THÉÂTRE) the stage sg, the boards; **faire la ~** (dans l'eau) to float on one's back; **~ à dessin** drawing board; **~ à pain** breadboard; **~ à repasser** ironing board; **~ de salut** (fig) sheet anchor.

plancher [plɑ̃ʃe] nm floor; floorboards pl; (fig) minimum level.

plancton [plɑ̃ktɔ̃] nm plankton.

planer [plane] vi to glide; **~ sur** (fig) to hang over; to hover above.

planétaire [planetɛʀ] a planetary.

planète [planɛt] nf planet.

planeur [planœʀ] nm glider.

planification [planifikasjɔ̃] nf (economic) planning.

planifier [planifje] vt to plan.

planning [planiŋ] nm programme, schedule; **~ familial** family planning.

planque [plɑ̃k] nf (fam) cushy number; hideout; stash.

plant [plɑ̃] nm seedling, young plant.

plantaire [plɑ̃tɛʀ] a voir **voûte**.

plantation [plɑ̃tasjɔ̃] nf plantation.

plante [plɑ̃t] nf plant; **~ d'appartement** house ou pot plant; **~ du pied** sole (of the foot).

planter [plɑ̃te] vt (plante) to plant; (enfoncer) to hammer ou drive in; (tente) to put up, pitch; (fam) to dump; to ditch; **~ qch dans** to hammer ou drive sth into; to stick sth into; **se ~ dans** to sink into; to get stuck in; **se ~ devant** to plant o.s. in front of; **planteur** nm planter.

planton [plɑ̃tɔ̃] nm orderly.

plantureux, euse [plɑ̃tyʀø, -øz] a copious, lavish; buxom.

plaquage [plakaʒ] nm (RUGBY) tackle.

plaque [plak] nf plate; (de verglas, d'eczéma) patch; (avec inscription) plaque; **~s (minéralogiques** ou **de police** ou **d'immatriculation)** number plates; **~ de beurre** tablet of butter; **~ chauffante** hotplate; **~ de chocolat** bar of chocolate; **~ d'identité** identity disc; **~ tournante** (fig) centre.

plaqué, e [plake] a: **~ or/argent** gold-/silver-plated; **~ acajou** veneered in mahogany.

plaquer [plake] vt (bijou) to plate; (bois) to veneer; (aplatir): **~ qch sur/contre** to make sth stick ou cling to; (RUGBY) to bring down; (fam) to ditch; **se ~ contre** to flatten o.s. against; **~ qn contre** to pin sb to.

plaquette [plakɛt] nf tablet; bar; (livre) small volume.

plasma [plasma] nm plasma.

plastic [plastik] nm plastic explosive.

plastifié, e [plastifje] a plastic-coated.

plastique [plastik] a plastic // nm plastic // nf plastic arts pl; modelling.

plastiquer [plastike] vt to blow up (with a plastic bomb).

plastron [plastrɔ̃] nm shirt front.

plastronner [plastrɔne] vi to swagger.

plat, e [pla, -at] a flat; (cheveux) straight; (personne, livre) dull // nm (récipient, CULIN) dish; (d'un repas): **le premier ~** the first course; (partie plate): **le ~ de la main** the flat of the hand; **à ~ ventre** ad face down; (tomber) flat on one's face; **à ~** ad, a (aussi: pneu, batterie) flat; **~ du jour** day's special (menu); **~ de résistance** main course.

platane [platan] nm plane tree.

plateau, x [plato] nm (support) tray; (GÉO) plateau; (de tourne-disques) turntable; (CINÉMA) set; **~ à fromages** cheeseboard.

plate-bande [platbɑ̃d] nf flower bed.

platée [plate] nf dish(ful).

plate-forme [platfɔʀm(ə)] nf platform; **~ de forage/pétrolière** drilling/oil rig.

platine [platin] nm platinum // nf (d'un tourne-disque) turntable.

plâtras [plɑtʀa] nm rubble q.

plâtre [plɑtʀ(ə)] nm (matériau) plaster; (statue) plaster statue; (MÉD) (plaster) cast; **avoir un bras dans le ~** to have an arm in plaster; **plâtrer** vt to plaster; (MÉD) to set ou put in a (plaster) cast.

plausible [plozibl(ə)] a plausible.

plébiscite [plebisit] nm plebiscite.

plein, e [plɛ̃, -ɛn] a full; (porte, roue) solid; (chienne, jument) big (with young) // nm: **faire le ~ (d'essence)** to fill up (with petrol); **les ~s** the downstrokes (in handwriting); **~ de** full of; **à ~es mains** (ramasser) in handfuls; (empoigner) firmly; **à ~ régime** at maximum revs; (fig) full steam; **à ~ temps** full-time; **en ~ air/~e mer** in the open air/on the open sea; **en ~ soleil** right out in the sun; **en ~e nuit/rue** in the middle of the night/street; **en ~ milieu** right in the middle; **en ~ jour** in broad daylight; **en ~ sur** right on; **~-emploi** nm full employment.

plénière [plenjɛʀ] af: **assemblée ~** plenary assembly.

plénitude [plenityd] nf fullness.

pléthore [pletɔʀ] nf: **~ de** overabundance ou plethora of.

pleurer [plœʀe] vi to cry; (yeux) to water // vt to mourn (for); **~ sur** vt to lament (over), to bemoan.

pleurésie [plœʀezi] nf pleurisy.

pleurnicher [plœʀniʃe] vi to grizzle, whine.

pleurs [plœʀ] nmpl: **en ~** in tears.

pleutre [pløtʀ(ə)] a cowardly.

pleuvoir [pløvwaʀ] vb impersonnel to rain // vi (fig): **~ (sur)** to shower down (upon); to be showered upon.

plexiglas [plɛksiglas] nm plexiglass.

pli [pli] nm fold; (de jupe) pleat; (de pantalon) crease; (aussi: **faux ~**) crease; (enveloppe) envelope; (lettre) letter;

(CARTES) trick ; **prendre le ~ de faire** to get into the habit of doing ; **~ d'aisance** inverted pleat.

pliage [plijaʒ] nm folding ; (ART) origami.

pliant, e [plijɑ̃, -ɑ̃t] a folding // nm folding stool, campstool.

plier [plije] vt to fold ; (pour ranger) to fold up ; (table pliante) to fold down ; (genou, bras) to bend // vi to bend ; (fig) to yield ; **se ~ à** to submit to ; **~ bagages** to pack up (and go).

plinthe [plɛ̃t] nf skirting board.

plissé, e [plise] a (GÉO) folded // nm (COUTURE) pleats pl.

plissement [plismɑ̃] nm (GÉO) fold.

plisser [plise] vt (rider, chiffonner) to crease ; (Jupe) to put pleats in.

plomb [plɔ̃] nm (métal) lead ; (d'une cartouche) (lead) shot ; (PÊCHE) sinker ; (sceau) (lead) seal ; (ÉLEC) fuse ; **mettre à ~** to plumb.

plombage [plɔ̃baʒ] nm (de dent) filling.

plomber [plɔ̃be] vt (canne, ligne) to weight (with lead) ; (colis, wagon) to put a lead seal on ; (dent) to fill.

plomberie [plɔ̃bʀi] nf plumbing.

plombier [plɔ̃bje] nm plumber.

plonge [plɔ̃ʒ] nf: **faire la ~** to be a washer-up.

plongeant, e [plɔ̃ʒɑ̃, -ɑ̃t] a (vue) from above ; (tir, décolleté) plunging.

plongée [plɔ̃ʒe] nf diving q ; (de sous-marin) submersion, dive ; **en ~** (sous-marin) submerged ; (prise de vue) high angle.

plongeoir [plɔ̃ʒwaʀ] nm diving board.

plongeon [plɔ̃ʒɔ̃] nm dive.

plonger [plɔ̃ʒe] vi to dive // vt: **~ qch dans** (immerger) to plunge ou dip sth into ; (planter) to thrust sth into ; (fig) to plunge sth into ; **plongeur, euse** nm/f diver ; (de café) washer-up.

ployer [plwaje] vt to bend // vi to sag ; to bend.

plu pp de **plaire, pleuvoir**.

pluie [plɥi] nf rain ; (fig): **~ de** shower of ; **retomber en ~** to shower down ; **sous la ~** in the rain.

plume [plym] nf feather ; (pour écrire) (pen) nib ; (fig) pen.

plumeau, x [plymo] nm feather duster.

plumer [plyme] vt to pluck.

plumet [plymɛ] nm plume.

plumier [plymje] nm pencil box.

plupart [plypaʀ]: **la ~** pronom the majority, most (of them) ; **la ~ des** most, the majority of ; **la ~ du temps/d'entre nous** most of the time/of us ; **pour la ~** ad for the most part, mostly.

pluriel [plyʀjɛl] nm plural ; **au ~** in the plural.

plus vb [ply] voir **plaire** // ad [ply, plyz + voyelle] (comparatif) more, adjectif court + ...er ; (davantage) [plys] more ; (négatif): **ne ... ~** no more, tournure négative + any more ; no longer // cj [plys]: **~ 2 plus 2** ; **~ grand que** bigger than ; **~ de 10 personnes** more than 10 people, over 10 people ; **~ de pain** more bread ; **~ il travaille, ~ il est heureux** the more he works, the happier he is ; **le**

~ intelligent/grand the most intelligent/biggest ; **3 heures/kilos de ~ que** 3 hours/kilos more than ; **de ~** what's more, moreover ; **3 kilos en ~** 3 kilos more, 3 extra kilos ; **en ~ de** in addition to ; **de ~ en ~** more and more ; (tout) **au ~** at the (very) most ; **~ ou moins** more or less ; **ni ~ ni moins** no more, no less.

plusieurs [plyzjœʀ] dét, pronom several ; **ils sont ~** there are several of them.

plus-que-parfait [plyskəpaʀfɛ] nm pluperfect, past perfect.

plus-value [plyvaly] nf appreciation ; capital gain ; surplus.

plut vb voir **plaire**.

plutôt [plyto] ad rather ; **je ferais ~ ceci** I'd rather ou sooner do this ; **fais ~ comme ça** try this way instead, you'd better try this way ; **~ que (de) faire** rather than ou instead of doing.

pluvieux, euse [plyvjø, -øz] a rainy, wet.

P.M.U. sigle m voir **pari**.

pneu, x [pnø] nm tyre ; letter sent by pneumatic tube.

pneumatique [pnømatik] a pneumatic ; rubber cpd // nm tyre.

pneumonie [pnømɔni] nf pneumonia.

P.O. sigle = **petites ondes**.

poche [pɔʃ] nf pocket ; (déformation): **faire une/des ~(s)** to bag ; (sous les yeux) bag, pouch // nm (abr de livre de ~) (pocket-size) paperback ; **de ~** pocket cpd.

poché, e [pɔʃe] a: **œuf ~** poached egg ; **œil ~** black eye.

poche-revolver [pɔʃʀevɔlvɛʀ] nf hip pocket.

pochette [pɔʃɛt] nf (de timbres) wallet, envelope ; (d'aiguilles etc) case ; (sur veston) breast pocket ; (mouchoir) breast pocket handkerchief ; **~ d'allumettes** book of matches ; **~ de disque** record sleeve.

pochoir [pɔʃwaʀ] nm (ART) stencil ; transfer.

podium [pɔdjɔm] nm podium (pl ia).

poêle [pwal] nm stove // nf: **~ (à frire)** frying pan.

poêlon [pwalɔ̃] nm casserole.

poème [pɔɛm] nm poem.

poésie [pɔezi] nf (poème) poem ; (art): **la ~** poetry.

poète [pɔɛt] nm poet.

poétique [pɔetik] a poetic.

pognon [pɔɲɔ̃] nm (fam) dough.

poids [pwa] nm weight ; (SPORT) shot ; **vendre au ~** to sell by weight ; **prendre du ~** to put on weight ; **~ plume/mouche/coq** moyen (BOXE) feather/fly/bantam/ middleweight ; **~ et haltères** nmpl weight lifting sg ; **~ lourd** (BOXE) heavyweight ; (camion) (big) lorry ; (: ADMIN) heavy goods vehicle (HGV) ; **~ mort** dead load.

poignant, e [pwaɲɑ̃, -ɑ̃t] a poignant, harrowing.

poignard [pwaɲaʀ] nm dagger ; **poignarder** vt to stab, knife.

poigne [pwaɲ] nf grip ; (fig) firm-handedness.

poignée [pwaɲe] *nf* (*de sel etc*, *fig*) handful; (*de couvercle*, *porte*) handle; ~ **de main** handshake.

poignet [pwaɲɛ] *nm* (ANAT) wrist; (*de chemise*) cuff.

poil [pwal] *nm* (ANAT) hair; (*de pinceau*, *brosse*) bristle; (*de tapis*) strand; (*pelage*) coat; (*ensemble des poils*): **avoir du ~ sur la poitrine** to have hair(s) on one's chest, have a hairy chest; **à ~ a** (*fam*) starkers; **au ~ a** (*fam*) hunky-dory; **poilu, e** a hairy.

poinçon [pwɛsɔ̃] *nm* awl; bodkin; style; die; (*marque*) hallmark; **poinçonner** *vt* to stamp; to hallmark; (*billet*, *ticket*) to clip, punch; **poinçonneuse** *nf* (*outil*) punch.

poing [pwɛ̃] *nm* fist.

point [pwɛ̃] *nm* (*marque*, *signe*) dot; (: *de ponctuation*) full stop; (*moment*, *de score etc*, *fig*: *question*) point; (*endroit*) spot; (COUTURE, TRICOT) stitch // **ad = pas**; **faire le ~** (NAVIG) to take a bearing; (*fig*) to take stock (of the situation); **en tout ~** in every respect; **sur le ~ de faire** (just) about to do; **à tel ~ que** so much so that; **mettre au ~** (*mécanisme*, *procédé*) to perfect; (*appareil-photo*) to focus; (*affaire*) to settle; **à ~** (CULIN) medium; just right; **à ~ (nommé)** just at the right time; ~ **(de côté)** stitch (*pain*); ~ **culminant** summit; (*fig*) height, climax; ~ **d'eau** spring; water point; ~ **d'exclamation** exclamation mark; ~ **faible** weak point; ~ **final** full stop, period; ~ **d'interrogation** question mark; ~ **mort** (AUTO): **au ~ mort in neutral**; ~ **noir** (*sur le visage*) blackhead; (AUTO) accident spot; ~ **de repère** landmark; (*dans le temps*) point of reference; ~ **de vente** retail outlet; ~ **de vue** viewpoint; (*fig*: *opinion*) point of view; **du ~ de vue de** from the point of view of; ~**s cardinaux** points of the compass, cardinal points; ~**s de suspension** suspension points.

pointe [pwɛ̃t] *nf* point; (*d'une île*) headland; (*allusion*) dig; sally; (*fig*): **une ~ d'ail/d'accent** a touch *ou* hint of garlic/of an accent; **être à la ~ de** (*fig*) to be in the forefront of; **sur la ~ des pieds** on tip-toe; **en ~ ad** (*tailler*) into a point // **a** pointed, tapered; **de ~ a** (*technique etc*) leading; **heures/jours de ~** peak hours/days; **faire du 180 en ~** (AUTO) to have a top *ou* maximum speed of 180; **faire des ~s** (DANSE) to dance on points; ~ **de vitesse** burst of speed.

pointer [pwɛ̃te] *vt* (*cocher*) to tick off; (*employés etc*) to check in (*ou* out); (*diriger*: *canon*, *longue-vue*, *doigt*): ~ **vers qch** to point at sth // *vi* (*employé*) to clock in (*ou* out); **pointeuse** *nf* timeclock.

pointillé [pwɛ̃tije] *nm* (*trait*) dotted line; (ART) stippling *q*.

pointilleux, euse [pwɛ̃tijø, -øz] *a* particular, pernickety.

pointu, e [pwɛ̃ty] *a* pointed; (*clou*) sharp; (*voix*) shrill.

pointure [pwɛ̃tyʀ] *nf* size.

point-virgule [pwɛ̃viʀgyl] *nm* semi-colon.

poire [pwaʀ] *nf* pear; (*fam*: *péj*) mug; ~ **à injections** syringe.

poireau, x [pwaʀo] *nm* leek.

poirier [pwaʀje] *nm* pear tree.

pois [pwa] *nm* (BOT) pea; (*sur une étoffe*) dot, spot; **à ~** (*cravate etc*) dotted, polkadot *cpd*; ~ **chiche** chickpea; ~ **de senteur** sweet pea.

poison [pwazɔ̃] *nm* poison.

poisse [pwas] *nf* rotten luck.

poisseux, euse [pwasø, -øz] *a* sticky.

poisson [pwasɔ̃] *nm* fish *gén inv*; **les P~s** (*signe*) Pisces, the Fishes; **être des P~s** to be Pisces; ~ **d'avril!** April fool!; **poissonnerie** *nf* fish-shop; **poissonneux, euse** *a* abounding in fish; **poissonnier, ière** *nm/f* fishmonger.

poitrail [pwatʀaj] *nm* breast.

poitrine [pwatʀin] *nf* chest; (*seins*) bust, bosom; (CULIN) breast; ~ **de bœuf** brisket.

poivre [pwavʀ(ə)] *nm* pepper; ~ **en grains/moulu** whole/ground pepper; **poivré, e** *a* peppery; **poivrier** *nm* (BOT) pepper plant; (*ustensile*) pepperpot.

poivron [pwavʀɔ̃] *nm* pepper, capsicum; ~ **vert/rouge** green/red pepper.

poker [pokɛʀ] *nm*: **le ~** poker; ~ **d'as** four aces.

polaire [polɛʀ] *a* polar.

polariser [polaʀize] *vt* to polarize; (*fig*) to attract; to focus.

pôle [pol] *nm* (GÉO, ÉLEC) pole; **le ~ Nord/Sud** the North/South Pole.

polémique [polemik] *a* controversial, polemic(al) // *nf* controversy; **polémiste** *nm/f* polemist, polemicist.

poli, e [poli] *a* polite; (*lisse*) smooth; polished.

police [polis] *nf* police; (*discipline*): **assurer la ~ de ou dans** to keep order in; **peine de simple ~** sentence imposed by a magistrates' *ou* police court; ~ **d'assurance** insurance policy; ~ **judiciaire, P.J.** ≈ Criminal Investigation Department, C.I.D.; ~ **des mœurs** vice squad; ~ **secours** ≈ emergency services *pl*.

polichinelle [poliʃinɛl] *nm* Punch; (*péj*) buffoon.

policier, ière [polisje, -jɛʀ] *a* police *cpd* // *nm* policeman; (*aussi*: **roman ~**) detective novel.

policlinique [poliklinik] *nf* ≈ outpatients (department).

polio(myélite) [poljo(mjelit)] *nf* polio(myelitis); **poliomyélitique** *nm/f* polio patient *ou* case.

polir [poliʀ] *vt* to polish.

polisson, ne [polisɔ̃, -on] *a* naughty.

politesse [polites] *nf* politeness; ~**s** (exchange of) courtesies, polite gestures; **rendre une ~ à qn** to return sb's favour.

politicien, ne [politisjɛ̃, -ɛn] *nm/f* politician.

politique [politik] *a* political // *nf* (*science*, *pratique*, *activité*) politics *sg*; (*mesures*, *méthode*) policies *pl*; **politiser** *vt* to politicize; **politiser qn** to make sb politically aware.

pollen [polɛn] *nm* pollen.

polluer [polɥe] *vt* to pollute; **pollution** *nf* pollution.

polo [polo] *nm* (*sport*) polo; (*tricot*) sweat shirt.

Pologne [pɔlɔɲ] *nf*: la ~ Poland; **polonais, e** *a*, *nm* (*langue*) Polish // *nm/f* Pole.

poltron, ne [pɔltʀɔ̃, -ɔn] *a* cowardly.

poly... [pɔli] *préfixe*: ~**clinique** *nf* polyclinic; ~**copier** *vt* to duplicate; ~**game** *nf* polygamy; ~**glotte** *a* polyglot; ~**gone** *nm* polygon.

Polynésie [pɔlinezi] *nf*: la ~ Polynesia.

polytechnicien, ne [pɔlitɛknisjɛ̃, -ɛn] *nm/f* student (or former student) of the *École Polytechnique*.

polyvalent, e [pɔlivalɑ̃, -ɑ̃t] *a* polyvalent; versatile, multi-purpose // *nm* ≈ tax inspector.

pommade [pɔmad] *nf* ointment, cream.

pomme [pɔm] *nf* (*BOT*) apple; (*boule décorative*) knob; (*pomme de terre*): steak ~s (*frites*) steak and chips; **tomber dans les ~s** (*fam*) to pass out; ~ **d'Adam** Adam's apple; ~ **d'arrosoir** (sprinkler) rose; ~ **de pin** pine *ou* fir cone; ~ **de terre** potato; ~**s vapeur** boiled potatoes.

pommé, e [pɔme] *a* (*chou etc*) firm, with a good heart.

pommeau, x [pɔmo] *nm* (*boule*) knob; (*de selle*) pommel.

pommette [pɔmɛt] *nf* cheekbone.

pommier [pɔmje] *nm* apple tree.

pompe [pɔ̃p] *nf* pump; (*faste*) pomp (and ceremony); ~ **de bicyclette** bicycle pump; ~ **à essence** petrol pump; ~ **à incendie** fire engine (*apparatus*); ~**s funèbres** funeral parlour *sg*, undertaker's *sg*.

pomper [pɔ̃pe] *vt* to pump; (*évacuer*) to pump out; (*aspirer*) to pump up; (*absorber*) to soak up // *vi* to pump.

pompeux, euse [pɔ̃pø, -øz] *a* pompous.

pompier [pɔ̃pje] *nm* fireman // *am* (*style*) pretentious, pompous.

pompon [pɔ̃pɔ̃] *nm* pompom, bobble.

pomponner [pɔ̃pɔne] *vt* to titivate, dress up.

ponce [pɔ̃s] *nf*: **pierre** ~ pumice stone.

poncer [pɔ̃se] *vt* to sand (down); **ponceuse** *nf* sander.

poncif [pɔ̃sif] *nm* cliché.

ponction [pɔ̃ksjɔ̃] *nf*: ~ **lombaire** lumbar puncture.

ponctualité [pɔ̃ktɥalite] *nf* punctuality.

ponctuation [pɔ̃ktɥasjɔ̃] *nf* punctuation.

ponctuel, le [pɔ̃ktɥɛl] *a* (*à l'heure, aussi TECH*) punctual; (*fig: opération etc*) one-off, single; (*scrupuleux*) punctilious, meticulous.

ponctuer [pɔ̃ktɥe] *vt* to punctuate; (*MUS*) to phrase.

pondéré, e [pɔ̃deʀe] *a* level-headed, composed.

pondre [pɔ̃dʀ(ə)] *vt* to lay; (*fig*) to produce // *vi* to lay.

poney [pɔnɛ] *nm* pony.

pongiste [pɔ̃ʒist] *nm/f* table tennis player.

pont [pɔ̃] *nm* bridge; (*AUTO*): ~ **arrière/avant** rear/front axle; (*NAVIG*) deck; **faire le** ~ to take the extra day off; ~ **aérien** airlift; ~ **d'envol** flight deck; ~ **de graissage** ramp (*in garage*); ~ **roulant** travelling crane; ~ **suspendu** suspension bridge; ~ **tournant** swing

bridge; **P~s et Chaussées** highways department.

ponte [pɔ̃t] *nf* laying // *nm* (*fam*) big shot.

pontife [pɔ̃tif] *nm* pontiff.

pontifier [pɔ̃tifje] *vi* to pontificate.

pont-levis [pɔ̃lvi] *nm* drawbridge.

pop [pɔp] *a inv* pop.

populace [pɔpylas] *nf* (*péj*) rabble.

populaire [pɔpylɛʀ] *a* popular; (*manifestation*) mass *cpd*, of the people; (*milieux, clientèle*) working-class; **populariser** *vt* to popularize; **popularité** *nf* popularity.

population [pɔpylasjɔ̃] *nf* population.

populeux, euse [pɔpylø, -øz] *a* densely populated.

porc [pɔʀ] *nm* (*ZOOL*) pig; (*CULIN*) pork; (*peau*) pigskin.

porcelaine [pɔʀsəlɛn] *nf* porcelain, china; piece of china(ware).

porcelet [pɔʀsəlɛ] *nm* piglet.

porc-épic [pɔʀkepik] *nm* porcupine.

porche [pɔʀʃ(ə)] *nm* porch.

porcherie [pɔʀʃəʀi] *nf* pigsty.

porcin, e [pɔʀsɛ̃, -in] *a* porcine; (*fig*) piglike.

pore [pɔʀ] *nm* pore; **poreux, euse** *a* porous.

pornographie [pɔʀnɔgʀafi] *nf* pornography; **pornographique** *a* (*abr* **porno**) pornographic.

port [pɔʀ] *nm* (*NAVIG*) harbour, port; (*ville*) port; (*de l'uniforme etc*) wearing; (*pour lettre*) postage; (*pour colis, aussi: posture*) carriage; ~ **d'arme** (*JUR*) carrying of a firearm; ~ **d'attache** (*NAVIG*) port of registry; ~ **franc** free port.

portail [pɔʀtaj] *nm* gate; (*de cathédrale*) portal.

portant, e [pɔʀtɑ̃, -ɑ̃t] *a* (*murs*) structural, weight-bearing; **bien/ mal** ~ in good/poor health.

portatif, ive [pɔʀtatif, -iv] *a* portable.

porte [pɔʀt(ə)] *nf* door; (*de ville, forteresse, SKI*) gate; **mettre à la** ~ to throw out; ~ **d'entrée** front door; ~ **à** ~ *nm* door-to-door selling.

porte... [pɔʀt(ə)] *préfixe*: ~**-à-faux** *nm*: **en** ~**-à-faux** cantilevered; precariously balanced; ~**-avions** *nm inv* aircraft carrier; ~**-bagages** *nm inv* luggage rack; ~**-bonheur** *nm inv* lucky charm; ~**-cartes** *nm inv* card holder; map wallet; ~**-cigarettes** *nm inv* cigarette case; ~**-clefs** *nm inv* keyring; ~**-crayon** *nm* pencil holder; ~**-documents** *nm inv* attaché *ou* document case.

portée [pɔʀte] *nf* (*d'une arme*) range; (*fig*) impact, import; scope, capability; (*de chatte etc*) litter; (*MUS*) stave, staff (*pl* staves); **à/hors de** ~ (**de**) within/out of reach (of); **à** ~ **de (la) main** within (arm's) reach; **à** ~ **de voix** within earshot; **à la** ~ **de qn** (*fig*) at sb's level, within sb's capabilities.

porte-fenêtre [pɔʀtfənɛtʀ(ə)] *nf* French window.

portefeuille [pɔʀtəfœj] *nm* wallet; (*POL, BOURSE*) portfolio.

porte-jarretelles [pɔʀtʒaʀtɛl] *nm inv* suspender belt.

portemanteau, x [pɔrtmɑ̃to] *nm* coat hanger; coat rack.

porte-mine [pɔrtəmin] *nm* propelling pencil.

porte-monnaie [pɔrtmɔnɛ] *nm inv* purse.

porte-parole [pɔrtparɔl] *nm inv* spokesman.

porte-plume [pɔrtəplym] *nm inv* penholder.

porter [pɔrte] *vt* (*charge ou sac etc, aussi: fœtus*) to carry; (*sur soi: vêtement, barbe, bague*) to wear; (*fig: responsabilité etc*) to bear, carry; (*inscription, marque, titre, patronyme, suj: arbre: fruits, fleurs*) to bear; (*apporter*): ~ **qch quelque part/à qn** to take sth somewhere/to sb; (*inscrire*): ~ **qch sur** to put sth down on; to enter sth in // *vi* (*voix, regard, canon*) to carry; (*coup, argument*) to hit home; ~ **sur** (*peser*) to rest on; (*accent*) to fall on; (*conférence etc*) to concern; (*heurter*) to strike; **se** ~ *vi* (*se sentir*): **se** ~ **bien/mal** to be well/unwell; (*aller*): **se** ~ **vers** to go towards; **être porté à faire** to be apt *ou* inclined to do; **elle portait le nom de Rosalie** she was called Rosalie; ~ **qn au pouvoir** to bring sb to power; ~ **son âge** to look one's age; **se faire** ~ **malade** to report sick; ~ **la main à son chapeau** to raise one's hand to one's hat; ~ **son effort sur** to direct one's efforts towards.

porte-savon [pɔrtsavɔ̃] *nm* soapdish.

porte-serviettes [pɔrtsɛrvjɛt] *nm inv* towel rail.

porteur, euse [pɔrtœr, -øz] *a*: **être** ~ **de** (*nouvelle*) to be the bearer of // *nm* (*de bagages*) porter; (*COMM: de chèque*) bearer.

porte-voix [pɔrtəvwa] *nm inv* loudhailer.

portier [pɔrtje] *nm* commissionnaire, porter.

portière [pɔrtjɛr] *nf* door.

portillon [pɔrtijɔ̃] *nm* gate.

portion [pɔrsjɔ̃] *nf* (*part*) portion, share; (*partie*) portion, section.

portique [pɔrtik] *nm* (*GYM*) crossbar; (*ARCHIT*) portico; (*RAIL*) gantry.

porto [pɔrto] *nm* port (wine).

portrait [pɔrtrɛ] *nm* portrait; photograph; **portraitiste** *nm/f* portrait painter; ~**robot** *nm* Identikit *ou* photo-fit picture.

portuaire [pɔrtɥɛr] *a* port *cpd*, harbour *cpd*.

portugais, e [pɔrtygɛ, -ɛz] *a, nm, nf* Portuguese.

Portugal [pɔrtygal] *nm*: **le** ~ Portugal.

pose [poz] *nf* laying; hanging; (*attitude, d'un modèle*) pose; (*PHOTO*) exposure.

posé, e [poze] *a* serious.

posemètre [pozmɛtr(ə)] *nm* exposure meter.

poser [poze] *vt* (*déposer*): ~ **qch (sur)/qn à** to put sth down (on)/drop sb at; (*placer*): ~ **qch sur/quelque part** to put sth on/somewhere; (*installer: moquette, carrelage*) to lay; (: *rideaux, papier peint*) to hang; (*question*) to ask; (*principe, conditions*) to lay *ou* set down; (*problème*) to formulate; (*difficulté*) to pose // *vi* (*modèle*) to pose; to sit; **se** ~ (*oiseau, avion*) to land; (*question*) to arise.

poseur, euse [pozœr, -øz] *nm/f* (*péj*) show-off, poseur; ~ **de parquets/carrelages** floor/tile layer.

positif, ive [pozitif, -iv] *a* positive.

position [pozisjɔ̃] *nf* position; **prendre** ~ (*fig*) to take a stand.

posologie [pozɔlɔʒi] *nf* directions *pl* for use, dosage.

posséder [pɔsede] *vt* to own, possess; (*qualité, talent*) to have, possess; (*bien connaître: métier, langue*) to master, have a thorough knowledge of; (*sexuellement, aussi: suj: colère etc*) to possess; (*fam: duper*) to take in; **possesseur** *nm* owner; **possessif, ive** *a, nm* possessive; **possession** *nf* ownership *q*; possession; **être/entrer en possession de qch** to be in/take possession of sth.

possibilité [pɔsibilite] *nf* possibility; ~**s** *nfpl* (*moyens*) means; (*potentiel*) potential *sg*; **avoir la** ~ **de faire** to be in a position to do; to have the opportunity to do.

possible [pɔsibl(ə)] *a* possible; (*projet, entreprise*) feasible // *nm*: **faire son** ~ to do all one can, do one's utmost; **le plus/moins de livres** ~ as many/few books as possible; **le plus/moins d'eau** ~ as much/little water as possible; **dès que** ~ as soon as possible; **gentil etc au** ~ as nice *etc* as it is possible to be.

postal, e, aux [pɔstal, -o] *a* postal, post office *cpd*; **sac** ~ mailbag, postbag.

poste [pɔst(ə)] *nf* (*service*) post, postal service; (*administration, bureau*) post office // *nm* (*fonction, MIL*) post; (*de radio etc*) set; (*de budget*) item; ~**s** *nfpl* post office *sg*; **P~s et Télécommunications (P.T.T.:** *abr de* Postes, Télégraphes, Téléphones) ≈ General Post Office (G.P.O.); ~ (**de radio/télévision**) *nm* (radio/television) set; ~ **émetteur** *nm* transmitting set; ~ **d'essence** *nm* petrol *ou* filling station; ~ **d'incendie** *nm* fire point; ~ **de péage** *nm* tollgate; ~ **de pilotage** *nm* cockpit; ~ (**de police**) *nm* police station; ~ **restante** *nf* poste restante; ~ **de secours** *nm* first-aid post.

poster *vt* [pɔste] to post // *nm* [pɔstɛr] poster.

postérieur, e [pɔsterjœr] *a* (*date*) later; (*partie*) back // *nm* (*fam*) behind.

posteriori [pɔsterjɔri]: **a** ~ *ad* with hindsight, a posteriori.

postérité [pɔsterite] *nf* posterity.

posthume [pɔstym] *a* posthumous.

postiche [pɔstiʃ] *a* false // *nm* hairpiece.

postillonner [pɔstijɔne] *vi* to sp(l)utter.

post-scriptum [pɔstskriptɔm] *nm inv* postscript.

postulant, e [pɔstylɑ̃, -ɑ̃t] *nm/f* applicant.

postulat [pɔstyla] *nm* postulate.

postuler [pɔstyle] *vt* (*emploi*) to apply for, put in for.

posture [pɔstyr] *nf* posture, position; (*fig*) position.

pot [po] *nm* jar, pot; carton; (*en métal*) tin; **boire un** ~ (*fam*) to have a drink; ~ (**de chambre**) (chamber)pot; ~ **d'échappement** exhaust pipe; ~ **de fleurs** plant pot, flowerpot; (*fleurs*) pot plant; ~ **à tabac** tobacco jar.

potable [pɔtabl(ə)] a (fig) drinkable; decent; **eau** ~ drinking water.

potache [pɔtaʃ] nm schoolboy.

potage [pɔtaʒ] nm soup; soup course.

potager, ère [pɔtaʒe, -ɛR] a (plante) edible, vegetable cpd; (jardin) ~ kitchen ou vegetable garden.

potasse [pɔtas] nf potassium hydroxide; (engrais) potash.

potasser [pɔtase] vt (fam) to swot up.

pot-au-feu [pɔtofø] nm inv (beef) stew; (viande) stewing beef.

pot-de-vin [pɔdvɛ̃] nm bribe.

poteau, x [pɔto] nm post; ~ (d'exécution) execution post, stake; ~ indicateur signpost; ~ télégraphique telegraph pole; ~x (de but) goal-posts.

potelé, e [pɔtle] a plump, chubby.

potence [pɔtɑ̃s] nf gallows sg.

potentiel, le [pɔtɑ̃sjɛl] a, nm potential.

poterie [pɔtʀi] nf pottery; piece of pottery.

potiche [pɔtiʃ] nf large vase.

potier [pɔtje] nm potter.

potins [pɔtɛ̃] nmpl gossip sg.

potion [posjɔ̃] nf potion.

potiron [pɔtiʀɔ̃] nm pumpkin.

pot-pourri [popuʀi] nm potpourri, medley.

pou, x [pu] nm louse (pl lice).

poubelle [pubɛl] nf (dust)bin.

pouce [pus] nm thumb.

poudre [pudʀ(ə)] nf powder; (fard) (face) powder; (explosif) gunpowder; en ~: **café en** ~ instant coffee; **savon en** ~ soap powder; **lait en** ~ dried ou powdered milk; **poudrer** vt to powder; ~**rie** nf gunpowder factory; **poudreux, euse** a dusty, powdery; **neige poudreuse** powder snow; **poudrier** nm (powder) compact; **poudrière** nf powder magazine; (fig) powder keg.

poudroyer [pudʀwaje] vi to rise in clouds ou a flurry.

pouf [puf] nm pouffe.

pouffer [pufe] vi: ~ (de rire) to snigger; to giggle.

pouilleux, euse [pujø, -øz] a (fig) grubby; seedy.

poulailler [pulaje] nm henhouse; (THÉÀTRE): le ~ the gods sg.

poulain [pulɛ̃] nm foal; (fig) protégé.

poularde [pulaʀd(ə)] nf fatted chicken.

poule [pul] nf (ZOOL) hen; (CULIN) (boiling) fowl; (fam) tart; broad; ~ **d'eau** moorhen; ~ **mouillée** coward; ~ **pondeuse** layer; ~ **au riz** chicken and rice.

poulet [pulɛ] nm chicken; (fam) cop.

pouliche [puliʃ] nf filly.

poulie [puli] nf pulley; block.

poulpe [pulp(ə)] nm octopus.

pouls [pu] nm pulse; **prendre le** ~ **de qn** to feel sb's pulse.

poumon [pumɔ̃] nm lung; ~ **d'acier** iron lung.

poupe [pup] nf stern; en ~ astern.

poupée [pupe] nf doll; **jouer à la** ~ to play with one's doll ou dolls.

poupon [pupɔ̃] nm babe-in-arms; **pouponnière** nf crèche, day nursery.

pour [puʀ] prép for; ~ **faire** (so as) to do, in order to do; ~ **que** so that, in order that; ~ **riche qu'il soit** rich though he may be; ~ **10 F d'essence** 10 francs' worth of petrol; ~ **cent** per cent; ~ **ce qui est de** as for; **le** ~ **et le contre** the pros and cons.

pourboire [puʀbwaʀ] nm tip.

pourcentage [puʀsɑ̃taʒ] nm percentage.

pourchasser [puʀʃase] vt to pursue.

pourlécher [puʀleʃe]: **se** ~ vi to lick one's lips.

pourparlers [puʀpaʀle] nmpl talks, negotiations; **être en** ~ **avec** to be having talks with.

pourpre [puʀpʀ(ə)] a crimson.

pourquoi [puʀkwa] ad, cj why // nm inv: **le** ~ (**de**) the reason (of).

pourrai etc vb voir **pouvoir**.

pourri, e [puʀi] a rotten.

pourrir [puʀiʀ] vi to rot; (fruit) to go rotten ou bad // vt to rot; (fig) to corrupt; to spoil thoroughly; **pourriture** nf rot.

pourrons etc vb voir **pouvoir**.

poursuite [puʀsɥit] nf pursuit, chase; ~**s** nfpl (JUR) legal proceedings; (course) track race; (fig) chase.

poursuivant, e [puʀsɥivɑ̃, -ɑ̃t] nm/f pursuer.

poursuivre [puʀsɥivʀ(ə)] vt to pursue, chase (after); (relancer) to hound, harry; (obséder) to haunt; (JUR) to bring proceedings against, prosecute; (: au civil) to sue; (but) to strive towards; (voyage, études) to carry on with, continue // vi to carry on, go on; **se** ~ vi to go on, continue.

pourtant [puʀtɑ̃] ad yet; **c'est** ~ **facile** (and) yet it's easy.

pourtour [puʀtuʀ] nm perimeter.

pourvoi [puʀvwa] nm appeal.

pourvoir [puʀvwaʀ] vt: ~ **qch/qn de** to equip sth/sb with // vi: ~ **à** to provide for; (emploi) to fill; **se** ~ (JUR): **se** ~ **en cassation** to take one's case to the Court of Appeal.

pourvu, e [puʀvy] a: ~ **de** equipped with; ~ **que** cj (si) provided that, so long as; (espérons que) let's hope (that).

pousse [pus] nf growth; (bourgeon) shoot.

poussé, e [puse] a sophisticated, advanced; (moteur) souped-up.

pousse-café [puskafe] nm inv (after-dinner) liqueur.

poussée [puse] nf thrust; (coup) push; (MÉD) eruption; (fig) upsurge.

pousse-pousse [puspus] nm inv rickshaw.

pousser [puse] vt to push; (inciter): ~ **qn à** to urge ou press sb to + infinitif; (acculer): ~ **qn à** to drive sb to; (émettre: cri etc) to give; (stimuler) to urge on; to drive hard; (poursuivre) to carry on (further) // vi to push; (croître) to grow; (aller): ~ **plus loin** to push on a bit further; **se** ~ vi to move over; **faire** ~ (plante) to grow.

poussette [pusɛt] nf (voiture d'enfant) push chair.

poussière [pusjɛʀ] nf dust; (grain) speck of dust; (fig) et des ~s and a bit; ~ de charbon coaldust; **poussiéreux, euse** a dusty.

poussif, ive [pusif, -iv] a wheezy, wheezing.

poussin [pusɛ̃] nm chick.

poutre [putʀ(ə)] nf beam; (en fer, ciment armé) girder; **poutrelle** nf girder.

pouvoir [puvwaʀ] nm power; (POL: dirigeants): le ~ those in power, the government // vb + infinitif can; (suj: personne) can, to be able to; (permission) can, may; (probabilité, hypothèse) may; il peut arriver que it may happen that; il pourrait pleuvoir it might rain; déçu de ne pas ~ le faire disappointed not to be able to do it ou that he couldn't do it; il aurait pu le dire! he could ou might have said!; il se peut que it may be that; je n'en peux plus I'm exhausted; I can't take any more; ~ d'achat purchasing power; les ~s publics the authorities.

prairie [pʀɛʀi] nf meadow.

praliné, e [pʀaline] a sugared; praline-flavoured.

praticable [pʀatikabl(ə)] a passable, practicable.

praticien, ne [pʀatisjɛ̃, -jɛn] nm/f practitioner.

pratiquant, e [pʀatikɑ̃, -ɑ̃t] a practising.

pratique [pʀatik] nf practice // a practical; dans la ~ in (actual) practice; mettre en ~ to put into practice.

pratiquement [pʀatikmɑ̃] ad (pour ainsi dire) practically, virtually.

pratiquer [pʀatike] vt to practise; (intervention, opération) to carry out; (ouverture, abri) to make // vi (REL) to be a churchgoer.

pré [pʀe] nm meadow.

préalable [pʀealabl(ə)] a preliminary; condition ~ (de) precondition (for), prerequisite (for); sans avis ~ without prior ou previous notice; au ~ first, beforehand.

préambule [pʀeɑ̃byl] nm preamble; (fig) prelude; sans ~ straight away.

préau, x [pʀeo] nm playground; inner courtyard.

préavis [pʀeavi] nm notice; ~ de congé notice; communication avec ~ (TÉL) personal ou person to person call.

précaire [pʀekɛʀ] a precarious.

précaution [pʀekosjɔ̃] nf precaution; avec ~ cautiously; par ~ as a precaution.

précédemment [pʀesedamɑ̃] ad before, previously.

précédent, e [pʀesedɑ̃, -ɑ̃t] a previous // nm precedent; sans ~ unprecedented; le jour ~ the day before, the previous day.

précéder [pʀesede] vt to precede; (marcher ou rouler devant) to be in front of; (arriver avant) to get ahead of.

précepte [pʀesɛpt(ə)] nm precept.

précepteur, trice [pʀesɛptœʀ, tʀis] nm/f (private) tutor.

prêcher [pʀeʃe] vt to preach.

précieux, euse [pʀesjø, -øz] a precious; invaluable; (style, écrivain) précieux, precious.

précipice [pʀesipis] nm drop, chasm; (fig) abyss; au bord du ~ at the edge of the precipice.

précipitamment [pʀesipitamɑ̃] ad hurriedly, hastily.

précipitation [pʀesipitasjɔ̃] nf (hâte) haste; ~s (atmosphériques) (atmospheric) precipitation sg.

précipité, e [pʀesipite] a fast; hurried; hasty.

précipiter [pʀesipite] vt (faire tomber): ~ qn/qch du haut de to throw or hurl sb/sth off ou from; (hâter: marche) to quicken; (: depart: événements) to move faster; se ~ sur/vers to rush at/towards.

précis, e [pʀesi, -iz] a precise; (tir, mesures) accurate, precise // nm handbook; **précisément** ad precisely; **préciser** vt (expliquer) to be more specific about, clarify; (spécifier) to state, specify; se préciser vi to become clear(er); **précision** nf precision; accuracy; point ou detail (made clear or to be clarified); **précisions** nfpl further details.

précoce [pʀekɔs] a early; (enfant) precocious; (calvitie) premature.

préconçu, e [pʀekɔ̃sy] a preconceived.

préconiser [pʀekɔnize] vt to advocate.

précurseur [pʀekyʀsœʀ] am precursory // nm forerunner, precursor.

prédécesseur [pʀedesesœʀ] nm predecessor.

prédestiner [pʀedɛstine] vt: ~ qn à qch/faire to predestine sb for sth/to do.

prédicateur [pʀedikatœʀ] nm preacher.

prédiction [pʀediksjɔ̃] nf prediction.

prédilection [pʀedilɛksjɔ̃] nf: avoir une ~ pour to be partial to; de ~ favourite.

prédire [pʀediʀ] vt to predict.

prédisposer [pʀedispoze] vt: ~ qn à qch/faire to predispose sb to sth/to do.

prédominer [pʀedɔmine] vi to predominate; (avis) to prevail.

préfabriqué, e [pʀefabʀike] a prefabricated // nm prefabricated material.

préface [pʀefas] nf preface; **préfacer** vt to write a preface for.

préfectoral, e, aux [pʀefɛktɔʀal, -o] a prefectorial.

préfecture [pʀefɛktyʀ] nf prefecture; ~ de police police headquarters.

préférable [pʀefeʀabl(ə)] a preferable.

préféré, e [pʀefeʀe] a, nm/f favourite.

préférence [pʀefeʀɑ̃s] nf preference; de ~ preferably; de ~ à in preference to, rather than; obtenir la ~ sur to have preference over; **préférentiel, le** a preferential.

préférer [pʀefeʀe] vt: ~ qn/qch (à) to prefer sb/sth (to), like sb/sth better (than); ~ faire to prefer to do; je préférerais du thé I would rather have tea, I'd prefer tea.

préfet [pʀefɛ] nm prefect; ~ de police prefect of police, ≈ Metropolitan Commissioner.

préfixe [pʀefiks(ə)] nm prefix.

préhistoire [pʀeistwaʀ] nf prehistory; **préhistorique** a prehistoric.

préjudice [pʀeʒydis] nm (matériel) loss; (moral) harm q; **porter** ~ **à** to harm, be detrimental to; **au** ~ **de** at the expense of.

préjugé [pʀeʒyʒe] nm prejudice; **avoir un** ~ **contre** to be prejudiced ou biased against.

préjuger [pʀeʒyʒe]: ~ **de** vt to prejudge.

prélasser [pʀelase]: **se** ~ vi to lounge.

prélat [pʀela] nm prelate.

prélavage [pʀelavaʒ] nm pre-wash.

prélèvement [pʀelɛvmɑ̃] nm deduction; withdrawal; **faire un** ~ **de sang** to take a blood sample.

prélever [pʀelve] vt (échantillon) to take; (argent): ~ **(sur)** to deduct (from); (: sur son compte): ~ **(sur)** to withdraw (from).

préliminaire [pʀeliminɛʀ] a preliminary; ~**s** nmpl preliminary talks; preliminaries.

prélude [pʀelyd] nm prelude; (avant le concert) warm-up.

prématuré, e [pʀematyʀe] a premature; (retraite) early // nm premature baby.

préméditation [pʀemeditasjɔ̃] nf: **avec** ~ a premeditated // ad with intent; **préméditer** vt to premeditate, plan.

premier, ière [pʀəmje, -jɛʀ] a first; (branche, marche, grade) bottom; (fig) basic; prime; initial // nf (THÉÂTRE) first night; (CINÉMA) première; (exploit) first; **le** ~**. venu** the first person to come along; **P~ Ministre** Prime Minister; **premièrement** ad firstly.

prémisse [pʀemis] nf premise.

prémonition [pʀemɔnisjɔ̃] nf premonition; **prémonitoire** a premonitory.

prémunir [pʀemyniʀ]: **se** ~ vi: **se** ~ **contre** to protect o.s. from, guard o.s. against.

prénatal, e [pʀenatal] a (MÉD) antenatal.

prendre [pʀɑ̃dʀ(ə)] vt to take; (ôter): ~ **qch à** to take sth from; (aller chercher) to get, fetch; (se procurer) to get; (malfaiteur, poisson) to catch; (passager) to pick up; (personnel, aussi: couleur, goût) to take on; (locataire) to take in; (élève etc: traiter) to handle; (voix, ton) to put on; (coincer): **se** ~ **les doigts dans** to get one's fingers caught in // vi (liquide, ciment) to set; (greffe, vaccin) to take; (mensonge) to be successful; (feu: foyer) to go; (: incendie) to start; (allumette) to light; (se diriger): ~ **à gauche** to turn (to the) left; ~ **qn pour** to take sb for; **se** ~ **pour** to think one is; **s'en** ~ **à** (agresser) to set about; (critiquer) to attack; **se** ~ **d'amitié/d'affection pour** to befriend/become fond of; **s'y** ~ (procéder) to set about it; **s'y** ~ **à l'avance** to see to it in advance; **s'y** ~ **à deux fois** to try twice, make two attemps.

preneur [pʀənœʀ] nm: **être/trouver** ~ to be willing to sell/find a buyer.

preniez, prenne etc vb voir **prendre**.

prénom [pʀenɔ̃] nm first ou Christian name; **prénommer** vt: **elle se prénomme Claude** her (first) name is Claude.

prénuptial, e, aux [pʀenypsjal, -o] a premarital.

préoccupation [pʀeɔkypasjɔ̃] nf (souci) worry, anxiety; (idée fixe) preoccupation.

préoccuper [pʀeɔkype] vt to worry; to preoccupy; **se** ~ **de qch** to be concerned about sth; to show concern about sth.

préparatifs [pʀepaʀatif] nmpl preparations.

préparation [pʀepaʀasjɔ̃] nf preparation; (SCOL) piece of homework.

préparatoire [pʀepaʀatwaʀ] a preparatory.

préparer [pʀepaʀe] vt to prepare; (café) to make; (examen) to prepare for; (voyage, entreprise) to plan; **se** ~ vi (orage, tragédie) to brew, be in the air; **se** ~ **(à qch/faire)** to prepare (o.s.) ou get ready (for sth/to do); ~ **qch à qn** (surprise etc) to have sth in store for sb.

prépondérant, e [pʀepɔ̃deʀɑ̃, -ɑ̃t] a major, dominating.

préposé, e [pʀepoze] a: ~ **à** in charge of // nm/f employee; official; attendant; postman; woman.

préposition [pʀepozisjɔ̃] nf preposition.

prérogative [pʀeʀɔgativ] nf prerogative.

près [pʀɛ] ad near, close; ~ **de** prép near (to), close to; (environ) nearly, almost; **de** ~ ad closely; **à 5 kg** ~ to within about 5 kg; **à cela** ~ **que** apart from the fact that.

présage [pʀezaʒ] nm omen.

présager [pʀezaʒe] vt to foresee.

presbyte [pʀɛsbit] a long-sighted.

presbytère [pʀɛsbitɛʀ] nm presbytery.

presbytérien, ne [pʀɛsbiteʀjɛ̃, -jɛn] a, nm/f Presbyterian.

prescription [pʀɛskʀipsjɔ̃] nf (instruction) order, instruction; (MÉD, JUR) prescription.

prescrire [pʀɛskʀiʀ] vt to prescribe; **se** ~ vi (JUR) to lapse; **prescrit, e** a (date etc) stipulated.

préséance [pʀeseɑ̃s] nf precedence q.

présence [pʀezɑ̃s] nf presence; (au bureau etc) attendance; **en** ~ **de** in (the) presence of; (fig) in the face of; ~ **d'esprit** presence of mind.

présent, e [pʀezɑ̃, -ɑ̃t] a, nm present; **à** ~ **(que)** now (that).

présentateur, trice [pʀezɑ̃tatœʀ, -tʀis] nm/f presenter.

présentation [pʀezɑ̃tasjɔ̃] nf introduction; presentation; (allure) appearance.

présenter [pʀezɑ̃te] vt to present; (soumettre) to submit; (invité, conférencier): ~ **qn (à)** to introduce sb (to) // vi: ~ **mal/bien** to have an unattractive/a pleasing appearance; **se** ~ vi (sur convocation) to report, come; (à une élection) to stand; (occasion) to arise; **se** ~ **bien/mal** to look good/not too good; **présentoir** nm display shelf (pl shelves).

préservatif [pʀezɛʀvatif] nm sheath, condom.

préserver [pʀezɛʀve] vt: ~ **de** to protect from; to save from.

présidence [pʀezidɑ̃s] nf presidency; office of President; chairmanship.

président [pʀezidɑ̃] nm (POL) president; (d'une assemblée, COMM) chairman; ~ **directeur général (P.D.G.)** chairman and managing director; ~ **du jury** (JUR) foreman of the jury; (d'examen) chief examiner; **présidente** nf president's wife; chairwoman; **présidentiel, le** [-sjɛl] a presidential.

présider [pʀezide] vt to preside over; (dîner) to be the guest of honour at; ~ à vt to direct; to govern.

présomption [pʀezɔ̃psjɔ̃] nf presumption.

présomptueux, euse [pʀezɔ̃ptɥø, -øz] a presumptuous.

presque [pʀɛsk(ə)] ad almost, nearly; ~ rien hardly anything; ~ pas hardly (at all).

presqu'île [pʀɛskil] nf peninsula.

pressant, e [pʀesɑ̃, -ɑ̃t] a urgent.

presse [pʀɛs] nf press; (affluence): heures de ~ busy times; sous ~ a in press, being printed; ~ féminine women's magazines pl; ~ d'information quality newspapers pl.

pressé, e [pʀese] a in a hurry; (air) hurried; (besogne) urgent; orange ~e fresh orange juice.

presse-citron [pʀɛssitʀɔ̃] nm inv lemon squeezer.

pressentiment [pʀesɑ̃timɑ̃] nm foreboding, premonition.

pressentir [pʀesɑ̃tiʀ] vt to sense; (prendre contact avec) to approach.

presse-papiers [pʀɛspapje] nm inv paperweight.

presser [pʀese] vt (fruit, éponge) to squeeze; (interrupteur, bouton) to press, push; (allure, affaire) to speed up; (débiteur etc) to hurry; (inciter): ~ qn de faire to urge ou press sb to do // vi to be urgent; rien ne presse there's no hurry; se ~ (se hâter) to hurry (up); (se grouper) to crowd; se ~ contre qn to squeeze up against sb; ~ qn entre ses bras to hug sb (tight).

pressing [pʀesiŋ] nm steam-pressing; (magasin) dry-cleaner's.

pression [pʀesjɔ̃] nf pressure; faire ~ sur to put pressure on; sous ~ pressurized, under pressure; (fig) keyed up; ~ artérielle blood pressure.

pressoir [pʀeswaʀ] nm (wine ou oil etc) press.

pressurer [pʀesyʀe] vt (fig) to squeeze.

pressurisé, e [pʀesyʀize] a pressurized.

prestance [pʀɛstɑ̃s] nf presence, imposing bearing.

prestataire [pʀɛstatɛʀ] nm/f person receiving benefits.

prestation [pʀɛstasjɔ̃] nf (allocation) benefit; (d'une assurance) cover q; (d'une entreprise) service provided; (d'un joueur, artiste) performance; ~ de serment taking the oath; ~ de service provision of a service.

preste [pʀɛst(ə)] a nimble; swift; ~ment ad swiftly.

prestidigitateur, trice [pʀɛstidiʒita-tœʀ, -tʀis] nm/f conjurer.

prestidigitation [pʀɛstidiʒitasjɔ̃] nf conjuring.

prestige [pʀɛstiʒ] nm prestige; **prestigieux, euse** a prestigious.

présumer [pʀezyme] vt: ~ que to presume ou assume that; ~ de to

overrate; ~ qn coupable to presume sb guilty.

prêt, e [pʀɛ, pʀɛt] a ready // nm lending q; loan; ~ sur gages pawnbroking q; **prêt-à-porter** nm ready-to-wear ou off-the-peg clothes pl.

prétendant [pʀetɑ̃dɑ̃] nm pretender; (d'une femme) suitor.

prétendre [pʀetɑ̃dʀ(ə)] vt (affirmer): ~ que to claim that; (avoir l'intention de): ~ faire qch to mean ou intend to do sth; ~ à vt (droit, titre) to lay claim to; **prétendu, e** a (supposé) so-called.

prête-nom [pʀɛtnɔ̃] nm (péj) figurehead.

prétentieux, euse [pʀetɑ̃sjø, -øz] a pretentious.

prétention [pʀetɑ̃sjɔ̃] nf claim; pretentiousness.

prêter [pʀete] vt (livres, argent): ~ qch (à) to lend sth (to); (supposer): ~ à qn (caractère, propos) to attribute to sb // vi (aussi: se ~: tissu, cuir) to give; ~ à (commentaires etc) to be open to, give rise to; se ~ à to lend o.s. (ou itself) to; (manigances etc) to go along with; ~ assistance à to give help to; ~ serment to take the oath; ~ l'oreille to listen; **prêteur** nm moneylender; **prêteur sur gages** pawnbroker.

prétexte [pʀetɛkst(ə)] nm pretext, excuse; sous aucun ~ on no account; **prétexter** vt to give as a pretext ou an excuse.

prêtre [pʀɛtʀ(ə)] nm priest; **prêtrise** nf priesthood.

preuve [pʀœv] nf proof; (indice) proof, evidence q; faire ~ de to show; faire ses ~s to prove o.s. (ou itself).

prévaloir [pʀevalwaʀ] vi to prevail; se ~ de vt to take advantage of; to pride o.s. on.

prévenances [pʀevnɑ̃s] nfpl thoughtfulness sg, kindness sg.

prévenant, e [pʀevnɑ̃, -ɑ̃t] a thoughtful, kind.

prévenir [pʀevniʀ] vt (avertir): ~ qn (de) to warn sb (about); (informer): ~ qn (de) to tell ou inform sb (about); (éviter) to avoid, prevent; (anticiper) to forestall; to anticipate; (influencer): ~ qn contre to prejudice sb against.

préventif, ive [pʀevɑ̃tif, -iv] a preventive.

prévention [pʀevɑ̃sjɔ̃] nf prevention; ~ routière road safety.

prévenu, e [pʀevny] nm/f (JUR) defendant, accused.

prévision [pʀevizjɔ̃] nf: ~s predictions; forecast sg; en ~ de in anticipation of; ~s météorologiques ou du temps weather forecast sg.

prévoir [pʀevwaʀ] vt (deviner) to foresee; (s'attendre à) to expect, reckon on; (prévenir) to anticipate; (organiser) to plan; (préparer, réserver) to allow; **prévu pour 4 personnes** designed for 4 people; **prévu pour 10h** scheduled for 10 o'clock.

prévoyance [pʀevwajɑ̃s] nf foresight; une société/caisse de ~ a provident society/contingency fund.

prévoyant, e [pʀevwajɑ̃, -ɑ̃t] a gifted with (ou showing) foresight.

prier [pʀije] vi to pray // vt (Dieu) to pray to; (implorer) to beg; (demander): ~ qn de faire to ask sb to do; se faire ~ to need coaxing ou persuading; je vous en prie please do; don't mention it.

prière [pʀijɛʀ] nf prayer; '~ de faire ...' 'please do ...'.

primaire [pʀimɛʀ] a primary; (péj) simple-minded; simplistic // nm (SCOL) primary education.

primauté [pʀimote] nf (fig) primacy.

prime [pʀim] nf (bonification) bonus; (subside) premium, allowance; (COMM: cadeau) free gift; (ASSURANCES, BOURSE) premium // a: de ~ abord at first glance; ~ de risque danger money q.

primer [pʀime] vt (l'emporter sur) to prevail over; (récompenser) to award a prize to // vi to dominate; to prevail.

primesautier, ère [pʀimsotje, -jɛʀ] a impulsive.

primeur [pʀimœʀ] nf: avoir la ~ de to be the first to hear (ou see etc); ~s nfpl (fruits, légumes) early fruits and vegetables; marchand de ~s greengrocer.

primevère [pʀimvɛʀ] nf primrose.

primitif, ive [pʀimitif, -iv] a primitive; (originel) original // nm/f primitive.

primordial, e, aux [pʀimɔʀdjal, -o] a essential, primordial.

prince, esse [pʀɛ̃s, pʀɛ̃sɛs] nm/f prince/princess; ~ de Galles nm inv check cloth; ~ héritier crown prince; **princier, ière** a princely.

principal, e, aux [pʀɛ̃sipal, -o] a principal, main // nm (SCOL) principal, head(master) // nf: (proposition) ~e main clause.

principauté [pʀɛ̃sipote] nf Principality.

principe [pʀɛ̃sip] nm principle; partir du ~ que to work on the principle ou assumption that; pour le ~ on principle, for the sake of it; de ~ a (accord, hostilité) automatic; par ~ on principle; en ~ (habituellement) as a rule; (théoriquement) in principle.

printanier, ère [pʀɛ̃tanje, -jɛʀ] a spring cpd; spring-like.

printemps [pʀɛ̃tɑ̃] nm spring.

priori [pʀijɔʀi]: a ~ ad without the benefit of hindsight; a priori; initially.

prioritaire [pʀijɔʀitɛʀ] a having priority; (AUTO) having right of way.

priorité [pʀijɔʀite] nf (AUTO): avoir la ~ (sur) to have right of way (over); ~ à droite right of way to vehicles coming from the right; en ~ as a (matter of) priority.

pris, e [pʀi, pʀiz] pp de prendre // a (place) taken; (journée, mains) full; (billets) sold; (personne) busy; (MÉD: enflammé): avoir le nez/la gorge ~(e) to have a stuffy nose/a hoarse throat; (saisi): être ~ de peur/de fatigue to be stricken with fear/overcome with fatigue.

prise [pʀiz] nf (d'une ville) capture; (PÊCHE, CHASSE) catch; (de judo ou catch, point d'appui ou pour empoigner) hold; (ÉLEC: fiche) plug; (: femelle) socket; (: au mur) point; en ~ (AUTO) in gear; être aux ~s avec to be grappling with; to be battling

with; lâcher ~ to let go; ~ en charge (taxe) pick-up charge; ~ de courant power point; ~ d'eau water (supply) point; tap; ~ multiple adaptor; ~ de sang blood test; ~ de son sound recording; ~ de tabac pinch of snuff; ~ de terre earth; ~ de vue (photo) shot; (action): ~ de vue(s) filming, shooting.

priser [pʀize] vt (tabac, héroïne) to take; (estimer) to prize, value // vi to take snuff.

prisme [pʀism(ə)] nm prism.

prison [pʀizɔ̃] nf prison; aller/être en ~ to go to/be in prison ou jail; faire de la ~ to serve time; **prisonnier, ière** nm/f prisoner // a captive; faire qn prisonnier to take sb prisoner.

prit vb voir prendre.

privations [pʀivasjɔ̃] nfpl privations, hardships.

privé, e [pʀive] a private; (dépourvu): ~ de without, lacking; en ~ in private.

priver [pʀive] vt: ~ qn de to deprive sb of; se ~ de to go ou do without; ne pas se ~ de faire not to refrain from doing.

privilège [pʀivilɛʒ] nm privilege; **privilégié, e** a privileged.

prix [pʀi] nm (valeur) price; (récompense, SCOL) prize; hors de ~ exorbitantly priced; à aucun ~ not at any price; à tout ~ at all costs; ~ d'achat/de vente purchasing/selling price.

probabilité [pʀɔbabilite] nf probability.

probable [pʀɔbabl(ə)] a likely, probable; ~ment ad probably.

probant, e [pʀɔbɑ̃, -ɑ̃t] a convincing.

probité [pʀɔbite] nf integrity, probity.

problème [pʀɔblɛm] nm problem.

procédé [pʀɔsede] nm (méthode) process; (comportement) behaviour q.

procéder [pʀɔsede] vi to proceed; to behave; ~ à vt to carry out.

procédure [pʀɔsedyʀ] nf (ADMIN, JUR) procedure.

procès [pʀɔsɛ] nm trial; (poursuites) proceedings pl; être en ~ avec to be involved in a lawsuit with.

procession [pʀɔsesjɔ̃] nf procession.

processus [pʀɔsesys] nm process.

procès-verbal, aux [pʀɔsɛvɛʀbal, -o] nm (constat) statement; (aussi: P.V.): avoir un ~ to get a parking ticket; to be booked; (de réunion) minutes pl.

prochain, e [pʀɔʃɛ̃, -ɛn] a next; (proche) impending; near // nm fellow man; la ~e fois/semaine ~e next time/week; **prochainement** ad soon, shortly.

proche [pʀɔʃ] a nearby; (dans le temps) imminent; close at hand; (parent, ami) close; ~s nmpl close relatives, next of kin; être ~ (de) to be near, be close (to); de ~ en ~ gradually; le P~ Orient the Middle East, the Near East.

proclamation [pʀɔklamasjɔ̃] nf proclamation.

proclamer [pʀɔklame] vt to proclaim.

procréer [pʀɔkʀee] vt to procreate.

procuration [pʀɔkyʀasjɔ̃] nf proxy; power of attorney.

procurer [pʀɔkyʀe] vt (fournir): ~ qch à qn to get ou obtain sth for sb; (causer:

plaisir etc): ~ **qch à qn** to bring *ou* give sb sth; **se** ~ *vt* to get.
procureur [prɔkyrœr] *nm* public prosecutor.
prodige [prɔdiʒ] *nm* marvel, wonder; (*personne*) prodigy; **prodigieux, euse** *a* prodigious; phenomenal.
prodigue [prɔdig] *a* generous; extravagant, wasteful; **fils** ~ prodigal son.
prodiguer [prɔdige] *vt* (*argent, biens*) to be lavish with; (*soins, attentions*): ~ **qch à qn** to give sb sth; to lavish sth on sb.
producteur, trice [prɔdyktœr, -tris] *a*: ~ **de blé** wheat-producing // *nm/f* producer.
productif, ive [prɔdyktif, -iv] *a* productive.
production [prɔdyksjɔ̃] *nf* (*gén*) production; (*rendement*) output; (*produits*) products *pl*, goods *pl*.
productivité [prɔdyktivite] *nf* productivity.
produire [prɔdɥir] *vt* to produce; **se** ~ *vi* (*acteur*) to perform, appear; (*événement*) to happen, occur.
produit [prɔdɥi] *nm* (*gén*) product; ~**s agricoles** farm produce *sg*; ~ **d'entretien** cleaning product.
proéminent, e [prɔeminɑ̃, -ɑ̃t] *a* prominent.
profane [prɔfan] *a* (*REL*) secular // *nm/f* layman.
profaner [prɔfane] *vt* to desecrate.
proférer [prɔfere] *vt* to utter.
professer [prɔfese] *vt* (*déclarer*) to profess // *vi* to teach.
professeur [prɔfesœr] *nm* teacher; (*titulaire d'une chaire*) professor; ~ **(de faculté)** (university) lecturer.
profession [prɔfesjɔ̃] *nf* profession; **sans** ~ unemployed; **professionnel, le** *a*, *nm/f* professional.
professorat [prɔfesɔra] *nm*: **le** ~ the teaching profession.
profil [prɔfil] *nm* profile; (*d'une voiture*) line, contour; **de** ~ in profile; ~**er** *vt* to streamline; **se** ~**er** *vi* (*arbre, tour*) to stand out, be silhouetted.
profit [prɔfi] *nm* (*avantage*) benefit, advantage; (*COMM, FINANCE*) profit; **au** ~ **de** in aid of; **tirer** ~ **de** to profit from; **mettre à** ~ to take advantage of; to turn to good account.
profitable [prɔfitabl(ə)] *a* beneficial; profitable.
profiter [prɔfite] *vi*: ~ **de** to take advantage of; to make the most of; ~ **à** to be of benefit to, benefit; to be profitable to.
profond, e [prɔfɔ̃, -ɔ̃d] *a* deep; (*méditation, mépris*) profound; **profondeur** *nf* depth.
profusion [prɔfyzjɔ̃] *nf* profusion; **à** ~ in plenty.
progéniture [prɔʒenityr] *nf* offspring *inv.*
programmation [prɔgramɑsjɔ̃] *nf* programming.
programme [prɔgram] *nm* programme; (*TV, RADIO*) programmes *pl*; (*SCOL*) syllabus, curriculum; (*INFORMATIQUE*) program; **au** ~ **de ce soir** (*TV*) among tonight's

programmes; **programmer** *vt* (*TV, RADIO*) to put on, show; (*INFORMATIQUE*) to program; **programmeur, euse** *nm/f* computer programmer.
progrès [prɔgrɛ] *nm* progress *q*; **faire des/être en** ~ to make/be making progress.
progresser [prɔgrese] *vi* to progress; (*troupes etc*) to make headway *ou* progress; **progressif, ive** *a* progressive; **progression** *nf* progression; (*d'une troupe etc*) advance, progress.
prohiber [prɔibe] *vt* to prohibit, ban.
proie [prwa] *nf* prey *q*; **être la** ~ **de** to fall prey to; **être en** ~ **à** to be a prey to; to be suffering.
projecteur [prɔʒektœr] *nm* projector; (*de théâtre, cirque*) spotlight.
projectile [prɔʒektil] *nm* missile; (*d'arme*) projectile, bullet (*ou* shell *etc*).
projection [prɔʒeksjɔ̃] *nf* projection; showing; **conférence avec** ~**s** lecture with slides (*ou* a film).
projet [prɔʒɛ] *nm* plan; (*ébauche*) draft; **faire des** ~**s** to make plans; ~ **de loi** bill.
projeter [prɔʒte] *vt* (*envisager*) to plan; (*film, photos*) to project; (: *passer*) to show; (*ombre, lueur*) to throw, cast, project; (*jeter*) to throw up (*ou* off *ou* out).
prolétaire [prɔletɛr] *nm* proletarian; **prolétariat** *nm* proletariat.
proliférer [prɔlifere] *vi* to proliferate.
prolifique [prɔlifik] *a* prolific.
prolixe [prɔliks(ə)] *a* verbose.
prologue [prɔlɔg] *nm* prologue.
prolongation [prɔlɔ̃gasjɔ̃] *nf* prolongation; extension; ~**s** *nfpl* (*FOOTBALL*) extra time *sg.*
prolongement [prɔlɔ̃ʒmɑ̃] *nm* extension; ~**s** *nmpl* (*fig*) repercussions, effects; **dans le** ~ **de** running on from.
prolonger [prɔlɔ̃ʒe] *vt* (*débat, séjour*) to prolong; (*délai, billet, rue*) to extend; (*suj: chose*) to be a continuation *ou* an extension of; **se** ~ *vi* to go on.
promenade [prɔmnad] *nf* walk (*ou* drive *ou* ride); **faire une** ~ to go for a walk; **une** ~ **en voiture/à vélo** a drive/(bicycle) ride.
promener [prɔmne] *vt* (*chien*) to take out for a walk; (*fig*) to carry around; to trail round; (*doigts, regard*): ~ **qch sur** to run sth over; **se** ~ *vi* to go for (*ou* be out for) a walk; (*fig*): **se** ~ **sur** to wander over; **promeneur, euse** *nm/f* walker, stroller.
promesse [prɔmɛs] *nf* promise; ~ **d'achat** commitment to buy.
prometteur, euse [prɔmɛtœr, -øz] *a* promising.
promettre [prɔmɛtr(ə)] *vt* to promise // *vi* to be *ou* look promising; **se** ~ **de faire** to resolve *ou* mean to do; ~ **à qn de faire** to promise sb that one will do.
promiscuité [prɔmiskɥite] *nf* crowding; lack of privacy.
promontoire [prɔmɔ̃twar] *nm* headland.
promoteur, trice [prɔmɔtœr, -tris] *nm/f* (*instigateur*) instigator, promoter; ~ **(immobilier)** property developer.

promotion [prɔmosjɔ̃] *nf* promotion.

promouvoir [prɔmuvwaR] *vt* to promote.

prompt, e [prɔ̃, prɔ̃t] *a* swift, rapid.

promulguer [prɔmylge] *vt* to promulgate.

prôner [pRone] *vt* (*louer*) to laud, extol; (*préconiser*) to advocate, commend.

pronom [prɔnɔ̃] *nm* pronoun; **pronominal, e, aux** *a* pronominal; reflexive.

prononcé, e [prɔnɔ̃se] *a* pronounced, marked.

prononcer [prɔnɔ̃se] *vt* (*son, mot, jugement*) to pronounce; (*dire*) to utter; (*allocution*) to deliver // *vi*: ~ **bien/mal** to have a good/poor pronunciation; **se** ~ *vi* to reach a decision, give a verdict; **se** ~ **sur** to give an opinion on; **se** ~ **contre** to come down against; **prononciation** *nf* pronunciation.

pronostic [prɔnɔstik] *nm* (*MÉD*) prognosis (*pl* oses); (*fig: aussi*: ~s) forecast.

propagande [prɔpagɑ̃d] *nf* propaganda.

propager [prɔpaʒe] *vt* to spread; **se** ~ *vi* to spread; (*PHYSIQUE*) to be propagated.

prophète [prɔfɛt] *nm* prophet.

prophétie [prɔfesi] *nf* prophecy; **prophétiser** *vt* to prophesy.

propice [prɔpis] *a* favourable.

proportion [prɔpɔRsjɔ̃] *nf* proportion; **en** ~ **de** in proportion to; **toute(s)** ~**(s) gardée(s)** making due allowance(s); **proportionnel, le** *a* proportional; **proportionner** *vt*: **proportionner qch à** to proportion ou adjust sth to.

propos [prɔpo] *nm* (*paroles*) talk *q*, remark; (*intention*) intention, aim; (*sujet*): **à quel** ~? what about?; **à** ~ **de** about, regarding; **à tout** ~ for no reason at all; **à** ~ by the way; (*opportunément*) (just) at the right moment.

proposer [prɔpoze] *vt* (*suggérer*): ~ **qch (à qn)/de faire** to suggest sth (to sb)/doing, propose to do; (*offrir*): ~ **qch à qn/de faire** to offer sb sth/to do; (*candidat*) to nominate, put forward; (*loi, motion*) to propose; **se** ~ (**pour faire**) to offer one's services (to do); **se** ~ **de faire** to intend ou propose to do; **proposition** *nf* suggestion; proposal; offer; (*LING*) clause.

propre [prɔpR(ə)] *a* clean; (*net*) neat, tidy; (*possessif*) own; (*sens*) literal; (*particulier*): ~ **à** peculiar to, characteristic of; (*approprié*): ~ **à** suitable ou appropriate for; (*de nature à*): ~ **à faire** likely to do, that will do // *nm*: **recopier au** ~ to make a fair copy of; ~**ment** *ad* cleanly; neatly, tidily; **à** ~**ment parler** strictly speaking; ~**té** *nf* cleanliness, cleanness; neatness; tidiness.

propriétaire [prɔprijetɛR] *nm/f* owner; (*d'hôtel etc*) proprietor; tress, owner; (*pour le locataire*) landlord/lady; ~ (**immobilier**) house-owner; householder; ~ **récoltant** grower; (*terrien*) landowner.

propriété [prɔprijete] *nf* (*droit*) ownership; (*objet, immeuble etc*) property *gén q*; (*villa*) residence, property; (*terres*) property *gén q*, land *gén q*; (*qualité, CHIMIE, MATH*) property; (*correction*) appropriateness, suitability.

propulser [prɔpylse] *vt* (*missile*) to propel; (*projeter*) to hurl, fling.

prorata [prɔRata] *nm inv*: **au** ~ **de** in proportion to, on the basis of.

proroger [prɔRɔʒe] *vt* to put back, defer; (*assemblée*) to adjourn, prorogue.

prosaïque [prɔzaik] *a* mundane, prosaic.

proscrire [prɔskriR] *vt* (*bannir*) to banish; (*interdire*) to ban, prohibit.

prose [proz] *nf* prose (*style*).

prospecter [prɔspɛkte] *vt* to prospect; (*COMM*) to canvass.

prospectus [prɔspɛktys] *nm* (*feuille*) leaflet; (*dépliant*) brochure, leaflet.

prospère [prɔspɛR] *a* prosperous; (*entreprise*) thriving, flourishing; **prospérer** *vi* to thrive; **prospérité** *nf* prosperity.

prosterner [prɔstɛRne]: **se** ~ *vi* to bow low, prostrate o.s.

prostituée [prɔstitɥe] *nf* prostitute.

prostitution [prɔstitysjɔ̃] *nf* prostitution.

prostré, e [prɔstRe] *a* prostrate.

protagoniste [prɔtagɔnist(ə)] *nm* protagonist.

protecteur, trice [prɔtɛktœR, -tRis] *a* protective; (*air, ton: péj*) patronizing // *nm/f* protector.

protection [prɔtɛksjɔ̃] *nf* protection; (*d'un personnage influent: aide*) patronage.

protégé, e [prɔteʒe] *nm/f* protégé/e.

protège-cahier [prɔtɛʒkaje] *nm* exercise-book cover.

protéger [prɔteʒe] *vt* to protect; **se** ~ **de/contre** to protect o.s. from.

protéine [prɔtein] *nf* protein.

protestant, e [prɔtɛstɑ̃, -ɑ̃t] *a, nm/f* Protestant; **protestantisme** *nm* Protestantism.

protestation [prɔtɛstasjɔ̃] *nf* (*plainte*) protest; (*déclaration*) protestation, profession.

protester [prɔtɛste] *vi*: ~ (**contre**) to protest (against ou about); ~ **de** (*son innocence, sa loyauté*) to protest.

prothèse [prɔtɛz] *nf* artificial limb, prosthesis; ~ **dentaire** denture; dental engineering.

protocolaire [prɔtɔkɔlɛR] *a* formal; of protocol.

protocole [prɔtɔkɔl] *nm* protocol; (*fig*) etiquette; ~ **d'accord** draft treaty.

prototype [prɔtɔtip] *nm* prototype.

protubérance [prɔtybeRɑ̃s] *nf* bulge, protuberance; **protubérant, e** *a* protruding, bulging, protuberant.

proue [pRu] *nf* bow(s *pl*), prow.

prouesse [pRuɛs] *nf* feat.

prouver [pRuve] *vt* to prove.

provenance [pRɔvnɑ̃s] *nf* origin, (*de mot, coutume*) source; **avion en** ~ **de** plane (arriving) from.

provenir [pRɔvniR]: ~ **de** *vt* to come from; (*résulter de*) to be due to, be the result of.

proverbe [pRɔvɛRb(ə)] *nm* proverb; **proverbial, e, aux** *a* proverbial.

providence [pRɔvidɑ̃s] *nf*: **la** ~ providence; **providentiel, le** *a* providential.

province [prɔvɛ̃s] nf province; **provincial, e, aux** a provincial.

proviseur [prɔvizœr] nm ≈ head(master).

provision [prɔvizjɔ̃] nf (réserve) stock, supply; (avance: à un avocat, avoué) retainer, retaining fee; (COMM) funds pl (in account); reserve; ~s nfpl (vivres) provisions, food q; **faire ~ de** to stock up with; **armoire à ~s** food cupboard.

provisoire [prɔvizwar] a temporary; (JUR) provisional; **~ment** ad temporarily, for the time being.

provocant, e [prɔvɔkɑ̃, -ɑ̃t] a provocative.

provocation [prɔvɔkasjɔ̃] nf provocation.

provoquer [prɔvɔke] vt (défier) to provoke; (causer) to cause, bring about; (: curiosité) to arouse, give rise to; (: aveux) to prompt, elicit.

proxénète [prɔksenɛt] nm procurer.

proximité [prɔksimite] nf nearness, closeness, proximity; (dans le temps) imminence, closeness; **à ~** near ou close by; **à ~ de** near (to), close to.

prude [pryd] a prudish.

prudence [prydɑ̃s] nf carefulness; caution; prudence; **avec ~** carefully; cautiously; wisely; **par (mesure de) ~** as a precaution.

prudent, e [prydɑ̃, -ɑ̃t] a (pas téméraire) careful, cautious, prudent; (: en général) safety-conscious; (sage, conseillé) wise, sensible; (réservé) cautious; **ce n'est pas ~** it's risky; it's not sensible; **soyez ~** take care, be careful.

prune [pryn] nf plum.

pruneau, x [pryno] nm prune.

prunelle [prynɛl] nf pupil; eye.

prunier [prynje] nm plum tree.

psalmodier [psalmɔdje] vt to chant; (fig) to drone out.

psaume [psom] nm psalm.

pseudonyme [psødɔnim] nm (gén) fictitious name; (d'écrivain) pseudonym, pen name; (de comédien) stage name.

psychanalyse [psikanaliz] nf psychoanalysis; **psychanalyser** vt to psychoanalyze; **se faire psychanalyser** to undergo (psycho)analysis; **psychanalyste** nm/f psychoanalyst.

psychiatre [psikjatr(ə)] nm/f psychiatrist.

psychiatrie [psikjatri] nf psychiatry; **psychiatrique** a psychiatric; (hôpital) mental, psychiatric.

psychique [psiʃik] a psychological.

psychologie [psikɔlɔʒi] nf psychology; **psychologique** a psychological; **psychologue** nm/f psychologist; **être psychologue** (fig) to be a good psychologist.

psychose [psikoz] nf psychosis; obsessive fear.

Pte abr de **porte**.

P.T.T. sigle fpl voir **poste**.

pu pp de **pouvoir**.

puanteur [pɥɑ̃tœr] nf stink, stench.

pubère [pybɛr] a pubescent; **puberté** nf puberty.

pubis [pybis] nm (bas-ventre) pubes pl; (os) pubis.

public, ique [pyblik] a public; (école, instruction) state cpd // nm public; (assistance) audience; **en ~** in public.

publication [pyblikasjɔ̃] nf publication.

publiciste [pyblisist(ə)] nm/f adman.

publicitaire [pyblisitɛr] a advertising cpd; (film, voiture) publicity cpd.

publicité [pyblisite] nf (méthode, profession) advertising; (annonce) advertisement; (révélations) publicity.

publier [pyblije] vt to publish.

publique [pyblik] af voir **public**.

puce [pys] nf flea; **~s** nfpl (marché) flea market sg.

puceau, x [pyso] am: **être ~** to be a virgin.

pucelle [pysɛl] af: **être ~** to be a virgin.

pudeur [pydœr] nf modesty.

pudibond, e [pydibɔ̃, -ɔ̃d] a prudish.

pudique [pydik] a (chaste) modest; (discret) discreet.

puer [pɥe] (péj) vi to stink // vt to stink of, reek of.

puéricultrice [pɥerikyltris] nf paediatric nurse.

puériculture [pɥerikyltyr] nf paediatric nursing; infant care.

puéril, e [pɥeril] a childish.

pugilat [pyʒila] nm (fist) fight.

puis [pɥi] vb voir **pouvoir** // ad then; **et ~** and (then).

puiser [pɥize] vt (eau): **~ (dans)** to draw (from); **~ dans qch** to dip into sth.

puisque [pɥisk(ə)] cj since.

puissance [pɥisɑ̃s] nf power; **en ~** a potential; **2 (à la) ~ 5** 2 to the power of 5.

puissant, e [pɥisɑ̃, -ɑ̃t] a powerful.

puisse etc vb voir **pouvoir**.

puits [pɥi] nm well; **~ de mine** mine shaft.

pull(-over) [pul(ɔvœr)] nm sweater, jumper.

pulluler [pylyle] vi to swarm.

pulmonaire [pylmɔnɛr] a lung cpd; (artère) pulmonary.

pulpe [pylp(ə)] nf pulp.

pulsation [pylsasjɔ̃] nf beat.

pulsion [pylsjɔ̃] nf drive, urge.

pulvérisateur [pylverizatœr] nm spray.

pulvériser [pylverize] vt (solide) to pulverize; (liquide) to spray; (fig) to pulverize; to smash.

punaise [pynɛz] nf (ZOOL) bug; (clou) drawing pin.

punch [pɔ̃ʃ] nm (boisson) punch; [pœnʃ] (BOXE) punching ability; (fig) punch; **punching-ball** nm punchball.

punir [pynir] vt to punish; **punition** nf punishment.

pupille [pypij] nf (ANAT) pupil // nm/f (enfant) ward; **~ de l'État** child in care; **~ de la Nation** war orphan.

pupitre [pypitr(ə)] nm (SCOL) desk; (REL) lectern; (de chef d'orchestre) rostrum; **~ de commande** panel.

pur, e [pyr] a pure; (vin) undiluted; (whisky) neat; **en ~e perte** fruitlessly, to no avail.

purée [pyʀe] *nf*: ~ **(de pommes de terre)** mashed potatoes *pl*; ~ **de marrons** chestnut purée.

pureté [pyʀte] *nf* purity.

purgatif [pyʀgatif] *nm* purgative, purge.

purgatoire [pyʀgatwaʀ] *nm* purgatory.

purge [pyʀʒ(ə)] *nf* (*POL*) purge; (*MÉD*) purging *q*; purge.

purger [pyʀʒe] *vt* (*radiateur*) to flush (out), drain; (*circuit hydraulique*) to bleed; (*MÉD, POL*) to purge; (*JUR: peine*) to serve.

purifier [pyʀifje] *vt* to purify; (*TECH: métal*) to refine.

purin [pyʀɛ̃] *nm* liquid manure.

puritain, e [pyʀitɛ̃, -ɛn] *a, nm/f* Puritan; **puritanisme** *nm* Puritanism.

pur-sang [pyʀsɑ̃] *nm inv* thoroughbred, purebred.

purulent, e [pyʀylɑ̃, -ɑ̃t] *a* purulent.

pus [py] *nm* pus.

pusillanime [pyzilanim] *a* fainthearted.

putain [pytɛ̃] *nf* (*fam!*) whore(!); **ce/cette** ~ **de ...** this bloody ...(!).

putréfier [pytʀefje] *vt, se* ~ *vi* to putrefy, rot.

puzzle [pœzl(ə)] *nm* jigsaw (puzzle).

P.V. *sigle m* = **procès-verbal**.

pygmée [pigme] *nm* pygmy.

pyjama [piʒama] *nm* pyjamas *pl*, pair of pyjamas.

pylône [pilon] *nm* pylon.

pyramide [piʀamid] *nf* pyramid.

pyromane [piʀɔman] *nm/f* fire bug, arsonist.

python [pitɔ̃] *nm* python.

Q

QG [kyʒe] *voir* **quartier**.

QI [kyi] *voir* **quotient**.

quadragénaire [kadʀaʒenɛʀ] *nm/f* man/woman in his/her forties.

quadrangulaire [kwadʀɑ̃gylɛʀ] *a* quadrangular.

quadrilatère [k(w)adʀilatɛʀ] *nm* quadrilateral; four-sided area.

quadrillage [kadʀijaʒ] *nm* (*lignes etc*) square pattern, criss-cross pattern.

quadrillé, e [kadʀije] *a* (*papier*) squared.

quadriller [kadʀije] *vt* (*papier*) to mark out in squares; (*POLICE*) to keep under tight control, be positioned throughout.

quadrimoteur [k(w)adʀimɔtœʀ] *nm* four-engined plane.

quadripartite [kwadʀipaʀtit] *a* four-power; four-party.

quadriphonie [kadʀifɔni] *nf* quadraphony.

quadriréacteur [k(w)adʀiʀeaktœʀ] *nm* four-engined jet.

quadrupède [k(w)adʀypɛd] *nm* quadruped.

quadruple [k(w)adʀypl(ə)] *nm*: **le** ~ **de** four times as much as; **quadrupler** *vt, vi* to increase fourfold; **quadruplés, ées** *nm/fpl* quadruplets, quads.

quai [ke] *nm* (*de port*) quay; (*de gare*) platform; (*de cours d'eau, canal*) embankment; **être à** ~ (*navire*) to be alongside; (*train*) to be in the station.

qualificatif, ive [kalifikatif, -iv] *a* (*LING*) qualifying // *nm* (*terme*) term; (*LING*) qualifier.

qualification [kalifikasjɔ̃] *nf* qualification.

qualifier [kalifje] *vt* to qualify; (*appeler*): ~ **qch/qn de** to describe sth/sb as; **se** ~ *vi* (*SPORT*) to qualify; **être qualifié pour** to be qualified for.

qualité [kalite] *nf* quality; (*titre, fonction*) position; **en** ~ **de** in one's capacity as; **avoir** ~ **pour** to have authority to.

quand [kɑ̃] *cj, ad* when; ~ **je serai riche** when I'm rich; ~ **même** nevertheless; all the same; really; ~ **bien même** even though.

quant [kɑ̃]: ~ **à** *prép* as for, as to; regarding.

quant-à-soi [kɑ̃taswa] *nm*: **rester sur son** ~ to remain aloof.

quantième [kɑ̃tjɛm] *nm* day (of the month).

quantifier [kɑ̃tifje] *vt* to quantify.

quantitatif, ive [kɑ̃titatif, -iv] *a* quantitative.

quantité [kɑ̃tite] *nf* quantity, amount; (*SCIENCE*) quantity; (*grand nombre*): **une ou des** ~(s) **de** a great deal of; a lot of; **en grande** ~ in large quantities; **du travail en** ~ a great deal of work; ~ **de** many.

quarantaine [kaʀɑ̃tɛn] *nf* (*MÉD*) quarantine; **la** ~ forty, the forty mark; (*âge*) forty, the forties *pl*; **une** ~ **(de)** forty or so, about forty; **mettre en** ~ to put into quarantine; (*fig*) to send to Coventry.

quarante [kaʀɑ̃t] *num* forty.

quart [kaʀ] *nm* (*fraction*) quarter; (*surveillance*) watch; (*partie*): **un** ~ **de poulet/fromage** a chicken quarter/a quarter of a cheese; **un** ~ **de beurre** a quarter kilo of butter, ≈ a half pound of butter; **un** ~ **de vin** a quarter litre of wine; **une livre un** ~ *ou* **et** ~ one and a quarter pounds; **le** ~ **de** a quarter of; ~ **d'heure** quarter of an hour; **être de/prendre le** ~ to keep/take the watch; ~ **de tour** quarter turn.

quarteron [kaʀtəʀɔ̃] *nm* (*péj*) small bunch, handful.

quartette [kwaʀtɛt] *nm* quartet(te).

quartier [kaʀtje] *nm* (*de ville*) district, area; (*de bœuf*) quarter; (*de fruit, fromage*) piece; ~**s** *nmpl* (*MIL, BLASON*) quarters; **cinéma de** ~ local cinema; **avoir** ~ **libre** (*MIL*) to have leave from barracks; **ne pas faire de** ~ to spare no-one, give no quarter; ~ **général (QG)** headquarters (HQ).

quartier-maître [kaʀtjemɛtʀ(ə)] *nm* ≈ leading seaman.

quartz [kwaʀts] *nm* quartz.

quasi [kazi] *ad* almost, nearly // *préfixe*: ~**-certitude** near certainty; ~**ment** *ad* almost, nearly.

quatorze [katɔʀz(ə)] *num* fourteen.

quatrain [katʀɛ̃] *nm* quatrain.

quatre [katʀ(ə)] *num* four; **à** ~ **pattes** on all fours; **tiré à** ~ **épingles** dressed up to the nines; **faire les** ~ **cent coups** to get a bit wild; **se mettre en** ~ **pour qn** to go out of one's way for sb; ~ **à** ~ (*monter, descendre*) four at a time; ~-

vingt-dix num ninety; **~-vingts** num eighty; **quatrième** num fourth.

quatuor [kwatɥɔʀ] nm quartet(te).

que [kə] cj (gén) that; (après comparatif) than; as: voir **plus**, **autant** etc; **il sait ~ tu es là** he knows (that) you're here; **je veux ~ tu acceptes** I want you to accept; **il a dit ~ oui** he said he would (ou it was etc, suivant le contexte); **si vous y allez ou ~ vous lui téléphoniez** if you go there or (if you) phone him; **quand il rentrera et qu'il aura mangé** when he gets back and (when he) has eaten; **qu'il le veuille ou non** whether he likes it or not; **tenez-le qu'il ne tombe pas** hold it so (that) it doesn't fall; **qu'il fasse ce qu'il voudra** let him do as he pleases; voir **avant**, **pour**, **tel** etc // ad: **qu'il ou qu'est-ce qu'il est bête/court vite** he is so silly/runs so fast; **~ de** what a lot of // pronom: **l'homme ~ je vois** the man (whom) I see; **le livre ~ tu vois** the book (that ou which) you see; **un jour ~ j'étais** a day when I was; **c'est une erreur ~ de croire** it's a mistake to believe; **~ fais-tu?**, **qu'est-ce que tu fais?** what are you doing?; **~ préfères-tu, celui-ci ou celui-là?** which do you prefer, this one or that one?

Québec [kebɛk] nm: **le ~** Quebec.

quel, quelle [kɛl] a: **~ livre/ homme?** what book/man?; (parmi un certain choix) which book/man?; **~ est cet homme/ce livre?** who/what is this man/ book?; **~ est le plus grand?** which is the tallest (ou biggest etc)?; **~s acteurs préférez-vous?** which actors do you prefer?; **dans ~s pays êtes-vous allé?** which ou what countries did you go to?; **~le surprise!** what a surprise!; **~ que soit le coupable** whoever is guilty; **~ que soit votre avis** whatever your opinion; whichever is your opinion.

quelconque [kɛlkɔ̃k] a (médiocre) indifferent, poor; (sans attrait) ordinary, plain; (indéfini) **un ami/ prétexte ~** some friend/pretext or other; **un livre ~ suffira** any book will do.

quelque [kɛlk(ə)] dét some; **~s** a few, some, tournure interrogative + any; **les ~s livres qui** the few books which // ad (environ): **~ 100 mètres** some 100 metres; **~ livre qu'il choisisse** whatever (ou whichever) book he chooses; **20 kg et ~(s)** a bit over 20 kg; **~ chose** something, tournure interrogative + anything; **~ chose d'autre** something else; anything else; **~ part** somewhere; **~ peu** rather, somewhat; **en ~ sorte** as it were; **quelquefois** ad sometimes; **quelques-uns, -unes** [-zœ̃] pronom some, a few.

quelqu'un, une [kɛlkœ̃, -yn] pronom someone, somebody, tournure interrogative + anyone ou anybody; **~ d'autre** someone ou somebody else; anybody else.

quémander [kemɑ̃de] vt to beg for.

qu'en dira-t-on [kɑ̃diʀatɔ̃] nm inv: **le ~** gossip, what people say.

quenelle [kənɛl] nf quenelle.

quenouille [kənuj] nf distaff.

querelle [kəʀɛl] nf quarrel.

quereller [kəʀele]: **se ~** vi to quarrel; **querelleur, euse** a quarrelsome.

qu'est-ce que (ou qui) [kɛskə(ki)] voir **que**, **qui**.

question [kɛstjɔ̃] nf (gén) question; (fig) matter; issue; **il a été ~ de** we (ou they) spoke about; **il est ~ de les emprisonner** there's talk of them being jailed; **de quoi est-il ~?** what is it about?; **il n'en est pas ~** there's no question of it; **en ~** in question; **hors de ~** out of the question; **remettre en ~** to question; **poser la ~ de confiance** (POL) to ask for a vote of confidence.

questionnaire [kɛstjɔnɛʀ] nm questionnaire; **questionner** vt to question.

quête [kɛt] nf collection; (recherche) quest, search; **faire la ~** (à l'église) to take the collection; (artiste) to pass the hat round; **en ~ de qch** in search of sth; **quêter** vi (à l'église) to take the collection; (dans la rue) to collect money (for charity) // vt to seek.

quetsche [kwɛtʃ(ə)] nf damson.

queue [kø] nf tail; (fig: du classement) bottom; (: de poêle) handle; (: de fruit, feuille) stalk; (: de train, colonne, file) rear; **en ~ (de train)** at the rear (of the train); **faire la ~** to queue (up); **se mettre à la ~** to join the queue; **à la ~ leu leu** in single file; (fig) one after the other; **~ de cheval** ponytail; **~ de poisson: faire une ~ de poisson à qn** (AUTO) to cut in front of sb; **~-de-pie** nf (habit) tails pl, tail coat.

queux [kø] am voir **maître**.

qui [ki] pronom (personne) who, prép + whom; (chose, animal) which, that; **qu'est-ce ~ est sur la table?** what is on the table?; **à ~ est ce sac?** whose bag is this?; **à ~ parlais-tu?** who were you talking to?, to whom were you talking?; **amenez ~ vous voulez** bring who you like; **~ que ce soit** whoever it may be.

quiche [kiʃ] nf: **~ lorraine** quiche Lorraine.

quiconque [kikɔ̃k] pronom (celui qui) whoever, anyone who; (personne) anyone, anybody.

quidam [kɥidam] nm fellow.

quiétude [kjetyd] nf (d'un lieu) quiet, tranquility; **en toute ~** in complete peace; (mentale) with complete peace of mind.

quignon [kiɲɔ̃] nm: **~ de pain** crust of bread; hunk of bread.

quille [kij] nf skittle; (jeu de) **~s** ninepins sg, skittles sg.

quincaillerie [kɛ̃kajʀi] nf (ustensiles) hardware, ironmongery; (magasin) hardware shop, ironmonger's; **quincaillier, ère** nm/f ironmonger.

quinconce [kɛ̃kɔ̃s] nm: **en ~** in staggered rows.

quinine [kinin] nf quinine.

quinquagénaire [kɛ̃kaʒenɛʀ] nm/f man/woman in his/her fifties.

quinquennal, e, aux [kɛ̃kenal, -o] a five-year, quinquennial.

quintal, aux [kɛ̃tal, -o] nm quintal (100 kg).

quinte [kɛ̃t] nf: **~ (de toux)** coughing fit.

quintette [kɛ̃tɛt] *nm* quintet(te).
quintuple [kɛ̃typl(ə)] *nm*: le ~ de five times as much as ; **quintupler** *vt, vi* to increase fivefold ; **quintuplés, ées** *nm/fpl* quintuplets, quins.
quinzaine [kɛ̃zɛn] *nf*: une ~ (de) about fifteen, fifteen or so ; une ~ (de jours) a fortnight, two weeks.
quinze [kɛ̃z] *num* fifteen ; **demain en ~** a fortnight *ou* two weeks tomorrow ; **dans ~ jours** in a fortnight('s time), in two weeks(' time).
quiproquo [kiprɔko] *nm* misunderstanding ; (*THÉÂTRE*) (case of) mistaken identity.
quittance [kitɑ̃s] *nf* (*reçu*) receipt ; (*facture*) bill.
quitte [kit] *a*: être ~ **envers qn** to be no longer in sb's debt ; (*fig*) to be quits with sb ; être ~ **de** (*obligation*) to be clear of ; en être ~ **à bon compte** to get off lightly ; ~ **à faire** even if it means doing ; ~ **ou double** (*jeu*) double your money.
quitter [kite] *vt* to leave ; (*espoir, illusion*) to give up ; (*vêtement*) to take off ; **se ~** (*couples, interlocuteurs*) to part ; **ne quittez pas** (*au téléphone*) hold the line.
qui-vive [kiviv] *nm*: être sur le ~ to be on the alert.
quoi [kwa] *pronom* (*interrogatif*) what ; ~ **de neuf?** what's the news? ; **as-tu de ~ écrire?** have you anything to write with? ; **il n'a pas de ~ se l'acheter** he can't afford it, he hasn't got the money to buy it ; ~ **qu'il arrive** whatever happens ; ~ **qu'il en soit** be that as it may ; ~ **que ce soit** anything at all ; **'il n'y a pas de ~**'*'* (please) don't mention it' ; **en ~ puis-je vous aider?** how can I help you?
quoique [kwak(ə)] *cj* (al)though.
quolibet [kɔlibɛ] *nm* gibe, jeer.
quorum [kɔrɔm] *nm* quorum.
quota [kwɔta] *nm* quota.
quote-part [kɔtpar] *nf* share.
quotidien, ne [kɔtidjɛ̃, -ɛn] *a* daily ; (*banal*) everyday // *nm* (*journal*) daily (paper).
quotient [kɔsjɑ̃] *nm* (*MATH*) quotient ; **intellectuel (QI)** intelligence quotient (IQ).
quotité [kɔtite] *nf* (*FINANCE*) quota.

R

r. *abr de* route, rue.
rabâcher [rabɑʃe] *vt* to harp on, keep on repeating.
rabais [rabɛ] *nm* reduction, discount ; **au ~** at a reduction *ou* discount.
rabaisser [rabese] *vt* (*rabattre*) to reduce ; (*dénigrer*) to belittle.
rabat [raba] *nm* flap.
rabat-joie [rabaʒwa] *nm/f inv* killjoy, spoilsport.
rabatteur, euse [rabatœr, -øz] *nm/f* (*de gibier*) beater ; (*péj*) tout.
rabattre [rabatr(ə)] *vt* (*couvercle, siège*) to pull *ou* close down ; (*col*) to turn down ; (*gibier*) to drive ; (*somme d'un prix*) to deduct, take off ; **se ~** *vi* (*bords, couvercle*) to fall shut ; (*véhicule, coureur*) to cut in ; **se ~ sur** *vt* to fall back on.

rabbin [rabɛ̃] *nm* rabbi.
rabique [rabik] *a* rabies *cpd*.
râble [rɑbl(ə)] *nm* back ; (*CULIN*) saddle.
râblé, e [rɑble] *a* broad-backed, stocky.
rabot [rabo] *nm* plane ; **raboter** *vt* to plane (down).
raboteux, euse [rabɔtø, -øz] *a* uneven, rough.
rabougri, e [rabugri] *a* stunted.
rabrouer [rabrue] *vt* to snub, rebuff.
racaille [rakɑj] *nf* (*péj*) rabble, riffraff.
raccommodage [rakɔmɔdaʒ] *nm* mending *q*, repairing *q* ; darning *q*.
raccommoder [rakɔmɔde] *vt* to mend, repair ; (*chaussette*) to darn.
raccompagner [rakɔ̃paɲe] *vt* to take *ou* see back.
raccord [rakɔr] *nm* link ; ~ **de maçonnerie** pointing *q* ; ~ **de peinture** join ; touch up.
raccordement [rakɔrdəmɑ̃] *nm* joining up.
raccorder [rakɔrde] *vt* to join (up), link up ; (*suj: pont etc*) to connect, link ; ~ **au réseau du téléphone** to connect to the telephone service.
raccourci [rakursi] *nm* short cut.
raccourcir [rakursir] *vt* to shorten // *vi* (*vêtement*) to shrink.
raccroc [rakro]: **par ~** *ad* by chance.
raccrocher [rakrɔʃe] *vt* (*tableau, vêtement*) to hang back up ; (*récepteur*) to put down // *vi* (*TÉL*) to hang up, ring off ; **se ~ à** *vt* to cling to, hang on to.
race [ras] *nf* race ; (*d'animaux, fig: espèce*) breed ; (*ascendance, origine*) stock, race ; **de ~** *a* purebred, pedigree ; **racé, e** *a* thoroughbred.
rachat [raʃa] *nm* buying ; buying back ; redemption ; atonement.
racheter [raʃte] *vt* (*article perdu*) to buy another ; (*davantage*): ~ **du lait/3 œufs** to buy more milk/another 3 eggs *ou* 3 more eggs ; (*après avoir vendu*) to buy back ; (*d'occasion*) to buy ; (*COMM: part, firme*) to buy up ; (: *pension, rente*) to redeem ; (*REL: pécheur*) to redeem ; (: *péché*) to atone for, expiate ; (*mauvaise conduite, oubli, défaut*) to make up for ; **se ~** (*REL*) to redeem o.s. ; (*gén*) to make amends, make up for it.
rachitique [raʃitik] *a* suffering from rickets ; (*fig*) scraggy, scrawny.
racial, e, aux [rasjal, -o] *a* racial.
racine [rasin] *nf* root ; ~ **carrée/cubique** square/cube root ; **prendre ~** (*fig*) to take root ; to put down roots.
racisme [rasism(ə)] *nm* racism, racialism ; **raciste** *a, nm/f* racist, racialist.
racket [rakɛt] *nm* racketeering *q*.
raclée [rakle] *nf* (*fam*) hiding, thrashing.
racler [rakle] *vt* (*os, plat*) to scrape ; (*tache, boue*) to scrape off ; (*suj: chose: frotter contre*) to scrape (against).
raclette [raklɛt] *nf* (*CULIN*) raclette (*Swiss cheese dish*).
racoler [rakɔle] *vt* (*attirer: suj: prostituée*) to solicit ; (: *parti, marchand*) to tout for ; (*attraper*) to pick up ; **racoleur, euse** *a* (*péj: publicité*) cheap and alluring // *nf* streetwalker.

racontars [Rakɔ̃taR] nmpl stories, gossip sg.

raconter [Rakɔ̃te] vt: ~ (à qn) (décrire) to relate (to sb), tell (sb) about; (dire) to tell (sb).

racorni, e [Rakɔrni] a hard(ened).

radar [RadaR] nm radar.

rade [Rad] nf (natural) harbour; **en ~ de Toulon** in Toulon harbour; **rester en ~** (fig) to be left stranded.

radeau, x [Rado] nm raft.

radial, e, aux [Radjal, -o] a radial; **pneu à carcasse ~e** radial tyre.

radiateur [RadjatœR] nm radiator, heater; (AUTO) radiator; **~ électrique/à gaz** electric/gas heater ou fire.

radiation [Radjɑsjɔ̃] nf (voir radier) striking off q; (PHYSIQUE) radiation.

radical, e, aux [Radikal, -o] a radical // nm (LING) stem.

radier [Radje] vt to strike off.

radieux, euse [Radjø, -øz] a radiant; brilliant, glorious.

radin, e [Radɛ̃, -in] a (fam) stingy.

radio [Radjo] nf radio; (MÉD) X-ray; nm radiogram, radiotelegram; radio operator; **à la ~** on the radio; **se faire faire une ~ (des poumons)** to have an X-ray taken (of one's lungs).

radio... [Radjo] préfixe: **~actif, ive** a radioactive; **~activité** nf radioactivity; **radiodiffuser** vt to broadcast (by radio); **~graphie** nf radiography; (photo) X-ray photograph, radiograph; **~graphier** vt to X-ray; **~logue** nm/f radiologist; **~phonique** a radio cpd; **~reportage** nm radio report; **~scopie** nf radioscopy; **~télégraphie** nf radiotelegraphy; **~télévisé, e** a broadcast on radio and television.

radis [Radi] nm radish; **~ noir** horseradish q.

radium [Radjɔm] nm radium.

radoter [Radɔte] vi to ramble on.

radoub [Radu] nm: **bassin de ~** dry dock.

radoucir [RadusiR]: **se ~** vi (se réchauffer) to become milder; (se calmer) to calm down; to soften.

rafale [Rafal] nf (vent) gust (of wind); (tir) burst of gunfire; **~ de mitrailleuse** burst of machine-gun fire.

raffermir [RafɛRmiR] vt, **se ~** vi (tissus, muscle) to firm up; (fig) to strengthen.

raffinage [Rafinaʒ] nm refining.

raffiné, e [Rafine] a refined.

raffinement [Rafinmɑ̃] nm refinement.

raffiner [Rafine] vt to refine; **raffinerie** nf refinery.

raffoler [Rafɔle]: **~ de** vt to be very keen on.

raffut [Rafy] nm (fam) row, racket.

rafistoler [Rafistɔle] vt (fam) to patch up.

rafle [Rɑfl(ə)] nf (de police) roundup, raid.

rafler [Rɑfle] vt (fam) to swipe, run off with.

rafraîchir [RafRe∫iR] vt (atmosphère, température) to cool (down); (aussi: **mettre à ~**) to chill; (suj: air, eau) to freshen up; (: boisson) to refresh; (fig: rénover) to brighten up; **se ~** to grow cooler; to freshen up; to refresh o.s.;

rafraîchissant, e a refreshing; **rafraîchissement** nm cooling; (boisson etc) cool drink, refreshment.

ragaillardir [RagajaRdiR] vt (fam) to perk ou buck up.

rage [Raʒ] nf (MÉD): **la ~** rabies; (fureur) rage, fury; **faire ~** to rage; **~ de dents** (raging) toothache; **rager** vi to fume (with rage); **rageur, euse** a snarling; ill-tempered.

raglan [Raglɑ̃] a inv raglan.

ragot [Rago] nm (fam) malicious gossip q.

ragoût [Ragu] nm (plat) stew.

rai [Rɛ] nm: **un ~ de soleil/lumière** a sunray/ray of light.

raid [Rɛd] nm (MIL) raid; (SPORT) long-distance trek.

raide [Rɛd] a (tendu) taut, tight; (escarpé) steep; (droit: cheveux) straight; (ankylosé, dur, guindé) stiff; (fam) steep, stiff; stony broke // ad (en pente) steeply; **~ mort** stone dead; **raideur** nf steepness; stiffness; **raidir** vt (muscles) to stiffen; (câble) to pull taut, tighten; **se raidir** vi to stiffen; to become taut; (personne) to tense up; to brace o.s.; to harden.

raie [Rɛ] nf (ZOOL) skate, ray; (rayure) stripe; (des cheveux) parting.

raifort [RɛfɔR] nm horseradish.

rail [Raj] nm (barre d'acier) rail; (chemins de fer) railways pl; **les ~s** (la voie ferrée) the rails, the track sg; **par ~** by rail; **~ conducteur** live ou conductor rail.

railler [Raje] vt to scoff at, jeer at.

rainure [RenyR] nf groove; slot.

rais [Rɛ] nm = **rai**.

raisin [Rezɛ̃] nm (aussi: **~s**) grapes pl; (variété): **muscat** muscat grape; **~s secs** raisins, currants.

raison [Rezɔ̃] nf reason; **avoir ~** to be right; **donner ~ à qn** to agree with sb; to prove sb right; **avoir ~ de qn/qch** to get the better of sb/sth; **se faire une ~** to learn to live with it; **perdre la ~** to become insane; to take leave of one's senses; **demander ~ à qn de** (affront etc) to demand satisfaction from sb for; **~ de plus** all the more reason; **à plus forte ~** all the more so; **en ~ de** because of; according to; in proportion to; **à ~ de** at the rate of; **~ sociale** corporate name; **raisonnable** a reasonable, sensible.

raisonnement [Rezɔnmɑ̃] nm reasoning; arguing; argument.

raisonner [Rezɔne] vi (penser) to reason; (argumenter, discuter) to argue // vt (personne) to reason with; (attitude: justifier) to reason out.

rajeunir [RaʒœniR] vt (suj: coiffure, robe): **~ qn** to make sb look younger; (suj: cure etc) to rejuvenate; (fig) to brighten up; to give a new look to; to inject new blood into // vi to become (ou look) younger.

rajouter [Raʒute] vt: **~ du sel/un œuf** to add some more salt/another egg; **~ que** to add that.

rajuster [Raʒyste] vt (vêtement) to straighten, tidy; (salaires) to adjust; (machine) to readjust; **se ~** to tidy ou straighten o.s. up.

râle [Rɑl] nm groan; **~ d'agonie** death rattle.

ralenti [Ralᾶti] *nm*: au ~ (*AUTO*): tourner au ~ to tick over, idle; (*CINÉMA*) in slow motion; (*fig*) at a slower pace.

ralentir [Ralᾶtiʀ] *vt*, *vi*, se ~ *vi* to slow down.

râler [ʀɑle] *vi* to groan; (*fam*) to grouse, moan (and groan).

ralliement [Ralimᾶ] *nm* rallying.

rallier [Ralje] *vt* (*rassembler*) to rally; (*rejoindre*) to rejoin; (*gagner à sa cause*) to win over; se ~ à (*avis*) to come over ou round to.

rallonge [Ralɔ̃ʒ] *nf* (*de table*) (extra) leaf (*pl* leaves); (*de vêtement etc*) extra piece.

rallonger [Ralɔ̃ʒe] *vt* to lengthen.

rallumer [Ralyme] *vt* to light up again; (*fig*) to revive; se ~ *vi* (*lumière*) to come on again.

rallye [Rali] *nm* rally; (*POL*) march.

ramages [Ramaʒ] *nmpl* leaf pattern *sg*; songs.

ramassage [Ramɑsaʒ] *nm*: ~ scolaire school bus service.

ramassé, e [Ramɑse] *a* (*trapu*) squat, stocky.

ramasse-miettes [Ramɑsmjɛt] *nm inv* table-tidy.

ramasse-monnaie [Ramɑsmɔnɛ] *nm inv* change-tray.

ramasser [Ramɑse] *vt* (*objet tombé ou par terre, fam*) to pick up; (*recueillir*) to collect; (*récolter*) to gather; (: *pommes de terre*) to lift; se ~ *vi* (*sur soi-même*) to huddle up; to crouch; **ramasseur, euse de balles** *nm/f* ballboy/girl; **ramassis** *nm* (*péj*) bunch; jumble.

rambarde [Rᾶbaʀd] *nf* guardrail.

rame [Ram] *nf* (*aviron*) oar; (*de métro*) train; (*de papier*) ream; ~ **de haricots** bean support.

rameau, x [Ramo] *nm* (small) branch; les **R~x** (*REL*) Palm Sunday *sg*.

ramener [Ramne] *vt* to bring back; (*reconduire*) to take back; (*rabattre: couverture, visière*): ~ **qch sur** to pull sth back over; ~ **qch à** (*réduire à, aussi MATH*) to reduce sth to; se ~ *vi* (*fam*) to roll ou turn up; se ~ **à** (*se réduire à*) to come ou boil down to.

ramer [Rame] *vi* to row; **rameur, euse** *nm/f* rower.

ramier [Ramje] *nm*: (**pigeon**) ~ woodpigeon.

ramification [Ramifikasjɔ̃] *nf* ramification.

ramifier [Ramifje]: se ~ *vi* (*tige, secte, réseau*): se ~ (**en**) to branch out (into); (*veines, nerfs*) to ramify.

ramollir [Ramɔliʀ] *vt* to soften; se ~ *vi* to go soft.

ramoner [Ramɔne] *vt* to sweep; **ramoneur** *nm* (chimney) sweep.

rampe [Rᾶp] *nf* (*d'escalier*) banister(s *pl*); (*dans un garage, d'un terrain*) ramp; (*THÉÂTRE*): la ~ the footlights *pl*; ~ **de lancement** launching pad.

ramper [Rᾶpe] *vi* to crawl.

rancard [Rᾶkaʀ] *nm* (*fam*) date; tip.

rancart [Rᾶkaʀ] *nm*: mettre au ~ to scrap.

rance [Rᾶs] *a* rancid.

rancœur [Rᾶkœʀ] *nf* rancour, resentment.

rançon [Rᾶsɔ̃] *nf* ransom; (*fig*) price.

rancune [Rᾶkyn] *nf* grudge, rancour; **garder** ~ **à qn** (**de qch**) to bear sb a grudge (for sth); **sans** ~! no hard feelings!; **rancunier, ière** *a* vindictive, spiteful.

randonnée [Rᾶdɔne] *nf* ride; (à *pied*) walk, ramble; hike, hiking *q*.

rang [Rᾶ] *nm* (*rangée*) row; (*grade, condition sociale, classement*) rank; ~**s** (*MIL*) ranks; **se mettre en** ~**s/sur un** ~ to get into ou form rows/a line; **sur 3** ~**s** (lined up) 3 deep; **se mettre en** ~**s par 4** to form fours ou rows of 4; **se mettre sur les** ~**s** (*fig*) to get into the running; **au premier** ~ in the first row; (*fig*) ranking first; **avoir** ~ **de** to hold the rank of.

rangé, e [Rᾶʒe] *a* (*sérieux*) orderly, steady.

rangée [Rᾶʒe] *nf* row.

ranger [Rᾶʒe] *vt* (*classer, grouper*) to order, arrange; (*mettre à sa place*) to put away; (*mettre de l'ordre dans*) to tidy up; (*arranger, disposer: en cercle etc*) to arrange; (*fig: classer*): ~ **qn/qch parmi** to rank sb/sth among; se ~ *vi* (*véhicule, conducteur: s'écarter*) to pull over; (: *s'arrêter*) to pull in; (*piéton*) to step aside; (*s'assagir*) to settle down; se ~ **à** (*avis*) to come round to, fall in with.

ranimer [Ranime] *vt* (*personne évanouie*) to bring round; (*revigorer: forces, courage*) to restore; (*réconforter: troupes etc*) to kindle new life in; (*douleur, souvenir*) to revive; (*feu*) to rekindle.

rapace [Rapas] *nm* bird of prey // *a* (*péj*) rapacious, grasping.

rapatrier [Rapatʀije] *vt* to repatriate; (*capitaux*) to bring (back) home.

râpe [Rɑp] *nf* (*CULIN*) grater; (à *bois*) rasp.

râpé, e [Rɑpe] *a* (*tissu*) threadbare; (*CULIN*) grated.

râper [Rɑpe] *vt* (*CULIN*) to grate; (*gratter, racler*) to rasp.

rapetasser [Raptase] *vt* (*fam*) to patch up.

rapetisser [Raptise] *vt*: ~ **qch** to shorten sth; to make sth look smaller // *vi*, se ~ *vi* to shrink.

rapide [Rapid] *a* fast; (*prompt*) quick // *nm* express (train); (*de cours d'eau*) rapid; ~**ment** *ad* fast; quickly; **rapidité** *nf* speed; quickness.

rapiécer [Rapjese] *vt* to patch.

rappel [Rapɛl] *nm* (*d'un ambassadeur, MIL*) recall; (*THÉÂTRE*) curtain call; (*MÉD: vaccination*) booster; (*ADMIN: de salaire*) back pay *q*; (*d'une aventure, d'un nom*) reminder; (*TECH*) return; (*NAVIG*) sitting out; (*ALPINISME: aussi*: ~ **de corde**) abseiling *q*, roping down *q*, abseil; ~ **à l'ordre** call to order.

rappeler [Raple] *vt* (*pour faire revenir, retéléphoner*) to call back; (*ambassadeur, MIL*) to recall; (*faire se souvenir*): ~ **qch à qn** to remind sb of sth; se ~ *vt* (*se souvenir de*) to remember, recall; ~ **qn à la vie** to bring sb back to life; **ça rappelle la Provence** it's reminiscent of Provence, it reminds you of Provence.

rappliquer [Raplike] *vi* (*fam*) to turn up.

rapport [Rapɔʀ] nm (*compte rendu*) report; (*profit*) yield, return, revenue; (*lien, analogie*) relationship; (*proportion: MATH, TECH*) ratio (*pl* s); ~s nmpl (*entre personnes, pays*) relations; **avoir ~ à** to have something to do with, concern; **être en ~ avec** (*idée de corrélation*) to be in keeping with; **être/se mettre en ~ avec qn** to have dealings with sb/get in touch with sb; **par ~ à** in relation to; with regard to; **sous le ~ de** from the point of view of; **~s (sexuels)** (sexual) intercourse *sg*.

rapporter [Rapɔʀte] vt (*rendre, ramener*) to bring back; (*apporter davantage*) to bring more; (*COUTURE*) to sew on; (*suj: investissement*) to yield; (: *activité*) to bring in; (*relater*) to report; (*JUR: annuler*) to revoke // vi (*investissement*) to give a good return *ou* yield; (: *activité*) to be very profitable; ~ **qch à** (*fig: rattacher*) to relate sth to; **se ~ à** (*correspondre à*) to relate to; **s'en ~ à** to rely on; **rapporteur, euse** nm/f (*de procès, commission*) reporter; (*péj*) telltale // nm (*GÉOM*) protractor.

rapproché, e [Rapʀɔʃe] a (*proche*) near, close at hand; ~s (*l'un de l'autre*) at close intervals.

rapprochement [Rapʀɔʃmɑ̃] nm (*reconciliation: de nations, familles*) reconciliation; (*analogie, rapport*) parallel.

rapprocher [Rapʀɔʃe] vt (*chaise d'une table*): ~ **qch (de)** to bring sth closer (to); (*deux tuyaux*) to bring closer together; (*réunir*) to bring together; (*établir une analogie entre*) to establish a parallel between; **se ~** vi to draw closer *ou* nearer; (*fig: familles, pays*) to come together; to come closer together; **se ~ de** to come closer to; (*présenter une analogie avec*) to be close to.

rapt [Rapt] nm abduction.

raquette [Rakɛt] nf (*de tennis*) racket; (*de ping-pong*) bat; (*à neige*) snowshoe.

rare [RaR] a rare; (*main-d'œuvre, denrées*) scarce; (*cheveux, herbe*) sparse.

raréfier [RaRefje]: **se ~** vi to grow scarce; (*air*) to rarefy.

rarement [RaRmɑ̃] ad rarely, seldom.

rareté [RaRte] nf rarity; scarcity.

ras, e [Ra, Raz] a (*tête, cheveux*) close-cropped; (*poil, herbe*) short // ad short; **en ~e campagne** in open country; **à ~ bords** to the brim; **au ~ de** level with; **en avoir ~ le bol** (*fam*) to be fed up; ~ **du cou** a (*pull, robe*) crew-neck.

rasade [Razad] nf glassful.

rasé, e [Raze] a: ~ **de frais** freshly shaven; ~ **de près** close-shaven.

rase-mottes [Razmɔt] nm inv: **faire du ~** to hedgehop.

raser [Raze] vt (*barbe, cheveux*) to shave off; (*menton, personne*) to shave; (*fam: ennuyer*) to bore; (*démolir*) to raze (to the ground); (*frôler*) to graze; to skim; **se ~** to shave; (*fam*) to be bored (to tears); **rasoir** nm razor; **rasoir électrique** electric shaver *ou* razor; **rasoir de sûreté** safety razor.

rassasier [Rasazje] vt to satisfy; **être rassasié** (*dégoûté*) to be sated; to have had more than enough.

rassemblement [Rasɑ̃bləmɑ̃] nm (*groupe*) gathering; (*POL*) union; association; (*MIL*): **le ~** parade.

rassembler [Rasɑ̃ble] vt (*réunir*) to assemble, gather; (*regrouper, amasser*) to gather together, collect; **se ~** vi to gather.

rasseoir [Raswar]: **se ~** vi to sit down again.

rasséréner [RaseRene]: **se ~** vi to recover one's serenity.

rassis, e [Rasi, -iz] a (*pain*) stale.

rassurer [RasyRe] vt to reassure; **se ~** to feel reassured; **rassure-toi** put your mind at rest *ou* at ease.

rat [Ra] nm rat; ~ **d'hôtel** hotel thief (*pl* thieves); ~ **musqué** muskrat.

ratatiné, e [Ratatine] a shrivelled (up), wrinkled.

rate [Rat] nf spleen.

raté, e [Rate] a (*tentative*) unsuccessful, failed // nm/f failure // nm misfiring *q.*

râteau, x [Rɑto] nm rake.

râtelier [Rɑtəlje] nm rack; (*fam*) false teeth *pl*.

rater [Rate] vi (*affaire, projet etc*) to go wrong, fail // vt (*cible, train, occasion*) to miss; (*démonstration, plat*) to spoil; (*examen*) to fail.

ratifier [Ratifje] vt to ratify.

ration [Rasjɔ̃] nf ration; (*fig*) share.

rationnel, le [Rasjɔnɛl] a rational.

rationnement [Rasjɔnmɑ̃] nm rationing; **ticket de ~** ration coupon.

rationner [Rasjɔne] vt to ration.

ratisser [Ratise] vt (*allée*) to rake; (*feuiller*) to rake up; (*suj: armée, police*) to comb.

raton [Ratɔ̃] nm: ~ **laveur** raccoon.

R.A.T.P. sigle f (= *Régie autonome des transports parisiens*) Paris transport authority.

rattacher [Rataʃe] vt (*animal, cheveux*) to tie up again; (*incorporer: ADMIN etc*): ~ **qch à** to join sth to, unite sth with; (*fig: relier*): ~ **qch à** to link sth with, relate sth to; (: *lier*): ~ **qn à** to bind *ou* tie sb to.

rattrapage [Ratʀapaʒ] nm (*SCOL*) remedial classes *pl*.

rattraper [RatRape] vt (*fugitif*) to recapture; (*retenir, empêcher de tomber*) to catch (hold of); (*atteindre, rejoindre*) to catch up with; (*réparer: imprudence, erreur*) to make up for; **se ~** vi to make up for lost time; to make good one's losses; to make up for it; **se ~ (à)** (*se raccrocher*) to stop o.s. falling (by catching hold of).

rature [RatyR] nf deletion, erasure; **raturer** vt to cross out, delete, erase.

rauque [Rok] a raucous; hoarse.

ravagé, e [Ravaʒe] a (*visage*) harrowed.

ravager [Ravaʒe] vt to devastate, ravage.

ravages [Ravaʒ] nmpl ravages; **faire des ~** to wreak havoc.

ravaler [Ravale] vt (*mur, façade*) to restore; (*déprécier*) to lower; ~ **sa colère/son dégoût** to stifle one's anger/distaste.

ravauder [Ravode] vt to repair, mend.

rave [Rav] nf (*BOT*) rape.

ravi, e [Ravi] a delighted; **être ~ de/que** to be delighted with/that.

ravier [Ravje] nm hors d'œuvre dish.
ravigote [Ravigɔt] a: **sauce ~** oil and vinegar dressing with shallots.
ravigoter [Ravigɔte] vt (fam) to buck up.
ravin [Ravɛ̃] nm gully, ravine.
raviner [Ravine] vt to furrow, gully.
ravir [RaviR] vt (enchanter) to delight; (enlever): **~ qch à qn** to rob sb of sth; **à ~** ad beautifully.
raviser [Ravize]: **se ~** vi to change one's mind.
ravissant, e [Ravisɑ̃, -ɑ̃t] a delightful; ravishing.
ravisseur, euse [Ravisœr, -øz] nm/f abductor.
ravitaillement [Ravitɑjmɑ̃] nm resupplying; refuelling; (provisions) supplies pl; **aller au ~** to go for fresh supplies.
ravitailler [Ravitɑje] vt to resupply; (véhicule) to refuel; **se ~** vi to get fresh supplies.
raviver [Ravive] vt (feu, douleur) to revive; (couleurs) to brighten up.
ravoir [RavwaR] vt to get back.
rayé, e [Reje] a (à rayures) striped; (éraflé) scratched.
rayer [Reje] vt (érafler) to scratch; (barrer) to cross ou score out; (d'une liste: radier) to cross ou strike off.
rayon [Rɛjɔ̃] nm (de soleil etc) ray; (GÉOM) radius; (de roue) spoke; (étagère) shelf (pl shelves); (de grand magasin) department; (de ruche) (honey)comb; **dans un ~ de** within a radius of; **~ d'action** range; **~ de soleil** sunbeam, ray of sunlight; **~s X** X-rays.
rayonnage [Rɛjonaʒ] nm set of shelves.
rayonnement [Rɛjonmɑ̃] nm radiation; (fig) radiance; influence.
rayonner [Rɛjone] vi (chaleur, énergie) to radiate; (fig) to shine forth; to be radiant; (avenues, axes etc) to radiate; (touriste) to go touring (from one base).
rayure [RɛjyR] nf (motif) stripe; (éraflure) scratch; (rainure, d'un fusil) groove; **à ~s** striped.
raz-de-marée [RɑdmaRe] nm inv tidal wave.
razzia [Razja] nf raid, foray.
ré [Re] nm (MUS) D; (en chantant la gamme) re.
réacteur [Reaktœr] nm jet engine.
réaction [Reaksjɔ̃] nf reaction; **moteur à ~** jet engine; **~ en chaîne** chain reaction; **réactionnaire** a reactionary.
réadapter [Readapte] vt to readjust; (MÉD) to rehabilitate; **se ~ (à)** to readjust (to).
réaffirmer [Reafirme] vt to reaffirm, reassert.
réagir [ReaʒiR] vi to react.
réalisateur, trice [Realizatœr, -tris] nm/f (TV, CINÉMA) director.
réalisation [Realizɑsjɔ̃] nf carrying out; realization; fulfilment; achievement; production; (œuvre) production; creation; work.
réaliser [Realize] vt (projet, opération) to carry out, realize; (rêve, souhait) to realize, fulfil; (exploit) to achieve; (achat, vente)

to make; (film) to produce; (se rendre compte de, COMM: bien, capital) to realize; **se ~** vi to be realized.
réaliste [Realist(ə)] a realistic; (peintre, roman) realist // nm/f realist.
réalité [Realite] nf reality; **en ~** in (actual) fact; **dans la ~** in reality.
réanimation [Reanimasjɔ̃] nf resuscitation; **service de ~** intensive care unit.
réarmer [Rearme] vt (arme) to reload // vi (état) to rearm.
réassurance [Reasyrɑ̃s] nf reinsurance.
rébarbatif, ive [Rebarbatif, -iv] a forbidding, off-putting.
rebattre [Rəbatr(ə)] vt: **~ les oreilles à qn de qch** to keep harping on to sb about sth; **rebattu, e** a hackneyed.
rebelle [Rəbɛl] nm/f rebel // a (troupes) rebel; (enfant) rebellious; (mèche etc) unruly; **~ à** unamenable to; unwilling to + verbe.
rebeller [Rəbele]: **se ~** vi to rebel.
rébellion [Rebeljɔ̃] nf rebellion; (rebelles) rebel forces pl.
reboiser [Rəbwaze] vt to replant with trees, reafforest.
rebondi, e [Rəbɔ̃di] a rounded; chubby, well-rounded.
rebondir [Rəbɔ̃diR] vi (ballon: au sol) to bounce; (: contre un mur) to rebound; (fig: procès, action, conversation) to get moving again, be suddenly revived; **rebondissements** nmpl (fig) twists and turns, sudden revivals.
rebord [RəbɔR] nm edge.
rebours [RəbuR]: **à ~** ad the wrong way.
rebouteux, euse [Rəbutø, -øz] nm/f (péj) bonesetter.
rebrousse-poil [Rbruspwal]: **à ~** ad the wrong way.
rebrousser [Rəbruse] vt: **~ chemin** to turn back.
rebuffade [Rəbyfad] nf rebuff.
rébus [Rebys] nm inv rebus.
rebut [Rəby] nm: **mettre au ~** to scrap, discard.
rebuter [Rəbyte] vt to put off.
récalcitrant, e [Rekalsitrɑ̃, -ɑ̃t] a refractory.
recaler [Rəkale] vt (SCOL) to fail.
récapituler [Rekapityle] vt to recapitulate; to sum up.
recel [Rəsɛl] nm receiving (stolen goods).
receler [Rəsəle] vt (produit d'un vol) to receive; (malfaiteur) to harbour; (fig) to conceal; **receleur, euse** nm/f receiver.
récemment [Resamɑ̃] ad recently.
recensement [Rəsɑ̃smɑ̃] nm census; inventory.
recenser [Rəsɑ̃se] vt (population) to take a census of; (inventorier) to make an inventory of; (dénombrer) to list.
récent, e [Resɑ̃, -ɑ̃t] a recent.
récépissé [Resepise] nm receipt.
récepteur, trice [Reseptœr, -tris] a receiving // nm receiver; **~ (de radio)** radio set ou receiver.
réception [Resɛpsjɔ̃] nf receiving q; (accueil) reception, welcome; (bureau) reception desk; (réunion mondaine)

reception, party ; (*pièces*) reception rooms *pl* ; (*SPORT: après un saut*) landing ; (*: du ballon*) catching *q* ; **jour/heures de ~** day/hours for receiving visitors (*ou* students *etc*) ; (*MÉD*) surgery day/hours ; **réceptionnaire** *nm/f* receiving clerk ; **réceptionner** *vt* (*COMM*) to take delivery of ; (*SPORT: ballon*) to catch (and control) ; **réceptionniste** *nm/f* receptionist.

récession [Resesjɔ̃] *nf* recession.

recette [Rəsɛt] *nf* (*CULIN*) recipe ; (*fig*) formula, recipe ; (*COMM*) takings *pl* ; (*ADMIN: bureau*) tax *ou* revenue office ; **~s** *nfpl* (*COMM: rentrées*) receipts.

receveur, euse [Rəsvœʀ, -øz] *nm/f* (*des contributions*) tax collector ; (*des postes*) postmaster/mistress ; (*d'autobus*) conductor/conductress.

recevoir [Rəsvwaʀ] *vt* to receive ; (*lettre, prime*) to receive, get ; (*client, patient, représentant*) to see ; (*SCOL: candidat*) to pass // *vi* to receive visitors ; to give parties ; to see patients *etc* ; **se ~** *vi* (*athlète*) to land ; **être reçu** (*à un examen*) to pass.

rechange [Rəʃɑ̃ʒ]: **de ~** (*pièces, roue*) spare ; (*fig: plan*) alternative ; **des vêtements de ~** a change of clothes.

rechaper [Rəʃape] *vt* to remould, retread.

réchapper [Reʃape]: **~ de** *ou* **à** *vt* (*accident, maladie*) to come through.

recharge [Rəʃaʀʒ(ə)] *nf* refill.

recharger [Rəʃaʀʒe] *vt* (*camion, fusil, appareil-photo*) to reload ; (*briquet, stylo*) to refill ; (*batterie*) to recharge.

réchaud [Reʃo] *nm* (portable) stove ; plate-warmer.

réchauffer [Reʃofe] *vt* (*plat*) to reheat ; (*mains, personne*) to warm ; **se ~** *vi* (*température*) to get warmer.

rêche [Rɛʃ] *a* rough.

recherche [Rəʃɛʀʃ(ə)] *nf* (*action*): **la ~ de** the search for ; (*raffinement*) affectedness, studied elegance ; (*scientifique etc*): **la ~** research ; **~s** *nfpl* (*de la police*) investigations ; (*scientifiques*) research *sg* ; **être/se mettre à la ~ de** to be/go in search of.

recherché, e [Rəʃɛʀʃe] *a* (*rare, demandé*) much sought-after ; (*raffiné*) studied, affected.

rechercher [Rəʃɛʀʃe] *vt* (*objet égaré, fugitif*) to look for, search for ; (*témoins, main-d'œuvre*) to look for ; (*causes d'un phénomène, nouveau procédé*) to try to find ; (*bonheur etc, l'amitié de qn*) to seek.

rechigner [Rəʃiɲe] *vi*: **~ (à)** to balk (at).

rechute [Rəʃyt] *nf* (*MÉD*) relapse ; (*dans le péché, le vice*) lapse ; **faire une ~** to have a relapse.

récidiver [Residive] *vi* to commit a second (*ou* subsequent) offence ; (*fig*) to do it again ; **récidiviste** *nm/f* second (*ou* habitual) offender, recidivist.

récif [Resif] *nm* reef.

récipient [Resipjɑ̃] *nm* container.

réciproque [Resipʀɔk] *a* reciprocal ; **~ment** *ad* reciprocally ; **et ~ment** and vice versa.

récit [Resi] *nm* story.

récital [Resital] *nm* recital.

récitation [Resitasjɔ̃] *nf* recitation.

réciter [Resite] *vt* to recite.

réclamation [Reklamasjɔ̃] *nf* complaint ; **~s** (*bureau*) complaints department *sg*.

réclame [Reklam] *nf*: **la ~** advertising ; **une ~** an advert(isement) ; **article en ~** special offer.

réclamer [Reklame] *vt* (*aide, nourriture etc*) to ask for ; (*revendiquer: dû, part, indemnité*) to claim, demand ; (*nécessiter*) to demand, require // *vi* to complain ; **se ~ de** to give as one's authority ; to claim filiation with.

reclasser [Rəklase] *vt* (*fig: fonctionnaire etc*) to regrade.

reclus, e [Rəkly, -yz] *nm/f* recluse.

réclusion [Reklyzjɔ̃] *nf* imprisonment.

recoin [Rəkwɛ̃] *nm* nook, corner ; (*fig*) hidden recess.

reçois *etc vb voir* **recevoir**.

récolte [Rekɔlt(ə)] *nf* harvesting ; gathering ; (*produits*) harvest, crop ; (*fig*) crop, collection.

récolter [Rekɔlte] *vt* to harvest, gather (in) ; (*fig*) to collect ; to get.

recommandable [Rəkɔmɑ̃dabl(ə)] *a* commendable.

recommandation [Rəkɔmɑ̃dasjɔ̃] *nf* recommendation.

recommandé [Rəkɔmɑ̃de] *nm* (*POSTES*): **en ~** by registered mail.

recommander [Rəkɔmɑ̃de] *vt* to recommend ; (*suj: qualités etc*) to commend ; (*POSTES*) to register ; **~ à qn de faire** to recommend sb to do ; **se ~ à qn** to commend o.s. to sb ; **se ~ de qn** to give sb's name as a reference.

recommencer [Rəkɔmɑ̃se] *vt* (*reprendre: lutte, séance*) to resume, start again ; (*refaire: travail, explications*) to start afresh, start (over) again ; (*récidiver: erreur*) to make again // *vi* to start again ; (*récidiver*) to do it again.

récompense [Rekɔ̃pɑ̃s] *nf* reward ; (*prix*) award ; **récompenser** *vt*: **récompenser qn (de** *ou* **pour)** to reward sb for.

réconciliation [Rekɔ̃siljasjɔ̃] *nf* reconciliation.

réconcilier [Rekɔ̃silje] *vt* to reconcile ; **~ qn avec qch** to reconcile sb to sth ; **se ~ (avec)** to be reconciled (with).

reconduction [Rəkɔ̃dyksjɔ̃] *nf* renewal.

reconduire [Rəkɔ̃dɥiʀ] *vt* (*raccompagner*) to take *ou* see back ; (*JUR, POL: renouveler*) to renew.

réconfort [Rekɔ̃fɔʀ] *nm* comfort.

réconforter [Rekɔ̃fɔʀte] *vt* (*consoler*) to comfort ; (*revigorer*) to fortify.

reconnaissance [Rəkɔnɛsɑ̃s] *nf* recognition ; acknowledgement ; (*gratitude*) gratitude, gratefulness ; (*MIL*) reconnaissance, recce ; **~ de dette** acknowledgement of a debt, IOU.

reconnaissant, e [Rəkɔnɛsɑ̃, -ɑ̃t] *a* grateful ; **je vous serais ~ de bien vouloir** I should be most grateful if you would (kindly).

reconnaître [Rəkɔnɛtʀ(ə)] *vt* to recognize ; (*MIL: lieu*) to reconnoitre ; (*JUR: enfant, dette, droit*) to acknowledge ; **~ que** to admit *ou* acknowledge that ; **~ qn/qch**

à (*l'identifier grâce à*) to recognize sb/sth by.

reconstituant, e [Rək5stituɑ̃, -ɑ̃t] *a* (*régime*) strength-building // *nm* tonic, pick-me-up.

reconstituer [Rək5stitɥe] *vt* (*monument ancien*) to recreate, build a replica of; (*fresque, vase brisé*) to piece together, reconstitute; (*événement, accident*) to reconstruct; (*fortune, patrimoine*) to rebuild; (BIO: *tissus etc*) to regenerate; **reconstitution** *nf* (JUR: *d'accident etc*) reconstruction.

reconstruire [Rək5stRɥiR] *vt* to rebuild.

record [RəkɔR] *nm, a* record.

recoupement [Rəkupmɑ̃] *nm*: **par ~** by cross-checking.

recouper [Rəkupe]: **se ~** *vi* (*témoignages*) to tie *ou* match up.

recourbé, e [RəkuRbe] *a* curved; hooked; ·bent.

recourir [RəkuRiR]: **~ à** *vt* (*ami, agence*) to turn *ou* appeal to; (*force, ruse, emprunt*) to resort *ou* have recourse to.

recours [RəkuR] *nm* (JUR) appeal; **avoir ~ à = recourir à**; **en dernier ~** as a last resort; **sans ~** final; with no way out; **~ en grâce** plea for clemency (*ou* pardon).

recouvrer [RəkuvRe] *vt* (*vue, santé etc*) to recover, regain; (*impôts*) to collect; (*créance*) to recover.

recouvrir [RəkuvRiR] *vt* (*couvrir à nouveau*) to re-cover; (*couvrir entièrement, aussi fig*) to cover; (*cacher, masquer*) to conceal, hide; **se ~** (*se superposer*) to overlap.

recracher [RəkRaʃe] *vt* to spit out.

récréatif, ive [RekReatif, -iv] *a* of entertainment; recreational.

récréation [RekReasj5] *nf* recreation, entertainment; (SCOL) break.

récrier [RekRije]: **se ~** *vi* to exclaim.

récriminations [RekRiminasj5] *nfpl* remonstrations, complaints.

recroqueviller [RəkRɔkvije]: **se ~** *vi* (*feuilles*) to curl *ou* shrivel up; (*personne*) to huddle up.

recru, e [RəkRy] *a*: **~ de fatigue** exhausted // *nf* recruit.

recrudescence [RəkRydesɑ̃s] *nf* fresh outbreak.

recrue [RəkRy] *a, nf voir* **recru**.

recruter [RəkRyte] *vt* to recruit.

rectal, e, aux [Rɛktal, -o] *a*: **par voie ~e** rectally.

rectangle [Rɛktɑ̃gl(ə)] *nm* rectangle; **rectangulaire** *a* rectangular.

recteur [RɛktœR] *nm* ≈ (regional) director of education.

rectificatif, ive [Rɛktifikatif, -iv] *a* corrected // *nm* correction.

rectification [Rɛktifikasj5] *nf* correction.

rectifier [Rɛktifje] *vt* (*tracé, virage*) to straighten; (*calcul, adresse*) to correct; (*erreur, faute*) to rectify, put right.

rectiligne [Rɛktiliɲ] *a* straight; (GÉOM) rectilinear.

rectitude [Rɛktityd] *nf* rectitude, uprightness.

reçu, e [Rəsy] *pp de* **recevoir** // *a* (*admis, consacré*) accepted // *nm* (COMM) receipt.

recueil [Rəkœj] *nm* collection.

recueillement [Rəkœjmɑ̃] *nm* meditation, contemplation.

recueillir [RəkœjiR] *vt* to collect; (*voix, suffrages*) to win; (*accueillir: réfugiés, chat*) to take in; **se ~** *vi* to gather one's thoughts; to meditate.

recul [Rəkyl] *nm* retreat; recession; decline; (*d'arme à feu*) recoil, kick; **avoir un mouvement de ~** to recoil, start back; **prendre du ~** to stand back; **avec le ~** with the passing of time, in retrospect.

reculade [Rəkylad] *nf* (*péj*) climb-down.

reculé, e [Rəkyle] *a* remote.

reculer [Rəkyle] *vi* to move back, back away; (AUTO) to reverse, back (up); (*fig*) to (be on the) decline; to be losing ground; (: *se dérober*) to shrink back // *vt* to move back; to reverse, back (up); (*fig*: *possibilités, limites*) to extend; (: *date, décision*) to postpone.

reculons [Rəkyl5]: **à ~** *ad* backwards.

récupérer [RekypeRe] *vt* (*rentrer en possession de*) to recover, get back; (*recueillir: ferraille etc*) to salvage (for reprocessing); (*délinquant etc*) to rehabilitate // *vi* to recover.

récurer [RekyRe] *vt* to scour.

récuser [Rekyze] *vt* to challenge; **se ~** to decline to give an opinion.

reçut *vb voir* **recevoir**.

recycler [Rəsikle] *vt* (SCOL) to reorientate; (*employés*) to retrain.

rédacteur, trice [RedaktœR, -tRis] *nm/f* (*journaliste*) writer; subeditor; (*d'ouvrage de référence*) editor, compiler; **~ en chef** chief editor; **~ publicitaire** copywriter.

rédaction [Redaksj5] *nf* writing; (*rédacteurs*) editorial staff; (*bureau*) editorial office(s); (SCOL: *devoir*) essay, composition.

reddition [Redisj5] *nf* surrender.

rédemption [Redɑ̃psj5] *nf* redemption.

redescendre [Rədesɑ̃dR(ə)] *vi* (*à nouveau*) to go back down; (*après la montée*) to go down (again) // *vt* (*pente etc*) to go down.

redevable [Rədvabl(ə)] *a*: **être ~ de qch à qn** (*somme*) to owe sb sth; (*fig*) to be indebted to sb for sth.

redevance [Rədvɑ̃s] *nf* (*téléphonique*) rental charge; (*radiophonique*) licence fee.

rédhibitoire [RedibitwaR] *a*: **vice ~** (*fig*) irretrievable flaw.

rédiger [Rediʒe] *vt* to write; (*contrat*) to draw up.

redire [RədiR] *vt* to repeat; **trouver à ~ à** to find fault with; **redite** *nf* (*needless*) repetition.

redondance [Redɔ̃dɑ̃s] *nf* redundancy.

redoublé, e [Rəduble] *a*: **à coups ~s** even harder, twice as hard.

redoubler [Rəduble] *vi* (*tempête, violence*) to intensify, get even stronger *ou* fiercer etc; (SCOL) to repeat a year; **~ de** *vt* to be twice as + *adjectif*; **le vent redouble de violence** the wind is blowing twice as hard.

redoutable [Rədutabl(ə)] *a* formidable, fearsome.

redouter [Rədute] *vt* to fear; (*appréhender*) to dread.

redressement [Rədrɛsmɑ̃] *nm*: **maison de** ~ reformatory.

redresser [Rədrese] *vt* (*arbre, mât*) to set upright, right; (*pièce tordue*) to straighten out; (*AVIAT, AUTO*) to straighten up; (*situation, économie*) to put right; **se** ~ *vi* (*objet penché*) to right itself; to straighten up; (*personne*) to sit (*ou* stand) up; to sit (*ou* stand) up straight.

redresseur [RədrɛsœR] *nm*: ~ **de torts** righter of wrongs.

réduction [Redyksjɔ̃] *nf* reduction.

réduire [Redɥiʀ] *vt* (*gén, aussi CULIN, MATH*) to reduce; (*prix, dépenses*) to cut, reduce; (*carte*) to scale down, reduce; (*MÉD: fracture*) to set; (*rebelles*) to put down; **se** ~ **à** (*revenir à*) to boil down to; **se** ~ **en** (*se transformer en*) to be reduced to.

réduit [Redɥi] *nm* tiny room, recess.

rééducation [Reedykasjɔ̃] *nf* (*d'un membre*) re-education; (*de délinquants, d'un blessé*) rehabilitation; ~ **de la parole** speech therapy.

réel, le [Reɛl] *a* real // *nm*: **le** ~ reality.

réélection [Reelɛksjɔ̃] *nf* re-election.

réélire [Reeliʀ] *vt* to re-elect.

réellement [Reɛlmɑ̃] *ad* really.

réemploi [Reɑ̃plwa] *nm* = **remploi**.

réescompte [Reɛskɔ̃t] *nm* rediscount.

réévaluation [Reevalɥasjɔ̃] *nf* revaluation.

réévaluer [Reevalɥe] *vt* to revalue.

réexpédier [Reɛkspedje] *vt* (*à l'envoyeur*) to return, send back; (*au destinataire*) to send on, forward.

ref. *abr de* **référence.**

refaire [Rəfɛʀ] *vt* (*faire de nouveau, recommencer*) to do again; (*réparer, restaurer*) to do up; **se** ~ *vi* (*en santé*) to recover; (*en argent*) to make up one's losses; **être refait** (*fam: dupé*) to be had.

réfection [Refɛksjɔ̃] *nf* repair.

réfectoire [Refɛktwaʀ] *nm* (*de collège, couvent, caserne*) refectory.

référence [RefeRɑ̃s] *nf* reference; ~**s** *nfpl* (*recommandations*) reference *sg*; **faire** ~ **à** to refer to; **ouvrage de** ~ reference work.

référendum [RefeRɛ̃dɔm] *nm* referendum.

référer [RefeRe]: **se** ~ **à** *vt* to refer to; **en** ~ **à qn** to refer the matter to sb.

refiler [Rəfile] *vt* (*fam*): ~ **qch à qn** to palm sth off on sb; to pass sth on to sb.

réfléchi, e [Reflefi] *a* (*caractère*) thoughtful; (*action*) well-thought-out; (*LING*) reflexive.

réfléchir [Reflefiʀ] *vt* to reflect // *vi* to think; ~ **à** *ou* **sur** to think about.

reflet [Rəflɛ] *nm* reflection; (*sur l'eau etc*) sheen *q*, glint.

refléter [Rəflete] *vt* to reflect; **se** ~ *vi* to be reflected.

réflex [Reflɛks] *a inv* (*PHOTO*) reflex.

réflexe [Reflɛks(ə)] *nm*, *a* reflex; **avoir de bons** ~**s** to have good reactions *ou* reflexes.

réflexion [Reflɛksjɔ̃] *nf* (*de la lumière etc, pensée*) reflection; (*fait de penser*) thought; (*remarque*) remark; ~**s** *nfpl* (*méditations*) thought *sg*, reflection *sg*; **sans** ~ without thinking; ~ **faite, à la** ~ on reflection.

refluer [Rəflye] *vi* to flow back; (*foule*) to surge back.

reflux [Rəfly] *nm* (*de la mer*) ebb.

refondre [Rəfɔ̃dʀ(ə)] *vt* (*texte*) to recast.

réformateur, trice [RefɔRmatœʀ, -tʀis] *nm/f* reformer.

Réformation [RefɔRmasjɔ̃] *nf*: **la** ~ **the** Reformation.

réforme [RefɔRm(ə)] *nf* reform; (*MIL*) declaration of unfitness for service; discharge (*on health grounds*); (*REL*): **la R**~ the Reformation.

réformé, e [RefɔRme] *a*, *nm/f* (*REL*) Protestant.

réformer [RefɔRme] *vt* to reform; (*MIL: recrue*) to declare unfit for service; (*: soldat*) to discharge, invalid out.

réformisme [RefɔRmism(ə)] *nm* reformism, policy of reform.

refoulé, e [Rəfule] *a* (*PSYCH*) frustrated, repressed.

refoulement [Rəfulmɑ̃] *nm* (*PSYCH*) repression.

refouler [Rəfule] *vt* (*envahisseurs*) to drive back, repulse; (*liquide*) to force back; (*fig*) to suppress; (*PSYCH*) to repress.

réfractaire [RefʀaktɛʀR] *a* (*minerai*) refractory; (*brique*) fire *cpd*; (*prêtre*) nonjuring; **soldat** ~ draft evader; **être** ~ **à** to resist.

réfracter [Refʀakte] *vt* to refract.

refrain [Rəfʀɛ̃] *nm* (*MUS*) refrain, chorus; (*air, fig*) tune.

refréner, réfréner [Rəfʀene, Refʀene] *vt* to curb, check.

réfrigérant, e [Refʀiʒeʀɑ̃, -ɑ̃t] *a* refrigerant, cooling.

réfrigérer [Refʀiʒeʀe] *vt* to refrigerate.

refroidir [RəfʀwadiʀR] *vt* to cool; (*fig*) to have a cooling effect on // *vi* to cool (down); **se** ~ *vi* (*prendre froid*) to catch a chill; (*temps*) to get cooler *ou* colder; (*fig*) to cool (off); **refroidissement** *nm* cooling; (*grippe etc*) chill.

refuge [Rəfyʒ] *nm* refuge; (*pour piétons*) (traffic) island.

réfugié, e [Refyʒje] *a*, *nm/f* refugee.

réfugier [Refyʒje]: **se** ~ *vi* to take refuge.

refus [Rəfy] *nm* refusal; **ce n'est pas de** ~ I won't say no, it's welcome.

refuser [Rəfyze] *vt* to refuse; (*SCOL: candidat*) to fail; ~ **qch à qn/de faire** to refuse sb sth/to do; ~ **du monde** to have to turn customers away; **se** ~ **à qch/à faire** to refuse to do.

réfuter [Refyte] *vt* to refute.

regagner [Rəgaɲe] *vt* (*argent, faveur*) to win back; (*lieu*) to get back to; ~ **le temps perdu** to make up (for) lost time; ~ **du terrain** to regain ground.

regain [Rəgɛ̃] *nm* (*herbe*) second crop of hay; (*renouveau*): **un** ~ **de** renewed + *nom*.

régal [Regal] *nm* treat.

régalade [Regalad] *ad*: **à la** ~ from the bottle (held away from the lips).

régaler [ʀegale] vt: ~ qn to treat sb to a delicious meal; ~ qn de to treat sb to; **se** ~ vi to have a delicious meal; (fig) to enjoy o.s.

regard [ʀəɡaʀ] nm (coup d'œil) look, glance; (expression) look (in one's eye); **parcourir/menacer du** ~ to cast an eye over/look threateningly at; **au** ~ **de** (loi, morale) from the point of view of; **en** ~ (vis à vis) opposite; **en** ~ **de** in comparison with.

regardant, e [ʀəɡaʀdɑ̃, -ɑ̃t] a: **très/peu** ~ (sur) quite fussy/very free (about); (économe) very tight-fisted/quite generous (with).

regarder [ʀəɡaʀde] vt (examiner, observer, lire) to look at; (film, télévision, match) to watch; (envisager: situation, avenir) to view; (considérer: son intérêt etc) to be concerned with; (être orienté vers): ~ (vers) to face; (concerner) to concern // vi to look; ~ à vt (dépense, qualité, détails) to be fussy with ou over; ~ à faire to hesitate to do; **dépenser sans** ~ to spend freely; ~ qn/qch comme to regard sb/sth as; ~ (qch) dans le dictionnaire/l'annuaire to look (sth up) in the dictionary/directory; **cela me regarde** it concerns me, it's my business.

régate(s) [ʀegat] nf(pl) regatta.

régénérer [ʀeʒeneʀe] vt to regenerate; (fig) to revive.

régent [ʀeʒɑ̃] nm regent.

régenter [ʀeʒɑ̃te] vt to rule over; to dictate to.

régie [ʀeʒi] nf (COMM, INDUSTRIE) state-owned company; (THÉÂTRE, CINÉMA) production; **la** ~ **de l'État** state control.

regimber [ʀəʒɛ̃be] vi to balk, jib.

régime [ʀeʒim] nm (POL) régime; (ADMIN: des prisons, fiscal etc) system; (MÉD) diet; (GÉO) régime; (TECH) (engine) speed; (fig) rate, pace; (de bananes, dattes) bunch; **se mettre au/suivre un** ~ to go on/be on a diet; ~ **sans sel** salt-free diet; **à bas/haut** ~ (AUTO) at low/high revs; ~ **matrimonial** marriage settlement.

régiment [ʀeʒimɑ̃] nm (MIL: unité) regiment; (fig: fam): **un** ~ **de** an army of; **un copain de** ~ a pal from military service ou (one's) army days.

région [ʀeʒjɔ̃] nf region; **la** ~ **parisienne** the Paris area; **régional, e, aux** a regional; **régionalisme** nm regionalism.

régir [ʀeʒiʀ] vt to govern.

régisseur [ʀeʒisœʀ] nm (d'un domaine) steward; (CINÉMA, TV) assistant director; (THÉÂTRE) stage manager.

registre [ʀeʒistʀ(ə)] nm (livre) register; logbook; ledger; (MUS, LING) register; (d'orgue) stop.

réglage [ʀeɡlaʒ] nm adjustment; tuning.

règle [ʀɛɡl(ə)] nf (instrument) ruler; (loi, prescription) rule; ~s nfpl (PHYSIOL) period sg; **en** ~ (papiers d'identité) in order; **être/se mettre en** ~ to be/put o.s. straight with the authorities; **en** ~ **générale** as a (general) rule; ~ **à calcul** slide rule.

réglé, e [ʀeɡle] a well-ordered; stable, steady; (papier) ruled; (femme): **bien** ~**e** whose periods are regular.

règlement [ʀɛɡləmɑ̃] nm settling; (arrêté) regulation; (règles, statuts) regulations pl, rules pl; ~ **de compte(s)** settling of scores; **réglementaire** a conforming to the regulations; (tenue, uniforme) regulation cpd.

réglementation [ʀeɡləmɑ̃tasjɔ̃] nf regulation, control; regulations pl.

réglementer [ʀeɡləmɑ̃te] vt to regulate, control.

régler [ʀeɡle] vt (mécanisme, machine) to regulate, adjust; (moteur) to tune; (thermostat etc) to set, adjust; (emploi du temps etc) to organize, plan; (question, conflit, facture, dette) to settle; (fournisseur) to settle up with, pay; (papier) to rule; ~ **son compte à qn** to sort sb out, settle sb; ~ **un compte avec qn** to settle a score with sb.

réglisse [ʀeglis] nf liquorice.

règne [ʀɛɲ] nm (d'un roi etc, fig) reign; (BIO): **le** ~ **végétal/animal** the vegetable/animal kingdom.

régner [ʀeɲe] vi (roi) to rule, reign; (fig) to reign.

regorger [ʀəɡɔʀʒe] vi to overflow; ~ **de** to overflow with, be bursting with.

régression [ʀeɡʀesjɔ̃] nf regression, decline.

regret [ʀəɡʀɛ] nm regret; **à** ~ with regret; **avec** ~ regretfully; **être au** ~ **de devoir faire** to regret having to do.

regrettable [ʀəɡʀetabl(ə)] a regrettable.

regretter [ʀəɡʀete] vt to regret; (personne) to miss; ~ **que** to regret that, be sorry that; **je regrette** I'm sorry.

regrouper [ʀəɡʀupe] vt (grouper) to group together; (contenir) to include, comprise; **se** ~ vi to gather (together).

régulariser [ʀeɡylaʀize] vt (fonctionnement, trafic) to regulate; (passeport, papiers) to put in order; (sa situation) to straighten out, regularize.

régularité [ʀeɡylaʀite] nf regularity.

régulateur, trice [ʀeɡylatœʀ, -tʀis] a regulating.

régulier, ière [ʀeɡylje, -jɛʀ] a (gén) regular; (vitesse, qualité) steady; (répartition, pression, paysage) even; (TRANSPORTS: ligne, service) scheduled, regular; (légal, réglementaire) lawful, in order; (fam: correct) straight, on the level; **régulièrement** ad regularly; steadily; evenly; normally.

réhabiliter [ʀeabilite] vt to rehabilitate; (fig) to restore to favour.

rehausser [ʀəose] vt to heighten, raise; (fig) to set off, enhance.

rein [ʀɛ̃] nm kidney; ~**s** nmpl (dos) back sg; **avoir mal aux** ~**s** to have backache.

reine [ʀɛn] nf queen.

reine-claude [ʀɛnklod] nf greengage.

reinette [ʀɛnɛt] nf rennet, pippin.

réintégrer [ʀeɛ̃teɡʀe] vt (lieu) to return to; (fonctionnaire) to reinstate.

réitérer [ʀeiteʀe] vt to repeat, reiterate.

rejaillir [ʀəʒajiʀ] vi to splash up; ~ **sur** to splash up onto; (fig) to rebound on; to fall upon.

rejet [ʀəʒɛ] nm (action, aussi MÉD)

rejection ; (*POÉSIE*) enjambement, rejet ; (*BOT*) shoot.
rejeter [ʀəʒte] vt (*relancer*) to throw back ; (*vomir*) to bring ou throw up ; (*écarter*) to reject ; (*déverser*) to throw out, discharge ; ~ **la tête/les épaules en arrière** to throw one's head/pull one's shoulders back ; ~ **la responsabilité de qch sur qn** to lay the responsibility for sth at sb's door.
rejeton [ʀəʒtɔ̃] nm offspring.
rejoindre [ʀəʒwɛ̃dʀ(ə)] vt (*famille, régiment*) to rejoin, return to ; (*lieu*) to get (back) to ; (*suj: route etc*) to meet, join ; (*rattraper*) to catch up (with) ; **se** ~ vi to meet ; **je te rejoins au café** I'll see ou meet you at the café.
réjoui, e [ʀeʒwi] a (*mine*) joyous.
réjouir [ʀeʒwiʀ] vt to delight ; **se** ~ vi to be delighted ; to rejoice ; **se** ~ **de qch/faire** to be delighted about sth/to do ; **réjouissances** nfpl (*joie*) rejoicing sg ; (*fête*) festivities, merry-making sg.
relâche [ʀəlɑʃ] : **faire** ~ vi (*navire*) to put into port ; (*CINÉMA*) to be closed ; **sans** ~ ad without respite ou a break.
relâché, e [ʀəlɑʃe] a loose, lax.
relâcher [ʀəlɑʃe] vt (*ressort, prisonnier*) to release ; (*étreinte, cordes*) to loosen // vi (*NAVIG*) to put into port ; **se** ~ vi to loosen ; (*discipline*) to become slack ou lax ; (*élève etc*) to slacken off.
relais [ʀəlɛ] nm (*SPORT*): (**course de**) ~ relay (race) ; (*RADIO, TV*) relay ; **équipe de** ~ shift team ; relay team ; **prendre le** ~ (**de**) to take over (from) ; ~ **de poste** post house, coaching inn ; ~ **routier** ≈ transport café.
relance [ʀəlɑ̃s] nf boosting, revival.
relancer [ʀəlɑ̃se] vt (*balle*) to throw back (again) ; (*moteur*) to restart ; (*fig*) to boost, revive ; (*personne*): ~ **qn** to pester sb ; to get on to sb again.
relater [ʀəlate] vt to relate, recount.
relatif, ive [ʀəlatif, -iv] a relative.
relation [ʀəlasjɔ̃] nf (*récit*) account, report ; (*rapport*) relation(ship) ; ~**s** nfpl (*rapports*) relations ; relationship sg ; (*connaissances*) connections ; **être/entrer en** ~(**s**) **avec** to be in contact ou be dealing/get in contact with ; ~**s publiques** public relations.
relativement [ʀəlativmɑ̃] ad relatively ; ~ **à** in relation to.
relativité [ʀəlativite] nf relativity.
relax [ʀəlaks] a inv, **relaxe** [ʀəlaks(ə)] a informal, casual ; easy-going.
relaxer [ʀəlakse] vt to relax ; (*JUR*) to discharge ; **se** ~ vi to relax.
relayer [ʀəleje] vt (*collaborateur, coureur etc*) to relieve, take over from ; (*RADIO, TV*) to relay ; **se** ~ (*dans une activité*) to take it in turns.
relégation [ʀəlegasjɔ̃] nf (*SPORT*) relegation.
reléguer [ʀəlege] vt to relegate.
relent(s) [ʀəlɑ̃] nm(pl) (foul) smell.
relève [ʀəlɛv] nf relief ; relief team (ou troops pl) ; **prendre la** ~ to take over.
relevé, e [ʀəlve] a (*bord de chapeau*) turned-up ; (*manches*) rolled-up ; (*virage*) banked ; (*fig: style*) elevated ; (: *sauce*) highly-seasoned // nm (*lecture*) reading ;

(*de cotes*) plotting ; (*liste*) statement ; list ; (*facture*) account ; ~ **de compte** bank statement.
relever [ʀəlve] vt (*statue, meuble*) to stand up again ; (*personne tombée*) to help up ; (*vitre, plafond, niveau de vie*) to raise ; (*col*) to turn up ; (*style, conversation*) to elevate ; (*plat, sauce*) to season ; (*sentinelle, équipe*) to relieve ; (*souligner: fautes, points*) to pick out ; (*constater: traces etc*) to find, pick up ; (*répliquer à: remarque*) to react to, reply to ; (: *défi*) to accept, take up ; (*noter: adresse etc*) to take down, note ; (: *plan*) to sketch ; (: *cotes etc*) to plot ; (*compteur*) to read ; (*ramasser: cahiers, copies*) to collect, take in ; ~ **de** vt (*maladie*) to be recovering from ; (*être du ressort de*) to be a matter for ; (*ADMIN: dépendre de*) to come under ; (*fig*) to pertain to ; **se** ~ vi (*se remettre debout*) to get up ; ~ **qn de** (*vœux*) to release sb from ; (*fonctions*) to relieve sb of ; ~ **la tête** to look up ; to hold up one's head.
relief [ʀəljɛf] nm relief ; (*de pneu*) tread pattern ; ~**s** nmpl (*restes*) remains ; **en** ~ in relief ; (*photographie*) three-dimensional ; **mettre en** ~ (*fig*) to bring out, highlight.
relier [ʀəlje] vt to link up ; (*livre*) to bind ; ~ **qch à** to link sth to ; **livre relié cuir** leather-bound book ; **relieur, euse** nm/f (book)binder.
religieux, euse [ʀəliʒjø, -øz] a religious // nm monk // nf nun ; (*gâteau*) cream bun.
religion [ʀəliʒjɔ̃] nf religion ; (*piété, dévotion*) faith ; **entrer en** ~ to take one's vows.
reliquaire [ʀəlikɛʀ] nm reliquary.
reliquat [ʀəlika] nm balance ; remainder.
relique [ʀəlik] nf relic.
relire [ʀəliʀ] vt (*à nouveau*) to reread, read again ; (*vérifier*) to read over.
reliure [ʀəljyʀ] nf binding.
reluire [ʀəlɥiʀ] vi to gleam ; **reluisant, e** a gleaming ; **peu reluisant** (*fig*) unattractive ; unsavoury.
remâcher [ʀəmɑʃe] vt to chew or ruminate over.
remailler [ʀəmɑje] vt to darn ; to mend.
remaniement [ʀəmanimɑ̃] nm: ~ **ministériel** Cabinet reshuffle.
remanier [ʀəmanje] vt to reshape, recast ; (*POL*) to reshuffle.
remarquable [ʀəmaʀkabl(ə)] a remarkable.
remarque [ʀəmaʀk(ə)] nf remark ; (*écrite*) note.
remarquer [ʀəmaʀke] vt (*voir*) to notice ; (*dire*): ~ **que** to remark that ; **se** ~ to be noticeable ; **se faire** ~ to draw attention to o.s. ; **faire** ~ (**à qn**) **que** to point out (to sb) that ; **faire** ~ **qch** (**à qn**) to point sth out (to sb) ; **remarquez que** mark you, mind you.
rembarrer [ʀɑ̃baʀe] vt: ~ **qn** to rebuff sb ; to put sb in his/her place.
remblai [ʀɑ̃blɛ] nm embankment.
remblayer [ʀɑ̃bleje] vt to bank up ; (*fossé*) to fill in.
rembourrage [ʀɑ̃buʀaʒ] nm stuffing ; padding.

rembourré, e [Rãbuʀe] *a* padded.

rembourrer [Rãbuʀe] *vt* to stuff; (*dossier, vêtement, souliers*) to pad.

remboursement [Rãbuʀsəmã] *nm* repayment; **envoi contre ~** cash on delivery.

rembourser [Rãbuʀse] *vt* to pay back, repay.

rembrunir [Rãbʀyniʀ]: **se ~** *vi* to darken; to grow sombre.

remède [Rəmɛd] *nm* (*médicament*) medicine; (*traitement, fig*) remedy, cure.

remédier [Rəmedje]: **~ à** *vt* to remedy.

remembrement [Rəmãbʀəmã] *nm* (AGR) regrouping of lands.

remémorer [Rəmemɔʀe]: **se ~** *vt* to recall, recollect.

remerciements [Rəmɛʀsimã] *nmpl* thanks.

remercier [Rəmɛʀsje] *vt* to thank; (*congédier*) to dismiss; **~ qn de/d'avoir fait** to thank sb for/for having done; **non, je vous remercie** no thank you.

remettre [Rəmɛtʀ(ə)] *vt* (*vêtement*): **~ qch** to put sth back on, put sth on again; (*replacer*): **~ qch quelque part** to put sth back somewhere; (*ajouter*): **~ du sel/un sucre** to add more salt/another lump of sugar; (*rétablir: personne*): **~ qn** to set sb back on his/her feet; (*rendre, restituer*): **~ qch à qn** to give sth back to sb, return sth to sb; (*donner, confier: paquet, argent*): **~ qch à qn** to hand over sth to sb, deliver sth to sb; (*prix, décoration*): **~ qch à qn** to present sb with sth; (*ajourner*): **~ qch (à)** to postpone sth ou put sth off (until); **se ~** *vi* to get better, recover; **se ~ de** to recover from, get over; **s'en ~ à** to leave it (up) to.

remise [Rəmiz] *nf* delivery; presentation; (*rabais*) discount; (*local*) shed; **~ en jeu** (FOOTBALL) throw-in; **~ de peine** reduction of sentence.

rémission [Remisjɔ̃]: **sans ~** *a* irremediable // *ad* unremittingly.

remontant [Rəmɔ̃tã] *nm* tonic, pick-me-up.

remontée [Rəmɔ̃te] *nf* rising; ascent; **~s mécaniques** (SKI) towing equipment *sg* ou facilities.

remonte-pente [Rəmɔ̃tpãt] *nm* skilift, (ski) tow.

remonter [Rəmɔ̃te] *vi* (*à nouveau*) to go back up; (*après une descente*) to go up (again); (*jupe*) to pull ou ride up // *vt* (*pente*) to go up; (*fleuve*) to sail (ou swim etc) up; (*manches, pantalon*) to roll up; (*col*) to turn up; (*rayon, limite*) to raise; (*fig: personne*) to buck up; (*moteur, meuble*) to put back together, reassemble; (*garde-robe etc*) to renew, replenish; (*montre, mécanisme*) to wind up; **~ à** (*dater de*) to date ou go back to; **~ en voiture** to get back into the car.

remontoir [Rəmɔ̃twaʀ] *nm* winding mechanism, winder.

remontrance [Rəmɔ̃tʀãs] *nf* reproof, reprimand.

remontrer [Rəmɔ̃tʀe] *vt* (*fig*): **en ~ à** to prove one's superiority over.

remords [Rəmɔʀ] *nm* remorse *q*; **avoir des ~** to feel remorse, be conscience-stricken.

remorque [Rəmɔʀk(ə)] *nf* trailer; **prendre/être en ~** to tow/be on tow; **remorquer** *vt* to tow; **remorqueur** *nm* tug(boat).

rémoulade [Remulad] *nf* dressing with mustard and herbs.

rémouleur [Remulœʀ] *nm* (knife- ou scissor-)grinder.

remous [Rəmu] *nm* (*d'un navire*) (back)wash *q*; (*de rivière*) swirl, eddy // *nmpl* (*fig*) stir *sg*.

rempailler [Rãpaje] *vt* to reseat (with straw).

remparts [Rãpaʀ] *nmpl* walls, ramparts.

rempiler [Rãpile] *vi* (MIL: *fam*) to join up again.

remplaçant, e [Rãplasã, -ãt] *nm/f* replacement, substitute, stand-in; (THÉÂTRE) understudy; (SCOL) supply teacher.

remplacement [Rãplasmã] *nm* replacement; (*job*) replacement work *q*; **assurer le ~ de qn** (*suj: remplaçant*) to stand in ou substitute for sb.

remplacer [Rãplase] *vt* to replace; (*prendre temporairement la place de*) to stand in for; (*tenir lieu de*) to take the place of, act as a substitute for; **~ qch/qn par** to replace sth/sb with.

rempli, e [Rãpli] *a* (*emploi du temps*) full, busy; **~ de** full of, filled with.

remplir [Rãpliʀ] *vt* to fill (up); (*questionnaire*) to fill out ou up; (*obligations, fonction, condition*) to fulfil; **se ~** *vi* to fill up.

remplissage [Rãplisaʒ] *nm* (*fig: péj*) padding.

remploi [Rãplwa] *nm* re-use.

remporter [Rãpɔʀte] *vt* (*marchandise*) to take away; (*fig*) to win, achieve.

remuant, e [Rəmɥã, -ãt] *a* restless.

remue-ménage [Rəmymenaʒ] *nm inv* commotion.

remuer [Rəmɥe] *vt* to move; (*café, sauce*) to stir // *vi* to move; (*fig: opposants*) to show signs of unrest; **se ~** *vi* to move; (*se démener*) to stir o.s.; (*fam*) to get a move on.

rémunération [RemyneʀasjÕ] *nf* remuneration.

rémunérer [Remyneʀe] *vt* to remunerate, pay.

renâcler [Rənɑkle] *vi* to snort; (*fig*) to grumble, balk.

renaissance [Rənɛsãs] *nf* rebirth, revival; **la R~** the Renaissance.

renaître [Rənɛtʀ(ə)] *vi* to be revived.

rénal, e, aux [Renal, -o] *a* renal, kidney *cpd*.

renard [Rənaʀ] *nm* fox.

rencard [Rãkaʀ] *nm* = **rancard**.

rencart [Rãkaʀ] *nm* = **rancart**.

renchérir [Rãʃeʀiʀ] *vi* to become more expensive; (*fig*): **~ (sur)** to add something (to).

rencontre [RãkÕtʀ(ə)] *nf* (*entrevue, congrès, match etc*) meeting; (*imprévue*) encounter; **faire la ~ de qn** to meet sb;

aller à la ~ de qn to go and meet sb ; amours de ~ casual love affairs.

rencontrer [Rɑ̃kɔ̃tRe] vt to meet ; (mot, expression) to come across ; (difficultés) to meet with ; se ~ vi to meet ; (véhicules) to collide.

rendement [Rɑ̃dmɑ̃] nm (d'un travailleur, d'une machine) output ; (d'une culture) yield ; (d'un investissement) return ; à plein ~ at full capacity.

rendez-vous [Rɑ̃devu] nm (rencontre) appointment ; (: d'amoureux) date ; (lieu) meeting place ; donner ~ à qn to arrange to meet sb ; fixer un ~ à qn to give sb an appointment ; avoir/prendre ~ (avec) to have/make an appointment (with).

rendre [Rɑ̃dR(ə)] vt (livre, argent etc) to give back, return ; (otages, visite etc) to return ; (sang, aliments) to bring up ; (sons: suj: instrument) to produce, make ; (exprimer, traduire) to render ; (faire devenir): ~ qn célèbre/qch possible to make sb famous/sth possible ; se ~ vi (capituler) to surrender, give o.s. up ; (aller): se ~ quelque part to go somewhere ; se ~ à (arguments etc) to bow to ; (ordres) to comply with ; ~ la vue/la santé à qn to restore sb's sight/health ; ~ la liberté à qn to set sb free.

renégat, e [Ranega, -at] nm/f renegade.

rênes [Rɛn] nfpl reins.

renfermé, e [Rɑ̃fɛRme] a (fig) withdrawn // nm: sentir le ~ to smell stuffy.

renfermer [Rɑ̃fɛRme] vt to contain ; se ~ (sur soi-même) to withdraw into o.s.

renflé, e [Rɑ̃fle] a bulging, bulbous.

renflement [Rɑ̃fləmɑ̃] nm bulge.

renflouer [Rɑ̃flue] vt to refloat ; (fig) to set back on its (ou his/her) feet (again).

renfoncement [Rɑ̃fɔ̃smɑ̃] nm recess.

renforcer [Rɑ̃fɔRse] vt to reinforce.

renfort [Rɑ̃fɔR]: ~s nmpl reinforcements ; en ~ as a back-up ; à grand ~ de with a great deal of.

renfrogner [Rɑ̃fRɔɲe]: se ~ vi to scowl.

rengaine [Rɑ̃gɛn] nf (péj) old tune.

rengainer [Rɑ̃gene] vt (revolver) to put back in its holster.

rengorger [Rɑ̃gɔRʒe]: se ~ vi (fig) to puff o.s. up.

renier [Rənje] vt (parents) to disown, repudiate ; (foi) to renounce.

renifler [Rənifle] vi to sniff // vt (tabac) to sniff up ; (odeur) to sniff.

renne [Rɛn] nm reindeer inv.

renom [Rənɔ̃] nm reputation ; renown ; **renommé, e** a celebrated, renowned // nf fame.

renoncement [Rənɔ̃smɑ̃] nm abnegation, renunciation.

renoncer [Rənɔ̃se] vi: ~ à vt to give up ; ~ à faire to give up all idea of doing ; to give up trying to do.

renouer [Rənwe] vt (cravate etc) to retie ; ~ avec (tradition) to revive ; (habitude) to take up again ; ~ avec qn to take up with sb again.

renouveau, x [Rənuvo] nm: ~ de succès renewed success ; le ~ printanier springtide.

renouveler [Rənuvle] vt to renew ; (exploit, méfait) to repeat ; se ~ vi (incident) to recur, happen again, be repeated ; (cellules etc) to be renewed ou replaced ; renouvellement nm renewal ; recurrence.

rénovation [Renɔvɑsjɔ̃] nf renovation ; restoration.

rénover [Renɔve] vt (immeuble) to renovate, do up ; (meuble) to restore ; (enseignement) to reform.

renseignement [Rɑ̃sɛɲmɑ̃] nm information q, piece of information ; prendre des ~s sur to make inquiries about, ask for information about ; (guichet des) ~s information desk.

renseigner [Rɑ̃seɲe] vt: ~ qn (sur) to give information to sb (about) ; se ~ vi to ask for information, make inquiries.

rentable [Rɑ̃table(ə)] a profitable.

rente [Rɑ̃t] nf income ; pension ; government stock ou bond ; ~ viagère life annuity ; rentier, ière nm/f person of private means.

rentrée [Rɑ̃tRe] nf: ~ (d'argent) cash q coming in ; la ~ (des classes) the start of the new school year ; la ~ (parlementaire) the reopening ou reassembly of parliament ; faire sa ~ (artiste, acteur) to make a comeback.

rentrer [Rɑ̃tRe] vi (entrer de nouveau) to go (ou come) back in ; (entrer) to go (ou come) in ; (revenir chez soi) to go (ou come) (back) home ; (air, clou: pénétrer) to go in ; (revenu, argent) to come in // vt (foins) to bring in ; (véhicule) to put away ; (chemise dans pantalon etc) to tuck in ; (griffes) to draw in ; (train d'atterrissage) to raise ; (fig: larmes, colère etc) to hold back ; ~ le ventre to pull in one's stomach ; ~ dans to go (ou come) back into ; to go (ou come) into ; (famille, patrie) to go back ou return to ; (heurter) to crash into ; ~ dans l'ordre to be back to normal ; ~ dans ses frais to recover one's expenses (ou initial outlay).

renversant, e [Rɑ̃vɛRsɑ̃, -ɑ̃t] a amazing.

renverse [Rɑ̃vɛRs(ə)]: à la ~ ad backwards.

renverser [Rɑ̃vɛRse] vt (faire tomber: chaise, verre) to knock over, overturn ; (piéton) to knock down ; (liquide, contenu) to spill, upset ; (retourner: verre, image) to turn upside down, invert ; (: ordre des mots etc) to reverse ; (fig: gouvernement etc) to overthrow ; (stupéfier) to bowl over, stagger ; se ~ vi to fall over ; to overturn ; to spill ; ~ la tête/le corps (en arrière) to tip one's head back/throw one's body back.

renvoi [Rɑ̃vwa] nm dismissal ; return ; reflection ; postponement ; (référence) cross-reference ; (éructation) belch.

renvoyer [Rɑ̃vwaje] vt to send back ; (congédier) to dismiss ; (lumière) to reflect ; (son) to echo ; (ajourner): ~ qch (à) to put sth off ou postpone sth (until) ; ~ qn à (fig) to refer sb to.

réorganiser [ReɔRganize] vt to reorganize.

réouverture [Reuvɛrtyr] nf reopening.

repaire [RəpɛR] *nm* den.

repaître [RəpɛtR(ə)] *vt* to feast; to feed; **se ~ de** *vt* to feed on; to wallow *ou* revel in.

répandre [Repɑ̃dR(ə)] *vt* (*renverser*) to spill; (*étaler, diffuser*) to spread; (*lumière*) to shed; (*chaleur, odeur*) to give off; **se ~** *vi* to spill; to spread; **se ~ en** (*injures etc*) to pour out; **répandu, e** *a* (*opinion, usage*) widespread.

réparation [RepaRɑsjɔ̃] *nf* repairing *q*, repair.

réparer [Repare] *vt* to repair; (*fig: offense*) to make up for, atone for; (: *oubli, erreur*) to put right.

repartie [Rəparti] *nf* retort; **avoir de la ~** to be quick at repartee.

repartir [Rəpartir] *vi* to set off again; to leave again; (*fig*) to get going again, pick up again; **~ à zéro** to start from scratch (again).

répartir [Repartir] *vt* (*pour attribuer*) to share out; (*pour disperser, disposer*) to divide up; (*poids, chaleur*) to distribute; **se ~** *vt* (*travail, rôles*) to share out between themselves; **répartition** *nf* sharing out; dividing up; distribution.

repas [Rəpɑ] *nm* meal.

repasser [Rəpɑse] *vi* to come (*ou* go) back // *vt* (*vêtement, tissu*) to iron; to retake, resit; (*leçon, rôle: revoir*) to show again; (*leçon, rôle: revoir*) to go over (again).

repêchage [Rəpɛʃaʒ] *nm* (*SCOL*): **question de ~** question to give candidates a second chance.

repêcher [Rəpɛʃe] *vt* (*noyé*) to recover the body of, fish out.

repentir [Rəpɑ̃tiR] *nm* repentance; **se ~** *vi* to repent; **se ~ de** to repent (of).

répercussions [RepɛRkysjɔ̃] *nfpl* repercussions.

répercuter [RepɛRkyte]: **se ~** *vi* (*bruit*) to reverberate; (*fig*): **se ~ sur** to have repercussions on.

repère [RəpɛR] *nm* mark; (*monument etc*) landmark.

repérer [Rəpere] *vt* (*erreur, connaissance*) to spot; (*abri, ennemi*) to locate; **se ~** *vi* to find one's way about; **se faire ~** to be spotted.

répertoire [RepɛRtwaR] *nm* (*liste*) (alphabetical) list; (*carnet*) index notebook; (*de carnet*) thumb index; (*indicateur*) directory, index; (*d'un théâtre, artiste*) repertoire; **répertorier** *vt* to itemize, list.

répéter [Repete] *vt* to repeat; (*préparer: leçon: aussi vi*) to learn, go over; (*THÉÂTRE*) to rehearse; **se ~** (*redire*) to repeat o.s.; (*se reproduire*) to be repeated, recur.

répétition [Repetisjɔ̃] *nf* repetition; rehearsal; **~s** *nfpl* (*leçons*) private coaching *sg*; **armes à ~** repeater weapons; **~ générale** final dress rehearsal.

repeupler [Rəpœple] *vt* to repopulate; to restock.

répit [Repi] *nm* respite; **sans ~** without letting up.

replet, ète [Rəplɛ, -ɛt] *a* chubby, fat.

repli [Rəpli] *nm* (*d'une étoffe*) fold; (*MIL, fig*) withdrawal.

replier [Rəplije] *vt* (*rabattre*) to fold down *ou* over; **se ~** *vi* (*troupes, armée*) to withdraw, fall back.

réplique [Replik] *nf* (*repartie, fig*) reply; (*THÉÂTRE*) line; (*copie*) replica; **donner la ~ à** to play opposite; to match; **sans ~** no-nonsense; irrefutable.

répliquer [Replike] *vi* to reply; (*riposter*) to retaliate.

répondre [Repɔ̃dR(ə)] *vi* to answer, reply; (*freins, mécanisme*) to respond; **~ à** *vt* to reply to, answer; (*avec impertinence*): **~ à qn** to answer sb back; (*invitation, convocation*) to reply to; (*affection, salut*) to return; (*provocation, suj: mécanisme etc*) to respond to; (*correspondre à: besoin*) to answer; (: *conditions*) to meet; (: *description*) to match; **~ que** to answer *ou* reply that; **~ de** to answer for.

réponse [Repɔ̃s] *nf* answer, reply; **avec ~ payée** (*POSTES*) reply-paid; **en ~ à** in reply to.

report [RəpɔR] *nm* transfer; postponement.

reportage [Rəpɔrtaʒ] *nm* (*bref*) report; (*écrit: documentaire*) story; article; (*en direct*) commentary; (*genre, activité*): **le ~** reporting.

reporter *nm* [RəpɔRtɛR] reporter // *vt* [RəpɔRte] (*total*): **~ qch sur** to carry sth forward *ou* over to; (*ajourner*): **~ qch (à)** to postpone sth (until); (*transférer*): **~ qch sur** to transfer sth to; **se ~ à** (*époque*) to think back to; (*document*) to refer to.

repos [Rəpo] *nm* rest; (*fig*) peace (and quiet); peace of mind; (*MIL*): **~!** stand at ease!; **en ~** at rest; **de tout ~** safe.

repose [Rəpoz] *nf* refitting.

reposé, e [Rəpoze] *a* fresh, rested.

reposer [Rəpoze] *vt* (*verre, livre*) to put down; (*délasser*) to rest; (*problème*) to reformulate // *vi* (*liquide, pâte*) to settle, rest; **~ sur** to be built on; (*fig*) to rest on; **se ~** *vi* to rest; **se ~ sur qn** to rely on sb.

repoussant, e [Rəpusɑ̃, -ɑ̃t] *a* repulsive.

repoussé, e [Rəpuse] *a* (*cuir*) embossed (by hand).

repousser [Rəpuse] *vi* to grow again // *vt* to repel, repulse; (*offre*) to turn down, reject; (*tiroir, personne*) to push back; (*différer*) to put back.

répréhensible [Repreɑ̃sibl(ə)] *a* reprehensible.

reprendre [RəprɑdR(ə)] *vt* (*prisonnier, ville*) to recapture; (*objet prêté, donné*) to take back; (*chercher*): **je viendrai te ~ à 4h** I'll come and fetch you *ou* I'll come back for you at 4; (*se resservir de*): **~ du pain/un œuf** to take (*ou* eat) more bread/another egg; (*COMM: article usagé*) to take back; to take in part exchange; (*firme, entreprise*) to take over; (*travail, promenade*) to resume; (*emprunter: argument, idée*) to take up, use; (*refaire: article etc*) to go over again; (*jupe etc*) to alter; to take in (*ou* up); to let out (*ou* down); (*émission, pièce*) to put on again; (*réprimander*) to tell off; (*corriger*) to correct // *vi* (*classes, pluie*) to start (up) again; (*activités, travaux, combats*) to resume, start (up) again; (*affaires,* *industrie*) to pick up ; (*dire*): **reprit-il** he went on ; **se ~** (*se ressaisir*) to recover, pull o.s. together ; **s'y ~** to make another attempt ; **~ des forces** to recover one's strength ; **~ courage** to take new heart ; **~ ses habitudes/sa liberté** to get back into one's old habits/regain one's freedom ; **~ la route** to resume one's journey, set off again ; **~ haleine** *ou* **son souffle** to get one's breath back.

représailles [RəpRezaj] *nfpl* reprisals, retaliation *sg*.

représentant, e [RəpRezɑ̃tɑ̃, -ɑ̃t] *nm/f* representative.

représentatif, ive [RəpRezɑ̃tatif, -iv] *a* representative.

représentation [RəpRezɑ̃tasjɔ̃] *nf* representation ; performing ; (*symbole, image*) representation ; (*spectacle*) performance ; (*COMM*): **la ~** commercial travelling ; sales representation ; **frais de ~** (*d'un diplomate*) entertainment allowance.

représenter [RəpRezɑ̃te] *vt* to represent ; (*donner: pièce, opéra*) to perform ; **se ~** *vt* (*se figurer*) to imagine ; to visualize.

répression [RepResjɔ̃] *nf* suppression ; repression ; (*POL*): **la ~** repression.

réprimande [RepRimɑ̃d] *nf* reprimand, rebuke ; **réprimander** *vt* to reprimand, rebuke.

réprimer [RepRime] *vt* to suppress, repress.

repris [RəpRi] *nm*: **~ de justice** ex-prisoner, ex-convict.

reprise [RəpRiz] *nf* (*TV*) repeat ; (*CINÉMA*) rerun ; (*AUTO*) acceleration *q* ; (*COMM*) trade-in, part exchange ; (*de location*) sum asked for any extras or improvements made to the property ; (*raccommodage*) darn ; mend ; **à plusieurs ~s** on several occasions, several times.

repriser [RəpRize] *vt* to darn ; to mend.

réprobateur, trice [RepRɔbatœR, -tRis] *a* reproving.

réprobation [RepRɔbasjɔ̃] *nf* reprobation.

reproche [RəpRɔʃ] *nm* (*remontrance*) reproach ; **faire des ~s à qn** to reproach sb ; **sans ~(s)** beyond *ou* above reproach.

reprocher [RəpRɔʃe] *vt*: **~ qch à qn** to reproach *ou* blame sb for sth ; **~ qch à** (*machine, théorie*) to have sth against.

reproducteur, trice [RəpRɔdyktœR, -tRis] *a* reproductive.

reproduction [RəpRɔdyksjɔ̃] *nf* reproduction ; **~ interdite** all rights (of reproduction) reserved.

reproduire [RəpRɔdɥiR] *vt* to reproduce ; **se ~** *vi* (*BIO*) to reproduce ; (*recommencer*) to recur, re-occur.

réprouvé, e [RepRuve] *nm/f* reprobate.

réprouver [RepRuve] *vt* to reprove.

reptation [Rɛptɑsjɔ̃] *nf* crawling.

reptile [Rɛptil] *nm* reptile.

repu, e [Rəpy] *a* satisfied, sated.

républicain, e [Repyblikɛ̃, -ɛn] *a, nm/f* republican.

république [Repyblik] *nf* republic ; **la R~ fédérale allemande** the Federal Republic of Germany.

répudier [Repydje] *vt* (*femme*) to repudiate ; (*doctrine*) to renounce.

répugnance [Repyɲɑ̃s] *nf* repugnance, loathing.

répugnant, e [Repyɲɑ̃, -ɑ̃t] *a* repulsive ; loathsome.

répugner [Repyɲe]: **~ à** *vt*: **~ à qn** to repel *ou* disgust sb ; **~ à faire** to be loath *ou* reluctant to do.

répulsion [Repylsjɔ̃] *nf* repulsion.

réputation [Repytɑsjɔ̃] *nf* reputation ; **réputé, e** *a* renowned.

requérir [RəkeRiR] *vt* (*nécessiter*) to require, call for ; (*au nom de la loi*) to call upon ; (*JUR: peine*) to call for, demand.

requête [Rəkɛt] *nf* request, petition ; (*JUR*) petition.

requiem [Rekɥijɛm] *nm* requiem.

requin [Rəkɛ̃] *nm* shark.

requis, e [Rəki, -iz] *pp de* **requérir** // *a* required.

réquisition [Rekizisjɔ̃] *nf* requisition ; **réquisitionner** *vt* to requisition.

réquisitoire [RekizitwaR] *nm* (*JUR*) closing speech for the prosecution ; (*fig*): **~ contre** indictment of.

R.E.R. *sigle m* (= *réseau express régional*) *Greater Paris high speed commuter train.*

rescapé, e [Rɛskape] *nm/f* survivor.

rescousse [Rɛskus] *nf*: **aller à la ~ de qn** to go to sb's aid *ou* rescue ; **appeler qn à la ~** to call on sb for help.

réseau, x [Rezo] *nm* network.

réservation [RezɛRvasjɔ̃] *nf* booking, reservation.

réserve [RezɛRv(ə)] *nf* (*gén*) reserve ; (*entrepôt*) storeroom ; (*restriction, aussi: d'Indiens*) reservation ; (*de pêche, chasse*) preserve ; **sous ~** de subject to ; **sans ~** ad unreservedly ; **de ~** (*provisions etc*) in reserve.

réservé, e [RezɛRve] *a* (*discret*) reserved ; (*chasse, pêche*) private ; **~ à/pour** reserved for.

réserver [RezɛRve] *vt* (*gén*) to reserve ; (*retenir: par une agence, au guichet*) to book, reserve ; (*mettre de côté, garder*): **~ qch pour/à** to keep *ou* save sth for ; **~ qch à qn** to reserve (*ou* book) sth for sb ; (*fig: destiner*) to have sth in store for sb ; **se ~ le droit de faire** to reserve the right to do.

réserviste [RezɛRvist(ə)] *nm* reservist.

réservoir [RezɛRvwaR] *nm* tank ; (*plan d'eau*) reservoir.

résidence [Rezidɑ̃s] *nf* residence ; **~ secondaire** second home ; **(en) ~ surveillée** (under) house arrest ; **résidentiel, le** *a* residential.

résider [Rezide] *vi*: **~ à/dans/en** to reside in ; **~ dans** (*fig*) to lie in.

résidu [Rezidy] *nm* residue *q*.

résignation [Reziɲasjɔ̃] *nf* resignation.

résigner [Reziɲe] *vt* to relinquish, resign ; **se ~** *vi*: **se ~** (**à qch/faire**) to resign o.s. (to sth/to doing).

résilier [Rezilje] *vt* to terminate.

résille [Rezij] *nf* (hair)net.

résine [Rezin] *nf* resin ; **résiné, e** *a*: **vin résiné** retsina ; **résineux, euse** *a* resinous // *nm* coniferous tree.

résistance [Rezistɑ̃s] nf resistance ; (de réchaud, bouilloire: fil) element.

résistant, e [Rezistɑ̃, -ɑ̃t] a (personne) robust, tough ; (matériau) strong, hard-wearing // nm/f (patriote) Resistance worker ou fighter.

résister [Reziste] vi to resist ; ~ à vt (assaut, tentation) to resist ; (effort, souffrance) to withstand ; (suj: matériau, plante) to stand up to, withstand ; (personne: désobéir à) to stand up to, oppose.

résolu, e [Rezɔly] pp de résoudre // a (ferme) resolute ; être ~ à qch/faire to be set upon sth/doing.

résolution [Rezɔlysjɔ̃] nf solving ; (fermeté, décision) resolution.

résolve etc vb voir résoudre.

résonance [Rezɔnɑ̃s] nf resonance.

résonner [Rezɔne] vi (cloche, pas) to reverberate, resound ; (salle) to be resonant ; ~ de to resound with.

résorber [Rezɔrbe] : se ~ vi (MÉD) to be resorbed ; (fig) to be reduced ; to be absorbed.

résoudre [Rezudʀ(ə)] vt to solve ; ~ de faire to resolve to do ; se ~ à faire to bring o.s. to do.

respect [Rεspε] nm respect ; tenir en ~ to keep at bay.

respectable [Rεspεktabl(ə)] a respectable.

respecter [Rεspεkte] vt to respect ; le lexicographe qui se respecte (fig) any self-respecting lexicographer.

respectif, ive [Rεspεktif, -iv] a respective ; **respectivement** ad respectively.

respectueux, euse [Rεspεktɥø, -øz] a respectful ; ~ de respectful of.

respiration [Rεspiʀasjɔ̃] nf breathing q ; faire une ~ complète to breathe in and out ; ~ artificielle artificial respiration.

respirer [Rεspiʀe] vi to breathe ; (fig) to get one's breath, have a break ; to breathe again // vt to breathe (in), inhale ; (manifester: santé, calme etc) to exude.

resplendir [Rεsplɑ̃diʀ] vi to shine ; (fig): ~ (de) to be radiant (with).

responsabilité [Rεspɔ̃sabilite] nf responsibility ; (légale) liability ; refuser la ~ de to deny responsibility (ou liability) for ; prendre ses ~s to assume responsibility for one's actions.

responsable [Rεspɔ̃sabl(ə)] a responsible // nm/f (du ravitaillement etc) person in charge ; (de parti, syndicat) official ; ~ de responsible for ; (légalement: de dégâts etc) liable for ; (chargé de) in charge of, responsible for.

resquiller [Rεskije] vi (au cinéma, au stade) to get in on the sly ; (dans le train) to fiddle a free ride ; **resquilleur, euse** nm/f gatecrasher ; fare dodger.

ressac [Rəsak] nm backwash.

ressaisir [Rəseziʀ] : se ~ vi to regain one's self-control ; (équipe sportive) to rally.

ressasser [Rəsase] vt (remâcher) to keep turning over ; (redire) to keep trotting out.

ressemblance [Rəsɑ̃blɑ̃s] nf (visuelle) resemblance, similarity, likeness ; (: ART) likeness ; (analogie, trait commun) similarity.

ressemblant, e [Rəsɑ̃blɑ̃, -ɑ̃t] a (portrait) lifelike, true to life.

ressembler [Rəsɑ̃ble] : ~ à vt to be like ; to resemble ; (visuellement) to look like ; se ~ to be (ou look) alike.

ressemeler [Rəsəmle] vt to (re)sole.

ressentiment [Rəsɑ̃timɑ̃] nm resentment.

ressentir [Rəsɑ̃tiʀ] vt to feel ; se ~ de to feel (ou show) the effects of.

resserre [RəsεR] nf shed.

resserrer [Rəsere] vt (pores) to close ; (nœud, boulon) to tighten (up) ; (fig: liens) to strengthen ; se ~ vi (route, vallée) to narrow ; (liens) to strengthen ; se ~ (autour de) to draw closer (around) ; to close in (on).

resservir [RəsεRviʀ] vi to do ou serve again // vt: ~ qch (à qn) to serve sth up again (to sb) ; ~ de qch (à qn) to give (sb) a second helping of sth ; ~ qn (d'un plat) to give sb a second helping (of a dish).

ressort [RəsɔR] nm (pièce) spring ; (force morale) spirit ; (recours): en dernier ~ as a last resort ; (compétence): être du ~ de to fall within the competence of.

ressortir [RəsɔRtiʀ] vi to go (ou come) out (again) ; (contraster) to stand out ; ~ de (résulter de): il ressort de ceci que it emerges from this that ; ~ à (JUR) to come under the jurisdiction of ; (ADMIN) to be the concern of ; faire ~ (fig: souligner) to bring out.

ressortissant, e [RəsɔRtisɑ̃, -ɑ̃t] nm/f national.

ressource [RəsuRs(ə)] nf: avoir la ~ de to have the possibility of ; leur seule ~ était de the only course open to them was to ; ~s nfpl resources ; (fig) possibilities.

réssusciter [Resysite] vt to resuscitate, restore to life ; (fig) to revive, bring back // vi to rise (from the dead).

restant, e [Rεstɑ̃, -ɑ̃t] a remaining // nm: le ~ (de) the remainder (of) ; un ~ de (de trop) some left-over ; (fig: vestige) a remnant ou last trace of.

restaurant [RεstɔRɑ̃] nm restaurant ; manger au ~ to eat out ; ~ d'entreprise staff canteen ; ~ universitaire university refectory.

restaurateur, trice [RεstɔRatœR, -tris] nm/f restaurant owner, restaurateur ; (de tableaux) restorer.

restauration [RεstɔRasjɔ̃] nf restoration ; (hôtellerie) catering.

restaurer [RεstɔRe] vt to restore ; se ~ vi to have something to eat.

restauroute [RεstɔRut] nm = **restoroute**.

reste [Rεst(ə)] nm (restant): le ~ (de) the rest (of) ; (de trop): un ~ (de) some left-over ; (vestige): un ~ de a remnant ou last trace of ; (MATH) remainder ; ~s nmpl left-overs ; (d'une cité etc, dépouille mortelle) remains ; avoir du temps de ~ to have time to spare ; ne voulant pas être en ~ not wishing to be outdone ; sans demander son ~ without waiting to hear more ; du ~, au ~ ad besides, moreover.

rester [Rεste] vi (dans un lieu, un état, une position) to stay, remain ; (subsister) to remain, be left ; (durer) to last, live on //

vb impersonnel: **il reste du pain/2 œufs** there's some bread/there are 2 eggs left (over); **il reste du temps/10 minutes** there's some time/there are 10 minutes left; **il me reste assez de temps** I have enough time left; **ce qui reste à faire** what remains to be done; **ce qui me reste à faire** what remains for me to do; **en ~ à** (*stade, menaces*) to go no further than, only go as far as; **restons-en là** let's leave it at that; **y ~**: **il a failli y ~** he nearly met his end.

restituer [Rɛstitɥe] *vt* (*objet, somme*): **~ qch (à qn)** to return sth (to sb); (*TECH*) to release; to reproduce.

restoroute [Rɛstɔʀut] *nm* motorway restaurant.

restreindre [Rɛstʀɛ̃dʀ(ə)] *vt* to restrict, limit; **se ~** *vi* (*champ de recherches*) to narrow.

restriction [Rɛstʀiksjɔ̃] *nf* restriction; **~s** (*mentales*) reservations.

résultat [Rezylta] *nm* result; (*conséquence*) outcome *q*, result; (*d'élection etc*) results *pl*; **~s sportifs** sports results.

résulter [Rezylte]: **~ de** *vt* to result from, be the result of.

résumé [Rezyme] *nm* summary, résumé; **en ~** *ad* in brief; to sum up.

résumer [Rezyme] *vt* (*texte*) to summarize; (*récapituler*) to sum up; (*fig*) to epitomize, typify; **se ~ à** to come down to.

résurrection [RezyRɛksjɔ̃] *nf* resurrection; (*fig*) revival.

rétablir [Retabliʀ] *vt* to restore, re-establish; (*personne: suj: traitement*): **~ qn** to restore sb to health, help sb recover; (*ADMIN*): **~ qn dans son emploi** to reinstate sb in his post; **se ~** *vi* (*guérir*) to recover; (*silence, calme*) to return, be restored; (*GYM etc*): **se ~ (sur)** to pull o.s. up (onto); **rétablissement** *nm* restoring; recovery; pull-up.

rétamer [Retame] *vt* to re-coat, re-tin.

retaper [Rətape] *vt* (*maison, voiture etc*) to do up; (*fam: revigorer*) to buck up; (*redactylographier*) to retype.

retard [Rətaʀ] *nm* (*d'une personne attendue*) lateness *q*; (*sur l'horaire, un programme, une échéance*) delay; (*fig: scolaire, mental etc*) backwardness; **en ~ (de 2 heures)** (2 hours) late; **avoir un ~ de 2 km** (*SPORT*) to be 2 km behind; **avoir du ~** to be late; (*sur un programme*) to be behind (schedule); **prendre du ~** (*train, avion*) to be delayed; (*montre*) to lose (time); **sans ~** *ad* without delay; **~ à l'allumage** (*AUTO*) retarded spark.

retardataire [RətaʀdatɛʀR] *nm/f* latecomer.

retardement [Rətaʀdəmɑ̃]: **à ~** *a* delayed action *cpd*; **bombe à ~** time bomb.

retarder [Rətaʀde] *vt* (*sur un horaire*): **~ qn (d'une heure)** to delay sb (an hour); (*sur un programme*): **~ qn (de 3 mois)** to set sb back *ou* delay sb (3 months); (*départ, date*): **~ qch (de 2 jours)** to put sth back (2 days), delay sth (for *ou* by 2 days) // *vi* (*montre*) to be slow; to lose (time); **je retarde (d'une heure)** I'm (an hour) slow.

retenir [Rətniʀ] *vt* (*garder, retarder*) to keep, detain; (*maintenir: objet qui glisse, fig: colère, larmes*) to hold back; (: *objet suspendu*) to hold; (: *chaleur, odeur*) to retain; (*fig: empêcher d'agir*): **~ qn (de faire)** to hold sb back (from doing); (*se rappeler*) to remember; (*réserver*) to reserve; (*accepter*) to accept; (*prélever*): **~ qch (sur)** to deduct sth (from); **se ~** (*se raccrocher*): **se ~ à** to hold onto; (*se contenir*): **se ~ de faire** to restrain o.s. from doing; **~ son souffle** *ou* **haleine** to hold one's breath; **je pose 3 et je retiens 2** put down 3 and carry 2.

retentir [Rətɑ̃tiʀ] *vi* to ring out; (*salle*): **~ de** to ring *ou* resound with; **~ sur** *vt* (*fig*) to have an effect upon.

retentissant, e [Rətɑ̃tisɑ̃, -ɑ̃t] *a* resounding; (*fig*) impact-making.

retentissement [Rətɑ̃tismɑ̃] *nm* repercussion; effect, impact; stir.

retenue [Rətny] *nf* (*prélèvement*) deduction; (*SCOL*) detention; (*modération*) (self-)restraint; (*réserve*) reserve, reticence.

réticence [Retisɑ̃s] *nf* hesitation, reluctance *q*.

réticent, e [Retisɑ̃, -ɑ̃t] *a* hesitant, reluctant.

rétif, ive [Retif, -iv] *a* restive.

rétine [Retin] *nf* retina.

retiré, e [Rətiʀe] *a* secluded.

retirer [Rətiʀe] *vt* to withdraw; (*vêtement, lunettes*) to take off, remove; (*extraire*): **~ qch de** to take sth out of, remove sth from; (*reprendre: bagages, billets*) to collect, pick up; **~ des avantages de** to derive advantages from; **se ~** *vi* (*partir, reculer*) to withdraw; (*prendre sa retraite*) to retire; **se ~ de** to withdraw from; to retire from.

retombées [Rətɔ̃be] *nfpl* (*radioactives*) fallout *sg*; (*fig*) fallout; spin-offs.

retomber [Rətɔ̃be] *vi* (*à nouveau*) to fall again; (*atterrir: après un saut etc*) to land; (*tomber, redescendre*) to fall back; (*pendre*) to fall, hang (down); (*échoir*): **~ sur qn** to fall on sb.

rétorquer [RetɔRke] *vt*: **~ (à qn) que** to retort (to sb) that.

retors, e [RətɔR, -ɔRs(ə)] *a* wily.

rétorsion [RetɔRsjɔ̃] *nf*: **mesures de ~** reprisals.

retouche [Rətuʃ] *nf* touching up *q*; alteration.

retoucher [Rətuʃe] *vt* (*photographie, tableau*) to touch up; (*texte, vêtement*) to alter.

retour [RətuR] *nm* return; **au ~** when we (*ou* they *etc*) get (*ou* got) back; **on the way back**; **être de ~ (de)** to be back (from); **par ~ du courrier** by return of post; **~ en arrière** (*CINÉMA*) flashback; (*mesure*) backward step; **~ offensif** renewed attack.

retourner [RətuʀRne] *vt* (*dans l'autre sens: matelas, crêpe*) to turn (over); (: *caisse*) to turn upside down; (: *sac, vêtement*) to turn inside out; (*fig: argument*) to turn back; (*en remuant: terre, sol, foin*) to turn over; (*émouvoir: personne*) to shake; (*renvoyer, restituer*): **~ qch à qn** to return sth to sb // *vi* (*aller, revenir*): **~ quelque part/à** to go back *ou* return somewhere/to; **~ à**

(*état, activité*) to return to, go back to ; **se ~** *vi* to turn over ; (*tourner la tête*) to turn round ; **se ~ contre** (*fig*) to turn against ; **savoir de quoi il retourne** to know what it is all about ; **~ en arrière** *ou* **sur ses pas** to turn back, retrace one's steps.

retracer [RətRase] *vt* (*relate, recount.

rétracter [RetRakte] *vt*, **se ~** *vi* to retract.

retraduire [RətRadчiR] *vt* to translate again ; (*dans la langue de départ*) to translate back.

retrait [RətRɛ] *nm* (*voir* **retirer**) withdrawal ; collection ; redemption ; (*voir se retirer*) withdrawal ; (*rétrécissement*) shrinkage ; **en ~** a set back ; **~ du permis (de conduire)** disqualification from driving.

retraite [RətRɛt] *nf* (*d'une armée, REL, refuge*) retreat ; (*d'un employé*) retirement ; (*retirement*) pension ; **être/mettre à la ~** to be retired *ou* in retirement/pension off *ou* retire ; **prendre sa ~** to retire ; **~ anticipée** early retirement ; **~ aux flambeaux** torchlight tattoo ; **retraité, e** **·a** retired // *nm/f* (*old age*) pensioner.

retranchement [RətRɑ̃ʃmɑ̃] *nm* entrenchment.

retrancher [RətRɑ̃ʃe] *vt* (*passage, détails*) to take out, remove ; (*nombre, somme*) : **~ qch de** to take *ou* deduct sth from ; (*couper*) to cut off ; **se ~ derrière/dans** to ·entrench o.s. behind/in ; (*fig*) to take refuge behind/in.

retransmettre [RətRɑ̃smɛtR(ə)] *vt* (*RADIO*) to broadcast, relay ; (*TV*) to show ; **retransmission** *nf* broadcast ; showing.

retraverser [RətRavɛRse] *vt* (*dans l'autre sens*) to cross back over.

rétrécir [RetResiR] *vt* (*vêtement*) to take in // **vi** to shrink ; **se ~** *vi* to narrow.

retremper [RətRɑ̃pe] *vt* : **se ~ dans** (*fig*) to re immerse o.s. in.

rétribuer [RetRibɥe] *vt* (*travail*) to pay for ; (*personne*) to pay ; **rétribution** *nf* payment.

rétro [RetRo] *a inv* : **la mode ~** the nostalgia vogue.

rétroactif, ive [RetRɔaktif, -iv] *a* retroactive.

rétrograde [RetRɔgRad] *a* reactionary, backward-looking.

rétrograder [RetRɔgRade] *vi* (*élève*) to fall back ; (*économie*) to regress ; (*AUTO*) to change down.

rétrospective [RetRɔspɛktiv] *nf* retrospective exhibition ; season showing old films ; **~ment** *ad* in retrospect.

retrousser [RətRuse] *vt* to roll up.

retrouvailles [RətRuvaj] *nfpl* reunion *sg*.

retrouver [RətRuve] *vt* (*fugitif, objet perdu*) to find ; (*occasion*) to find again ; (*calme, santé*) to regain ; (*revoir*) to see again ; (*rejoindre*) to meet (again), join ; **se ~** *vi* to meet ; (*s'orienter*) to find one's way ; **se ~ quelque part** to find o.s. somewhere ; to end up somewhere ; **s'y ~** (*rentrer dans ses frais*) to break even.

rétroviseur [RetRɔvizœR] *nm* (rear-view *ou* driving) mirror.

réunion [Reynjɔ̃] *nf* bringing together ; joining ; (*séance*) meeting ; **l'île de la R~,** **la R~** Réunion.

réunir [ReyniR] *vt* (*convoquer*) to call together ; (*rassembler*) to gather together ; (*cumuler*) to combine ; (*rapprocher*) to bring together (again), reunite ; (*rattacher*) to join (together) ; **se ~** *vi* (*se rencontrer*) to meet ; (*s'allier*) to unite.

réussi, e [Reysi] *a* successful.

réussir [ReysiR] *vi* to succeed, be successful ; (*à un examen*) to pass ; (*plante, culture*) to thrive, do well // **vi** to make a success of ; to bring off ; **~ à faire** to succeed in doing ; **~ à qn** to go right for sb ; to agree with sb.

réussite [Reysit] *nf* success ; (*CARTES*) patience.

revaloir [RəvalwaR] *vt* : **je vous revaudrai cela** I'll repay you some day ; (*en mal*) I'll pay you back for this.

revaloriser [RəvalɔRize] *vt* (*monnaie*) to revalue ; (*salaires, pensions*) to raise the level of ; (*institution, tradition*) to reassert the value of.

revanche [Rəvɑ̃ʃ] *nf* revenge ; **prendre sa ~ (sur)** to take one's revenge (on) ; **en ~** on the other hand.

rêvasser [Rɛvase] *vi* to daydream.

rêve [Rɛv] *nm* dream ; (*activité psychique*) : **le ~** dreaming ; **~ éveillé** daydreaming *q*, daydream.

revêche [Rəvɛʃ] *a* surly, sour-tempered.

réveil [Revɛj] *nm* (*d'un dormeur*) waking up *q* ; (*fig*) awakening ; (*pendule*) alarm (clock) ; **au ~** when I (*ou* he) woke up, on waking (up) ; **sonner le ~** (*MIL*) to sound the reveille.

réveille-matin [Revɛjmatɛ̃] *nm inv* alarm clock.

réveiller [Revɛje] *vt* (*personne*) to wake up ; (*fig*) to awaken, revive ; **se ~** *vi* to wake up ; (*fig*) to be revived, reawaken.

réveillon [Revɛjɔ̃] *nm* Christmas Eve ; (*de la Saint-Sylvestre*) New Year's Eve ; Christmas Eve (*ou* New Year's Eve) party *ou* dinner ; **réveillonner** *vi* to celebrate Christmas Eve (*ou* New Year's Eve).

révélateur, trice [RevelatœR, -tRis] *a* : **~ (de qch)** revealing (sth) // *nm* (*PHOTO*) developer.

révélation [Revelasjɔ̃] *nf* revelation.

révéler [Revele] *vt* (*gén*) to reveal ; (*divulguer*) to disclose, reveal ; (*dénoter*) to reveal, show ; (*faire connaître au public*) : **~ qn/qch** to make sb/ sth widely known, bring sb/sth to the public's notice ; **se ~** *vi* to be revealed, reveal itself // *vb avec attribut* to prove (to be).

revenant, e [Rəvnɑ̃, -ɑ̃t] *nm/f* ghost.

revendeur, euse [Rəvɑ̃dœR, -øz] *nm/f* (*détaillant*) retailer ; (*d'occasions*) secondhand dealer.

revendication [Rəvɑ̃dikasjɔ̃] *nf* claim, demand ; **journée de ~** day of action (in support of one's claims).

revendiquer [Rəvɑ̃dike] *vt* to claim, demand ; (*responsabilité*) to claim // *vi* to agitate in favour of one's claims.

revendre [Rəvɑ̃dR(ə)] *vt* (*d'occasion*) to resell ; (*détailler*) to sell ; (*vendre davantage de*) : **~ du sucre/un foulard/deux bagues** to sell more sugar/another scarf/ another two rings ; **à ~** *ad* (*en abondance*) to spare, aplenty.

revenir [RəvniR] vi to come back ; (CULIN):
faire ~ to brown ; (coûter): **~ cher/à 100
F** (à qn) to cost (sb) a lot/100 F ; **~ à**
(études, projet) to return to, go back to ;
(équivaloir à) to amount to ; **~ à qn**
(rumeur, nouvelle) to get back to sb, reach
sb's ears ; (part, honneur) to go to sb, be
sb's ; (souvenir, nom) to come back to sb ;
~ de (fig: maladie, étonnement) to recover
from ; **~ sur** (question, sujet) to go back
over ; (engagement) to go back on ; **~ à
la charge** to return to the attack ; **~ à
soi** to come round ; **n'en pas ~: je n'en
reviens pas** I can't get over it ; **~ sur ses
pas** to retrace one's steps ; **cela revient
à dire que** it amounts to saying that.
revente [Rəvɑ̃t] nf resale.
revenu [Rəvny] nm income ; (de l'État)
revenue ; (d'un capital) yield ; **~s** nmpl
income sg.
rêver [Reve] vi, vt to dream ; **~ de
qch/faire** to dream of sth/doing ; **~ à** to
dream of.
réverbération [ReverberɑsjÕ] nf
reflection.
réverbère [ReverbɛR] nm street lamp ou
light.
réverbérer [Reverbere] vt to reflect.
révérence [Reverɑ̃s] nf (vénération)
reverence ; (salut) bow ; curtsey.
révérend, e [Reverɑ̃, -ɑ̃d] a: **le ~ père
Pascal** the Reverend Father Pascal.
révérer [Revere] vt to revere.
rêverie [RɛvRi] nf daydreaming q,
daydream.
revers [RəvɛR] nm (de feuille, main) back ;
(d'étoffe) wrong side ; (de pièce, médaille)
back, reverse ; (TENNIS, PING-PONG)
backhand ; (de veston) lapel ; (de pantalon)
turn-up ; (fig: échec) setback ; **le ~ de la
médaille** (fig) the other side of the coin ;
prendre à ~ (MIL) to take from the rear.
réversible [Reversibl(ə)] a reversible.
revêtement [Rəvɛtmɑ̃] nm (de paroi)
facing ; (des sols) flooring ; (de chaussée)
surface ; (de tuyau etc: enduit) coating.
revêtir [Rəvetir] vt (habit) to don, put on ;
(fig) to take on ; **~ qn de** to dress sb in ;
(fig) to endow ou invest sb with ; **~ qch
de** to cover sth with ; (fig) to cloak sth
in ; **~ d'un visa** to append a visa to.
rêveur, euse [RɛvœR, -øz] a dreamy //
nm/f dreamer.
revient [Rəvjɛ̃] vb voir **revenir** // nm: **prix
de ~** cost price.
revigorer [Rəvigɔre] vt to invigorate,
brace up ; to revive, buck up.
revirement [Rəvirmɑ̃] nm change of
mind ; (d'une situation) reversal.
réviser [Revize] vt (texte, SCOL: matière) to
revise ; (comptes) to audit ; (machine,
installation, moteur) to overhaul, service ;
(JUR: procès) to review.
révision [RevizjÕ] nf revision ; auditing q ;
overhaul ; servicing q ; review ; **conseil de
~** (MIL) recruiting board ; **faire ses ~s**
(SCOL) to do one's revision, revise ; **la ~
des 10000 km** (AUTO) the 10,000 km
service.
revisser [Rəvise] vt to screw back again.
revivifier [Rəvivifje] vt to revitalize.

revivre [RəvivR(ə)] vi (reprendre des forces)
to come alive again ; (traditions) to be
revived // vt (épreuve, moment) to relive.
révocation [RevɔkɑsjÕ] nf dismissal ;
revocation.
revoir [RəvwaR] vt to see again ; (réviser)
to revise // nm: **au ~** goodbye ; **dire au
~ à qn** to say goodbye to sb.
révolte [Revɔlt(ə)] nf rebellion, revolt.
révolter [Revɔlte] vt to revolt ; to outrage,
appal ; **se ~** vi: **se ~ (contre)** to rebel
(against) ; **se ~ (à)** to be outraged (by).
révolu, e [Revɔly] a past ; (ADMIN): âgé de
18 ans ~s over 18 years of age ; **après
3 ans ~s** when 3 full years have passed.
révolution [RevɔlysjÕ] nf revolution ;
révolutionnaire a, nm/f revolutionary ;
révolutionner vt to revolutionize ; (fig) to
stir up.
revolver [RevɔlvɛR] nm gun ; (à barillet)
revolver.
révoquer [Revɔke] vt (fonctionnaire) to
dismiss, remove from office ; (arrêt,
contrat) to revoke.
revue [Rəvy] nf (inventaire, examen)
review ; (MIL: défilé) review, march-past ;
(: inspection) inspection, review ;
(périodique) review, magazine ; (pièce
satirique) revue ; (de music-hall) variety
show ; **passer en ~** to review, inspect ;
(fig) to review, survey ; to go through.
révulsé, e [Revylse] a (yeux) rolled
upwards ; (visage) contorted.
rez-de-chaussée [Redʃose] nm inv
ground floor.
RF sigle = République Française.
rhabiller [Rabije] vt: **se ~** to get dressed
again, put one's clothes on again.
rhapsodie [RapsÔdi] nf rhapsody.
rhénan, e [Renɑ̃, -an] a Rhine cpd.
Rhénanie [Renani] nf: **la ~** the Rhineland.
rhésus [Rezys] a, nm rhesus.
rhétorique [RetÔrik] nf rhetoric.
rhéto-roman, e [RetÔrÔmɑ̃, -an] a
Rhaeto-Romanic.
Rhin [Rɛ̃] nm: **le ~** the Rhine.
rhinocéros [RinÔserÔs] nm rhinoceros.
rhodanien, ne [RÔdanjɛ̃, -jɛn] a Rhone
cpd.
Rhodésie [RÔdezi] nf: **la ~** Rhodesia ;
rhodésien, ne a Rhodesian.
rhododendron [RÔdÔdɛ̃drÕ] nm
rhododendron.
Rhône [Ron] nm: **le ~** the Rhone.
rhubarbe [Rybarb(ə)] nf rhubarb.
rhum [RÔm] nm rum.
rhumatisant, e [Rymatizɑ̃, -ɑ̃t] nm/f
rheumatic.
rhumatismal, e, aux [Rymatismal, -o] a
rheumatic.
rhumatisme [Rymatism(ə)] nm
rheumatism q.
rhume [Rym] nm cold ; **~ de cerveau**
head cold ; **le ~ des foins** hay fever.
ri [Ri] pp de **rire**.
riant, e [Rjɑ̃, -ɑ̃t] a smiling, cheerful.
ribambelle [Ribɑ̃bɛl] nf: **une ~ de** a herd
ou swarm of.
ricaner [Rikane] vi (avec méchanceté) to
snigger ; (bêtement, avec gêne) to giggle.

riche [Riʃ] a (gén) rich; (personne, pays) rich, wealthy; ~ **en** rich in; ~ **de** full of; rich in; **richesse** nf wealth; (fig) richness; **richesses** nfpl wealth sg; treasures; **richesse en vitamines** high vitamin content.

ricin [Risɛ̃] nm: **huile de** ~ castor oil.

ricocher [Rikɔʃe] vi: ~ **(sur)** to rebound (off); (sur l'eau) to bounce (on ou off); **faire** ~ (galet) to skim.

ricochet [Rikɔʃɛ] nm rebound; bounce; **faire des** ~**s** to skim pebbles; **par** ~ ad on the rebound; (fig) as an indirect result.

rictus [Riktys] nm grin; (snarling) grimace.

ride [Rid] nf wrinkle; (fig) ripple.

ridé, e [Ride] a wrinkled.

rideau, x [Rido] nm curtain; ~ **de fer** metal shutter; (POL): **le** ~ **de fer** the Iron Curtain.

ridelle [Ridɛl] nf slatted side.

rider [Ride] vt to wrinkle; (fig) to ripple; to ruffle the surface of; **se** ~ vi (avec l'âge) to become wrinkled; (de contrariété) to wrinkle.

ridicule [Ridikyl] a ridiculous // nm ridiculousness q; **le** ~ ridicule; **tourner en** ~ to ridicule; **ridiculiser** vt to ridicule; **se ridiculiser** to make a fool of o.s.

rie vb voir **rire**.

rien [Rjɛ̃] pronom nothing; (quelque chose) anything; **ne** ~ nothing, tournure négative + anything // nm nothing; ~ **d'autre** nothing else; ~ **du tout** nothing at all; ~ **que** just, only; nothing but; **il n'a** ~ (n'est pas blessé) he's all right; **un petit** ~ (cadeau) a little something; **des** ~**s** trivia pl.

rieur, euse [RjœR, -øz] a cheerful, merry.

rigide [Riʒid] a stiff; (fig) rigid; strict; **rigidité** nf stiffness; **la rigidité cadavérique** rigor mortis.

• **rigolade** [Rigɔlad] nf: **la** ~ fun; (fig): **c'est de la** ~ it's a cinch; it's a big farce.

• **rigole** [Rigɔl] nf (conduit) channel; (filet d'eau) rivulet.

rigoler [Rigɔle] vi (rire) to laugh; (s'amuser) to have (some) fun; (plaisanter) to be joking ou kidding.

rigolo, ote [Rigɔlo, -ɔt] a (fam) funny // nm/f comic; (péj) fraud, phoney.

rigoureux, euse [RiguRø, -øz] a (morale) rigorous, strict; (personne) stern, strict; (climat, châtiment) rigorous, harsh, severe; (interdiction, neutralité) strict; (preuves, analyse, méthode) rigorous.

rigueur [RigœR] nf rigour; strictness; harshness; **'tenue de soirée de** ~' 'evening dress (to be worn)'; **être de** ~ to be the usual thing ou be the rule; **à la** ~ at a pinch; possibly; **tenir** ~ **à qn de qch** to hold sth against sb.

rillettes [Rijɛt] nfpl potted meat sg.

rime [Rim] nf rhyme; **rimer** vi: **rimer (avec)** to rhyme (with); **ne rimer à rien** not to make sense.

rinçage [Rɛ̃saʒ] nm rinsing (out); (opération) rinse.

rince-doigts [Rɛ̃sdwa] nm inv finger-bowl.

rincer [Rɛ̃se] vt to rinse; (récipient) to rinse out.

ring [Riŋ] nm (boxing) ring.

rions vb voir **rire**.

ripaille [Ripɑj] nf: **faire** ~ to feast.

ripoliné, e [Ripɔline] a enamel-painted.

riposte [Ripɔst(ə)] nf retort, riposte; (fig) counter-attack, reprisal.

riposter [Ripɔste] vi to retaliate // vt: ~ **que** to retort that; ~ **à** vt to counter; to reply to.

rire [RiR] vi to laugh; (se divertir) to have fun // nm laugh; **le** ~ laughter; ~ **de** vt to laugh at; **se** ~ **de** to make light of; **pour** ~ (pas sérieusement) for a joke ou a laugh.

ris [Ri] vb voir **rire** // nm: ~ **de veau** (calf) sweetbread.

risée [Rize] nf: **être la** ~ **de** to be the laughing stock of.

risette [Rizɛt] nf: **faire** ~ **(à)** to give a nice little smile (to).

risible [Rizibl(ə)] a laughable, ridiculous.

risque [Risk(ə)] nm risk; **le** ~ danger; **prendre des** ~**s** to take risks; **à ses** ~**s et périls** at his own risk; **au** ~ **de** at the risk of.

risqué, e [Riske] a risky; (plaisanterie) risqué, daring.

risquer [Riske] vt to risk; (allusion, question) to venture, hazard; **tu risques qu'on te renvoie** you risk being dismissed; **ça ne risque rien** it's quite safe; ~ **de: il risque de se tuer** he could get ou risks getting himself killed; **il a risqué de se tuer** he almost got himself killed; **ça qui risque de se produire** what might ou could well happen; **il ne risque pas de recommencer** there's no chance of him doing that again; **se** ~ **dans** (s'aventurer) to venture into; **se** ~ **à faire** (tenter) to venture ou dare to do; **risque-tout** nm/f inv daredevil.

rissoler [Risɔle] vi, vt: (faire) ~ to brown.

ristourne [RistuRn(ə)] nf rebate.

rite [Rit] nm rite; (fig) ritual.

ritournelle [RituRnɛl] nf (fig) tune.

rituel, le [Rityɛl] a, nm ritual.

rivage [Rivaʒ] nm shore.

rival, e, aux [Rival, -o] a, nm/f rival.

rivaliser [Rivalize] vi: ~ **avec** to rival, vie with; (être comparable) to hold its own against, compare with; ~ **avec qn de** (élégance etc) to vie with ou rival sb in.

rivalité [Rivalite] nf rivalry.

rive [Riv] nf shore; (de fleuve) bank.

river [Rive] vt (clou, pointe) to clinch; (plaques) to rivet together; **être rivé sur/à** to be riveted on/to.

riverain, e [RivRɛ̃, -ɛn] a riverside cpd; lakeside cpd; roadside cpd // nm/f riverside (ou lakeside) resident; local ou roadside resident.

rivet [Rivɛ] nm rivet; **riveter** vt to rivet (together).

rivière [RivjɛR] nf river; ~ **de diamants** diamond rivière.

rixe [Riks(ə)] nf brawl, scuffle.

riz [Ri] nm rice; ~ **au lait** rice pudding; **rizière** nf paddy-field.

R.N. sigle f = **route nationale**, voir **national**.

robe [ʀɔb] *nf* dress; (*de juge, d'ecclésiastique*) robe; (*de professeur*) gown; (*pelage*) coat; ~ **de soirée/de mariée** evening/ wedding dress; ~ **de baptême** christening robe; ~ **de chambre** dressing gown; ~ **de grossesse** maternity dress.

robinet [ʀɔbinɛ] *nm* tap; ~ **du gaz** gas tap; ~ **mélangeur** mixer tap; **robinetterie** *nf* taps *pl*, plumbing.

roboratif, ive [ʀɔbɔʀatif, -iv] *a* bracing, invigorating.

robot [ʀɔbo] *nm* robot.

robuste [ʀɔbyst(ə)] *a* robust, sturdy.

roc [ʀɔk] *nm* rock.

rocade [ʀɔkad] *nf* (*AUTO*) by-road, bypass.

rocaille [ʀɔkɑj] *nf* loose stones *pl*; rocky *ou* stony ground; (*jardin*) rockery, rock garden // *a* (*style*) rocaille; **rocailleux, euse** *a* rocky, stony; (*voix*) harsh.

rocambolesque [ʀɔkɑ̃bɔlɛsk(ə)] *a* fantastic, incredible.

roche [ʀɔʃ] *nf* rock.

rocher [ʀɔʃe] *nm* rock; (*ANAT*) petrosal bone.

rochet [ʀɔʃɛ] *nm*: **roue à** ~ rachet wheel.

rocheux, euse [ʀɔʃø, -øz] *a* rocky.

rock (and roll) [ʀɔk(ɛnʀɔl)] *nm* (*musique*) rock(-'n'-roll); (*danse*) jive.

rodage [ʀɔdaʒ] *nm* running in; **en** ~ (*AUTO*) running in.

rodéo [ʀɔdeo] *nm* rodeo (*pl* s).

roder [ʀɔde] *vt* (*moteur, voiture*) to run in.

rôder [ʀode] *vi* to roam *ou* wander about; (*de façon suspecte*) to lurk *ou* loiter (about *ou* around); **rôdeur, euse** *nm/f* prowler.

rodomontades [ʀɔdɔmɔ̃tad] *nfpl* bragging *sg*; sabre rattling *sg*.

rogatoire [ʀɔgatwaʀ] *a*: **commission** ~ letters rogatory.

rogne [ʀɔɲ] *nf*: **être en** ~ to be ratty *ou* in a temper.

rogner [ʀɔɲe] *vt* to trim; to clip; (*fig*) to whittle down; ~ **sur** (*fig*) to cut down *ou* back on.

rognons [ʀɔɲɔ̃] *nmpl* kidneys.

rognures [ʀɔɲyʀ] *nfpl* trimmings; clippings.

rogue [ʀɔg] *a* arrogant.

roi [ʀwa] *nm* king; **le jour** *ou* **la fête des R~s, les ~s** Twelfth Night.

roitelet [ʀwatlɛ] *nm* wren; (*péj*) kinglet.

rôle [ʀol] *nm* role; (*contribution*) part.

rollmops [ʀɔlmɔps] *nm* rollmop.

romain, e [ʀɔmɛ̃, -ɛn] *a, nm/f* Roman // *nf* (*BOT*) cos (lettuce).

roman, e [ʀɔmɑ̃, -an] *a* (*ARCHIT*) Romanesque; (*LING*) Romance, Romanic // *nm* novel; ~ **d'espionnage** spy novel *ou* story; ~ **photo** romantic picture story.

romance [ʀɔmɑ̃s] *nf* ballad.

romancer [ʀɔmɑ̃se] *vt* to make into a novel; to romanticize.

romanche [ʀɔmɑ̃ʃ] *a, nm* Romansh.

romancier, ière [ʀɔmɑ̃sje, -jɛʀ] *nm/f* novelist.

romand, e [ʀɔmɑ̃, -ɑ̃d] *a* of *ou* from French-speaking Switzerland.

romanesque [ʀɔmanɛsk(ə)] *a* (*fantastique*) fantastic, storybook *cpd*;

(*sentimental*) romantic; (*LITTÉRATURE*) novelistic.

roman-feuilleton [ʀɔmɑ̃fœjtɔ̃] *nm* serialized novel.

romanichel, le [ʀɔmaniʃɛl] *nm/f* gipsy.

romantique [ʀɔmɑ̃tik] *a* romantic.

romantisme [ʀɔmɑ̃tism(ə)] *nm* romanticism.

romarin [ʀɔmaʀɛ̃] *nm* rosemary.

Rome [ʀɔm] *nf* Rome.

rompre [ʀɔ̃pʀ(ə)] *vt* to break; (*entretien, fiançailles*) to break off // *vi* (*fiancés*) to break it off; **se** ~ *vi* to break; (*MÉD*) to burst, rupture; **se** ~ **les os** *ou* **le cou** to break one's neck; ~ **avec** to break with; **rompez (les rangs)!** (*MIL*) dismiss!, fall out!

rompu, e [ʀɔ̃py] *a* (*fourbu*) exhausted, worn out; ~ **à** with wide experience of; inured to.

romsteak [ʀɔmstɛk] *nm* rumpsteak *q*.

ronce [ʀɔ̃s] *nf* (*BOT*) bramble branch; (*MENUISERIE*): ~ **de noyer** burr walnut; ~**s** *nfpl* brambles, thorns.

ronchonner [ʀɔ̃ʃɔne] *vi* (*fam*) to grouse, grouch.

rond, e [ʀɔ̃, ʀɔ̃d] *a* round; (*joues, mollets*) well-rounded; (*fam: ivre*) tight // *nm* (*cercle*) ring; (*fam: sou*) **je n'ai plus un** ~ I haven't a penny left // *nf* (*gén: de surveillance*) rounds *pl*, patrol; (*danse*) round (dance); (*MUS*) semibreve; **en** ~ (*s'asseoir, danser*) in a ring; **à la** ~**e** (*alentour*): **à 10 km à la** ~**e** for 10 km round; (*à chacun son tour*): **passer qch à la** ~**e** to pass sth (a)round; **faire des** ~**s de jambe** to bow and scrape; ~ **de serviette** serviette ring; ~**de-cuir** *nm* (*péj*) penpusher; **rondelet, te** *a* plump.

rondelle [ʀɔ̃dɛl] *nf* (*TECH*) washer; (*tranche*) slice, round.

rondement [ʀɔ̃dmɑ̃] *ad* briskly; frankly.

rondeur [ʀɔ̃dœʀ] *nf* (*d'un bras, des formes*) plumpness; (*bonhomie*) friendly straightforwardness; ~**s** *nfpl* (*d'une femme*) curves.

rondin [ʀɔ̃dɛ̃] *nm* log.

rond-point [ʀɔ̃pwɛ̃] *nm* roundabout.

ronéotyper [ʀɔneɔtipe] *vt* to duplicate, roneo.

ronflant, e [ʀɔ̃flɑ̃, -ɑ̃t] *a* (*péj*) high-flown, grand.

ronflement [ʀɔ̃fləmɑ̃] *nm* snore, snoring *q*.

ronfler [ʀɔ̃fle] *vi* to snore; (*moteur, poêle*) to hum; to roar.

ronger [ʀɔ̃ʒe] *vt* to gnaw (at); (*suj: vers, rouille*) to eat into; ~ **son frein** to champ (at) the bit; **se** ~ **de souci, se** ~ **les sangs** to worry o.s. sick, fret; **se** ~ **les ongles** to bite one's nails; **rongeur, euse** *nm/f* rodent.

ronronner [ʀɔ̃ʀɔne] *vi* to purr.

roque [ʀɔk] *nm* (*ÉCHECS*) castling; **roquer** *vi* to castle.

roquet [ʀɔkɛ] *nm* nasty little lap-dog.

roquette [ʀɔkɛt] *nf* rocket.

rosace [ʀozas] *nf* (*vitrail*) rose window, rosace; (*motif: de plafond etc*) rose.

rosaire [ʀozɛʀ] *nm* rosary.

rosbif [ʀɔsbif] *nm*: **du** ~ roasting beef; (*cuit*) roast beef; **un** ~ a joint of beef.

rose [ʀoz] nf rose ; (vitrail) rose window // a pink ; ~ **bonbon** a inv candy pink ; ~ **des vents** compass card.

rosé, e [ʀoze] a pinkish ; (vin) ~ **rosé** (wine).

roseau, x [ʀozo] nm reed.

rosée [ʀoze] nf dew ; **goutte de** ~ dewdrop.

roseraie [ʀozʀɛ] nf rose garden ; (plantation) rose nursery.

rosette [ʀozɛt] nf rosette (gen of the Légion d'honneur).

rosier [ʀozje] nm rosebush, rose tree.

rosir [ʀoziʀ] vi to go pink.

rosse [ʀos] nf (péj: cheval) nag // a nasty, vicious.

rosser [ʀose] vt (fam) to thrash.

rossignol [ʀosiɲol] nm (ZOOL) nightingale ; (crochet) picklock.

rot [ʀo] nm belch ; (de bébé) burp.

rotatif, ive [ʀotatif, -iv] a rotary // nf rotary press.

rotation [ʀotasjɔ̃] nf rotation ; (fig) rotation, swap-around ; turnover ; **par** ~ on a rota basis ; ~ **des cultures** rotation of crops ; ~ **des stocks** stock turnover.

roter [ʀote] vi (fam) to burp, belch.

rôti [ʀoti] nm: **du** ~ roasting meat ; (cuit) roast meat ; **un** ~ **de bœuf/porc** a joint of beef/pork.

rotin [ʀotɛ̃] nm rattan (cane) ; **fauteuil en** ~ **cane** (arm)chair.

rôtir [ʀotiʀ] vt (aussi: **faire** ~) to roast // vi to roast ; **se** ~ **au soleil** to bask in the sun ; **rôtisserie** nf steakhouse ; roast meat counter (ou shop) ; **rôtissoire** nf (roasting) spit.

rotonde [ʀotɔ̃d] nf (ARCHIT) rotunda ; (RAIL) engine shed.

rotondité [ʀotɔ̃dite] nf roundness.

rotor [ʀotoʀ] nm rotor.

rotule [ʀotyl] nf kneecap, patella.

roturier, ière [ʀotyʀje, -jɛʀ] nm/f commoner.

rouage [ʀwaʒ] nm cog(wheel), gearwheel ; (de montre) part ; (fig) cog ; ~**s** (fig) internal structure sg.

roublard, e [ʀublaʀ, -aʀd(ə)] a (péj) crafty, wily.

rouble [ʀubl(ə)] nm rouble.

roucouler [ʀukule] vi to coo ; (fig: péj) to warble.

roue [ʀu] nf wheel ; **faire la** ~ (paon) to spread ou fan its tail ; (GYM) to do a cartwheel ; **descendre en** ~ **libre** to freewheel ou coast down ; ~ **à aubes** paddle wheel ; ~ **dentée** cogwheel ; ~ **de secours** spare wheel.

roué, e [ʀwe] a wily.

rouer [ʀwe] vt: ~ **qn de coups** to give sb a thrashing.

rouet [ʀwe] nm spinning wheel.

rouge [ʀuʒ] a, nm/f red // nm red ; (fard) rouge ; (vin) ~ **red wine** ; **passer au** ~ (signal) to go red ; (automobiliste) to go through the red lights ; **porter au** ~ (métal) to bring to red heat ; ~ **(à lèvres)** lipstick ; **rougeâtre** a reddish ; ~-**gorge** nm robin (redbreast).

rougeole [ʀuʒol] nf measles sg.

rougeoyer [ʀuʒwaje] vi to glow red.

rouget [ʀuʒɛ] nm mullet.

rougeur [ʀuʒœʀ] nf redness ; (du visage) red face ; ~**s** nfpl (MÉD) red blotches.

rougir [ʀuʒiʀ] vi (de honte, timidité) to blush, flush ; (de plaisir, colère) to flush ; (fraise, tomate) to go ou turn red ; (ciel) to redden.

rouille [ʀuj] nf rust // a inv rust-coloured, rusty.

rouillé, e [ʀuje] a rusty.

rouiller [ʀuje] vt to rust // vi to rust, go rusty ; **se** ~ vi to rust ; (fig) to become rusty ; to grow stiff.

roulade [ʀulad] nf (GYM) roll ; (CULIN) rolled meat q ; (MUS) roulade, run.

roulant, e [ʀulɑ̃, -ɑ̃t] a (meuble) on wheels ; (surface, trottoir) moving ; **matériel** ~ (RAIL) rolling stock ; **personnel** ~ (RAIL) train crews pl.

rouleau, x [ʀulo] nm (de papier, tissu, pièces de monnaie, SPORT) roll ; (de machine à écrire) roller, platen ; (à mise en plis, à peinture, vague) roller ; ~ **compresseur** steamroller ; ~ **à pâtisserie** rolling pin ; ~ **de pellicule** roll of film.

roulement [ʀulmɑ̃] nm (bruit) rumbling q, rumble ; (rotation) rotation ; turnover ; **par** ~ on a rota basis ; ~ **(à billes)** ball bearings pl ; ~ **de tambour** drum roll.

rouler [ʀule] vt to roll ; (papier, tapis) to roll up ; (CULIN: pâte) to roll out ; (fam) to do, con // vi (bille, boule) to roll ; (voiture, train) to go, run ; (automobiliste) to drive ; (cycliste) to ride ; (bateau) to roll ; (tonnerre) to rumble, roll ; (dégringoler): ~ **en bas de** to roll down ; ~ **sur** (suj: conversation) to turn on ; **se** ~ **dans** (boue) to roll in ; (couverture) to roll o.s. (up) in ; ~ **les épaules/hanches** to sway one's shoulders/wiggle one's hips.

roulette [ʀulɛt] nf (de table, fauteuil) castor ; (de pâtissier) pastry wheel ; (jeu): **la** ~ roulette ; **à** ~**s** on castors.

roulis [ʀuli] nm roll(ing).

roulotte [ʀulot] nf caravan.

roumain, e [ʀumɛ̃, -ɛn] a, nm/f Romanian.

Roumanie [ʀumani] nf Romania.

roupiller [ʀupije] vi (fam) to sleep.

rouquin, e [ʀukɛ̃, -in] nm/f (péj) redhead.

rouspéter [ʀuspete] vi (fam) to moan, grouse.

rousse [ʀus] a voir roux.

rousseur [ʀusœʀ] nf: **tache de** ~ freckle.

roussi [ʀusi] nm: **ça sent le** ~ there's a smell of burning ; (fig) I can smell trouble.

roussir [ʀusiʀ] vt to scorch // vi (feuilles) to go ou turn brown ; (CULIN): **faire** ~ to brown.

route [ʀut] nf road ; (fig: chemin) way ; (itinéraire, parcours) route ; (fig: voie) road, path ; **par (la)** ~ by road ; **il y a 3h de** ~ it's a 3-hour ride ou journey ; **en** ~ ad on the way ; **mettre en** ~ to start up ; **se mettre en** ~ to set off ; **faire** ~ **vers** to head towards ; **routier, ière** a road cpd // nm (camionneur) (long-distance) lorry ou truck driver ; (restaurant) ≈ transport café ; (scout) ≈ rover // nf (voiture) touring car.

routine [Rutin] nf routine ; **routinier, ière** a (péj) humdrum ; addicted to routine.

rouvrir [RuvRiR] vt, vi to reopen, open again ; **se ~** vi (blessure) to open up again.

roux, rousse [Ru, Rus] a red ; (personne) red-haired // nm/f redhead // nm (CULIN) roux.

royal, e, aux [Rwajal, -o] a royal ; (fig) fit for a king, princely ; blissful ; thorough.

royaliste [Rwajalist(ə)] a, nm/f royalist.

royaume [Rwajom] nm kingdom ; (fig) realm ; **le R~ Uni** the United Kingdom.

royauté [Rwajote] nf (dignité) kingship ; (régime) monarchy.

R.S.V.P. sigle (= répondez s'il vous plaît) R.S.V.P.

Rte abr de **route**.

ruade [Rɥad] nf kick.

ruban [Rybɑ̃] nm (gén) ribbon ; (pour ourlet, couture) binding ; (de téléscripteur etc) tape ; (d'acier) strip ; **~ adhésif** adhesive tape.

rubéole [Rybeɔl] nf German measles sg, rubella.

rubicond, e [Rybikɔ̃, -ɔ̃d] a rubicund, ruddy.

rubis [Rybi] nm ruby ; (HORLOGERIE) jewel.

rubrique [RybRik] nf (titre, catégorie) heading, rubric ; (PRESSE: article) column.

ruche [Ryʃ] nf hive.

rude [Ryd] a (barbe, toile) rough ; (métier, tâche) hard, tough ; (climat) severe, harsh ; (bourru) harsh, rough ; (fruste) rugged, tough ; (fam) jolly good ; **~ment** ad (tomber, frapper) hard ; (traiter, reprocher) harshly ; (fam: très) terribly, jolly ; (: beaucoup) jolly hard.

rudimentaire [Rydimɑ̃tɛR] a rudimentary, basic.

rudiments [Rydimɑ̃] nmpl rudiments ; basic knowledge sg ; basic principles.

rudoyer [Rydwaje] vt to treat harshly.

rue [Ry] nf street.

ruée [Rɥe] nf rush.

ruelle [Rɥɛl] nf alley(-way).

ruer [Rɥe] vi (cheval) to kick out ; **se ~** vi: **~ sur** to pounce on ; **se ~ vers/dans/hors de** to rush ou dash towards/into/out of ; **~ dans les brancards** to become rebellious.

rugby [Rygbi] nm Rugby (football) ; **~ à treize/quinze** Rugby League/Union.

rugir [RyʒiR] vi to roar ; **rugissement** nm roar, roaring q.

rugosité [Rygozite] nf roughness ; (aspérité) rough patch.

rugueux, euse [Rygø, -øz] a rough.

ruine [Rɥin] nf ruin ; **~s** nfpl ruins.

ruiner [Rɥine] vt to ruin ; **ruineux, euse** a terribly expensive to buy (ou run), ruinous ; extravagant.

ruisseau, x [Rɥiso] nm stream, brook ; (caniveau) gutter ; (fig): **~x de** floods of, streams of.

ruisseler [Rɥisle] vi to stream ; **~ (d'eau)** to be streaming (with water).

rumeur [RymœR] nf (bruit confus) rumbling ; hubbub ; murmur(ing) ; (nouvelle) rumour.

ruminer [Rymine] vt (herbe) to ruminate ; (fig) to ruminate on ou over, chew over

// vi (vache) to chew the cud, ruminate.

rumsteak [Rɔ̃mstɛk] nm = **romsteak**.

rupture [RyptyR] nf (de câble, digue) breaking ; (de tendon) rupture, tearing ; (de négociations etc) breakdown ; (de contrat) breach ; (séparation, désunion) break-up, split ; **en ~ de ban** at odds with authority.

rural, e, aux [RyRal, -o] a rural, country cpd // nmpl: **les ruraux** country people.

ruse [Ryz] nf: **la ~** cunning, craftiness ; trickery ; **une ~** a trick, a ruse ; **rusé, e** a cunning, crafty.

russe [Rys] a, nm, nf Russian.

Russie [Rysi] nf: **la ~** Russia.

rustique [Rystik] a rustic.

rustre [RystR(ə)] nm boor.

rut [Ryt] nm: **être en ~** to be in ou on heat, be rutting.

rutabaga [Rytabaga] nm swede.

rutilant, e [Rytilɑ̃, -ɑ̃t] a gleaming.

rythme [Ritm(ə)] nm rhythm ; (vitesse) rate ; (: de la vie) pace, tempo ; **au ~ de 10 par jour** at the rate of 10 a day ; **rythmé, e** a rhythmic(al) ; **rythmique** a rhythmic(al) // nf rhythmics sg.

S

s' [s] pronom voir **se**.

sa [sa] dét voir **son**.

S.A. sigle voir **société**.

sable [sabl(ə)] nm sand ; **~s mouvants** quicksand(s).

sablé [sable] nm shortbread biscuit.

sabler [sable] vt to sand ; (contre le verglas) to grit ; **~ le champagne** to drink champagne.

sableux, euse [sablø, -øz] a sandy.

sablier [sablije] nm hourglass ; (de cuisine) egg timer.

sablière [sablijɛR] nf sand quarry.

sablonneux, euse [sablɔnø, -øz] a sandy.

saborder [sabɔRde] vt (navire) to scuttle ; (fig) to wind up, shut down.

sabot [sabo] nm clog ; (de cheval, bœuf) hoof ; **~ de frein** brake shoe.

sabotage [sabɔtaʒ] nm sabotage.

saboter [sabɔte] vt to sabotage ; **saboteur, euse** nm/f saboteur.

sabre [sabR(ə)] nm sabre.

sac [sak] nm bag ; (à charbon etc) sack ; (pillage) sack(ing) ; **mettre à ~** to sack ; **~ à provisions/de voyage** shopping/travelling bag ; **~ de couchage** sleeping bag ; **~ à dos** rucksack ; **~ à main** handbag.

saccade [sakad] nf jerk ; **par ~s** jerkily ; haltingly.

saccager [sakaʒe] vt (piller) to sack, lay waste ; (dévaster) to create havoc in, wreck.

saccharine [sakaRin] nf saccharin(e).

sacerdoce [sasɛRdɔs] nm priesthood ; (fig) calling, vocation ; **sacerdotal, e, aux** a priestly, sacerdotal.

sache etc vb voir **savoir**.

sachet [saʃɛ] nm (small bag) ; (de lavande, poudre, shampooing) sachet ; **~ de thé** tea bag.

sacoche [sakɔʃ] nf (gén) bag; (de bicyclette) saddlebag; (du facteur) (post-)bag; (d'outils) toolbag.

sacre [sakʀ(ə)] nm coronation; consecration.

sacré, e [sakʀe] a sacred; (fam: satané) blasted; (: fameux): **un ~ ...** a heck of a ... ; (ANAT) sacral.

sacrement [sakʀəmɑ̃] nm sacrament; **les derniers ~s** the last rites.

sacrer [sakʀe] vt (roi) to crown; (évêque) to consecrate // vi to curse, swear.

sacrifice [sakʀifis] nm sacrifice.

sacrifier [sakʀifje] vt to sacrifice; **~ à** vt to conform to; **articles sacrifiés** (COMM) items given away at knock-down prices.

sacrilège [sakʀilɛʒ] nm sacrilege // a sacrilegious.

sacristain [sakʀistɛ̃] nm sexton; sacristan.

sacristie [sakʀisti] nf sacristy; (culte protestant) vestry.

sacro-saint, e [sakʀɔsɛ̃, -sɛ̃t] a sacrosanct.

sadique [sadik] a sadistic // nm/f sadist.

sadisme [sadism(ə)] nm sadism.

safari [safaʀi] nm safari; **faire un ~** to go on safari; **~-photo** nm photographic safari.

safran [safʀɑ̃] nm saffron.

sagace [sagas] a sagacious, shrewd.

sagaie [sagɛ] nf assegai.

sage [saʒ] a wise; (enfant) good // nm wise man; sage.

sage-femme [saʒfam] nf midwife (pl wives).

sagesse [saʒɛs] nf wisdom.

Sagittaire [saʒitɛʀ] nm: **le ~** Sagittarius, the Archer; **être du ~** to be Sagittarius.

Sahara [saaʀa] nm: **le ~** the Sahara (desert).

saharienne [saaʀjɛn] nf safari jacket.

saignant, e [sɛɲɑ̃, -ɑ̃t] a (viande) rare; (blessure, plaie) bleeding.

saignée [seɲe] nf (MÉD) bleeding q, bloodletting q; (ANAT): **la ~ du bras** the bend of the arm; (fig) heavy losses pl; savage cut.

saignement [sɛɲmɑ̃] nm bleeding; **~ de nez** nosebleed.

saigner [seɲe] vi to bleed // vt to bleed; (animal) to kill (by bleeding); **~ du nez** to have a nosebleed.

saillant, e [sajɑ̃, -ɑ̃t] a (pommettes, menton) prominent; (corniche etc) projecting; (fig) salient, outstanding.

saillie [saji] nf (sur un mur etc) projection; (trait d'esprit) witticism; (accouplement) covering, serving; **faire ~** to project, stick out.

saillir [sajiʀ] vi to project, stick out; (veine, muscle) to bulge // vt (ÉLEVAGE) to cover, serve.

sain, e [sɛ̃, sɛn] a healthy; (dents, constitution) healthy, sound; (lectures) wholesome; **~ et sauf** safe and sound, unharmed; **~ d'esprit** sound in mind, sane.

saindoux [sɛ̃du] nm lard.

saint, e [sɛ̃, sɛ̃t] a holy; (fig) saintly // nm/f saint; **le S~e Esprit** the Holy Spirit ou Ghost; **la S~e Vierge** the Blessed Vir-

gin; **sainteté** nf holiness; **le S~-Père** the Holy Father, the Pontiff; **le S~-Siège** the Holy See; **la S~-Sylvestre** New Year's Eve.

sais etc vb voir **savoir**.

saisie [sezi] nf seizure.

saisir [seziʀ] vt to take hold of, grab; (fig: occasion) to seize; (comprendre) to grasp; (entendre) to get, catch; (suj: émotions) to take hold of, come over; (CULIN) to fry quickly; (JUR: biens, publication) to seize; (: juridiction): **~ un tribunal d'une affaire** to submit ou refer a case to a court; **se ~ de** vt to seize; **saisissant, e** a startling, striking; **saisissement** nm emotion.

saison [sɛzɔ̃] nf season; **la belle ~** the summer months; **en/hors ~** in/out of season; **haute/morte ~** high/slack season; **la ~ des pluies/des amours** the rainy/ mating season; **saisonnier, ière** a seasonal // nm (travailleur) seasonal worker.

sait vb voir **savoir**.

salace [salas] a salacious.

salade [salad] nf (BOT) lettuce etc (generic term); (CULIN) (green) salad; (fam) tangle, muddle; **haricots en ~** bean salad; **~ de concombres** cucumber salad; **~ de fruits** fruit salad; **~ russe** Russian salad; **saladier** nm salad bowl.

salaire [salɛʀ] nm (annuel, mensuel) salary; (hebdomadaire, journalier) pay, wages pl; (fig) reward; **~ de base** basic salary/wage; **~ minimum interprofessionnel garanti (SMIG)/de croissance (SMIC)** index-linked guaranteed minimum wage.

salaison [salɛzɔ̃] nf salting; **~s** nfpl salt meat sg.

salami [salami] nm salami q, salami sausage.

salant [salɑ̃] am: **marais ~** salt pan.

salarial, e, aux [salaʀjal, -o] a salary cpd, wage(s) cpd.

salarié, e [salaʀje] a salaried; wage-earning // nm/f salaried employee; wage-earner.

salaud [salo] nm (fam!) sod (!), bastard (!).

sale [sal] a dirty, filthy.

salé, e [sale] a (liquide, saveur) salty; (CULIN) salted, salt cpd; (fig) spicy, juicy, steep, stiff.

saler [sale] vt to salt.

saleté [salte] nf (état) dirtiness; (crasse) dirt, filth; (tache etc) dirt q, something dirty; (fig) filthy trick; rubbish q; filth q; infection, bug.

salière [saljɛʀ] nf saltcellar.

saligaud [saligo] nm (fam!) sod (!).

salin, e [salɛ̃, -in] a saline // nf saltworks sg; salt marsh.

salinité [salinite] nf salinity, salt-content.

salir [saliʀ] vt to (make) dirty; (fig) to soil the reputation of; **se ~** to get dirty; **salissant, e** a (tissu) which shows the dirt; (métier) dirty, messy.

salive [saliv] nf saliva; **saliver** vi to salivate.

salle [sal] nf room; (d'hôpital) ward; (de restaurant) dining room; (d'un cinéma) auditorium; (: public) audience; **faire ~**

comble to have a full house; **~ d'attente** waiting room; **~ de bain(s)** bathroom; **~ de bal** ballroom; **~ de cinéma** cinema; **~ de classe** classroom; **~ commune** (d'hôpital) ward; **~ de concert** concert hall; **~ de douches** shower-room; **~ d'eau** shower-room; **~ d'embarquement** (à l'aéroport) departure lounge; **~ des machines** engine room; **~ à manger** dining room; **~ d'opération** (d'hôpital) operating theatre; **~ de projection** film theatre; **~ de séjour** living room; **~ de spectacle** theatre; cinema; **~ des ventes** saleroom.

salon [salɔ̃] *nm* lounge, sitting room; (mobilier) lounge suite; (exposition) exhibition, show; (mondain, littéraire) salon; **~ de coiffure** hairdressing salon; **~ de thé** tearoom.

salopard [salɔpaR] *nm* (fam!) bastard (!).

salope [salɔp] *nf* (fam!) bitch(!).

saloperie [salɔpRi] *nf* (fam!) filth *q*; dirty trick; rubbish *q*.

salopette [salɔpɛt] *nf* overall(s).

salpêtre [salpɛtR(ə)] *nm* saltpetre.

salsifis [salsifi] *nm* salsify, oyster-plant.

saltimbanque [saltɛ̃bɑ̃k] *nm/f* (travelling) acrobat.

salubre [salybR(ə)] *a* healthy, salubrious; **salubrité** *nf* healthiness, salubrity; **salubrité publique** public health.

saluer [salɥe] *vt* (pour dire bonjour, fig) to greet; (pour dire au revoir) to take one's leave; (MIL) to salute.

salut [saly] *nm* (sauvegarde) safety; (REL) salvation; (geste) wave; (parole) greeting; (MIL) salute // *excl* (fam) hi (there); (style relevé) (all) hail.

salutaire [salytɛR] *a* beneficial; salutary.

salutations [salytasjɔ̃] *nfpl* greetings; **recevez mes ~ distinguées** *ou* **respectueuses** yours faithfully.

salutiste [salytist(ə)] *nm/f* Salvationist.

salve [salv(ə)] *nf* salvo; volley of shots.

samaritain [samaritɛ̃] *nm*: **le bon S~** the Good Samaritan.

samedi [samdi] *nm* Saturday.

sanatorium [sanatɔRjɔm] *nm* sanatorium (pl a).

sanctifier [sɑ̃ktifje] *vt* to sanctify.

sanction [sɑ̃ksjɔ̃] *nf* sanction; (fig) penalty; **prendre des ~s contre** to impose sanctions on; **sanctionner** *vt* (loi, usage) to sanction; (punir) to punish.

sanctuaire [sɑ̃ktɥɛR] *nm* sanctuary.

sandale [sɑ̃dal] *nf* sandal.

sandalette [sɑ̃dalɛt] *nf* sandal.

sandwich [sɑ̃dwitʃ] *nm* sandwich; **pris en ~** sandwiched.

sang [sɑ̃] *nm* blood; **en ~** covered in blood; **se faire du mauvais ~** to fret, get in a state.

sang-froid [sɑ̃fRwa] *nm* calm, sangfroid; **de ~** in cold blood.

sanglant, e [sɑ̃glɑ̃, -ɑ̃t] *a* bloody, covered in blood; (combat) bloody.

sangle [sɑ̃gl(ə)] *nf* strap; **~s** (pour lit etc) webbing *sg*; **sangler** *vt* to strap up; (animal) to girth.

sanglier [sɑ̃glije] *nm* (wild) boar.

sanglot [sɑ̃glo] *nm* sob; **sangloter** *vi* to sob.

sangsue [sɑ̃sy] *nf* leech.

sanguin, e [sɑ̃gɛ̃, -in] *a* blood *cpd*; (fig) fiery // *nf* blood orange; (ART) red pencil drawing.

sanguinaire [sɑ̃ginɛR] *a* bloodthirsty; bloody.

sanguinolent, e [sɑ̃ginɔlɑ̃, -ɑ̃t] *a* streaked with blood.

sanitaire [sanitɛR] *a* health *cpd*; **installation/appareil ~** bathroom plumbing/appliance; **~s** *nmpl* (salle de bain et w.-c.) bathroom *sg*.

sans [sɑ̃] *prép* without; **~ qu'il s'en aperçoive** without him *ou* his noticing; **~ scrupules** unscrupulous; **~ manches** sleeveless; **~-abri** *nmpl* homeless (after a flood etc); **~-emploi** *nmpl* jobless; **~-façon** *a inv* fuss-free; free and easy; **~-gêne** *a inv* inconsiderate; **~-logis** *nmpl* homeless (through poverty); **~-travail** *nmpl* unemployed, jobless.

santal [sɑ̃tal] *nm* sandal(wood).

santé [sɑ̃te] *nf* health; **en bonne ~** in good health; **boire à la ~ de qn** to drink (to) sb's health; **'à la ~ de'** 'here's to'; **à ta/votre ~!** cheers!

santon [sɑ̃tɔ̃] *nm* ornamental figure at a Christmas crib.

saoul, e [su, sul] *a* = **soûl, e.**

sape [sap] *nf*: **travail de ~** (MIL) sap; (fig) insidious undermining process *ou* work.

saper [sape] *vt* to undermine, sap.

sapeur [sapœR] *nm* sapper; **~-pompier** *nm* fireman.

saphir [safiR] *nm* sapphire.

sapin [sapɛ̃] *nm* fir (tree); (bois) fir; **~ de Noël** Christmas tree; **sapinière** *nf* fir plantation *ou* forest.

sarabande [saRabɑ̃d] *nf* saraband; (fig) hullabaloo; whirl.

sarbacane [saRbakan] *nf* blowpipe, blowgun; (jouet) peashooter.

sarcasme [saRkasm(ə)] *nm* sarcasm *q*; piece of sarcasm; **sarcastique** *a* sarcastic.

sarcler [saRkle] *vt* to weed; **sarcloir** *nm* (weeding) hoe, spud.

sarcophage [saRkɔfaʒ] *nm* sarcophagus (pl i).

Sardaigne [saRdɛɲ] *nf*: **la ~** Sardinia; **sarde** *a*, *nm/f* Sardinian.

sardine [saRdin] *nf* sardine; **~s à l'huile** sardines in oil.

sardonique [saRdɔnik] *a* sardonic.

S.A.R.L. *sigle voir* **société.**

sarment [saRmɑ̃] *nm*: **~ (de vigne)** vine shoot.

sarrasin [saRazɛ̃] *nm* buckwheat.

sarrau [saRo] *nm* smock.

Sarre [saR] *nf*: **la ~** the Saar.

sarriette [saRjɛt] *nf* savory.

sarrois, e [saRwa, -waz] *a* Saar *cpd* // *nm/f*: **S~, e** inhabitant *ou* native of the Saar.

sas [sɑ] *nm* (de sous-marin, d'engin spatial) airlock; (d'écluse) lock.

satané, e [satane] *a* confounded.

satanique [satanik] *a* satanic, fiendish.

satelliser [satelize] *vt* (fusée) to put into orbit; (fig: pays) to make into a satellite.

satellite [satelit] *nm* satellite ; **pays ~** satellite country ; **~-espion** *nm* spy satellite.

satiété [sasjete]: **à ~** *ad* to satiety *ou* satiation ; (*répéter*) *ad* nauseam.

satin [satɛ̃] *nm* satin ; **satiné, e** *a* satiny ; (*peau*) satin-smooth.

satire [satir] *nf* satire ; **satirique** *a* satirical ; **satiriser** *vt* to satirize.

satisfaction [satisfaksjɔ̃] *nf* satisfaction.

satisfaire [satisfɛr] *vt* to satisfy ; **~ à** *vt* (*engagement*) to fulfil ; (*revendications, conditions*) to satisfy, meet ; to comply with ; **satisfaisant, e** *a* satisfactory ; (*qui fait plaisir*) satisfying ; **satisfait, e** *a* satisfied ; **satisfait de** happy *ou* satisfied with ; pleased with.

saturation [satyrɑsjɔ̃] *nf* saturation.

saturer [satyre] *vt* to saturate.

satyre [satir] *nm* satyr ; (*péj*) lecher.

sauce [sos] *nf* sauce ; (*avec un rôti*) gravy ; **~ tomate** tomato sauce ; **saucière** *nf* sauceboat ; gravy boat.

saucisse [sosis] *nf* sausage.

saucisson [sosisɔ̃] *nm* (slicing) sausage ; **~ à l'ail** garlic sausage.

sauf [sof] *prép* except ; **~ si** (*à moins que*) unless ; **~ erreur** if I'm not mistaken ; **~ avis contraire** unless you hear to the contrary.

sauf, sauve [sof, sov] *a* unharmed, unhurt ; (*fig: honneur*) intact, saved ; **laisser la vie sauve à qn** to spare sb's life.

sauf-conduit [sofkɔ̃dɥi] *nm* safe-conduct.

sauge [soʒ] *nf* sage.

saugrenu, e [sogrəny] *a* preposterous, ludicrous.

saule [sol] *nm* willow (tree) ; **~ pleureur** weeping willow.

saumâtre [somɑtr(ə)] *a* briny.

saumon [somɔ̃] *nm* salmon *inv* // *a inv* salmon (pink) ; **saumoné, e** *a*: **truite saumonée** salmon trout.

saumure [somyr] *nf* brine.

sauna [sona] *nm* sauna.

saupoudrer [sopudre] *vt*: **~ qch de** to sprinkle sth with.

saur [sɔr] *am*: **hareng ~** smoked *ou* red herring, kipper.

saurai *etc vb voir* **savoir**.

saut [so] *nm* jump ; (*discipline sportive*) jumping ; **faire un ~** to (make a) jump *ou* leap ; **faire un ~ chez qn** to pop over to sb's (place) ; **au ~ du lit** on getting out of bed ; **~ en hauteur/longueur** high/long jump ; **~ à la corde** skipping ; **~ à la perche** pole vaulting ; **~ périlleux** somersault.

saute [sot] *nf*: **~ de vent/température** sudden change of wind direction/in the temperature.

sauté, e [sote] *a* (*CULIN*) sauté // *nm*: **~ de veau** sauté of veal.

saute-mouton [sotmutɔ̃] *nm*: **jouer à ~** to play leapfrog.

sauter [sote] *vi* to jump, leap ; (*exploser*) to blow up, explode ; (: *fusibles*) to blow ; (*se rompre*) to snap, burst ; (*se détacher*) to pop out (*ou* off) // *vt* to jump (over), leap (over) ; (*fig: omettre*) to skip, miss

(out) ; **faire ~** to blow up ; to burst open ; (*CULIN*) to sauté ; **~ à pieds joints** to make a standing jump ; **~ en parachute** to make a parachute jump ; **~ au cou de qn** to fly into sb's arms ; **~ aux yeux** to be quite obvious.

sauterelle [sotrɛl] *nf* grasshopper.

sauteur, euse [sotœr, -øz] *nm/f* (*athlète*) jumper // *nf* (*casserole*) shallow casserole ; **~ à la perche** pole vaulter ; **~ à skis** skijumper.

sautiller [sotije] *vi* to hop ; to skip.

sautoir [sotwar] *nm* chain ; **~ (de perles)** string of pearls.

sauvage [sovaʒ] *a* (*gén*) wild ; (*peuplade*) savage ; (*farouche*) unsociable ; (*barbare*) wild, savage ; (*non officiel*) unauthorized, unofficial // *nm/f* savage ; (*timide*) unsociable type, recluse ; **~rie** *nf* wildness ; savagery ; unsociability.

sauve [sov] *af voir* **sauf**.

sauvegarde [sovgard(ə)] *nf* safeguard ; **sous la ~ de** under the protection of ; **sauvegarder** *vt* to safeguard.

sauve-qui-peut [sovkipø] *nm inv* stampede, mad rush // *excl* run for your life!

sauver [sove] *vt* to save ; (*porter secours à*) to rescue ; (*récupérer*) to salvage, rescue ; (*fig: racheter*) to save, redeem ; **se ~** *vi* (*s'enfuir*) to run away ; (*fam: partir*) to be off ; **~ la vie à qn** to save sb's life ; **sauvetage** *nm* rescue ; **sauveteur** *nm* rescuer ; **sauvette**: **à la sauvette** *ad* (*vendre*) without authorization ; (*se marier etc*) hastily, hurriedly ; **sauveur** *nm* saviour.

savais *etc vb voir* **savoir**.

savamment [savamɑ̃] *ad* (*avec érudition*) learnedly ; (*habilement*) skilfully, cleverly.

savane [savan] *nf* savannah.

savant, e [savɑ̃, -ɑ̃t] *a* scholarly, learned ; (*calé*) clever // *nm* scientist.

saveur [savœr] *nf* flavour ; (*fig*) savour.

savoir [savwar] *vt* to know ; (*être capable de*): **il sait nager** he knows how to swim, he can swim // *nm* knowledge ; **se ~** (*être connu*) to be known ; **à ~** *ad* that is, namely ; **faire ~ qch à qn** to inform sb about sth, to let sb know sth ; **pas que je sache** not as far as I know ; **~-faire** *nm inv* savoir-faire, know-how.

savon [savɔ̃] *nm* (*produit*) soap ; (*morceau*) bar *ou* tablet of soap ; (*fam*): **passer un ~ à qn** to give sb a good dressing-down ; **savonner** *vt* to soap ; **savonnette** *nf* bar *ou* tablet of soap ; **savonneux, euse** *a* soapy.

savons *vb voir* **savoir**.

savourer [savure] *vt* to savour.

savoureux, euse [savurø, -øz] *a* tasty ; (*fig*) spicy, juicy.

saxo(phone) [saksɔ(fɔn)] *nm* sax(ophone) ; **saxophoniste** *nm/f* saxophonist, sax(ophone) player.

saynète [sɛnɛt] *nf* playlet.

sbire [sbir] *nm* (*péj*) henchman.

scabreux, euse [skabrø, -øz] *a* risky ; (*indécent*) improper, shocking.

scalpel [skalpɛl] *nm* scalpel.

scalper [skalpe] *vt* to scalp.

scandale [skɑ̃dal] *nm* scandal; *(tapage)*: **faire du ~** to make a scene, create a disturbance; **faire ~** to scandalize people; **scandaleux, euse** *a* scandalous, outrageous; **scandaliser** *vt* to scandalize; **se scandaliser (de)** to be scandalized (by).

scander [skɑ̃de] *vt (vers)* to scan; *(slogans)* to chant; **en scandant les mots** stressing each word.

scandinave [skɑ̃dinav] *a, nm/f* Scandinavian.

Scandinavie [skɑ̃dinavi] *nf* Scandinavia.

scaphandre [skafɑ̃dʀ(ə)] *nm (de plongeur)* diving suit; *(de cosmonaute)* space-suit; **~ autonome** aqualung.

scarabée [skaʀabe] *nm* beetle.

scarlatine [skaʀlatin] *nf* scarlet fever.

scarole [skaʀɔl] *nf* endive.

scatologique [skatɔlɔʒik] *a* scatological, lavatorial.

sceau, x [so] *nm* seal; *(fig)* stamp, mark.

scélérat, e [seleʀa, -at] *nm/f* villain, blackguard.

sceller [sele] *vt* to seal.

scellés [sele] *nmpl* seals.

scénario [senaʀjo] *nm (CINÉMA)* scenario; screenplay, script; *(fig)* pattern; scenario; **scénariste** *nm* scriptwriter.

scène [sɛn] *nf (gén)* scene; *(estrade, fig: théâtre)* stage; **entrer en ~** to come on stage; **mettre en ~** *(THÉÂTRE)* to stage; *(CINÉMA)* to direct; *(fig)* to present, introduce; **porter à la ~** to adapt for the stage; **faire une ~ (à qn)** to make a scene (with sb); **~ de ménage** domestic fight ou scene; **scénique** *a* theatrical; scenic.

scepticisme [sɛptisism(ə)] *nm* scepticism.

sceptique [sɛptik] *a* sceptical // *nm/f* sceptic.

sceptre [sɛptʀ(ə)] *nm* sceptre.

schéma [ʃema] *nm (diagramme)* diagram, sketch; *(fig)* outline; *(fig)* pattern; **schématique** *a* diagrammatic(al), schematic; *(fig)* oversimplified.

schisme [ʃism(ə)] *nm* schism; rift, split.

schiste [ʃist(ə)] *nm* schist.

schizophrène [skizofʀɛn] *nm/f* schizophrenic.

schizophrénie [skizofʀeni] *nf* schizophrenia.

sciatique [sjatik] *a*: **nerf ~** sciatic nerve // *nf* sciatica.

scie [si] *nf* saw; *(fam)* catch-tune; **~ à bois** wood saw; **~ circulaire** circular saw; **~ à découper** fretsaw; **~ à métaux** hacksaw.

sciemment [sjamɑ̃] *ad* knowingly, wittingly.

science [sjɑ̃s] *nf* science; *(savoir)* knowledge; *(savoir-faire)* art, skill; **~s naturelles** *(SCOL)* natural science *sg*, biology *sg*; **~-fiction** *nf* science fiction; **scientifique** *a* scientific // *nm/f* scientist; science student.

scier [sje] *vt* to saw; *(retrancher)* to saw off; **scierie** *nf* sawmill; **scieur de long** *nm* pit sawyer.

scinder [sɛ̃de] *vt, se ~ vi* to split (up).

scintillement [sɛ̃tijmɑ̃] *nm* sparkling *q*.

scintiller [sɛ̃tije] *vi* to sparkle.

scission [sisjɔ̃] *nf* split.

sciure [sjyʀ] *nf*: **~ (de bois)** sawdust.

sclérose [skleʀoz] *nf* sclerosis; *(fig)* ossification; **~ en plaques** multiple sclerosis; **sclérosé, e** *a* sclerosed, sclerotic; ossified.

scolaire [skɔlɛʀ] *a* school *cpd*; *(péj)* schoolish; **scolariser** *vt* to provide with schooling *(ou* schools); **scolarité** *nf* schooling; **frais de scolarité** school fees.

scooter [skutœʀ] *nm* (motor) scooter.

scorbut [skɔʀbyt] *nm* scurvy.

score [skɔʀ] *nm* score.

scories [skɔʀi] *nfpl* scoria *pl*.

scorpion [skɔʀpjɔ̃] *nm (signe)*: **le S~** Scorpio, the Scorpion; **être du S~** to be Scorpio.

scout, e [skut] *a, nm* scout; **scoutisme** *nm* (boy) scout movement; *(activités)* scouting.

scribe [skʀib] *nm* scribe; *(péj)* penpusher.

script [skʀipt] *nm* printing; *(CINÉMA)* (shooting) script; **~-girl** [-gœʀl] *nf* continuity girl.

scrupule [skʀypyl] *nm* scruple; **scrupuleux, euse** *a* scrupulous.

scrutateur, trice [skʀytatœʀ, -tʀis] *a* searching.

scruter [skʀyte] *vt* to search, scrutinize; *(l'obscurité)* to peer into; *(motifs, comportement)* to examine, scrutinize.

scrutin [skʀytɛ̃] *nm (vote)* ballot; *(ensemble des opérations)* poll; **~ à deux tours** poll with two ballots *ou* rounds; **~ de liste** list system.

sculpter [skylte] *vt* to sculpt; *(suj: érosion)* to carve; **sculpteur** *nm* sculptor.

sculptural, e, aux [skyltyʀal, -o] *a* sculptural; *(fig)* statuesque.

sculpture [skyltyʀ] *nf* sculpture; **~ sur bois** wood carving.

S.D.E.C.E. [zdɛk] *sigle m* = *service de documentation extérieure et de contre-espionnage,* ≈ *Intelligence Service.*

se, s' [s(ə)] *pronom (emploi réfléchi)* oneself, *m* himself, *f* herself, *sujet non humain* itself; *pl* themselves; (: *réciproque)* one another, each other; (: *passif)*: **cela se répare facilement** it is easily repaired; (: *possessif)*: **~ casser la jambe/laver les mains** to break one's leg/wash one's hands; *autres emplois pronominaux: voir le verbe en question.*

séance [seɑ̃s] *nf (d'assemblée, récréative)* meeting, session; *(de tribunal)* sitting, session; *(musicale, CINÉMA, THÉÂTRE)* performance; **~ tenante** forthwith.

séant, e [seɑ̃, -ɑ̃t] *a* seemly, fitting // *nm* posterior.

seau, x [so] *nm* bucket, pail; **~ à glace** ice-bucket.

sec, sèche [sɛk, sɛʃ] *a* dry; *(raisins, figues)* dried; *(cœur, personne: insensible)* hard, cold // *nm*: **tenir au ~** to keep in a dry place // *ad* hard; **je le bois ~** I drink it straight *ou* neat; **à ~** a dried up.

sécateur [sekatœʀ] *nm* secateurs *pl*, shears *pl*, pair of shears *ou* secateurs.

sécession [sesesjɔ̃] *nf*: **faire ~** to secede; **la guerre de S~** the American Civil War.

séchage [seʃaʒ] *nm* drying ; seasoning.
sèche [sɛʃ] *af voir* **sec**.
sèche-cheveux [sɛʃʃəvø] *nm inv* hairdrier.
sécher [seʃe] *vt* to dry ; (*dessécher: peau, blé*) to dry (out) ; (: *étang*) to dry up ; (*bois*) to season ; (*fam: classe, cours*) to skip // *vi* to dry ; to dry out ; to dry up ; (*fam: candidat*) to be stumped ; **se ~** (*après le bain*) to dry o.s.
sécheresse [seʃRɛs] *nf* dryness ; (*absence de pluie*) drought.
séchoir [seʃwaR] *nm* drier.
second, e [səɡɔ̃, -ɔ̃d] *a* second // *nm* (*assistant*) second in command ; (*NAVIG*) first mate // *nf* second ; **voyager en ~e** to travel second-class ; **de ~e main** second-hand ; **secondaire** *a* secondary ; **seconder** *vt* to assist.
secouer [səkwe] *vt* to shake ; (*passagers*) to rock ; (*traumatiser*) to shake (up) ; **se ~** (*chien*) to shake itself ; (*fam: se démener*) to shake o.s. up ; **~ la poussière d'un tapis** to shake off the dust from a carpet.
secourable [səkuRabl(ə)] *a* helpful.
secourir [səkuRiR] *vt* (*aller sauver*) to (go and) rescue ; (*prodiguer des soins à*) to help, assist ; (*venir en aide à*) to assist, aid ; **secourisme** *nm* first aid ; life saving ; **secouriste** *nm/f* first-aid worker.
secours [səkuR] *nm* help, aid, assistance // *nmpl* aid *sg* ; **cela lui a été d'un grand ~** this was a great help to him ; **au ~ !** help! **appeler au ~** to shout ou call for help ; **appeler qn à son ~** to call sb to one's assistance ; **porter ~ à qn** to give sb assistance, help sb ; **les premiers ~** first aid *sg* ; **le ~ en montagne** mountain rescue.
secousse [səkus] *nf* jolt, bump ; (*électrique*) shock ; (*fig: psychologique*) jolt, shock ; **~ sismique** *ou* **tellurique** earth tremor.
secret, ète [səkRɛ, -ɛt] *a* secret ; (*fig: renfermé*) reticent, reserved // *nm* secret ; (*discrétion absolue*): **le ~** secrecy ; **en ~** in secret, secretly ; **au ~** in solitary confinement ; **~ de fabrication** trade secret ; **~ professionnel** professional secrecy.
secrétaire [səkRetɛR] *nm/f* secretary // *nm* (*meuble*) writing desk, secretaire ; **~ d'ambassade** embassy secretary ; **~ de direction** private *ou* personal secretary ; **~ d'État** Secretary of State ; **~ général** Secretary-General ; **~ de mairie** town clerk ; **~ de rédaction** sub-editor ; **secrétariat** *nm* (*profession*) secretarial work ; (*bureau: d'entreprise, d'école*) (secretary's) office ; (: *d'organisation internationale*) secretariat ; (*POL etc: fonction*) secretaryship, office of Secretary.
sécréter [sekRete] *vt* to secrete ; **sécrétion** [-sjɔ̃] *nf* secretion.
sectaire [sɛktɛR] *a* sectarian, bigoted.
secte [sɛkt(ə)] *nf* sect.
secteur [sɛktœR] *nm* sector ; (*ADMIN*) district ; (*ÉLEC*): **branché sur le ~** plugged into the mains (supply) ; **fonctionne sur pile et ~** battery or mains operated ; **le ~ privé** the private sector ; **le ~**

primaire/tertiaire primary/tertiary industry.
section [sɛksjɔ̃] *nf* section ; (*de parcours d'autobus*) fare stage ; (*MIL: unité*) platoon ; **tube de ~ 6,5 mm** tube with a 6.5 mm bore ; **~ rythmique** rhythm section ; **sectionner** *vt* to sever.
sectoriel, le [sɛktɔRjɛl] *a* sector-based.
séculaire [sekylɛR] *a* secular ; (*très vieux*) age-old.
séculier, ière [sekylje, -jɛR] *a* secular.
sécuriser [sekyRize] *vt* to give (a feeling of) security to.
sécurité [sekyRite] *nf* safety ; security ; **impression de ~** sense of security ; **la ~ internationale** international security ; **système de ~** safety system ; **être en ~** to be safe ; **la ~ de l'emploi** job security ; **la ~ routière** road safety ; **la ~ sociale** ≈ (the) Social Security.
sédatif, ive [sedatif, -iv] *a, nm* sedative.
sédentaire [sedɑ̃tɛR] *a* sedentary.
sédiment [sedimɑ̃] *nm* sediment ; **~s** *nmpl* (*alluvions*) sediment *sg*.
séditieux, euse [sedisjø, -øz] *a* insurgent ; seditious.
sédition [sedisjɔ̃] *nf* insurrection ; sedition.
séducteur, trice [sedyktœR, -tRis] *a* seductive // *nm/f* seducer/seductress.
séduction [sedyksjɔ̃] *nf* seduction ; (*charme, attrait*) appeal, charm.
séduire [sedɥiR] *vt* to charm ; (*femme: abuser de*) to seduce ; **séduisant, e** *a* (*femme*) seductive ; (*homme, offre*) very attractive.
segment [sɛgmɑ̃] *nm* segment ; (*AUTO*): **~ (de piston)** piston ring ; **segmenter** *vt* to segment.
ségrégation [segRegɑsjɔ̃] *nf* segregation.
seiche [sɛʃ] *nf* cuttlefish.
séide [seid] *nm* (*péj*) henchman.
seigle [sɛɡl(ə)] *nm* rye.
seigneur [sɛɲœR] *nm* lord ; **le S~** the Lord ; **~ial, e, aux** *a* lordly, stately.
sein [sɛ̃] *nm* breast ; (*entrailles*) womb ; **au ~ de** *prép* (*équipe, institution*) within ; (*flots, bonheur*) in the midst of ; **donner le ~ à** (*bébé*) to feed (at the breast) ; to breast-feed.
séisme [seism(ə)] *nm* earthquake.
séismique [seismik] *etc voir* **sismique** *etc*.
seize [sɛz] *num* sixteen ; **seizième** *num* sixteenth.
séjour [seʒuR] *nm* stay ; (*pièce*) living room ; **~ner** *vi* to stay.
sel [sɛl] *nm* salt ; (*fig*) wit ; spice ; **~ de cuisine/de table** cooking/table salt ; **~ gemme** rock salt.
sélection [selɛksjɔ̃] *nf* selection ; **~ professionnelle** professional recruitment ; **sélectionner** *vt* to select.
self-service [sɛlfsɛRvis] *a, nm* self-service.
selle [sɛl] *nf* saddle ; **~s** *nfpl* (*MÉD*) stools ; **aller à la ~** (*MÉD*) to pass a motion ; **se mettre en ~** to mount, get into the saddle ; **seller** *vt* to saddle.
sellette [sɛlɛt] *nf*: **être sur la ~** to be on the carpet.
sellier [selje] *nm* saddler.

selon [səlɔ̃] *prép* according to; (*en se conformant à*) in accordance with.
semailles [səmɑj] *nfpl* sowing *sg*.
semaine [səmɛn] *nf* week; **en ~** during the week, on weekdays.
sémantique [semɑ̃tik] *a* semantic // *nf* semantics *sg*.
sémaphore [semafɔR] *nm* semaphore signal.
semblable [sɑ̃blabl(ə)] *a* similar; (*de ce genre*): **de ~s mésaventures** such mishaps // *nm* fellow creature *ou* man; **~ à** similar to, like.
semblant [sɑ̃blɑ̃] *nm*: **un ~ de vérité** a semblance of truth; **faire ~ (de faire)** to pretend (to do).
sembler [sɑ̃ble] *vb avec attribut* to seem // *vb impersonnel*: **il semble que/inutile de** it seems *ou* appears that/useless to; **il me semble que** it seems to me that; I think (that); **~ être** to seem to be; **comme bon lui semble** as he sees fit.
semelle [səmɛl] *nf* sole; (*intérieure*) insole, inner sole; **~s compensées** platform soles.
semence [səmɑ̃s] *nf* (*graine*) seed; (*clou*) tack.
semer [səme] *vt* to sow; (*fig: éparpiller*) to scatter; (: *poursuivants*) to lose, shake off; **semé de** (*difficultés*) riddled with.
semestre [səmɛstR(ə)] *nm* half-year; (*SCOL*) semester; **semestriel, le** *a* half-yearly; semestral.
semeur, euse [səmœR, -øz] *nm/f* sower.
sémillant, e [semijɑ̃, -ɑ̃t] *a* a vivacious; dashing.
séminaire [seminɛR] *nm* seminar; (*REL*) seminary; **séminariste** *nm* seminarist.
semi-remorque [səmiRəmɔRk(ə)] *nf* trailer // *nm* articulated lorry.
semis [səmi] *nm* (*terrain*) seedbed, seed plot; (*plante*) seedling.
sémite [semit] *a* Semitic.
sémitique [semitik] *a* Semitic.
semoir [səmwaR] *nm* seed-bag; seeder.
semonce [səmɔ̃s] *nf* reprimand; **coup de ~** warning shot across the bows.
semoule [səmul] *nf* semolina.
sempiternel, le [sɛ̃pitɛRnɛl] *a* eternal, never-ending.
sénat [sena] *nm* Senate; **sénateur** *nm* Senator.
sénile [senil] *a* senile; **sénilité** *nf* senility.
sens [sɑ̃s] *nm* (*PHYSIOL, instinct*) sense; (*signification*) meaning, sense; (*direction*) direction // *nmpl* (*sensualité*) senses; **reprendre ses ~** to regain consciousness; **avoir le ~ des affaires/de la mesure** to have business sense/a sense of moderation; **ça n'a pas de ~** that doesn't make (any) sense; **dans le ~ des aiguilles d'une montre** clockwise; **~ commun** common sense; **~ dessus dessous** upside down; **~ interdit, ~ unique** one-way street.
sensation [sɑ̃sɑsjɔ̃] *nf* sensation; **faire ~** to cause a sensation, create a stir; **à ~** (*péj*) sensational; **sensationnel, le** *a* sensational; (*fig*) terrific.
sensé, e [sɑ̃se] *a* sensible.

sensibiliser [sɑ̃sibilize] *vt*: **~ qn à** to make sb sensitive to.
sensibilité [sɑ̃sibilite] *nf* sensitivity; (*affectivité, émotivité*) sensitivity, sensibility.
sensible [sɑ̃sibl(ə)] *a* sensitive; (*aux sens*) perceptible; (*appréciable: différence, progrès*) appreciable, noticeable; **~ à** sensitive to; **~ment** *ad* (*notablement*) appreciably, noticeably; (*à peu près*): **ils ont ~ment le même poids** they weigh approximately the same; **~rie** *nf* sentimentality, mawkishness, squeamishness.
sensitif, ive [sɑ̃sitif, -iv] *a* (*nerf*) sensory; (*personne*) oversensitive.
sensoriel, le [sɑ̃sɔRjɛl] *a* sensory, sensorial.
sensualité [sɑ̃sɥalite] *nf* sensuality; sensuousness.
sensuel, le [sɑ̃sɥɛl] *a* sensual; sensuous.
sente [sɑ̃t] *nf* path.
sentence [sɑ̃tɑ̃s] *nf* (*jugement*) sentence; (*adage*) maxim; **sentencieux, euse** *a* sententious.
senteur [sɑ̃tœR] *nf* scent, perfume.
sentier [sɑ̃tje] *nm* path.
sentiment [sɑ̃timɑ̃] *nm* feeling; **recevez mes ~s respectueux** yours faithfully; **faire du ~** (*péj*) to be sentimental; **sentimental, e, aux** *a* sentimental; (*vie, aventure*) love *cpd*.
sentinelle [sɑ̃tinɛl] *nf* sentry; **en ~** on sentry duty; standing guard.
sentir [sɑ̃tiR] *vt* (*par l'odorat*) to smell; (*par le goût*) to taste; (*au toucher, fig*) to feel; (*répandre une odeur de*) to smell of; (: *ressemblance*) to smell like; (*avoir la saveur de*) to taste of; to taste like; (*fig: dénoter, annoncer*) to be indicative of; to smack of; to foreshadow // *vi* to smell; **~ mauvais** to smell bad; **se ~ bien** to feel good; **se ~ mal** (*être indisposé*) to feel unwell *ou* ill; **se ~ le courage/la force de faire** to feel brave/strong enough to do; **ne plus se ~ de joie** to be beside o.s. with joy; **il ne peut pas le ~** (*fam*) he can't stand him.
seoir [swaR]: **~ à** *vt* to become.
séparation [separasjɔ̃] *nf* separation; (*cloison*) division, partition; **~ de biens** division of property (*in marriage settlement*); **~ de corps** legal separation.
séparatisme [separatism(ə)] *nm* separatism.
séparé, e [separe] *a* (*appartements, pouvoirs*) separate; (*époux*) separated; **~ de** separate from; separated from; **~ment** *ad* separately.
séparer [separe] *vt* (*gén*) to separate; (*suj: divergences etc*) to divide; to drive apart; (: *obstacles*) to stand between; (*détacher*): **~ qch de** to pull sth (off) from; (*dissocier*) to distinguish between; (*diviser*): **~ qch par** to divide sth (up) with; **~ une pièce en deux** to divide a room into two; **se ~** (*époux*) to separate, part; (*prendre congé: amis etc*) to part, leave each other; (*adversaires*) to separate; (*se diviser: route, tige etc*) to divide; (*se détacher*): **se ~ (de)** to split off (from); to come off; **se ~ de** (*époux*)

to separate *ou* part from ; (*employé, objet personnel*) to part with.

sept [sɛt] *num* seven.

septembre [sɛptɑ̃bʀ(ə)] *nm* September.

septennat [sɛptena] *nm* seven-year term (of office) ; seven-year reign.

septentrional, e, aux [sɛptɑ̃tʀijɔnal, -o] *a* northern.

septicémie [sɛptisemi] *nf* blood poisoning, septicaemia.

septième [sɛtjɛm] *num* seventh.

septique [sɛptik] *a*: **fosse** ~ septic tank.

septuagénaire [sɛptɥaʒenɛʀ] *a, nm/f* septuagenarian.

sépulcre [sepylkʀ(ə)] *nm* sepulchre.

sépulture [sepyltyʀ] *nf* burial ; burial place, grave.

séquelles [sekɛl] *nfpl* after-effects ; (*fig*) aftermath *sg* ; consequences.

séquence [sekɑ̃s] *nf* sequence.

séquestre [sekɛstʀ(ə)] *nm* impoundment ; **mettre sous** ~ to impound.

séquestrer [sekɛstʀe] *vt* (*personne*) to confine illegally ; (*biens*) to impound.

serai *etc vb voir* **être**.

serein, e [səʀɛ̃, -ɛn] *a* serene ; (*jugement*) dispassionate.

sérénade [seʀenad] *nf* serenade ; (*fam*) hullabaloo.

sérénité [seʀenite] *nf* serenity.

serez *vb voir* **être**.

serf, serve [sɛʀ, sɛʀv(ə)] *nm/f* serf.

serge [sɛʀʒ(ə)] *nf* serge.

sergent [sɛʀʒɑ̃] *nm* sergeant ; ~-**chef** *nm* staff sergeant ; ~-**major** *nm* ≈ quartermaster sergeant.

sériciculture [seʀisikyltyʀ] *nf* silkworm breeding, sericulture.

série [seʀi] *nf* (*de questions, d'accidents*) series *inv* ; (*de clés, casseroles, outils*) set ; (*catégorie*: SPORT) rank ; class ; **en** ~ **in** quick succession ; (COMM) mass *cpd* ; **de** ~ *a* standard ; **hors** ~ (COMM) custom-built ; (*fig*) outstanding ; **noire** *nm* (*crime*) thriller ; **sérier** *vt* to classify, sort out.

sérieusement [seʀjøzmɑ̃] *ad* seriously ; reliably ; responsibly ; ~? do you mean it?, are you talking in earnest?

sérieux, euse [seʀjø, -øz] *a* serious ; (*élève, employé*) reliable, responsible ; (*client, maison*) reliable, dependable ; (*offre, proposition*) genuine, serious ; (*grave, sévère*) serious, solemn ; (*maladie, situation*) serious, grave // *nm* seriousness ; reliability ; **garder son** ~ to keep a straight face ; **manquer de** ~ not to be very responsible (*ou* reliable) ; **prendre qch/qn au** ~ to take sth/sb seriously.

serin [səʀɛ̃] *nm* canary.

seriner [səʀine] *vt*: ~ **qch à qn** to drum sth into sb.

seringue [səʀɛ̃g] *nf* syringe.

serions *vb voir* **être**.

serment [sɛʀmɑ̃] *nm* (*juré*) oath ; (*promesse*) pledge, vow ; **faire le** ~ **de** to take a vow to, swear to ; **sous** ~ on *ou* under oath.

sermon [sɛʀmɔ̃] *nm* sermon ; (*péj*) sermon, lecture.

serpe [sɛʀp(ə)] *nf* billhook.

serpent [sɛʀpɑ̃] *nm* snake ; ~ **à sonnettes** rattlesnake.

serpenter [sɛʀpɑ̃te] *vi* to wind.

serpentin [sɛʀpɑ̃tɛ̃] *nm* (*tube*) coil ; (*ruban*) streamer.

serpillière [sɛʀpijɛʀ] *nf* floorcloth.

serrage [seʀaʒ] *nm* tightening ; **collier de** ~ clamp.

serre [sɛʀ] *nf* (AGR) greenhouse ; ~s *nfpl* (*griffes*) claws, talons ; ~ **chaude** hothouse.

serré, e [seʀe] *a* (*tissu*) closely woven ; (*réseau*) dense ; (*écriture*) close ; (*habits*) tight ; (*fig*: *lutte, match*) tight, close-fought ; (*passagers etc*) (tightly) packed.

serre-livres [sɛʀlivʀ(ə)] *nm inv* book ends *pl*.

serrement [sɛʀmɑ̃] *nm*: ~ **de main** handshake ; ~ **de cœur** pang of anguish.

serrer [seʀe] *vt* (*tenir*) to grip *ou* hold tight ; (*comprimer, coincer*) to squeeze ; (*poings, mâchoires*) to clench ; (*suj*: *vêtement*) to be too tight for ; to fit tightly ; (*rapprocher*) to close up, move closer together ; (*ceinture, nœud, frein, vis*) to tighten // *vi*: ~ **à droite** to keep to the right ; to move into the right-hand lane ; **se** ~ (*se rapprocher*) to squeeze up ; **se** ~ **contre qn** to huddle up to sb ; **se** ~ **les coudes** to stick together, back one another up ; ~ **la main à qn** to shake sb's hand ; ~ **qn dans ses bras** to hug sb, clasp sb in one's arms ; ~ **la gorge à qn** (*suj*: *chagrin*) to bring a lump to sb's throat ; ~ **qn de près** to follow close behind sb ; ~ **le trottoir** to hug the kerb ; ~ **sa droite** to keep well to the right ; ~ **la vis à qn** to crack down harder on sb.

serre-tête [sɛʀtɛt] *nm inv* (*bandeau*) headband ; (*bonnet*) skullcap.

serrure [seʀyʀ] *nf* lock.

serrurerie [seʀyʀʀi] *nf* (*métier*) locksmith's trade ; ~ **d'art** ornamental ironwork.

serrurier [seʀyʀje] *nm* locksmith.

sert *etc vb voir* **servir**.

sertir [sɛʀtiʀ] *vt* (*pierre*) to set ; (*pièces métalliques*) to crimp.

sérum [seʀɔm] *nm* serum ; ~ **antivenimeux** snakebite serum ; ~ **sanguin** (blood) serum ; ~ **de vérité** truth drug.

servage [sɛʀvaʒ] *nm* serfdom.

servant [sɛʀvɑ̃] *nm* server.

servante [sɛʀvɑ̃t] *nf* (maid)servant.

serve [sɛʀv] *nf voir* **serf**.

serveur, euse [sɛʀvœʀ, -øz] *nm/f* waiter/waitress.

serviable [sɛʀvjabl(ə)] *a* obliging, willing to help.

service [sɛʀvis] *nm* (*gén*) service ; (*série de repas*): **premier** ~ first sitting ; (*pourboire*) service (charge) ; (*assortiment de vaisselle*) set, service ; (*bureau*: *de la vente etc*) department, section ; (*travail*): **pendant le** ~ on duty ; ~s *nmpl* (*travail*, ÉCON) services ; **faire le** ~ to serve ; **être en** ~ **chez qn** (*domestique*) to be in sb's service ; **être au** ~ **de** (*patron, patrie*) to be in the service of ; **être au** ~ **de qn** (*collaborateur, voiture*) to be at sb's service ; **rendre** ~

à to help; **il aime rendre ~** he likes to help; **rendre un ~ à qn** to do sb a favour; **heures de ~** hours of duty; **être de ~** to be on duty; **avoir 25 ans de ~** to have completed 25 years' service; **être/mettre en ~** to be in/put into service *ou* operation; **~ à thé/café** tea/coffee set *ou* service; **~ après vente** after-sales service; **en ~ commandé** on an official assignment; **~ funèbre** funeral service; **~ militaire** military service; **~ d'ordre** police (*ou* stewards) in charge of maintaining order; **~s secrets** secret service *sg*.

serviette [sɛrvjɛt] *nf* (*de table*) (table) napkin, serviette; (*de toilette*) towel; (*porte-documents*) briefcase; **~ hygiénique** sanitary towel *ou* pad; **~-éponge** *nf* terry towel.

servile [sɛrvil] *a* servile.

servir [sɛrvir] *vt* (*gén*) to serve; (*dîneur: au restaurant*) to wait on; (*client: au magasin*) to serve, attend to; (*fig: aider*): **~ qn** to aid sb; to serve sb's interests; to stand sb in good stead; (*COMM: rente*) to pay // *vi* (*TENNIS*) to serve; (*CARTES*) to deal; **se ~** (*prendre d'un plat*) to help o.s.; **se ~ de** (*plat*) to help o.s. to; (*voiture, outil, relations*) to use; **~ à qn** (*diplôme, livre*) to be of use to sb; **ça m'a servi pour faire** it was useful to me when I did; I used it to do; **~ à qch/faire** (*outil etc*) to be used for sth/doing; **ça peut ~** it may come in handy; **ça peut encore ~** it can still be used (*ou* of use); **à quoi cela sert-il** (*de faire*)? what's the use (of doing)?; **cela ne sert à rien** it's no use; **~** (**à qn**) **de** to serve as (for sb); **~ la messe** to serve Mass; **~ à dîner** (**à qn**) to serve dinner (to sb).

serviteur [sɛrvitœr] *nm* servant.

servitude [sɛrvityd] *nf* servitude; (*fig*) constraint; (*JUR*) easement.

servo... [sɛrvo] *préfixe*: **~frein** servo (-assisted) brake.

ses [se] *dét voir* **son**.

session [sesjɔ̃] *nf* session.

set [sɛt] *nm* set.

seuil [sœj] *nm* doorstep; (*fig*) threshold; **sur le ~ de sa maison** in the doorway of his house, on his doorstep; **au ~ de** (*fig*) on the threshold *ou* brink *ou* edge of.

seul, e [sœl] *a* (*sans compagnie, en isolation*) alone; (*avec nuance affective: isolé*) lonely; (*unique*): **un ~ livre** only one book, a single book; **le ~ livre** the only book; **~ ce livre, ce livre ~** this book alone, only this book // *ad* (*vivre*) alone, on one's own; **parler tout ~** to talk to oneself; **faire qch** (*tout*) **~** to do sth (all) on one's own *ou* (all) by oneself // *nm*, *nf* **il en reste un(e) ~(e)** there's only one left; **à lui** (*tout*) **~** single-handed, on his own.

seulement [sœlmɑ̃] *ad* (*pas davantage*): **5, 5 ~** only 5; (*exclusivement*): **~ eux** only them, them alone; (*pas avant*): **~ hier/à 10h** only yesterday/at 10 o'clock; **non ~ ... mais aussi** *ou* **encore** not only ... but also.

sève [sɛv] *nf* sap.

sévère [sevɛr] *a* severe; **sévérité** *nf* severity.

sévices [sevis] *nmpl* (physical) cruelty *sg*, ill treatment *sg*.

sévir [sevir] *vi* (*punir*) to use harsh measures, crack down; (*suj: fléau*) to rage, be rampant; **~ contre** (*abus*) to deal ruthlessly with, crack down on.

sevrer [səvre] *vt* to wean; (*fig*): **~ qn de** to deprive sb of.

sexagénaire [sɛgzaʒenɛr] *a*, *nm/f* sexagenarian.

sexe [sɛks(ə)] *nm* sex; (*organe mâle*) member; **sexologue** *nm/f* sexologist, sex specialist.

sextant [sɛkstɑ̃] *nm* sextant.

sexualité [sɛksɥalite] *nf* sexuality.

sexué, e [sɛksɥe] *a* sexual.

sexuel, le [sɛksɥɛl] *a* sexual; **acte ~** sex act.

seyait *vb voir* **seoir**.

seyant, e [sɛjɑ̃, -ɑ̃t] *a* becoming.

shampooing [ʃɑ̃pwɛ̃] *nm* shampoo; **se faire un ~** to shampoo one's hair; **~ colorant** (colour) rinse.

short [ʃɔrt] *nm* (pair of) shorts *pl*.

si [si] *nm* (*MUS*) B; (*en chantant la gamme*) si, se // *ad* (*oui*) yes; (*tellement*) so // *cj* if; **~ seulement** if only; (*tant et*) **~ bien que** so much so that; **~ rapide qu'il soit** however fast he may be, fast though he is; **je me demande ~** I wonder if *ou* whether.

siamois, e [sjamwa, -waz] *a* Siamese; **frères/sœurs siamois/es** Siamese twins.

Sicile [sisil] *nf*: **la ~** Sicily; **sicilien, ne** *a* Sicilian.

sidéré, e [sidere] *a* staggered.

sidérurgie [sideryrʒi] *nf* iron and steel industry.

siècle [sjɛkl(ə)] *nm* century; (*époque*) age; (*REL*): **le ~** the world.

sied [sje] *vb voir* **seoir**.

siège [sjɛʒ] *nm* seat; (*d'entreprise*) head office; (*d'organisation*) headquarters *pl*; (*MIL*) siege; **mettre le ~ devant** to besiege; **présentation par le ~** (*MÉD*) breech presentation; **~ baquet** bucket seat; **~ social** registered office.

siéger [sjeʒe] *vi* to sit.

sien, ne [sjɛ̃, sjɛn] *pronom*: **le(la) ~(ne), les ~s(~nes)** his; hers; its; **faire des ~nes** (*fam*) to be up to one's (usual) tricks; **les ~s** (*sa famille*) one's family.

siérait *etc vb voir* **seoir**.

sieste [sjɛst(ə)] *nf* (afternoon) snooze *ou* nap, siesta; **faire la ~** to have a snooze *ou* nap.

sieur [sjœr] *nm*: **le ~ Thomas** Mr Thomas; (*en plaisantant*) Master Thomas.

sifflant, e [siflɑ̃, -ɑ̃t] *a* (*bruit*) whistling; (*toux*) wheezing; (*consonne*) **~e** sibilant.

sifflement [sifləmɑ̃] *nm* whistle, whistling *q*; hissing noise; whistling noise.

siffler [sifle] *vi* (*gén*) to whistle; (*avec un sifflet*) to blow (on) one's whistle; (*en parlant, dormant*) to wheeze; (*serpent, vapeur*) to hiss // *vt* (*chanson*) to whistle; (*chien etc*) to whistle for; (*fille*) to whistle at; (*pièce, orateur*) to hiss, boo; (*faute*) to blow one's whistle at; (*fin du match, départ*) to blow one's whistle for; (*fam: verre, bouteille*) to guzzle, knock back.

sifflet [siflɛ] nm whistle ; **~s** nmpl (de mécontentement) whistles, boos ; **coup de ~** whistle.

siffloter [siflɔte] vi, vt to whistle.

sigle [sigl(ə)] nm acronym, (set of) initials pl.

signal, aux [siɲal, -o] nm (signe convenu, appareil) signal ; (indice, écriteau) sign ; **donner le ~ de** to give the signal for ; **~ d'alarme** alarm signal ; **~ horaire** time signal ; **signaux (lumineux)** (AUTO) traffic signals.

signalement [siɲalmɑ̃] nm description, particulars pl.

signaler [siɲale] vt to indicate ; to announce ; to report ; (faire remarquer): **~ qch à qn/à qn que** to point out sth to sb/to sb that ; **se ~ par** to distinguish o.s. by ; **se ~ à l'attention de qn** to attract sb's attention.

signalétique [siɲaletik] a: **fiche ~** identification sheet.

signalisation [siɲalizasjɔ̃] nf signalling, signposting ; signals pl, roadsigns pl ; **panneau de ~** roadsign.

signaliser [siɲalize] vt to put up roadsigns on ; to put signals on.

signataire [siɲatɛʀ] nm/f signatory.

signature [siɲatyʀ] nf signing ; signature.

signe [siɲ] nm sign ; (TYPO) mark ; **c'est bon ~** it's a good sign ; **faire un ~ de la main** to give a sign with one's hand ; **faire ~ à qn** (fig) to get in touch with sb ; **faire ~ à qn d'entrer** to motion (to) sb to come in ; **en ~ de** as a sign ou mark of ; **le ~ de la croix** the sign of the Cross ; **~ de ponctuation** punctuation mark ; **~ du zodiaque** sign of the zodiac.

signer [siɲe] vt to sign ; **se ~** vi to cross o.s.

signet [siɲɛ] nm bookmark.

significatif, ive [siɲifikatif, -iv] a significant.

signification [siɲifikasjɔ̃] nf meaning.

signifier [siɲifje] vt (vouloir dire) to mean, signify ; (faire connaître): **~ qch (à qn)** to make sth known (to sb) ; (JUR): **~ qch à qn** to serve notice of sth on sb.

silence [silɑ̃s] nm silence ; (MUS) rest ; **garder le ~** to keep silent, say nothing ; **passer sous ~** to pass over (in silence) ; **réduire au ~** to silence ; **silencieux, euse** a quiet, silent // nm silencer.

silex [silɛks] nm flint.

silhouette [silwɛt] nf outline, silhouette ; (lignes, contour) outline ; (figure) figure.

silicium [silisjɔm] nm silicon.

silicone [silikon] nf silicone.

silicose [silikoz] nf silicosis, dust disease.

sillage [sijaʒ] nm wake ; (fig) trail.

sillon [sijɔ̃] nm furrow ; (de disque) groove ; **sillonner** vt to furrow ; to cross, criss-cross.

silo [silo] nm silo.

simagrées [simagʀe] nfpl fuss sg ; airs and graces.

simiesque [simjɛsk(ə)] a monkey-like, ape-like.

similaire [similɛʀ] a similar ; **similarité** nf similarity ; **simili...** préfixe imitation cpd ;

artificial ; **similicuir** nm imitation leather ; **similitude** nf similarity.

simple [sɛ̃pl(ə)] a (gén) simple ; (non multiple) single ; **~s** nmpl (MÉD) medicinal plants ; **~ messieurs** (TENNIS) men's singles sg ; **un ~ particulier** an ordinary citizen ; **cela varie du ~ au double** it can double, it can be double the price etc ; **~ course** a single ; **~ d'esprit** nm/f simpleton ; **~ soldat** private ; **simplicité** nf simplicity ; **simplifier** vt to simplify ; **simpliste** a simplistic.

simulacre [simylakʀ(ə)] nm enactement ; (péj): **un ~ de** a pretence of, a sham.

simulateur, trice [simylatœʀ, -tʀis] nm/f shammer, pretender ; (qui se prétend malade) malingerer // nm: **~ de vol** flight simulator.

simulation [simylasjɔ̃] nf shamming, simulation ; malingering.

simuler [simyle] vt to sham, simulate ; (suj: substance, revêtement) to simulate.

simultané, e [simyltane] a simultaneous ; **~ment** ad simultaneously.

sincère [sɛ̃sɛʀ] a sincere ; genuine ; heartfelt ; **sincérité** nf sincerity.

sinécure [sinekyʀ] nf sinecure.

sine die [sinedje] ad sine die, indefinitely.

sine qua non [sinekwanɔn] a: **condition ~** indispensable condition.

singe [sɛ̃ʒ] nm monkey ; (de grande taille) ape.

singer [sɛ̃ʒe] vt to ape, mimic.

singeries [sɛ̃ʒʀi] nfpl antics ; (simagrées) airs and graces.

singulariser [sɛ̃gylaʀize] vt to mark out ; **se ~** to call attention to o.s.

singularité [sɛ̃gylaʀite] nf peculiarity.

singulier, ière [sɛ̃gylje, -jɛʀ] a remarkable, singular ; (LING) singular // nm singular.

sinistre [sinistʀ(ə)] a sinister // nm (incendie) blaze ; (catastrophe) disaster ; (ASSURANCES) accident (giving rise to a claim) ; **sinistré, e** a disaster-stricken // nm/f disaster victim.

sino... [sino] préfixe: **~-indien** Sino-Indian, Chinese-Indian.

sinon [sinɔ̃] cj (autrement, sans quoi) otherwise, or else ; (sauf) except, other than ; (si ce n'est) if not.

sinueux, euse [sinɥø, -øz] a winding ; (fig) tortuous ; **sinuosités** nfpl winding sg, curves.

sinus [sinys] nm (ANAT) sinus ; (GÉOM) sine ; **sinusite** nf sinusitis, sinus infection.

sionisme [sjɔnism(ə)] nm Zionism.

siphon [sifɔ̃] nm (tube, d'eau gazeuse) siphon ; (d'évier etc) U-bend ; **siphonner** vt to siphon.

sire [siʀ] nm (titre): **S~** Sire ; **un triste ~** an unsavoury individual.

sirène [siʀɛn] nf siren ; **~ d'alarme** air-raid siren ; fire alarm.

sirop [siʀo] nm (à diluer: de fruit etc) syrup, cordial ; (boisson) cordial ; (pharmaceutique) syrup, mixture ; **~ de menthe** mint syrup ou cordial ; **~ contre la toux** cough syrup ou mixture.

siroter [siʀɔte] vt to sip.

sis, e [si, siz] a: ~ **rue de la Paix** located in the rue de la Paix.

sismique [sismik] a seismic.

sismographe [sismɔgraf] nm seismograph.

sismologie [sismɔlɔʒi] nf seismology.

site [sit] nm (paysage, environnement) setting ; (d'une ville etc: emplacement) site ; ~ **(pittoresque)** beauty spot ; ~s **touristiques** places of interest ; ~s **naturels/historiques** natural/ historic sites.

sitôt [sito] ad: ~ **parti** as soon as he had left ; **pas de** ~ not for a long time.

situation [situɑsjɔ̃] nf (gén) situation ; (d'un édifice, d'une ville) situation, position ; location.

situé, e [sitɥe] a: **bien** ~ well situated, in a good location ; ~ **à/près de** situated at/near.

situer [sitɥe] vt to site, situate ; (en pensée) to set, place ; **se** ~ vi: **se** ~ **à/près de** to be situated at/near.

six [sis] num six ; **sixième** num sixth.

sketch [skɛtʃ] nm (variety) sketch.

ski [ski] nm (objet) ski ; (sport) skiing ; **faire du** ~ to ski ; ~ **de fond** lang-lauf ; ~ **nautique** water-skiing ; ~ **de piste** downhill skiing ; ~ **de randonnée** cross-country skiing ; **skier** vi to ski ; **skieur, euse** nm/f skier.

slalom [slalɔm] nm slalom ; **faire du** ~ **entre** to slalom between ; ~ **géant/spécial** giant/special slalom.

slave [slav] a Slav(onic), Slavic.

slip [slip] nm (sous-vêtement) pants pl, briefs pl ; (de bain: d'homme) (bathing ou swimming) trunks pl ; (: du bikini) (bikini) briefs pl.

slogan [slɔgɑ̃] nm slogan.

S.M.I.C., S.M.I.G. [smik, smig] sigle m voir **salaire**.

smoking [smɔkiŋ] nm dinner ou evening suit.

snack [snak] nm snack bar.

S.N.C.F. sigle f = société nationale des chemins de fer français, ≈ British Rail.

snob [snɔb] a snobbish // nm/f snob ; ~**isme** nm snobbery.

sobre [sɔbʀ(ə)] a temperate, abstemious ; (élégance, style) sober ; ~ **de** (gestes, compliments) sparing of ; **sobriété** nf temperance, abstemiousness ; sobriety.

sobriquet [sɔbʀikɛ] nm nickname.

soc [sɔk] nm ploughshare.

sociable [sɔsjabl(ə)] a sociable.

social, e, aux [sɔsjal, -o] a social.

socialisme [sɔsjalism(ə)] nm socialism ; **socialiste** nm/f socialist.

sociétaire [sɔsjetɛʀ] nm/f member.

société [sɔsjete] nf society ; (sportive) club ; (COMM) company ; **la bonne** ~ polite society ; **la** ~ **d'abondance/de consommation** the affluent/consumer society ; ~ **anonyme (S.A.)** ≈ limited company ; ~ **à responsabilité limitée (S.A.R.L.)** type of limited liability company (with non negotiable shares).

sociologie [sɔsjɔlɔʒi] nf sociology ; **sociologue** nm/f sociologist.

socle [sɔkl(ə)] nm (de colonne, statue) plinth, pedestal ; (de lampe) base.

socquette [sɔkɛt] nf ankle sock.

sodium [sɔdjɔm] nm sodium.

sœur [sœʀ] nf sister ; (religieuse) nun, sister ; ~ **Élisabeth** (REL) Sister Elizabeth.

soi [swa] pronom oneself ; **cela va de** ~ that ou it goes without saying, it stands to reason ; ~**-disant** a inv so-called // ad supposedly.

soie [swa] nf silk ; (de porc, sanglier: poil) bristle ; ~**rie** nf (industrie) silk trade ; (tissu) silk.

soif [swaf] nf thirst ; (fig): ~ **de** thirst ou craving for ; **avoir** ~ to be thirsty ; **donner** ~ **à qn** to make sb thirsty.

soigné, e [swaɲe] a (tenue) well-groomed, neat ; (travail) careful, meticulous ; (fam) whopping ; stiff.

soigner [swaɲe] vt (malade, maladie: suj: docteur) to treat ; (suj: infirmière, mère) to nurse, look after ; (blessé) to tend ; (travail, détails) to take care over ; (jardin, chevelure, invités) to look after ; **soigneur** nm (CYCLISME, FOOTBALL) trainer ; (BOXE) second.

soigneusement [swaɲøzmɑ̃] ad carefully.

soigneux, euse [swaɲø, -øz] a (propre) tidy, neat ; (méticuleux) painstaking, careful ; ~ **de** careful with.

soi-même [swamɛm] pronom oneself.

soin [swɛ̃] nm (application) care ; (propreté, ordre) tidiness, neatness ; (responsabilité): **le** ~ **de qch** the care of sth ; ~**s** nmpl (à un malade, blessé) treatment sg, medical attention sg ; (attentions, prévenance) care and attention sg ; (hygiène) care sg ; ~**s de la chevelure/de beauté** hair-/beauty care ; **les** ~**s du ménage** the care of the home ; **avoir** ou **prendre** ~ **de** to take care of, look after ; **avoir** ou **prendre** ~ **de faire** to take care to do ; **sans** ~ ● a careless ; untidy ; **les premiers** ~**s** first aid sg ; **aux bons** ~**s de** c/o, care of.

soir [swaʀ] nm, ad evening ; **ce** ~ this evening, tonight ; **demain** ~ tomorrow evening, tomorrow night.

soirée [swaʀe] nf evening ; (réception) party ; **donner en** ~ (film, pièce) to give an evening performance of.

soit [swa] vb voir **être** ; ~ **un triangle ABC** let ABC be a triangle // cj (à savoir) namely, to wit ; (ou): ~ ... ~ either ... or // ad so be it, very well ; ~ **que** ... ~ **que** ou **ou que** whether ... or whether.

soixantaine [swasɑ̃tɛn] nf: **une** ~ **(de)** sixty or so, about sixty.

soixante [swasɑ̃t] num sixty.

soja [sɔʒa] nm soya ; (graines) soya beans pl ; **germes de** ~ beansprouts.

sol [sɔl] nm ground ; (de logement) floor ; (revêtement) flooring q ; (territoire, AGR, GÉO) soil ; (MUS) G ; (en chantant la gamme) so(h).

solaire [sɔlɛʀ] a solar, sun cpd.

solarium [sɔlaʀjɔm] nm solarium.

soldat [sɔlda] nm soldier ; **S~ inconnu** Unknown Warrior ou Soldier ; ~ **de plomb** tin ou toy soldier.

solde [sɔld(ə)] nf pay // nm (COMM) balance ; ~**s** nmpl ou nfpl (COMM) sale goods ; sales ; **à la** ~ **de qn** (péj) in sb's

pay; ~ **à payer** balance outstanding; **en
~** at sale price; **aux ~s** at the sales.
solder [sɔlde] vt (*compte*) to settle;
(*marchandise*) to sell at sale price, sell off;
se ~ par (*fig*) to end in; **article soldé
(à) 10 F** item reduced to 10 F.
sole [sɔl] nf sole *inv.*
soleil [sɔlɛj] nm sun; (*lumière*) sun(light);
(*temps ensoleillé*) sun(shine); (*feu d'artifice*)
Catherine wheel; (*acrobatie*) grand circle;
(*BOT*) sunflower; **il y a ou il fait du ~** it's
sunny; **au ~** in the sun; **le ~ de minuit**
the midnight sun.
solennel, le [sɔlanɛl] a solemn;
ceremonial; **solenniser** vt to solemnize;
solennité nf (*d'une fête*) solemnity; (*fête*)
grand occasion.
solfège [sɔlfɛʒ] nm rudiments pl of music.
soli [sɔli] pl de **solo.**
solidaire [sɔlidɛr] a (*personnes*) who
stand together, who show solidarity;
(*pièces mécaniques*) interdependent; **être
~ de** (*collègues*) to stand by; (*mécanisme*)
to be bound up with, be dependent on;
se solidariser avec to show solidarity
with; **solidarité** nf solidarity;
interdependence; **par solidarité (avec)**
(*cesser le travail etc*) in sympathy (with).
solide [sɔlid] a solid; (*mur, maison, meuble*)
solid, sturdy; (*connaissances, argument*)
sound; (*personne, estomac*) robust, sturdy
// nm solid; **solidifier** vt, **se solidifier** vi
to solidify; **solidité** nf solidity; sturdiness.
soliloque [sɔlilɔk] nm soliloquy.
soliste [sɔlist(ə)] nm/f soloist.
solitaire [sɔlitɛr] a (*sans compagnie*)
solitary, lonely; (*isolé*) solitary, isolated,
lone; (*désert*) lonely // nm/f recluse; loner
// nm (*diamant, jeu*) solitaire.
solitude [sɔlityd] nf loneliness; (*paix*)
solitude.
solive [sɔliv] nf joist.
sollicitations [sɔlisitɑsjɔ̃] nfpl entreaties,
appeals; enticements; promptings.
solliciter [sɔlisite] vt (*personne*) to appeal
to; (*emploi, faveur*) to seek; (*moteur*) to
prompt; (*suj: occupations, attractions etc*):
~ qn to appeal to sb's curiosity *etc*; to
entice sb; to make demands on sb's time;
~ qn de faire to appeal to *ou* request sb
to do.
sollicitude [sɔlisityd] nf concern.
solo [sɔlo] nm, pl **soli** [sɔli] (*MUS*) solo (*pl
s or* soli).
solstice [sɔlstis] nm solstice.
soluble [sɔlybl(ə)] a soluble.
solution [sɔlysjɔ̃] nf solution; **~ de
continuité** solution of continuity, gap; **~
de facilité** easy way out.
solvabilité [sɔlvabilite] nf solvency.
solvable [sɔlvabl(ə)] a solvent.
solvant [sɔlvɑ̃] nm solvent.
sombre [sɔ̃bR(ə)] a dark; (*fig*) sombre,
gloomy.
sombrer [sɔ̃bRe] vi (*bateau*) to sink, go
down; **~ dans** (*misère, désespoir*) to sink
into.
sommaire [sɔmɛR] a (*simple*) basic;
(*expéditif*) summary // nm summary.
sommation [sɔmɑsjɔ̃] nf (*JUR*) summons
sg; (*avant de faire feu*) warning.

somme [sɔm] nf (*MATH*) sum; (*fig*)
amount; (*argent*) sum, amount // nm:
faire un ~ to have a (short) nap; **faire
la ~ de** to add up; **en ~ ad** all in all;
~ toute ad when all's said and done.
sommeil [sɔmɛj] nm sleep; **avoir ~** to be
sleepy; **avoir le ~ léger** to be a light
sleeper; **en ~** (*fig*) dormant; **sommeiller**
vi to doze; (*fig*) to lie dormant.
sommelier [sɔməlje] nm wine waiter.
sommer [sɔme] vt: **~ qn de faire** to
command *ou* order sb to do; (*JUR*) to
summon sb to do.
sommes vb voir aussi **être.**
sommet [sɔmɛ] nm top; (*d'une montagne*)
summit, top; (*fig: de la perfection, gloire*)
height; (*GÉOM: d'angle*) vertex (*pl* vertices).
sommier [sɔmje] nm: **~ (à ressorts)**
springing *q*; (*interior-sprung*) divan base;
~ métallique mesh-springing; mesh-
sprung divan base.
sommité [sɔmite] nf prominent person,
leading light.
somnambule [sɔmnɑ̃byl] nm/f
sleepwalker.
somnifère [sɔmnifɛR] nm sleeping drug
(*ou* pill).
somnolent, e [sɔmnɔlɑ̃, -ɑ̃t] a sleepy,
drowsy.
somnoler [sɔmnɔle] vi to doze.
somptuaire [sɔ̃ptyɛR] a: **lois ~s**
sumptuary laws; **dépenses ~s**
extravagant expenditure *sg.*
somptueux, euse [sɔ̃ptɥø, -øz] a
sumptuous; lavish.
son [sɔ̃], **sa** [sa], pl **ses** [se] dét (*antécédent
humain mâle*) his; (: *femelle*) her; (: *valeur
indéfinie*) one's, his/her; (: *non humain*)
its; voir note sous **il.**
son [sɔ̃] nm sound; (*résidu*) bran.
sonate [sɔnat] nf sonata.
sondage [sɔ̃daʒ] nm (*de terrain*) boring,
drilling; (*mer, atmosphère*) sounding;
probe; (*enquête*) survey, sounding out of
opinion; **~ (d'opinion)** (opinion) poll.
sonde [sɔ̃d] nf (*NAVIG*) lead *ou* sounding
line; (*MÉTÉOROLOGIE*) sonde; (*MÉD*) probe;
catheter; feeding tube; (*TECH*) borer,
driller; (*pour fouiller etc*) probe; **~ à
avalanche** pole (*for probing snow and
locating victims*); **~ spatiale** probe.
sonder [sɔ̃de] vt (*NAVIG*) to sound;
(*atmosphère, plaie, bagages etc*) to probe;
(*TECH*) to bore, drill; (*fig*) to sound out;
to probe.
songe [sɔ̃ʒ] nm dream.
songer [sɔ̃ʒe] vi to dream; **~ à** (*rêver à*)
to muse over, think over; (*penser à*) to
think of; (*envisager*) to contemplate, think
of; to consider; **~ que** to consider that;
to think that; **songerie** nf reverie;
songeur, euse a pensive.
sonnailles [sɔnaj] nfpl jingle of bells.
sonnant, e [sɔnɑ̃, -ɑ̃t] a: **en espèces ~es
et trébuchantes** in coin of the realm; **à
8 heures ~es** on the stroke of 8.
sonné, e [sɔne] a (*fam*) cracked; **il est
midi ~** it's gone twelve; **il a quarante
ans bien ~s** he's well into his forties.
sonner [sɔne] vi to ring // vt (*cloche*) to
ring; (*glas, tocsin*) to sound; (*portier,*

infirmière) to ring for ; (*messe*) to ring the bell for ; (*suj: choc, coup*) to knock out ; ~ **du clairon** to sound the bugle ; ~ **faux** (*instrument*) to sound out of tune ; (*rire*) to ring false ; ~ **les heures** to strike the hours ; **minuit vient de** ~ midnight has just struck ; ~ **chez qn** to ring sb's doorbell, ring at sb's door.

sonnerie [sɔnʀi] *nf* (*son*) ringing ; (*sonnette*) bell ; (*mécanisme d'horloge*) striking mechanism ; ~ **d'alarme** alarm bell ; ~ **de clairon** bugle call.

sonnet [sɔnɛ] *nm* sonnet.

sonnette [sɔnɛt] *nf* bell ; ~ **d'alarme** alarm bell ; ~ **de nuit** night-bell.

sono [sɔno] *nf abr de* **sonorisation**.

sonore [sɔnɔʀ] *a* (*voix*) sonorous, ringing ; (*salle, métal*) resonant ; (*ondes, film, signal*) sound *cpd* ; (*LING*) voiced.

sonorisation [sɔnɔʀizɑsjɔ̃] *nf* (*installations*) public address system, P.A. system.

sonoriser [sɔnɔʀize] *vt* (*film, spectacle*) to add the sound track to ; (*salle*) to fit with a public address system.

sonorité [sɔnɔʀite] *nf* (*de piano, violon*) tone ; (*de voix, mot*) sonority ; (*d'une salle*) resonance ; acoustics *pl*.

sont *vb voir* **être**.

sophistiqué, e [sɔfistike] *a* sophisticated.

soporifique [sɔpɔʀifik] *a* soporific.

sorbet [sɔʀbɛ] *nm* water ice, sorbet.

sorcellerie [sɔʀsɛlʀi] *nf* witchcraft q, sorcery q.

sorcier, ière [sɔʀsje, -jɛʀ] *nm/f* sorcerer/witch *ou* sorceress.

sordide [sɔʀdid] *a* sordid ; squalid.

sornettes [sɔʀnɛt] *nfpl* twaddle *sg*.

sort [sɔʀ] *nm* (*fortune, destinée*) fate ; (*condition, situation*) lot ; (*magique*) curse, spell ; **le ~ en est jeté** the die is cast ; **tirer au ~** to draw lots ; **tirer qch au ~** to draw lots for sth.

sorte [sɔʀt(ə)] *nf* sort, kind ; **de la ~** *ad* in that way ; **de ~ à** so as to, in order to ; **de (telle) ~ que, en ~ que** so that ; so much so that.

sortie [sɔʀti] *nf* (*issue*) way out, exit ; (*MIL*) sortie ; (*fig: verbale*) outburst ; sally ; (*promenade*) outing ; (*le soir: au restaurant etc*) night out ; (*COMM: somme*): ~s items of expenditure ; outgoings *sans sg* ; **à sa ~ as** he went out *ou* left ; **à la ~ de l'école/l'usine** (*moment*) after school/work ; when school/the factory comes out ; (*lieu*) at the school/factory gates ; **à la ~ de ce nouveau modèle** when this new model comes out, when they bring out this new model ; ~ **de bain** (*vêtement*) bathrobe ; **'~ de camions'** 'vehicle exit', 'lorries turning', ~ **de secours** emergency exit.

sortilège [sɔʀtilɛʒ] *nm* (magic) spell.

sortir [sɔʀtiʀ] *vi* (*issue*) to come out ; (*partir, se promener, aller au spectacle etc*) to go out ; (*numéro gagnant*) to come up // *vt* (*gén*) to take out ; (*produit, ouvrage, modèle*) to bring out ; (*boniments, incongruités*) to come out with ; (*fam: expulser*) to throw out ; ~ **qch de** to take sth out of ; ~ **de** (*gén*) to leave ; (*endroit*) to go (*ou* come) out of, leave ; (*rainure etc*)

to come out of ; (*cadre, compétence*) to be outside ; (*provenir de: famille etc*) to come from ; **se ~ de** (*affaire, situation*) to get out of ; **s'en ~** (*malade*) to pull through ; (*d'une difficulté etc*) to come through all right ; to get through, be able to manage.

S.O.S. *sigle m* mayday, SOS.

sosie [sozi] *nm* double.

sot, sotte [so, sɔt] *a* silly, foolish // *nm/f* fool ; **sottise** *nf* silliness, foolishness ; silly *ou* foolish thing (to do *ou* say).

sou [su] *nm*: **près de ses** ~s tight-fisted ; **sans le** ~ penniless ; **pas un** ~ **de bon sens** not a scrap *ou* an ounce of good sense.

soubassement [subɑsmɑ̃] *nm* base.

soubresaut [subʀəso] *nm* start ; jolt.

soubrette [subʀɛt] *nf* soubrette, maidservant.

souche [suʃ] *nf* (*d'arbre*) stump ; (*de carnet*) counterfoil, stub ; **de vieille** ~ of old stock.

souci [susi] *nm* (*inquiétude*) worry ; (*préoccupation*) concern ; (*BOT*) marigold ; **se faire du** ~ to worry ; **avoir (le)** ~ **de** to have concern for.

soucier [susje]: **se** ~ **de** *vt* to care about.

soucieux, euse [susjø, -øz] *a* concerned, worried ; ~ **de** concerned about ; **peu** ~ **de/que** caring little about/whether.

soucoupe [sukup] *nf* saucer ; ~ **volante** flying saucer.

soudain, e [sudɛ̃, -ɛn] *a* (*douleur, mort*) sudden // *ad* suddenly, all of a sudden ; **soudainement** *ad* suddenly ; **soudaineté** *nf* suddenness.

soude [sud] *nf* soda.

soudé, e [sude] *a* (*fig: pétales, organes*) joined (together).

souder [sude] *vt* (*avec fil à souder*), to solder ; (*par soudure autogène*) to weld ; (*fig*) to bind *ou* knit together ; to fuse (together).

soudoyer [sudwaje] *vt* (*péj*) to bribe, buy over.

soudure [sudyʀ] *nf* soldering ; welding ; (*joint*) soldered joint ; weld.

souffert, e [sufɛʀ, -ɛʀt(ə)] *pp de* **souffrir**.

souffle [sufl(ə)] *nm* (*en expirant*) breath ; (*en soufflant*) puff, blow ; (*respiration*) breathing ; (*d'explosion, de ventilateur*) blast ; (*du vent*) blowing ; (*fig*) inspiration ; **avoir du/manquer de** ~ to have a lot of/be short of breath ; **être à bout de** ~ to be out of breath ; **avoir le** ~ **court** to be short-winded ; **un** ~ **d'air** *ou* **de vent** a breath of air, a puff of wind.

soufflé, e [sufle] *a* (*CULIN*) soufflé ; (*fam: ahuri, stupéfié*) staggered // *nm* (*CULIN*) soufflé.

souffler [sufle] *vi* (*gén*) to blow ; (*haleter*) to puff (and blow) // *vt* (*feu, bougie*) to blow out ; (*chasser: poussière etc*) to blow away ; (*TECH: verre*) to blow ; (*suj: explosion*) to destroy (with its blast) ; (*dire*): ~ **qch à qn** to whisper sth to sb ; (*fam: voler*): ~ **qch à qn** to nick sth from sb ; ~ **son rôle à qn** to prompt sb ; **laisser** ~ **qn** (*fig*) to give sb a breather.

soufflet [suflɛ] *nm* (*instrument*) bellows *pl* ; (*entre wagons*) vestibule ; (*gifle*) slap (in the face).

souffleur, euse [suflœʀ, -øz] *nm/f*
(*THÉÀTRE*) prompter.
souffrance [sufʀɑ̃s] *nf* suffering; **en ~**
(*marchandise*) awaiting delivery; (*affaire*)
pending.
souffrant, e [sufʀɑ̃, -ɑ̃t] *a* unwell.
souffre-douleur [sufʀədulœʀ] *nm inv*
whipping boy, underdog.
souffreteux, euse [sufʀətø, -øz] *a* sickly.
souffrir [sufʀiʀ] *vi* to suffer; to be in pain
// *vt* to suffer, endure; (*supporter*) to bear,
stand; (*admettre: exception etc*) to allow *ou*
admit of; **~ de** (*maladie, froid*) to suffer
from; **~ des dents** to have trouble with
one's teeth; **faire ~ qn** (*suj: personne*) to
make sb suffer; (: *dents, blessure etc*) to
hurt sb.
soufre [sufʀ(ə)] *nm* sulphur.
souhait [swɛ] *nm* wish; **tous nos ~s de**
good wishes *ou* our best wishes for; **riche**
etc **à ~** as rich *etc* as one could wish;
à vos ~s! bless you!
souhaitable [swɛtabl(ə)] *a* desirable.
souhaiter [swete] *vt* to wish for; **~ le
bonjour à qn** to bid sb good day; **~ la
bonne année à qn** to wish sb a happy New
Year.
souiller [suje] *vt* to dirty, soil; (*fig*) to
sully, tarnish; **souillure** *nf* stain.
soûl, e [su, sul] *a* drunk // *nm:* **boire tout
son ~** to drink one's fill.
soulagement [sulaʒmɑ̃] *nm* relief.
soulager [sulaʒe] *vt* to relieve.
soûler [sule] *vt:* **~ qn** to get sb drunk;
(*suj: boisson*) to make sb drunk; (*fig*) to
make sb's head spin *ou* reel; **se ~** to get
drunk; **se ~ de** (*fig*) to intoxicate o.s.
with; **soûlerie** *nf* (*péj*) drunken binge.
soulèvement [sulɛvmɑ̃] *nm* uprising;
(*GÉO*) upthrust.
soulever [sulve] *vt* to lift; (*vagues,
poussière*) to send up; (*peuple*) to stir up
(to revolt); (*enthousiasme*) to arouse;
(*question, débat*) to raise; **se ~** *vi* (*peuple*)
to rise up; (*personne couchée*) to lift o.s.
up; **cela me soulève le cœur** it makes me
feel sick.
soulier [sulje] *nm* shoe; **~s plats/à
talons** flat/heeled shoes.
souligner [suliɲe] *vt* to underline; (*fig*) to
emphasize; to stress.
soumettre [sumɛtʀ] *vt* (*pays*) to subject,
subjugate; (*rebelle*) to put down, subdue;
~ qn/qch à to subject sb/sth to; **~ qch
à qn** (*projet etc*) to submit sth to sb; **se
~ (à)** (*se rendre, obéir*) to submit (to); **se
~ à** (*formalités etc*) to submit to; (*régime
etc*) to submit o.s. to.
soumis, e [sumi, -iz] *a* submissive;
revenus ~ à l'impôt taxable income.
soumission [sumisjɔ̃] *nf* (*voir se
soumettre*) submission; (*docilité*)
submissiveness; (*COMM*) tender.
soupape [supap] *nf* valve; **~ de sûreté**
safety valve.
soupçon [supsɔ̃] *nm* suspicion; (*petite
quantité*): **un ~ de** a hint *ou* touch of;
soupçonner *vt* to suspect; **soupçonneux,
euse** *a* suspicious.
soupe [sup] *nf* soup; **~ au lait** *a inv* quick-
tempered; **~ à l'oignon/de poisson**

onion/fish soup; **~ populaire** soup
kitchen.
soupente [supɑ̃t] *nf* cupboard under the
stairs.
souper [supe] *vi* to have supper // *nm*
supper; **avoir soupé de** (*fam*) to be sick
and tired of.
soupeser [supəze] *vt* to weigh in one's
hand(s), feel the weight of; (*fig*) to weigh
up.
soupière [supjɛʀ] *nf* (soup) tureen.
soupir [supiʀ] *nm* sigh; (*MUS*) crotchet
rest; **rendre le dernier ~** to breathe one's
last.
soupirail, aux [supiʀaj, -o] *nm* (small)
basement window.
soupirant [supiʀɑ̃] *nm* (*péj*) suitor, wooer.
soupirer [supiʀe] *vi* to sigh; **~ après qch**
to yearn for sth.
souple [supl(ə)] *a* supple; (*fig: règlement,
caractère*) flexible; (: *démarche, taille*) lithe,
supple; **souplesse** *nf* suppleness;
flexibility.
source [suʀs(ə)] *nf* (*point d'eau*) spring;
(*d'un cours d'eau, fig*) source; **prendre sa
~ à/dans** (*suj: cours d'eau*) to have its
source at/in; **tenir qch de bonne ~/de
~ sûre** to have sth on good
authority/from a reliable source; **~
thermale/d'eau minérale** hot *ou*
thermal/mineral spring.
sourcier [suʀsje] *nm* water diviner.
sourcil [suʀsij] *nm* (eye)brow;
sourcilière *af voir* **arcade**.
sourciller [suʀsije] *vi:* **sans ~** without
turning a hair *ou* batting an eyelid.
sourcilleux, euse [suʀsijø, -øz] *a*
pernickety.
sourd, e [suʀ, suʀd(ə)] *a* deaf; (*bruit, voix*)
muffled; (*couleur*) muted; (*douleur*) dull;
(*lutte*) silent, hidden; (*LING*) voiceless //
nm/f deaf person.
sourdait *etc vb voir* **sourdre**.
sourdine [suʀdin] *nf* (*MUS*) mute; **en ~**
ad softly, quietly; **mettre une ~ à** (*fig*)
to tone down.
sourd-muet, sourde-muette [suʀmyɛ,
suʀdmyɛt] *a* a deaf-and-dumb // *nm/f* deaf-
mute.
sourdre [suʀdʀ(ə)] *vi* to rise.
souriant, e [suʀjɑ̃, -ɑ̃t] *a* cheerful.
souricière [suʀisjɛʀ] *nf* mousetrap; (*fig*)
trap.
sourire [suʀiʀ] *nm* smile // *vi* to smile;
~ à qn to smile at sb; (*fig*) to appeal to
sb; to smile on sb; **faire un ~ à qn** to
give sb a smile; **garder le ~** to keep
smiling.
souris [suʀi] *nf* mouse (*pl* mice).
sournois, e [suʀnwa, -waz] *a* deceitful,
underhand.
sous [su] *prép* (*gén*) under; **~ la pluie/le
soleil** in the rain/sunshine; **~ terre** *a, ad*
underground; **~ peu** *ad* shortly, before
long.
sous... [su, suz + *vowel*] *préfixe* sub-;
under...; **~-catégorie** sub-category; **~-
alimenté/-équipé/ -développé** under-
nourished/equipped/developed.
sous-bois [subwa] *nm inv* undergrowth.

sous-chef [suʃɛf] nm deputy chief clerk.
souscription [suskʀipsjɔ̃] nf subscription ; **offert en ~** available on subscription.
souscrire [suskʀiʀ]: **~ à** vt to subscribe to.
sous-directeur, trice [sudiʀɛktœʀ, -tʀis] nm/f assistant manager/ manageress, sub-manager/ manageress.
sous-emploi [suzɑ̃plwa] nm underemployment.
sous-entendre [suzɑ̃tɑ̃dʀ(ə)] vt to imply, infer ; **sous-entendu, e** a implied ; (verbe, complément) understood // nm innuendo, insinuation.
sous-estimer [suzɛstime] vt to under-estimate.
sous-exposer [suzɛkspoze] vt to underexpose.
sous-fifre [sufifʀ] nm (péj) underling.
sous-jacent, e [suʒasɑ̃, -ɑ̃t] a underlying.
sous-lieutenant [suljøtnɑ̃] nm sub-lieutenant.
sous-locataire [sulɔkatɛʀ] nm/f subtenant.
sous-louer [sulwe] vt to sublet.
sous-main [sumɛ̃] nm inv desk blotter ; **en ~ ad** secretly.
sous-marin, e [sumaʀɛ̃, -in] a (flore, volcan) submarine ; (navigation, pêche, explosif) underwater // nm submarine.
sous-officier [suzɔfisje] nm ≈ non-comissioned officer (N.C.O.).
sous-préfecture [supʀefɛktyʀ] nf sub-prefecture.
sous-préfet [supʀefɛ] nm sub-prefect.
sous-produit [supʀɔdɥi] nm by-product ; (fig: péj) pale imitation.
sous-secrétaire [susəkʀetɛʀ] nm: **~ d'État** Under-Secretary of State.
soussigné, e [susiɲe] a: **je ~** I the undersigned.
sous-sol [susɔl] nm basement ; (GÉO) subsoil.
sous-titre [sutitʀ(ə)] nm subtitle ; **sous-titré, e** a with subtitles.
soustraction [sustʀaksjɔ̃] nf subtraction.
soustraire [sustʀɛʀ] vt to subtract, take away ; (dérober): **~ qch à qn** to remove sth from sb ; **~ qn à** (danger) to shield sb from ; **se ~ à** (autorité etc) to elude, escape from.
sous-traitance [sutʀɛtɑ̃s(ə)] nf subcontracting.
sous-verre [suvɛʀ] nm inv glass mount.
sous-vêtement [suvɛtmɑ̃] nm undergarment, item of underwear ; **~s** nmpl underwear sg.
soutane [sutan] nf cassock, soutane.
soute [sut] nf hold ; **~ à bagages** baggage hold.
soutenable [sutnabl(ə)] a (opinion) tenable, defensible.
soutenance [sutnɑ̃s] nf: **~ de thèse** ≈ viva voce (examination).
soutènement [sutɛnmɑ̃] nm: **mur de ~** retaining wall.
souteneur [sutnœʀ] nm procurer.
soutenir [sutniʀ] vt to support ; (assaut, choc) to stand up to, withstand ; (intérêt, effort) to keep up ; (assurer): **~ que** to

maintain that ; **se ~** (dans l'eau etc) to hold o.s. up ; **~ la comparaison avec** to bear ou stand comparison with ; **soutenu, e** a (efforts) sustained, unflagging ; (style) elevated.
souterrain, e [sutɛʀɛ̃, -ɛn] a underground // nm underground passage.
soutien [sutjɛ̃] nm support ; **~ de famille** breadwinner.
soutien-gorge [sutjɛ̃gɔʀʒ(ə)] nm bra.
soutirer [sutiʀe] vt: **~ qch à qn** to squeeze ou get sth out of sb.
souvenance [suvnɑ̃s] nf: **avoir ~ de** to recollect.
souvenir [suvniʀ] nm (réminiscence) memory ; (cadeau) souvenir, keepsake ; (de voyage) souvenir // vb: **se ~ de** vt to remember ; **se ~ que** to remember that ; **en ~ de** in memory ou remembrance of.
souvent [suvɑ̃] ad often ; **peu ~** seldom, infrequently.
souverain, e [suvʀɛ̃, -ɛn] a sovereign ; (fig: mépris) supreme // nm/f sovereign, monarch ; **souveraineté** nf sovereignty.
soviétique [sɔvjetik] a Soviet // nm/f: **S~** Soviet citizen.
soyeux, euse [swajø, øz] a silky.
soyons etc vb voir être.
S.P.A. sigle f (= société protectrice des animaux) ≈ R.S.P.C.A.
spacieux, euse [spasjø, -øz] a spacious ; roomy.
spaghettis [spageti] nmpl spaghetti sg.
sparadrap [spaʀadʀa] nm adhesive ou sticking plaster.
spartiate [spaʀsjat] a Spartan ; **~s** nfpl (sandales) Roman sandals.
spasme [spazm(ə)] nm spasm.
spasmodique [spazmɔdik] a spasmodic.
spatial, e, aux [spasjal, -o] a (AVIAT) space cpd ; (PSYCH) spatial.
spatule [spatyl] nf (ustensile) slice ; spatula ; (bout) tip.
speaker, ine [spikœʀ, -kʀin] nm/f announcer.
spécial, e, aux [spesjal, -o] a special ; (bizarre) peculiar ; **~ement** a especially, particularly ; (tout exprès) specially.
spécialisé, e [spesjalize] a specialised.
spécialiser [spesjalize] vt: **se ~** to specialize.
spécialiste [spesjalist(ə)] nm/f specialist.
spécialité [spesjalite] nf speciality ; (SCOL) special field ; **~ pharmaceutique** patent medicine.
spécieux, euse [spesjø, -øz] a specious.
spécification [spesifikasjɔ̃] nf specification.
spécifier [spesifje] vt to specify, state.
spécifique [spesifik] a specific.
spécimen [spesimɛn] nm specimen ; (revue etc) specimen ou sample copy.
spectacle [spɛktakl(ə)] nm (tableau, scène) sight ; (représentation) show ; (industrie) show business, entertainment ; **se donner en ~** (péj) to make a spectacle ou an exhibition of o.s. ; **spectaculaire** a spectacular.
spectateur, trice [spɛktatœʀ, -tʀis] nm/f (CINÉMA etc) member of the audience ;

(SPORT) spectator; (d'un événement) onlooker, witness.

spectre [spɛktR(ə)] nm (fantôme, fig) spectre; (PHYSIQUE) spectrum (pl a); ~ **solaire** solar spectrum.

spéculateur, trice [spekylatœr, -tRis] nm/f speculator.

spéculation [spekylɑsjɔ̃] nf speculation.

spéculer [spekyle] vi to speculate; ~ **sur** (COMM) to speculate in; (réfléchir) to speculate on; (tabler sur) to bank ou rely on.

spéléologie [speleɔlɔʒi] nf (étude) speleology; (activité) potholing; **spéléologue** nm/f speleologist; potholer.

spermatozoïde [spɛRmatozoid] nm sperm, spermatozoon (pl zoa).

sperme [spɛRm(ə)] nm semen, sperm.

sphère [sfɛR] nf sphere; **sphérique** a spherical.

sphincter [sfɛ̃ktɛR] nm sphincter.

spiral, aux [spiRal, -o] nm hairspring.

spirale [spiRal] nf spiral; **en** ~ in a spiral.

spire [spiR] nm (single) turn; whorl.

spiritisme [spiRitism(ə)] nm spiritualism, spiritism.

spirituel, le [spiRityɛl] a spiritual; (fin, piquant) witty; **musique** ~**le** sacred music; **concert** ~ concert of sacred music.

spiritueux [spiRitɥø] nm spirit.

splendeur [splɑ̃dœR] nf splendour.

splendide [splɑ̃did] a splendid; magnificent.

spolier [spɔlje] vt: ~ **qn (de)** to despoil sb (of).

spongieux, euse [spɔ̃ʒjø, -øz] a spongy.

spontané, e [spɔ̃tane] a spontaneous.

sporadique [spɔRadik] a sporadic.

sport [spɔR] nm sport // a inv (vêtement) casual; **faire du** ~ to do sport; ~**s d'équipe/d'hiver** team/winter sports; **sportif, ive** (journal, association, épreuve) sports cpd; (allure, démarche) athletic; (attitude, esprit) sporting.

spot [spɔt] nm (lampe) spot(light); (annonce): ~ **(publicitaire)** commercial (break).

sprint [spRint] nm sprint.

square [skwaR] nm public garden(s).

squelette [skəlɛt] nm skeleton; **squelettique** a scrawny; (fig) skimpy.

stabilisateur, trice [stabilizatœR, -tRis] a stabilizing // nm stabilizer; anti-roll device; tailplane.

stabiliser [stabilize] vt to stabilize; (terrain) to consolidate.

stabilité [stabilite] nf stability.

stable [stabl(ə)] a stable, steady.

stade [stad] nm (SPORT) stadium; (phase, niveau) stage.

stage [staʒ] nm training period; training course; (d'avocat stagiaire) articles pl; **stagiaire** nm/f, a trainee.

stagnant, e [stagnɑ̃, -ɑ̃t] a stagnant.

stalactite [stalaktit] nf stalactite.

stalagmite [stalagmit] nf stalagmite.

stalle [stal] nf stall, box.

stand [stɑ̃d] nm (d'exposition) stand; (de foire) stall; ~ **de tir** (MIL) firing range;

(à la foire, SPORT) shooting range; ~ **de ravitaillement** pit.

standard [stɑ̃daR] a inv standard // nm switchboard; **standardiser** vt to standardize; **standardiste** nm/f switchboard operator.

standing [stɑ̃diŋ] nm standing; **immeuble de grand** ~ block of luxury flats.

star [staR] nf star.

starter [staRtɛR] nm (AUTO) choke.

station [stɑsjɔ̃] nf station; (de bus) stop; (de villégiature) resort; (posture): **la** ~ **debout** standing, an upright posture; ~ **de ski** ski resort; ~ **de taxis** taxi rank.

stationnaire [stasjɔnɛR] a stationary.

stationnement [stasjɔnmɑ̃] nm parking; **zone de** ~ **interdit** no parking area; ~ **alterné** parking on alternate sides.

stationner [stasjɔne] vi to park.

station-service [stasjɔ̃sɛRvis] nf service station.

statique [statik] a static.

statisticien, ne [statistisjɛ̃, -jɛn] nm/f statistician.

statistique [statistik] nf (science) statistics sg; (rapport, étude) statistic // a statistical; ~**s** (données) statistics pl.

statue [staty] nf statue.

statuer [statɥe] vi: ~ **sur** to rule on, give a ruling on.

statuette [statɥɛt] nf statuette.

statu quo [statykwo] nm status quo.

stature [statyR] nf stature.

statut [staty] nm status; ~**s** nmpl (JUR, ADMIN) statutes; **statutaire** a statutory.

Sté abr de **société**.

steak [stɛk] nm steak.

stèle [stɛl] nf stela, stele.

stellaire [stelɛR] a stellar.

stencil [stɛnsil] nm stencil.

sténo... [steno] préfixe: ~**(dactylo)** nf shorthand typist; ~**(graphie)** nf shorthand; ~**graphier** vt to take down in shorthand.

stentor [stɑ̃tɔR] nm: **voix de** ~ stentorian voice.

steppe [stɛp] nf steppe.

stère [stɛR] nm stere.

stéréo(phonie) [steReɔ(fɔni)] nf stereo(phony); **stéréo(phonique)** a stereo(phonic).

stéréotype [steReɔtip] nm stereotype; **stéréotypé, e** a stereotyped.

stérile [steRil] a sterile; (terre) barren; (fig) fruitless, futile.

stérilet [steRilɛ] nm coil, loop.

stériliser [steRilize] vt to sterilize.

stérilité [steRilite] nf sterility.

sternum [stɛRnɔm] nm breastbone, sternum.

stéthoscope [stetɔskɔp] nm stethoscope.

stigmates [stigmat] nmpl scars, marks; (REL) stigmata pl.

stigmatiser [stigmatize] vt to denounce, stigmatize.

stimulant, e [stimylɑ̃, -ɑ̃t] a stimulating // nm (MÉD) stimulant; (fig) stimulus (pl i), incentive.

stimulation [stimylasjɔ̃] *nf* stimulation.
stimuler [stimyle] *vt* to stimulate.
stimulus, i [stimylys, -i] *nm* stimulus (*pl* i).
stipulation [stipylasjɔ̃] *nf* stipulation.
stipuler [stipyle] *vt* to stipulate, specify.
stock [stɔk] *nm* stock; ~ **d'or** (FINANCE) gold reserves *pl*; **~er** *vt* to stock; **~iste** *nm* stockist.
stoïque [stɔik] *a* stoic, stoical.
stomacal, e, aux [stɔmakal, -o] *a* gastric, stomach *cpd*.
stop [stɔp] *nm* (AUTO: *écriteau*) stop sign; (: *signal*) brake-light; (*dans un télégramme*) stop // *excl* stop.
stoppage [stɔpaʒ] *nm* invisible mending.
stopper [stɔpe] *vt* to stop, halt; (COUTURE) to mend // *vi* to stop, halt.
store [stɔʀ] *nm* blind; (*de magasin*) shade, awning.
strabisme [stʀabism(ə)] *nm* squinting.
strangulation [stʀɑ̃gylasjɔ̃] *nf* strangulation.
strapontin [stʀapɔ̃tɛ̃] *nm* jump *ou* foldaway seat.
strass [stʀas] *nm* paste, strass.
stratagème [stʀataʒɛm] *nm* stratagem.
stratège [stʀatɛʒ] *nm* strategist.
stratégie [stʀateʒi] *nf* strategy; **stratégique** *a* strategic.
stratifié, e [stʀatifje] *a* (GÉO) stratified; (TECH) laminated.
stratosphère [stʀatɔsfɛʀ] *nf* stratosphere.
strict, e [stʀikt(ə)] *a* strict; (*tenue, décor*) severe, plain; **son droit le plus ~** his most basic right; **dans la plus ~e intimité** strictly in private; **le ~ nécessaire/minimum** the bare essentials/minimum.
strident, e [stʀidɑ̃, -ɑ̃t] *a* shrill, strident.
stridulations [stʀidylasjɔ̃] *nfpl* stridulations, chirrings.
strie [stʀi] *nf* streak; (ANAT, GÉO) stria (*pl* ae).
strier [stʀije] *vt* to streak; to striate.
strip-tease [stʀiptiz] *nm* striptease; **strip-teaseuse** *nf* stripper, striptease artist.
striures [stʀijyʀ] *nfpl* streaking *sg*.
strophe [stʀɔf] *nf* verse, stanza.
structure [stʀyktyʀ] *nf* structure; **~s d'accueil/touristiques** reception/tourist facilities; **structurer** *vt* to structure.
stuc [styk] *nm* stucco.
studieux, euse [stydjø, -øz] *a* studious; devoted to study.
studio [stydjo] *nm* (*logement*) (one-roomed) flatlet; (*d'artiste, TV etc*) studio (*pl* s).
stupéfaction [stypefaksjɔ̃] *nf* stupefaction, amazement.
stupéfait, e [stypefɛ, -ɛt] *a* amazed.
stupéfiant, e [stypefjɑ̃, -ɑ̃t] *a* stunning, astounding // *nm* (MÉD) drug, narcotic.
stupéfier [stypefje] *vt* to stupefy; (*étonner*) to stun, astonish.
stupeur [stypœʀ] *nf* (*inertie, insensibilité*) stupor; (*étonnement*) astonishment, amazement.

stupide [stypid] *a* stupid; **stupidité** *nf* stupidity; stupid thing (to do *ou* say).
style [stil] *nm* style; **meuble de ~** period piece of furniture.
stylé, e [stile] *a* well-trained.
stylet [stilɛ] *nm* stiletto, stylet.
stylisé, e [stilize] *a* stylized.
styliste [stilist(ə)] *nm/f* designer; stylist.
stylistique [stilistik] *nf* stylistics *sg*.
stylo [stilo] *nm*: ~ **(à encre)** (fountain) pen; ~ **(à) bille** ball-point pen; **~-feutre** *nm* felt-tip pen.
su, e [sy] *pp* *de* **savoir** // *nm*: **au ~ de** with the knowledge of.
suaire [sɥɛʀ] *nm* shroud.
suave [sɥav] *a* sweet; suave, smooth; mellow.
subalterne [sybaltɛʀn(ə)] *a* (*employé, officier*) junior; (*rôle*) subordinate, subsidiary // *nm/f* subordinate, inferior.
subconscient [sypkɔ̃sjɑ̃] *nm* subconscious.
subdiviser [sybdivize] *vt* to subdivide; **subdivision** *nf* subdivision.
subir [sybiʀ] *vt* (*affront, dégâts, mauvais traitements*) to suffer; (*influence, charme*) to be under, be subjected to; (*traitement, opération, châtiment*) to undergo.
subit, e [sybi, -it] *a* sudden; **subitement** *ad* suddenly, all of a sudden.
subjectif, ive [sybʒɛktif, -iv] *a* subjective.
subjonctif [sybʒɔ̃ktif] *nm* subjunctive.
subjuguer [sybʒyge] *vt* to subjugate.
sublime [syblim] *a* sublime.
sublimer [syblime] *vt* to sublimate.
submergé, e [sybmɛʀʒe] *a* submerged; (*fig*): ~ **de** snowed under with; overwhelmed with.
submerger [sybmɛʀʒe] *vt* to submerge; (*suj: foule*) to engulf; (*fig*) to overwhelm.
submersible [sybmɛʀsibl(ə)] *nm* submarine.
subordination [sybɔʀdinasjɔ̃] *nf* subordination.
subordonné, e [sybɔʀdɔne] *a, nm/f* subordinate; ~ **à** subordinate to; subject to, depending on.
subordonner [sybɔʀdɔne] *vt*: ~ **qn/qch à** to subordinate sb/sth to.
subornation [sybɔʀnasjɔ̃] *nf* bribing.
subrepticement [sybʀɛptismɑ̃] *ad* surreptitiously.
subside [sypsid] *nm* grant.
subsidiaire [sypsidjɛʀ] *a*: **question ~** deciding question.
subsistance [sybzistɑ̃s] *nf* subsistence; **pourvoir à la ~ de qn** to keep sb, provide for sb's subsistence *ou* keep.
subsister [sybziste] *vi* (*rester*) to remain, subsist; (*vivre*) to live; (*survivre*) to live on.
substance [sypstɑ̃s] *nf* substance.
substantiel, le [sypstɑ̃sjɛl] *a* substantial.
substantif [sypstɑ̃tif] *nm* noun, substantive; **substantiver** *vt* to nominalize.
substituer [sypstitɥe] *vt*: ~ **qn/qch à** to substitute sb/sth for; **se ~ à qn** (*représenter*) to substitute for sb; (*évincer*) to substitute o.s. for sb.

substitut [sypstity] *nm* (*JUR*) deputy public prosecutor ; (*succédané*) substitute.
substitution [sypstitysjɔ̃] *nf* substitution.
subterfuge [syptɛrfyʒ] *nm* subterfuge.
subtil, e [syptil] *a* subtle.
subtiliser [syptilize] *vt*: ~ **qch (à qn)** to spirit sth away (from sb).
subtilité [syptilite] *nf* subtlety.
subvenir [sybvənir]: ~ **à** *vt* to meet.
subvention [sybvɑ̃sjɔ̃] *nf* subsidy, grant ; **subventionner** *vt* to subsidize.
subversif, ive [sybvɛrsif, -iv] *a* subversive ; **subversion** *nf* subversion.
suc [syk] *nm* (*BOT*) sap ; (*de viande, fruit*) juice ; ~s **gastriques** gastric *ou* stomach juices.
succédané [syksedane] *nm* substitute.
succéder [syksede]: ~ **à** *vt* (*directeur, roi etc*) to succeed ; (*venir après: dans une série*) to follow, succeed ; **se** ~ *vi* (*accidents, années*) to follow one another.
succès [syksɛ] *nm* success ; **avoir du** ~ to be a success, be successful ; ~ **de librairie** bestseller ; ~ (**féminins**) conquests.
successeur [syksesœr] *nm* successor.
successif, ive [syksesif, -iv] *a* successive.
succession [syksesjɔ̃] *nf* (*série, POL*) succession ; (*JUR: patrimoine*) estate, inheritance ; **prendre la** ~ **de** (*directeur*) to succeed, take over from ; (*entreprise*) to take over.
succinct, e [syksɛ̃, -ɛ̃t] *a* succinct.
succion [syksjɔ̃] *nf*: **bruit de** ~ sucking noise.
succomber [sykɔ̃be] *vi* to die, succumb ; (*fig*): ~ **à** to give way to, succumb to.
succulent, e [sykylɑ̃, -ɑ̃t] *a* succulent.
succursale [sykyrsal] *nf* branch ; **magasin à** ~s **multiples** chain *ou* multiple store.
sucer [syse] *vt* to suck.
sucette [sysɛt] *nf* (*bonbon*) lollipop.
sucre [sykr(ə)] *nm* (*substance*) sugar ; (*morceau*) lump of sugar, sugar lump *ou* cube ; ~ **de canne/betterave** cane/beet sugar ; ~ **en morceaux/cristallisé/en poudre** lump/coarse-grained/ granulated sugar ; ~ **d'orge** barley sugar ; **sucré, e** *a* (*produit alimentaire*) sweetened ; (*au goût*) sweet ; (*péj*) sugary, honeyed ; **sucrer** *vt* (*thé, café*) to sweeten, put sugar in ; **sucrer qn** to put sugar in sb's tea (*ou* coffee *etc*) ; **se sucrer** to help o.s. to sugar, have some sugar ; (*fam*) to line one's pocket(s) ; **sucrerie** *nf* (*usine*) sugar refinery ; **sucreries** *nfpl* (*bonbons*) sweets, sweet things ; **sucrier, ière** *a* sugar *cpd* ; sugar-producing // *nm* (*fabricant*) sugar producer ; (*récipient*) sugar bowl *ou* basin.
sud [syd] *nm*: **le** ~ the south // *a inv* south ; (*côte*) south, southern ; **au** ~ (*situation*) in the south ; (*direction*) to the south ; **au** ~ **de** (to) the south of ; ~-**africain, e** *a, nm/f* South African ; ~-**américain, e** *a, nm/f* South American.
sudation [sydɑsjɔ̃] *nf* sweating, sudation.
sud-est [sydɛst] *nm, a inv* south-east.
sud-ouest [sydwɛst] *nm, a inv* south-west.
Suède [sɥɛd] *nf*: **la** ~ Sweden ; **suédois,**

e *a* Swedish // *nm/f*: **Suédois, e** Swede // *nm* (*langue*) Swedish.
suer [sɥe] *vi* to sweat ; (*suinter*) to ooze // *vt* (*fig*) to exude ; ~ **à grosses gouttes** to sweat profusely.
sueur [sɥœr] *nf* sweat ; **en** ~ sweating, in a sweat ; **avoir des** ~s **froides** to be in a cold sweat.
suffire [syfir] *vi* (*être assez*): ~ **(à qn/pour qch/pour faire)** to be enough *ou* sufficient (for sb/for sth/to do) ; (*satisfaire*): **cela lui suffit** he's content with this, this is enough for him ; **se** ~ to be self-sufficient ; **cela suffit pour les irriter/qu'ils se fâchent** it's enough to annoy them/for them to get angry ; **il suffit d'une négligence/qu'on oublie pour que ...** it only takes one act of carelessness/one only needs to forget for ... .
suffisamment [syfizamɑ̃] *ad* sufficiently, enough ; ~ **de** sufficient, enough.
suffisance [syfizɑ̃s] *nf* (*vanité*) self-importance, bumptiousness ; (*quantité*): **en** ~ in plenty.
suffisant, e [syfizɑ̃, -ɑ̃t] *a* (*temps, ressources*) sufficient ; (*résultats*) satisfactory ; (*vaniteux*) self-important, bumptious.
suffixe [syfiks(ə)] *nm* suffix.
suffocation [syfɔkɑsjɔ̃] *nf* suffocation.
suffoquer [syfɔke] *vt* to choke, suffocate ; (*stupéfier*) to stagger, astound // *vi* to choke, suffocate.
suffrage [syfraʒ] *nm* (*POL: voix*) vote ; (*: méthode*): ~ **indirect** indirect suffrage ; (*du public etc*) approval *q* ; ~s **exprimés** valid votes.
suggérer [syʒere] *vt* to suggest ; **suggestif, ive** *a* suggestive ; **suggestion** *nf* suggestion.
suicidaire [sɥisidɛr] *a* suicidal.
suicide [sɥisid] *nm* suicide.
suicidé, e [sɥiside] *nm/f* suicide.
suicider [sɥiside]: **se** ~ *vi* to commit suicide.
suie [sɥi] *nf* soot.
suif [sɥif] *nm* tallow.
suinter [sɥɛ̃te] *vi* to ooze.
suis *vb voir* **être**.
suisse [sɥis] *a, nm/f* Swiss // *nm* (*bedeau*) ≈ verger // *nf*: **la S**~ Switzerland ; **la S**~ **romande/allemande** French-speaking/German-speaking Switzerland ~ **romand, e** *a, nm/f* Swiss French ; ~-**allemand, e** *a, nm/f* Swiss German ; **Suissesse** *nf* Swiss (woman *ou* girl).
suite [sɥit] *nf* (*continuation: d'énumération etc*) rest, remainder ; (*: de feuilleton*) continuation ; (*: second film etc sur le même thème*) sequel ; (*série: de maisons, succès*): **une** ~ **de** a series *ou* succession of ; (*MATH*) series *sg* ; (*conséquence*) result ; (*ordre, liaison logique*) coherence ; (*appartement, MUS*) suite ; (*escorte*) retinue, suite ; ~s *nfpl* (*d'une maladie etc*) effects ; **prendre la** ~ **de** (*directeur etc*) to succeed, take over from ; **donner** ~ **à** (*requête, projet*) to follow up ; **faire** ~ **à** to follow ; (*faisant*) ~ **à votre lettre du** further to your letter of the ; **de** ~ *ad* (*d'affilée*) in succession ; (*immédiatement*) at once ; **par la** ~

afterwards, subsequently; **à la ~** ad one after the other; **à la ~ de** (derrière) behind; (en conséquence de) following; **par ~ de** owing to, as a result of; **avoir de la ~ dans les idées** to show great singleness of purpose; **attendre la ~** to wait and see what comes next.

suivant, e [sчivɑ̃, -ɑ̃t] a next, following; (ci-après): **l'exercice ~** the following exercise // prép (selon) according to; **au ~!** next!

suiveur [sчivœʀ] nm (CYCLISME) (official) follower.

suivi, e [sчivi] a (régulier) regular; (COMM: article) in general production; (cohérent) consistent; coherent; **très/peu ~** (cours) well-/poorly-attended; (feuilleton etc) widely/not widely followed.

suivre [sчivʀ(ə)] vt (gén) to follow; (SCOL: cours) to attend; (: leçon) to follow, attend to; (: programme) to keep up with; (COMM: article) to continue to stock // vi to follow; (élève) to attend, pay attention; to keep up, follow; **se ~** (accidents etc) to follow one after the other; (raisonnement) to be coherent; **faire ~** (lettre) to forward; **~ son cours** (suj: enquête etc) to run ou take its course; **'à ~'** to be continued'.

sujet, te [syʒɛ, -ɛt] a: **être ~ à** (vertige etc) to be liable ou subject to // nm/f (d'un souverain) subject // nm subject; (raison: d'une dispute etc) cause; **avoir ~ de se plaindre** to have cause for complaint; **au ~ de** prép about; **~ à caution** a questionable; **~ de conversation** topic ou subject of conversation; **~ d'examen** (SCOL) examination question; examination paper; **~ d'expérience** (BIO etc) experimental subject.

sujétion [syʒesjɔ̃] nf subjection; (fig) constraint.

sulfater [sylfate] vt to spray with copper sulphate.

sulfureux, euse [sylfyʀø, -øz] a sulphurous.

sulfurique [sylfyʀik] a: **acide ~** sulphuric acid.

summum [sɔmɔm] nm: **le ~ de** the height of.

superbe [sypɛʀb(ə)] a magnificent, superb.

super(carburant) [sypɛʀ(kaʀbyʀɑ̃)] nm high-octane petrol.

supercherie [sypɛʀʃəʀi] nf trick.

superfétatoire [sypɛʀfetatwaʀ] a superfluous.

superficie [sypɛʀfisi] nf (surface) area; (fig) surface.

superficiel, le [sypɛʀfisjɛl] a superficial.

superflu, e [sypɛʀfly] a superfluous.

supérieur, e [sypeʀjœʀ] a (lèvre, étages, classes) upper; (plus élevé: température, niveau: **~ (à)** higher (than); (meilleur: qualité, produit): **~ (à)** superior (to); (excellent, hautain) superior // nm, nf superior; **Mère ~e** Mother Superior; **à l'étage ~** on the next floor up; **~ en nombre** superior in number; **supériorité** nf superiority.

superlatif [sypɛʀlatif] nm superlative.

supermarché [sypɛʀmaʀʃe] nm supermarket.

superposer [sypɛʀpoze] vt to superpose; (faire chevaucher) to superimpose; **se ~** vi (images, souvenirs) to be superimposed; **lits superposés** bunk beds.

superpréfet [sypɛʀpʀefɛ] nm prefect in charge of a region.

superproduction [sypɛʀpʀɔdyksjɔ̃] nf (film) spectacular.

superpuissance [sypɛʀpчisɑ̃s] nf super-power.

supersonique [sypɛʀsɔnik] a supersonic.

superstitieux, euse [sypɛʀstisjø, -øz] a superstitious.

superstition [sypɛʀstisjɔ̃] nf superstition.

superstructure [sypɛʀstʀyktyʀ] nf superstructure.

superviser [sypɛʀvize] vt to supervise.

supplanter [syplɑ̃te] vt to supplant.

suppléance [sypleɑ̃s] nf supply post.

suppléant, e [sypleɑ̃, -ɑ̃t] a (juge, fonctionnaire) deputy cpd; (professeur) supply cpd // nm/f deputy; supply teacher; **médecin ~** locum.

suppléer [syplee] vt (ajouter: mot manquant etc) to supply, provide; (compenser: lacune) to fill in; (: défaut) to make up for; (remplacer: professeur) to stand in for; (: juge) to deputize for; **~ à** vt to make up for; to substitute for.

supplément [syplemɑ̃] nm supplement; **un ~ de travail** extra ou additional work; **un ~ de frites** etc an extra portion of chips etc; **un ~ de 100 F** a supplement of 100 F, an extra ou additional 100 F; **ceci est en ~** (au menu etc) this is extra, there is an extra charge for this; **supplémentaire** a additional, further; (train, bus) relief cpd, extra.

supplétif, ive [sypletif, -iv] a (MIL) auxiliary.

supplication [syplikɑsjɔ̃] nf (REL) supplication; **~s** nfpl (adjurations) pleas, entreaties.

supplice [syplis] nm (peine corporelle) torture q; form of torture; (douleur physique, morale) torture, agony.

supplier [syplije] vt to implore, beseech.

supplique [syplik] nf petition.

support [sypɔʀ] nm support; (pour livre, outils) stand; **~ audio-visuel** audio-visual aid; **~ publicitaire** advertising medium.

supportable [sypɔʀtabl(ə)] a (douleur) bearable.

supporter nm [sypɔʀtɛʀ] supporter, fan // vt [sypɔʀte] (poids, poussée) to support; (conséquences, épreuve) to bear, endure; (défauts, personne) to tolerate, put up with; (suj: chose: chaleur etc) to withstand; (suj: personne: chaleur, vin) to take.

supposé, e [sypoze] a (nombre) estimated; (auteur) supposed.

supposer [sypoze] vt to suppose; (impliquer) to presuppose; **à ~ que** supposing (that); **supposition** nf supposition.

suppositoire [sypozitwaʀ] nm suppository.

suppôt [sypo] nm (péj) henchman.

suppression [sypʀesjɔ̃] nf removal; deletion; cancellation; suppression.

supprimer [sypʀime] vt (cloison, cause, anxiété) to remove; (clause, mot) to delete; (congés, service d'autobus etc) to cancel; (publication, article) to suppress; (emplois, privilèges, témoin gênant) to do away with.

suppurer [sypyʀe] vi to suppurate.

supputations [sypytasjɔ̃] nfpl calculations, reckonings.

supputer [sypyte] vt to calculate, reckon.

suprématie [sypʀemasi] nf supremacy.

suprême [sypʀɛm] a supreme.

sur [syʀ] prép (gén) on; (par-dessus) over; (au-dessus) above; (direction) towards; (à propos de) about, on; **un ~ 10** one out of 10; **4m ~ 2** 4m by 2; **je n'ai pas d'argent ~ moi** I haven't got any money with ou on me; **~ ce** ad hereupon.

sur, e [syʀ] a sour.

sûr, e [syʀ] a sure, certain; (digne de confiance) reliable; (sans danger) safe; **peu ~** unreliable; **~ de qch** sure ou certain of sth; **être ~ de qn** to be sure of sb; **~ de soi** self-assured, self-confident; **le plus ~ est** de the safest thing is to.

surabonder [syʀabɔ̃de] vi to be overabundant.

suraigu, uë [syʀegy] a very shrill.

surajouter [syʀaʒute] vt: **~ qch à** to add sth to.

suralimenté, e [syʀalimɑ̃te] a overfed.

suranné, e [syʀane] a outdated, outmoded.

surbaissé, e [syʀbese] a lowered, low.

surcharge [syʀʃaʀʒ(ə)] nf (de passagers, marchandises) excess load; (correction) alteration; (PHILATÉLIE) surcharge; **prendre des passagers en ~** to take on excess ou extra passengers; **~ de bagages** excess luggage; **~ de travail** extra work.

surcharger [syʀʃaʀʒe] vt to overload; (timbre-poste) to surcharge.

surchauffé, e [syʀʃofe] a overheated.

surchoix [syʀʃwa] a inv top-quality.

surclasser [syʀklase] vt to outclass.

surcouper [syʀkupe] vt to overtrump.

surcroît [syʀkʀwa] nm: **un ~ de** additional + nom; **par ou de ~** moreover; **en ~** in addition.

surdi-mutité [syʀdimytite] nf: atteint de **~** deaf and dumb.

surdité [syʀdite] nf deafness.

sureau, x [syʀo] nm elder (tree).

surélever [syʀelve] vt to raise, heighten.

sûrement [syʀmɑ̃] ad reliably; safely, securely; (certainement) certainly.

surenchère [syʀɑ̃ʃɛʀ] nf (aux enchères) higher bid; (sur prix fixe) overbid; (fig) overstatement; outbidding tactics pl; **surenchérir** vi to bid higher; to raise one's bid; (fig) to try and outbid each other.

surent vb voir **savoir**.

surestimer [syʀɛstime] vt to overestimate.

sûreté [syʀte] nf (voir sûr) reliability; safety; (JUR) guaranty; surety; **mettre en ~** to put in a safe place; **pour plus de ~** as an extra precaution; to be on the safe side; **la S~ (nationale)** division of the Ministère de l'Intérieur heading all police

forces except the gendarmerie and the Paris préfecture de police.

surexcité, e [syʀɛksite] a overexcited.

surexposer [syʀɛkspoze] vt to overexpose.

surf [syʀf] nm surfing.

surface [syʀfas] nf surface; (superficie) surface area; **faire ~** to surface; **en ~** ad near the surface; (fig) superficially; **la pièce fait 100m² de ~** the room has a surface area of 100m²; **~ de réparation** penalty area.

surfait, e [syʀfɛ, -ɛt] a overrated.

surfin, e [syʀfɛ̃, -in] a superfine.

surgelé, e [syʀʒəle] a (deep-)frozen.

surgir [syʀʒiʀ] vi (personne, véhicule) to appear suddenly; (geyser etc: de terre) to shoot up; (fig: problème, conflit) to arise.

surhomme [syʀɔm] nm superman.

surhumain, e [syʀymɛ̃, -ɛn] a superhuman.

surimposer [syʀɛ̃poze] vt to overtax.

surimpression [syʀɛ̃pʀesjɔ̃] nf (PHOTO) double exposure; **en ~** superimposed.

sur-le-champ [syʀləʃɑ̃] ad immediately.

surlendemain [syʀlɑ̃dmɛ̃] nm: **le ~ (soir)** two days later (in the evening); **le ~ de** two days after.

surmenage [syʀmənaʒ] nm overwork; **le ~ intellectuel** mental fatigue.

surmené, e [syʀməne] a overworked.

surmener [syʀməne] vt, **se ~** vi to overwork.

surmonter [syʀmɔ̃te] vt (suj: coupole etc) to surmount, top; (vaincre) to overcome, surmount.

surmultiplié, e [syʀmyltiplije] a, nf: **(vitesse) ~e** overdrive.

surnager [syʀnaʒe] vi to float.

surnaturel, le [syʀnatyʀɛl] a, nm supernatural.

surnom [syʀnɔ̃] nm nickname.

surnombre [syʀnɔ̃bʀ(ə)] nm: **être en ~** to be too many (ou one too many).

surnommer [syʀnɔme] vt to nickname.

surnuméraire [syʀnymeʀɛʀ] nm/f supernumerary.

suroît [syʀwa] nm sou'wester.

surpasser [syʀpase] vt to surpass.

surpeuplé, e [syʀpœple] a overpopulated.

surplis [syʀpli] nm surplice.

surplomb [syʀplɔ̃] nm overhang; **en ~** overhanging.

surplomber [syʀplɔ̃be] vi to be overhanging // vt to overhang; to tower above.

surplus [syʀply] nm (COMM) surplus; (reste): **~ de bois** wood left over; **~ américains** American army surplus sg.

surprenant, e [syʀpʀənɑ̃, -ɑ̃t] a surprising.

surprendre [syʀpʀɑ̃dʀ(ə)] vt (étonner, prendre à l'improviste) to surprise; (tomber sur: intrus etc) to catch; (fig) to detect; to chance ou happen upon; to intercept; to overhear; **~ la vigilance/bonne foi de qn** to catch sb out/betray sb's good faith; **se ~ à faire** to catch ou find o.s. doing.

surprime [syʀpʀim] nf additional premium.

surpris, e [syRpRi, -iz] *a*: ~ **(de/que)** surprised (at/that).

surprise [syRpRiz] *nf* surprise ; **faire une** ~ **à qn** to give sb a surprise ; **par** ~ *ad* by surprise.

surprise-partie [syRpRizparti] *nf* party.

surproduction [syRpRɔdyksjɔ̃] *nf* overproduction.

surréaliste [syRRealist(ə)] *a* surrealist.

sursaut [syRso] *nm* start, jump ; ~ **de** (*énergie, indignation*) sudden fit *ou* burst of ; **en** ~ *ad* with a start ; **sursauter** *vi* to (give a) start, jump.

surseoir [syRswaR]: ~ **à** *vt* to defer ; (*JUR*) to stay.

sursis [syRsi] *nm* (*JUR*: *gén*) suspended sentence ; (*à l'exécution capitale, aussi fig*) reprieve ; (*MIL*): ~ **(d'appel** *ou* **d'incorporation)** deferment ; **condamné à 5 mois (de prison) avec** ~ given a 5-month suspended (prison) sentence ; **sursitaire** *nm* (*MIL*) deferred conscript.

sursois *etc vb voir* **surseoir.**

surtaxe [syRtaks(ə)] *nf* surcharge.

surtout [syRtu] *ad* (*avant tout, d'abord*) above all ; (*spécialement, particulièrement*) especially ; **il aime le sport,** ~ **le football** he likes sport, especially football ; **cet été, il a** ~ **fait de la pêche** this summer he went fishing more than anything (else) ; ~**, ne dites rien!** whatever you do — don't say anything! ; ~ **pas!** certainly *ou* definitely not! ; ~ **que...** especially as ...

surveillance [syRvɛjɑ̃s] *nf* watch ; (*POLICE, MIL*) surveillance ; **sous** ~ **médicale** under medical supervision ; **la** ~ **du territoire** internal security (*voir aussi* **D.S.T.**).

surveillant, e [syRvɛjɑ̃, -ɑ̃t] *nm/f* (*de prison*) warder ; (*SCOL*) monitor ; (*de travaux*) supervisor, overseer.

surveiller [syRveje] *vt* (*enfant, élèves, bagages*) to watch, keep an eye on ; (*malade*) to watch over ; (*prisonnier, suspect*) to keep (a) watch on ; (*territoire, bâtiment*) to (keep) watch over ; (*travaux, cuisson*) to supervise ; (*SCOL*: *examen*) to invigilate ; **se** ~ to keep a check *ou* watch on o.s. ; ~ **son langage/sa ligne** to watch one's language/figure.

survenir [syRvəniR] *vi* (*incident, retards*) to occur, arise ; (*événement*) to take place ; (*personne*) to appear, arrive.

survêtement [syRvɛtmɑ̃] *nm* tracksuit.

survie [syRvi] *nf* survival ; (*REL*) afterlife ; **une** ~ **de quelques mois** a few more months of life.

survivant, e [syRvivɑ̃, -ɑ̃t] *nm/f* survivor.

survivre [syRvivR(ə)] *vi* to survive ; ~ **à** *vt* (*accident etc*) to survive ; (*personne*) to outlive.

survol [syRvɔl] *nm* flying over.

survoler [syRvɔle] *vt* to fly over ; (*fig: livre*) to skim through.

survolté, e [syRvɔlte] *a* (*ÉLEC*) stepped up, boosted ; (*fig*) worked up.

sus [sy(s)]: **en** ~ **de** *prép* in addition to, over and above ; **en** ~ *ad* in addition ; ~ **à** *excl*: ~ **au tyran!** at the tyrant!

susceptibilité [sysɛptibilite] *nf* sensitiveness *q*.

susceptible [sysɛptibl(ə)] *a* touchy, sensitive ; ~ **d'amélioration** *ou* **d'être amélioré** that can be improved, open to improvement ; ~ **de faire** able to do ; liable to do.

susciter [sysite] *vt* (*admiration*) to arouse ; (*obstacles, ennuis*): ~ **(à qn)** to create (for sb).

susdit, e [sysdi, -dit] *a* foresaid.

susmentionné, e [sysmɑ̃sjɔne] *a* above-mentioned.

suspect, e [syspɛ(kt), -ɛkt(ə)] *a* suspicious ; (*témoignage, opinions*) suspect // *nm/f* suspect ; **peu** ~ most unlikely to be suspected of.

suspecter [syspɛkte] *vt* to suspect ; (*honnêteté de qn*) to question, have one's suspicions about ; ~ **qn d'être** to suspect sb of being.

suspendre [syspɑ̃dR(ə)] *vt* (*accrocher: vêtement*): ~ **qch (à)** to hang sth up (on) ; (*fixer: lustre etc*): ~ **qch à** to hang sth from ; (*interrompre, démettre*) to suspend ; (*remettre*) to defer ; **se** ~ **à** to hang from.

suspendu, e [syspɑ̃dy] *pp de* **suspendre** // *a* (*accroché*): ~ **à** hanging on (*ou* from) ; (*perché*): ~ **au-dessus de** suspended over ; (*AUTO*): **bien/mal** ~ with good/poor suspension.

suspens [syspɑ̃]: **en** ~ *ad* (*affaire*) in abeyance ; **tenir en** ~ to keep in suspense.

suspense [syspɑ̃s] *nm* suspense.

suspension [syspɑ̃sjɔ̃] *nf* suspension ; deferment ; (*AUTO*) suspension ; (*lustre*) pendent light fitting ; **en** ~ in suspension, suspended ; ~ **d'audience** adjournment.

suspicion [syspisjɔ̃] *nf* suspicion.

sustenter [systɑ̃te]: **se** ~ *vi* to take sustenance.

susurrer [sysyRe] *vt* to whisper.

sut *vb voir* **savoir.**

suture [sytyR] *nf*: **point de** ~ stitch ; **suturer** *vt* to stitch up, suture.

svelte [svɛlt(ə)] *a* slender, svelte.

S.V.P. *sigle* (= *s'il vous plaît*) please.

syllabe [silab] *nf* syllable.

sylvestre [silvɛstR(ə)] *a*: **pin** ~ Scots pine, Scotch fir.

sylviculture [silvikyltyR] *nf* forestry, sylviculture.

symbole [sɛ̃bɔl] *nm* symbol ; **symbolique** *a* symbolic(al) ; (*geste, offrande*) token *cpd* ; (*salaire, dommage-intérêts*) nominal ; **symboliser** *vt* to symbolize.

symétrie [simetri] *nf* symmetry ; **symétrique** *a* symmetrical.

sympa [sɛ̃pa] *a abr de* **sympathique.**

sympathie [sɛ̃pati] *nf* (*inclination*) liking ; (*affinité*) fellow feeling ; (*condoléances*) sympathy ; **accueillir avec** ~ (*projet*) to receive favourably ; **avoir de la** ~ **pour qn** to like sb, have a liking for sb ; **témoignages de** ~ expressions of sympathy ; **croyez à toute ma** ~ you have my deepest sympathy.

sympathique [sɛ̃patik] *a* nice, friendly, likeable ; pleasant.

sympathisant, e [sɛ̃patizɑ̃, -ɑ̃t] *nm/f* sympathizer.

sympathiser [sɛ̃patize] *vi* (*voisins etc*: *s'entendre*) to get on (well) ; (: *se fréquenter*)

to socialize, see each other ; ~ **avec** to get on (well) with ; to see, socialize with.
symphonie [sɛ̃fɔni] nf symphony; **symphonique** a (orchestre, concert) symphony cpd ; (musique) symphonic.
symptomatique [sɛ̃ptɔmatik] a symptomatic.
symptôme [sɛ̃ptom] nm symptom.
synagogue [sinagɔg] nf synagogue.
synchronique [sɛ̃kRɔnik] a: **tableau** ~ synchronic table of events.
synchroniser [sɛ̃kRɔnize] vt to synchronize.
syncope [sɛ̃kɔp] nf (MÉD) blackout ; (MUS) syncopation ; **tomber en** ~ to faint, pass out ; **syncopé, e** a syncopated.
syndic [sɛ̃dik] nm managing agent.
syndical, e, aux [sɛ̃dikal, -o] a (trade-)union cpd ; ~**isme** nm trade unionism ; union(ist) activities pl ; ~**iste** nm/f trade unionist.
syndicat [sɛ̃dika] nm (d'ouvriers, employés) (trade) union ; (autre association d'intérêts) union, association ; ~ **d'initiative** tourist office ou bureau ; ~ **patronal** employers' syndicate, federation of employers ; ~ **de propriétaires** association of property owners.
syndiqué, e [sɛ̃dike] a belonging to a (trade) union ; **non** ~ non-union.
syndiquer [sɛ̃dike]: **se** ~ vi to form a trade union ; (adhérer) to join a trade union.
syndrome [sɛ̃dRom] nm syndrome.
synode [sinɔd] nm synod.
synonyme [sinɔnim] a a synonymous // nm synonym ; ~ **de** synonymous with.
synoptique [sinɔptik] a: **tableau** ~ synoptic table.
synovie [sinɔvi] nf synovia.
syntaxe [sɛ̃taks(ə)] nf syntax.
synthèse [sɛ̃tɛz] nf synthesis (pl es) ; **faire la** ~ **de** to synthesize.
synthétique [sɛ̃tetik] a synthetic.
synthétiseur [sɛ̃tetizœR] nm (MUS) synthesizer.
syphilis [sifilis] nf syphilis.
Syrie [siRi] nf: **la** ~ Syria ; **syrien, ne** a, nm/f Syrian.
systématique [sistematik] a systematic.
systématiser [sistematize] vt to systematize.
système [sistɛm] nm system ; **le** ~ **D** resourcefulness ; **le** ~ **solaire** the solar system.

T

t' [t(ə)] pronom voir **te**.
ta [ta] dét voir **ton**.
tabac [taba] nm tobacco ; tobacconist's (shop) // a inv: (couleur) ~ buff(-coloured) ; **passer qn à** ~ to beat sb up ; ~ **brun/blond** light/dark tobacco ; ~ **gris** shag ; ~ **à priser** snuff ; **tabagie** nf smoke den ; **tabatière** nf snuffbox.
tabernacle [tabɛRnakl(ə)] nm tabernacle.
table [tabl(ə)] nf table ; **à** ~! dinner etc is ready! ; **se mettre à** ~ to sit down to eat ; (fig: fam) to come clean ; **mettre la** ~ to lay the table ; **faire** ~ **rase de** to make a clean sweep of ; ~ **basse** coffee table ;

~ **d'écoute** wire-tapping set ; ~ **d'harmonie** sounding board ; ~ **des matières** (table of) contents pl ; ~ **de multiplication** multiplication table ; ~ **de nuit** ou **de chevet** bedside table ; ~ **ronde** (débat) round table ; ~ **de toilette** washstand.
tableau, x [tablo] nm painting ; (reproduction, fig) picture ; (panneau) board ; (schéma) table, chart ; ~ **d'affichage** notice board ; ~ **de bord** dashboard ; (AVIAT) instrument panel ; ~ **de chasse** tally ; ~ **noir** blackboard.
tabler [table] vi: ~ **sur** to count ou bank on.
tablette [tablɛt] nf (planche) shelf (pl shelves) ; ~ **de chocolat** bar of chocolate.
tablier [tablije] nm apron ; (de pont) roadway.
tabou [tabu] nm, a taboo.
tabouret [tabuRɛ] nm stool.
tabulateur [tabylatœR] nm tabulator.
tac [tak] nm: **du** ~ **au** ~ tit for tat.
tache [taʃ] nf (saleté) stain, mark ; (ART, de couleur, lumière) spot ; splash, patch ; **faire** ~ **d'huile** to spread, gain ground.
tâche [taʃ] nf task ; **travailler à la** ~ to do general jobbing, work as a jobbing gardener/builder etc.
tacher [taʃe] vt to stain, mark ; (fig) to sully, stain.
tâcher [taʃe] vi: ~ **de faire** to try ou endeavour to do.
tâcheron [taʃRɔ̃] nm (fig) drudge.
tacite [tasit] a tacit.
taciturne [tasityRn(ə)] a taciturn.
tacot [tako] nm (péj) banger.
tact [takt] nm tact ; **avoir du** ~ to be tactful, have tact.
tactile [taktil] a tactile.
tactique [taktik] a tactical // nf (technique) tactics sg ; (plan) tactic.
taie [tɛ] nf: ~ **(d'oreiller)** pillowslip, pillowcase.
taille [taj] nf cutting ; pruning ; (milieu du corps) waist ; (hauteur) height ; (grandeur) size ; **de** ~ **à faire** capable of doing ; **de** ~ a sizeable.
taille-crayon(s) [tajkRɛjɔ̃] nm pencil sharpener.
tailler [taje] vt (pierre, diamant) to cut ; (arbre, plante) to prune ; (vêtement) to cut out ; (crayon) to sharpen ; **se** ~ vt (ongles, barbe) to trim, cut ; (fig: réputation) to gain, win // vi (fam) to beat it ; ~ **dans** (chair, bois) to cut into.
tailleur [tajœR] nm (couturier) tailor ; (vêtement) suit, costume ; **en** ~ (assis) cross-legged ; ~ **de diamants** diamond-cutter.
taillis [taji] nm copse.
tain [tɛ̃] nm silvering ; **glace sans** ~ two-way mirror.
taire [tɛR] vt to keep to o.s., conceal // vi: **faire** ~ **qn** to make sb be quiet ; (fig) to silence sb ; **se** ~ vi (s'arrêter de parler) to fall silent, stop talking ; (ne pas parler) to be silent ou quiet ; to keep quiet ; **tais-toi!, taisez-vous!** be quiet!
talc [talk] nm talcum powder.

talé, e [tale] a (*fruit*) bruised.

talent [talɑ̃] nm talent ; **talentueux, euse** a talented.

talion [taljɔ̃] nm: **la loi du ~** an eye for an eye.

talisman [talismɑ̃] nm talisman.

talon [talɔ̃] nm heel ; (*de chèque, billet*) stub, counterfoil ; **~s plats/aiguilles** flat/stiletto heels.

talonner [talɔne] vt to follow hard behind ; (*fig*) to hound.

talonnette [talɔnɛt] nf heelpiece.

talquer [talke] vt to put talcum powder on.

talus [taly] nm embankment.

tambour [tɑ̃buʀ] nm (*MUS, aussi TECH*) drum ; (*musicien*) drummer ; (*porte*) revolving door(s *pl*).

tambourin [tɑ̃buʀɛ̃] nm tambourine.

tambouriner [tɑ̃buʀine] vi: **~ contre** to drum against *ou* on.

tambour-major [tɑ̃buʀmaʒɔʀ] nm drum major.

tamis [tami] nm sieve.

Tamise [tamiz] nf: **la ~** the Thames.

tamisé, e [tamize] a (*fig*) subdued, soft.

tamiser [tamize] vt to sieve, sift.

tampon [tɑ̃pɔ̃] nm (*de coton, d'ouate*) wad, pad ; (*amortisseur*) buffer ; (*bouchon*) plug, stopper ; (*cachet, timbre*) stamp ; **~ (hygiénique)** tampon ; **tamponner** vt (*timbres*) to stamp ; (*heurter*) to crash *ou* ram into ; **tamponneuse** a: **autos tamponneuses** dodgems.

tam-tam [tamtam] nm tomtom.

tandem [tɑ̃dɛm] nm tandem ; (*fig*) duo, pair.

tandis [tɑ̃di]: **~ que** cj while.

tangage [tɑ̃gaʒ] nm pitching (and tossing).

tangent, e [tɑ̃ʒɑ̃, -ɑ̃t] a (*MATH*): **~ à** tangential to ; (*fam*) close // nf (*MATH*) tangent.

tangible [tɑ̃ʒibl(ə)] a tangible, concrete.

tango [tɑ̃go] nm tango.

tanguer [tɑ̃ge] vi to pitch (and toss).

tanière [tanjɛʀ] nf lair, den.

tanin [tanɛ̃] nm tannin.

tank [tɑ̃k] nm tank.

tanné, e [tane] a weather-beaten.

tanner [tane] vt to tan.

tannerie [tanʀi] nf tannery.

tanneur [tanœʀ] nm tanner.

tant [tɑ̃] ad so much ; **~ de** (*sable, eau*) so much ; (*gens, livres*) so many ; **~ que** cj as long as ; **~ que** (*comparatif*) as much as ; **~ mieux** that's great ; so much the better ; **~ pis** never mind ; too bad ; **~ pis pour lui** too bad for him ; **~ soit peu** a little bit ; (even) remotely.

tante [tɑ̃t] nf aunt.

tantinet [tɑ̃tinɛ]: **un ~** ad a tiny bit.

tantôt [tɑ̃to] ad (*parfois*): **~ ... ~** now ... now ; (*cet après-midi*) this afternoon.

taon [tɑ̃] nm horsefly, gadfly.

tapage [tapaʒ] nm uproar, din ; **~ nocturne** (*JUR*) disturbance of the peace (at night).

tapageur, euse [tapaʒœʀ, -øz] a loud, flashy, noisy.

tape [tap] nf slap.

tape-à-l'œil [tapalœj] a inv flashy, showy.

taper [tape] vt (*porte*) to bang, slam ; (*dactylographier*) to- type (out) ; (*fam: emprunter*): **~ qn de 10 F** to touch sb for 10 F, cadge 10 F off sb // vi (*soleil*) to beat down ; **~ sur qn** to thump sb ; (*fig*) to run sb down ; **~ sur qch** to hit sth ; to bang on sth ; **~ à** (*porte etc*) to knock on ; **~ dans** vt (*se servir*) to dig into ; **~ des mains/pieds** to clap one's hands/stamp one's feet ; **~ (à la machine)** to type.

tapi, e [tapi] a: **~ dans/derrière** crouching *ou* cowering in/behind ; hidden away in/behind.

tapioca [tapjɔka] nm tapioca.

tapis [tapi] nm carpet ; (*de table*) cloth ; **mettre sur le ~** (*fig*) to bring up for discussion ; **~ roulant** conveyor belt ; **~ de sol** (*de tente*) groundsheet ; **~-brosse** nm doormat.

tapisser [tapise] vt (*avec du papier peint*) to paper ; (*recouvrir*): **~ qch (de)** to cover sth (with).

tapisserie [tapisʀi] nf (*tenture, broderie*) tapestry ; (: *travail*) tapestry-making ; tapestry work ; (*papier peint*) wallpaper ; **faire ~** to sit out, be a wallflower.

tapissier, ière [tapisje, -jɛʀ] nm/f: **~ (-décorateur)** upholsterer (and decorator).

tapoter [tapɔte] vt to pat, tap.

taquet [takɛ] nm wedge ; peg.

taquin, e [takɛ̃, -in] a teasing.

taquiner [takine] vt to tease.

tarabiscoté, e [taʀabiskɔte] a over- ornate, fussy.

tarabuster [taʀabyste] vt to bother, worry.

tarauder [taʀode] vt (*TECH*) to tap, to thread ; (*fig*) to pierce.

tard [taʀ] ad late ; **au plus ~** at the latest ; **plus ~** later (on) ; **sur le ~** late in life.

tarder [taʀde] vi (*chose*) to be a long time coming ; (*personne*): **~ à faire** to delay doing ; **il me tarde d'être** I am longing to be ; **sans (plus) ~** without (further) delay.

tardif, ive [taʀdif, -iv] a late ; **tardivement** ad late.

tare [taʀ] nf (*COMM*) tare ; (*fig*) defect ; taint, blemish.

targuer [taʀge]: **se ~ de** vt to boast about.

tarif [taʀif] nm (*liste*) price list ; tariff ; (*barème*) rates *pl* ; fares *pl* ; tariff ; (*prix*) rate ; fare ; **~aire** a tariff *cpd* ; **~er** vt to fix the price *ou* rate for ; **~é 10 F** priced 10 F.

tarir [taʀiʀ] vi to dry up, run dry // vt to dry up.

tarot(s) [taʀo] nm(*pl*) tarot cards.

tartare [taʀtaʀ] a (*CULIN*) tartar(e).

tarte [taʀt(ə)] nf tart ; **~ aux pommes/à la crème** apple/custard tart ; **~lette** nf tartlet.

tartine [taʀtin] nf slice of bread and butter (*ou* jam) ; **~ au miel** slice of bread and honey ; **tartiner** vt to spread ; **fromage à tartiner** cheese spread.

tartre [taʀtʀ(ə)] nm (*des dents*) tartar ; (*de chaudière*) fur, scale.

tas [tɑ] nm heap, pile ; (fig): un ~ de heaps of, lots of ; **en** ~ in a heap ou pile ; **dans le** ~ (fig) in the crowd ; among them ; **formé sur le** ~ trained on the job.

tasse [tɑs] nf cup.

tassé, e [tɑse] a: **bien** ~ (café etc) strong.

tasser [tɑse] vt (terre, neige) to pack down ; (entasser): ~ **qch dans** to cram sth into ; **se** ~ vi (terrain) to settle ; (fig) to sort itself out, settle down.

tâter [tate] vt to feel ; (fig) to try out ; to test out ; ~ **de** (prison etc) to have a taste of ; **se** ~ (hésiter) to be in two minds ; ~ **le terrain** (fig) to test the ground.

tatillon, ne [tatijɔ̃, -ɔn] a pernickety.

tâtonnement [tɑtɔnmɑ̃] nm: **par** ~**s** (fig) by trial and error.

tâtonner [tɑtɔne] vi to grope one's way along.

tâtons [tɑtɔ̃]: **à** ~ ad: **chercher/avancer à** ~ to grope around for/grope one's way forward.

tatouage [tatwaʒ] nm tattooing ; (dessin) tattoo.

tatouer [tatwe] vt to tattoo.

taudis [todi] nm hovel, slum.

taupe [top] nf mole ; **taupinière** nf molehill.

taureau, x [tɔro] nm bull ; (signe): **le T**~ Taurus, the Bull ; **être du T**~ to be Taurus.

tauromachie [tɔrɔmaʃi] nf bullfighting.

taux [to] nm rate ; (d'alcool) level ; ~ **d'intérêt** interest rate.

tavelé, e [tavle] a marbled.

taverne [tavɛrn(ə)] nf inn, tavern.

taxe [taks] nf tax ; (douanière) duty ; ~ **de séjour** tourist tax ; ~ **à la valeur ajoutée (T.V.A.)** value added tax (V.A.T.).

taxer [takse] vt (personne) to tax ; (produit) to put a tax on, tax ; (fig): ~ **qn de** to call sb + attribut ; to accuse sb of, tax sb with.

taxi [taksi] nm taxi.

taximètre [taksimɛtr(ə)] nm (taxi)meter.

taxiphone [taksifɔn] nm pay phone.

T.C.F. sigle m = Touring Club de France, ≈ AA ou RAC.

Tchécoslovaquie [tʃekɔslɔvaki] nf Czechoslovakia ; **tchèque** a, nm, nf Czech.

te, t' [t(ə)] pronom you ; (réfléchi) yourself.

té [te] nm T-square.

technicien, ne [tɛknisjɛ̃, -jɛn] nm/f technician.

technique [tɛknik] a technical // nf technique ; ~**ment** ad technically.

technocrate [tɛknɔkrat] nm/f technocrat.

technocratie [tɛknɔkrasi] nf technocracy.

technologie [tɛknɔlɔʒi] nf technology ; **technologique** a technological.

teck [tɛk] nm teak.

teckel [tekɛl] nm dachshund.

teignais etc vb voir **teindre**.

teigne [tɛɲ] nf (ZOOL) moth ; (MÉD) ringworm.

teigneux, euse [tɛɲø, -øz] a (péj) nasty, scabby.

teindre [tɛ̃dr(ə)] vt to dye.

teint, e [tɛ̃, tɛ̃t] a dyed // nm (du visage) complexion, colouring ; colour // nf shade, colour ; **grand** ~ a inv colourfast.

teinté, e [tɛ̃te] a (verres) tinted ; (bois) stained ; ~ **acajou** mahogany-stained ; ~ **de** (fig) tinged with.

teinter [tɛ̃te] vt to tint ; (bois) to stain ; **teinture** nf dyeing ; (substance) dye ; (MÉD): **teinture d'iode** tincture of iodine.

teinturerie [tɛ̃tyrri] nf dry cleaner's.

teinturier [tɛ̃tyrje] nm dry cleaner.

tel, telle [tɛl] a (pareil) such ; (comme): ~ **un/des ...** like a/ like... ; (indéfini) such-and-such a, a given ; (intensif): **un ~/de ~s ...** such (a)/such ... ; **rien de** ~ nothing like it, no such thing ; ~ **que** cj like, such as ; ~ **quel** as it is ou stands (ou was etc).

tél. abr de **téléphone.**

télé [tele] nf (abr de **télévision**) (poste) T.V. (set) ; **à la** ~ on the telly, on T.V.

télé... [tele] préfixe: ~**benne** nf (benne) telecabine, gondola // nm telecabine ; ~**cabine** nf (benne) telecabine, gondola // nm telecabine ; ~**commande** nf remote control ; ~**commander** vt to operate by remote control ; ~**communications** nfpl telecommunications ; ~**férique** nm = ~**phérique** ; ~**gramme** nm telegram.

télégraphe [telegraf] nm telegraph ; **télégraphie** nf telegraphy ; **télégraphier** vt to telegraph, cable ; **télégraphique** a telegraph cpd, telegraphic ; (fig) telegraphic ; **télégraphiste** nm/f telegraphist.

téléguider [telegide] vt to operate by remote control, radio-control.

téléobjectif [teleɔbʒɛktif] nm telephoto lens sg.

télépathie [telepati] nf telepathy.

téléphérique [teleferik] nm cable-car.

téléphone [telefɔn] nm telephone ; (appel) (telephone) call ; telephone conversation ; **avoir le** ~ to be on the (tele)phone ; **au** ~ on the phone ; **les T~s** ≈ Post Office. Telecommunications ; ~ **arabe** bush telephone ; ~ **manuel** manually-operated telephone system ; **téléphoner** vt to telephone // vi to telephone, ring ; to make a phone call ; **téléphoner à** to phone up, ring up, call up ; **téléphonique** a telephone cpd, phone cpd ; **téléphoniste** nm/f telephonist, telephone operator ; (d'entreprise) switchboard operator.

télescope [telɛskɔp] nm telescope.

télescoper [telɛskɔpe] vt to smash up ; **se** ~ (véhicules) to concertina.

télescopique [telɛskɔpik] a telescopic.

télescripteur [teleskriptœr] nm teleprinter.

télésiège [telesjɛʒ] nm chairlift.

téléski [teleski] nm ski-tow ; ~ **à archets** T-bar tow ; ~ **à perche** button lift.

téléspectateur, trice [telespɛktatœr, -tris] nm/f (television) viewer.

téléviser [televize] vt to televise.

téléviseur [televizœr] nm television set.

télévision [televizjɔ̃] nf television ; **avoir la** ~ to have a television ; **à la** ~ on television.

télex [telɛks] nm telex.

telle [tɛl] a voir **tel.**

tellement [tɛlmã] ad (tant) so much ; (si) so ; ~ **plus grand (que)** so much bigger (than) ; ~ **de** (sable, eau) so much ; (gens, livres) so many ; **il s'est endormi** ~ **il était fatigué** he was so tired (that) he fell asleep ; **pas** ~ not (all) that much ; not (all) that + adjectif.

tellurique [telyrik] a: **secousse** ~ earth tremor.

téméraire [temerɛr] a reckless, rash ; **témérité** nf recklessness, rashness.

témoignage [temwaɲaʒ] nm (JUR: déclaration) testimony q, evidence q ; (: faits) evidence q ; (rapport, récit) account ; (fig: d'affection etc) token, mark ; expression.

témoigner [temwaɲe] vt (intérêt, gratitude) to show // vi (JUR) to testify, give evidence ; ~ **que** to testify that ; (fig) to reveal that, testify to the fact that ; ~ **de** vt to bear witness to, testify to.

témoin [temwɛ̃] nm witness ; (fig) testimony ; (SPORT) baton ; (CONSTR) telltale // a control cpd, test cpd ; **appartement** ~ show flat ; **être** ~ **de** to witness ; to vouch for ; **prendre à** ~ to call to witness ; ~ **de moralité** character reference ; ~ **oculaire** eyewitness.

tempe [tãp] nf temple.

tempérament [tãperamã] nm temperament, disposition ; (santé) constitution ; **à** ~ (vente) on deferred (payment) terms ; (achat) by instalments, hire purchase cpd ; **avoir du** ~ to be hot-blooded.

tempérance [tãperãs] nf temperance.

température [tãperatyr] nf temperature ; **prendre la** ~ **de** to take the temperature of ; (fig) to gauge the feeling of ; **avoir ou faire de la** ~ to have ou be running a temperature.

tempéré, e [tãpere] a temperate.

tempérer [tãpere] vt to temper.

tempête [tãpɛt] nf storm ; ~ **de sable/neige** sand/snowstorm.

tempêter [tãpete] vi to rant and rave.

temple [tãpl(ə)] nm temple ; (protestant) church.

tempo [tɛmpo] nm tempo (pl s).

temporaire [tãpɔrɛr] a temporary ; ~**ment** ad temporarily.

temporel, le [tãpɔrɛl] a temporal.

temporiser [tãpɔrize] vi to temporize, play for time.

temps [tã] nm (atmosphérique) weather ; (durée) time ; (époque) time, times pl ; (LING) tense ; (MUS) beat ; (TECH) stroke ; **il fait beau/mauvais** ~ the weather is fine/bad ; **avoir le** ~/**tout le** ~/**juste le** ~ to have time/plenty of time/just enough time ; **avoir fait son** ~ (fig) to have had its (ou his etc) day ; **en** ~ **de paix/guerre** in peacetime/wartime ; **en** ~ **utile ou voulu** in due time ou course ; **de** ~ **en** ~, **de** ~ **à autre** from time to time, now and again ; **à** ~ (partir, arriver) in time ; **à** ~ **partiel** ad, a part-time ; **dans le** ~ at one time ; **de tout** ~ always ; **du** ~ **que** at the time when, in the days when ; ~ **d'arrêt** pause, halt ; ~ **mort** (COMM) slack period.

tenable [tənabl(ə)] a bearable.

tenace [tənas] a tenacious, persistent ; **ténacité** nf tenacity, persistence.

tenailler [tənaje] (fig) vt to torment, torture.

tenailles [tənaj] nfpl pincers.

tenais etc vb voir **tenir**.

tenancier, ière [tənãsje, -jɛr] nm/f manager/manageress.

tenant, e [tənã, -ãt] a voir **séance** // nm/f (SPORT): ~ **du titre** title-holder // nm: **d'un seul** ~ in one piece ; **les** ~**s et les aboutissants** the ins and outs.

tendance [tãdãs] nf (opinions) leanings pl, sympathies pl ; (inclination) tendency ; (évolution) trend ; ~ **à la hausse** upward trend ; **avoir** ~ **à** to have a tendency to, tend to ; **tendancieux, euse** a tendentious.

tendeur [tãdœr] nm (de vélo) chain-adjuster ; (de câble) wire-strainer ; (de tente) runner ; (attache) sandow, elastic strap.

tendon [tãdõ] nm tendon, sinew ; ~ **d'Achille** Achilles' tendon.

tendre [tãdr(ə)] a (viande, légumes) tender ; (bois, roche, couleur) soft ; (affectueux) tender, loving // vt (élastique, peau) to stretch, draw tight ; (muscle) to tense ; (donner): ~ **qch à qn** to hold sth out to sb ; to offer sb sth ; (fig: piège) to set, lay ; (tapisserie): **tendu de soie** hung with silk, with silk hangings ; **se** ~ vi (corde) to tighten ; (relations) to become strained ; ~ **à qch/à faire** to tend towards sth/to do ; ~ **l'oreille** to prick up one's ears ; ~ **la main/le bras** to hold out one's hand/stretch out one's arm ; ~**ment** ad tenderly, lovingly ; **tendresse** nf tenderness.

tendu, e [tãdy] pp de **tendre** // a tight ; tensed ; strained.

ténèbres [tenɛbr(ə)] nfpl darkness sg ; **ténébreux, euse** a obscure, mysterious ; (personne) saturnine.

teneur [tənœr] nf content, substance ; (d'une lettre) terms pl, content ; ~ **en cuivre** copper content.

ténia [tenja] nm tapeworm.

tenir [tənir] vt to hold ; (magasin, hôtel) to run ; (promesse) to keep // vi to hold ; (neige, gel) to last ; **se** ~ vi (avoir lieu) to be held, take place ; (être: personne) to stand ; **se** ~ **droit** to stand up (ou sit up) straight ; **bien se** ~ to behave well ; **se** ~ **à qch** to hold on to sth ; **s'en** ~ **à qch** to confine o.s. to sth ; to stick to sth ; ~ **à** vt to be attached to ; to care about ; to depend on ; to stem from ; ~ **à faire** to want to do, be keen to do ; ~ **de** vt partake of ; to take after ; **ça ne tient qu'à lui** it is entirely up to him ; ~ **qn pour** to take sb for ; ~ **qch de qn** (histoire) to have heard ou learnt sth from sb ; (qualité, défaut) to have inherited ou got sth from sb ; ~ **les comptes** to keep the books ; ~ **un rôle** to play a part ; ~ **l'alcool** to be able to hold a drink ; ~ **le coup** to hold out ; ~ **3 jours/2 mois** (résister) to hold out ou last 3 days/2 months ; ~ **au chaud/à l'abri** to keep hot/under shelter ou cover ; **tiens/tenez, voilà le stylo!**

there's the pen!; **tiens, Alain!** look, here's Alain!; **tiens?** (*surprise*) really?

tennis [tenis] *nm* tennis; (*aussi:* **court de** ~) tennis court // *nm ou fpl* (*aussi:* **chaussures de** ~) tennis *ou* gym shoes; ~ **de table** table tennis; **~man** *nm* tennis player.

ténor [tenɔr] *nm* tenor.

tension [tɑ̃sjɔ̃] *nf* tension; (*fig*) tension; strain; (MÉD) blood pressure; **faire** *ou* **avoir de la** ~ to have high blood pressure.

tentaculaire [tɑ̃takylɛr] *a* (*fig*) sprawling.

tentacule [tɑ̃takyl] *nm* tentacle.

tentant, e [tɑ̃tɑ̃, -ɑ̃t] *a* tempting.

tentateur, trice [tɑ̃tatœr, -tris] *a* tempting // *nm* (REL) tempter.

tentation [tɑ̃tasjɔ̃] *nf* temptation.

tentative [tɑ̃tativ] *nf* attempt, bid; ~ **d'évasion** escape bid.

tente [tɑ̃t] *nf* tent; ~ **à oxygène** oxygen tent.

tenter [tɑ̃te] *vt* (*éprouver, attirer*) to tempt; (*essayer*): ~ **qch/de faire** to attempt *ou* try sth/to do; **être tenté de** to be tempted to; ~ **sa chance** to try one's luck.

tenture [tɑ̃tyr] *nf* hanging.

tenu, e [təny] *pp de* **tenir** // *a* (*maison, comptes*): **bien** ~ well-kept; (*obligé*): ~ **de faire** under an obligation to do // *nf* (*action de tenir*) running; keeping; holding; (*vêtements*) clothes *pl*, gear; (*allure*) dress *q*, appearance; (*comportement*) manners *pl*, behaviour; **en grande** ~**e** in full dress; **en petite** ~**e** scantily dressed *ou* clad; **avoir de la** ~**e** to have good manners; (*journal*) to have a high standard; **une** ~**e de voyage/sport** travelling/sports clothes *pl ou* gear *q*; ~**e de combat** combat gear *ou* dress; ~**e de route** (AUTO) road-holding; ~**e de soirée** evening dress.

ténu, e [teny] *a* (*indice, nuance*) tenuous, subtle; (*fil, objet*) fine; (*voix*) thin.

ter [tɛr] *a:* **16** ~ 16b *ou* B.

térébenthine [terebɑ̃tin] *nf:* (**essence de**) ~ (oil of) turpentine.

tergiverser [tɛrʒivɛrse] *vi* to shilly-shally.

terme [tɛrm(ə)] *nm* term; (*fin*) end; **vente/achat** **à** ~ (COMM) forward sale/purchase; **à court/long** ~ *a* short-/long-term *ou* -range // *ad* in the short/long term; **à** ~ (MÉD) a full-term // *ad* at term; **avant** ~ (MÉD) *a* premature // *ad* prematurely; **mettre un** ~ **à** to put an end *ou* a stop to.

terminaison [tɛrminɛzɔ̃] *nf* (LING) ending.

terminal, e, aux [tɛrminal, -o] *a* final // *nm* terminal // *nf* (SCOL) ≈ Upper Sixth.

terminer [tɛrmine] *vt* to end; (*nourriture, repas*) to finish; **se** ~ *vi* to end; **se** ~ **par** to end with.

terminologie [tɛrminɔlɔʒi] *nf* terminology.

terminus [tɛrminys] *nm* terminus (*pl* i).

termite [tɛrmit] *nm* termite, white ant.

terne [tɛrn(ə)] *a* dull.

ternir [tɛrnir] *vt* to dull; (*fig*) to sully, tarnish; **se** ~ *vi* to become dull.

terrain [tɛrɛ̃] *nm* (*sol, fig*) ground; (COMM) land *q*, plot (of land); site; **sur le** ~ (*fig*) on the field; ~ **de football/rugby** football/rugby pitch; ~ **d'aviation** airfield; ~ **de camping** camping site; **un** ~ **d'entente** an area of agreement; ~ **de golf** golf course; ~ **de jeu** games field; playground; ~ **de sport** sports ground; ~ **vague** waste ground *q*.

terrasse [tɛras] *nf* terrace; (*de café*) pavement area, terrasse; **à la** ~ (*café*) outside.

terrassement [tɛrasmɑ̃] *nm* earth-moving, earthworks *pl*; embankment.

terrasser [tɛrase] *vt* (*adversaire*) to floor, bring down; (*suj: maladie etc*) to lay low.

terrassier [tɛrasje] *nm* navvy, roadworker.

terre [tɛr] *nf* (*gén, aussi* ÉLEC) earth; (*substance*) soil, earth; (*opposé à mer*) land *q*; (*contrée*) land; ~**s** *nfpl* (*terrains*) lands, land *sg*; **le travail de la** ~ work on the land; **en** ~ (*pipe, poterie*) clay *cpd*; **à** ~ *ou* **par** ~ (*mettre, être*) on the ground (*ou* floor); (*jeter, tomber*) to the ground, down; ~ **cuite** earthenware; terracotta; **la** ~ **ferme** dry land, terra firma; ~ **glaise** clay; **la T**~ **Sainte** the Holy Land; ~ **à** ~ *inv* down-to-earth, matter-of-fact.

terreau [tɛro] *nm* compost.

terre-plein [tɛrplɛ̃] *nm* platform.

terrer [tɛre]: **se** ~ *vi* to hide away; to go to ground.

terrestre [tɛrɛstr(ə)] *a* (*surface*) earth's, of the earth; (BOT, ZOOL, MIL) land *cpd*; (REL) earthly, worldly.

terreur [tɛrœr] *nf* terror *q*, fear.

terrible [tɛribl(ə)] *a* terrible, dreadful; (*fam*) terrific; ~**ment** *ad* (*très*) terribly, awfully.

terrien, ne [tɛrjɛ̃, -jɛn] *nm/f* countryman/woman, man/woman of the soil; (*non martien etc*) earthling.

terrier [tɛrje] *nm* burrow, hole; (*chien*) terrier.

terrifier [tɛrifje] *vt* to terrify.

terril [tɛril] *nm* slag heap.

terrine [tɛrin] *nf* (*récipient*) terrine; (CULIN) pâté.

territoire [tɛritwar] *nm* territory; **territorial, e, aux** *a* territorial.

terroir [tɛrwar] *nm* (AGR) soil; **accent du** ~ country *ou* rural accent.

terroriser [tɛrɔrize] *vt* to terrorize; **terrorisme** *nm* terrorism; **terroriste** *nm/f* terrorist.

tertiaire [tɛrsjɛr] *a* tertiary // *nm* (ÉCON) tertiary sector, service industries *pl*.

tertre [tɛrtr(ə)] *nm* hillock, mound.

tes [te] *dét voir* **ton**.

tesson [tesɔ̃] *nm:* ~ **de bouteille** piece of broken bottle.

test [tɛst] *nm* test.

testament [tɛstamɑ̃] *nm* (JUR) will; (REL) Testament; **faire son** ~ to make out one's will; **testamentaire** *a* of a will.

tester [tɛste] *vt* to test.

testicule [tɛstikyl] *nm* testicle.

tétanos [tetanos] *nm* tetanus, lockjaw.

têtard [tɛtar] *nm* tadpole.

tête [tɛt] *nf* head; (*cheveux*) hair *q*; (*visage*) face; (FOOTBALL) header; **de** ~ *a* (*wagon etc*) front *cpd* // *ad* (*calculer*) in one's head, mentally; **perdre la** ~ (*fig*) to lose one's head ; to go off one's head ; **tenir** ~ **à qn** to stand up to *ou* defy sb ; **la** ~ **en bas** with one's head down ; **la** ~ **la première** (*tomber*) headfirst ; **faire une** ~ (*FOOTBALL*) to head the ball ; **faire la** ~ (*fig*) to sulk ; **en.** ~ (*SPORT*) in the lead ; at the front *ou* head ; **en** ~ **à** ~ in private, alone together ; **de la** ~ **aux pieds** from head to toe ; ~ **d'affiche** (*THÉÂTRE etc*) top of the bill ; ~ **de bétail** head *inv* of cattle ; ~ **chercheuse** homing device ; ~ **de lecture** pickup head ; ~ **de liste** (*POL*) chief candidate ; ~ **de mort** skull and crossbones ; ~ **de série** (*TENNIS*) seeded player, seed ; ~ **de Turc** (*fig*) whipping boy ; ~ **de veau** (*CULIN*) calf's head ; ~**-à-queue** *nm inv*: **faire un** ~**-à-queue** to spin round ; ~**-à-** ~ *nm inv* tête-à-tête ; ~**-bêche** *ad* head to tail.

tétée [tete] *nf* (*action*) sucking ; (*repas*) feed.

téter [tete] *vt*: ~ (**sa mère**) to suck at one's mother's breast, feed.

tétine [tetin] *nf* teat ; (*sucette*) dummy.

téton [tetɔ̃] *nm* (*fam*) breast.

têtu, e [tety] *a* stubborn, pigheaded.

texte [tɛkst(ə)] *nm* text ; **apprendre son** ~ (*THÉÂTRE*) to learn one's lines.

textile [tɛkstil] *a* textile *cpd //* *nm* textile ; textile industry.

textuel, le [tɛkstɥɛl] *a* literal, word for word.

texture [tɛkstyR] *nf* texture.

thé [te] *nm* tea ; **prendre le** ~ to have tea ; **faire le** ~ to make the tea.

théâtral, e, aux [teatRal, -o] *a* theatrical.

théâtre [teatR(ə)] *nm* theatre ; (*techniques, genre*) drama, theatre ; (*activité*) stage, theatre ; (*œuvres*) plays *pl*, dramatic works *pl* ; (*fig: lieu*): **le** ~ **de** the scene of ; (*péj*) histrionics *pl*, playacting ; **faire du** ~ to be on the stage ; to do some acting ; ~ **filmé** filmed stage productions *pl*.

théière [tejɛR] *nf* teapot.

thème [tɛm] *nm* theme ; (*SCOL: traduction*) prose (composition).

théologie [teɔlɔʒi] *nf* theology ; **théologien** *nm* theologian ; **théologique** *a* theological.

théorème [teɔRɛm] *nm* theorem.

théoricien, ne [teɔRisjɛ̃, -jɛn] *nm/f* theoretician, theorist.

théorie [teɔRi] *nf* theory ; **théorique** *a* theoretical.

thérapeutique [teRapøtik] *a* therapeutic // *nf* therapeutics *sg*.

thérapie [teRapi] *nf* therapy.

thermal, e, aux [tɛRmal, -o] *a* thermal ; **station** ~**e** spa ; **cure** ~**e** water cure.

thermes [tɛRm(ə)] *nmpl* thermal baths ; (*romains*) thermae *pl*.

thermique [tɛRmik] *a* (*énergie*) thermic ; (*unité*) thermal.

thermomètre [tɛRmɔmɛtR(ə)] *nm* thermometer.

thermonucléaire [tɛRmɔnykleɛR] *a* thermonuclear.

thermos ® [tɛRmos] *nm ou nf*: (**bouteille**) ~ vacuum *ou* Thermos ® flask.

thermostat [tɛRmɔsta] *nm* thermostat.

thésauriser [tezɔRize] *vi* to hoard money.

thèse [tɛz] *nf* thesis (*pl* theses).

thon [tɔ̃] *nm* tuna (fish).

thoracique [tɔRasik] *a* thoracic.

thorax [tɔRaks] *nm* thorax.

thrombose [tRɔboz] *nf* thrombosis.

thym [tɛ̃] *nm* thyme.

thyroïde [tiRɔid] *nf* thyroid (gland).

tiare [tjaR] *nf* tiara.

tibia [tibja] *nm* shinbone, tibia ; shin.

tic [tik] *nm* tic, (nervous) twitch ; (*de langage etc*) mannerism.

ticket [tikɛ] *nm* ticket ; ~ **de quai** platform ticket.

tic-tac [tiktak] *nm inv* tick-tock ; **tictaquer** *vi* to tick (away).

tiède [tjɛd] *a* lukewarm ; tepid ; (*vent, air*) mild, warm ; **tiédir** *vi* to cool ; to grow warmer.

tien, tienne [tjɛ̃, tjɛn] *pronom*: **le** ~ (**la tienne**), **les** ~**s** (**tiennes**) yours ; **à la tienne!** cheers!

tiens [tjɛ̃] *vb, excl voir* **tenir**.

tierce [tjɛRs(ə)] *a, nf voir* **tiers**.

tiercé [tjɛRse] *nm* system of forecast betting giving first 3 horses.

tiers, tierce [tjɛR, tjɛRs(ə)] *a* third // *nm* (*JUR*) third party ; (*fraction*) third // *nf* (*MUS*) third ; (*CARTES*) tierce ; **une tierce personne** a third party ; ~ **provisionnel** interim payment of tax.

tige [tiʒ] *nf* stem ; (*baguette*) rod.

tignasse [tiɲas] *nf* (*péj*) shock *ou* mop of hair.

tigre [tigR(ə)] *nm* tiger.

tigré, e [tigRe] *a* striped ; spotted.

tigresse [tigRɛs] *nf* tigress.

tilleul [tijœl] *nm* lime (tree), linden (tree) ; (*boisson*) lime(-blossom) tea.

timbale [tɛbal] *nf* (metal) tumbler ; ~**s** *nfpl* (*MUS*) timpani, kettledrums.

timbre [tɛbR(ə)] *nm* (*tampon*) stamp ; (*aussi*: ~**-poste**) (postage) stamp ; (*cachet de la poste*) postmark ; (*sonnette*) bell ; (*MUS: de voix, instrument*) timbre, tone.

timbrer [tɛbRe] *vt* to stamp.

timide [timid] *a* shy ; timid ; (*timoré*) timid, timorous ; **timidité** *nf* shyness, timidity.

timonerie [timɔnRi] *nf* wheelhouse.

timoré, e [timɔRe] *a* timorous.

tins *etc vb voir* **tenir**.

tintamarre [tɛtamaR] *nm* din, uproar.

tinter [tɛte] *vi* to ring, chime ; (*argent, clefs*) to jingle.

tir [tiR] *nm* (*sport*) shooting ; (*fait ou manière de tirer*) firing *q* ; (*FOOTBALL*) shot ; (*stand*) shooting gallery ; ~ **d'obus/de mitrailleuse** shell/machine gun fire ; ~ **à l'arc** archery ; ~ **au pigeon** clay pigeon shooting.

tirade [tiRad] *nf* tirade.

tirage [tiRaʒ] *nm* (*action*) printing ; (*de journal*) circulation ; (*de livre*) (print-)run ; edition ; (*de cheminée*) draught ; (*de loterie*) draw ; (*désaccord*) friction ; ~ **au sort** drawing lots.

tirailler [tiRaje] *vt* to pull at, tug at // *vi* to fire at random ; **tirailleur** *nm* skirmisher.

tirant [tiʀɑ̃] nm: ~ d'eau draught.

tire [tiʀ] nf: **vol à la** ~ pickpocketing.

tiré [tiʀe] nm (COMM) drawee; ~ **à part** off-print.

tire-au-flanc [tiʀoflɑ̃] nm inv (péj) skiver.

tire-bouchon [tiʀbuʃɔ̃] nm corkscrew.

tire-d'aile [tiʀdɛl]: **à** ~ ad swiftly.

tire-fesses [tiʀfɛs] nm inv ski-tow.

tirelire [tiʀliʀ] nf moneybox.

tirer [tiʀe] vt (gén) to pull; (extraire): ~ **qch de** to take ou pull sth out of; to get sth out of; to extract sth from; (tracer: ligne, trait) to draw, trace; (fermer: volet, rideau) to draw, close; (choisir: carte, conclusion, aussi COMM: chèque) to draw; (en faisant feu: balle, coup) to fire; (: animal) to shoot; (journal, livre, photo) to print; (FOOTBALL: corner etc) to take // vi (faire feu) to fire; (faire du tir, FOOTBALL) to shoot; (cheminée) to draw; **se** ~ vi (fam) 'to push off; **s'en** ~ to pull through, get off; ~ **sur** to pull on ou at; to shoot ou fire at; (pipe) to draw on; (fig: avoisiner) to verge ou border on; ~ **son nom de** to take ou get its name from; ~ **qn de** (embarras etc) to help ou get sb out of; ~ **à l'arc/la carabine** to shoot with a bow and arrow/with a rifle.

tiret [tiʀɛ] nm dash.

tireur, euse [tiʀœʀ, -øz] nm/f gunman; (COMM) drawer; **bon** ~ good shot; ~ **d'élite** marksman; ~**s débutants** beginners at shooting.

tiroir [tiʀwaʀ] nm drawer; ~-**caisse** nm till.

tisane [tizan] nf herb tea.

tison [tizɔ̃] nm brand; **tisonner** vt to poke; **tisonnier** nm poker.

tissage [tisaʒ] nm weaving q.

tisser [tise] vt to weave; **tisserand** nm weaver.

tissu [tisy] nm fabric, material, cloth q; (ANAT, BIO) tissue; ~ **de mensonges** web of lies.

tissu, e [tisy] a: ~ **de** woven through with.

tissu-éponge [tisyepɔ̃ʒ] nm (terry) towelling q.

titane [titan] nm titanium.

titanesque [titanɛsk(ə)] a titanic.

titre [titʀ(ə)] nm (gén) title; (de journal) headline; (diplôme) qualification; (COMM) security; (CHIMIE) titre; **en** ~ (champion, responsable) official, recognised; **à juste** ~ with just cause, rightly; **à quel** ~? on what grounds?; **à aucun** ~ on no account; **au même** ~ **(que)** in the same way (as); **à** ~ **d'exemple** as an ou by way of an example; **à** ~ **d'information** for (your) information; **à** ~ **gracieux** free of charge; **à** ~ **d'essai** on a trial basis; **à** ~ **privé** in a private capacity; ~ **de propriété** title deed; ~ **de transport** ticket.

titré, e [titʀe] a titled.

titrer [titʀe] vt (CHIMIE) to titrate; to assay; (PRESSE) to run as a headline; (suj: vin): ~ **10°** to be 10° proof.

tituber [titybe] vi to stagger ou reel (along).

titulaire [titylɛʀ] a (ADMIN) appointed, with tenure // nm (ADMIN) incumbent; **être**

~ **de** (poste) to hold; (permis) to be the holder of.

toast [tost] nm slice ou piece of toast; (de bienvenue) (welcoming) toast; **porter un** ~ **à qn** to propose ou drink a toast to sb.

toboggan [tɔbɔgɑ̃] nm toboggan.

toc [tɔk] nm: **en** ~ imitation cpd.

tocsin [tɔksɛ̃] nm alarm (bell).

toge [tɔʒ] nf toga; (de juge) gown.

tohu-bohu [tɔyboy] nm confusion; commotion.

toi [twa] pronom you.

toile [twal] nf (matériau) cloth q; (bâche) piece of canvas; (tableau) canvas; **grosse** ~ canvas; **tisser sa** ~ (araignée) to spin its web; ~ **d'araignée** cobweb; ~ **cirée** oilcloth; ~ **de fond** (fig) backdrop; ~ **de jute** hessian; ~ **de lin** linen.

toilette [twalɛt] nf wash; (s'habiller et se préparer) getting ready, washing and dressing; (habits) outfit; dress q; ~**s** nfpl (w.-c.) toilet sg; **les** ~**s des dames/messieurs** the ladies'/gents' (toilets); **faire sa** ~ to have a wash, get washed; **articles de** ~ toiletries; ~ **intime** personal hygiene.

toi-même [twamɛm] pronom yourself.

toise [twaz] nf: **passer à la** ~ to have one's height measured.

toiser [twaze] vt to eye up and down.

toison [twazɔ̃] nf (de mouton) fleece; (cheveux) mane.

toit [twa] nm roof.

toiture [twatyʀ] nf roof.

tôle [tol] nf sheet metal q; (plaque) steel ou iron sheet; ~**s** (carrosserie) bodywork sg; panels; ~ **d'acier** sheet steel q; ~ **ondulée** corrugated iron.

tolérable [tɔleʀabl(ə)] a tolerable, bearable.

tolérance [tɔleʀɑ̃s] nf tolerance; (hors taxe) allowance.

tolérant, e [tɔleʀɑ̃, -ɑ̃t] a tolerant.

tolérer [tɔleʀe] vt to tolerate; (ADMIN: hors taxe etc) to allow.

tôlerie [tolʀi] nf sheet metal manufacture; sheet metal workshop.

tollé [tɔle] nm: **un** ~ **(de protestations)** a general outcry.

T.O.M. [parfois: tɔm] sigle m(pl) = **territoire(s) d'outre-mer.**

tomate [tɔmat] nf tomato.

tombal, e [tɔ̃bal] a: **pierre** ~**e** tombstone, gravestone.

tombant, e [tɔ̃bɑ̃, -ɑ̃t] a (fig) drooping, sloping.

tombe [tɔ̃b] nf (sépulture) grave; (avec monument) tomb.

tombeau, x [tɔ̃bo] nm tomb.

tombée [tɔ̃be] nf: **à la** ~ **du jour** ou **de la nuit** at the close of day, at nightfall.

tomber [tɔ̃be] vi to fall // vt: ~ **la veste** to slip off one's jacket; **laisser** ~ to drop; ~ **sur** vt (rencontrer) to come across; (attaquer) to set about; ~ **de fatigue/sommeil** to drop from exhaustion/be falling asleep on one's feet; **ça tombe bien** it comes at the right time; **il est bien tombé** he's been lucky.

tombereau, x [tɔ̃bʀo] nm tipcart.

tombeur [tɔ̃bœʀ] *nm* (*péj*) Casanova.
tombola [tɔ̃bɔla] *nf* tombola.
tome [tɔm] *nm* volume.
tommette [tɔmɛt] *nf* hexagonal floor tile.
ton, ta, *pl* **tes** [tɔ̃, ta, te] *dét* your.
ton [tɔ̃] *nm* (*gén*) tone ; (*MUS*) key ; (*couleur*) shade, tone ; **de bon** ∼ in good taste.
tonal, e [tɔnal] *a* tonal.
tonalité [tɔnalite] *nf* (*au téléphone*) dialling tone ; (*MUS*) tonality ; key ; (*fig*) tone.
tondeuse [tɔ̃døz] *nf* (*à gazon*) (lawn)-mower ; (*du coiffeur*) clippers *pl* ; (*pour la tonte*) shears *pl*.
tondre [tɔ̃dʀ(ə)] *vt* (*pelouse, herbe*) to mow ; (*haie*) to cut, clip ; (*mouton, toison*) to shear ; (*cheveux*) to crop.
tonifiant, e [tɔnifjɑ̃, -ɑ̃t] *a* invigorating, revivifying.
tonifier [tɔnifje] *vt* (*peau, organisme*) to tone up.
tonique [tɔnik] *a* fortifying // *nm, nf* tonic.
tonitruant, e [tɔnitʀyɑ̃, -ɑ̃t] *a*: **voix** ∼**e** thundering voice.
tonnage [tɔnaʒ] *nm* tonnage.
tonne [tɔn] *nf* metric ton, tonne.
tonneau, x [tɔno] *nm* (*à vin, cidre*) barrel ; (*NAVIG*) ton ; **faire des** ∼**x** (*voiture, avion*) to roll over.
tonnelier [tɔnəlje] *nm* cooper.
tonnelle [tɔnɛl] *nf* bower, arbour.
tonner [tɔne] *vi* to thunder ; **il tonne** it is thundering, there's some thunder.
tonnerre [tɔnɛʀ] *nm* thunder ; ∼ **d'applaudissements** thunderous applause ; **du** ∼ *a* (*fam*) terrific.
tonsure [tɔ̃syʀ] *nf* tonsure ; bald patch.
tonte [tɔ̃t] *nf* shearing.
tonus [tɔnys] *nm* tone.
top [tɔp] *nm*: **au 3ème** ∼ at the 3rd stroke // *a*: ∼ **secret** top secret.
topaze [tɔpaz] *nf* topaz.
toper [tɔpe] *vi*: **tope-/topez-là!** it's a deal!, you're on!
topinambour [tɔpinɑ̃buʀ] *nm* Jerusalem artichoke.
topographie [tɔpɔgʀafi] *nf* topography ; **topographique** *a* topographical.
toponymie [tɔpɔnimi] *nf* study of place-names, toponymy.
toque [tɔk] *nf* (*de fourrure*) fur hat ; ∼ **de jockey/juge** jockey's/judge's cap ; ∼ **de cuisinier** chef's hat.
toqué, e [tɔke] *a* (*fam*) touched, cracked.
torche [tɔʀʃ(ə)] *nf* torch ; **se mettre en** ∼ (*parachute*) to candle.
torcher [tɔʀʃe] *vt* (*fam*) to wipe.
torchère [tɔʀʃɛʀ] *nf* flare.
torchon [tɔʀʃɔ̃] *nm* cloth, duster ; (*à vaisselle*) tea towel, dish towel.
tordre [tɔʀdʀ(ə)] *vt* (*chiffon*) to wring ; (*barre, fig: visage*) to twist ; **se** ∼ *vi* (*barre*) to bend ; (*roue*) to twist, buckle ; (*ver, serpent*) to writhe ; **se** ∼ **le pied/bras** to twist *ou* sprain one's foot/arm ; **se** ∼ **de douleur/rire** to writhe in pain/be doubled up with laughter.
tordu, e [tɔʀdy] *a* (*fig*) warped, twisted.
torero [tɔʀeʀo] *nm* bullfighter.
tornade [tɔʀnad] *nf* tornado.

torpeur [tɔʀpœʀ] *nf* torpor, drowsiness.
torpille [tɔʀpij] *nf* torpedo ; **torpiller** *vt* to torpedo.
torréfier [tɔʀefje] *vt* to roast.
torrent [tɔʀɑ̃] *nm* torrent, mountain stream ; (*fig*): ∼ **de** torrent *ou* flood of ; **il pleut à** ∼**s** the rain is lashing down ; **torrentiel, le** *a* torrential.
torride [tɔʀid] *a* torrid.
torsade [tɔʀsad] *nf* twist ; (*ARCHIT*) cable moulding ; **torsader** *vt* to twist.
torse [tɔʀs(ə)] *nm* (*ANAT*) torso ; chest.
torsion [tɔʀsjɔ̃] *nf* twisting ; torsion.
tort [tɔʀ] *nm* (*défaut*) fault ; (*préjudice*) wrong *q* ; ∼**s** *nmpl* (*JUR*) fault *sg* ; **avoir** ∼ to be wrong ; **être dans son** ∼ to be in the wrong ; **donner** ∼ **à qn** to lay the blame on sb ; (*fig*) to prove sb wrong ; **causer du** ∼ **à** to harm ; to be harmful *ou* detrimental to ; **en** ∼ in the wrong, at fault ; **à** ∼ wrongly ; **à** ∼ **et à travers** wildly.
torticolis [tɔʀtikɔli] *nm* stiff neck.
tortiller [tɔʀtije] *vt* to twist ; to twiddle ; **se** ∼ *vi* to wriggle, squirm.
tortionnaire [tɔʀsjɔnɛʀ] *nm* torturer.
tortue [tɔʀty] *nf* tortoise.
tortueux, euse [tɔʀtɥø, -øz] *a* (*rue*) twisting ; (*fig*) tortuous.
torture [tɔʀtyʀ] *nf* torture ; **torturer** *vt* to torture ; (*fig*) to torment.
torve [tɔʀv(ə)] *a*: **regard** ∼ menacing *ou* grim look.
tôt [to] *ad* early ; ∼ **ou tard** sooner or later ; **si** ∼ so early ; (*déjà*) so soon ; **au plus** ∼ at the earliest, as soon as possible ; **plus** ∼ earlier ; **il eut** ∼ **fait de faire** he soon did.
total, e, aux [tɔtal, -o] *a, nm* total ; **au** ∼ in total *ou* all ; **faire le** ∼ to work out the total, add up ; ∼**ement** *ad* totally, completely ; ∼**iser** *vt* total (up).
totalitaire [tɔtalitɛʀ] *a* totalitarian.
totalité [tɔtalite] *nf*: **la** ∼ **de** all of, the total amount (*ou* number) of ; the whole + *sg* ; **en** ∼ entirely.
totem [tɔtɛm] *nm* totem.
toubib [tubib] *nm* (*fam*) doctor.
touchant, e [tuʃɑ̃, -ɑ̃t] *a* touching.
touche [tuʃ] *nf* (*de piano, de machine à écrire*) key ; (*PEINTURE etc*) stroke, touch ; (*fig: de nostalgie*) touch, hint ; (*RUGBY*) line-out ; (*FOOTBALL: aussi*: **remise en** ∼) throw-in ; (*: ligne de* ∼) touch-line ; (*ESCRIME*) hit ; **en** ∼ in (*ou* into) touch ; **avoir une drôle de** ∼ to look a sight.
touche-à-tout [tuʃatu] *nm/f inv* (*péj*) meddler ; dabbler.
toucher [tuʃe] *nm* touch // *vt* to touch ; (*palper*) to feel ; (*atteindre: d'un coup de feu etc*) to hit ; (*affecter*) to touch, affect ; (*concerner*) to concern, affect ; (*contacter*) to reach, contact ; (*recevoir: récompense*) to receive, get ; (*: salaire*) to draw, get ; **au** ∼ to the touch ; **se** ∼ (*être en contact*) to touch ; ∼ **à** to touch ; (*modifier*) to touch, tamper *ou* meddle with ; (*traiter de, concerner*) to have to do with, concern ; **je vais lui en** ∼ **un mot** I'll have a word with him about it ; ∼ **à sa fin** to be drawing to a close.

touffe [tuf] *nf* tuft.

touffu, e [tufy] *a* thick, dense; *(fig)* complex, involved.

toujours [tuʒuʀ] *ad* always; *(encore)* still; *(constamment)* forever; ~ **plus** more and more; **pour** ~ forever; ~ **est-il que** the fact remains that; **essaie** ~ (you can) try anyway.

toupie [tupi] *nf* (spinning) top.

tour [tuʀ] *nf* tower; *(immeuble)* high-rise block, tower block; *(ÉCHECS)* castle, rook // *nm* (excursion) stroll, walk; run, ride; trip; (SPORT: aussi: ~ **de piste**) lap; *(d'être servi ou de jouer etc, tournure, de vis ou clef)* turn; *(de roue etc)* revolution; *(circonférence)*: **de 3 m de** ~ 3 m round, with a circumference ou girth of 3 m; (POL: aussi: ~ **de scrutin**) ballot; *(ruse, de prestidigitation)* trick; *(de potier)* wheel; *(à bois, métaux)* lathe; **faire le** ~ **de** to go round; *(à pied)* to walk round; **faire un** ~ to go for a walk; *(en voiture etc)* to go for a ride; **faire 2** ~s to go round twice; *(hélice etc)* to turn ou revolve twice; **fermer à double** ~ *vi* to double-lock the door; **c'est au** ~ **de Renée** it's Renée's turn; **à** ~ **de rôle**, **à** ~ **in turn**; ~ **de taille/tête** waist/head measurement ~ **de chant** song recital; ~ **de contrôle** *nf* control tower; ~ **de garde** spell of duty; ~ **d'horizon** *(fig)* general survey; ~ **de lit** valance; ~ **de reins** sprained back.

tourbe [tuʀb(ə)] *nf* peat; **tourbière** *nf* peat-bog.

tourbillon [tuʀbijɔ̃] *nm* whirlwind; *(d'eau)* whirlpool; *(fig)* whirl, swirl; **tourbillonner** *vi* to whirl, swirl; to whirl ou swirl round.

tourelle [tuʀɛl] *nf* turret.

tourisme [tuʀism(ə)] *nm* tourism; tourist industry; **agence de** ~ tourist agency; **faire du** ~ to do some sightseeing, go touring; **touriste** *nm/f* tourist; **touristique** *a* tourist *cpd*; *(région)* •touristic, with tourist appeal.

tourment [tuʀmɑ̃] *nm* torment.

tourmente [tuʀmɑ̃t] *nf* storm.

tourmenté, e [tuʀmɑ̃te] *a* tormented, tortured.

tourmenter [tuʀmɑ̃te] *vt* to torment; **se** ~ *vi* to fret, worry o.s.

tournage [tuʀnaʒ] *nm (d'un film)* shooting.

tournant, e [tuʀnɑ̃, -ɑ̃t] *a*: *voir* **plaque, grève** // *nm (de route)* bend; *(fig)* turning point.

tournebroche [tuʀnəbʀɔʃ] *nm* roasting spit.

tourne-disque [tuʀnədisk(ə)] *nm* record player.

tournée [tuʀne] *nf (du facteur etc)* round; *(d'artiste, politicien)* tour; *(au café)* round (of drinks); ~ **musicale** concert tour.

tourner [tuʀne] *vt* to turn; *(contourner)* to get round; *(CINÉMA)* to shoot; to make // *vi* to turn; *(moteur)* to run; *(compteur)* to tick away; *(lait etc)* to turn (sour); **se** ~ *vi* to turn round; **se** ~ **vers** to turn to; to turn towards; **bien** ~ to turn out well; ~ **autour de** to go round; to revolve round; *(péj)* to hang round; ~ **à/en** to turn into; ~ **à la pluie/au rouge** to turn

rainy/red; ~ **le dos à** to turn one's back on; to have one's back to; **se** ~ **les pouces** to twiddle one's thumbs; ~ **la tête** to look away; ~ **la tête à qn** *(fig)* to go to sb's head; ~ **de l'œil** to pass out.

tournesol [tuʀnəsɔl] *nm* sunflower.

tourneur [tuʀnœʀ] *nm* turner; lathe-operator.

tournevis [tuʀnəvis] *nm* screwdriver.

tourniquet [tuʀnikɛ] *nm (pour arroser)* sprinkler; *(portillon)* turnstile; *(présentoir)* revolving stand.

tournoi [tuʀnwa] *nm* tournament.

tournoyer [tuʀnwaje] *vi* to whirl round; to swirl round.

tournure [tuʀnyʀ] *nf (LING)* turn of phrase; form; phrasing; *(évolution)*: **la** ~ **de qch** the way sth is developing; *(aspect)*: **la** ~ **de** the look of; ~ **d'esprit** turn ou cast of mind; **la** ~ **des événements** the turn of events.

tourte [tuʀt(ə)] *nf* pie.

tourteau, x [tuʀto] *nm (AGR)* oilcake, cattle-cake; *(ZOOL)* edible crab.

tourterelle [tuʀtəʀɛl] *nf* turtledove.

tous *dét* [tu], *pronom* [tus] *voir* **tout.**

Toussaint [tusɛ̃] *nf*: **la** ~ All Saints' Day.

tousser [tuse] *vi* to cough; **toussoter** *vi* to have a slight cough; to cough a little; *(pour avertir)* to give a slight cough.

tout, e, *pl* **tous, toutes** [tu, tus, tut] *dét* all; ~ **le lait** all the milk, the whole of the milk; ~**e la nuit** all night, the whole night; ~ **le livre** the whole book; ~ **un pain** a whole loaf; **tous les livres** all the books; **toutes les nuits** every night; **à** ~ **âge** at any age; **toutes les fois** every time; **toutes les 3/2 semaines** every third/other ou second week; **tous les 2** both ou each of us (ou them); **toutes les 3** all 3 of us (ou them); ~ **le temps** *ad* all the time; the whole time; **c'est** ~ **le contraire** it's quite the opposite; **il avait pour** ~e **nourriture** his only food was // *pronom* everything, all; **tous, toutes** all (of them); **je les vois tous** I can see them all ou all of them; **nous y sommes tous allés** all of us went, we all went; **en** ~ in all // *ad* quite; very; ~ **en haut** right at the top; **le** ~ **premier** the very first; **le livre** ~ **entier** the whole book; ~ **seul** all alone; ~ **droit** straight ahead; ~ **en travaillant** while working, as ou while he etc works // *nm* whole; **le** ~ all of it (ou them), the whole lot; ~ **d'abord** first of all; ~ **à coup** suddenly; ~ **à fait** absolutely; ~ **à l'heure** a short while ago; in a short while, shortly; ~ **de même** all the same; ~ **le monde** everybody; ~ **de suite** immediately, straight away; ~ **terrain** ou **tous terrains** *a inv* general-purpose; ~**-à-l'égout** *nm inv* mains drainage.

toutefois [tutfwa] *ad* however.

toutou [tutu] *nm (fam)* doggie.

toux [tu] *nf* cough.

toxicomane [tɔksikɔman] *nm/f* drug addict.

toxine [tɔksin] *nf* toxin.

toxique [tɔksik] *a* toxic, poisonous.

trac [tʀak] *nm* nerves *pl*; *(THÉÂTRE)* stage

fright; **avoir le** ~ to get an attack of nerves; to have stage fright.

tracas [tʀaka] *nm* bother *q*, worry *q*; **tracasser** *vt* to worry, bother; to harass; **se tracasser** *vi* to worry o.s., fret; **tracasserie** *nf* annoyance *q*; harassment *q*; **tracassier, ière** *a* irksome.

trace [tʀas] *nf* (*empreintes*) tracks *pl*; (*marques, aussi fig*) mark; (*restes, vestige*) trace; (*indice*) sign; ~**s de pas** footprints.

tracé [tʀase] *nm* line; layout.

tracer [tʀase] *vt* to draw; (*mot*) to trace; (*piste*) to open up.

trachée(-artère) [tʀaʃe(aʀtɛʀ)] *nf* windpipe, trachea; **trachéite** [tʀakeit] *nf* tracheitis.

tract [tʀakt] *nm* tract, pamphlet.

tractations [tʀaktasjɔ̃] *nfpl* dealings, bargaining *sg*.

tracteur [tʀaktœʀ] *nm* tractor.

traction [tʀaksjɔ̃] *nf* traction; (*GYM*) pull-up; ~ **avant/arrière** front-wheel/rear-wheel drive; ~ **électrique** electric(al) traction *ou* haulage.

tradition [tʀadisjɔ̃] *nf* tradition; **traditionnel, le** *a* traditional.

traducteur, trice [tʀadyktœʀ, -tʀis] *nm/f* translator.

traduction [tʀadyksjɔ̃] *nf* translation.

traduire [tʀadɥiʀ] *vt* to translate; (*exprimer*) to render, convey; ~ **en français** to translate into French; ~ **en justice** to bring before the courts.

trafic [tʀafik] *nm* traffic; ~ **d'armes** arms dealing; **trafiquant, e** *nm/f* trafficker; dealer; **trafiquer** *vt* (*péj*) to doctor, tamper with // *vi* to traffic, be engaged in trafficking.

tragédie [tʀaʒedi] *nf* tragedy; **tragédien, ne** *nm/f* tragedian/ tragédienne.

tragique [tʀaʒik] *a* tragic; ~**ment** *ad* tragically.

trahir [tʀaiʀ] *vt* to betray; (*fig*) to give away, reveal; **trahison** *nf* betrayal; (*MIL*) treason.

train [tʀɛ̃] *nm* (*RAIL*) train; (*allure*) pace; (*fig: ensemble*) set; **mettre qch en** ~ to get sth under way; **mettre qn en** ~ to put sb in good spirits; **se mettre en** ~ to get started; to warm up; **se sentir en** ~ to feel in good form; ~ **avant/arrière** front-wheel/rear-wheel axle unit; ~ **d'atterrissage** undercarriage; ~ **autos-couchettes** car-sleeper train; ~ **électrique** (*jouet*) (electric) train set; ~ **de pneus** set of tyres; ~ **de vie** style of living.

traînant, e [tʀɛnɑ̃, -ɑ̃t] *a* (*voix, ton*) drawling.

traînard, e [tʀɛnaʀ, -aʀd(ə)] *nm/f* (*péj*) slowcoach.

traîne [tʀɛn] *nf* (*de robe*) train; **être à la** ~ to be in tow; to lag behind.

traîneau, x [tʀɛno] *nm* sleigh, sledge.

traînée [tʀɛne] *nf* streak, trail; (*péj*) slut.

traîner [tʀɛne] *vt* (*remorque*) to pull; (*enfant, chien*) to drag *ou* trail along // *vi* (*être en désordre*) to lie around; (*marcher lentement*) to dawdle (along); (*vagabonder*) to hang about; (*agir lentement*) to idle about; (*durer*) to drag on; **se** ~ *vi* to crawl

along; to drag o.s. along; (*durer*) to drag on; ~ **les pieds** to drag one's feet.

train-train [tʀɛ̃tʀɛ̃] *nm* humdrum routine.

traire [tʀɛʀ] *vt* to milk.

trait [tʀɛ] *nm* (*ligne*) line; (*de dessin*) stroke; (*caractéristique*) feature, trait; (*flèche*) dart, arrow; shaft; ~**s** *nmpl* (*du visage*) features; **d'un** ~ (*boire*) in one gulp; **de** ~ *a* (*animal*) draught; **avoir** ~ **à** to concern; ~ **de caractère** characteristic, trait; ~ **d'esprit** flash of wit; ~ **d'union** hyphen; (*fig*) link.

traitant [tʀɛtɑ̃] *am*: **votre médecin** ~ your usual *ou* family doctor; **shampooing** ~ medicated shampoo.

traite [tʀɛt] *nf* (*COMM*) draft; (*AGR*) milking; (*trajet*) stretch; **d'une (seule)** ~ without stopping (once); **la** ~ **des noirs** the slave trade.

traité [tʀete] *nm* treaty.

traitement [tʀetmɑ̃] *nm* treatment; processing; (*salaire*) salary.

traiter [tʀete] *vt* (*gén*) to treat; (*TECH: matériaux*) to process, treat; (*affaire*) to deal with, handle; (*qualifier*): ~ **qn d'idiot** to call sb a fool // *vi* to deal; ~ **de** *vt* to deal with; **bien/mal** ~ to treat well/ill-treat.

traiteur [tʀɛtœʀ] *nm* caterer.

traître, esse [tʀɛtʀ(ə), -tʀɛs] *a* (*dangereux*) treacherous // *nm* traitor; **prendre qn en** ~ to make an insidious attack on sb; **traîtrise** *nf* treachery, treacherousness.

trajectoire [tʀaʒɛktwaʀ] *nf* trajectory, path.

trajet [tʀaʒɛ] *nm* journey; (*itinéraire*) route; (*fig*) path, course.

tralala [tʀalala] *nm* (*péj*) fuss.

tram [tʀam] *nm abr de* **tramway**.

trame [tʀam] *nf* (*de tissu*) weft; (*fig*) framework; texture; (*TYPO*) screen.

tramer [tʀame] *vt* to plot, hatch.

tramway [tʀamwɛ] *nm* tram(way); tram(car).

tranchant, e [tʀɑ̃ʃɑ̃, -ɑ̃t] *a* sharp; (*fig*) peremptory // *nm* (*d'un couteau*) cutting edge; (*de la main*) edge.

tranche [tʀɑ̃ʃ] *nf* (*morceau*) slice; (*arête*) edge; (*partie*) section; (*série*) block; issue; bracket.

tranché, e [tʀɑ̃ʃe] *a* (*couleurs*) distinct, sharply contrasted; (*opinions*) clear-cut, definite // *nf* trench.

trancher [tʀɑ̃ʃe] *vt* to cut, sever; (*fig: résoudre*) to settle // *vi*: ~ **avec** to contrast sharply with.

tranchet [tʀɑ̃ʃɛ] *nm* knife.

tranchoir [tʀɑ̃ʃwaʀ] *nm* chopper.

tranquille [tʀɑ̃kil] *a* calm, quiet; (*enfant, élève*) quiet; (*rassuré*) easy in one's mind, with one's mind at rest; **se tenir** ~ (*enfant*) to be quiet; **avoir la conscience** ~ to have an easy conscience; **laisse-moi/laisse-ça** ~! leave me/it alone; ~**ment** *ad* calmly; **tranquillisant** *nm* tranquillizer; **tranquilliser** *vt* to reassure; **tranquillité** *nf* quietness; peace (and quiet); **tranquillité (d'esprit)** peace of mind.

transaction [trɑ̃zaksjɔ̃] *nf* (*COMM*) transaction, deal.

transat [trɑ̃zat] *nm* deckchair.

transatlantique [trɑ̃zatlɑ̃tik] *a* transatlantic // *nm* transatlantic liner.

transborder [trɑ̃sbɔrde] *vt* to tran(s)ship.

transcendant, e [trɑ̃sɑ̃dɑ̃, -ɑ̃t] *a* transcendent(al).

transcription [trɑ̃skripsjɔ̃] *nf* transcription.

transcrire [trɑ̃skrir] *vt* to transcribe.

transe [trɑ̃s] *nf:* entrer en ~ to go into a trance; ~s agony *sg*.

transférer [trɑ̃sfere] *vt* to transfer; **transfert** *nm* transfer.

transfigurer [trɑ̃sfigyre] *vt* to transform.

transformateur [trɑ̃sfɔrmatœr] *nm* transformer.

transformation [trɑ̃sfɔrmasjɔ̃] *nf* transformation; (*RUGBY*) conversion.

transformer [trɑ̃sfɔrme] *vt* to transform, alter ('alter' *implique un changement moins radical*); (*matière première, appartement, RUGBY*) to convert; ~ en to transform into; to turn into; **se** ~ *vi* to be transformed; to alter.

transfuge [trɑ̃sfyʒ] *nm* renegade.

transfusion [trɑ̃sfyzjɔ̃] *nf:* ~ **sanguine** blood transfusion.

transgresser [trɑ̃sgrese] *vt* to contravene, disobey.

transhumance [trɑ̃zymɑ̃s] *nf* transhumance, seasonal move to new pastures.

transi, e [trɑ̃zi] *a* numb (with cold), chilled to the bone.

transiger [trɑ̃ziʒe] *vi* to compromise, come to an agreement.

transistor [trɑ̃zistɔr] *nm* transistor.

transit [trɑ̃zit] *nm* transit; ~**er** *vi* to pass in transit.

transitif, ive [trɑ̃zitif, -iv] *a* transitive.

transition [trɑ̃zisjɔ̃] *nf* transition; **de** ~ transitional; **transitoire** *a* transitional, provisional; transient.

translucide [trɑ̃slysid] *a* translucent.

transmetteur [trɑ̃smɛtœr] *nm* transmitter.

transmettre [trɑ̃smɛtr(ə)] *vt* (*passer*): ~ **qch à qn** to pass sth on to sb; (*TECH, TÉL, MÉD*) to transmit; (*TV, RADIO: retransmettre*) to broadcast; **transmissible** *a* transmissible.

transmission [trɑ̃smisjɔ̃] *nf* transmission, passing on; (*AUTO*) transmission; ~**s** *nfpl* (*MIL*) signals corps; ~ **de pensée** telepathy.

transparaître [trɑ̃sparɛtr(ə)] *vi* to show (through).

transparence [trɑ̃sparɑ̃s] *nf* transparence; **par** ~ (*regarder*) against a source of light; (*voir*) showing through.

transparent, e [trɑ̃sparɑ̃, -ɑ̃t] *a* transparent.

transpercer [trɑ̃spɛrse] *vt* to go through, pierce.

transpiration [trɑ̃spirasjɔ̃] *nf* perspiration.

transpirer [trɑ̃spire] *vi* to perspire.

transplanter [trɑ̃splɑ̃te] *vt* (*MÉD, BOT*) to transplant; (*personne*) to uproot, move.

transport [trɑ̃spɔr] *nm* transport; ~**s en commun** public transport *sg*.

transporter [trɑ̃spɔrte] *vt* to carry, move; (*COMM*) to transport, convey; (*fig*) to send into raptures; ~ **qn à l'hôpital** to take sb to hospital; **transporteur** *nm* haulier, haulage contractor.

transposer [trɑ̃spoze] *vt* to transpose; **transposition** *nf* transposition.

transvaser [trɑ̃svaze] *vt* to decant.

transversal, e, aux [trɑ̃svɛrsal, -o] *a* transverse, cross(-); cross-country; running at right angles.

trapèze [trapɛz] *nm* (*GÉOM*) trapezium; (*au cirque*) trapeze; **trapéziste** *nm/f* trapeze artist.

trappe [trap] *nf* trap door.

trappeur [trapœr] *nm* trapper, fur trader.

trapu, e [trapy] *a* squat, stocky.

traquenard [traknar] *nm* trap.

traquer [trake] *vt* to track down; (*harceler*) to hound.

traumatiser [tromatize] *vt* to traumatize.

traumatisme [tromatism(ə)] *nm* traumatism.

travail, aux [travaj, -o] *nm* (*gén*) work; (*tâche, métier*) work *q*, job; (*ÉCON, MÉD*) labour // *nmpl* (*de réparation, agricoles etc*) work *sg*; (*sur route*) roadworks *pl*; (*de construction*) building (work); **être/entrer en** ~ (*MÉD*) to be in/start labour; **être sans** ~ (*employé*) to be out of work *ou* unemployed; ~ **noir** moonlighting; **travaux des champs** farmwork *sg*; **travaux dirigés** (*SCOL*) supervised practical work *sg*; **travaux forcés** hard labour *sg*; **travaux manuels** (*SCOL*) handicrafts; **travaux ménagers** housework *sg*; **travaux publics** ≈ public works *sg*.

travaillé, e [travaje] *a* (*style*) polished.

travailler [travaje] *vi* to work; (*bois*) to warp // *vt* (*bois, métal*) to work; (*objet d'art, discipline, fig: influencer*) to work on; **cela le travaille** it is on his mind; ~ **la terre** to till the land; ~ **son piano** to do one's piano practice; ~ **à** to work on; (*fig: contribuer à*) to work towards; **travailleur, euse** *a* hard-working // *nm/f* worker; **travailleur de force** labourer; **travailliste** *a* Labour.

travée [trave] *nf* row; (*ARCHIT*) bay; span.

travelling [travliŋ] *nm* (*chariot*) dolly; (*technique*) tracking; ~ **optique** zoom shots *pl*.

travers [travɛr] *nm* fault, failing; **en** ~ (**de**) across; **au** ~ (**de**) through; **de** ~ askew // *ad* sideways; (*fig*) the wrong way; **à** ~ through; **regarder de** ~ (*fig*) to look askance at.

traverse [travɛrs(ə)] *nf* (*RAIL*) sleeper; **chemin de** ~ shortcut.

traversée [travɛrse] *nf* crossing.

traverser [travɛrse] *vt* (*gén*) to cross; (*ville, tunnel, aussi: percer, fig*) to go through; (*suj: ligne, trait*) to run across.

traversin [travɛrsɛ̃] *nm* bolster.

travesti [tRavɛsti] *nm* (*costume*) fancy
dress; (*artiste de cabaret*) female
impersonator, drag artist; (*pervers*)
transvestite.
travestir [tRavɛstiR] *vt* (*vérité*) to
misrepresent; **se ~** to dress up; to put
on drag; to dress as a woman.
trébucher [tRebyʃe] *vi*: **~** (**sur**) to
stumble (over), trip (against).
trèfle [tRɛfl(ə)] *nm* (*BOT*) clover; (*CARTES*:
couleur) clubs *pl*; (: *carte*) club; **~ à
quatre feuilles** four-leaf clover.
treillage [tRɛjaʒ] *nm* lattice work.
treille [tRɛj] *nf* vine arbour; climbing vine.
treillis [tReji] *nm* (*métallique*) wire-mesh;
(*toile*) canvas; (*uniforme*) battle-dress.
treize [tRɛz] *num* thirteen; **treizième** *num*
thirteenth.
tréma [tRema] *nm* diaeresis.
tremble [tRɑ̃bl(ə)] *nm* (*BOT*) aspen.
tremblement [tRɑ̃bləmɑ̃] *nm* trembling *q*,
shaking *q*, shivering *q*; **~ de terre**
earthquake.
trembler [tRɑ̃ble] *vi* to tremble, shake; **~**
de (*froid, fièvre*) to shiver *ou* tremble with;
(*peur*) to shake *ou* tremble with; **~ pour**
qn to fear for sb; **trembloter** *vi* to tremble
ou shake slightly.
trémolo [tRemɔlo] *nm* (*instrument*)
tremolo; (*voix*) quaver.
trémousser [tRemuse]: **se ~** *vi* to jig
about, wriggle about.
trempe [tRɑ̃p] *nf* (*fig*): **de cette/sa ~** of
this/his calibre.
trempé, e [tRɑ̃pe] *a* soaking (wet),
drenched, (*TECH*) tempered.
tremper [tRɑ̃pe] *vt* to soak, drench;
(*aussi*: **faire ~, mettre à ~**) to soak;
(*plonger*): **~ qch dans** to dip sth in(to) //
vi to soak; (*fig*): **~ dans** to be involved
ou have a hand in; **se ~** *vi* to have a quick
dip; **se faire ~** to get soaked *ou*
drenched; **trempette** *nf*: **faire trempette**
to have a quick dip.
tremplin [tRɑ̃plɛ̃] *nm* springboard; (*SKI*)
ski-jump.
trentaine [tRɑ̃tɛn] *nf*: **une ~ (de)** thirty
or so, about thirty.
trente [tRɑ̃t] *num* thirty; **trentième** *num*
thirtieth.
trépaner [tRepane] *vt* to trepan, trephine.
trépasser [tRepase] *vi* to pass away.
trépider [tRepide] *vi* to vibrate.
trépied [tRepje] *nm* (*d'appareil*) tripod;
(*meuble*) trivet.
trépigner [tRepine] *vi* to stamp (one's
feet).
très [tRɛ] *ad* very; much + *pp*, highly +
pp; **~ critiqué** much criticized; **~
industrialisé** highly industrialized; **j'ai ~
faim** I'm very hungry.
trésor [tRezɔR] *nm* treasure; (*ADMIN*)
finances *pl*; funds *pl*; **T~ (public)** public
revenue.
trésorerie [tRezɔRRi] *nf* (*fonds*) funds *pl*;
(*gestion*) accounts *pl*; (*bureaux*) accounts
department; (*poste*) treasurership;
difficultés de ~ cash problems, shortage
of cash *ou* funds.
trésorier, ière [tRezɔRje, -jɛR] *nm/f*
treasurer; **~-payeur** *nm* paymaster.

tressaillir [tResajiR] *vi* to shiver, shudder;
to quiver.
tressauter [tResote] *vi* to start, jump.
tresse [tRɛs] *nf* braid, plait.
tresser [tRese] *vi* (*cheveux*) to braid, plait;
(*fil, jonc*) to plait; (*corbeille*) to weave;
(*corde*) to twist.
tréteau, x [tReto] *nm* trestle; **les ~x** (*fig*)
the stage.
treuil [tRœj] *nm* winch; **treuiller** *vt* to
winch up.
trêve [tRɛv] *nf* (*MIL, POL*) truce; (*fig*)
respite; **~ de ...** enough of this... .
tri [tRi] *nm* sorting out *q*; selection;
(*POSTES*) sorting; sorting office.
triage [tRijaʒ] *nm* (*RAIL*) shunting; (*gare*)
marshalling yard.
triangle [tRijɑ̃gl(ə)] *nm* triangle; **~
rectangle** right-angled triangle.
tribal, e, aux [tRibal, -o] *a* tribal.
tribord [tRibɔR] *nm*: **à ~** to starboard, on
the starboard side.
tribu [tRiby] *nf* tribe.
tribulations [tRibylɑsjɔ̃] *nfpl* tribulations,
trials.
tribunal, aux [tRibynal, -o] *nm* (*JUR*)
court; (*MIL*) tribunal; **~ de police/pour
enfants** police/juvenile court; **~
d'instance** ≈ magistrates' court; **~ de
grande instance** ≈ high court.
tribune [tRibyn] *nf* (*estrade*) platform,
rostrum; (*débat*) forum; (*d'église, de
tribunal*) gallery; (*de stade*) stand; **~ libre**
(*PRESSE*) opinion column.
tribut [tRiby] *nm* tribute.
tributaire [tRibytɛR] *a*: **être ~ de** to be
dependent on; (*GÉO*) to be a tributary of.
tricher [tRiʃe] *vi* to cheat; **tricherie** *nf*
cheating *q*; **tricheur, euse** *nm/f* cheat.
tricolore [tRikɔlɔR] *a* three-coloured;
(*français*) red, white and blue.
tricot [tRiko] *nm* (*technique, ouvrage*)
knitting *q*; (*tissu*) knitted fabric;
(*vêtement*) jersey, sweater.
tricoter [tRikɔte] *vt* to knit.
trictrac [tRiktRak] *nm* backgammon.
tricycle [tRisikl(ə)] *nm* tricycle.
triennal, e, aux [tRiɛnal, -o] *a* three-
yearly; three-year.
trier [tRije] *vt* to sort out; (*POSTES, fruits*)
to sort.
trigonométrie [tRigɔnɔmetRi] *nf*
trigonometry.
trimbaler [tRɛ̃bale] *vt* to cart around, trail
along.
trimer [tRime] *vi* to slave away.
trimestre [tRimɛstR(ə)] *nm* (*SCOL*) term;
(*COMM*) quarter; **trimestriel, le** *a*
quarterly; (*SCOL*) end-of-term.
tringle [tRɛ̃gl(ə)] *nf* rod.
Trinité [tRinite] *nf* Trinity.
trinquer [tRɛ̃ke] *vi* to clink glasses; (*fam*)
to cop it; **~ à qch/la santé de qn** to drink
to sth/sb.
trio [tRijo] *nm* trio.
triomphal, e, aux [tRijɔ̃fal, -o] *a*
triumphant, triumphal.
triomphant, e [tRijɔ̃fɑ̃, -ɑ̃t] *a* triumphant.
triomphe [tRijɔ̃f] *nm* triumph; **être
reçu/porté en ~** to be given a triumphant

welcome/be carried shoulder-high in triumph.

triompher [trijɔfe] vi to triumph, win; ~ de to triumph over, overcome.

tripes [trip] nfpl (CULIN) tripe sg; (fam) guts.

triple [tripl(ə)] a triple; treble // nm: le ~ (de) (comparaison) three times as much (as); en ~ **exemplaire** in triplicate; ~**ment** ad three times over; in three ways, on three counts // nm trebling, threefold increase; **tripler** vi, vt to triple, treble, increase threefold.

tripot [tripo] nm (péj) dive.

tripotage [tripotaʒ] nm (péj) jiggery-pokery.

tripoter [tripote] vt to fiddle with, finger.

trique [trik] nf cudgel.

triste [trist(ə)] a sad; (péj): **personnage/affaire** sorry individual/affair; **tristesse** nf sadness.

triturer [trityre] vt (pâte) to knead; .(objets) to manipulate.

trivial, e, aux [trivjal, -o] a coarse, crude; (commun) mundane.

troc [trɔk] nm (ÉCON) barter; (transaction) exchange, swap.

troglodyte [trɔglɔdit] nm/f cave dweller, troglodyte.

trognon [trɔɲɔ̃] nm (de fruit) core; (de légume) stalk.

trois [trwɑ] num three; **troisième** num third; **troisièmement** ad thirdly; ~-**quarts** nmpl: les ~-**quarts** de three-quarters of.

trolleybus [trɔlebys] nm trolley bus.

trombe [trɔ̃b] nf waterspout; **des** ~**s** d'eau a downpour; en ~ (arriver, passer) like•a whirlwind.

trombone [trɔ̃bɔn] nm (MUS) trombone; (de bureau) paper clip; ~ à coulisse slide •trombone; **tromboniste** nm/f trombonist.

trompe [trɔ̃p] nf (d'éléphant) trunk; (MUS) •trumpet, horn; ~ d'Eustache Eustachian tube; ~**s utérines** Fallopian tubes.

trompe-l'œil [trɔ̃plœj] nm: en ~ in trompe-l'œil style.

tromper [trɔ̃pe] vt to deceive; (vigilance, poursuivants) to elude; se ~ vi to make a mistake, be mistaken; se ~ de voiture/jour to take the wrong car/get the day wrong; se ~ de 3 cm/20 F to be out by 3 cm/20 F; **tromperie** nf deception, trickery q.

trompette [trɔ̃pɛt] nf trumpet; en ~ (nez) turned-up; **trompettiste** nm/f trumpet player.

trompeur, euse [trɔ̃pœr, -øz] a deceptive, misleading.

tronc [trɔ̃] nm (BOT, ANAT) trunk; (d'église) collection box; ~ d'arbre tree trunk; ~ **commun** (SCOL) common-core syllabus; ~ de cône truncated cone.

tronche [trɔ̃ʃ] nf (fam) mug, face.

tronçon [trɔ̃sɔ̃] nm section.

tronçonner [trɔ̃sɔne] vt to saw up; **tronçonneuse** nf chain saw.

trône [tron] nm throne.

trôner [trone] vi (fig) to sit in the place of honour.

tronquer [trɔ̃ke] vt to truncate; (fig) to curtail.

trop [tro] ad vb + too much, too + adjectif, adverbe; ~ (nombreux) too many; ~ **peu (nombreux)** too few; ~ (souvent) too often; ~ (longtemps) (for) too long; ~ de (nombre) too many; (quantité) too much; de ~, en ~: des livres en ~ a few books too many, a few extra books; **du lait en** ~ some milk over ou extra, too much milk; **3 livres/F de** ~ 3 books too many/F too much.

trophée [trofe] nm trophy.

tropical, e, aux [trɔpikal, -o] a tropical.

tropique [trɔpik] nm tropic; ~**s** nmpl tropics.

trop-plein [trɔplɛ̃] nm (tuyau) overflow ou outlet (pipe); (liquide) overflow.

troquer [trɔke] vt: ~ **qch contre** to barter ou trade sth for; (fig) to swap sth for.

trot [tro] nm trot; **aller au** ~ to trot along; **partir au** ~ to set off at a trot.

trotter [trɔte] vi to trot; (fig) to scamper along (ou about).

trotteuse [trɔtøz] nf (de montre) second hand.

trottiner [trɔtine] vi (fig) to scamper along (ou about).

trottinette [trɔtinɛt] nf (child's) scooter.

trottoir [trɔtwar] nm pavement; **faire le** ~ (péj) to walk the streets; ~ **roulant** moving walkway, travellator.

trou [tru] nm hole; (fig) gap; ~ d'air air pocket; ~ de **mémoire** blank, lapse of memory; le ~ de la serrure the keyhole.

troublant, e [trublɑ̃, -ɑ̃t] a disturbing.

trouble [trubl(ə)] a (liquide) cloudy; (image, mémoire) indistinct, hazy; (affaire) shady, murky // nm (désarroi) distress, agitation; (émoi sensuel) turmoil, agitation; (embarras) confusion; (zizanie) unrest, discord; ~**s** nmpl (POL) disturbances, troubles, unrest sg; (MÉD) trouble sg, disorders.

trouble-fête [trublfɛt] nm/f inv spoilsport.

troubler [truble] vt (embarrasser) to confuse, disconcert; (émouvoir) to agitate; to disturb; to perturb; (perturber: ordre etc) to disrupt, disturb; (liquide) to make cloudy; se ~ vi (personne) to become flustered ou confused; ~ l'ordre public to cause a breach of the peace.

troué, e [true] a with a hole (ou holes) in it // nf gap; (MIL) breach.

trouer [true] vt to make a hole (ou holes) in; (fig) to pierce.

trouille [truj] nf (fam): **avoir la** ~ to have the jitters, be in a funk.

troupe [trup] nf (MIL) troop; (groupe) troop, group; **la** ~ (MIL) the army; the troops pl; ~ (de théâtre) (theatrical) company.

troupeau, x [trupo] nm (de moutons) flock; (de vaches) herd.

trousse [trus] nf case, kit; (d'écolier) pencil case; (de docteur) instrument case; **aux** ~**s de** (fig) on the heels ou tail of; ~ à **outils** toolkit; ~ de **toilette** toilet ou sponge bag.

trousseau, x [tʀuso] *nm* (*de jeune mariée*) trousseau ; ~ **de clefs** bunch of keys.
trouvaille [tʀuvaj] *nf* find.
trouver [tʀuve] *vt* to find ; (*rendre visite*): **aller/venir** ~ **qn** to go/come and see sb ; **je trouve que** I find *ou* think that ; ~ **à boire/critiquer** to find something to drink/criticize ; **se** ~ *vi* (*être*) to be ; (*être soudain*) to find o.s. ; **se** ~ **être/avoir** to happen to be/have ; **il se trouve que** it happens that, it turns out that ; **se** ~ **bien** to feel well ; **se** ~ **mal** to pass out.
truand [tʀyɑ̃] *nm* villain, crook.
truc [tʀyk] *nm* (*astuce*) way, device ; (*de cinéma, prestidigitateur*) trick effect ; (*chose*) thing ; (*machin*) thingumajig, whatsit ; **avoir le** ~ to have the knack.
truchement [tʀyʃmɑ̃] *nm*: **par le** ~ **de qn** through (the intervention of) sb.
truculent, e [tʀykylɑ̃, -ɑ̃t] *a* colourful.
truelle [tʀyɛl] *nf* trowel.
truffe [tʀyf] *nf* truffle ; (*nez*) nose.
truffer [tʀyfe] *vt* (*CULIN*) to garnish with truffles ; **truffé de** (*fig*) peppered with ; bristling with.
truie [tʀɥi] *nf* sow.
truite [tʀɥit] *nf* trout *inv*.
truquage [tʀykaʒ] *nm* fixing ; (*CINÉMA*) special effects *pl*.
truquer [tʀyke] *vt* (*élections, serrure, dés*) to fix ; (*CINÉMA*) to use special effects in.
trust [tʀœst] *nm* (*COMM*) trust.
tsar [dzaʀ] *nm* tsar.
T.S.F. [teɛsɛf] *sigle f* (= *télégraphie sans fil*) wireless.
tsigane [tsigan] *a, nm/f* = **tzigane**.
T.S.V.P. *sigle* (= *tournez s.v.p.*) P.T.O. (please turn over).
T.T.C. *sigle* = *toutes taxes comprises*.
tu [ty] *pronom* you // *nm*: **employer le** ~ to use the 'tu' form.
tu, e [ty] *pp de* **taire**.
tuba [tyba] *nm* (*MUS*) tuba ; (*SPORT*) snorkel.
tube [tyb] *nm* tube ; pipe ; (*chanson, disque*) hit song *ou* record ; ~ **digestif** alimentary canal, digestive tract.
tuberculeux, euse [tybɛʀkylø, -øz] *a* tubercular // *nm/f* tuberculosis *ou* TB patient.
tuberculose [tybɛʀkyloz] *nf* tuberculosis.
tubulaire [tybylɛʀ] *a* tubular.
tubulure [tybylyʀ] *nf* pipe ; piping *q* ; (*AUTO*) manifold.
tué, e [tɥe] *nm/f*: **5** ~**s** 5 killed *ou* dead.
tuer [tɥe] *vt/t* to kill ; **se** ~ *vi* to be killed ; **se** ~ **au travail** (*fig*) to work o.s. to death ; **tuerie** *nf* slaughter *q*.
tue-tête [tytɛt]: **à** ~ *ad* at the top of one's voice.
tueur [tɥœʀ] *nm* killer ; ~ **à gages** hired killer.
tuile [tɥil] *nf* tile ; (*fam*) spot of bad luck, blow.
tulipe [tylip] *nf* tulip.
tuméfié, e [tymefje] *a* puffy, swollen.
tumeur [tymœʀ] *nf* growth, tumour.
tumulte [tymylt(ə)] *nm* commotion, hubbub.
tumultueux, euse [tymyltɥø, -øz] *a* stormy, turbulent.

tunique [tynik] *nf* tunic ; (*de femme*) smock, tunic.
Tunisie [tynizi] *nf*: **la** ~ Tunisia ; **tunisien, ne** *a, nm/f* Tunisian.
tunnel [tynɛl] *nm* tunnel.
turban [tyʀbɑ̃] *nm* turban.
turbin [tyʀbɛ̃] *nm* (*fam*) work *q*.
turbine [tyʀbin] *nf* turbine.
turboréacteur [tyʀbɔʀeaktœʀ] *nm* turbojet.
turbulences [tyʀbylɑ̃s] *nfpl* (*AVIAT*) turbulence *sg*.
turbulent, e [tyʀbylɑ̃, -ɑ̃t] *a* boisterous, unruly.
turc, turque [tyʀk(ə)] *a* Turkish // *nm/f*: **T~, Turque** Turk/Turkish woman // *nm* (*langue*) Turkish ; **à la turque** *ad* cross-legged // *a* (*w.-c.*) seatless.
turf [tyʀf] *nm* racing ; ~**iste** *nm/f* racegoer.
turpitude [tyʀpityd] *nf* base act, baseness *q*.
turque [tyʀk(ə)] *a, nf voir* **turc**.
Turquie [tyʀki] *nf*: **la** ~ Turkey.
turquoise [tyʀkwaz] *nf, a inv* turquoise.
tus *etc vb voir* **taire**.
tutelle [tytɛl] *nf* (*JUR*) guardianship ; (*POL*) trusteeship ; **sous la** ~ **de** (*fig*) under the supervision of.
tuteur [tytœʀ] *nm* (*JUR*) guardian ; (*de plante*) stake, support.
tutoyer [tytwaje] *vt*: ~ **qn** to address sb as 'tu'.
tuyau, x [tɥijo] *nm* pipe ; (*flexible*) tube ; (*fam*) tip ; gen *q* ; ~ **d'arrosage** hosepipe ; ~ **d'échappement** exhaust pipe ; ~**té, e** *a* fluted ; ~**terie** *nf* piping *q*.
tuyère [tɥijɛʀ] *nf* nozzle.
T.V.A. *sigle f voir* **taxe**.
tympan [tɛ̃pɑ̃] *nm* (*ANAT*) eardrum.
type [tip] *nm* type ; (*fam*) chap, bloke // *a* typical, standard ; **avoir le** ~ **nordique** to be Nordic-looking.
typhoïde [tifɔid] *nf* typhoid (fever).
typhon [tifɔ̃] *nm* typhoon.
typhus [tifys] *nm* typhus (fever).
typique [tipik] *a* typical.
typographe [tipɔgʀaf] *nm/f* typographer.
typographie [tipɔgʀafi] *nf* typography ; (*procédé*) letterpress (printing) ; **typographique** *a* typographical ; letterpress *cpd*.
tyran [tiʀɑ̃] *nm* tyrant ; **tyrannie** *nf* tyranny ; **tyrannique** *a* tyrannical ; **tyranniser** *vt* to tyrannize.
tzigane [dzigan] *a* a gipsy, tzigane // *nm/f* (Hungarian) gipsy, Tzigane.

U

ubiquité [ybikɥite] *nf*: **avoir le don d'**~ to be everywhere at once *ou* be ubiquitous.
ulcère [ylsɛʀ] *nm* ulcer ; ~ **à l'estomac** stomach ulcer.
ulcérer [ylseʀe] *vt* (*MÉD*) to ulcerate ; (*fig*) to sicken, appal.
ultérieur, e [ylteʀjœʀ] *a* later, subsequent ; **remis à une date** ~**e** postponed to a later date ; ~**ement** *ad* later.

ultimatum [yltimatɔm] *nm* ultimatum.
ultime [yltim] *a* final.
ultra... [yltRa] *préfixe:* ~**moderne**/ **-rapide** ultra-modern/-fast; ~**-sensible** *a* (*PHOTO*) high-speed; ~**-sons** *nmpl* ultrasonics; ~**-violet, te** *a* ultraviolet.
un, une [œ̃, yn] *dét* a, an + *voyelle* // *pronom, num,* a one; **l'un l'autre, les** ~**s les autres** each other, one another; **l'** ~ **...**, **l'autre** (the) one ..., the other; **les** ~**s ..., les autres** some ..., others; **l'** ~ **et l'autre** both (of them); **l'** ~ **ou l'autre** either (of them); **l'** ~ **des meilleurs** one of the best.
unanime [ynanim] *a* unanimous; **unanimité** *nf* unanimity; **à l'unanimité** unanimously.
uni, e [yni] *a* (*ton, tissu*) plain; (*surface*) smooth, even; (*famille*) close(-knit); (*pays*) united.
unification [ynifikɑsjɔ̃] *nf* uniting; unification; standardization.
unifier [ynifje] *vt* to unite, unify; (*systèmes*) to standardize, unify.
uniforme [ynifɔRm(ə)] *a* (*mouvement*) regular, uniform; (*surface, ton*) even; (*objets, maisons*) uniform // *nm* uniform; **être sous l'** ~ (*MIL*) to be serving; **uniformiser** *vt* to make uniform; (*systèmes*) to standardize; **uniformité** *nf* regularity; uniformity; evenness.
unijambiste [yniʒɑ̃bist(ə)] *nm/f* one-legged man/woman.
unilatéral, e, aux [ynilateRal, -o] *a* unilateral; **stationnement** ~ parking on one side only.
union [ynjɔ̃] *nf* union; ~ **conjugale** union of marriage; ~ **de consommateurs** consumers' association; **l'U**~ **soviétique** the Soviet Union.
unique [ynik] *a* (*seul*) only; (*le même*): **un prix/système** ~ a single price/system; (*exceptionnel*) unique; **ménage à salaire** ~ one-salary family; **route à voie** ~ single-lane road; **fils/fille** ~ only son/daughter; ~ **en France** the only one of its kind in France; ~**ment** *ad* only, solely; (*juste*) merely.
unir [yniR] *vt* (*nations*) to unite; (*éléments, couleurs*) to combine; (*en mariage*) to unite, join together; ~ **qch à** to unite sth with; to combine sth with; **s'** ~ to unite; (*en mariage*) to be joined together.
unisson [ynisɔ̃] **à l'** ~ *ad* in unison.
unitaire [yniteR] *a* unitary; **prix** ~ price per unit.
unité [ynite] *nf* (*harmonie, cohésion*) unity; (*COMM, MIL, de mesure, MATH*) unit.
univers [yniveR] *nm* universe.
universel, le [yniveRsɛl] *a* universal; (*esprit*) all-embracing.
universitaire [yniveRsitɛR] *a* university *cpd*; (*diplôme, études*) academic, university *cpd* // *nm/f* academic.
université [yniveRsite] *nf* university.
uranium [yRanjɔm] *nm* uranium.
urbain, e [yRbɛ̃, -ɛn] *a* urban, city *cpd*, town *cpd*; (*poli*) urbane; **urbaniser** *vt* to urbanize; **urbanisme** *nm* town planning; **urbaniste** *nm/f* town planner.
urgence [yRʒɑ̃s] *nf* urgency; (*MÉD etc*)

emergency; **d'** ~ *a* emergency *cpd* // *ad* as a matter of urgency.
urgent, e [yRʒɑ̃, -ɑ̃t] *a* urgent.
urinal, aux [yRinal, -o] *nm* (bed) urinal.
urine [yRin] *nf* urine; **uriner** *vi* to urinate; **urinoir** *nm* (public) urinal.
urne [yRn(ə)] *nf* (*électorale*) ballot box; (*vase*) urn; **aller aux** ~**s** (*voter*) to go to the polls.
URSS [*parfois:* yRs] *sigle f:* **l'** ~ the USSR.
urticaire [yRtikɛR] *nf* nettle rash.
us [ys] *nmpl:* ~ **et coutumes** (habits and) customs.
U.S.A. *sigle mpl:* **les** ~ the U.S.A.
usage [yzaʒ] *nm* (*emploi, utilisation*) use; (*coutume*) custom; (*LING*): ~ usage; **faire** ~ **de** (*pouvoir, droit*) to exercise; **avoir l'** ~ **de** to have the use of; **à l'** ~ *ad* with use; **à l'** ~ **de** (*pour*) for (use of); **en** ~ in use; **hors d'** ~ out of service; wrecked; **à** ~ **interne** to be taken; **à** ~ **externe** for external use only.
usagé, e [yzaʒe] *a* (*usé*) worn; (*d'occasion*) used.
usager, ère [yzaʒe, -ɛR] *nm/f* user.
usé, e [yze] *a* worn; (*banal*) hackneyed.
user [yze] *vt* (*outil*) to wear down; (*vêtement*) to wear out; (*matière*) to wear away; (*consommer: charbon etc*) to use; **s'** ~ *vi* to wear; to wear out; (*fig*) to decline; **s'** ~ **à la tâche** to wear o.s. out with work; ~ **de** *vt* (*moyen, procédé*) to use, employ; (*droit*) to exercise.
usine [yzin] *nf* factory; ~ **à gaz** gasworks *sg*; ~ **marémotrice** tidal power station.
usiner [yzine] *vt* (*TECH*) to machine.
usité, e [yzite] *a* in common use, common; **peu** ~ rarely used.
ustensile [ystɑ̃sil] *nm* implement; ~ **de cuisine** kitchen utensil.
usuel, le [yzɥɛl] *a* everyday, common.
usufruit [yzyfRɥi] *nm* usufruct.
usuraire [yzyRɛR] *a* usurious.
usure [yzyR] *nf* wear; worn state; (*de l'usurier*) usury; **avoir qn à l'** ~ to wear sb down; **usurier, ière** *nm/f* usurer.
usurper [yzyRpe] *vt* to usurp.
ut [yt] *nm* (*MUS*) C.
utérin, e [yteRɛ̃, -in] *a* uterine.
utérus [yteRys] *nm* uterus, womb.
utile [ytil] *a* useful.
utilisation [ytilizɑsjɔ̃] *nf* use.
utiliser [ytilize] *vt* to use.
utilitaire [ytilitɛR] *a* utilitarian; (*objets*) practical.
utilité [ytilite] *nf* usefulness *q*; use; **jouer les** ~**s** (*THÉÂTRE*) to play bit parts; **reconnu d'** ~ **publique** state-approved; **c'est d'une grande** ~ it's of great use.
utopie [ytɔpi] *nf* utopian idea *ou* view; utopia; **utopiste** *nm/f* utopian.
uvule [yvyl] *nf* uvula.

V

va *vb voir* **aller.**
vacance [vakɑ̃s] *nf* (*ADMIN*) vacancy; ~**s** *nfpl* holiday(s *pl*), vacation *sg*; **prendre des/ses** ~**s** to take a holiday/one's holiday(s); **aller en** ~**s** to go on holiday;

vacancier, ière nm/f holiday-maker.
vacant, e [vakɑ̃, -ɑ̃t] a vacant.
vacarme [vakaʀm(ə)] nm row, din.
vaccin [vaksɛ̃] nm vaccine; (opération)
vaccination; **vaccination** nf vaccination;
vacciner vt to vaccinate; (fig) to make
immune.
vache [vaʃ] nf (ZOOL) cow; (cuir) cowhide
// a (fam) rotten, mean; ~ à eau (canvas)
water bag; ~ à lait (péj) mug, sucker;
~ laitière dairy cow; **vachement** ad
(fam) damned, hellish; **vacher, ère** nm/f
cowherd; **vacherie** nf (fam) meanness q;
dirty trick; nasty remark.
vaciller [vasije] vi to sway, wobble;
(bougie, lumière) to flicker; (fig) to be
failing, falter.
vacuité [vakɥite] nf emptiness, vacuity.
vade-mecum [vademekɔm] nm inv
pocketbook.
vadrouiller [vadʀuje] vi to rove around
ou about.
va-et-vient [vaevjɛ̃] nm inv (de pièce
mobile) to and fro (ou up and down)
movement; (de personnes, véhicules)
comings and goings pl, to-ings and fro-ings
pl.
vagabond, e [vagabɔ̃, -ɔ̃d] a wandering;
(imagination) roaming, roving // nm
(rôdeur) tramp, vagrant; (voyageur)
wanderer.
vagabondage [vagabɔ̃daʒ] nm roaming,
wandering; (JUR) vagrancy.
vagabonder [vagabɔ̃de] vi to roam,
wander.
vagin [vaʒɛ̃] nm vagina.
vagissement [vaʒismɑ̃] nm cry (of
newborn baby).
vague [vag] nf wave // a vague; (regard)
faraway; (manteau, robe) loose(-fitting);
(quelconque): un ~ bureau/cousin some
office/cousin or other // nm: rester dans
le ~ to keep things rather vague;
regarder dans le ~ to gaze into space;
~ à l'âme nm vague melancholy; ~
d'assaut nf (MIL) wave of assault; ~ de
chaleur nf heatwave; ~ de fond nf
ground swell; ~ de froid nf cold spell;
~ment ad vaguely.
vaillant, e [vajɑ̃, -ɑ̃t] a (courageux) brave,
gallant; (robuste) vigorous, hale and
hearty; **n'avoir plus un sou** ~ to be
penniless.
vaille vb voir **valoir**.
vain, e [vɛ̃, vɛn] a vain; **en** ~ ad in vain.
vaincre [vɛ̃kʀ(ə)] vt to defeat; (fig) to
conquer, overcome; **vaincu, e** nm/f
defeated party; **vainqueur** nm victor;
(SPORT) winner // am victorious.
vais vb voir **aller**.
vaisseau, x [vɛso] nm (ANAT) vessel;
(NAVIG) ship, vessel; ~ spatial spaceship.
vaisselier [vɛsalje] nm dresser.
vaisselle [vɛsɛl] nf (service) crockery;
(plats etc à laver) (dirty) dishes pl; (lavage)
washing-up; **faire la** ~ to do the washing-
up ou the dishes.
val, vaux ou **vals** [val, vo] nm valley.
valable [valabl(ə)] a valid; (acceptable)
decent, worthwhile.

valent etc vb voir **valoir**.
valet [valɛ] nm valet; (CARTES) jack,
knave; ~ de chambre manservant, valet;
~ de ferme farmhand; ~ de pied
footman.
valeur [valœʀ] nf (gén) value; (mérite)
worth, merit; (COMM: titre) security;
mettre en ~ (bien) to exploit; (terrain,
région) to develop; (fig) to highlight; to
show off to advantage; **avoir de la** ~ to
be valuable; **prendre de la** ~ to go up
ou gain in value.
valeureux, euse [valœʀø, -øz] a
valorous.
valide [valid] a (en bonne santé) fit, well;
(indemne) able-bodied, fit; (valable) valid;
valider vt to validate; **validité** nf validity.
valions vb voir **valoir**.
valise [valiz] nf (suit)case; **la** ~
(diplomatique) the diplomatic bag.
vallée [vale] nf valley.
vallon [valɔ̃] nm small valley.
vallonné, e [valɔne] n undulating.
valoir [valwaʀ] vi (être valable) to hold,
apply // vt (prix, valeur, effort) to be
worth; (causer): ~ qch à qn to earn sb
sth; se ~ to be of equal merit; (péj) to
be two of a kind; **faire** ~ (droits,
prérogatives) to assert; (domaine, capitaux)
to exploit; **faire** ~ **que** to point out that;
à ~ on account; **à** ~ **sur** to be deducted
from; **vaille que vaille** somehow or
other; **cela ne me dit rien qui vaille** I
don't like the look of it at all; **ce climat
ne me vaut rien** this climate doesn't suit
me; ~ **la peine** to be worth the trouble
ou worth it; ~ **mieux: il vaut mieux se
taire** it's better to say nothing; **ça ne vaut
rien** it's worthless; **que vaut ce
candidat?** how good is this applicant?
valoriser [valɔʀize] vt (ÉCON) to develop
(the economy of); (PSYCH) to increase the
standing of.
valse [vals(ə)] nf waltz; **valser** vi to
waltz; (fig): **aller valser** to go flying.
valu, e [valy] pp de **valoir**.
valve [valv(ə)] nf valve.
vandale [vɑ̃dal] nm/f vandal;
vandalisme nm vandalism.
vanille [vanij] nf vanilla.
vanité [vanite] nf vanity; **vaniteux, euse**
a vain, conceited.
vanne [van] nf gate.
vanner [vane] vt to winnow.
vannerie [vanʀi] nf basketwork.
vantail, aux [vɑ̃taj, -o] nm door, leaf (pl
leaves).
vantard, e [vɑ̃taʀ, -aʀd(ə)] a boastful;
vantardise nf boastfulness q; boast.
vanter [vɑ̃te] vt to speak highly of, vaunt;
se ~ vi to boast, brag; se ~ **de** to boast
of.
va-nu-pieds [vanypje] nm/f inv tramp,
beggar.
vapeur [vapœʀ] nf steam; (émanation)
vapour, fumes pl; ~s nfpl (bouffées)
vapours; **à** ~ steam-powered, steam cpd;
à toute ~ full steam ahead; (fig) at full
tilt; **renverser la** ~ to reverse engines;
(fig) to backtrack, backpedal; **cuit à la** ~
steamed.

vaporeux, euse [vapoRø, -øz] *a (flou)* hazy, misty; *(léger)* filmy, gossamer *cpd*

vaporisateur [vapoRizatœR] *nm* spray.

vaporiser [vapoRize] *vt (CHIMIE)* to vaporize; *(parfum etc)* to spray.

vaquer [vake] *vi*: ~ **à ses occupations** to attend to one's affairs, go about one's business.

varappe [vaRap] *nf* rock climbing; **varappeur, euse** *nm/f* (rock) climber.

varech [vaRɛk] *nm* wrack, varec.

vareuse [vaRøz] *nf (blouson)* pea jacket; *(d'uniforme)* tunic.

variable [vaRjabl(ə)] *a* variable; *(temps, humeur)* changeable, variable; *(TECH: à plusieurs positions etc)* adaptable; *(LING)* inflectional; *(divers: résultats)* varied, various // *(MATH)* variable.

variante [vaRjɑ̃t] *nf* variant.

variation [vaRjasjɔ̃] *nf* variation; changing *q*, change.

varice [vaRis] *nf* varicose vein.

varicelle [vaRisɛl] *nf* chickenpox.

varié, e [vaRje] *a* varied; *(divers)* various; **hors-d'œuvre ~s** selection of hors d'œuvres.

varier [vaRje] *vi* to vary; *(temps, humeur)* to vary, change // *vt* to vary.

variété [vaRjete] *nf* variety; **spectacle de ~s** variety show.

variole [vaRjɔl] *nf* smallpox.

variqueux, euse [vaRikø, -øz] *a* varicose.

vas *vb voir* **aller**.

vase [vɑz] *nm* vase // *nf* silt, mud; **en ~ clos** in isolation; ~ **de nuit** chamberpot; **~s • communicants** communicating vessels.

vaseline [vazlin] *nf* vaseline.

vaseux, euse [vazø, -øz] *a* silty, muddy; *(fig: •confus)* woolly, hazy; *(: fatigué)* peaky; woozy.

vasistas [vazistɑs] *nm* fanlight.

vaste [vast(ə)] *a* vast, immense.

Vatican [vatikɑ̃] *nm*: **le ~** the Vatican.

vaticiner [vatisine] *vi (péj)* to make pompous predictions.

va-tout [vatu] *nm*: **jouer son ~** to stake one's all.

vaudeville [vodvil] *nm* vaudeville, light comedy.

vaudrai *etc vb voir* **valoir**.

vau-l'eau [volo]: **à ~** *ad* with the current; *(fig)* adrift.

vaurien, ne [voRjɛ̃, -ɛn] *nm/f* good-for-nothing, guttersnipe.

vautour [votuR] *nm* vulture.

vautrer [votRe]: **se ~** *vi*: **se ~ dans/sur** to wallow in/sprawl on.

vaux [vo] *pl de* **val** // *vb voir* **valoir**.

veau, x [vo] *nm (ZOOL)* calf *(pl* calves*)*; *(CULIN)* veal; *(peau)* calfskin.

vecteur [vɛktœR] *nm* vector; *(MIL)* carrier.

vécu, e [veky] *pp de* **vivre** // *a (aventure)* real(-life).

vedette [vədɛt] *nf (artiste etc)* star; *(canot)* patrol boat; launch; **avoir la ~** to top the bill, get star billing.

végétal, e, aux [veʒetal, -o] *a* vegetable // *nm* vegetable, plant.

végétarien, ne [veʒetaRjɛ̃, -ɛn] *a, nm/f* vegetarian.

végétarisme [veʒetaRism(ə)] *nm* vegetarianism.

végétation [veʒetɑsjɔ̃] *nf* vegetation; **~s** *nfpl (MÉD)* adenoids.

végéter [veʒete] *vi (fig)* to vegetate; to stagnate.

véhément, e [veemɑ̃, -ɑ̃t] *a* vehement.

véhicule [veikyl] *nm* vehicle; ~ **utilitaire** commercial vehicle.

veille [vɛj] *nf (garde)* watch; *(PSYCH)* wakefulness; *(jour)*: **la ~** the day before, the previous day; **la ~ au soir** the previous evening; **la ~ de** the day before; **à la ~ de** on the eve of.

veillée [veje] *nf (soirée)* evening; *(réunion)* evening gathering; ~ **d'armes** night before combat; ~ **(mortuaire)** watch.

veiller [veje] *vi* to stay *ou* sit up; to be awake; to be on watch; to be watchful // *vt (malade, mort)* to watch over, sit up with; ~ **à** *vt* to attend to, see to; ~ **à ce que** to make sure that, see to it that; ~ **sur** *vt* to keep a watch *ou* an eye on; **veilleur de nuit** *nm* night watchman.

veilleuse [vɛjøz] *nf (lampe)* night light; *(AUTO)* sidelight; *(flamme)* pilot light; **en ~ a**, *ad (lampe)* dimmed.

veinard, e [vɛnaR, -aRd(ə)] *nm/f (fam)* lucky devil.

veine [vɛn] *nf (ANAT, du bois etc)* vein; *(filon)* vein, seam; *(fam: chance)*: **avoir de la ~** to be lucky; *(inspiration)* inspiration; **veiné, e** *a* veined; *(bois)* grained; **veineux, euse** *a* venous.

vêler [vele] *vi* to calve.

vélin [velɛ̃] *nm* vellum (paper).

velléitaire [veleiteR] *a* irresolute, indecisive.

velléités [veleite] *nfpl* vague impulses.

vélo [velo] *nm* bike, cycle; **faire du ~** to go cycling.

véloce [velɔs] *a* swift.

vélodrome [velodRɔm] *nm* velodrome.

vélomoteur [velomotœR] *nm* light motorcycle.

velours [vəluR] *nm* velvet; ~ **côtelé** corduroy.

velouté, e [vəlute] *a (au toucher)* velvety; *(à la vue)* soft, mellow; *(au goût)* smooth, mellow // *nm*: ~ **d'asperges/de tomates** cream of asparagus/tomato (soup).

velu, e [vəly] *a* hairy.

venais *etc vb voir* **venir**.

venaison [vənɛzɔ̃] *nf* venison.

vénal, e, aux [venal, -o] *a* venal; **~ité** *nf* venality.

venant [vənɑ̃]: **à tout ~** *ad* to all and sundry.

vendange [vɑ̃dɑ̃ʒ] *nf (opération, période: aussi: ~s)* grape harvest; *(raisins)* grape crop, grapes *pl*.

vendanger [vɑ̃dɑ̃ʒe] *vi* to harvest the grapes; **vendangeur, euse** *nm/f* grape-picker.

vendeur, euse [vɑ̃dœR, -øz] *nm/f (de magasin)* shop assistant; sales assistant; *(COMM)* salesman/woman // *nm (JUR)* vendor, seller; ~ **de journaux** newspaper seller.

vendre [vɑ̃dR(ə)] vt to sell ; ~ qch à qn
to sell sb sth ; **cela se vend à la douzaine**
these are sold by the dozen ; **cela se vend
bien** it's selling well ; **'à ~'** 'for sale.'
vendredi [vɑ̃dRədi] nm Friday ; **V~ saint**
Good Friday.
vénéneux, euse [venenø, -øz] a
poisonous.
vénérable [veneRabl(ə)] a venerable.
vénération [veneRasjɔ̃] nf veneration.
vénérer [venere] vt to venerate.
vénérien, ne [veneRjɛ̃, -ɛn] a venereal.
vengeance [vɑ̃ʒɑ̃s] nf vengeance q,
revenge q ; act of vengeance ou revenge.
venger [vɑ̃ʒe] vt to avenge ; **se ~** vi to
avenge o.s. ; (par rancune) to take revenge ;
se ~ de qch to avenge o.s. for sth ; to
take one's revenge for sth ; **se ~ de qn**
to take revenge on sb ; **se ~ sur** to wreak
vengeance upon ; to take revenge on ou
through ; to take it out on ; **vengeur,
eresse** a vengeful // nm/f avenger.
véniel, le [venjɛl] a venial.
venimeux, euse [vənimø, -øz] a
poisonous, venomous ; (fig: haineux)
venomous, vicious.
venin [vənɛ̃] nm venom, poison.
venir [vəniR] vi to come ; ~ de to come
from ; ~ de faire: **je viens d'y aller/de
le voir** I've just been there/seen him ; **s'il
vient à pleuvoir** if it should rain, if it
happens to rain ; **j'en viens à croire que**
I have come to believe that ; **il en est venu
à mendier** he has been reduced to
begging ; **faire ~** (docteur, plombier) to call
(out).
vent [vɑ̃] nm wind ; **il y a du ~** it's windy ;
c'est du ~ it's all hot air ; **au ~** to
windward ; **sous le ~** to leeward ; **avoir
le ~ debout/arrière** to head into the
wind/have the wind astern ; **dans le ~**
(fam) trendy, with it ; **prendre le ~** (fig)
to see which way the wind blows ; **avoir
~ de** to get wind of.
vente [vɑ̃t] nf sale ; **la ~** (activité) selling ;
(secteur) sales pl ; **mettre en ~** to put on
sale ; (objets personnels) to put up for sale ;
~ de charité sale in aid of charity ; **~
aux enchères** auction sale.
venter [vɑ̃te] vb impersonnel: **il vente** the
wind is blowing ; **venteux, euse** a
windswept, windy.
ventilateur [vɑ̃tilatœR] nm fan.
ventilation [vɑ̃tilasjɔ̃] nf ventilation.
ventiler [vɑ̃tile] vt to ventilate ; (total,
statistiques) to break down.
ventouse [vɑ̃tuz] nf (ampoule) cupping
glass ; (de caoutchouc) suction pad ; (ZOOL)
sucker.
ventre [vɑ̃tR(ə)] nm (ANAT) stomach ; (fig)
belly ; **prendre du ~** to be getting a
paunch ; **avoir mal au ~** to have stomach
ache.
ventricule [vɑ̃tRikyl] nm ventricle.
ventriloque [vɑ̃tRilɔk] nm/f ventriloquist.
ventripotent, e [vɑ̃tRipɔtɑ̃, -ɑ̃t] a
potbellied.
ventru, e [vɑ̃tRy] a potbellied.
venu, e [vəny] pp de **venir** // a: **être mal
~ à** ou **de faire** to have no grounds for
doing, be in no position to do // nf coming.

vêpres [vɛpR(ə)] nfpl vespers.
ver [vɛR] nm voir aussi **vers** ; worm ; (des
fruits etc) maggot ; (du bois) woodworm q ;
~ **luisant** glow-worm ; ~ **à soie**
silkworm ; ~ **solitaire** tapeworm ; ~ **de
terre** earthworm.
véracité [veRasite] nf veracity.
véranda [veRɑ̃da] nf veranda(h).
verbal, e, aux [vɛRbal, -o] a verbal.
verbaliser [vɛRbalize] vi (POLICE) to book
ou report an offender.
verbe [vɛRb(ə)] nm (LING) verb ; (voix):
avoir le ~ sonore to have a sonorous tone
(of voice) ; (expression): **la magie du ~** the
magic of language ou the word ; (REL): **le
V~** the Word.
verbeux, euse [vɛRbø, -øz] a verbose,
wordy.
verdâtre [vɛRdɑtR(ə)] a greenish.
verdeur [vɛRdœR] nf (vigueur) vigour,
vitality ; (crudité) forthrightness ; (défaut
de maturité) tartness, sharpness.
verdict [vɛRdik(t)] nm verdict.
verdir [vɛRdiR] vi, vt to turn green.
verdoyant, e [vɛRdwajɑ̃, -ɑ̃t] a green,
verdant.
verdure [vɛRdyR] nf greenery, verdure.
véreux, euse [veRø, -øz] a worm-eaten ;
(malhonnête) shady, corrupt.
verge [vɛRʒ(ə)] nf (ANAT) penis ; (baguette)
stick, cane.
verger [vɛRʒe] nm orchard.
verglacé, e [vɛRglase] a icy, iced-over.
verglas [vɛRgla] nm (black) ice.
vergogne [vɛRgɔɲ]: **sans ~** ad
shamelessly.
véridique [veRidik] a truthful, veracious.
vérification [veRifikasjɔ̃] nf checking q,
check.
vérifier [veRifje] vt to check ; (corroborer)
to confirm, bear out.
vérin [veRɛ̃] nm jack.
véritable [veRitabl(ə)] a real ; (ami, amour)
true ; **un ~ désastre** an absolute disaster.
vérité [veRite] nf truth ; (d'un portrait
romanesque) lifelikeness ; (sincérité)
truthfulness, sincerity.
vermeil, le [vɛRmɛj] a bright red, ruby-
red // nm (substance) vermeil.
vermicelles [vɛRmisɛl] nmpl vermicelli sg.
vermillon [vɛRmijɔ̃] a inv vermilion,
scarlet.
vermine [vɛRmin] nf vermin pl.
vermoulu, e [vɛRmuly] a worm-eaten,
with woodworm.
vermout(h) [vɛRmut] nm vermouth.
verni, e [vɛRni] a (fam) lucky ; **cuir ~**
patent leather.
vernir [vɛRniR] vt (bois, tableau, ongles) to
varnish ; (poterie) to glaze.
vernis [vɛRni] nm (enduit) varnish ; glaze ;
(fig) veneer ; ~ **à ongles** nail polish ou
varnish.
vernissage [vɛRnisaʒ] nm varnishing ;
glazing ; (d'une exposition) preview.
vérole [veRɔl] nf (variole) smallpox ; (fam:
syphilis) pox.
verrai etc vb voir **voir**.
verre [vɛR] nm glass ; (de lunettes) lens sg ;
boire ou **prendre un ~** to have a drink ;

~ à vin/à liqueur wine/liqueur glass; ~ à dents tooth mug; ~ dépoli frosted glass; ~ de lampe lamp glass ou chimney; ~ de montre watch glass; ~ à pied stemmed glass; ~s de contact contact lenses.

verrerie [vɛʀʀi] nf (fabrique) glassworks sg; (activité) glass-making; glass-working; (objets) glassware.

verrière [vɛʀjɛʀ] nf (grand vitrage) window; (toit vitré) glass roof.

verrons etc vb voir **voir**.

verroterie [vɛʀɔtʀi] nf glass beads pl ou jewellery.

verrou [vɛʀu] nm (targette) bolt; (fig) constriction; **mettre le** ~ to bolt the door; **mettre qn sous les** ~s to put sb behind bars; **verrouiller** vt to bolt; (MIL: brèche) to close.

verrue [vɛʀy] nf wart; (fig) eyesore.

vers [vɛʀ] nm line // nmpl (poésie) verse sg // prép (en direction de) toward(s); (près de) around (about); (temporel) about, around.

versant [vɛʀsɑ̃] nm slopes pl, side.

versatile [vɛʀsatil] a fickle, changeable.

verse [vɛʀs(ə)]: à ~ ad: **il pleut à** ~ it's pouring (with rain).

versé, e [vɛʀse] a: **être** ~ **dans** (science) to be (well-)versed in.

Verseau [vɛʀso] nm: **le** ~ Aquarius, the water-carrier; **être du** ~ to be Aquarius.

versement [vɛʀsəmɑ̃] nm payment; **en 3** ~s in 3 instalments.

verser [vɛʀse] vt (liquide, grains) to pour; (larmes, sang) to shed; (argent) to pay; (soldat: affecter): ~ **qn dans** to assign sb to // vi (véhicule) to overturn; (fig): ~ **dans** to lapse into.

verset [vɛʀsɛ] nm verse; versicle.

verseur [vɛʀsœʀ] am voir **bec**.

versifier [vɛʀsifje] vt to put into verse // vi to versify, write verse.

version [vɛʀsjɔ̃] nf version; (SCOL) translation (into the mother tongue).

verso [vɛʀso] nm back; **voir au** ~ see over(leaf).

vert, e [vɛʀ, vɛʀt(ə)] a green; (vin) young; (vigoureux) sprightly; (cru) forthright // nm green; ~ **d'eau** a inv sea-green; ~ **pomme** a inv apple-green; ~**-de-gris** nm verdigris // a inv grey(ish)-green.

vertébral, e, aux [vɛʀtebʀal, -o] a voir **colonne**.

vertèbre [vɛʀtɛbʀ(ə)] nf vertebra (pl ae); **vertébré, e** a, nm/f vertebrate.

vertement [vɛʀtəmɑ̃] ad (réprimander) sharply.

vertical, e, aux [vɛʀtikal, -o] a, nf vertical; **à la** ~**e** ad, ~**ement** ad vertically; ~**ité** nf verticalness, verticality.

vertige [vɛʀtiʒ] nm (peur du vide) vertigo; (étourdissement) dizzy spell; (fig) fever; **vertigineux, euse** a breathtaking; breathtakingly high (ou deep).

vertu [vɛʀty] nf virtue; **en** ~ **de** prép in accordance with; ~**eux, euse** a virtuous.

verve [vɛʀv(ə)] nf witty eloquence; **être en** ~ to be in brilliant form.

verveine [vɛʀvɛn] nf (BOT) verbena, vervain; (infusion) verbena tea.

vésicule [vezikyl] nf vesicle; ~ **biliaire** gall-bladder.

vespasienne [vɛspazjɛn] nf urinal.

vespéral, e, aux [vɛspeʀal, -o] a vespertine, evening cpd.

vessie [vesi] nf bladder.

veste [vɛst(ə)] nf jacket; ~ **droite/croisée** single-/double-breasted jacket.

vestiaire [vɛstjɛʀ] nm (au théâtre etc) cloakroom; (de stade etc) changing-room.

vestibule [vɛstibyl] nm hall.

vestige [vɛstiʒ] nm relic; trace; (fig) remnant, vestige; ~s nmpl remains; remnants, relics.

vestimentaire [vɛstimɑ̃tɛʀ] a (dépenses) clothing; (détail) of dress; (élégance) sartorial.

veston [vɛstɔ̃] nm jacket.

vêtement [vɛtmɑ̃] nm garment, item of clothing; (COMM): **le** ~ the clothing industry; ~s nmpl clothes; ~s **de sport** sportswear sg, sports clothes.

vétéran [veteʀɑ̃] nm veteran.

vétérinaire [veteʀinɛʀ] a veterinary // nm/f vet, veterinary surgeon.

vétille [vetij] nf trifle, triviality.

vétilleux, euse [vetijø, -øz] a punctilious.

vêtir [vetiʀ] vt to clothe, dress.

veto [veto] nm veto; **opposer un** ~ **à** to veto.

vêtu, e [vɛty] pp de **vêtir** // a: ~ **de** dressed in, wearing; **chaudement** ~ warmly dressed.

vétuste [vetyst(ə)] a ancient, timeworn.

veuf, veuve [vœf, vœv] a widowed // nm widower // nf widow.

veuille etc vb voir **vouloir**.

veule [vøl] a spineless.

veuvage [vœvaʒ] nm widowhood.

veuve [vœv] a, af voir **veuf**.

veux vb voir **vouloir**.

vexations [vɛksasjɔ̃] nfpl humiliations.

vexatoire [vɛksatwaʀ] a: **mesures** ~**s** harassment sg.

vexer [vɛkse] vt to hurt, upset; **se** ~ vi to be hurt, get upset.

viabiliser [vjabilize] vt to provide with services (water etc).

viabilité [vjabilite] nf viability; (d'un chemin) practicability.

viable [vjabl(ə)] a viable.

viaduc [vjadyk] nm viaduct.

viager, ère [vjaʒe, -ɛʀ] a: **rente viagère** life annuity // nm: **mettre en** ~ to sell in return for a life annuity.

viande [vjɑ̃d] nf meat.

viatique [vjatik] nm (REL) viaticum; (fig) provisions pl (ou money) for the journey.

vibraphone [vibʀafɔn] nm vibraphone, vibes pl.

vibration [vibʀasjɔ̃] nf vibration.

vibrer [vibʀe] vi to vibrate; (son, voix) to be vibrant; (fig) to be stirred; **faire** ~ to (cause to) vibrate; to stir, thrill; **vibromasseur** nm vibrator.

vicaire [vikɛʀ] nm curate.

vice [vis] nm vice; (défaut) fault; ~ **de forme** legal flaw ou irregularity.

vice... [vis] *préfixe*: **~-consul** *nm* vice-consul ; **~-président, e** *nm/f* vice-president ; vice-chairman ; **~-roi** *nm* viceroy.

vice-versa [visevɛʀsa] *ad* vice versa.

vichy [viʃi] *nm* (*toile*) gingham ; (*eau*) Vichy water.

vicié, e [visje] *a* (*air*) polluted, tainted ; (*JUR*) invalidated.

vicieux, euse [visjø, -øz] *a* (*pervers*) dirty(-minded) ; nasty ; (*fautif*) incorrect, wrong.

vicinal, e, aux [visinal, -o] *a*: **chemin ~** by-road, byway.

vicissitudes [visisityd] *nfpl* (trials and) tribulations.

vicomte [vikɔ̃t] *nm* viscount.

victime [viktim] *nf* victim ; (*d'accident*) casualty ; **être (la) ~ de** to be the victim of ; **être ~ d'une attaque/d'un accident** to suffer a stroke/be involved in an accident.

victoire [viktwaʀ] *nf* victory ; **victorieux, euse** *a* victorious ; (*sourire, attitude*) triumphant.

victuailles [viktɥaj] *nfpl* provisions.

vidange [vidɑ̃ʒ] *nf* (*d'un fossé, réservoir*) emptying ; (*AUTO*) oil change ; (*de lavabo: bonde*) waste outlet ; **~s** *nfpl* (*matières*) sewage *sg* ; **faire la ~** (*AUTO*) to change the oil, do an oil change ; **vidanger** *vt* to empty.

vide [vid] *a* empty // *nm* (*PHYSIQUE*) vacuum ; (*solution de continuité*) (empty) space, gap ; (*sous soi: dans une falaise etc*) drop ; (*futilité, néant*) void ; **sous ~** *ad* in a vacuum ; **emballé sous ~** vacuum packed ; **à ~** *ad* (*sans occupants*) empty ; (*sans charge*) unladen ; (*TECH*) without gripping *ou* being in gear.

vide-ordures [vidɔʀdyʀ] *nm inv* (rubbish) chute.

vide-poches [vidpɔʃ] *nm inv* tidy ; (*AUTO*) glove compartment.

vider [vide] *vt* to empty ; (*CULIN: volaille, poisson*) to gut, clean out ; (*régler: querelle*) to settle ; (*fatiguer*) to wear out ; (*fam: expulser*) to throw out, chuck out ; **se ~** *vi* to empty ; **~ les lieux** to quit *ou* vacate the premises ; **videur** *nm* (*de boîte de nuit*) bouncer.

vie [vi] *nf* life (*pl* lives) ; **être en ~** to be alive ; **sans ~** lifeless ; **à ~** for life ; **avoir la ~ dure** to have nine lives ; to die hard ; **mener la ~ dure à qn** to make life a misery for sb.

vieil [vjɛj] *am voir* **vieux**.

vieillard [vjɛjaʀ] *nm* old man ; **les ~s** old people, the elderly.

vieille [vjɛj] *a, nf voir* **vieux**.

vieilleries [vjɛjʀi] *nfpl* old things *ou* stuff *sg*.

vieillesse [vjɛjɛs] *nf* old age ; (*vieillards*): **la ~** the old *pl*, the elderly *pl*.

vieillir [vjɛjiʀ] *vi* (*prendre de l'âge*) to grow old ; (*population, vin*) to age ; (*doctrine, auteur*) to become dated // *vt* to age ; **il a beaucoup vieilli** he has aged a lot ; **vieillissement** *nm* growing old ; ageing.

vieillot, te [vjɛjo, -ɔt] *a* antiquated, quaint.

vielle [vjɛl] *nf* hurdy-gurdy.

vienne, viens *etc vb voir* **venir**.

vierge [vjɛʀʒ(ə)] *a* virgin ; (*jeune fille*): **être ~** to be a virgin // *nf* virgin ; (*signe*): **la V~** Virgo, the Virgin ; **être de la V~** to be Virgo ; **~ de** (*sans*) free from, unsullied by.

vieux(vieil), vieille [vjø, vjɛj] *a* old // *nm/f* old man/woman // *nmpl* old people ; **un petit ~** a little old man ; **mon ~/ma vieille** (*fam*) old man/girl ; **prendre un coup de ~** to put years on ; **un ~ de la vieille** one of the old brigade ; **~ garçon** *nm* bachelor ; **~ jeu** *a inv* old-fashioned ; **~ rose** *a inv* old rose ; **vieil or** *a inv* old gold ; **vieille fille** *nf* spinster.

vif, vive [vif, viv] *a* (*animé*) lively ; (*alerte*) sharp, quick ; (*brusque*) sharp, brusque ; (*aigu*) sharp ; (*lumière, couleur*) brilliant ; (*air*) crisp ; (*vent*) keen ; (*émotion*) keen, sharp ; (*fort: regret, déception*) great, deep ; (*vivant*): **brûlé ~** burnt alive ; **de vive voix** personally ; **piquer qn au ~** to cut sb to the quick ; **tailler dans le ~** to cut into the living flesh ; **à ~** (*plaie*) open ; **avoir les nerfs à ~** to be on edge ; **sur le ~** (*ART*) from life ; **entrer dans le ~ du sujet** to get to the very heart of the matter.

vif-argent [vifaʀʒɑ̃] *nm inv* quicksilver.

vigie [viʒi] *nf* look-out ; look-out post, crow's nest.

vigilance [viʒilɑ̃s] *nf* vigilance.

vigilant, e [viʒilɑ̃, -ɑ̃t] *a* vigilant.

vigne [viɲ] *nf* (*plante*) vine ; (*plantation*) vineyard ; **~ vierge** Virginia creeper.

vigneron [viɲʀɔ̃] *nm* wine grower.

vignette [viɲɛt] *nf* (*motif*) vignette ; (*de marque*) manufacturer's label *ou* seal ; (*ADMIN*) ≈ (road) tax disc ; price label (*on medicines for reimbursement by Social Security*).

vignoble [viɲɔbl(ə)] *nm* (*plantation*) vineyard ; (*vignes d'une région*) vineyards *pl*.

vigoureux, euse [viguʀø, -øz] *a* vigorous, strong, robust.

vigueur [vigœʀ] *nf* vigour ; **être/entrer en ~** to be in/come into force ; **en ~** current.

vil, e [vil] *a* vile, base ; **à ~ prix** at a very low price.

vilain, e [vilɛ̃, -ɛn] *a* (*laid*) ugly ; (*affaire, blessure*) nasty ; (*pas sage: enfant*) naughty // *nm* (*paysan*) villein, villain ; **ça va tourner au ~** it's going to turn nasty.

vilebrequin [vilbʀəkɛ̃] *nm* (*outil*) (bit-)brace ; (*AUTO*) crankshaft.

vilenie [vilni] *nf* vileness *q*, baseness *q*.

vilipender [vilipɑ̃de] *vt* to revile, vilify.

villa [vila] *nf* (detached) house.

village [vilaʒ] *nm* village ; **~ de toile** tent village ; **villageois, e** *a* village *cpd* // *nm/f* villager.

ville [vil] *nf* town ; (*importante*) city ; (*administration*): **la ~** ≈ the Corporation ; ≈ the (town) council.

villégiature [vileʒiatyʀ] *nf* holiday ; (holiday) resort.

vin [vɛ̃] *nm* wine ; **avoir le ~ gai** to feel happy after a few drinks ; **~ d'honneur** reception (*with wine and snacks*) ; **~ de**

messe mass wine ; ~ **ordinaire** table wine ; ~ **de pays** local wine.

vinaigre [vinɛgʀ(ə)] *nm* vinegar ; **tourner au** ~ (*fig*) to turn sour ; ~ **de vin/d'alcool** wine/spirit vinegar ; **vinaigrette** *nf* vinaigrette, French dressing ; **vinaigrier** *nm* (*fabricant*) vinegar-maker ; (*flacon*) vinegar cruet *ou* bottle.

vinasse [vinas] *nf* (*péj*) cheap wine.

vindicatif, ive [vɛ̃dikatif, -iv] *a* vindictive.

vindicte [vɛ̃dikt(ə)] *nf*: **désigner qn à la ~ publique** to expose sb to public condemnation.

vineux, euse [vinø, -øz] *a* win(e)y.

vingt [vɛ̃, vɛ̃t + vowel and in 22 etc] *num* twenty ; **vingtaine** *nf*: **une vingtaine (de)** around twenty, twenty or so ; **vingtième** *num* twentieth.

vinicole [vinikɔl] *a* wine *cpd*, wine-growing.

vins etc *vb voir* **venir**.

viol [vjɔl] *nm* (*d'une femme*) rape ; (*d'un lieu sacré*) violation.

violacé, e [vjɔlase] *a* purplish, mauvish.

violation [vjɔlɑsjɔ̃] *nf* desecration ; violation.

violemment [vjɔlamɑ̃] *ad* violently.

violence [vjɔlɑ̃s] *nf* violence ; ~**s** *nfpl* acts of. violence ; **faire** ~ **à qn** to do violence to sb.

violent, e [vjɔlɑ̃, -ɑ̃t] *a* violent ; (*remède*) drastic ; (*besoin, désir*) intense, urgent.

violenter [vjɔlɑ̃te] *vt* to assault (sexually).

violer [vjɔle] *vt* (*femme*) to rape ; (*sépulture*) to desecrate, violate ; (*règlement, traité*) to violate.

violet, te [vjɔlɛ, -ɛt] *a, nm* purple, mauve // *nf* (*fleur*) violet.

violon [vjɔlɔ̃] *nm* violin ; (*fam: prison*) lock-up ; **premier** ~ (*MUS*) first violin *ou* fiddle ; ~ **d'Ingres** (artistic) hobby.

violoncelle [vjɔlɔ̃sɛl] *nm* cello ; **violoncelliste** *nm/f* cellist.

violoniste [vjɔlɔnist(ə)] *nm/f* violinist, violin-player.

vipère [vipɛʀ] *nf* viper, adder.

virage [viʀaʒ] *nm* (*d'un véhicule*) turn ; (*d'une route, piste*) bend ; (*CHIMIE*) change in colour ; (*de cuti-réaction*) positive reaction ; (*PHOTO*) toning ~ (*fig: POL*) change in policy ; **prendre un** ~ to go into a bend, take a bend ; ~ **sans visibilité** blind bend.

viral, e, aux [viʀal, -o] *a* viral.

virée [viʀe] *nf* (*courte*) run ; (: *à pied*) walk ; (*longue*) trip ; hike, walking tour.

virement [viʀmɑ̃] *nm* (*COMM*) transfer ; ~ **bancaire/postal** (bank) credit/(National) Giro transfer.

virent *vb voir aussi* **voir**.

virer [viʀe] *vt* (*COMM*): ~ **qch (sur)** to transfer sth (into) ; (*PHOTO*) to tone // *vi* to turn ; (*CHIMIE*) to change colour ; (*cuti-réaction*) to come up positive ; (*PHOTO*) to tone ; ~ **au bleu** to turn blue ; ~ **de bord** to tack ; ~ **sur l'aile** to bank.

virevolte [viʀvɔlt(ə)] *nf* twirl ; **virevolter** *vi* to twirl around.

virginité [viʀʒinite] *nf* virginity.

virgule [viʀgyl] *nf* comma ; (*MATH*) point ;

4 ~ 2 4 point 2 ; ~ **flottante** floating decimal.

viril, e [viʀil] *a* (*propre à l'homme*) masculine ; (*énergique, courageux*) manly, virile ; ~**ité** *nf* masculinity ; manliness ; (*sexuelle*) virility.

virtualité [viʀtɥalite] *nf* virtuality ; potentiality.

virtuel, le [viʀtɥɛl] *a* potential ; (*théorique*) virtual ; ~**lement** *a* potentially ; (*presque*) virtually.

virtuose [viʀtɥoz] *nm/f* (*MUS*) virtuoso ; (*gén*) master ; **virtuosité** *nf* virtuosity ; masterliness, masterful skills *pl*.

virulent, e [viʀylɑ̃, -ɑ̃t] *a* virulent.

virus [viʀys] *nm* virus.

vis *vb* [vi] *voir* **voir, vivre** // *nf* [vis] screw ; ~ **sans fin** worm, endless screw.

visa [viza] *nm* (*sceau*) stamp ; (*validation de passeport*) visa ; ~ **de censure** (censor's) certificate.

visage [vizaʒ] *nm* face ; **visagiste** *nm/f* beautician.

vis-à-vis [vizavi] *ad* face to face // *nm* person opposite ; house *etc* opposite ; ~ **de** *prép* opposite ; (*fig*) towards, vis-à-vis ; **en** ~ facing *ou* opposite each other, **sans** ~ (*immeuble*) with an open outlook.

viscéral, e, aux [viseʀal, -o] *a* (*fig*) deep-seated, deep-rooted.

viscères [visɛʀ] *nmpl* intestines, entrails.

viscosité [viskozite] *nf* viscosity.

visée [vize] *nf* (*avec une arme*) aiming ; (*ARPENTAGE*) sighting ; ~**s** *nfpl* (*intentions*) designs.

viser [vize] *vi* to aim // *vt* to aim at ; (*concerner*) to be aimed *ou* directed at ; (*apposer un visa sur*) to stamp, visa ; ~ **à qch/faire** to aim at sth/at doing *ou* to do.

viseur [vizœʀ] *nm* (*d'arme*) sights *pl* ; (*PHOTO*) viewfinder.

visibilité [vizibilite] *nf* visibility.

visible [vizibl(ə)] *a* visible ; (*disponible*): **est-il** ~? can he see me?, will he see visitors?

visière [vizjɛʀ] *nf* (*de casquette*) peak ; (*qui s'attache*) eyeshade.

vision [vizjɔ̃] *nf* vision ; (*sens*) (eye)sight, vision ; (*fait de voir*): **la** ~ **de** the sight of ; **première** ~ (*CINÉMA*) first showing ; **visionnaire** *a, nm/f* visionary ; **visionner** *vt* to view ; **visionneuse** *nf* viewer.

visite [vizit] *nf* visit ; (*personne qui rend visite*) visitor ; (*médicale, à domicile*) visit, call ; **la** ~ (*MÉD*) (medical) consultations *pl*, surgery ; (*MIL: d'entrée*) medicals *pl* ; (: *quotidienne*) sick parade ; **faire une** ~ **à qn** to call on sb, pay sb a visit ; **rendre** ~ **à qn** to visit sb, pay sb a visit ; **être en** ~ (**chez qn**) to be visiting (sb) ; **heures de** ~ (*hôpital, prison*) visiting hours ; **le droit de** ~ (*JUR: aux enfants*) right of access, access ; ~ **de douane** customs inspection *ou* examination.

visiter [vizite] *vt* to visit ; (*musée, ville*) to visit, go round ; **visiteur, euse** *nm/f* visitor ; **visiteur des douanes** customs inspector.

vison [vizɔ̃] *nm* mink.

visqueux, euse [viskø, -øz] *a* viscous ; (*péj*) gooey ; slimy.

visser [vise] vt: ~ qch (fixer, serrer) to screw sth on.

visu [vizy]: **de ~** ad with one's own eyes.

visuel, le [vizɥɛl] a visual // nm (visual) display.

vit vb voir **voir, vivre**.

vital, e, aux [vital, -o] a vital.

vitalité [vitalite] nf vitality.

vitamine [vitamin] nf vitamin; **vitaminique** a vitamin cpd.

vite [vit] ad (rapidement) quickly, fast; (sans délai) quickly; soon; **faire ~** to act quickly; to be quick; **viens ~** come quick(ly).

vitesse [vitɛs] nf speed; (AUTO: dispositif) gear; **faire de la ~** to drive fast ou at speed; **prendre qn de ~** to outstrip sb; get ahead of sb; **prendre de la ~** to pick up ou gather speed; **à toute ~** at full ou top speed; **~ acquise** momentum; **~ du son** speed of sound.

viticole [vitikɔl] a wine cpd, wine-growing.

viticulteur [vitikyltœʀ] nm wine grower.

viticulture [vitikyltyʀ] nf wine growing.

vitrage [vitʀaʒ] nm (cloison) glass partition; (toit) glass roof; (rideau) net curtain.

vitrail, aux [vitʀaj, -o] nm stained-glass window.

vitre [vitʀ(ə)] nf (window) pane; (de portière, voiture) window.

vitré, e [vitʀe] a glass cpd.

vitrer [vitʀe] vt to glaze.

vitreux, euse [vitʀø, -øz] a vitreous; (terne) glassy.

vitrier [vitʀije] nm glazier.

vitrifier [vitʀifje] vt to vitrify; (parquet) to glaze.

vitrine [vitʀin] nf (devanture) (shop) window; (étalage) display; (petite armoire) display cabinet; **en ~** in the window, on display; **~ publicitaire** display case, showcase.

vitriol [vitʀijɔl] nm vitriol; **au ~** (fig) vitriolic.

vitupérer [vitypeʀe] vi to rant and rave; **~ contre** to rail against.

vivable [vivabl(ə)] a (personne) livable-with; (endroit) fit to live in.

vivace a (vivas) (arbre, plante) hardy; (fig) indestructible, inveterate // ad [vivatʃe] (MUS) vivace.

vivacité [vivasite] nf liveliness, vivacity; sharpness; brilliance.

vivant, e [vivɑ̃, -ɑ̃t] a (qui vit) living, alive; (animé) lively; (preuve, exemple) living // nm: **du ~ de qn** in sb's lifetime; **les ~s et les morts** the living and the dead.

vivats [viva] nmpl cheers.

vive [viv] af voir **vif** // vb voir **vivre** // excl: **~ le roi!** long live the king!; **~ les vacances!** hurrah for the holidays!; **~ment** ad vivaciously; sharply // excl: **~ment les vacances!** I can't wait for the holidays!, roll on the holidays!

viveur [vivœʀ] nm (péj) high liver, pleasure-seeker.

vivier [vivje] nm fish tank; fishpond.

vivifiant, e [vivifjɑ̃, -ɑ̃t] a invigorating.

vivions vb voir **vivre**.

vivisection [vivisɛksjɔ̃] nf vivisection.

vivoter [vivɔte] vi to rub along, struggle along.

vivre [vivʀ(ə)] vi, vt to live // nm: **le ~ et le logement** board and lodging; **~s** nmpl provisions, food supplies; **il vit encore** he is still alive; **se laisser ~** to take life as it comes; **ne plus ~** (être anxieux) to live on one's nerves; **il a vécu** (eu une vie aventureuse) he has seen life; **ce régime a vécu** this regime has had its day; **être facile à ~** to be easy to get on with; **faire ~ qn** (pourvoir à sa subsistance) to provide (a living) for sb; **~ mal** (chichement) to have a meagre existence; **~ de** (salaire etc) to live on.

vlan [vlɑ̃] excl wham!, bang!

vocable [vɔkabl(ə)] nm term.

vocabulaire [vɔkabylɛʀ] nm vocabulary.

vocal, e, aux [vɔkal, -o] a vocal.

vocalique [vɔkalik] a vocalic, vowel cpd.

vocalise [vɔkaliz] nf singing exercise.

vocation [vɔkasjɔ̃] nf vocation, calling.

vociférations [vɔsifeʀasjɔ̃] nfpl cries of rage, screams.

vociférer [vɔsifeʀe] vi, vt to scream.

vodka [vɔdka] nf vodka.

vœu, x [vø] nm wish; (à Dieu) vow; **faire ~ de** to take a vow of; **~s de bonne année** best wishes for the New Year; **avec tous nos ~x** with every good wish ou our best wishes.

vogue [vɔg] nf fashion, vogue.

voguer [vɔge] vi to sail.

voici [vwasi] prép (pour introduire, désigner) here is + sg, here are + pl; **et ~ que...** and now it (ou he)...; voir aussi **voilà**.

voie [vwa] nf way; (RAIL) track, line; (AUTO) lane; **suivre la ~ hiérarchique** to go through official channels; **être en bonne ~** to be shaping ou going well; **mettre qn sur la ~** to put sb on the right track; **être en ~ d'achèvement/de rénovation** to be nearing completion/in the process of renovation; **à ~ étroite** narrow-gauge; **route à 2/3 ~s** 2-/3-lane road; **par la ~ aérienne/maritime** by air/sea; **~ d'eau** (NAVIG) leak; **~ ferrée** track; railway line; **par ~ ferrée** by rail; **~ de garage** (RAIL) siding; **la ~ lactée** the Milky Way; **~ navigable** waterway; **~ privée** private road; **la ~ publique** the public highway.

voilà [vwala] prép (en désignant) there is + sg, there are + pl; **les ~ ou voici** here ou there they are; **en ~ ou voici un** here's one, there's one; **~ ou voici deux ans** two years ago; **~ ou voici deux ans que** it's two years since; **et ~!** there we are!; **~ tout** that's all; **'~ ou voici'** (en offrant etc) 'there ou here you are'.

voile [vwal] nm veil; (tissu léger) net // nf sail; (sport) sailing; **prendre le ~** to take the veil; **mettre à la ~** to make way under sail; **~ du palais** nm soft palate, velum; **~ au poumon** nm shadow on the lung.

voiler [vwale] vt to veil; (fausser: roue) to buckle; (: bois) to warp; **se ~** vi (lune, regard) to mist over; (ciel) to grow hazy; (voix) to become husky; (roue, disque) to

buckle; (*planche*) to warp; **se ~ la face**
to hide one's face.
voilette [vwalɛt] *nf* (hat) veil.
voilier [vwalje] *nm* sailing ship; (*de*
plaisance) sailing boat.
voilure [vwalyʀ] *nf* (*de voilier*) sails *pl*;
(*d'avion*) aerofoils *pl*; (*de parachute*)
canopy.
voir [vwaʀ] *vi*, *vt* to see; **se ~: se ~**
critiquer/transformer   to   be
criticized/transformed; **cela se voit** (*cela*
arrive) it happens; (*c'est visible*) that's
obvious, it shows; **~ venir** (*fig*) to wait
and see; **faire ~ qch à qn** to show sb
sth; **en faire ~ à qn** (*fig*) to give sb a
hard time; **ne pas pouvoir ~ qn** (*fig*) not
to be able to stand sb; **regardez ~** just
look; **dites~** tell me; **voyons!** let's see
now; (*indignation etc*) come (along) now!;
avoir quelque chose à ~ avec to have
something to do with.
voire [vwaʀ] *ad* indeed; nay.
voirie [vwaʀi] *nf* highway maintenance;
(*administration*)   highways   department;
(*enlèvement des ordures*) refuse collection.
voisin, e [vwazɛ̃, -in] *a* (*proche*)
neighbouring;   (*contigu*)   next;
(*ressemblant*)   connected   //   *nm/f*
neighbour; **voisinage** *nm* (*proximité*)
proximity; (*environs*) vicinity; (*quartier*,
voisins) neighbourhood; **relations de bon**
voisinage neighbourly terms; **voisiner** *vi*:
voisiner avec to be side by side with.
voiture [vwatyʀ] *nf* car; (*wagon*) coach,
carriage; **~ d'enfant** pram; **~ d'infirme**
invalid carriage; **~ de sport** sports car;
~-lit *nf* sleeper.
voix [vwa] *nf* voice; (*POL*) vote; **à haute**
~ aloud; **à ~ basse** in a low voice; **à**
2/4°~ (*MUS*) in 2/4 parts; **avoir ~ au**
chapitre to have a say in the matter;
mettre aux ~ to put to the vote.
vol [vɔl] *nm* (*mode de locomotion*) flying;
(*trajet, voyage, groupe d'oiseaux*) flight;
(*mode d'appropriation*) theft, stealing;
(*larcin*) theft; **à ~ d'oiseau** as the crow
flies; **au ~: attraper qch au ~** to catch
sth as it flies past; **prendre son ~** to take
flight; **en ~** in flight; **~ avec effraction**
breaking and entering *q*, break-in; **~ libre**
ou **sur aile delta** hang-gliding; **~ à main**
armée armed robbery; **~ de nuit** night
flight; **~ à voile** gliding.
volage [vɔlaʒ] *a* fickle.
volaille [vɔlaj] *nf* (*oiseaux*) poultry *pl*;
(*viande*) poultry *q*; (*oiseau*) fowl; **volailler**
nm poulterer.
volant, e [vɔlɑ̃, -ɑ̃t] *a voir* **feuille** *etc* //
nm (*d'automobile*) (steering) wheel; (*de*
commande)   wheel;   (*objet*   *lancé*)
shuttlecock;   (*jeu*)   battledore   and
shuttlecock; (*bande de tissu*) flounce;
(*feuillet détachable*) tear-off portion; **les**
~s (*AVIAT*) the flight staff.
volatil, e [vɔlatil] *a* volatile.
volatile [vɔlatil] *nm* (*volaille*) bird; (*tout*
oiseau) winged creature.
volatiliser [vɔlatilize]: **se ~** *vi* (*CHIMIE*) to
volatilize; (*fig*) to vanish into thin air.
vol-au-vent [vɔlɔvɑ̃] *nm inv* vol-au-vent.
volcan [vɔlkɑ̃] *nm* volcano; **volcanique** *a*

volcanic;   **volcanologue**   *nm/f*
vulcanologist.
volée [vɔle] *nf* (*groupe d'oiseaux*) flight,
flock; (*TENNIS*) volley; **~ de coups/de**
flèches volley of blows/arrows; **à la ~:**
rattraper à la ~ to catch in mid air;
lancer à la ~ to fling about; **à toute ~**
(*sonner les cloches*) vigorously; (*lancer un*
projectile) with full force.
voler [vɔle] *vi* (*avion, oiseau, fig*) to fly;
(*voleur*) to steal // *vt* (*objet*) to steal;
(*personne*) to rob; **~ qch à qn** to steal
sth from sb.
volet [vɔlɛ] *nm* (*de fenêtre*) shutter; (*AVIAT*)
flap; (*de feuillet, document*) section; **trié**
sur le ~ hand-picked.
voleter [vɔlte] *vi* to flutter (about).
voleur, euse [vɔlœʀ, -øz] *nm/f* thief (*pl*
thieves) // *a* thieving.
volière [vɔljɛʀ] *nf* aviary.
volontaire   [vɔlɔ̃tɛʀ]   *a*   voluntary;
(*caractère, personne: décidé*) self-willed //
nm/f volunteer; **volontariat** *nm* voluntary
service.
volonté [vɔlɔ̃te] *nf* (*faculté de vouloir*) will;
(*énergie, fermeté*) will(power); (*souhait,*
désir) wish; **se servir/boire à ~** to
take/drink as much as one likes; **bonne**
~ goodwill, willingness; **mauvaise ~**
lack of goodwill, unwillingness.
volontiers [vɔlɔ̃tje] *ad* (*de bonne grâce*)
willingly; (*avec plaisir*) willingly, gladly;
(*habituellement, souvent*) readily, willingly;
'**~**' 'with pleasure', 'I'd be glad to'.
volt [vɔlt] *nm* volt; **~age** *nm* voltage.
volte-face [vɔltəfas] *nf inv* about-turn.
voltige [vɔltiʒ] *nf* (*ÉQUITATION*) trick riding;
(*au cirque*) acrobatic feat; (*AVIAT*) (aerial)
acrobatics *sg*; **numéro de haute ~**
acrobatic act.
voltiger [vɔltiʒe] *vi* to flutter (about).
voltigeur, euse [vɔltiʒœʀ, -øz] *nm/f* (*au*
cirque) acrobat.
voltmètre [vɔltmɛtʀ(ə)] *nm* voltmeter.
volubile [vɔlybil] *a* voluble.
volume [vɔlym] *nm* volume; (*GÉOM: solide*)
solid; **volumineux, euse** *a* voluminous,
bulky.
volupté [vɔlypte] *nf* sensual delight *ou*
pleasure; **voluptueux, euse** *a* voluptuous.
volute [vɔlyt] *nf* (*ARCHIT*) volute; **~ de**
fumée curl of smoke.
vomi [vɔmi] *nm* vomit.
vomir [vɔmiʀ] *vi* to vomit, be sick // *vt*
to vomit, bring up; (*fig*) to belch out, spew
out;   (*exécrer*)   to   loathe,   abhor;
vomissement *nm* vomiting *q*; **vomissure**
nf vomit *q*; **vomitif** *nm* emetic.
vont [vɔ̃] *vb voir* **aller.**
vorace [vɔʀas] *a* voracious.
vos [vo] *dét voir* **votre.**
votant, e [vɔtɑ̃, -ɑ̃t] *nm/f* voter.
vote   [vɔt]   *nm*   vote;   **~ par**
correspondance/procuration   postal/
proxy vote.
voter [vɔte] *vi* to vote // *vt* (*loi, décision*)
to vote for.
votre [vɔtʀ(ə)], *pl* **vos** [vo] *dét* your.
vôtre [votʀ(ə)] *pronom*: **le ~, la ~, les**
~s yours; **les ~s** (*fig*) your family *ou*
folks; **à la ~** (*toast*) your (good) health!

voudrai etc vb voir **vouloir**.

voué, e [vwe] a: ~ à doomed to, destined for.

vouer [vwe] vt: ~ qch à (Dieu/un saint) to·dedicate sth to; ~ sa vie/son temps à (étude, cause etc) to devote one's life/time to; ~ une haine/amitié éternelle à qn to vow undying hatred/love to sb.

vouloir [vulwaʀ] vi to show will, have willpower // vt to want // nm: le bon ~ de qn sb's goodwill; sb's pleasure; ~ que qn fasse to want sb to do; je voudrais ceci I would like this; veuillez attendre please wait; je veux bien (bonne volonté) I'll be happy to; (concession) fair enough, that's fine; si on. veut (en quelque sorte) if you like; que me veut-il? what does he want with me?; ~ dire (que) (signifier) to mean (that); sans le ~ (involontairement) without meaning to, unintentionally; en ~ à qn to bear sb a grudge; en ~ à qch (avoir des visées sur) to be after sth; s'en ~ de to be annoyed with o.s. for; ~ de qch/qn (accepter) to want sth/sb.

voulu, e [vuly] a (requis) required, requisite; (délibéré) deliberate, intentional.

vous [vu] pronom you; (objet indirect) (to) you; (réfléchi) yourself, pl yourselves; (réciproque) each other // nm: employer le ~ (vouvoyer) to use the 'vous' form; ~-même yourself; ~-mêmes yourselves.

voûte [vut] nf vault; ~ du palais (ANAT) roof of the mouth; ~ plantaire arch (of the foot).

voûté, e [vute] a vaulted, arched; (dos, personne) bent, stooped.

voûter [vute] vt (ARCHIT) to arch, vault; se~ vi (dos, personne) to become stooped.

vouvoyer [vuvwaje] vt: ~ qn to address sb as 'vous'.

voyage [vwajaʒ] nm journey, trip; (fait de voyager): le ~ travel(ling); partir/être en ~ to go off/be away on a journey ou trip; faire un ~ to go on ou make a trip ou journey; faire bon ~ to have a good journey; ~ d'agrément/d'affaires pleasure/business trip; ~ de noces honeymoon; ~ organisé package tour.

voyager [vwajaʒe] vi to travel; **voyageur, euse** nm/f traveller; (passager) passenger; **voyageur (de commerce)** commercial traveller.

voyant, e [vwajɑ̃, -ɑ̃t] a (couleur) loud, gaudy // nm (signal) (warning) light // nf clairvoyant.

voyelle [vwajɛl] nf vowel.

voyeur, euse [vwajœʀ, -øz] nm/f voyeur; peeping Tom.

voyou [vwaju] nm lout, hoodlum; (enfant) guttersnipe // a loutish.

vrac [vʀak]: en ~ ad higgledy-piggledy; (COMM) in bulk.

vrai, e [vʀɛ] a (véridique: récit, faits) true; (non factice, authentique) real; à ~ dire to tell the truth; être dans le ~ to be right.

vraiment [vʀɛmɑ̃] ad really.

vraisemblable [vʀɛsɑ̃blablə)] a (plausible) likely, plausible; (probable) likely, probable; ~ment ad in all likelihood, very likely.

vraisemblance [vʀɛsɑ̃blɑ̃s] nf likelihood, plausibility; (romanesque) verisimilitude.

vrille [vʀij] nf (de plante) tendril; (outil) gimlet; (spirale) spiral; (AVIAT) spin.

vriller [vʀije] vt to bore into, pierce.

vrombir [vʀɔ̃biʀ] vi to hum.

vu [vy] prép (en raison de) in view of; ~ que in view of the fact that.

vu, e [vy] pp de voir // a: bien/mal ~ (fig) well/poorly thought of; good/bad form // nm: au ~ et au su de tous openly and publicly.

vue [vy] nf (fait de voir): la ~ de the sight of; (sens, faculté) (eye)sight; (panorama, image, photo) view; (spectacle) sight; ~s nfpl (idées) views; (dessein) designs; perdre la ~ to lose one's (eye)sight; perdre de ~ to lose sight of; à la ~ de tous in full view of everybody; hors de ~ out of sight; à première ~ at first sight; connaître de ~ to know by sight; à ~ (COMM) at sight; tirer à ~ to shoot on sight; à ~ d'œil ad visibly; at a quick glance; en ~ (visible) in sight; (COMM) in the public eye; avoir qch en ~ (intentions) to have one's sights on sth; en ~ de (arriver, être) within sight of; en ~ de faire with the intention of doing, with a view to doing; ~ de l'esprit theoretical view.

vulcaniser [vylkanize] vt to vulcanize.

vulgaire [vylgɛʀ] a (grossier) vulgar, coarse; (trivial) commonplace, mundane; (péj: quelconque): de ~s touristes/chaises de cuisine common tourists/kitchen chairs; (BOT, ZOOL: non latin) common; ~ment ad vulgarly, coarsely; (communément) commonly; **vulgarisation** nf: ouvrage de vulgarisation popularizing work, popularization; **vulgariser** vt. to popularize; to coarsen; **vulgarité** nf vulgarity, coarseness.

vulnérable [vylneʀablə)] a vulnerable.

vulve [vylv(ə)] nf vulva.

W X Y Z

wagon [vagɔ̃] nm (de voyageurs) carriage; (de marchandises) truck, wagon; ~-citerne nm tanker; ~-lit nm sleeper, sleeping car; ~-poste nm mail van; ~-restaurant nm restaurant ou dining car.

wallon, ne [valɔ̃, -ɔn] a Walloon.

waters [watɛʀ] nmpl toilet sg, loo sg.

watt [wat] nm watt.

w.-c. [vese] nmpl toilet sg, lavatory sg.

week-end [wikɛnd] nm weekend.

western [wɛstɛʀn] nm western.

whisky, pl whiskies [wiski] nm whisky.

x [iks] nm: plainte contre X (JUR) action against person or persons unknown; l'X the École Polytechnique.

xénophobe [ksenɔfɔb] nm/f xenophobe.

xérès [gzeʀɛs] nm sherry.

xylographie [ksilɔgʀafi] nf xylography; (image) xylograph.

xylophone [ksilɔfɔn] nm xylophone.

y [i] *ad* (*à cet endroit*) there; (*dessus*) on it (*ou* them); (*dedans*) in it (*ou* them) // *pronom* (about *ou* on *ou* of) it: *vérifier la syntaxe du verbe employé*; **j'~ pense** I'm thinking about it; *voir aussi* **aller, avoir.**

yacht [jɔt] *nm* yacht.

yaourt [jauʀt] *nm* yoghourt.

yeux [jø] *pl de* œil.

yoga [jɔga] *nm* yoga.

yoghourt [jɔguʀt] *nm* = **yaourt.**

yole [jɔl] *nf* skiff.

yougoslave [jugɔslav] *a,* *nm/f* Yugoslav(ian).

Yougoslavie [jugɔslavi] *nf* Yugoslavia.

youyou [juju] *nm* dinghy.

yo-yo [jojo] *nm inv* yo-yo.

zèbre [zɛbʀ(ə)] *nm* (*ZOOL*) zebra.

zèbré, e [zebʀe] *a* striped, streaked; **zébrure** *nf* stripe, streak.

zélateur, trice [zelatœʀ, -tʀis] *nm/f* partisan, zealot.

zèle [zɛl] *nm* zeal; **faire du ~** (*péj*) to be over-zealous; **zélé, e** *a* zealous.

zénith [zenit] *nm* zenith.

zéro [zeʀo] *nm* zero, nought; **au-dessous de ~** below zero (Centigrade) *ou* freezing; **partir de ~** to start from scratch; **trois (buts) à ~** 3 (goals to) nil.

zeste [zɛst(ə)] *nm* peel, zest; **un ~ de citron** a piece of lemon peel.

zézayer [zezeje] *vi* to have a lisp.

zibeline [ziblin] *nf* sable.

zigzag [zigzag] *nm* zigzag; **zigzaguer** *vi* to zigzag (along).

zinc [zɛ̃g] *nm* (*CHIMIE*) zinc; (*comptoir*) bar, counter.

zizanie [zizani] *nf*: **semer la ~** to stir up ill-feeling.

zizi [zizi] *nm* (*fam*) willy.

zodiaque [zɔdjak] *nm* zodiac.

zona [zona] *nm* shingles *sg.*

zone [zon] *nf* zone, area; (*quartiers*): **la ~** the slum belt; **~ bleue** ≈ restricted parking area.

zoo [zoo] *nm* zoo.

zoologie [zɔɔlɔʒi] *nf* zoology; **zoologique** *a* zoological; **zoologiste** *nm/f* zoologist.

Z.U.P. [zyp] *sigle f* = *zone à urbaniser en priorité,* ≈ (planned) housing scheme.

zut [zyt] *excl* dash (it)!

ENGLISH-FRENCH
ANGLAIS-FRANÇAIS

A

a, an [eɪ, ə, æn, ən, n] *det* un(e) ; **3 a day/week** 3 par jour/semaine ; **10 km an hour** 10 km à l'heure.

A [eɪ] *n* (MUS) la *m*.

A.A. *n abbr of Automobile Association* ; Alcoholics Anonymous.

aback [ə'bæk] *ad*: **to be taken ~** être stupéfait(e).

abacus, *pl* **abaci** ['æbəkəs, -saɪ] *n* boulier *m*.

abandon [ə'bændən] *vt* abandonner // *n* abandon *m*.

abashed [ə'bæʃt] *a* confus(e), embarrassé(e).

abate [ə'beɪt] *vi* s'apaiser, se calmer.

abattoir ['æbətwɑ:*] *n* abattoir *m*.

abbey ['æbɪ] *n* abbaye *f*.

abbot ['æbət] *n* père supérieur.

abbreviate [ə'bri:vɪeɪt] *vt* abréger ; **abbreviation** [-'eɪʃən] *n* abréviation *f*.

abdicate ['æbdɪkeɪt] *vt,vi* abdiquer ; **abdication** [-'keɪʃən] *n* abdication *f*.

abdomen ['æbdəmen] *n* abdomen *m* ; **abdominal** [æb'dɔmɪnl] *a* abdominal(e).

abduct [æb'dʌkt] *vt* enlever ; **abduction** [-ʃən] *n* enlèvement *m*.

abet [ə'bet] *vt* encourager ; aider.

abeyance [ə'beɪəns] *n*: **in ~** (*law*) en désuétude ; (*matter*) en suspens.

abhor [əb'hɔ:*] *vt* abhorrer, exécrer ; **~rent** *a* odieux(euse), exécrable.

abide [ə'baɪd], *pt,pp* **abode** *or* **abided** [ə'baɪd, ə'bəud] *vt* souffrir, supporter ; **to ~ by** *vt fus* observer, respecter.

ability [ə'bɪlɪtɪ] *n* compétence *f* ; capacité *f* ; talent *m*.

ablaze [ə'bleɪz] *a* en feu, en flammes ; **~ with light** resplendissant de lumière.

able ['eɪbl] *a* compétent(e) ; **to be ~ to do sth** pouvoir faire qch, être capable de faire qch ; **~-bodied** *a* robuste ; **ably** *ad* avec compétence *or* talent, habilement.

abnormal [æb'nɔ:məl] *a* anormal(e) ; **~ity** [-'mælɪtɪ] *n* anomalie *f*.

aboard [ə'bɔ:d] *ad* à bord // *prep* à bord de.

abode [ə'bəud] *pt,pp of* **abide**.

abolish [ə'bɔlɪʃ] *vt* abolir.

abolition [æbəu'lɪʃən] *n* abolition *f*.

abominable [ə'bɔmɪnəbl] *a* abominable.

aborigine [æbə'rɪdʒɪnɪ] *n* aborigène *m/f*.

abort [ə'bɔ:t] *vt* faire avorter ; **~ion** [ə'bɔ:ʃən] *n* avortement *m* ; **~ive** *a* manqué(e).

abound [ə'baund] *vi* abonder ; **to ~ in** abonder en, regorger de.

about [ə'baut] *prep* au sujet de, à propos de // *ad* environ ; (*here and there*) de côté et d'autre, çà et là ; **it takes ~ 10 hours** ça prend environ *or* à peu près 10 heures ; **at ~ 2 o'clock** vers 2 heures ; **it's ~ here** c'est par ici, c'est dans les parages ; **to walk ~ the town** se promener dans *or* à travers la ville ; **to be ~ to**: **he was**

~ to cry il allait pleurer, il était sur le point de pleurer ; **what** *or* **how ~ doing this?** et si nous faisions ceci? ; **~ turn** *n* demi-tour *m*.

above [ə'bʌv] *ad* au-dessus // *prep* au-dessus de ; **mentioned ~** mentionné ci-dessus ; **costing ~ £10** coûtant plus de 10 livres ; **~ all** par-dessus tout, surtout ; **~board** *a* franc(franche), loyal(e) ; honnête.

abrasion [ə'breɪʒən] *n* frottement *m* ; (*on skin*) écorchure *f*.

abrasive [ə'breɪzɪv] *a* abrasif(ive) ; (*fig*) caustique, agressif(ive).

abreast [ə'brest] *ad* de front ; **to keep ~ of** se tenir au courant de.

abridge [ə'brɪdʒ] *vt* abréger.

abroad [ə'brɔ:d] *ad* à l'étranger.

abrupt [ə'brʌpt] *a* (*steep, blunt*) abrupt(e) ; (*sudden, gruff*) brusque.

abscess ['æbsɪs] *n* abcès *m*.

abscond [əb'skɔnd] *vi* disparaître, s'enfuir.

absence ['æbsəns] *n* absence *f*.

absent ['æbsənt] *a* absent(e) ; **~ee** [-'ti:] *n* absent/e ; **~eeism** [-'ti:ɪzəm] *n* absentéisme *m* ; **~-minded** *a* distrait(e) ; **~-mindedness** *n* distraction *f*.

absolute ['æbsəlu:t] *a* absolu(e) ; **~ly** [-'lu:tlɪ] *ad* absolument.

absolve [əb'zɔlv] *vt*: **to ~ sb (from)** (*sin etc*) absoudre qn (de) ; **to ~ sb from** (*oath*) délier qn de.

absorb [əb'zɔ:b] *vt* absorber ; **to be ~ed in a book** être plongé dans un livre ; **~ent** *a* absorbant(e) ; **~ent cotton** *n* (*US*) coton *m* hydrophile ; **~ing** *a* absorbant(e).

abstain [əb'steɪn] *vi*: **to ~ (from)** s'abstenir (de).

abstemious [əb'sti:mɪəs] *a* sobre, frugal(e).

abstention [əb'stenʃən] *n* abstention *f*.

abstinence ['æbstɪnəns] *n* abstinence *f*.

abstract *a and n* ['æbstrækt] *a* abstrait(e) // *n* (*summary*) résumé *m* // *vt* [æb'strækt] extraire.

absurd [əb'sə:d] *a* absurde ; **~ity** *n* absurdité *f*.

abundance [ə'bʌndəns] *n* abondance *f* ; **abundant** *a* abondant(e).

abuse *n* [ə'bju:s] abus *m* ; insultes *fpl*, injures *fpl* // *vt* [ə'bju:z] abuser de ; **abusive** *a* grossier(ère), injurieux(euse).

abysmal [ə'bɪzməl] *a* exécrable ; (*ignorance etc*) sans bornes.

abyss [ə'bɪs] *n* abîme *m*, gouffre *m*.

academic [ækə'demɪk] *a* universitaire ; (*pej: issue*) oiseux(euse), purement théorique // *n* universitaire *m/f* ; **~ freedom** *n* liberté *f* académique.

academy [ə'kædəmɪ] *n* (*learned body*) académie *f* ; (*school*) collège *m* ; **military/naval ~** école militaire/navale ; **~ of music** conservatoire *m*.

accede [æk'si:d] *vi*: **to ~ to** (*request, throne*) accéder à.

accelerate [æk'sɛlǝreɪt] *vt,vi* accélérer ; **acceleration** [-'reɪʃǝn] *n* accélération *f* ; **accelerator** *n* accélérateur *m*.

accent ['æksǝnt] *n* accent *m*.

accept [ǝk'sɛpt] *vt* accepter ; **~able** *a* acceptable ; **~ance** *n* acceptation *f*.

access ['æksɛs] *n* accès *m* ; **to have ~ to** (*information, library etc*) avoir accès à, pouvoir utiliser *or* consulter ; (*person*) avoir accès auprès de ; **~ible** [æk'sɛsǝbl] *a* accessible ; **~ion** [æk'sɛʃǝn] *n* accession *f*.

accessory [æk'sɛsǝrɪ] *n* accessoire *m* ; **toilet accessories** *npl* articles *mpl* de toilette.

accident ['æksɪdǝnt] *n* accident *m* ; (*chance*) hasard *m* ; **by ~** par hasard ; accidentellement ; **~al** [-'dɛntl] *a* accidentel(le) ; **~ally** [-'dɛntǝlɪ] *ad* accidentellement ; **~-prone** *a* sujet(te) aux accidents.

acclaim [ǝ'kleɪm] *vt* acclamer // *n* acclamation *f*.

acclimatize [ǝ'klaɪmǝtaɪz] *vt*: **to become ~d** s'acclimater.

accommodate [ǝ'kɔmǝdeɪt] *vt* loger, recevoir ; (*oblige, help*) obliger ; (*adapt*): **to ~ one's plans** to adapter ses projets à.

accommodating [ǝ'kɔmǝdeɪtɪŋ] *a* obligeant(e), arrangeant(e).

accommodation [ǝkɔmǝ'deɪʃǝn] *n* logement *m* ; **he's found ~** il a trouvé à se loger ; **they have ~ for 500** ils peuvent recevoir 500 personnes, il y a de la place pour 500 personnes.

accompaniment [ǝ'kʌmpǝnɪmǝnt] *n* accompagnement *m*.

accompanist [ǝ'kʌmpǝnɪst] *n* accompagnateur/trice.

accompany [ǝ'kʌmpǝnɪ] *vt* accompagner.

accomplice [ǝ'kʌmplɪs] *n* complice *m/f*.

accomplish [ǝ'kʌmplɪʃ] *vt* accomplir ; **~ed** *a* accompli(e) ; **~ment** *n* accomplissement *m* ; réussite *f*, résultat *m* ; **~ments** *npl* talents *mpl*.

accord [ǝ'kɔ:d] *n* accord *m* // *vt* accorder ; **of his own ~** de son plein gré ; **~ance** *n*: **in ~ance with** conformément à ; **~ing to** *prep* selon ; **~ingly** *ad* en conséquence.

accordion [ǝ'kɔ:dɪǝn] *n* accordéon *m*.

accost [ǝ'kɔst] *vt* accoster, aborder.

account [ǝ'kaunt] *n* (*COMM*) compte *m* ; (*report*) compte rendu ; récit *m* ; **by all ~s** au dire de tous ; **of little ~** de peu d'importance ; **on ~** en acompte ; **on no ~** en aucun cas ; **on ~ of** à cause de ; **to take into ~**, **take ~ of** tenir compte de ; **to ~ for** expliquer, rendre compte de ; **~able** *a* responsable.

accountancy [ǝ'kauntǝnsɪ] *n* comptabilité *f*.

accountant [ǝ'kauntǝnt] *n* comptable *m/f*.

accredited [ǝ'krɛdɪtɪd] *a* accrédité(e) ; admis(e).

accretion [ǝ'kri:ʃǝn] *n* accroissement *m*.

accrue [ǝ'kru:] *vi* s'accroître ; **~d interest** intérêt couru.

accumulate [ǝ'kju:mjuleɪt] *vt* accumuler, amasser // *vi* s'accumuler, s'amasser ; **accumulation** [-'leɪʃǝn] *n* accumulation *f*.

accuracy ['ækjurǝsɪ] *n* exactitude *f*, précision *f*.

accurate ['ækjurɪt] *a* exact(e), précis(e) ; **~ly** *ad* avec précision.

accusation [ækju'zeɪʃǝn] *n* accusation *f*.

accusative [ǝ'kju:zǝtɪv] *n* (*LING*) accusatif *m*.

accuse [ǝ'kju:z] *vt* accuser ; **~d** *n* accusé/e.

accustom [ǝ'kʌstǝm] *vt* accoutumer, habituer ; **~ed** *a* (*usual*) habituel(le) ; **~ed to** habitué *or* accoutumé à.

ace [eɪs] *n* as *m* ; **within an ~ of** à deux doigts *or* un cheveu de.

ache [eɪk] *n* mal *m*, douleur *f* // *vi* (*be sore*) faire mal, être douloureux(euse) ; **my head ~s** j'ai mal à la tête ; **I'm aching all over** j'ai mal partout.

achieve [ǝ'tʃi:v] *vt* (*aim*) atteindre ; (*victory, success*) remporter, obtenir ; (*task*) accomplir ; **~ment** *n* exploit *m*, réussite *f*.

acid ['æsɪd] *a,n* acide (*m*) ; **~ity** [ǝ'sɪdɪtɪ] *n* acidité *f*.

acknowledge [ǝk'nɔlɪdʒ] *vt* (*letter*) accuser réception de ; (*fact*) reconnaître ; **~ment** *n* accusé *m* de réception.

acne ['æknɪ] *n* acné *m*.

acorn ['eɪkɔ:n] *n* gland *m*.

acoustic [ǝ'ku:stɪk] *a* acoustique ; **~s** *n,npl* acoustique *f*.

acquaint [ǝ'kweɪnt] *vt*: **to ~ sb with sth** mettre qn au courant de qch ; **to be ~ed with** (*person*) connaître ; **~ance** *n* connaissance *f*.

acquire [ǝ'kwaɪǝ*] *vt* acquérir.

acquisition [ækwɪ'zɪʃǝn] *n* acquisition *f*.

acquisitive [ǝ'kwɪzɪtɪv] *a* qui a l'instinct de possession *or* le goût de la propriété.

acquit [ǝ'kwɪt] *vt* acquitter ; **to ~ o.s. well** bien se comporter, s'en tirer très honorablement ; **~tal** *n* acquittement *m*.

acre ['eɪkǝ*] *n* acre *f* (= 4047 *m²*) ; **~age** *n* superficie *f*.

acrimonious [ækrɪ'mǝunɪǝs] *a* acrimonieux(euse), aigre.

acrobat ['ækrǝbæt] *n* acrobate *m/f*.

acrobatics [ækrǝu'bætɪks] *n,npl* acrobatie *f*.

across [ǝ'krɔs] *prep* (*on the other side*) de l'autre côté de ; (*crosswise*) en travers de // *ad* de l'autre côté ; en travers ; **to walk ~ (the road)** traverser (la route) ; **to take sb ~ the road** faire traverser la route à qn ; **a road ~ the wood** une route qui traverse le bois ; **~ from** en face de.

act [ækt] *n* acte *m*, action *f* ; (*THEATRE*) acte ; (*in music-hall etc*) numéro *m* ; (*LAW*) loi *f* // *vi* agir ; (*THEATRE*) jouer ; (*pretend*) jouer la comédie // *vt* (*part*) jouer, tenir ; **to ~ Hamlet** tenir *or* jouer le rôle d'Hamlet ; **to ~ the fool** faire l'idiot ; **to ~ as** servir de ; **~ing** *a* suppléant(e), par intérim // *n* (*of actor*) jeu *m* ; (*activity*): **to do some ~ing** faire du théâtre (*or* du cinéma).

action ['ækʃǝn] *n* action *f* ; (*MIL*) combat(s) *m(pl)* ; (*LAW*) procès *m*, action en justice ; **out of ~** hors de combat ; hors d'usage ; **to take ~** agir, prendre des mesures.

activate ['æktɪveɪt] *vt* (*mechanism*)

actionner, faire fonctionner; (CHEM, PHYSICS) activer.

active ['æktɪv] a actif(ive); (volcano) en activité; **~ly** ad activement.

activity [æk'tɪvɪtɪ] n activité f.

actor ['æktə*] n acteur m.

actress ['æktrɪs] n actrice f.

actual ['æktjuəl] a réel(le), véritable; **~ly** ad réellement, véritablement; en fait.

acumen ['ækjumən] n perspicacité f.

acupuncture ['ækjupʌŋktʃə*] n acupuncture f.

acute [ə'kju:t] a aigu(ë); (mind, observer) pénétrant(e).

ad [æd] n abbr of **advertisement**.

A.D. ad (abbr of Anno Domini) ap. J.-C.

Adam ['ædəm] n Adam m; **~'s apple** n pomme f d'Adam.

adamant ['ædəmənt] a inflexible.

adapt [ə'dæpt] vt adapter // vi: **to ~ (to)** s'adapter (à); **~able** a (device) adaptable; (person) qui s'adapte facilement; **~ation** [ædæp'teɪʃən] n adaptation f; **~er** n (ELEC) adapteur m.

add [æd] vt ajouter; (figures: also: **to ~ up**) additionner // vi: **to ~ to** (increase) ajouter à, accroître.

adder ['ædə*] n vipère f.

addict ['ædɪkt] n intoxiqué m; (fig) fanatique m/f; **~ed** [ə'dɪktɪd] a: **to be ~ed to** (drink etc) être adonné à; (fig: football etc) être un fanatique de.; **~ion** [ə'dɪkʃən] n (MED) dépendance f.

adding machine ['ædɪŋməʃi:n] n machine f à calculer.

addition [ə'dɪʃən] n addition f; **in ~** de plus; de surcroît; **in ~ to** en plus de; **~al** a supplémentaire.

additive ['ædɪtɪv] n additif m.

addled ['ædld] a (egg) pourri(e).

address [ə'drɛs] n adresse f; (talk) discours m, allocution f // vt adresser; (speak to) s'adresser à.

adenoids ['ædɪnɔɪdz] npl végétations fpl.

adept ['ædɛpt] a: **~ at** expert(e) à or en.

adequate ['ædɪkwɪt] a adéquat(e); suffisant(e); compétent(e); **~ly** ad de façon adéquate.

adhere [əd'hɪə*] vi: **to ~ to** adhérer à; (fig: rule, decision) se tenir à.

adhesion [əd'hi:ʒən] n adhésion f.

adhesive [əd'hi:zɪv] a adhésif(ive) // n adhésif m.

adjacent [ə'dʒeɪsənt] a adjacent(e); **~ to** adjacent à.

adjective ['ædʒɛktɪv] n adjectif m.

adjoining [ə'dʒɔɪnɪŋ] a voisin(e), adjacent(e), attenant(e) // prep voisin de, adjacent à.

adjourn [ə'dʒə:n] vt ajourner // vi suspendre la séance; lever la séance; clore la session; (go) se retirer.

adjust [ə'dʒʌst] vt ajuster, régler; rajuster // vi: **to ~ (to)** s'adapter (à); **~able** a réglable; **~ment** n ajustage m, réglage m; (of prices, wages) rajustement m; (of person) adaptation f.

adjutant ['ædʒətənt] n adjudant m.

ad-lib [æd'lɪb] vt,vi improviser // n improvisation f // ad: **ad lib** à volonté, à discrétion.

administer [əd'mɪnɪstə*] vt administrer; (justice) rendre.

administration [ədmɪnɪs'treɪʃən] n administration f.

administrative [əd'mɪnɪstrətɪv] a administratif(ive).

administrator [əd'mɪnɪstreɪtə*] n administrateur/trice.

admirable ['ædmərəbl] a admirable.

admiral ['ædmərəl] n amiral m; **A~ty** n amirauté f; ministère m de la Marine.

admiration [ædmə'reɪʃən] n admiration f.

admire [əd'maɪə*] vt admirer; **~r** n admirateur/trice.

admission [əd'mɪʃən] n admission f; (to exhibition, night club etc) entrée f; (confession) aveu m.

admit [əd'mɪt] vt laisser entrer; admettre; (agree) reconnaître, admettre; **to ~ of** admettre, permettre; **to ~ to** reconnaître, avouer; **~tance** n admission f, (droit m d')entrée f; **~tedly** ad il faut en convenir.

admonish [əd'mɔnɪʃ] vt donner un avertissement à; réprimander.

ado [ə'du:] n: **without (any) more ~** sans plus de cérémonies.

adolescence [ædəu'lɛsns] n adolescence f.

adolescent [ædəu'lɛsnt] a,n adolescent(e).

adopt [ə'dɔpt] vt adopter; **~ed** a adoptif(ive), adopté(e); **~ion** [ə'dɔpʃən] n adoption f.

adore [ə'dɔ:*] vt adorer; **adoringly** ad avec adoration.

adorn [ə'dɔ:n] vt orner; **~ment** n ornement m.

adrenalin [ə'drɛnəlɪn] n adrénaline f.

Adriatic (Sea) [eɪdrɪ'ætɪk(si:)] n Adriatique f.

adrift [ə'drɪft] ad à la dérive.

adroit [ə'drɔɪt] a adroit(e), habile.

adult ['ædʌlt] n adulte m/f.

adulterate [ə'dʌltəreɪt] vt frelater, falsifier.

adultery [ə'dʌltərɪ] n adultère m.

advance [əd'vɑ:ns] n avance f // vt avancer // vi s'avancer; **in ~** en avance, d'avance; **~d** a avancé(e); (SCOL: studies) supérieur(e); **~ment** n avancement m.

advantage [əd'vɑ:ntɪdʒ] n (also TENNIS) avantage m; **to take ~ of** profiter de; **~ous** [ædvən'teɪdʒəs] a avantageux(euse).

advent ['ædvənt] n avènement m, venue f; **A~** Avent m.

adventure [əd'vɛntʃə*] n aventure f; **adventurous** [-tʃərəs] a aventureux(euse).

adverb ['ædvə:b] n adverbe m.

adversary ['ædvəsərɪ] n adversaire m/f.

adverse ['ædvə:s] a contraire, adverse; in **~ circumstances** dans l'adversité; **~ to** hostile à.

adversity [əd'və:sɪtɪ] n adversité f.

advert ['ædvə:t] n abbr of **advertisement**.

advertise ['ædvətaɪz] vi(vt) faire de la publicité or de la réclame (pour); mettre une annonce (pour vendre).

advertisement [əd'və:tɪsmənt] n (COMM) réclame f, publicité f; (in classified ads) annonce f.

advertising ['ædvǝtaɪzɪŋ] n publicité f, réclame f.

advice [ǝd'vaɪs] n conseils mpl; (notification) avis m; **piece of ~** conseil.

advisable [ǝd'vaɪzǝbl] a recommandable, indiqué(e).

advise [ǝd'vaɪz] vt conseiller; **to ~ sb of sth** aviser or informer qn de qch; **~r** n conseiller/ère; **advisory** [-ǝrɪ] a consultatif(ive).

advocate vt ['ædvǝkeɪt] recommander, prôner.

aegis ['i:dʒɪs] n: **under the ~ of** sous l'égide de.

aerial ['ɛǝrɪǝl] n antenne f // a aérien(ne).

aeroplane ['ɛǝrǝpleɪn] n avion m.

aerosol ['ɛǝrǝsɔl] n aérosol m.

aesthetic [ɪs'θɛtɪk] a esthétique.

afar [ǝ'fɑ:*] ad: **from ~** de loin.

affable ['æfǝbl] a affable.

affair [ǝ'fɛǝ*] n affaire f; (also: **love ~**) liaison f; aventure f.

affect [ǝ'fɛkt] vt affecter; **~ation** [æfɛk'teɪʃǝn] n affectation f; **~ed** a affecté(e).

affection [ǝ'fɛkʃǝn] n affection f; **~ate** a affectueux(euse); **~ately** ad affectueusement.

- **affiliated** [ǝ'fɪlieɪtɪd] a affilié(e).
- **affinity** [ǝ'fɪnɪtɪ] n affinité f.

affirmation [æfǝ'meɪʃǝn] n affirmation f, assertion f.

affirmative [ǝ'fǝ:mǝtɪv] a affirmatif(ive) // n: **in the ~** dans or par l'affirmative.

affix [ǝ'fɪks] vt apposer, ajouter.

afflict [ǝ'flɪkt] vt affliger; **~ion** [ǝ'flɪkʃǝn] n affliction f, détresse f.

affluence ['æfluǝns] n abondance f, opulence f.

affluent ['æfluǝnt] a abondant(e); opulent(e); (person) dans l'aisance, riche.

afford [ǝ'fɔ:d] vt se permettre; avoir les moyens d'acheter or d'entretenir; (provide) fournir, procurer; **I can't ~ the time** je n'ai vraiment pas le temps.

affray [ǝ'freɪ] n échauffourée f.

affront [ǝ'frʌnt] n affront m; **~ed** a insulté(e).

afield [ǝ'fi:ld] ad: **far ~** loin.

afloat [ǝ'flǝut] a à flot // ad: **to stay ~** surnager; **to keep/get a business ~** maintenir à flot/lancer une affaire.

afoot [ǝ'fut] ad: **there is something ~** il se prépare quelque chose.

aforesaid [ǝ'fɔ:sɛd] a susdit(e), susmentionné(e).

afraid [ǝ'freɪd] a effrayé(e); **to be ~ of** or to avoir peur de; **I am ~ that** je crains que + sub.

afresh [ǝ'frɛʃ] ad de nouveau.

Africa ['æfrɪkǝ] n Afrique f; **~n** a africain(e) // n Africain/e.

aft [ɑ:ft] ad à l'arrière, vers l'arrière.

after ['ɑ:ftǝ*] prep,ad après // cj après que, après avoir or être + pp; **what/who are you ~?** que/qui cherchez-vous?; **ask ~ him** demandez de ses nouvelles; **~ all** après tout; **~-effects** npl répercussions fpl; (of illness) séquelles fpl, suites fpl; **~-life** n vie future; **~math** n conséquences fpl; **in the ~math of** dans

les mois or années etc qui suivirent, au lendemain de; **~noon** n après-midi m or f; **~-shave (lotion)** n after-shave m; **~thought** n: **I had an ~thought** il m'est venu une idée après coup; **~wards** ad après.

again [ǝ'gɛn] ad de nouveau; **to begin/see ~** recommencer/revoir; **not ... ~** ne ... plus; **~ and ~** à plusieurs reprises; **he's opened it ~** il l'a rouvert, il l'a de nouveau or l'a encore ouvert.

against [ǝ'gɛnst] prep contre; **~ a blue background** sur un fond bleu.

age [eɪdʒ] n âge m // vt,vi vieillir; **it's been ~s since** ça fait une éternité que; **to come of ~** atteindre sa majorité; **~d** a âgé(e); **~d 10** âgé de 10 ans; **the ~d** ['eɪdʒɪd] les personnes âgées; **~ group** n tranche f d'âge; **~less** a sans âge; **~ limit** n limite f d'âge.

agency ['eɪdʒǝnsɪ] n agence f; **through** or **by the ~ of** par l'entremise or l'action de.

agenda [ǝ'dʒɛndǝ] n ordre m du jour.

agent ['eɪdʒǝnt] n agent m.

aggravate ['ægrǝveɪt] vt aggraver; (annoy) exaspérer.

aggravation [ægrǝ'veɪʃǝn] n (of quarrel) envenimement m.

aggregate ['ægrɪgeɪt] n ensemble m, total m; **on ~** (SPORT) au goal average.

aggression [ǝ'grɛʃǝn] n agression f.

aggressive [ǝ'grɛsɪv] a agressif(ive); **~ness** n agressivité f.

aggrieved [ǝ'gri:vd] a chagriné(e), affligé(e).

aghast [ǝ'gɑ:st] a consterné(e), atterré(e).

agile ['ædʒaɪl] a agile.

agitate ['ædʒɪteɪt] vt rendre inquiet(ète) or agité(e); agiter // vi faire de l'agitation (politique); **to ~ for** faire campagne pour; **agitator** n agitateur/trice (politique).

ago [ǝ'gǝu] ad: **2 days ~** il y a deux jours; **not long ~** il n'y a pas longtemps.

agonizing ['ægǝnaɪzɪŋ] a angoissant(e); déchirant(e).

agony ['ægǝnɪ] n grande souffrance or angoisse; **to be in ~** souffrir le martyre.

agree [ǝ'gri:] vt (price) convenir de // vi: **to ~ (with)** (person) être d'accord (avec); (statements etc) concorder (avec); (LING) s'accorder (avec); **to ~ to do** accepter de or consentir à faire; **to ~ to sth** consentir à qch; **to ~ that** (admit) convenir or reconnaître que; **they ~ on this** ils sont d'accord sur ce point; **they ~d on going/a price** ils se mirent d'accord pour y aller/sur un prix; **garlic doesn't ~ with me** je ne supporte pas l'ail; **~able** a agréable; (willing) consentant(e), d'accord; **are you ~able to this?** est-ce que cela vous va or convient?; **~d** a (time, place) convenu(e); **to be ~d** être d'accord; **~ment** n accord m; **in ~ment** d'accord.

agricultural [ægrɪ'kʌltʃǝrǝl] a agricole.

agriculture ['ægrɪkʌltʃǝ*] n agriculture f.

aground [ǝ'graund] ad: **to run ~** s'échouer.

ahead [ǝ'hɛd] ad en avant; devant; **~ of** devant; (fig: schedule etc) en avance sur; **~ of time** en avance; **go right** or **straight ~** allez tout droit; **they were (right)**

of us ils nous précédaient (de peu), ils étaient (juste) devant nous.

aid [eɪd] *n* aide *f* // *vt* aider ; **to ~ and abet** (LAW) se faire le complice de.

aide [eɪd] *n* (*person*) collaborateur/trice, assistant/e.

ailment ['eɪlmənt] *n* petite maladie, affection *f*.

aim [eɪm] *vt*: **to ~ sth at** (*such as gun, camera*) braquer *or* pointer qch sur, diriger qch contre ; (*missile*) lancer qch à *or* contre *or* en direction de ; (*remark, blow*) destiner *or* adresser qch à // *vi* (*also*: **to take ~**) viser // *n* but *m*; **to ~ at** viser ; (*fig*) viser (à) ; avoir pour but *or* ambition ; **to ~ to do** avoir l'intention de faire ; **~less** *a* sans but ; **~lessly** *ad* sans but, à l'aventure.

air [εə*] *n* air *m* // *vt* aérer ; (*grievances, ideas*) exposer (librement) // *cpd* (*currents, attack etc*) aérien(ne) ; **~-bed** *n* matelas *m* pneumatique ; **~-borne** *a* en vol ; aeroporté(e) ; **~-conditioned** *a* climatisé(e), à air conditionné ; **~ conditioning** *n* climatisation *f*; **~-cooled** *a* à refroidissement à air ; **~craft** *n,pl inv* avion *m*; **~craft carrier** *n* porte-avions *m inv*; **~ cushion** *n* coussin *m* d'air ; **A~ Force** *n* Armée *f* de l'air ; **~gun** *n* fusil *m* à air comprimé ; **~ hostess** *n* hôtesse *f* de l'air ; **~ily** *ad* d'un air dégagé ; **~ letter** *n* aérogramme *m*; **~lift** *n* pont aérien ; **~line** *n* ligne aérienne ; compagnie *f* d'aviation ; **~liner** *n* avion *m* de ligne ; **~lock** *n* sas *m*; **by ~mail** par avion ; **~port** *n* aéroport *m*; **~ raid** *n* attaque aérienne ; **~sick** *a* qui a le mal de l'air ; **~strip** *n* terrain *m* d'atterrissage ; **~tight** *a* hermétique (e) ; **~y** *a* bien aéré(e) ; (*manners*) dégagé(e).

aisle [aɪl] *n* (*of church*) allée centrale ; nef latérale.

ajar [ə'dʒɑː*] *a* entrouvert(e).

alarm [ə'lɑːm] *n* alarme *f* // *vt* alarmer ; **~ clock** *n* réveille-matin *m*, réveil *m*; **~ist** *n* alarmiste *m/f*.

Albania [æl'beɪnɪə] *n* Albanie *f*.

album ['ælbəm] *n* album *m*; (L.P.) 33 tours *m inv*.

albumen ['ælbjumɪn] *n* albumine *f*; (*of egg*) albumen *m*.

alchemy ['ælkɪmɪ] *n* alchimie *f*.

alcohol ['ælkəhɔl] *n* alcool *m*; **~ic** [-'hɔlɪk] *a,n* alcoolique (*m/f*) ; **~ism** *n* alcoolisme *m*.

alcove ['ælkəuv] *n* alcôve *f*.

alderman ['ɔːldəmən] *n* conseiller municipal (*en Angleterre*).

ale [eɪl] *n* bière *f*.

alert [ə'ləːt] *a* alerte, vif(vive) ; vigilant(e) // *n* alerte *f*; **on the ~** sur le qui-vive ; (MIL) en état d'alerte.

algebra ['ældʒɪbrə] *n* algèbre *m*.

Algeria [æl'dʒɪərɪə] *n* Algérie *f*; **~n** *a* algérien(ne) // *n* Algérien/ne.

Algiers [æl'dʒɪəz] *n* Alger.

alias ['eɪlɪæs] *ad* alias // *n* faux nom, nom d'emprunt.

alibi ['ælɪbaɪ] *n* alibi *m*.

alien ['eɪlɪən] *n* étranger/ère // *a*: **~ (to/from)** étranger(ère) (à) ; **~ate** *vt* aliéner ; s'aliéner ; **~ation** [-'neɪʃən] *n* aliénation *f*.

alight [ə'laɪt] *a,ad* en feu // *vi* mettre pied à terre ; (*passenger*) descendre ; (*bird*) se poser.

align [ə'laɪn] *vt* aligner ; **~ment** *n* alignement *m*.

alike [ə'laɪk] *a* semblable, pareil(le) // *ad* de même ; **to look ~** se ressembler.

alimony ['ælɪmənɪ] *n* (*payment*) pension *f* alimentaire.

alive [ə'laɪv] *a* vivant(e) ; (*active*) plein(e) de vie ; **~ with** grouillant(e) de ; **~ to** sensible à.

alkali ['ælkəlaɪ] *n* alcali *m*.

all [ɔːl] *a* tout(e), tous(toutes) *pl* // *pronoun* tout *m*; (*pl*) tous(toutes) // *ad* tout ; **~ wrong/alone** tout faux/seul ; **~ the time/his life** tout le temps/toute sa vie ; **~ five** (tous) les cinq ; **~ of them** tous, toutes ; **~ of it** tout ; **~ of us went** nous y sommes tous allés ; **not as hard etc as ~ that** pas si dur *etc* que ça ; **~ in ~** à tout prendre, l'un dans l'autre.

allay [ə'leɪ] *vt* (*fears*) apaiser, calmer.

allegation [ælɪ'geɪʃən] *n* allégation *f*.

allege [ə'ledʒ] *vt* alléguer, prétendre ; **~dly** [ə'ledʒɪdlɪ] *ad* à ce que l'on prétend, paraît-il.

allegiance [ə'liːdʒəns] *n* fidélité *f*, obéissance *f*.

allegory ['ælɪgərɪ] *n* allégorie *f*.

all-embracing ['ɔːlɪm'breɪsɪŋ] *a* universel(le).

allergic [ə'ləːdʒɪk] *a*: **~ to** allergique à.

allergy ['ælədʒɪ] *n* allergie *f*.

alleviate [ə'liːvɪeɪt] *vt* soulager, adoucir.

alley ['ælɪ] *n* ruelle *f*; (*in garden*) allée *f*.

alliance [ə'laɪəns] *n* alliance *f*.

allied ['ælaɪd] *a* allié(e).

alligator ['ælɪgeɪtə*] *n* alligator *m*.

all-important ['ɔːlɪm'pɔːtənt] *a* capital(e), crucial(e).

all-in ['ɔːlɪn] *a* (*also ad*: **charge**) tout compris ; **~ wrestling** *n* catch *m*.

alliteration [əlɪtə'reɪʃən] *n* allitération *f*.

all-night ['ɔːl'naɪt] *a* ouvert(e) *or* qui dure toute la nuit.

allocate ['æləkeɪt] *vt* (*share out*) répartir, distribuer ; (*duties*) **to ~ sth to** assigner *or* attribuer qch à qn ; (*sum, time*) **to ~ sth to** allouer qch à ; **to ~ sth for** affecter qch à.

allocation [æləu'keɪʃən] *n*: **~ (of money)** crédit(s) *m(pl)*, somme(s) allouée(s).

allot [ə'lɔt] *vt* (*share out*) répartir, distribuer ; (*time*): **to ~ sth to** allouer qch à ; (*duties*): **to ~ sth to** assigner qch à ; **~ment** *n* (*share*) part *f*; (*garden*) lopin *m* de terre (*loué à la municipalité*).

all-out ['ɔːl'aut] *a* (*effort etc*) total(e) // *ad*: **all out** à fond.

allow [ə'lau] *vt* (*practice, behaviour*) permettre, autoriser ; (*sum to spend etc*) accorder ; allouer ; (*sum, time estimated*) compter, prévoir ; (*concede*): **to ~ that** convenir que ; **to ~ sb to do** permettre à qn de faire, autoriser qn à faire ; **to ~ for** *vt fus* tenir compte de ; **~ance** *n* (*money received*) allocation *f*; subside *m*; indemnité *f*; (TAX) somme *f* déductible du revenu imposable, abattement *m*; **to make ~ances for** tenir compte de.

alloy ['ælɔɪ] n alliage m.

all right [ɔ:l'raɪt] ad (feel, work) bien ; (as answer) d'accord.

all-round ['ɔ:l'raund] a compétent(e) dans tous les domaines ; (athlete etc) complet(ète).

all-time ['ɔ:l'taɪm] a (record) sans précédent, absolu(e).

allude [ə'lu:d] vi: to ~ to faire allusion à.

alluring [ə'ljuərɪŋ] a séduisant(e), alléchant(e).

allusion [ə'lu:ʒən] n allusion f.

alluvium [ə'lu:vɪəm] n alluvions fpl.

ally ['ælaɪ] n allié m.

almighty [ɔ:l'maɪtɪ] a tout-puissant.

almond ['ɑ:mənd] n amande f.

almost ['ɔ:lməust] ad presque.

alms [ɑ:mz] n aumône(s) f(pl).

alone [ə'ləun] a seul(e) ; to leave sb ~ laisser qn tranquille ; to leave sth ~ ne pas toucher à qch.

along [ə'lɔŋ] prep le long de // ad: is he coming ~? vient-il avec nous? ; he was hopping/limping ~ il venait or avançait en sautillant/boitant ; ~ with avec, en compagnie de ; avec, en plus de ; ~side prep le long de ; au côté de // ad à bord à bord ; côte à côte.

aloof [ə'lu:f] a,ad à distance, à l'écart ; ~ness réserve (hautaine), attitude distante.

aloud [ə'laud] ad à haute voix.

alphabet ['ælfəbet] n alphabet m ; ~ical [-'betɪkəl] a alphabétique.

alpine ['ælpaɪn] a alpin(e), alpestre.

Alps [ælps] npl: the ~ les Alpes fpl.

already [ɔ:l'redɪ] ad déjà.

alright ['ɔ:l'raɪt] ad = all right.

also ['ɔ:lsəu] ad aussi.

altar ['ɔltə*] n autel m.

alter ['ɔltə*] vt,vi changer, modifier ; ~ation [ɔltə'reɪʃən] n changement m, modification f.

alternate a [ɔl'tə:nɪt] alterné(e), alternant(e), alternatif(ive) // vi ['ɔltə:neɪt] alterner ; on ~ days un jour sur deux, tous les deux jours ; ~ly ad alternativement, en alternant ; **alternating** a (current) alternatif(ive).

alternative [ɔl'tə:nətɪv] a (solutions) interchangeable, possible ; (solution) autre, de remplacement // n (choice) alternative f ; (other possibility) solution f de remplacement or de rechange, autre possibilité f ; ~ly ad: ~ly one could une autre or l'autre solution serait de.

alternator ['ɔltə:neɪtə*] n (AUT) alternateur m.

although [ɔ:l'ðəu] cj bien que + sub.

altitude ['æltɪtju:d] n altitude f.

alto ['æltəu] n (female) contralto m ; (male) haute-contre f.

altogether [ɔ:ltə'geðə*] ad entièrement, tout à fait ; (on the whole) tout compte fait ; (in all) en tout.

altruistic [æltru'ɪstɪk] a altruiste.

aluminium [ælju'mɪnɪəm], **aluminum** [ə'lu:mɪnəm] (US) n aluminium m.

always ['ɔ:lweɪz] ad toujours.

am [æm] vb see **be**.

a.m. ad (abbr of ante meridiem) du matin.

amalgamate [ə'mælgəmeɪt] vt,vi fusionner ; **amalgamation** [-'meɪʃən] n fusion f ; (COMM) fusionnement m ; amalgame m.

amass [ə'mæs] vt amasser.

amateur ['æmətə*] n amateur m // a (SPORT) amateur inv ; ~ish a (pej) d'amateur.

amaze [ə'meɪz] vt stupéfier ; ~ment n stupéfaction f, stupeur f.

ambassador [æm'bæsədə*] n ambassadeur m.

amber ['æmbə*] n ambre m ; at ~ (AUT) à l'orange.

ambidextrous [æmbɪ'dekstrəs] a ambidextre.

ambiguity [æmbɪ'gjuɪtɪ] n ambiguïté f.

ambiguous [æm'bɪgjuəs] a ambigu(ë).

ambition [æm'bɪʃən] n ambition f.

ambitious [æm'bɪʃəs] a ambitieux(euse).

ambivalent [æm'bɪvələnt] a (attitude) ambivalent(e).

amble ['æmbl] vi (gen: to ~ along) aller d'un pas tranquille.

ambulance ['æmbjuləns] n ambulance f.

ambush ['æmbuʃ] n embuscade f // vt tendre une embuscade à.

ameliorate [ə'mi:lɪəreɪt] vt améliorer.

amenable [ə'mi:nəbl] a: ~ to (advice etc) disposé(e) à écouter ou suivre ; ~ to the law responsable devant la loi.

amend [ə'mend] vt (law) amender ; (text) corriger ; (habits) réformer // vi s'amender, se corriger ; to make ~s réparer ses torts, faire amende honorable ; ~ment n (to law) amendement m ; (to text) correction f.

amenities [ə'mi:nɪtɪz] npl aménagements mpl (prévus pour le loisir des habitants).

amenity [ə'mi:nɪtɪ] n charme m, agrément m.

America [ə'merɪkə] n Amérique f ; ~n a américain(e) // n Américain/e ; a~nize vt américaniser.

amethyst ['æmɪθɪst] n améthyste f.

amiable ['eɪmɪəbl] a aimable, affable.

amicable ['æmɪkəbl] a amical(e).

amid(st) [ə'mɪd(st)] prep parmi, au milieu de.

amiss [ə'mɪs] a,ad: there's something ~ il y a quelque chose qui ne va pas or qui cloche ; to take sth ~ prendre qch mal or de travers.

ammunition [æmju'nɪʃən] n munitions fpl.

amnesia [æm'ni:zɪə] n amnésie f.

amnesty ['æmnɪstɪ] n amnistie f.

amok [ə'mɔk] ad: to run ~ être pris(e) d'un accès de folie furieuse.

among(st) [ə'mʌŋ(st)] prep parmi, entre.

amoral [æ'mɔrəl] a amoral(e).

amorous ['æmərəs] a amoureux(euse).

amorphous [ə'mɔ:fəs] a amorphe.

amount [ə'maunt] n somme f ; montant m ; quantité f ; nombre m // vi: to ~ to (total) s'élever à ; (be same as) équivaloir à, revenir à.

amp(ère) ['æmp(ɛə*)] *n* ampère *m*.

amphibian [æm'fɪbɪən] *n* batracien *m*.

amphibious [æm'fɪbɪəs] *a* amphibie.

amphitheatre ['æmfɪθɪətə*] *n* amphithéâtre *m*.

ample ['æmpl] *a* ample; spacieux(euse); (*enough*): **this is ~** c'est largement suffisant; **to have ~ time/room** avoir bien assez de temps/place, avoir largement le temps/la place.

amplifier ['æmplɪfaɪə*] *n* amplificateur *m*.

amplify ['æmplɪfaɪ] *vt* amplifier.

amply ['æmplɪ] *ad* amplement, largement.

amputate ['æmpjuteɪt] *vt* amputer.

amuck [ə'mʌk] *ad* = **amok**.

amuse [ə'mju:z] *vt* amuser; **~ment** *n* amusement *m*.

an [æn, ən, n] *det see* **a**.

anaemia [ə'ni:mɪə] *n* anémie *f*.

anaemic [ə'ni:mɪk] *a* anémique.

anaesthetic [ænɪs'θetɪk] *a,n* anesthésique (*m*); **under the ~** sous anesthésie.

anaesthetist [æ'ni:sθɪtɪst] *n* anesthésiste *m/f*.

anagram ['ænəgræm] *n* anagramme *m*.

analgesic [ænæl'dʒi:sɪk] *a,n* analgésique (*m*).

analogy [ə'nælədʒɪ] *n* analogie *f*.

analyse ['ænəlaɪz] *vt* analyser.

analysis, *pl* **analyses** [ə'næləsɪs, -si:z] *n* analyse *f*.

analyst ['ænəlɪst] *n* (US) psychanalyste *m/f*.

analytic(al) [ænə'lɪtɪk(əl)] *a* analytique.

analyze ['ænəlaɪz] *vt* (US) = **analyse**.

anarchist ['ænəkɪst] *a,n* anarchiste (*m/f*).

anarchy ['ænəkɪ] *n* anarchie *f*.

anathema [ə'næθɪmə] *n*: **it is ~ to him** il a cela en abomination.

anatomical [ænə'tɔmɪkəl] *a* anatomique.

anatomy [ə'nætəmɪ] *n* anatomie *f*.

ancestor ['ænsɪstə*] *n* ancêtre *m*, aïeul *m*.

ancestral [æn'sɛstrəl] *a* ancestral(e).

ancestry ['ænsɪstrɪ] *n* ancêtres *mpl*; ascendance *f*.

anchor ['æŋkə*] *n* ancre *f* // *vi* (*also*: **to drop ~**) jeter l'ancre, mouiller // *vt* mettre à l'ancre; **~age** *n* mouillage *m*, ancrage *m*.

anchovy ['æntʃəvɪ] *n* anchois *m*.

ancient ['eɪnʃənt] *a* ancien(ne), antique; (*fig*) d'un âge vénérable, antique.

and [ænd] *cj* et; **~ so on** et ainsi de suite; **try ~ come** tâchez de venir; **come ~ sit here** viens t'asseoir ici; **better ~ better** de mieux en mieux; **more ~ more** de plus en plus.

Andes ['ændi:z] *npl*: **the ~** les Andes *fpl*.

anecdote ['ænɪkdəut] *n* anecdote *f*.

anemia [ə'ni:mɪə] *n* = **anaemia**.

anemic [ə'ni:mɪk] *a* = **anaemic**.

anesthetic [ænɪs'θetɪk] *a,n* = **anaesthetic**.

anesthetist [æ'ni:sθɪtɪst] *n* = **anaesthetist**.

anew [ə'nju:] *ad* à nouveau.

angel ['eɪndʒəl] *n* ange *m*.

anger ['æŋgə*] *n* colère *f* // *vt* mettre en colère, irriter.

angina [æn'dʒaɪnə] *n* angine *f* de poitrine.

angle ['æŋgl] *n* angle *m*; **from their ~** de leur point de vue // *vi*: **to ~ for** (*trout*) pêcher; (*compliments*) chercher, quêter; **~r** *n* pêcheur/euse à la ligne.

Anglican ['æŋglɪkən] *a,n* anglican(e).

anglicize ['æŋglɪsaɪz] *vt* angliciser.

angling ['æŋglɪŋ] *n* pêche *f* à la ligne.

Anglo- ['æŋgləu] *prefix* anglo(-); **~Saxon** *a,n* anglo-saxon(ne).

angrily ['æŋgrɪlɪ] *ad* avec colère.

angry ['æŋgrɪ] *a* en colère, furieux(euse); **to be ~ with sb/at sth** être furieux contre qn/de qch; **to get ~** se fâcher, se mettre en colère; **to make sb ~** mettre qn en colère.

anguish ['æŋgwɪʃ] *n* angoisse *f*.

angular ['æŋgjulə*] *a* anguleux(euse).

animal ['ænɪməl] *n* animal *m* // *a* animal(e); **~ spirits** *npl* entrain *m*, vivacité *f*.

animate *vt* ['ænɪmeɪt] animer // *a* ['ænɪmɪt] animé(e), vivant(e); **~d** *a* animé(e).

animosity [ænɪ'mɔsɪtɪ] *n* animosité *f*.

aniseed ['ænɪsi:d] *n* anis *m*.

ankle ['æŋkl] *n* cheville *f*.

annex *n* ['ænɛks] (*also*: **annexe**) annexe *f* // *vt* [ə'nɛks] annexer; **~ation** [-'eɪʃən] *n* annexion *f*.

annihilate [ə'naɪəleɪt] *vt* annihiler, anéantir.

anniversary [ænɪ'və:sərɪ] *n* anniversaire *m*; **~ dinner** *n* dîner commémoratif *or* anniversaire.

annotate ['ænəuteɪt] *vt* annoter.

announce [ə'nauns] *vt* annoncer; (*birth, death*) faire part de; **~ment** *n* annonce *f*; (*for births etc: in newspaper*) avis *m* de faire-part; (*:letter, card*) faire-part *m*; **~r** *n* (RADIO, TV) (*between programmes*) speaker/ine; (*in a programme*) présentateur/trice.

annoy [ə'nɔɪ] *vt* agacer, ennuyer, contrarier; **don't get ~ed!** ne vous fâchez pas!; **~ance** *n* mécontentement *m*, contrariété *f*; **~ing** *a* ennuyeux(euse), agaçant(e), contrariant(e).

annual ['ænjuəl] *a* annuel(le) // *n* (BOT) plante annuelle; (*book*) album *m*; **~ly** *ad* annuellement.

annuity [ə'nju:ɪtɪ] *n* rente *f*; **life ~** rente viagère.

annul [ə'nʌl] *vt* annuler; (*law*) abroger; **~ment** *n* annulation *f*; abrogation *f*.

annum ['ænəm] *n see* **per**.

anoint [ə'nɔɪnt] *vt* oindre.

anomalous [ə'nɔmələs] *a* anormal(e).

anomaly [ə'nɔməlɪ] *n* anomalie *f*.

anonymity [ænə'nɪmɪtɪ] *n* anonymat *m*.

anonymous [ə'nɔnɪməs] *a* anonyme.

anorak ['ænəræk] *n* anorak *m*.

another [ə'nʌðə*] *a*: **~ book** (*one more*) un autre livre, encore un livre, un livre de plus; (*a different one*) un autre livre // *pronoun* un(e) autre, encore un(e), un(e) de plus; *see also* **one**.

answer ['ɑ:nsə*] *n* réponse *f*; solution *f* // *vi* répondre // *vt* (*reply to*) répondre à; (*problem*) résoudre; (*prayer*) exaucer; **to ~ the phone** répondre (au téléphone);

in ~ to your letter suite *or* en réponse à votre lettre ; **to ~ the bell** *or* **the door** aller *or* venir ouvrir (la porte) ; **to ~ back** *vi* répondre, répliquer ; **to ~ for** *vt fus* répondre de, se porter garant de ; être responsable de ; **to ~ to** *vt fus* (*description*) répondre *or* correspondre à ; **~able** *a*: **~able (to sb/for sth)** responsable (devant qn/de qch) ; **I am ~able to no-one** je n'ai de comptes à rendre à personne.

ant [ænt] *n* fourmi *f*.

antagonism [æn'tægənɪzəm] *n* antagonisme *m*.

antagonist [æn'tægənɪst] *n* antagoniste *m/f*, adversaire *m/f* ; **~ic** [æntægə'nɪstɪk] *a* opposé(e) ; antagoniste.

antagonize [æn'tægənaɪz] *vt* éveiller l'hostilité de, contrarier.

Antarctic [ænt'ɑːktɪk] *n* Antarctique *m* // *a* antarctique, austral(e).

anteater ['ænti:tə*] *n* fourmilier *m*, tamanoir *m*.

antecedent [æntɪ'siːdənt] *n* antécédent *m*.

antelope ['æntɪləup] *n* antilope *f*.

antenatal ['æntɪ'neɪtl] *a* prénatal(e) ; **~ clinic** *n* service *m* de consultation prénatale.

antenna, *pl* **~e** [æn'tɛnə, -niː] *n* antenne *f*.

anthem ['ænθəm] *n* motet *m* ; **national ~** hymne national.

ant-hill ['ænthɪl] *n* fourmilière *f*.

anthology [æn'θɒlədʒɪ] *n* anthologie *f*.

anthropologist [ænθrə'pɒlədʒɪst] *n* anthropologue *m/f*.

anthropology [ænθrə'pɒlədʒɪ] *n* anthropologie *f*.

anti ['æntɪ] *prefix* anti-.

anti-aircraft ['æntɪ'ɛəkrɑːft] *a* antiaérien(ne) ; **~ defence** *n* défense *f* contre avions, DCA *f*.

antibiotic ['æntɪbaɪ'ɒtɪk] *a,n* antibiotique (*m*).

anticipate [æn'tɪsɪpeɪt] *vt* s'attendre à ; prévoir ; (*wishes, request*) aller au devant de, devancer.

anticipation [æntɪsɪ'peɪʃən] *n* attente *f* ; **thanking you in ~** en vous remerciant d'avance, avec mes remerciements anticipés.

anticlimax ['æntɪ'klaɪmæks] *n* réalisation décevante d'un événement que l'on escomptait important, intéressant etc.

anticlockwise ['æntɪ'klɒkwaɪz] *a* dans le sens inverse des aiguilles d'une montre.

antics ['æntɪks] *npl* singeries *fpl*.

anticyclone ['æntɪ'saɪkləun] *n* anticyclone *m*.

antidote ['æntɪdəut] *n* antidote *m*, contrepoison *m*.

antifreeze ['æntɪ'friːz] *n* antigel *m*.

antipathy [æn'tɪpəθɪ] *n* antipathie *f*.

antiquarian [æntɪ'kwɛərɪən] *a*: **~ bookshop** librairie *f* d'ouvrages anciens // *n* expert *m* en objets *or* livres anciens ; amateur *m* d'antiquités.

antiquated ['æntɪkweɪtɪd] *a* vieilli(e), suranné(e), vieillot(te).

antique [æn'tiːk] *n* objet *m* d'art ancien, meuble ancien *or* d'époque, antiquité *f* //

a ancien(ne) ; (*pre-mediaeval*) antique ; **~ dealer** *n* antiquaire *m/f* ; **~ shop** *n* magasin *m* d'antiquités.

antiquity [æn'tɪkwɪtɪ] *n* antiquité *f*.

antiseptic [æntɪ'sɛptɪk] *a,n* antiseptique (*m*).

antisocial ['æntɪ'səuʃəl] *a* peu liant(e), sauvage, insociable ; (*against society*) antisocial(e).

antlers ['æntləz] *npl* bois *mpl*, ramure *f*.

anus ['eɪnəs] *n* anus *m*.

anvil ['ænvɪl] *n* enclume *f*.

anxiety [æŋ'zaɪətɪ] *n* anxiété *f* ; (*keenness*): **~ to do** grand désir *or* impatience *f* de faire.

anxious ['æŋkʃəs] *a* anxieux(euse), (très) inquiet(ète) ; (*keen*): **~ to do/that** qui tient beaucoup à faire/à ce que ; impatient(e) de faire/que ; **~ly** *ad* anxieusement.

any ['ɛnɪ] *a* (*in negative and interrogative sentences = some*) de, d' ; du, de l', de la, des ; (*no matter which*) n'importe quel(le), quelconque ; (*each and every*) tout(e), chaque ; **I haven't ~ money/books** je n'ai pas d'argent/de livres ; **have you ~ butter/children?** avez-vous du beurre/des enfants? ; **without ~ difficulty** sans la moindre difficulté ; **come (at) ~ time** venez à n'importe quelle heure ; **at ~ moment** à tout moment, d'un instant à l'autre ; **in ~ case** de toute façon ; en tout cas ; **at ~ rate** de toute façon // *pronoun* n'importe lequel(laquelle), (*anybody*) n'importe qui ; (*in negative and interrogative sentences*): **I haven't ~** je n'en ai pas, je n'en ai aucun ; **have you got ~?** en avez-vous? ; **can ~ of you sing?** est-ce que l'un d'entre vous *or* quelqu'un parmi vous sait chanter? // *ad* (*in negative sentences*) nullement, aucunement ; (*in interrogative and conditional constructions*) un peu ; tant soit peu ; **I can't hear him ~ more** je ne l'entends plus ; **are you feeling ~ better?** vous sentez-vous un peu mieux? ; **do you want ~ more soup?** voulez-vous encore un peu de soupe? ; **~body** *pronoun* n'importe qui ; (*in interrogative sentences*) quelqu'un ; (*in negative sentences*): **I don't see ~body** je ne vois personne ; **~how** *ad* quoi qu'il en soit ; **~one = ~body** ; **~thing** *pronoun* (*see anybody*) n'importe quoi ; quelque chose ; ne ... rien ; **~time** *ad* n'importe quand ; **~way** *ad* de toute façon ; **~where** *ad* (*see anybody*) n'importe où ; quelque part ; **I don't see him ~where** je ne le vois nulle part.

apart [ə'pɑːt] *ad* (*to one side*) à part ; de côté ; à l'écart ; (*separately*) séparément ; **10 miles/a long way ~** à 10 milles/très éloignés l'un de l'autre ; **they are living ~** ils sont séparés ; **~ from** *prep* à part, excepté.

apartheid [ə'pɑːteɪt] *n* apartheid *m*.

apartment [ə'pɑːtmənt] *n* (*US*) appartement *m*, logement *m* ; **~s** *npl* appartement *m*.

apathetic [æpə'θɛtɪk] *a* apathique, indifférent(e).

apathy ['æpəθɪ] *n* apathie *f*, indifférence *f*.

ape [eɪp] n (grand) singe // vt singer.
aperitif [ə'pɛrɪtɪv] n apéritif m.
aperture ['æpətʃjuə*] n orifice m, ouverture f; (PHOT) ouverture (du diaphragme).
apex ['eɪpɛks] n sommet m.
aphrodisiac [æfrəʊ'dɪzɪæk] a,n aphrodisiaque (m).
apiece [ə'piːs] ad (for each person) chacun(e), par tête; (for each item) chacun(e), (la) pièce.
aplomb [ə'plɔm] n sang-froid m, assurance f.
apocalypse [ə'pɔkəlɪps] n apocalypse f.
apolitical [eɪpə'lɪtɪkl] a apolitique.
apologetic [əpɔlə'dʒɛtɪk] a (tone, letter) d'excuse; to be very ~ about s'excuser vivement de.
apologize [ə'pɔlədʒaɪz] vi: to ~ (for sth to sb) s'excuser (de qch auprès de qn), présenter des excuses (à qn pour qch).
apology [ə'pɔlədʒɪ] n excuses fpl; to send one's apologies envoyer une lettre or un mot d'excuse, s'excuser (de ne pas pouvoir venir).
apoplexy ['æpəplɛksɪ] n apoplexie f.
apostle [ə'pɔsl] n apôtre m.
apostrophe [ə'pɔstrəfɪ] n apostrophe f.
appal [ə'pɔːl] vt consterner, atterrer; horrifier; ~ling a épouvantable; (stupidity) consternant(e).
apparatus [æpə'reɪtəs] n appareil m, dispositif m.
apparent [ə'pærənt] a apparent(e); ~ly ad apparemment.
apparition [æpə'rɪʃən] n apparition f.
appeal [ə'piːl] vi (LAW) faire or interjeter appel // n (LAW) appel m; (request) prière f; appel m; (charm) attrait m, charme m; to ~ for demander (instamment); implorer; to ~ to (subj: person) faire appel à; (subj: thing) plaire à; to ~ to sb for mercy implorer la pitié de qn, prier or adjurer qn d'avoir pitié; it doesn't ~ to me cela ne m'attire pas; ~ing a (nice) attrayant(e); (touching) attendrissant(e).
appear [ə'pɪə*] vi apparaître, se montrer; (LAW) comparaître; (publication) paraître, sortir, être publié(e); (seem) paraître, sembler; it would ~ that il semble que; to ~ in Hamlet jouer dans Hamlet; to ~ on TV passer à la télé; ~ance n apparition f; parution f; (look, aspect) apparence f, aspect m; to put in or make an ~ance faire acte de présence; (THEATRE): by order of ~ance par ordre d'entrée en scène.
appease [ə'piːz] vt apaiser, calmer.
appendage [ə'pɛndɪdʒ] n appendice m.
appendicitis [əpɛndɪ'saɪtɪs] n appendicite f.
appendix, pl **appendices** [ə'pɛndɪks, -siːz] n appendice m.
appetite ['æpɪtaɪt] n appétit m.
appetizing ['æpɪtaɪzɪŋ] a appétissant(e).
applaud [ə'plɔːd] vt,vi applaudir.
applause [ə'plɔːz] n applaudissements mpl.
apple ['æpl] n pomme f; it's the ~ of my eye j'y tiens comme à la prunelle de mes

yeux; ~ **tree** n pommier m; ~ **turnover** n chausson m aux pommes.
appliance [ə'plaɪəns] n appareil m.
applicable [ə'plɪkəbl] a applicable.
applicant ['æplɪkənt] n candidat/e (for a post à un poste).
application [æplɪ'keɪʃən] n application f; (for a job, a grant etc) demande f; candidature f; on ~ sur demande.
applied [ə'plaɪd] a appliqué(e); ~ **arts** npl arts décoratifs.
apply [ə'plaɪ] vt (paint, ointment): to ~ (to) appliquer (sur); (theory, technique): to ~ (to) appliquer (à) // vi: to ~ to (ask) s'adresser à; (be suitable for, relevant to) s'appliquer à; se rapporter à; être valable pour; to ~ (for) (permit, grant) faire une demande (en vue d'obtenir); (job) poser sa candidature (pour), faire une demande d'emploi (concernant); to ~ the brakes actionner les freins, freiner; to ~ o.s. to s'appliquer à.
appoint [ə'pɔɪnt] vt nommer, engager; (date, place) fixer, désigner; ~ment n nomination f; rendez-vous m; to make an ~ment (with) prendre rendez-vous (avec).
apportion [ə'pɔːʃən] vt (share out) répartir, distribuer; to ~ sth to sb attribuer or assigner or allouer qch à qn.
appraisal [ə'preɪzl] n évaluation f.
appreciable [ə'priːʃəbl] a appréciable.
appreciate [ə'priːʃɪeɪt] vt (like) apprécier, faire cas de; être reconnaissant(e) de; (assess) évaluer; (be aware of) comprendre; se rendre compte de // vi (FINANCE) prendre de la valeur.
appreciation [əpriːʃɪ'eɪʃən] n appréciation f; reconnaissance f; (COMM) hausse f, valorisation f.
appreciative [ə'priːʃɪətɪv] a (person) sensible; (comment) élogieux(euse).
apprehend [æprɪ'hɛnd] vt appréhender, arrêter; (understand) comprendre.
apprehension [æprɪ'hɛnʃən] n appréhension f, inquiétude f.
apprehensive [æprɪ'hɛnsɪv] a inquiet(ète), appréhensif(ive).
apprentice [ə'prɛntɪs] n apprenti m; ~ship n apprentissage m.
approach [ə'prəʊtʃ] vi approcher // vt (come near) approcher de; (ask, apply to) s'adresser à; (subject, passer-by) aborder // n approche f; accès m, abord m; démarche f (auprès de qn); démarche (intellectuelle); ~able a accessible.
approbation [æprə'beɪʃən] n approbation f.
appropriate vt [ə'prəʊprɪeɪt] (take) s'approprier; (allot): to ~ sth for affecter qch à // a [ə'prəʊprɪɪt] opportun(e); qui convient, approprié(e); ~ly ad pertinemment, avec à-propos.
approval [ə'pruːvəl] n approbation f; on ~ (COMM) à l'examen.
approve [ə'pruːv] vt approuver; to ~ of vt fus approuver; ~d **school** n centre m d'éducation surveillée; **approvingly** ad d'un air approbateur.
approximate a [ə'prɔksɪmɪt] approximatif(ive) // vt [ə'prɔksɪmeɪt] se rapprocher de; être proche de;

approximation [-'meɪʃən] n approximation f.
apricot ['eɪprɪkɔt] n abricot m.
April ['eɪprəl] n avril m; ~ **fool!** poisson d'avril!
apron ['eɪprən] n tablier m.
apt [æpt] a (suitable) approprié(e); (able): ~ **(at)** doué(e) (pour); apte (à); (likely): ~ **to do** susceptible de faire; ayant tendance à faire.
aptitude ['æptɪtjuːd] n aptitude f.
aqualung ['ækwəlʌŋ] n scaphandre m autonome.
aquarium [ə'kwɛərɪəm] n aquarium m.
Aquarius [ə'kwɛərɪəs] n le Verseau; **to be** ~ être du Verseau.
aquatic [ə'kwætɪk] a aquatique; (SPORT) nautique.
aqueduct ['ækwɪdʌkt] n aqueduc m.
Arab ['ærəb] n Arabe m/f.
Arabia [ə'reɪbɪə] n Arabie f; ~**n** a arabe.
Arabic ['ærəbɪk] a,n arabe (m).
arable ['ærəbl] a arable.
arbiter ['ɑːbɪtə*] n arbitre m.
arbitrary ['ɑːbɪtrərɪ] a arbitraire.
arbitrate ['ɑːbɪtreɪt] vi arbitrer; trancher; **arbitration** [-'treɪʃən] n arbitrage m.
arbitrator ['ɑːbɪtreɪtə*] n arbitre m, médiateur/trice.
arc [ɑːk] n arc m.
arcade [ɑː'keɪd] n arcade f; (passage with shops) passage m, galerie f.
arch [ɑːtʃ] n arche f; (of foot) cambrure f, voûte f plantaire // vt arquer, cambrer // a malicieux(euse) // prefix: ~**(-)** achevé(e); par excellence; **pointed** ~ n ogive f.
archaeologist [ɑːkɪ'ɔlədʒɪst] n archéologue m/f.
archaeology [ɑːkɪ'ɔlədʒɪ] n archéologie f.
archaic [ɑː'keɪɪk] a archaïque.
archbishop [ɑːtʃ'bɪʃəp] n archevêque m.
arch-enemy ['ɑːtʃ'ɛnɪmɪ] n ennemi m de toujours or par excellence.
archeologist [ɑːkɪ'ɔlədʒɪst] n (US) = **archaeologist**.
archeology [ɑːkɪ'ɔlədʒɪ] n (US) = **archaeology**.
archer ['ɑːtʃə*] n archer m; ~**y** n tir m à l'arc.
archetype ['ɑːkɪtaɪp] n prototype m, archétype m.
archipelago [ɑːkɪ'pɛlɪgəu] n archipel m.
architect ['ɑːkɪtɛkt] n architecte m; ~**ural** [ɑːkɪ'tɛktʃərəl] a architectural(e); ~**ure** ['ɑːkɪtɛktʃə*] n architecture f.
archives ['ɑːkaɪvz] npl archives fpl; **archivist** ['ɑːkɪvɪst] n archiviste m/f.
archway ['ɑːtʃweɪ] n voûte f, porche voûté or cintré.
Arctic ['ɑːktɪk] a arctique // n: **the** ~ l'Arctique m.
ardent ['ɑːdənt] a fervent(e).
arduous ['ɑːdjuəs] a ardu(e).
are [ɑː*] vb see **be**.
area ['ɛərɪə] n (GEOM) superficie f; (zone) région f; (:smaller) secteur m; **dining** ~ n coin m salle à manger.
arena [ə'riːnə] n arène f.

aren't [ɑːnt] = **are not**.
Argentina [ɑːdʒən'tiːnə] n Argentine f; **Argentinian** [-'tɪnɪən] a argentin(e) // n Argentin/e.
arguable ['ɑːgjuəbl] a discutable.
argue ['ɑːgjuː] vi (quarrel) se disputer; (reason) argumenter; **to** ~ **that** objecter or alléguer que, donner comme argument que.
argument ['ɑːgjumənt] n (reasons) argument m; (quarrel) dispute f, discussion f; (debate) discussion f, controverse f; ~**ative** [ɑːgju'mɛntətɪv] a ergoteur(euse), raisonneur(euse).
arid ['ærɪd] a aride; ~**ity** [ə'rɪdɪtɪ] n aridité f.
Aries ['ɛərɪz] n le Bélier; **to be** ~ être du Bélier.
arise, pt **arose**, pp **arisen** [ə'raɪz, -'rəuz, -'rɪzn] vi survenir, se présenter; **to** ~ **from** résulter de.
aristocracy [ærɪs'tɔkrəsɪ] n aristocratie f.
aristocrat ['ærɪstəkræt] n aristocrate m/f; ~**ic** [-'krætɪk] a aristocratique.
arithmetic [ə'rɪθmətɪk] n arithmétique f.
ark [ɑːk] n: **Noah's A**~ l'Arche f de Noé.
arm [ɑːm] n bras m; (MIL: branch) arme f // vt armer; ~**s** npl (weapons, HERALDRY) armes fpl; ~ **in** ~ bras dessus bras dessous; ~**band** n brassard m; ~**chair** n fauteuil m; ~**ed** a armé(e); ~**ed robbery** n vol m à main armée; ~**ful** n brassée f.
armistice ['ɑːmɪstɪs] n armistice m.
armour ['ɑːmə*] n armure f; (also: ~**plating**) blindage m; (MIL: tanks) blindés mpl; ~**ed car** n véhicule blindé; ~**y** n arsenal m.
armpit ['ɑːmpɪt] n aisselle f.
army ['ɑːmɪ] n armée f.
aroma [ə'rəumə] n arôme m; ~**tic** [ærə'mætɪk] a aromatique.
arose [ə'rəuz] pt of **arise**.
around [ə'raund] ad (tout) autour; dans les parages // prep autour de; (fig: about) environ; vers; **is he** ~? est-il dans les parages or là?
arouse [ə'rauz] vt (sleeper) éveiller; (curiosity, passions) éveiller, susciter; exciter.
arpeggio [ɑː'pɛdʒɪəu] n arpège m.
arrange [ə'reɪndʒ] vt arranger; (programme) arrêter, convenir de; ~**ment** n arrangement m; (plans etc): ~**ments** dispositions fpl.
array [ə'reɪ] n: ~ **of** déploiement m or étalage m de.
arrears [ə'rɪəz] npl arriéré m; **to be in** ~ **with one's rent** devoir un arriéré de loyer, être en retard pour le paiement de son loyer.
arrest [ə'rɛst] vt arrêter; (sb's attention) retenir, attirer // n arrestation f; **under** ~ en état d'arrestation.
arrival [ə'raɪvəl] n arrivée f; (COMM) arrivage m; (person) arrivant/e.
arrive [ə'raɪv] vi arriver; **to** ~ **at** vt fus (fig) parvenir à.
arrogance ['ærəgəns] n arrogance f.
arrogant ['ærəgənt] a arrogant(e).

arrow ['ærəu] *n* flèche *f*.
arsenal ['ɑ:sɪnl] *n* arsenal *m*.
arsenic ['ɑ:snɪk] *n* arsenic *m*.
arson ['ɑ:sn] *n* incendie criminel.
art [ɑ:t] *n* art *m*; (*craft*) métier *m*; **A~s** *npl* (SCOL) les lettres *fpl*; **~ gallery** *n* musée *m* d'art; (*small and private*) galerie *f* de peinture.
artefact ['ɑ:tɪfækt] *n* objet fabriqué.
artery ['ɑ:tərɪ] *n* artère *f*.
artful ['ɑ:tful] *a* rusé(e).
arthritis [ɑ:'θraɪtɪs] *n* arthrite *f*.
artichoke ['ɑ:tɪtʃəuk] *n* artichaut *m*.
article ['ɑ:tɪkl] *n* article *m*; (LAW: *training*): **~s** *npl* ≈ stage *m*.
articulate *a* [ɑ:'tɪkjulɪt] (*person*) qui s'exprime clairement et aisément; (*speech*) bien articulé(e), prononcé(e) clairement // *vi* [ɑ:'tɪkjuleɪt] articuler, parler distinctement; **~d lorry** *n* (camion *m*) semi-remorque *m*.
artifice ['ɑ:tɪfɪs] *n* ruse *f*.
artificial [ɑ:tɪ'fɪʃəl] *a* artificiel(le); **~ respiration** *n* respiration artificielle.
artillery [ɑ:'tɪlərɪ] *n* artillerie *f*.
artisan ['ɑ:tɪzæn] *n* artisan/e.
artist ['ɑ:tɪst] *n* artiste *m/f*; **~ic** [ɑ:'tɪstɪk] *a* artistique; **~ry** *n* art *m*, talent *m*.
artless ['ɑ:tlɪs] *a* naïf(ïve), simple, ingénu(e).
as [æz, əz] *cj* (*cause*) comme, puisque; (*time: moment*) alors que, comme; (: *duration*) tandis que; (*manner*) comme; (*in the capacity of*) en tant que, en qualité de; **~ big** ~ aussi grand que; **twice** ~ **big** ~ deux fois plus grand que; **big** ~ **it is** si grand que ce soit; **she said** comme elle l'avait dit; ~ **if** *or* **though** comme si; ~ **for** *or* **to** en ce qui concerne, quant à; ~ **or so long** ~ *cj* à condition que; si; ~ **much/many** (~) autant (que); ~ **soon** ~ aussitôt que, dès que; ~ **such** *ad* en tant que tel(le); ~ **well** *ad* aussi; ~ **well** ~ *cj* en plus de, en même temps que; *see also* **so, such.**
asbestos [æz'bɛstəs] *n* asbeste *m*, amiante *m*.
ascend [ə'sɛnd] *vt* gravir; **~ancy** *n* ascendant *m*.
ascent [ə'sɛnt] *n* ascension *f*.
ascertain [æsə'teɪn] *vt* s'assurer de, vérifier; établir.
ascetic [ə'sɛtɪk] *a* ascétique.
ascribe [ə'skraɪb] *vt*: **to** ~ **sth to** attribuer qch à; (*blame*) imputer qch à.
ash [æʃ] *n* (*dust*) cendre *f*; ~ (**tree**) frêne *m*.
ashamed [ə'ʃeɪmd] *a* honteux(euse), confus(e); **to be** ~ **of** avoir honte de; **to be** ~ (**of o.s.**) **for having done** avoir honte d'avoir fait.
ashen ['æʃn] *a* (*pale*) cendreux(euse), blême.
ashore [ə'ʃɔ:*] *ad* à terre; **to go** ~ aller à terre, débarquer.
ashtray ['æʃtreɪ] *n* cendrier *m*.
Asia ['eɪʃə] *n* Asie *f*; ~ **Minor** *n* Asie Mineure; **~n** *n* Asiatique *m/f* // *a* asiatique; **~tic** [eɪsɪ'ætɪk] *a* asiatique.
aside [ə'saɪd] *ad* de côté; à l'écart // *n* aparté *m*.

ask [ɑ:sk] *vt* demander; (*invite*) inviter; **to** ~ **sb/to do sth** demander à qn de faire qch; **to** ~ **sb about sth** questionner qn au sujet de qch; se renseigner auprès de qn au sujet de qch; **to** ~ **about the price** s'informer du prix, se renseigner au sujet du prix; **to** ~ (**sb**) **a question** poser une question (à qn); **to** ~ **sb out to dinner** inviter qn au restaurant; **to** ~ **for** *vt fus* demander.
askance [ə'skɑ:ns] *ad*: **to look** ~ **at sb** regarder qn de travers *or* d'un œil désapprobateur.
askew [ə'skju:] *ad* de travers, de guinguois.
asleep [ə'sli:p] *a* endormi(e); **to be** ~ dormir, être endormi; **to fall** ~ s'endormir.
asp [æsp] *n* aspic *m*.
asparagus [əs'pærəgəs] *n* asperges *fpl*; ~ **tips** *npl* pointes *fpl* d'asperges.
aspect ['æspɛkt] *n* aspect *m*; (*direction in which a building etc faces*) orientation *f*, exposition *f*.
aspersions [əs'pə:ʃənz] *npl*: **to cast** ~ **on** dénigrer.
asphalt ['æsfælt] *n* asphalte *m*.
asphyxiate [æs'fɪksɪeɪt] *vt* asphyxier; **asphyxiation** [-'eɪʃən] *n* asphyxie *f*.
aspirate *vt* ['æspəreɪt] aspirer // *a* ['æspərɪt] aspiré(e).
aspiration [æspə'reɪʃən] *n* aspiration *f*.
aspire [əs'paɪə*] *vi*: **to** ~ **to** aspirer à.
aspirin ['æsprɪn] *n* aspirine *f*.
ass [æs] *n* âne *m*; (*col*) imbécile *m/f*.
assail [ə'seɪl] *vt* assaillir; **~ant** *n* agresseur *m*; assaillant *m*.
assassin [ə'sæsɪn] *n* assassin *m*; **~ate** *vt* assassiner; **~ation** [əsæsɪ'neɪʃən] *n* assassinat *m*.
assault [ə'sɔ:lt] *n* (MIL) assaut *m*; (*gen: attack*) agression *f*; (LAW): ~ (**and battery**) voies *fpl* de fait, coups *mpl* et blessures *fpl* // *vt* attaquer; (*sexually*) violenter.
assemble [ə'sɛmbl] *vt* assembler // *vi* s'assembler, se rassembler.
assembly [ə'sɛmblɪ] *n* (*meeting*) rassemblement *m*; (*construction*) assemblage *m*; ~ **line** *n* chaîne *f* de montage.
assent [ə'sɛnt] *n* assentiment *m*, consentement *m* // *vi* donner son assentiment, consentir.
assert [ə'sə:t] *vt* affirmer, déclarer; établir; **~ion** [ə'sə:ʃən] *n* assertion *f*, affirmation *f*; **~ive** *a* assuré(e), péremptoire.
assess [ə'sɛs] *vt* évaluer, estimer; (*tax, damages*) établir *or* fixer le montant de; (*property etc: for tax*) calculer la valeur imposable de; **~ment** *n* évaluation *f*, estimation *f*; **~or** *n* expert *m* (*en matière d'impôt et d'assurance*).
asset ['æsɛt] *n* avantage *m*, atout *m*; **~s** *npl* capital *m*; avoir(s) *m(pl)*; actif *m*.
assiduous [ə'sɪdjuəs] *a* assidu(e).
assign [ə'saɪn] *vt* (*date*) fixer, arrêter; (*task*): **to** ~ **sth to** assigner qch à; (*resources*): **to** ~ **sth to** affecter qch à; (*cause, meaning*): **to** ~ **sth to** attribuer qch à; **~ment** *n* tâche *f*, mission *f*.

assimilate [ə'sımıleıt] *vt* assimiler ;
assimilation [-'leıʃən] *n* assimilation *f*.

assist [ə'sıst] *vt* aider, assister ; secourir ;
~**ance** *n* aide *f*, assistance *f* ; secours *mpl* ;
~**ant** *n* assistant/e, adjoint/e ; (*also*: **shop**
~**ant**) vendeur/euse.

assizes [ə'saızız] *npl* assises *fpl*.

associate *a,n* [ə'səuʃıt] associé(e) // *vb*
[ə'səuʃıeıt] *vt* associer // *vi*: **to** ~ **with**
sb fréquenter qn.

association [əsəusı'eıʃən] *n* association *f* ;
~ **football** *n* football *m*.

assorted [ə'sɔ:tıd] *a* assorti(e).

assortment [ə'sɔ:tmənt] *n* assortiment *m*.

assume [ə'sju:m] *vt* supposer ;
(*responsibilities etc*) assumer ; (*attitude,
name*) prendre, adopter ; ~**d name** *n* nom
m d'emprunt.

assumption [ə'sʌmpʃən] *n* supposition *f*,
hypothèse *f*.

assurance [ə'ʃuərəns] *n* assurance *f*.

assure [ə'ʃuə*] *vt* assurer.

asterisk ['æstərısk] *n* astérisque *m*.

astern [ə'stə:n] *ad* à l'arrière.

asthma ['æsmə] *n* asthme *m* ; ~**tic**
[æs'mætık] *a,n* asthmatique (*m/f*).

astir [ə'stə:*] *ad* en émoi.

astonish [ə'stɔnıʃ] *vt* étonner, stupéfier ;
~**ment** *n* étonnement *m*.

astound [ə'staund] *vt* stupéfier, sidérer.

astray [ə'streı] *ad*: **to go** ~ s'égarer ; (*fig*)
quitter le droit chemin.

astride [ə'straıd] *ad* à cheval // *prep* à
cheval sur.

astringent [əs'trındʒənt] *a* astringent(e)
// *n* astringent *m*.

astrologer [əs'trɔlədʒə*] *n* astrologue *m*.

astrology [əs'trɔlədʒı] *n* astrologie *f*.

astronaut ['æstrənɔ:t] *n* astronaute *m/f*.

astronomer [əs'trɔnəmə*] *n* astronome *m*.

astronomical [æstrə'nɔmıkəl] *a*
astronomique.

astronomy [əs'trɔnəmı] *n* astronomie *f*.

astute [əs'tju:t] *a* astucieux(euse),
malin(igne).

asunder [ə'sʌndə*] *ad*: **to tear** ~ déchirer.

asylum [ə'saıləm] *n* asile *m*.

at [æt] *prep* à ; (*because of: following surprised, annoyed etc*) de ; par ; ~ **Pierre's**
chez Pierre ; ~ **the baker's** chez le
boulanger, à la boulangerie ; ~ **times**
parfois.

ate [eıt] *pt of* **eat**.

atheism ['eıθıızəm] *n* athéisme *m*.

atheist ['eıθııst] *n* athée *m/f*.

Athens ['æθınz] *n* Athènes *f*.

athlete ['æθli:t] *n* athlète *m/f*.

athletic [æθ'letık] *a* athlétique ; ~**s** *n*
athlétisme *m*.

Atlantic [ət'læntık] *a* atlantique // *n*: **the**
~ (**Ocean**) l'Atlantique *m*, l'océan *m*
Atlantique.

atlas ['ætləs] *n* atlas *m*.

atmosphere ['ætməsfıə*] *n* atmosphère *f*.

atmospheric [ætməs'ferık] *a*
atmosphérique ; ~**s** *n* (*RADIO*) parasites
mpl.

atoll ['ætɔl] *n* atoll *m*.

atom ['ætəm] *n* atome *m* ; ~**ic** [ə'tɔmık]
a atomique ; ~**(ic) bomb** *n* bombe *f*

atomique ; ~**izer** ['ætəmaızə*] *n*
atomiseur *m*.

atone [ə'təun] *vi*: **to** ~ **for** expier, racheter.

atrocious [ə'trəuʃəs] *a* (*very bad*) atroce,
exécrable.

atrocity [ə'trɔsıtı] *n* atrocité *f*.

atrophy ['ætrəfı] *n* atrophie *f* // *vt*
atrophier // *vi* s'atrophier.

attach [ə'tætʃ] *vt* (*gen*) attacher ;
(*document, letter*) joindre ; (*MIL: troops*)
affecter ; **to be** ~**ed to sb/sth** (*to like*) être
attaché à qn/qch ; ~**é** [ə'tæʃeı] *n* attaché
m ; ~**é case** *n* mallette *f*, attaché-case *m* ;
~**ment** *n* (*tool*) accessoire *m* ; (*love*):
~**ment** (**to**) affection *f* (pour),
attachement *m* (à).

attack [ə'tæk] *vt* attaquer ; (*task etc*)
s'attaquer à // *n* attaque *f* ; (*also*: **heart**
~) crise *f* cardiaque ; ~**er** *n* attaquant *m*,
agresseur *m*.

attain [ə'teın] *vt* (*also*: **to** ~ **to**) parvenir
à, atteindre ; acquérir ; ~**ments** *npl*
connaissances *fpl*, résultats *mpl*.

attempt [ə'temt] *n* tentative *f* // *vt*
essayer, tenter ; ~**ed theft** *n* (*LAW*)
tentative de vol *etc* ; **to make an** ~ **on**
sb's life attenter à la vie de qn.

attend [ə'tend] *vt* (*course*) suivre ;
(*meeting, talk*) assister à ; (*school, church*)
aller à, fréquenter ; (*patient*) soigner,
s'occuper de ; **to** ~ (**up**)**on** servir ; être au
service de ; **to** ~ **to** *vt fus* (*needs, affairs
etc*) s'occuper de ; (*customer*) s'occuper de,
servir ; ~**ance** *n* (*being present*) présence
f ; (*people present*) assistance *f* ; ~**ant** *n*
employé/e ; gardien/ne // *a*
concomitant(e), qui accompagne *or*
s'ensuit.

attention [ə'tenʃən] *n* attention *f* ; ~**s**
attentions *fpl*, prévenances *fpl* ; ~**!** (*MIL*)
garde-à-vous ! ; **at** ~ (*MIL*) au
garde-à-vous ; **for the** ~ **of** (*ADMIN*) à
l'attention de.

attentive [ə'tentıv] *a* attentif(ive) ; (*kind*)
prévenant(e) ; ~**ly** *ad* attentivement, avec
attention.

attenuate [ə'tenjueıt] *vt* atténuer // *vi*
s'atténuer.

attest [ə'test] *vi*: **to** ~ **to** témoigner de,
attester (de).

attic ['ætık] *n* grenier *m*, combles *mpl*.

attire [ə'taıə*] *n* habit *m*, atours *mpl*.

attitude ['ætıtju:d] *n* attitude *f*, manière
f ; pose *f*, maintien *m*.

attorney [ə'tə:nı] *n* (*lawyer*) avoué *m* ;
(*having proxy*) mandataire *m* ; **A**~
General *n* (*Brit*) ≈ procureur général ;
(*US*) ≈ garde *m* des Sceaux, ministre *m*
de la Justice ; **power of** ~ *n* procuration
f.

attract [ə'trækt] *vt* attirer ; ~**ion**
[ə'trækʃən] *n* (*gen pl: pleasant things*)
attraction *f*, attrait *m* ; (*PHYSICS*) attraction
f ; (*fig: towards sth*) attirance *f* ; ~**ive** *a*
séduisant(e), attrayant(e).

attribute *n* ['ætrıbju:t] attribut *m* // *vt*
[ə'trıbju:t]: **to** ~ **sth to** attribuer qch à.

attrition [ə'trıʃən] *n*: **war of** ~ guerre *f*
d'usure.

aubergine ['əubəʒi:n] *n* aubergine *f*.

auburn ['ɔ:bən] *a* auburn *inv*, châtain roux
inv.

auction [ɔ:kʃən] n (also: **sale by** ~) vente f aux enchères // vt (also: **to sell by** ~) vendre aux enchères ; (also: **to put up for** ~) mettre aux enchères ; ~**eer** [-'nɪə*] n commissaire-priseur m.

audacious [ɔ:'deɪʃəs] a impudent(e) ; audacieux(euse), intrépide.

audacity [ɔ:'dæsɪtɪ] n impudence f ; audace f.

audible ['ɔ:dɪbl] a audible.

audience ['ɔ:dɪəns] n (people) assistance f, auditoire m ; auditeurs mpl ; spectateurs mpl ; (interview) audience f.

audio-visual [ɔ:dɪəu'vɪzjuəl] a audio-visuel(le).

audit ['ɔ:dɪt] n vérification f des comptes, apurement m // vt vérifier, apurer.

audition [ɔ:'dɪʃən] n audition f.

auditor ['ɔ:dɪtə*] n vérificateur m des comptes.

auditorium [ɔ:dɪ'tɔ:rɪəm] n auditorium m, salle f de concert or de spectacle.

augment [ɔ:g'mɛnt] vt,vi augmenter.

augur ['ɔ:gə*] vt (be a sign of) présager, annoncer // vi: **it** ~**s well** c'est bon signe or de bon augure, cela s'annonce bien.

August ['ɔ:gəst] n août m.

august [ɔ:'gʌst] a majestueux(euse), imposant(e).

aunt [ɑ:nt] n tante f ; ~**ie**, ~**y** n diminutive of **aunt**.

au pair ['əu'pɛə*] n (also: ~ **girl**) jeune fille f au pair.

aura ['ɔ:rə] n atmosphère f.

auspices ['ɔ:spɪsɪz] npl: **under the** ~ **of** sous les auspices de.

auspicious [ɔ:s'pɪʃəs] a de bon augure, propice.

austere [ɒs'tɪə*] a austère.

Australia [ɒs'treɪlɪə] n Australie f ; ~**n** a australien(ne) // n Australien/ne.

Austria ['ɒstrɪə] n Autriche f ; ~**n** a autrichien(ne) // n Autrichien/ne.

authentic [ɔ:'θɛntɪk] a authentique ; ~**ate** vt établir l'authenticité de.

author ['ɔ:θə*] n auteur m.

authoritarian [ɔ:θɒrɪ'tɛərɪən] a autoritaire.

authoritative [ɔ:'θɒrɪtətɪv] a (account) digne de foi ; (study, treatise) qui fait autorité ; (manner) autoritaire.

authority [ɔ:'θɒrɪtɪ] n autorité f ; (permission) autorisation (formelle) ; **the authorities** npl les autorités fpl, l'administration f.

authorize ['ɔ:θəraɪz] vt autoriser.

authorship ['ɔ:θəʃɪp] n paternité f (littéraire etc).

autistic [ɔ:'tɪstɪk] a autistique.

auto ['ɔ:təu] n (US) auto f, voiture f.

autobiography [ɔ:təbaɪ'ɒgrəfɪ] n autobiographie f.

autocratic [ɔ:tə'krætɪk] a autocratique.

autograph ['ɔ:təgrɑ:f] n autographe m // vt signer, dédicacer.

automatic [ɔ:tə'mætɪk] a automatique // n (gun) automatique m ; ~**ally** ad automatiquement.

automation [ɔ:tə'meɪʃən] n automatisation f.

automaton, pl **automata** [ɔ:'tɒmətən, -tə] n automate m.

automobile ['ɔ:təməbi:l] n (US) automobile f.

autonomous [ɔ:'tɒnəməs] a autonome.

autonomy [ɔ:'tɒnəmɪ] n autonomie f.

autopsy ['ɔ:tɒpsɪ] n autopsie f.

autumn ['ɔ:təm] n automne m.

auxiliary [ɔ:g'zɪlɪərɪ] a auxiliaire // n auxiliaire m/f.

Av. abbr of **avenue**.

avail [ə'veɪl] vt: **to** ~ **o.s.** of user de ; profiter de // n: **to no** ~ sans résultat, en vain, en pure perte.

availability [əveɪlə'bɪlɪtɪ] n disponibilité f.

available [ə'veɪləbl] a disponible ; **every** ~ **means** tous les moyens possibles or à sa (or notre etc) disposition.

avalanche ['ævəlɑ:nʃ] n avalanche f.

avant-garde ['ævɒŋ'gɑ:d] a d'avant-garde.

avaricious [ævə'rɪʃəs] a avare.

Ave. abbr of **avenue**.

avenge [ə'vɛndʒ] vt venger.

avenue ['ævənju:] n avenue f.

average ['ævərɪdʒ] n moyenne f // a moyen(ne) // vt (a certain figure) atteindre or faire etc en moyenne ; **on** ~ en moyenne ; **above/below (the)** ~ au-dessus/en-dessous de la moyenne ; **to** ~ **out** vi: **to** ~ **out at** représenter en moyenne, donner une moyenne de.

averse [ə'və:s] a: **to be** ~ **to sth/doing** éprouver une forte répugnance envers qch/à faire ; **I wouldn't be** ~ **to a drink** un petit verre ne serait pas de refus, je ne dirais pas non à un petit verre.

aversion [ə'və:ʃən] n aversion f, répugnance f.

avert [ə'və:t] vt prévenir, écarter ; (one's eyes) détourner.

aviary ['eɪvɪərɪ] n volière f.

aviation [eɪvɪ'eɪʃən] n aviation f.

avid ['ævɪd] a avide ; ~**ly** ad avidement, avec avidité.

avocado [ævə'kɑ:dəu] n (also: ~ **pear**) avocat m.

avoid [ə'vɔɪd] vt éviter ; ~**able** a évitable ; ~**ance** n le fait d'éviter.

await [ə'weɪt] vt attendre ; ~**ing atten-tion/delivery** (COMM) en souffrance.

awake [ə'weɪk] a éveillé(e) ; (fig) en éveil // vb (pt **awoke** [ə'wəuk], pp **awoken** [ə'wəukən] or **awaked**) vt éveiller // vi s'éveiller ; ~ **to** conscient de ; **he was still** ~ il ne dormait pas encore ; ~**ning** [ə'weɪknɪŋ] n réveil m.

award [ə'wɔ:d] n récompense f, prix m // vt (prize) décerner ; (LAW: damages) accorder.

aware [ə'wɛə*] a: ~ **of** (conscious) conscient(e) de ; (informed) au courant de ; **to become** ~ **of** avoir conscience de, prendre conscience de ; se rendre compte de ; **politically/socially** ~ sensibilisé aux or ayant pris conscience des problèmes politiques/sociaux ; ~**ness** n le fait d'être conscient, au courant etc.

awash [ə'wɒʃ] a recouvert(e) (d'eau) ; ~ **with** inondé(e) de.

away [ə'weɪ] *a,ad* (au) loin ; absent(e) ; **two kilometres** ~ à (une distance de) deux kilomètres, à deux kilomètres de distance ; **two hours** ~ **by car** à deux heures de voiture *or* de route ; **the holiday was two weeks** ~ il restait deux semaines jusqu'aux vacances ; ~ **from** loin de ; **he's** ~ **for a week** il est parti (pour) une semaine ; **to take** ~ *vt* emporter ; **to work/pedal/laugh** etc ~ *la particule indique la constance et l'énergie de l'action*: il pédalait *etc* tant qu'il pouvait ; **to fade/wither** etc ~ *la particule renforce l'idée de la disparition, l'éloignement*; ~ **match** *n* (SPORT) match *m* à l'extérieur.

awe [ɔ:] *n* respect mêlé de crainte, effroi mêlé d'admiration ; ~**inspiring**, ~**some** *a* impressionnant(e) ; ~**struck** *a* frappé(e) d'effroi.

awful ['ɔ:fəl] *a* affreux(euse) ; ~**ly** *ad* (very) terriblement, vraiment.

awhile [ə'waɪl] *ad* un moment, quelque temps.

awkward ['ɔ:kwəd] *a* (clumsy) gauche, maladroit(e) ; (inconvenient) malaisé(e), d'emploi malaisé, peu pratique ; (embarrassing) gênant(e), délicat(e).

awl [ɔ:l] *n* alêne *f*.

awning ['ɔ:nɪŋ] *n* (of tent) auvent *m* ; (of shop) store *m* ; (of hotel etc) marquise *f* (de toile).

awoke, awoken [ə'wəuk, -kən] *pt,pp* of **awake**.

awry [ə'raɪ] *ad,a* de travers ; **to go** ~ mal tourner.

axe, ax (US) [æks] *n* hache *f* // *vt* (employee) renvoyer ; (project etc) abandonner ; (jobs) supprimer.

axiom ['æksɪəm] *n* axiome *m*.

axis, *pl* **axes** ['æksɪs, -si:z] *n* axe *m*.

axle ['æksl] *n* (also: ~**-tree**) essieu *m*.

ay(e) [aɪ] *excl* (yes) oui ; **the ayes** *npl* les oui.

azure ['eɪʒə*] *a* azuré(e).

B

B [bi:] *n* (MUS) si *m*.

B.A. *abbr see* **bachelor**.

babble ['bæbl] *vi* babiller // *n* babillage *m*.

baboon [bə'bu:n] *n* babouin *m*.

baby ['beɪbɪ] *n* bébé *m* ; ~ **carriage** *n* (US) voiture *f* d'enfant ; ~**hood** *n* petite enfance ; ~**ish** *a* enfantin(e), de bébé ; ~**sit** *vi* garder les enfants ; ~**sitter** *n* baby-sitter *m/f*.

bachelor ['bætʃələ*] *n* célibataire *m* ; **B**~ **of Arts/Science** **(B.A./B.Sc.)** ≈ licencié/e ès *or* en lettres/sciences ; **B**~ **of Arts/Science degree (B.A./B.Sc.)** ≈ licence *f* ès *or* en lettres/ sciences ; ~**hood** *n* célibat *m*.

back [bæk] *n* (of person, horse) dos *m* ; (of hand) dos, revers *m* ; (of house) derrière *m* ; (of car, train) arrière *m* ; (of chair) dossier *m* ; (of page) verso *m* ; (FOOTBALL) arrière *m* // *vt* (candidate: also: ~ **up**) soutenir, appuyer ; (horse: at races) parier *or* miser sur ; (car) (faire) reculer // *vi* reculer ; (car etc) faire marche arrière // *a* (in compounds) de derrière, à l'arrière ; ~

seats/wheels (AUT) sièges *mpl*/roues *fpl* arrière ; ~ **payments/rent** arriéré *m* de paiements/loyer // *ad* (not forward) en arrière ; (returned): **he's** ~ il est rentré, il est de retour ; **he ran** ~ il est revenu en courant ; (restitution): **throw the ball** ~ renvoie la balle ; **can I have it** ~? puis-je le ravoir?, peux-tu me le rendre? ; (again): **he called** ~ il a rappelé ; **to** ~ **down** *vi* rabattre de ses prétentions ; **to** ~ **out** *vi* (of promise) se dédier ; ~**ache** *n* maux *mpl* de reins ; ~**bencher** *n* membre du parlement sans portefeuille ; ~**biting** *n* médisance(s) *f(pl)* ; ~**bone** *n* colonne vertébrale, épine dorsale ; ~**cloth** *n* toile *f* de fond ; ~**date** *vt* (letter) antidater ; ~**dated pay rise** augmentation *f* avec effet rétroactif ; ~**er** *n* partisan *m* ; (COMM) commanditaire *m* ; ~**fire** *vi* (AUT) pétarader ; (plans) mal tourner ; ~**gammon** *n* trictrac *m* ; ~**ground** *n* arrière-plan *m* ; (of events) situation *f*, conjoncture *f* ; (basic knowledge) éléments *mpl* de base ; (experience) formation *f* ; **family** ~**ground** milieu familial ; ~**ground noise** *n* bruit *m* de fond ; ~**hand** *n* (TENNIS: also: ~**hand stroke**) revers *m* ; ~**handed** *a* (fig) déloyal(e) ; équivoque ; ~**hander** *n* (bribe) pot-de-vin *m* ; ~**ing** *n* (fig) soutien *m*, appui *m* ; ~**lash** *n* contre-coup *m*, répercussion *f* ; ~**log** *n*: ~**log of work** travail *m* en retard ; ~ **number** *n* (of magazine etc) vieux numéro ; ~ **pay** *n* rappel *m* de traitement ; ~**side** *n* (col) derrière *m*, postérieur *m* ; ~**stroke** *n* nage *f* sur le dos ; ~**ward** *a* (movement) en arrière ; (measure) rétrograde ; (person, country) arriéré(e) ; attardé(e) ; (shy) hésitant(e) ; ~**ward and forward movement** mouvement de va-et-vient ; ~**wards** *ad* (move, go) en arrière ; (read a list) à l'envers, à rebours ; (fall) à la renverse ; (walk) à reculons ; (in time) en arrière, vers le passé ; ~**water** *n* (fig) coin reculé ; bled perdu ; ~**yard** *n* arrière-cour *f*.

bacon ['beɪkən] *n* bacon *m*, lard *m*.

bacteria [bæk'tɪərɪə] *npl* bactéries *fpl*.

bad [bæd] *a* mauvais(e) ; (child) vilain(e) ; (meat, food) gâté(e), avarié(e) ; **his** ~ **leg** sa jambe malade.

bade [bæd] *pt* of **bid**.

badge [bædʒ] *n* insigne *m* ; (of policemen) plaque *f*.

badger ['bædʒə*] *n* blaireau *m* // *vt* harceler.

badly ['bædlɪ] *ad* (work, dress etc) mal ; ~ **wounded** grièvement blessé ; **he needs it** ~ il en a absolument besoin ; ~ **off** *a,ad* dans la gêne.

badminton ['bædmɪntən] *n* badminton *m*.

bad-tempered ['bæd'tempəd] *a* ayant mauvais caractère ; de mauvaise humeur.

baffle ['bæfl] *vt* (puzzle) déconcerter.

bag [bæg] *n* sac *m* ; (of hunter) gibecière *f* ; chasse *f* // *vt* (col: take) empocher ; s'approprier ; (TECH) mettre en sacs ; ~**s under the eyes** poches *fpl* sous les yeux ; ~**ful** *n* plein sac ; ~**gage** *n* bagages *mpl* ; ~**gy** *a* avachi(e), qui fait des poches ; ~**pipes** *npl* cornemuse *f*.

Bahamas [bə'hɑ:məz] *npl*: **the** ~ les Bahamas *fpl*.

bail [beɪl] *n* caution *f* // *vt* (*prisoner: gen*: **to give ~ to**) mettre en liberté sous caution ; (*boat: also*: **~ out**) écoper ; *see* **bale** ; **to ~ out** *vt* (*prisoner*) payer la caution de.

bailiff ['beɪlɪf] *n* huissier *m*.

bait [beɪt] *n* appât *m* // *vt* appâter ; (*fig*) tourmenter.

bake [beɪk] *vt* (faire) cuire au four // *vi* cuire (au four) ; faire de la pâtisserie ; **~d beans** *npl* haricots blancs à la sauce tomate ; **~r** *n* boulanger *m* ; **~ry** *n* boulangerie *f* ; boulangerie industrielle ; **baking** *n* cuisson *f* ; **baking powder** *n* levure *f* (chimique).

balaclava [bælə'klɑ:və] *n* (*also*: **~ helmet**) passe-montagne *m*.

balance ['bæləns] *n* équilibre *m* ; (*COMM*: *sum*) solde *m* ; (*scales*) balance *f* ; (*ECON*: *of trade etc*) balance // *vt* mettre *or* faire tenir en équilibre ; (*pros and cons*) peser ; (*budget*) équilibrer ; (*account*) balancer ; (*compensate*) compenser, contrebalancer ; **~ of trade/payments** balance commerciale/des comptes *or* paiements ; **~d** *a* (*personality, diet*) équilibré(e) ; **~ sheet** *n* bilan *m* ; **~ wheel** *n* balancier *m*.

balcony ['bælkənɪ] *n* balcon *m*.

bald [bɔ:ld] *a* chauve ; (*tree, hill*) dénudé(e) ; **~ness** *n* calvitie *f*.

bale [beɪl] *n* balle *f*, ballot *m* ; **to ~ out** *vi* (*of a plane*) sauter en parachute.

baleful ['beɪlful] *a* funeste, maléfique.

balk [bɔ:k] *vi*: **to ~ (at)** regimber (contre) ; (*horse*) se dérober (devant).

ball [bɔ:l] *n* boule *f* ; (*football*) ballon *m* ; (*for tennis, golf*) balle *f* ; (*dance*) bal *m*.

ballad ['bæləd] *n* ballade *f*.

ballast ['bæləst] *n* lest *m*.

ballerina [bælə'ri:nə] *n* ballerine *f*.

ballet ['bæleɪ] *n* ballet *m* ; (*art*) danse *f* (classique).

ballistics [bə'lɪstɪks] *n* balistique *f*.

balloon [bə'lu:n] *n* ballon *m* ; (*in comic strip*) bulle *f* ; **~ist** *n* aéronaute *m/f*.

ballot ['bælət] *n* scrutin *m* ; **~ box** *n* urne (électorale) ; **~ paper** *n* bulletin *m* de vote.

ball-point pen ['bɔ:lpɔɪnt'pɛn] *n* stylo *m* à bille.

ballroom ['bɔ:lrum] *n* salle *f* de bal.

balmy ['bɑ:mɪ] *a* (*breeze, air*) doux(douce) ; (*col*) = **barmy**.

balsam ['bɔ:lsəm] *n* baume *m*.

Baltic [bɔ:ltɪk] *a,n*: **the ~ (Sea)** la (mer) Baltique.

bamboo [bæm'bu:] *n* bambou *m*.

bamboozle [bæm'bu:zl] *vt* (*col*) embobiner.

ban [bæn] *n* interdiction *f* // *vt* interdire.

banal [bə'nɑ:l] *a* banal(e).

banana [bə'nɑ:nə] *n* banane *f*.

band [bænd] *n* bande *f* ; (*at a dance*) orchestre *m* ; (*MIL*) musique *f*, fanfare *f* ; **to ~ together** *vi* se liguer.

bandage ['bændɪdʒ] *n* bandage *m*, pansement *m*.

bandit ['bændɪt] *n* bandit *m*.

bandwagon ['bændwægən] *n*: **to jump on the ~** (*fig*) monter dans *or* prendre le train en marche.

bandy ['bændɪ] *vt* (*jokes, insults*) échanger ; **to ~ about** *vt* employer à tout bout de champ *or* à tort et à travers.

bandy-legged ['bændɪ'lɛgd] *a* aux jambes arquées.

bang [bæŋ] *n* détonation *f* ; (*of door*) claquement *m* ; (*blow*) coup (violent) // *vt* frapper (violemment) ; (*door*) claquer // *vi* détoner ; claquer ; **to ~ at the door** cogner à la porte.

banger ['bæŋə*] *n* (*car*: *gen*: **old ~**) (*vieux*) tacot.

bangle ['bæŋgl] *n* bracelet *m*.

banish ['bænɪʃ] *vt* bannir.

banister(s) ['bænɪstə(z)] *n(pl)* rampe *f* (d'escalier).

banjo, ~es *or* **~s** ['bændʒəu] *n* banjo *m*.

bank [bæŋk] *n* banque *f* ; (*of river, lake*) bord *m*, rive *f* ; (*of earth*) talus *m*, remblai *m* // *vi* (*AVIAT*) virer sur l'aile ; (*COMM*): **they ~ with Pitt's** leur banque *or* banquier est Pitt's ; **to ~ on** *vt fus* miser *or* tabler sur ; **~ account** *n* compte *m* en banque ; **~er** *n* banquier *m* ; **B~ holiday** *n* jour férié (*où les banques sont fermées*) ; **~ing** *n* opérations *fpl* bancaires ; profession *f* de banquier ; **~ing hours** *npl* heures *fpl* d'ouverture des banques ; **~note** *n* billet *m* de banque ; **~ rate** *n* taux *m* de l'escompte.

bankrupt ['bæŋkrʌpt] *n* failli/e // *à* en faillite ; **to go ~** faire faillite ; **~cy** *n* faillite *f*.

banner ['bænə*] *n* bannière *f*.

bannister(s) ['bænɪstə(z)] *n(pl)* = **banister(s)**.

banns [bænz] *npl* bans *mpl* (de mariage).

banquet ['bæŋkwɪt] *n* banquet *m*, festin *m*.

bantam-weight ['bæntəmweɪt] *n* poids *m* coq *inv*.

banter ['bæntə*] *n* badinage *m*.

baptism ['bæptɪzəm] *n* baptême *m*.

Baptist ['bæptɪst] *n* baptiste *m/f*.

baptize [bæp'taɪz] *vt* baptiser.

bar [bɑ:*] *n* barre *f* ; (*of window etc*) barreau *m* ; (*of chocolate*) tablette *f*, plaque *f* ; (*fig*) obstacle *m* ; mesure *f* d'exclusion ; (*pub*) bar *m* ; (*counter: in pub*) comptoir *m*, bar ; (*MUS*) mesure *f* // *vt* (*road*) barrer ; (*window*) munir de barreaux ; (*person*) exclure ; (*activity*) interdire ; **~ of soap** savonnette *f* ; **the B~** (*LAW*) le barreau ; **~ none** sans exception.

Barbados [bɑ:'beɪdɔs] *n* Barbade *f*.

barbaric [bɑ:'bærɪk] *a* barbare.

barbarous ['bɑ:bərəs] *a* barbare, cruel(le).

barbecue ['bɑ:bɪkju:] *n* barbecue *m*.

barbed wire ['bɑ:bd'waɪə*] *n* fil *m* de fer barbelé.

barber ['bɑ:bə*] *n* coiffeur *m* (pour hommes).

barbiturate [bɑ:'bɪtjurɪt] *n* barbiturique *m*.

bare [bɛə*] *a* nu(e) // *vt* mettre à nu, dénuder ; (*teeth*) montrer ; **the ~ essentials** le strict nécessaire ; **~back** *ad* à cru, sans selle ; **~faced** *a* impudent(e), effronté(e) ; **~foot** *a,ad* nu-pieds, (les) pieds nus ; **~headed** *a,ad* nu-tête, (la) tête nue ; **~ly** *ad* à peine.

bargain ['bɑːgɪn] n (transaction) marché m; (good buy) affaire f, occasion f // vi (haggle) marchander; (trade) négocier, traiter; **into the ~** par-dessus le marché.
barge [bɑːdʒ] n péniche f; **to ~ in** vi (walk in) faire irruption; (interrupt talk) intervenir mal à propos; **to ~ into** vt fus rentrer dans.
baritone ['bærɪtəun] n baryton m.
bark [bɑːk] n (of tree) écorce f; (of dog) aboiement m // vi aboyer.
barley ['bɑːlɪ] n orge f.
barmaid ['bɑːmeɪd] n serveuse f (de bar), barmaid f.
barman ['bɑːmən] n serveur m (de bar), barman m.
barmy ['bɑːmɪ] a (col) timbré(e), cinglé(e).
barn [bɑːn] n grange f.
barnacle ['bɑːnəkl] n anatife m, bernache f.
barometer [bə'rɒmɪtə*] n baromètre m.
baron ['bærən] n baron m; **~ess** baronne f.
barracks ['bærəks] npl caserne f.
barrage ['bærɑːʒ] n (MIL) tir m de barrage; (dam) barrage m.
barrel ['bærəl] n tonneau m; (of gun) canon m; **~ organ** n orgue m de Barbarie.
barren ['bærən] a stérile; (hills) aride.
barricade [bærɪ'keɪd] n barricade f // vt barricader.
barrier ['bærɪə*] n barrière f.
barring ['bɑːrɪŋ] prep sauf.
barrister ['bærɪstə*] n avocat (plaidant).
barrow ['bærəu] n (cart) charrette f à bras.
bartender ['bɑːtɛndə*] n (US) barman m.
barter ['bɑːtə*] n échange m, troc m // vt: **to ~ sth for** échanger qch contre.
base [beɪs] n base f // vt: **to ~ sth on** baser or fonder qch sur // a vil(e), bas(se); **coffee-~d** à base de café; **a Paris-~d firm** une maison opérant de Paris or dont le siège est à Paris; **~ball** n base-ball m; **~ment** n sous-sol m.
bases [beɪsɪːz] npl of **basis**; ['beɪsɪz] npl of **base**.
bash [bæʃ] vt (col) frapper, cogner; **~ed in** a enfoncé(e), défoncé(e).
bashful ['bæʃful] a timide; modeste.
bashing ['bæʃɪŋ] n (col) raclée f.
basic ['beɪsɪk] a fondamental(e), de base; réduit(e) au minimum, rudimentaire; **~ally** [-lɪ] ad fondamentalement, à la base; en fait, au fond.
basil ['bæzl] n basilic m.
basin ['beɪsn] n (vessel, also GEO) cuvette f, bassin m; (for food) bol m; (also: **wash~**) lavabo m.
basis ['beɪsɪs], pl **bases** ['beɪsɪːz, -sɪːz] n base f.
bask [bɑːsk] vi: **to ~ in the sun** se chauffer au soleil.
basket ['bɑːskɪt] n corbeille f; (with handle) panier m; **~ball** n basket-ball m.
bass [beɪs] n (MUS) basse f; **~ clef** n clé f de fa.
bassoon [bə'suːn] n basson m.
bastard ['bɑːstəd] n enfant naturel(le), bâtard/e; (col!) salaud m(!).
baste [beɪst] vt (CULIN) arroser; (SEWING) bâtir, faufiler.

bastion ['bæstɪən] n bastion m.
bat [bæt] n chauve-souris f; (for baseball etc) batte f; (for table tennis) raquette f; **off one's own ~** de sa propre initiative; **he didn't ~ an eyelid** il n'a pas sourcillé or bronché.
batch [bætʃ] n (of bread) fournée f; (of papers) liasse f.
bated ['beɪtɪd] a: **with ~ breath** en retenant son souffle.
bath [bɑːθ], pl **bɑːðz** n see also **baths**; bain m; (bathtub) baignoire f // vt baigner, donner un bain à; **to have a ~** prendre un bain; **~chair** n fauteuil roulant.
bathe [beɪð] vi se baigner // vt baigner; **~r** n baigneur/euse.
bathing ['beɪðɪŋ] n baignade f; **~ cap** n bonnet m de bain; **~ costume** n maillot m (de bain).
bath: ~mat n tapis m de bain; **~room** n salle f de bains; **~s** npl établissement m de bains(-douches); **~ towel** n serviette f de bain.
batman ['bætmən] n (MIL) ordonnance f.
baton ['bætən] n bâton m; (MUS) baguette f; (club) matraque f.
battalion [bə'tælɪən] n bataillon m.
batter ['bætə*] vt battre // n pâte f à frire; **~ed** a (hat, pan) cabossé(e); **~ed wife/child** épouse/enfant maltraité(e) or martyr(e); **~ing ram** n bélier m (fig).
battery ['bætərɪ] n batterie f; (of torch) pile f.
battle ['bætl] n bataille f, combat m // vi se battre, lutter; **~ dress** n tenue f de campagne or d'assaut; **~field** n champ m de bataille; **~ments** npl remparts mpl; **~ship** n cuirassé m.
baulk [bɔːlk] vi = **balk**.
bawdy ['bɔːdɪ] a paillard(e).
bawl [bɔːl] vi hurler, brailler.
bay [beɪ] n (of sea) baie f; **to hold sb at ~** tenir qn à distance or en échec.
bayonet ['beɪənɪt] n baïonnette f.
bay window ['beɪ'wɪndəu] n baie vitrée.
bazaar [bə'zɑː*] n bazar m; vente f de charité.
bazooka [bə'zuːkə] n bazooka m.
b. & b., B. & B. abbr see **bed**.
BBC n abbr of British Broadcasting Corporation (office de la radiodiffusion et télévision britannique).
B.C. ad (abbr of before Christ) av. J.-C.
BCG n (abbr of Bacillus Calmette-Guérin) BCG.
be, pt **was, were**, pp **been** [biː, wɔz, wə:*, biːn] vi être; **how are you?** comment allez-vous?; **I am warm** j'ai chaud; **it is cold** il fait froid; **how much is it?** combien ça coûte?; **he is four (years old)** il a quatre ans; **2 and 2 are 4** 2 et 2 font 4; **where have you been?** où êtes-vous allé(s)?; où étiez-vous?.
beach [biːtʃ] n plage f // vt échouer; **~wear** n tenues fpl de plage.
beacon ['biːkən] n (lighthouse) fanal m; (marker) balise f.
bead [biːd] n perle f.
beak [biːk] n bec m.
beaker ['biːkə*] n gobelet m.

beam [bi:m] n poutre f; (of light) rayon m // vi rayonner; ~**ing** a (sun, smile) radieux(euse).

bean [bi:n] n haricot m; (of coffee) grain m.

bear [bɛə*] n ours m // vb (pt bore, pp borne [bɔ:*, bɔ:n]) vt porter; (endure) supporter // vi: to ~ **right/left** obliquer à droite/gauche, se diriger vers la droite/gauche; to ~ **the responsibility of** assumer la responsabilité de; to ~ **comparison with** soutenir la comparaison avec; ~**able** a supportable.

beard [biəd] n barbe f; ~**ed** a barbu(e).

bearer [bɛərə*] n porteur m.

bearing [bɛərɪŋ] n maintien m, allure f; (connection) rapport m; (ball) ~**s** npl roulements mpl (à billes); to take a ~ faire le point; to find one's ~**s** s'orienter.

beast [bi:st] n bête f; (col): he's a ~ c'est une brute; ~**ly** a infect(e).

beat [bi:t] n battement m; (MUS) temps m; mesure f; (of policeman) ronde f // vt (pt beat, pp beaten) battre; **off the** ~**en track** hors des chemins or sentiers battus; to ~ **about the bush** tourner autour du pot; to ~ **time** battre la mesure; to ~ **off** vt repousser; to ~ **up** vt (col: person) tabasser; (eggs) battre; ~**er** n (for eggs, cream) fouet m, batteur m; ~**ing** n raclée f.

beautician [bju:'tɪʃən] n esthéticien/ne.

beautiful [bju:tɪful] a beau(belle); ~**ly** ad admirablement.

beautify [bju:tɪfaɪ] vt embellir.

beauty [bju:tɪ] n beauté f; ~ **salon** n institut m de beauté; ~ **spot** n grain m de beauté; (TOURISM) site naturel (d'une grande beauté).

beaver [bi:və*] n castor m.

becalmed [bɪ'kɑːmd] a immobilisé(e) par le calme plat.

became [bɪ'keɪm] pt of **become**.

because [bɪ'kɔz] cj parce que; ~ **of** prep à cause de.

beckon [bɛkən] vt (also: ~ to) faire signe (de venir) à.

become [bɪ'kʌm] vt (irg: like **come**) devenir; to ~ **fat/thin** grossir/maigrir; **what has** ~ **of him?** qu'est-il devenu?

becoming [bɪ'kʌmɪŋ] a (behaviour) convenable, bienséant(e); (clothes) seyant(e).

bed [bɛd] n lit m; (of flowers) parterre m; (of coal, clay) couche f; to go to ~ aller se coucher; ~ **and breakfast (b. & b.)** n (terms) chambre et petit déjeuner; ~**clothes** npl couvertures fpl et draps mpl; ~**cover** n couvre-lit m, dessus-de-lit m; ~**ding** n literie f.

bedlam [bɛdləm] n chahut m, cirque m.

bedpost [bɛdpəust] n colonne f de lit.

bedraggled [bɪ'drægld] a dépenaillé(e), les vêtements en désordre.

bed: ~**ridden** a cloué(e) au lit; ~**room** n chambre f (à coucher); ~**side** n: **at sb's** ~**side** au chevet de qn; ~**side book** n livre m de chevet; ~**sit(ter)** n chambre meublée, studio m; ~**spread** n couvre-lit m, dessus-de-lit m.

bee [bi:] n abeille f.

beech [bi:tʃ] n hêtre m.

beef [bi:f] n bœuf m.

beehive [bi:haɪv] n ruche f.

beeline [bi:laɪn] n: to make a ~ **for** se diriger tout droit vers.

been [bi:n] pp of **be**.

beer [biə*] n bière f.

beetle [bi:tl] n scarabée m; coléoptère m.

beetroot [bi:tru:t] n betterave f.

befall [bɪ'fɔːl] vi(vt) (irg: like **fall**) advenir (à).

befit [bɪ'fɪt] vt seoir à.

before [bɪ'fɔː*] prep (of time) avant; (of space) devant // cj avant que + sub; avant de // ad avant; **the week** ~ la semaine précédente or d'avant; **I've seen it** ~ je l'ai déjà vu; **I've never seen it** ~ c'est la première fois que je le vois; ~**hand** ad au préalable, à l'avance.

befriend [bɪ'frɛnd] vt venir en aide à; traiter en ami.

beg [bɛg] vi mendier // vt mendier; (favour) quémander, solliciter; (entreat) supplier.

began [bɪ'gæn] pt of **begin**.

beggar [bɛgə*] n (also: ~**man**, ~**woman**) mendiant/e.

begin, pt began, pp begun [bɪ'gɪn, -'gæn, -'gʌn] vt, vi commencer; ~**ner** n débutant/e; ~**ning** n commencement m, début m.

begrudge [bɪ'grʌdʒ] vt: to ~ **sb sth** envier qch à qn; donner qch à contrecœur or à regret à qn; **I don't** ~ **doing it** je le fais volontiers.

begun [bɪ'gʌn] pp of **begin**.

behalf [bɪ'hɑːf] n: **on** ~ **of** de la part de; au nom de; pour le compte de.

behave [bɪ'heɪv] vi se conduire, se comporter; (well: also: ~ **o.s.**) se conduire bien or comme il faut.

behaviour, behavior (US) [bɪ'heɪvjə*] n comportement m, conduite f (the latter often from a moral point of view, the former being more objective).

beheld [bɪ'hɛld] pt,pp of **behold**.

behind [bɪ'haɪnd] prep derrière; (time) en retard sur // ad derrière; en retard // n derrière m; ~ **the scenes** dans les coulisses.

behold [bɪ'həuld] vt (irg: like **hold**) apercevoir, voir.

beige [beɪʒ] a beige.

being [bi:ɪŋ] n être m; to come into ~ prendre naissance.

belated [bɪ'leɪtɪd] a tardif(ive).

belch [bɛltʃ] vi avoir un renvoi, roter // vt (gen: ~ **out**: smoke etc) vomir, cracher.

belfry [bɛlfrɪ] n beffroi m.

Belgian [bɛldʒən] a belge, de Belgique // n Belge m/f.

Belgium [bɛldʒəm] n Belgique f.

belie [bɪ'laɪ] vt démentir.

belief [bɪ'liːf] n (opinion) conviction f; (trust, faith) foi f; (acceptance as true) croyance f.

believable [bɪ'liːvəbl] a croyable.

believe [bɪ'liːv] vt,vi croire; ~**r** n croyant/e.

belittle [bɪ'lɪtl] vt déprécier, rabaisser.

bell [bɛl] n cloche f; (small) clochette f, grelot m; (on door) sonnette f; (electric) sonnerie f; **~-bottomed trousers** npl pantalon m à pattes d'éléphant.

belligerent [bɪ'lɪdʒərənt] a (at war) belligérant(e); (fig) agressif(ive).

bellow ['bɛləu] vi mugir // vt (orders) hurler.

bellows ['bɛləuz] npl soufflet m.

belly ['bɛlɪ] n ventre m; **to ~ache** vi (col) ronchonner; **~button** n nombril m.

belong [bɪ'lɔŋ] vi: **to ~ to** appartenir à; (club etc) faire partie de; **this book ~s here** ce livre va ici, la place de ce livre est ici; **~ings** npl affaires fpl, possessions fpl.

beloved [bɪ'lʌvɪd] a (bien-)aimé(e), chéri(e) // n bien-aimé/e.

below [bɪ'ləu] prep sous, au-dessous de // ad en dessous; en contre-bas; **see ~** voir plus bas or plus loin or ci-dessous.

belt [bɛlt] n ceinture f; (TECH) courroie f // vt (thrash) donner une raclée à // vi (col) filer (à toutes jambes).

bench [bɛntʃ] n banc m; (in workshop) établi m; **the B~** (LAW) la magistrature, la Cour.

bend [bɛnd] vb (pt,pp bent [bɛnt]) vt courber; (leg, arm) plier // vi se courber // n (in road) virage m, tournant m; (in pipe, river) coude m; **to ~ down** vi se baisser; **to ~ over** vi se pencher.

beneath [bɪ'niːθ] prep sous, au-dessous de; (unworthy of) indigne de // ad dessous, au-dessous, en bas.

benefactor ['bɛnɪfæktə*] n bienfaiteur m.

benefactress ['bɛnɪfæktrɪs] n bienfaitrice f.

beneficial [bɛnɪ'fɪʃəl] a salutaire; avantageux(euse).

benefit ['bɛnɪfɪt] n avantage m, profit m; (allowance of money) allocation f // vt faire du bien à, profiter à // vi: **he'll ~ from it** cela lui fera du bien, il y gagnera or s'en trouvera bien; **~ performance** n représentation f or gala m de bienfaisance.

Benelux ['bɛnɪlʌks] n Bénélux m.

benevolent [bɪ'nɛvələnt] a bienveillant(e).

bent [bɛnt] pt,pp of **bend** // n inclination f, penchant m // a (dishonest) véreux(euse); **to be ~ on** être résolu(e) à.

bequeath [bɪ'kwiːð] vt léguer.

bequest [bɪ'kwɛst] n legs m.

bereaved [bɪ'riːvd] n: **the ~** la famille du disparu.

bereavement [bɪ'riːvmənt] n deuil m.

beret ['bɛreɪ] n béret m.

Bermuda [bə:'mjuːdə] n Bermudes fpl.

berry ['bɛrɪ] n baie f.

berserk [bə'sə:k] a: **to go ~** être pris(e) d'une rage incontrôlable; se déchaîner.

berth [bə:θ] n (bed) couchette f; (for ship) poste m d'amarrage; mouillage m // vi (in harbour) venir à quai; (at anchor) mouiller.

beseech, pt,pp **besought** [bɪ'siːtʃ, -'sɔːt] vt implorer, supplier.

beset, pt,pp **beset** [bɪ'sɛt] vt assaillir.

beside [bɪ'saɪd] prep à côté de; **to be ~ o.s. (with anger)** être hors de soi.

besides [bɪ'saɪdz] ad en outre, de plus // prep en plus de; excepté.

besiege [bɪ'siːdʒ] vt (town) assiéger; (fig) assaillir.

besought [bɪ'sɔːt] pt,pp of **beseech**.

bespectacled [bɪ'spɛktkld] a à lunettes.

best [bɛst] a meilleur(e) // ad le mieux; **the ~ part of** (quantity) le plus clair de, la plus grande partie de; **at ~** au mieux; **to make the ~ of sth** s'accommoder de qch (du mieux que l'on peut); **to the ~ of my knowledge** pour autant que je sache; **to the ~ of my ability** du mieux que je pourrai; **~ man** n garçon m d'honneur.

bestow [bɪ'stəu] vt accorder; (title) conférer.

bestseller ['bɛst'sɛlə*] n bestseller m, succès m de librairie.

bet [bɛt] n pari m // vt,vi (pt,pp bet or betted) parier.

betray [bɪ'treɪ] vt trahir; **~al** n trahison f.

better ['bɛtə*] a meilleur(e) // ad mieux // vt améliorer // n: **to get the ~ of** triompher de, l'emporter sur; **you had ~ do it** vous feriez mieux de le faire; **he thought ~ of it** il s'est ravisé; **to get ~** aller mieux; s'améliorer; **~ off** a plus à l'aise financièrement; (fig): **you'd be ~ off this way** vous vous en trouveriez mieux ainsi, ce serait mieux or plus pratique ainsi.

betting ['bɛtɪŋ] n paris mpl; **~ shop** n bureau m de paris.

between [bɪ'twiːn] prep entre // ad au milieu; dans l'intervalle.

bevel ['bɛvəl] n (also: **~ edge**) biseau m.

beverage ['bɛvərɪdʒ] n boisson f (gén sans alcool).

bevy ['bɛvɪ] n: **a ~ of** un essaim or une volée de.

beware [bɪ'wɛə*] vt,vi: **to ~ (of)** prendre garde (à).

bewildered [bɪ'wɪldəd] a dérouté(e), ahuri(e).

bewitching [bɪ'wɪtʃɪŋ] a enchanteur-(teresse).

beyond [bɪ'jɔnd] prep (in space) au-delà de; (exceeding) au-dessus de // ad au-delà; **~ doubt** hors de doute; **~ repair** irréparable.

bias ['baɪəs] n (prejudice) préjugé m, parti pris; (preference) prévention f; **~(s)ed** a partial(e), montrant un parti pris.

bib [bɪb] n bavoir m, bavette f.

Bible ['baɪbl] n Bible f.

bibliography, [bɪblɪ'ɔgrəfɪ] n bibliographie f.

bicker ['bɪkə*] vi se chamailler.

bicycle ['baɪsɪkl] n bicyclette f.

bid [bɪd] n offre f; (at auction) enchère f; (attempt) tentative f // vb (pt **bade** [bæd] or **bid**, pp **bidden** ['bɪdn] or **bid**) vi faire une enchère or offre // vt faire une enchère or offre de; **to ~ sb good day** souhaiter le bonjour à qn; **~der** n: **the highest ~der** le plus offrant; **~ding** n enchères fpl.

bide [baɪd] vt: **to ~ one's time** attendre son heure.

bier [bɪə*] n bière f.

big [bɪg] a grand(e) ; gros(se).

bigamy ['bɪgəmɪ] n bigamie f.

bigheaded ['bɪg'hedɪd] a prétentieux(euse).

big-hearted ['bɪg'hɑːtɪd] a au grand cœur.

bigot ['bɪgət] n fanatique m/f, sectaire m/f ; ~ed a fanatique, sectaire ; ~ry n fanatisme m, sectarisme m.

bigwig ['bɪgwɪg] n (col) grosse légume, huile f.

bike [baɪk] n vélo m, bécane f.

bikini [bɪ'kiːnɪ] n bikini m.

bile [baɪl] n bile f.

bilingual [baɪ'lɪŋgwəl] a bilingue.

bilious ['bɪlɪəs] a bilieux(euse) ; (fig) maussade, irritable.

bill [bɪl] n note f, facture f ; (POL) projet m de loi ; (US: banknote) billet m (de banque) ; (of bird) bec m ; **to fit** or **fill the ~** (fig) faire l'affaire.

billet ['bɪlɪt] n cantonnement m (chez l'habitant).

billfold ['bɪlfəuld] n (US) portefeuille m.

billiards ['bɪlɪədz] n (jeu m de) billard m.

billion ['bɪlɪən] n (Brit) billion m (million de millions) ; (US) milliard m.

billy goat ['bɪlɪgəut] n bouc m.

bin [bɪn] n boîte f ; (also: **dust~**) poubelle f ; (for coal) coffre m ; **bread~** n boîte f or huche f à pain.

bind [baɪnd], pt,pp **bound** [baund, baund] vt attacher ; (book) relier ; (oblige) obliger, contraindre ; ~**ing** n (of book) reliure f // a (contract) constituant une obligation.

bingo ['bɪŋgəu] n sorte de jeu de loto pratiqué dans des établissements publics et connaissant une grande vogue en Grande-Bretagne.

binoculars [bɪ'nɔkjuləz] npl jumelles fpl.

bio... [baɪə'...] prefix: ~**chemistry** n biochimie f ; ~**graphic(al)** a biographique ; ~**graphy** [baɪ'ɔgrəfɪ] n biographie f ; ~**logical** a biologique ; ~**logist** [baɪ'ɔlədʒɪst] n biologiste m/f ; ~**logy** [baɪ'ɔlədʒɪ] n biologie f.

birch [bəːtʃ] n bouleau m.

bird [bəːd] n oiseau m ; (col: girl) nana f ; ~'**s-eye view** n vue f à vol d'oiseau ; (fig) vue d'ensemble or générale ; ~ **watcher** n ornithologue m/f amateur.

birth [bəːθ] n naissance f ; ~ **certificate** n acte m de naissance ; ~ **control** n limitation f des naissances ; méthode(s) contraceptive(s) ; ~**day** n anniversaire m ; ~**place** n lieu m de naissance ; ~ **rate** n (taux m de) natalité f.

biscuit ['bɪskɪt] n biscuit m.

bisect [baɪ'sɛkt] vt couper or diviser en deux.

bishop ['bɪʃəp] n évêque m.

bit [bɪt] pt of **bite** // n morceau m ; (of tool) mèche f ; (of horse) mors m ; **a ~ of** un peu de ; **a ~ mad/dangerous** un peu fou/risqué.

bitch [bɪtʃ] n (dog) chienne f ; (col!) salope f (!), garce f.

bite [baɪt] vt,vi (pt **bit** [bɪt], pp **bitten** ['bɪtn]) mordre // n morsure f ; (insect ~) piqûre f ; (mouthful) bouchée f ; **let's have**

a ~ (to eat) mangeons un morceau ; **to ~ one's nails** se ronger les ongles.

biting ['baɪtɪŋ] a mordant(e).

bitten ['bɪtn] pp of **bite**.

bitter ['bɪtə*] a amer(ère) ; (wind, criticism) cinglant(e) // n (beer) bière f (à forte teneur en houblon) ; **to the ~ end** jusqu'au bout ; ~**ness** n amertume f ; goût amer ; ~**sweet** a aigre-doux(douce).

bivouac ['bɪvuæk] n bivouac m.

bizarre [bɪ'zɑː*] a bizarre.

blab [blæb] vi jaser, trop parler // vt (also: ~ **out**) laisser échapper, aller raconter.

black [blæk] a noir(e) // n noir m // vt (shoes) cirer ; (INDUSTRY) boycotter ; **to give sb a ~ eye** pocher l'œil à qn, faire un œil au beurre noir à qn ; ~ **and blue** a couvert(e) de bleus ; ~**berry** n mûre f ; ~**bird** n merle m ; ~**board** n tableau noir ; ~**currant** n cassis m ; ~**en** vt noircir ; ~**leg** n briseur m de grève, jaune m ; ~**list** n liste noire ; ~**mail** n chantage m // vt faire chanter, soumettre au chantage ; ~**mailer** n maître-chanteur m ; ~ **market** n marché noir ; ~**out** n panne f d'électricité ; (fainting) syncope f ; (in wartime) black-out m ; **the B~ Sea** n la mer Noire ; ~**sheep** n brebis galeuse ; ~**smith** n forgeron m.

bladder ['blædə*] n vessie f.

blade [bleɪd] n lame f ; (of oar) plat m ; ~ **of grass** brin m d'herbe.

blame [bleɪm] n faute f, blâme m // vt: **to ~ sb/sth for sth** attribuer à qn/qch la responsabilité de qch ; reprocher qch à qn/qch ; **who's to ~?** qui est le fautif or coupable or responsable? ; ~**less** a irréprochable.

bland [blænd] a affable ; (taste) doux(douce), fade.

blank [blæŋk] a blanc(blanche) ; (look) sans expression, dénué(e) d'expression // n espace m vide, blanc m ; (cartridge) cartouche f à blanc.

blanket ['blæŋkɪt] n couverture f.

blare [blɛə*] vi (brass band, horns, radio) beugler.

blarney ['blɑːnɪ] n boniment m.

blasé ['blɑːzeɪ] a blasé(e).

blasphemous ['blæsfɪməs] a (words) blasphématoire ; (person) blasphémateur(trice).

blasphemy ['blæsfɪmɪ] n blasphème m.

blast [blɑːst] n souffle m ; explosion f // vt faire sauter or exploser ; ~**-off** n (SPACE) lancement m.

blatant ['bleɪtənt] a flagrant(e), criant(e).

blaze [bleɪz] n (fire) incendie m ; (fig) flamboiement m // vi (fire) flamber ; (fig) flamboyer, resplendir // vt: **to ~ a trail** (fig) montrer la voie.

blazer ['bleɪzə*] n blazer m.

bleach [bliːtʃ] n (also: **household ~**) eau f de Javel // vt (linen) blanchir ; ~**ed** a (hair) oxygéné(e), décoloré(e).

bleak [bliːk] a morne, désolé(e).

bleary-eyed ['blɪərɪ'aɪd] a aux yeux pleins de sommeil.

bleat [bliːt] n bêlement m // vi bêler.

bleed, pt,pp **bled** [bliːd, blɛd] vt, vi

saigner ; **my nose is** ~**ing** je saigne du nez.

blemish ['blɛmɪʃ] n défaut m ; (on reputation) tache f.

blend [blɛnd] n mélange m // vt mélanger // vi (colours etc) se mélanger, se fondre, s'allier.

bless, pt,pp **blessed** or **blest** [blɛs, blɛst] vt bénir ; **to be** ~**ed with** avoir le bonheur de jouir de or d'avoir ; ~**ing** n bénédiction f ; bienfait m.

blew [blu:] pt of **blow**.

blight [blaɪt] n (of plants) rouille f // vt (hopes etc) anéantir, briser.

blimey ['blaɪmɪ] excl (col) mince alors!

blind [blaɪnd] a aveugle // n (for window) store m // vt aveugler ; **to turn a** ~ **eye** (on or to) fermer les yeux (sur) ; ~ **alley** n impasse f ; ~ **corner** n virage m sans visibilité ; ~**fold** n bandeau m // a,ad les yeux bandés // vt bander les yeux à ; ~**ly** ad aveuglément ; ~**ness** n cécité f ; (fig) aveuglement m ; ~ **spot** n (AUT etc) angle m aveugle ; (fig) angle mort.

blink [blɪŋk] vi cligner des yeux ; (light) clignoter ; ~**ers** npl œillères fpl.

blinking ['blɪŋkɪn] a (col): **this** ~**...** ce fichu or sacré ... .

bliss [blɪs] n félicité f, bonheur m sans mélange.

blister ['blɪstə*] n (on skin) ampoule f, cloque f ; (on paintwork) boursouflure f // vi (paint) se boursoufler, se cloquer.

blithe [blaɪð] a joyeux(euse), allègre.

blithering ['blɪðərɪn] a (col): **this** ~ **idiot** cet espèce d'idiot.

blitz [blɪts] n bombardement (aérien).

blizzard ['blɪzəd] n blizzard m, tempête f de neige.

bloated ['bləʊtɪd] a (face) bouffi(e), (stomach) gonflé(e).

blob [blɒb] n (drop) goutte f ; (stain, spot) tache f.

block [blɒk] n bloc m ; (in pipes) obstruction f ; (toy) cube m ; (of buildings) pâté m (de maisons) // vt bloquer ; ~**ade** [-'keɪd] n blocus m // vt faire le blocus de ; ~**age** n obstruction f ; ~**head** n imbécile m/f ; ~ **of flats** n immeuble (locatif) ; ~ **letters** npl majuscules fpl.

bloke [bləʊk] n (col) type m.

blonde [blɒnd] a,n blond(e).

blood [blʌd] n sang m ; ~ **donor** n donneur/euse de sang ; ~ **group** n groupe sanguin ; ~**less** (victory) sans effusion de sang ; (pale) anémié(e) ; ~ **poisoning** n empoisonnement m du sang ; ~ **pressure** n tension f (artérielle) ; ~**shed** n effusion f de sang, carnage m ; ~**shot** a: ~**shot eyes** yeux injectés de sang ; ~**stained** a taché(e) de sang ; ~**stream** n sang m, système sanguin ; ~**thirsty** a sanguinaire ; ~ **transfusion** n transfusion f de sang ; ~**y** a sanglant(e) ; (col!): **this** ~**y ...** ce foutu..., ce putain de... (!) ; ~**y strong/good** (col!) vachement or sacrément fort/bon ; ~**y-minded** a (col) contrariant(e), obstiné(e).

bloom [blu:m] n fleur f ; (fig) épanouissement m // vi être en fleur ; (fig) s'épanouir ; être florissant ; ~**ing** a (col): **this** ~**ing...** ce fichu or sacré... .

blossom ['blɒsəm] n fleur(s) f(pl) // vi être en fleurs ; (fig) s'épanouir.

blot [blɒt] n tache f // vt tacher ; (ink) sécher ; **to** ~ **out** vt (memories) effacer ; (view) cacher, masquer ; (nation, city) annihiler.

blotchy ['blɒtʃɪ] a (complexion) couvert(e) de marbrures.

blotting paper ['blɒtɪŋpeɪpə*] n buvard m.

blouse [blauz] n (feminine garment) chemisier m, corsage m.

blow [bləʊ] n coup m // vb (pt **blew**, pp **blown** [blu:, bləʊn]) vi souffler // vt (glass) souffler ; (fuse) faire sauter ; **to** ~ **one's nose** se moucher ; **to** ~ **a whistle** siffler ; **to** ~ **away** vt chasser, faire s'envoler ; **to** ~ **down** vt faire tomber, renverser ; **to** ~ **off** vt emporter ; **to** ~ **off course** faire dévier ; **to** ~ **out** vi éclater, sauter ; **to** ~ **over** vi s'apaiser ; **to** ~ **up** vi exploser, sauter // vt faire sauter ; (tyre) gonfler ; (PHOT) agrandir ; ~**lamp** n chalumeau m ; ~**-out** n (of tyre) éclatement m.

blubber ['blʌbə*] n blanc m de baleine // vi (pej) pleurer comme un veau.

bludgeon ['blʌdʒən] n gourdin m, trique f.

blue [blu:] a bleu(e) ; ~ **film/joke** film m/histoire f pornographique ; **to have the** ~**s** avoir le cafard ; ~**bell** n jacinthe f des bois ; ~**bottle** n mouche f à viande ; ~**jeans** npl blue-jeans mpl ; ~**print** n (fig) projet m, plan directeur.

bluff [blʌf] vi bluffer // n bluff m // a (person) bourru(e), brusque ; **to call sb's** ~ mettre qn au défi d'exécuter ses menaces.

blunder ['blʌndə*] n gaffe f, bévue f // vi faire une gaffe or une bévue.

blunt [blʌnt] a émoussé(e), peu tranchant(e) ; (person) brusque, ne mâchant pas ses mots // vt émousser ; ~**ly** ad carrément, sans prendre de gants ; ~**ness** n (of person) brusquerie f, franchise brutale.

blur [blə:*] n tache or masse floue or confuse // vt brouiller, rendre flou.

blurt [blə:t]: **to** ~ **out** vt (reveal) lâcher ; (say) balbutier, dire d'une voix entrecoupée.

blush [blʌʃ] vi rougir // n rougeur f.

blustering ['blʌstərɪn] a fanfaron(ne).

blustery ['blʌstərɪ] a (weather) à bourrasques.

B.O. n (abbr of body odour) odeurs corporelles.

boar [bɔ:*] n sanglier m.

board [bɔ:d] n planche f ; (on wall) panneau m ; (committee) conseil m, comité m ; (in firm) conseil d'administration // vt (ship) monter à bord de ; (train) monter dans ; ~ **and lodging** n chambre f avec pension ; **full** ~ pension complète ; **with** ~ **and lodging** (job) logé nourri ; **to go by the** ~ (fig): **which goes by the** ~ (fig) qu'on laisse tomber, qu'on abandonne ; **to** ~ **up** vt (door) condamner (au moyen de planches, de tôle) ; ~**er** n pensionnaire m/f ; (SCOL) interne m/f, pensionnaire m/f ; ~**ing house** n pension f ; ~**ing school** n internat *m*, pensionnat *m* ; ~ **room** *n* salle *f* du conseil d'administration (*souvent symbole de pouvoir décisionnaire*).

boast [bəust] *vi* se vanter // *vt* s'enorgueillir de // *n* vantardise *f* ; sujet *m* d'orgueil *or* de fierté ; ~**ful** *a* vantard(e) ; ~**fulness** *n* vantardise *f*.

boat [bəut] *n* bateau *m* ; (*small*) canot *m* ; barque *f* ; **to be in the same** ~ (*fig*) être logé à la même enseigne ; ~**er** *n* (*hat*) canotier *m* ; ~**ing** *n* canotage *m* ; ~**swain** ['bəusn] *n* maître d'équipage.

bob [bɔb] *vi* (*boat, cork on water: also:* ~ **up and down**) danser, se balancer // *n* (*col*) = **shilling** ; **to** ~ **up** *vi* surgir *or* apparaître brusquement.

bobbin ['bɔbin] *n* bobine *f* ; (*of sewing machine*) navette *f*.

bobby ['bɔbi] *n* (*col*) ≈ agent *m* (de police).

bobsleigh ['bɔbslei] *n* bob *m*.

bodice ['bɔdis] *n* corsage *m*.

bodily ['bɔdili] *a* corporel(le) // *ad* physiquement ; dans son entier *or* ensemble ; en personne.

body ['bɔdi] *n* corps *m* ; (*of car*) carrosserie *f* ; (*of plane*) fuselage *m* ; (*fig: society*) organe *m*, organisme *m* ; (*fig: quantity*) ensemble *m*, masse *f* ; (*of wine*) corps *m* ; **in a** ~ en masse, ensemble ; ~**guard** *n* garde *m* du corps ; ~ **repairs** *npl* travaux *mpl* de carrosserie ; ~**work** *n* carrosserie *f*.

bog [bɔg] *n* tourbière *f* // *vt*: **to get** ~**ged down** (*fig*) s'enliser.

boggle ['bɔgl] *vi*: **the mind** ~**s** c'est incroyable, on en reste sidéré.

bogie ['bəugi] *n* bogie *m*.

bogus ['bəugəs] *a* bidon *inv* ; fantôme.

boil [bɔil] *vt* (faire) bouillir // *vi* bouillir // *n* (*MED*) furoncle *m* ; **to come to the** ~ bouillir ; **to** ~ **down** *vi* (*fig*): **to** ~ **down to** se réduire *or* ramener à ; ~**er** *n* chaudière *f* ; ~**er suit** *n* bleu *m* de travail, combinaison *f* ; ~**ing hot** *a* brûlant(e), bouillant(e) ; ~**ing point** *n* point *m* d'ébullition.

boisterous ['bɔistərəs] *a* bruyant(e), tapageur(euse).

bold [bəuld] *a* hardi(e), audacieux(euse) ; (*pej*) effronté(e) ; (*outline, colour*) franc(franche), tranché(e), marqué(e) ; ~**ness** *n* hardiesse *f*, audace *f* ; aplomb *m*, effronterie *f* ; ~ **type** *n* caractères *mpl* gras.

Bolivia [bə'liviə] *n* Bolivie *f*.

bollard ['bɔləd] *n* (*NAUT*) bitte *f* d'amarrage ; (*AUT*) borne lumineuse *or* de signalisation.

bolster ['bəulstə*] *n* traversin *m* ; **to** ~ **up** *vt* soutenir.

bolt [bəult] *n* verrou *m* ; (*with nut*) boulon *m* // *vt* verrouiller ; (*food*) engloutir // *vi* se sauver, filer (comme une flèche) ; **a** ~ **from the blue** (*fig*) un coup de tonnerre dans un ciel bleu.

bomb [bɔm] *n* bombe *f* // *vt* bombarder ; ~**ard** [bɔm'bɑ:d] *vt* bombarder ; ~**ardment** [bɔm'bɑ:dmənt] *n* bombardement *m*.

bombastic [bɔm'bæstik] *a* grandiloquent(e), pompeux(euse).

bomb disposal ['bɔmdispəuzl] *n*: ~ **unit** section *f* de déminage.

bomber ['bɔmə*] *n* caporal *m* d'artillerie ; (*AVIAT*) bombardier *m*.

bombing ['bɔmiŋ] *n* bombardement *m*.

bombshell ['bɔmʃɛl] *u* obus *m* ; (*fig*) bombe *f*.

bona fide ['bəunə'faidi] *a* de bonne foi ; (*offer*) sérieux(euse).

bond [bɔnd] *n* lien *m* ; (*binding promise*) engagement *m*, obligation *f* ; (*FINANCE*) obligation *f*.

bone [bəun] *n* os *m* ; (*of fish*) arête *f* // *vt* désosser ; ôter les arêtes de ; ~**-dry** *a* absolument sec(sèche) ; ~**r** *n* (*US*) gaffe *f*, bourde *f*.

bonfire ['bɔnfaiə*] *n* feu *m* (de joie) ; (*for rubbish*) feu *m*.

bonnet ['bɔnit] *n* bonnet *m* ; (*Brit: of car*) capot *m*.

bonus ['bəunəs] *n* prime *f*, gratification *f*.

bony ['bəuni] *a* (*arm, face, MED: tissue*) osseux(euse) ; (*meat*) plein(e) d'os ; (*fish*) plein d'arêtes.

boo [bu:] *excl* hou!, peuh! // *vt* huer // *n* huée *f*.

booby trap ['bu:bitræp] *n* engin piégé.

book [buk] *n* livre *m* ; (*of stamps etc*) carnet *m* ; (*COMM*): ~**s** comptes *mpl*, comptabilité *f* // *vt* (*ticket*) prendre ; (*seat, room*) réserver ; (*driver*) dresser un procès-verbal à ; (*football player*) prendre le nom de ; ~**able** *a*: **seats are** ~**able** on peut réserver ses places ; ~**case** *n* bibliothèque *f* (meuble) ; ~ **ends** *npl* serre-livres *m inv* ; ~**ing office** *n* bureau *m* de location ; ~**keeping** *n* comptabilité *f* ; ~**let** *n* brochure *f*, ~**maker** *n* bookmaker *m*, ~**seller** *n* libraire *m/f* ; ~**shop** *n* librairie *f* ; ~**stall** *n* kiosque *m* à journaux ; ~**store** *n* = ~**shop**.

boom [bu:m] *n* (*noise*) grondement *m* ; (*busy period*) boom *m*, vague *f* de prospérité // *vi* gronder ; prospérer.

boomerang ['bu:məræŋ] *n* boomerang *m*.

boon [bu:n] *n* bénédiction *f*, grand avantage.

boorish ['buəriʃ] *a* grossier(ère), rustre.

boost [bu:st] *n* stimulant *m*, remontant *m* ; (*MED: vaccine*) rappel *m* // *vt* stimuler.

boot [bu:t] *n* botte *f* ; (*for hiking*) chaussure *f* (de marche) ; (*for football etc*) soulier *m* ; (*Brit: of car*) coffre *m* ; **to** ~ (*in addition*) par-dessus le marché, en plus.

booth [bu:ð] *n* (*at fair*) baraque (foraine) ; (*of cinema, telephone etc*) cabine *f* ; (*also: voting* ~) isoloir *m*.

booty ['bu:ti] *n* butin *m*.

booze [bu:z] (*col*) *n* boissons *fpl* alcooliques, alcool *m* // *vi* boire, picoler.

border ['bɔ:də*] *n* bordure *f* ; bord *m* ; (*of a country*) frontière *f* ; **the B**~ la frontière entre l'Écosse et l'Angleterre ; **the B**~**s** la région frontière entre l'Écosse et l'Angleterre ; **to** ~ **on** *vt fus* être voisin(e) de, toucher à ; ~**line** *n* (*fig*) ligne *f* de démarcation ; ~**line case** *n* cas *m* limite.

bore [bɔ:*] *pt of* **bear** // *vt* (*hole*) percer ; (*person*) ennuyer, raser // *n* (*person*) raseur/euse ; (*of gun*) calibre *m* ; ~**dom** *n* ennui *m*.

boring ['bɔːrɪŋ] *a* ennuyeux(euse).

born [bɔːn] *a*: **to be ~** naître; **I was ~ in 1960** je suis né en 1960; **~ blind** aveugle de naissance; **a ~ comedian** un comédien-né.

borne [bɔːn] *pp of* **bear**.

borough ['bʌrə] *n* municipalité *f*.

borrow ['bɔrəu] *vt*: **to ~ sth (from sb)** emprunter qch (à qn).

borstal ['bɔːstl] *n* ≈ maison *f* de correction.

bosom ['buzəm] *n* poitrine *f*; (*fig*) sein *m*; **~ friend** *n* ami/e intime.

boss [bɔs] *n* patron/ne // *vt* commander; **~y** *a* autoritaire.

bosun ['bəusn] *n* maître *m* d'équipage.

botanical [bə'tænɪkl] *a* botanique.

botanist ['bɔtənɪst] *n* botaniste *m/f*.

botany ['bɔtənɪ] *n* botanique *f*.

botch [bɔtʃ] *vt* (*also*: **~ up**) saboter, bâcler.

both [bəuθ] *a* les deux, l'un(e) et l'autre // *pronoun*: **~ (of them)** les deux, tous(toutes) (les) deux, l'un(e) et l'autre; **~ of us went, we ~ went** nous y sommes allés (tous) les deux // *ad*: **they sell ~ the fabric and the finished curtains** ils vendent (et) le tissu et les rideaux (finis), ils vendent à la fois le tissu et les rideaux (finis).

bother ['bɔðə*] *vt* (*worry*) tracasser; (*needle, bait*) importuner, ennuyer; (*disturb*) déranger // *vi* (*gen*: **~ o.s.**) se tracasser, se faire du souci; **to ~ doing** prendre la peine de faire // *n*: **it is a ~ to have to do** c'est vraiment ennuyeux d'avoir à faire; **it was no ~ finding** il n'y a eu aucun problème pour *or* ça a été très facile de trouver.

bottle ['bɔtl] *n* bouteille *f*; (*baby's*) biberon *m* // *vt* mettre en bouteille(s); **to ~ up** *vt* refouler, contenir; **~neck** *n* étranglement *m*; **~-opener** *n* ouvre-bouteille *m*.

bottom ['bɔtəm] *n* (*of container, sea etc*) fond *m*; (*buttocks*) derrière *m*; (*of page, list*) bas *m*; (*of chair*) siège *m* // *a* du fond; du bas; **~less** *a* sans fond, insondable.

bough [bau] *n* branche *f*, rameau *m*.

bought [bɔːt] *pt,pp of* **buy**.

boulder ['bəuldə*] *n* gros rocher (*gén lisse, arrondi*).

bounce [bauns] *vi* (*ball*) rebondir; (*cheque*) être refusé (*étant sans provision*); (*gen*: **to ~ forward/out etc**) bondir, s'élancer // *vt* faire rebondir // *n* (*rebound*) rebond *m*.

bound [baund] *pt,pp of* **bind** // *n* (*gen pl*) limite *f*; (*leap*) bond *m* // *vt* (*leap*) bondir; (*limit*) borner // *a*: **to be ~ to do sth** (*obliged*) être obligé(e) *or* avoir obligation de faire qch; **out of ~s** dont l'accès est interdit; **he's ~ to fail** (*likely*) il est sûr d'échouer, son échec est inévitable *or* assuré; **~ for** à destination de.

boundary ['baundrɪ] *n* frontière *f*.

boundless ['baundlɪs] *a* illimité(e), sans bornes.

bout [baut] *n* période *f*; (*of malaria etc*) accès *m*, crise *f*, attaque *f*; (*BOXING etc*) combat *m*, match *m*.

bow *n* [bəu] nœud *m*; (*weapon*) arc *m*; (*MUS*) archet *m*; [bau] révérence *f*, inclination *f* (du buste *or* corps) // *vi* [bau] faire une révérence, s'incliner; (*yield*): **to ~ to or before** s'incliner devant, se soumettre à.

bowels [bauəlz] *npl* intestins *mpl*; (*fig*) entrailles *fpl*.

bowl [bəul] *n* (*for eating*) bol *m*; (*for washing*) cuvette *f*; (*ball*) boule *f*; (*of pipe*) fourneau *m* // *vi* (*CRICKET*) lancer (la balle); **~s** *n* (jeu *m* de) boules *fpl*; **to ~ over** *vt* (*fig*) renverser (*fig*).

bow-legged ['bəulegɪd] *a* aux jambes arquées.

bowler ['bəulə*] *n* joueur *m* de boules; (*CRICKET*) lanceur *m* (de la balle); (*also*: **~ hat**) (chapeau *m*) melon *m*.

bowling ['bəulɪŋ] *n* (*game*) jeu *m* de boules; **~ alley** *n* bowling *m*; jeu *m* de quilles; **~ green** *n* terrain *m* de boules (*gazonné et carré*).

bow tie ['bəu'taɪ] *n* nœud *m* papillon.

box [bɔks] *n* boîte *f*; (*also*: **cardboard ~**) carton *m*; (*THEATRE*) loge *f* // *vt* mettre en boîte; (*SPORT*) boxer avec // *vi* boxer, faire de la boxe; **~er** *n* (*person*) boxeur *m*; (*dog*) boxer *m*; **~ing** *n* (*SPORT*) boxe *f*; **B~ing Day** *n* le lendemain de Noël; **~ing gloves** *npl* gants *mpl* de boxe; **~ing ring** *n* ring *m*; **~ office** *n* bureau *m* de location; **~ room** *n* débarras *m*; chambrette *f*.

boy [bɔɪ] *n* garçon *m*; (*servant*) boy *m*.

boycott ['bɔɪkɔt] *n* boycottage *m* // *vt* boycotter.

boyfriend ['bɔɪfrend] *n* (petit) ami.

boyish ['bɔɪʃ] *a* d'enfant, de garçon.

B.R. *abbr of* **British Rail**.

bra [brɑː] *n* soutien-gorge *m*.

brace [breɪs] *n* attache *f*, agrafe *f*; (*on teeth*) appareil *m* (dentaire); (*tool*) vilbrequin *m*; (*TYP*: *also*: **~ bracket**) accolade *f* // *vt* consolider, soutenir; **~s** *npl* bretelles *fpl*; **to ~ o.s.** (*fig*) se préparer mentalement.

bracelet ['breɪslɪt] *n* bracelet *m*.

bracing ['breɪsɪŋ] *a* tonifiant(e), tonique.

bracken ['brækən] *n* fougère *f*.

bracket ['brækɪt] *n* (*TECH*) tasseau *m*, support *m*; (*group*) classe *f*, tranche *f*; (*also*: **round ~**) accolade *f*; (*also*: **round ~**) parenthèse *f*; (*gen*: **square ~**) crochet *m* // *vt* mettre entre parenthèse(s).

brag [bræg] *vi* se vanter.

braid [breɪd] *n* (*trimming*) galon *m*; (*of hair*) tresse *f*, natte *f*.

Braille [breɪl] *n* braille *m*.

brain [breɪn] *n* cerveau *m*; **~s** *npl* cervelle *f*; **he's got ~s** il est intelligent; **~less** *a* sans cervelle, stupide; **~wash** *vt* faire subir un lavage de cerveau à; **~wave** *n* idée géniale; **~y** *a* intelligent(e), doué(e).

braise [breɪz] *vt* braiser.

brake [breɪk] *n* (*on vehicle*) frein *m* // *vt,vi* freiner.

bramble ['bræmbl] *n* ronces *fpl*.

bran [bræn] *n* son *m*.

branch [brɑːntʃ] *n* branche *f*; (*COMM*) succursale *f* // *vi* bifurquer.

brand [brænd] *n* marque (commerciale) // *vt* (*cattle*) marquer (au fer rouge); (*fig*:

pej): to ~ sb a **communist** *etc* traiter *or* qualifier qn de communiste *etc*.

brandish ['brændɪʃ] *vt* brandir.

brand-new ['brænd'nju:] *a* tout(e) neuf(neuve), flambant neuf(neuve).

brandy ['brændɪ] *n* cognac *m*, fine *f*.

brash [bræʃ] *a* effronté(e).

brass [brɑ:s] *n* cuivre *m* (jaune), laiton *m*; the ~ (*MUS*) les cuivres; ~ **band** *n* fanfare *f*.

brassière ['bræsɪə*] *n* soutien-gorge *m*.

brat [bræt] *n* (*pej*) mioche *m/f*, môme *m/f*.

bravado [brə'vɑ:dəu] *n* bravade *f*.

brave [breɪv] *a* courageux(euse), brave // *n* guerrier indien // *vt* braver, affronter; ~ry *n* bravoure *f*, courage *m*.

brawl [brɔ:l] *n* rixe *f*, bagarre *f* // *vi* se bagarrer.

brawn [brɔ:n] *n* muscle *m*; (*meat*) fromage *m* de tête; ~y *a* musclé(e), costaud(e).

bray [breɪ] *n* braiement *m* // *vi* braire.

brazen ['breɪzn] *a* impudent(e), effronté(e) // *vt*: to ~ **it out** payer d'effronterie, crâner.

brazier ['breɪzɪə*] *n* brasero *m*.

Brazil [brə'zɪl] *n* Brésil *m*; ~**ian** *a* brésilien(ne) // *n* Brésilien/ne; ~ **nut** *n* noix *f* du Brésil.

breach [bri:tʃ] *vt* ouvrir une brèche dans // *n* (*gap*) brèche *f*; (*breaking*): ~ **of confidence** abus *m* de confiance; ~ **of contract** rupture *f* de contrat; ~ **of the peace** attentat *m* à l'ordre public.

bread [brɛd] *n* pain *m*; ~ **and butter** *n* tartines *fpl* (beurrées); (*fig*) subsistance *f*; ~**crumbs** *npl* miettes *fpl* de pain; (*CULIN*) chapelure *f*, panure *f*; ~ **line** *n*: to be on the ~ **line** être sans le sou *or* dans l'indigence.

breadth [brɛtθ] *n* largeur *f*.

breadwinner ['brɛdwɪnə*] *n* soutien *m* de famille.

break [breɪk] *vb* (*pt* **broke** [brəuk], *pp* **broken** ['brəukən]) *vt* casser, briser; (*promise*) rompre; (*law*) violer // *vi* (se) casser, se briser; (*weather*) tourner // *n* (*gap*) brèche *f*; (*fracture*) cassure *f*; (*rest*) interruption *f*, arrêt *m*; (:*short*) pause *f*; (:*at school*) récréation *f*; (*chance*) chance *f*, occasion *f* favorable; to ~ **one's leg** *etc* se casser la jambe *etc*; to ~ **a record** battre un record; to ~ **the news to sb** annoncer la nouvelle à qn; to ~ **down** *vt* (*figures, data*) décomposer, analyser // *vi* s'effondrer; (*MED*) faire une dépression (nerveuse); (*AUT*) tomber en panne; to ~ **even** *vi* rentrer dans ses frais; to ~ **free** *or* **loose** *vi* se dégager, s'échapper; to ~ **in** *vt* (*horse etc*) dresser // *vi* (*burglar*) entrer par effraction; to ~ **into** *vt fus* (*house*) s'introduire *or* pénétrer par effraction dans; to ~ **off** *vi* (*speaker*) s'interrompre; (*branch*) se rompre; to ~ **open** *vt* (*door etc*) forcer, fracturer; to ~ **out** *vi* éclater, se déclarer; to ~ **out in spots** se couvrir de boutons; to ~ **up** *vi* (*partnership*) cesser, prendre fin; (*friends*) se séparer // *vi* se fracasser, casser; (*fight etc*) interrompre, faire cesser; ~**able** *a* cassable, fragile; ~**age** *n* casse *f*; ~**down** *n* (*AUT*) panne *f*; (*in communications*) rupture *f*; (*MED*: *also*: **nervous** ~**down**)

dépression (nerveuse); ~**down lorry** *n* dépanneuse *f*; ~**down service** *n* service *m* de dépannage; ~**er** *n* brisant *m*.

breakfast ['brɛkfəst] *n* petit déjeuner *m*.

breakthrough ['breɪkθru:] *n* percée *f*.

breakwater ['breɪkwɔ:tə*] *n* brise-lames *m inv*, digue *f*.

breast [brɛst] *n* (*of woman*) sein *m*; (*chest*) poitrine *f*; ~**-stroke** *n* brasse *f*.

breath [brɛθ] *n* haleine *f*, souffle *m*; to go out for a ~ **of air** sortir prendre l'air; out of ~ à bout de souffle, essoufflé(e); ~**alyser** *n* alcootest *m*.

breathe [bri:ð] *vt,vi* respirer; ~r *n* moment *m* de repos *or* de répit.

breathless ['brɛθlɪs] *a* essoufflé(e), haletant(e); oppressé(e).

breath-taking *a* stupéfiant(e), à vous couper le souffle.

breed [bri:d] *vb* (*pt,pp* **bred** [brɛd]) *vt* élever, faire l'élevage de // *vi* se reproduire // *n* race *f*, variété *f*; ~**er** *n* (*person*) éleveur *m*; ~**ing** *n* reproduction *f*; élevage *m*.

breeze [bri:z] *n* brise *f*.

breezy ['bri:zɪ] *a* frais(fraîche); aéré(e); désinvolte, jovial(e).

brevity ['brɛvɪtɪ] *n* brièveté *f*.

brew [bru:] *vt* (*tea*) faire infuser; (*beer*) brasser; (*plot*) tramer, préparer // *vi* (*tea*) infuser; (*beer*) fermenter; (*fig*) se préparer, couver; ~**er** *n* brasseur *m*; ~**ery** *n* brasserie *f* (*fabrique*).

bribe [braɪb] *n* pot-de-vin *m* // *vt* acheter; soudoyer; ~**ry** *n* corruption *f*.

brick [brɪk] *n* brique *f*; ~**layer** *n* maçon *m*; ~**work** *n* briquetage *m*, maçonnerie *f*; ~**works** *n* briqueterie *f*.

bridal ['braɪdl] *a* nuptial(e); ~ **party** *n* noce *f*.

bride [braɪd] *n* mariée *f*, épouse *f*; ~**groom** *n* marié *m*, époux *m*; ~**smaid** *n* demoiselle *f* d'honneur.

bridge [brɪdʒ] *n* pont *m*; (*NAUT*) passerelle *f* (de commandement); (*of nose*) arête *f*; (*CARDS, DENTISTRY*) bridge *m* // *vt* (*river*) construire un pont sur; (*gap*) combler; **bridging loan** *n* prêt *m* de raccord.

bridle ['braɪdl] *n* bride *f* // *vt* refréner, mettre la bride à; (*horse*) brider; ~ **path** *n* piste *or* allée cavalière.

brief [bri:f] *a* bref(brève) // *n* (*LAW*) dossier *m*, cause *f* // *vt* donner des instructions à; ~s *npl* slip *m*; ~**case** *n* serviette *f*; porte-documents *m inv*; ~**ing** *n* instructions *fpl*; ~**ly** *ad* brièvement; ~**ness** *n* brièveté *f*.

brigade [brɪ'geɪd] *n* (*MIL*) brigade *f*.

brigadier [brɪgə'dɪə*] *n* brigadier général.

bright [braɪt] *a* brillant(e); (*room, weather*) clair(e); (*person*) intelligent(e), doué(e); (*colour*) vif(vive); ~**en** *vt* (*room*) éclaircir; égayer // *vi* s'éclaircir; (*person: gen*: ~**en up**) retrouver un peu de sa gaieté; ~**ly** *ad* brillamment.

brilliance ['brɪljəns] *n* éclat *m*.

brilliant ['brɪljənt] *a* brillant(e).

brim [brɪm] *n* bord *m*; ~**ful** *a* plein(e) à ras bord; (*fig*) débordant(e).

brine [braɪn] *n* eau salée; (*CULIN*) saumure *f*.

bring, *pt,pp* **brought** [brɪŋ, brɔːt] *vt*
(*thing*) apporter; (*person*) amener; **to ~
about** *vt* provoquer, entraîner; **to ~
back** *vt* rapporter; ramener; **to ~ down** *vt*
abaisser; faire s'effondrer; **to ~ forward**
vt avancer; **to ~ off** *vt* (*task, plan*) réussir,
mener à bien; **to ~ out** *vt* (*meaning*) faire
ressortir, mettre en relief; **to ~ round** *or*
to *vt* (*unconscious person*) ranimer; **to ~
up** *vt* élever; (*question*) soulever.

brink [brɪŋk] *n* bord *m*.

brisk [brɪsk] *a* vif(vive), alerte.

bristle ['brɪsl] *n* poil *m* // *vi* se hérisser;
bristling with hérissé(e) de.

Britain ['brɪtən] *n* Grande-Bretagne *f*.

British ['brɪtɪʃ] *a* britannique; **the ~** *npl*
les Britanniques *mpl*; **the ~ Isles** *npl* les
Îles *fpl* Britanniques.

Briton ['brɪtən] *n* Britannique *m/f*.

Brittany ['brɪtənɪ] *n* Bretagne *f*.

brittle ['brɪtl] *a* cassant(e), fragile.

broach [brəʊtʃ] *vt* (*subject*) aborder.

broad [brɔːd] *a* large; (*distinction*)
général(e); (*accent*) prononcé(e); **in ~
daylight** en plein jour; **~ hint** *n* allusion
transparente; **~cast** *n* émission *f* // *vb*
(*pt,pp* **broadcast**) *vt* radiodiffuser;
téléviser // *vi* émettre; **~casting** *n*
radiodiffusion *f*; télévision *f*; **~en** *vt*
élargir // *vi* s'élargir; **~ly** *ad* en gros,
généralement; **~minded** *a* large d'esprit.

brochure ['brəʊʃjʊə*] *n* prospectus *m*,
dépliant *m*.

broil [brɔɪl] *vt* rôtir; **~er** *n* (*fowl*) poulet
m (à rôtir).

broke [brəʊk] *pt* of **break** // *a* (*col*)
fauché(e); **~n** *pp* of **break** // *a*: **~n leg**
etc jambe *etc* cassée; **in ~n
French/English** dans un français/anglais
approximatif *or* hésitant; **~n-hearted** *a*
(ayant) le cœur brisé.

broker ['brəʊkə*] *n* courtier *m*.

bronchitis [brɔŋ'kaɪtɪs] *n* bronchite *f*.

bronze [brɔnz] *n* bronze *m*; **~d** *a*
bronzé(e), hâlé(e).

brooch [brəʊtʃ] *n* broche *f*.

brood [bruːd] *n* couvée *f* // *vi* (*hen, storm*)
couver; (*person*) méditer (sombrement),
ruminer; **~y** *a* (*fig*) taciturne,
mélancolique.

brook [brʊk] *n* ruisseau *m*.

broom [brʊm] *n* balai *m*; **~stick** *n*
manche *m* à balai.

Bros. *abbr of Brothers*.

broth [brɔθ] *n* bouillon *m* de viande et de
légumes.

brothel ['brɔθl] *n* maison close, bordel *m*.

brother ['brʌðə*] *n* frère *m*; **~hood** *n*
fraternité *f*; **~-in-law** *n* beau-frère *m*;
~ly *a* fraternel(le).

brought [brɔːt] *pt,pp* of **bring**.

brow [braʊ] *n* front *m*; (*rare, gen:* **eye~**)
sourcil *m*; (*of hill*) sommet *m*; **~beat** *vt*
intimider, brusquer.

brown [braʊn] *a* brun(e) // *n* (*colour*) brun
m // *vt* brunir; (*CULIN*) faire dorer, faire
roussir; **~ie** *n* jeannette *f*, éclaireuse
(cadette).

browse [braʊz] *vi* (*among books*)
bouquiner, feuilleter les livres.

bruise [bruːz] *n* bleu *m*, ecchymose *f*,
contusion *f* // *vt* contusionner, meurtrir //
vi (*fruit*) se taler, se meurtrir; **to ~ one's
arm** se faire un bleu au bras.

brunette [bruː'nɛt] *a* (*femme*) brune.

brunt [brʌnt] *n:* **the ~ of** (*attack, criticism
etc*) le plus gros de.

brush [brʌʃ] *n* brosse *f*; (*quarrel*)
accrochage *m*, prise *f* de bec // *vt* brosser;
(*gen:* **~ past**, **~ against**) effleurer, frôler;
to ~ aside *vt* écarter, balayer; **to ~ up**
vt (*knowledge*) rafraîchir, réviser; **~-off** *n:*
to give sb the ~-off envoyer qn
promener; **~wood** *n* broussailles *fpl*,
taillis *m*.

Brussels ['brʌslz] *n* Bruxelles; **~ sprout**
n chou *m* de Bruxelles.

brutal ['bruːtl] *a* brutal(e); **~ity**
[bruː'tælɪtɪ] *n* brutalité *f*.

brute [bruːt] *n* brute *f*.

brutish ['bruːtɪʃ] *a* grossier(ère), brutal(e).

B.Sc. *abbr see* **bachelor**.

bubble ['bʌbl] *n* bulle *f* // *vi* bouillonner,
faire des bulles; (*sparkle, fig*) pétiller.

buck [bʌk] *n* mâle *m* (*d'un lapin, lièvre, daim
etc*); (*US: col*) dollar *m* // *vi* ruer, lancer
une ruade; **to pass the ~ (to sb)** se
décharger de la responsabilité (sur qn); **to
~ up** *vi* (*cheer up*) reprendre du poil de
la bête, se remonter.

bucket ['bʌkɪt] *n* seau *m*.

buckle ['bʌkl] *n* boucle *f* // *vt* boucler,
attacher; (*warp*) tordre, gauchir; (: *wheel*)
voiler.

bud [bʌd] *n* bourgeon *m*; (*of flower*) bouton
m // *vi* bourgeonner; (*flower*) éclore.

Buddha ['budə] *n* Bouddha *m*; **Buddhism**
n bouddhisme *m*; **Buddhist** *a* bouddhiste
// *n* Bouddhiste *m/f*.

budding ['bʌdɪŋ] *a* (*flower*) en bouton;
(*poet etc*) en herbe; (*passion etc*)
naissant(e).

buddy ['bʌdɪ] *n* (*US*) copain *m*.

budge [bʌdʒ] *vt* faire bouger // *vi* bouger.

budgerigar ['bʌdʒərɪɡɑː*] *n* perruche *f*.

budget ['bʌdʒɪt] *n* budget *m* // *vi:* **to ~
for sth** inscrire qch au budget.

budgie ['bʌdʒɪ] *n* = **budgerigar**.

buff [bʌf] *a* (*couleur f*) chamois *m* // *n*
(*enthusiast*) mordu(e).

buffalo, *pl* **~** *or* **~es** ['bʌfələʊ] *n* buffle
m; (*US*) bison *m*.

buffer ['bʌfə*] *n* tampon *m*; **~ state** *n* état
m tampon.

buffet *n* ['bufeɪ] (*bar, food*) buffet *m* // *vt*
['bʌfɪt] gifler, frapper; secouer, ébranler.

buffoon [bə'fuːn] *n* buffon *m*, pitre *m*.

bug [bʌɡ] *n* (*insect*) punaise *f*; (: *gen*)
insecte *m*, bestiole *f*; (: *fig: germ*) virus *m*,
microbe *m*; (*spy device*) dispositif *m*
d'écoute (électronique), micro clandestin
// *vt* garnir de dispositifs d'écoute;
~bear *n* cauchemar *m*, bête noire *f*.

bugle ['bjuːɡl] *n* clairon *m*.

build [bɪld] *n* (*of person*) carrure *f*,
charpente *f* // *vt* (*pt,pp* **built** [bɪlt])
construire, bâtir; **~er** *n* entrepreneur *m*;
~ing *n* construction *f*; bâtiment *m*, construction *f*; (*habitation, offices*) immeuble
m; **~ing society** *n* société *f* de crédit
immobilier; **to ~ up** *vt* accumuler,

amasser; accroître; **~-up** n (of gas etc) accumulation f.

built [bɪlt] pt,pp of build; **well-~** a (person) bien bâti(e); **~-in** a (cupboard) encastré(e); (device) incorporé(e); intégré(e); **~-up area** n agglomération (urbaine); zone urbanisée.

bulb [bʌlb] n (BOT) bulbe m, oignon m; (ELEC) ampoule f; **~ous** a bulbeux(euse).

Bulgaria [bʌl'gɛərɪə] n Bulgarie f; **~n** a bulgare // n Bulgare m/f; (LING) bulgare m.

bulge [bʌldʒ] n renflement m, gonflement m // vi faire saillie; présenter un renflement; **to be bulging with** être plein(e) à craquer de.

bulk [bʌlk] n masse f, volume m; **in ~** (COMM) en vrac; **the ~ of** la plus grande or grosse partie de; **~head** n cloison f (étanche); **~y** a volumineux(euse), encombrant(e).

bull [bul] n taureau m; **~dog** n bouledogue.

bulldoze ['buldəuz] vt passer or raser au bulldozer; **~r** n bulldozer m.

bullet [bulɪt] n balle f (de fusil etc).

bulletin ['bulɪtɪn] n bulletin m, communiqué m.

bullfight ['bulfaɪt] n corrida f, course f de taureaux; **~er** n torero m; **~ing** n tauromachie f.

bullion ['buljən] n or m or argent m en lingots.

bullock ['bulək] n bœuf m.

bull's-eye ['bulzaɪ] n centre m (de la cible).

bully ['bulɪ] n brute f, tyran m // vt tyranniser, rudoyer; (frighten) intimider; **~ing** n brimades fpl.

bum [bʌm] n (col: backside) derrière m; (tramp) vagabond/e, traîne-savates m/f inv; **to ~ around** vi vagabonder.

bumblebee ['bʌmblbi:] n (ZOOL) bourdon m.

bump [bʌmp] n (blow) coup m, choc m; (jolt) cahot m; (on road etc, on head) bosse f // vt heurter, cogner; **to ~ along** vi avancer en cahotant; **to ~ into** vt fus rentrer dans, tamponner; **~er** n (Brit) pare-chocs m inv // a: **~er crop/harvest** récolte/moisson exceptionnelle.

bumptious ['bʌmpʃəs] a suffisant(e), prétentieux(euse).

bumpy ['bʌmpɪ] a cahoteux(euse).

bun [bʌn] n petit pain au lait; (of hair) chignon m.

bunch [bʌntʃ] n (of flowers) bouquet m; (of keys) trousseau m; (of bananas) régime m; (of people) groupe m; **~ of grapes** grappe f de raisin.

bundle ['bʌndl] n paquet m // vt (also: **~ up**) faire un paquet de; (put): **to ~ sth/sb into** fourrer or enfourner qch/qn dans; **to ~ off** vt (person) faire sortir (en toute hâte); expédier; **to ~ out** vt éjecter, sortir (sans ménagements).

bung [bʌŋ] n bonde f, bouchon m // vt (throw: gen: **~ into**) flanquer.

bungalow ['bʌŋgələu] n bungalow m.

bungle ['bʌŋgl] vt bâcler, gâcher.

bunion ['bʌnjən] n oignon m (au pied).

bunk [bʌŋk] n couchette f; **~ beds** npl lits superposés.

bunker ['bʌŋkə*] n (coal store) soute f à charbon; (MIL, GOLF) bunker m.

bunny ['bʌnɪ] n (also: **~ rabbit**) Jeannot m lapin; **~ girl** n hôtesse de cabaret.

bunting ['bʌntɪŋ] n pavoisement m, drapeaux mpl.

buoy [bɔɪ] n bouée f; **to ~ up** vt faire flotter; (fig) soutenir, épauler; **~ancy** n (of ship) flottabilité f; **~ant** a gai(e), plein(e) d'entrain.

burden ['bə:dn] n fardeau m, charge f // vt charger; (oppress) accabler, surcharger.

bureau, pl ~x [bjuə'rəu, -z] n (furniture) bureau m, secrétaire m; (office) bureau m, office m.

bureaucracy [bjuə'rɔkrəsɪ] n bureaucratie f.

bureaucrat ['bjuərəkræt] n bureaucrate m/f, rond-de-cuir m; **~ic** [-'krætɪk] a bureaucratique.

burglar ['bə:glə*] n cambrioleur m; **~ alarm** n sonnerie f d'alarme; **~ize** vt (US) cambrioler; **~y** n cambriolage m.

burgle ['bə:gl] vt cambrioler.

Burgundy ['bə:gəndɪ] n Bourgogne f.

burial ['bɛrɪəl] n enterrement m; **~ ground** n cimetière m.

burlesque [bə:'lɛsk] n caricature f, parodie f.

burly ['bə:lɪ] a de forte carrure, costaud(e).

Burma ['bə:mə] n Birmanie f; **Burmese** [-'mi:z] a de Birmanie // n, pl inv Birman/e; (LING) birman m.

burn [bə:n] vt,vi (pt,pp burned or burnt [bə:nt]) brûler // n brûlure f; **to ~ down** vt incendier, détruire par le feu; **~er** n brûleur m; **~ing question** a question brûlante.

burnish ['bə:nɪʃ] vt polir.

burnt [bə:nt] pt,pp of burn; **~ sugar** n caramel m.

burp [bə:p] (col) n rot m // vi roter.

burrow ['bʌrəu] n terrier m // vt creuser.

bursar ['bə:sə*] n économe m/f; (student) boursier/ère; **~y** n bourse f (d'études).

burst [bə:st] vb (pt,pp burst) vt crever; faire éclater // vi éclater; (tyre) crever // n explosion f; (also: **~ pipe**) rupture f; fuite f; **~ of energy** déploiement soudain d'énergie, activité soudaine; **~ of laughter** éclat m de rire; **~ blood vessel** rupture f de vaisseau sanguin; **to ~ into flames** s'enflammer soudainement; **to ~ into laughter** éclater de rire; **to ~ into tears** fondre en larmes; **to be ~ing with** être plein (à craquer) de; regorger de; **to ~ into** vt fus (room etc) faire irruption dans; **to ~ open** vi s'ouvrir violemment or soudainement; **to ~ out of** vt fus sortir précipitamment de.

bury ['bɛrɪ] vt enterrer; **to ~ one's face in one's hands** se couvrir le visage de ses mains; **to ~ one's head in the sand** (fig) pratiquer la politique de l'autruche; **to ~ the hatchet** enterrer la hache de guerre.

bus, ~es [bʌs, 'bʌsɪz] n autobus m.

bush [buʃ] n buisson m; (scrub land) brousse f.

bushel ['buʃl] n boisseau m.
bushy ['buʃı] a broussailleux(euse), touffu(e).
busily ['bızılı] ad activement.
business ['bıznıs] n (matter, firm) affaire f; (trading) affaires fpl; (job, duty) travail m; to be away on ~ être en déplacement d'affaires; it's none of my ~ cela ne me regarde pas, ce ne sont pas mes affaires; he means ~ il ne plaisante pas, il est sérieux; ~like a sérieux(euse); efficace; ~man n homme m d'affaires.
bus-stop ['bʌsstɔp] n arrêt m d'autobus.
bust [bʌst] n buste m // a (broken) fichu(e), fini(e); to go ~ faire faillite.
bustle ['bʌsl] n remue-ménage m, affairement m // vi s'affairer, se démener; bustling a (person) affairé(e); (town) très animé(e).
bust-up ['bʌstʌp] n (col) engueulade f.
busy ['bızı] a occupé(e); (shop, street) très fréquenté(e) // vt: to ~ o.s. s'occuper; ~body n mouche f du coche, âme f charitable.
but [bʌt] cj mais // prep excepté, sauf; nothing ~ rien d'autre que; ~ for sans, si ce n'était pour; all ~ finished pratiquement fini; anything ~ finished tout sauf fini, très loin d'être fini.
butane ['bju:teın] n butane m.
butcher ['butʃə*] n boucher m // vt massacrer; (cattle etc for meat) tuer.
butler ['bʌtlə*] n maître m d'hôtel.
butt [bʌt] n (cask) gros tonneau; (thick end) (gros) bout; (of gun) crosse f; (of cigarette) mégot m; (fig: target) cible f // vt donner un coup de tête à.
butter ['bʌtə*] n beurre m // vt beurrer; ~ dish n beurrier m.
butterfly ['bʌtəflaı] n papillon m.
buttocks ['bʌtəks] npl fesses fpl.
button ['bʌtn] n bouton m // vt boutonner // vi se boutonner; ~hole n boutonnière f // vt accrocher, arrêter, retenir.
buttress ['bʌtrıs] n contrefort m.
buxom ['bʌksəm] a aux formes avantageuses or épanouies, bien galbé(e).
buy [baı] vb (pt,pp bought [bɔ:t]) vt acheter; to ~ sb sth/sth from sb acheter qch à qn; to ~ sb a drink offrir un verre or à boire à qn; to ~ up vt acheter en bloc, rafler; ~r n acheteur/euse.
buzz [bʌz] n bourdonnement m; (col: phone call) coup m de fil // vi bourdonner.
buzzard ['bʌzəd] n buse f.
buzzer ['bʌzə*] n timbre m électrique.
by [baı] prep par; (beside) à côté de; au bord de; (before): ~ 4 o'clock avant 4 heures, d'ici 4 heures // ad see pass, go etc; ~ bus/car en autobus/voiture; paid ~ the hour payé à l'heure; to increase etc ~ the hour augmenter etc d'heure en heure; (all) ~ oneself tout(e) seul(e); ~ the way à propos; ~ and large dans l'ensemble; ~ and ~ bientôt.
bye(-bye) ['baı'baı] excl au revoir!, salut!
by(e)-law ['baılɔ:] n arrêté municipal.
by-election ['baıılɛkʃən] n élection (législative) partielle.
bygone ['baıgɔn] a passé(e) // n: let ~s be ~s passons l'éponge, oublions le passé.
bypass ['baıpɑ:s] n (route f de) contournement m // vt éviter.
by-product ['baıprɔdʌkt] n sous-produit m, dérivé m; (fig) conséquence f secondaire, retombée f.
byre ['baıə*] n étable f (à vaches).
bystander ['baıstændə*] n spectateur/-trice, badaud/e.
byword ['baıwə:d] n: to be a ~ for être synonyme de (fig).

C

C [si:] n (MUS) do m.
C. abbr of centigrade.
C.A. abbr of chartered accountant.
cab [kæb] n taxi m; (of train, truck) cabine f; (horse-drawn) fiacre m.
cabaret ['kæbəreı] n attractions fpl, spectacle m de cabaret.
cabbage ['kæbıdʒ] n chou m.
cabin ['kæbın] n cabane f, hutte f; (on ship) cabine f; ~ cruiser n yacht m (à moteur).
cabinet ['kæbınıt] n (POL) cabinet m; (furniture) petit meuble à tiroirs et rayons; (also: display ~) vitrine f, petite armoire vitrée; cocktail ~ n meuble-bar m; medicine ~ n armoire f à pharmacie; ~maker n ébéniste m.
cable ['keıbl] n câble m // vt câbler, télégraphier; ~-car n téléphérique m; ~gram n câblogramme m; ~ railway n funiculaire m.
cache [kæʃ] n cachette f; a ~ of food etc un dépôt secret de provisions etc, une cachette contenant des provisions etc.
cackle ['kækl] vi caqueter.
cactus, pl cacti ['kæktəs, -taı] n cactus m.
caddie ['kædı] n caddie m.
cadet [kə'dɛt] n (MIL) élève m officier.
cadge [kædʒ] vt se faire donner; to ~ a meal (off sb) se faire inviter à manger (par qn); ~r n pique-assiette m pēj inv, tapeur/euse.
Caesarean [si:'zɛərıən] a: ~ (section) césarienne f.
café ['kæfeı] n ≈ café(-restaurant) m (sans alcool); cafeteria [kæfı'tıərıə] n cafeteria f.
caffein(e) ['kæfi:n] n caféine f.
cage [keıdʒ] n cage f // vt mettre en cage.
cagey ['keıdʒı] a (col) réticent(e); méfiant(e).
Cairo ['kaıərəu] n le Caire.
cajole [kə'dʒəul] vt couvrir de flatteries or de gentillesses.
cake [keık] n gâteau m; ~ of soap savonnette f; ~d a: ~d with raidi(e) par, couvert(e) d'une croûte de.
calamitous [kə'læmıtəs] a catastrophique, désastreux(euse).
calamity [kə'læmıtı] n calamité f, désastre m.
calcium ['kælsıəm] n calcium m.
calculate ['kælkjuleıt] vt calculer; calculating a calculateur(trice); calculation [-'leıʃən] n calcul m; calculator n machine f à calculer, calculatrice f.

calculus ['kælkjuləs] n analyse f (mathématique), calcul infinitésimal ; **integral/differential** ~ calcul intégral/différentiel.

calendar ['kæləndə*] n calendrier m ; ~ **month** n mois m (de calendrier) ; ~ **year** n année civile.

calf, calves [kɑ:f, kɑ:vz] n (of cow) veau m ; (of other animals) petit m ; (also: ~skin) veau m, vachette f ; (ANAT) mollet m.

calibre, caliber (US) ['kælɪbə*] n calibre m.

call [kɔ:l] vt (gen, also TEL) appeler // vi appeler ; (visit: also: ~ **in**, ~ **round**): to ~ **(for)** passer (prendre) // n (shout) appel m, cri m ; (visit) visite f ; (also: **telephone** ~) coup m de téléphone ; communication f ; **she's** ~**ed Suzanne** elle s'appelle Suzanne ; **to be on** ~ être de permanence ; **to** ~ **for** vt fus demander ; **to** ~ **off** vt annuler ; **to** ~ **on** vt fus (visit) rendre visite à, passer voir ; (request): **to** ~ **on sb to do** inviter qn à faire ; **to** ~ **up** vt (MIL) appeler, mobiliser ; ~**box** n cabine f téléphonique ; ~**er** n personne f qui appelle ; visiteur m ; ~ **girl** n call-girl f ; ~**ing** n vocation f ; (trade, occupation) état m ; ~**ing card** n (US) carte f de visite.

callous ['kæləs] a dur(e), insensible ; ~**ness** n dureté f, manque m de cœur, insensibilité f.

callow ['kæləu] a sans expérience (de la vie).

calm [kɑ:m] n calme m // vt calmer, apaiser // a calme ; ~**ly** ad calmement, avec calme ; ~**ness** n calme m ; **to** ~ **down** vi se calmer, s'apaiser // vt calmer, apaiser.

calorie ['kælərɪ] n calorie f.

calve [kɑ:v] vi vêler, mettre bas.

calves [kɑ:vz] npl of **calf**.

camber ['kæmbə*] n (of road) bombement m.

Cambodia [kæm'bəudjə] n Cambodge m.

came [keɪm] pt of **come**.

camel ['kæməl] n chameau m.

cameo ['kæmɪəu] n camée m.

camera ['kæmərə] n appareil-photo m ; (also: **cine-**~, **movie** ~) caméra f ; **35mm** ~ appareil 24 × 36 ou petit format ; **in** ~ à huis clos, en privé ; ~**man** n caméraman m.

camouflage ['kæməflɑ:ʒ] n camouflage m // vt camoufler.

camp [kæmp] n camp m // vi camper.

campaign [kæm'peɪn] n (MIL, POL etc) campagne f // vi (also fig) faire campagne.

campbed ['kæmp'bɛd] n lit m de camp.

camper ['kæmpə*] n campeur/euse.

camping ['kæmpɪŋ] n camping m ; ~ **site** n (terrain m de) camping.

campsite ['kæmpsaɪt] n campement m.

campus ['kæmpəs] n campus m.

can [kæn] auxiliary vb (gen) pouvoir ; (know how to) savoir ; **I** ~ **swim** etc je sais nager etc ; **I** ~ **speak French** je parle français // n (of milk, oil, water) bidon m ; (US: tin) boîte f (de conserve) // vt mettre en conserve.

Canada ['kænədə] n Canada m.

Canadian [kə'neɪdɪən] a canadien(ne) // n Canadien/ne.

canal [kə'næl] n canal m.

canary [kə'nɛərɪ] n canari m, serin m.

cancel ['kænsəl] vt annuler ; (train) supprimer ; (party, appointment) décommander ; (cross out) barrer, rayer ; (stamp) oblitérer ; ~**lation** [-'leɪʃən] n annulation f ; suppression f ; oblitération f ; (TOURISM) réservation annulée, client etc qui s'est décommandé.

cancer ['kænsə*] n cancer m ; **C**~ (sign) le Cancer ; **to be C**~ être du Cancer.

candid ['kændɪd] a (très) franc(franche), sincère.

candidate ['kændɪdeɪt] n candidat/e.

candle ['kændl] n bougie f ; (of tallow) chandelle f ; (in church) cierge m ; **by** ~**light** à la lumière d'une bougie ; (dinner) aux chandelles ; ~**stick** n (also: ~ **holder**) bougeoir m ; (bigger, ornate) chandelier m.

candour ['kændə*] n (grande) franchise ou sincérité.

candy ['kændɪ] n sucre candi ; (US) bonbon m ; ~-**floss** n barbe f à papa.

cane [keɪn] n canne f // vt (SCOL) administrer des coups de bâton à.

canine ['kænaɪn] a canin(e).

canister ['kænɪstə*] n boîte f (gén en métal).

cannabis ['kænəbɪs] n (drug) cannabis m ; (also: ~ **plant**) chanvre indien.

canned ['kænd] a (food) en boîte, en conserve.

cannibal ['kænɪbəl] n cannibale m/f, anthropophage m/f ; ~**ism** n cannibalisme m, anthropophagie f.

cannon, pl ~ or ~**s** ['kænən] n (gun) canon m ; ~**ball** n boulet m de canon.

cannot ['kænɔt] = **can not.**

canny ['kænɪ] a madré(e), finaud(e).

canoe [ka'nu:] n pirogue f ; (SPORT) canoë m ; ~**ing** n (SPORT) canoë m ; ~**ist** n canoëiste m/f.

canon ['kænən] n (clergyman) chanoine m ; (standard) canon m.

canonize ['kænənaɪz] vt canoniser.

can opener ['kænəupnə*] n ouvre-boîte m.

canopy ['kænəpɪ] n baldaquin m ; dais m.

cant [kænt] n jargon m // vt, vi pencher.

can't [kɑ:nt] = **can not.**

cantankerous [kæn'tæŋkərəs] a querelleur(euse), acariâtre.

canteen [kæn'ti:n] n cantine f ; (of cutlery) ménagère f.

canter ['kæntə*] n petit galop // vi aller au petit galop.

cantilever ['kæntɪli:və*] n porte-à-faux m inv.

canvas ['kænvəs] n (gen) toile f ; **under** ~ (camping) sous la tente ; (NAUT) toutes voiles dehors.

canvass ['kænvəs] vt: ~**ing** (POL) prospection électorale, démarchage électoral ; (COMM) démarchage, prospection.

canyon ['kænjən] n cañon m, gorge f (profonde).

cap [kæp] n casquette f ; (of pen) capuchon m ; (of bottle) capsule f ; (also: **Dutch** ~)

diaphragme m; (FOOTBALL) sélection f pour l'équipe nationale // vt capsuler; (outdo) surpasser; ~ped with coiffé(e) de.

capability [keɪpə'bɪlɪtɪ] n aptitude f, capacité f.

capable ['keɪpəbl] a capable; ~ of capable de; susceptible de.

capacity [kə'pæsɪtɪ] n capacité f, contenance f; aptitude f; **in his** ~ as en sa qualité de; **to work at full** ~ travailler à plein rendement.

cape [keɪp] n (garment) cape f; (GEO) cap m.

caper ['keɪpə*] n (CULIN: gen: ~s) câpre f.

capital ['kæpɪtl] n (also: ~ city) capitale f; (money) capital m; (also: ~ letter) majuscule f; ~ **gains** npl plus-values fpl; ~**ism** n capitalisme m; ~**ist** a capitaliste; ~ **punishment** n peine capitale.

capitulate [kə'pɪtjuleɪt] vi capituler; **capitulation** [-'leɪʃən] n capitulation f.

capricious [kə'prɪʃəs] a capricieux(euse), fantasque.

Capricorn ['kæprɪkɔːn] n le Capricorne; **to be** ~ être du Capricorne.

capsize [kæp'saɪz] vt faire chavirer // vi chavirer.

capstan ['kæpstən] n cabestan m.

capsule ['kæpsjuːl] n capsule f.

captain ['kæptɪn] n capitaine m // vt commander, être le capitaine de.

caption ['kæpʃən] n légende f.

captivate ['kæptɪveɪt] vt captiver, fasciner.

captive ['kæptɪv] a, n captif(ive).

captivity [kæp'tɪvɪtɪ] n captivité f.

capture ['kæptʃə*] vt capturer, prendre; (attention) capter // n capture f.

car [kɑː*] n voiture f, auto f.

carafe [kə'ræf] n carafe f; (in restaurant: ~ wine) ≈ vin ouvert.

caramel ['kærəməl] n caramel m.

carat ['kærət] n carat m.

caravan ['kærəvæn] n caravane f.

caraway ['kærəweɪ] n: ~ **seed** graine f de cumin, cumin m.

carbohydrates [kɑːbəu'haɪdreɪts] npl (foods) aliments mpl riches en hydrate de carbone.

carbon ['kɑːbən] n carbone m; ~ **copy** n carbone m; ~ **paper** n papier m carbone.

carburettor [kɑːbju'rɛtə*] n carburateur m.

carcass ['kɑːkəs] n carcasse f.

card [kɑːd] n carte f; ~**board** n carton m; ~ **game** n jeu m de cartes.

cardiac ['kɑːdɪæk] a cardiaque.

cardigan ['kɑːdɪgən] n cardigan m.

cardinal ['kɑːdɪnl] a cardinal(e) // n cardinal m.

card index ['kɑːdɪndɛks] n fichier m (alphabétique).

care [kɛə*] n soin m, attention f; (worry) souci m // vi: **to** ~ **about** se soucier de, s'intéresser à; **would you** ~ **to/for** . . . ? voulez-vous ...? ; **I wouldn't** ~ **to do it** je n'aimerais pas le faire; **in sb's** ~ à la garde de qn, confié à qn; **to take** ~ faire attention, prendre garde; **to take** ~ **of** vt s'occuper de, prendre soin de; **to** ~

for vt fus s'occuper de; (like) aimer; **I don't** ~ ça m'est bien égal, peu m'importe; **I couldn't** ~ **less** cela m'est complètement égal, je m'en fiche complètement.

career [kə'rɪə*] n carrière f // vi (also: ~ **along**) aller à toute allure.

carefree ['kɛəfriː] a sans souci, insouciant(e).

careful ['kɛəful] a soigneux(euse); (cautious) prudent(e); **(be)** ~! (fais) attention!; ~**ly** ad avec soin, soigneusement; prudemment.

careless ['kɛəlɪs] a négligent(e); (heedless) insouciant(e); ~**ly** ad négligemment; avec insouciance; ~**ness** n manque m de soin, négligence f; insouciance f.

caress [kə'rɛs] n caresse f // vt caresser.

caretaker ['kɛəteɪkə*] n gardien/ne, concierge m/f.

car-ferry ['kɑːfɛrɪ] n (on sea) ferry (-boat) m; (on river) bac m.

cargo, ~es ['kɑːgəu] n cargaison f, chargement m.

Caribbean [kærɪ'biːən] a: **the** ~ **(Sea)** la mer des Antilles or Caraïbes.

caricature ['kærɪkətjuə*] n caricature f.

carnal ['kɑːnl] a charnel(le).

carnation [kɑː'neɪʃən] n œillet m.

carnival ['kɑːnɪvəl] n (public celebration) carnaval m.

carol ['kærəl] n: **(Christmas)** ~ chant m de Noël.

carp [kɑːp] n (fish) carpe f; **to** ~ **at** vt fus critiquer.

car park ['kɑːpɑːk] n parking m, parc m de stationnement.

carpenter ['kɑːpɪntə*] n charpentier m.

carpentry ['kɑːpɪntrɪ] n charpenterie f, métier m de charpentier; (woodwork: at school etc) menuiserie f.

carpet ['kɑːpɪt] n tapis m // vt recouvrir (d'un tapis).

carriage ['kærɪdʒ] n voiture f; (of goods) transport m; (: taxe) port m; (of typewriter) chariot m; (bearing) maintien m, port m; ~**way** n (part of road) chaussée f.

carrier ['kærɪə*] n transporteur m, camionneur m; ~ **bag** n sac m en papier or en plastique; ~ **pigeon** n pigeon voyageur.

carrot ['kærət] n carotte f.

carry ['kærɪ] vt (subj: person) porter; (: vehicle) transporter; (a motion, bill) voter, adopter; (involve: responsibilities etc) comporter, impliquer // vi (sound) porter; **to be carried away** (fig) s'emballer, s'enthousiasmer; **to** ~ **on** vi: **to** ~ **on with sth/doing** continuer qch/à faire // vt entretenir, poursuivre; **to** ~ **out** vt (orders) exécuter; (investigation) effectuer; ~**cot** n porte-bébé m.

cart [kɑːt] n charrette f // vt transporter.

cartilage ['kɑːtɪlɪdʒ] n cartilage m.

cartographer [kɑː'tɔgrəfə*] n cartographe m/f.

carton ['kɑːtən] n (box) carton m; (of yogurt) pot m (en carton); (of cigarettes) cartouche f.

cartoon [ka:'tu:n] n (PRESS) dessin m (humoristique); (satirical) caricature f; (comic strip) bande dessinée; (CINEMA) dessin animé; ~ist n dessinateur/trice humoristique; caricaturiste m/f; auteur m de dessins animés; auteur de bandes dessinées.

cartridge ['ka:trɪdʒ] n (for gun, pen) cartouche f; (for camera) chargeur m; (music tape) cassette f; (of record player) cellule f.

carve [ka:v] vt (meat) découper; (wood, stone) tailler, sculpter; **carving** n (in wood etc) sculpture f; **carving knife** n couteau m à découper.

car wash ['ka:wɔʃ] n station f de lavage (de voitures).

cascade [kæs'keɪd] n cascade f // vi tomber en cascade.

case [keɪs] n cas m; (COMM) affaire f, procès m; (box) caisse f, boîte f, étui m; (also: suit~) valise f; **he hasn't put forward his ~ very well** ses arguments ne sont guère convaincants; **in ~ of** en cas de; **in ~ he** au cas où il; **just in ~** à tout hasard.

cash [kæʃ] n argent m; (COMM) argent liquide, numéraire m; liquidités fpl; (COMM: in payment) argent comptant, espèces fpl // vt encaisser; **to pay (in) ~** payer (en argent) comptant; **~ with order/ on delivery** (COMM) payable or paiement à la commande/livraison; **~book** n livre m de caisse; **~desk** n caisse f.

cashew [kæ'ʃuː] n (also: ~ nut) noix f de cajou.

cashier [kæ'ʃɪə*] n caissier/ère.

cashmere [kæʃ'mɪə*] n cachemire m.

cash payment ['kæʃ'peɪmənt] n paiement comptant, versement m en espèces.

cash register ['kæʃredʒɪstə*] n caisse enregistreuse.

casing ['keɪsɪŋ] n revêtement (protecteur), enveloppe (protectrice).

casino [kə'si:nəu] n casino m.

cask [ka:sk] n tonneau m.

casket ['ka:skɪt] n coffret m; (US: coffin) cercueil m.

casserole ['kæsərəul] n cocotte f; (food) ragoût m (en cocotte).

cassette [kæ'sɛt] n cassette f, musicassette f; **~player** n lecteur m de cassettes; **~recorder** magnétophone m à cassettes.

cast [ka:st] vt (pt, pp cast) (throw) jeter; (shed) perdre; se dépouiller de; (metal) couler, fondre // n (THEATRE) distribution f; (mould) moule m; (also: plaster ~) plâtre m; (THEATRE): **to ~ sb as Hamlet** attribuer à qn le rôle d'Hamlet; **to ~ one's vote** voter, exprimer son suffrage; **to ~ off** vi (NAUT) larguer les amarres.

castanets [kæstə'nɛts] npl castagnettes fpl.

castaway ['ka:stəwəɪ] n naufragé/e.

caste [ka:st] n caste f, classe sociale.

casting ['ka:stɪŋ] a: **~ vote** voix prépondérante (pour départager).

cast iron ['ka:st'aɪən] n fonte f.

castle ['ka:sl] n château-fort m; (manor) château m.

castor ['ka:stə*] n (wheel) roulette f; **~ oil** n huile f de ricin; **~ sugar** n sucre m semoule.

castrate [kæs'treɪt] vt châtrer.

casual ['kæʒjul] a (by chance) de hasard, fait(e) au hasard, fortuit(e); (irregular: work etc) temporaire; (unconcerned) désinvolte; **~ wear** n vêtements mpl sport inv; **~ labour** n main-d'œuvre f temporaire; **~ly** ad avec désinvolture, négligemment; fortuitement.

casualty ['kæʒjultɪ] n accidenté/e, blessé/e; (dead) victime f, mort/e; **heavy casualties** npl lourdes pertes.

cat [kæt] n chat m.

catalogue, catalog (US) ['kætələg] n catalogue m // vt cataloguer.

catalyst ['kætəlɪst] n catalyseur m.

catapult ['kætəpʌlt] n lance-pierres m inv, fronde f; (AVIAT, HISTORY) catapulte f.

cataract ['kætərækt] n (also MED) cataracte f.

catarrh [kə'ta:*] n rhume m chronique, catarrhe f.

catastrophe [kə'tæstrəfi] n catastrophe f; **catastrophic** [kætə'strɔfɪk] a catastrophique.

catch [kætʃ] vb (pt,pp caught [cɔ:t]) vt (ball, train, thief, cold) attraper; (person: by surprise) prendre, surprendre; (understand) saisir; (get entangled) accrocher // vi (fire) prendre // n (fish etc caught) prise f; (thief etc caught) capture f; (trick) attrape f; (TECH) loquet m; cliquet m; **to ~ sb's attention** or **eye** attirer l'attention de qn; **to ~ fire** prendre feu; **to ~ sight of** apercevoir; **to ~ up** vi se rattraper, combler son retard // vt (also: ~ up with) rattraper.

catching ['kætʃɪŋ] a (MED) contagieux(euse).

catchment area ['kætʃmənt'ɛərɪə] n (SCOL) aire f de recrutement; (GEO) bassin m hydrographique.

catch phrase ['kætʃfreɪz] n slogan m; expression toute faite.

catchy ['kætʃɪ] a (tune) facile à retenir.

catechism ['kætɪkɪzəm] n (REL) catéchisme m.

categoric(al) [kætɪ'gɔrɪk(əl)] a catégorique.

categorize ['kætɪgəraɪz] vt classer par catégories.

category ['kætɪgərɪ] n catégorie f.

cater ['keɪtə*] vi (gen: ~ for sb) préparer des repas, se charger de la restauration; **to ~ for** vt fus (needs) satisfaire, pourvoir à; (readers, consumers) s'adresser à, pourvoir aux besoins de; **~er** n traiteur m; fournisseur m; **~ing** n restauration f; approvisionnement m, ravitaillement m; **~ing (trade)** n restauration f.

caterpillar ['kætəpɪlə*] n chenille f; **~ track** n chenille f; **~ vehicle** n véhicule m à chenille.

cathedral [kə'θi:drəl] n cathédrale f.

catholic ['kæθəlɪk] a éclectique; universel(le); libéral(e); **C~** a,n (REL) catholique (m/f).

cattle ['kætl] npl bétail m, bestiaux mpl.

catty ['kætɪ] a méchant(e).

Caucasus ['kɔ:kəsəs] n Caucase m.

caught [kɔ:t] pt,pp of **catch**.

cauliflower ['kɔlɪflauə*] n chou-fleur m.

cause [kɔ:z] n cause f // vt causer ; **there is no ~ for concern** il n'y a pas lieu de s'inquiéter.

causeway ['kɔ:zweɪ] n chaussée (surélevée).

caustic ['kɔ:stɪk] a caustique.

caution ['kɔ:ʃən] n prudence f; (warning) avertissement m // vt avertir, donner un avertissement à.

cautious ['kɔ:ʃəs] a prudent(e); ~**ly** ad prudemment, avec prudence; ~**ness** n prudence f.

cavalier [kævə'lɪə*] a cavalier(ère), désinvolte.

cavalry ['kævəlrɪ] n cavalerie f.

cave [keɪv] n caverne f, grotte f; **to ~ in** vi (roof etc) s'effondrer; ~**man** n homme m des cavernes.

cavern ['kævən] n caverne f.

caviar(e) ['kævɪɑ:*] n caviar m.

cavity ['kævɪtɪ] n cavité f.

cavort [kə'vɔ:t] vi cabrioler, faire des cabrioles.

CBI n abbr of Confederation of British Industries (groupement du patronat).

cc abbr of cubic centimetres; carbon copy.

cease [si:s] vt,vi cesser; ~**-fire** n cessez-le-feu m; ~**less** a incessant(e), continuel(le).

cedar ['si:də*] n cèdre m.

cede [si:d] vt céder.

cedilla [sɪ'dɪlə] n cédille f.

ceiling ['si:lɪŋ] n plafond m.

celebrate ['sɛlɪbreɪt] vt,vi célébrer; ~**d** a célèbre; **celebration** [-'breɪʃən] n célébration f.

celebrity [sɪ'lɛbrɪtɪ] n célébrité f.

celery ['sɛlərɪ] n céleri m (en branches).

celestial [sɪ'lɛstɪəl] a céleste.

celibacy ['sɛlɪbəsɪ] n célibat m.

cell [sɛl] n (gen) cellule f; (ELEC) élément m (de pile).

cellar ['sɛlə*] n cave f.

'cellist ['tʃɛlɪst] n violoncelliste m/f.

'cello ['tʃɛləu] n violoncelle m.

cellophane ['sɛləfeɪn] n ® cellophane f ®.

cellular ['sɛljulə*] a cellulaire.

cellulose ['sɛljuləus] n cellulose f.

Celtic ['kɛltɪk, 'sɛltɪk] a celte.

cement [sə'mɛnt] n ciment m // vt cimenter.

cemetery ['sɛmɪtrɪ] n cimetière m.

cenotaph ['sɛnətɑ:f] n cénotaphe m.

censor ['sɛnsə*] n censeur m; ~**ship** n censure f.

censure ['sɛnʃə*] vt blâmer, critiquer.

census ['sɛnsəs] n recensement m.

cent [sɛnt] n (US: coin) cent m, = 1:100 du dollar; see also **per**.

centenary [sɛn'ti:nərɪ] n centenaire m.

center ['sɛntə*] n (US) = **centre**.

centi... ['sɛntɪ] prefix: ~**grade** a centigrade; ~**litre** n centilitre m; ~**metre** n centimètre m.

centipede ['sɛntɪpi:d] n mille-pattes m inv.

central ['sɛntrəl] a central(e); ~ **heating** n chauffage central; ~**ize** vt centraliser.

centre ['sɛntə*] n centre m; ~**-forward** n (SPORT) avant-centre m // vt centrer; (PHOT) cadrer ~**-half** n (SPORT) demi-centre m.

centrifugal [sɛn'trɪfjugəl] a centrifuge.

century ['sɛntjurɪ] n siècle m.

ceramic [sɪ'ræmɪk] a céramique.

cereal ['si:rɪəl] n céréale f.

ceremony ['sɛrɪmənɪ] n cérémonie f; **to stand on** ~ faire des façons.

certain ['sə:tən] a certain(e); **to make** ~ **of** s'assurer de; **for** ~ certainement, sûrement; ~**ly** ad certainement; ~**ty** n certitude f.

certificate [sə'tɪfɪkɪt] n certificat m.

certify ['sə:tɪfaɪ] vt certifier // vi: **to** ~ **to** attester.

cervix ['sə:vɪks] n col m de l'utérus.

cessation [sə'seɪʃən] n cessation f, arrêt m.

cesspool ['sɛspu:l] n fosse f d'aisance.

Ceylon [sɪ'lɔn] n Ceylan m.

cf. (abbr = compare) cf., voir.

chafe [tʃeɪf] vt irriter, frotter contre.

chaffinch ['tʃæfɪntʃ] n pinson m.

chagrin ['ʃægrɪn] n contrariété f, déception f.

chain [tʃeɪn] n (gen) chaîne f // vt (also: ~ **up**) enchaîner, attacher (avec une chaîne); ~ **reaction** n réaction f en chaîne; **to** ~ **smoke** vi fumer cigarette sur cigarette; ~ **store** n magasin m à succursales multiples.

chair [tʃɛə*] n chaise f; (armchair) fauteuil m; (of university) chaire f // vt (meeting) présider; ~**lift** n télésiège m; ~**man** n président m.

chalet ['ʃæleɪ] n chalet m.

chalice ['tʃælɪs] n calice m.

chalk [tʃɔ:k] n craie f.

challenge ['tʃælɪndʒ] n défi m // vt défier; (statement, right) mettre en question, contester; **to** ~ **sb to a fight/game** mettre qn à se battre/à jouer (sous forme d'un défi); **to** ~ **sb to do** mettre qn au défi de faire; ~**r** n (SPORT) challenger m; **challenging** a de défi, provocateur(trice).

chamber ['tʃeɪmbə*] n chambre f; ~ **of commerce** chambre f de commerce; ~**maid** n femme f de chambre; ~ **music** n musique f de chambre; ~**pot** n pot m de chambre.

chamois ['ʃæmwɑ:] n chamois m; ~ **leather** ['ʃæmɪlɛðə*] n peau f de chamois.

champagne [ʃæm'peɪn] n champagne m.

champion ['tʃæmpɪən] n champion/ne; ~**ship** n championnat m.

chance [tʃɑ:ns] n hasard m; (opportunity) occasion f, possibilité f; (hope, likelihood) chance f // vt: **to** ~ **it** risquer (le coup), essayer // a fortuit(e), de hasard; **there is little** ~ **of his coming** il est peu probable or il y a peu de chances qu'il vienne; **to take a** ~ prendre un risque; **by** ~ par hasard.

chancel ['tʃɑ:nsəl] n chœur m.

chancellor ['tʃɑ:nsələ*] n chancelier m;

C~ of the Exchequer n chancelier m de l'Échiquier.

chandelier [ʃændə'lɪə*] n lustre m.

change [tʃeɪndʒ] vt (alter, replace, COMM: money) changer; (switch, substitute: gear, hands, trains, clothes, one's name etc) changer de; (transform): **to ~ sb into** changer or transformer qn en // vi (gen) changer; (change clothes) se changer; (be transformed): **to ~ into** se changer or transformer en // n changement m; (money) monnaie f; **to ~ one's mind** changer d'avis; **a ~ of clothes** des vêtements de rechange; **for a ~** pour changer; **small ~** petite monnaie; **to give sb ~ for** or **of £10** faire à qn la monnaie de 10 livres; **~able** a (weather) variable; **~over** n (to new system) changement m, passage m.

changing ['tʃeɪndʒɪŋ] a changeant(e); **~ room** n (in shop) salon m d'essayage; (SPORT) vestiaire m.

channel ['tʃænl] n (TV) chaîne f; (waveband, groove, fig: medium) canal m; (of river, sea) chenal m // vt canaliser; **through the usual ~s** en suivant la filière habituelle; **the (English) C~** la Manche; **the C~ Islands** les îles de la Manche, les îles anglo-normandes.

chant [tʃɑːnt] n chant m; mélopée f, psalmodie f // vt chanter, scander; psalmodier.

chaos ['keɪɔs] n chaos m.

chaotic [keɪ'ɔtɪk] a chaotique.

chap [tʃæp] n (col: man) type m // vt (skin) gercer, crevasser.

chapel ['tʃæpəl] n chapelle f.

chaperon ['ʃæpərəun] n chaperon m // vt chaperonner.

chaplain ['tʃæplɪn] n aumônier m.

chapter ['tʃæptə*] n chapitre m.

char [tʃɑː*] vt (burn) carboniser // vi (cleaner) faire des ménages // n = charlady.

character ['kærɪktə*] n caractère m; (in novel, film) personnage m; (eccentric) numéro m, phénomène m; **~istic** [-'rɪstɪk] a,n caractéristique (f); **~ize** vt caractériser.

charade [ʃə'rɑːd] n charade f.

charcoal ['tʃɑːkəul] n charbon m de bois.

charge [tʃɑːdʒ] n accusation f; (LAW) inculpation f; (cost) prix (demandé); (of gun, battery, MIL: attack) charge f // vt (LAW): **to ~sb (with)** inculper qn (de); (gun, battery, MIL: enemy) charger; (customer, sum) faire payer // vi (gen with: up, along etc) foncer; **~s** npl: **bank/labour ~s** frais mpl de banque/main/-d'œuvre; **to in/out** entrer/sortir en trombe; **to ~ down/up** dévaler/grimper à toute allure; **is there a ~?** doit-on payer?; **there's no ~** c'est gratuit, on ne fait pas payer; **to take ~ of** se charger de; **to be in ~ of** être responsable de, s'occuper de; **to have ~ of sb** avoir la charge de qn; **they ~d us £10 for the meal** ils nous ont fait payer le repas 10 livres, ils nous ont compté 10 livres pour le repas; **how much do you ~ for this repair?** combien demandez-vous pour cette réparation?; **to ~ an**

expense (up) to sb mettre une dépense sur le compte de qn.

charitable ['tʃærɪtəbl] a charitable.

charity ['tʃærɪtɪ] n charité f; institution f charitable or de bienfaisance, œuvre f (de charité).

charlady ['tʃɑːleɪdɪ] n femme f de ménage.

charm [tʃɑːm] n charme m // vt charmer, enchanter; **~ing** a charmant(e).

chart [tʃɑːt] n tableau m, diagramme m; graphique m; (map) carte marine // vt dresser or établir la carte de.

charter ['tʃɑːtə*] vt (plane) affréter // n (document) charte f; **~ed accountant** n expert-comptable m; **~ flight** n charter m.

charwoman ['tʃɑːwumən] n = charlady.

chase [tʃeɪs] vt poursuivre, pourchasser // n poursuite f, chasse f.

chasm ['kæzəm] n gouffre m, abîme m.

chassis ['ʃæsɪ] n châssis m.

chastity ['tʃæstɪtɪ] n chasteté f.

chat [tʃæt] vi (also: have a ~) bavarder, causer // n conversation f.

chatter ['tʃætə*] vi (person) bavarder, papoter // n bavardage m, papotage m; **my teeth are ~ing** je claque des dents; **~box** n moulin m à paroles, babillard/e.

chatty ['tʃætɪ] a (style) familier(ère); (person) enclin(e) à bavarder or au papotage.

chauffeur ['ʃəufə*] n chauffeur m (de maître).

cheap [tʃiːp] a bon marché inv, pas cher(chère); (joke) facile, d'un goût douteux; (poor quality) à bon marché, de qualité médiocre // ad à bon marché, pour pas cher; **~en** vt rabaisser, déprécier; **~ly** ad à bon marché, à bon compte.

cheat [tʃiːt] vi tricher // vt tromper, duper; (rob) escroquer // n tricheur/euse; escroc m; (trick) duperie f, tromperie f; **~ing** n tricherie f.

check [tʃɛk] vt vérifier; (passport, ticket) contrôler; (halt) enrayer; (restrain) maîtriser // n vérification f; contrôle m; (curb) frein m; (bill) addition f; (pattern: gen pl) carreaux mpl; (US) = cheque; **to ~ in** vi (in hotel) remplir sa fiche (d'hôtel); (at airport) se présenter à l'enregistrement // vt (luggage) (faire) enregistrer; **to ~ off** vt cocher; **to ~ out** vi (in hotel) régler sa note // vt (luggage) retirer; **to ~ up** vi: **to ~ up (on sth)** vérifier (qch); **to ~ up on sb** se renseigner sur le compte de qn; **~ers** n (US) jeu m de dames; **~mate** n échec et mat m; **~point** n contrôle m; **~up** n (MED) examen médical, check-up m.

cheek [tʃiːk] n joue f; (impudence) toupet m, culot m; **~bone** n pommette f; **~y** a effronté(e), culotté(e).

cheer [tʃɪə*] vt acclamer, applaudir; (gladden) réjouir, réconforter // vi applaudir // n (gen pl) acclamations fpl, applaudissements mpl; bravos mpl, hourras mpl; **~s!** (à votre) santé!; **to ~ up** vi se dérider, reprendre courage // vt remonter le moral à or de, dérider, égayer; **~ful** a gai(e), joyeux(euse); **~fulness** n gaieté f, bonne humeur; **~io** excl salut!, au revoir!; **~less** a sombre, triste.

cheese [tʃi:z] n fromage m; **~board** n plateau m à fromages.
chef [ʃɛf] n chef (cuisinier).
chemical ['kɛmɪkəl] a chimique // n produit m chimique.
chemist ['kɛmɪst] n pharmacien/ne; (*scientist*) chimiste m/f; **~ry** n chimie f; **~'s (shop)** n pharmacie f.
cheque [tʃɛk] n chèque m; **~book** n chéquier m, carnet m de chèques.
chequered ['tʃɛkəd] a (*fig*) varié(e).
cherish ['tʃɛrɪʃ] vt chérir; (*hope etc*) entretenir.
cheroot [ʃə'ru:t] n cigare m de Manille.
cherry ['tʃɛrɪ] n cerise f.
chess [tʃɛs] n échecs mpl; **~board** n échiquier m; **~man** n pièce f (de jeu d'échecs); **~player** n joueur/euse d'échecs.
chest [tʃɛst] n poitrine f; (*box*) coffre m, caisse f; **~ of drawers** n commode f.
chestnut ['tʃɛsnʌt] n châtaigne f; **~ (tree)** n châtaignier m.
chew [tʃu:] vt mâcher; **~ing gum** n chewing-gum m.
chic [ʃi:k] a chic inv, élégant(e).
chick [tʃɪk] n poussin m.
chicken ['tʃɪkɪn] n poulet m; (*fig*) broutilles fpl, bagatelle f; **~ feed** n varicelle f.
chick pea ['tʃɪkpi:] n pois m chiche.
chicory ['tʃɪkərɪ] n (*for coffee*) chicorée f; (*salad*) endive f.
chief [tʃi:f] n chef m // a principal(e); **~ly** ad principalement, surtout.
chiffon ['ʃɪfɔn] n mousseline f de soie.
chilblain ['tʃɪlbleɪn] n engelure f.
child, pl **~ren** [tʃaɪld, 'tʃɪldrən] n enfant m/f; **~birth** n accouchement m; **~hood** n enfance f; **~ish** a puéril(e), enfantin(e); **~like** a innocent(e), pur(e); **~minder** n garde f d'enfants.
Chile ['tʃɪlɪ] n Chili m; **~an** a chilien(ne) // n Chilien/ne.
chill [tʃɪl] n froid m; (*MED*) refroidissement m, coup m de froid // a froid(e), glacial(e) // vt faire frissonner; refroidir; (*CULIN*) mettre au frais, rafraîchir; **serve ~ed** a servir frais; **~y** a froid(e), glacé(e); (*sensitive to cold*) frileux(euse); **to feel ~y** avoir froid.
chime [tʃaɪm] n carillon m // vi carillonner, sonner.
chimney ['tʃɪmnɪ] n cheminée f.
chimpanzee [tʃɪmpæn'zi:] n chimpanzé m.
chin [tʃɪn] n menton m.
china ['tʃaɪnə] n porcelaine f; (*vaisselle f en*) porcelaine.
China ['tʃaɪnə] n Chine f.
Chinese [tʃaɪ'ni:z] a chinois(e) // n Chinois/e; (*LING*) chinois m.
chink [tʃɪŋk] n (*opening*) fente f, fissure f; (*noise*) tintement m.
chip [tʃɪp] n (*gen pl: CULIN*) frite f; (*of wood*) copeau m; (*of glass, stone*) éclat m // vt (*cup, plate*) ébrécher; **~board** n aggloméré m; **~pings** npl: **loose ~pings** gravillons mpl.
chiropodist [kɪ'rɔpədɪst] n pédicure m/f.

chirp [tʃə:p] n pépiement m, gazouillis m // vi pépier, gazouiller.
chisel ['tʃɪzl] n ciseau m.
chit [tʃɪt] n mot m, note f.
chitchat ['tʃɪttʃæt] n bavardage m, papotage m.
chivalrous ['ʃɪvəlrəs] a chevaleresque.
chivalry ['ʃɪvəlrɪ] n chevalerie f; esprit m chevaleresque.
chives [tʃaɪvz] npl ciboulette f, civette f.
chloride ['klɔ:raɪd] n chlorure m.
chlorine ['klɔ:ri:n] n chlore m.
chock [tʃɔk] n cale f; **~-a-block, ~-full** a plein(e) à craquer.
chocolate ['tʃɔklɪt] n chocolat m.
choice [tʃɔɪs] n choix m // a de choix.
choir ['kwaɪə*] n chœur m, chorale f; **~boy** n jeune choriste m, petit chanteur.
choke [tʃəuk] vi étouffer // vt étrangler; étouffer; (*block*) boucher, obstruer // n (*AUT*) starter m.
cholera ['kɔlərə] n choléra m.
choose, pt **chose,** pp **chosen** [tʃu:z, tʃəuz, 'tʃəuzn] vt choisir; **to ~ to do** décider de faire, juger bon de faire.
chop [tʃɔp] vt (*wood*) couper (à la hache); (*CULIN: also: ~ up*) couper (fin), émincer, hacher (en morceaux) // n coup m (de hache, du tranchant de la main); (*CULIN*) côtelette f; **~s** npl (*jaws*) mâchoires fpl, babines fpl; **to ~ down** vt (*tree*) abattre; **~py** a (*sea*) un peu agité(e); **~sticks** npl baguettes fpl.
choral ['kɔ:rəl] a choral(e), chanté(e) en chœur.
chord [kɔ:d] n (*MUS*) accord m.
chore [tʃɔ:*] n travail m de routine; **household ~s** travaux mpl du ménage.
choreographer [kɔrɪ'ɔgrəfə*] n chorégraphe m/f.
chorister ['kɔrɪstə*] n choriste m/f.
chortle ['tʃɔ:tl] vi glousser.
chorus ['kɔ:rəs] n chœur m; (*repeated part of song, also fig*) refrain m.
chose [tʃəuz] pt of **choose.**
chosen ['tʃəuzn] pp of **choose.**
chow [tʃau] n (*dog*) chow-chow m.
Christ [kraɪst] n Christ m.
christen ['krɪsn] vt baptiser; **~ing** n baptême m.
Christian ['krɪstɪən] a,n chrétien(ne); **~ity** [-'ænɪtɪ] n christianisme m; chrétienté f; **~ name** n prénom m.
Christmas ['krɪsməs] n Noël m or f; **~ card** n carte f de Noël; **~ Eve** n la veille de Noël; la nuit de Noël; **~ tree** n arbre m de Noël.
chrome [krəum] n = **chromium.**
chromium ['krəumɪəm] n chrome m; (*also: ~ plating*) chromage m.
chromosome ['krəuməsəum] n chromosome m.
chronic ['krɔnɪk] a chronique.
chronicle ['krɔnɪkl] n chronique f.
chronological [krɔnə'lɔdʒɪkəl] a chronologique.
chrysanthemum [krɪ'sænθəməm] n chrysanthème m.
chubby ['tʃʌbɪ] a potelé(e), rondelet(te).

chuck [tʃʌk] *vt* lancer, jeter ; **to ~ out** *vt* flanquer dehors *or* à la porte ; **to ~ (up)** *vt* lâcher, plaquer.

chuckle ['tʃʌkl] *vi* glousser.

chum [tʃʌm] *n* copain/copine.

chunk [tʃʌŋk] *n* gros morceau ; (*of bread*) quignon *m*.

church [tʃə:tʃ] *n* église *f* ; **~yard** *n* cimetière *m*.

churlish ['tʃə:lɪʃ] *a* grossier(ère) ; hargneux(euse).

churn [tʃə:n] *n* (*for butter*) baratte *f* ; (*for transport*: **milk ~**) (grand) bidon à lait.

chute [ʃu:t] *n* glissoire *f* ; (*also*: **rubbish ~**) vide-ordures *m inv* ; (*children's slide*) toboggan *m*.

chutney ['tʃʌtnɪ] *n* condiment *m* à base de fruits.

CID *n* (*abbr of Criminal Investigation Department*) ≈ Police *f* judiciaire (P.J.).

cider ['saɪdə*] *n* cidre *m*.

cigar [sɪ'gɑ:*] *n* cigare *m*.

cigarette [sɪgə'rɛt] *n* cigarette *f* ; **~ case** *n* étui *m* à cigarettes ; **~ end** *n* mégot *m* ; **~ holder** *n* fume-cigarettes *m inv*.

cinch [sɪntʃ] *n* (*col*): **it's a ~** c'est du gâteau, c'est l'enfance de l'art.

cinder ['sɪndə*] *n* cendre *f*.

cine ['sɪnɪ]: **~-camera** *n* caméra *f* ; **~-film** *n* film *m*.

cinema ['sɪnəmə] *n* cinéma *m*.

cine-projector [sɪnɪprə'dʒɛktə*] *n* projecteur *m* de cinéma.

cinnamon ['sɪnəmən] *n* cannelle *f*.

cipher ['saɪfə*] *n* code secret ; (*fig: faceless employee etc*) numéro *m*.

circle ['sə:kl] *n* cercle *m* ; (*in cinema*) balcon *m* // *vi* faire *or* décrire des cercles // *vt* (*surround*) entourer, encercler ; (*move round*) faire le tour de, tourner autour de.

circuit ['sə:kɪt] *n* circuit *m* ; **~ous** [sə:'kjuɪtəs] *a* indirect(e), qui fait un détour.

circular ['sə:kjulə*] *a* circulaire // *n* circulaire *f*.

circulate ['sə:kjuleɪt] *vi* circuler // *vt* faire circuler ; **circulation** [-'leɪʃən] *n* circulation *f* ; (*of newspaper*) tirage *m*.

circumcise ['sə:kəmsaɪz] *vt* circoncire.

circumference [sə'kʌmfərəns] *n* circonférence *f*.

circumspect ['sə:kəmspɛkt] *a* circonspect(e).

circumstances ['sə:kəmstənsɪz] *npl* circonstances *fpl* ; (*financial condition*) moyens *mpl*, situation financière.

circus ['sə:kəs] *n* cirque *m*.

cistern ['sɪstən] *n* réservoir *m* (d'eau) ; (*in toilet*) réservoir de la chasse d'eau.

cite [saɪt] *vt* citer.

citizen ['sɪtɪzn] *n* (*POL*) citoyen/ne ; (*resident*): **the ~s of this town** les habitants de cette ville ; **~ship** *n* citoyenneté *f*.

citrus fruit ['sɪtrəs'fru:t] *n* agrume *m*.

city ['sɪtɪ] *n* ville *f*, cité *f* ; **the C~** la Cité de Londres (*centre des affaires*).

civic ['sɪvɪk] *a* civique.

civil ['sɪvɪl] *a* civil(e) ; poli(e), civil ; **~ engineer** *n* ingénieur civil ; **~ engineering** *n* génie civil, travaux publics ; **~ian** [sɪ'vɪlɪən] *a,n* civil(e).

civilization [sɪvɪlaɪ'zeɪʃən] *n* civilisation *f*.

civilized ['sɪvɪlaɪzd] *a* civilisé(e) ; (*fig*) où règnent les bonnes manières, empreint(e) d'une courtoisie de bon ton.

civil: **~ law** *n* code civil ; (*study*) droit civil ; **~ servant** *n* fonctionnaire *m/f* ; **C~ Service** *n* fonction publique, administration *f* ; **~ war** *n* guerre civile.

claim [kleɪm] *vt* revendiquer ; demander, prétendre à ; déclarer, prétendre // *vi* (*for insurance*) faire une déclaration de sinistre // *n* revendication *f* ; demande *f* ; prétention *f*, déclaration *f* ; (*right*) droit *m*, titre *m* ; (**insurance**) demande *f* d'indemnisation, déclaration *f* de sinistre ; **~ant** *n* (*ADMIN, LAW*) requérant/e.

clam [klæm] *n* palourde *f*.

clamber ['klæmbə*] *vi* grimper, se hisser.

clammy ['klæmɪ] *a* humide et froid(e) (au toucher), moite.

clamp [klæmp] *n* étau *m* à main ; agrafe *f*, crampon *m* // *vt* serrer ; cramponner ; **to ~ down on** *vt fus* sévir contre, prendre des mesures draconiennes à l'égard de.

clan [klæn] *n* clan *m*.

clang [klæŋ] *n* bruit *m or* fracas *m* métallique.

clap [klæp] *vi* applaudir // *vt*: **to ~ (one's hands)** battre des mains // *n* claquement *m* ; tape *f* ; **~ping** *n* applaudissements *mpl*.

claret ['klærət] *n* (vin *m* de) bordeaux *m* (rouge).

clarification [klærɪfɪ'keɪʃən] *n* (*fig*) clarification *f*, éclaircissement *m*.

clarify ['klærɪfaɪ] *vt* clarifier.

clarinet [klærɪ'nɛt] *n* clarinette *f*.

clarity ['klærɪtɪ] *n* clarté *f*.

clash [klæʃ] *n* choc *m* ; (*fig*) conflit *m* // *vi* se heurter ; être ou entrer en conflit.

clasp [klɑ:sp] *n* fermoir *m* // *vt* serrer, étreindre.

class [klɑ:s] *n* (*gen*) classe *f* // *vt* classer, classifier.

classic ['klæsɪk] *a* classique // *n* (*author*) classique *m* ; (*race etc*) classique *f* ; **~al** *a* classique.

classification [klæsɪfɪ'keɪʃən] *n* classification *f*.

classified ['klæsɪfaɪd] *a* (*information*) secret(ète) ; **~ ads** petites annonces.

classify ['klæsɪfaɪ] *vt* classifier, classer.

classmate ['klɑ:smeɪt] *n* camarade *m/f* de classe.

classroom ['klɑ:srum] *n* (salle *f* de) classe *f*.

clatter ['klætə*] *n* cliquetis *m* ; caquetage *m* // *vi* cliqueter ; (*talk*) caqueter, jacasser.

clause [klɔ:z] *n* clause *f* ; (*LING*) proposition *f*.

claustrophobia [klɔ:strə'fəubɪə] *n* claustrophobie *f*.

claw [klɔ:] *n* griffe *f* ; (*of bird of prey*) serre *f* ; (*of lobster*) pince *f* // *vt* griffer ; déchirer.

clay [kleɪ] *n* argile *f*.

clean [kli:n] *a* propre ; (*clear, smooth*) net(te) // *vt* nettoyer ; **to ~ out** *vt* nettoyer (à fond) ; **to ~ up** *vt* nettoyer ; (*fig*) remettre de l'ordre dans ; **~er** *n* (*person*) nettoyeur/euse, femme *f* de ménage ; (*also*: **dry ~er**) teinturier/ière ; (*product*) détachant *m* ; **~ing** *n* nettoyage

m; ~liness ['klɛnlınıs] n propreté f; ~ly ad proprement; nettement.
cleanse [klɛnz] vt nettoyer; purifier; ~r n détergent m; (for face) démaquillant m; cleansing department n service m de voirie.
clean-shaven ['kli:n'ʃeɪvn] a rasé(e) de près.
clean-up ['kli:n'ʌp] n nettoyage m.
clear [klɪə*] a clair(e); (road, way) libre, dégagé(e) // vt dégager, déblayer, débarrasser; faire évacuer; (COMM: goods) liquider; (LAW: suspect) innocenter; (obstacle) franchir or sauter sans heurter // vi (weather) s'éclaircir; (fog) se dissiper // ad: ~ of à distance de, à l'écart de; to ~ one's throat s'éclaircir la gorge; to ~ up vi s'éclaircir, se dissiper // vt ranger, mettre en ordre; (mystery) éclaircir, résoudre; ~ance n (removal) déblayage m; (free space) dégagement m; (permission) autorisation f; ~ance sale n liquidation f; ~-cut a précise(e), nettement défini(e); ~ing n clairière f; (BANKING) compensation f, clearing m; ~ly ad clairement; de toute évidence; ~way n (Brit) route f à stationnement interdit.
cleavage ['kli:vɪdʒ] n (of dress) décolleté m.
clef [klɛf] n (MUS) clé f.
clench [klɛntʃ] vt serrer.
clergy ['klə:dʒɪ] n clergé m; ~man n ecclésiastique m.
clerical ['klɛrɪkəl] a de bureau, d'employé de bureau; (REL) clérical(e), du clergé.
clerk [klɑ:k, (US) klə:rk] n employé/e de bureau; ~: salesman/woman vendeur/-euse.
clever ['klɛvə*] a (mentally) intelligent(e); (deft, crafty) habile, adroit(e); (device, arrangement) ingénieux(euse), astucieux-(euse).
cliché ['kli:ʃeɪ] n cliché m.
click [klɪk] vi faire un bruit sec or un déclic.
client ['klaɪənt] n client/e; ~ele [kli:ɑ̃:n'tɛl] n clientèle f.
cliff [klɪf] n falaise f.
climate ['klaɪmɪt] n climat m.
climax ['klaɪmæks] n apogée m, point culminant; (sexual) orgasme m.
climb [klaɪm] vi grimper, monter // vt gravir, escalader, monter sur // n montée f, escalade f; to ~ down vi (re)descendre; ~er n (also: rock ~er) grimpeur/euse, varappeur/ euse; ~ing n (also: rock ~ing) escalade f, varappe f.
clinch [klɪntʃ] vt (deal) conclure, sceller.
cling, pt, pp clung [klɪŋ, klʌŋ] vi: to ~ (to) se cramponner (à), s'accrocher (à); (of clothes) coller (à).
clinic ['klɪnɪk] n centre médical; ~al a clinique.
clink [klɪŋk] vi tinter, cliqueter.
clip [klɪp] n (for hair) barrette f; (also: paper ~) trombone m; (also: bulldog ~) pince f de bureau; (holding hose etc) collier m or bague f (métallique) de serrage // vt (also: ~ together: papers) attacher; (hair, nails) couper; (hedge) tailler; ~pers npl tondeuse f; (also: nail ~pers) coupe-ongles m inv.

clique [kli:k] n clique f, coterie f.
cloak [kləuk] n grande cape; ~room n (for coats etc) vestiaire m; (W.C.) toilettes fpl.
clock [klɔk] n (large) horloge f; (small) pendule f; ~wise ad dans le sens des aiguilles d'une montre; ~work n mouvement m (d'horlogerie); rouages mpl, mécanisme m.
clog [klɔg] n sabot m // vt boucher, encrasser // vi se boucher, s'encrasser.
cloister ['klɔɪstə*] n cloître m.
close a, ad and derivatives [kləus] a près, proche; (writing, texture) serré(e); (watch) étroit(e), strict(e); (examination) atten-tif(ive), minutieux(euse); (weather) lourd(e), étouffant(e); (room) mal aéré(e) // ad près, à proximité; a ~ friend un ami intime; to have a ~ shave (fig) l'échapper belle // vb and derivatives [kləuz] vt fermer // vi (shop etc) fermer; (lid, door etc) se fermer; (end) se terminer, se conclure // n (end) conclusion f; to ~ down vt,vi fermer (définitivement); ~d a (shop etc) fermé(e); (road) fermé à la circulation; ~d shop n organisation f qui n'admet que des travailleurs syndiqués; ~ly ad (examine, watch) de près.
closet ['klɔzɪt] n (cupboard) placard m, réduit m.
close-up ['kləusʌp] n gros plan.
closure ['kləuʒə*] n fermeture f.
clot [klɔt] n (gen: blood ~) caillot m // vi (blood) former des caillots; (: external bleeding) se coaguler; ~ted cream n crème caillée.
cloth [klɔθ] n (material) tissu m, étoffe f; (also: tea~) torchon m; lavette f.
clothe [kləuð] vt habiller, vêtir; ~s npl vêtements mpl, habits mpl; ~s brush n brosse f à habits; ~s line n corde f (à linge); ~s peg n pince f à linge.
clothing ['kləuðɪŋ] n = clothes.
cloud [klaud] n nuage m; ~burst n violente averse; ~y a nuageux(euse), couvert(e); (liquid) trouble.
clout [klaut] n (blow) taloche f // vt flanquer une taloche à.
clove [kləuv] n clou m de girofle; ~ of garlic gousse f d'ail.
clover ['kləuvə*] n trèfle m; ~leaf n feuille f de trèfle; ~leaf junction (AUT) n croisement m en trèfle.
clown [klaun] n clown m // vi (also: ~ about, ~ around) faire le clown.
club [klʌb] n (society) club m; (weapon) massue f, matraque f; (also: golf ~) club // vt matraquer // vi: to ~ together s'associer; ~s npl (CARDS) trèfle m; ~house n pavillon m.
cluck [klʌk] vi glousser.
clue [klu:] n indice m; (in crosswords) définition f; I haven't a ~ je n'en ai pas la moindre idée.
clump [klʌmp] n: ~ of trees bouquet m d'arbres.
clumsy ['klʌmzɪ] a (person) gauche, maladroit(e); (object) malcommode, peu maniable.
clung [klʌŋ] pt, pp of cling.
cluster ['klʌstə*] n (petit) groupe // vi se rassembler.

clutch [klʌtʃ] n (*grip, grasp*) étreinte f, prise f; (AUT) embrayage m // vt agripper, serrer fort; **to ~ at** se cramponner à.
clutter ['klʌtə*] vt encombrer.
Co. *abbr of* **county; company.**
c/o (*abbr of care of*) c/o, aux bons soins de.
coach [kəutʃ] n (*bus*) autocar m; (*horse-drawn*) diligence f; (*of train*) voiture f, wagon m; (SPORT: *trainer*) entraîneur/euse f; (*school: tutor*) répétiteur/trice // vt entraîner; donner des leçons particulières à.
coagulate [kəu'ægjuleit] vt coaguler // vi se coaguler.
coal [kəul] n charbon m; ~ **face** n front m de taille; (**~**) **face workers** npl mineurs mpl de fond; **~field** n bassin houiller.
coalition [kəuə'lɪʃən] n coalition f.
coalman, coal merchant ['kəulmən, 'kəulmə:tʃənt] n charbonnier m, marchand m de charbon.
coalmine ['kəulmaɪn] n mine f de charbon.
coarse [kɔ:s] a grossier(ère), rude.
coast [kəust] n côte f // vi (*with cycle etc*) descendre en roue libre; ~**al** a côtier(ère); ~**er** n caboteur m; ~**guard** n garde-côte m; ~**line** n côte f, littoral m.
coat [kəut] n manteau m; (*of animal*) pelage m, poil m; (*of paint*) couche f // vt couvrir, enduire; ~ **of arms** n blason m, armoiries fpl; ~ **hanger** n cintre m; ~**ing** n couche f, enduit m.
coax [kəuks] vt persuader par des cajoleries.
cob [kɔb] n *see* **corn.**
cobbles, cobblestones ['kɔblz, 'kɔblstəunz] npl pavés (ronds).
cobra ['kəubrə] n cobra m.
cobweb ['kɔbweb] n toile f d'araignée.
cocaine [kɔ'keɪn] n cocaïne f.
cock [kɔk] n (*rooster*) coq m; (*male bird*) mâle m // vt (*gun*) armer; **to ~ one's ears** (*fig*) dresser l'oreille; ~**erel** n jeune coq m; ~**-eyed** a (*fig*) de travers; qui louche; qui ne tient pas debout (*fig*).
cockle ['kɔkl] n coque f.
cockney ['kɔkni] n cockney m/f (*habitant des quartiers populaires de l'East End de Londres*), ≈ faubourien/ne.
cockpit ['kɔkpit] n (*in aircraft*) poste m de pilotage, cockpit m.
cockroach ['kɔkrəutʃ] n cafard m, cancrelat m.
cocktail ['kɔkteil] n cocktail m; ~ **cabinet** n (meuble-)bar m; ~ **party** n cocktail m; ~ **shaker** n shaker m.
cocoa ['kəukəu] n cacao m.
coconut ['kəukənʌt] n noix f de coco.
cocoon [kə'ku:n] n cocon m.
cod [kɔd] n morue (fraîche), cabillaud m.
code [kəud] n code m.
codify ['kəudifai] vt codifier.
coeducational ['kəuedju'keiʃənl] a mixte.
coerce [kəu'ə:s] vt contraindre; **coercion** [-'ə:ʃən] n contrainte f.
coexistence ['kəuig'zistəns] n coexistence f.
coffee ['kɔfi] n café m; ~ **grounds** npl marc m de café; ~**pot** n cafetière f; ~ **table** n (petite) table basse.

coffin ['kɔfin] n cercueil m.
cog [kɔg] n dent f (d'engrenage); ~**wheel** n roue dentée.
cogent ['kəudʒənt] a puissant(e), convaincant(e).
cognac ['kɔnjæk] n cognac m.
coherent [kəu'hiərənt] a cohérent(e).
coil [kɔil] n rouleau m, bobine f; (*one loop*) anneau m, spire f; (*contraceptive*) stérilet m // vt enrouler.
coin [kɔin] n pièce f de monnaie // vt (*word*) inventer; ~**age** n monnaie f, système m monétaire; ~**-box** n cabine f téléphonique.
coincide [kəuin'said] vi coïncider; ~**nce** [kəu'insidəns] n coïncidence f.
coke [kəuk] n coke m.
colander ['kɔləndə*] n passoire f (à légumes).
cold [kəuld] a froid(e) // n froid m; (MED) rhume m; **it's ~** il fait froid; **to be ~** avoir froid; **to have ~ feet** avoir froid aux pieds; (*fig*) avoir la frousse *or* la trouille; **to give sb the ~ shoulder** battre froid à qn; ~**ly** a froidement; ~ **sore** n herpès m.
coleslaw ['kəulslɔ:] n sorte de salade de chou cru.
colic ['kɔlik] n colique(s) f(pl).
collaborate [kə'læbəreit] vi collaborer; **collaboration** [-'reiʃən] n collaboration f; **collaborator** n collaborateur/trice.
collage [kɔ'la:ʒ] n (ART) collage m.
collapse [kə'læps] vi s'effondrer, s'écrouler // n effondrement m, écroulement m.
collapsible [kə'læpsəbl] a pliant(e); télescopique.
collar ['kɔlə*] n (*of coat, shirt*) col m; ~**bone** n clavicule f.
collate [kɔ'leit] vt collationner.
colleague ['kɔli:g] n collègue m/f.
collect [kə'lekt] vt rassembler; ramasser; (*as a hobby*) collectionner; (*call and pick up*) (passer) prendre; (*mail*) faire la levée de, ramasser; (*money owed*) encaisser; (*donations, subscriptions*) recueillir // vi se rassembler; s'amasser; ~**ed** a: ~**ed works** œuvres complètes; ~**ion** [kə'lekʃən] n collection f; levée f; (*for money*) collecte f, quête f.
collective [kə'lektiv] a collectif(ive).
collector [kə'lektə*] n collectionneur m; (*of taxes*) percepteur m; (*of rent, cash*) encaisseur m.
college ['kɔlidʒ] n collège m; ~ **of education** ≈ école normale.
collide [kə'laid] vi: **to ~ (with)** entrer en collision (avec); (*fig*) entrer en conflit (avec), se heurter (à).
colliery ['kɔliəri] n mine f de charbon, houillère f.
collision [kə'liʒən] n collision f, heurt m; (*fig*) conflit m.
colloquial [kə'ləukwiəl] a familier(ère).
colon ['kəulən] n (*sign*) deux-points mpl; (MED) côlon m.
colonel ['kə:nl] n colonel m.
colonial [kə'ləuniəl] a colonial(e).
colonize ['kɔlənaiz] vt coloniser.

colony ['kɔlənɪ] n colonie f.
color ['kʌlə*] n,vt (US) = colour.
Colorado [kɔlə'rɑːdəu]: ~ beetle n doryphore m.
colossal [kə'lɔsl] a colossal(e).
colour, color (US) ['kʌlə*] n couleur f // vt colorer; peindre; (with crayons) colorier; (news) fausser, exagérer; ~s npl (of party, club) couleurs fpl; ~ bar n discrimination raciale (dans un établissement etc); ~-blind a daltonien(ne); ~ed a coloré(e); (photo) en couleur // n: ~eds personnes fpl de couleur; ~ film n (for camera) pellicule f (en) couleur; ~ful a coloré(e), vif(vive); (personality) pittoresque, haut(e) en couleurs; ~ scheme n combinaison f de(s) couleurs; ~ television n télévision f en couleur.
colt [kəult] n poulain m.
column ['kɔləm] n colonne f; ~ist ['kɔləmnɪst] n rédacteur/trice d'une rubrique.
coma ['kəumə] n coma m.
comb [kəum] n peigne m // vt (hair) peigner; (area) ratisser, passer au peigne fin.
combat ['kɔmbæt] n combat m // vt combattre, lutter contre.
combination [kɔmbɪ'neɪʃən] n (gen) combinaison f.
combine vb [kəm'baɪn] vt combiner; (one quality with another) joindre (à), allier (à) // vi s'associer; (CHEM) se combiner // n ['kɔmbaɪn] association f; (ECON) trust m; ~ (harvester) n moissonneuse-batteuse(-lieuse) f.
combustible [kəm'bʌstɪbl] a combustible.
combustion [kəm'bʌstʃən] n combustion f.
come, pt came, pp come [kʌm, keɪm] vi venir; arriver; to ~ into sight or view apparaître; to ~ to (decision etc) parvenir or arriver à; to ~ undone/loose se défaire/desserrer; to ~ about vi se produire, arriver; to ~ across vt fus rencontrer par hasard, tomber sur; to ~ along vi = to come on; to ~ apart vi s'en aller en morceaux; se détacher; to ~ away vi partir, s'en aller; se détacher; to ~ back vi revenir; to ~ by vi fus (acquire) obtenir, se procurer; to ~ down vi descendre; (prices) baisser; (buildings) s'écrouler; être démoli(e); to ~ forward vi s'avancer; se présenter, s'annoncer; to ~ from vi être originaire de; venir de; to ~ in vi entrer; to ~ in for vt fus (criticism etc) être l'objet de; to ~ into vt fus (money) hériter de; to ~ off vi (button) se détacher; (stain) s'enlever; (attempt) réussir; to ~ on vi (pupil, undertaking) faire des progrès, avancer; ~ on! viens! allons!, allez!; to ~ out vi sortir; (book) paraître; (strike) cesser le travail, se mettre en grève; to ~ to vi revenir à soi; to ~ up vi monter; to ~ up against vt fus (resistance, difficulties) rencontrer; to ~ up with vt fus: he came up with an idea il a eu une idée, il a proposé quelque chose; to ~ upon vt fus tomber sur; ~back n (THEATRE etc) rentrée f.

comedian [kə'miːdɪən] n (in music hall etc) comique m; (THEATRE) comédien m.
comedienne [kəmiː'dɪɛn] n comédienne f.
comedown ['kʌmdaun] n déchéance f.
comedy ['kɔmɪdɪ] n comédie f.
comet ['kɔmɪt] n comète f.
comfort ['kʌmfət] n confort m, bien-être m; (solace) consolation f, réconfort m // vt consoler, réconforter; ~s npl aises fpl; ~able a confortable; ~ station n (US) toilettes fpl.
comic ['kɔmɪk] a (also: ~al) comique // n comique m; (magazine) illustré m; ~ strip n bande dessinée.
coming ['kʌmɪŋ] n arrivée f; ~(s) and going(s) n(pl) va-et-vient m inv.
comma ['kɔmə] n virgule f.
command [kə'mɑːnd] n ordre m, commandement m; (MIL: authority) commandement m; (mastery) maîtrise f // vt (troops) commander; (be able to get) (pouvoir) disposer de, avoir à sa disposition; (deserve) avoir droit à; to ~ sb to do donner l'ordre or commander à qn de faire; ~eer [kɔmən'dɪə*] vt réquisitionner (par la force); ~er n chef m; (MIL) commandant m; ~ing officer n commandant m.
commando [kə'mɑːndəu] n commando m; membre m d'un commando.
commemorate [kə'mɛməreɪt] vt commémorer; commemoration [-'reɪʃən] n commémoration f.
commemorative [kə'mɛmərətɪv] a commémoratif(ive).
commence [kə'mɛns] vt,vi commencer.
commend [kə'mɛnd] vt louer; recommander; ~able a louable; ~ation [kɔmɛn'deɪʃən] n éloge m; recommandation f.
commensurate [kə'mɛnʃərɪt] a: ~ with en proportion de, proportionné(e) à.
comment ['kɔmɛnt] n commentaire m // vi faire des remarques or commentaires; ~ary ['kɔməntərɪ] n commentaire m; (SPORT) reportage m (en direct); ~ator ['kɔmənteɪtə*] n commentateur m; reporter m.
commerce ['kɔməːs] n commerce m.
commercial [kə'məːʃəl] a commercial(e) // n (TV: also: ~ break) annonce f publicitaire, spot m (publicitaire); ~ college n école f de commerce; ~ize vt commercialiser; ~ television n la publicité à la télévision, les chaînes indépendantes; ~ traveller n voyageur m de commerce; ~ vehicle n véhicule m utilitaire.
commiserate [kə'mɪzəreɪt] vi: ~ with compatir à.
commission [kə'mɪʃən] n (committee, fee) commission f; (order for work of art etc) commande f // vt (MIL) nommer (à un commandement); (work of art) commander, charger un artiste de l'exécution de; out of ~ (NAUT) hors de service; ~aire [kəmɪʃə'nɛə*] n (at shop, cinema etc) portier m (en uniforme); ~er n membre m d'une commission; (POLICE) préfet m (de police).
commit [kə'mɪt] vt (act) commettre; (to sb's care) confier (à); to ~ o.s. (to do) s'engager (à faire); to ~ suicide se

suicider ; **to ~ to writing** coucher par écrit ; **~ment** n engagement m, responsabilité(s) f(pl).

committee [kə'mɪtɪ] n comité m.

commodity [kə'mɔdɪtɪ] n produit m, marchandise f, article m ; (food) denrée f.

common ['kɔmən] a (gen, also pej) commun(e) ; (usual) courant(e) // n terrain communal ; **the C~s** npl la chambre des Communes ; **in ~** en commun ; **it's ~ knowledge that** il est bien connu or notoire que ; **to the ~ good** pour le bien de tous, dans l'intérêt général ; **~er** n roturier/ière ; **~ ground** n (fig) terrain m d'entente ; **~ law** n droit coutumier ; **~ly** ad communément, généralement ; couramment ; **C~ Market** n Marché commun ; **~place** a banal(e), ordinaire ; **~room** n salle commune ; (SCOL) salle des professeurs ; **~ sense** n bon sens ; **the C~wealth** n le Commonwealth.

commotion [kə'məuʃən] n désordre m, tumulte m.

communal ['kɔmju:nl] a (life) communautaire ; (for common use) commun(e).

commune n ['kɔmju:n] (group) communauté f // vi [kə'mju:n]: **to ~ with** converser intimement avec ; communier avec.

communicate [kə'mju:nɪkeɪt] vt communiquer, transmettre // vi: **to ~ (with)** communiquer (avec).

communication [kəmju:nɪ'keɪʃən] n communication f ; **~ cord** n sonnette f d'alarme.

communion [kə'mju:nɪən] n (also: **Holy C~**) communion f.

communiqué [kə'mju:nɪkeɪ] n communiqué m.

communism ['kɔmjunɪzəm] n communisme m ; **communist** a,n communiste (m/f).

community [kə'mju:nɪtɪ] n communauté f ; **~ centre** n foyer socio-éducatif, centre m de loisirs ; **~ chest** n (US) fonds commun.

commutation ticket [kɔmju:teɪʃəntɪkɪt] n (US) carte f d'abonnement.

commute [kə'mju:t] vi faire le trajet journalier (de son domicile à un lieu de travail assez éloigné) // vt (LAW) commuer ; (MATH: terms etc) opérer la commutation de ; **~r** n banlieusard/e (qui ... see vi).

compact a [kəm'pækt] compact(e) // n ['kɔmpækt] contrat m, entente f ; (also: **powder ~**) poudrier m.

companion [kəm'pænɪən] n compagnon/-compagne ; **~ship** n camaraderie f.

company ['kʌmpənɪ] n (also COMM, MIL, THEATRE) compagnie f ; **he's good ~** il est d'une compagnie agréable ; **we have ~** nous avons de la visite ; **to keep sb ~** tenir compagnie à qn ; **to part ~ with** se séparer de ; **~ secretary** n (COMM) secrétaire général (d'une société).

comparable ['kɔmpərəbl] a comparable.

comparative [kəm'pærətɪv] a comparatif(ive) ; (relative) relatif(ive).

compare [kəm'pɛə*] vt: **to ~ sth/sb with/to** comparer qch/qn avec or et/à // vi: **to ~ (with)** se comparer (à) ; être comparable (à) ; **comparison** [-'pærɪsn] n comparaison f ; **in comparison (with)** en comparaison (de).

compartment [kəm'pɑ:tmənt] n (also RAIL) compartiment m.

compass ['kʌmpəs] n boussole f ; **~es** npl compas m.

compassion [kəm'pæʃən] n compassion f, humanité f ; **~ate** a accessible à la compassion, au cœur charitable et bienveillant ; **on ~ate grounds** pour raisons personnelles or de famille.

compatible [kəm'pætɪbl] a compatible.

compel [kəm'pɛl] vt contraindre, obliger ; **~ling** a (fig: argument) irrésistible.

compendium [kəm'pɛndɪəm] n abrégé m.

compensate ['kɔmpənseɪt] vt indemniser, dédommager // vi: **to ~ for** compenser ; **compensation** [-'seɪʃən] n compensation f ; (money) dédommagement m, indemnité f.

compère ['kɔmpɛə*] n présentateur/trice, animateur/trice.

compete [kəm'pi:t] vi (take part) concourir ; (vie): **to ~ (with)** rivaliser (avec), faire concurrence (à).

competence ['kɔmpɪtəns] n compétence f, aptitude f.

competent ['kɔmpɪtənt] a compétent(e), capable.

competition [kɔmpɪ'tɪʃən] n compétition f, concours m ; (ECON) concurrence f.

competitive [kəm'pɛtɪtɪv] a (ECON) concurrentiel(le) ; **~ examination** n (SCOL) concours m.

competitor [kəm'pɛtɪtə*] n concurrent/e.

compile [kəm'paɪl] vt compiler.

complacency [kəm'pleɪsnsɪ] n contentement m de soi, vaine complaisance.

complacent [kəm'pleɪsənt] a (trop) content(e) de soi ; suffisant(e).

complain [kəm'pleɪn] vi: **to ~ (about)** se plaindre (de) ; (in shop etc) réclamer (au sujet de) ; **to ~ of** vt fus (MED) se plaindre de ; **~t** n plainte f ; réclamation f ; (MED) affection f.

complement ['kɔmplɪmənt] n complément m ; (especially of ship's crew etc) effectif complet ; **~ary** [kɔmplɪ'mɛntərɪ] a complémentaire.

complete [kəm'pli:t] a complet(ète) // vt achever, parachever ; (a form) remplir ; **~ly** ad complètement ; **completion** n achèvement m.

complex ['kɔmplɛks] a complexe // n (PSYCH, buildings etc) complexe m.

complexion [kəm'plɛkʃən] n (of face) teint m ; (of event etc) aspect m, caractère m.

complexity [kəm'plɛksɪtɪ] n complexité f.

compliance [kəm'plaɪəns] n (see compliant) docilité f ; (see comply): **~ with** le fait de se conformer à ; **in ~ with** en conformité avec, conformément à.

compliant [kəm'plaɪənt] a docile, très accommodant(e).

complicate ['kɔmplɪkeɪt] vt compliquer ;

~d a compliqué(e); **complication** [-'keɪʃən] n complication f.

compliment n ['kɔmplɪmənt] compliment m // vt ['kɔmplɪmɛnt] complimenter; **~s** npl compliments mpl, hommages mpl; vœux mpl; **~ary** [-'mɛntərɪ] a flatteur(euse); (free) à titre gracieux; **~ary ticket** n billet m de faveur.

comply [kəm'plaɪ] vi: **to ~ with** se soumettre à, se conformer à.

component [kəm'pəunənt] a composant(e), constituant(e) // n composant m, élément m.

compose [kəm'pəuz] vt composer; **to ~ o.s.** se calmer, se maîtriser; prendre une contenance; **~d** a calme, posé(e); **~r** n (MUS) compositeur m.

composite ['kɔmpəzɪt] a composite; (BOT, MATH) composé(e).

composition [kɔmpə'zɪʃən] n composition f.

compost ['kɔmpɔst] n compost m.

composure [kəm'pəuʒə*] n calme m, maîtrise f de soi.

compound ['kɔmpaund] n (CHEM, LING) composé m; (enclosure) enclos m, enceinte f // a composé(e); **~ fracture** n fracture compliquée; **~ interest** n intérêt composé.

comprehend [kɔmprɪ'hɛnd] vt comprendre; **comprehension** [-'hɛnʃən] n compréhension f.

comprehensive [kɔmprɪ'hɛnsɪv] a (très) complet(ète); **~ policy** n (INSURANCE) assurance f tous risques; **~ (school)** n école secondaire non sélective, avec libre circulation d'une section à l'autre, ≈ C.E.S. m.•

compress vt [kəm'prɛs] comprimer // n ['kɔmprɛs] (MED) compresse f; **~ion** [-'prɛʃən] n compression f.

comprise [kəm'praɪz] vt (also: **be ~d of**) •comprendre.

compromise ['kɔmprəmaɪz] n compromis m // vt compromettre // vi transiger, accepter un compromis.

compulsion [kəm'pʌlʃən] n contrainte f, force f.

compulsive [kəm'pʌlsɪv] a (reason, demand) coercitif(ive); (PSYCH) compulsif(ive); **he's a ~ smoker** c'est un fumeur invétéré.

compulsory [kəm'pʌlsərɪ] a obligatoire.

computer [kəm'pju:tə*] n ordinateur m; (mechanical) calculatrice f; **~ize** vt traiter or automatiser par ordinateur; **~ language** n langage m machine or de programmation; **~ programming** n programmation f; **~ science** n informatique f; **~ scientist** n informaticien/ne.

comrade ['kɔmrɪd] n camarade m/f; **~ship** n camaraderie f.

con [kɔn] vt duper; escroquer.

conceal [kən'si:l] vt cacher, dissimuler.

concede [kən'si:d] vt concéder // vi céder.

conceit [kən'si:t] n vanité f, suffisance f, prétention f; **~ed** a vaniteux(euse), suffisant(e).

conceivable [kən'si:vəbl] a concevable, imaginable.

conceive [kən'si:v] vt concevoir.

concentrate ['kɔnsəntreɪt] vi se concentrer // vt concentrer.

concentration [kɔnsən'treɪʃən] n concentration f; **~ camp** n camp m de concentration.

concentric [kən'sɛntrɪk] a concentrique.

concept ['kɔnsɛpt] n concept m.

conception [kən'sɛpʃən] n conception f.

concern [kən'sə:n] n affaire f; (COMM) entreprise f, firme f; (anxiety) inquiétude f, souci m // vt concerner; **to be ~ed (about)** s'inquiéter (de), être inquiet (au sujet de); **~ing** prep en ce qui concerne, à propos de.

concert ['kɔnsət] n concert m; **in ~** à l'unisson, en chœur; ensemble; **~ed** [kən'sə:tɪd] a concerté(e); **~ hall** n salle f de concert.

concertina [kɔnsə'ti:nə] n concertina m // vi se télescoper, se caramboler.

concerto [kən'tʃə:təu] n concerto m.

concession [kən'sɛʃən] n concession f.

conciliation [kənsɪlɪ'eɪʃən] n conciliation f, apaisement m.

conciliatory [kən'sɪlɪətrɪ] a conciliateur(trice); conciliant(e).

concise [kən'saɪs] a concis(e).

conclave ['kɔnkleɪv] n assemblée secrète; (REL) conclave m.

conclude [kən'klu:d] vt conclure; **conclusion** [-'klu:ʒən] n conclusion f; **conclusive** [-'klu:sɪv] a concluant(e), définitif(ive).

concoct [kən'kɔkt] vt confectionner, composer.

concourse ['kɔnkɔ:s] n (hall) hall m, salle f des pas perdus; (crowd) affluence f; multitude f.

concrete ['kɔnkri:t] n béton m // a concret(ète); en béton.

concur [kən'kə:*] vi être d'accord.

concurrently [kən'kʌrntlɪ] ad simultanément.

concussion [kən'kʌʃən] n ébranlement m, secousse f; (MED) commotion (cérébrale).

condemn [kən'dɛm] vt condamner; **~ation** [kɔndɛm'neɪʃən] n condamnation f.

condensation [kɔndɛn'seɪʃən] n condensation f.

condense [kən'dɛns] vi se condenser // vt condenser; **~d milk** n lait condensé (sucré).

condescend [kɔndɪ'sɛnd] vi condescendre, s'abaisser; **~ing** a condescendant(e).

condition [kən'dɪʃən] n condition f // vt déterminer, conditionner; **on ~ that** à condition que + sub, à condition de; **~al** a conditionnel(le); **to be ~al upon** dépendre de.

condolences [kən'dəulənsɪz] npl condoléances fpl.

condone [kən'dəun] vt fermer les yeux sur, approuver (tacitement).

conducive [kən'dju:sɪv] a: **~ to** favorable à, qui contribue à.

conduct n ['kɔndʌkt] conduite f // vt [kən'dʌkt] conduire; (manage) mener, diriger; (MUS) diriger; **to ~ o.s.** se conduire, se comporter ; **~ed tour** n voyage organisé, visite guidée ; **~or** n (of orchestra) chef m d'orchestre ; (on bus) receveur m ; (ELEC) conducteur m ; **~ress** n (on bus) receveuse f.

conduit ['kɔndɪt] n conduit m, tuyau m ; tube m.

cone [kəun] n cône m ; (for ice-cream) cornet m ; (BOT) pomme f de pin, cône.

confectioner [kən'fɛkʃənə*] n (of cakes) pâtissier/ière ; (of sweets) confiseur/euse ; **~y** n pâtisserie f ; confiserie f.

confederation [kənfɛdə'reɪʃən] n confédération f.

confer [kən'fə:*] vt : to ~ sth on conférer qch à // vi conférer, s'entretenir.

conference ['kɔnfərns] n conférence f.

confess [kən'fɛs] vt confesser, avouer // vi se confesser ; **~ion** [-'fɛʃən] n confession f ; **~ional** [-'fɛʃənl] n confessional m ; **~or** n confesseur m.

confetti [kən'fɛtɪ] n confettis mpl.

confide [kən'faɪd] vi : to ~ in s'ouvrir à, se confier à.

confidence ['kɔnfɪdns] n confiance f ; (also: self-~) assurance f, confiance en soi ; (secret) confidence f ; ~ **trick** n escroquerie f ; **confident** a sûr(e), assuré(e) ; **confidential** [kɔnfɪ'dɛnʃəl] a confidentiel(le).

confine [kən'faɪn] vt limiter, borner ; (shut up) confiner, enfermer ; **~s** ['kɔnfaɪnz] npl confins mpl, bornes fpl ; **~d** a (space) restreint(e), réduit(e) ; **~ment** n emprisonnement m, détention f ; (MIL) consigne f (au quartier) ; (MED) accouchement m.

confirm [kən'fə:m] vt (report) confirmer ; (appointment) ratifier ; **~ation** [kɔnfə'meɪʃən] n confirmation f ; **~ed** a invétéré(e), incorrigible.

confiscate ['kɔnfɪskeɪt] vt confisquer ; **confiscation** [-'keɪʃən] n confiscation f.

conflagration [kɔnflə'greɪʃən] n incendie m.

conflict n ['kɔnflɪkt] conflit m, lutte f // vi [kən'flɪkt] être or entrer en conflit ; (opinions) s'opposer, se heurter ; **~ing** a contradictoire.

conform [kən'fɔ:m] vi : to ~ (to) se conformer (à) ; **~ist** n conformiste m/f.

confound [kən'faund] vt confondre ; **~ed** a maudit(e), sacré(e).

confront [kən'frʌnt] vt confronter, mettre en présence ; (enemy, danger) affronter, faire face à ; **~ation** [kɔnfrən'teɪʃən] n confrontation f.

confuse [kən'fju:z] vt embrouiller ; (one thing with another) confondre ; **confusing** a peu clair(e), déroutant(e) ; **confusion** [-'fju:ʒən] n confusion f.

congeal [kən'dʒi:l] vi (oil) se figer ; (blood) se coaguler.

congenial [kən'dʒi:nɪəl] a sympathique, agréable.

congenital [kən'dʒɛnɪtl] a congénital(e).

conger eel ['kɔŋgəri:l] n congre m.

congested [kən'dʒɛstɪd] a (MED) congestionné(e) ; (fig) surpeuplé(e) ; congestionné ; bloqué(e).

congestion [kən'dʒɛstʃən] n congestion f ; (fig) encombrement m.

conglomeration [kənglɔmə'reɪʃən] n groupement m ; agglomération f.

congratulate [kən'grætjuleɪt] vt : to ~ sb (on) féliciter qn (de) ; **congratulations** [-'leɪʃənz] npl félicitations fpl.

congregate ['kɔŋgrɪgeɪt] vi se rassembler, se réunir.

congregation [kɔŋgrɪ'geɪʃən] n assemblée f (des fidèles).

congress ['kɔŋgrɛs] n congrès m ; **~man** n (US) membre m du Congrès.

conical ['kɔnɪkl] a (de forme) conique.

conifer ['kɔnɪfə*] n conifère m ; **~ous** [kə'nɪfərəs] a (forest) de conifères.

conjecture [kən'dʒɛktʃə*] n conjecture f // vt, vi conjecturer.

conjugal ['kɔndʒugl] a conjugal(e).

conjugate ['kɔndʒugeɪt] vt conjuguer ; **conjugation** [-'geɪʃən] n conjugaison f.

conjunction [kən'dʒʌŋkʃən] n conjonction f.

conjunctivitis [kəndʒʌŋktɪ'vaɪtɪs] n conjonctivite f.

conjure ['kʌndʒə*] vt faire apparaître (par la prestidigitation) ; [kən'dʒuə*] conjurer, supplier ; to ~ up vt (ghost, spirit) faire apparaître ; (memories) évoquer ; **~r** n prestidigitateur m, illusionniste m/f ; **conjuring trick** n tour m de prestidigitation.

conk [kɔŋk] : to ~ out vi (col) tomber or rester en panne.

conman ['kɔnmæn] n escroc m.

connect [kə'nɛkt] vt joindre, relier ; (ELEC) connecter ; (fig) établir un rapport entre, faire un rapprochement entre // vi (train): to ~ with assurer la correspondance avec ; to be ~ed with avoir un rapport avec ; avoir des rapports avec, être en relation avec ; **~** **-ɪon** [-ʃən] n relation f, lien m ; (ELEC) connexion f ; (TEL) communication f ; in ~ion with à propos de.

connexion [kə'nɛkʃən] n = **connection**.

conning tower ['kɔnɪŋtauə*] n kiosque m (de sous-marin).

connive [kə'naɪv] vi : to ~ at se faire le complice de.

connoisseur [kɔnɪ'sə*] n connaisseur m.

connotation [kɔnə'teɪʃən] n connotation f, implication f.

connubial [kə'nju:bɪəl] a conjugal(e).

conquer ['kɔŋkə*] vt conquérir ; (feelings) vaincre, surmonter ; **~or** n conquérant m, vainqueur m.

conquest ['kɔŋkwɛst] n conquête f.

cons [kɔnz] npl see **pro**, **convenience**.

conscience ['kɔnʃəns] n conscience f.

conscientious [kɔnʃi'ɛnʃəs] a consciencieux(euse) ; (scruple, objection) de conscience ; ~ **objector** n objecteur m de conscience.

conscious ['kɔnʃəs] a conscient(e) ; **~ness** n conscience f ; (MED) connaissance f ; to lose/regain **~ness** perdre/reprendre connaissance.

conscript ['kɔnskrɪpt] n conscrit m ; **~ion** [kən'skrɪpʃən] n conscription f.

consecrate ['kɔnsɪkreɪt] vt consacrer.
consecutive [kən'sɛkjutɪv] a consécutif(ive).
consensus [kən'sɛnsəs] n consensus m.
consent [kən'sɛnt] n consentement m // vi: to ~ (to) consentir (à); age of ~ âge nubile (légal).
consequence ['kɔnsɪkwəns] n suites fpl, conséquence f; importance f.
consequently ['kɔnsɪkwəntlɪ] ad par conséquent, donc.
conservation [kɔnsə'veɪʃən] n préservation f, protection f.
conservative [kən'sə:vətɪv] a conservateur(trice); (cautious) prudent(e); C~ a,n conservateur(trice).
conservatory [kən'sə:vətrɪ] n (greenhouse) serre f.
conserve [kən'sə:v] vt conserver, préserver.
consider [kən'sɪdə*] vt considérer, réfléchir à; (take into account) penser à, prendre en considération; (regard, judge) considérer, estimer.
considerable [kən'sɪdərəbl] a considérable.
considerate [kən'sɪdərɪt] a prévenant(e), plein(e) d'égards.
consideration [kənsɪdə'reɪʃən] n considération f; (reward) rétribution f, rémunération f; out of ~ for par égard pour; under ~ à l'étude.
considering [kən'sɪdərɪŋ] prep étant donné.
consign [kən'saɪn] vt expédier, livrer; ~ment n arrivage m, envoi m.
consist [kən'sɪst] vi: to ~ of consister en, se composer de.
consistency [kən'sɪstənsɪ] n consistance f; (fig) cohérence f.
consistent [kən'sɪstənt] a logique, cohérent(e); ~ with compatible avec, en accord avec.
consolation [kɔnsə'leɪʃən] n consolation f.
console vt [kən'səul] consoler // n ['kɔnsəul] console f.
consolidate [kən'sɔlɪdeɪt] vt consolider.
consommé [kən'sɔmeɪ] n consommé m.
consonant ['kɔnsənənt] n consonne f.
consortium [kən'sɔ:tɪəm] n consortium m, comptoir m.
conspicuous [kən'spɪkjuəs] a voyant(e), qui attire la vue or l'attention.
conspiracy [kən'spɪrəsɪ] n conspiration f, complot m.
conspire [kən'spaɪə*] vi conspirer, comploter.
constable ['kʌnstəbl] n ≈ agent m de police, gendarme m; chief ~ n ≈ préfet m de police.
constabulary [kən'stæbjulərɪ] n ≈ police f, gendarmerie f.
constant ['kɔnstənt] a constant(e), incessant(e); ~ly ad constamment, sans cesse.
constellation [kɔnstə'leɪʃən] n constellation f.
consternation [kɔnstə'neɪʃən] n consternation f.

constipated ['kɔnstɪpeɪtəd] a constipé(e).
constipation [kɔnstɪ'peɪʃən] n constipation f.
constituency [kən'stɪtjuənsɪ] n circonscription électorale.
constituent [kən'stɪtjuənt] n électeur/trice; (part) élément constitutif, composant m.
constitute ['kɔnstɪtju:t] vt constituer.
constitution [kɔnstɪ'tju:ʃən] n constitution f; ~al a constitutionnel(le).
constrain [kən'streɪn] vt contraindre, forcer; ~ed a contraint(e), gêné(e); ~t n contrainte f.
constrict [kən'strɪkt] vt rétrécir, resserrer; gêner, limiter.
construct [kən'strʌkt] vt construire; ~ion [-ʃən] n construction f; ~ive a constructif(ive).
construe [kən'stru:] vt analyser, expliquer.
consul ['kɔnsl] n consul m; ~ate ['kɔnsjulɪt] n consulat m.
consult [kən'sʌlt] vt consulter; ~ancy n: ~ancy fee honoraires mpl d'expert; ~ant n (MED) médecin consultant; (other specialist) consultant m, (expert-)conseil m // a: ~ant engineer ingénieur-conseil m; legal/management ~ant conseiller m juridique/en gestion; ~ation [kɔnsəl'teɪʃən] n consultation f; ~ing room n cabinet m de consultation.
consume [kən'sju:m] vt consommer; ~r n consommateur/ trice; **consumerism** n mouvement m pour la protection des consommateurs; ~r society n société f de consommation.
consummate ['kɔnsʌmeɪt] vt consommer.
consumption [kən'sʌmpʃən] n consommation f; (MED) consomption f (pulmonaire).
cont. abbr of continued.
contact ['kɔntækt] n contact m; (person) connaissance f, relation f // vt se mettre en contact or en rapport avec; ~ lenses npl verres mpl de contact.
contagious [kən'teɪdʒəs] a contagieux(euse).
contain [kən'teɪn] vt contenir; to ~ o.s. se contenir, se maîtriser; ~er n récipient m; (for shipping etc) container m.
contaminate [kən'tæmɪneɪt] vt contaminer; **contamination** [-'neɪʃən] n contamination f.
cont'd abbr of continued.
contemplate ['kɔntəmpleɪt] vt contempler; (consider) envisager; **contemplation** [-'pleɪʃən] n contemplation f.
contemporary [kən'tɛmpərərɪ] a contemporain(e); (design, wallpaper) moderne // n contemporain/e.
contempt [kən'tɛmpt] n mépris m, dédain m; ~ible a méprisable, vile(e); ~uous a dédaigneux(euse), méprisant(e).
contend [kən'tɛnd] vt: to ~ that soutenir or prétendre que // vi: to ~ with rivaliser avec, lutter avec; ~er n prétendant/e; adversaire m/f.
content [kən'tɛnt] a content(e), satisfait(e) // vt contenter, satisfaire // n ['kɔntɛnt] contenu m; teneur f; ~s npl

contenu ; (of barrel etc: capacity) contenance f; (table of) ~s table f des matières; to be ~ with se contenter de ; ~ed a content(e), satisfait(e).

contention [kən'tɛnʃən] n dispute f, contestation f; (argument) assertion f, affirmation f; **contentious** a querelleur(euse) ; litigieux(euse).

contentment [kən'tɛntmənt] n contentement m, satisfaction f.

contest n ['kɔntɛst] combat m, lutte f; (competition) concours m // vt [kən'tɛst] contester, discuter ; (compete for) disputer ; ~ant [kən'tɛstənt] n concurrent/e ; (in fight) adversaire m/f.

context ['kɔntɛkst] n contexte m.

continent ['kɔntinənt] n continent m ; the C~ l'Europe continentale ; ~al [-'nɛntl] a continental(e) // n Européen/ne (continental(e)).

contingency [kən'tindʒənsi] n éventualité f, événement imprévu ; ~ plan n plan m d'urgence.

contingent [kən'tindʒənt] a contingent(e) // n contingent m ; to be ~ upon dépendre de.

continual [kən'tinjuəl] a continuel(le) ; ~ly ad continuellement, sans cesse.

continuation [kəntinju'eiʃən] n continuation f; (after interruption) reprise f; (of story) suite f.

continue [kən'tinju:] vi continuer // vt continuer ; (start again) reprendre ; to be ~d (story) à suivre.

continuity [kɔnti'nju:iti] n continuité f; ~ girl n (CINEMA) script-girl f.

continuous [kən'tinjuəs] a continu(e), permanent(e).

contort [kən'tɔ:t] vt tordre, crisper ; ~ion [-'tɔ:ʃən] n crispation f, torsion f; (of acrobat) contorsion f; ~ionist [-'tɔ:ʃənist] n contorsionniste m/f.

contour [kən'tuə*] n contour m, profil m ; (also: ~ line) courbe f de niveau.

contraband ['kɔntrəbænd] n contrebande f.

contraception [kɔntrə'sɛpʃən] n contraception f.

contraceptive [kɔntrə'sɛptiv] a contraceptif(ive), anticonceptionnel(le) // n contraceptif m.

contract n ['kɔntrækt] contrat m // vb [kən'trækt] vi (COMM): to ~ to do sth s'engager (par contrat) à faire qch ; (become smaller) se contracter, se resserrer // vt contracter ; ~ion [-ʃən] n contraction f; (LING) forme contractée ; ~or n entrepreneur m.

contradict [kɔntrə'dikt] vt contredire ; (be contrary to) démentir, être en contradiction avec ; ~ion [-ʃən] n contradiction f.

contralto [kən'træltəu] n contralto m.

contraption [kən'træpʃən] n (pej) machin m, truc m.

contrary ['kɔntrəri] a contraire, opposé(e) ; (perverse) [kən'trɛəri] contrariant(e), entêté(e) // n contraire m ; on the ~ au contraire ; unless you hear to the ~ sauf avis contraire.

contrast n ['kɔntrɑ:st] contraste m // vt [kən'trɑ:st] mettre en contraste,

contraster ; ~ing a opposé(e), contrasté(e).

contravene [kɔntrə'vi:n] vt enfreindre, violer, contrevenir à.

contribute [kən'tribju:t] vi contribuer // vt: to ~ £10/an article to donner 10 livres/un article à ; to ~ to (gen) contribuer à ; (newspaper) collaborer à ; **contribution** [kɔntri'bju:ʃən] n contribution f; **contributor** n (to newspaper) collaborateur/trice.

contrite ['kɔntrait] a contrit(e).

contrivance [kən'traivəns] n invention f, combinaison f; mécanisme m, dispositif m.

contrive [kən'traiv] vt combiner, inventer // vi: to ~ to do s'arranger pour faire, trouver le moyen de faire.

control [kən'trəul] vt maîtriser ; (check) contrôler // n contrôle m, autorité f; maîtrise f; ~s npl commandes fpl ; to be in ~ of être maître de, maîtriser ; être responsable de ; circumstances beyond our ~ circonstances indépendantes de notre volonté ; ~ point n (poste m de) contrôle ; ~ tower n (AVIAT) tour f de contrôle.

controversial [kɔntrə'və:ʃl] a discutable, controversé(e).

controversy ['kɔntrəvə:si] n controverse f, polémique f.

convalesce [kɔnvə'lɛs] vi relever de maladie, se remettre (d'une maladie).

convalescence [kɔnvə'lɛsns] n convalescence f.

convalescent [kɔnvə'lɛsnt] a, n convalescent(e).

convector [kən'vɛktə*] n radiateur m à convection, appareil m de chauffage par convection.

convene [kən'vi:n] vt convoquer, assembler // vi se réunir, s'assembler.

convenience [kən'vi:niəns] n commodité f; at your ~ quand or comme cela vous convient ; all modern ~s, all mod cons avec tout le confort moderne, tout confort.

convenient [kən'vi:niənt] a commode.

convent ['kɔnvənt] n couvent m ; ~ school n couvent m.

convention [kən'vɛnʃən] n convention f; ~al a conventionnel(le).

converge [kən'və:dʒ] vi converger.

conversant [kən'və:snt] a: to be ~ with s'y connaître en ; être au courant de.

conversation [kɔnvə'seiʃən] n conversation f; ~al a de la conversation ; ~alist n brillant/e causeur/euse.

converse n ['kɔnvə:s] contraire m, inverse m ; ~ly [-'və:sli] ad inversement, réciproquement.

conversion [kən'və:ʃən] n conversion f; ~ table n table f de conversion.

convert vt [kən'və:t] (REL, COMM) convertir ; (alter) transformer, aménager ; (RUGBY) transformer // n ['kɔnvə:t] converti/e ; ~ible n (voiture f) décapotable f.

convex ['kɔn'vɛks] a convexe.

convey [kən'vei] vt transporter ; (thanks) transmettre ; (idea) communiquer ; ~or belt n convoyeur m, tapis roulant m.

convict vt [kən'vıkt] déclarer (or reconnaître) coupable // n ['kɔnvıkt] forçat m, convict m; **convict** m; **~ion** [-ʃən] n condamnation f; (belief) conviction f.

convince [kən'vıns] vt convaincre, persuader; **convincing** a persuasif(ive), convaincant(e).

convivial [kən'vıvıəl] a joyeux(euse), plein(e) d'entrain.

convoy ['kɔnvɔı] n convoi m.

convulse [kən'vʌls] vt ébranler; **to be ~d with laughter** se tordre de rire.

convulsion [kən'vʌlʃən] n convulsion f.

coo [ku:] vi roucouler.

cook [kuk] vt (faire) cuire // vi cuire; (person) faire la cuisine // n cuisinier/ière; **~book** n = **~ery book**; **~er** n cuisinière f; **~ery** n cuisine f; **~ery book** n livre m de cuisine; **~ie** n (US) biscuit m, petit gâteau sec; **~ing** n cuisine f.

cool [ku:l] a frais(fraîche); (not afraid) calme; (unfriendly) froid(e); (impertinent) effronté(e) // vt, vi rafraîchir, refroidir; **~ing tower** n refroidisseur m; **~ness** n fraîcheur f; sang-froid m, calme m.

coop [ku:p] n poulailler m // vt: **to ~ up** (fig) cloîtrer, enfermer.

co-op ['kəuɔp] n abbr of Cooperative (Society).

cooperate [kəu'ɔpəreıt] vi coopérer, collaborer; **cooperation** [-'reıʃən] n coopération f, collaboration f.

cooperative [kəu'ɔpərətıv] a coopératif(ive) // n coopérative f.

coordinate [kəu'ɔ:dıneıt] vt coordonner; **coordination** [-'neıʃən] coordination f.

coot [ku:t] n foulque f.

cop [kɔp] n (col) flic m.

cope [kəup] vi se débrouiller; **to ~ with** faire face à; s'occuper de.

co-pilot ['kəu'paılət] n copilote m.

copious ['kəupıəs] a copieux(euse), abondant(e).

copper ['kɔpə*] n cuivre m; (col: policeman) flic m; **~s** npl petite monnaie.

coppice ['kɔpıs] n taillis m.

copse [kɔps] n = **coppice**.

copulate ['kɔpjuleıt] vi copuler.

copy ['kɔpı] n copie f; (book etc) exemplaire m // vt copier; **~cat** n (pej) copieur/euse; **~right** n droit m d'auteur, copyright m; **~right reserved** tous droits (de reproduction) réservés; **~writer** n rédacteur/trice publicitaire.

coral ['kɔrəl] n corail m; **~ reef** n récif m de corail.

cord [kɔ:d] n corde f; (fabric) velours côtelé; whipcord m; corde f.

cordial ['kɔ:dıəl] a cordial(e), chaleureux(euse) // n sirop m; cordial m.

cordon ['kɔ:dn] n cordon m; **to ~ off** vt boucler (par cordon de police).

corduroy ['kɔ:dərɔı] n velours côtelé.

core [kɔ:*] n (of fruit) trognon m, cœur m; (TECH) noyau m // vt enlever le trognon or le cœur de.

coriander [kɔrı'ændə*] n coriandre f.

cork [kɔ:k] n liège m; (of bottle) bouchon m; **~age** n droit payé par le client qui apporte sa propre bouteille de vin; **~screw** n tire-bouchon m.

corm [kɔ:m] n bulbe m.

cormorant ['kɔ:mərnt] n cormorant m.

corn [kɔ:n] n blé m; (US: maize) maïs m; (on foot) cor m; **~ on the cob** (CULIN) épi m de maïs au naturel.

cornea ['kɔ:nıə] n cornée f.

corned beef ['kɔ:nd'bi:f] n corned-beef m.

corner ['kɔ:nə*] n coin m; (AUT) tournant m, virage m // vt acculer, mettre au pied du mur; coincer; (COMM: market) accaparer // vi prendre un virage; **~ flag** n (FOOTBALL) piquet m de coin; **~ kick** n corner m; **~stone** n pierre f angulaire.

cornet ['kɔ:nıt] n (MUS) cornet m à pistons; (of ice-cream) cornet (de glace).

cornflour ['kɔ:nflauə*] n farine f de maïs, maïzena f.

cornice ['kɔ:nıs] n corniche f.

Cornish ['kɔ:nıʃ] a de Cornouailles, cornouaillais(e).

cornucopia [kɔ:nju'kəupıə] n corne f d'abondance.

Cornwall ['kɔ:nwəl] n Cornouailles f.

corny ['kɔ:nı] a (col) rebattu(e), galvaudé(e).

corollary [kə'rɔlərı] n corollaire m.

coronary ['kɔrənərı] n: **~ (thrombosis)** infarctus m (du myocarde), thrombose f coronaire.

coronation [kɔrə'neıʃən] n couronnement m.

coroner ['kɔrənə*] n coroner m.

coronet ['kɔrənıt] n couronne f.

corporal ['kɔ:pərl] n caporal m, brigadier m // a: **~ punishment** châtiment corporel.

corporate ['kɔ:pərıt] a en commun; constitué(e) (en corporation).

corporation [kɔ:pə'reıʃən] n (of town) municipalité f, conseil municipal; (COMM) société f; **~ tax** n ≈ impôt m sur les bénéfices.

corps [kɔ:*], pl **corps** [kɔ:z] n corps m.

corpse [kɔ:ps] n cadavre m.

corpuscle ['kɔ:pʌsl] n corpuscule m.

corral [kə'rɑ:l] n corral m.

correct [kə'rɛkt] a (accurate) correct(e), exact(e); (proper) correct(e), convenable // vt corriger; **~ion** [-ʃən] n correction f.

correlate ['kɔrıleıt] vt mettre en corrélation.

correspond [kɔrıs'pɔnd] vi correspondre; **~ence** n correspondance f; **~ence course** n cours m par correspondance; **~ent** n correspondant/e.

corridor ['kɔrıdɔ:*] n couloir m, corridor m.

corroborate [kə'rɔbəreıt] vt corroborer, confirmer.

corrode [kə'rəud] vt corroder, ronger // vi se corroder; **corrosion** [-'rəuʒən] n corrosion f.

corrugated ['kɔrəgeıtıd] a plissé(e); cannelé(e); ondulé(e); **~ cardboard** n carton ondulé; **~ iron** n tôle ondulée.

corrupt [kə'rʌpt] a corrompu(e) // vt corrompre; **~ion** [-ʃən] n corruption f.

corset ['kɔ:sɪt] n corset m.
Corsica ['kɔ:sɪkə] n Corse f.
cortège [kɔ:'tɛ:ʒ] n cortège m (gén funèbre).
coruscating ['kɔrəskeɪtɪŋ] a scintillant(e).
cosh [kɔʃ] n matraque f.
cosignatory ['kəu'sɪgnətəri] n cosignataire m/f.
cosiness ['kəuzɪnɪs] n atmosphère douillette, confort m.
cos lettuce [kɔs'letɪs] n (laitue f) romaine f.
cosmetic [kɔz'metɪk] n produit m de beauté, cosmétique m.
cosmic ['kɔzmɪk] a cosmique.
cosmonaut ['kɔzmənɔ:t] n cosmonaute m/f.
cosmopolitan [kɔzmə'pɔlɪtn] a cosmopolite.
cosmos ['kɔzmɔs] n cosmos m.
cosset ['kɔsɪt] vt choyer, dorloter.
cost [kɔst] n coût m // vb (pt, pp cost) vi coûter // vt établir or calculer le prix de revient de; **it ~s £5/too much** cela coûte cinq livres/trop cher; **it ~ him his life/job** ça lui a coûté la vie/son emploi; **at all ~s** coûte que coûte, à tout prix.
co-star ['kəustɑ:*] n partenaire m/f.
costly ['kɔstlɪ] a coûteux(euse).
cost price ['kɔst'praɪs] n prix coûtant or de revient.
costume ['kɔstju:m] n costume m; (lady's suit) tailleur m; (also: **swimming ~**) maillot m (de bain); **~ jewellery** n bijoux mpl de fantaisie.
cosy ['kəuzɪ] a douillet(te).
cot [kɔt] n (child's) lit m d'enfant, petit lit.
cottage ['kɔtɪdʒ] n petite maison (à la campagne), cottage m; **~ cheese** n fromage blanc (maigre).
cotton ['kɔtn] n coton m; **~ dress** etc robe etc en or de coton; **~ wool** n ouate f, coton m hydrophile.
couch [kautʃ] n canapé m; divan m // vt formuler, exprimer.
cough [kɔf] vi tousser // n toux f; **~ drop** n pastille f pour or contre la toux.
could [kud] pt of **can**; **~n't = could not**.
council ['kaunsl] n conseil m; **city or town ~** conseil municipal; **~ estate** n (quartier m or zone f de) logements loués à/par la municipalité; **~ house** n maison f (à loyer modéré) louée par la municipalité; **~lor** n conseiller/ère.
counsel ['kaunsl] n avocat/e; consultation f, délibération f; **~lor** n conseiller/ère.
count [kaunt] vt, vi compter // n compte m; (nobleman) comte m; **to ~ on** vt fus compter sur; **to ~ up** vt compter, additionner; **~down** n compte m à rebours.
countenance ['kauntɪnəns] n expression f // vt approuver.
counter ['kauntə*] n comptoir m; (machine) compteur m // vt aller à l'encontre de, opposer; (blow) parer // ad: **~ to** à l'encontre de, contrairement à; **~act** vt neutraliser, contrebalancer; **~attack** n contre-attaque f // vi contre-attaquer; **~balance** vt contrebalancer,

faire contrepoids à; **~-clockwise** ad en sens inverse des aiguilles d'une montre; **~-espionage** n contre-espionnage m.
counterfeit ['kauntəfɪt] n faux m, contrefaçon f // vt contrefaire // a faux(fausse).
counterfoil ['kauntəfɔɪl] n talon m, souche f.
counterpart ['kauntəpa:t] n (of document etc) double m; (of person) homologue m/f.
countersink ['kauntəsɪŋk] vt (hole) fraiser.
countess ['kauntɪs] n comtesse f.
countless ['kauntlɪs] a innombrable.
countrified ['kʌntrɪfaɪd] a rustique, à l'air campagnard.
country ['kʌntrɪ] n pays m; (native land) patrie f; (as opposed to town) campagne f; (region) région f, pays m; **~ dancing** n danse f folklorique; **~ house** n manoir m, (petit) château; **~man** n (national) compatriote m; (rural) habitant m de la campagne, campagnard m; **~side** n campagne f.
county ['kauntɪ] n comté m; **~ town** n chef-lieu m.
coup, **~s** [ku:, -z] n beau coup m; (also: **~ d'état**) coup d'État.
coupé [ku:'peɪ] n coupé m.
couple ['kʌpl] n couple m // vt (carriages) atteler; (TECH) coupler; (ideas, names) associer; **a ~ of** deux.
couplet ['kʌplɪt] n distique m.
coupling ['kʌplɪŋ] n (RAIL) attelage m.
coupon ['ku:pɔn] n coupon m, bon-prime m, bon-réclame m; (COMM) coupon m.
courage ['kʌrɪdʒ] n courage m; **~ous** [kə'reɪdʒəs] a courageux (euse).
courier ['kurɪə*] n messager m, courrier m; (for tourists) accompagnateur/trice.
course [kɔ:s] n cours m; (of ship) route f; (CONSTR) assise f; (for golf) terrain m; (part of meal) plat m; **first ~** entrée f; **of ~** ad bien sûr; **in due ~** en temps utile or voulu; **~ of action** parti m, ligne f de conduite; **~ of lectures** série f de conférences; **~ of treatment** (MED) traitement m.
court [kɔ:t] n cour f; (LAW) cour, tribunal m; (TENNIS) court m // vt (woman) courtiser, faire la cour à; **out of ~** (LAW: settle) à l'amiable; **to take to ~** actionner or poursuivre en justice.
courteous ['kʌ:tɪəs] a courtois(e), poli(e).
courtesan [kɔ:tɪ'zæn] n courtisane f.
courtesy ['kə:təsɪ] n courtoisie f, politesse f.
court-house ['kɔ:thaus] n (US) palais m de justice.
courtier ['kɔ:tɪə*] n courtisan m, dame f de cour.
court-martial, pl **courts-martial** ['kɔ:t'mɑ:'ʃəl] n cour martiale, conseil m de guerre.
courtroom ['kɔ:trum] n salle f de tribunal.
courtyard ['kɔ:tjɑ:d] n cour f.
cousin ['kʌzn] n cousin/e.
cove [kəuv] n petite baie, anse f.
covenant ['kʌvənənt] n contrat m, engagement m.

cover ['kʌvə*] vt couvrir // n (for bed, of book, COMM) couverture f; (of pan) couvercle m; (over furniture) housse f; (shelter) abri m; **under ~** à l'abri; **~age** n reportage m; (INSURANCE) couverture f; **~ charge** n couvert m (supplément à payer); **~ing** n couverture f, enveloppe f; **~ing letter** n lettre explicative.

covet ['kʌvɪt] vt convoiter.

cow [kau] n vache f // cpd femelle.

coward ['kauəd] n lâche m/f; **~ice** [-ɪs] n lâcheté f; **~ly** a lâche.

cowboy ['kaubɔɪ] n cow-boy m.

cower ['kauə*] vi se recroqueviller; trembler.

cowshed ['kauʃɛd] n étable f.

coxswain ['kɔksn] n (abbr: **cox**) barreur m; (of ship) patron m.

coy [kɔɪ] a faussement effarouché(e) or timide.

coyote [kɔɪ'əutɪ] n coyote m.

crab [kræb] n crabe m; **~ apple** n pomme f sauvage.

crack [kræk] n fente f, fissure f; fêlure f; lézarde f; (noise) craquement m, coup (sec) // vt fendre, fissurer; fêler; lézarder; (whip) faire claquer; (nut) casser // a (athlete) de première classe, d'élite; **to ~ up** vi être au bout de son rouleau, flancher; **~ed** a (col) toqué(e), timbré(e); **~er** n pétard m; biscuit (salé), craquelin m.

crackle ['krækl] vi crépiter, grésiller // n (of china) craquelure f; **crackling** n crépitement m, grésillement m; (of pork) couenne f.

cradle ['kreɪdl] n berceau m.

craft [krɑ:ft] n métier (artisanal); (cunning) ruse f, astuce f; (boat) embarcation f, barque f; **~sman** n artisan m, ouvrier (qualifié); **~smanship** n métier m, habileté f; **~y** a rusé(e), malin/igne, astucieux(euse).

crag [kræg] n rocher escarpé; **~gy** a escarpé(e), rocheux(euse).

cram [kræm] vt (fill): **to ~ sth with** bourrer qch de; (put): **to ~ sth into** fourrer qch dans; **~ming** n (fig: pej) bachotage m.

cramp [kræmp] n crampe f // vt gêner, entraver; **~ed** a à l'étroit, très serré(e).

crampon [kræmpən] n crampon m.

cranberry ['krænbərɪ] n canneberge f.

crane [kreɪn] n grue f.

cranium, pl **crania** [kreɪnɪəm, 'kreɪnɪə] n boîte crânienne.

crank [kræŋk] n manivelle f; (person) excentrique m/f; **~shaft** n vilebrequin m.

cranky ['kræŋkɪ] a excentrique, loufoque; (bad-tempered) grincheux(euse), revêche.

cranny ['krænɪ] n see **nook**.

crash [kræʃ] n fracas m; (of car, plane) collision f // vt (plane) écraser // vi (plane) s'écraser; (two cars) se percuter, s'emboutir; (fig) s'effondrer; **to ~ into** se jeter or se fracasser contre; **~ course** n cours intensif; **~ helmet** n casque (protecteur); **~ landing** n atterrissage forcé or en catastrophe.

crate [kreɪt] n cageot m.

crater ['kreɪtə*] n cratère m.

cravat(e) [krə'væt] n foulard (noué autour du cou).

crave [kreɪv] vt: **to ~ for** désirer violemment, avoir un besoin physiologique de, avoir une envie irrésistible de.

crawl [krɔ:l] vi ramper; (vehicle) avancer au pas // n (SWIMMING) crawl m.

crayfish ['kreɪfɪʃ] n, pl inv écrevisse f; langoustine f.

crayon ['kreɪən] n crayon m (de couleur).

craze [kreɪz] n engouement m.

crazy ['kreɪzɪ] a fou(folle); **~ paving** n dallage irrégulier (en pierres plates).

creak [kri:k] vi grincer; craquer.

cream [kri:m] n crème f // a (colour) crème inv; **~ cake** n (petit) gâteau à la crème; **~ cheese** n fromage m à la crème, fromage blanc; **~ery** n (shop) crémerie f; (factory) laiterie f; **~y** a crémeux(euse).

crease [kri:s] n pli m // vt froisser, chiffonner // vi se froisser, se chiffonner.

create [kri:'eɪt] vt créer; **creation** [-ʃən] n création f; **creative** a créateur(trice); **creator** n créateur/trice.

creature ['kri:tʃə*] n créature f.

credence ['kri:dns] n croyance f, foi f.

crèche, creche [krɛʃ] n garderie f, crèche f.

credentials [krɪ'dɛnʃlz] npl (papers) références fpl.

credibility [krɛdɪ'bɪlɪtɪ] n crédibilité f.

credible ['krɛdɪbl] a digne de foi, crédible.

credit ['krɛdɪt] n crédit m // vt (COMM) créditer; (believe: also: **give ~ to**) ajouter foi à, croire; **~s** npl (CINEMA) générique m; **to ~ sb with** (fig) prêter or attribuer à qn; **to ~ £5 to sb** créditer (le compte de) qn de 5 livres; **to one's ~** à son honneur; à son actif; **to take the ~ for** s'attribuer le mérite de; **it does him ~** cela lui fait honneur; **~able** a honorable, estimable; **~ card** n carte f de crédit; **~or** n créancier/ière.

credulity [krɪ'dju:lɪtɪ] n crédulité f.

creed [kri:d] n croyance f; credo m, principes mpl.

creek [kri:k] n crique f, anse f; (US) ruisseau m, petit cours d'eau.

creep, pt, pp crept [kri:p, krɛpt] vi ramper; (fig) se faufiler, se glisser; (plant) grimper; **~er** n plante grimpante; **~y** a (frightening) qui fait frissonner, qui donne la chair de poule.

cremate [krɪ'meɪt] vt incinérer; **cremation** [-ʃən] n incinération f.

crematorium, pl **crematoria** [krɛmə'tɔ:rɪəm, -'tɔ:rɪə] n four m crématoire.

creosote ['krɪəsəut] n créosote f.

crêpe [kreɪp] n crêpe m; **~ bandage** n bande f Velpeau ®.

crept [krɛpt] pt, pp of **creep**.

crescendo [krɪ'ʃɛndəu] n crescendo m.

crescent ['krɛsnt] n croissant m; rue f (en arc de cercle).

cress [krɛs] n cresson m.

crest [krɛst] n crête f; (of helmet) cimier m; (of coat of arms) timbre m; **~fallen** a déconfit(e), découragé(e).

Crete ['kri:t] n Crète f.

crevasse [kri'væs] *n* crevasse *f*.
crevice ['krɛvɪs] *n* fissure *f*, lézarde *f*, fente *f*.
crew [kru:] *n* équipage *m*; **to have a ~-cut** avoir les cheveux en brosse; **~-neck** *n* col ras.
crib [krɪb] *n* lit *m* d'enfant // *vt* (*col*) copier.
cribbage ['krɪbɪdʒ] *n* sorte de jeu de cartes.
crick [krɪk] *n* crampe *f*.
cricket ['krɪkɪt] *n* (*insect*) grillon *m*, cri-cri *m inv*; (*game*) cricket *m*; **~er** *n* joueur *m* de cricket.
crime [kraɪm] *n* crime *m*; **criminal** ['krɪmɪnl] *a*, *n* criminel(le); **the Criminal Investigation Department (C.I.D.)** ≈ la police judiciaire (P.J.).
crimp [krɪmp] *vt* friser, frisotter.
crimson ['krɪmzn] *a* cramoisi(e).
cringe [krɪndʒ] *vi* avoir un mouvement de recul; (*fig*) s'humilier, ramper.
crinkle ['krɪŋkl] *vt* froisser, chiffonner.
cripple ['krɪpl] *n* boiteux/euse, infirme *m/f* // *vt* estropier, paralyser.
crisis, *pl* **crises** ['kraɪsɪs, -si:z] *n* crise *f*.
crisp [krɪsp] *a* croquant(e); (*fig*) vif(vive); brusque; **~s** *npl* (pommes) chips *fpl*.
criss-cross ['krɪskrɔs] *a* entrecroisé(e).
criterion, *pl* **criteria** [kraɪ'tɪərɪən, -'tɪərɪə] *n* critère *m*.
critic ['krɪtɪk] *n* critique *m/f*; **~al** *a* critique; **~ally** *ad* d'un œil critique; **~ally ill** gravement malade; **~ism** ['krɪtɪsɪzm] *n* critique *f*; **~ize** ['krɪtɪsaɪz] *vt* critiquer.
croak [krəuk] *vi* (*frog*) coasser; (*raven*) croasser.
crochet ['krəuʃeɪ] *n* travail *m* au crochet.
crockery ['krɔkərɪ] *n* vaisselle *f*.
crocodile ['krɔkədaɪl] *n* crocodile *m*.
crocus ['krəukəs] *n* crocus *m*.
croft [krɔft] *n* petite ferme *f*; **~er** *n* fermier *m*.
crony ['krəunɪ] *n* copain/copine.
crook [kruk] *n* escroc *m*; (*of shepherd*) houlette *f*; **~ed** ['krukɪd] *a* courbé(e), tordu(e); (*action*) malhonnête.
crop [krɔp] *n* récolte *f*; culture *f*; **to ~ up** vi surgir, se présenter, survenir.
cropper ['krɔpə*] *n*: **to come a ~** (*col*) faire la culbute, s'étaler.
croquet ['krəukeɪ] *n* croquet *m*.
croquette [krə'kɛt] *n* croquette *f*.
cross [krɔs] *n* croix *f*; (*BIOL*) croisement *m* // *vt* (*street etc*) traverser; (*arms, legs, BIOL*) croiser; (*cheque*) barrer // *a* en colère, fâché(e); **to ~ out** vt barrer, biffer; **to ~ over** vi traverser; **~bar** *n* barre transversale; **~breed** *n* hybride *m*, métis/se; **~country (race)** *n* cross(-country) *m*; **~examination** *n* examen *m* contradictoire (*d'un témoin*); **~examine** *vt* (*LAW*) faire subir un examen contradictoire à; **~eyed** *a* qui louche; **~ing** *n* croisement *m*, carrefour *m*; (*sea-passage*) traversée *f*; (*also:* **pedestrian ~ing**) passage clouté; **~reference** *n* renvoi *m*, référence *f*; **~roads** *n* carrefour *m*; **~section** *n* (*BIOL*) coupe transversale; (*in population*) échantillon *m*; **~wind** *n* vent *m* de travers; **~wise** *ad* en travers; **~word** *n* mots croisés *mpl*.

crotch [krɔtʃ] *n* (*of garment*) entre-jambes *m inv*.
crotchet ['krɔtʃɪt] *n* (*MUS*) noire *f*.
crotchety ['krɔtʃɪtɪ] *a* (*person*) grognon(ne), grincheux(euse).
crouch [krautʃ] *vi* s'accroupir; se tapir; se ramasser.
crouton ['kru:tɔn] *n* croûton *m*.
crow [krəu] (*bird*) corneille *f*; (*of cock*) chant *m* du coq, cocorico *m* // *vi* (*cock*) chanter; (*fig*) pavoiser, chanter victoire.
crowbar ['krəubɑ:*] *n* levier *m*.
crowd [kraud] *n* foule *f* // *vt* bourrer, remplir // *vi* affluer, s'attrouper, s'entasser; **~ed** a bondé(e), plein(e); **~ed with** plein(e) de.
crown [kraun] *n* couronne *f*; (*of head*) sommet *m* de la tête, calotte crânienne; (*of hat*) fond *m*; (*of hill*) sommet *m* // *vt* couronner; **C~ court** *n* ≈ Cour *f* d'assises; **~ jewels** *npl* joyaux *mpl* de la Couronne; **~ prince** *n* prince héritier.
crow's-nest ['krəuznɛst] *n* (*on sailing-ship*) nid *m* de pie.
crucial ['kru:ʃl] *a* crucial(e), décisif(ive).
crucifix ['kru:sɪfɪks] *n* crucifix *m*; **~ion** [-'fɪkʃən] *n* crucifiement *m*, crucifixion *f*.
crucify ['kru:sɪfaɪ] *vt* crucifier, mettre en croix.
crude [kru:d] *a* (*materials*) brut(e); non raffiné(e); (*fig: basic*) rudimentaire, sommaire; (: *vulgar*) cru(e), grossier(ère); **~ (oil)** *n* (pétrole) brut *m*.
cruel ['kruəl] *a* cruel(le); **~ty** *n* cruauté *f*.
cruet ['kru:ɪt] *n* huilier *m*; vinaigrier *m*.
cruise [kru:z] *n* croisière *f* // *vi* (*ship*) croiser; (*car*) rouler; (*aircraft*) voler; (*taxi*) être en maraude; **~r** *n* croiseur *m*; **cruising speed** *n* vitesse *f* de croisière.
crumb [krʌm] *n* miette *f*.
crumble ['krʌmbl] *vt* émietter // *vi* s'émietter; (*plaster etc*) s'effriter; (*land, earth*) s'ébouler; (*building*) s'écrouler, crouler; (*fig*) s'effondrer; **crumbly** a friable.
crumpet ['krʌmpɪt] *n* petite crêpe (épaisse).
crumple ['krʌmpl] *vt* froisser, friper.
crunch [krʌntʃ] *vt* croquer; (*underfoot*) faire craquer, écraser; faire crisser // *n* (*fig*) instant *m* or moment *m* critique, moment de vérité; **~y** *a* croquant(e), croustillant(e).
crusade [kru:'seɪd] *n* croisade *f*; **~r** *n* croisé *m*.
crush [krʌʃ] *n* foule *f*, cohue *f*; (*love*): **to have a ~ on sb** avoir le béguin pour qn; (*drink*): **lemon ~** *n* citron pressé // *vt* écraser; (*crumple*) froisser; **~ing** *a* écrasant(e).
crust [krʌst] *n* croûte *f*.
crutch [krʌtʃ] *n* béquille *f*; (*TECH*) support *m*.
crux [krʌks] *n* point crucial *m*.
cry [kraɪ] *vi* pleurer; (*shout*) crier // *n* cri *m*; **to ~ off** vi se dédire; se décommander; **~ing** *a* (*fig*) criant(e), flagrant(e).
crypt [krɪpt] *n* crypte *f*.

cryptic ['krɪptɪk] a énigmatique.
crystal ['krɪstl] n cristal m; **~-clear** a clair(e) comme de l'eau de roche; **crystallize** vt cristalliser // vi (se) cristalliser.
cu. abbr: **~ ft.** = cubic feet; **~ in.** = cubic inches.
cub [kʌb] n petit m (d'un animal).
Cuba ['kjuːbə] n Cuba m; **~n** a cubain(e) // n Cubain/e.
cubbyhole ['kʌbɪhəul] n cagibi m.
cube [kjuːb] n cube m // vt (MATH) élever au cube; **~ root** n racine f cubique; **cubic** a cubique; **cubic metre** etc mètre m cube etc.
cubicle ['kjuːbɪkl] n box m, cabine f.
cuckoo ['kuku:] n coucou m; **~ clock** n (pendule f à) coucou m.
cucumber ['kjuːkʌmbə*] n concombre m.
cud [kʌd] n: **to chew the ~** ruminer.
cuddle ['kʌdl] vt câliner, caresser // vi se blottir l'un contre l'autre; **cuddly** a câlin(e).
cudgel ['kʌdʒl] n gourdin m.
cue [kjuː] n queue f de billard; (THEATRE etc) signal m.
cuff [kʌf] n (of shirt, coat etc) poignet m, manchette f; (US) = **turn-up**; **off the ~** ad de chic, à l'improviste; **~link** n bouton m de manchette.
cuisine [kwɪ'ziːn] n cuisine f, art m culinaire.
cul-de-sac ['kʌldəsæk] n cul-de-sac m, impasse f.
culinary ['kʌlɪnərɪ] a culinaire.
cull [kʌl] vt sélectionner.
culminate ['kʌlmɪneɪt] vi culminer; **culmination** [-'neɪʃən] n point culminant.
culpable ['kʌlpəbl] a coupable.
culprit ['kʌlprɪt] n coupable m/f.
cult [kʌlt] n culte m.
cultivate ['kʌltɪveɪt] vt (also fig) cultiver; **cultivation** [-'veɪʃən] n culture f.
cultural ['kʌltʃ ərəl] a culturel(le).
culture ['kʌltʃ ə*] n (also fig) culture f; **~d** a cultivé(e) (fig).
cumbersome ['kʌmbəsəm] a encombrant(e), embarrassant(e).
cumulative ['kjuːmjulətɪv] a cumulatif(ive).
cunning ['kʌnɪŋ] n ruse f, astuce f // a rusé(e), malin(igne).
cup [kʌp] n tasse f; (prize, event) coupe f; (of bra) bonnet m.
cupboard ['kʌbəd] n placard m.
Cupid ['kjuːpɪd] n Cupidon m; (figurine) amour m.
cupidity [kjuː'pɪdɪtɪ] n cupidité f.
cupola ['kjuːpələ] n coupole f.
cup-tie ['kʌptaɪ] n match m de coupe.
curable ['kjuərəbl] a guérissable, curable.
curate ['kjuːrɪt] n vicaire m.
curator [kjuˈreɪtə*] n conservateur m (d'un musée etc).
curb [kəːb] vt refréner, mettre un frein à // n frein m (fig); (US) = **kerb**.
curdle ['kəːdl] vi (se) cailler.
curds [kəːdz] npl lait caillé.
cure [kjuə*] vt guérir; (CULIN) saler; fumer; sécher // n remède m.

curfew ['kəːfjuː] n couvre-feu m.
curio ['kjuərɪəu] n bibelot m, curiosité f.
curiosity [kjuərɪ'ɔsɪtɪ] n curiosité f.
curious ['kjuərɪəs] a curieux(euse); **~ly** ad curieusement.
curl [kəːl] n boucle f (de cheveux) // vt, vi boucler; (tightly) friser; **to ~ up** vi s'enrouler; se pelotonner; **~er** n bigoudi m, rouleau m; (SPORT) joueur/euse de curling.
curling ['kəːlɪŋ] n (SPORT) curling m.
curly ['kəːlɪ] a bouclé(e); frisé(e).
currant ['kʌrnt] n raisin m de Corinthe, raisin sec.
currency ['kʌrnsɪ] n monnaie f; **foreign ~** devises étrangères, monnaie étrangère; **to gain ~** (fig) s'accréditer.
current ['kʌrnt] n courant m // a courant(e); **~ account** n compte courant; **~ affairs** npl (questions fpl d')actualité f; **~ly** ad actuellement.
curriculum, pl **~s** or **curricula** [kə'rɪkjuləm, -lə] n programme m d'études; **~ vitae** n curriculum vitae (C.V.) m.
curry ['kʌrɪ] n curry m // vt: **to ~ favour with** chercher à gagner la faveur or à s'attirer les bonnes grâces de; **chicken ~** curry de poulet, poulet m au curry; **~ powder** n poudre f de curry.
curse [kəːs] vi jurer, blasphémer // vt maudire // n malédiction f; fléau m; (swearword) juron m.
cursory ['kəːsərɪ] a superficiel(le), hâtif(ive).
curt [kəːt] a brusque, sec(sèche).
curtail [kəː'teɪl] vt (visit etc) écourter; (expenses etc) réduire.
curtain ['kəːtn] n rideau m.
curts(e)y ['kəːtsɪ] n révérence f // vi faire une révérence.
curve [kəːv] n courbe f; (in the road) tournant m, virage m // vt courber // vi se courber; (road) faire une courbe.
cushion ['kuʃən] n coussin m // vt (seat) rembourrer; (shock) amortir.
custard ['kʌstəd] n (for pouring) crème anglaise.
custodian [kʌs'təudɪən] n gardien/ne; (of collection etc) conservateur/trice.
custody ['kʌstədɪ] n (of child) garde f; (for offenders) détention préventive.
custom ['kʌstəm] n coutume f, usage m; (LAW) droit coutumier, coutume f; (COMM) clientèle f; **~ary** a habituel(le).
customer ['kʌstəmə*] n client/e.
custom-made ['kʌstəm'meɪd] a (clothes) fait(e) sur mesure; (other goods) hors série, fait(e) sur commande.
customs ['kʌstəmz] npl douane f; **~ duty** n droits mpl de douane; **~ officer** n douanier m.
cut [kʌt] vb (pt, pp cut) vt couper; (meat) découper; (shape, make) tailler; couper; creuser; graver; (reduce) réduire // vi couper; (intersect) se couper // n (gen) coupure f; (of clothes) coupe f; (of jewel) taille f; (in salary etc) réduction f; (of meat) morceau m; **power ~** coupure de courant; **to ~ teeth** (baby) faire ses dents; **to ~ a tooth** percer une dent; **to ~ down (on)** vt fus réduire; **to ~ off** vt

couper; (fig) isoler; **to ~ out** vt ôter; découper; tailler; **~away** a, n: **~away (drawing)** écorché m; **~back** n réductions fpl.

cute [kju:t] a mignon(ne), adorable; (clever) rusé(e), astucieux(euse).

cut glass [kʌt'glɑ:s] n cristal taillé.

cuticle ['kju:tɪkl] n (on nail): **~ remover** n repousse-peaux m inv.

cutlery ['kʌtlərɪ] n couverts mpl; (trade) coutellerie f.

cutlet ['kʌtlɪt] n côtelette f.

cut: ~off switch n interrupteur m; **~out** n coupe-circuit m inv; **~price** a au rabais, à prix réduit; **~ throat** n assassin m.

cutting ['kʌtɪŋ] a tranchant(e), coupant(e); (fig) cinglant(e), mordant(e) // n (PRESS) coupure f (de journal); (RAIL) tranchée f.

cuttlefish ['kʌtlfɪʃ] n seiche f.

cut-up ['kʌtʌp] a affecté(e), démoralisé(e).

cwt abbr of **hundredweight(s)**.

cyanide ['saɪənaɪd] n cyanure m.

cybernetics [saɪbə'nɛtɪks] n cybernétique f.

cyclamen ['sɪkləmən] n cyclamen m.

cycle ['saɪkl] n cycle m // vi faire de la bicyclette.

cycling ['saɪklɪŋ] n cyclisme m.

cyclist ['saɪklɪst] n cycliste m/f.

cyclone ['saɪkləun] n cyclone m.

cygnet ['sɪgnɪt] n jeune cygne m.

cylinder ['sɪlɪndə*] n cylindre m; **~ block** n bloc-cylindres m; **~ capacity** n cylindrée f; **~ head** n culasse f; **~head gasket** n joint m de culasse.

cymbals ['sɪmblz] npl cymbales fpl.

cynic ['sɪnɪk] n cynique m/f; **~al** a cynique; **~ism** ['sɪnɪsɪzəm] n cynisme m.

cypress ['saɪprɪs] n cyprès m.

Cypriot ['sɪprɪət] a cypriote, chypriote // n Cypriote m/f, Chypriote m/f.

Cyprus ['saɪprəs] n Chypre f.

cyst [sɪst] n kyste m.

cystitis [sɪs'taɪtɪs] cystite f.

czar [zɑ:*] n tsar m.

Czech [tʃɛk] a tchèque // n Tchèque m/f; (LING) tchèque m.

Czechoslovakia [tʃɛkəslə'vækɪə] n la Tchécoslovaquie; **~n** a tchécoslovaque // n Tchécoslovaque m/f.

D

D [di:] n (MUS) ré m; **~-day** n le jour J.

dab [dæb] vt (eyes, wound) tamponner; (paint, cream) appliquer (par petites touches ou rapidement); **a ~ of paint** un petit coup de peinture.

dabble ['dæbl] vi: **to ~ in** faire or se mêler or s'occuper un peu de.

dad, daddy [dæd, 'dædɪ] n papa m; **daddy-long-legs** n tipule f; faucheux m.

daffodil ['dæfədɪl] n jonquille f.

daft [dɑ:ft] a idiot(e), stupide; **to be ~ about** être toqué or mordu de.

dagger ['dægə*] n poignard m; **to be at ~s drawn with sb** être à couteaux tirés

avec qn; **to look ~s at sb** foudroyer qn du regard.

daily ['deɪlɪ] a quotidien(ne), journalier-(ère) // n quotidien m // ad tous les jours.

dainty ['deɪntɪ] a délicat(e), mignon(ne).

dairy ['dɛərɪ] n (shop) crémerie f, laiterie f; (on farm) laiterie // a laitier(ère).

daisy ['deɪzɪ] n pâquerette f.

dale [deɪl] n vallon m.

dally ['dælɪ] vi musarder, flâner.

dam [dæm] n barrage m // vt endiguer.

damage ['dæmɪdʒ] n dégâts mpl, dommages mpl; (fig) tort m // vt endommager, abîmer; (fig) faire du tort à; **~s** npl (LAW) dommages-intérêts mpl.

damn [dæm] vt condamner; (curse) maudire // n (col): **I don't give a ~** je m'en fous // a (col): **this ~ ...** ce sacré or foutu ... ; **~ (it)!** zut! ; **~ing** a (evidence) accablant(e).

damp [dæmp] a humide // n humidité f // vt (also: **~en**) (cloth, rag) humecter; (enthusiasm etc) refroidir; **~ness** n humidité f.

damson ['dæmzən] n prune f de Damas.

dance [dɑ:ns] n danse f; (ball) bal m // vi danser; **~ hall** n salle f de bal, dancing m; **~r** n danseur/euse.

dancing ['dɑ:nsɪŋ] n danse f.

dandelion ['dændɪlaɪən] n pissenlit m.

dandruff ['dændrəf] n pellicules fpl.

Dane [deɪn] n Danois/e.

danger ['deɪndʒə*] n danger m; **there is a ~ of fire** il y a (un) risque d'incendie; **in ~** en danger; **he was in ~ of falling** il risquait de tomber; **~ous** a dangereux(euse); **~ously** ad dangereuse-ment.

dangle ['dæŋgl] vt balancer; (fig) faire miroiter // vi pendre, se balancer.

Danish ['deɪnɪʃ] a danois(e) // n (LING) danois m.

dapper ['dæpə*] a pimpant(e).

dare [dɛə*] vt: **to ~ sb to do** défier qn or mettre qn au défi de faire // vi: **to ~ (to) do sth** oser faire qch; **~devil** n casse-cou m inv; **daring** a hardi(e), audacieux(euse).

dark [dɑ:k] a (night, room) obscur(e), sombre; (colour, complexion) foncé(e), sombre; (fig) sombre // n: **in the ~** dans le noir; **in the ~ about** (fig) ignorant tout de; **after ~** après la tombée de la nuit; **~en** vt obscurcir, assombrir // vi s'obscurcir, s'assombrir; **~ glasses** npl lunettes noires; **~ness** n obscurité f; **~ room** n chambre noire.

darling ['dɑ:lɪŋ] a, n chéri(e).

darn [dɑ:n] vt repriser.

dart [dɑ:t] n fléchette f // vi: **to ~ towards** (also: **make a ~ towards**) se précipiter or s'élancer vers; **to ~ away/along** partir/passer comme une flèche; **~s** n jeu m de fléchettes; **~board** n cible f (de jeu de fléchettes).

dash [dæʃ] n (sign) tiret m // vt (missile) jeter or lancer violemment; (hopes) anéantir // vi: **to ~ towards** (also: **make a ~ towards**) se précipiter or se ruer vers; **to ~ away** vi partir à toute allure;

~**board** n tableau m de bord; ~**ing** a fringant(e).
data ['deɪtə] npl données fpl; ~ **processing** n traitement m (électronique) de l'information.
date [deɪt] n date f; rendez-vous m; (fruit) datte f // vt dater; **to** ~ **ad** à ce jour; **out of** ~ périmé(e); **up to** ~ à la page; mis(e) à jour; moderne; ~**d** the 13th daté du 13; ~**d** a démodé(e); ~**line** n ligne f de changement de date.
daub [dɔ:b] vt barbouiller.
daughter ['dɔ:tə*] n fille f; ~**-in-law** n belle-fille f, bru f.
daunt [dɔ:nt] vt intimider, décourager; ~**less** a intrépide.
dawdle ['dɔ:dl] vi traîner, lambiner.
dawn [dɔ:n] n aube f, aurore f // vi (day) se lever, poindre; (fig) naître, se faire jour.
day [deɪ] n jour m; (as duration) journée f; (period of time, age) époque f, temps m; **the** ~ **before** la veille, le jour précédent; **the following** ~ le lendemain, le jour suivant; **by** ~ de jour; ~ **boy/girl** n (SCOL) externe m/f; ~**break** n point m du jour; ~**dream** n rêverie f // vi rêver (tout éveillé); ~**light** n (lumière f du) jour m; ~**time** n jour m, journée f.
daze [deɪz] vt (subject: drug) hébéter; (: blow) étourdir // n: **in a** ~ hébété(e); étourdi(e).
dazzle ['dæzl] vt éblouir, aveugler.
dead [dɛd] a mort(e); (numb) engourdi(e), insensible // ad absolument, complètement; **he was shot** ~ il a été tué d'un coup de revolver; ~ **on time** à l'heure pile; ~ **tired** éreinté, complètement fourbu; **to stop** ~ s'arrêter pile o? net; **the** ~ les morts; ~**en** vt (blow, sound) amortir; (make numb) endormir, rendre insensible; ~ **end** n impasse f; ~ **heat** n (SPORT): **to finish in a** ~ **heat** terminer ex-æquo; ~**line** n date f or heure f limite; ~**lock** n impasse f (fig); ~**ly** a mortel(le); (weapon) meurtrier(ère); ~**pan** a impassible; (humour) pince-sans-rire inv.
deaf [dɛf] a sourd(e); ~**-aid** n appareil auditif; ~**en** vt rendre sourd; (fig) assourdir; ~**ening** a assourdissant(e); ~**ness** n surdité f; ~**-mute** n sourd/e-muet/te.
deal [di:l] n affaire f, marché m // vt (pt, pp **dealt** [dɛlt]) (blow) porter; (cards) donner, distribuer; **a great** ~ **(of)** beaucoup (de); **to** ~ **in** faire le commerce de; **to** ~ **with** vt fus (COMM) traiter avec; (handle) s'occuper or se charger de; (be about: book etc) traiter de; ~**er** n marchand m; ~**ings** npl (COMM) transactions fpl; (relations) relations fpl, rapports mpl.
dean [di:n] n (SCOL) doyen m.
dear [dɪə*] a cher(chère); (expensive) cher, coûteux(euse) // n: **my** ~ mon cher/ma chère; ~ **me!** mon Dieu!; **D~ Sir/Madam** (in letter) Monsieur/Madame; **D~ Mr/Mrs X** Cher Monsieur/Chère Madame X; ~**ly** ad (love) tendrement; (pay) cher.
dearth [də:θ] n disette f, pénurie f.

death [dɛθ] n mort f; (ADMIN) décès m; ~**bed** n lit m de mort; ~ **certificate** n acte m de décès; ~ **duties** npl (Brit) droits mpl de succession; ~**ly** a de mort; ~ **penalty** n peine f de mort; ~ **rate** n (taux m de) mortalité f.
debar [dɪ'ba:*] vt: **to** ~ **sb from a club** etc exclure qn d'un club etc; **to** ~ **sb from doing** interdire à qn de faire.
debase [dɪ'beɪs] vt (currency) déprécier, dévaloriser; (person) abaisser, avilir.
debatable [dɪ'beɪtəbl] a discutable, contestable.
debate [dɪ'beɪt] n discussion f, débat m // vt discuter, débattre // vi (consider): **to** ~ **whether** se demander si.
debauchery [dɪ'bɔ:tʃərɪ] n débauche f.
debit ['dɛbɪt] n débit m // vt: **to** ~ **a sum to sb** or **to sb's account** porter une somme au débit de qn, débiter qn d'une somme.
debris ['dɛbri:] n débris mpl, décombres mpl.
debt [dɛt] n dette f; **to be in** ~ avoir des dettes, être endetté(e); ~**or** n débiteur/trice.
début ['deɪbju:] n début(s) m(pl).
decade ['dɛkeɪd] n décennie f, décade f.
decadence ['dɛkədəns] n décadence f.
decanter [dɪ'kæntə*] n carafe f.
decarbonize [di:'ka:bənaɪz] vt (AUT) décalaminer.
decay [dɪ'keɪ] n décomposition f, pourrissement m; (fig) déclin m, délabrement m; (also: **tooth** ~) carie f (dentaire) // vi (rot) se décomposer, pourrir; (fig) se délabrer; décliner; se détériorer.
decease [dɪ'si:s] n décès m; ~**d** n défunt/e.
deceit [dɪ'si:t] n tromperie f, supercherie f; ~**ful** a trompeur(euse).
deceive [dɪ'si:v] vt tromper; **to** ~ **o.s.** s'abuser.
decelerate [di:'sɛləreɪt] vt,vi ralentir.
December [dɪ'sɛmbə*] n décembre m.
decency ['di:sənsɪ] n décence f.
decent ['di:sənt] a décent(e), convenable; **they were very** ~ **about it** ils se sont montrés très chics.
decentralize [di:'sɛntrəlaɪz] vt décentraliser.
deception [dɪ'sɛpʃən] n tromperie f.
deceptive [dɪ'sɛptɪv] a trompeur(euse).
decibel ['dɛsɪbɛl] n décibel m.
decide [dɪ'saɪd] vt (person) décider; (question, argument) trancher, régler // vi se décider, décider; **to** ~ **to do/that** décider de faire/que; **to** ~ **on** décider, se décider pour; **to** ~ **on doing** décider de faire; ~**d** a (resolute) résolu(e), décidé(e); (clear, definite) net(te), marqué(e); ~**dly** [-dɪdlɪ] ad résolument; incontestablement, nettement.
deciduous [dɪ'sɪdjuəs] a à feuilles caduques.
decimal ['dɛsɪməl] a décimal(e) /? n décimale f; ~ **point** n ≈ virgule f.
decimate ['dɛsɪmeɪt] vt décimer.
decipher [dɪ'saɪfə*] vt déchiffrer.

decision [dɪ'sɪʒən] n décision f.

decisive [dɪ'saɪsɪv] a décisif(ive).

deck [dɛk] n (NAUT) pont m; (of bus): **top ~** impériale f; (of cards) jeu m; **~chair** n chaise longue; **~ hand** n matelot m.

declaration [dɛklə'reɪʃən] n déclaration f.

declare [dɪ'klɛə*] vt déclarer.

decline [dɪ'klaɪn] n (decay) déclin m; (lessening) baisse f // vt refuser, décliner // vi décliner; être en baisse, baisser.

declutch ['di:'klʌtʃ] vi débrayer.

decode [di:'kəud] vt décoder.

decompose [di:kəm'pəuz] vi se décomposer; **decomposition** [di:kɔmpə'zɪʃən] n décomposition f.

decontaminate [di:kən'tæmɪneɪt] vt décontaminer.

décor ['deɪkɔ:*] n décor m.

decorate ['dɛkəreɪt] vt (adorn, give a medal to) décorer; (paint and paper) peindre et tapisser; **decoration** [-'reɪʃən] n (medal etc, adornment) décoration f; **decorative** ['dɛkərətɪv] a décoratif(ive); **decorator** n peintre m en bâtiment.

decoy ['di:kɔɪ] n piège m; **they used him as a ~ for the enemy** ils se sont servis de lui pour attirer l'ennemi.

decrease n ['di:kri:s] diminution f // vt, vi [di:'kri:s] diminuer.

decree [dɪ'kri:] n (POL, REL) décret m; (LAW: of tribunal) arrêt m, jugement m; **~ nisi** n jugement m provisoire de divorce.

decrepit [dɪ'krɛpɪt] a décrépit(e); délabré(e).

dedicate ['dɛdɪkeɪt] vt consacrer; (book etc) dédier.

dedication [dɛdɪ'keɪʃən] n (devotion) dévouement m.

deduce [dɪ'dju:s] vt déduire, conclure.

deduct [dɪ'dʌkt] vt: **to ~ sth (from)** déduire qch (de), retrancher qch (de); (from wage etc) prélever qch (sur), retenir qch (sur); **~ion** [dɪ'dʌkʃən] n (deducting) déduction f; (from wage etc) prélèvement m, retenue f; (deducing) déduction, conclusion f.

deed [di:d] n action f, acte m; (LAW) acte notarié, contrat m.

deep [di:p] a (water, sigh, sorrow, thoughts) profond(e); (voice) grave; **he took a ~ breath** il inspira profondément, il prit son souffle; **4 metres ~** de 4 mètres de profondeur // ad: **~ in snow** recouvert(e) d'une épaisse couche de neige; **spectators stood 20 ~** il y avait 20 rangs de spectateurs; **knee-~ in water** dans l'eau jusqu'aux genoux; **~en** vt (hole) approfondir // vi s'approfondir; (darkness) s'épaissir; **~-freeze** n congélateur m // vt surgeler; **~-fry** vt faire frire (en friteuse); **~-sea** a: **~-sea diving** n plongée sous-marine; **~-sea fishing** n pêche hauturière; **~-seated** a (beliefs) profondément enraciné(e); **~-set** a (eyes) enfoncé(e).

deer [dɪə*] n, pl inv: **the ~** les cervidés mpl (ZOOL); (red) **~** cerf m; (fallow) **~** daim m; (roe) **~** chevreuil m; **~skin** n peau f de daim.

deface [dɪ'feɪs] vt dégrader; barbouiller; rendre illisible.

defamation [dɛfə'meɪʃən] n diffamation f.

default [dɪ'fɔ:lt] vi (LAW) faire défaut; (gen) manquer à ses engagements // n: **by ~** (LAW) par défaut, par contumace; (SPORT) par forfait; **~er** n (in debt) débiteur défaillant.

defeat [dɪ'fi:t] n défaite f // vt (team, opponents) battre; (fig: plans, efforts) faire échouer; **~ist** a,n défaitiste (m/f).

defect n ['di:fɛkt] défaut m // vi [dɪ'fɛkt]: **to ~ to the enemy/the West** passer à l'ennemi/l'Ouest; **~ive** [dɪ'fɛktɪv] a défectueux(euse).

defence [dɪ'fɛns] n défense f; **in ~ of** pour défendre; **~less** a sans défense.

defend [dɪ'fɛnd] vt défendre; **~ant** n défendeur/deresse; (in criminal case) accusé/e, prévenu/e; **~er** n défenseur m.

defense [dɪ'fɛns] n (US) = **defence**.

defensive [dɪ'fɛnsɪv] a défensif(ive).

defer [dɪ'fə:*] vt (postpone) différer, ajourner.

deference ['dɛfərəns] n déférence f; égards mpl.

defiance [dɪ'faɪəns] n défi m; **in ~ of** au mépris de.

defiant [dɪ'faɪənt] a provocant(e), de défi.

deficiency [dɪ'fɪʃənsɪ] n insuffisance f, déficience f; carence f; **~ disease** n maladie f de carence.

deficient [dɪ'fɪʃənt] a insuffisant(e); défectueux(euse); déficient(e); **~ in** manquant de.

deficit ['dɛfɪsɪt] n déficit m.

defile vb [dɪ'faɪl] vt souiller // vi défiler // n ['di:faɪl] défilé m.

define [dɪ'faɪn] vt définir.

definite ['dɛfɪnɪt] a (fixed) défini(e), (bien) déterminé(e); (clear, obvious) net(te), manifeste; (LING) défini(e); **he was ~ about it** il a été catégorique; il était sûr de son fait; **~ly** ad sans aucun doute.

definition [dɛfɪ'nɪʃən] n définition f.

definitive [dɪ'fɪnɪtɪv] a définitif(ive).

deflate [di:'fleɪt] vt dégonfler.

deflation [di:'fleɪʃən] n (COMM) déflation f.

deflect [dɪ'flɛkt] vt détourner, faire dévier.

deform [dɪ'fɔ:m] vt déformer; **~ed** a difforme; **~ity** n difformité f.

defraud [dɪ'frɔ:d] vt frauder; **to ~ sb of sth** soutirer qch malhonnêtement à qn; escroquer qch à qn; frustrer qn de qch.

defray [dɪ'freɪ] vt: **to ~ sb's expenses** défrayer qn (de ses frais), rembourser or payer à qn ses frais.

defrost [di:'frɔst] vt (fridge) dégivrer.

deft [dɛft] a adroit(e), preste.

defunct [dɪ'fʌŋkt] a défunt(e).

defuse [di:'fju:z] vt désamorcer.

defy [dɪ'faɪ] vt défier; (efforts etc) résister à.

degenerate vi [dɪ'dʒɛnəreɪt] dégénérer // a [dɪ'dʒɛnərɪt] dégénéré(e).

degradation [dɛgrə'deɪʃən] n dégradation f.

degrading [dɪ'greɪdɪŋ] a dégradant(e).

degree [dɪ'gri:] n degré m; grade m (universitaire); **a (first) ~ in maths** une licence en maths.

dehydrated [di:haɪ'dreɪtɪd] a déshydraté(e); (milk, eggs) en poudre.

de-ice [di:'aɪs] *vt* (*windscreen*) dégivrer.

deign [deɪn] *vi*: **to ~ to do** daigner faire.

deity ['di:ɪtɪ] *n* divinité *f*; dieu *m*, déesse *f*.

dejected [dɪ'dʒɛktɪd] *a* abattu(e), déprimé(e).

dejection [dɪ'dʒɛkʃən] *n* abattement *m*, découragement *m*.

delay [dɪ'leɪ] *vt* (*journey*, *operation*) retarder, différer; (*travellers*, *trains*) retarder // *n* délai *m*, retard *m*; **without ~** sans délai; sans tarder; **~ed-action** *a* à retardement.

delegate ['dɛlɪgɪt] délégué/e // *vt* ['dɛlɪgeɪt] déléguer.

delegation [dɛlɪ'geɪʃən] *n* délégation *f*.

delete [dɪ'li:t] *vt* rayer, supprimer.

deliberate *a* [dɪ'lɪbərɪt] (*intentional*) délibéré(e); (*slow*) mesuré(e) // *vi* [dɪ'lɪbəreɪt] délibérer, réfléchir; **~ly** *ad* (*on purpose*) exprès, délibérément.

delicacy ['dɛlɪkəsɪ] *n* délicatesse *f*; (*choice food*) mets fin *or* délicat, friandise *f*.

delicate ['dɛlɪkɪt] *a* délicat(e).

delicatessen [dɛlɪkə'tɛsn] *n* épicerie fine.

delicious [dɪ'lɪʃəs] *a* délicieux(euse), exquis(e).

delight [dɪ'laɪt] *n* (grande) joie, grand plaisir // *vt* enchanter; **a ~ to the eyes** un régal *or* plaisir pour les yeux; **to take ~ in** prendre grand plaisir à; **to be the ~ of** faire les délices *or* la joie de; **~ful** *a* adorable; merveilleux(euse); délicieux(euse).

delinquency [dɪ'lɪŋkwənsɪ] *n* délinquance *f*.

delinquent [dɪ'lɪŋkwənt] *a,n* délinquant(e).

delirium [dɪ'lɪrɪəm] *n* délire *m*.

deliver [dɪ'lɪvə*] *vt* (*mail*) distribuer; (*goods*) livrer; (*message*) remettre; (*speech*) prononcer; (*warning*, *ultimatum*) lancer; (*free*) délivrer; (*MED*) accoucher; **to ~ the goods** (*fig*) tenir ses promesses; **~y** *n* distribution *f*; livraison *f*; (*of speaker*) élocution *f*; (*MED*) accouchement *m*; **to take ~y of** prendre livraison de.

delouse ['di:'laus] *vt* épouiller, débarrasser de sa (*or* leur *etc*) vermine.

delta ['dɛltə] *n* delta *m*.

delude [dɪ'lu:d] *vt* tromper, leurrer; **to ~ o.s.** se leurrer, se faire des illusions.

deluge ['dɛlju:dʒ] *n* déluge *m*.

delusion [dɪ'lu:ʒən] *n* illusion *f*.

delve [dɛlv] *vi*: **to ~ into** fouiller dans.

demagogue ['dɛməgɔg] *n* démagogue *m/f*.

demand [dɪ'mɑ:nd] *vt* réclamer, exiger // *n* exigence *f*; (*claim*) revendication *f*; (*ECON*) demande *f*; **in ~** demandé(e), recherché(e); **on ~** sur demande; **~ing** *a* (*boss*) exigeant(e); (*work*) astreignant(e).

demarcation [di:mɑ:'keɪʃən] *n* démarcation *f*.

demean [dɪ'mi:n] *vt*: **to ~ o.s.** s'abaisser.

demeanour [dɪ'mi:nə*] *n* comportement *m*; maintien *m*.

demented [dɪ'mɛntɪd] *a* dément(e), fou(folle).

demise [dɪ'maɪz] *n* décès *m*.

demister [di:'mɪstə*] *n* (*AUT*) dispositif *m* anti-buée *inv*.

demobilize [di:'məubɪlaɪz] *vt* démobiliser.

democracy [dɪ'mɔkrəsɪ] *n* démocratie *f*.

democrat ['dɛməkræt] *n* démocrate *m/f*; **~ic** [dɛmə'krætɪk] *a* démocratique.

demography [dɪ'mɔgrəfɪ] *n* démographie *f*.

demolish [dɪ'mɔlɪʃ] démolir.

demolition [dɛmə'lɪʃən] *n* démolition *f*.

demonstrate ['dɛmənstreɪt] *vt* démontrer, prouver.

demonstration [dɛmən'streɪʃən] *n* démonstration *f*, manifestation *f*.

demonstrative [dɪ'mɔnstrətɪv] *a* démonstratif(ive).

demonstrator ['dɛmənstreɪtə*] *n* (*POL*) manifestant/e.

demoralize [dɪ'mɔrəlaɪz] *vt* démoraliser.

demote [dɪ'məut] *vt* rétrograder.

demur [dɪ'mə:*] *vi* protester; hésiter.

demure [dɪ'mjuə*] *a* sage, réservé(e); d'une modestie affectée.

den [dɛn] *n* tanière *f*, antre *m*.

denial [dɪ'naɪəl] *n* démenti *m*; dénégation *f*.

denigrate ['dɛnɪgreɪt] *vt* dénigrer.

denim ['dɛnɪm] *n* coton émerisé; **~s** *npl* (blue-)jeans *mpl*.

Denmark ['dɛnmɑ:k] *n* Danemark *m*.

denomination [dɪnɔmɪ'neɪʃən] *n* (*money*) valeur *f*; (*REL*) confession *f*; culte *m*.

denominator [dɪ'nɔmɪneɪtə*] *n* dénominateur *m*.

denote [dɪ'nəut] *vt* dénoter.

denounce [dɪ'nauns] *vt* dénoncer.

dense [dɛns] *a* dense; (*stupid*) obtus(e), dur(e) *or* lent(e) à la comprendre; **~ly** *ad*: **~ly wooded** couvert d'épaisses forêts; **~ly populated** à forte densité (de population), très peuplé.

density ['dɛnsɪtɪ] *n* densité *f*.

dent [dɛnt] *n* bosse *f* // *vt* (*also*: **make a ~ in**) cabosser; **to make a ~ in** (*fig*) entamer.

dental ['dɛntl] *a* dentaire; **~ surgeon** *n* (chirurgien/ne) dentiste.

dentifrice ['dɛntɪfrɪs] *n* dentifrice *m*.

dentist ['dɛntɪst] *n* dentiste *m/f*; **~ry** *n* art *m* dentaire.

denture ['dɛntʃə*] *n* dentier *m*.

deny [dɪ'naɪ] *vt* nier; (*refuse*) refuser; (*disown*) renier.

deodorant [di:'əudərənt] *n* désodorisant *m*, déodorant *m*.

depart [dɪ'pɑ:t] *vi* partir; **to ~ from** (*leave*) quitter, partir de; (*fig*: *differ from*) s'écarter de.

department [dɪ'pɑ:tmənt] *n* (*COMM*) rayon *m*; (*SCOL*) section *f*; (*POL*) ministère *m*, département *m*; **~ store** *n* grand magasin *m*.

departure [dɪ'pɑ:tʃə*] *n* départ *m*; (*fig*): **~ from** écart *m* par rapport à.

depend [dɪ'pɛnd] *vi*: **to ~ on** dépendre de; (*rely on*) compter sur; **it ~s** cela dépend; **~able** *a* sûr(e), digne de confiance; **~ence** *n* dépendance *f*; **~ant**, **~ent** *n* personne *f* à charge.

depict [dɪ'pɪkt] *vt* (*in picture*) représenter; (*in words*) (dé)peindre, décrire.

depleted [dɪ'pli:tɪd] *a* (considérablement) réduit(e) *or* diminué(e).

deplorable [dɪ'plɔ:rəbl] *a* déplorable, lamentable.

deplore [dɪ'plɔ:*] *vt* déplorer.

deploy [dɪ'plɔɪ] *vt* déployer.

depopulation ['di:pɔpju'leɪʃən] *n* dépopulation f, dépeuplement m.

deport [dɪ'pɔ:t] *vt* déporter; expulser; ~**ation** [di:pɔ:'teɪʃən] *n* déportation f, expulsion f; ~**ment** *n* maintien m, tenue f.

depose [dɪ'pəuz] *vt* déposer.

deposit [dɪ'pɔzɪt] *n* (CHEM, COMM, GEO) dépôt m; (of ore, oil) gisement m; (part payment) arrhes fpl, acompte m; (on bottle etc) consigne f; (for hired goods etc) cautionnement m, garantie f // *vt* déposer; mettre or laisser en dépôt; fournir or donner en acompte; laisser en garantie; ~ **account** *n* compte m de dépôt; ~**or** *n* déposant/e.

depot ['depəu] *n* dépôt m.

deprave [dɪ'preɪv] *vt* dépraver, corrompre, pervertir.

depravity [dɪ'prævɪtɪ] *n* dépravation f.

deprecate ['deprɪkeɪt] *vt* désapprouver.

depreciate [dɪ'pri:ʃɪeɪt] *vt* déprécier // *vi* se déprécier, se dévaloriser; **depreciation** [-'eɪʃən] *n* dépréciation f.

depress [dɪ'prɛs] *vt* déprimer; (press down) appuyer sur, abaisser; ~**ed** *a* (person) déprimé(e), abattu(e); (area) en déclin, touché(e) par le sous-emploi; ~**ing** *a* déprimant(e); ~**ion** [dɪ'prɛʃən] *n* dépression f.

deprivation [depri'veɪʃən] *n* privation f; (loss) perte f.

deprive [dɪ'praɪv] *vt*: to ~ **sb of** priver qn de; enlever à qn; ~**d** *a* déshérité(e).

depth [depθ] *n* profondeur f; **in the ~s of** au fond de; au cœur de; au plus profond de; ~ **charge** *n* grenade sous-marine.

deputation [depju'teɪʃən] *n* députation f, délégation f.

deputize ['depjutaɪz] *vi*: to ~ **for** assurer l'intérim de.

deputy ['depjutɪ] *a*: ~ **chairman** vice-président m; ~ **head** directeur adjoint, sous-directeur m // *n* (replacement) suppléant/e, intérimaire m/f; (second in command) adjoint/e.

derail [dɪ'reɪl] *vt* faire dérailler; to be ~**ed** dérailler; ~**ment** *n* déraillement m.

deranged [dɪ'reɪndʒd] *a* (machine) déréglé(e); to be (mentally) ~ avoir le cerveau dérangé.

derelict ['derɪlɪkt] *a* abandonné(e), à l'abandon.

deride [dɪ'raɪd] *vt* railler.

derision [dɪ'rɪʒən] *n* dérision f.

derisive [dɪ'raɪsɪv] *a* moqueur (euse), railleur(euse).

derisory [dɪ'raɪsərɪ] *a* (sum) dérisoire; (smile, person) moqueur(euse), railleur(euse).

derivation [derɪ'veɪʃən] *n* dérivation f.

derivative [dɪ'rɪvətɪv] *n* dérivé m // *a* dérivé(e).

derive [dɪ'raɪv] *vt*: to ~ **sth from** tirer qch de; trouver qch dans // *vi*: to ~ **from** provenir de, dériver de.

dermatology [də:mə'tɔlədʒɪ] *n* dermatologie f.

derogatory [dɪ'rɔgətərɪ] *a* désobligeant(e); péjoratif(ive).

derrick ['derɪk] *n* mât m de charge; derrick m.

desalination [di:salɪ'neɪʃən] *n* dessalement m, dessalage m.

descend [dɪ'send] *vt, vi* descendre; to ~ **from** descendre de, être issu de; ~**ant** *n* descendant/e.

descent [dɪ'sent] *n* descente f; (origin) origine f.

describe [dɪs'kraɪb] *vt* décrire; **description** [-'krɪpʃən] *n* description f; (sort) sorte f, espèce f; **descriptive** [-'krɪptɪv] *a* descriptif(ive).

desecrate ['desɪkreɪt] *vt* profaner.

desert *n* ['dezət] désert m // *vb* [dɪ'zə:t] *vt* déserter, abandonner // *vi* (MIL) déserter; ~**er** *n* déserteur m; ~**ion** [dɪ'zə:ʃən] *n* désertion f.

deserve [dɪ'zə:v] *vt* mériter; **deserving** *a* (person) méritant(e); (action, cause) méritoire.

design [dɪ'zaɪn] *n* (sketch) plan m, dessin m; (layout, shape) conception f, ligne f; (pattern) dessin m, motif(s) m(pl); (COMM) esthétique industrielle; (intention) dessein m // *vt* dessiner; concevoir; to have ~**s on** avoir des visées sur; **well-~ed** *a* bien conçu(e).

designate *vt* ['dezɪgneɪt] désigner // *a* ['dezɪgnɪt] désigné(e); **designation** [-'neɪʃən] *n* désignation f.

designer [dɪ'zaɪnə*] *n* (ART, TECH) dessinateur/trice; (fashion) modéliste m/f.

desirability [dɪzaɪərə'bɪlɪtɪ] *n* avantage m; attrait m.

desirable [dɪ'zaɪərəbl] *a* désirable.

desire [dɪ'zaɪə*] *n* désir m // *vt* désirer, vouloir.

desirous [dɪ'zaɪərəs] *a*: ~ **of** désireux-(euse) de.

desk [desk] *n* (in office) bureau m; (for pupil) pupitre m; (in shop, restaurant) caisse f; (in hotel, at airport) réception f.

desolate ['desəlɪt] *a* désolé(e).

desolation [desə'leɪʃən] *n* désolation f.

despair [dɪs'pɛə*] *n* désespoir m // *vi*: to ~ **of** désespérer de.

despatch [dɪs'pætʃ] *n, vt* = **dispatch.**

desperate ['despərɪt] *a* désespéré(e); (fugitive) prêt(e) à tout; ~**ly** *ad* désespérément; (very) terriblement, extrêmement.

desperation [despə'reɪʃən] *n* désespoir m; **in** ~ à bout de nerf; en désespoir de cause.

despicable [dɪs'pɪkəbl] *a* méprisable.

despise [dɪs'paɪz] *vt* mépriser, dédaigner.

despite [dɪs'paɪt] *prep* malgré, en dépit de.

despondent [dɪs'pɔndənt] *a* découragé(e), abattu(e).

dessert [dɪ'zə:t] *n* dessert m; ~**spoon** *n* cuiller f à dessert.

destination [destɪ'neɪʃən] *n* destination f.

destine ['destɪn] *vt* destiner.

destiny ['destɪnɪ] *n* destinée f, destin m.

destitute ['destɪtju:t] *a* indigent(e), dans

le dénuement ; ~ of dépourvu or dénué de.

destroy [dɪs'trɔɪ] vt détruire ; ~**er** n (NAUT) contre-torpilleur m.

destruction [dɪs'trʌkʃən] n destruction f.

destructive [dɪs'trʌktɪv] a destructeur(trice).

detach [dɪ'tætʃ] vt détacher ; ~**able** a amovible, détachable ; ~**ed** a (attitude) détaché(e) ; ~**ed house** n pavillon m, maison(nette) (individuelle) ; ~**ment** n (MIL) détachement m, (fig) détachement m, indifférence f.

detail ['di:teɪl] n détail m // vt raconter en détail, énumérer ; (MIL): **to ~ sb (for)** affecter qn (à), détacher qn (pour) ; **in ~** en détail ; ~**ed** a détaillé(e).

detain [dɪ'teɪn] vt retenir ; (in captivity) détenir ; (in hospital) hospitaliser.

detect [dɪ'tɛkt] vt déceler, percevoir ; (MED, POLICE) dépister ; (MIL, RADAR, TECH) détecter ; ~**ion** [dɪ'tɛkʃən] n découverte f ; dépistage m ; détection f ; **to escape** ~**ion** échapper aux recherches, éviter d'être découvert ; **crime** ~ **ion** le dépistage des criminels ; ~**ive** n agent m de la sûreté, policier m ; **private** ~**ive** détective privé ; ~**ive story** n roman policier ; ~**or** n détecteur m.

detention [dɪ'tɛnʃən] n détention f ; (SCOL) retenue f, consigne f.

deter [dɪ'tə:*] vt dissuader.

detergent [dɪ'tə:dʒənt] n détersif m, détergent m.

deteriorate [dɪ'tɪərɪəreɪt] vi se détériorer, se dégrader ; **deterioration** ['-'reɪʃən] n détérioration f.

determination [dɪtə:mɪ'neɪʃən] n détermination f.

determine [dɪ'tə:mɪn] vt déterminer ; **to ~ to do** résoudre de faire, se déterminer à faire ; ~**d** a (person) déterminé(e), décidé(e) ; (quantity) déterminé, établi(e).

deterrent [dɪ'tɛrənt] n effet m de dissuasion ; force f de dissuasion.

detest [dɪ'tɛst] vt détester, avoir horreur de ; ~**able** a détestable, odieux(euse).

detonate ['dɛtəneɪt] vi exploser ; détoner // vt faire exploser or détoner ; **detonator** n détonateur m.

detour ['di:tuə*] n détour m.

detract [dɪ'trækt] vt: **to ~ from** (quality, pleasure) diminuer ; (reputation) porter atteinte à.

detriment ['dɛtrɪmənt] n: **to the ~ of** au détriment de, au préjudice de ; ~**al** [dɛtrɪ'mɛntl] a: ~**al to** préjudiciable or nuisible à.

devaluation [dɪvælju'eɪʃən] n dévaluation f.

devalue ['di:'vælju:] vt dévaluer.

devastate ['dɛvəsteɪt] vt dévaster.

devastating ['dɛvəsteɪtɪŋ] a dévastateur(trice).

develop [dɪ'vɛləp] vt (gen) développer ; (habit) contracter ; (resources) mettre en valeur, exploiter // vi se développer ; (situation, disease ; evolve) évoluer ; (facts, symptoms: appear) se manifester, se produire ; ~**er** n (PHOT) révélateur m ; (of land) promoteur m ; ~**ing country** pays m en voie de développement ; ~**ment** n développement m ; (of affair, case)

rebondissement m, fait(s) nouveau(x).

deviate ['di:vɪeɪt] vi dévier.

deviation [di:vɪ'eɪʃən] n déviation f.

device [dɪ'vaɪs] n (scheme) moyen m, expédient m ; (apparatus) engin m, dispositif m.

devil ['dɛvl] n diable m ; démon m ; ~**ish** a diabolique.

devious ['di:vɪəs] a (means) détourné(e) ; (person) sournois(e), dissimulé(e).

devise [dɪ'vaɪz] vt imaginer, concevoir.

devoid [dɪ'vɔɪd] a: ~ **of** dépourvu(e) de, dénué(e) de.

devote [dɪ'vəut] vt: **to ~ sth to** consacrer qch à ; ~**d** a dévoué(e) ; **to be** ~**d to** être dévoué or très attaché à ; ~**e** [dɛvəu'ti:] n (REL) adepte m/f ; (MUS, SPORT) fervent/e.

devotion [dɪ'vəuʃən] n dévouement m, attachement m ; (REL) dévotion f, piété f.

devour [dɪ'vauə*] vt dévorer.

devout [dɪ'vaut] a pieux(euse), dévot(e).

dew [dju:] n rosée f.

dexterity [dɛks'tɛrɪtɪ] n dextérité f, adresse f.

diabetes [daɪə'bi:ti:z] n diabète m ; **diabetic** ['-'bɛtɪk] a, n diabétique (m/f).

diaeresis [daɪ'ɛrɪsɪs] n tréma m.

diagnose [daɪəg'nəuz] vt diagnostiquer.

diagnosis, pl **diagnoses** [daɪəg'nəusɪs, -sɪz] n diagnostic m.

diagonal [daɪ'ægənl] a diagonal(e) // n diagonale f.

diagram ['daɪəgræm] n diagramme m, schéma m ; graphique m.

dial ['daɪəl] n cadran m // vt (number) faire, composer ; ~**ling tone** n tonalité f.

dialect ['daɪəlɛkt] n dialecte m.

dialogue ['daɪəlɔg] n dialogue m.

diameter [daɪ'æmɪtə*] n diamètre m.

diamond ['daɪəmənd] n diamant m ; (shape) losange m ; ~**s** npl (CARDS) carreau m.

diaper ['daɪəpə*] n (US) couche f.

diaphragm ['daɪəfræm] n diaphragme m.

diarrhoea, diarrhea (US) [daɪə'ri:ə] n diarrhée f.

diary ['daɪərɪ] n (daily account) journal m ; (book) agenda m.

dice [daɪs] n, pl inv dé m // vt (CULIN) couper en dés or en cubes.

dictate vt [dɪk'teɪt] dicter // n ['dɪkteɪt] injonction f.

dictation [dɪk'teɪʃən] n dictée f.

dictator [dɪk'teɪtə*] n dictateur m ; ~**ship** n dictature f.

diction ['dɪkʃən] n diction f, élocution f.

dictionary ['dɪkʃənrɪ] n dictionnaire m.

did [dɪd] pt of **do**.

die [daɪ] n (pl: **dice**) dé m ; (pl: **dies**) coin m ; matrice f ; étampe f // vi mourir ; **to ~ away** vi s'éteindre ; **to ~ down** vi se calmer, s'apaiser ; **to ~ out** vi disparaître, s'éteindre.

Diesel ['di:zəl]: ~ **engine** n moteur m diesel.

diet ['daɪət] n alimentation f ; (restricted food) régime m // vi (also: **be on a ~**) suivre un régime.

differ ['dɪfə*] vi: **to ~ from sth** être différent de ; différer de ; **to ~ from sb**

over sth ne pas être d'accord avec qn au sujet de qch; **~ence** n différence f; (quarrel) différend m, désaccord m; **~ent** a différent(e); **~ential** [-'renʃəl] n (AUT, wages) différentiel m; **~entiate** [-'renʃieit] vt différencier // vi se différencier; **to ~entiate between** faire une différence entre; **~ently** ad différemment.

difficult ['dıfıkəlt] a difficile; **~y** n difficulté f.

diffidence ['dıfıdəns] n manque m de confiance en soi, manque d'assurance.

diffident ['dıfıdənt] a qui manque de confiance or d'assurance, peu sûr(e) de soi.

diffuse a [dı'fju:s] diffus(e) // vt [dı'fju:z] diffuser, répandre.

dig [dıg] vt (pt, pp **dug** [dʌg]) (hole) creuser; (garden) bêcher // n (prod) coup m de coude; (fig) coup de griffe or de patte; **to ~ into** (snow, soil) creuser; **to ~ one's nails into** enfoncer ses ongles dans; **to ~ up** vt déterrer.

digest vt [daı'dʒɛst] digérer // n ['daıdʒɛst] sommaire m, résumé m; **~ible** [dı'dʒɛstəbl] a digestible; **~ion** [dı'dʒɛstʃən] n digestion f.

digit ['dıdʒıt] n chiffre m (de 0 à 9); (finger) doigt m; **~al** a digital(e); à affichage numérique or digital.

dignified ['dıgnıfaıd] a digne.

dignitary ['dıgnıtərı] n dignitaire m.

dignity ['dıgnıtı] n dignité f.

digress [daı'grɛs] vi: **to ~ from** s'écarter de, s'éloigner de; **~ion** [daı'grɛʃən] n digression f.

digs [dıgz] npl (Brit: col) piaule f, chambre meublée.

dilapidated [dı'læpıdeıtıd] a délabré(e).

dilate [daı'leıt] vt dilater // vi se dilater.

dilatory ['dılətərı] a dilatoire.

dilemma [daı'lɛmə] n dilemme m.

diligent ['dılıdʒənt] a appliqué(e), assidu(e).

dilute [daı'lu:t] vt diluer // a dilué(e).

dim [dım] a (light, eyesight) faible; (memory, outline) vague, indécis(e); (stupid) borné(e), obtus(e) // vt (light) réduire, baisser.

dime [daım] n (US) = 10 cents.

dimension [dı'mɛnʃən] n dimension f.

diminish [dı'mınıʃ] vt, vi diminuer.

diminutive [dı'mınjutıv] a minuscule, tout(e) petit(e) // n (LING) diminutif m.

dimly ['dımlı] ad faiblement; vaguement.

dimple ['dımpl] n fossette f.

dim-witted ['dım'wıtıd] a (col) stupide, borné(e).

din [dın] n vacarme m.

dine [daın] vi dîner; **~r** n (person) dîneur/euse; (RAIL) = dining car.

dinghy ['dıŋgı] n youyou m; canot m pneumatique; (also: **sailing ~**) voilier m, dériveur m.

dingy ['dındʒı] a miteux(euse), minable.

dining ['daınıŋ] cpd: **~ car** n wagon-restaurant m; **~ room** n salle f à manger.

dinner ['dınə*] n dîner m; (public) banquet m; **~ jacket** n smoking m; **~ party** n dîner m; **~ time** n heure f du dîner.

diocese ['daıəsıs] n diocèse m.

dip [dıp] n déclivité f; (in sea) baignade f, bain m // vt tremper, plonger; (AUT: lights) mettre en code, baisser // vi plonger.

diphtheria [dıf'θıərıə] n diphtérie f.

diphthong ['dıfθɒŋ] n diphtongue f.

diploma [dı'pləumə] n diplôme m.

diplomacy [dı'pləuməsı] n diplomatie f.

diplomat ['dıpləmæt] n diplomate m; **~ic** [dıplə'mætık] a diplomatique; **~ic corps** n corps m diplomatique.

dipstick ['dıpstık] n (AUT) jauge f de niveau d'huile.

dire [daıə*] a terrible, extrême, affreux(euse).

direct [daı'rɛkt] a direct(e) // vt diriger, orienter; **can you ~ me to ...?** pouvez-vous m'indiquer le chemin de ...?; **~ current** n courant continu; **~ hit** n coup m au but, touché m.

direction [dı'rɛkʃən] n direction f; **sense of ~** sens m de l'orientation; **~s** npl (advice) indications fpl; **~s for use** mode m d'emploi.

directly [dı'rɛktlı] ad (in straight line) directement, tout droit; (at once) tout de suite, immédiatement.

director [dı'rɛktə*] n directeur m; administrateur m; (THEATRE) metteur m en scène; (CINEMA, TV) réalisateur/trice.

directory [dı'rɛktərı] n annuaire m.

dirt [də:t] n saleté f; crasse f; **~-cheap** a (ne) coûtant presque rien; **~ road** n (US) chemin non macadamisé or non revêtu; **~y** a sale // vt salir; **~y story** n histoire cochonne; **~y trick** n coup tordu.

disability [dısə'bılıtı] n invalidité f, infirmité f.

disabled [dıs'eıbld] a infirme, invalide; (maimed) mutilé(e); (through illness, old age) impotent(e).

disadvantage [dısəd'vɑ:ntıdʒ] n désavantage m, inconvénient m; **~ous** [dısædvɑ:n'teıdʒəs] a désavantageux(euse).

disagree [dısə'gri:] vi (differ) ne pas concorder; (be against, think otherwise): **to ~ (with)** ne pas être d'accord (avec); **garlic ~s with me** l'ail ne me convient pas, je ne supporte pas l'ail; **~able** a désagréable; **~ment** n désaccord m, différend m.

disallow [dısə'lau] vt rejeter, désavouer.

disappear [dısə'pıə*] vi disparaître; **~ance** n disparition f.

disappoint [dısə'pɔınt] vt décevoir; **~ment** n déception f.

disapproval [dısə'pru:vəl] n désapprobation f.

disapprove [dısə'pru:v] vi: **to ~ of** désapprouver.

disarm [dıs'ɑ:m] vt désarmer; **~ament** n désarmement m.

disarray [dısə'reı] n désordre m, confusion f.

disaster [dı'zɑ:stə*] n catastrophe f, désastre m; **disastrous** a désastreux(euse).

disband [dɪs'bænd] *vt* démobiliser ; disperser // *vi* se séparer ; se disperser.
disbelief ['dɪsbə'li:f] *n* incrédulité *f*.
disc [dɪsk] *n* disque *m*.
discard [dɪs'kɑ:d] *vt* (*old things*) se défaire de, mettre au rencart *or* au rebut ; (*fig*) écarter, renoncer à.
disc brake ['dɪskbreɪk] *n* frein *m* à disque.
discern [dɪ'sə:n] *vt* discerner, distinguer ; **~ing** *a* judicieux(euse), perspicace.
discharge *vt* [dɪs'tʃɑ:dʒ] (*duties*) s'acquitter de ; (*waste etc*) déverser ; décharger ; (*ELEC, MED*) émettre ; (*patient*) renvoyer (chez lui) ; (*employee, soldier*) congédier, licencier ; (*defendant*) relaxer, élargir // *n* ['dɪstʃɑ:dʒ] (*ELEC, MED*) émission *f*; (*dismissal*) renvoi *m*, licenciement *m*; élargissement *m*; **to ~ one's gun** faire feu.
disciple [dɪ'saɪpl] *n* disciple *m*.
disciplinary ['dɪsɪplɪnərɪ] *a* disciplinaire.
discipline ['dɪsɪplɪn] *n* discipline *f* // *vt* discipliner ; (*punish*) punir.
disc jockey [dɪskdʒɔkɪ] *n* disque-jockey *m*.
disclaim [dɪs'kleɪm] *vt* désavouer, dénier.
disclose [dɪs'kləuz] *vt* révéler, divulguer ; **disclosure** [-'kləuʒə*] *n* révélation *f*, divulgation *f*.
disco ['dɪskəu] *n abbr of* **discothèque**.
discoloured [dɪs'kʌləd] *a* décoloré(e) ; jauni(e).
discomfort [dɪs'kʌmfət] *n* malaise *m*, gêne *f*; (*lack of comfort*) manque *m* de confort.
disconcert [dɪskən'sə:t] *vt* déconcerter, décontenancer.
disconnect [dɪskə'nɛkt] *vt* détacher ; (*ELEC, RADIO*) débrancher ; (*gas, water*) couper ; **~ed** *a* (*speech, thought*) décousu(e), peu cohérent(e).
disconsolate [dɪs'kɔnsəlɪt] *a* inconsolable.
discontent [dɪskən'tɛnt] *n* mécontentement *m*; **~ed** *a* mécontent(e).
discontinue [dɪskən'tɪnju:] *vt* cesser, interrompre ; **'~d'** (*COMM*) 'fin de série'.
discord ['dɪskɔ:d] *n* discorde *f*, dissension *f*; (*MUS*) dissonance *f*; **~ant** [dɪs'kɔ:dənt] *a* discordant(e), dissonant(e).
discothèque [dɪskəu'tɛk] *n* discothèque *f*.
discount *n* ['dɪskaunt] remise *f*, rabais *m* // *vt* [dɪs'kaunt] ne pas tenir compte de.
discourage [dɪs'kʌrɪdʒ] *vt* décourager ; **discouraging** *a* décourageant(e).
discourteous [dɪs'kə:tɪəs] *a* incivil(e), discourtois(e).
discover [dɪs'kʌvə*] *vt* découvrir ; **~y** *n* découverte *f*.
discredit [dɪs'krɛdɪt] *vt* mettre en doute ; discréditer.
discreet [dɪ'skri:t] *a* discret(ète) ; **~ly** *ad* discrètement.
discrepancy [dɪ'skrɛpənsɪ] *n* divergence *f*, contradiction *f*.
discretion [dɪ'skrɛʃən] *n* discrétion *f*.
discriminate [dɪ'skrɪmɪneɪt] *vi*: **to ~ between** établir une distinction entre, faire la différence entre ; **to ~ against** pratiquer une discrimination contre ; **discriminating** *a* qui a du discernement ;

discrimination [-'neɪʃən] *n* discrimination *f*; (*judgment*) discernement *m*.
discus ['dɪskəs] *n* disque *m*.
discuss [dɪ'skʌs] *vt* discuter de ; (*debate*) discuter ; **~ion** [dɪ'skʌʃən] *n* discussion *f*.
disdain [dɪs'deɪn] *n* dédain *m*.
disease [dɪ'zi:z] *n* maladie *f*.
disembark [dɪsɪm'bɑ:k] *vt,vi* débarquer.
disembodied [dɪsɪm'bɔdɪd] *a* désincarné(e).
disembowel [dɪsɪm'bauəl] *vt* éviscérer, étriper.
disenchanted [dɪsɪn'tʃɑ:ntɪd] *a* désenchanté(e), désabusé(e).
disengage [dɪsɪn'geɪdʒ] *vt* dégager ; (*TECH*) déclencher ; **to ~ the clutch** (*AUT*) débrayer ; **~ment** (*POL*) désengagement *m*.
disentangle [dɪsɪn'tæŋgl] *vt* démêler.
disfavour [dɪs'feɪvə*] *n* défaveur *f*; disgrâce *f* // *vt* voir d'un mauvais œil, désapprouver.
disfigure [dɪs'fɪgə*] *vt* défigurer.
disgorge [dɪs'gɔ:dʒ] *vt* déverser.
disgrace [dɪs'greɪs] *n* honte *f*; (*disfavour*) disgrâce *f* // *vt* déshonorer, couvrir de honte ; **~ful** *a* scandaleux(euse), honteux(euse).
disgruntled [dɪs'grʌntld] *a* mécontent(e).
disguise [dɪs'gaɪz] *n* déguisement *m* // *vt* déguiser ; **in ~** déguisé(e).
disgust [dɪs'gʌst] *n* dégoût *m*, aversion *f* // *vt* dégoûter, écœurer ; **~ing** *a* dégoûtant(e) ; révoltant(e).
dish [dɪʃ] *n* plat *m*; **to do** *or* **wash the ~es** faire la vaisselle ; **to ~ up** *vt* servir ; (*facts, statistics*) sortir, débiter ; **~cloth** *n* (*for drying*) torchon *m*; (*for washing*) lavette *f*.
dishearten [dɪs'hɑ:tn] *vt* décourager.
dishevelled [dɪ'ʃɛvəld] *a* ébouriffé(e) ; décoiffé(e) ; débraillé(e).
dishonest [dɪs'ɔnɪst] *a* malhonnête ; **~y** *n* malhonnêteté *f*.
dishonour [dɪs'ɔnə*] *n* déshonneur *m*; **~able** *a* déshonorant(e).
dishwasher ['dɪʃwɔʃə*] *n* lave-vaisselle *m*; (*person*) plongeur/euse.
disillusion [dɪsɪ'lu:ʒən] *vt* désabuser, désenchanter // *n* désenchantement *m*.
disinfect [dɪsɪn'fɛkt] *vt* désinfecter ; **~ant** *n* désinfectant *m*.
disintegrate [dɪs'ɪntɪgreɪt] *vi* se désintégrer.
disinterested [dɪs'ɪntrəstɪd] *a* désintéressé(e).
disjointed [dɪs'dʒɔɪntɪd] *a* décousu(e), incohérent(e).
disk [dɪsk] *n* = **disc**.
dislike [dɪs'laɪk] *n* aversion *f*, antipathie *f* // *vt* ne pas aimer.
dislocate ['dɪsləkeɪt] *vt* disloquer ; déboîter ; désorganiser.
dislodge [dɪs'lɔdʒ] *vt* déplacer, faire bouger ; (*enemy*) déloger.
disloyal [dɪs'lɔɪəl] *a* déloyal(e).
dismal ['dɪzml] *a* lugubre, maussade.
dismantle [dɪs'mæntl] *vt* démonter ; (*fort, warship*) démanteler.
dismast [dɪs'mɑ:st] *vt* démâter.

dismay [dɪs'meɪ] n consternation f // vt consterner.

dismiss [dɪs'mɪs] vt congédier, renvoyer ; (idea) écarter ; (LAW) rejeter ; ~al n renvoi m.

dismount [dɪs'maunt] vi mettre pied à terre.

disobedience [dɪsə'bi:dɪəns] n désobéissance f ; insoumission f.

disobedient [dɪsə'bi:dɪənt] a désobéissant(e) ; (soldier) indiscipliné(e).

disobey [dɪsə'beɪ] vt désobéir à.

disorder [dɪs'ɔ:də*] n désordre m ; (rioting) désordres mpl ; (MED) troubles mpl ; ~ly a en désordre ; désordonné(e).

disorganize [dɪs'ɔ:gənaɪz] vt désorganiser.

disorientate [dɪs'ɔ:rɪenteɪt] vt désorienter.

disown [dɪs'əun] vt renier.

disparaging [dɪs'pærɪdʒɪŋ] a désobligeant(e).

disparity [dɪs'pærɪtɪ] n disparité f.

dispassionate [dɪs'pæʃənət] a calme, froid(e) ; impartial(e), objectif(ive).

dispatch [dɪs'pætʃ] vt expédier, envoyer // n envoi m, expédition f ; (MIL, PRESS) dépêche f.

dispel [dɪs'pɛl] vt dissiper, chasser.

dispensary [dɪs'pɛnsərɪ] n pharmacie f ; (in chemist's) officine f.

dispense [dɪs'pɛns] vt distribuer, administrer ; **to ~ sb from** dispenser qn de ; **to ~ with** vt fus se passer de ; ~r n (container) distributeur m ; **dispensing chemist** n pharmacie f.

dispersal [dɪs'pə:sl] n dispersion f ; (ADMIN) déconcentration f.

disperse [dɪs'pə:s] vt disperser ; (knowledge) disséminer // vi se disperser.

dispirited [dɪs'pɪrɪtɪd] a découragé(e), déprimé(e).

displace [dɪs'pleɪs] vt déplacer ; ~d **person** n (POL) personne déplacée ; ~ment n déplacement m.

display [dɪs'pleɪ] n étalage m ; déploiement m ; affichage m ; (screen) écran ui de visualisation, visuel m ; (of feeling) manifestation f ; (pej) ostentation f // vt montrer ; (goods) mettre à l'étalage, exposer ; (results, departure times) afficher ; (troops) déployer ; (pej) faire étalage de.

displease [dɪs'pli:z] vt mécontenter contrarier ; ~d **with** mécontent(e) de ; **displeasure** [-'plɛʒə*] n mécontentement m.

disposable [dɪs'pəuzəbl] a (pack etc) à jeter ; (income) disponible.

disposal [dɪs'pəuzl] n (availability, arrangement) disposition f ; (of property) disposition f, cession f ; (of rubbish) évacuation f, destruction f ; **at one's ~** à sa disposition.

dispose [dɪs'pəuz] vt disposer ; **to ~ of** vt (time, money) disposer de ; (unwanted goods) se débarrasser de, se défaire de ; (problem) expédier ; ~d a : ~d **to do** disposé(e) à faire ; **disposition** [-'zɪʃən] n disposition f ; (temperament) naturel m.

disproportionate [dɪsprə'pɔ:ʃənət] a disproportionné(e).

disprove [dɪs'pru:v] vt réfuter.

dispute [dɪs'pju:t] n discussion f ; (also: **industrial ~**) conflit m // vt contester ; (matter) discuter ; (victory) disputer.

disqualification [dɪskwɔlɪfɪ'keɪʃən] n disqualification f ; ~ **(from driving)** retrait m du permis (de conduire).

disqualify [dɪs'kwɔlɪfaɪ] vt (SPORT) disqualifier ; **to ~ sb for sth/from doing** rendre qn inapte à qch/à faire ; signifier à qn l'interdiction de faire ; mettre qn dans l'impossibilité de faire ; **to ~ sb (from driving) for speeding** retirer à qn son permis (de conduire) pour excès de vitesse.

disquiet [dɪs'kwaɪət] n inquiétude f, trouble m.

disregard [dɪsrɪ'gɑ:d] vt ne pas tenir compte de.

disrepair [dɪsrɪ'pɛə*] n mauvais état.

disreputable [dɪs'rɛpjutəbl] a (person) de mauvaise réputation, peu recommandable ; (behaviour) déshonorant(e).

disrespectful [dɪsrɪ'spɛktful] a irrespectueux(euse).

disrupt [dɪs'rʌpt] vt (plans) déranger ; (conversation) interrompre ; ~**ion** [-'rʌpʃən] n dérangement m ; interruption f.

dissatisfaction [dɪssætɪs'fækʃən] n mécontentement m, insatisfaction f.

dissatisfied [dɪs'sætɪsfaɪd] a : ~ **(with)** mécontent(e) or insatisfait(e) (de).

dissect [dɪ'sɛkt] vt disséquer.

disseminate [dɪ'sɛmɪneɪt] vt disséminer.

dissent [dɪ'sɛnt] n dissentiment m, différence f d'opinion.

disservice [dɪs'sə:vɪs] n : **to do sb a ~** rendre un mauvais service à qn ; desservir qn.

dissident ['dɪsɪdnt] a dissident(e).

dissimilar [dɪ'sɪmɪlə*] a : ~ **(to)** dissemblable (à), différent(e) (de).

dissipate ['dɪsɪpeɪt] vt dissiper ; (energy, efforts) disperser ; ~d a dissolu(e) ; débauché(e).

dissociate [dɪ'səuʃɪeɪt] vt dissocier.

dissolute ['dɪsəlu:t] a débauché(e), dissolu(e).

dissolve [dɪ'zɔlv] vt dissoudre // vi se dissoudre, fondre ; (fig) disparaître.

dissuade [dɪ'sweɪd] vt : **to ~ sb (from)** dissuader qn (de).

distance ['dɪstns] n distance f ; **in the ~** au loin.

distant ['dɪstnt] a lointain(e), éloigné(e) ; (manner) distant(e), froid(e).

distaste [dɪs'teɪst] n dégoût m ; ~**ful** a déplaisant(e), désagréable.

distemper [dɪs'tɛmpə*] n (paint) détrempe f, badigeon m.

distend [dɪs'tɛnd] vt distendre // vi se distendre, se ballonner.

distil [dɪs'tɪl] vt distiller ; ~**lery** n distillerie f.

distinct [dɪs'tɪŋkt] a distinct(e) ; (preference, progress) marqué(e) ; ~**ion** [dɪs'tɪŋkʃən] n distinction f ; (in exam) mention f très bien ; ~**ive** a distinctif(ive) ; ~**ly** ad distinctement ; expressément.

distinguish [dɪs'tɪŋgwɪʃ] *vt* distinguer ; différencier ; ~**ed** *a* (*eminent*) distingué(e) ; ~**ing** *a* (*feature*) distinctif(ive), caractéristique.

distort [dɪs'tɔ:t] *vt* déformer ; ~**ion** [dɪs'tɔ:ʃən] *n* déformation *f*.

distract [dɪs'trækt] *vt* distraire, déranger ; ~**ed** *a* éperdu(e), égaré(e) ; ~**ion** [dɪs'trækʃən] *n* distraction *f* ; égarement *m* ; **to drive sb to** ~**ion** rendre qn fou(folle).

distraught [dɪs'trɔ:t] *a* éperdu(e).

distress [dɪs'trɛs] *n* détresse *f* ; (*pain*) douleur *f* // *vt* affliger ; ~**ed area** *n* zone sinistrée ; ~**ing** *a* douloureux(euse), pénible ; ~ **signal** *n* signal *m* de détresse.

distribute [dɪs'trɪbju:t] *vt* distribuer ; **distribution** [-'bju:ʃən] *n* distribution *f* ; **distributor** *n* distributeur *m*.

district ['dɪstrɪkt] *n* (*of country*) région *f* ; (*of town*) quartier *m* ; (ADMIN) district *m* ; ~ **attorney** *n* (*US*) ≈ procureur *m* de la République ; ~ **nurse** *n* (*Brit*) infirmière visiteuse.

distrust [dɪs'trʌst] *n* méfiance *f*, doute *m* // *vt* se méfier de.

disturb [dɪs'tə:b] *vt* troubler ; (*inconvenience*) déranger ; ~**ance** *n* dérangement *m* ; (*political etc*) troubles *mpl* ; (*by drunks etc*) tapage *m* ; ~**ing** *a* troublant(e), inquiétant(e).

disuse [dɪs'ju:s] *n*: **to fall into** ~ tomber en désuétude *f*.

disused [dɪs'ju:zd] *a* désaffecté(e).

ditch [dɪtʃ] *n* fossé *m* // *vt* (*col*) abandonner.

dither ['dɪðə*] *vi* hésiter.

ditto ['dɪtəu] *ad* idem.

divan [dɪ'væn] *n* divan *m*.

dive [daɪv] *n* plongeon *m* ; (*of submarine*) plongée *f* ; (AVIAT) piqué *m* ; (*pej*) bouge *m* // *vi* plonger ; ~**r** *n* plongeur *m*.

diverge [daɪ'və:dʒ] *vi* diverger.

diverse [daɪ'və:s] *a* divers(e).

diversify [daɪ'və:sɪfaɪ] *vt* diversifier.

diversion [daɪ'və:ʃən] *n* (AUT) déviation *f* ; (*distraction*, MIL) diversion *f*.

diversity [daɪ'və:sɪtɪ] *n* diversité *f*, variété *f*.

divert [daɪ'və:t] *vt* (*traffic*) dévier ; (*river*) détourner ; (*amuse*) divertir.

divest [daɪ'vɛst] *vt*: **to** ~ **sb of** dépouiller qn de.

divide [dɪ'vaɪd] *vt* diviser ; (*separate*) séparer // *vi* se diviser ; ~**d skirt** *n* jupe-culotte *f*.

dividend ['dɪvɪdɛnd] *n* dividende *m*.

divine [dɪ'vaɪn] *a* divin(e).

diving ['daɪvɪŋ] *n* plongée (sous-marine) ; ~ **board** *n* plongeoir *m* ; ~ **suit** *n* scaphandre *m*.

divinity [dɪ'vɪnɪtɪ] *n* divinité *f* ; théologie *f*.

division [dɪ'vɪʒən] *n* division *f* ; séparation *f* ; (*Brit* POL) vote *m*.

divorce [dɪ'vɔ:s] *n* divorce *m* // *vt* divorcer d'avec ; ~**d** *a* divorcé(e) ; ~**e** [-'si:] *n* divorcé/e.

divulge [daɪ'vʌldʒ] *vt* divulguer, révéler.

D.I.Y. *a,n abbr of* **do-it-yourself.**

dizziness ['dɪzɪnɪs] *n* vertige *m*, étourdissement *m*.

dizzy ['dɪzɪ] *a* (*height*) vertigineux(euse) ; **to make sb** ~ donner le vertige à qn ; **to feel** ~ avoir la tête qui tourne.

DJ *n abbr of* **disc jockey.**

do, *pt* **did**, *pp* **done** [du:, dɪd, dʌn] *vt, vi* faire ; **he didn't laugh** il n'a pas ri ; ~ **you want any?** en voulez-vous?, est-ce que vous en voulez? ; **she swims better than I** ~ elle nage mieux que moi ; **he laughed, didn't he?** il a ri, n'est-ce pas? ; ~ **they?** ah oui?, vraiment? ; **who broke it? - I did** qui l'a cassé? - (c'est) moi ; ~ **you agree? - I** ~ êtes-vous d'accord? - oui ; **to** ~ **one's nails/teeth** se faire les ongles/brosser les dents ; **will it** ~? est-ce que ça ira? ; **to** ~ **without sth** se passer de qch ; **what did he** ~ **with the cat?** qu'a-t-il fait du chat? ; **to** ~ **away with** *vt fus* supprimer, abolir ; **to** ~ **up** *vt* remettre à neuf.

docile ['dəusaɪl] *a* docile.

dock [dɔk] *n* dock *m* ; (LAW) banc *m* des accusés // *vi* se mettre à quai ; ~**er** *n* docker *m*.

docket ['dɔkɪt] *n* bordereau *m*.

dockyard ['dɔkjɑ:d] *n* chantier *m* de construction navale.

doctor ['dɔktə*] *n* médecin *m*, docteur *m* ; (*Ph.D. etc*) docteur // *vt* (*cat*) couper ; (*fig*) falsifier.

doctrine ['dɔktrɪn] *n* doctrine *f*.

document ['dɔkjumənt] *n* document *m* ; ~**ary** [-'mɛntərɪ] *a, n* documentaire (*m*) ; ~**ation** [-'teɪʃən] *n* documentation *f*.

doddering ['dɔdərɪŋ] *a* (*senile*) gâteux(euse).

dodge [dɔdʒ] *n* truc *m* ; combine *f* // *vt* esquiver, éviter.

dodgems ['dɔdʒəmz] *npl* autos tamponneuses.

dog [dɔg] *n* chien/ne ; ~ **biscuits** *npl* biscuits *mpl* pour chien ; ~ **collar** *n* collier *m* de chien ; (*fig*) faux-col *m* d'ecclésiastique ; ~**eared** *a* corné(e).

dogged ['dɔgɪd] *a* obstiné(e), opiniâtre.

dogma ['dɔgmə] *n* dogme *m* ; ~**tic** [-'mætɪk] *a* dogmatique.

doings ['duɪŋz] *npl* activités *fpl*.

do-it-yourself [du:ɪtjɔ:'sɛlf] *n* bricolage *m*.

doldrums ['dɔldrəmz] *npl*: **to be in the** ~ avoir le cafard ; être dans le marasme.

dole [dəul] *n* (*Brit*) allocation *f* de chômage ; **on the** ~ au chômage ; **to** ~ **out** *vt* donner au compte-goutte.

doleful ['dəulful] *a* triste, lugubre.

doll [dɔl] *n* poupée *f* ; **to** ~ **o.s. up** se faire beau(belle).

dollar ['dɔlə*] *n* dollar *m*.

dolphin ['dɔlfɪn] *n* dauphin *m*.

domain [də'meɪn] *n* domaine *m*.

dome [dəum] *n* dôme *m*.

domestic [də'mɛstɪk] *a* (*duty, happiness*) familial(e) ; (*policy, affairs, flights*) intérieur(e) ; (*animal*) domestique ; ~**ated** *a* domestiqué(e) ; (*pej*) d'intérieur.

domicile ['dɔmɪsaɪl] *n* domicile *m*.

dominant ['dɔmɪnənt] *a* dominant(e).

dominate ['dɔmɪneɪt] *vt* dominer ; **domination** [-'neɪʃən] *n* domination *f* ;

domineering [-'nıərıŋ] a dominateur(trice), autoritaire.

dominion [də'mınıən] n domination f; territoire m; dominion m.

domino, ~es ['dɒmınəu] n domino m; **~es** n (game) dominos mpl.

don [dɒn] n professeur m d'université // vt revêtir.

donate [də'neɪt] vt faire don de, donner; **donation** [də'neɪʃən] n donation f, don m.

done [dʌn] pp of **do**.

donkey ['dɒŋkɪ] n âne m.

donor ['dəunə*] n (of blood etc) donneur/euse; (to charity) donateur/trice.

don't [dəunt] vb = **do not**.

doom [du:m] n destin m; ruine f // vt: **to be ~ed (to failure)** être voué(e) à l'échec; **~sday** n le Jugement dernier.

door [dɔ:*] n porte f; **~bell** n sonnette f; **~ handle** n poignée f de porte; **~man** n (in hotel) portier m; (in block of flats) concierge m; **~mat** n paillasson m; **~post** n montant m de porte; **~step** n pas m de (la) porte, seuil m.

dope [dəup] n (col) drogue f // vt (horse etc) doper.

dopey ['dəupı] a (col) à moitié endormi(e).

dormant ['dɔ:mənt] a assoupi(e), en veilleuse; (rule, law) inappliqué(e).

dormice ['dɔ:maıs] npl of **dormouse**.

dormitory ['dɔ:mıtrı] n dortoir m.

dormouse, pl **dormice** ['dɔ:maus, -maıs] n loir m.

dosage ['dəusıdʒ] n dose f; dosage m; (on label) posologie f.

dose [dəus] n dose f; (bout) attaque f // vt: **to ~ o.s.** se bourrer de médicaments.

doss house ['dɒshaus] n asile m de nuit.

dot [dɒt] n point m // vt: **~ted with** parsemé(e) de; **on the ~** à l'heure tapante.

dote [dəut]: **to ~ on** vt fus être fou(folle) de.

dotted line [dɒtıd'laın] n ligne pointillée; (AUT) ligne discontinue.

double ['dʌbl] a double // ad (fold) en deux; (twice): **to cost ~** (sth) coûter le double (de qch) or deux fois plus (que qch) // n double m; (CINEMA) doublure f // vt doubler; (fold) plier en deux // vi doubler; **at the ~** au pas de course; **~s** n (TENNIS) double m; **~ bass** n contrebasse f; **~ bed** n grand lit; **~ bend** n virage m en S; **~-breasted** a croisé(e); **~-cross** vt doubler, trahir; **~-decker** n autobus m à impériale; **~ declutch** vi faire un double débrayage; **~ exposure** n surimpression f; **~ parking** n stationnement m en double file; **~ room** n chambre f pour deux; **doubly** ad doublement, deux fois plus.

doubt [daut] n doute m // vt douter de; **to ~ that** douter que; **~ful** a douteux(euse); (person) incertain(e); **~less** ad sans doute, sûrement.

dough [dəu] n pâte f; **~nut** n beignet m.

dour [duə*] a austère.

dove [dʌv] n colombe f.

Dover ['dəuvə*] n Douvres.

dovetail ['dʌvteɪl] n: **~ joint** n assemblage m à queue d'aronde // vi (fig) concorder.

dowdy ['daudı] a démodé(e); mal fagoté(e).

down [daun] n (fluff) duvet m // ad en bas // prep en bas de // vt (enemy) abattre; (col: drink) vider; **the D~s** collines crayeuses du S.-E. de l'Angleterre; **~ with X!** à bas X!; **~-at-heel** a éculé(e); (fig) miteux(euse); **~cast** a démoralisé(e); **~fall** n chute f; ruine f; **~hearted** a découragé(e); **~hill** ad: **to go ~hill** descendre; **~payment** n acompte m; **~pour** n pluie torrentielle, déluge m; **~right** a franc(franche); (refusal) catégorique; **~stairs** ad au rez-de-chaussée; à l'étage inférieur; **~stream** ad en aval; **~-to-earth** a terre à terre inv; **~town** ad en ville // a (US): **~town Chicago** le centre commerçant de Chicago; **~ward** ['daunwəd] a,ad, **~wards** ['daunwədz] ad vers le bas.

dowry ['daurı] n dot f.

doz. abbr of **dozen**.

doze [dəuz] vi sommeiller; **to ~ off** vi s'assoupir.

dozen ['dʌzn] n douzaine f; **a ~ books** une douzaine de livres.

Dr. abbr of **doctor**, **drive** (n).

drab [dræb] a terne, morne.

draft [drɑ:ft] n brouillon m; (COMM) traite f; (US: MIL) contingent m; (: call-up) conscription f // vt faire le brouillon de; see also **draught**.

drag [dræg] vt traîner; (river) draguer // vi traîner // n (col) raseur/euse; corvée f; **to ~ on** vi s'éterniser.

dragonfly ['drægənflaı] n libellule f.

drain [dreın] n égout m; (on resources) saignée f // vt (land, marshes) drainer, assécher; (vegetables) égoutter; (reservoir etc) vider // vi (water) s'écouler; **~age** n système m d'égouts; **~ing board, ~board** (US) n égouttoir m; **~pipe** n tuyau m d'écoulement.

dram [dræm] n petit verre.

drama ['drɑ:mə] n (art) théâtre m, art m dramatique; (play) pièce f; (event) drame m; **~tic** [drə'mætık] a dramatique; spectaculaire; **~tist** ['dræmətıst] n auteur m dramatique.

drank [dræŋk] pt of **drink**.

drape [dreıp] vt draper; **~s** npl (US) rideaux mpl; **~r** n marchand/e de nouveautés.

drastic ['dræstık] a sévère; énergique.

draught [drɑ:ft] n courant m d'air; (of chimney) tirage m; (NAUT) tirant m d'eau; **~s** n (jeu m de) dames fpl; **on ~** (beer) à la pression; **~board** n damier m.

draughtsman ['drɑ:ftsmən] n dessinateur/trice (industriel/le).

draw [drɔ:] vb (pt drew, pp drawn [dru:, drɔ:n]) vt tirer; (attract) attirer; (picture) dessiner; (line, circle) tracer; (money) retirer // vi (SPORT) faire match nul // n match nul; tirage m au sort; loterie f; **to ~ to a close** toucher à or tirer à sa fin; **to ~ near** vi s'approcher; approcher; **to ~ out** vi (lengthen) s'allonger // vt (money) retirer; **to ~ up** vi (stop) s'arrêter // vt (document) établir, dresser; **~back** n inconvénient m, désavantage m; **~bridge** n pont-levis m.

drawer [drɔ:*] n tiroir m.

drawing ['drɔ:ɪŋ] n dessin m; ~ **board** n planche f à dessin; ~ **pin** n punaise f; ~ **room** n salon m.

drawl [drɔ:l] n accent traînant.

drawn [drɔ:n] pp of **draw.**

dread [drɛd] n épouvante f, effroi m // vt redouter, appréhender; ~**ful** a épouvantable, affreux(euse).

dream [dri:m] n rêve m // vt, vi (pt, pp **dreamed** or **dreamt** [drɛmt]) rêver; ~**er** n rêveur/euse; ~ **world** n monde m imaginaire; ~**y** a rêveur(euse).

dreary ['drɪərɪ] a triste; monotone.

dredge [drɛdʒ] vt draguer; ~**r** n (ship) dragueur m; (machine) drague f; (also: **sugar** ~) saupoudreuse f.

dregs [drɛgz] npl lie f.

drench [drɛntʃ] vt tremper.

dress [drɛs] n robe f; (clothing) habillement m, tenue f // vt habiller; (wound) panser; (food) préparer; **to** ~ **up** vi s'habiller; (in fancy dress) se déguiser; ~ **circle** n premier balcon; ~ **designer** n modéliste m/f; ~**er** n (THEATRE) habilleur/euse; (also: **window** ~**er**) étalagiste m/f; (furniture) buffet m; ~**ing** n (MED) pansement m; (CULIN) sauce f, assaisonnement m; ~**ing gown** n robe f de chambre; ~**ing room** n (THEATRE) loge f; (SPORT) vestiaire m; ~**ing table** n coiffeuse f; ~**maker** n couturière f; ~**making** n couture f; travaux mpl de couture; ~ **rehearsal** n (répétition) générale; ~ **shirt** n chemise f à plastron.

drew [dru:] pt of **draw.**

dribble ['drɪbl] vi tomber goutte à goutte; (baby) baver // vt (ball) dribbler.

dried [draɪd] a (fruit, beans) sec(sèche); (eggs, milk) en poudre.

drift [drɪft] n (of current etc) force f; direction f; (of sand etc) amoncellement m; (of snow) rafale f; coulée f; (: on ground) congère f; (general meaning) sens général // vi (boat) aller à la dérive, dériver; (sand, snow) s'amonceler, s'entasser; ~**wood** n bois flotté.

drill [drɪl] n perceuse f; (bit) foret m; (of dentist) roulette f, fraise f; (MIL) exercice m // vt percer // vi (for oil) faire un ou des forage(s).

drink [drɪŋk] n boisson f // vt, vi (pt **drank**, pp **drunk** [dræŋk, drʌŋk]) boire; **to have a** ~ boire quelque chose, boire un verre; prendre l'apéritif; ~**er** n buveur/euse; ~**ing water** n eau f potable.

drip [drɪp] n bruit m d'égouttement; goutte f; (MED) goutte-à-goutte m inv; perfusion f // vi tomber goutte à goutte; (washing) s'égoutter; (wall) suinter; ~-**dry** a (shirt) sans repassage; ~-**feed** vt alimenter au goutte-à-goutte or par perfusion; ~**ping** n graisse f de rôti; ~**ping wet** a trempé(e).

drive [draɪv] n promenade f or trajet m en voiture; (also: ~**way**) allée f; (energy) dynamisme m, énergie f; (PSYCH) besoin m; pulsion f; (push) effort (concerté); campagne f; (SPORT) drive m; (TECH) entraînement m; traction f; transmission f // vb (pt **drove**, pp **driven** [drəuv, 'drɪvn]) vt conduire; (nail) enfoncer; (push) chasser, pousser; (TECH: motor)

actionner; entraîner // vi (AUT: at controls) conduire; (: travel) aller en voiture; **left-/right-hand** ~ conduite f à gauche/droite.

driver ['draɪvə*] n conducteur/trice; (of taxi, bus) chauffeur m; ~**'s license** n (US) permis m de conduire.

driving ['draɪvɪŋ] a: ~ **rain** n pluie battante // n conduite f; ~ **belt** n courroie f de transmission; ~ **instructor** n moniteur m d'auto-école; ~ **lesson** n leçon f de conduite; ~ **licence** n (Brit) permis m de conduire; ~ **school** n auto-école f; ~ **test** n examen m du permis de conduire.

drizzle ['drɪzl] n bruine f, crachin m // vi bruiner.

droll [drəul] a drôle.

dromedary ['drɒmədərɪ] n dromadaire m.

drone [drəun] n bourdonnement m; (male bee) faux-bourdon m.

drool [dru:l] vi baver.

droop [dru:p] vi s'affaisser; tomber.

drop [drɒp] n goutte f; (fall) baisse f; (also: **parachute** ~) saut m; (of cliff) dénivellation f; à-pic m // vt laisser tomber; (voice, eyes, price) baisser; (set down from car) déposer // vi tomber; **to** ~ **off** vi (sleep) s'assoupir; **to** ~ **out** vi (withdraw) se retirer; (student etc) abandonner, décrocher; ~**pings** npl crottes fpl.

dross [drɒs] n déchets mpl; rebut m.

drought [draut] n sécheresse f.

drove [drəuv] pt of **drive** // n: ~**s of people** une foule de gens.

drown [draun] vt noyer // vi se noyer.

drowsy ['drauzɪ] a somnolent(e).

drudge [drʌdʒ] n bête f de somme (fig); ~**ry** ['drʌdʒərɪ] n corvée f.

drug [drʌg] n médicament m; (narcotic) drogue f // vt droguer; ~ **addict** n toxicomane m/f; ~**gist** n (US) pharmacien/ne-droguiste; ~**store** n (US) pharmacie-droguerie f, drugstore m.

drum [drʌm] n tambour m; (for oil, petrol) bidon m; ~**mer** n (joueur m de) tambour m; ~ **roll** n roulement m de tambour; ~**stick** n (MUS) baguette f de tambour; (of chicken) pilon m.

drunk [drʌŋk] pp of **drink** // a ivre, soûl(e) // n soûlard/e; homme/femme soûl(e); ~**ard** ['drʌŋkəd] n ivrogne m/f; ~**en** a ivre, soûl(e); ivrogne, d'ivrogne; ~**enness** n ivresse f; ivrognerie f.

dry [draɪ] a sec(sèche); (day) sans pluie // vt sécher; (clothes) faire sécher // vi sécher; **to** ~ **up** vi se tarir; ~-**cleaner** n teinturier m; ~-**cleaner's** n teinturerie f; ~-**cleaning** n nettoyage m à sec; ~**er** n séchoir m; ~**ness** n sécheresse f; ~ **rot** n pourriture sèche (du bois).

dual ['djuəl] a double; ~-**carriageway** n route f à quatre voies; ~-**control** a à doubles commandes; ~ **nationality** n double nationalité f; ~-**purpose** a à double emploi.

dubbed [dʌbd] a (CINEMA) doublé(e); (nicknamed) surnommé(e).

dubious ['dju:bɪəs] a hésitant(e), incertain(e); (reputation, company) douteux(euse).

duchess ['dʌtʃɪs] n duchesse f.

duck [dʌk] n canard m // vi se baisser vivement, baisser subitement la tête; ~**ling** n caneton m.

duct [dʌkt] n conduite f, canalisation f; (ANAT) conduit m.

dud [dʌd] n (shell) obus non éclaté; (object, tool): **it's a** ~ c'est de la camelote, ça ne marche pas // a (cheque) sans provision; (note, coin) faux(fausse).

due [djuː] a dû(due); (expected) attendu(e); (fitting) qui convient // n dû m // ad: ~ **north** droit vers le nord; ~**s** npl (for club, union) cotisation f; (in harbour) droits mpl (de port); **in** ~ **course** en temps utile or voulu; finalement; ~ **to** dû(due) à; causé(e) par.

duel ['djuəl] n duel m.

duet [djuː'et] n duo m.

dug [dʌg] pt, pp of dig.

duke [djuːk] n duc m.

dull [dʌl] a ennuyeux(euse); terne; (sound, pain) sourd(e); (weather, day) gris(e), maussade; (blade) émoussé(e) // vt (pain, grief) atténuer; (mind, senses) engourdir.

duly ['djuːlɪ] ad (on time) en temps voulu; (as expected) comme il se doit.

dumb [dʌm] a muet(te); (stupid) bête; **dumbfounded** [dʌm'faundɪd] a sidéré(e).

dummy ['dʌmɪ] n (tailor's model) mannequin m; (SPORT) feinte f; (for baby) tétine f // a faux(fausse), factice.

dump [dʌmp] n tas m d'ordures; (place) décharge (publique); (MIL) dépôt m // vt (put down) déposer; déverser; (get rid of) se débarrasser de; ~**ing** n (ECON) dumping m; (of rubbish): 'no ~**ing**' 'décharge interdite'.

dumpling ['dʌmplɪŋ] n boulette f (de pâte).

dunce [dʌns] n âne m, cancre m.

dune [djuːn] n dune f.

dung [dʌŋ] n fumier m.

dungarees [dʌŋgə'riːz] npl bleu(s) m(pl); salopette f.

dungeon ['dʌndʒən] n cachot m.

Dunkirk [dʌn'kəːk] n Dunkerque.

dupe [djuːp] n dupe f // vt duper, tromper.

duplicate n ['djuːplɪkət] double m, copie exacte // vt ['djuːplɪkeɪt] faire un double de; (on machine) polycopier; **in** ~ en deux exemplaires, en double; **duplicator** n duplicateur m.

durable ['djuərəbl] a durable; (clothes, metal) résistant(e), solide.

duration [djuə'reɪʃən] n durée f.

duress [djuə'res] n: **under** ~ sous la contrainte.

during ['djuərɪŋ] prep pendant, au cours de.

dusk [dʌsk] n crépuscule m; ~**y** a sombre.

dust [dʌst] n poussière f // vt (furniture) essuyer, épousseter; (cake etc): **to** ~ **with** saupoudrer de; ~**bin** n (Brit) poubelle f; ~**er** n chiffon m; ~ **jacket** n jacquette f; ~**man** n (Brit) boueux m, éboueur m; ~**y** a poussiéreux(euse).

Dutch [dʌtʃ] a hollandais(e), néerlandais(e) // n (LING) hollandais m; **the** ~ les Hollandais; ~**man/woman** n Hollandais/e.

dutiable ['djuːtɪəbl] a taxable; soumis(e) à des droits de douane.

duty ['djuːtɪ] n devoir m; (tax) droit m, taxe f; **duties** npl fonctions fpl; **on** ~ de service; (at night etc) de garde; **off** ~ libre, pas de service or de garde; ~**-free** a exempté(e) de douane, hors-taxe.

dwarf [dwɔːf] n nain/e // vt écraser.

dwell, pt, pp **dwelt** [dwel, dwelt] vi demeurer; **to** ~ **on** vt fus s'étendre sur; ~**ing** n habitation f, demeure f.

dwindle ['dwɪndl] vi diminuer, décroître.

dye [daɪ] n teinture f // vt teindre; ~**stuffs** npl colorants mpl.

dying ['daɪɪŋ] a mourant(e), agonisant(e).

dyke [daɪk] n digue f.

dynamic [daɪ'næmɪk] a dynamique; ~**s** n or npl dynamique f.

dynamite ['daɪnəmaɪt] n dynamite f.

dynamo ['daɪnəməu] n dynamo f.

dynasty ['dɪnəstɪ] n dynastie f.

dysentery ['dɪsntrɪ] n dysenterie f.

E

E [iː] n (MUS) mi m.

each [iːtʃ] det chaque // pronoun chacun(e); ~ **one** chacun(e); ~ **other** se (or nous etc); **they hate** ~ **other** ils se détestent (mutuellement); **you are jealous of** ~ **other** vous êtes jaloux l'un de l'autre.

eager [iːgə*] a impatient(e); avide; ardent(e), passionné(e); **to be** ~ **to do sth** être impatient de faire qch, brûler de faire qch; désirer vivement faire qch; **to be** ~ **for** désirer vivement, être avide de.

eagle ['iːgl] n aigle m.

ear [ɪə*] n oreille f; (of corn) épi m; ~**ache** n douleurs fpl aux oreilles; ~**drum** n tympan m; ~, **nose and throat specialist** n oto-rhino-laryngologiste m/f.

earl [əːl] n comte m.

earlier ['əːlɪə] a (date etc) plus rapproché(e); (edition etc) plus ancien(ne), antérieur(e) // ad plus tôt.

early ['əːlɪ] ad tôt, de bonne heure; (ahead of time) en avance // a précoce; anticipé(e); qui se manifeste (or se fait) tôt or de bonne heure; **have an** ~ **night/start** couchez-vous/partez tôt or de bonne heure; **take the** ~ **train/plane** prenez le premier train/vol; **in the** ~ or ~ **in the spring/19th century** au début or commencement du printemps/ 19ème siècle; ~ **retirement** n retraite anticipée.

earmark ['ɪəmaːk] vt: **to** ~ **sth for** réserver or destiner qch à.

earn [əːn] vt gagner; (COMM: yield) rapporter; **this** ~**ed him much praise, he** ~**ed much praise for this** ceci lui a valu de nombreux éloges; **he's** ~**ed his rest/reward** il a bien mérité or a bien gagné son repos/sa récompense.

earnest ['əːnɪst] a sérieux(euse); **in** ~ ad sérieusement, pour de bon.

earnings ['əːnɪŋz] npl salaire m; gains mpl.

earphones ['ɪəfəunz] npl écouteurs mpl.

earring ['ɪərɪŋ] n boucle f d'oreille.

earshot ['ɪəʃɔt] n: **out of/within** ~ hors de portée/à portée de la voix.

earth [ə:θ] *n* (*gen, also* ELEC) terre *f*; (*of fox etc*) terrier *m* // *vt* (ELEC) relier à la terre; ~**enware** *n* poterie *f*; faïence *f* // *a de or* en faïence; ~**quake** *n* tremblement *m* de terre, séisme *m*; ~ **tremor** *n* secousse *f* sismique; ~**works** *npl* travaux *mpl* de terrassement; ~**y** *a* (*fig*) terre à terre *inv*; truculent(e).

earwax ['ɪəwæks] *n* cérumen *m*.

earwig ['ɪəwɪg] *n* perce-oreille *m*.

ease [i:z] *n* facilité *f*, aisance *f* // *vt* (*soothe*) calmer; (*loosen*) relâcher, détendre; (*help pass*): **to** ~ **sth in/out** faire pénétrer/sortir qch délicatement *or* avec douceur; faciliter la pénétration/la sortie de qch; **life of** ~ vie oisive; **at** ~ à l'aise; (MIL) au repos; **to** ~ **off** *or* **up** *vi* diminuer; ralentir; se détendre.

easel ['i:zl] *n* chevalet *m*.

easily ['i:zɪlɪ] *ad* facilement.

east [i:st] *n* est *m* // *a* d'est // *ad* à l'est, vers l'est; **the E**~ l'Orient *m*.

Easter ['i:stə*] *n* Pâques *fpl*.

easterly ['i:stəlɪ] *a* d'est.

eastern ['i:stən] *a* de l'est, oriental(e).

East Germany [i:st'dʒə:mənɪ] *n* Allemagne *f* de l'Est.

eastward(s) ['i:stwəd(z)] *ad* vers l'est, à l'est.

easy ['i:zɪ] *a* facile; (*manner*) aisé(e) // *ad*: **to take it** *or* **things** ~ ne pas se fatiguer; ne pas (trop) s'en faire; ~ **chair** *n* fauteuil *m*; ~ **going** *a* accommodant(e), facile à vivre.

eat, *pt* **ate**, *pp* **eaten** [i:t, eɪt, 'i:tn] *vt* manger; **to** ~ **into**, **to** ~ **away at** *vt fus* ronger, attaquer; ~**able** *a* mangeable; (*safe to eat*) comestible.

eaves [i:vz] *npl* avant-toit *m*.

eavesdrop ['i:vzdrɔp] *vi*: **to** ~ (**on a conversation**) écouter (une conversation) de façon indiscrète.

ebb [ɛb] *n* reflux *m* // *vi* refluer; (*fig: also*: ~ **away**) décliner.

ebony ['ɛbənɪ] *n* ébène *f*.

ebullient [ɪ'bʌlɪənt] *a* exubérant(e).

eccentric [ɪk'sɛntrɪk] *a,n* excentrique (*m/f*).

ecclesiastic [ɪkli:zɪ'æstɪk] *n* ecclésiastique *m*; ~**al** *a* ecclésiastique.

echo, ~**es** ['ɛkəu] *n* écho *m* // *vt* répéter; faire chorus avec // *vi* résonner; faire écho.

eclipse [ɪ'klɪps] *n* éclipse *f* // *vt* éclipser.

ecology [ɪ'kɔlədʒɪ] *n* écologie *f*.

economic [i:kə'nɔmɪk] *a* économique; (*business etc*) rentable; ~**al** *a* économique; (*person*) économe; ~**s** *n* économie *f* politique.

economist [ɪ'kɔnəmɪst] *n* économiste *m/f*.

economize [ɪ'kɔnəmaɪz] *vi* économiser, faire des économies.

economy [ɪ'kɔnəmɪ] *n* économie *f*.

ecstasy ['ɛkstəsɪ] *n* extase *f*; **to go into ecstasies over** s'extasier sur; **ecstatic** [-'tætɪk] *a* extatique, en extase.

ecumenical [i:kju'mɛnɪkl] *a* œcuménique.

eczema ['ɛksɪmə] *n* eczéma *m*.

eddy ['ɛdɪ] *n* tourbillon *m*.

edge [ɛdʒ] *n* bord *m*; (*of knife etc*) tranchant *m*, fil *m* // *vt* border; **on** ~ (*fig*)

= **edgy**; **to have the** ~ **on** l'emporter (de justesse) sur, être légèrement meilleur que; **to** ~ **away from** s'éloigner furtivement de; ~**ways** *ad* latéralement; **he couldn't get a word in** ~**ways** il ne pouvait pas placer un mot; **edging** *n* bordure *f*.

edgy ['ɛdʒɪ] *a* crispé(e), tendu(e).

edible ['ɛdɪbl] *a* comestible; (*meal*) mangeable.

edict ['i:dɪkt] *n* décret *m*.

edifice ['ɛdɪfɪs] *n* édifice *m*.

edit ['ɛdɪt] *vt* éditer; ~**ion** [ɪ'dɪʃən] *n* édition *f*; ~**or** *n* (*in newspaper*) rédacteur/trice; rédacteur/trice en chef; (*of sb's work*) éditeur/trice; ~**orial** [-'tɔ:rɪəl] *a* de la rédaction, éditorial(e) // *n* éditorial *m*.

educate ['ɛdjukeɪt] *vt* instruire; éduquer.

education [ɛdju'keɪʃən] *n* éducation *f*; (*schooling*) enseignement *m*, instruction *f*; ~**al** *a* pédagogique; scolaire; instructif(ive).

EEC *n* (*abbr of European Economic Community*) C.E.E. (*Communauté économique européenne*).

eel [i:l] *n* anguille *f*.

eerie ['ɪərɪ] *a* inquiétant(e), spectral(e), surnaturel(le).

effect [ɪ'fɛkt] *n* effet *m* // *vt* effectuer; ~**s** *npl* (THEATRE) effets *mpl*; **to take** ~ (*law*) entrer en vigueur, prendre effet; (*drug*) agir, faire son effet; **in** ~ en fait; ~**ive** *a* efficace; ~**iveness** *n* efficacité *f*.

effeminate [ɪ'fɛmɪnɪt] *a* efféminé(e).

effervescent [ɛfə'vɛsnt] *a* effervescent(e).

efficacy ['ɛfɪkəsɪ] *n* efficacité *f*.

efficiency [ɪ'fɪʃənsɪ] *n* efficacité *f*; rendement *m*.

efficient [ɪ'fɪʃənt] *a* efficace; ~**ly** *ad* efficacement.

effigy ['ɛfɪdʒɪ] *n* effigie *f*.

effort ['ɛfət] *n* effort *m*; ~**less** *a* sans effort, aisé(e).

effrontery [ɪ'frʌntərɪ] *n* effronterie *f*.

e.g. *ad* (*abbr of exempli gratia*) par exemple, p. ex.

egalitarian [ɪgælɪ'tɛərɪən] *a* égalitaire.

egg [ɛg] *n* œuf *m*; **to** ~ **on** *vt* pousser; ~**cup** *n* coquetier *m*; ~**plant** *n* aubergine *f*; ~**shell** *n* coquille *f* d'œuf // *a* (*colour*) blanc cassé *inv*.

ego ['i:gəu] *n* moi *m*.

egoist ['ɛgəuɪst] *n* égoïste *m/f*.

egotist ['ɛgəutɪst] *n* égocentrique *m/f*.

Egypt ['i:dʒɪpt] *n* Égypte *f*; ~**ian** [ɪ'dʒɪpʃən] *a* égyptien(ne) // *n* Égyptien/ne.

eiderdown ['aɪdədaun] *n* édredon *m*.

eight [eɪt] *num* huit; ~**een** *num* dix-huit; ~**h** *num* huitième; ~**y** *num* quatre-vingt(s).

Eire ['ɛərə] *n* République *f* d'Irlande.

either ['aɪðə*] *det* l'un ou l'autre; (*both, each*) chaque; **on** ~ **side** de chaque côté // *pronoun*: ~ (**of them**) l'un ou l'autre; **I don't like** ~ je n'aime ni l'un ni l'autre // *ad* non plus; **no, I don't** ~ moi non plus // *cj*: ~ **good or bad** ou bon ou mauvais, soit bon soit mauvais; **I haven't**

seen ~ **one or the other** je n'ai vu ni l'un ni l'autre.
ejaculation [ɪdʒækju'leɪʃən] n (PHYSIOL) éjaculation f.
eject [ɪ'dʒɛkt] vt expulser; éjecter; **~or seat** n siège m éjectable.
eke [i:k]: **to ~ out** vt faire durer; augmenter.
elaborate a [ɪ'læbərɪt] compliqué(e), recherché(e), minutieux (euse) // vb [ɪ'læbəreɪt] vt élaborer // vi entrer dans les détails.
elapse [ɪ'læps] vi s'écouler, passer.
elastic [ɪ'æstɪk] a, n élastique (m); **~ band** n élastique m; **~ity** [-'tɪsɪtɪ] n élasticité f.
elated [ɪ'leɪtɪd] a transporté(e) de joie.
elation [ɪ'leɪʃən] n (grande) joie, allégresse f.
elbow ['ɛlbəu] n coude m.
elder ['ɛldə*] a aîné(e) // n (tree) sureau m; one's ~ s ses aînés; **~ly** a âgé(e) // n: **the ~ly** les personnes âgées.
eldest ['ɛldɪst] a,n: **the ~ (child)** l'aîné(e) (des enfants).
elect [ɪ'lɛkt] vt élire; **to ~ to do** choisir de faire // a: **the president ~** le président désigné; **~ion** [ɪ'lɛkʃən] n élection f; **~ioneering** [ɪlɛkʃə'nɪərɪŋ] n propagande électorale, manœuvres électorales; **~or** n électeur/trice; **~oral** a électoral(e); **~orate** n électorat m.
electric [ɪ'lɛktrɪk] a électrique; **~al** a électrique; **~ blanket** n couverture chauffante; **~ chair** n chaise f électrique; **~ cooker** n cuisinière f électrique; **~ current** n courant m électrique; **~ fire** n radiateur m électrique.
electrician [ɪlɛk'trɪʃən] n électricien m.
electricity [ɪlɛk'trɪsɪtɪ] n électricité f.
electrify [ɪ'lɛktrɪfaɪ] vt (RAIL) électrifier; (audience) électriser.
electro... [ɪ'lɛktrəu] prefix: **electrocute** [-kju:t] vt électrocuter; **electrode** [ɪ'lɛktrəud] n électrode f; **electrolysis** [ɪlɛk'trɔlɪsɪs] n électrolyse f.
electron [ɪ'lɛktrɔn] n électron m.
electronic [ɪlɛk'trɔnɪk] a électronique; **~s** n électronique f.
elegance ['ɛlɪgəns] n élégance f.
elegant ['ɛlɪgənt] a élégant(e).
element ['ɛlɪmənt] n (gen) élément m; (of heater, kettle etc) résistance f; **~ary** [-'mɛntərɪ] a élémentaire; (school, education) primaire.
elephant ['ɛlɪfənt] n éléphant m.
elevate ['ɛlɪveɪt] vt élever; **~d railway** n métro aérien.
elevation [ɛlɪ'veɪʃən] n élévation f; (height) altitude f.
elevator ['ɛlɪveɪtə*] n élévateur m, monte-charge m inv; (US: lift) ascenseur m.
eleven [ɪ'lɛvn] num onze; **~ses** npl ≈ pause-café f; **~th** a onzième.
elf, elves [ɛlf, ɛlvz] n lutin m.
elicit [ɪ'lɪsɪt] vt: **to ~ (from)** obtenir (de), arracher (à).
eligible ['ɛlɪdʒəbl] a éligible; (for membership) admissible; **~ for a pension** ayant droit à la retraite.

eliminate [ɪ'lɪmɪneɪt] vt éliminer; **elimination** n élimination f.
élite [eɪ'li:t] n élite f.
ellipse [ɪ'lɪps] n ellipse f.
elliptical [ɪ'lɪptɪkl] a elliptique.
elm [ɛlm] n orme m.
elocution [ɛlə'kju:ʃən] n élocution f.
elongated ['i:lɔŋgeɪtɪd] a étiré(e), allongé(e).
elope [ɪ'ləup] vi (lovers) s'enfuir (ensemble); **~ment** n fugue amoureuse.
eloquence ['ɛləkwəns] n éloquence f.
eloquent ['ɛləkwənt] a éloquent(e).
else [ɛls] ad d'autre; **something ~** quelque chose d'autre, autre chose; **somewhere ~** ailleurs, autre part; **everywhere ~** partout ailleurs; **where ~?** à quel autre endroit?; **little ~** pas grand-chose d'autre; **~where** ad ailleurs, autre part.
elucidate [ɪ'lu:sɪdeɪt] vt élucider.
elude [ɪ'lu:d] vt échapper à; (question) éluder.
elusive [ɪ'lu:sɪv] a insaisissable; (answer) évasif(ive).
elves [ɛlvz] npl of elf.
emaciated [ɪ'meɪsɪeɪtɪd] a émacié(e), décharnu(e).
emanate ['ɛməneɪt] vi: **to ~ from** émaner de.
emancipate [ɪ'mænsɪpeɪt] vt émanciper; **emancipation** [-'peɪʃən] n émancipation f.
embalm [ɪm'bɑ:m] vt embaumer.
embankment [ɪm'bæŋkmənt] n (of road, railway) remblai m, talus m; (riverside) berge f, quai m; (dyke) digue f.
embargo, ~es [ɪm'bɑ:gəu] n embargo m // vt frapper d'embargo, mettre l'embargo sur.
embark [ɪm'bɑ:k] vi: **to ~ (on)** (s')embarquer (à bord de or sur) // vt embarquer; **to ~ on** (fig) se lancer or s'embarquer dans; **~ation** [ɛmbɑ:'keɪʃən] n embarquement m.
embarrass [ɪm'bærəs] vt embarrasser, gêner; **~ing** a gênant(e), embarrassant(e); **~ment** n embarras m, gêne f.
embassy ['ɛmbəsɪ] n ambassade f.
embed [ɪm'bɛd] vt enfoncer, ficher, sceller.
embellish [ɪm'bɛlɪʃ] vt embellir; enjoliver.
embers ['ɛmbəz] npl braise f.
embezzle [ɪm'bɛzl] vt détourner; **~ment** n détournement m (de fonds).
embitter [ɪm'bɪtə*] vt aigrir; envenimer.
emblem ['ɛmbləm] n emblème m.
embodiment [ɪm'bɔdɪmənt] n personification f, incarnation f.
embody [ɪm'bɔdɪ] vt (features) réunir, comprendre; (ideas) formuler, exprimer.
embossed [ɪm'bɔst] a repoussé(e); gaufré(e); **~ with** où figure(nt) en relief.
embrace [ɪm'breɪs] vt embrasser, étreindre; (include) embrasser, couvrir // n étreinte f.
embroider [ɪm'brɔɪdə*] vt broder; (fig: story) enjoliver; **~y** n broderie f.
embryo ['ɛmbrɪəu] n (also fig) embryon m.
emerald ['ɛmərəld] n émeraude f.

emerge [ɪ'məːdʒ] vi apparaître, surgir.
emergence [ɪ'məːdʒəns] n apparition f.
emergency [ɪ'məːdʒənsɪ] n urgence f; **in an ~** en cas d'urgence; **state of ~** état m d'urgence; **~ exit** n sortie f de secours.
emergent [ɪ'məːdʒənt] a: **~ nation** pays m en voie de développement.
emery ['ɛmərɪ] n: **~ board** n lime f à ongles (en carton émerisé); **~ paper** n papier m (d')émeri.
emetic [ɪ'mɛtɪk] n vomitif m, émétique m.
emigrant ['ɛmɪgrənt] n émigrant/e.
emigrate ['ɛmɪgreɪt] vi émigrer; **emigration** [-'greɪʃən] n émigration f.
eminence ['ɛmɪnəns] n éminence f.
eminent ['ɛmɪnənt] a éminent(e).
emission [ɪ'mɪʃən] n émission f.
emit [ɪ'mɪt] vt émettre.
emotion [ɪ'məʊʃən] n émotion f; **~al** a (person) émotif(ive), très sensible; (scene) émouvant(e); (tone, speech) qui fait appel aux sentiments; **~ally** ad: **~ally disturbed** qui souffre de troubles de l'affectivité.
emotive [ɪ'məʊtɪv] a émotif(ive); **~ power** n capacité f d'émouvoir or de toucher.
emperor ['ɛmpərə*] n empereur m.
emphasis, pl **ases** ['ɛmfəsɪs, -siːz] n accent m; force f, insistance f.
emphasize ['ɛmfəsaɪz] vt (syllable, word, point) appuyer or insister sur; (feature) souligner, accentuer.
emphatic [ɛm'fætɪk] a (strong) énergique, vigoureux(euse); (unambiguous, clear) catégorique; **~ally** ad avec vigueur or énergie; catégoriquement.
empire ['ɛmpaɪə*] n empire m.
empirical [ɛm'pɪrɪkl] a empirique.
employ [ɪm'plɔɪ] vt employer; **~ee** [-'iː] n employé/e; **~er** n employeur/euse; **~ment** n emploi m; **~ment agency** n agence f or bureau m de placement; **~ment exchange** n bourse f du travail.
empower [ɪm'paʊə*] vt: **to ~ sb to do** autoriser ou habiliter qn à faire.
empress ['ɛmprɪs] n impératrice f.
emptiness ['ɛmptɪnɪs] n vide m.
empty ['ɛmptɪ] a vide; (threat, promise) en l'air, vain(e) // vt vider // vi se vider; (liquid) s'écouler; **on an ~ stomach** à jeun; **~-handed** a les mains vides.
emulate ['ɛmjuleɪt] vt rivaliser avec, imiter.
emulsion [ɪ'mʌlʃən] n émulsion f; **~ (paint)** n peinture mate.
enable [ɪ'neɪbl] vt: **to ~ sb to do** permettre à qn de faire, donner à qn la possibilité de faire.
enamel [ɪ'næməl] n émail m.
enamoured [ɪ'næməd] a: **~ of** amoureux(euse) de; (idea) enchanté(e) par.
encased [ɪn'keɪst] a: **~ in** enfermé(e) dans, recouvert(e) de.
enchant [ɪn'tʃɑːnt] vt enchanter; (subject: magic spell) ensorceler; **~ing** a ravissant(e), enchanteur(eresse).
encircle [ɪn'səːkl] vt entourer, encercler.
encl. (abbr of enclosed) annexe(s).

enclose [ɪn'kləʊz] vt (land) clôturer; (letter etc): **to ~ (with)** joindre (à); **please find ~d** veuillez trouver ci-joint.
enclosure [ɪn'kləʊʒə*] n enceinte f; (COMM) annexe f.
encore [ɔŋ'kɔː*] excl, n bis (m).
encounter [ɪn'kaʊntə*] n rencontre f // vt rencontrer.
encourage [ɪn'kʌrɪdʒ] vt encourager; **~ment** n encouragement m.
encroach [ɪn'krəʊtʃ] vi: **to ~ (up)on** empiéter sur.
encyclop(a)edia [ɛnsaɪkləʊ'piːdɪə] n encyclopédie f.
end [ɛnd] n (gen, also: aim) fin f; (of table, street etc) bout m, extrémité f // vt terminer; (also: **bring to an ~, put an ~ to**) mettre fin à // vi se terminer, finir; **to come to an ~** prendre fin; **in the ~** finalement; **on ~** (object) debout, dressé(e); **for 5 hours on ~** durant 5 heures d'affilée or de suite; **for hours on ~** pendant des heures (et des heures); **to ~ up** vi: **to ~ up in** finir or se terminer par; (place) finir or aboutir à.
endanger [ɪn'deɪndʒə*] vt mettre en danger.
endearing [ɪn'dɪərɪŋ] a attachant(e).
endeavour [ɪn'dɛvə*] n tentative f, effort m // vi: **to ~ to do** tenter or s'efforcer de faire.
ending ['ɛndɪŋ] n dénouement m, conclusion f; (LING) terminaison f.
endive ['ɛndaɪv] n chicorée f.
endless ['ɛndlɪs] a sans fin, interminable; (patience, resources) inépuisable, sans limites.
endorse [ɪn'dɔːs] vt (cheque) endosser; (approve) appuyer, approuver, sanctionner; **~ment** n (on driving licence) contravention portée au permis de conduire.
endow [ɪn'daʊ] vt (provide with money) faire une donation à, doter; (equip): **to ~ with** gratifier de, doter de.
end product ['ɛndprɔdəkt] n produit fini; (fig) résultat m.
endurable [ɪn'djuərəbl] a supportable.
endurance [ɪn'djuərəns] n endurance f, résistance f; patience f.
endure [ɪn'djuə*] vt supporter, endurer // vi durer.
enemy ['ɛnəmɪ] a,n ennemi(e).
energetic [ɛnə'dʒɛtɪk] a énergique; actif(ive); qui fait se dispenser (physiquement).
energy ['ɛnədʒɪ] n énergie f.
enervating ['ɛnəːveɪtɪŋ] a débilitant(e), affaiblissant(e).
enforce [ɪn'fɔːs] vt (LAW) appliquer, faire respecter; **~d** a forcé(e).
engage [ɪn'geɪdʒ] vt engager; (MIL) engager le combat avec // vi (TECH) s'enclencher, s'engrener; **to ~ in** se lancer dans; **~d** a (busy, in use) occupé(e); (betrothed) fiancé(e); **to get ~d** se fiancer; **he is ~d in research/a survey** il fait de la recherche/une enquête; **~ment** n obligation f, engagement m; rendez-vous m inv; (to marry) fiançailles fpl; (MIL) combat m; **~ment ring** n bague f de fiançailles.

engaging [ɪn'geɪdʒɪŋ] a engageant(e), attirant(e).

engender [ɪn'dʒɛndə*] vt produire, causer.

engine ['ɛndʒɪn] n (AUT) moteur m; (RAIL) locomotive f; ~ **failure** n panne f; ~ **trouble** n ennuis mpl mécaniques.

engineer [ɛndʒɪ'nɪə*] n ingénieur m; (US: RAIL) mécanicien m; ~**ing** n engineering m, ingénierie f; (of bridges, ships) génie m; (of machine) mécanique f.

England ['ɪŋglənd] n Angleterre f.

English ['ɪŋglɪʃ] a anglais(e) // n (LING) anglais m; **the** ~ les Anglais; ~**man/woman** n Anglais/e.

engrave [ɪn'greɪv] vt graver.

engraving [ɪn'greɪvɪŋ] n gravure f.

engrossed [ɪn'grəust] a: ~ **in** absorbé(e) par, plongé(e) dans.

engulf [ɪn'gʌlf] vt engloutir.

enhance [ɪn'hɑ:ns] vt rehausser, mettre en valeur.

enigma [ɪ'nɪgmə] n énigme f; ~**tic** [ɛnɪg'mætɪk] a énigmatique.

enjoy [ɪn'dʒɔɪ] vt aimer, prendre plaisir à; (have: health, fortune) jouir de; (: success) connaître; **to** ~ **oneself** s'amuser; ~**able** a agréable; ~**ment** n plaisir m.

enlarge [ɪn'lɑ:dʒ] vt accroître; (PHOT) agrandir // vi: **to** ~ **on** (subject) s'étendre sur; ~**ment** n (PHOT) agrandissement m.

enlighten [ɪn'laɪtn] vt éclairer; ~**ed** a éclairé(e); ~**ment** n édification f; vues éclairées (gen); connaissances mpl; (HISTORY): **the E**~**ment** ≈ le Siècle des lumières.

enlist [ɪn'lɪst] vt recruter; (support) s'assurer // vi s'engager.

enmity ['ɛnmɪtɪ] n inimitié f.

enormity [ɪ'nɔ:mɪtɪ] n énormité f.

enormous [ɪ'nɔ:məs] a énorme.

enough [ɪ'nʌf] a, n: ~ **time/books** assez or suffisamment de temps/livres; **have you got** ~? (en) avez-vous assez? // ad: **big** ~ assez or suffisamment grand; **he has not worked** ~ il n'a pas assez or suffisamment travaillé, il n'a pas travaillé assez or suffisamment; ...~! assez!, ça suffit!; **it's hot** ~ (**as it is**)! il fait assez chaud comme ça!; ... **which, funnily** ~ ... qui, chose curieuse.

enquire [ɪn'kwaɪə*] vt, vi = **inquire**.

enrich [ɪn'rɪtʃ] vt enrichir.

enrol [ɪn'rəul] vt inscrire // vi s'inscrire; ~**ment** n inscription f.

ensconced [ɪn'skɔnst] a: ~ **in** bien calé(e) dans; plongé(e) dans.

ensign n (NAUT) ['ɛnsən] enseigne f, pavillon m; (MIL) ['ɛnsaɪn] porte-étendard m.

enslave [ɪn'sleɪv] vt asservir.

ensue [ɪn'sju:] vi s'ensuivre, résulter.

ensure [ɪn'ʃuə*] vt assurer; garantir; **to** ~ **that** s'assurer que.

entail [ɪn'teɪl] vt entraîner, nécessiter.

entangle [ɪn'tæŋgl] vt emmêler, embrouiller.

enter ['ɛntə*] vt (room) entrer dans, pénétrer dans; (club, army) entrer à; (competition) s'inscrire à or pour; (sb for a competition) (faire) inscrire; (write down) inscrire, noter; **to** ~ **for** vt fus s'inscrire à, se présenter pour or à; **to** ~ **into** vt fus (exploration) se lancer dans; (debate) prendre part à; (agreement) conclure; **to** ~ **up** vt inscrire; **to** ~ **(up)on** vt fus commencer.

enterprise ['ɛntəpraɪz] n entreprise f; (esprit m d')initiative f.

enterprising ['ɛntəpraɪzɪŋ] a entreprenant(e), dynamique.

entertain [ɛntə'teɪn] vt amuser, distraire; (invite) recevoir (à dîner); (idea, plan) envisager; ~**er** n artiste m/f de variétés; ~**ing** a amusant(e), distrayant(e); ~**ment** n (amusement) distraction f, divertissement m, amusement m; (show) spectacle m.

enthralled [ɪn'θrɔ:ld] a captivé(e).

enthusiasm [ɪn'θu:zɪæzəm] n enthousiasme m.

enthusiast [ɪn'θu:zɪæst] n enthousiaste m/f; **a jazz etc** ~ un fervent or passionné du jazz etc; ~**ic** [-'æstɪk] a enthousiaste.

entice [ɪn'taɪs] vt attirer, séduire.

entire [ɪn'taɪə*] a (tout) entier(ère); ~**ly** ad entièrement, complètement; ~**ty** [ɪn'taɪərətɪ] n: **in its** ~**ty** dans sa totalité.

entitle [ɪn'taɪtl] vt (allow): **to** ~ **sb to do** donner (le) droit à qn de faire; **to** ~ **sb to sth** donner droit à qch à qn; ~**d** a (book) intitulé(e); **to be** ~**d to do** avoir le droit de or être habilité à faire.

entrance n ['ɛntrns] entrée f // vt [ɪn'trɑ:ns] enchanter, ravir; **to gain** ~ **to** (university etc) être admis à; ~ **examination** n examen m d'entrée; ~ **fee** n droit m d'inscription; (to museum etc) prix m d'entrée.

entrant ['ɛntrnt] n participant/e; concurrent/e.

entreat [ɛn'tri:t] vt supplier; ~**y** n supplication f, prière f.

entrée ['ɔntreɪ] n (CULIN) entrée f.

entrenched [ɛn'trɛntʃd] a retranché(e).

entrust [ɪn'trʌst] vt: **to** ~ **sth to** confier qch à.

entry ['ɛntrɪ] n entrée f; (in register) inscription f; ~ **form** n feuille f d'inscription.

entwine [ɪn'twaɪn] vt entrelacer.

enumerate [ɪ'nju:məreɪt] vt énumérer.

enunciate [ɪ'nʌnsɪeɪt] vt énoncer; prononcer.

envelop [ɪn'vɛləp] vt envelopper.

envelope ['ɛnvələup] n enveloppe f.

envious ['ɛnvɪəs] a envieux(euse).

environment [ɪn'vaɪərnmənt] n milieu m; environnement m; ~**al** [-'mɛntl] a écologique; du milieu.

envisage [ɪn'vɪzɪdʒ] vt envisager; prévoir.

envoy ['ɛnvɔɪ] n envoyé/e.

envy ['ɛnvɪ] n envie f // vt envier.

enzyme ['ɛnzaɪm] n enzyme m.

ephemeral [ɪ'fɛmərl] a éphémère.

epic ['ɛpɪk] n épopée f // a épique.

epidemic [ɛpɪ'dɛmɪk] n épidémie f.

epilepsy ['ɛpɪlɛpsɪ] n épilepsie f; **epileptic** [-'lɛptɪk] a, n épileptique (m/f).

epilogue ['ɛpɪlɔg] n épilogue m.

episode ['ɛpɪsəud] n épisode m.

epistle [ɪ'pɪsl] n épître f.

epitaph ['ɛpɪtɑ:f] n épitaphe f.

epitome [ɪ'pɪtəmɪ] n résumé m;

quintessence f, type m; **epitomize** vt résumer; illustrer, incarner.

epoch ['i:pɔk] n époque f, ère f; ~-**making** a qui fait époque.

equable ['ɛkwəbl] a égal(e); de tempérament égal.

equal ['i:kwl] a égal(e) // n égal/e // vt égal*er; ~ **to** (*task*) à la hauteur de; ~ **to doing** de taille à or capable de faire; ~**ity** [i:'kwɔlɪtɪ] n égalité f; ~**ize** vt,vi égaliser; ~**izer** n but égalisateur; ~**ly** ad également; (*just as*) tout aussi; ~(**s**) **sign** n signe m d'égalité.

equanimity [ɛkwə'nɪmɪtɪ] n égalité f d'humeur.

equate [ɪ'kweɪt] vt: to ~ **sth with** comparer qch à; assimiler qch à; to ~ **sth to** mettre qch en équation avec; égaler qch à; **equation** [ɪ'kweɪʃən] n (MATH) équation f.

equator [ɪ'kweɪtə*] n équateur m; ~**ial** [ɛkwə'tɔ:rɪəl] a équatorial(e).

equilibrium [i:kwɪ'lɪbrɪəm] n équilibre m.

equinox ['i:kwɪnɔks] n équinoxe m.

equip [ɪ'kwɪp] vt équiper; to ~ **sb/sth with** équiper or munir qn/qch de; ~**ment** n équipement m; (*electrical etc*) appareillage m, installation f.

equitable ['ɛkwɪtəbl] a équitable.

equity ['ɛkwɪtɪ] n équité f; **equities** npl (COMM) actions cotées en Bourse.

equivalent [ɪ'kwɪvəlnt] a équivalent(e) // n équivalent m.

equivocal [ɪ'kwɪvəkl] a équivoque; (*open to suspicion*) douteux(euse).

era ['ɪərə] n ère f, époque f.

eradicate [ɪ'rædɪkeɪt] vt éliminer.

erase [ɪ'reɪz] vt effacer; ~**r** n gomme f.

erect [ɪ'rɛkt] a droit(e) // vt construire; (*monument*) ériger; élever; (*tent etc*) dresser.

erection [ɪ'rɛkʃən] n érection f.

ermine ['ə:mɪn] n hermine f.

erode [ɪ'rəud] vt éroder; (*metal*) ronger; **erosion** [ɪ'rəuʒən] n érosion f.

erotic [ɪ'rɔtɪk] a érotique; ~**ism** [ɪ'rɔtɪsɪzm] n érotisme m.

err [ə:*] vi se tromper; (REL) pécher.

errand ['ɛrnd] n course f, commission f; ~ **boy** n garçon m de courses.

erratic [ɪ'rætɪk] a irrégulier(ère); inconstant(e).

erroneous [ɪ'rəunɪəs] a erroné(e).

error ['ɛrə*] n erreur f.

erudite ['ɛrjudaɪt] a savant(e).

erupt [ɪ'rʌpt] vi entrer en éruption; (*fig*) éclater; ~**ion** [ɪ'rʌpʃən] n éruption f.

escalate ['ɛskəleɪt] vi s'intensifier; **escalation** [-'leɪʃən] n escalade f.

escalator ['ɛskəleɪtə*] n escalier roulant.

escapade [ɛskə'peɪd] n fredaine f; équipée f.

escape [ɪ'skeɪp] n évasion f; fuite f; (*of gas etc*) échappement m; fuite // vi s'échapper, fuir; (*from jail*) s'évader; (*fig*) s'en tirer; (*leak*) s'échapper; fuir // vt échapper à; to ~ **from** sb échapper à qn; to ~ **from** (*place*) s'échapper de; (*fig*) fuir; **escapism** n évasion f (fig).

escort n ['ɛskɔ:t] escorte f // vt [ɪ'skɔ:t]

escorter; ~ **agency** n bureau m d'hôtesses.

Eskimo ['ɛskɪməu] n Esquimau/de.

especially [ɪ'spɛʃlɪ] ad particulièrement; surtout; exprès.

espionage ['ɛspɪənɑ:ʒ] n espionnage m.

esplanade [ɛsplə'neɪd] n esplanade f.

Esquire [ɪ'skwaɪə*] n (abbr Esq.): J. Brown, ~ Monsieur J. Brown.

essay ['ɛseɪ] n (SCOL) dissertation f; (LITERATURE) essai m; (*attempt*) tentative f.

essence ['ɛsns] n essence f.

essential [ɪ'sɛnʃl] a essentiel(le); (*basic*) fondamental(e); ~**ly** ad essentiellement.

establish [ɪ'stæblɪʃ] vt établir; (*business*) fonder, créer; (*one's power etc*) asseoir, affermir; ~**ment** n établissement m; the E~**ment** les pouvoirs établis; l'ordre établi; les milieux dirigeants.

estate [ɪ'steɪt] n domaine m, propriété f; biens mpl, succession f; ~ **agent** n agent immobilier; ~ **car** n (*Brit*) break m.

esteem [ɪ'sti:m] n estime f.

esthetic [ɪs'θɛtɪk] a (US) = **aesthetic**.

estimate n ['ɛstɪmət] estimation f; (COMM) devis m // vt ['ɛstɪmeɪt] estimer; **estimation** [-'meɪʃən] n opinion f; estime f.

estuary ['ɛstjuərɪ] n estuaire m.

etching ['ɛtʃɪŋ] n eau-forte f.

eternal [ɪ'tə:nl] a éternel(le).

eternity [ɪ'tə:nɪtɪ] n éternité f.

ether ['i:θə*] n éther m.

ethical ['ɛθɪkl] a moral(e).

ethics ['ɛθɪks] n éthique f // npl moralité f.

ethnic ['ɛθnɪk] a ethnique.

ethnology [ɛθ'nɔlədʒɪ] n ethnologie f.

etiquette ['ɛtɪkɛt] n convenances fpl, étiquette f.

etymology [ɛtɪ'mɔlədʒɪ] n étymologie f.

eulogy ['ju:lədʒɪ] n éloge m.

euphemism ['ju:fəmɪzm] n euphémisme m.

euphoria [ju:'fɔ:rɪə] n euphorie f.

Europe ['juərəp] n Europe f; ~**an** [-'pi:ən] a européen(ne) // n Européen/ne.

euthanasia [ju:θə'neɪzɪə] n euthanasie f.

evacuate [ɪ'vækjueɪt] vt évacuer; **evacuation** [-'eɪʃən] n évacuation f.

evade [ɪ'veɪd] vt échapper à; (*question etc*) éluder; (*duties*) se dérober à.

evaluate [ɪ'væljueɪt] vt évaluer.

evangelist [ɪ'vændʒəlɪst] n évangéliste m.

evangelize [ɪ'vændʒəlaɪz] vt évangéliser, prêcher l'Évangile à.

evaporate [ɪ'væpəreɪt] vi s'évaporer // vt faire évaporer; ~**d milk** n lait concentré; **evaporation** [-'reɪʃən] n évaporation f.

evasion [ɪ'veɪʒən] n dérobade f; faux-fuyant m.

evasive [ɪ'veɪsɪv] a évasif(ive).

eve [i:v] n: on the ~ **of** à la veille de.

even ['i:vn] a régulier(ère), égal(e); (*number*) pair(e) // ad même; ~ **more** encore plus; ~ **so** quand même; to ~ **out** vi s'égaliser; to **get** ~ **with** sb prendre sa revanche sur qn.

evening ['i:vnɪŋ] n soir m; (*as duration, event*) soirée f; **in the** ~ le soir; ~ **class**

n cours *m* du soir ; ~ **dress** *n* (*man's*) habit *m* de soirée, smoking *m* ; (*woman's*) robe *f* de soirée.

evensong ['i:vnsɔŋ] *n* office *m* du soir.

event [ɪ'vɛnt] *n* événement *m* ; (*SPORT*) épreuve *f* ; **in the ~ of** en cas de ; **~ful** *a* mouvementé(e).

eventual [ɪ'vɛntʃuəl] *a* final(e) ; **~ity** [-'ælɪtɪ] *n* possibilité *f*, éventualité *f* ; **~ly** *ad* finalement.

ever ['ɛvə*] *ad* jamais ; (*at all times*) toujours ; **the best ~** le meilleur qu'on ait jamais vu ; **have you ~ seen it?** l'as-tu déjà vu?, as-tu eu l'occasion *or* t'est-il arrivé de le voir? ; **hardly ~** ne ... presque jamais ; **~ since** *ad* depuis // *cj* depuis que ; **~ so pretty** si joli ; **~green** *n* arbre *m* à feuilles persistantes ; **~lasting** *a* éternel(le).

every ['ɛvrɪ] *det* chaque ; **~ day** tous les jours, chaque jour ; **~ other/third day** tous les deux/trois jours ; **~ other car** une voiture sur deux ; **~ now and then** de temps en temps ; **~body** *pronoun* tout le monde, tous *pl* ; **~day** *a* quotidien(ne) ; de tous les jours ; **~one = ~body** ; **~thing** *pronoun* tout ; **~where** *ad* partout.

evict [ɪ'vɪkt] *vt* expulser ; **~ion** [ɪ'vɪkʃən] *n* expulsion *f*.

evidence ['ɛvɪdns] *n* (*proof*) preuve(s) *f(pl)* ; (*of witness*) témoignage *m* ; (*sign*): **to show ~ of** donner des signes de ; **to give ~** témoigner, déposer ; **in ~** (*obvious*) en évidence ; en vue.

evident ['ɛvɪdnt] *a* évident(e) ; **~ly** *ad* de toute évidence.

evil ['i:vl] *a* mauvais(e) // *n* mal *m*.

evocative [ɪ'vɔkətɪv] *a* évocateur(trice).

evoke [ɪ'vəuk] *vt* évoquer.

evolution [i:və'lu:ʃən] *n* évolution *f*.

evolve [ɪ'vɔlv] *vt* élaborer // *vi* évoluer, se transformer.

ewe [ju:] *n* brebis *f*.

ewer ['ju:ə*] *n* broc *m*.

ex- [ɛks] *prefix* ex-.

exact [ɪg'zækt] *a* exact(e) // *vt*: **to ~ sth (from)** extorquer qch (à) ; exiger qch (de) ; **~ing** *a* exigeant(e) ; (*work*) fatigant(e) ; **~itude** *n* exactitude *f*, précision *f* ; **~ly** *ad* exactement.

exaggerate [ɪg'zædʒəreɪt] *vt,vi* exagérer ; **exaggeration** [-'reɪʃən] *n* exagération *f*.

exalt [ɪg'zɔ:lt] *vt* exalter ; élever.

exam [ɪg'zæm] *n abbr of* **examination.**

examination [ɪgzæmɪ'neɪʃən] *n* (*SCOL, MED*) examen *m*.

examine [ɪg'zæmɪn] *vt* (*gen*) examiner ; (*SCOL, LAW*: *person*) interroger ; (*at customs*: *luggage*) inspecter ; **~r** *n* examinateur/trice.

example [ɪg'zɑ:mpl] *n* exemple *m* ; **for ~** par exemple.

exasperate [ɪg'zɑ:spəreɪt] *vt* exaspérer, agacer.

excavate ['ɛkskəveɪt] *vt* excaver ; (*object*) mettre au jour ; **excavation** [-'veɪʃən] *n* excavation *f* ; **excavator** *n* excavateur *m*, excavatrice *f*.

exceed [ɪk'si:d] *vt* dépasser ; (*one's powers*) outrepasser ; **~ingly** *ad* excessivement.

excel [ɪk'sɛl] *vi* exceller // *vt* surpasser.

excellence ['ɛksələns] *n* excellence *f*.

Excellency ['ɛksələnsɪ] *n*: **His ~** son Excellence *f*.

excellent ['ɛksələnt] *a* excellent(e).

except [ɪk'sɛpt] *prep* (*also:* ~ **for,** ~**ing**) sauf, excepté, à l'exception de // *vt* excepter ; ~ **if/when** sauf si/quand ; ~ **that** excepté que, si ce n'est que ; **~ion** [ɪk'sɛpʃən] *n* exception *f* ; **to take ~ion to** s'offusquer de ; **~ional** [ɪk'sɛpʃənl] *a* exceptionnel(le).

excerpt ['ɛksə:pt] *n* extrait *m*.

excess [ɪk'sɛs] *n* excès *m* ; ~ **fare** *n* supplément *m* ; ~ **baggage** *n* excédent *m* de bagages ; **~ive** *a* excessif(ive).

exchange [ɪks'tʃeɪndʒ] *n* échange *m* ; (*also:* **telephone** ~) central *m* // *vt* échanger ; ~ **market** *n* marché *m* des changes.

exchequer [ɪks'tʃɛkə*] *n* Échiquier *m*, ≈ ministère *m* des Finances.

excisable [ɪk'saɪzəbl] *a* taxable.

excise *n* ['ɛksaɪz] taxe *f* // *vt* [ɛk'saɪz] exciser ; ~ **duties** *npl* impôts indirects.

excite [ɪk'saɪt] *vt* exciter ; **to get ~d** s'exciter ; **~ment** *n* excitation *f* ; **exciting** *a* passionnant(e).

exclaim [ɪk'skleɪm] *vi* s'exclamer ; **exclamation** [ɛkskləˈmeɪʃən] *n* exclamation *f* ; **exclamation mark** *n* point *m* d'exclamation.

exclude [ɪk'sklu:d] *vt* exclure ; **exclusion** [ɪk'sklu:ʒən] *n* exclusion *f*.

exclusive [ɪk'sklu:sɪv] *a* exclusif(ive) ; (*club, district*) sélect(e) ; (*item of news*) en exclusivité // *a* (*COMM*) exclusivement, non inclus ; ~ **of VAT** TVA non comprise ; **~ly** *ad* exclusivement ; ~ **rights** *npl* (*COMM*) exclusivité *f*.

excommunicate [ɛkskə'mju:nɪkeɪt] •*vt* excommunier.

excrement ['ɛkskrəmənt] *n* excrément *m*.

excruciating [ɪk'skru:ʃɪeɪtɪŋ] *a* atroce, déchirant(e).

excursion [ɪk'skə:ʃən] *n* excursion *f*.

excusable [ɪk'skju:zəbl] *a* excusable.

excuse *n* [ɪk'skju:s] excuse *f* // *vt* [ɪk'skju:z] excuser ; **to ~ sb from** (*activity*) dispenser qn de ; ~ **me!** excusez-moi!, pardon!

execute ['ɛksɪkju:t] *vt* exécuter.

execution [ɛksɪ'kju:ʃən] *n* exécution *f* ; **~er** *n* bourreau *m*.

executive [ɪg'zɛkjutɪv] *n* (*COMM*) cadre *m* ; (*POL*) exécutif *m* // *a* exécutif(ive).

executor [ɪg'zɛkjutə*] *n* exécuteur/trice testamentaire.

exemplary [ɪg'zɛmplərɪ] *a* exemplaire.

exemplify [ɪg'zɛmplɪfaɪ] *vt* illustrer.

exempt [ɪg'zɛmpt] *a*: ~ **from** exempté(e) *or* dispensé(e) de // *vt*: **to ~ sb from** exempter *or* dispenser qn de ; **~ion** [ɪg'zɛmpʃən] *n* exemption *f*, dispense *f*.

exercise ['ɛksəsaɪz] *n* exercice *m* // *vt* exercer ; (*patience, clemency*) faire preuve de ; (*dog*) promener ; **to take ~** prendre de l'exercice ; ~ **book** *n* cahier *m*.

exert [ɪg'zə:t] *vt* exercer, employer ; **to ~ o.s.** se dépenser.

exhaust [ɪg'zɔ:st] n (also: ~ **fumes**) gaz mpl d'échappement ; (also: ~ **pipe**) tuyau m d'échappement // vt épuiser ; ~**ed** a épuisé(e) ; ~**ion** [ɪg'zɔ:stʃən] n épuisement m ; ~**ive** a très complet(ète).

exhibit [ɪg'zɪbɪt] n (ART) pièce f or objet m exposé(e) ; (LAW) pièce à conviction // vt exposer ; (courage, skill) faire preuve de ; ~**ion** [ɛksɪ'bɪʃən] n exposition f ; ~**ion of temper** n manifestation f de colère ; ~**ionist** [ɛksɪ'bɪʃənɪst] n exhibitionniste m/f ; ~**or** n exposant/e.

exhilarating [ɪg'zɪləreɪtɪŋ] a grisant(e) ; stimulant(e).

exhort [ɪg'zɔ:t] vt exhorter.

exile ['ɛksaɪl] n exil m ; exilé/e // vt exiler ; **in** ~ en exil.

exist [ɪg'zɪst] vi exister ; ~**ence** n existence f ; **to be in** ~**ence** exister.

exit ['ɛksɪt] n sortie f.

exonerate [ɪg'zɔnəreɪt] vt: **to** ~ **from** disculper de ; (free) exempter de.

exorcize ['ɛksɔ:saɪz] vt exorciser.

exotic [ɪg'zɔtɪk] a exotique.

expand [ɪk'spænd] vt agrandir ; accroître, étendre // vi (trade etc) se développer, s'accroître ; s'étendre ; (gas, metal) se dilater.

expanse [ɪk'spæns] n étendue f.

expansion [ɪk'spænʃən] n développement m, accroissement m ; dilatation f.

expatriate n [ɛks'pætrɪət] expatrié/e // vt [ɛks'pætrɪeɪt] expatrier, exiler.

expect [ɪk'spɛkt] vt (anticipate) s'attendre à, s'attendre à ce que + sub ; (count on) compter sur, escompter ; (hope for) espérer ; (require) demander, exiger ; (suppose) supposer ; (await, also baby) attendre // vi: **to be** ~**ing** être enceinte ; **to** ~ **sb to do** s'attendre à ce que qn fasse ; attendre de qn qu'il fasse ; ~**ant** a qui attend (quelque chose) ; ~**ant mother** n future maman ; ~**ation** [ɛkspɛk'teɪʃən] n attente f, prévisions fpl ; espérance(s) f(pl).

expedience, expediency [ɛk'spi:dɪəns, ɛk'spi:dɪənsɪ] n: **for the sake of** ~ parce que c'est plus commode.

expedient [ɪk'spi:dɪənt] a indiqué(e), opportun(e) ; commode // n expédient m.

expedite ['ɛkspədaɪt] vt hâter ; expédier.

expedition [ɛkspə'dɪʃən] n expédition f.

expeditious [ɛkspə'dɪʃəs] a expéditif(ive), prompt(e).

expel [ɪk'spɛl] vt chasser, expulser ; (SCOL) renvoyer, exclure.

expend [ɪk'spɛnd] vt consacrer ; (use up) dépenser ; ~**able** a remplaçable ; ~**iture** [ɪk'spɛndɪtʃə*] n dépense f ; dépenses fpl.

expense [ɪk'spɛns] n dépense f ; frais mpl ; (high cost) coût m ; ~**s** npl (COMM) frais mpl ; **at great/little** ~ à grands/peu de frais ; **at the** ~ **of** aux dépens de ; ~ **account** n (note f de) frais mpl.

expensive [ɪk'spɛnsɪv] a cher(chère), coûteux(euse) ; **to be** ~ coûter cher ; ~ **tastes** npl goûts mpl de luxe.

experience [ɪk'spɪərɪəns] n expérience f // vt connaître ; éprouver ; ~**d** a expérimenté(e).

experiment [ɪk'spɛrɪmənt] n expérience f // vi faire une expérience ; **to** ~ **with** expérimenter ; ~**al** [-'mɛntl] a expérimental(e).

expert ['ɛkspə:t] a expert(e) // n expert m ; ~**ise** [-'ti:z] n (grande) compétence.

expire [ɪk'spaɪə*] vi expirer ; **expiry** n expiration f.

explain [ɪk'spleɪn] vt expliquer ; **explanation** [ɛksplə'neɪʃən] n explication f ; **explanatory** [ɪk'splænətrɪ] a explicatif(ive).

explicit [ɪk'splɪsɪt] a explicite ; (definite) formel(le).

explode [ɪk'spləud] vi exploser // vt faire exploser.

exploit n ['ɛksplɔɪt] exploit m // vt [ɪk'splɔɪt] exploiter ; ~**ation** [-'teɪʃən] n exploitation f.

exploration [ɛksplə'reɪʃən] n exploration f.

exploratory [ɪk'splɔrətrɪ] a (fig: talks) préliminaire.

explore [ɪk'splɔ:*] vt explorer ; (possibilities) étudier, examiner ; ~**r** n explorateur/trice.

explosion [ɪk'spləuʒən] n explosion f.

explosive [ɪk'spləusɪv] a explosif(ive) // n explosif m.

exponent [ɪk'spəunənt] n (of school of thought etc) interprète m, représentant m ; (MATH) exposant m.

export vt [ɛks'pɔ:t] exporter // n ['ɛkspɔ:t] exportation f // cpd d'exportation ; ~**ation** [-'teɪʃən] n exportation f ; ~**er** n exportateur m.

expose [ɪk'spəuz] vt exposer ; (unmask) démasquer, dévoiler ; **to** ~ **o.s.** (LAW) commettre un outrage à la pudeur.

exposure [ɪk'spəuʒə*] n exposition f ; (PHOT) (temps m de) pose f ; (: shot) pose f ; **suffering from** ~ (MED) souffrant des effets du froid et de l'épuisement ; ~ **meter** n posemètre m.

expound [ɪk'spaund] vt exposer, expliquer.

express [ɪk'sprɛs] a (definite) formel(le), exprès(esse) ; (letter etc) exprès inv // n (train) rapide m // ad (send) exprès // vt exprimer ; ~**ion** [ɪk'sprɛʃən] n expression f ; ~**ive** a expressif(ive) ; ~**ly** ad expressément, formellement.

expropriate [ɛks'prəuprɪeɪt] vt exproprier.

expulsion [ɪk'spʌlʃən] n expulsion f ; renvoi m.

exquisite [ɛk'skwɪzɪt] a exquis(e).

extend [ɪk'stɛnd] vt (visit, street) prolonger ; (building) agrandir ; (offer) présenter, offrir // vi (land) s'étendre.

extension [ɪk'stɛnʃən] n prolongation f ; agrandissement m ; (building) annexe f ; (to wire, table) rallonge f ; (telephone: in offices) poste m ; (: in private house) téléphone m supplémentaire.

extensive [ɪk'stɛnsɪv] a étendu(e), vaste ; (damage, alterations) considérable ; (inquiries) approfondi(e) ; (use) largement répandu(e) ; **he's travelled** ~**ly** il a beaucoup voyagé ; ~ **travelling** déplacements fréquents et prolongés.

extent [ɪk'stɛnt] n étendue f; **to some ~** dans une certaine mesure; **to what ~?** dans quelle mesure?, jusqu'à quel point?

exterior [ɛk'stɪərɪə*] a extérieur(e), du dehors // n extérieur m; dehors m.

exterminate [ɪk'stə:mɪneɪt] vt exterminer; **extermination** [-'neɪʃən] n extermination f.

external [ɛk'stə:nl] a externe; **~ly** ad extérieurement.

extinct [ɪk'stɪŋkt] a éteint(e); **~ion** [ɪk'stɪŋkʃən] n extinction f.

extinguish [ɪk'stɪŋgwɪʃ] vt éteindre; **~er** n extincteur m.

extol [ɪk'stəul] vt porter aux nues, chanter les louanges de.

extort [ɪk'stɔ:t] vt: **to ~ sth (from)** extorquer qch (à); **~ion** [ɪk'stɔ:ʃən] n extorsion f; **~ionate** [ɪk'stɔ:ʃnət] a exorbitant(e).

extra ['ɛkstrə] a supplémentaire, de plus // ad (in addition) en plus // n supplément m; (THEATRE) figurant/e.

extra... ['ɛkstrə] prefix extra... .

extract vt [ɪk'strækt] extraire; (tooth) arracher; (money, promise) soutirer // n ['ɛkstrækt] extrait m; **~ion** [ɪk'strækʃən] n (also descent) extraction f.

extradite ['ɛkstrədaɪt] vt extrader; **extradition** [-'dɪʃən] n extradition f.

extramarital [ɛkstrə'mærɪtl] a extra-conjugal(e).

extramural [ɛkstrə'mjuərl] a hors-faculté inv.

extraneous [ɛk'streɪnɪəs] a: **~ to** étranger(ère) à.

extraordinary [ɪk'strɔ:dnrɪ] a extraordinaire.

extra time [ɛkstrə'taɪm] n (FOOTBALL) prolongations fpl.

extravagant [ɪk'strævəgənt] a extravagant(e); (in spending) prodigue, dépensier(ère); dispendieux(euse).

extreme [ɪk'stri:m] a,n extrême (m); **~ly** ad extrêmement; **extremist** a,n extrémiste (m/f).

extremity [ɪk'strɛmətɪ] n extrémité f.

extricate ['ɛkstrɪkeɪt] vt: **to ~ sth (from)** dégager qch (de).

extrovert ['ɛkstrəvə:t] n extraverti/e.

exuberant [ɪg'zju:bərnt] a exubérant(e).

exude [ɪg'zju:d] vt exsuder; (fig) respirer; **the charm** etc he **~s** le charme etc qui émane de lui.

exult [ɪg'zʌlt] vi exulter, jubiler.

eye [aɪ] n œil m (pl yeux); (of needle) trou m, chas m // vt examiner; **to keep an ~ on** surveiller; **in the public ~** en vue; **~ball** n globe m oculaire; **~bath** n œillère f (pour bains d'œil); **~brow** n sourcil m; **~-catching** a voyant(e), accrocheur(euse); **~drops** npl gouttes fpl pour les yeux; **~glass** n monocle m; **~lash** n cil m; **~let** ['aɪlɪt] n œillet m; **~lid** n paupière f; **~-opener** n révélation f; **~shadow** n ombre f à paupières; **~sight** n vue f; **~sore** n horreur f, chose f qui dépare or enlaidit; **~wash** n bain m d'œil; (fig) frime f; **~ witness** n témoin m oculaire.

eyrie ['ɪərɪ] n aire f.

F

F [ɛf] n (MUS) fa m.

F. abbr of Fahrenheit.

fable ['feɪbl] n fable f.

fabric ['fæbrɪk] n tissu m.

fabrication [fæbrɪ'keɪʃən] n invention(s) f(pl), fabulation f; fait m (or preuve f) forgé(e) de toutes pièces.

fabulous ['fæbjuləs] a fabuleux(euse); (col: super) formidable, sensationnel(le).

façade [fə'sɑ:d] n façade f.

face [feɪs] n visage m, figure f; expression f; grimace f; (of clock) cadran m; (of building) façade f; (side, surface) face f // vt faire face à; **to lose ~** perdre la face; **to pull a ~** faire une grimace; **in the ~ of** (difficulties etc) face à, devant; **on the ~ of it** à première vue; **to ~ up to** vt fus faire face à, affronter; **~ cloth** n gant m de toilette; **~ cream** n crème f pour le visage; **~ lift** n lifting m; (of façade etc) ravalement m, retapage m; **~ powder** n poudre f (pour le visage).

facet ['fæsɪt] n facette f.

facetious [fə'si:ʃəs] a facétieux(euse).

face-to-face ['feɪstə'feɪs] ad face à face.

face value ['feɪs'vælju:] n (of coin) valeur nominale; **to take sth at~** (fig) prendre qch pour argent comptant.

facia ['feɪʃə] n = **fascia**.

facial ['feɪʃəl] a facial(e).

facile ['fæsaɪl] a facile.

facilitate [fə'sɪlɪteɪt] vt faciliter.

facility [fə'sɪlɪtɪ] n facilité f; **facilities** npl installations fpl, équipement m.

facing ['feɪsɪŋ] n (of wall etc) revêtement m; (SEWING) revers m.

facsimile [fæk'sɪmɪlɪ] n fac-similé m.

fact [fækt] n fait m; **in ~** en fait.

faction ['fækʃən] n faction f.

factor ['fæktə*] n facteur m.

factory ['fæktərɪ] n usine f, fabrique f.

factual ['fæktjuəl] a basé(e) sur les faits.

faculty ['fækəltɪ] n faculté f; (US: teaching staff) corps enseignant.

fad [fæd] n manie f; engouement m.

fade [feɪd] vi se décolorer, passer; (light, sound, hope) s'affaiblir, disparaître; (flower) se faner.

fag [fæg] n (col: cigarette) sèche f; (: chore): **what a ~!** quelle corvée!; **~ end** n mégot m; **~ged out** a (col) crevé(e).

fail [feɪl] vt (exam) échouer à; (candidate) recaler; (subj: courage, memory) faire défaut à // vi échouer; (supplies) manquer; (eyesight, health, light) baisser, s'affaiblir; **to ~ to do sth** (neglect) négliger de faire qch; (be unable) ne pas arriver or parvenir à faire qch; **without ~** à coup sûr; sans faute; **~ing** n défaut m // prep faute de; **~ure** ['feɪljə*] n échec m; (person) raté/e; (mechanical etc) défaillance f.

faint [feɪnt] a faible; (recollection) vague; (mark) à peine visible // n évanouissement m // vi s'évanouir; **to feel ~** défaillir; **~-hearted** a pusillanime; **~ly** ad faiblement ; vaguement ; **~ness** *n* faiblesse *f*.

fair [fɛə*] *a* blond(e) ; équitable, juste, impartial(e) ; *(skin, complexion)* pâle, blanc(blanche) ; *(weather)* beau(belle) ; *(good enough)* assez bon(ne) ; *(sizeable)* considérable // *ad (play)* franc-jeu // *n* foire *f* ; **~ copy** *n* copie *f* au propre ; corrigé *m* ; **~ly** *ad* équitablement ; *(quite)* assez ; **~ness** *n* justice *f*, équité *f*, impartialité *f*.

fairy ['fɛərɪ] *n* fée *f* ; **~ tale** *n* conte *m* de fées.

faith [feɪθ] *n* foi *f* ; *(trust)* confiance *f* ; *(sect)* culte *m*, religion *f* ; **~ful** *a* fidèle ; **~fully** *ad* fidèlement.

fake [feɪk] *n (painting etc)* faux *m* ; *(photo)* trucage *m* ; *(person)* imposteur *m* // *a* faux(fausse) ; simulé(e) // *vt* simuler ; *(photo)* truquer ; *(story)* fabriquer ; **his illness is a ~** sa maladie est une comédie *or* de la simulation.

falcon ['fɔːlkən] *n* faucon *m*.

fall [fɔːl] *n* chute *f* ; *(US: autumn)* automne *m* // *vi (pt* **fell,** *pp* **fallen** [fɛl, 'fɔːlən]) tomber ; **~s** *npl (waterfall)* chute *f* d'eau, cascade *f* ; **to ~ flat** *vi (on one's face)* tomber de tout son long, s'étaler ; *(joke)* tomber à plat ; *(plan)* échouer ; **to ~ back** *on vt fus* se rabattre sur ; **to ~ behind** *vi* prendre du retard ; **to ~ down** *vi (person)* tomber ; *(building, hopes)* s'effondrer, s'écrouler ; **to ~ for** *vt fus (trick)* se laisser prendre à ; *(person)* tomber amoureux de ; **to ~ in** *vi* s'effondrer ; *(MIL)* se mettre en rangs ; **to ~ off** *vi* tomber ; *(diminish)* baisser, diminuer ; **to ~ out** *vi (friends etc)* se brouiller ; **to ~ through** *vi (plan, project)* tomber à l'eau.

fallacy ['fæləsɪ] *n* erreur *f*, illusion *f*.

fallen ['fɔːlən] *pp* of **fall.**

fallible ['fæləbl] *a* faillible.

fallout ['fɔːlaut] *n* retombées (radioactives).

fallow ['fæləu] *a* en jachère ; en friche.

false [fɔːls] *a* faux(fausse) ; **under ~ pretences** sous un faux prétexte ; **~ alarm** *n* fausse alerte ; **~hood** *n* mensonge *m* ; **~ly** *ad (accuse)* à tort ; **~ teeth** *npl* fausses dents.

falter ['fɔːltə*] *vi* chanceler, vaciller.

fame [feɪm] *n* renommée *f*, renom *m*.

familiar [fə'mɪlɪə*] *a* familier(ère) ; **to be ~ with** *(subject)* connaître ; **~ity** [fəmɪlɪ'ærɪtɪ] *n* familiarité *f* ; **~ize** [fə'mɪlɪəraɪz] *vt* familiariser.

family ['fæmɪlɪ] *n* famille *f* ; **~ allowance** *n* allocations familiales ; **~ business** *n* entreprise familiale ; **~ doctor** *n* médecin *m* de famille ; **~ life** *n* vie *f* de famille.

famine ['fæmɪn] *n* famine *f*.

famished ['fæmɪʃt] *a* affamé(e).

famous ['feɪməs] *a* célèbre ; **~ly** *ad (get on)* fameusement, à merveille.

fan [fæn] *n (folding)* éventail *m* ; *(ELEC)* ventilateur *m* ; *(person)* fan *m*, admirateur/trice ; supporter *m/f* // *vt* éventer ; *(fire, quarrel)* attiser ; **to ~ out** *vi* se déployer (en éventail).

fanatic [fə'nætɪk] *n* fanatique *m/f* ; **~al** *a* fanatique.

fan belt ['fænbɛlt] *n* courroie *f* de ventilateur.

fancied ['fænsɪd] *a* imaginaire.

fanciful ['fænsɪful] *a* fantaisiste.

fancy ['fænsɪ] *n* fantaisie *f*, envie *f* ; imagination *f* // *cpd (de)* fantaisie *inv* // *vt (feel like, want)* avoir envie de ; **to take a ~ to** se prendre d'affection pour ; s'enticher de ; **it took** *or* **caught my ~** ça m'a plu ; **to ~ that ...** se figurer *or* s'imaginer que ... ; **he fancies her** elle lui plaît ; **~ dress** *n* déguisement *m*, travesti *m* ; **~-dress ball** *n* bal masqué *or* costumé.

fang [fæŋ] *n* croc *m* ; *(of snake)* crochet *m*.

fanlight ['fænlaɪt] *n* imposte *f*.

fantastic [fæn'tæstɪk] *a* fantastique.

fantasy ['fæntəzɪ] *n* imagination *f*, fantaisie *f* ; fantasme *m* ; chimère *f*.

far [fɑː*] *a*: **the ~ side/end** l'autre côté/bout // *ad* loin ; **~ away, ~ off** au loin, dans le lointain ; **~ better** beaucoup mieux ; **~ from** loin de ; **by ~** de loin, de beaucoup ; **go as ~ as the farm** allez jusqu'à la ferme ; **as ~ as I know** pour autant que je sache ; **as ~ as possible** dans la mesure du possible ; **~away** *a* lointain(e).

farce [fɑːs] *n* farce *f*.

farcical ['fɑːsɪkəl] *a* grotesque.

fare [fɛə*] *n (on trains, buses)* prix *m* du billet ; *(in taxi)* prix de la course ; *(passenger in taxi)* client *m* ; *(food)* table *f*, chère *f* // *vi* se débrouiller.

Far East [fɑːr'iːst] *n*: **the ~** l'Extrême-Orient *m*.

farewell [fɛə'wɛl] *excl, n* adieu *m* ; **~ party** *n* soirée *f* d'adieux.

far-fetched ['fɑː'fɛtʃt] *a* exagéré(e), poussé(e).

farm [fɑːm] *n* ferme *f* // *vt* cultiver ; **~er** *n* fermier/ère ; cultivateur/trice ; **~hand** *n* ouvrier/ère agricole ; **~house** *n* (maison *f* de) ferme *f* ; **~ing** *n* agriculture *f* ; **intensive ~ing** culture intensive ; **~land** *n* terres cultivées *or* arables ; **~ worker** *n* = **~hand** ; **~yard** *n* cour *f* de ferme.

far-reaching ['fɑː'riːtʃɪŋ] *a* d'une grande portée.

far-sighted ['fɑː'saɪtɪd] *a* presbyte ; *(fig)* prévoyant(e), qui voit loin.

fart [fɑːt] *(col!)* *n* pet *m* // *vi* péter.

farther ['fɑːðə*] *ad* plus loin.

farthest ['fɑːðɪst] *superlative of* **far.**

fascia ['feɪʃə] *n (AUT)* (garniture *f* du) tableau *m* de bord.

fascinate ['fæsɪneɪt] *vt* fasciner, captiver ; **fascination** [-'neɪʃən] *n* fascination *f*.

fascism ['fæʃɪzəm] *n* fascisme *m*.

fascist ['fæʃɪst] *a,n* fasciste *(m/f)*.

fashion ['fæʃən] *n* mode *f* ; *(manner)* façon *f*, manière *f* // *vt* façonner ; **in ~** à la mode ; **out of ~** démodé(e) ; **~able** *a* à la mode ; **~ show** *n* défilé *m* de mannequins *or* de mode.

fast [fɑːst] *a* rapide ; *(clock)*: **to be ~** avancer ; *(dye, colour)* grand *or* bon teint *inv* // *ad* vite, rapidement ; *(stuck, held)* solidement // *n* jeûne *m* // *vi* jeûner ; **~ asleep** profondément endormi.

fasten ['fɑːsn] *vt* attacher, fixer; (*coat*) attacher, fermer // *vi* se fermer, s'attacher; **~er**, **~ing** *n* fermeture *f*, attache *f*.

fastidious [fæs'tɪdɪəs] *a* exigeant(e), difficile.

fat [fæt] *a* gros(se) // *n* graisse *f*; (*on meat*) gras *m*.

fatal ['feɪtl] *a* mortel(le); fatal(e); désastreux(euse); **~ism** *n* fatalisme *m*; **~ity** [fə'tælɪtɪ] *n* (*road death etc*) victime *f*, décès *m*; **~ly** *ad* mortellement.

fate [feɪt] *n* destin *m*; (*of person*) sort *m*; **to meet one's ~** trouver la mort; **~ful** *a* fatidique.

father ['fɑːðə*] *n* père *m*; **~-in-law** *n* beau-père *m*; **~ly** *a* paternel(le).

fathom ['fæðəm] *n* brasse *f* (= 1828 mm) // *vt* (*mystery*) sonder, pénétrer.

fatigue [fə'tiːg] *n* fatigue *f*; (*MIL*) corvée *f*.

fatness ['fætnɪs] *n* corpulence *f*, grosseur *f*.

fatten ['fætn] *vt,vi* engraisser.

fatty ['fætɪ] *a* (*food*) gras(se).

fatuous ['fætjuəs] *a* stupide.

faucet ['fɔːsɪt] *n* (*US*) robinet *m*.

fault [fɔːlt] *n* faute *f*; (*defect*) défaut *m*; (*GEO*) faille *f* // *vt* trouver des défauts à, prendre en défaut; **it's my ~** c'est de ma faute; **to find ~ with** trouver à redire or à critiquer à; **at ~** fautif(ive), coupable; **to a ~** à l'excès; **~less** *a* sans fautes; impeccable; irréprochable; **~y** *a* défectueux(euse).

fauna ['fɔːnə] *n* faune *f*.

favour, favor (*US*) ['feɪvə*] *n* faveur *f*; (*help*) service *m* // *vt* (*proposition*) être en faveur de; (*pupil etc*) favoriser; (*team, horse*) donner gagnant; **to do sb a ~** rendre un service à qn; **in ~ of** en faveur de; **~able** *a* favorable; (*price*) avantageux(euse); **~ably** *ad* favorablement; **~ite** [-rɪt] *a,n* favori(te); **~itism** *n* favoritisme *m*.

fawn [fɔːn] *n* faon *m* // *a* (*also*: **~-coloured**) fauve // *vi*: **to ~ (up)on** flatter servilement.

fear [fɪə*] *n* crainte *f*, peur *f* // *vt* craindre; **for ~ of** de peur que + *sub* or de + *infinitive*; **~ful** *a* craintif(ive); (*sight, noise*) affreux(euse), épouvantable; **~less** *a* intrépide, sans peur.

feasibility [fiːzə'bɪlɪtɪ] *n* (*of plan*) possibilité *f* de réalisation.

feasible ['fiːzəbl] *a* faisable, réalisable.

feast [fiːst] *n* festin *m*, banquet *m*; (*REL: also*: **~ day**) fête *f* // *vi* festoyer; **to ~** on se régaler de.

feat [fiːt] *n* exploit *m*, prouesse *f*.

feather ['feðə*] *n* plume *f*; **~-weight** *n* poids *m* plume *inv*.

feature ['fiːtʃə*] *n* caractéristique *f*; (*article*) chronique *f*, rubrique *f* // *vt* (*subj: film*) avoir pour vedette(s) // *vi* figurer (en bonne place); **~s** *npl* (*of face*) traits *mpl*; **~ film** *n* film principal; **~less** *a* anonyme, sans traits distinctifs.

February ['fɛbruərɪ] *n* février *m*.

fed [fɛd] *pt,pp of* **feed**; **to be ~ up** en avoir marre or plein le dos.

federal ['fɛdərəl] *a* fédéral(e).

federation [fɛdə'reɪʃən] *n* fédération *f*.

fee [fiː] *n* rémunération *f*; (*of doctor, lawyer*) honoraires *mpl*; (*of school, college etc*) frais *mpl* de scolarité; (*for examination*) droits *mpl*.

feeble ['fiːbl] *a* faible; **~-minded** *a* faible d'esprit.

feed [fiːd] *n* (*of baby*) tétée *f* // *vt* (*pt, pp* **fed** [fɛd]) nourrir; (*horse etc*) donner à manger à; (*machine*) alimenter; (*data, information*): **to ~ into** fournir à; **to ~ on** *vt fus* se nourrir de; **~back** *n* feedback *m*; **~ing bottle** *n* biberon *m*.

feel [fiːl] *n* sensation *f* // *vt* (*pt, pp* **felt** [fɛlt]) toucher; tâter, palper; (*cold, pain*) sentir; (*grief, anger*) ressentir, éprouver; (*think, believe*): **to ~ (that)** trouver que; **to ~ hungry/cold** avoir faim/froid; **to ~ lonely/better** se sentir seul/mieux; **to ~ sorry for** avoir pitié de; **it ~s soft** c'est doux au toucher; **it ~s like velvet** on dirait du velours, ça ressemble au velours; **to ~ like** (*want*) avoir envie de; **to ~ about or around** fouiller, tâtonner; **~er** *n* (*of insect*) antenne *f*; **to put out a ~er** tâter le terrain; **~ing** *n* sensation *f*; sentiment *m*; **my ~ing is that...** j'estime que...

feet [fiːt] *npl of* **foot**.

feign [feɪn] *vt* feindre, simuler.

felicitous [fɪ'lɪsɪtəs] *a* heureux(euse).

fell [fɛl] *pt of* **fall** // *vt* (*tree*) abattre; (*person*) assommer; **~-walking** *n* randonnée *f* en montagne.

fellow ['fɛləu] *n* type *m*; compagnon *m*; (*of learned society*) membre *m*; **their ~ prisoners/students** leurs camarades prisonniers/étudiants; **~ citizen** *n* concitoyen/ne; **~ countryman** *n* compatriote *m*; **~ men** *npl* semblables *mpl*; **~ship** *n* association *f*; amitié *f*, camaraderie *f*; sorte de bourse universitaire.

felony ['fɛlənɪ] *n* crime *m*, forfait *m*.

felt [fɛlt] *pt, pp of* **feel** // *n* feutre *m*; **~-tip pen** *n* stylo-feutre *m*.

female ['fiːmeɪl] *n* (*ZOOL*) femelle *f*; (*pej: woman*) bonne femme // *a* (*BIOL, ELEC*) femelle; (*sex, character*) féminin(e); (*vote etc*) des femmes; (*child etc*) du sexe féminin; **male and ~ students** étudiants et étudiantes; **~ impersonator** *n* travesti *m*.

feminine ['fɛmɪnɪn] *a* féminin(e) // *n* féminin *m*.

feminist ['fɛmɪnɪst] *n* féministe *m/f*.

fence [fɛns] *n* barrière *f*; (*col: person*) receleur/euse // *vt* (*also*: **~ in**) clôturer // *vi* faire de l'escrime; **fencing** *n* escrime *m*.

fend [fɛnd] *vi*: **to ~ for o.s.** se débrouiller (tout seul).

fender ['fɛndə*] *n* garde-feu *m inv*; (*US*) gardeboue *m inv*; pare-chocs *m inv*.

ferment *vi* [fə'mɛnt] fermenter // *n* ['fəːmɛnt] agitation *f*, effervescence *f*; **~ation** [-'teɪʃən] *n* fermentation *f*.

fern [fəːn] *n* fougère *f*.

ferocious [fə'rəuʃəs] *a* féroce.

ferocity [fə'rɔsɪtɪ] *n* férocité *f*.

ferry ['fɛrɪ] *n* (*small*) bac *m*; (*large: also*: **~boat**) ferry(-boat) *m* // *vt* transporter.

fertile ['fə:taɪl] a fertile ; (BIOL) fécond(e) ; **~ period** n période f de fécondité ; **fertility** [fə'tɪlɪtɪ] n fertilité f; fécondité f; **fertilize** ['fə:tɪlaɪz] vt fertiliser; féconder ; fertilizer n engrais m.

fervent ['fə:vənt] a fervent(e), ardent(e).

fester ['fɛstə*] vi suppurer.

festival ['fɛstɪvəl] n (REL) fête f; (ART, MUS) festival m.

festive ['fɛstɪv] a de fête ; **the ~ season** (Christmas) la période des fêtes.

festivities [fɛs'tɪvɪtɪz] npl réjouissances fpl.

fetch [fɛtʃ] vt aller chercher ; (sell for) se vendre.

fetching ['fɛtʃɪŋ] a charmant(e).

fête [feɪt] n fête f, kermesse f.

fetish ['fɛtɪʃ] n fétiche m.

fetters ['fɛtəz] npl chaînes fpl.

fetus ['fi:təs] n (US) = **foetus**.

feud [fju:d] n dispute f, dissension f // vi se disputer, se quereller ; **~al** a féodal(e) ; **~alism** n féodalité f.

fever ['fi:və*] n fièvre f; **~ish** a fiévreux(euse), fébrile.

few [fju:] a peu de ; **they were ~** ils étaient peu (nombreux) ; **a ~** a quelques // pronoun quelques-uns ; **~er** a moins de ; moins (nombreux) ; **~est** a le moins nombreux.

fiancé [fɪ'ɑ̃:ŋseɪ] n fiancé m ; **~e** n fiancée f.

fiasco [fɪ'æskəu] n fiasco m.

fib [fɪb] n bobard m.

fibre, fiber (US) ['faɪbə*] n fibre f; **~-glass** n fibre de verre.

fickle ['fɪkl] a inconstant(e), volage, capricieux(euse).

fiction ['fɪkʃən] n romans mpl, littérature f romanesque ; fiction f; **~al** a fictif(ive).

fictitious [fɪk'tɪʃəs] a fictif(ive), imaginaire.

fiddle ['fɪdl] n (MUS) violon m ; (cheating) combine f; escroquerie f // vt (accounts) falsifier, maquiller ; **to ~ with** vt fus tripoter ; **~r** n violoniste m/f.

fidelity [fɪ'dɛlɪtɪ] n fidélité f.

fidget ['fɪdʒɪt] vi se trémousser, remuer ; **~y** a agité(e), qui a la bougeotte.

field [fi:ld] n champ m ; (fig) domaine m, champ m ; (SPORT: ground) terrain m ; **~glasses** npl jumelles fpl ; **~ marshal** n maréchal m ; **~work** n travaux mpl pratiques (sur le terrain).

fiend [fi:nd] n démon m ; **~ish** a diabolique.

fierce [fɪəs] a (look) féroce, sauvage ; (wind, attack) (très) violent(e) ; (fighting, enemy) acharné(e).

fiery ['faɪərɪ] a ardent(e), brûlant(e), fougueux(euse).

fifteen [fɪf'ti:n] num quinze.

fifth [fɪfθ] num cinquième.

fiftieth ['fɪftɪθ] num cinquantième.

fifty ['fɪftɪ] num cinquante.

fig [fɪg] n figue f.

fight [faɪt] n bagarre f; (MIL) combat m ; (against cancer etc) lutte f // vb (pt, pp fought [fɔ:t]) vt se battre contre ; (cancer, alcoholism) combattre, lutter contre // vi

se battre ; **~er** n lutteur m (fig) ; (plane) chasseur m ; **~ing** n combats mpl.

figment ['fɪgmənt] n: **a ~ of the imagination** une invention.

figurative ['fɪgjurətɪv] a figuré(e).

figure ['fɪgə*] n (DRAWING, GEOM) figure f; (number, cipher) chiffre m ; (body, outline) silhouette f, ligne f, formes fpl // vt (US) supposer // vi (appear) figurer ; (US: make sense) s'expliquer ; **to ~ out** vt arriver à comprendre ; calculer ; **~head** n (NAUT) figure f de proue ; (pej) prête-nom m ; **figure skating** n figures imposées (en patinage).

filament ['fɪləmənt] n filament m.

file [faɪl] n (tool) lime f; (dossier) dossier m ; (folder) classeur m ; (row) file f // vt (nails, wood) limer ; (papers) classer ; (LAW: claim) faire enregistrer ; déposer ; **to ~ in/out** vi entrer/sortir l'un derrière l'autre ; **to ~ past** vt fus défiler devant.

filing ['faɪlɪŋ] n (travaux mpl de) classement m ; **~s** npl limaille f; **~ cabinet** n classeur m (meuble).

fill [fɪl] vt remplir // n: **to eat one's ~** manger à sa faim ; **to ~ in** vt (hole) boucher ; (form) remplir ; **to ~ up** vt remplir // vi (AUT) faire le plein ; **~ it up, please** (AUT) le plein, s'il vous plaît.

fillet ['fɪlɪt] n filet m // vt préparer en filets.

filling ['fɪlɪŋ] n (CULIN) garniture f, farce f; (for tooth) plombage m ; **~ station** n station f d'essence.

fillip ['fɪlɪp] n coup m de fouet (fig).

film [fɪlm] n film m ; (PHOT) pellicule f, film m // vt (scene) filmer ; **~ star** n vedette f de cinéma ; **~strip** n (film m pour) projection f fixe.

filter ['fɪltə*] n filtre m // vt filtrer ; **~ lane** n (AUT) voie f de sortie ; **~ tip** n bout m filtre.

filth [fɪlθ] n saleté f; **~y** a sale, dégoûtant(e) ; (language) ordurier (ère), grossier(ère).

fin [fɪn] n (of fish) nageoire f.

final ['faɪnl] a final(e), dernier(ère) ; définitif(ive) // n (SPORT) finale f; **~s** npl (SCOL) examens mpl de dernière année ; **~e** [fɪ'nɑ:lɪ] n finale m ; **~ist** n (SPORT) finaliste m/f; **~ize** vt mettre au point ; **~ly** ad (lastly) en dernier lieu ; (eventually) enfin, finalement ; (irrevocably) définitivement.

finance [faɪ'næns] n finance f; **~s** npl finances fpl // vt financer.

financial [faɪ'nænʃəl] a financier (ère) ; **~ly** ad financièrement ; **~ year** n année f budgétaire.

financier [faɪ'nænsɪə*] n financier m.

find [faɪnd] vt (pt, pp found [faund]) trouver ; (lost object) retrouver // n trouvaille f, découverte f; **to ~ sb guilty** (LAW) déclarer qn coupable ; **to ~ out** vt découvrir ; (person) démasquer ; **to ~ out about** se renseigner sur ; (by chance) apprendre ; **~ings** npl (LAW) conclusions fpl, verdict m ; (of report) constatations fpl.

fine [faɪn] a beau(belle) ; excellent(e) ; fin(e) // ad (well) très bien ; (small) finement // n (LAW) amende f; contravention f // vt (LAW) condamner à

une amende ; donner une contravention à ; **~ arts** *npl* beaux-arts *mpl*.
finery ['faɪnərɪ] *n* parure *f*.
finesse [fɪ'nɛs] *n* finesse *f*.
finger ['fɪŋgə*] *n* doigt *m* // *vt* palper, toucher ; **~nail** *n* ongle *m* (de la main) ; **~print** *n* empreinte digitale ; **~stall** *n* doigtier *m* ; **~tip** *n* bout *m* du doigt.
finicky ['fɪnɪkɪ] *a* tatillon(ne), méticuleux(euse) ; minutieux(euse).
finish ['fɪnɪʃ] *n* fin *f* ; (SPORT) arrivée *f* ; (polish etc) finition *f* // *vt* finir, terminer // *vi* finir, se terminer ; (session) s'achever ; **to ~ off** *vt* finir, terminer ; (kill) achever ; **to ~ up** *vi,vt* finir ; **~ing line** *n* ligne *f* d'arrivée ; **~ing school** *n* institution privée (pour jeunes filles).
finite ['faɪnaɪt] *a* fini(e) ; (verb) conjugué(e).
Finland ['fɪnlənd] *n* Finlande *f*.
Finn [fɪn] *n* Finnois/e ; Finlandais/e ; **~ish** *a* finnois(e) ; finlandais(e) // *n* (LING) finnois *m*.
fiord [fjɔ:d] *n* fjord *m*.
fir [fə:*] *n* sapin *m*.
fire ['faɪə*] *n* feu *m* ; incendie *m* // *vt* (discharge): **to ~ a gun** tirer un coup de feu ; (fig) enflammer, animer ; (dismiss) mettre à la porte, renvoyer // *vi* tirer, faire feu ; **on ~** en feu ; **~ alarm** *n* avertisseur *m* d'incendie ; **~arm** *n* arme *f* à feu ; **~ brigade** *n* (régiment *m* de sapeurs-pompiers *mpl*) ; **~ engine** *n* pompe *f* à incendie ; **~ escape** *n* escalier *m* de secours ; **~ extinguisher** *n* extincteur *m* ; **~man** *n* pompier *m* ; **~master** *n* capitaine *m* des pompiers ; **~place** *n* cheminée *f* ; **~proof** *a* ignifuge ; **~side** *n* foyer *m*, coin *m* du feu ; **~ station** *n* caserne *f* de pompiers ; **~wood** *n* bois *m* de chauffage ; **~work** *n* feu *m* d'artifice ; **~works** *npl* (display) feu(x) d'artifice.
firing ['faɪərɪŋ] *n* (MIL) feu *m*, tir *m* ; **~ squad** *n* peloton *m* d'exécution.
firm [fə:m] *a* ferme // *n* compagnie *f*, firme *f* ; **~ly** *ad* fermement ; **~ness** *n* fermeté *f*.
first [fə:st] *a* premier(ère) // *ad* (before others) le premier, la première ; (before other things) en premier, d'abord ; (when listing reasons etc) en premier lieu, premièrement // *n* (person: in race) premier/ère ; (SCOL) mention *f* très bien ; (AUT) première *f* ; **at ~** au commencement, au début ; **~ of all** tout d'abord, pour commencer ; **~ aid** premiers secours or soins ; **~aid kit** *n* trousse *f* à pharmacie ; **~class** *a* de première classe ; **~hand** *a* de première main ; **~ lady** *n* (US) femme *f* du président ; **~ly** *ad* premièrement, en premier lieu ; **~ name** *n* prénom *m* ; **~ night** *n* (THEATRE) première *f* ; **~-rate** *a* excellent(e).
fir tree [fə:tri:] *n* sapin *m*.
fiscal ['fɪskəl] *a* fiscal(e).
fish [fɪʃ] *n,pl inv* poisson *m* ; poissons *mpl* // *vt,vi* pêcher ; **to ~ a river** pêcher dans une rivière ; **to go ~ing** aller à la pêche ; **~erman** *n* pêcheur *m* ; **~ery** *n* pêcherie *f* ; **~ fingers** *npl* bâtonnets de poisson (congelés) ; **~ hook** *n* hameçon *m* ; **~ing**

boat *n* barque *f* de pêche ; **~ing line** *n* ligne *f* (de pêche) ; **~ing rod** *n* canne *f* à pêche ; **~ing tackle** *n* attirail *m* de pêche ; **~ market** *n* marché *m* au poisson ; **~monger** *n* marchand *m* de poisson ; **~ slice** *n* pelle *f* à poisson ; **~y** *a* (fig) suspect(e), louche.
fission ['fɪʃən] *n* fission *f*.
fissure ['fɪʃə*] *n* fissure *f*.
fist [fɪst] *n* poing *m*.
fit [fɪt] *a* (MED, SPORT) en (bonne) forme ; (proper) convenable ; approprié(e) // *vt* (subj: clothes) aller à ; (adjust) ajuster ; (put in, attach) installer, poser ; adapter ; (equip) équiper, garnir, munir // *vi* (clothes) aller ; (parts) s'adapter ; (in space, gap) entrer, s'adapter // *n* (MED) accès *m*, crise *f* ; (of coughing) quinte *f* ; **~ to** en état de ; **~ for** digne de ; apte à ; **this dress is a tight/good ~** cette robe est un peu juste/(me) va très bien ; **by ~s and starts** par à-coups ; **to ~ in** *vi* s'accorder ; s'adapter ; **to ~ out** (also: **~ up**) *vt* équiper ; **~ful** *a* intermittent(e) ; **~ment** *n* meuble encastré, élément *m* ; **~ness** *n* (MED) forme *f* physique ; (of remark) à-propos *m*, justesse *f* ; **~ter** *n* monteur *m* ; (DRESSMAKING) essayeur/euse ; **~ting** *a* approprié(e) // *n* (of dress) essayage *m* ; (of piece of equipment) pose *f*, installation *f* ; **~tings** *npl* installations *fpl*.
five [faɪv] *num* cinq ; **~r** *n* (Brit: col) billet *m* de cinq livres.
fix [fɪks] *vt* fixer ; arranger ; (mend) réparer // *n*: **to be in a ~** être dans le pétrin ; **~ed** [fɪkst] *a* (prices etc) fixe ; **~ture** ['fɪkstʃə*] *n* installation *f* (fixe) ; (SPORT) rencontre *f* (au programme).
fizz [fɪz] *vi* pétiller.
fizzle ['fɪzl] *vi* pétiller ; **to ~ out** *vi* rater.
fizzy ['fɪzɪ] *a* pétillant(e) ; gazeux(euse).
fjord [fjɔ:d] *n* = **fiord**.
flabbergasted ['flæbəga:stɪd] *a* sidéré(e), ahuri(e).
flabby ['flæbɪ] *a* mou(molle).
flag [flæg] *n* drapeau *m* ; (also: **~stone**) dalle *f* // *vi* faiblir ; fléchir ; **to ~ down** *vt* héler, faire signe (de s'arrêter) à ; **~ of convenience** *n* pavillon *m* de complaisance.
flagon ['flægən] *n* bonbonne *f*.
flagpole ['flægpəul] *n* mât *m*.
flagrant ['fleɪgrənt] *a* flagrant(e).
flair [flɛə*] *n* flair *m*.
flake [fleɪk] *n* (of rust, paint) écaille *f* ; (of snow, soap powder) flocon *m* // *vi* (also: **~ off**) s'écailler.
flamboyant [flæm'bɔɪənt] *a* flamboyant(e), éclatant(e) ; (person) haut(e) en couleur.
flame [fleɪm] *n* flamme *f*.
flamingo [flə'mɪŋgəu] *n* flamant *m* (rose).
flammable ['flæməbl] *a* inflammable.
flan [flæn] *n* tarte *f*.
Flanders ['flɑ:ndəz] *n* Flandre(s) *f(pl)*.
flange [flændʒ] *n* boudin *m* ; collerette *f*.
flank [flæŋk] *n* flanc *m* // *vt* flanquer.
flannel ['flænl] *n* (also: **face ~**) gant *m* de toilette ; (fabric) flanelle *f* ; (col) baratin *m* ; **~s** *npl* pantalon *m* de flanelle.

flap [flæp] n (of pocket, envelope) rabat m // vt (wings) battre (de) // vi (sail, flag) claquer ; (col: also: **be in a ~**) paniquer.
flare [flɛə*] n fusée éclairante ; (in skirt etc) évasement m ; **to ~ up** vi s'embraser ; (fig: person) se mettre en colère, s'emporter ; (: revolt) éclater ; **~d** a (trousers) à jambes évasées.
flash [flæʃ] n éclair m ; (also: **news ~**) flash m (d'information) ; (PHOT) flash m // vt (switch on) allumer (brièvement) ; (direct): **to ~ sth at** braquer qch sur ; (display) étaler, exhiber ; (send: message) câbler // vi briller ; jeter des éclairs ; (light on ambulance etc) clignoter ; **in a ~** en un clin d'œil ; **to ~ one's headlights** faire un appel de phares ; **he ~ed by** or **past** il passa (devant nous) comme un éclair ; **~back** n flashback m, retour m en arrière ; **~ bulb** n ampoule f de flash ; **~er** n (AUT) clignotant m.
flashy ['flæʃi] a (pej) tape-à-l'œil inv, tapageur(euse).
flask [flɑ:sk] n flacon m, bouteille f ; (CHEM) ballon m ; (also: **vacuum ~**) bouteille f thermos ®.
flat [flæt] a plat(e) ; (tyre) dégonflé(e), à plat ; (denial) catégorique ; (MUS) bémolisé(e) // n (rooms) appartement m ; (MUS) bémol m ; (AUT) crevaison f, pneu crevé ; **to be ~-footed** avoir les pieds plats ; **~ly** ad catégoriquement ; **~ness** n (of land) absence f de relief, aspect plat ; **~ten** vt (also: **~ten out**) aplatir.
flatter ['flætə*] vt flatter ; **~er** n flatteur m ; **~ing** a flatteur(euse) ; **~y** n flatterie f.
flatulence ['flætjuləns] n flatulence f.
flaunt [flɔ:nt] vt faire étalage de.
flavour, flavor (US) ['fleɪvə*] n goût m, saveur f ; (of ice cream etc) parfum m // vt parfumer, aromatiser ; **vanilla~-ed** à l'arôme de vanille, vanillé(e) ; **to give** or **add ~ to** donner du goût à, relever ; **~ing** n arôme m (synthétique).
flaw [flɔ:] n défaut m ; **~less** a sans défaut.
flax [flæks] n lin m ; **~en** a blond(e).
flea [fli:] n puce f.
fledg(e)ling ['fledʒliŋ] n oisillon m.
flee, pt, pp fled [fli:, fled] vt fuir, s'enfuir de // vi fuir, s'enfuir.
fleece [fli:s] n toison f // vt (col) voler, filouter.
fleet [fli:t] n flotte f ; (of lorries etc) parc m ; convoi m.
fleeting ['fli:tiŋ] a fugace, fugitif(ive) ; (visit) très bref(brève).
Flemish ['flemiʃ] a flamand(e) // n (LING) flamand m ; **the ~** les Flamands.
flesh [flɛʃ] n chair f ; **~ wound** n blessure superficielle.
flew [flu:] pt of **fly.**
flex [flɛks] n fil m or câble m électrique (souple) // vt fléchir ; (muscles) tendre ; **~ibility** [-'bɪlɪti] n flexibilité f ; **~ible** a flexible.
flick [flik] n petite tape ; chiquenaude f ; sursaut m ; **~ knife** n couteau m à cran d'arrêt ; **to ~ through** vt fus feuilleter.
flicker ['flikə*] vi vaciller // n vacillement m ; **a ~ of light** une brève lueur.

flier ['flaɪə*] n aviateur m.
flight [flaɪt] n vol m ; (escape) fuite f ; (also: **~ of steps**) escalier m ; **to take ~** prendre la fuite ; **to put to ~** mettre en fuite ; **~ deck** n (AVIAT) poste m de pilotage ; (NAUT) pont m d'envol.
flimsy ['flimzi] a (partition, fabric) peu solide, mince ; (excuse) pauvre, mince.
flinch [flintʃ] vi tressaillir ; **to ~ from** se dérober à, reculer devant.
fling, pt, pp flung [fliŋ, flʌŋ] vt jeter, lancer.
flint [flint] n silex m ; (in lighter) pierre f (à briquet).
flip [flip] n chiquenaude f.
flippant ['flipənt] a désinvolte, irrévérencieux(euse).
flirt [flə:t] vi flirter // n flirteuse f ; **~ation** [-'teɪʃən] n flirt m.
flit [flit] vi voleter.
float [fləut] n flotteur m ; (in procession) char m // vi flotter // vt faire flotter ; (loan, business) lancer ; **~ing** a flottant(e).
flock [flɔk] n troupeau m ; (of people) foule f.
flog [flɔg] vt fouetter.
flood [flʌd] n inondation f ; (of words, tears etc) flot m, torrent m // vt inonder ; **in ~** en crue ; **~ing** n inondation f ; **~light** n projecteur m // vt éclairer aux projecteurs, illuminer.
floor [flɔ:*] n sol m ; (storey) étage m ; (fig: at meeting): **the ~** l'assemblée f, les membres mpl de l'assemblée // vt terrasser ; **on the ~** au par terre ; **ground ~** (Brit), **first ~** (US) rez-de-chaussée m ; **first ~** (Brit), **second ~** (US) premier étage ; **~board** n planche f (du plancher) ; **~ show** n spectacle m de variétés.
flop [flɔp] n fiasco m // vi (fail) faire fiasco.
floppy ['flɔpi] a lâche, flottant(e) ; **~ hat** n chapeau m à bords flottants.
flora ['flɔ:rə] n flore f.
floral ['flɔ:rl] a floral(e).
florid ['flɔrid] a (complexion) fleuri(e) ; (style) plein(e) de fioritures.
florist ['flɔrist] n fleuriste m/f.
flounce [flauns] n volant m ; **to ~ out** vi sortir dans un mouvement d'humeur.
flounder ['flaundə*] vi patauger.
flour ['flauə*] n farine f.
flourish ['flʌriʃ] vi prospérer // vt brandir // n fioriture f ; (of trumpets) fanfare f ; **~ing** a prospère, florissant(e).
flout [flaut] vt se moquer de, faire fi de.
flow [fləu] n flot m ; courant m ; circulation f ; (tide) flux m // vi couler ; (traffic) s'écouler ; (robes, hair) flotter ; **~ chart** n organigramme m.
flower ['flauə*] n fleur f // vi fleurir ; **~ bed** n plate-bande f ; **~pot** n pot m (à fleurs) ; **~y** a fleuri(e).
flown [fləun] pp of **fly.**
flu [flu:] n grippe f.
fluctuate ['flʌktjueit] vi varier, fluctuer ; **fluctuation** [-'eiʃən] n fluctuation f, variation f.
fluency ['flu:ənsi] n facilité f, aisance f.
fluent ['flu:ənt] a (speech) coulant(e), aisé(e) ; **he speaks ~ French, he's ~ in French** il parle le français couramment ;

~ly *ad* couramment; avec aisance *or* facilité.

fluff [flʌf] *n* duvet *m*; peluche *f*; **~y** *a* duveteux(euse); pelucheux (euse); **~y toy** *n* jouet *m* en peluche.

fluid ['fluːɪd] *a,n* fluide (*m*); **~ ounce** *n* = 0.028 1; 0.05 pints.

fluke [fluːk] *n* (*col*) coup *m* de veine *or* de chance.

flung [flʌŋ] *pt,pp* of **fling**.

fluorescent [fluəˈrɛsnt] *a* fluorescent(e).

fluoride ['fluəraid] *n* fluor *m*.

fluorine ['fluəriːn] *n* fluor *m*.

flurry ['flʌrɪ] *n* (*of snow*) rafale *f*, bourrasque *f*; ~ **of activity/excitement** affairement *m*/excitation *f* soudain(e).

flush [flʌʃ] *n* rougeur *f*; excitation *f* // *vt* nettoyer à grande eau // *vi* rougir // *a*: ~ **with** au ras de, de niveau avec; ~ **against** tout contre; **to** ~ **the toilet** tirer la chasse (d'eau); **~ed** (tout(e)) rouge.

fluster ['flʌstə*] *n* agitation *f*, trouble *m*; **~ed** a énervé(e).

flute [fluːt] *n* flûte *f*.

fluted ['fluːtɪd] *a* cannelé(e).

flutter ['flʌtə*] *n* agitation *f*; (*of wings*) battement *m* // *vi* battre des ailes, voleter; (*person*) aller et venir dans une grande agitation.

flux [flʌks] *n*: **in a state of** ~ fluctuant sans cesse.

fly [flaɪ] *n* (*insect*) mouche *f*; (*on trousers*: *also*: **flies**) braguette *f* // *vb* (*pt* **flew**, *pp* **flown** [fluː, fləun]) *vt* piloter; (*passengers, cargo*) transporter (par avion); (*distances*) parcourir // *vi* voler; (*passengers*) aller en avion; (*escape*) s'enfuir, fuir; (*flag*) se déployer; **to** ~ **open** *vi* s'ouvrir brusquement; **~ing** *n* (*activity*) aviation *f* // *a*: **~ing visit** visite *f* éclair *inv*; **with ~ing colours** haut la main; **~ing buttress** *n* arc-boutant *m*; **~ing saucer** *n* soucoupe volante; **~ing start** *n*: **to get off to a ~ing start** faire un excellent départ; **~over** *n* (*Brit: bridge*) saut-de-mouton *m*; **~past** *n* défilé aérien; **~sheet** *n* (*for tent*) double toit *m*; **~wheel** *n* volant *m* (de commande).

F.M. (*abbr of frequency modulation*) F.M., M.F. (modulation *f* de fréquence).

foal [fəul] *n* poulain *m*.

foam [fəum] *n* écume *f*; (*on beer*) mousse *f*; (*also*: **plastic ~**) mousse cellulaire *or* de plastique // *vi* écumer; (*soapy water*) mousser; ~ **rubber** *n* caoutchouc *m* mousse.

fob [fɔb] *vt*: **to** ~ **sb off with** refiler à qn; se débarrasser de qn avec.

focal ['fəukəl] *a* focal(e).

focus ['fəukəs] *n* (*pl*: **~es**) foyer *m*; (*of interest*) centre *m* // *vt* (*field glasses etc*) mettre au point; (*light rays*) faire converger; **in** ~ au point; **out of** ~ pas au point.

fodder ['fɔdə*] *n* fourrage *m*.

foe [fəu] *n* ennemi *m*.

foetus ['fiːtəs] *n* fœtus *m*.

fog [fɔg] *n* brouillard *m*; **~gy** *a*: **it's ~gy** il y a du brouillard.

foible ['fɔɪbl] *n* faiblesse *f*.

foil [fɔɪl] *vt* déjouer, contrecarrer // *n* feuille *f* de métal; (*also*: **kitchen ~**) papier *m* d'alu(minium); (*FENCING*) fleuret *m*; **to act as a ~ to** (*fig*) servir de repoussoir *or* de faire-valoir à.

fold [fəuld] *n* (*bend, crease*) pli *m*; (*AGR*) parc *m* à moutons; (*fig*) bercail *m* // *vt* plier; **to** ~ **up** *vi* (*map etc*) se plier, se replier; (*business*) fermer boutique // *vt* (*map etc*) plier, replier; **~er** *n* (*for papers*) chemise *f*; classeur *m*; (*brochure*) dépliant *m*; **~ing** *a* (*chair, bed*) pliant(e).

foliage ['fəulɪdʒ] *n* feuillage *m*.

folk [fəuk] *npl* gens *mpl* // *a* folklorique; **~s** *npl* famille *f*, parents *mpl*; **~lore** ['fəuklɔ:*] *n* folklore *m*; **~song** *n* chanson *f* folklorique (*gén de l'Ouest américain*).

follow ['fɔləu] *vt* suivre // *vi* suivre; (*result*) s'ensuivre; **he ~ed suit** il fit de même; **to** ~ **up** *vt* (*victory*) tirer parti de; (*letter, offer*) donner suite à; (*case*) suivre; **~er** *n* disciple *m*/*f*, partisan/e; **~ing** *a* suivant(e) // *n* partisans *mpl*, disciples *mpl*.

folly ['fɔlɪ] *n* inconscience *f*; sottise *f*; (*building*) folie *f*.

fond [fɔnd] *a* (*memory, look*) tendre, affectueux(euse); **to be** ~ **of** aimer beaucoup.

fondle ['fɔndl] *vt* caresser.

fondness ['fɔndnɪs] *n* (*for things*) attachement *m*; (*for people*) sentiments affectueux; **a special** ~ **for** une prédilection pour.

font [fɔnt] *n* fonts baptismaux.

food [fuːd] *n* nourriture *f*; ~ **mixer** *n* mixeur *m*; ~ **poisoning** *n* intoxication *f* alimentaire; **~stuffs** *npl* denrées° *fpl* alimentaires.

fool [fuːl] *n* idiot/e; (*HISTORY: of king*) bouffon *m*, fou *m*; (*CULIN*) purée *f* de fruits à la crème // *vt* berner, duper // *vi* (*gen*: ~ **around**) faire l'idiot *or* l'imbécile; **~hardy** *a* téméraire, imprudent(e); **~ish** *a* idiot(e), stupide; imprudent(e); écervelé(e); **~proof** *a* (*plan etc*) infaillible.

foot [fut] *n* (*pl*: **feet** [fiːt]) pied *m*; (*measure*) pied (= 304 mm; 12 inches); (*of animal*) patte *f* // *vt* (*bill*) casquer, payer; **on** ~ à pied; ~ **and mouth (disease)** *n* fièvre aphteuse; **~ball** *n* ballon *m* (de football); (*sport*) football *m*; **~baller** *n* footballeur *m*; **~brake** *n* frein *m* à pied; **~bridge** *n* passerelle *f*; **~hills** *npl* contreforts *mpl*; **~hold** *n* prise *f* (de pied); **~ing** *n* (*fig*) position *f*; **to lose one's ~ing** perdre pied; **on an equal ~ing** sur pied d'égalité; **~lights** *npl* rampe *f*; **~man** *n* laquais *m*; **~note** *n* note *f* (en bas de page); **~path** *n* sentier *m*; (*in street*) trottoir *m*; **~rest** *n* marchepied *m*; **~sore** *a* aux pieds endoloris; **~step** *n* pas *m*; **~wear** *n* chaussure(s) *f(pl)* (*terme générique en anglais*).

for [fɔ:*] *prep* pour; (*during*) pendant; (*in spite of*) malgré // *cj* car; **I haven't seen him** ~ **a week** je ne l'ai pas vu depuis une semaine, cela fait une semaine que je ne l'ai pas vu; **he went down** ~ **the paper** il est descendu chercher le journal; ~ **sale** à vendre.

forage ['fɔrɪdʒ] *n* fourrage *m* // *vi* fourrager, fouiller; ~ **cap** *n* calot *m*.

foray ['fɔreɪ] n incursion f.

forbad(e) [fə'bæd] pt of **forbid**.

forbearing [fɔ:'bɛərɪŋ] a patient(e), tolérant(e).

forbid, pt **forbad(e)**, pp **forbidden** [fə'bɪd, -'bæd, -'bɪdn] vt défendre, interdire; ~**den** a défendu(e); ~**ding** a d'aspect or d'allure sévère or sombre.

force [fɔ:s] n force f // vt forcer; **the F—s** npl l'armée f; **in** ~ en force; **to come into** ~ entrer en vigueur; ~**d** [fɔ:st] a forcé(e); ~**ful** a énergique, volontaire.

forceps ['fɔ:sɛps] npl forceps m.

forcibly ['fɔ:səblɪ] ad par la force, de force; (vigorously) énergiquement.

ford [fɔ:d] n gué m // vt passer à gué.

fore [fɔ:*] n: **to the** ~ en évidence.

forearm ['fɔ:rɑ:m] n avant-bras m inv.

foreboding [fɔ:'bəudɪŋ] n pressentiment m (néfaste).

forecast ['fɔ:kɑ:st] n prévision f // vt (irg: like **cast**) prévoir.

forecourt ['fɔ:kɔ:t] n (of garage) devant m.

forefathers ['fɔ:fɑ:ðəz] npl ancêtres mpl.

forefinger ['fɔ:fɪŋgə*] n index m.

forego, pt **forewent**, pp **foregone** [fɔ:'gəu, -'wɛnt, -'gɔn] vt = **forgo**.

foregone ['fɔ:gɔn] a: **it's a** ~ **conclusion** c'est à prévoir, c'est couru d'avance.

foreground ['fɔ:graund] n premier plan.

forehead ['fɔrɪd] n front m.

foreign ['fɔrɪn] a étranger(ère); (trade) extérieur(e); ~ **body** n corps étranger; ~**er** n étranger/ère; ~ **exchange market** n marché m des devises; ~ **exchange rate** n cours m des devises; ~ **minister** n ministre m des Affaires étrangères.

foreleg ['fɔ:lɛg] n patte f de devant; jambe antérieure.

foreman ['fɔ:mən] n contremaître m.

foremost ['fɔ:məust] a le(la) plus en vue; premier(ère).

forensic [fə'rɛnsɪk] a: ~ **medicine** médecine légale; ~ **expert** expert m de la police, expert légiste.

forerunner ['fɔ:rʌnə*] n précurseur m.

foresee, pt **foresaw**, pp **foreseen** [fɔ:'si:, -'sɔ:, -'si:n] vt prévoir; ~**able** a prévisible.

foresight ['fɔ:saɪt] n prévoyance f.

forest ['fɔrɪst] n forêt f.

forestall [fɔ:'stɔ:l] vt devancer.

forestry ['fɔrɪstrɪ] n sylviculture f.

foretaste ['fɔ:teɪst] n avant-goût m.

foretell, pt,pp **foretold** [fɔ:'tɛl, -'təuld] vt prédire.

forever [fə'rɛvə*] ad pour toujours; (fig) continuellement.

forewent [fɔ:'wɛnt] pt of **forego**.

foreword ['fɔ:wə:d] n avant-propos m inv.

forfeit ['fɔ:fɪt] n prix m, rançon f // vt perdre; (one's life, health) payer de.

forgave [fə'geɪv] pt of **forgive**.

forge [fɔ:dʒ] n forge f // vt (signature) contrefaire; (wrought iron) forger; **to** ~ **documents/a will** fabriquer des faux papiers/un faux testament; **to** ~ **money** fabriquer de la fausse monnaie; **to** ~ **ahead** vi pousser de l'avant, prendre de

l'avance; ~**r** n faussaire m; ~**ry** n faux m, contrefaçon f.

forget, pt **forgot**, pp **forgotten** [fə'gɛt, -'gɔt, -'gɔtn] vt,vi oublier; ~**ful** a distrait(e), étourdi(e); ~**ful of** oublieux(euse) de; ~**fulness** n tendance f aux oublis; (oblivion) oubli m.

forgive, pt **forgave**, pp **forgiven** [fə'gɪv, -'geɪv, -'gɪvn] vt pardonner; ~**ness** n pardon m.

forgo, pt **forwent**, pp **forgone** [fɔ:'gəu, -'wɛnt, -'gɔn] vt renoncer à.

forgot [fə'gɔt] pt of **forget**.

forgotten [fə'gɔtn] pp of **forget**.

fork [fɔ:k] n (for eating) fourchette f; (for gardening) fourche f; (of roads) bifurcation f; (of railways) embranchement m // vi (road) bifurquer; **to** ~ **out** (col: pay) vt allonger, se fendre de // vi casquer; ~**ed** [fɔ:kt] a (lightning) en zigzags, ramifié(e); ~**-lift truck** n chariot élévateur.

form [fɔ:m] n forme f; (SCOL) classe f; (questionnaire) formulaire m // vt former; **in top** ~ en pleine forme.

formal ['fɔ:məl] a (offer, receipt) en bonne et due forme; (person) cérémonieux(euse), à cheval sur les convenances; (occasion, dinner) officiel(le); (ART, PHILOSOPHY) formel(le); ~**ly** ad officiellement; formellement; cérémonieusement.

format ['fɔ:mæt] n format m.

formation [fɔ:'meɪʃən] n formation f.

formative ['fɔ:mətɪv] a: ~ **years** années fpl d'apprentissage (fig) or de formation (d'un enfant, d'un adolescent).

former ['fɔ:mə*] a ancien(ne) (before n), précédent(e); **the** ~ ... **the latter** le premier ... le second, celui-là ... celui-ci; ~**ly** ad autrefois.

formidable ['fɔ:mɪdəbl] a redoutable.

formula ['fɔ:mjulə] n formule f.

formulate ['fɔ:mjuleɪt] vt formuler.

forsake, pt **forsook**, pp **forsaken** [fə'seɪk, -'suk, -'seɪkən] vt abandonner.

fort [fɔ:t] n fort m.

forte ['fɔ:tɪ] n (point) fort m.

forth [fɔ:θ] ad en avant; **to go back and** ~ aller et venir; **and so** ~ et ainsi de suite; ~**coming** a qui va paraître or avoir lieu prochainement; (character) ouvert(e), communicatif(ive); ~**right** a franc(franche), direct(e).

fortieth ['fɔ:tɪɪθ] num quarantième.

fortification [fɔ:tɪfɪ'keɪʃən] n fortification f.

fortify ['fɔ:tɪfaɪ] vt fortifier; **fortified wine** n vin liquoreux or de liqueur.

fortitude ['fɔ:tɪtju:d] n courage m, force f d'âme.

fortnight ['fɔ:tnaɪt] n quinzaine f, quinze jours mpl; ~**ly** a bimensuel(le) // ad tous les quinze jours.

fortress ['fɔ:trɪs] n forteresse f.

fortuitous [fɔ:'tju:ɪtəs] a fortuit(e).

fortunate ['fɔ:tʃənɪt] a: **to be** ~ avoir de la chance; **it is** ~ **that** c'est une chance que, il est heureux que; ~**ly** ad heureusement, par bonheur.

fortune ['fɔ:tʃən] n chance f; (wealth) fortune f; ~**teller** n diseuse f de bonne aventure.

forty ['fɔːtɪ] *num* quarante.
forum ['fɔːrəm] *n* forum *m*, tribune *f*.
forward ['fɔːwəd] *a* (*ahead of schedule*) en avance; (*movement, position*) en avant, vers l'avant; (*not shy*) ouvert(e); direct(e); effronté(e) // *ad* en avant // *n* (*SPORT*) avant *m* // *vt* (*letter*) faire suivre; (*parcel, goods*) expédier; (*fig*) promouvoir, contribuer au développement *or* à l'avancement de; **to move ~** avancer; **~s** *ad* en avant.
forwent [fɔː'wɛnt] *pt of* **forgo**.
fossil ['fɔsl] *a,n* fossile (*m*).
foster ['fɔstə*] *vt* encourager, favoriser; **~ brother** *n* frère adoptif; frère de lait; **~ child** *n* enfant adopté; **~ mother** *n* mère adoptive; mère nourricière.
fought [fɔːt] *pt, pp of* **fight**.
foul [faul] *a* (*weather, smell, food*) infect(e); (*language*) ordurier(ère); (*deed*) infâme // *n* (*FOOTBALL*) faute *f* // *vt* salir, encrasser; (*football player*) commettre une faute sur; **~ play** *n* (*SPORT*) jeu déloyal; **~ play is not suspected** la mort (*or* l'incendie *etc*) n'a pas de causes suspectes, on écarte l'hypothèse d'un meurtre (*or* d'un acte criminel).
found [faund] *pt, pp of* **find** // *vt* (*establish*) fonder; **~ation** [-'deɪʃən] *n* (*act*) fondation *f*; (*base*) fondement *m*; (*also*: **~ation cream**) fond *m* de teint; **~ations** *npl* (*of building*) fondations *fpl*.
founder ['faundə*] *n* fondateur *m* // *vi* couler, sombrer.
foundry ['faundrɪ] *n* fonderie *f*.
fount [faunt] *n* source *f*; **~ain pen** ['fauntɪn] *n* fontaine *f*; **~ain pen** *n* stylo *m* (à encre).
four [fɔː*] *num* quatre; **on all ~s** à quatre pattes; **~some** ['fɔːsəm] *n* partie *f* à quatre; sortie *f* à quatre; **~teen** *num* quatorze; **~teenth** *num* quatorzième; **~th** *num* quatrième.
fowl [faul] *n* volaille *f*.
fox [fɔks] *n* renard *m* // *vt* mystifier.
foyer ['fɔɪeɪ] *n* vestibule *m*; (*THEATRE*) foyer *m*.
fraction ['frækʃən] *n* fraction *f*.
fracture ['fræktʃə*] *n* fracture *f* // *vt* fracturer.
fragile ['frædʒaɪl] *a* fragile.
fragment ['frægmənt] *n* fragment *m*; **~ary** *a* fragmentaire.
fragrance ['freɪgrəns] *n* parfum *m*.
fragrant ['freɪgrənt] *a* parfumé(e), odorant(e).
frail [freɪl] *a* fragile, délicat(e).
frame [freɪm] *n* (*of building*) charpente *f*; (*of human, animal*) charpente, ossature *f*; (*of picture*) cadre *m*; (*of door, window*) encadrement *m*, chambranle *m*; (*of spectacles: also*: **~s**) monture *f* // *vt* encadrer; (*theory, plan*) construire, élaborer; **~ of mind** *n* disposition *f* d'esprit; **~work** *n* structure *f*.
France [frɑːns] *n* France *f*.
franchise ['fræntʃaɪz] *n* (*POL*) droit *m* de vote.
frank [fræŋk] *a* franc(franche) // *vt* (*letter*) affranchir; **~ly** *ad* franchement; **~ness** *n* franchise *f*.

frantic ['fræntɪk] *a* frénétique; **~ally** *ad* frénétiquement.
fraternal [frə'təːnl] *a* fraternel(le).
fraternity [frə'təːnɪtɪ] *n* (*club*) communauté *f*, confrérie *f*; (*spirit*) fraternité *f*.
fraternize ['frætənaɪz] *vi* fraterniser.
fraud [frɔːd] *n* supercherie *f*, fraude *f*, tromperie *f*; imposteur *m*.
fraudulent ['frɔːdjulənt] *a* frauduleux(euse).
fraught [frɔːt] *a*: **~ with** chargé(e) de, plein(e) de.
fray [freɪ] *n* bagarre *f* // *vt* effilocher // *vi* s'effilocher; **tempers were ~ed** les gens commençaient à s'énerver *or* perdre patience; **her nerves were ~ed** elle était à bout de nerfs.
freak [friːk] *n* (*also cpd*) phénomène *m*, créature ou événement exceptionnel par sa rareté, son caractère d'anomalie.
freckle ['frɛkl] *n* tache *f* de rousseur.
free [friː] *a* libre; (*gratis*) gratuit(e); (*liberal*) généreux(euse), large // *vt* (*prisoner etc*) libérer; (*jammed object or person*) dégager; **~ (of charge)** *ad* gratuitement; **~dom** ['friːdəm] *n* liberté *f*; **~-for-all** *n* mêlée générale; **~ kick** *n* coup franc; **~lance** *a* indépendant(e); **~ly** *ad* librement; (*liberally*) libéralement; **~mason** *n* franc-maçon *m*; **~masonry** *n* franc-maçonnerie *f*; **~ trade** *n* libre-échange *m*; **~way** *n* (*US*) autoroute *f*; **~wheel** *vi* descendre en roue libre; **~ will** *n* libre arbitre *m*; **of one's own ~ will** de son plein gré.
freeze [friːz] *vb* (*pt froze, pp frozen* [frəuz, 'frəuzn]) *vi* geler // *vt* geler; (*food*) congeler; (*prices, salaries*) bloquer, geler // *n* gel *m*; blocage *m*; **~-dried** *a* lyophilisé(e); **~r** *n* congélateur *m*.
freezing ['friːzɪŋ] *a*: **~ cold** *a* glacial(e); **~ point** *n* point *m* de congélation; **3 degrees below ~** 3 degrés au-dessous de zéro.
freight [freɪt] *n* (*goods*) fret *m*, cargaison *f*; (*money charged*) fret, prix *m* du transport; **~ car** *n* (*US*) wagon *m* de marchandises; **~er** *n* (*NAUT*) cargo *m*.
French [frɛntʃ] *a* français(e) // *n* (*LING*) français *m*; **the ~** les Français; **~ fried (potatoes)** *npl* (pommes de terre *fpl*) frites *fpl*; **~man** *n* Français *m*; **~ window** *n* porte-fenêtre *f*; **~woman** *n* Française *f*.
frenzy ['frɛnzɪ] *n* frénésie *f*.
frequency ['friːkwənsɪ] *n* fréquence *f*.
frequent *a* ['friːkwənt] fréquent(e) // *vt* [frɪ'kwɛnt] fréquenter; **~ly** *ad* fréquemment.
fresco ['frɛskəu] *n* fresque *f*.
fresh [frɛʃ] *a* frais(fraîche); (*new*) nouveau(nouvelle); (*cheeky*) familier(ère), culotté(e); **~en** *vi* (*of wind, air*) fraîchir; **to ~en up** *vi* faire un brin de toilette; **~ly** *ad* nouvellement, récemment; **~ness** *n* fraîcheur *f*; **~water** *a* (*fish*) d'eau douce.
fret [frɛt] *vi* s'agiter, se tracasser.
friar ['fraɪə*] *n* moine *m*, frère *m*.
friction ['frɪkʃən] *n* friction *f*, frottement *m*.
Friday ['fraɪdɪ] *n* vendredi *m*.

fridge [frɪdʒ] *n* frigo *m*, frigidaire *m* ®.
fried [fraɪd] *pt, pp of* **fry** // *a* frit(e).
friend [frɛnd] *n* ami/e; **to make ~s with** se lier (d'amitié) avec; **~liness** *n* attitude amicale; **~ly** *a* amical(e); gentil(le); **to be ~ly with** être ami(e) avec; **~ship** *n* amitié *f*.
frieze [fri:z] *n* frise *f*, bordure *f*.
frigate ['frɪgɪt] *n* (NAUT: *modern*) frégate *f*.
fright [fraɪt] *n* peur *f*, effroi *m*; **she looks a ~** elle a l'air d'un épouvantail; **~en** *vt* effrayer, faire peur à; **~ened (of)** avoir peur (de); **~ening** *a* effrayant(e); **~ful** *a* affreux(euse); **~fully** *ad* affreusement.
frigid ['frɪdʒɪd] *a* (*woman*) frigide; **~ity** [frɪˈdʒɪdɪtɪ] *n* frigidité *f*.
frill [frɪl] *n* (*of dress*) volant *m*; (*of shirt*) jabot *m*.
fringe [frɪndʒ] *n* frange *f*; (*edge: of forest etc*) bordure *f*; (*fig*): **on the ~** en marge; **~ benefits** *npl* avantages sociaux *or* en nature.
frisk [frɪsk] *vt* fouiller.
frisky ['frɪskɪ] *a* vif(vive), sémillant(e).
fritter ['frɪtə*] *n* beignet *m*; **to ~ away** *vt* gaspiller.
frivolity [frɪˈvɒlɪtɪ] *n* frivolité *f*.
frivolous ['frɪvələs] *a* frivole.
frizzy ['frɪzɪ] *a* crépu(e).
fro [frəu] *see* to.
frock [frɒk] *n* robe *f*.
frog [frɒg] *n* grenouille *f*; **~man** *n* homme-grenouille *m*.
frolic ['frɒlɪk] *n* ébats *mpl* // *vi* folâtrer, batifoler.
from [frɒm] *prep* de; **~ a pound/January** à partir d'une livre/de janvier; **~ what he says** d'après ce qu'il dit.
front [frʌnt] *n* (*of house, dress*) devant *m*; (*of coach, train*) avant *m*; (*of book*) couverture *f*; (*promenade: also:* **sea ~**) bord *m* de mer; (MIL, POL, METEOROLOGY) front *m*; (*fig: appearances*) contenance *f*, façade *f* // *a* de devant; premier(ère); **in ~** (*of*) devant; **~age** ['frʌntɪdʒ] *n* façade *f*; **~al** *a* frontal(e); **~ door** *n* porte *f* d'entrée; (*of car*) portière *f* avant; **~ier** ['frʌntɪə*] *n* frontière *f*; **~ page** *n* première page *f*; **~ room** *n* (*Brit*) pièce *f* de devant, salon *m*; **~-wheel drive** *n* traction *f* avant.
frost [frɒst] *n* gel *m*, gelée *f*; **~bite** *n* gelures *fpl*; **~ed** *a* (*glass*) dépoli(e); **~y** *a* (*window*) couvert(e) de givre; (*welcome*) glacial(e).
froth ['frɒθ] *n* mousse *f*; écume *f*.
frown [fraun] *n* froncement *m* de sourcils // *vi* froncer les sourcils.
froze [frauz] *pt of* **freeze**; **~n** *pp of* **freeze** // *a* (*food*) congelé(e).
frugal ['fru:gəl] *a* frugal(e).
fruit [fru:t] *n, pl inv* fruit *m*; **~erer** *n* fruitier *m*, marchand/e de fruits; **~ful** *a* fructueux(euse); (*plant, soil*) fécond(e); **~ion** [fru:ˈɪʃən] *n*: **to come to ~** se réaliser; **~ machine** *n* machine *f* à sous; **~ salad** *n* salade *f* de fruits.
frustrate [frʌsˈtreɪt] *vt* frustrer; (*plot, plans*) faire échouer; **~d** *a* frustré(e); **frustration** [-ˈtreɪʃən] *n* frustration *f*.

fry, pt, pp fried [fraɪ, -d] *vt* (faire) frire; **the small ~** le menu fretin; **~ing pan** *n* poêle *f* (à frire).
ft. *abbr of* **foot, feet.**
fuchsia ['fju:ʃə] *n* fuchsia *m*.
fuddy-duddy ['fʌdɪdʌdɪ] *n* (*pej*) vieux schnock.
fudge [fʌdʒ] *n* (CULIN) sorte de confiserie à base de sucre, de beurre et de lait.
fuel [fjuəl] *n* (*for heating*) combustible *m*; (*for propelling*) carburant *m*; **~ oil** *n* mazout *m*; **~ tank** *n* cuve *f* à mazout, citerne *f*; (*on vehicle*) réservoir *m* de *or* à carburant.
fugitive ['fju:dʒɪtɪv] *n* fugitif/ive.
fulfil [ful'fɪl] *vt* (*function*) remplir; (*order*) exécuter; (*wish, desire*) satisfaire, réaliser; **~ment** *n* (*of wishes*) réalisation *f*.
full [ful] *a* plein(e); (*details, information*) complet(ète); (*skirt*) ample, large // *ad*: **to know ~ well** that savoir fort bien que; **I'm ~** j'ai bien mangé; **~ employment/fare** plein emploi/tarif; **a ~ two hours** deux bonnes heures; **at ~ speed** à toute vitesse; **in ~** (*reproduce, quote*) intégralement (*write name etc*) en toutes lettres; **~back** *n* (RUGBY, FOOTBALL) arrière *m*; **~length** *a* (*portrait*) en pied; **~ moon** *n* pleine lune; **~-sized** *a* (*portrait etc*) grandeur nature *inv*; **~ stop** *n* point *m*; **~-time** *a* (*work*) à plein temps // *n* (SPORT) fin *f* du match; **~y** *ad* entièrement, complètement; **~y-fledged** *a* (*teacher, barrister*) diplômé(e); (*citizen, member*) à part entière.
fumble ['fʌmbl] *vi* fouiller, tâtonner // *vt* (*ball*) mal réceptionner, cafouiller; **to ~ with** *vt fus* tripoter.
fume [fju:m] *vi* rager; **~s** *npl* vapeurs *fpl*, émanations *fpl*, gaz *mpl*.
fumigate ['fju:mɪgeɪt] *vt* désinfecter (par fumigation).
fun [fʌn] *n* amusement *m*, divertissement *m*; **to have ~** s'amuser; **for ~** pour rire; **it's not much ~** ce n'est pas très drôle *or* amusant; **to make ~ of** *vt fus* se moquer de.
function ['fʌŋkʃən] *n* fonction *f*; cérémonie *f*, soirée officielle // *vi* fonctionner; **~al** *a* fonctionnel(le).
fund [fʌnd] *n* caisse *f*, fonds *m*; (*source, store*) source *f*, mine *f*; **~s** *npl* fonds *mpl*.
fundamental [fʌndəˈmɛntl] *a* fondamental(e); **~s** *npl* principes *mpl* de base; **~ly** *ad* fondamentalement.
funeral ['fju:nərəl] *n* enterrement *m*, obsèques *fpl* (*more formal occasion*); **~ director** *n* entrepreneur *m* des pompes funèbres; **~ service** *n* service *m* funèbre.
funereal [fju:ˈnɪərɪəl] *a* lugubre, funèbre.
fun fair ['fʌnfɛə*] *n* fête (foraine).
fungus, pl fungi ['fʌŋgəs, -gaɪ] *n* champignon *m*; (*mould*) moisissure *f*.
funnel ['fʌnl] *n* entonnoir *m*; (*of ship*) cheminée *f*.
funnily ['fʌnɪlɪ] *ad* drôlement; curieusement.
funny ['fʌnɪ] *a* amusant(e), drôle; (*strange*) curieux(euse), bizarre.
fur [fə:*] *n* fourrure *f*; (*in kettle etc*) (dépôt *m* de) tartre *m*; **~ coat** *n* manteau *m* de fourrure.

furious ['fjuəriəs] a furieux(euse) ; (*effort*) acharné(e) ; ~**ly** ad furieusement ; avec acharnement.

furl [fə:l] vt rouler ; (*NAUT*) ferler.

furlong ['fə:lɔŋ] n = 201.17 m (*terme d'hippisme*).

furlough ['fə:ləu] n (*US*) permission f, congé m.

furnace ['fə:nis] n fourneau m.

furnish ['fə:niʃ] vt meubler ; (*supply*) fournir ; ~**ings** npl mobilier m, articles mpl d'ameublement.

furniture ['fə:nitʃə*] n meubles mpl, mobilier m ; **piece of** ~ meuble m ; ~ **polish** n encaustique f.

furrier ['fʌriə*] n fourreur m.

furrow ['fʌrəu] n sillon m.

furry ['fə:ri] a (*animal*) à fourrure ; (*toy*) en peluche.

further ['fə:ðə*] a supplémentaire, autre ; nouveau(nouvelle) ; plus loin // ad plus loin ; (*more*) davantage ; (*moreover*) de plus // vt faire avancer or progresser, promouvoir ; **until** ~ **notice** jusqu'à nouvel ordre or avis ; ~ **education** n enseignement m post-scolaire (*recyclage, formation professionnelle*) ; ~**more** [fə:ðə'mɔ:*] ad de plus, en outre.

furthest ['fə:ðist] superlative of **far**.

furtive ['fə:tiv] a furtif(ive) ; ~**ly** ad furtivement.

fury ['fjuəri] n fureur f.

fuse, fuze (*US*) [fju:z] n fusible m ; (*for bomb etc*) amorce f, détonateur m // vt,vi (*metal*) fondre ; (*fig*) fusionner ; (*ELEC*): **to** ~ **the lights** faire sauter les fusibles or les plombs ; ~ **box** n boîte f à fusibles.

fuselage ['fju:zəla:ʒ] n fuselage m.

fusion ['fju:ʒən] n fusion f.

fuss [fʌs] n chichis mpl, façons fpl, embarras mpl ; (*complaining*) histoire(s) f(pl) ; **to make a** ~ faire des façons etc ; ~**y** a (*person*) tatillon(ne), difficile ; chichiteux(euse) ; (*dress, style*) tarabiscoté(e).

futile ['fju:tail] a futile.

futility [fju:'tiliti] n futilité f.

future ['fju:tʃə*] a futur(e) // n avenir m ; (*LING*) futur m ; **in (the)** ~ à l'avenir ; **futuristic** [-'ristik] a futuriste.

fuze [fju:z] n, vt, vi (*US*) = **fuse**.

fuzzy ['fʌzi] a (*PHOT*) flou(e) ; (*hair*) crépu(e).

G

g. abbr of **gram(s)**.

G [dʒi:] n (*MUS*) sol m.

gabble ['gæbl] vi bredouiller ; jacasser.

gable ['geibl] n pignon m.

gadget ['gædʒit] n gadget m.

Gaelic ['geilik] n (*LING*) gaélique m.

gag [gæg] n bâillon m ; (*joke*) gag m // vt bâillonner.

gaiety ['geiəti] n gaieté f.

gaily ['geili] ad gaiement.

gain [gein] n gain m, profit m // vt gagner // vi (*watch*) avancer ; **to** ~ **in/by** gagner en/à ; **to** ~ **3lbs** (*in weight*) prendre 3 livres ; ~**ful** a profitable, lucratif(ive).

gainsay [gein'sei] vt irg (*like* **say**) contredire ; nier.

gait [geit] n démarche f.

gal. abbr of **gallon**.

gala ['gɑ:lə] n gala m.

galaxy ['gæləksi] n galaxie f.

gale [geil] n rafale f de vent ; coup m de vent.

gallant ['gælənt] a vaillant(e), brave ; (*towards ladies*) empressé(e), galant(e) ; ~**ry** n bravoure f, vaillance f ; empressement m, galanterie f.

gall-bladder ['gɔ:lblædə*] n vésicule f biliaire.

gallery ['gæləri] n galerie f ; (*also:* **art** ~) musée m ; (: *private*) galerie.

galley ['gæli] n (*ship's kitchen*) cambuse f ; (*ship*) galère f ; (*TYP*) placard m, galée f.

gallon ['gæln] n gallon m (= 4.543 l; 8 pints).

gallop ['gæləp] n galop m // vi galoper.

gallows ['gæləuz] n potence f.

gallstone ['gɔ:lstəun] n calcul m (biliaire).

gambit ['gæmbit] n (*fig*): (**opening**) ~ manœuvre f stratégique.

gamble ['gæmbl] n pari m, risque calculé // vt, vi jouer ; **to** ~ **on** (*fig*) miser sur ; ~**r** n joueur m ; **gambling** n jeu m.

game [geim] n jeu m ; (*event*) match m ; (*HUNTING*) gibier m // a brave ; (*ready*): **to be** ~ (**for sth/to do**) être prêt(e) (à qch/à faire), se sentir de taille (à faire) ; **a** ~ **of football/tennis** une partie de football/tennis ; **big** ~ gros gibier ; ~**keeper** n garde-chasse m.

gammon ['gæmən] n (*bacon*) quartier m de lard fumé ; (*ham*) jambon fumé.

gamut ['gæmət] n gamme f.

gang [gæŋ] n bande f, groupe m // vi: **to** ~ **up on sb** se liguer contre qn.

gangrene ['gæŋgri:n] n gangrène f.

gangster ['gæŋstə*] n gangster m, bandit m.

gangway ['gæŋwei] n passerelle f ; (*of bus*) couloir central ; (*THEATRE, CINEMA*) allée f.

gantry ['gæntri] n portique m.

gaol [dʒeil] n, vt = **jail**.

gap [gæp] n trou m ; (*in time*) intervalle f ; (*fig*) lacune f ; vide m.

gape [geip] vi être or rester bouche bée ; **gaping** a (*hole*) béant(e).

garage ['gærɑ:ʒ] n garage m.

garb [gɑ:b] n tenue f, costume m.

garbage ['gɑ:bidʒ] n ordures fpl, détritus mpl ; ~ **can** n (*US*) poubelle f, boîte f à ordures.

garbled ['gɑ:bld] a déformé(e) ; faussé(e).

garden ['gɑ:dn] n jardin m // vi jardiner ; ~**er** n jardinier m ; ~**ing** jardinage m.

gargle ['gɑ:gl] vi se gargariser // n gargarisme m.

gargoyle ['gɑ:gɔil] n gargouille f.

garish ['gɛəriʃ] a criard(e), voyant(e).

garland ['gɑ:lənd] n guirlande f ; couronne f.

garlic ['gɑ:lik] n ail m.

garment ['gɑ:mənt] n vêtement m.

garnish ['gɑ:niʃ] vt garnir.

garret ['gærit] n mansarde f.

garrison ['gærisn] n garnison f // vt mettre en garnison, stationner.

garrulous ['gærjuləs] a volubile, loquace.

garter ['gɑ:tə*] n jarretière f.

gas [gæs] n gaz m; (used as anaesthetic): **to be given** ~ se faire endormir; (US: gasoline) essence f // vt asphyxier; (MIL) gazer; ~ **cooker** n cuisinière f à gaz; ~ **cylinder** n bouteille f de gaz; ~ **fire** n radiateur m à gaz.

gash [gæʃ] n entaille f; (on face) balafre f // vt taillader; balafrer.

gasket ['gæskɪt] n (AUT) joint m de culasse.

gasmask ['gæsmɑ:sk] n masque m à gaz.

gas meter ['gæsmi:tə*] n compteur m à gaz.

gasoline ['gæsəli:n] n (US) essence f.

gasp [gɑ:sp] vi haleter; (fig) avoir le souffle coupé.

gas ring ['gæsrɪŋ] n brûleur m.

gas stove ['gæsstəuv] n réchaud m à gaz; (cooker) cuisinière f à gaz.

gassy ['gæsɪ] a gazeux(euse).

gastric ['gæstrɪk] a gastrique; ~ **ulcer** n ulcère m de l'estomac.

gastronomy [gæs'trɔnəmɪ] n gastronomie f.

gasworks ['gæswə:ks] n usine f à gaz.

gate [geɪt] n (of garden) portail m; (of farm) barrière f; (of building) porte f; (of lock) vanne f; ~**crash** vt s'introduire sans invitation dans; ~**way** n porte f.

gather ['gæðə*] vt (flowers, fruit) cueillir; (pick up) ramasser; (assemble) rassembler, réunir; recueillir; (understand) comprendre // vi (assemble) se rassembler; **to** ~ **speed** prendre de la vitesse; ~**ing** n rassemblement m.

gauche [gəuʃ] a gauche, maladroit(e).

gaudy ['gɔ:dɪ] a voyant(e).

gauge [geɪdʒ] n (standard measure) calibre m, (RAIL) écartement m; (instrument) jauge f // vt jauger.

gaunt [gɔ:nt] a décharné(e); (grim, desolate) désolé(e).

gauntlet ['gɔ:ntlɪt] n (fig): **to run the** ~ **through an angry crowd** se frayer un passage à travers une foule hostile or entre deux haies de manifestants etc hostiles.

gauze [gɔ:z] n gaze f.

gave [geɪv] pt of give.

gavel ['gævl] n marteau m.

gawp [gɔ:p] vi: **to** ~ **at** regarder bouche bée.

gay [geɪ] a (person) gai(e), réjoui(e); (colour) gai, vif(vive); (col) homosexuel(le).

gaze [geɪz] n regard m fixe; **to** ~ **at** vt fixer du regard.

gazelle [gə'zɛl] n gazelle f.

gazetteer [gæzə'tɪə*] n dictionnaire m géographique.

gazumping [gə'zʌmpɪŋ] n le fait de revenir sur une promesse de vente pour accepter un prix plus élevé.

G.B. abbr of **Great Britain**.

G.C.E. n (abbr of General Certificate of Education) ≈ baccalauréat m.

Gdns. abbr of gardens.

gear [gɪə*] n matériel m, équipement m; attirail m; (TECH) engrenage m; (AUT) vitesse f; **top/low/bottom** ~ quatrième (or cinquième/deuxième/première vi-

tesse; **in** ~ en prise; **out of** ~ au point mort; ~ **box** n boîte f de vitesse; ~ **lever, ~ shift** (US) n levier m de vitesse.

geese [gi:s] npl of **goose**.

gelatin(e) ['dʒɛləti:n] n gélatine f.

gelignite ['dʒɛlɪgnaɪt] n plastic m.

gem [dʒɛm] n pierre précieuse.

Gemini ['dʒɛmɪnaɪ] n les Gémeaux mpl; **to be** ~ être des Gémeaux.

gender ['dʒɛndə*] n genre m.

general ['dʒɛnərl] n général m // a général(e); **in** ~ en général; ~ **election** n élection(s) législative(s); ~**ization** [-'zeɪʃən] n généralisation f; ~**ize** vi généraliser; ~**ly** ad généralement; **G**~ **Post Office (GPO)** n Postes et Télécommunications fpl (PTT); ~ **practitioner (G.P.)** n généraliste m/f; **who's your G.P.?** qui est votre médecin traitant?

generate ['dʒɛnəreɪt] vt engendrer; (electricity) produire.

generation [dʒɛnə'reɪʃən] n génération f.

generator ['dʒɛnəreɪtə*] n générateur m.

generosity [dʒɛnə'rɔsɪtɪ] n générosité f.

generous ['dʒɛnərəs] a généreux(euse); (copious) copieux(euse).

genetics [dʒɪ'nɛtɪks] n génétique f.

Geneva [dʒɪ'ni:və] n Genève.

genial ['dʒi:nɪəl] a cordial(e), chaleureux(euse); (climate) clément(e).

genitals ['dʒɛnɪtlz] npl organes génitaux.

genitive ['dʒɛnɪtɪv] n génitif m.

genius ['dʒi:nɪəs] n génie m.

gent [dʒɛnt] n abbr of gentleman.

genteel [dʒɛn'ti:l] a de bon ton, distingué(e).

gentle ['dʒɛntl] a doux(douce).

gentleman ['dʒɛntlmən] n monsieur m; (well-bred man) gentleman m.

gentleness ['dʒɛntlnɪs] n douceur f.

gently ['dʒɛntlɪ] ad doucement.

gentry ['dʒɛntrɪ] n petite noblesse.

gents [dʒɛnts] n W.-C. mpl (pour hommes).

genuine ['dʒɛnjuɪn] a véritable, authentique; sincère.

geographer [dʒɪ'ɔgrəfə*] n géographe m/f.

geographic(al) [dʒɪə'græfɪk(l)] a géographique.

geography [dʒɪ'ɔgrəfɪ] n géographie f.

geological [dʒɪə'lɔdʒɪkl] a géologique.

geologist [dʒɪ'ɔlədʒɪst] n géologue m/f.

geology [dʒɪ'ɔlədʒɪ] n géologie f.

geometric(al) [dʒɪə'mɛtrɪk(l)] a géométrique.

geometry [dʒɪ'ɔmətrɪ] n géométrie f.

geranium [dʒɪ'reɪnjəm] n géranium m.

germ [dʒə:m] n (MED) microbe m; (BIO, fig) germe m.

German ['dʒə:mən] a allemand(e) // n Allemand/e; (LING) allemand m; ~ **measles** n rubéole f.

Germany ['dʒə:mənɪ] n Allemagne f.

germination [dʒə:mɪ'neɪʃən] n germination f.

gerrymandering ['dʒɛrɪmændərɪŋ] n tripotage m du découpage électoral.

gestation [dʒɛs'teɪʃən] n gestation f.

gesticulate [dʒɛs'tɪkjuleɪt] vi gesticuler.
gesture ['dʒɛstjə*] n geste m.
get, pt, pp **got**, pp **gotten** (US) [gɛt, gɔt, 'gɔtn] vt (obtain) avoir, obtenir ; (receive) recevoir ; (find) trouver, acheter ; (catch) attraper ; (fetch) aller chercher ; (understand) comprendre, saisir ; (have): to **have got** avoir ; (become): to ~ **rich/old** s'enrichir/vieillir // vi: to ~ to (place) aller à ; arriver à ; parvenir à ; **he got across the bridge/under the fence** il a traversé le pont/est passé par-dessous la barrière ; to ~ **ready/washed/shaved** etc se préparer/laver/raser etc ; to ~ **sb to do sth** faire faire qch à qn ; to ~ **sth through/out of** faire passer qch par/sortir qch de ; to ~ **about** vi se déplacer ; (news) se répandre ; to ~ **along** vi (agree) s'entendre ; (depart) s'en aller ; (manage) = to get by ; to ~ **at** vt fus (attack) s'en prendre à ; (reach) attraper, atteindre ; to ~ **away** vi partir, s'en aller ; (escape) s'échapper ; to ~ **away with** vt fus en être quitte pour ; se faire passer or pardonner ; to ~ **back** vi (return) rentrer // vt récupérer, recouvrer ; to ~ **by** vi (pass) passer ; (manage) se débrouiller ; to ~ **down** vi, vt fus descendre // vt descendre ; (depress) déprimer ; to ~ **down to** vt fus (work) se mettre à (faire) ; to ~ **in** vi entrer ; (train) arriver ; (arrive home) rentrer ; to ~ **into** vt fus entrer dans ; to ~ **into bed/a rage** se mettre au lit/en colère ; to ~ **off** vi (from train etc) descendre ; (depart: person, car) s'en aller ; (escape) s'en tirer // vt (remove: clothes, stain) enlever // vt fus (train, bus) descendre de ; to ~ **on** vi (at exam etc) se débrouiller ; (agree): to ~ **on (with)** s'entendre (avec) // vt fus monter dans ; (horse) monter sur ; to ~ **out** vi sortir ; (of vehicle) descendre // vt sortir ; to ~ **out of** vt fus sortir de ; (duty etc) échapper à, se soustraire à ; to ~ **over** vt fus (illness) se remettre de ; to ~ **round** vt fus contourner ; (fig: person) entortiller ; to ~ **through** vi (TEL) avoir la communication ; to ~ **through to** vt fus (TEL) atteindre ; to ~ **together** vi se réunir // vt assembler ; to ~ **up** vi (rise) se lever // vt fus monter ; to ~ **up to** vt fus (reach) arriver à ; (prank etc) faire ; ~**away** n fuite f.
geyser ['gi:zə*] n chauffe-eau m inv ; (GEO) geyser m.
Ghana ['gɑːnə] n Ghana m ; ~**ian** [-'neɪən] a ghanéen(ne) // n Ghanéen/ne.
ghastly ['gɑːstlɪ] a atroce, horrible ; (pale) livide, blème.
gherkin ['gə:kɪn] n cornichon m.
ghetto ['gɛtəu] n ghetto m.
ghost [gəust] n fantôme m, revenant m ; ~**ly** a fantomatique.
giant ['dʒaɪənt] n géant/e // a géant(e), énorme.
gibberish ['dʒɪbərɪʃ] n charabia m.
gibe [dʒaɪb] n sarcasme m // vi: to ~ **at** railler.
giblets ['dʒɪblɪts] npl abats mpl.
giddiness ['gɪdɪnɪs] n vertige m.
giddy ['gɪdɪ] a (dizzy): to be ~ avoir le

vertige ; (height) vertigineux(euse) ; (thoughtless) sot(te), étourdi(e).
gift [gɪft] n cadeau m, présent m ; (donation, ability) don m ; ~**ed** a doué(e).
gigantic [dʒaɪ'gæntɪk] a gigantesque.
giggle ['gɪgl] vi pouffer, ricaner sottement // n petit rire sot, ricanement m.
gild [gɪld] vt dorer.
gill n [dʒɪl] (measure) = 0.14 l ; 0.25 pints ; ~**s** [gɪlz] npl (of fish) ouïes fpl, branchies fpl.
gilt [gɪlt] n dorure f // a doré(e).
gimlet ['gɪmlɪt] n vrille f.
gimmick ['gɪmɪk] n truc m.
gin [dʒɪn] n (liquor) gin m.
ginger ['dʒɪndʒə*] n gingembre m ; to ~ **up** vt secouer ; animer ; ~ **ale**, ~ **beer** n boisson gazeuse au gingembre ; ~**bread** n pain m d'épices ; ~ **group** n groupe m de pression ; ~**haired** a roux(rousse).
gingerly ['dʒɪndʒəlɪ] ad avec précaution.
gingham ['gɪŋəm] n vichy m.
gipsy ['dʒɪpsɪ] n gitan/e, bohémien/ne.
giraffe [dʒɪ'rɑːf] n girafe f.
girder ['gə:də*] n poutrelle f.
girdle ['gə:dl] n (corset) gaine f // vt ceindre.
girl [gə:l] n fille i, fillette f ; (young unmarried woman) jeune fille ; (daughter) fille ; **an English** ~ une jeune Anglaise ; **a little English** ~ une petite Anglaise ; ~**friend** n (of girl) amie f ; (of boy) petite amie ; ~**ish** a de jeune fille.
Giro ['dʒaɪrəu] n: **the National** ~ ≈ les comptes chèques postaux.
girth [gə:θ] n circonférence f ; (of horse) sangle f.
gist [dʒɪst] n essentiel m.
give [gɪv] n (of fabric) élasticité f // vb (pt **gave**, pp **given** [geɪv, 'gɪvn]) vt donner // vi (break) céder ; (stretch: fabric) se prêter ; to ~ **sb sth**, ~ **sth to sb** donner qch à qn ; to ~ **a cry/sigh** pousser un cri/un soupir ; to ~ **away** vt donner ; (give free) faire cadeau de ; (betray) donner, trahir ; (disclose) révéler ; (bride) conduire à l'autel ; to ~ **back** vt rendre ; to ~ **in** vi céder // vt donner ; to ~ **off** vt dégager ; to ~ **out** vt distribuer ; annoncer ; to ~ **up** vi renoncer // vt renoncer à ; to ~ **up smoking** arrêter de fumer ; to ~ **o.s. up** se rendre ; to ~ **way** vi céder ; (AUT) donner la priorité.
glacier ['glæsɪə*] n glacier m.
glad [glæd] a content(e) ; ~**den** vt réjouir.
gladioli [glædɪ'əulaɪ] npl glaïeuls mpl.
gladly ['glædlɪ] ad volontiers.
glamorous ['glæmərəs] a séduisant(e).
glamour ['glæmə*] n éclat m, prestige m.
glance [glɑːns] n coup m d'œil // vi: to ~ **at** jeter un coup d'œil à ; to ~ **off** (bullet) ricocher sur ; **glancing** a (blow) oblique.
gland [glænd] n glande f.
glandular ['glændjulə*] a: ~ **fever** n mononucléose infectieuse.
glare [glɛə*] n lumière éblouissante // vi briller d'un éclat aveuglant ; to ~ **at** lancer un or des regard(s) furieux à ; **glaring** a (mistake) criant(e), qui saute aux yeux.

glass [glɑ:s] n verre m; (also: **looking ~**) miroir m; **~es** npl lunettes fpl; **~house** n serre f; **~ware** n verrerie f; **~y** a (eyes) vitreux(euse).

glaze [gleɪz] vt (door) vitrer; (pottery) vernir // n vernis m; **~d** a (eye) vitreux(euse); (pottery) verni(e); (tiles) vitrifié(e).

glazier ['gleɪzɪə*] n vitrier m.

gleam [gli:m] n lueur f; rayon m // vi luire, briller; **~ing** a luisant(e).

glee [gli:] n joie f; **~ful** a joyeux(euse).

glen [glɛn] n vallée f.

glib [glɪb] a qui a du bagou; facile.

glide [glaɪd] vi glisser; (AVIAT, birds) planer // n glissement m; vol plané; **~r** n (AVIAT) planeur m; **gliding** n (AVIAT) vol m à voile.

glimmer ['glɪmə*] vi luire // n lueur f.

glimpse [glɪmps] n vision passagère, aperçu m // vt entrevoir, apercevoir.

glint [glɪnt] n éclair m // vi étinceler.

glisten ['glɪsn] vi briller, luire.

glitter ['glɪtə*] vi scintiller, briller // n scintillement m.

gloat [gləut] vi: **to ~ (over)** jubiler (à propos de).

global ['gləubl] a mondial(e).

globe [gləub] n globe m.

gloom [glu:m] n obscurité f; (sadness) tristesse f, mélancolie f; **~y** a sombre, triste, mélancolique.

glorification [glɔ:rɪfɪ'keɪʃən] n glorification f.

glorify ['glɔ:rɪfaɪ] vt glorifier.

glorious ['glɔ:rɪəs] a glorieux (euse); splendide.

glory ['glɔ:rɪ] n gloire f; splendeur f; **to ~ in** se glorifier de.

gloss [glɔs] n (shine) brillant m, vernis m; **to ~ over** vt fus glisser sur.

glossary ['glɔsərɪ] n glossaire m, lexique m.

gloss paint ['glɔspeɪnt] n peinture brillante.

glossy ['glɔsɪ] a brillant(e), luisant(e); **~ (magazine)** n revue f de luxe.

glove [glʌv] n gant m; **~ compartment** n (AUT) boîte f à gants, vide-poches m inv.

glow [gləu] vi rougeoyer; (face) rayonner // n rougeoiement m.

glower ['glauə*] vi lancer des regards mauvais.

glucose ['glu:kəus] n glucose m.

glue [glu:] n colle f // vt coller.

glum [glʌm] a maussade, morose.

glut [glʌt] n surabondance f // vt rassasier; (market) encombrer.

glutton ['glʌtn] n glouton/ne; **a ~ for work** un bourreau de travail; **~ous** a glouton(ne); **~y** n gloutonnerie f; (sin) gourmandise f.

glycerin(e) ['glɪsəri:n] n glycérine f.

gm, gms abbr of **gram(s)**.

gnarled [nɑ:ld] a noueux(euse).

gnat [næt] n moucheron m.

gnaw [nɔ:] vt ronger.

gnome [nəum] n gnome m, lutin m.

go [gəu] vb (pt **went**, pp **gone** [wɛnt, gɔn]) vi aller; (depart) partir, s'en aller; (work) marcher; (be sold): **to ~ for £10** se vendre 10 livres; (fit, suit): **to ~ with** aller avec; (become): **to ~ pale/mouldy** pâlir/moisir; (break etc) céder // n (pl: **~es**): **to have a ~ (at)** essayer (de faire); **to be on the ~** être en mouvement; **whose ~ is it?** à qui est-ce de jouer?; **he's going to do it** il va faire, il est sur le point de faire; **to ~ for a walk** aller se promener; **to ~ dancing/shopping** aller danser/faire les courses; **how is it ~ing?** comment ça marche?; **how did it ~?** comment est-ce que ça s'est passé?; **to ~ round the back/by the shop** passer par derrière/devant le magasin; **to ~ about** vi (rumour) se répandre // vt fus: **how do I ~ about this?** comment dois-je m'y prendre (pour faire ceci)?; **to ~ ahead** vi (make progress) avancer; (get going) y aller; **to ~ along** vi aller, avancer // vt fus longer, parcourir; **as you ~ along (with your work)** au fur et à mesure (de votre travail); **to ~ away** vi partir, s'en aller; **to ~ back** vi rentrer; revenir; (go again) retourner; **to ~ back on** vt fus (promise) revenir sur; **to ~ by** vi (years, time) passer, s'écouler // vt fus s'en tenir à; en croire; **to ~ down** vi descendre; (ship) couler; (sun) se coucher // vt fus descendre; **to ~ for** vt fus (fetch) aller chercher; (like) aimer; (attack) s'en prendre à; attaquer; **to ~ in** vi entrer; **to ~ in for** vt fus (competition) se présenter à; (like) aimer; **to ~ into** vt fus entrer dans; (investigate) étudier, examiner; (embark on) se lancer dans; **to ~ off** vi partir, s'en aller; (food) se gâter; (explode) sauter; (event) se dérouler // vt fus ne plus aimer, ne plus avoir envie de; **the gun went off** le coup est parti; **to ~ off to sleep** s'endormir; **to ~ on** vi continuer; (happen) se passer; **to ~ on doing** continuer à faire; **to ~ on with** vt fus poursuivre, continuer; **to ~ out** vi sortir; (fire, light) s'éteindre; **to ~ over** vi (ship) chavirer // vt fus (check) revoir, vérifier; **to ~ through** vt fus (town etc) traverser; **to ~ up** vi monter; (price) augmenter // vt fus gravir; **to ~ without** vt fus se passer de.

goad [gəud] vt aiguillonner.

go-ahead ['gəuəhɛd] a dynamique, entreprenant(e) // n feu vert.

goal [gəul] n but m; **~keeper** n gardien m de but; **~-post** n poteau m de but.

goat [gəut] n chèvre f.

gobble ['gɔbl] vt (also: **~ down, ~ up**) engloutir.

go-between ['gəubɪtwi:n] n médiateur m.

goblet ['gɔblɪt] n goblet m.

goblin ['gɔblɪn] n lutin m.

go-cart ['gəukɑ:t] n kart m; **~ racing** n karting m.

god [gɔd] n dieu m; **G~** n Dieu m; **~child** n filleul/e; **~dess** n déesse f; **~father** n parrain m; **~-forsaken** a maudit(e); **~mother** n marraine f; **~send** n aubaine f; **~son** n filleul m.

goggle ['gɔgl] vi: **to ~ at** regarder avec des yeux ronds; **~s** npl lunettes fpl (protectrices: de motocycliste etc).

going ['gəuɪŋ] n (conditions) état m du terrain // a: **the ~ rate** le tarif (en vigueur) ; **a ~ concern** une affaire prospère.

go-kart ['gəukɑ:t] *n* = go-cart.

gold [gəuld] *n* or *m* // a en or ; **~en** *a* (*made of gold*) en or ; (*gold in colour*) doré(e) ; **~en rule/age** règle/âge d'or ; **~fish** *n* poisson *m* rouge ; **~mine** *n* mine *f* d'or.

golf [gɔlf] *n* golf *m* ; **~ club** *n* club *m* de golf ; (*stick*) club *m*, crosse *f* de golf ; **~ course** *n* terrain *m* de golf ; **~er** *n* joueur/euse de golf.

gondola ['gɔndələ] *n* gondole *f*.

gone [gɔn] *pp* of **go** // a parti(e).

gong [gɔŋ] *n* gong *m*.

good [gud] *a* bon(ne) ; (*kind*) gentil(le) ; (*child*) sage // *n* bien *m* ; **~s** *npl* marchandise *f* ; articles *mpl* ; **she is ~ with children/her hands** elle sait bien s'occuper des enfants/sait se servir de ses mains ; **would you be ~ enough to ...?** auriez-vous la bonté or l'amabilité de ...? ; **a ~ deal (of)** beaucoup (de) ; **a ~ many** beaucoup (de) ; **~ morning/afternoon!** bonjour! ; **~ evening!** bonsoir! ; **~ night!** bonsoir! ; (*on going to bed*) bonne nuit! ; **~bye!** au revoir! ; **G~ Friday** *n* Vendredi saint ; **~-looking** a bien *inv* ; **~ness** *n* (*of person*) bonté *f* ; **for ~ness sake!** je vous en prie! ; **~ness gracious!** mon Dieu! ; **~will** *n* bonne volonté ; (*COMM*) réputation *f* (auprès de la clientèle).

goose, *pl* **geese** [gu:s, gi:s] *n* oie *f*.

gooseberry ['guzbəri] *n* groseille *f* à maquereau ; **to play ~** tenir la chandelle.

gooseflesh ['gu:sfleʃ] *n* chair *f* de poule.

gore [gɔ:*] *vt* encorner // *n* sang *m*.

gorge [gɔ:dʒ] *n* gorge *f* // *vt*: **to ~ o.s. (on)** se gorger (de).

gorgeous ['gɔ:dʒəs] *a* splendide, superbe.

gorilla [gə'rilə] *n* gorille *m*.

gorse [gɔ:s] *n* ajoncs *mpl*.

gory ['gɔ:ri] *a* sanglant(e).

go-slow ['gəu'sləu] *n* grève perlée.

gospel ['gɔspl] *n* évangile *m*.

gossamer ['gɔsəmə*] *n* (*cobweb*) fils *mpl* de la vierge ; (*light fabric*) étoffe très légère.

gossip ['gɔsip] *n* bavardages *mpl* ; commérage *m*, cancans *mpl* ; (*person*) commère *f* // *vi* bavarder ; (*maliciously*) cancaner, faire des commérages.

got [gɔt] *pt,pp* of **get** ; **~ten** (*US*) *pp* of **get**.

gout [gaut] *n* goutte *f*.

govern ['gʌvən] *vt* (*gen, LING*) gouverner.

governess ['gʌvənis] *n* gouvernante *f*.

government ['gʌvnmənt] *n* gouvernement *m* ; (*ministers*) ministère *m* // *cpd* de l'État ; **~al** [-'mɛntl] *a* gouvernemental(e).

governor ['gʌvənə*] *n* (*of state, bank*) gouverneur *m* ; (*of school, hospital*) administrateur *m*.

Govt *abbr* of **government**.

gown [gaun] *n* robe *f* ; (*of teacher, judge*) toge *f*.

G.P. *n abbr see* **general**.

GPO *n abbr see* **general**.

grab [græb] *vt* saisir, empoigner ; (*property, power*) se saisir de.

grace [greis] *n* grâce *f* // *vt* honorer ; **5 days' ~** répit *m* de 5 jours ; **to say ~**

dire le bénédicité ; (*after meal*) dire les grâces ; **~ful** a gracieux(euse), élégant(e) ; **gracious** ['greiʃəs] a bienveillant(e) ; de bonne grâce ; miséricordieux(euse).

gradation [grə'deiʃən] *n* gradation *f*.

grade [greid] *n* (*COMM*) qualité *f* ; calibre *m* ; catégorie *f* ; (*in hierarchy*) grade *m*, échelon *m* ; (*US: SCOL*) note *f* ; classe *f* // *vt* classer ; calibrer ; graduer ; **~ crossing** *n* (*US*) passage *m* à niveau.

gradient ['greidiənt] *n* inclinaison *f*, pente *f* ; (*GEOM*) gradient *m*.

gradual ['grædjuəl] *a* graduel(le), progressif(ive) ; **~ly** *ad* peu à peu, graduellement.

graduate *n* ['grædjuit] diplômé/e d'université // *vi* ['grædjueit] obtenir un diplôme d'université ; **graduation** [-'eiʃən] *n* cérémonie *f* de remise des diplômes.

graft [grɑ:ft] *n* (*AGR, MED*) greffe *f* ; (*bribery*) corruption *f* // *vt* greffer ; **hard ~** *n* (*col*) boulot acharné.

grain [grein] *n* grain *m* ; **it goes against the ~** cela va à l'encontre de sa (*or* ma) nature.

gram [græm] *n* gramme *m*.

grammar ['græmə*] *n* grammaire *f*.

grammatical [grə'mætikl] *a* grammatical(e).

gramme [græm] *n* = **gram**.

gramophone ['græməfəun] *n* gramophone *m*.

granary ['grænəri] *n* grenier *m*.

grand [grænd] *a* magnifique, splendide ; noble ; **~children** *npl* petits-enfants *mpl* ; **~dad** *n* grand-papa *m* ; **~daughter** *n* petite-fille *f* ; **~eur** ['grændjə*] *n* grandeur *f*, noblesse *f* ; **~father** *n* grand-père *m* ; **~iose** ['grændiəuz] *a* grandiose ; (*pej*) pompeux(euse) ; **~ma** *n* grand-maman *f* ; **~mother** *n* grand-mère *f* ; **~pa** *n* = **~dad** ; **~ piano** *n* piano *m* à queue ; **~son** *n* petit-fils *m* ; **~stand** *n* (*SPORT*) tribune *f*.

granite ['grænit] *n* granit *m*.

granny ['græni] *n* grand-maman *f*.

grant [grɑ:nt] *vt* accorder ; (*a request*) accéder à ; (*admit*) concéder // *n* (*SCOL*) bourse *f* ; (*ADMIN*) subside *m*, subvention *f* ; **to take sth for ~ed** considérer qch comme acquis *or* allant de soi.

granulated ['grænjuleitid] a: **~ sugar** *n* sucre *m* en poudre.

granule ['grænju:l] *n* granule *m*.

grape [greip] *n* raisin *m*.

grapefruit ['greipfru:t] *n* pamplemousse *m*.

graph [grɑ:f] *n* graphique *m*, courbe *f* ; **~ic** *a* graphique ; (*vivid*) vivant(e).

grapple ['græpl] *vi*: **to ~ with** être aux prises avec.

grasp [grɑ:sp] *vt* saisir, empoigner ; (*understand*) saisir, comprendre // *n* (*grip*) prise *f* ; (*fig*) emprise *f*, pouvoir *m* ; compréhension *f*, connaissance *f* ; **~ing** a avide.

grass [grɑ:s] *n* herbe *f* ; gazon *m* ; **~hopper** *n* sauterelle *f* ; **~land** *n* prairie *f* ; **~ snake** *n* couleuvre *f* ; **~y** a herbeux(euse).

grate [greit] *n* grille *f* de cheminée // *vi* grincer // *vt* (*CULIN*) râper.

grateful ['greɪtful] a reconnaissant(e); **~ly** ad avec reconnaissance.

grater ['greɪtə*] n râpe f.

gratify ['grætɪfaɪ] vt faire plaisir à ; (whim) satisfaire ; **~ing** a agréable ; satisfaisant(e).

grating ['greɪtɪŋ] n (iron bars) grille f // a (noise) grinçant(e).

gratitude ['grætɪtju:d] n gratitude f.

gratuitous [grə'tju:ɪtəs] a gratuit(e).

gratuity [grə'tju:ɪtɪ] n pourboire m.

grave [greɪv] n tombe f // a grave, sérieux(euse) ; **~digger** n fossoyeur m.

gravel ['grævl] n gravier m.

gravestone ['greɪvstəun] n pierre tombale.

graveyard ['greɪvjɑ:d] n cimetière m.

gravitate ['grævɪteɪt] vi graviter.

gravity ['grævɪtɪ] n (PHYSICS) gravité f; pesanteur f; (seriousness) gravité f, sérieux m.

gravy ['greɪvɪ] n jus m (de viande) ; sauce f.

gray [greɪ] a = grey.

graze [greɪz] vi paître, brouter // vt (touch lightly) frôler, effleurer ; (scrape) écorcher // n (MED) écorchure f.

grease [gri:s] n (fat) graisse f; (lubricant) lubrifiant m // vt graisser ; lubrifier ; **~gun** n graisseur m; **~proof paper** n papier sulfurisé ; **greasy** a gras(se), graisseux(euse).

great [greɪt] a grand(e) ; (col) formidable ; **G~ Britain** n Grande-Bretagne f; **~grandfather** n arrière-grand-père m; **~grandmother** n arrière-grand-mère f; **~ly** ad très, grandement ; (with verbs) beaucoup ; **~ness** n grandeur f.

Grecian ['gri:ʃən] a grec(grecque).

Greece [gri:s] n Grèce f.

greed [gri:d] n (also: **~iness**) avidité f; (for food) gourmandise f; **~ily** ad avidement ; avec gourmandise ; **~y** a avide ; gourmand(e).

Greek [gri:k] a grec(grecque) // n Grec/Grecque f; (LING) grec m.

green [gri:n] a vert(e) ; (inexperienced) (bien) jeune, naïf(ïve) // n vert m; (stretch of grass) pelouse f; (also: **village ~**) ≈ place f du village ; **~s** npl légumes verts ; **~gage** n reine-claude f; **~grocer** n marchand m de fruits et légumes ; **~house** n serre f; **~ish** a verdâtre.

Greenland ['gri:nlənd] n Groenland m.

greet [gri:t] vt accueillir ; **~ing** n salutation f; **Christmas/birthday ~ings** souhaits mpl de Noël/de bon anniversaire ; **~ing(s) card** n carte f de vœux.

gregarious [grə'gɛərɪəs] a grégaire ; sociable.

grenade [grə'neɪd] n grenade f.

grew [gru:] pt of **grow**.

grey [greɪ] a gris(e) ; (dismal) sombre ; **~haired** a aux cheveux gris ; **~hound** n lévrier m.

grid [grɪd] n grille f; (ELEC) réseau m; **~iron** n gril m.

grief [gri:f] n chagrin m, douleur f.

grievance ['gri:vəns] n doléance f, grief m.

grieve [gri:v] vi avoir du chagrin ; se désoler // vt faire de la peine à, affliger ; **to ~ at** se désoler de ; pleurer.

grievous ['gri:vəs] a grave ; cruel(le).

grill [grɪl] n (on cooker) gril m // vt griller ; (question) interroger longuement, cuisiner.

grille [grɪl] n grillage m; (AUT) calandre f.

grill(room) ['grɪl(rum)] n rôtisserie f.

grim [grɪm] a sinistre, lugubre.

grimace [grɪ'meɪs] n grimace f // vi grimacer, faire une grimace.

grime [graɪm] n crasse f.

grimy ['graɪmɪ] a crasseux(euse).

grin [grɪn] n large sourire m // vi sourire.

grind [graɪnd] vt (pt, pp ground [graund]) écraser ; (coffee, pepper etc) moudre ; (make sharp) aiguiser // n (work) corvée f; **to ~ one's teeth** grincer des dents.

grip [grɪp] n étreinte f, poigne f; prise f; (handle) poignée f; (holdall) sac m de voyage // vt saisir, empoigner ; étreindre ; **to come to ~s with** en venir aux prises avec ; **to ~ the road** (AUT) adhérer à la route.

gripe(s) [graɪp(s)] n(pl) coliques fpl.

gripping ['grɪpɪŋ] a prenant(e), palpitant(e).

grisly ['grɪzlɪ] a sinistre, macabre.

gristle ['grɪsl] n cartilage m (de poulet etc).

grit [grɪt] n gravillon m; (courage) cran m // vi (road) sabler ; **to ~ one's teeth** serrer les dents.

grizzle ['grɪzl] vi pleurnicher.

groan [grəun] n gémissement m; grognement m // vi gémir ; grogner.

grocer ['grəusə*] n épicier m; **at the ~'s** à l'épicerie, chez l'épicier ; **~ies** npl provisions fpl.

grog [grɔg] n grog m.

groggy ['grɔgɪ] a groggy inv.

groin [grɔɪn] n aine f.

groom [gru:m] n palefrenier m; (also: bride~) marié m // vt (horse) panser ; (fig): **to ~ sb for** former qn pour.

groove [gru:v] n sillon m, rainure f.

grope [grəup] vi tâtonner ; **to ~ for** vt fus chercher à tâtons.

gross [grəus] a grossier(ère) ; (COMM) brut(e) ; **~ly** ad (greatly) très, grandement.

grotesque [grə'tɛsk] a grotesque.

grotto ['grɔtəu] n grotte f.

ground [graund] pt, pp of **grind** // n sol m, terre f; (land) terrain m, terres fpl; (SPORT) terrain ; (reason: gen pl) raison f // vt (plane) empêcher de décoller, retenir au sol // vi (ship) s'échouer ; **~s** npl (of coffee etc) marc m; (gardens etc) parc m, domaine m; **on the ~, to the ~** par terre ; **~floor** n rez-de-chaussée m; **~ing** n (in education) connaissances fpl de base ; **~less** a sans fondement ; **~sheet** n tapis m de sol ; **~staff** n équipage m au sol ; **~work** n préparation f.

group [gru:p] n groupe m // vt (also: **together**) grouper ; vi (also: **together**) se grouper.

grouse [graus] n, pl inv (bird) grouse f (sorte de coq de bruyère) // vi (complain) rouspéter, râler.

grove [grəuv] n bosquet m.

grovel ['grɔvl] vi (fig): to ~ (before) ramper (devant).
grow, pt grew, pp grown [grəu, gru:, grəun] vi (plant) pousser, croître; (person) grandir; (increase) augmenter, se développer; (become): to ~ rich/weak s'enrichir/s'affaiblir // vt cultiver, faire pousser; to ~ up vi grandir; ~er n producteur m; ~ing a (fear, amount) croissant(e), grandissant(e).
growl [graul] vi grogner.
grown [grəun] pp of grow // a adulte; ~-up n adulte m/f, grande personne.
growth [grəuθ] n croissance f, développement m; (what has grown) pousse f; poussée f; (MED) grosseur f, tumeur f.
grub [grʌb] n larve f; (col: food) bouffe f.
grubby ['grʌbɪ] a crasseux(euse).
grudge [grʌdʒ] n rancune f // vt: to ~ sb sth donner qch à qn à contre-cœur; reprocher qch à qn; to bear sb a ~ (for) garder rancune or en vouloir à qn (de); he ~s spending il rechigne à dépenser; **grudgingly** ad à contre-cœur, de mauvaise grâce.
gruelling ['gruəlɪŋ] a exténuant(e).
gruesome ['gru:səm] a horrible.
gruff [grʌf] a bourru(e).
grumble ['grʌmbl] vi rouspéter, ronchonner.
grumpy ['grʌmpɪ] a grincheux(euse).
grunt [grʌnt] vi grogner // n grognement m.
G-string ['dʒi:strɪŋ] n (garment) cache-sexe m inv.
guarantee [gærən'ti:] n garantie f // vt garantir.
guarantor [gærən'tɔ:*] n garant/e.
guard [gɑ:d] n garde f, surveillance f; (squad, BOXING, FENCING) garde f; (one man) garde m; (RAIL) chef m de train // vt garder, surveiller; ~ed a (fig) prudent(e); ~ian n gardien/ne; (of minor) tuteur/trice; ~'s van n (RAIL) fourgon m.
guerrilla [gə'rɪlə] n guérillero m; ~ warfare n guérilla f.
guess [gɛs] vi deviner // vt deviner; (US) croire, penser // n supposition f, hypothèse f; to take/have a ~ essayer de deviner; ~work n hypothèse f.
guest [gɛst] n invité/e; (in hotel) client/e; ~-house n pension f; ~ room n chambre f d'amis.
guffaw [gʌ'fɔ:] n gros rire // vi pouffer de rire.
guidance ['gaɪdəns] n conseils mpl; under the ~ of conseillé(e) or encadré(e) par, sous la conduite de.
guide [gaɪd] n (person, book etc) guide m // vt guider; (girl) ~ n guide f; ~book n guide m; ~d missile n missile téléguidé; ~ dog n chien m d'aveugle; ~ lines npl (fig) instructions générales, conseils mpl.
guild [gɪld] n corporation f; cercle m, association f; ~hall n (Brit) hôtel m de ville.
guile [gaɪl] n astuce f; ~less a candide.
guillotine ['gɪləti:n] n guillotine f; (for paper) massicot m.

guilt [gɪlt] n culpabilité f; ~y a coupable.
guinea ['gɪnɪ] n (Brit) guinée f (= 21 shillings: cette monnaie de compte ne s'emploie plus).
guinea pig ['gɪnɪpɪg] n cobaye m.
guise [gaɪz] n aspect m, apparence f.
guitar [gɪ'tɑ:*] n guitare f; ~ist n guitariste m/f.
gulf [gʌlf] n golfe m; (abyss) gouffre m.
gull [gʌl] n mouette f.
gullet ['gʌlɪt] n gosier m.
gullible ['gʌlɪbl] a crédule.
gully ['gʌlɪ] n ravin m; ravine f; couloir m.
gulp [gʌlp] vi avaler sa salive; (from emotion) avoir la gorge serrée, s'étrangler // vt (also: ~ down) avaler // n: at one ~ d'un seul coup.
gum [gʌm] n (ANAT) gencive f; (glue) colle f; (sweet) boule f de gomme; (also: chewing-~) chewing-gum m // vt coller; ~boil n abcès m dentaire; ~boots npl bottes fpl en caoutchouc.
gumption ['gʌmpʃən] n bon sens, jugeote f.
gun [gʌn] n (small) revolver m, pistolet m; (rifle) fusil m, carabine f; (cannon) canon m; ~boat n canonnière f; ~fire n fusillade f; ~man n bandit armé; ~ner n artilleur m; at ~point sous la menace du pistolet (or fusil); ~powder n poudre f à canon; ~shot n coup m de feu; within ~shot n à portée de fusil; ~smith n armurier m.
gurgle ['gə:gl] n gargouillis m // vi gargouiller.
gush [gʌʃ] n jaillissement m, jet m // vi jaillir; (fig) se répandre en effusions.
gusset ['gʌsɪt] n gousset m, soufflet m.
gust [gʌst] n (of wind) rafale f; (of smoke) bouffée f.
gusto ['gʌstəu] n enthousiasme m.
gut [gʌt] n intestin m, boyau m; (MUS etc) boyau m; ~s npl (courage) cran m.
gutter ['gʌtə*] n (of roof) gouttière f; (in street) caniveau m; (fig) ruisseau m.
guttural ['gʌtərl] a guttural(e).
guy [gaɪ] n (also: ~rope) corde f; (col: man) type m; (figure) effigie de Guy Fawkes.
guzzle ['gʌzl] vi s'empiffrer // vt avaler gloutonnement.
gym [dʒɪm] n (also: gymnasium) gymnase m; (also: gymnastics) gym f; ~ shoes npl chaussures fpl de gym(nastique); ~ slip n tunique f (d'écolière).
gymnast ['dʒɪmnæst] n gymnaste m/f; ~ics [-'næstɪks] n, npl gymnastique f.
gynaecologist, gynecologist (US) [gaɪnɪ'kɔlədʒɪst] n gynécologue m/f.
gynaecology, gynecology (US) [gaɪnə'kɔlədʒɪ] n gynécologie f.
gypsy ['dʒɪpsɪ] n = gipsy.
gyrate [dʒaɪ'reɪt] vi tournoyer.

H

haberdashery ['hæbə'dæʃərɪ] n mercerie f.
habit ['hæbɪt] n habitude f; (costume) habit m, tenue f.

habitable ['hæbɪtəbl] a habitable.
habitation [hæbɪ'teɪʃən] n habitation f.
habitual [hə'bɪtjuəl] a habituel(le); (drinker, liar) invétéré(e); **~ly** ad habituellement, d'habitude.
hack [hæk] vt hacher, tailler // n (cut) entaille f; (blow) coup m; (pej: writer) nègre m.
hackney cab ['hæknɪ'kæb] n fiacre m.
hackneyed ['hæknɪd] a usé(e), rebattu(e).
had [hæd] pt, pp of **have**.
haddock ['hædək] pl ~ or ~s ['hædək] n églefin m; **smoked ~** haddock m.
hadn't ['hædnt] = **had not**.
haemorrhage, hemorrhage (US) ['hɛmərɪdʒ] n hémorragie f.
haemorrhoids, hemorrhoids (US) ['hɛmərɔɪdz] npl hémorroïdes fpl.
haggard ['hægəd] a hagard(e), égaré(e).
haggle ['hægl] vi marchander; **to ~ over** chicaner sur; **haggling** n marchandage m.
Hague [heɪg] n: **The ~** La Haye.
hail [heɪl] n grêle f // vt (call) héler; (greet) acclamer // vi grêler; **~stone** n grêlon m.
hair [hɛə*] n cheveux mpl; (single hair: on head) cheveu m; (: on body) poil m; **to do one's ~** se coiffer; **~brush** n brosse f à cheveux; **~cut** n coupe f (de cheveux); **~do** ['hɛədu:] n coiffure f; **~dresser** n coiffeur/euse; **~-drier** n sèche-cheveux m; **~net** n résille f; **~ oil** n huile f capillaire; **~piece** n postiche m; **~pin** n épingle f à cheveux; **~pin bend** n virage m en épingle à cheveux; **~raising** a à (vous) faire dresser les cheveux sur la tête; **~remover** n dépilateur m; **~spray** n laque f (pour les cheveux); **~style** n coiffure f; **~y** a poilu(e); chevelu(e); (fig) effrayant(e).
hake [heɪk] n colin m, merlu m.
half [hɑ:f] n (pl: **halves** [hɑ:vz]) moitié f // a demi(e) // ad (à) moitié, à demi; **~an-hour** une demi-heure; **two and a ~** deux et demi; **a week and a ~** une semaine et demie; **~ (of it)** la moitié; **~ (of)** la moitié de; **~ the amount of** la moitié de; **to cut sth in ~** couper qch en deux; **~-back** n (SPORT) demi m; **~breed, ~-caste** n métis/se; **~-hearted** a tiède, sans enthousiasme; **~-hour** n demi-heure f; **~penny** ['heɪpnɪ] n demi-penny m; **(at) ~-price** à moitié prix; **~-time** n mi-temps f; **~way** ad à mi-chemin.
halibut ['hælɪbət] n, pl inv flétan m.
hall [hɔ:l] n salle f; (entrance way) hall m, entrée f; (corridor) couloir m; (mansion) château m, manoir m; **~ of residence** n pavillon m or résidence f universitaire.
hallmark ['hɔ:lmɑ:k] n poinçon m; (fig) marque f.
hallo [hə'ləu] excl = **hello**.
hallucination [həlu:sɪ'neɪʃən] n hallucination f.
halo ['heɪləu] n (of saint etc) auréole f; (of sun) halo m.
halt [hɔ:lt] n halte f, arrêt m // vt faire arrêter // vi faire halte, s'arrêter.
halve [hɑ:v] vt (apple etc) partager or diviser en deux; (expense) réduire de moitié.

halves [hɑ:vz] npl of **half**.
ham [hæm] n jambon m.
hamburger ['hæmbə:gə*] n hamburger m.
hamstring ['hæmstrɪŋ] n (ANAT) tendon m du jarret.
hamlet ['hæmlɪt] n hameau m.
hammer ['hæmə*] n marteau m // vt (fig) éreinter, démolir.
hammock ['hæmək] n hamac m.
hamper ['hæmpə*] vt gêner // n panier m (d'osier).
hand [hænd] n main f; (of clock) aiguille f; (handwriting) écriture f; (at cards) jeu m; (worker) ouvrier/ère // vt passer, donner; **to give sb a ~** donner un coup de main à qn; **at ~** à portée de la main; **in ~** en main; (work) en cours; **on the one ~ ...,** **on the other ~** d'une part ..., d'autre part; **to ~ in** vt remettre; **to ~ out** vt distribuer; **to ~ over** vt transmettre; céder; **~bag** n sac m à main; **~ball** n handball m; **~basin** n lavabo m; **~book** n manuel m; **~brake** n frein m à main; **~ cream** n crème f pour les mains; **~cuffs** npl menottes fpl; **~ful** n poignée f.
handicap ['hændɪkæp] n handicap m // vt handicaper.
handicraft ['hændɪkrɑ:ft] n travail m d'artisanat, technique artisanale.
handkerchief ['hæŋkətʃɪf] n mouchoir m.
handle ['hændl] n (of door etc) poignée f; (of cup etc) anse f; (of knife etc) manche m; (of saucepan) queue f; (for winding) manivelle f // vt toucher, manier; (deal with) s'occuper de; (treat: people) prendre; **'~ with care'** 'fragile'; **~bar(s)** n(pl) guidon m.
hand-luggage ['hændlʌgɪdʒ] n bagages mpl à main.
handmade ['hændmeɪd] a fait(e) à la main.
handout ['hændaut] n documentation f, prospectus m.
handshake ['hændʃeɪk] n poignée f de main.
handsome ['hænsəm] a beau(belle); généreux(euse); considérable.
handwriting ['hændraɪtɪŋ] n écriture f.
handwritten ['hændrɪtn] a manuscrit(e), écrit(e) à la main.
handy ['hændɪ] a (person) adroit(e); (close at hand) sous la main; (convenient) pratique; **handyman** n bricoleur m; (servant) homme m à tout faire.
hang, pt, pp **hung** [hæŋ, hʌŋ] vt accrocher; (criminal: pt,pp **hanged**) pendre // vi pendre; (hair, drapery) tomber; **to ~ about** vi flâner, traîner; **to ~ on** vi (wait) attendre; **to ~ up** vi (TEL) raccrocher // vt accrocher, suspendre.
hangar ['hæŋə*] n hangar m.
hanger ['hæŋə*] n cintre m, portemanteau m.
hanger-on [hæŋər'ɔn] n parasite m.
hang-gliding ['hæŋglaɪdɪŋ] n vol m libre or sur aile delta.
hangover ['hæŋəuvə*] n (after drinking) gueule f de bois.
hang-up ['hæŋʌp] n complexe m.

hank [hæŋk] *n* écheveau *m*.

hanker ['hæŋkə*] *vi*: **to ~ after** avoir envie de.

hankie, hanky ['hæŋkɪ] *n abbr of* **handkerchief.**

haphazard [hæp'hæzəd] *a* fait(e) au hasard, fait(e) au petit bonheur.

happen ['hæpən] *vi* arriver; se passer, se produire; **as it ~s** justement; **~ing** *n* évènement *m*.

happily ['hæpɪlɪ] *ad* heureusement.

happiness ['hæpɪnɪs] *n* bonheur *m*.

happy ['hæpɪ] *a* heureux(euse); **~ with** (*arrangements etc*) satisfait(e) de; **~-go-lucky** *a* insouciant(e).

harass ['hærəs] *vt* accabler, tourmenter; **~ment** *n* tracasseries *fpl*.

harbour, harbor (*US*) ['hɑ:bə*] *n* port *m* // *vt* héberger, abriter; **~ master** *n* capitaine *m* du port.

hard [hɑ:d] *a* dur(e) // *ad* (*work*) dur; (*think, try*) sérieusement; **to drink ~** boire sec; **~ luck!** pas de veine!; **no ~ feelings!** sans rancune!; **to be ~ of hearing** être dur(e) d'oreille; **to be ~ done by** être traité(e) injustement; **~back** *n* livre relié; **~board** *n* Isorel *m* ®; **~-boiled egg** *n* œuf dur; **~ cash** *n* espèces *fpl*; **~en** *vt* durcir; (*fig*) endurcir // *vi* durcir; **~ening** *n* durcissement *m*; **~-headed** *a* réaliste; décidé(e); **~ labour** *n* travaux forcés.

hardly ['hɑ:dlɪ] *ad* (*scarcely*) à peine; **it's ~ the case** ce n'est guère le cas; **~ anywhere** presque nulle part.

hardness ['hɑ:dnɪs] *n* dureté *f*.

hard sell ['hɑ:d'sɛl] *n* (*COMM*) promotion de ventes agressive.

hardship ['hɑ:dʃɪp] *n* épreuves *fpl*; privations *fpl*.

hard-up [hɑ:d'ʌp] *a* (*col*) fauché(e).

hardware ['hɑ:dwɛə*] *n* quincaillerie *f*; (*COMPUTERS*) matériel *m*; **~ shop** *n* quincaillerie *f*.

hard-wearing [hɑ:d'wɛərɪŋ] *a* solide.

hard-working [hɑ:d'wə:kɪŋ] *a* travailleur(euse).

hardy ['hɑ:dɪ] *a* robuste; (*plant*) résistant(e) au gel.

hare [hɛə*] *n* lièvre *m*; **~-brained** *a* farfelu(e); écervelé(e); **~lip** *n* (*MED*) bec-de-lièvre *m*.

harem [hɑ:'ri:m] *n* harem *m*.

harm [hɑ:m] *n* mal *m*; (*wrong*) tort *m* // *vt* (*person*) faire du mal *or* du tort à; (*thing*) endommager; **to mean no ~** ne pas avoir de mauvaises intentions; **out of ~'s way** à l'abri du danger, en lieu sûr; **~ful** *a* nuisible; **~less** *a* inoffensif(ive); sans méchanceté.

harmonic [hɑ:'mɔnɪk] *a* harmonique.

harmonica [hɑ:'mɔnɪkə] *n* harmonica *m*.

harmonics [hɑ:'mɔnɪks] *npl* harmoniques *mpl or fpl*.

harmonious [hɑ:'məunɪəs] *a* harmonieux(euse).

harmonium [hɑ:'məunɪəm] *n* harmonium *m*.

harmonize ['hɑ:mənaɪz] *vt* harmoniser // *vi* s'harmoniser.

harmony ['hɑ:mənɪ] *n* harmonie *f*.

harness ['hɑ:nɪs] *n* harnais *m* // *vt* (*horse*) harnacher; (*resources*) exploiter.

harp [hɑ:p] *n* harpe *f* // *vi*: **to ~ on about** parler tout le temps de; **~ist** *n* harpiste *m/f*.

harpoon [hɑ:'pu:n] *n* harpon *m*.

harpsichord ['hɑ:psɪkɔ:d] *n* clavecin *m*.

harrow ['hærəu] *n* herse *f*.

harrowing ['hærəuɪŋ] *a* déchirant(e).

harsh [hɑ:ʃ] *a* (*hard*) dur(e); (*severe*) sévère; (*rough: surface*) rugueux(euse); (*unpleasant: sound*) discordant(e); (*: colour*) criard(e); cru(e); (*: wine*) âpre; **~ly** *ad* durement; sévèrement; **~ness** *n* dureté *f*; sévérité *f*.

harvest ['hɑ:vɪst] *n* (*of corn*) moisson *f*; (*of fruit*) récolte *f*; (*of grapes*) vendange *f* // *vi* moissonner; récolter; vendanger; **~er** *n* (*machine*) moissonneuse *f*.

has [hæz] *see* **have.**

hash [hæʃ] *n* (*CULIN*) hachis *m*; (*fig: mess*) gâchis *m*; *also abbr of* **hashish.**

hashish ['hæʃɪʃ] *n* haschisch *m*.

hassle ['hæsl] *n* chamaillerie *f*.

haste [heɪst] *n* hâte *f*; précipitation *f*; **~n** ['heɪsn] *vt* hâter, accélérer // *vi* se hâter, s'empresser; **hastily** *ad* à la hâte; précipitamment; **hasty** *a* hâtif(ive); précipité(e).

hat [hæt] *n* chapeau *m*; **~box** *n* carton à chapeau.

hatch [hætʃ] *n* (*NAUT: also:* **~way**) écoutille *f*; (*also:* **service ~**) passe-plats *m inv* // *vi* éclore // *vt* faire éclore; (*plot*) tramer.

hatchback ['hætʃbæk] *n* (*AUT*) modèle *m* avec hayon arrière.

hatchet ['hætʃɪt] *n* hachette *f*.

hate [heɪt] *vt* haïr, détester // *n* haine *f*; **to ~ to do** *or* **doing** détester faire; **~ful** *a* odieux(euse), détestable.

hatred ['heɪtrɪd] *n* haine *f*.

hat trick ['hættrɪk] *n* (*SPORT, also fig*) triplé *m* (*3 buts réussis au cours du même match etc*).

haughty ['hɔ:tɪ] *a* hautain(e), arrogant(e).

haul [hɔ:l] *vt* traîner, tirer; (*by lorry*) camionner; (*NAUT*) haler // *n* (*of fish*) prise *f*; (*of stolen goods etc*) butin *m*; **~age** *n* halage *m*; camionnage *m*; **~ier** *n* transporteur (routier), camionneur *m*.

haunch [hɔ:ntʃ] *n* hanche *f*; **~ of venison** *n* cuissot *m* de chevreuil.

haunt [hɔ:nt] *vt* (*subj: ghost, fear*) hanter; (*: person*) fréquenter // *n* repaire *m*.

have *pt,pp* **had** [hæv, hæd] *vt* avoir; (*meal, shower*) prendre; **to ~ sth done** faire faire qch; **he had a suit made** il s'est fait faire un costume; **she has to do it** il faut qu'elle le fasse, elle doit le faire; **I had better leave** je ferais mieux de partir; **to ~ it out with sb** s'expliquer (franchement) avec qn; **I won't ~ it** cela ne se passera pas ainsi; **he's been had** (*col*) il s'est fait avoir *or* rouler.

haven ['heɪvn] *n* port *m*; (*fig*) havre *m*.

haversack ['hævəsæk] *n* sac *m* à dos.

havoc ['hævək] *n* ravages *mpl*; **to play ~ with** (*fig*) désorganiser; détraquer.

hawk [hɔːk] *n* faucon *m*.

hawker [ˈhɔːkə*] *n* colporteur *m*.

hay [heɪ] *n* foin *m*; **~ fever** *n* rhume *m* des foins; **~stack** *n* meule *f* de foin.

haywire [ˈheɪwaɪə*] *a* (*col*): **to go ~** perdre la tête; mal tourner.

hazard [ˈhæzəd] *n* hasard *m*, chance *f*; danger *m*, risque *m* // *vt* risquer, hasarder; **~ous** *a* hasardeux(euse), risqué(e).

haze [heɪz] *n* brume *f*.

hazelnut [ˈheɪzlnʌt] *n* noisette *f*.

hazy [ˈheɪzɪ] *a* brumeux(euse); (*idea*) vague; (*photograph*) flou(e).

he [hiː] *pronoun* il; **it is ~ who ...** c'est lui qui ...; **here ~ is** le voici; **~-bear** *n* ours *m* mâle.

head [hɛd] *n* tête *f*; (*leader*) chef *m* // *vt* (*list*) être en tête de; (*group*) être à la tête de; **~s** (*on coin*) (le côté) face; **~s or tails** pile ou face; **to ~ the ball** faire une tête; **to ~ for** *vt fus* se diriger vers; **~ache** *n* mal *m* de tête; **~ cold** *n* rhume *m* de cerveau; **~ing** *n* titre *m*; rubrique *f*; **~lamp** *n* phare *m*; **~land** *n* promontoire *m*, cap *m*; **~light** = **~lamp**; **~line** *n* titre *m*; **~long** *ad* (*fall*) la tête la première; (*rush*) tête baissée; **~master** *n* directeur *m*, proviseur *m*; **~mistress** *n* directrice *f*; **~ office** *n* bureau central; **~-on** *a* (*collision*) de plein fouet; **~phones** *npl* casque *m* (à écouteurs); **~quarters (HQ)** *npl* bureau *or* siège central; (*MIL*) quartier général; **~-rest** *n* appui-tête *m*; **~room** *n* (*in car*) hauteur *f* de plafond; (*under bridge*) hauteur limite; dégagement *m*; **~scarf** *n* foulard *m*; **~strong** *a* têtu(e), entêté(e); **~ waiter** *n* maître d'hôtel; **~way** *n* avance *f*, progrès *m*; **~wind** *n* vent *m* contraire; **~y** *a* capiteux(euse); enivrant(e).

heal [hiːl] *vt,vi* guérir.

health [hɛlθ] *n* santé *f*; **~ food shop** *n* magasin *m* diététique; **the H~ Service** ≈ la Sécurité Sociale; **~y** *a* (*person*) en bonne santé; (*climate, food, attitude etc*) sain(e).

heap [hiːp] *n* tas *m*, monceau *m* // *vt* entasser, amonceler.

hear, pt, pp heard [hɪə*, həːd] *vt* entendre; (*news*) apprendre; (*lecture*) assister à, écouter // *vi* entendre; **to ~ about** avoir des nouvelles de; entendre parler de; **did you ~ about the move?** tu es au courant du déménagement?; **to ~ from sb** recevoir des nouvelles de qn; **~ing** *n* (*sense*) ouïe *f*; (*of witnesses*) audition *f*; (*of a case*) audience *f*; (*of committee*) séance *f*; **~ing aid** *n* appareil *m* acoustique; **by ~say** *ad* par ouï-dire *m*.

hearse [həːs] *n* corbillard *m*.

heart [haːt] *n* cœur *m*; **~s** *npl* (*CARDS*) cœur; **at ~** au fond; **by ~** (*learn, know*) par cœur; **to lose ~** perdre courage, se décourager; **~ attack** *n* crise *f* cardiaque; **~beat** *n* battement *m* de cœur; **~breaking** *a* navrant(e), déchirant(e); **to be ~broken** avoir beaucoup de chagrin; **~burn** *n* brûlures *fpl* d'estomac; **~ failure** *n* arrêt *m* du cœur; **~felt** *a* sincère.

hearth [haːθ] *n* foyer *m*, cheminée *f*.

heartily [ˈhaːtɪlɪ] *ad* chaleureusement; (*laugh*) de bon cœur; (*eat*) de bon appétit; **to agree ~** être tout à fait d'accord.

heartless [ˈhaːtlɪs] *a* sans cœur, insensible; cruel(le).

heartwarming [ˈhaːtwɔːmɪŋ] *a* réconfortant(e).

hearty [ˈhaːtɪ] *a* chaleureux(euse); robuste; vigoureux(euse).

heat [hiːt] *n* chaleur *f*; (*fig*) ardeur *f*; feu *m*; (*SPORT: also*: **qualifying ~**) éliminatoire *f* // *vt* chauffer; **to ~ up** *vi* (*liquids*) chauffer; (*room*) se réchauffer // *vt* réchauffer; **~ed** *a* chauffé(e); (*fig*) passionné(e); échauffé(e), excité(e); **~er** *n* appareil *m* de chauffage; radiateur *m*.

heath [hiːθ] *n* (*Brit*) lande *f*.

heathen [ˈhiːðn] *a*, *n* païen(ne).

heather [ˈhɛðə*] *n* bruyère *f*.

heating [ˈhiːtɪŋ] *n* chauffage *m*.

heatstroke [ˈhiːtstrəuk] *n* coup *m* de chaleur.

heatwave [ˈhiːtweɪv] *n* vague *f* de chaleur.

heave [hiːv] *vt* soulever (avec effort) // *vi* se soulever // *n* nausée *f*, haut-le-cœur *m*; (*push*) poussée *f*.

heaven [ˈhɛvn] *n* ciel *m*, paradis *m*; **~ forbid!** surtout pas!; **~ly** *a* céleste, divin(e).

heavily [ˈhɛvɪlɪ] *ad* lourdement; (*drink, smoke*) beaucoup; (*sleep, sigh*) profondément.

heavy [ˈhɛvɪ] *a* lourd(e); (*work, sea, rain, eater*) gros(se); (*drinker, smoker*) grand(e); **it's ~ going** ça ne va pas tout seul, c'est pénible; **~weight** *n* (*SPORT*) poids lourd.

Hebrew [ˈhiːbruː] *a* hébraïque // *n* (*LING*) hébreu *m*.

heckle [ˈhɛkl] *vt* interpeller (*un orateur*).

hectare [ˈhɛktɑː*] *n* hectare *m*.

hectic [ˈhɛktɪk] *a* agité(e), trépidant(e).

he'd [hiːd] = **he would, he had**.

hedge [hɛdʒ] *n* haie *f* // *vi* se défiler; **to ~ one's bets** (*fig*) se couvrir; **to ~ in** *vt* entourer d'une haie.

hedgehog [ˈhɛdʒhɔg] *n* hérisson *m*.

heed [hiːd] *vt* (*also*: **take ~ of**) tenir compte de, prendre garde à; **~less** *a* insouciant(e).

heel [hiːl] *n* talon *m* // *vt* (*shoe*) retalonner; **to bring sb to ~** rappeler qn à l'ordre.

hefty [ˈhɛftɪ] *a* (*person*) costaud(e); (*parcel*) lourd(e); (*piece, price*) gros(se).

heifer [ˈhɛfə*] *n* génisse *f*.

height [haɪt] *n* (*of person*) taille *f*, grandeur *f*; (*of object*) hauteur *f*; (*of plane, mountain*) altitude *f*; (*high ground*) hauteur, éminence *f*; (*fig: of glory*) sommet *m*; (*: of stupidity*) comble *m*; **~en** *vt* hausser, surélever; (*fig*) augmenter.

heir [ɛə*] *n* héritier *m*; **~ess** *n* héritière *f*; **~loom** *n* meuble *m* (*or* bijou *m* *or* tableau *m*) de famille.

held [hɛld] *pt, pp* *of* **hold**.

helicopter [ˈhɛlɪkɔptə*] *n* hélicoptère *m*.

helium [ˈhiːlɪəm] *n* hélium *m*.

hell [hɛl] *n* enfer *m*; **a ~ of a...** (*col*) un(e) sacré(e)... .

he'll [hiːl] = **he will, he shall**.

hellish ['hɛlɪʃ] a infernal(e).

hello [hə'ləu] excl bonjour!; salut! (to sb one addresses as 'tu'); (surprise) tiens!

helm [hɛlm] n (NAUT) barre f.

helmet ['hɛlmɪt] n casque m.

helmsman ['hɛlmzmən] n timonier m.

help [hɛlp] n aide f; (charwoman) femme f de ménage; (assistant etc) employé/e // vt aider; ~! au secours!; ~ yourself (to bread) servez-vous (de pain); I can't ~ saying je ne peux pas m'empêcher de dire; he can't ~ it il n'y peut rien; ~er n aide m/f, assistant/e; ~ful a serviable, obligeant(e); (useful) utile; ~ing n portion f; ~less a impuissant(e); faible.

hem [hɛm] n ourlet m // vt ourler; to ~ in vt cerner.

hemisphere ['hɛmɪsfɪə*] n hémisphère m.

hemorrhage ['hɛmərɪdʒ] n (US) = **haemorrhage.**

hemorrhoids ['hɛmərɔɪdz] npl (US) = **haemorrhoids.**

hemp [hɛmp] n chanvre m.

hen [hɛn] n poule f.

hence [hɛns] ad (therefore) d'où, de là; 2 years ~ d'ici 2 ans; ~forth ad dorénavant.

henchman ['hɛntʃmən] n (pej) acolyte m, séide m.

henpecked ['hɛnpɛkt] a dominé par sa femme.

her [hə:*] pronoun (direct) la, l' + vowel or h mute; (indirect) lui; (stressed, after prep) elle; see note at she // a son(sa), ses pl; I see ~ je la vois; give ~ a book donne-lui un livre; after ~ après elle.

herald ['hɛrəld] n héraut m // vt annoncer.

heraldry ['hɛrəldrɪ] n héraldique f.

herb [hə:b] n herbe f; ~s npl (CULIN) fines herbes.

herd [hə:d] n troupeau m // vt: ~ed together parqués (comme du bétail).

here [hɪə*] ad ici // excl tiens!, tenez!; ~! présent!; ~'s my sister voici ma sœur; ~ she is la voici; ~ she comes la voici qui vient; ~after ad après, plus tard; ci-après // n: the ~after l'au-delà m; ~by ad (in letter) par la présente.

hereditary [hɪ'rɛdɪtrɪ] a héréditaire.

heredity [hɪ'rɛdɪtɪ] n hérédité f.

heresy ['hɛrəsɪ] n hérésie f.

heretic ['hɛrətɪk] n hérétique m/f; ~al [hɪ'rɛtɪkl] a hérétique.

herewith [hɪə'wɪð] ad avec ceci, ci-joint.

heritage ['hɛrɪtɪdʒ] n héritage m.

hermetically [hə:'mɛtɪklɪ] ad hermétiquement.

hermit ['hə:mɪt] n ermite m.

hernia ['hə:nɪə] n hernie f.

hero, ~es ['hɪərəu] n héros m; ~ic [hɪ'rəuɪk] a héroïque.

heroin ['hɛrəuɪn] n héroïne f.

heroine ['hɛrəuɪn] n héroïne f.

heroism ['hɛrəuɪzm] n héroïsme m.

heron ['hɛrən] n héron m.

herring ['hɛrɪŋ] n hareng m.

hers [hə:z] pronoun le(la) sien(ne), les siens(siennes).

herself [hə:'sɛlf] pronoun (reflexive) se; (emphatic) elle-même; (after prep) elle.

he's [hi:z] = he is, he has.

hesitant ['hɛzɪtənt] a hésitant(e), indécis(e).

hesitate ['hɛzɪteɪt] vi: to ~ (about/to do) hésiter (sur/à faire); **hesitation** ['-teɪʃən] n hésitation f.

hessian ['hɛsɪən] n toile f de jute.

het up [hɛt'ʌp] a agité(e), excité(e).

hew [hju:] vt tailler (à la hache).

hexagon ['hɛksəgən] n hexagone m; ~al ['-'sægənl] a hexagonal(e).

heyday ['heɪdeɪ] n: the ~ of l'âge m d'or de, les beaux jours de.

hi [haɪ] excl salut!

hibernate ['haɪbəneɪt] vi hiberner.

hiccough, hiccup ['hɪkʌp] vi hoqueter // n hoquet m; to have (the) ~s avoir le hoquet.

hid [hɪd] pt of hide.

hidden ['hɪdn] pp of hide.

hide [haɪd] n (skin) peau f // vb (pt hid, pp hidden [hɪd, 'hɪdn]) vt: to ~ sth (from sb) cacher qch (à qn) // vi: to ~ (from sb) se cacher de qn; ~-and-seek n cache-cache m; ~away n cachette f.

hideous ['hɪdɪəs] a hideux(euse); atroce.

hiding ['haɪdɪŋ] n (beating) correction f, volée f de coups; to be in ~ (concealed) se tenir caché(e), ~ place n cachette f.

hierarchy ['haɪərɑ:kɪ] n hiérarchie f.

high [haɪ] a haut(e); (speed, respect, number) grand(e); (price) élevé(e); (wind) fort(e), violent(e); (voice) aigu(aiguë) // ad haut, en haut; 20 m ~ haut(e) de 20 m; ~brow a,n intellectuel(le); ~chair n chaise haute (pour enfant); ~-flying a (fig) ambitieux(euse); ~-handed a très autoritaire; très cavalier(ère); ~-heeled a à hauts talons; ~jack = hijack; ~jump n (SPORT) saut m en hauteur; ~light n (fig: of event) point culminant // vt faire ressortir, souligner; ~ly ad très, fort, hautement; ~ly strung a nerveux(euse); toujours tendu(e); H~ Mass n grand-messe f; ~ness n hauteur f; Her H~ness son Altesse f; ~-pitched a aigu(aiguë); ~-rise block n tour f (d'habitation).

high school ['haɪsku:l] n lycée m; (US) établissement m d'enseignement supérieur.

high street ['haɪstri:t] n grand-rue f.

highway ['haɪweɪ] n grand'route f, route nationale.

hijack ['haɪdʒæk] vt détourner (par la force); ~er n auteur m d'un détournement d'avion, pirate m de l'air.

hike [haɪk] vi aller à pied // n excursion f à pied, randonnée f; ~r n promeneur/euse, excursionniste m/f; **hiking** n excursions fpl à pied, randonnée f.

hilarious [hɪ'lɛərɪəs] a (behaviour, event) désopilant(e).

hilarity [hɪ'lærɪtɪ] n hilarité f.

hill [hɪl] n colline f; (fairly high) montagne f; (on road) côte f; ~side n (flanc m de) coteau m; ~ start n (AUT) démarrage m en côte; ~y a vallonné(e); montagneux(euse); (road) à fortes côtes.

hilt [hɪlt] n (of sword) garde f.

him [hɪm] pronoun (direct) le, l' + vowel or h mute; (stressed, indirect, after prep) lui;

I see ~ je le vois ; **give** ~ **a book** donne-lui un livre ; **after** ~ après lui ; ~**self** *pronoun* (*reflexive*) se ; (*emphatic*) lui-même ; (*after prep*) lui.

hind [haɪnd] *a* de derrière // *n* biche f.

hinder ['hɪndə*] *vt* gêner ; (*delay*) retarder ; (*prevent*): **to** ~ **sb from doing** empêcher qn de faire ; **hindrance** ['hɪndrəns] *n* gêne f, obstacle m.

Hindu ['hɪndu:] *n* Hindou/e.

hinge [hɪndʒ] *n* charnière f // *vi* (*fig*): **to** ~ **on** dépendre de.

hint [hɪnt] *n* allusion f ; (*advice*) conseil m // *vt*: **to** ~ **that** insinuer que // *vi*: **to** ~ **at** faire une allusion à.

hip [hɪp] *n* hanche f ; ~ **pocket** *n* poche f revolver.

hippopotamus, *pl* ~es *or* **hippopota-mi** ['hɪpə'pɒtəmas, -'pɒtəmaɪ] *n* hippopotame m.

hire ['haɪə*] *vt* (*car, equipment*) louer ; (*worker*) embaucher, engager // *n* location f ; **for** ~ à louer ; (*taxi*) libre ; ~ **purchase** (**H.P.**) *n* achat m (*or* vente f) à tempérament *or* crédit.

his [hɪz] *pronoun* le(la) sien(ne), les siens(siennes) // *a* son(sa), ses *pl*.

hiss [hɪs] *vi* siffler // *n* sifflement m.

historian [hɪ'stɔ:rɪən] *n* historien/ne.

historic(al) [hɪ'stɔrɪk(l)] *a* historique.

history ['hɪstərɪ] *n* histoire f.

hit [hɪt] *vt* (*pt, pp* **hit**) frapper ; (*knock against*) cogner ; (*reach: target*) atteindre, toucher ; (*collide with: car*) entrer en collision avec, heurter ; (*fig: affect*) toucher ; (*find*) tomber sur // *n* coup m ; (*success*) coup réussi ; succès m ; (*song*) chanson f à succès, tube m ; **to** ~ **it off with sb** bien s'entendre avec qn ; ~-**and-run driver** *n* chauffard m ; ~-**or-miss** *a* fait(e) au petit bonheur.

hitch [hɪtʃ] *vt* (*fasten*) accrocher, attacher ; (*also:* ~ **up**) remonter d'une saccade // *n* (*knot*) nœud m ; (*difficulty*) anicroche f, contretemps m ; **to** ~ **a lift** faire du stop.

hitch-hike ['hɪtʃhaɪk] *vi* faire de l'auto-stop ; ~**r** *n* auto-stoppeur/ euse.

hive [haɪv] *n* ruche f.

H.M.S. *abbr of* His(Her) Majesty's Ship.

hoard [hɔ:d] *n* (*of food*) provisions fpl, réserves fpl ; (*of money*) trésor m // *vt* amasser.

hoarding ['hɔ:dɪŋ] *n* panneau m d'affichage *or* publicitaire.

hoarfrost ['hɔ:frɒst] *n* givre m.

hoarse [hɔ:s] *a* enroué(e).

hoax [həʊks] *n* canular m.

hob [hɒb] *n* plaque chauffante.

hobble ['hɒbl] *vi* boitiller.

hobby ['hɒbɪ] *n* passe-temps favori ; ~-**horse** *n* cheval m à bascule ; (*fig*) dada m.

hobo ['həʊbəʊ] *n* (*US*) vagabond m.

hock [hɒk] *n* vin m du Rhin.

hockey ['hɒkɪ] *n* hockey m.

hoe [həʊ] *n* houe f, binette f // *vt* biner, sarcler.

hog [hɒg] *n* sanglier m // *vt* (*fig*) accaparer ; **to go the whole** ~ aller jusqu'au bout.

hoist [hɔɪst] *n* palan m // *vt* hisser.

hold [həʊld] *vb* (*pt, pp* **held** [hɛld]) *vt* tenir ; (*contain*) contenir ; (*keep back*) retenir ; (*believe*) maintenir ; considérer ; (*possess*) avoir ; détenir // *vi* (*withstand pressure*) tenir (bon) ; (*be valid*) valoir // *n* prise f ; (*fig*) influence f ; (*NAUT*) cale f ; ~ **the line!** (*TEL*) ne quittez pas! ; **to** ~ **one's own** (*fig*) (bien) se défendre ; **to catch** *or* **get** (**a**) ~ **of** saisir ; **to get** ~ **of** (*fig*) trouver ; **to get** ~ **of o.s.** se contrôler ; **to** ~ **back** *vt* retenir ; (*secret*) cacher ; **to** ~ **down** *vt* (*person*) maintenir à terre ; (*job*) occuper ; **to** ~ **off** *vt* tenir à distance ; **to** ~ **on** *vi* tenir bon ; (*wait*) attendre ; ~ **on!** (*TEL*) ne quittez pas! ; **to** ~ **on to** *vt fus* se cramponner à ; (*keep*) conserver, garder ; **to** ~ **out** *vt* offrir // *vi* (*resist*) tenir bon ; **to** ~ **up** *vt* (*raise*) lever ; (*support*) soutenir ; (*delay*) retarder ; ~**all** *n* fourre-tout *m inv* ; ~**er** *n* (*of ticket, record*) détenteur/trice ; (*of office, title etc*) titulaire m/f ; ~**ing** *n* (*share*) intérêts mpl ; (*farm*) ferme f ; ~**ing company** *n* holding m ; ~**up** *n* (*robbery*) hold-up m ; (*delay*) retard m ; (*in traffic*) embouteillage m.

hole [həʊl] *n* trou m // *vt* trouer, faire un trou dans.

holiday ['hɒlədɪ] *n* vacances fpl ; (*day off*) jour m de congé ; (*public*) jour férié ; ~-**maker** *n* vacancier/ère ; ~ **resort** *n* centre m de villégiature *or* de vacances.

holiness ['həʊlɪnɪs] *n* sainteté f.

Holland ['hɒlənd] *n* Hollande f.

hollow ['hɒləʊ] *a* creux(euse) ; (*fig*) faux(fausse) // *n* creux m ; (*in land*) dépression f (de terrain), cuvette f // *vt*: **to** ~ **out** creuser, évider.

holly ['hɒlɪ] *n* houx m ; ~**hock** *n* rose trémière.

holster ['həʊlstə*] *n* étui m de revolver.

holy ['həʊlɪ] *a* saint(e) ; (*bread, water*) bénit(e) ; (*ground*) sacré(e) ; **H~ Ghost** *or* **Spirit** *n* Saint-Esprit m ; ~ **orders** *npl* ordres (majeurs).

homage ['hɒmɪdʒ] *n* hommage m ; **to pay** ~ **to** rendre hommage à.

home [həʊm] *n* foyer m, maison f ; (*country*) pays natal, patrie f ; (*institution*) maison f // *a* de famille ; (*ECON, POL*) national(e), intérieur(e) // *ad* chez soi, à la maison ; au pays natal ; (*right in: nail etc*) à fond ; **at** ~ chez soi, à la maison ; **to go** (*or* **come**) ~ rentrer (chez soi), rentrer à la maison (*or* au pays) ; **make yourself at** ~ faites comme chez vous ; **near my** ~ près de chez moi ; ~ **address** *n* domicile permanent ; ~**land** *n* patrie f ; ~**less** *a* sans foyer ; sans abri ; ~**ly** *a* simple, sans prétention ; accueillant(e) ; ~-**made** *a* fait(e) à la maison ; ~ **rule** *n* autonomie f ; **H~ Secretary** *n* (*Brit*) ministre m de l'Intérieur ; ~**sick** *a*: **to be** ~**sick** avoir le mal du pays ; s'ennuyer de sa famille ; ~ **town** *n* ville natale f ; ~**ward** ['həʊmwəd] *a* (*journey*) du retour ; ~**work** *n* devoirs mpl.

homicide ['hɒmɪsaɪd] *n* (*US*) homicide m.

homoeopathy [həʊmɪ'ɒpəθɪ] *n* homéo-pathie f.

homogeneous [hɒməʊ'dʒi:nɪəs] *a* homo-gène.

homosexual [hɔməu'sɛksjuəl] *a,n* homosexuel(le).

hone [həun] *n* pierre *f* à aiguiser // *vt* affûter, aiguiser.

honest ['ɔnɪst] *a* honnête ; (*sincere*) franc(franche) ; **~ly** *ad* honnêtement ; franchement ; **~y** *n* honnêteté *f*.

honey ['hʌnɪ] *n* miel *m* ; **~comb** *n* rayon *m* de miel ; (*pattern*) nid *m* d'abeilles, motif alvéolé ; **~moon** *n* lune *f* de miel ; (*trip*) voyage *m* de noces.

honk [hɔŋk] *n* (AUT) coup *m* de klaxon // *vi* klaxonner.

honorary ['ɔnərərɪ] *a* honoraire ; (*duty, title*) honorifique.

honour, honor (US) ['ɔnə*] *vt* honorer // *n* honneur *m* ; **~able** *a* honorable ; **~s degree** *n* (SCOL) licence avec mention.

hood [hud] *n* capuchon *m* ; (Brit: AUT) capote *f* ; (US: AUT) capot *m* ; **~wink** *vt* tromper.

hoof, ~s *or* **hooves** [hu:f, hu:vz] *n* sabot *m*.

hook [huk] *n* crochet *m* ; (*on dress*) agrafe *f* ; (*for fishing*) hameçon *m* // *vt* accrocher ; (*dress*) agrafer.

hooligan ['hu:lɪgən] *n* voyou *m*.

hoop [hu:p] *n* cerceau *m* ; (*of barrel*) cercle *m*.

hoot [hu:t] *vi* (AUT) klaxonner ; (*siren*) mugir // *vt* (*jeer at*) huer // *n* huée *f* ; coup *m* de klaxon ; mugissement *m* ; **to ~ with laughter** rire aux éclats ; **~er** *n* (AUT) klaxon *m* ; (NAUT) sirène *f*.

hooves [hu:vz] *npl of* **hoof.**

hop [hɔp] *vi* sauter ; (*on one foot*) sauter à cloche-pied // *n* saut *m*.

hope [həup] *vt,vi* espérer // *n* espoir *m* ; **I ~ so** je l'espère ; **I ~ not** j'espère que non ; **~ful** *a* (*person*) plein(e) d'espoir ; (*situation*) prometteur(euse), encourageant(e) ; **~fully** *ad* avec espoir, avec optimisme ; **~less** *a* désespéré(e) ; (*useless*) nul(le).

hops [hɔps] *npl* houblon *m*.

horde [hɔ:d] *n* horde *f*.

horizon [hə'raɪzn] *n* horizon *m* ; **~tal** [hɔrɪ'zɔntl] *a* horizontal(e).

hormone ['hɔ:məun] *n* hormone *f*.

horn [hɔ:n] *n* corne *f* ; (MUS) cor *m* ; (AUT) klaxon *m* ; **~ed** *a* (*animal*) à cornes.

hornet ['hɔ:nɪt] *n* frelon *m*.

horny ['hɔ:nɪ] *a* corné(e) ; (*hands*) calleux(euse).

horoscope ['hɔrəskəup] *n* horoscope *m*.

horrible ['hɔrɪbl] *a* horrible, affreux(euse).

horrid ['hɔrɪd] *a* méchant(e), désagréable.

horrify ['hɔrɪfaɪ] *vt* horrifier.

horror ['hɔrə*] *n* horreur *f* ; **~ film** *n* film *m* d'épouvante.

hors d'œuvre [ɔ:'də:vrə] *n* hors d'œuvre *m*.

horse [hɔ:s] *n* cheval *m* ; **on ~back** à cheval ; **~chestnut** *n* marron *m* (d'Inde) ; **~-drawn** *a* tiré(e) par des chevaux ; **~man** *n* cavalier *m* ; **~power** (h.p.) *n* puissance *f* (en chevaux) ; **~-racing** *n* courses *fpl* de chevaux ; **~radish** *n* raifort *m* ; **~shoe** *n* fer *m* à cheval.

horsy ['hɔ:sɪ] *a* féru(e) d'équitation *or* de cheval ; chevalin(e).

horticulture ['hɔ:tɪkʌltʃə*] *n* horticulture *f*.

hose [həuz] *n* (*also*: **~pipe**) tuyau *m* ; (*also*: **garden ~**) tuyau d'arrosage.

hosiery ['həuzɪərɪ] *n* (*in shop*) (rayon *m* des) bas *mpl*.

hospitable ['hɔspɪtəbl] *a* hospitalier(ère).

hospital ['hɔspɪtl] *n* hôpital *m* ; **in ~** à l'hôpital.

hospitality [hɔspɪ'tælɪtɪ] *n* hospitalité *f*.

host [həust] *n* hôte *m* ; (*in hotel etc*) patron *m* ; (*large number*): **a ~ of** une foule de ; (REL) hostie *f*.

hostage ['hɔstɪdʒ] *n* otage *m*.

hostel ['hɔstl] *n* foyer *m* ; **(youth) ~** *n* auberge *f* de jeunesse.

hostess ['həustɪs] *n* hôtesse *f*.

hostile ['hɔstaɪl] *a* hostile.

hostility [hɔ'stɪlɪtɪ] *n* hostilité *f*.

hot [hɔt] *a* chaud(e) ; (*as opposed to only warm*) très chaud ; (*spicy*) fort(e) ; (*fig*) acharné(e) ; brûlant(e) ; violent(e), passionné(e) ; **~ dog** *n* hot-dog *m*.

hotel [həu'tɛl] *n* hôtel *m* ; **~ier** *n* hôtelier/ère.

hot: ~-headed *a* impétueux(euse) ; **~house** *n* serre chaude ; **~ly** *ad* passionnément, violemment ; **~-water bottle** *n* bouillotte *f*.

hound [haund] *vt* poursuivre avec acharnement // *n* chien courant ; **the ~s** la meute.

hour ['auə*] *n* heure *f* ; **~ly** *a* à toutes les heures ; **~ly paid** *a* payé(e) à l'heure.

house *n* [haus] (*pl*: **~s** ['hauzɪz]) (*also*: *firm*) maison *f* ; (POL) chambre *f* ; (THEATRE) salle *f* ; auditoire *m* // *vt* [hauz] (*person*) loger, héberger ; **the H~ (of Commons)** la Chambre des communes ; **on the ~** (*fig*) aux frais de la maison ; **~ arrest** *n* assignation *f* à domicile ; **~boat** *n* bateau (aménagé en habitation) ; **~breaking** *n* cambriolage *m* (avec effraction) ; **~hold** *n* famille *f*, maisonnée *f* ; ménage *m* ; **~keeper** *n* gouvernante *f* ; **~keeping** *n* (*work*) ménage *m* ; **~warming party** *n* pendaison *f* de crémaillère ; **~wife** *n* ménagère *f* ; **~work** *n* (travaux *mpl* du) ménage *m*.

housing ['hauzɪŋ] *n* logement *m* ; **~ estate** *n* cité *f*, lotissement *m* ; **~ shortage** *n* crise *f* du logement.

hovel ['hɔvl] *n* taudis *m*.

hover ['hɔvə*] *vi* planer ; **to ~ round sb** rôder *or* tourner autour de qn ; **~craft** *n* aéroglisseur *m*.

how [hau] *ad* comment ; **~ are you?** comment allez-vous? ; **~ long have you been here?** depuis combien de temps êtes-vous là? ; **~ lovely!** que *or* comme c'est joli! ; **~ many/much?** combien? ; **~ many people/much milk** combien de gens/lait ; **~ old are you?** quel âge avez-vous? ; **~ is that ...?** comment se fait-il que ...? + *sub* ; **~ever** *ad* de quelque façon *or* manière que + *sub* ; (+ *adjective*) quelque *or* si ... que + *sub* ; (*in questions*) comment // *cj* pourtant, cependant.

howl [haul] *n* hurlement *m* // *vi* hurler.

howler ['haulə*] *n* gaffe *f*, bourde *f*.

h.p., H.P. *see* **hire** ; **horse.**

HQ *abbr of* **headquarters**.

hr(s) *abbr of* **hour(s)**.

hub [hʌb] *n* (*of wheel*) moyeu *m* ; (*fig*) centre *m*, foyer *m*.

hubbub ['hʌbʌb] *n* brouhaha *m*.

hub cap ['hʌbkæp] *n* enjoliveur *m*.

huddle ['hʌdl] *vi*: **to ~ together** se blottir les uns contre les autres.

hue [hju:] *n* teinte *f*, nuance *f* ; **~ and cry** *n* tollé (général), clameur *f*.

huff [hʌf] *n*: **in a ~** fâché(e) ; **to take the ~** prendre la mouche.

hug [hʌg] *vt* serrer dans ses bras ; (*shore, kerb*) serrer // *n* étreinte *f* ; **to give sb a ~** serrer qn dans ses bras.

huge [hju:dʒ] *a* énorme, immense.

hulk [hʌlk] *n* (*ship*) vieux rafiot *m* ; (*car etc*) carcasse *f* ; **~ing** *a* balourd(e).

hull [hʌl] *n* (*of ship, nuts*) coque *f* ; (*of peas*) cosse *f*.

hullo [hə'ləu] *excl* = **hello**.

hum [hʌm] *vt* (*tune*) fredonner // *vi* fredonner ; (*insect*) bourdonner ; (*plane, tool*) vrombir // *n* fredonnement *m* ; bourdonnement *m* ; vrombissement *m*.

human ['hju:mən] *a* humain(e) // *n* être humain.

humane [hju:'meɪn] *a* humain(e), humanitaire.

·humanity [hju:'mænɪtɪ] *n* humanité *f*.

humble ['hʌmbl] *a* humble, modeste // *vt* humilier ; **humbly** *ad* humblement, modestement.

humbug ['hʌmbʌg] *n* fumisterie *f* ; (*sweet*) sorte de bonbon à la menthe.

humdrum ['hʌmdrʌm] *a* monotone, routinier(ère).

humid ['hju:mɪd] *a* humide ; **~ity** [-'mɪdɪtɪ] *n* humidité *f*.

humiliate [hju:'mɪlɪeɪt] *vt* humilier ; **humiliation** [-'eɪʃən] *n* humiliation *f*.

humility [hju:'mɪlɪtɪ] *n* humilité *f*.

humorist ['hju:mərɪst] *n* humoriste *m/f*.

humorous ['hju:mərəs] *a* humoristique ; (*person*) plein(e) d'humour.

humour, humor (*US*) ['hju:mə*] *n* humour *m* ; (*mood*) humeur *f* // *vt* (*person*) faire plaisir à ; se prêter aux caprices de.

hump [hʌmp] *n* bosse *f* ; **~back** *n* dos-d'âne *m*.

hunch [hʌntʃ] *n* bosse *f* ; (*premonition*) intuition *f* ; **~back** *n* bossu/e ; **~ed** *a* arrondi(e), voûté(e).

hundred ['hʌndrəd] *num* cent ; **~weight** *n* (*Brit*) = 50.8 *kg* ; 112 *lb* ; (*US*) = 45.3 *kg* ; 100 *lb*.

hung [hʌŋ] *pt, pp of* **hang**.

Hungarian [hʌŋ'gɛərɪən] *a* hongrois(e) // *n* Hongrois/e ; (*LING*) hongrois *m*.

Hungary ['hʌŋgərɪ] *n* Hongrie *f*.

hunger ['hʌŋgə*] *n* faim *f* // *vi*: **to ~ for** avoir faim de, désirer ardemment.

hungrily ['hʌŋgrəlɪ] *ad* voracement ; (*fig*) avidement.

hungry ['hʌŋgrɪ] *a* affamé(e) ; **to be ~** avoir faim.

hunt [hʌnt] *vt* (*seek*) chercher ; (*SPORT*) chasser // *vi* chasser // *n* chasse *f* ; **~er** *n* chasseur *m* ; **~ing** *n* chasse *f*.

hurdle ['hə:dl] *n* (*for fences*) claie *f* ; (*SPORT*) haie *f* ; (*fig*) obstacle *m*.

hurl [hə:l] *vt* lancer (avec violence).

hurrah, hurray [hu'rɑ:, hu'reɪ] *n* hourra *m*.

hurricane ['hʌrɪkən] *n* ouragan *m*.

hurried ['hʌrɪd] *a* pressé(e), précipité(e) ; (*work*) fait(e) à la hâte ; **~ly** *ad* précipitamment, à la hâte.

hurry ['hʌrɪ] *n* hâte *f*, précipitation *f* // *vi* se presser, se dépêcher // *vt* (*person*) faire presser, faire se dépêcher ; (*work*) presser ; **to be in a ~** être pressé(e) ; **to do sth in a ~** faire qch en vitesse ; **to ~ in/out** entrer/sortir précipitamment.

hurt [hə:t] *vb* (*pt, pp* **hurt**) *vt* (*cause pain to*) faire mal à ; (*injure, fig*) blesser // *vi* faire mal // *a* blessé(e) ; **~ful** *a* (*remark*) blessant(e).

hurtle ['hə:tl] *vt* lancer (de toutes ses forces) // *vi*: **to ~ past** passer en trombe ; **to ~ down** dégringoler.

husband ['hʌzbənd] *n* mari *m*.

hush [hʌʃ] *n* calme *m*, silence *m* // *vt* faire taire ; **~!** chut!

husk [hʌsk] *n* (*of wheat*) balle *f* ; (*of rice, maize*) enveloppe *f* ; (*of peas*) cosse *f*.

husky ['hʌskɪ] *a* rauque ; (*burly*) costaud(e) // *n* chien *m* esquimau *or* de traîneau.

hustle ['hʌsl] *vt* pousser, bousculer // *n* bousculade *f* ; **~ and bustle** *n* tourbillon *m* (d'activité).

hut [hʌt] *n* hutte *f* ; (*shed*) cabane *f* ; (*MIL*) baraquement *m*.

hutch [hʌtʃ] *n* clapier *m*.

hyacinth ['haɪəsɪnθ] *n* jacinthe *f*.

hybrid ['haɪbrɪd] *a*, *n* hybride (*m*).

hydrant ['haɪdrənt] *n* prise *f* d'eau ; (*also*: **fire ~**) bouche *f* d'incendie.

hydraulic [haɪ'drɔ:lɪk] *a* hydraulique.

hydroelectric [haɪdrəu'lektrɪk] *a* hydro-électrique.

hydrogen ['haɪdrədʒən] *n* hydrogène *m*.

hyena [haɪ'i:nə] *n* hyène *f*.

hygiene ['haɪdʒi:n] *n* hygiène *f*.

hygienic [haɪ'dʒi:nɪk] *a* hygiénique.

hymn [hɪm] *n* hymne *m* ; cantique *m*.

hyphen ['haɪfn] *n* trait *m* d'union.

hypnosis [hɪp'nəusɪs] *n* hypnose *f*.

hypnotism ['hɪpnətɪzm] *n* hypnotisme *m*.

hypnotist ['hɪpnətɪst] *n* hypnotiseur/euse.

hypnotize ['hɪpnətaɪz] *vt* hypnotiser.

hypocrisy [hɪ'pɒkrɪsɪ] *n* hypocrisie *f*.

hypocrite ['hɪpəkrɪt] *n* hypocrite *m/f* ; **hypocritical** [-'krɪtɪkl] *a* hypocrite.

hypothesis, *pl* hypotheses [haɪ'pɒθɪsɪs, -si:z] *n* hypothèse *f*.

hypothetic(al) [haɪpəu'θetɪk(l)] *a* hypothétique.

hysteria [hɪ'stɪərɪə] *n* hystérie *f*.

hysterical [hɪ'sterɪkl] *a* hystérique ; **to become ~** avoir une crise de nerfs.

hysterics [hɪ'sterɪks] *npl* (violente) crise de nerfs ; (*laughter*) crise de rire.

I

I [aɪ] *pronoun* je ; (*before vowel*) j' ; (*stressed*) moi.

ice [aɪs] *n* glace *f* ; (*on road*) verglas *m* // *vt* (*cake*) glacer ; (*drink*) faire rafraîchir //

vi (*also:* ~ **over**) geler ; (*also:* ~ **up**) se givrer ; ~ **axe** *n* piolet *m* ; ~**berg** *n* iceberg *m* ; ~**box** *n* (US) réfrigérateur *m* ; (*Brit*) compartiment *m* à glace ; (*insulated box*) glacière *f* ; ~ **cream** *n* glace *f* ; ~ **cube** *n* glaçon *m* ; ~ **hockey** *n* hockey *m* sur glace.

Iceland ['aɪslənd] *n* Islande *f* ; ~**er** *n* Islandais/e ; ~**ic** [-'læendɪk] *a* islandais(e) // *n* (LING) islandais *m*.

ice rink ['aɪsrɪŋk] *n* patinoire *f*.

icicle ['aɪsɪkl] *n* glaçon *m* (*naturel*).

icing ['aɪsɪŋ] *n* (AVIAT *etc*) givrage *m* ; (CULIN) glaçage *m* ; ~ **sugar** *n* sucre *m* glace.

icon ['aɪkɔn] *n* icône *f*.

icy ['aɪsɪ] *a* glacé(e) ; (*road*) verglacé(e) ; (*weather, temperature*) glacial(e).

I'd [aɪd] = **I would, I had.**

idea [aɪ'dɪə] *n* idée *f*.

ideal [aɪ'dɪəl] *n* idéal *m* // *a* idéal(e) ; ~**ist** *n* idéaliste *m/f*.

identical [aɪ'dɛntɪkl] *a* identique.

identification [aɪdɛntɪfɪ'keɪʃən] *n* identification *f* ; **means of** ~ pièce *f* d'identité.

identify [aɪ'dɛntɪfaɪ] *vt* identifier.

identity [aɪ'dɛntɪtɪ] *n* identité *f*.

ideology [aɪdɪ'ɔlədʒɪ] *n* idéologie *f*.

idiocy ['ɪdɪəsɪ] *n* idiotie *f*, stupidité *f*.

idiom ['ɪdɪəm] *n* langue *f*, idiome *m* ; (*phrase*) expression *f* idiomatique.

idiosyncrasy [ɪdɪəˈsɪŋkrəsɪ] *n* particularité *f*, caractéristique *f*.

idiot ['ɪdɪət] *n* idiot/e, imbécile *m/f* ; ~**ic** [-'ɔtɪk] *a* idiot/e, bête, stupide.

idle ['aɪdl] *a* sans occupation, désœuvré(e) ; (*lazy*) oisif(ive), paresseux(euse) ; (*unemployed*) au chômage ; (*machinery*) au repos ; (*question, pleasures*) vain(e), futile ; **to lie** ~ être arrêté, ne pas fonctionner ; ~**ness** *n* désœuvrement *m* ; oisiveté *f* ; ~**r** *n* désœuvré/e ; oisif/ive.

idol ['aɪdl] *n* idole *f* ; ~**ize** *vt* idolâtrer, adorer.

idyllic [ɪ'dɪlɪk] *a* idyllique.

i.e. *ad* (*abbr of id est*) c'est-à-dire.

if [ɪf] *cj* si.

igloo ['ɪglu:] *n* igloo *m*.

ignite [ɪg'naɪt] *vt* mettre le feu à, enflammer // *vi* s'enflammer.

ignition [ɪg'nɪʃən] *n* (AUT) allumage *m* ; **to switch on/off the** ~ mettre/couper le contact ; ~ **key** *n* (AUT) clé *f* de contact.

ignoramus [ɪgnə'reɪməs] *n* personne *f* ignare.

ignorance ['ɪgnərəns] *n* ignorance *f*.

ignorant ['ɪgnərənt] *a* ignorant(e).

ignore [ɪg'nɔ:*] *vt* ne tenir aucun compte de, ne pas relever ; (*person*) faire semblant de ne pas reconnaître, ignorer ; (*fact*) méconnaître.

ikon ['aɪkɔn] *n* = **icon.**

I'll [aɪl] = **I will, I shall.**

ill [ɪl] *a* (*sick*) malade ; (*bad*) mauvais(e) // *n* mal *m* ; **to take** *or* **be taken** ~ tomber malade ; ~**-advised** *a* (*decision*) peu judicieux(euse) ; (*person*) malavisé(e) ; ~**-at-ease** *a* mal à l'aise.

illegal [ɪ'li:gl] *a* illégal(e) ; ~**ly** *ad* illégalement.

illegible [ɪ'lɛdʒɪbl] *a* illisible.

illegitimate [ɪlɪ'dʒɪtɪmət] *a* illégitime.

ill-fated [ɪl'feɪtɪd] *a* malheureux(euse) ; (*day*) néfaste.

ill feeling [ɪl'fi:lɪŋ] *n* ressentiment *m*, rancune *f*.

illicit [ɪ'lɪsɪt] *a* illicite.

illiterate [ɪ'lɪtərət] *a* illettré(e) ; (*letter*) plein(e) de fautes.

ill-mannered [ɪl'mænəd] *a* impoli(e), grossier(ère).

illness ['ɪlnɪs] *n* maladie *f*.

illogical [ɪ'lɔdʒɪkl] *a* illogique.

ill-treat [ɪl'tri:t] *vt* maltraiter.

illuminate [ɪ'lu:mɪneɪt] *vt* (*room, street*) éclairer ; (*building*) illuminer ; ~**d sign** *n* enseigne lumineuse ; **illumination** [-'neɪʃən] *n* éclairage *m* ; illumination *f*.

illusion [ɪ'lu:ʒən] *n* illusion *f* ; **to be under the** ~ **that** s'imaginer *or* croire que.

illusive, illusory [ɪ'lu:sɪv, ɪ'lu:sərɪ] *a* illusoire.

illustrate ['ɪləstreɪt] *vt* illustrer ; **illustration** [-'streɪʃən] *n* illustration *f*.

illustrious [ɪ'lʌstrɪəs] *a* illustre.

ill will [ɪl'wɪl] *n* malveillance *f*.

I'm [aɪm] = **I am.**

image ['ɪmɪdʒ] *n* image *f* ; (*public face*) image de marque ; ~**ry** *n* images *fpl*.

imaginary [ɪ'mædʒɪnərɪ] *a* imaginaire.

imagination [ɪmædʒɪ'neɪʃən] *n* imagination *f*.

imaginative [ɪ'mædʒɪnətɪv] *a* imaginatif(ive) ; plein(e) d'imagination.

imagine [ɪ'mædʒɪn] *vt* s'imaginer ; (*suppose*) imaginer, supposer.

imbalance [ɪm'bæləns] *n* déséquilibre *m*.

imbecile ['ɪmbəsi:l] *n* imbécile *m/f*.

imbue [ɪm'bju:] *vt*: **to** ~ **sth with** imprégner qch de.

imitate ['ɪmɪteɪt] *vt* imiter ; **imitation** [-'teɪʃən] *n* imitation *f* ; **imitator** *n* imitateur/trice.

immaculate [ɪ'mækjulət] *a* impeccable ; (REL) immaculé(e).

immaterial [ɪmə'tɪərɪəl] *a* sans importance, insignifiant(e).

immature [ɪmə'tjuə*] *a* (*fruit*) qui n'est pas mûr(e) ; (*person*) qui manque de maturité.

immediate [ɪ'mi:dɪət] *a* immédiat(e) ; ~**ly** *ad* (*at once*) immédiatement ; ~**ly next to** juste à côté de.

immense [ɪ'mɛns] *a* immense ; énorme.

immerse [ɪ'mə:s] *vt* immerger, plonger ; **to** ~ **sth in** plonger qch dans.

immersion heater [ɪ'mə:ʃnhi:tə*] *n* chauffe-eau *m* électrique.

immigrant ['ɪmɪgrənt] *n* immigrant/e ; immigré/e.

immigration [ɪmɪ'greɪʃən] *n* immigration *f*.

imminent ['ɪmɪnənt] *a* imminent(e).

immobilize [ɪ'məubɪlaɪz] *vt* immobiliser.

immoderate [ɪ'mɔdərət] *a* immodéré(e), démesuré(e).

immoral [ɪ'mɔrl] *a* immoral(e) ; ~**ity** [-'rælɪtɪ] *n* immoralité *f*.

immortal [ɪ'mɔ:tl] *a, n* immortel(le) ; ~**ize** *vt* immortaliser.

immune [ɪ'mjuːn] *a*: ~ **(to)** immunisé(e) (contre).

immunization [ɪmjunaɪ'zeɪʃən] *n* immunisation *f*.

immunize ['ɪmjunaɪz] *vt* immuniser.

impact ['ɪmpækt] *n* choc *m*, impact *m*; (*fig*) impact.

impair [ɪm'pɛə*] *vt* détériorer, diminuer.

impale [ɪm'peɪl] *vt* empaler.

impartial [ɪm'pɑːʃl] *a* impartial(e); ~**ity** [ɪmpɑːʃɪ'ælɪtɪ] *n* impartialité *f*.

impassable [ɪm'pɑːsəbl] *a* infranchissable; (*road*) impraticable.

impassioned [ɪm'pæʃənd] *a* passionné(e).

impatience [ɪm'peɪʃəns] *n* impatience *f*.

impatient [ɪm'peɪʃənt] *a* impatient(e).

impeach [ɪm'piːtʃ] *vt* accuser, attaquer; (*public official*) mettre en accusation.

impeccable [ɪm'pɛkəbl] *a* impeccable, parfait(e).

impede [ɪm'piːd] *vt* gêner.

impediment [ɪm'pɛdɪmənt] *n* obstacle *m*; (*also:* **speech** ~) défaut *m* d'élocution.

impending [ɪm'pɛndɪŋ] *a* imminent(e).

impenetrable [ɪm'pɛnɪtrəbl] *a* impénétrable.

imperative [ɪm'pɛrətɪv] *a* nécessaire; urgent(e), pressant(e); (*voice*) impérieux(euse) // *n* (LING) impératif *m*.

imperceptible [ɪmpə'sɛptɪbl] *a* imperceptible.

imperfect [ɪm'pəːfɪkt] *a* imparfait(e); (*goods etc*) défectueux(euse) // *n* (LING: *also:* ~ **tense**) imparfait *m*; ~**ion** [-'fɛkʃən] *n* imperfection *f*, défectuosité *f*.

imperial [ɪm'pɪərɪəl] *a* impérial(e); (*measure*) légal(e); ~**ism** *n* impérialisme *m*.

imperil [ɪm'pɛrɪl] *vt* mettre en péril.

impersonal [ɪm'pəːsənl] *a* impersonnel(le).

impersonate [ɪm'pəːsəneɪt] *vt* se faire passer pour; (THEATRE) imiter; **impersonation** [-'neɪʃən] *n* (LAW) usurpation *f* d'identité; (THEATRE) imitation *f*.

impertinent [ɪm'pəːtɪnənt] *a* impertinent(e), insolent(e).

impervious [ɪm'pəːvɪəs] *a* imperméable; (*fig*): ~ **to** insensible à; inaccessible à.

impetuous [ɪm'pɛtjuəs] *a* impétueux(euse), fougueux(euse).

impetus ['ɪmpətəs] *n* impulsion *f*; (*of runner*) élan *m*.

impinge [ɪm'pɪndʒ]: **to** ~ **on** *vt fus* (*person*) affecter, toucher; (*rights*) empiéter sur.

implausible [ɪm'plɔːzɪbl] *a* peu plausible.

implement *n* ['ɪmplɪmənt] outil *m*, instrument *m*; (*for cooking*) ustensile *m* // *vt* ['ɪmplɪmɛnt] exécuter, mettre à effet.

implicate ['ɪmplɪkeɪt] *vt* impliquer, compromettre; **implication** [-'keɪʃən] *n* implication *f*.

implicit [ɪm'plɪsɪt] *a* implicite; (*complete*) absolu(e), sans réserve.

implore [ɪm'plɔː*] *vt* implorer, supplier.

imply [ɪm'plaɪ] *vt* suggérer, laisser entendre; indiquer, supposer.

impolite [ɪmpə'laɪt] *a* impoli(e).

imponderable [ɪm'pɒndərəbl] *a* impondérable.

import *vt* [ɪm'pɔːt] importer // *n* ['ɪmpɔːt] (COMM) importation *f*; (*meaning*) portée *f*, signification *f*.

importance [ɪm'pɔːtns] *n* importance *f*.

important [ɪm'pɔːtnt] *a* important(e).

importation [ɪmpɔː'teɪʃən] *n* importation *f*.

imported [ɪm'pɔːtɪd] *a* importé(e), d'importation.

importer [ɪm'pɔːtə*] *n* importateur/trice.

impose [ɪm'pəuz] *vt* imposer // *vi*: **to** ~ **on sb** abuser de la gentillesse (*or* crédulité) de qn.

imposing [ɪm'pəuzɪŋ] *a* imposant(e), impressionnant(e).

impossibility [ɪmpɒsə'bɪlɪtɪ] *n* impossibilité *f*.

impossible [ɪm'pɒsɪbl] *a* impossible.

impostor [ɪm'pɒstə*] *n* imposteur *m*.

impotence ['ɪmpətns] *n* impuissance *f*.

impotent ['ɪmpətnt] *a* impuissant(e).

impound [ɪm'paund] *vt* confisquer, saisir.

impoverished [ɪm'pɒvərɪʃt] *a* pauvre, appauvri(e).

impracticable [ɪm'præktɪkəbl] *a* impraticable.

impractical [ɪm'præktɪkl] *a* pas pratique; (*person*) qui manque d'esprit pratique.

imprecise [ɪmprɪ'saɪs] *a* imprécis(e).

impregnable [ɪm'prɛgnəbl] *a* (*fortress*) imprenable; (*fig*) inattaquable; irréfutable.

impregnate ['ɪmprɛgneɪt] *vt* imprégner; (*fertilize*) féconder.

impresario [ɪmprɪ'sɑːrɪəu] *n* impresario *m*.

impress [ɪm'prɛs] *vt* impressionner, faire impression à; (*mark*) imprimer, marquer; **to** ~ **sth on sb** faire bien comprendre qch à qn.

impression [ɪm'prɛʃən] *n* impression *f*; (*of stamp, seal*) empreinte *f*; **to be under the** ~ **that** avoir l'impression que; ~**able** *a* impressionnable, sensible; ~**ist** *n* impressionniste *m/f*.

impressive [ɪm'prɛsɪv] *a* impressionnant(e).

imprinted [ɪm'prɪntɪd] *a*: ~ **on** imprimé(e) sur; (*fig*) imprimé(e) *or* gravé(e) dans.

imprison [ɪm'prɪzn] *vt* emprisonner, mettre en prison; ~**ment** *n* emprisonnement *m*.

improbable [ɪm'prɒbəbl] *a* improbable; (*excuse*) peu plausible.

impromptu [ɪm'prɒmptjuː] *a* impromptu(e).

improper [ɪm'prɒpə*] *a* incorrect(e); (*unsuitable*) déplacé(e), de mauvais goût; indécent(e); **impropriety** [ɪmprə'praɪətɪ] *n* inconvenance *f*; (*of expression*) impropriété *f*.

improve [ɪm'pruːv] *vt* améliorer // *vi* s'améliorer; (*pupil etc*) faire des progrès; ~**ment** *n* amélioration *f*; progrès *m*.

improvisation [ɪmprəvaɪ'zeɪʃən] *n* improvisation *f*.

improvise ['ɪmprəvaɪz] *vt, vi* improviser.

imprudence [ɪm'pruːdns] *n* imprudence *f*.

imprudent [ɪm'pruːdnt] *a* imprudent(e).

impudent ['ɪmpjudnt] a impudent(e).
impulse ['ɪmpʌls] n impulsion f.
impulsive [ɪm'pʌlsɪv] a impulsif(ive).
impunity [ɪm'pju:nɪtɪ] n impunité f.
impure [ɪm'pjuə*] a impur(e).
impurity [ɪm'pjuərɪtɪ] n impureté f.
in [ɪn] prep dans ; (with time: during, within):
~ **May/2 days** en mai/2 jours ; (: after):
~ **2 weeks** dans 2 semaines ; (with substance) en ; (with town) à ; (with country):
it's ~ **France/Portugal** c'est en
France/au Portugal // ad dedans, à
l'intérieur ; (fashionable) à la mode ; **is he**
~? est-il là? ; ~ **the country** à la
campagne ; ~ **town** en ville ; ~ **the sun**
au soleil ; ~ **the rain** sous la pluie ; ~
French en français ; **a man** ~ **10** un
homme sur 10 ; ~ **hundreds** par
centaines ; **the best pupil** ~ **the class** le
meilleur élève de la classe ; ~ **saying this**
en disant ceci ; **their party is** ~ leur parti
est au pouvoir ; **to ask sb** ~ inviter qn
à entrer ; **to run/limp** etc ~ entrer en
courant/boitant etc ; **the** ~**s and outs of**
les tenants et aboutissants de.
in., ins abbr of **inch(es)**.
inability [ɪnə'bɪlɪtɪ] n incapacité f.
inaccessible [ɪnæk'sɛsɪbl] a inaccessible.
inaccuracy [ɪn'ækjurəsɪ] n inexactitude
f ; manque m de précision.
inaccurate [ɪn'ækjurət] a inexact(e) ;
(person) qui manque de précision.
inaction [ɪn'ækʃən] n inaction f, inactivité
f.
inactivity [ɪnæk'tɪvɪtɪ] n inactivité f.
inadequacy [ɪn'ædɪkwəsɪ] n insuffisance
f.
inadequate [ɪn'ædɪkwət] a insuffisant(e),
inadéquat(e).
inadvertently [ɪnəd'və:ntntlɪ] ad par
mégarde.
inadvisable [ɪnəd'vaɪzəbl] a à
déconseiller ; **it is** ~ **to** il est déconseillé
de.
inane [ɪ'neɪn] a inepte, stupide.
inanimate [ɪn'ænɪmət] a inanimé(e).
inappropriate [ɪnə'prəuprɪət] a
inopportun(e), mal à propos ; (word,
expression) impropre.
inapt [ɪn'æpt] a inapte ; peu approprié(e) ;
~**itude** n inaptitude f.
inarticulate [ɪnɑ:'tɪkjulət] a (person) qui
s'exprime mal ; (speech) indistinct(e).
inasmuch as [ɪnəz'mʌtʃæz] ad dans la
mesure où ; (seeing that) attendu que.
inattention [ɪnə'tɛnʃən] n manque m
d'attention.
inattentive [ɪnə'tɛntɪv] a inattentif(ive),
distrait(e) ; négligent(e).
inaudible [ɪn'ɔ:dɪbl] a inaudible.
inaugural [ɪ'nɔ:gjurəl] a inaugural(e).
inaugurate [ɪ'nɔ:gjureɪt] vt inaugurer ;
(president, official) investir de ses
fonctions ; **inauguration** [-'reɪʃən] n
inauguration f ; investiture f.
in-between [ɪnbɪ'twi:n] a entre les deux.
inborn [ɪn'bɔ:n] a (feeling) inné(e) ; (defect)
congénital(e).
inbred [ɪn'brɛd] a inné(e), naturel(le) ;
(family) consanguin(e).

inbreeding [ɪn'bri:dɪŋ] n croisement m
d'animaux de même souche ; unions
consanguines.
Inc. abbr see **incorporated**.
incalculable [ɪn'kælkjuləbl] a
incalculable.
incapability [ɪnkeɪpə'bɪlɪtɪ] n incapacité f.
incapable [ɪn'keɪpəbl] a incapable.
incapacitate [ɪnkə'pæsɪteɪt] vt : **to** ~ **sb**
from doing rendre qn incapable de faire ;
~**d** a (LAW) frappé(e) d'incapacité.
incapacity [ɪnkə'pæsɪtɪ] n incapacité f.
incarcerate [ɪn'kɑ:səreɪt] vt incarcérer.
incarnate a [ɪn'kɑ:nɪt] incarné(e) // vt
['ɪnkɑ:neɪt] incarner ; **incarnation**
[-'neɪʃən] n incarnation f.
incendiary [ɪn'sɛndɪərɪ] a incendiaire.
incense n ['ɪnsɛns] encens m // vt [ɪn'sɛns]
(anger) mettre en colère ; ~ **burner** n
encensoir m.
incentive [ɪn'sɛntɪv] n encouragement m,
raison f de se donner de la peine ; ~ **bonus**
n prime f d'encouragement.
incessant [ɪn'sɛsnt] a incessant(e) ; ~**ly**
ad sans cesse, constamment.
incest ['ɪnsɛst] n inceste m.
inch [ɪntʃ] n pouce m (= 25 mm ; 12 in a
foot) ; **within an** ~ **of** à deux doigts de ;
~ **tape** n centimètre m (de couturière).
incidence ['ɪnsɪdns] n (of crime, disease)
fréquence f.
incident ['ɪnsɪdnt] n incident m ; (in book)
péripétie f.
incidental [ɪnsɪ'dɛntl] a accessoire ;
(unplanned) accidentel(le) ; ~ **to** qui
accompagne ; ~ **expenses** npl faux frais
mpl ; ~**ly** [-'dɛntlɪ] ad (by the way) à
propos.
incinerator [ɪn'sɪnəreɪtə*] n incinérateur
m.
incipient [ɪn'sɪpɪənt] a naissant(e).
incision [ɪn'sɪʒən] n incision f.
incisive [ɪn'saɪsɪv] a incisif(ive) ;
mordant(e).
incite [ɪn'saɪt] vt inciter, pousser.
inclement [ɪn'klɛmənt] a inclément(e),
rigoureux(euse).
inclination [ɪnklɪ'neɪʃən] n inclination f.
incline n ['ɪnklaɪn] pente f, plan incliné //
vb [ɪn'klaɪn] vt incliner // vi : **to** ~ **to** avoir
tendance à ; **to be** ~**d to do** être enclin(e)
à faire ; avoir tendance à faire ; **to be well**
~**d towards sb** être bien disposé(e) à
l'égard de qn.
include [ɪn'klu:d] vt inclure, comprendre ;
including prep y compris.
inclusion [ɪn'klu:ʒən] n inclusion f.
inclusive [ɪn'klu:sɪv] a inclus(e),
compris(e) ; ~ **terms** npl prix tout
compris.
incognito [ɪnkɔg'ni:təu] ad incognito.
incoherent [ɪnkəu'hɪərənt] a
incohérent(e).
income ['ɪŋkʌm] n revenu m ; ~ **tax** n
impôt m sur le revenu ; ~ **tax inspector**
n inspecteur m des contributions directes ;
~ **tax return** n déclaration f des revenus.
incoming ['ɪnkʌmɪŋ] a : ~ **tide** n marée
montante.
incompatible [ɪnkəm'pætɪbl] a incompatible.

incompetence [ɪn'kɔmpɪtns] n incompétence f, incapacité f.

incompetent [ɪn'kɔmpɪtnt] a incompétent(e), incapable.

incomplete [ɪnkəm'pliːt] a incomplet(ète).

incomprehensible [ɪnkɔmprɪ'hɛnsɪbl] a incompréhensible.

inconclusive [ɪnkən'kluːsɪv] a peu concluant(e); (argument) peu convaincant(e).

incongruous [ɪn'kɔŋgruəs] a peu approprié(e); (remark, act) incongru(e), déplacé(e).

inconsequential [ɪnkɔnsɪ'kwɛnʃl] a sans importance.

inconsiderate [ɪnkən'sɪdərət] a (action) inconsidéré(e); (person) qui manque d'égards.

inconsistent [ɪnkən'sɪstnt] a sans cohérence; peu logique; qui présente des contradictions; ~ **with** en contradiction avec.

inconspicuous [ɪnkən'spɪkjuəs] a qui passe inaperçu(e); (colour, dress) discret(ète); **to make o.s. ~** ne pas se faire remarquer.

inconstant [ɪn'kɔnstnt] a inconstant(e); variable.

incontinence [ɪn'kɔntɪnəns] n incontinence f.

incontinent [ɪn'kɔntɪnənt] a incontinent(e).

inconvenience [ɪnkən'viːnjəns] n inconvénient m; (trouble) dérangement m // vt déranger.

inconvenient [ɪnkən'viːnjənt] a malcommode; (time, place) mal choisi(e), qui ne convient pas.

incorporate [ɪn'kɔːpəreɪt] vt incorporer; (contain) contenir // vi fusionner; (two firms) se constituer en société; ~**d** a: ~**d company** (US, abbr **Inc.**) société f anonyme (S.A.).

incorrect [ɪnkə'rɛkt] a incorrect(e); (opinion, statement) inexact(e).

incorruptible [ɪnkə'rʌptɪbl] a incorruptible.

increase n ['ɪnkriːs] augmentation f // vi, vt [ɪn'kriːs] augmenter.

increasing [ɪn'kriːsɪŋ] a (number) croissant(e); ~**ly** ad de plus en plus.

incredible [ɪn'krɛdɪbl] a incroyable.

incredulous [ɪn'krɛdjuləs] a incrédule.

increment ['ɪnkrɪmənt] n augmentation f.

incriminate [ɪn'krɪmɪneɪt] vt incriminer, compromettre.

incubation [ɪnkju'beɪʃən] n incubation f.

incubator ['ɪnkjubeɪtə*] n incubateur m; (for babies) couveuse f.

incur [ɪn'kəː*] vt (expenses) encourir; (anger, risk) s'exposer à; (debt) contracter; (loss) subir.

incurable [ɪn'kjuərəbl] a incurable.

incursion [ɪn'kəːʃən] n incursion f.

indebted [ɪn'dɛtɪd] a: **to be ~ to sb (for)** être redevable à qn (de).

indecent [ɪn'diːsnt] a indécent(e), inconvenant(e); ~ **assault** n attentat m à la pudeur; ~ **exposure** n outrage m (public) à la pudeur.

indecision [ɪndɪ'sɪʒən] n indécision f.

indecisive [ɪndɪ'saɪsɪv] a indécis(e); (discussion) peu concluant(e).

indeed [ɪn'diːd] ad en effet; vraiment; **yes ~!** certainement!

indefinable [ɪndɪ'faɪnəbl] a indéfinissable.

indefinite [ɪn'dɛfɪnɪt] a indéfini(e); (answer) vague; (period, number) indéterminé(e); ~**ly** ad (wait) indéfiniment; (speak) vaguement, avec imprécision.

indelible [ɪn'dɛlɪbl] a indélébile.

indemnify [ɪn'dɛmnɪfaɪ] vt indemniser, dédommager.

indentation [ɪndɛn'teɪʃən] n découpure f; (TYP) alinéa m; (on metal) bosse f.

independence [ɪndɪ'pɛndns] n indépendance f.

independent [ɪndɪ'pɛndnt] a indépendant(e); ~**ly** ad de façon indépendante; ~**ly of** indépendamment de.

indescribable [ɪndɪ'skraɪbəbl] a indescriptible.

index ['ɪndɛks] n (pl: ~**es**: in book) index m; (: in library etc) catalogue m; (pl: **indices** ['ɪndɪsiːz]: ratio, sign) indice m; ~**card** n fiche f; ~ **finger** n index m; ~**-linked** a indexé(e) (sur le coût de la vie etc).

India ['ɪndɪə] n Inde f; ~**n** a indien(ne) // n Indien/ne; ~**n ink** n encre f de Chine; ~**n Ocean** n océan Indien; ~ **paper** n papier m bible.

indicate ['ɪndɪkeɪt] vt indiquer; **indication** [-'keɪʃən] n indication f, signe m.

indicative [ɪn'dɪkətɪv] a indicatif(ive) // n (LING) indicatif m.

indicator ['ɪndɪkeɪtə*] n (sign) indicateur m; (AUT) clignotant m.

indices ['ɪndɪsiːz] npl of **index**.

indict [ɪn'daɪt] vt accuser; ~**able** a (person) passible de poursuites; ~**able offence** n délit pénal; ~**ment** n accusation f.

indifference [ɪn'dɪfrəns] n indifférence f.

indifferent [ɪn'dɪfrənt] a indifférent(e); (poor) médiocre, quelconque.

indigenous [ɪn'dɪdʒɪnəs] a indigène.

indigestible [ɪndɪ'dʒɛstɪbl] a indigeste.

indigestion [ɪndɪ'dʒɛstʃən] n indigestion f, mauvaise digestion.

indignant [ɪn'dɪgnənt] a: ~ **(at sth/with sb)** indigné(e) (de qch/contre qn).

indignation [ɪndɪg'neɪʃən] n indignation f.

indignity [ɪn'dɪgnɪtɪ] n indignité f, affront m.

indigo ['ɪndɪgəu] a indigo inv // n indigo m.

indirect [ɪndɪ'rɛkt] a indirect(e); ~**ly** ad indirectement.

indiscreet [ɪndɪ'skriːt] a indiscret(ète); (rash) imprudent(e).

indiscretion [ɪndɪ'skrɛʃən] n indiscrétion f; imprudence f.

indiscriminate [ɪndɪ'skrɪmɪnət] a (person) qui manque de discernement; (admiration) aveugle; (killings) commis(e) au hasard.

indispensable [ɪndɪ'spɛnsəbl] a indispensable.

indisposed [ɪndɪ'spəuzd] a (unwell) indisposé(e), souffrant(e).

indisposition [ɪndɪspə'zɪʃən] n (illness) indisposition f, malaise m.

indisputable [ɪndɪ'spjuːtəbl] a incontestable, indiscutable.

indistinct [ɪndɪ'stɪŋkt] a indistinct(e); (memory, noise) vague.

individual [ɪndɪ'vɪdjuəl] n individu m // a individuel(le); (characteristic) particulier(ère), original(e); ~ist n individualiste m/f; ~ity [-'ælɪtɪ] n individualité f; ~ly ad individuellement.

indoctrinate [ɪn'dɒktrɪneɪt] vt endoctriner; **indoctrination** [-'neɪʃən] n endoctrinement m.

indolent ['ɪndələnt] a indolent(e), nonchalant(e).

indoor ['ɪndɔː*] a d'intérieur; (plant) d'appartement; (swimming-pool) couvert(e); (sport, games) pratiqué(e) en salle; ~s [ɪn'dɔːz] ad à l'intérieur; (at home) à la maison.

indubitable [ɪn'djuːbɪtəbl] a indubitable, incontestable.

induce [ɪn'djuːs] vt persuader; (bring about) provoquer; ~ment n incitation f; (incentive) but m; (pej: bribe) pot-de-vin m.

induct [ɪn'dʌkt] vt établir dans ses fonctions; (fig) initier.

induction [ɪn'dʌkʃən] n (MED: of birth) accouchement provoqué; ~ **course** n stage m de mise au courant.

indulge [ɪn'dʌldʒ] vt (whim) céder à, satisfaire; (child) gâter // vi: **to ~ in** sth s'offrir qch, se permettre qch; se livrer à qch; ~nce n fantaisie f (que l'on s'offre); (leniency) indulgence f; ~nt a indulgent(e).

industrial [ɪn'dʌstrɪəl] a industriel(le); (injury) du travail; (dispute) ouvrier(ère); ~ **action** n action revendicative; ~ **estate** n zone industrielle; ~**ist** n industriel m; ~**ize** vt industrialiser.

industrious [ɪn'dʌstrɪəs] a travailleur(euse).

industry ['ɪndəstrɪ] n industrie f; (diligence) zèle m, application f.

inebriated [ɪ'niːbrɪeɪtɪd] a ivre.

inedible [ɪn'ɛdɪbl] a immangeable; (plant etc) non comestible.

ineffective [ɪnɪ'fɛktɪv] a inefficace.

ineffectual [ɪnɪ'fɛktʃuəl] a inefficace; incompétent(e).

inefficiency [ɪnɪ'fɪʃənsɪ] n inefficacité f.

inefficient [ɪnɪ'fɪʃənt] a inefficace.

inelegant [ɪn'ɛlɪgənt] a peu élégant(e).

ineligible [ɪn'ɛlɪdʒɪbl] a (candidate) inéligible; **to be ~ for** sth ne pas avoir droit à qch.

inept [ɪ'nɛpt] a inepte.

inequality [ɪnɪ'kwɒlɪtɪ] n inégalité f.

ineradicable [ɪnɪ'rædɪkəbl] a indéracinable, tenace.

inert [ɪ'nəːt] a inerte.

inertia [ɪ'nəːʃə] n inertie f; ~ **reel seat belt** n ceinture f de sécurité à enrouleur.

inescapable [ɪnɪ'skeɪpəbl] a inéluctable, inévitable.

inessential [ɪnɪ'sɛnʃl] a superflu(e).

inestimable [ɪn'ɛstɪməbl] a inestimable, incalculable.

inevitable [ɪn'ɛvɪtəbl] a inévitable.

inexact [ɪnɪg'zækt] a inexact(e).

inexhaustible [ɪnɪg'zɔːstɪbl] a inépuisable.

inexpensive [ɪnɪk'spɛnsɪv] a bon marché inv.

inexperience [ɪnɪk'spɪərɪəns] n inexpérience f, manque m d'expérience; ~d a inexpérimenté(e).

inexplicable [ɪnɪk'splɪkəbl] a inexplicable.

inexpressible [ɪnɪk'sprɛsɪbl] a inexprimable.

inextricable [ɪnɪk'strɪkəbl] a inextricable.

infallibility [ɪnfælə'bɪlɪtɪ] n infaillibilité f.

infallible [ɪn'fælɪbl] a infaillible.

infamous ['ɪnfəməs] a infâme, abominable.

infamy ['ɪnfəmɪ] n infamie f.

infancy ['ɪnfənsɪ] n petite enfance, bas âge; (fig) enfance f, débuts mpl.

infant ['ɪnfənt] n (baby) nourrisson m; (young child) petit(e) enfant; ~**ile** a infantile; ~ **school** n classes fpl préparatoires (entre 5 et 7 ans).

infantry ['ɪnfəntrɪ] n infanterie f; ~**man** n fantassin m.

infatuated [ɪn'fætjueɪtɪd] a: ~ **with** entiché(e) de.

infatuation [ɪnfætjʊ'eɪʃən] n toquade f; engouement m.

infect [ɪn'fɛkt] vt infecter, contaminer; (fig: pej) corrompre; ~**ed with** (illness) atteint(e) de; ~**ion** [ɪn'fɛkʃən] n infection f; contagion f; ~**ious** [ɪn'fɛkʃəs] a infectieux(euse); (also: fig) contagieux(euse).

infer [ɪn'fəː*] vt conclure, déduire; ~**ence** ['ɪnfərəns] n conclusion f; déduction f.

inferior [ɪn'fɪərɪə*] a inférieur(e); (goods) de qualité inférieure // n inférieur/e; (in rank) subalterne m/f; ~**ity** [ɪnfɪərɪ'ɔrətɪ] n infériorité f; ~**ity complex** n complexe m d'infériorité.

infernal [ɪn'fəːnl] a infernal(e); ~**ly** ad abominablement.

inferno [ɪn'fəːnəu] n enfer m; brasier m.

infertile [ɪn'fəːtaɪl] a stérile; **infertility** [-'tɪlɪtɪ] n infertilité f, stérilité f.

infested [ɪn'fɛstɪd] a: ~ **(with)** infesté(e) (de).

infidelity [ɪnfɪ'dɛlɪtɪ] n infidélité f.

in-fighting ['ɪnfaɪtɪŋ] n querelles fpl internes.

infiltrate ['ɪnfɪltreɪt] vt (troops etc) faire s'infiltrer; (enemy line etc) s'infiltrer dans // vi s'infiltrer.

infinite ['ɪnfɪnɪt] a infini(e).

infinitive [ɪn'fɪnɪtɪv] n infinitif m.

infinity [ɪn'fɪnɪtɪ] n infinité f; (also MATH) infini m.

infirm [ɪn'fəːm] a infirme.

infirmary [ɪn'fəːmərɪ] n hôpital m; (in school, factory) infirmerie f.

infirmity [ɪn'fəːmɪtɪ] n infirmité f.

inflame [ɪn'fleɪm] vt enflammer.

inflammable [ɪn'flæməbl] a inflammable.

inflammation [ɪnflə'meɪʃən] n inflammation f.

inflate [ɪn'fleɪt] vt (tyre, balloon) gonfler; (fig) grossir; gonfler; faire monter; **to ~ the currency** avoir recours à l'inflation;

~d a (style) enflé(e); (value) exagéré(e); **inflation** [ɪn'fleɪʃən] n (ECON) inflation f.

inflexible [ɪn'flɛksɪbl] a inflexible, rigide.

inflict [ɪn'flɪkt] vt: **to ~ on** infliger à; **~ion** [ɪn'flɪkʃən] n infliction f; affliction f.

inflow ['ɪnfləu] n afflux m.

influence ['ɪnfluəns] n influence f // vt influencer; **under the ~ of** sous l'effet de; **under the ~ of drink** en état d'ébriété.

influential [ɪnflu'ɛnʃl] a influent(e).

influenza [ɪnflu'ɛnzə] n grippe f.

influx ['ɪnflʌks] n afflux m.

inform [ɪn'fɔ:m] vt: **to ~ sb (of)** informer or avertir qn (de); **to ~ sb about** renseigner qn sur, mettre qn au courant de.

informal [ɪn'fɔ:ml] a (person, manner) simple, sans façon; (visit, discussion) dénué(e) de formalités; (announcement, invitation) non-officiel(le); **'dress ~'** 'tenue de ville'; **~ity** [-'mælɪtɪ] n simplicité f, absence f de cérémonie; caractère non-officiel; **~ language** n langage m de la conversation.

information [ɪnfə'meɪʃən] n information f; renseignements mpl; (knowledge) connaissances fpl; **a piece of ~** un renseignement.

informative [ɪn'fɔ:mətɪv] a instructif(ive).

informer [ɪn'fɔ:mə*] n dénonciateur/-trice; (also: **police ~**) indicateur/trice.

infra-red [ɪnfrə'rɛd] a infrarouge.

infrequent [ɪn'fri:kwənt] a peu fréquent(e), rare.

infringe [ɪn'frɪndʒ] vt enfreindre // vi: **to ~ on** empiéter sur; **~ment** n: **~ment (of)** infraction f (à).

infuriate [ɪn'fjuərɪeɪt] vt mettre en fureur; **infuriating** a exaspérant(e).

ingenious [ɪn'dʒi:njəs] a ingénieux(euse).

ingenuity [ɪndʒɪ'nju:ɪtɪ] n ingéniosité f.

ingenuous [ɪn'dʒɛnjuəs] a naïf(ïve), ingénu(e).

ingot ['ɪŋgət] n lingot m.

ingrained [ɪn'greɪnd] a enraciné(e).

ingratiate [ɪn'greɪʃɪeɪt] vt: **to ~ o.s. with** s'insinuer dans les bonnes grâces de, se faire bien voir de.

ingratitude [ɪn'grætɪtju:d] n ingratitude f.

ingredient [ɪn'gri:dɪənt] n ingrédient m; élément m.

ingrown ['ɪngrəun] a: **~ toenail** ongle incarné.

inhabit [ɪn'hæbɪt] vt habiter.

inhabitant [ɪn'hæbɪtnt] n habitant/e.

inhale [ɪn'heɪl] vt inhaler; (perfume) respirer // vi (in smoking) avaler la fumée.

inherent [ɪn'hɪərənt] a: **~ (in or to)** inhérent(e) (à).

inherit [ɪn'hɛrɪt] vt hériter (de); **~ance** n héritage m; **law of ~ance** n droit m de la succession.

inhibit [ɪn'hɪbɪt] vt (PSYCH) inhiber; **to ~ sb from doing** empêcher or retenir qn de faire; **~ing** a gênant(e); **~ion** [-'bɪʃən] n inhibition f.

inhospitable [ɪnhɔs'pɪtəbl] a inhospitalier(ère).

inhuman [ɪn'hju:mən] a inhumain(e).

inimitable [ɪ'nɪmɪtəbl] a inimitable.

iniquity [ɪ'nɪkwɪtɪ] n iniquité f.

initial [ɪ'nɪʃl] a initial(e) // n initiale f // vt parafer; **~s** npl initiales fpl; (as signature) parafe m; **~ly** ad initialement, au début.

initiate [ɪ'nɪʃɪeɪt] vt (start) entreprendre; amorcer; lancer; (person) initier; **to ~ sb into a secret** initier qn à un secret; **to ~ proceedings against sb** (LAW) intenter une action à qn; **initiation** [-'eɪʃən] n (into secret etc) initiation f.

initiative [ɪ'nɪʃətɪv] n initiative f.

inject [ɪn'dʒɛkt] vt (liquid) injecter; (person) faire une piqûre à; **~ion** [ɪn'dʒɛkʃən] n injection f, piqûre f.

injure ['ɪndʒə*] vt blesser; (wrong) faire du tort à; (damage: reputation etc) compromettre.

injury ['ɪndʒərɪ] n blessure f; (wrong) tort m; **~ time** n (SPORT) arrêts mpl de jeu.

injustice [ɪn'dʒʌstɪs] n injustice f.

ink [ɪŋk] n encre f.

inkling ['ɪŋklɪŋ] n soupçon m, vague idée f.

inky ['ɪŋkɪ] a taché(e) d'encre.

inlaid ['ɪnleɪd] a incrusté(e); (table etc) marqueté(e).

inland a ['ɪnlənd] intérieur(e) // ad [ɪn'lænd] à l'intérieur, dans les terres; **I~ Revenue** n (Brit) fisc m, contributions directes; **~ waterways** npl canaux mpl et rivières fpl.

in-laws ['ɪnlɔ:z] npl beaux-parents mpl; belle famille.

inlet ['ɪnlɛt] n (GEO) crique f; **~ pipe** n (TECH) tuyau m d'arrivée.

inmate ['ɪnmeɪt] n (in prison) détenu/e; (in asylum) interné/e.

inn [ɪn] n auberge f.

innate [ɪ'neɪt] a inné(e).

inner ['ɪnə*] a intérieur(e); **~ city** n centre m de zone urbaine; **~ tube** n (of tyre) chambre f à air.

innocence ['ɪnəsns] n innocence f.

innocent ['ɪnəsnt] a innocent(e).

innocuous [ɪ'nɔkjuəs] a inoffensif(ive).

innovation [ɪnəu'veɪʃən] n innovation f.

innuendo, **~es** [ɪnju'ɛndəu] n insinuation f, allusion (malveillante).

innumerable [ɪ'nju:mrəbl] a innombrable.

inoculation [ɪnɔkju'leɪʃən] n inoculation f.

inopportune [ɪn'ɔpətju:n] a inopportun(e).

inordinately [ɪ'nɔ:dɪnətlɪ] ad démesurément.

inorganic [ɪnɔ:'gænɪk] a inorganique.

in-patient ['ɪnpeɪʃənt] n malade hospitalisé(e).

input ['ɪnput] n (ELEC) énergie f, puissance f; (of machine) consommation f; (of computer) information fournie.

inquest ['ɪnkwɛst] n enquête (criminelle).

inquire [ɪn'kwaɪə*] vi demander, s'informer de; to **~ about** vt fus s'informer de, se renseigner sur; **to ~ after** vt fus demander des nouvelles de; to **~ into** vt fus faire une enquête sur; **inquiring** a (mind) curieux(euse), investigateur(trice); **inquiry** n demande f de renseignements; (LAW) enquête f, investigation f; **inquiry office** n bureau m de renseignements.

inquisitive [ɪn'kwɪzɪtɪv] a curieux(euse).

inroad ['ɪnrəud] n incursion f.

insane [ɪn'seɪn] a fou(folle); (MED) aliéné(e).

insanitary [ɪn'sænɪtərɪ] a insalubre.

insanity [ɪn'sænɪtɪ] n folie f; (MED) aliénation (mentale).

insatiable [ɪn'seɪʃəbl] a insatiable.

inscribe [ɪn'skraɪb] vt inscrire; (book etc): **to ~ (to sb)** dédicacer (à qn).

inscription [ɪn'skrɪpʃən] n inscription f; dédicace f.

inscrutable [ɪn'skru:təbl] a impénétrable.

insect ['ɪnsɛkt] n insecte m; **~icide** [ɪn'sɛktɪsaɪd] n insecticide m.

insecure [ɪnsɪ'kjuə*] a peu solide; peu sûr(e); (person) anxieux (euse); **insecurity** n insécurité f.

insensible [ɪn'sɛnsɪbl] a insensible; (unconscious) sans connaissance.

insensitive [ɪn'sɛnsɪtɪv] a insensible.

inseparable [ɪn'sɛprəbl] a inséparable.

insert [ɪn'sɜ:t] insérer // n ['ɪnsɜ:t] insertion f; **~ion** [ɪn'sɜ:ʃən] n insertion f.

inshore [ɪn'ʃɔ:*] a côtier(ère) // ad près de la côte; vers la côte.

inside ['ɪn'saɪd] n intérieur m // a intérieur(e) // ad à l'intérieur, dedans // prep à l'intérieur de; (of time): **~ 10 minutes** en moins de 10 minutes; **~s** npl (col) intestins mpl; **~ forward** n (SPORT) intérieur m; **~ lane** n (AUT: in Britain) voie f de gauche; **~ out** ad à l'envers; (know) à fond; **to turn ~ out** retourner.

insidious [ɪn'sɪdɪəs] a insidieux(euse).

insight ['ɪnsaɪt] n perspicacité f; (glimpse, idea) aperçu m.

insignificant [ɪnsɪg'nɪfɪknt] a insignifiant(e).

insincere [ɪnsɪn'sɪə*] a hypocrite; **insincerity** [-'sɛrɪtɪ] n manque m de sincérité, hypocrisie f.

insinuate [ɪn'sɪnjueɪt] vt insinuer; **insinuation** [-'eɪʃən] n insinuation f.

insipid [ɪn'sɪpɪd] a insipide, fade.

insist [ɪn'sɪst] vi insister; **to ~ on doing** insister pour faire; **to ~ that** insister pour que; (claim) maintenir or soutenir que; **~ence** n insistance f; **~ent** a insistant(e), pressant(e).

insolence ['ɪnsələns] n insolence f.

insolent ['ɪnsələnt] a insolent(e).

insoluble [ɪn'sɒljubl] a insoluble.

insolvent [ɪn'sɒlvənt] a insolvable; en faillite.

insomnia [ɪn'sɒmnɪə] n insomnie f.

inspect [ɪn'spɛkt] vt inspecter; (ticket) contrôler; **~ion** [ɪn'spɛkʃən] n inspection f; contrôle m; **~or** n inspecteur/trice, contrôleur/euse.

inspiration [ɪnspə'reɪʃən] n inspiration f.

inspire [ɪn'spaɪə*] vt inspirer; **inspiring** a inspirant(e).

instability [ɪnstə'bɪlɪtɪ] n instabilité f.

install [ɪn'stɔ:l] vt installer; **~ation** [ɪnstə'leɪʃən] n installation f.

instalment, installment (US) [ɪn'stɔ:lmənt] n acompte m, versement partiel; (of TV serial etc) épisode m.

instance ['ɪnstəns] n exemple m; **for ~** par exemple; **in many ~s** dans bien des cas.

instant ['ɪnstənt] n instant m // a immédiat(e); urgent(e); (coffee, food) instantané(e), en poudre; **the 10th ~** le 10 courant; **~ly** ad immédiatement, tout de suite.

instead [ɪn'stɛd] ad au lieu de cela; **~ of** au lieu de; **~ of sb** à la place de qn.

instep ['ɪnstɛp] n cou-de-pied m; (of shoe) cambrure f.

instigation [ɪnstɪ'geɪʃən] n instigation f.

instil [ɪn'stɪl] vt: **to ~ (into)** inculquer (à); (courage) insuffler (à).

instinct ['ɪnstɪŋkt] n instinct m.

instinctive [ɪn'stɪŋktɪv] a instinctif(ive); **~ly** ad instinctivement.

institute ['ɪnstɪtju:t] n institut m // vt instituer, établir; (inquiry) ouvrir; (proceedings) entamer.

institution [ɪnstɪ'tju:ʃən] n institution f; établissement m (scolaire); établissement m (psychiatrique).

instruct [ɪn'strʌkt] vt instruire, former; **to ~ sb in sth** enseigner qch à qn; **to ~ sb to do** charger qn or ordonner à qn de faire; **~ion** [ɪn'strʌkʃən] n instruction f; **~ions** npl directives fpl; **~ions (for use)** mode m d'emploi; **~ive** a instructif(ive); **~or** n professeur m; (for skiing, driving) moniteur m.

instrument ['ɪnstrʊmənt] n instrument m; **~al** [-'mɛntl] a (MUS) instrumental(e); **to be ~al in** contribuer à; **~alist** [-'mɛntəlɪst] n instrumentiste m/f; **~ panel** n tableau m de bord.

insubordinate [ɪnsə'bɔ:dənɪt] a insubordonné(e); **insubordination** [-'neɪʃən] n insubordination f.

insufferable [ɪn'sʌfrəbl] a insupportable.

insufficient [ɪnsə'fɪʃənt] a insuffisant(e); **~ly** ad insuffisamment.

insular ['ɪnsjulə*] a insulaire; (outlook) étroit(e); (person) aux vues étroites.

insulate ['ɪnsjuleɪt] vt isoler; (against sound) insonoriser; **insulating tape** n ruban isolant; **insulation** [-'leɪʃən] n isolation f; insonorisation f.

insulin ['ɪnsjulɪn] n insuline f.

insult n ['ɪnsʌlt] insulte f, affront m // vt [ɪn'sʌlt] insulter, faire un affront à; **~ing** a insultant(e), injurieux(euse).

insuperable [ɪn'sju:prəbl] a insurmontable.

insurance [ɪn'ʃuərəns] n assurance f; **fire/life ~** assurance-incendie/-vie; **~ agent** n agent m d'assurances; **~ policy** n police f d'assurance.

insure [ɪn'ʃuə*] vt assurer.

insurrection [ɪnsə'rɛkʃən] n insurrection f.

intact [ɪn'tækt] a intact(e).

intake ['ɪnteɪk] n (TECH) admission f; adduction f; (of food) consommation f; (SCOL): **an ~ of 200 a year** 200 admissions fpl par an.

intangible [ɪn'tændʒɪbl] a intangible; (assets) immatériel(le).

integral ['ɪntɪgrəl] a intégral(e); (part) intégrant(e).

integrate ['ɪntɪgreɪt] vt intégrer // vi s'intégrer.

integrity [ɪn'tɛgrɪtɪ] n intégrité f.

intellect ['ɪntəlɛkt] n intelligence f; ~**ual** [-'lɛktjuəl] a, n intellectuel(le).

intelligence [ɪn'tɛlɪdʒəns] n intelligence f; (MIL etc) informations fpl, renseignements mpl; **I~ Service** n services mpl de renseignements.

intelligent [ɪn'tɛlɪdʒənt] a intelligent(e); ~**ly** ad intelligemment.

intelligible [ɪn'tɛlɪdʒɪbl] a intelligible.

intemperate [ɪn'tɛmpərət] a immodéré(e); (drinking too much) adonné(e) à la boisson.

intend [ɪn'tɛnd] vt (gift etc): **to ~ sth for** destiner qch à; **to ~ to do** avoir l'intention de faire; ~**ed** a (insult) intentionnel(le); (journey) projeté(e); (effect) voulu(e).

intense [ɪn'tɛns] a intense; (person) véhément(e); ~**ly** ad intensément; profondément.

intensify [ɪn'tɛnsɪfaɪ] vt intensifier.

intensity [ɪn'tɛnsɪtɪ] n intensité f.

intensive [ɪn'tɛnsɪv] a intensif(ive); ~ **care unit** n service m de réanimation.

intent [ɪn'tɛnt] n intention f // a attentif(ive), absorbé(e); **to all ~s and purposes** en fait, pratiquement; **to be ~ on doing sth** être (bien) décidé à faire qch.

intention [ɪn'tɛnʃən] n intention f; ~**al** a intentionnel(le), délibéré(e).

intently [ɪn'tɛntlɪ] ad attentivement.

inter [ɪn'tə:*] vt enterrer.

interact [ɪntər'ækt] vi avoir une action réciproque; ~**ion** [-'ækʃən] n interaction f.

intercede [ɪntə'si:d] vi: **to ~ (with)** intercéder (auprès de).

intercept [ɪntə'sɛpt] vt intercepter; (person) arrêter au passage; ~**ion** [-'sɛpʃən] n interception f.

interchange n ['ɪntətʃeɪndʒ] (exchange) échange m; (on motorway) échangeur m // vt [ɪntə'tʃeɪndʒ] échanger; mettre à la place l'un(e) de l'autre; ~**able** a interchangeable.

intercom ['ɪntəkɔm] n interphone m.

interconnect [ɪntəkə'nɛkt] vi (rooms) communiquer.

intercourse ['ɪntəkɔ:s] n rapports mpl.

interest ['ɪntrɪst] n intérêt m; (COMM: stake, share) intérêts mpl // vt intéresser; ~**ed** a intéressé(e); **to be ~ed in** s'intéresser à; ~**ing** a intéressant(e).

interfere [ɪntə'fɪə*] vi: **to ~ in** (quarrel, other people's business) se mêler à; **to ~ with** (object) tripoter, toucher à; (plans) contrecarrer; (duty) être en conflit avec; **don't ~** mêlez-vous de vos affaires.

interference [ɪntə'fɪərəns] n (gen) intrusion f; (PHYSICS) interférence f; (RADIO, TV) parasites mpl.

interim ['ɪntərɪm] a provisoire; (post) intérimaire // n: **in the ~** dans l'intérim.

interior [ɪn'tɪərɪə*] n intérieur m // a intérieur(e).

interjection [ɪntə'dʒɛkʃən] n interjection f.

interlock [ɪntə'lɔk] vi s'enclencher // vt enclencher.

interloper ['ɪntələupə*] n intrus/e.

interlude ['ɪntəlu:d] n intervalle m; (THEATRE) intermède m.

intermarry [ɪntə'mærɪ] vi former des alliances entre familles (or tribus); former des unions consanguines.

intermediary [ɪntə'mi:dɪərɪ] n intermédiaire m/f.

intermediate [ɪntə'mi:dɪət] a intermédiaire; (SCOL: course, level) moyen(ne).

intermission [ɪntə'mɪʃən] n pause f; (THEATRE, CINEMA) entracte m.

intermittent [ɪntə'mɪtnt] a intermittent(e); ~**ly** ad par intermittence, par intervalles.

intern vt [ɪn'tə:n] interner // n ['ɪntə:n] (US) interne m/f.

internal [ɪn'tə:nl] a interne; (dispute, reform etc) intérieur(e); ~**ly** ad intérieurement; **'not to be taken ~ly'** 'pour usage externe'; ~ **revenue** n (US) fisc m.

international [ɪntə'næʃənl] a international(e) // n (SPORT) international m.

internment [ɪn'tə:nmənt] n internement m.

interplay ['ɪntəpleɪ] n effet m réciproque, jeu m.

interpret [ɪn'tə:prɪt] vt interpréter // vi servir d'interprète; ~**ation** [-'teɪʃən] n interprétation f; ~**er** n interprète m/f; ~**ing** n (profession) interprétariat m.

interrelated [ɪntərɪ'leɪtɪd] a en corrélation, en rapport étroit.

interrogate [ɪn'tɛrəugeɪt] vt interroger; (suspect etc) soumettre à un interrogatoire; **interrogation** [-'geɪʃən] n interrogation f; interrogatoire m; **interrogative** [ɪntə'rɔgətɪv] a interrogateur(trice) // n (LING) interrogatif m; **interrogator** n interrogateur/trice.

interrupt [ɪntə'rʌpt] vt interrompre; ~**ion** [-'rʌpʃən] n interruption f.

intersect [ɪntə'sɛkt] vt couper, croiser // vi (roads) se croiser, se couper; ~**ion** [-'sɛkʃən] n intersection f; (of roads) croisement m.

intersperse [ɪntə'spə:s] vt: **to ~ with** parsemer de.

intertwine [ɪntə'twaɪn] vt entrelacer // vi s'entrelacer.

interval ['ɪntəvl] n intervalle m; (SCOL) récréation f; (THEATRE) entracte m; (SPORT) mi-temps f; **bright ~s** (in weather) éclaircies fpl; **at ~s** par intervalles.

intervene [ɪntə'vi:n] vi (time) s'écouler (entre-temps); (event) survenir; (person) intervenir; **intervention** [-'vɛnʃən] n intervention f.

interview ['ɪntəvju:] n (RADIO, TV etc) interview f; (for job) entrevue f // vt interviewer; avoir une entrevue avec; ~**er** n interviewer m.

intestate [ɪn'tɛsteɪt] a intestat.

intestinal [ɪn'tɛstɪnl] a intestinal(e).

intestine [ɪn'tɛstɪn] n intestin m.

intimacy ['ɪntɪməsɪ] n intimité f.

intimate a ['ɪntɪmət] intime; (knowledge) approfondi(e) // vt ['ɪntɪmeɪt] suggérer, laisser entendre ; (*announce*) faire savoir ; **~ly** *ad* intimement.

intimation [ɪntɪˈmeɪʃən] *n* annonce *f*.

intimidate [ɪnˈtɪmɪdeɪt] *vt* intimider ; **intimidation** [-ˈdeɪʃən] *n* intimidation *f*.

into [ˈɪntu] *prep* dans ; **~ 3 pieces/French** en 3 morceaux/français.

intolerable [ɪnˈtɔlərəbl] *a* intolérable.

intolerance [ɪnˈtɔlərns] *n* intolérance *f*.

intolerant [ɪnˈtɔlərnt] *a* intolérant(e).

intonation [ɪntəʊˈneɪʃən] *n* intonation *f*.

intoxicate [ɪnˈtɔksɪkeɪt] *vt* enivrer ; **~d** *a* ivre ; **intoxication** [-ˈkeɪʃən] *n* ivresse *f*.

intractable [ɪnˈtræktəbl] *a* (*child, temper*) indocile, insoumis(e) ; (*problem*) insoluble.

intransigent [ɪnˈtrænsɪdʒənt] *a* intransigeant(e).

intransitive [ɪnˈtrænsɪtɪv] *a* intransitif(ive).

intra-uterine **~ device (I.U.D.)** *n* moyen de contraception intra-utérin.

intravenous [ɪntrəˈviːnəs] *a* intraveineux(euse).

intrepid [ɪnˈtrɛpɪd] *a* intrépide.

intricacy [ˈɪntrɪkəsɪ] *n* complexité *f*.

intricate [ˈɪntrɪkət] *a* complexe, compliqué(e).

intrigue [ɪnˈtriːg] *n* intrigue *f* // *vt* intriguer ; **intriguing** *a* fascinant(e).

intrinsic [ɪnˈtrɪnsɪk] *a* intrinsèque.

introduce [ɪntrəˈdjuːs] *vt* introduire ; **to ~ sb (to sb)** présenter qn (à qn) ; **to ~ sb to** (*pastime, technique*) initier qn à ; **introduction** [-ˈdʌkʃən] *n* introduction *f* ; (*of person*) présentation *f* ; **introductory** *a* préliminaire, d'introduction.

introspective [ɪntrəʊˈspɛktɪv] *a* introspectif(ive).

introvert [ˈɪntrəʊvɜːt] *a,n* introverti(e).

intrude [ɪnˈtruːd] *vi* (*person*) être importun(e) ; **to ~ on** or **into** s'immiscer dans ; **am I intruding?** est-ce que je vous dérange? ; **~r** *n* intrus/e ; **intrusion** [-ʒən] *n* intrusion *f* ; **intrusive** *a* importun(e), gênant(e).

intuition [ɪntjuːˈɪʃən] *n* intuition *f*.

intuitive [ɪnˈtjuːɪtɪv] *a* intuitif(ive).

inundate [ˈɪnʌndeɪt] *vt*: **to ~ with** inonder de.

invade [ɪnˈveɪd] *vt* envahir ; **~r** *n* envahisseur *m*.

invalid *n* [ˈɪnvəlɪd] malade *m/f* ; (*with disability*) invalide *m/f* // *a* [ɪnˈvælɪd] (*not valid*) invalide, non valide ; **~ate** [ɪnˈvælɪdeɪt] *vt* invalider, annuler.

invaluable [ɪnˈvæljuəbl] *a* inestimable, inappréciable.

invariable [ɪnˈvɛərɪəbl] *a* invariable ; (*fig*) immanquable.

invasion [ɪnˈveɪʒən] *n* invasion *f*.

invective [ɪnˈvɛktɪv] *n* invective *f*.

invent [ɪnˈvɛnt] *vt* inventer ; **~ion** [ɪnˈvɛnʃən] *n* invention *f* ; **~ive** *a* inventif(ive) ; **~iveness** *n* esprit inventif or d'invention ; **~or** *n* inventeur/trice.

inventory [ˈɪnvəntrɪ] *n* inventaire *m*.

inverse [ɪnˈvɜːs] *a* inverse // *n* inverse *m*, contraire *m* ; **~ly** *ad* inversement.

invert [ɪnˈvɜːt] *vt* intervertir ; (*cup, object*)

retourner ; **~ed commas** *npl* guillemets *mpl*.

invertebrate [ɪnˈvɜːtɪbrət] *n* invertébré *m*.

invest [ɪnˈvɛst] *vt* investir // *vi* faire un investissement.

investigate [ɪnˈvɛstɪgeɪt] *vt* étudier, examiner ; (*crime*) faire une enquête sur ; **investigation** [-ˈgeɪʃən] *n* examen *m* ; (*of crime*) enquête *f*, investigation *f* ; **investigator** *n* investigateur/trice.

investiture [ɪnˈvɛstɪtʃə*] *n* investiture *f*.

investment [ɪnˈvɛstmənt] *n* investissement *m*, placement *m*.

investor [ɪnˈvɛstə*] *n* épargnant/e ; actionnaire *m/f*.

inveterate [ɪnˈvɛtərət] *a* invétéré(e).

invidious [ɪnˈvɪdɪəs] *a* injuste ; (*task*) déplaisant(e).

invigorating [ɪnˈvɪgəreɪtɪŋ] *a* vivifiant(e) ; stimulant(e).

invincible [ɪnˈvɪnsɪbl] *a* invincible.

inviolate [ɪnˈvaɪələt] *a* inviolé(e).

invisible [ɪnˈvɪzɪbl] *a* invisible ; **~ ink** *n* encre *f* sympathique ; **~ mending** *n* stoppage *m*.

invitation [ɪnvɪˈteɪʃən] *n* invitation *f*.

invite [ɪnˈvaɪt] *vt* inviter ; (*opinions etc*) demander ; (*trouble*) chercher ; **inviting** *a* engageant(e), attrayant(e) ; (*gesture*) encourageant(e).

invoice [ˈɪnvɔɪs] *n* facture *f* // *vt* facturer.

invoke [ɪnˈvəʊk] *vt* invoquer.

involuntary [ɪnˈvɔləntrɪ] *a* involontaire.

involve [ɪnˈvɔlv] *vt* (*entail*) entraîner, nécessiter ; (*associate*): **to ~ sb (in)** impliquer qn (dans), mêler qn à ; faire participer qn (à) ; **~d** *a* complexe ; **to feel ~d** se sentir concerné(e) ; **~ment** *n* mise *f* en jeu ; implication *f* ; **~ment (in)** participation *f* (à) ; rôle *m* (dans).

invulnerable [ɪnˈvʌlnərəbl] *a* invulnérable.

inward [ˈɪnwəd] *a* (*movement*) vers l'intérieur ; (*thought, feeling*) profond(e), intime ; **~ly** *ad* (*feel, think etc*) secrètement, en son for intérieur ; **~(s)** *ad* vers l'intérieur.

iodine [ˈaɪəʊdiːn] *n* iode *m*.

iota [aɪˈəʊtə] *n* (*fig*) brin *m*, grain *m*.

IOU *n* (*abbr of I owe you*) reconnaissance *f* de dette.

IQ *n* (*abbr of intelligence quotient*) Q.I. *m* (quotient intellectuel).

Iran [ɪˈrɑːn] *n* Iran *m* ; **~ian** [ɪˈreɪnɪən] *a* iranien(ne) // *n* Iranien/ne ; (*LING*) iranien *m*.

Iraq [ɪˈrɑːk] *n* Irak *m* ; **~i** *a* irakien(ne) // *n* Irakien/ne ; (*LING*) irakien *m*.

irascible [ɪˈræsɪbl] *a* irascible.

irate [aɪˈreɪt] *a* courroucé(e).

Ireland [ˈaɪələnd] *n* Irlande *f*.

iris, **~es** [ˈaɪrɪs, -ɪz] *n* iris *m*.

Irish [ˈaɪrɪʃ] *a* irlandais(e) // *npl*: **the ~** les Irlandais ; **~man** *n* Irlandais *m* ; **~ Sea** *n* mer *f* d'Irlande ; **~woman** *n* Irlandaise *f*.

irk [əːk] *vt* ennuyer ; **~some** *a* ennuyeux(euse).

iron [ˈaɪən] *n* fer *m* ; (*for clothes*) fer *m* à repasser // *a* de or en fer // *vt* (*clothes*) repasser ; **~s** *npl* (*chains*) fers *mpl*, chaînes

fpl; **to ~ out** *vt* (*crease*) faire disparaître au fer; (*fig*) aplanir; faire disparaître; **the ~ curtain** *n* le rideau de fer.
ironic(al) [aɪ'rɒnɪk(l)] *a* ironique.
ironing ['aɪənɪŋ] *n* repassage *m*; **~ board** *n* planche f à repasser.
ironmonger ['aɪənmʌŋgə*] *n* quincailler *m*; **~'s (shop)** *n* quincaillerie f.
iron ore ['aɪən'ɔ:*] *n* minerai *m* de fer.
ironworks ['aɪənwɜ:ks] *n* usine f sidérurgique.
irony ['aɪrənɪ] *n* ironie f.
irrational [ɪ'ræʃənl] *a* irrationnel(le); déraisonnable; qui manque de logique.
irreconcilable [ɪrekən'saɪləbl] *a* irréconciliable; (*opinion*): **~ with** inconciliable avec.
irredeemable [ɪrɪ'di:məbl] *a* (*COMM*) non remboursable.
irrefutable [ɪrɪ'fju:təbl] *a* irréfutable.
irregular [ɪ'regjulə*] *a* irrégulier(ère); **~ity** [-'lærɪtɪ] *n* irrégularité f.
irrelevance [ɪ'reləvəns] *n* manque *m* de rapport or d'à-propos.
irrelevant [ɪ'reləvənt] *a* sans rapport, hors de propos.
irreligious [ɪrɪ'lɪdʒəs] *a* irréligieux(euse).
irreparable [ɪ'repɾəbl] *a* irréparable.
irreplaceable [ɪrɪ'pleɪsəbl] *a* irremplaçable.
irrepressible [ɪrɪ'presəbl] *a* irrépressible.
irreproachable [ɪrɪ'prəutʃəbl] *a* irréprochable.
irresistible [ɪrɪ'zɪstɪbl] *a* irrésistible.
irresolute [ɪ'rezəlu:t] *a* irrésolu(e), indécis(e).
irrespective [ɪrɪ'spektɪv]: **~ of** *prep* sans tenir compte de.
irresponsible [ɪrɪ'sponsɪbl] *a* (*act*) irréfléchi(e); (*person*) qui n'a pas le sens des responsabilités.
irretrievable [ɪrɪ'tri:vəbl] *a* irréparable, irrémédiable.
irreverent [ɪ'revərnt] *a* irrévérencieux(euse).
irrevocable [ɪ'revəkəbl] *a* irrévocable.
irrigate ['ɪrɪgeɪt] *vt* irriguer; **irrigation** [-'geɪʃən] *n* irrigation f.
irritable ['ɪrɪtəbl] *a* irritable.
irritate ['ɪrɪteɪt] *vt* irriter; **irritation** [-'teɪʃən] *n* irritation f.
is [ɪz] *vb* see **be**.
Islam ['ɪzlɑ:m] *n* Islam *m*.
island ['aɪlənd] *n* île f; (*also:* **traffic ~**) refuge *m* (pour piétons); **~er** *n* habitant/e d'une île, insulaire *m/f*.
isle [aɪl] *n* île f.
isn't ['ɪznt] = **is not**.
isolate ['aɪsəleɪt] *vt* isoler; **~d** *a* isolé(e); **isolation** [-'leɪʃən] *n* isolement *m*; **isolationism** [-'leɪʃənɪzm] *n* isolationnisme *m*.
isotope ['aɪsəutəup] *n* isotope *m*.
Israel ['ɪzreɪl] *n* Israël *m*; **~i** [ɪz'reɪlɪ] *a* israélien(ne) // *n* Israélien/ne.
issue ['ɪsju:] *n* question f, problème *m*; (*outcome*) résultat *m*, fin f; (*of banknotes etc*) émission f; (*of newspaper etc*) numéro *m*; (*offspring*) descendance f // *vt* (*rations, equipment*) distribuer; (*orders*) donner;

(*book*) faire paraître, publier; (*banknotes, cheques, stamps*) émettre, mettre en circulation; **at ~** en jeu, en cause.
isthmus ['ɪsməs] *n* isthme *m*.
it [ɪt] *pronoun* (*subject*) il(elle); (*direct object*) le(la), l'; (*indirect object*) lui; (*impersonal*) il; ce, cela, ça; **~'s raining** il pleut; **I've come from ~** j'en viens; **it's on** ~ c'est dessus; **he's proud of ~** il en est fier; **he agreed to ~** il y a consenti.
Italian [ɪ'tæljən] *a* italien(ne) // *n* Italien/ne; (*LING*) italien *m*.
italic [ɪ'tælɪk] *a* italique; **~s** *npl* italique *m*.
Italy ['ɪtəlɪ] *n* Italie f.
itch [ɪtʃ] *n* démangeaison f // *vi* (*person*) éprouver des démangeaisons; (*part of body*) démanger; **I'm ~ing to do** l'envie me démange de faire; **~ing** *n* démangeaison f; **~y** a qui démange.
it'd ['ɪtd] = **it would**; **it had**.
item ['aɪtəm] *n* (*gen*) article *m*; (*on agenda*) question f, point *m*; (*in programme*) numéro *m*; (*also:* **news ~**) nouvelle f; **~ize** *vt* détailler, spécifier.
itinerant [ɪ'tɪnərənt] *a* itinérant(e); (*musician*) ambulant(e).
itinerary [aɪ'tɪnərərɪ] *n* itinéraire *m*.
it'll ['ɪtl] = **it will**, **it shall**.
its [ɪts] *a* son(sa), ses *pl* // *pronoun* le(la) sien(ne), les siens(siennes).
it's [ɪts] = **it is**; **it has**.
itself [ɪt'self] *pronoun* (*emphatic*) lui-même(elle-même); (*reflexive*) se.
ITV *n abbr of* **Independent Television** (chaîne fonctionnant en concurrence avec la BBC).
I.U.D. *n abbr see* **intra-uterine**.
I've [aɪv] = **I have**.
ivory ['aɪvərɪ] *n* ivoire *m*; **~ tower** *n* (*fig*) tour f d'ivoire.
ivy ['aɪvɪ] *n* lierre *m*.

J

jab [dʒæb] *vt*: **to ~ sth into** enfoncer or planter qch dans // *n* coup *m*; (*MED: col*) piqûre f.
jabber ['dʒæbə*] *vt, vi* bredouiller, baragouiner.
jack [dʒæk] *n* (*AUT*) cric *m*; (*BOWLS*) cochonnet *m*; (*CARDS*) valet *m*; **to ~ up** *vt* soulever (au cric).
jacket ['dʒækɪt] *n* veste f, veston *m*; (*of boiler etc*) enveloppe f; (*of book*) couverture f, jaquette f; **potatoes in their ~s** pommes de terre en robe des champs.
jack-knife ['dʒæknaɪf] *n* couteau *m* de poche // *vi*: **the lorry ~d** la remorque (du camion) s'est mise en travers.
jackpot ['dʒækpɒt] *n* gros lot.
jade [dʒeɪd] *n* (*stone*) jade *m*.
jaded ['dʒeɪdɪd] *a* éreinté(e), fatigué(e).
jagged ['dʒægɪd] *a* dentelé(e).
jail [dʒeɪl] *n* prison f; **~break** *n* évasion f; **~er** *n* geôlier/ière.
jam [dʒæm] *n* confiture f; (*of shoppers etc*) cohue f; (*also:* **traffic ~**) embouteillage *m* // *vt* (*passage etc*) encombrer, obstruer; (*mechanism, drawer etc*) bloquer, coincer; (*RADIO*) brouiller // *vi* (*mechanism, sliding*)

part) se coincer, se bloquer; (*gun*) s'enrayer; **to ~ sth into** entasser *or* comprimer qch dans; enfoncer qch dans.
Jamaica [dʒə'meɪkə] *n* Jamaïque *f*.
jangle ['dʒæŋgl] *vi* cliqueter.
janitor ['dʒænɪtə*] *n* (*caretaker*) huissier *m*; concierge *m*.
January ['dʒænjuərɪ] *n* janvier *m*.
Japan [dʒə'pæn] *n* Japon *m*; **~ese** [dʒæpə'niːz] *a* japonais(e) // *n, pl inv* Japonais/e; (*LING*) japonais *m*.
jar [dʒɑː*] *n* (*glass*) pot *m*, bocal *m* // *vi* (*sound*) produire un son grinçant *or* discordant; (*colours etc*) détonner, jurer // *vt* (*subject: shock*) ébranler, secouer.
jargon ['dʒɑːgən] *n* jargon *m*.
jasmin(e) ['dʒæzmɪn] *n* jasmin *m*.
jaundice ['dʒɔːndɪs] *n* jaunisse *f*; **~d** *a* (*fig*) envieux(euse), désapprobateur(trice).
jaunt [dʒɔːnt] *n* balade *f*; **~y** *a* enjoué(e); désinvolte.
javelin ['dʒævlɪn] *n* javelot *m*.
jaw [dʒɔː] *n* mâchoire *f*.
jaywalker ['dʒeɪwɔːkə*] *n* piéton indiscipliné.
jazz [dʒæz] *n* jazz *m*; **to ~ up** *vt* animer, égayer; **~ band** *n* orchestre *m or* groupe *m* de jazz; **~y** *a* bariolé(e), tapageur(euse).
jealous ['dʒeləs] *a* jaloux(ouse); **~y** *n* jalousie *f*.
jeans [dʒiːnz] *npl* (blue-)jean *m*.
jeep [dʒiːp] *n* jeep *f*.
jeer [dʒɪə*] *vi*: **to ~ (at)** huer; se moquer cruellement de, railler; **~s** *npl* huées *fpl*, sarcasmes *mpl*.
jelly ['dʒelɪ] *n* gelée *f*; **~fish** *n* méduse *f*.
jeopardize ['dʒepədaɪz] *vt* mettre en danger *or* péril.
jeopardy ['dʒepədɪ] *n*: **in ~** en danger *or* péril.
jerk [dʒɜːk] *n* secousse *f*; saccade *f*; sursaut *m*, spasme *m* // *vt* donner une secousse à // *vi* (*vehicles*) cahoter.
jerkin ['dʒɜːkɪn] *n* blouson *m*.
jerky ['dʒɜːkɪ] *a* saccadé(e); cahotant(e).
jersey ['dʒɜːzɪ] *n* tricot *m*.
jest [dʒest] *n* plaisanterie *f*; **in ~** en plaisantant.
jet [dʒet] *n* (*gas, liquid*) jet *m*; (*AUT*) gicleur *m*; (*AVIAT*) avion *m* à réaction, jet *m*; **~-black** *a* (d'un noir) de jais; **~ engine** *n* moteur *m* à réaction.
jetsam ['dʒetsəm] *n* objets jetés à la mer (et rejetés sur la côte).
jettison ['dʒetɪsn] *vt* jeter par-dessus bord.
jetty ['dʒetɪ] *n* jetée *f*, digue *f*.
Jew [dʒuː] *n* Juif *m*.
jewel ['dʒuːəl] *n* bijou *m*, joyau *m*; **~ler** *n* bijoutier/ère, joaillier *m*; **~ler's (shop)** *n* bijouterie *f*, joaillerie *f*; **~lery** *n* bijoux *mpl*.
Jewess ['dʒuːɪs] *n* Juive *f*.
Jewish ['dʒuːɪʃ] *a* juif(juive).
jib [dʒɪb] *n* (*NAUT*) foc *m*; (*of crane*) flèche *f* // *vi*: **to ~ (at)** renâcler *or* regimber (devant).
jibe [dʒaɪb] *n* sarcasme *m*.
jiffy ['dʒɪfɪ] *n* (*col*): **in a ~** en un clin d'œil.
jigsaw ['dʒɪgsɔː] *n* (*also*: **~ puzzle**) puzzle *m*.

jilt [dʒɪlt] *vt* laisser tomber, plaquer.
jingle ['dʒɪŋgl] *n* (*advert*) couplet *m* publicitaire // *vi* cliqueter, tinter.
jinx [dʒɪŋks] *n* (*col*) (mauvais) sort.
jitters ['dʒɪtəz] *npl* (*col*): **to get the ~** avoir la trouille *or* la frousse.
jiujitsu [dʒuː'dʒɪtsuː] *n* jiu-jitsu *m*.
job [dʒɔb] *n* travail *m*; (*employment*) emploi *m*, poste *m*, place *f*; **~bing a** (*workman*) à la tâche, à la journée; **~less** *a* sans travail, au chômage.
jockey ['dʒɔkɪ] *n* jockey *m* // *vi*: **to ~ for position** manœuvrer pour être bien placé.
jocular ['dʒɔkjulə*] *a* jovial(e), enjoué(e); facétieux(euse).
jog [dʒɔg] *vt* secouer // *vi*: **to ~ along** cahoter; trotter; **to ~ sb's memory** rafraîchir la mémoire de qn.
join [dʒɔɪn] *vt* unir, assembler; (*become member of*) s'inscrire à; (*meet*) rejoindre, retrouver; se joindre à // (*roads, rivers*) se rejoindre, se rencontrer // *n* raccord *m*; **to ~ up** *vi* s'engager.
joiner ['dʒɔɪnə*] *n* menuisier *m*; **~y** *n* menuiserie *f*.
joint [dʒɔɪnt] *n* (*TECH*) jointure *f*; joint *m*; (*ANAT*) articulation *f*, jointure; (*CULIN*) rôti *m*; (*col: place*) boîte *f* // *a* commun(e); **~ly** *ad* ensemble, en commun.
joist [dʒɔɪst] *n* solive *f*.
joke [dʒəuk] *n* plaisanterie *f*; (*also*: **practical ~**) farce *f* // *vi* plaisanter; **to play a ~ on** jouer un tour à, faire une farce à; **~r** *n* plaisantin *m*, blagueur/euse; (*CARDS*) joker *m*.
jollity ['dʒɔlɪtɪ] *n* réjouissances *fpl*, gaieté *f*.
jolly ['dʒɔlɪ] *a* gai(e), enjoué(e) // *ad* (*col*) rudement, drôlement.
jolt [dʒəult] *n* cahot *m*, secousse *f* // *vt* cahoter, secouer.
Jordan [dʒɔːdən] *n* Jordanie *f*.
jostle ['dʒɔsl] *vt* bousculer, pousser // *vi* jouer des coudes.
jot [dʒɔt] *n*: **not one ~** pas un brin; **to ~ down** *vt* inscrire rapidement, noter; **~ter** *n* cahier *m* (de brouillon); bloc-notes *m*.
journal ['dʒɜːnl] *n* journal *m*; **~ese** [-'liːz] *n* (*pej*) style *m* journalistique; **~ism** *n* journalisme *m*; **~ist** *n* journaliste *m/f*.
journey ['dʒɜːnɪ] *n* voyage *m*; (*distance covered*) trajet *m*.
jowl [dʒaul] *n* mâchoire *f* (*inférieure*); bajoue *f*.
joy [dʒɔɪ] *n* joie *f*; **~ful**, **~ous** *a* joyeux(euse); **~ ride** *n* virée *f* (*gén avec une voiture volée*).
J.P. *n abbr see* **justice.**
Jr, Jun., Junr *abbr of* **junior.**
jubilant ['dʒuːbɪlnt] triomphant(e); réjoui(e).
jubilation [dʒuːbɪ'leɪʃən] *n* jubilation *f*.
jubilee ['dʒuːbɪliː] *n* jubilé *m*.
judge [dʒʌdʒ] *n* juge *m* // *vt* juger; **judg(e)ment** *n* jugement *m*; (*punishment*) châtiment *m*; **in my judg(e)ment** à mon avis, selon mon opinion.
judicial [dʒuː'dɪʃl] *a* judiciaire; (*fair*) impartial(e).

judicious [dʒuː'dɪʃəs] a judicieux(euse).
judo ['dʒuːdəu] n judo m.
jug [dʒʌg] n pot m, cruche f.
juggernaut ['dʒʌgənɔːt] n (huge truck) mastodonte m.
juggle ['dʒʌgl] vi jongler; ~r n jongleur m.
Jugoslav ['juːgəuslɑːv] a,n = **Yugoslav**.
juice [dʒuːs] n jus m.
juicy ['dʒuːsɪ] a juteux(euse).
jukebox ['dʒuːkbɔks] n juke-box m.
July [dʒuː'laɪ] n juillet m.
jumble ['dʒʌmbl] n fouillis m // vt (also: ~ up) mélanger, brouiller; ~ sale n (Brit) vente f de charité.
jumbo ['dʒʌmbəu] a: ~ jet avion géant, gros porteur (à réaction).
jump [dʒʌmp] vi sauter, bondir; (start) sursauter; (increase) monter en flèche // vt sauter, franchir // n saut m, bond m; sursaut m; to ~ the queue passer avant son tour.
jumper ['dʒʌmpə*] n pull-over m.
jumpy ['dʒʌmpɪ] a nerveux(euse), agité(e).
junction ['dʒʌŋkʃən] n (of roads) carrefour m; (of rails) embranchement m.
juncture ['dʒʌŋktʃə*] n: at this ~ à ce moment-là, sur ces entrefaites.
June [dʒuːn] n juin m.
jungle ['dʒʌŋgl] n jungle f.
junior ['dʒuːnɪə*] a, n: he's ~ to me (by 2 years), he's my ~ (by 2 years) il est mon cadet (de 2 ans), il est plus jeune que moi (de 2 ans); he's ~ to me (seniority) il est en dessous de moi (dans la hiérarchie), j'ai plus d'ancienneté que lui; ~ executive n jeune cadre m; ~ minister n ministre m sous tutelle; ~ partner n associé-adjoint) m; ~ school n école f primaire, cours moyen; ~ sizes npl (COMM) tailles fpl fillettes/garçonnets.
juniper ['dʒuːnɪpə*] n: ~ berry baie f de genièvre.
junk [dʒʌŋk] n (rubbish) bric-à-brac m inv; (ship) jonque f; ~shop n (boutique f de) brocanteur m.
junta ['dʒʌntə] n junte f.
jurisdiction [dʒuərɪs'dɪkʃən] n juridiction f.
jurisprudence [dʒuərɪs'pruːdəns] n jurisprudence f.
juror ['dʒuərə*] n juré m.
jury ['dʒuərɪ] n jury m; ~man n = juror.
just [dʒʌst] a juste // ad: he's ~ done it/left il vient de le faire/partir; ~ as I expected exactement or précisément comme je m'y attendais; ~ right/two o'clock exactement or juste ce qu'il faut/deux heures; ~ as he was leaving au moment or à l'instant précis où il partait; ~ before/enough/here juste avant/assez/là; it's ~ me/a mistake ce n'est que moi/(rien) qu'une erreur; ~ missed/caught manqué/attrapé de justesse; ~ listen to this! écoutez un peu ça!
justice ['dʒʌstɪs] n justice f; Lord Chief J~ premier président de la cour d'appel; J~ of the Peace (J.P.) n juge m de paix.
justifiable [dʒʌstɪ'faɪəbl] a justifiable.

justifiably [dʒʌstɪ'faɪəblɪ] ad légitimement.
justification [dʒʌstɪfɪ'keɪʃən] n justification f.
justify ['dʒʌstɪfaɪ] vt justifier.
justly ['dʒʌstlɪ] ad avec raison, justement.
justness ['dʒʌstnɪs] n justesse f.
jut [dʒʌt] vi (also: ~ out) dépasser, faire saillie.
juvenile ['dʒuːvənaɪl] a juvénile; (court, books) pour enfants // n adolescent/e.
juxtapose ['dʒʌkstəpəuz] vt juxtaposer.

K

kaleidoscope [kə'laɪdəskəup] n kaléidoscope m.
kangaroo [kæŋgə'ruː] n kangourou m.
keel [kiːl] n quille f; on an even ~ (fig) à flot.
keen [kiːn] a (interest, desire) vif(vive); (eye, intelligence) pénétrant(e); (competition) vif, âpre; (edge) effilé(e); (eager) plein(e) d'enthousiasme; to be ~ to do or on doing sth désirer vivement faire qch, tenir beaucoup à faire qch; to be ~ on sth/sb aimer beaucoup qch/qn; ~ness n (eagerness) enthousiasme m; ~ness to do vif désir de faire.
keep [kiːp] vb (pt,pp kept [kept]) vt (retain, preserve) garder; (hold back) retenir; (a shop, the books, a diary) tenir; (feed: one's family etc) entretenir, assurer la subsistance de; (a promise) tenir; (chickens, bees, pigs etc) élever // vi (food) se conserver; (remain: in a certain state or place) rester // n (of castle) donjon m; (food etc): enough for his ~ assez pour (assurer) sa subsistance; to ~ doing sth continuer à faire qch; faire qch continuellement; to ~ sb from doing/sth from happening empêcher qn de faire or que qn (ne) fasse/que qch (n')arrive; to ~ sb happy/a place tidy faire que qn soit content/qu'un endroit reste propre; to ~ sth to o.s. garder qch pour soi, tenir qch secret; to ~ sth (back) from sb cacher qch à qn; to ~ time (clock) être à l'heure, ne pas retarder; to ~ on vi continuer; to ~ on doing continuer à faire; to ~ out vt empêcher d'entrer; '~ out' 'défense d'entrer'; to ~ up vi se maintenir // vt continuer, maintenir; to ~ up with se maintenir au niveau de; ~er n gardien/ne; ~ing n (care) garde f; in ~ing with à l'avenant de; en accord avec; ~sake n souvenir m.
keg [keg] n barrique f, tonnelet m.
kennel ['kenl] n niche f; ~s npl chenil m.
Kenya ['kenjə] n Kenya m.
kept [kept] pt,pp of keep.
kerb [kəːb] n bordure f du trottoir.
kernel ['kəːnl] n amande f; (fig) noyau m.
kerosene ['kerəsiːn] n kérosène m.
ketchup ['ketʃəp] n ketchup m.
kettle ['ketl] n bouilloire f.
kettle drums ['ketldrʌmz] npl timbales fpl.
key [kiː] n (gen, MUS) clé f; (of piano, typewriter) touche f // cpd (-)clé; ~board n clavier m; ~hole n trou m de la serrure;

~note n (MUS) tonique f; (fig) note dominante; ~ ring n porte-clés m.
khaki ['kɑ:kɪ] a,n kaki (m).
kibbutz [kɪ'bu:ts] n kibboutz m.
kick [kɪk] vt donner un coup de pied à // vi (horse) ruer // n coup m de pied; (of rifle) recul m; (thrill): **he does it for** ~**s** il le fait parce que ça l'excite, il le fait pour le plaisir; **to** ~ **around** vi (col) traîner; **to** ~ **off** vi (SPORT) donner le coup d'envoi; ~**-off** n (SPORT) coup m d'envoi.
kid [kɪd] n gamin/e, gosse m/f; (animal, leather) chevreau m // vi (col) plaisanter, blaguer.
kidnap ['kɪdnæp] vt enlever, kidnapper; ~**per** n ravisseur/euse; ~**ping** n enlèvement m.
kidney ['kɪdnɪ] n (ANAT) rein m; (CULIN) rognon m.
kill [kɪl] vt tuer; (fig) faire échouer; détruire; supprimer // n mise f à mort; ~**er** n tueur/tueuse; meurtrier/ère; ~**ing** n meurtre m; tuerie f, massacre m; (col): **to make a** ~**ing** se remplir les poches, réussir un beau coup // a (col) tordant(e).
kiln [kɪln] n four m.
kilo ['kiːləʊ] n kilo m; ~**gram(me)** ['kɪləʊɡræm] n kilogramme m; ~**metre**, ~**meter** (US) ['kɪləmiːtə*] n kilomètre m; ~**watt** ['kɪləwɔt] n kilowatt m.
kilt [kɪlt] n kilt m.
kimono [kɪ'məʊnəʊ] n kimono m.
kin [kɪn] n see **next**, **kith**.
kind [kaɪnd] a gentil(le), aimable // n sorte f, espèce f; (species) genre m; **in** ~ (COMM) en nature; (fig): **to repay sb in** ~ rendre la pareille à qn.
kindergarten ['kɪndəɡɑːtn] n jardin m d'enfants.
kind-hearted [kaɪnd'hɑːtɪd] a bon (bonne).
kindle ['kɪndl] vt allumer, enflammer.
kindly ['kaɪndlɪ] a bienveillant(e), plein(e) de gentillesse // ad avec bonté; **will you** ~... auriez-vous la bonté or l'obligeance de...; **he didn't take it** ~ il l'a mal pris.
kindness ['kaɪndnɪs] n bonté f, gentillesse f.
kindred ['kɪndrɪd] a apparenté(e); ~ **spirit** n âme f sœur.
kinetic [kɪ'nɛtɪk] a cinétique.
king [kɪŋ] n roi m; ~**dom** n royaume m; ~**fisher** n martin-pêcheur m; ~**pin** n cheville ouvrière; ~**-size** a long format inv; format géant inv.
kink [kɪŋk] n (of rope) entortillement m.
kinky ['kɪŋkɪ] a (fig) excentrique; aux goûts spéciaux.
kiosk ['kiːɔsk] n kiosque m; cabine f (téléphonique).
kipper ['kɪpə*] n hareng fumé et salé.
kiss [kɪs] n baiser m // vt embrasser; **to** ~ (**each other**) s'embrasser.
kit [kɪt] n équipement m, matériel m; (set of tools etc) trousse f; (for assembly) kit m; ~**bag** n sac de voyage or de marin.
kitchen ['kɪtʃɪn] n cuisine f; ~ **garden** n jardin m potager; ~ **sink** n évier m; ~**ware** n vaisselle f; ustensiles mpl de cuisine.

kite [kaɪt] n (toy) cerf-volant m; (ZOOL) milan m.
kith [kɪθ] n: ~ **and kin** parents et amis mpl.
kitten ['kɪtn] n petit chat, chaton m.
kitty ['kɪtɪ] n (pool of money) cagnotte f.
kleptomaniac [klɛptəʊ'meɪnɪæk] n kleptomane m/f.
knack [næk] n: **to have the** ~ (**for doing**) avoir le coup (pour faire); **there's a** ~ il y a un coup à prendre or une combine.
knapsack ['næpsæk] n musette f.
knave [neɪv] n (CARDS) valet m.
knead [niːd] vt pétrir.
knee [niː] n genou m; ~**cap** n rotule f.
kneel [niːl] vi (pt,pp knelt [nɛlt]) s'agenouiller.
knell [nɛl] n glas m.
knelt [nɛlt] pt,pp of **kneel**.
knew [njuː] pt of **know**.
knickers ['nɪkəz] npl culotte f (de femme).
knife, **knives** [naɪf, naɪvz] n couteau m // vt poignarder, frapper d'un coup de couteau.
knight [naɪt] n chevalier m; (CHESS) cavalier m; ~**hood** n chevalerie f; (title): **to get a** ~**hood** être fait chevalier.
knit [nɪt] vt tricoter; (fig): **to** ~ **together** unir // vi (broken bones) se ressouder; ~**ting** n tricot m; ~**ting machine** machine f à tricoter; ~**ting needle** n aiguille f à tricoter; ~**wear** n tricots mpl, lainages mpl.
knives [naɪvz] npl of **knife**.
knob [nɔb] n bouton m; (fig): **a** ~ ... **butter** une noix de beurre.
knock [nɔk] vt frapper; heurter; (fig: col) dénigrer // vi (engine) cogner; (at door etc): **to** ~ **at/on** frapper à/sur // n coup m; **to** ~ **down** vt renverser; **to** ~ **off** vi (col: finish) s'arrêter (de travailler); **to** ~ **out** vt assommer; (BOXING) mettre k.-o.; ~**er** n (on door) heurtoir m; ~**-kneed** a aux genoux cagneux; ~**out** n (BOXING) knock-out m, K.-O. m; ~**out competition** n compétition f avec épreuves éliminatoires.
knot [nɔt] n (gen) nœud m // vt nouer; ~**ty** a (fig) épineux(euse).
know [nəʊ] vt (pt knew, pp known [njuː, nəʊn]) savoir; (person, author, place) connaître; **to** ~ **that**... savoir que...; **to** ~ **how to do** savoir comment faire; ~**-how** n savoir-faire m, technique f, compétence f; ~**ing** a (look etc) entendu(e); ~**ingly** ad sciemment; d'un air entendu.
knowledge ['nɔlɪdʒ] n connaissance f; (learning) connaissances, savoir m; ~**able** a bien informé(e).
known [nəʊn] pp of **know**.
knuckle ['nʌkl] n articulation f (des phalanges), jointure f.
K.O. n (abbr of knockout) K.-O. m // vt mettre K.-O.
Koran [kɔ'rɑːn] n Coran m.
kudos ['kjuːdɔs] n gloire f, lauriers mpl.
kw abbr of **kilowatt(s)**.

L

l. abbr of **litre**.

lab [læb] n (abbr of **laboratory**) labo m.

label ['leɪbl] n étiquette f; (brand: of record) marque f // vt étiqueter; (fig): **to ~ sb a...** qualifier qn de... .

laboratory [ləˈbɔrətəri] n laboratoire m.

laborious [ləˈbɔːrɪəs] a laborieux(euse).

labour ['leɪbə*] n (task) travail m; (workmen) main-d'œuvre f; (MED) travail, accouchement m // vi: **to ~ (at)** travailler dur (à), peiner (sur); **in ~** (MED) en travail; **L~, the L~ party** le parti travailliste, les travaillistes mpl; **~ camp** n camp m de travaux forcés; **~ed a** lourd(e), laborieux(euse); **~er** n manœuvre m; (on farm) ouvrier m agricole; **~ force** n main-d'œuvre f; **~ pains** npl douleurs fpl de l'accouchement.

labyrinth ['læbɪrɪnθ] n labyrinthe m, dédale m.

lace [leɪs] n dentelle f; (of shoe etc) lacet m // vt (shoe) lacer.

lack [læk] n manque m // vt manquer de; **through** or **for ~ of** faute de, par manque de; **to be ~ing** manquer, faire défaut; **to be ~ing in** manquer de.

lackadaisical [lækəˈdeɪzɪkl] a nonchalant(e), indolent(e).

laconic [ləˈkɔnɪk] a laconique.

lacquer ['lækə*] n laque f.

lad [læd] n garçon m, gars m.

ladder ['lædə*] n échelle f; (in tights) maille filée // vt, vi (tights) filer.

laden ['leɪdn] a: **~ (with)** chargé(e) (de).

ladle ['leɪdl] n louche f.

lady ['leɪdɪ] n dame f; (du monde); **L~ Smith** lady Smith; **the ladies'** (toilets) les toilettes fpl des dames; **~bird, ~bug** (US) n coccinelle f; **~in-waiting** n dame f d'honneur; **~like** a distingué(e).

lag [læg] n = **time ~** // vi (also: **~ behind**) rester en arrière, traîner // vt (pipes) calorifuger.

lager ['lɑːgə*] n bière blonde.

lagging ['lægɪŋ] n enveloppe isolante, calorifuge m.

lagoon [ləˈguːn] n lagune f.

laid [leɪd] pt, pp of **lay**.

lain [leɪn] pp of **lie**.

lair [lɛə*] n tanière f, gîte m.

laity ['leɪətɪ] n laïques mpl.

lake [leɪk] n lac m.

lamb [læm] n agneau m; **~ chop** n côtelette f d'agneau; **~skin** n (peau f d')agneau m; **~swool** n laine f d'agneau.

lame [leɪm] a boiteux(euse).

lament [ləˈmɛnt] n lamentation f // vt pleurer, se lamenter sur; **~able** ['læməntəbl] a déplorable, lamentable.

laminated ['læmɪneɪtɪd] a laminé(e); (windscreen) (en verre) feuilleté.

lamp [læmp] n lampe f.

lampoon [læmˈpuːn] n pamphlet m.

lamp: ~post n réverbère m; **~shade** n abat-jour m inv.

lance [lɑːns] n lance f // vt (MED) inciser; **~ corporal** n (soldat m de) première classe m.

lancet ['lɑːnsɪt] n bistouri m.

land [lænd] n (as opposed to sea) terre f (ferme); (country) pays m; (soil) terre; terrain m; (estate) terre(s), domaine(s) m(pl) // vi (from ship) débarquer; (AVIAT) atterrir; (fig: fall) (re)tomber // vt (obtain) décrocher; (passengers, goods) débarquer; **to ~ up** vi atterrir, (finir par) se retrouver; **~ed gentry** n propriétaires terriens or fonciers; **~ing** n débarquement m; atterrissage m; (of staircase) palier m; **~ing craft** n chaland m de débarquement; **~ing stage** n débarcadère m, embarcadère m; **~ing strip** n piste f d'atterrissage; **~ing lady** n propriétaire f, logeuse f; **~locked** a entouré(e) de terre(s), sans accès à la mer; **~lord** n propriétaire m, logeur m; (of pub etc) patron m; **~lubber** n terrien/ne; **~mark** n (point m de) repère m; **~owner** n propriétaire foncier or terrien.

landscape ['lænskeɪp] n paysage m; **~d** a aménagé(e) (par un paysagiste).

landslide ['lændslaɪd] n (GEO) glissement m (de terrain); (fig: POL) raz-de-marée (électoral).

lane [leɪn] n (in country) chemin m; (in town) ruelle f; (AUT) voie f; file f; (in race) couloir m.

language ['læŋgwɪdʒ] n langue f; (way one speaks) langage m; **bad ~** grossièretés fpl, langage grossier.

languid ['læŋgwɪd] a languissant(e); langoureux(euse).

languish ['læŋgwɪʃ] vi languir.

lank [læŋk] a (hair) raide et terne.

lanky ['læŋkɪ] a grand(e) et maigre, efflanqué(e).

lantern ['læntn] n lanterne f.

lap [læp] n (of track) tour m (de piste); (of body): **in** or **on one's ~** sur les genoux // vt (also: **~ up**) laper // vi (waves) clapoter; **~dog** n chien m d'appartement.

lapel [ləˈpɛl] n revers m.

Lapland ['læplænd] n Laponie f.

Lapp [læp] a lapon(ne) // n Lapon/ne; (LING) lapon m.

lapse [læps] n défaillance f // vi (LAW) cesser d'être en vigueur; se périmer; **to ~ into bad habits** prendre de mauvaises habitudes; **~ of time** laps m de temps, intervalle m.

larceny ['lɑːsənɪ] n vol m.

lard [lɑːd] n saindoux m.

larder ['lɑːdə*] n garde-manger m inv.

large [lɑːdʒ] a grand(e); (person, animal) gros(grosse); **at ~** (free) en liberté; (generally) en général; pour la plupart; **~ly** ad en grande partie; **~-scale** a (map) à grande échelle; (fig) important(e).

lark [lɑːk] n (bird) alouette f; (joke) blague f, farce f; **to ~ about** vi faire l'idiot, rigoler.

larva, pl **larvae** ['lɑːvə, -iː] n larve f.

laryngitis [lærɪnˈdʒaɪtɪs] n laryngite f.

larynx ['lærɪŋks] n larynx m.

lascivious [ləˈsɪvɪəs] a lascif(ive).

laser ['leɪzə*] n laser m.

lash [læʃ] n coup m de fouet ; (gen: eyelash) cil m // vt fouetter ; (tie) attacher ; to ~ out vi: to ~ out (at or against sb/sth) attaquer violemment (qn/qch) ; to ~ out (on sth) (col: spend) se fendre (de qch).

lass [læs] n (jeune) fille f.

lasso [læ'su:] n lasso m // vt prendre au lasso.

last [lɑ:st] a dernier(ère) // ad en dernier // vi durer ; ~ **week** la semaine dernière ; ~ **night** hier soir, la nuit dernière ; **at** ~ enfin ; ~ **but one** avant-dernier(ère) ; ~**ing** a durable ; ~**-minute** a de dernière minute.

latch [lætʃ] n loquet m ; ~**key** n clé f (de la porte d'entrée).

late [leɪt] a (not on time) en retard ; (far on in day etc) dernier(ère) ; tardif(ive) ; (recent) récent(e), dernier ; (former) ancien(ne) ; (dead) défunt(e) // ad tard ; (behind time, schedule) en retard ; of ~ dernièrement ; **in** ~ **May** vers la fin (du mois) de mai, fin mai ; **the** ~ **Mr X** feu M. X ; ~**comer** n retardataire m/f ; ~**ly** ad récemment ; ~**ness** n (of person) retard m ; (of event) heure tardive.

latent ['leɪtnt] a latent(e).

later ['leɪtə*] a (date etc) ultérieur(e) ; (version etc) plus récent(e) // ad plus tard.

lateral ['lætərl] a latéral(e).

latest ['leɪtɪst] a tout(e) dernier(ère) ; **at the** ~ au plus tard.

latex ['leɪtæks] n latex m.

lath, ~**s** [læθ, læðz] n latte f.

lathe [leɪð] n tour m ; ~ **operator** n tourneur m (en usine).

lather ['lɑ:ðə*] n mousse f (de savon) // vt savonner // vi mousser.

Latin ['lætɪn] n latin m // a latin(e) ; ~ **America** n Amérique latine ; ~-**American** a d'Amérique latine.

latitude ['lætɪtju:d] n latitude f.

latrine [lə'tri:n] n latrines fpl.

latter ['lætə*] a deuxième, dernier(ère) // n: **the** ~ ce dernier, celui-ci ; ~**ly** ad dernièrement, récemment.

lattice ['lætɪs] n treillis m ; treillage m.

laudable ['lɔ:dəbl] a louable.

laudatory ['lɔ:dətri] a élogieux(euse).

laugh [lɑ:f] n rire m // vi rire ; **to** ~ **at** vt fus se moquer de ; **to** ~ **off** vt écarter ou rejeter par une plaisanterie ou par une boutade ; ~**able** a risible, ridicule ; ~**ing** a (face) rieur(euse) ; **the** ~**ing stock of** la risée de ; ~**ter** n rire m ; rires mpl.

launch [lɔ:ntʃ] n lancement m ; (boat) chaloupe f ; (also: **motor** ~) vedette f // vt (ship, rocket, plan) lancer ; ~**ing** n lancement m ; ~(**ing**) **pad** n rampe f de lancement.

launder ['lɔ:ndə*] vt blanchir.

launderette [lɔ:n'drɛt] n laverie f (automatique).

laundry ['lɔ:ndri] n blanchisserie f ; (clothes) linge m ; **to do the** ~ faire la lessive.

laureate ['lɔ:rɪət] a see **poet**.

laurel ['lɔrl] n laurier m.

lava ['lɑ:və] n lave f.

lavatory ['lævətəri] n toilettes fpl.

lavender ['lævəndə*] n lavande f.

lavish ['lævɪʃ] a copieux(euse), somptueux(euse) ; (giving freely): ~ **with** prodigue de // vt: **to** ~ **on sb/sth** (care) prodiguer à qn/qch ; (money) dépenser sans compter pour qn/qch.

law [lɔ:] n loi f ; (science) droit m ; ~-**abiding** a respectueux(euse) des lois ; ~ **and order** n l'ordre public ; ~**breaker** n personne f qui transgresse la loi ; ~ **court** n tribunal m, cour f de justice ; ~**ful** a légal(e) ; permis(e) ; ~**fully** ad légalement ; ~**less** a sans loi.

lawn [lɔ:n] n pelouse f ; ~**mower** n tondeuse f à gazon ; ~ **tennis** [-'tɛnɪs] n tennis m.

law: ~ **school** n faculté f de droit ; ~ **student** n étudiant/e en droit.

lawsuit ['lɔ:su:t] n procès m.

lawyer ['lɔ:jə*] n (consultant, with company) juriste m ; (for sales, wills etc) ≈ notaire m ; (partner, in court) ≈ avocat m.

lax [læks] a relâché(e).

laxative ['læksətɪv] n laxatif m.

laxity ['læksɪti] n relâchement m.

lay [leɪ] pt of **lie** // a laïque ; profane // vt (pt, pp **laid** [leɪd]) poser, mettre ; (eggs) pondre ; (trap) tendre ; (plans) élaborer ; **to** ~ **the table** mettre la table ; **to** ~ **aside** or **by** vt mettre de côté ; **to** ~ **down** vt poser ; **to** ~ **down the law** faire la loi ; **to** ~ **off** vt (workers) licencier ; **to** ~ **on** vt (water, gas) mettre, installer ; (provide) fournir ; (paint) étaler ; **to** ~ **out** vt (design) dessiner, concevoir ; (display) disposer ; (spend) dépenser ; **to** ~ **up** vt (to store) amasser ; (car) remiser ; (ship) désarmer ; (subj: illness) forcer à s'aliter ; ~**about** n fainéant/e ; ~**by** n aire f de stationnement (sur le bas-côté).

layer ['leɪə*] n couche f.

layette ['leɪɛt] n layette f.

layman ['leɪmən] n laïque m ; profane m.

layout ['leɪaut] n disposition f, plan m, agencement m ; (PRESS) mise f en page.

laze [leɪz] vi paresser.

laziness ['leɪzɪnɪs] n paresse f.

lazy ['leɪzi] a paresseux(euse).

lb. abbr of **pound** (weight).

lead [li:d] see also next headword ; n (front position) tête f ; (distance, time ahead) avance f ; (clue) piste f ; (in battery) raccord m ; (ELEC) fil m ; (for dog) laisse f ; (THEATRE) rôle principal // vb (pt,pp **led** [lɛd]) vt mener, conduire ; (induce) amener ; (be leader of) être à la tête de ; (SPORT) être en tête de // vi mener, être en tête ; **to** ~ **to mener à** ; conduire à ; aboutir à ; **to** ~ **astray** vt détourner du droit chemin ; **to** ~ **away** vt emmener ; **to** ~ **back to** ramener à ; **to** ~ **on** vt (tease) faire marcher ; **to** ~ **on to** vt (induce) amener à ; **to** ~ **up to** conduire à.

lead [lɛd] see also previous headword ; n plomb m ; (in pencil) mine f ; ~**en** a de ou en plomb.

leader ['li:də*] n chef m ; dirigeant/e, leader m ; (of newspaper) éditorial m ; ~**ship** n direction f ; qualités fpl de chef.

leading ['li:dɪŋ] a de premier plan ; principal(e) ; ~ **lady** n (THEATRE) vedette (féminine); ~ **light** n (person) vedette f, sommité f; ~ **man** n (THEATRE) vedette f (masculine).

leaf, leaves [li:f, li:vz] n feuille f; (of table) rallonge f.

leaflet ['li:flɪt] n prospectus m, brochure f; (POL, REL) tract m.

leafy ['li:fɪ] a feuillu(e).

league [li:g] n ligue f; (FOOTBALL) championnat m; (measure) lieue f; **to be in ~ with** avoir partie liée avec, être de mèche avec.

leak [li:k] n (out, also fig) fuite f; (in) infiltration f // vi (pipe, liquid etc) fuir; (shoes) prendre l'eau // vt (liquid) répandre; (information) divulguer; **to ~ out** vi fuir; être divulgué(e).

lean [li:n] a maigre // n (of meat) maigre m // vb (pt,pp leaned or leant [lɛnt]) vt: **to ~ sth on** appuyer qch sur // vi (slope) pencher; (rest): **to ~ against** s'appuyer contre; être appuyé(e) contre; **to ~ on** s'appuyer sur; **to ~ back/forward** vi se pencher en arrière/avant; **to ~ over** vi se pencher; ~**ing** a penché(e) // n: ~**ing (towards)** penchant m (pour); ~**-to** n appentis m.

leap [li:p] n bond m, saut m // vi (pt,pp leaped or leapt [lɛpt]) bondir, sauter; ~**frog** n jeu m de saute-mouton; ~ **year** n année f bissextile.

learn, pt,pp **learned** or **learnt** [lə:n, -t] vt,vi apprendre; ~**ed** [lə:nɪd] a érudit(e), savant(e); ~**er** n débutant/e; ~**ing** n savoir m.

lease [li:s] n bail m // vt louer à bail.

leash [li:ʃ] n laisse f.

least [li:st] ad le moins // a: **the ~ + noun** le (la) plus petit(e), le (la) moindre; (smallest amount of) le moins de; **the ~ + adjective** le moins; **the ~ money** le moins d'argent; **the ~ expensive** le moins cher; **at ~** au moins; **not in the ~** pas le moins du monde.

leather ['lɛðə*] n cuir m // cpd en or de cuir.

leave [li:v] vb (pt,pp left [lɛft]) vt laisser; (go away from) quitter // vi partir, s'en aller // n (time off) congé m; (MIL, also: consent) permission f; **to be left** rester; **there's some milk left over** il reste du lait; **on ~** en permission; **to take one's ~ of** prendre congé de; **to ~ out** vt oublier, omettre.

leaves [li:vz] npl of **leaf.**

Lebanon ['lɛbənən] n Liban.

lecherous ['lɛtʃərəs] a lubrique.

lectern ['lɛktə:n] n lutrin m, pupitre m.

lecture ['lɛktʃə*] n conférence f; (SCOL) cours (magistral) // vi donner des cours; enseigner; **to ~ on** faire un cours (or son cours) sur.

lecturer ['lɛktʃərə*] n (speaker) conférencier/ère; (at university) professeur m (d'université), ≈ maître assistant; **assistant ~** n ≈ assistant/e; **senior ~** n ≈ chargé/e d'enseignement.

led [lɛd] pt,pp of **lead.**

ledge [lɛdʒ] n (of window, on wall) rebord m; (of mountain) saillie f, corniche f.

ledger ['lɛdʒə*] n registre m, grand livre.

lee [li:] n côté m sous le vent.

leech [li:tʃ] n sangsue f.

leek [li:k] n poireau m.

leer [lɪə*] vi: **to ~ at sb** regarder qn d'un air mauvais or concupiscent, lorgner qn.

leeway ['li:weɪ] n (fig): **to make up ~** rattraper son retard; **to have some ~** avoir une certaine liberté d'action.

left [lɛft] pt,pp of **leave** // a gauche // ad à gauche // n gauche f; **the L~** (POL) la gauche; ~**-handed** a gaucher(ère); ~**-hand side** n gauche f, côté m gauche; ~**-luggage (office)** n consigne f; ~**-overs** npl restes mpl; ~ **wing** n (MIL SPORT) aile f gauche; (POL) gauche f; ~**-wing** a (POL) de gauche.

leg [lɛg] n jambe f; (of animal) patte f; (of furniture) pied m; (CULIN: of chicken) cuisse f; **lst/2nd ~** (SPORT) match m aller/retour; (of journey) 1ère/2ème étape; ~ **of lamb** n (CULIN) gigot m d'agneau.

legacy ['lɛgəsɪ] n héritage m, legs m.

legal ['li:gl] a légal(e); ~**ize** vt légaliser; ~**ly** ad légalement; ~ **tender** n monnaie légale.

legation [lɪ'geɪʃən] n légation f.

legend ['lɛdʒənd] n légende f; ~**ary** a légendaire.

-legged ['lɛgɪd] suffix: **two-~** à deux pattes (or jambes or pieds).

leggings ['lɛgɪnz] npl jambières fpl, guêtres fpl.

legibility [lɛdʒɪ'bɪlɪtɪ] n lisibilité f.

legible ['lɛdʒəbl] a lisible.

legibly ['lɛdʒəblɪ] ad lisiblement.

legion ['li:dʒən] n légion f.

legislate ['lɛdʒɪsleɪt] vi légiférer; **legislation** [-'leɪʃən] n législation f; **legislative** ['lɛdʒɪslətɪv] a législatif(ive); **legislator** n législateur/trice; **legislature** ['lɛdʒɪslətʃə*] n corps législatif.

legitimacy [lɪ'dʒɪtɪməsɪ] n légitimité f.

legitimate [lɪ'dʒɪtɪmət] a légitime.

leg-room ['lɛgru:m] n place f pour les jambes.

leisure ['lɛʒə*] n loisir m, temps m libre; loisirs mpl; **at ~** (tout) à loisir; à tête reposée; ~ **centre** n centre m de loisirs; ~**ly** a tranquille; fait(e) sans se presser.

lemon ['lɛmən] n citron m; ~**ade** n [-'neɪd] limonade f; ~ **squeezer** n presse-citron m inv.

lend, pt,pp **lent** [lɛnd, lɛnt] vt: **to ~ sth (to sb)** prêter qch (à qn); ~**er** n prêteur/euse; ~**ing library** n bibliothèque f de prêt.

length [lɛŋθ] n longueur f; (section: of road, pipe etc) morceau m, bout m; ~ **of time** durée f; **at ~** (at last) enfin, à la fin; (lengthily) longuement; ~**en** vt allonger, prolonger // vi s'allonger; ~**ways** ad dans le sens de la longueur, en long; ~**y** a (très) long(longue).

leniency ['li:nɪənsɪ] n indulgence f, clémence f.

lenient ['li:nɪənt] a indulgent(e), clément(e); ~**ly** ad avec indulgence or clémence.

lens [lɛnz] n lentille f; (of spectacles) verre m; (of camera) objectif m.

lent [lɛnt] pt,pp of **lend**.

Lent [lɛnt] n Carême m.

lentil [ˈlɛntl] n lentille f.

Leo [ˈliːəu] n le Lion; **to be ~** être du Lion.

leopard [ˈlɛpəd] n léopard m.

leotard [ˈliːətɑːd] n collant m (de danseur etc).

leper [ˈlɛpə*] n lépreux/euse.

leprosy [ˈlɛprəsɪ] n lèpre f.

lesbian [ˈlɛzbɪən] n lesbienne f.

less [lɛs] det moins de // pronoun, ad moins; **~ than that/you** moins que cela/vous; **~ than half** moins de la moitié; **~ and** ~ de moins en moins; **the ~ he works...** moins il travaille...

lessen [ˈlɛsn] vi diminuer, s'amoindrir, s'atténuer // vt diminuer, réduire, atténuer.

lesson [ˈlɛsn] n leçon f; **a maths ~** une leçon or un cours de maths.

lest [lɛst] cj de peur de + infinitive, de peur que + sub.

let, pt,pp **let** [lɛt] vt laisser; (lease) louer; **he ~ me go** il m'a laissé partir; **~ the water boil and...** faites bouillir l'eau et...; **~'s go** allons-y; **~ him** qu'il vienne; **'to ~'** 'à louer'; **to ~ down** vi (lower) baisser; (dress) rallonger; (hair) défaire; (disappoint) décevoir; **to ~ go** vi lâcher prise // vt lâcher; **to ~ in** vt laisser entrer; (visitor etc) faire entrer; **to ~ off** vt laisser partir; (firework etc) faire partir; (smell etc) dégager; **to ~ out** vt laisser sortir; (dress) élargir; (scream) laisser échapper; **to ~ up** vi diminuer, s'arrêter.

lethal [ˈliːθl] a mortel(le), fatal(e).

lethargic [lɛˈθɑːdʒɪk] a léthargique.

lethargy [ˈlɛθədʒɪ] n léthargie f.

letter [ˈlɛtə*] n lettre f; **~s** npl (LITERATURE) lettres; **~ bomb** n lettre piégée; **~box** n boîte f aux or à lettres; **~ing** n lettres fpl; caractères mpl.

lettuce [ˈlɛtɪs] n laitue f, salade f.

let-up [ˈlɛtʌp] n répit m, détente f.

leukaemia, leukemia (US) [luːˈkiːmɪə] n leucémie f.

level [ˈlɛvl] a plat(e), plan(e), uni(e); horizontal(e) // n niveau m; (flat place) terrain plat; (also: **spirit ~**) niveau à bulle // vt niveler, aplanir; **to be ~ with** être au même niveau que; **'A' ~s** npl ≈ baccalauréat m; **'O' ~s** npl ≈ B.E.P.C.; **on the ~** à l'horizontale; (fig: honest) régulier(ère); **to ~ off** or **out** vi (prices etc) se stabiliser; **~ crossing** n passage m à niveau; **~-headed** a équilibré(e).

lever [ˈliːvə*] n levier m // vt: **to ~ up/out** soulever/extraire au moyen d'un levier; **~age** n: **~age (on** or **with)** prise f (sur).

levity [ˈlɛvɪtɪ] n manque m de sérieux, légèreté f.

levy [ˈlɛvɪ] n taxe f, impôt m // vt prélever, imposer; percevoir.

lewd [luːd] a obscène, lubrique.

liability [laɪəˈbɪlɪtɪ] n responsabilité f; (handicap) handicap m; **liabilities** npl obligations fpl, engagements mpl; (on balance sheet) passif m.

liable [ˈlaɪəbl] a (subject): **~ to** sujet(te) à; passible de; (responsible): **~ (for)** responsable (de); (likely): **~ to do** susceptible de faire.

liaison [liːˈeɪzɒn] n liaison f.

liar [ˈlaɪə*] n menteur/euse.

libel [ˈlaɪbl] n écrit m diffamatoire; diffamation f // vt diffamer.

liberal [ˈlɪbərl] a libéral(e); (generous): **~ with** prodigue de, généreux(euse) avec.

liberate [ˈlɪbəreɪt] vt libérer; **liberation** [-ˈreɪʃən] n libération f.

liberty [ˈlɪbətɪ] n liberté f; **at ~ to do** libre de faire; **to take the ~ of** prendre la liberté de, se permettre de.

Libra [ˈliːbrə] n la Balance; **to be ~** être de la Balance.

librarian [laɪˈbrɛərɪən] n bibliothécaire m/f.

library [ˈlaɪbrərɪ] n bibliothèque f.

libretto [lɪˈbrɛtəu] n livret m.

Libya [ˈlɪbɪə] n Lybie f; **~n** a lybien(ne), de Lybie // n Lybien/ne.

lice [laɪs] npl of **louse**.

licence, license (US) [ˈlaɪsns] n autorisation f, permis m; (COMM) licence f; (RADIO, TV) redevance f; (also: **driving ~**) permis m (de conduire); (excessive freedom) licence f; **~ plate** n plaque f minéralogique.

license [ˈlaɪsns] n (US = **licence** // vt donner une licence à; **~d** a (for alcohol) patenté(e) pour la vente des spiritueux, qui a une licence de débit de boissons.

licensee [laɪsənˈsiː] n (in a pub) patron/ne, gérant/e.

licentious [laɪˈsɛnʃəs] a licentieux(euse).

lichen [ˈlaɪkən] n lichen m.

lick [lɪk] vt lécher // n coup m de langue; **a ~ of paint** un petit coup de peinture.

licorice [ˈlɪkərɪs] n = **liquorice**.

lid [lɪd] n couvercle m.

lido [ˈlaɪdəu] n piscine f en plein air.

lie [laɪ] n mensonge m // vi mentir; (pt lay, pp lain [leɪ, leɪn]) (rest) être étendu(e) or allongé(e) or couché(e); (in grave) être enterré(e), reposer; (of object: be situated) se trouver, être; **to ~ low** (fig) se cacher, rester caché(e); **to ~ about** vi traîner; **to have a ~-down** s'allonger, se reposer; **to have a ~-in** faire la grasse matinée.

lieu [luː]: **in ~ of** prep au lieu de.

lieutenant [lɛfˈtɛnənt] n lieutenant m.

life, lives [laɪf, laɪvz] n vie f // cpd de vie; de la vie; à vie; **~ assurance** n assurance-vie f; **~-belt** n bouée f de sauvetage; **~-boat** n canot m or chaloupe f de sauvetage; **~-buoy** n bouée f de sauvetage; **~ expectancy** n espérance f de vie; **~guard** n surveillant m de baignade; **~ jacket** n gilet m or ceinture f de sauvetage; **~less** a sans vie, inanimé(e); (dull) qui manque de vie or de vigueur; **~like** a qui semble vrai(e) or vivant(e); ressemblant(e); **~line** n corde f de sauvetage; **~long** a de toute une vie, de toujours; **~ preserver** n (US) gilet m or ceinture f de sauvetage; (Brit: col) matraque f; **~-raft** n radeau m de sauvetage; **~-saver** n surveillant m de baignade; **~ sentence** n condamnation f à vie *or* à perpétuité ; **~-sized** *a* grandeur nature *inv* ; **~ span** *n* (durée *f* de) vie *f* ; **~ support system** *n* (MED) respirateur artificiel ; **~time** *n* : **in his ~time** de son vivant ; **in a ~time** au cours d'une vie entière ; dans sa vie.

lift [lɪft] *vt* soulever, lever ; (*steal*) prendre, voler // *vi* (*fog*) se lever // *n* (*elevator*) ascenseur *m* ; **to give sb a ~** emmener *or* prendre qn en voiture ; **~-off** *n* décollage *m*.

ligament ['lɪgəmənt] *n* ligament *m*.

light [laɪt] *n* lumière *f* ; (*daylight*) lumière, jour *m* ; (*lamp*) lampe *f* ; (AUT: *traffic* ~, *rear* ~) feu *m* ; (: *headlamp*) phare *m* ; (*for cigarette etc*) **have you got a ~?** avez-vous du feu? // *vt* (*pt*, *pp* **lighted** *or* **lit** [lɪt]) (*candle*, *cigarette*, *fire*) allumer ; (*room*) éclairer // *a* (*room*, *colour*) clair(e) ; (*not heavy*, *also fig*) léger(ère) ; **to ~ up** *vi* s'allumer ; (*face*) s'éclairer // *vt* (*illuminate*) éclairer, illuminer ; **~ bulb** *n* ampoule *f* ; **~en** *vi* s'éclairer // *vt* (*give light to*) éclairer ; (*make lighter*) éclaircir ; (*make less heavy*) alléger ; **~er** *n* (*also*: *cigarette* ~) briquet *m* ; (: *in car*) allume-cigare *m inv* ; (*boat*) péniche *f* ; **~-headed** *a* étourdi(e), écervelé(e) ; **~-hearted** *a* gai(e), joyeux(euse), enjoué(e) ; **~house** *n* phare *m* ; **~ing** *n* (*on road*) éclairage *m* ; (*in theatre*) éclairages ; **~ing-up time** *n* heure officielle de la tombée du jour ; **~ly** *ad* légèrement ; **~ meter** *n* (PHOT) photomètre *m*, cellule *f* ; **~ness** *n* clarté *f* ; (*in weight*) légèreté *f*.

lightning ['laɪtnɪŋ] *n* éclair *m*, foudre *f* ; **~ conductor** *n* paratonnerre *m*.

lightship ['laɪtʃɪp] *n* bateau-phare *m*.

lightweight ['laɪtweɪt] *a* (*suit*) léger(ère) ; (*boxer*) poids léger *inv*.

light year ['laɪtjɪə*] *n* année-lumière *f*.

lignite ['lɪgnaɪt] *n* lignite *m*.

like [laɪk] *vt* aimer (bien) // *prep* comme // *a* semblable, pareil(le) // *n* : **the ~** un(e) pareil(le) *or* semblable ; **le(la) pareil(le)** ; (*pej*) d'autres du même genre *or* acabit ; **his ~s and dislikes** ses goûts *mpl or* préférences *fpl* ; **I would ...**, **I'd ~** je voudrais, j'aimerais ; **to be/look ~ sb/sth** ressembler à qn/qch ; **that's just ~ him** c'est bien de lui, ça lui ressemble ; **nothing ~...** rien de tel que... ; **~able** *a* sympathique, agréable.

likelihood ['laɪklɪhud] *n* probabilité *f*, opinion.

likely ['laɪklɪ] *a* probable ; plausible ; **he's ~ to leave** il va sûrement partir, il risque fort de partir.

like-minded [laɪk'maɪndɪd] *a* de même opinion.

liken ['laɪkən] *vt* : **to ~ sth to** comparer qch à.

likewise ['laɪkwaɪz] *ad* de même, pareillement.

liking ['laɪkɪŋ] *n* : **~ (for)** affection *f* (pour), penchant *m* (pour) ; goût *m* (pour).

lilac ['laɪlək] *n* lilas *m* // *a* lilas *inv*.

lilting ['lɪltɪŋ] *a* aux cadences mélodieuses ; chantant(e).

lily ['lɪlɪ] *n* lis *m* ; **~ of the valley** *n* muguet *m*.

limb [lɪm] *n* membre *m*.

limber ['lɪmbə*] : **to ~ up** *vi* se dégourdir, se mettre en train.

limbo ['lɪmbəu] *n* : **to be in ~** (*fig*) être tombé(e) dans l'oubli.

lime [laɪm] *n* (*tree*) tilleul *m* ; (*fruit*) lime *f* ; (GEO) chaux *f* ; **~ juice** *n* jus *m* de citron vert.

limelight ['laɪmlaɪt] *n* : **in the ~** (*fig*) en vedette, au premier plan.

limerick ['lɪmərɪk] *n* poème *m* humoristique (de 5 vers).

limestone ['laɪmstəun] *n* pierre *f* à chaux ; (GEO) calcaire *m*.

limit ['lɪmɪt] *n* limite *f* // *vt* limiter ; **~ation** [-'teɪʃən] *n* limitation *f*, restriction *f* ; **~ed** *a* limité(e), restreint(e) ; **~ed (liability) company (Ltd)** *n* ≈ société *f* anonyme (S.A.).

limousine ['lɪməzi:n] *n* limousine *f*.

limp [lɪmp] *n* : **to have a ~** boiter // *vi* boiter // *a* mou(molle).

limpet ['lɪmpɪt] *n* patelle *f* ; **like a ~** (*fig*) comme une ventouse.

line [laɪn] *n* (*gen*) ligne *f* ; (*rope*) corde *f* ; (*wire*) fil *m* ; (*of poem*) vers *m* ; (*row*, *series*) rangée *f*, file *f*, queue *f* ; (COMM: *series of goods*) article(s) *m(pl)* ; (*of clothes*) : **to ~ (with)** doubler (de) ; (*box*) : **to ~ (with)** garnir *or* tapisser (de) ; (*subj*: *trees*, *crowd*) border ; **in his ~ of business** dans sa partie, dans son rayon ; **in ~ with** en accord avec ; **to ~ up** *vi* s'aligner, se mettre en rang(s) // *vt* aligner.

linear ['lɪnɪə*] *a* linéaire.

linen ['lɪnɪn] *n* linge *m* (de corps *or* de maison) ; (*cloth*) lin *m*.

liner ['laɪnə*] *n* paquebot *m* de ligne.

linesman ['laɪnzmən] *n* (TENNIS) juge *m* de ligne ; (FOOTBALL) juge de touche.

line-up ['laɪnʌp] *n* file *f* ; (SPORT) (composition *f* de l')équipe *f*.

linger ['lɪŋgə*] *vi* s'attarder ; traîner ; (*smell*, *tradition*) persister ; **~ing** *a* persistant(e) ; qui subsiste ; (*death*) lent(e).

lingo, **~es** ['lɪŋgəu] *n* (*pej*) jargon *m*.

linguist ['lɪŋgwɪst] *n* linguiste *m/f* ; personne douée pour les langues ; **~ic** *a* linguistique ; **~ics** *n* linguistique *f*.

lining ['laɪnɪŋ] *n* doublure *f*.

link [lɪŋk] *n* (*of a chain*) maillon *m* ; (*connection*) lien *m*, rapport *m* // *vt* relier, lier, unir ; **~s** *npl* (*terrain m de*) golf *m* ; **to ~ up** *vt* relier // *vi* se rejoindre ; s'associer ; **~-up** *n* liaison *f*.

linoleum [lɪ'nəuliəm] *n* linoléum *m*.

linseed oil ['lɪnsi:d'ɔɪl] *n* huile *f* de lin.

lint [lɪnt] *n* tissu ouaté (*pour pansements*).

lintel ['lɪntl] *n* linteau *m*.

lion ['laɪən] *n* lion *m* ; **~ cub** lionceau *m* ; **~ess** *n* lionne *f*.

lip [lɪp] *n* lèvre *f* ; (*of cup etc*) rebord *m* ; (*insolence*) insolences *fpl* ; **~read** *vi* lire sur les lèvres ; **to pay ~ service to sth** ne reconnaître le mérite de qch que pour la forme *or* qu'en paroles ; **~stick** *n* rouge *m* à lèvres.

liquefy ['lɪkwɪfaɪ] *vt* liquéfier.

liqueur [lɪ'kjuə*] *n* liqueur *f*.

liquid ['lɪkwɪd] *n* liquide *m* // *a* liquide ; **~ assets** *npl* liquidités *fpl*, disponibilités *fpl*.

liquidate ['lıkwıdeıt] vt liquider; **liquidation** [-'deıʃən] n liquidation f; **liquidator** n liquidateur m.

liquidize ['lıkwıdaız] vt (CULIN) passer au mixeur.

liquor ['lıkə*] n spiritueux m, alcool m.

liquorice ['lıkərıs] n réglisse m.

lisp [lısp] n zézaiement m.

list [lıst] n liste f; (of ship) inclinaison f // vt (write down) inscrire; faire la liste de; (enumerate) énumérer // vi (ship) gîter, donner de la bande.

listen ['lısn] vi écouter; **to ~ to** écouter; **~er** n auditeur/trice.

listless ['lıstlıs] a indolent(e), apathique; **~ly** ad avec indolence or apathie.

lit [lıt] pt,pp of **light**.

litany ['lıtənı] n litanie f.

literacy ['lıtərəsı] n degré m d'alphabétisation, fait m de savoir lire et écrire.

literal ['lıtərl] a littéral(e); (unimaginative) prosaïque, sans imagination; **~ly** ad littéralement.

literary ['lıtərərı] a littéraire.

literate ['lıtərət] a qui sait lire et écrire, instruit(e).

literature ['lıtərıtʃə*] n littérature f; (brochures etc) copie f publicitaire, prospectus mpl.

lithe [laıð] a agile, souple.

lithography [lı'θɔgrəfı] n lithographie f.

litigate ['lıtıgeıt] vt mettre en litige // vi plaider; **litigation** [-'geıʃən] n litige m; contentieux m.

litmus ['lıtməs] n: **~ paper** papier m de tournesol.

litre, liter (US) ['li:tə*] n litre m.

litter ['lıtə*] n (rubbish) détritus mpl, ordures fpl; (young animals) portée f // vt éparpiller; laisser des détritus dans // vi (ZOOL) mettre bas; **~ bin** n boîte f à ordures, poubelle f; **~ed with** jonché(e) de, couvert(e) de.

little ['lıtl] a (small) petit(e); (not much): **it's ~** c'est peu; **~ milk** peu de lait // ad peu; **a ~** un peu (de); **a ~ milk** un peu de lait; **~ by ~** petit à petit, peu à peu; **to make ~ of** faire peu de cas de.

liturgy ['lıtədʒı] n liturgie f.

live vi [lıv] vivre; (reside) vivre, habiter // a [laıv] (animal) vivant(e), en vie; (wire) sous tension; (broadcast) (transmis(e)) en direct; **to ~ down** vt faire oublier (avec le temps); **to ~ in** vi être logé(e) et nourri(e); être interne; **to ~ on** vt fus (food) vivre de // vi survivre, subsister; **to ~ up to** vt fus se montrer à la hauteur de.

livelihood ['laıvlıhud] n moyens mpl d'existence.

liveliness ['laıvlınəs] n vivacité f, entrain m.

lively ['laıvlı] a vif(vive), plein(e) d'entrain.

liver ['lıvə*] n (ANAT) foie m; **~ish** a qui a mal au foie; (fig) grincheux(euse).

livery ['lıvərı] n livrée f.

lives [laıvz] npl of **life**.

livestock ['laıvstɔk] n cheptel m, bétail m.

livid ['lıvıd] a livide, blafard(e); (furious) furieux(euse), furibond(e).

living ['lıvıŋ] a vivant(e), en vie // n: **to earn** or **make a ~** gagner sa vie; **~ room** n salle f de séjour; **~ standards** npl niveau m de vie; **~ wage** n salaire m permettant de vivre (décemment).

lizard ['lızəd] n lézard m.

llama ['lɑ:mə] n lama m.

load [ləud] n (weight) poids m; (thing carried) chargement m, charge f; (ELEC, TECH) charge // vt: **to ~ (with)** (lorry, ship) charger (de); (gun, camera) charger (avec); **a ~ of**, **~s of** (fig) un or des tas de, des masses de; **~ed** a (dice) pipé(e); (question, word) insidieux(euse); (col: rich) bourré(e) de fric; (: drunk) bourré.

loaf, loaves [ləuf, ləuvz] n pain m, miche f // vi (also: **~ about**, **~ around**) fainéanter, traîner.

loam [ləum] n terreau m.

loan [ləun] n prêt m // vt prêter; **on ~** prêté(e), en prêt; **public ~** emprunt public.

loath [ləuθ] a: **to be ~ to do** répugner à faire.

loathe [ləuð] vt détester, avoir en horreur; **loathing** n dégoût m, répugnance f.

loaves [ləuvz] npl of **loaf**.

lobby ['lɔbı] n hall m, entrée f; (POL: pressure group) groupe m de pression, lobby m // vt faire pression sur.

lobe [ləub] n lobe m.

lobster ['lɔbstə*] n homard m.

local ['ləukl] a local(e) // n (pub) pub m or café m du coin; **the ~s** npl les gens mpl du pays or du coin; **~ call** n communication urbaine; **~ government** n administration locale or municipale.

locality [ləu'kælıtı] n région f, environs mpl; (position) lieu m.

locally ['ləukəlı] ad localement; dans les environs or la région.

locate [ləu'keıt] vt (find) trouver, repérer; (situate) situer.

location [ləu'keıʃən] n emplacement m; **on ~** (CINEMA) en extérieur.

loch [lɔx] n lac m, loch m.

lock [lɔk] n (of door, box) serrure f; (of canal) écluse f; (of hair) mèche f, boucle f // vt (with key) fermer à clé; (immobilize) bloquer // vi (door etc) fermer à clé; (wheels) se bloquer.

locker ['lɔkə*] n casier m.

locket ['lɔkıt] n médaillon m.

lockjaw ['lɔkdʒɔ:] n tétanos m.

locomotive [ləukə'məutıv] n locomotive f.

locust ['ləukəst] n locuste f, sauterelle f.

lodge [lɔdʒ] n pavillon m (de gardien); (FREEMASONRY) loge f // vi (person): **to ~ (with)** être logé(e) (chez), être en pension (chez) // vt (appeal etc) présenter; déposer; **to ~ a complaint** porter plainte; **to ~ (itself) in/between** se loger dans/entre; **~r** n locataire m/f; (with room and meals) pensionnaire m/f.

lodgings ['lɔdʒıŋz] npl chambre f; meublé m.

loft [lɔft] n grenier m.

lofty ['lɔftı] a élevé(e); (haughty) hautain(e).

log [lɔg] n (of wood) bûche f; (book) = **logbook**.

logarithm ['lɔgərɪðəm] n logarithme m.

logbook ['lɔgbuk] n (NAUT) livre m or journal m de bord ; (AVIAT) carnet m de vol ; (of lorry-driver) carnet de route ; (of events, movement of goods etc) registre m ; (of car) ≈ carte grise.

loggerheads ['lɔgəhɛdz] npl: at ~ (with) à couteaux tirés (avec).

logic ['lɔdʒɪk] n logique f ; ~al a logique ; ~ally ad logiquement.

logistics [lɔ'dʒɪstɪks] n logistique f.

loin [lɔɪn] n (CULIN) filet m, longe f ; ~s npl reins mpl.

loiter ['lɔɪtə*] vi s'attarder ; to ~ (about) traîner, musarder ; (pej) rôder.

loll [lɔl] vi (also: ~ about) se prélasser, fainéanter.

lollipop ['lɔlɪpɔp] n sucette f ; ~ man/lady n contractuel/le qui fait traverser la rue aux enfants.

London ['lʌndən] n Londres m ; ~er n Londonien/ne.

lone [ləun] a solitaire.

loneliness ['ləunlɪnɪs] n solitude f, isolement m.

lonely ['ləunlɪ] a seul(e) ; solitaire, isolé(e) ; to feel ~ se sentir seul.

loner ['ləunə*] n solitaire m/f.

long [lɔŋ] a long(longue) // ad longtemps // vi: to ~ for sth/to do avoir très envie de qch/de faire ; attendre qch avec impatience/impatience de faire ; he had ~ understood that... il avait compris depuis longtemps que... ; how ~ is this river/course? quelle est la longueur de ce fleuve/la durée de ce cours? ; 6 metres ~ (long) de 6 mètres ; 6 months ~ qui dure 6 mois, de 6 mois ; all night ~ toute la nuit ; ~ before longtemps avant ; before ~ (+ future) avant peu, dans peu de temps ; (+ past) peu de temps après ; at ~ last enfin ; no ~er, any ~er ne...plus ; ~-distance a (race) de fond ; (call) interurbain(e) ; ~-haired a (person) aux cheveux longs ; (animal) aux longs poils ; ~hand n écriture normale or courante ; ~ing n désir m, envie f, nostalgie f // a plein(e) d'envie or de nostalgie.

longitude ['lɔŋgɪtjuːd] n longitude f.

long: ~ jump n saut m en longueur ; ~-lost a perdu(e) depuis longtemps ; ~-playing a: ~-playing record (L.P.) n (disque m) 33 tours m inv ; ~-range a à longue portée ; ~-sighted a presbyte ; (fig) prévoyant(e) ; ~-standing a de longue date ; ~-suffering a empreint(e) d'une patience résignée ; extrêmement patient(e) ; ~-term a à long terme ; ~-wave a à grandes ondes ; ~-winded a intarissable, interminable.

loo [luː] n (col) w.-c. mpl, petit coin.

loofah ['luːfə] n sorte d'éponge végétale.

look [luk] vi regarder ; (seem) sembler, paraître, avoir l'air ; (building etc) to ~ south/on to the sea donner au sud/sur la mer // n regard m ; (appearance) air m, allure f, aspect m ; ~s npl mine f, physique m ; beauté f ; to ~ like ressembler à ; it ~s like him on dirait que c'est lui ; to ~ after vt fus s'occuper de, prendre soin de ; garder, surveiller ; to ~ at vt fus regarder ; to ~ down on vt fus (fig) regarder de haut, dédaigner ; to ~ for vt fus chercher ; to ~ forward to vt fus attendre avec impatience ; to ~ on vi regarder (en spectateur) ; to ~ out vi (beware): to ~ out (for) prendre garde (à), faire attention (à) ; to ~ out for vt fus être à la recherche de ; guetter ; to ~ to vt fus veiller à ; (rely on) compter sur ; to ~ up vi lever les yeux ; (improve) s'améliorer // vt (word) chercher ; (friend) passer voir ; to ~ up to vt fus avoir du respect pour ; ~out n poste m de guet ; guetteur m ; to be on the ~-out (for) guetter.

loom [luːm] n métier m à tisser // vi surgir ; (fig) menacer, paraître imminent(e).

loop [luːp] n boucle f ; (contraceptive) stérilet m ; ~hole n porte f de sortie (fig) ; échappatoire f.

loose [luːs] a (knot, screw) desserré(e) ; (stone) branlant(e) ; (clothes) vague, ample, lâche ; (animal) en liberté, échappé(e) ; (life) dissolu(e) ; (morals, discipline) relâché(e) ; (thinking) peu rigoureux(euse), vague ; (translation) approximatif(ive) ; to be at a ~ end ne pas trop savoir quoi faire ; ~ly ad sans serrer ; approximativement ; ~n vt desserrer, relâcher, défaire.

loot [luːt] n butin m // vt piller ; ~ing n pillage m.

lop [lɔp] n: to ~ off vt couper, trancher.

lop-sided ['lɔp'saɪdɪd] a de travers, asymétrique.

lord [lɔːd] n seigneur m ; L~ Smith lord Smith ; the L~ le Seigneur ; (the House of) L~s la Chambre des Lords ; ~ly a noble, majestueux(euse) ; (arrogant) hautain(e) ; ~ship n: your L~ship Monsieur le comte (or le baron or le Juge).

lore [lɔː*] n tradition(s) f(pl).

lorry ['lɔrɪ] n camion m ; ~ driver n camionneur m, routier m.

lose, pt,pp lost [luːz, lɔst] vt perdre ; (opportunity) manquer, perdre ; (pursuers) distancer, semer // vi perdre ; (time) (clock) retarder ; to get lost vi se perdre ; ~r n perdant/e.

loss [lɔs] n perte f ; to be at a ~ être perplexe or embarrassé(e) ; to be at a ~ to do se trouver incapable de faire.

lost [lɔst] pt,pp of lose // a perdu(e) ; ~ property n objets trouvés.

lot [lɔt] n (at auctions) lot m ; (destiny) sort m, destinée f ; the ~ le tout ; tous mpl, toutes fpl ; a ~ beaucoup ; a ~ of beaucoup de ; ~s of des tas de ; to draw ~s (for sth) tirer (qch) au sort.

lotion ['ləuʃən] n lotion f.

lottery ['lɔtərɪ] n loterie f.

loud [laud] a bruyant(e), sonore, fort(e) ; (gaudy) voyant(e), tapageur(euse) // ad (speak etc) fort ; ~hailer n porte-voix m inv ; ~ly ad fort, bruyamment ; ~speaker n haut-parleur m.

lounge [laundʒ] n salon m // vi se prélasser, paresser ; ~ suit n complet m ; 'tenue de ville'.

louse, pl **lice** [laus, laɪs] n pou m.

lousy ['lauzɪ] a (fig) infect(e), moche.

lout [laut] *n* rustre *m*, butor *m*.

lovable ['lʌvəbl] *a* très sympathique; adorable.

love [lʌv] *n* amour *m* // *vt* aimer; aimer beaucoup; **to ~ to do** aimer beaucoup or adorer faire; **to be in ~ with** être amoureux(euse) de; **to make ~** faire l'amour; '**15 ~**' (*TENNIS*) '15 à rien or zéro'; **~ at first sight** le coup de foudre; **~ affair** *n* liaison (amoureuse); **~ letter** *n* lettre f d'amour; **~ life** *n* vie sentimentale.

lovely ['lʌvlɪ] *a* (très) joli(e); ravissant(e), charmant(e); agréable.

lover ['lʌvə*] *n* amant *m*; (*amateur*): **a ~ of** un(e) ami(e) de; un(e) amoureux(euse) de.

lovesong ['lʌvsɔŋ] *n* chanson f d'amour.

loving ['lʌvɪŋ] *a* affectueux(euse), tendre, aimant(e).

low [ləu] *a* bas(basse) // *ad* bas // *n* (*METEOROLOGY*) dépression f // *vi* (*cow*) mugir; **to feel ~** se sentir déprimé(e); **he's very ~** (*ill*) il est bien bas or très affaibli; **to turn (down) ~** *vt* baisser; **~-cut** *a* (*dress*) décolleté(e); **~er** *vt* abaisser, baisser; **~ly** *a* humble, modeste; **~-lying** *a* à faible altitude; **~-paid** a mal payé(e), aux salaires bas.

loyal ['lɔɪəl] *a* loyal(e), fidèle; **~ty** *n* loyauté f, fidélité f.

lozenge ['lɔzɪndʒ] *n* (*MED*) pastille f; (*GEOM*) losange *m*.

L.P. *n* abbr see **long-playing**.

L-plates ['elpleɪts] *npl* plaques *fpl* d'apprenti conducteur.

Ltd abbr see **limited**.

lubricant ['lu:brɪkənt] *n* lubrifiant *m*.

lubricate ['lu:brɪkeɪt] *vt* lubrifier, graisser.

lucid ['lu:sɪd] *a* lucide; **~ity** *n* [-'sɪdɪtɪ] *n* lucidité f.

luck [lʌk] *n* chance f; **bad ~** malchance f, malheur *m*; **good ~!** bonne chance! **~ily** *ad* heureusement, par bonheur; **~y** *a* (*person*) qui a de la chance; (*coincidence*) heureux(euse); (*number etc*) qui porte bonheur.

lucrative ['lu:krətɪv] *a* lucratif(ive), rentable, qui rapporte.

ludicrous ['lu:dɪkrəs] *a* ridicule, absurde.

ludo ['lu:dəu] *n* jeu *m* des petits chevaux.

lug [lʌg] *vt* traîner, tirer.

luggage ['lʌgɪdʒ] *n* bagages *mpl*; **~ rack** *n* (*in train*) porte-bagages *m inv*; (: *made of string*) filet *m* à bagages; (*on car*) galerie f.

lugubrious [lu'gu:brɪəs] *a* lugubre.

lukewarm ['lu:kwɔ:m] *a* tiède.

lull [lʌl] *n* accalmie f // *vt* (*child*) bercer; (*person, fear*) apaiser, calmer.

lullaby ['lʌləbaɪ] *n* berceuse f.

lumbago [lʌm'beɪgəu] *n* lumbago *m*.

lumber ['lʌmbə*] *n* bric-à-brac *m inv*; **~jack** *n* bûcheron *m*.

luminous ['lu:mɪnəs] *a* lumineux(euse).

lump [lʌmp] *n* morceau *m*; (*in sauce*) grumeau *m*; (*swelling*) grosseur f // *vt* (*also*: **~ together**) réunir, mettre en tas; **a ~ sum** une somme globale or forfaitaire; **~y** *a* (*sauce*) qui a des grumeaux.

lunacy ['lu:nəsɪ] *n* démence f, folie f.

lunar ['lu:nə*] *a* lunaire.

lunatic ['lu:nətɪk] *n* fou/folle, dément/e // *a* fou(folle), dément(e).

lunch [lʌntʃ] *n* déjeuner *m*; **it is his ~ hour** c'est l'heure où il déjeune; **it is ~time** c'est l'heure du déjeuner.

luncheon ['lʌntʃən] *n* déjeuner *m*; **~ meat** *n* sorte de saucisson; **~ voucher** *n* chèque-déjeuner *m*.

lung [lʌŋ] *n* poumon *m*; **~ cancer** *n* cancer *m* du poumon.

lunge [lʌndʒ] *vi* (*also*: **~ forward**) faire un mouvement brusque en avant.

lupin ['lu:pɪn] *n* lupin *m*.

lurch [lə:tʃ] *vi* vaciller, tituber // *n* écart *m* brusque, embardée f.

lure [luə*] *n* appât *m*, leurre *m* // *vt* attirer or persuader par la ruse.

lurid ['luərɪd] *a* affreux(euse), atroce.

lurk [lə:k] *vi* se tapir, se cacher.

luscious ['lʌʃəs] *a* succulent(e); appétissant(e).

lush [lʌʃ] *a* luxuriant(e).

lust [lʌst] *n* luxure f; lubricité f; désir *m*; (*fig*): **~ for** soif f de; **to ~ after** *vt fus* convoiter, désirer; **~ful** a lascif(ive).

lustre, luster (*US*) ['lʌstə*] *n* lustre *m*, brillant *m*.

lusty ['lʌstɪ] *a* vigoureux(euse), robuste.

lute [lu:t] *n* luth *m*.

Luxembourg ['lʌksəmbə:g] *n* Luxembourg *m*.

luxuriant [lʌg'zjuərɪənt] *a* luxuriant(e).

luxurious [lʌg'zjuərɪəs] *a* luxueux(euse).

luxury ['lʌkʃərɪ] *n* luxe *m* // *cpd* de luxe.

lying ['laɪɪŋ] *n* mensonge(s) *m(pl)*.

lynch [lɪntʃ] *vt* lyncher.

lynx [lɪŋks] *n* lynx *m inv*.

lyre ['laɪə*] *n* lyre f.

lyric ['lɪrɪk] *a* lyrique; **~s** *npl* (*of song*) paroles *fpl*; **~al** *a* lyrique; **~ism** ['lɪrɪsɪzəm] *n* lyrisme *m*.

M

m. *abbr of* **metre, mile, million**.

M.A. *abbr see* **master**.

mac [mæk] *n* imper(méable) *m*.

macaroni [mækə'rəunɪ] *n* macaronis *mpl*.

macaroon [mækə'ru:n] *n* macaron *m*.

mace [meɪs] *n* masse f; (*spice*) macis *m*.

machine [mə'ʃi:n] *n* machine f // *vt* (*dress etc*) coudre à la machine; **~ gun** *n* mitrailleuse f; **~ry** *n* machinerie f, machines *fpl*; (*fig*) mécanisme(s) *m(pl)*; **~ tool** *n* machine-outil f; **machinist** *n* machiniste *m/f*.

mackerel ['mækrl] *n, pl inv* maquereau *m*.

mackintosh ['mækɪntɔʃ] *n* imperméable *m*.

mad [mæd] *a* fou(folle); (*foolish*) insensé(e); (*angry*) furieux(euse).

madam ['mædəm] *n* madame f; **yes ~** oui Madame.

madden ['mædn] *vt* exaspérer.

made [meɪd] *pt, pp of* **make**; **~-to-measure** *a* fait(e) sur mesure.

madly ['mædlɪ] *ad* follement.

madman ['mædmən] n fou m, aliéné m.

madness ['mædnɪs] n folie f.

magazine [mægə'ziːn] n (PRESS) magazine m, revue f; (MIL: store) dépôt m, arsenal m; (of firearm) magasin m.

maggot ['mægət] n ver m, asticot m.

magic ['mædʒɪk] n magie f // a magique; ~al a magique; ~ian [mə'dʒɪʃən] n magicien/ne.

magistrate ['mædʒɪstreɪt] n magistrat m; juge m.

magnanimous [mæg'nænɪməs] a magnanime.

magnate ['mægneɪt] n magnat m.

magnesium [mæg'niːzɪəm] n magnésium m.

magnet ['mægnɪt] n aimant m; ~ic [-'nɛtɪk] a magnétique; ~ism n magnétisme m.

magnification [mægnɪfɪ'keɪʃən] n grossissement m.

magnificence [mæg'nɪfɪsns] n magnificence f.

magnificent [mæg'nɪfɪsnt] a superbe, magnifique.

magnify ['mægnɪfaɪ] vt grossir; (sound) amplifier; ~ing glass n loupe f.

magnitude ['mægnɪtjuːd] n ampleur f.

magnolia [mæg'nəʊlɪə] n magnolia m.

magpie ['mægpaɪ] n pie f.

mahogany [mə'hɒgənɪ] n acajou m // cpd 'en (bois d')acajou.

maid [meɪd] n bonne f; old ~ (pej) vieille fille.

maiden ['meɪdn] n jeune fille f // a (aunt etc) non mariée; (speech, voyage) inaugural(e); ~ name n nom m de jeune fille.

mail [meɪl] n poste f; (letters) courrier m // vt envoyer (par la poste); ~box n (US) boîte f aux lettres; ~ing list n liste f d'adresses; ~-order n vente f or achat m par correspondance.

maim [meɪm] vt mutiler.

main [meɪn] a principal(e) // n (pipe) conduite principale, canalisation f; the ~s (ELEC) le secteur; in the ~ dans l'ensemble; ~land n continent m; ~stay n (fig) pilier m.

maintain [meɪn'teɪn] vt entretenir; (continue) maintenir, préserver; (affirm) soutenir; **maintenance** ['meɪntənəns] n entretien m.

maisonette [meɪzə'nɛt] n appartement m en duplex.

maize [meɪz] n maïs m.

majestic [mə'dʒɛstɪk] a majestueux(euse).

majesty ['mædʒɪstɪ] n majesté f.

major ['meɪdʒə*] n (MIL) commandant m // a important(e), principal(e); (MUS) majeur(e).

majority [mə'dʒɒrɪtɪ] n majorité f.

make [meɪk] vt (pt, pp made [meɪd]) faire; (manufacture) faire, fabriquer; (cause to be): to ~ sb sad etc rendre qn triste etc; (force): to ~ sb do sth obliger qn à faire qch, faire faire qch à qn; (equal): 2 and 2 ~ 4 2 et 2 font 4 // n fabrication f; (brand) marque f; to ~ do with se contenter de; se débrouiller avec; to ~ for vt fus (place) se diriger vers; to ~ out

vt (write out) écrire; (understand) comprendre; (see) distinguer; (invent) inventer, imaginer; (parcel) faire // vi se réconcilier; (with cosmetics) se maquiller, se farder; to ~ up for vt fus compenser; racheter; ~-believe a feint(e), de fantaisie; ~r n fabricant m; ~-shift a provisoire, improvisé(e); ~-up n maquillage m.

making ['meɪkɪŋ] n (fig): in the ~ en formation or gestation.

maladjusted [mælə'dʒʌstɪd] a inadapté(e).

malaise [mæ'leɪz] n malaise m.

malaria [mə'lɛərɪə] n malaria f, paludisme m.

Malay [mə'leɪ] a malais(e) // n (person) Malais/e; (language) malais m.

Malaysia [mə'leɪzɪə] n Malaisie f.

male [meɪl] n (BIOL, ELEC) mâle m // a (sex, attitude) masculine(e); mâle; (child etc) du sexe masculin; ~ and female students étudiants et étudiantes.

malevolence [mə'lɛvələns] n malveillance f.

malevolent [mə'lɛvələnt] a malveillant(e).

malfunction [mæl'fʌŋkʃən] n fonctionnement défectueux.

malice ['mælɪs] n méchanceté f, malveillance f; **malicious** [mə'lɪʃəs] a méchant(e), malveillant(e); (LAW) avec intention criminelle.

malign [mə'laɪn] vt diffamer, calomnier.

malignant [mə'lɪgnənt] a (MED) malin(igne).

malingerer [mə'lɪŋgərə*] n simulateur/trice.

malleable ['mælɪəbl] a malléable.

mallet ['mælɪt] n maillet m.

malnutrition [mælnjuː'trɪʃən] n malnutrition f.

malpractice [mæl'præktɪs] n faute professionnelle; négligence f.

malt [mɔːlt] n malt m // cpd (whisky) pur malt.

Malta ['mɔːltə] n Malte f; **Maltese** [-'tiːz] a maltais(e) // n, pl inv Maltais/e.

maltreat [mæl'triːt] vt maltraiter.

mammal ['mæml] n mammifère m.

mammoth ['mæməθ] n mammouth m // a géant(e), monstre.

man, pl **men** [mæn, mɛn] n homme m; (CHESS) pièce f; (DRAUGHTS) pion m // vt garnir d'hommes; servir, assurer le fonctionnement de; être de service à; an old ~ un vieillard.

manage ['mænɪdʒ] vi se débrouiller // vt (be in charge of) s'occuper de; gérer; to ~ to do se débrouiller pour faire; réussir à faire; ~able a maniable; faisable; ~ment n administration f, direction f; ~r n directeur m; administrateur m; (of hotel etc) gérant m; (of artist) impresario m; ~ress [-ə'rɛs] n directrice f; gérante f; ~rial [-ə'dʒɪərɪəl] a directorial(e); ~rial staff n cadres mpl; **managing** a: **managing director** directeur général.

mandarin ['mændərɪn] n (also: ~ orange) mandarine f; (person) mandarin m.

mandate ['mændeɪt] n mandat m.

mandatory ['mændətərɪ] a obligatoire ; (powers etc) mandataire.

mandolin(e) ['mændəlɪn] n mandoline f.

mane [meɪn] n crinière f.

maneuver [mə'nu:və*] etc (US) = manoeuvre etc.

manful ['mænful] a courageux(euse), vaillant(e).

manganese [mæŋgə'ni:z] n manganèse m.

mangle ['mæŋgl] vt déchiqueter ; mutiler // n essoreuse f ; calandre f.

mango, ~es ['mæŋgəu] n mangue f.

mangrove ['mæŋgrəuv] n palétuvier m.

mangy ['meɪndʒɪ] a galeux(euse).

manhandle ['mænhændl] vt malmener.

manhole ['mænhəul] n trou m d'homme.

manhood ['mænhud] n âge m d'homme ; virilité f.

manhunt ['mænhʌnt] n chasse f à l'homme.

mania ['meɪnɪə] n manie f ; ~c ['meɪnɪæk] n maniaque m/f.

manicure ['mænɪkjuə*] n manucure f // vt (person) faire les mains à ; ~ set n trousse f à ongles.

manifest ['mænɪfɛst] vt manifester // a manifeste, évident(e) ; ~ation [-'teɪʃən] n manifestation f.

manifesto [mænɪ'fɛstəu] n manifeste m.

manipulate [mə'nɪpjuleɪt] vt manipuler.

mankind [mæn'kaɪnd] n humanité f, genre humain.

manly ['mænlɪ] a viril(e) ; courageux(euse).

man-made ['mæn'meɪd] a artificiel(le).

manner ['mænə*] n manière f, façon f ; ~s npl manières ; ~ism n particularité f de langage (or de comportement), tic m.

manoeuvre, maneuver (US) [mə'nu:və*] vt,vi manœuvrer // n manœuvre f.

manor ['mænə*] n (also: ~ house) manoir m.

manpower ['mænpauə*] n main-d'œuvre f.

manservant, pl menservants ['mænsə:vənt, 'mɛn-] n domestique m.

mansion ['mænʃən] n château m, manoir m.

manslaughter ['mænslɔ:tə*] n homicide m involontaire.

mantelpiece ['mæntlpi:s] n cheminée f.

mantle ['mæntl] n cape f ; (fig) manteau m.

manual ['mænjuəl] a manuel(le) // n manuel m.

manufacture [mænju'fæktʃə*] vt fabriquer // n fabrication f ; ~r n fabricant m.

manure [mə'njuə*] n fumier m ; (artificial) engrais m.

manuscript ['mænjuskrɪpt] n manuscrit m.

many ['mɛnɪ] det beaucoup de, de nombreux(euses) // pronoun beaucoup, un grand nombre ; a great ~ un grand nombre (de) ; ~ a... bien des... , plus d'un(e)... .

map [mæp] n carte f // vt dresser la carte de ; to ~ out vt tracer.

maple ['meɪpl] n érable m.

mar [mɑ:*] vt gâcher, gâter.

marathon ['mærəθən] n marathon m.

marauder [mə'rɔ:də*] n maraudeur/euse.

marble ['mɑ:bl] n marbre m ; (toy) bille f ; ~s n (game) billes.

March [mɑ:tʃ] n mars m.

march [mɑ:tʃ] vi marcher au pas ; défiler // n marche f ; (demonstration) rallye m ; ~-past n défilé m.

mare [mɛə*] n jument f.

margarine [mɑ:dʒə'ri:n] n margarine f.

margin ['mɑ:dʒɪn] n marge f ; ~al a marginal(e).

marigold ['mærɪgəuld] n souci m.

marijuana [mærɪ'wɑ:nə] n marijuana f.

marina [mə'ri:nə] n marina f.

marine [mə'ri:n] a marin(e) // n fusilier marin ; (US) marine m.

marital ['mærɪtl] a matrimonial(e).

maritime ['mærɪtaɪm] a maritime.

marjoram ['mɑ:dʒərəm] n marjolaine f.

mark [mɑ:k] n marque f ; (of skid etc) trace f ; (SCOL) note f ; (SPORT) cible f ; (currency) mark m // vt marquer ; (stain) tacher ; (SCOL) noter ; corriger ; to ~ time marquer le pas ; to ~ out vt désigner ; ~ed a marqué(e), net(te) ; ~er n (sign) jalon m ; (bookmark) signet m.

market ['mɑ:kɪt] n marché m // vt (COMM) commercialiser ; ~ day n jour m de marché ; ~ garden n (Brit) jardin maraîcher ; ~ing n marketing m ; ~ place n place f du marché.

marksman ['mɑ:ksmən] n tireur m d'élite ; ~ship n adresse f au tir.

marmalade ['mɑ:məleɪd] n confiture f d'oranges.

maroon [mə'ru:n] vt (fig): to be ~ed (in or at) être bloqué(e) (à) // a bordeaux inv.

marquee [mɑ:'ki:] n chapiteau m.

marquess, marquis ['mɑ:kwɪs] n marquis m.

marriage ['mærɪdʒ] n mariage m ; ~ bureau n agence matrimoniale.

married ['mærɪd] a marié(e) ; (life, love) conjugal(e).

marrow ['mærəu] n moelle f ; (vegetable) courge f.

marry ['mærɪ] vt épouser, se marier avec ; (subj: father, priest etc) marier // vi (also: get married) se marier.

Mars [mɑ:z] n (planet) Mars f.

marsh [mɑ:ʃ] n marais m, marécage m.

marshal ['mɑ:ʃl] n maréchal m ; (US: fire, police) ≈ capitaine m // vt rassembler ; ~ing yard n gare f de triage.

marshy ['mɑ:ʃɪ] a marécageux(euse).

martial ['mɑ:ʃl] a martial(e) ; ~ law n loi martiale.

Martian ['mɑ:ʃɪən] n Martien/ne.

martyr ['mɑ:tə*] n martyr/e // vt martyriser ; ~dom n martyre m.

marvel ['mɑ:vl] n merveille f // vi: to ~ (at) s'émerveiller (de) ; ~lous, ~ous (US) a merveilleux(euse).

Marxism ['mɑ:ksɪzəm] n marxisme m.

Marxist ['mɑ:ksɪst] a,n marxiste (m/f).
marzipan ['mɑ:zɪpæn] n pâte f d'amandes.
mascara [mæs'kɑːrə] n mascara m.
mascot ['mæskət] n mascotte f.
masculine ['mæskjulɪn] a masculin(e) // n masculin m; **masculinity** [-'lɪnɪtɪ] n masculinité f.
mashed [mæʃt] a: ~ **potatoes** purée f de pommes de terre.
mask [mɑ:sk] n masque m // vt masquer.
masochist ['mæsəukɪst] n masochiste m/f.
mason ['meɪsn] n (also: **stone**~) maçon m; (also: **free**~) franc-maçon m; ~**ic** [mə'sɔnɪk] a maçonnique // ~**ry** n maçonnerie f.
masquerade [mæskə'reɪd] n bal masqué; (fig) mascarade f // vi: **to** ~ **as** se faire passer pour.
mass [mæs] n multitude f, masse f; (PHYSICS) masse; (REL) messe f // vi se masser; **the** ~**es** les les masses.
massacre ['mæsəkə*] n massacre m // vt massacrer.
massage ['mæsɑ:ʒ] n massage m // vt masser.
masseur [mæ'sə:*] n masseur m; **masseuse** [-'sə:z] n masseuse f.
massive ['mæsɪv] a énorme, massif(ive).
mass media ['mæs'mi:dɪə] npl mass-media mpl.
mass-produce ['mæsprə'dju:s] vt fabriquer en série.
mast [mɑ:st] n mât m.
master ['mɑ:stə*] n maître m; (in secondary school) professeur m; (title for boys): M~ X Monsieur X // vt maîtriser; (learn) apprendre à fond; (understand) posséder parfaitement or à fond; M~'s degree n ≈ maîtrise f; ~ **key** n passe-partout m inv; ~**ly** a magistral(e); ~**mind** n esprit supérieur // vt diriger, être le cerveau de; M~ **of Arts/Science** (M.A./M.Sc.) n ≈ titulaire m/f d'une maîtrise (en lettres/science); M~ **of Arts/Science degree (M.A./M.Sc.)** n ≈ maîtrise f; ~**piece** n chef-d'œuvre m; ~**plan** n stratégie f d'ensemble; ~ **stroke** n coup m de maître; ~**y** n maîtrise f; connaissance parfaite.
masturbate ['mæstəbeɪt] vi se masturber; **masturbation** [-'beɪʃən] n masturbation f.
mat [mæt] n petit tapis; (also: **door**~) paillasson m // a = **matt**.
match [mætʃ] n allumette f; (game) match m, partie f; (fig) égal/e; mariage m; parti m // vt assortir; (go well with) aller bien avec, s'assortir à; (equal) égaler, valoir // vi être assorti(e); **to be a good** ~ être bien assorti(e); **to** ~ **up** vt assortir; ~**box** n boîte f d'allumettes; ~**ing** a assorti(e); ~**less** a sans égal.
mate [meɪt] n camarade m/f de travail; (col) copain/copine; (animal) partenaire m/f, mâle/femelle; (in merchant navy) second m // vi s'accoupler // vt accoupler.
material [mə'tɪərɪəl] n (substance) matière f, matériau m; (cloth) tissu m, étoffe f // a matériel(le); (important) essentiel(le); ~**s** npl matériaux mpl; ~**istic** [-ə'lɪstɪk] a

matérialiste; ~**ize** vi se matérialiser, se réaliser; ~**ly** ad matériellement.
maternal [mə'tə:nl] a maternel(le).
maternity [mə'tə:nɪtɪ] n maternité f // cpd de maternité, de grossesse; ~ **hospital** n maternité f.
matey ['meɪtɪ] a (col) copain-copain inv.
mathematical [mæθə'mætɪkl] a mathématique.
mathematician [mæθəmə'tɪʃən] n mathématicien/ne.
mathematics [mæθə'mætɪks] n mathématiques fpl.
maths [mæθs] n math(s) fpl.
matinée ['mætɪneɪ] n matinée f.
mating ['meɪtɪŋ] n accouplement m; ~ **call** n appel m du mâle; ~ **season** n saison f des amours.
matriarchal [meɪtrɪ'ɑ:kl] a matriarcal(e).
matrices ['meɪtrɪsiːz] npl of **matrix**.
matriculation [mətrɪkju'leɪʃən] n inscription f.
matrimonial [mætrɪ'məunɪəl] a matrimonial(e), conjugal(e).
matrimony ['mætrɪmənɪ] n mariage m.
matrix ['meɪtrɪks], pl **matrices** ['meɪtrɪks, 'meɪtrɪsi:z] n matrice f.
matron ['meɪtrən] n (in hospital) infirmière-chef f; (in school) infirmière; ~**ly** a de matrone; imposant(e).
matt [mæt] a mat(e).
matted ['mætɪd] a emmêlé(e).
matter ['mætə*] n question f; (PHYSICS) matière f, substance f; (content) contenu m, fond m; (MED: pus) pus m // vi importer; **it doesn't** ~ cela n'a pas d'importance; (I don't mind) cela ne fait rien; **what's the** ~? qu'est-ce qu'il y a?, qu'est-ce qui ne va pas?; **no** ~ **what** quoiqu'il arrive; **that's another** ~ c'est une autre affaire; **as a** ~ **of course** tout naturellement; **as a** ~ **of fact** en fait; **it's a** ~ **of habit** c'est une question d'habitude; ~**-of-fact** a terre à terre, neutre.
matting ['mætɪŋ] n natte f.
mattress ['mætrɪs] n matelas m.
mature [mə'tjuə*] a mûr(e); (cheese) fait(e) // vi mûrir; se faire; **maturity** n maturité f.
maudlin ['mɔ:dlɪn] a larmoyant(e).
maul [mɔ:l] vt lacérer.
Mauritius [mə'rɪʃəs] n l'île f Maurice.
mausoleum [mɔ:sə'lɪəm] n mausolée m.
mauve [məuv] a mauve.
mawkish ['mɔ:kɪʃ] a mièvre; fade.
max. abbr of **maximum**.
maxim ['mæksɪm] n maxime f.
maxima ['mæksɪmə] npl of **maximum**.
maximum ['mæksɪməm] a maximum // n (pl maxima ['mæksɪmə]) maximum m.
May [meɪ] n mai m.
may [meɪ] vi (conditional: **might**) (indicating possibility): **he** ~ **come** il se peut qu'il vienne; (be allowed to): ~ **I smoke?** puis-je fumer?; (wishes): ~ **God bless you!** (que) Dieu vous bénisse!; **he might be there** il pourrait bien y être, il se pourrait qu'il y soit; **I might as well go** je ferais aussi bien d'y aller, autant y

aller ; **you might like to try** vous pourriez (peut-être) essayer.

maybe ['meɪbi:] *ad* peut-être ; ~ **he'll**... peut-être qu'il... .

mayday ['meɪdeɪ] *n* S.O.S. *m*.

May Day ['meɪdeɪ] *n* le Premier mai.

mayhem ['meɪhɛm] *n* grabuge *m*.

mayonnaise [meɪə'neɪz] *n* mayonnaise *f*.

mayor [mɛə*] *n* maire *m* ; ~**ess** *n* maire *m* ; épouse *f* du maire.

maypole ['meɪpəʊl] *n* mât enrubanné (*autour duquel on danse*).

maze [meɪz] *n* labyrinthe *m*, dédale *m*.

M.D. *abbr* = Doctor of Medicine.

me [mi:] *pronoun* me, m' + *vowel* ; (*stressed, after prep*) moi.

meadow ['mɛdəʊ] *n* prairie *f*, pré *m*.

meagre, meager (*US*) ['mi:gə*] *a* maigre.

meal [mi:l] *n* repas *m* ; (*flour*) farine *f* ; ~**time** *n* l'heure *f* du repas ; ~**y-mouthed** *a* mielleux(euse).

mean [mi:n] *a* (*with money*) avare, radin(e) ; (*unkind*) mesquin(e), méchant(e) ; (*average*) moyen(ne) // *vt* (*pt, pp* **meant** [mɛnt]) (*signify*) signifier, vouloir dire ; (*intend*): **to ~ to do** avoir l'intention de faire // *n* moyenne *f* ; ~**s** *npl* moyens *mpl* ; **by ~s of** par l'intermédiaire de ; au moyen de ; **by all ~s** je vous en prie ; **to be meant for** être destiné(e) à ; **what do you ~?** que voulez-vous dire?

meander [mɪ'ændə*] *vi* faire des méandres ; (*fig*) flâner.

meaning ['mi:nɪŋ] *n* signification *f*, sens *m* ; ~**ful** *a* significatif(ive) ; ~**less** *a* dénué(e) de sens.

meanness ['mi:nnɪs] *n* avarice *f* ; mesquinerie *f*.

meant [mɛnt] *pt, pp* pp *of* **mean**.

meantime ['mi:ntaɪm] *ad*, **meanwhile** ['mi:nwaɪl] *ad* (*also:* **in the ~**) pendant ce temps.

measles ['mi:zlz] *n* rougeole *f*.

measly ['mi:zlɪ] *a* (*col*) minable.

measurable ['mɛʒərəbl] *a* mesurable.

measure ['mɛʒə*] *vt, vi* mesurer // *n* mesure *f* ; (*ruler*) règle (graduée) ; ~**d** *a* mesuré(e) ; ~**ments** *npl* mesures *fpl* ; **chest/hip ~ment** tour *m* de poitrine/hanches.

meat [mi:t] *n* viande *f* ; ~ **pie** *n* pâté *m* en croûte ; ~**y** *a* qui a le goût de la viande ; (*fig*) substantiel(le).

Mecca ['mɛkə] *n* la Mecque.

mechanic [mɪ'kænɪk] *n* mécanicien *m* ; ~**s** *n* mécanique *f* // *npl* mécanisme *m* ; ~**al** *a* mécanique.

mechanism ['mɛkənɪzəm] *n* mécanisme *m*.

mechanization [mɛkənaɪ'zeɪʃən] *n* mécanisation *f*.

medal ['mɛdl] *n* médaille *f* ; ~**lion** [mɪ'dælɪən] *n* médaillon *m* ; ~**list**, ~**ist** (*US*) *n* (*SPORT*) médaillé/e.

meddle ['mɛdl] *vi*: **to ~ in** se mêler de, s'occuper de ; **to ~ with** toucher à ; ~**some** *a* indiscret(ète).

media ['mi:dɪə] *npl* media *mpl*.

mediaeval [mɛdɪ'i:vl] *a* = **medieval**.

mediate ['mi:dɪeɪt] *vi* s'interposer ; servir d'intermédiaire ; **mediation** [-'eɪʃən] *n* médiation *f* ; **mediator** *n* médiateur/trice.

medical ['mɛdɪkl] *a* médical(e) ; ~ **student** *n* étudiant/e en médecine.

medicated ['mɛdɪkeɪtɪd] *a* traitant(e), médicamenteux(euse).

medicinal [mɛ'dɪsɪnl] *a* médicinal(e).

medicine ['mɛdsɪn] *n* médecine *f* ; (*drug*) médicament *m* ; ~ **chest** *n* pharmacie *f* (*murale ou portative*).

medieval [mɛdɪ'i:vl] *a* médiéval(e).

mediocre [mi:dɪ'əʊkə*] *a* médiocre ; **mediocrity** [-'ɔkrɪtɪ] *n* médiocrité *f*.

meditate ['mɛdɪteɪt] *vi*: **to ~ (on)** méditer (sur) ; **meditation** [-'teɪʃən] *n* méditation *f*.

Mediterranean [mɛdɪtə'reɪnɪən] *a* méditerranéen(ne) ; **the ~ (Sea)** la (mer) Méditerranée.

medium ['mi:dɪəm] *a* moyen(ne) // *n* (*pl* **media**: *means*) moyen *m* ; (*pl* **mediums**: *person*) médium *m* ; **the happy ~** le juste milieu.

medley ['mɛdlɪ] *n* mélange *m*.

meek [mi:k] *a* doux(douce), humble.

meet [mi:t], *pt,pp* **met** [mi:t, mɛt] *vt* rencontrer ; (*by arrangement*) retrouver, rejoindre ; (*for the first time*) faire la connaissance de ; (*go and fetch*) **I'll ~ you at the station** j'irai te chercher à la gare ; (*fig*) faire face à ; satisfaire à ; se joindre à // *vi* se rencontrer ; se retrouver ; (*in session*) se réunir ; (*join: objects*) se joindre ; **to ~ with** *vt fus* rencontrer ; ~**ing** *n* rencontre *f* ; (*session: of club etc*) réunion *f* ; (*interview*) entrevue *f* ; **she's at a ~ing** (*COMM*) elle est en conférence.

megaphone ['mɛgəfəʊn] *n* porte-voix *m* inv.

melancholy ['mɛlənkəlɪ] *n* mélancolie *f* // *a* mélancolique.

mellow ['mɛləʊ] *a* velouté(e) ; doux(douce) ; (*colour*) riche et profond(e) ; (*fruit*) mûr(e) // *vi* (*person*) s'adoucir.

melodious [mɪ'ləʊdɪəs] *a* mélodieux(euse).

melodrama ['mɛləʊdrɑ:mə] *n* mélodrame *m*.

melody ['mɛlədɪ] *n* mélodie *f*.

melon ['mɛlən] *n* melon *m*.

melt [mɛlt] *vi* fondre ; (*become soft*) s'amollir ; (*fig*) s'attendrir // *vt* faire fondre ; (*person*) attendrir ; **to ~ away** *vi* fondre complètement ; **to ~ down** *vt* fondre ; ~**ing point** *n* point *m* de fusion ; ~**ing pot** *n* (*fig*) creuset *m*.

member ['mɛmbə*] *n* membre *m* ; ~ **country/state** *n* pays *m*/état *m* member ; **M~ of Parliament (M.P.)** député *m* ; ~**ship** *n* adhésion *f* ; statut *m* de membre ; (*nombre *m* de*) membres *mpl*, adhérents *mpl*.

membrane ['mɛmbreɪn] *n* membrane *f*.

memento [mə'mɛntəʊ] *n* souvenir *m*.

memo ['mɛməʊ] *n* note *f* (de service).

memoir ['mɛmwɑ:*] *n* mémoire *m*, étude *f* ; ~**s** *npl* mémoires.

memorable ['mɛmərəbl] *a* mémorable.

memorandum ['mɛmə'rændəm], *pl* **memoranda** [mɛmə'rændəm, -də] *n* note *f* (de service) ; (*DIPLOMACY*) mémorandum *m*.

memorial [mɪ'mɔːrɪəl] n mémorial m // a commémoratif(ive).

memorize ['mɛmaraɪz] vt apprendre or retenir par cœur.

memory ['mɛmərɪ] n mémoire f; (recollection) souvenir m; **in ~ of** à la mémoire de.

men [mɛn] npl of **man**.

menace ['mɛnəs] n menace f // vt menacer; **menacing** a menaçant(e).

menagerie [mɪ'nædʒərɪ] n ménagerie f.

mend [mɛnd] vt réparer; (darn) raccommoder, repriser // n reprise f; **on the ~** en voie de guérison; **~ing** n raccommodage mpl.

menial ['miːnɪəl] a de domestique, inférieur(e); subalterne.

meningitis [mɛnɪn'dʒaɪtɪs] n méningite f.

menopause ['mɛnəʊpɔːz] n ménopause f.

menservants npl of **manservant**.

menstruate ['mɛnstrueɪt] vi avoir ses règles; **menstruation** [-'eɪʃən] n menstruation f.

mental ['mɛntl] a mental(e).

mentality [mɛn'tælɪtɪ] n mentalité f.

mention ['mɛnʃən] n mention f // vt mentionner, faire mention de; **don't ~ it!** je vous en prie, il n'y a pas de quoi!

menu ['mɛnjuː] n (set ~) menu m; (printed) carte f.

mercantile ['mɜːkəntaɪl] a marchand(e); (law) commercial(e).

mercenary ['mɜːsɪnərɪ] a mercantile // n mercenaire m.

merchandise ['mɜːtʃəndaɪz] n marchandises fpl.

merchant ['mɜːtʃənt] n négociant m, marchand m; **timber/wine ~** négociant en bois/vins, marchand de bois/vins; **~ bank** n banque f d'affaires; **~ navy** n marine marchande.

merciful ['mɜːsɪful] a miséricordieux(euse), clément(e).

merciless ['mɜːsɪlɪs] a impitoyable, sans pitié.

mercurial [mɜː'kjuərɪəl] a changeant(e); (lively) vif(vive).

mercury ['mɜːkjurɪ] n mercure m.

mercy ['mɜːsɪ] n pitié f, merci f; (REL) miséricorde f; **to have ~ on sb** avoir pitié de qn; **at the ~ of** à la merci de.

mere [mɪə*] a simple; **~ly** ad simplement, purement.

merge [mɜːdʒ] vt unir // vi se fondre; (COMM) fusionner; **~r** n (COMM) fusion f.

meridian [mə'rɪdɪən] n méridien m.

meringue [mə'ræŋ] n meringue f.

merit ['mɛrɪt] n mérite m, valeur f // vt mériter.

mermaid ['mɜːmeɪd] n sirène f.

merrily ['mɛrɪlɪ] ad joyeusement, gaiement.

merriment ['mɛrɪmənt] n gaieté f.

merry ['mɛrɪ] a gai(e); **~-go-round** n manège m.

mesh [mɛʃ] n maille f; filet m // vi (gears) s'engrener.

mesmerize ['mɛzməraɪz] vt hypnotiser; fasciner.

mess [mɛs] n désordre m, fouillis m, pagaille f; (MIL) mess m, cantine f; **to ~**

about vi (col) perdre son temps; **to ~ about with** vt fus (col) chambarder, tripoter; **to ~ up** vt salir; chambarder; gâcher.

message ['mɛsɪdʒ] n message m.

messenger ['mɛsɪndʒə*] n messager m.

messy ['mɛsɪ] a sale; en désordre.

met [mɛt] pt, pp of **meet**.

metabolism [mɛ'tæbəlɪzəm] n métabolisme m.

metal ['mɛtl] n métal m // vt empierrer; **~lic** [-'tælɪk] a métallique; **~lurgy** [-'tælədʒɪ] n métallurgie f.

metamorphosis, pl **phoses** [mɛtə'mɔːfəsɪs, -iːz] n métamorphose f.

metaphor ['mɛtəfə*] n métaphore f.

metaphysics [mɛtə'fɪzɪks] n métaphysique f.

mete [miːt]: **to ~ out** vt fus infliger.

meteor ['miːtɪə*] n météore m.

meteorological [miːtɪərə'lɒdʒɪkl] a météorologique.

meteorology [miːtɪə'rɒlədʒɪ] n météorologie f.

meter ['miːtə*] n (instrument) compteur m; (US) = **metre**.

method ['mɛθəd] n méthode f; **~ical** [mɪ'θɒdɪkl] a méthodique.

Methodist ['mɛθədɪst] a,n méthodiste (m/f).

methylated spirit ['mɛθɪleɪtɪd'spɪrɪt] n (also: **meths**) alcool m à brûler.

meticulous [mɛ'tɪkjuləs] a méticuleux(euse).

metre, meter (US) ['miːtə*] n mètre m.

metric ['mɛtrɪk] a métrique; **~al** a métrique; **~ation** [-'keɪʃən] n conversion f au système métrique.

metronome ['mɛtrənəʊm] n métronome m.

metropolis [mɪ'trɒpəlɪs] n métropole f.

mettle ['mɛtl] n courage m.

mew [mjuː] vi (cat) miauler.

mews [mjuːz] n: **~ cottage** maisonnette aménagée dans les anciennes écuries d'un hôtel particulier.

Mexican ['mɛksɪkən] a mexicain(e) // n Mexicain/e.

Mexico ['mɛksɪkəʊ] n Mexique m; **~ City** Mexico.

mezzanine ['mɛtsəniːn] n mezzanine f; (of shops, offices) entresol m.

miaow [miː'au] vi miauler.

mice [maɪs] npl of **mouse**.

microbe ['maɪkrəub] n microbe m.

microfilm ['maɪkrəufɪlm] n microfilm m // vt microfilmer.

microphone ['maɪkrəfəun] n microphone m.

microscope ['maɪkrəskəup] n microscope m; **microscopic** [-'skɒpɪk] a microscopique.

mid [mɪd] a: **~ May** la mi-mai; **~ afternoon** le milieu de l'après-midi; **in ~ air** en plein ciel; **~day** midi m.

middle ['mɪdl] n milieu m; (waist) ceinture f, taille f // a du milieu; **~-aged** a d'un certain âge; **the M~ Ages** npl le moyen âge; **~-class** a ≈ bourgeois(e); **the ~ class(es)** ≈ les classes moyennes; **M~ East** n Proche-Orient m, Moyen-Orient m;

~**man** n intermédiaire m ; ~ **name** n deuxième nom m.

middling ['mɪdlɪŋ] a moyen(ne).

midge [mɪdʒ] n moucheron m.

midget ['mɪdʒɪt] n nain/e // a minuscule.

Midlands ['mɪdləndz] npl comtés du centre de l'Angleterre.

midnight ['mɪdnaɪt] n minuit m.

midriff ['mɪdrɪf] n estomac m, taille f.

midst [mɪdst] n: **in the ~ of** au milieu de.

midsummer [mɪd'sʌmə*] n milieu m de l'été.

midway [mɪd'weɪ] a, ad: ~ **(between)** à mi-chemin (entre).

midweek [mɪd'wi:k] n milieu m de la semaine.

midwife, midwives ['mɪdwaɪf, -vz] n sage-femme f ; ~**ry** [-wɪfərɪ] n obstétrique f.

midwinter [mɪd'wɪntə*] n milieu m de l'hiver.

might [maɪt] vb see **may** // n puissance f, force f ; ~**y** a puissant(e) // ad (col) rudement.

migraine ['mi:greɪn] n migraine f.

migrant ['maɪgrənt] n (bird, animal) migrateur m ; (person) migrant/e ; nomade m/f // a migrateur(trice) ; migrant(e) ; nomade ; (worker) saisonnier(ère).

migrate [maɪ'greɪt] vi émigrer ; **migration** [-greɪʃən] n migration f.

mike [maɪk] n (abbr of **microphone**) micro m.

mild [maɪld] a doux(douce) ; (reproach) léger(ère) ; (illness) bénin(bénigne) // n bière légère.

mildew ['mɪldju:] n mildiou m.

mildly ['maɪldlɪ] ad doucement ; légèrement.

mildness ['maɪldnɪs] n douceur f.

mile [maɪl] n mil(l)e m (= 1609 m) ; ~**age** n distance f en milles, ≈ kilométrage m ; ~**ometer** n = **milometer** ; ~**stone** n borne f ; (fig) jalon m.

milieu ['mi:ljə:] n milieu m.

militant ['mɪlɪtnt] a,n militant(e).

military ['mɪlɪtərɪ] a militaire // n: **the ~** l'armée f, les militaires mpl.

militate ['mɪlɪteɪt] vi: **to ~ against** militer contre.

militia [mɪ'lɪʃə] n milice f.

milk [mɪlk] n lait m // vt (cow) traire ; (fig) dépouiller, plumer ; ~ **chocolate** n chocolat m au lait ; ~**ing** n traite f ; ~**man** n laitier m ; ~ **shake** n milk-shake m ; ~**y** a lacté(e) ; (colour) laiteux(euse) ; **M~y Way** n Voie lactée.

mill [mɪl] n moulin m ; (factory) usine f, fabrique f ; (spinning ~) filature f ; (flour ~) minoterie f // vt moudre, broyer // vi (also: ~ **about**) grouiller.

millennium, pl ~s or millennia [mɪ'lɛnɪəm, -'lɛnɪə] n millénaire m.

miller ['mɪlə*] n meunier m.

millet ['mɪlɪt] n millet m.

milli... ['mɪlɪ] prefix: ~**gram(me)** n milligramme m ; ~**litre** n millilitre m ; ~**metre** n millimètre m.

milliner ['mɪlɪnə*] n modiste f ; ~**y** n modes fpl.

million ['mɪljən] n million m ; ~**aire** n millionnaire m.

millstone ['mɪlstəun] n meule f.

millwheel ['mɪlwi:l] n roue f de moulin.

milometer [maɪ'lɔmɪtə*] n ≈ compteur m kilométrique.

mime [maɪm] n mime m // vt, vi mimer.

mimic ['mɪmɪk] n imitateur/trice // vt, vi imiter, contrefaire ; ~**ry** n imitation f ; (ZOOL) mimétisme m.

min. abbr of **minute(s), minimum.**

minaret [mɪnə'rɛt] n minaret m.

mince [mɪns] vt hacher // vi (in walking) marcher à petits pas maniérés // n (CULIN) viande hachée, hachis m ; **he does not ~ (his) words** il ne mâche pas ses mots ; ~**meat** n hachis de fruits secs utilisés en pâtisserie ; ~ **pie** n sorte de tarte aux fruits secs ; ~**r** n hachoir m.

mincing ['mɪnsɪŋ] a affecté(e).

mind [maɪnd] n esprit m // vt (attend to, look after) s'occuper de ; (be careful) faire attention à ; (object to): **I don't ~ the noise** je ne crains pas le bruit, le bruit ne me dérange pas ; **do you ~ if ...?** est-ce que cela vous gêne si ...? ; **I don't ~** cela ne me dérange pas ; **it is on my ~** cela me préoccupe ; **to my ~** à mon avis or sens ; **to be out of one's ~** ne plus avoir toute sa raison ; **never ~** peu importe, ça ne fait rien ; **to keep sth in ~** ne pas oublier qch ; **to bear sth in ~** tenir compte de qch ; **to make up one's ~** se décider ; **'~ the step'** 'attention à la marche' ; **to have in ~** to do avoir l'intention de faire ; ~**ful** a: ~**ful of** attentif(ive) à, soucieux(euse) de ; ~**less** a irréfléchi(e).

mine [maɪn] pronoun le(la) mien(ne), pl les miens(miennes) // a: **this book is ~** ce livre est à moi // n mine f // vt (coal) extraire ; (ship, beach) miner ; ~ **detector** n détecteur m de mines ; ~**field** n champ m de mines ; ~**r** n mineur m.

mineral ['mɪnərəl] a minéral(e) // n minéral m ; ~**s** npl (soft drinks) boissons gazeuses (sucrées) ; ~**ogy** [-rælədʒɪ] n minéralogie f ; ~ **water** n eau minérale.

minesweeper ['maɪnswi:pə*] n dragueur m de mines.

mingle ['mɪŋgl] vt mêler, mélanger // vi: **to ~ with** se mêler à.

mingy ['mɪndʒɪ] a (col) radin(e).

miniature ['mɪnətʃə*] a (en) miniature // n miniature f.

minibus ['mɪnɪbʌs] n minibus m.

minicab ['mɪnɪkæb] n minitaxi m.

minim ['mɪnɪm] n (MUS) blanche f.

minima ['mɪnɪmə] npl of **minimum.**

minimal ['mɪnɪml] a minimal(e).

minimize ['mɪnɪmaɪz] vt réduire au minimum, minimiser.

minimum ['mɪnɪməm] n (pl: **minima** ['mɪnɪmə]) minimum m // a minimum.

mining ['maɪnɪŋ] n exploitation minière // a minier(ère) ; de mineurs.

minion ['mɪnjən] n (pej) laquais m ; favori/te.

miniskirt ['mɪnɪskə:t] n mini-jupe f.

minister ['mɪnɪstə*] n (POL) ministre m ; (REL) pasteur m ; ~**ial** [-'tɪərɪəl] a (POL) ministériel(le).

ministry ['mɪnɪstrɪ] *n* ministère *m*; (REL): **to go into the ~** devenir pasteur.

mink [mɪŋk] *n* vison *m*; **~ coat** *n* manteau *m* de vison.

minnow ['mɪnəu] *n* vairon *m*.

minor ['maɪnə*] *a* petit(e), de peu d'importance; (MUS) mineur(e) // *n* (LAW) mineur/e.

minority [maɪ'nɒrɪtɪ] *n* minorité *f*.

minster ['mɪnstə*] *n* église abbatiale.

minstrel ['mɪnstrəl] *n* trouvère *m*, ménestrel *m*.

mint [mɪnt] *n* (plant) menthe *f*; (sweet) bonbon *m* à la menthe // *vt* (coins) battre; **the (Royal) M~** ≈ l'hôtel *m* de la Monnaie; **in ~ condition** à l'état de neuf; **~ sauce** *n* sauce *f* à la menthe.

minuet [mɪnju'ɛt] *n* menuet *m*.

minus ['maɪnəs] *n* (also: **~ sign**) signe *m* moins // *prep* moins.

minute *a* [maɪ'nju:t] minuscule; (detail) minutieux(euse) // *n* ['mɪnɪt] minute *f*; (official record) procès-verbal *m*, compte rendu; **~s** *npl* procès-verbal.

miracle ['mɪrəkl] *n* miracle *m*; **miraculous** [mɪ'rækjuləs] *a* miraculeux(euse).

mirage ['mɪrɑ:ʒ] *n* mirage *m*.

mirror ['mɪrə*] *n* miroir *m*, glace *f* // *vt* refléter.

mirth [mə:θ] *n* gaieté *f*.

misadventure [mɪsəd'vɛntʃə*] *n* mésaventure *f*; **death by ~** décès accidentel.

misanthropist [mɪ'zænθrəpɪst] *n* misanthrope *m/f*.

misapprehension ['mɪsæprɪ'hɛnʃən] *n* malentendu *m*, méprise *f*.

misappropriate ['mɪsə'prəuprɪeɪt] *vt* détourner.

misbehave [mɪsbɪ'heɪv] *vi* se conduire mal; **misbehaviour** *n* mauvaise conduite.

miscalculate [mɪs'kælkjuleɪt] *vt* mal calculer; **miscalculation** [-'leɪʃən] *n* erreur *f* de calcul.

miscarriage ['mɪskærɪdʒ] *n* (MED) fausse couche; **~ of justice** erreur *f* judiciaire.

miscellaneous [mɪsɪ'leɪnɪəs] *a* (items) divers(es); (selection) varié(e).

miscellany [mɪ'sɛlənɪ] *n* recueil *m*.

mischance [mɪs'tʃɑ:ns] *n* malchance *f*.

mischief ['mɪstʃɪf] *n* (naughtiness) sottises *fpl*; (harm) mal *m*, dommage *m*; (maliciousness) méchanceté *f*; **mischievous** *a* (naughty) coquin(e), espiègle; (harmful) méchant(e).

misconception ['mɪskən'sɛpʃən] *n* idée fausse.

misconduct [mɪs'kɒndʌkt] *n* inconduite *f*; **professional ~** faute professionnelle.

misconstrue [mɪskən'stru:] *vt* mal interpréter.

miscount [mɪs'kaunt] *vt*,*vi* mal compter.

misdemeanour, misdemeanor (US) [mɪsdɪ'mi:nə*] *n* écart *m* de conduite; infraction *f*.

misdirect [mɪsdɪ'rɛkt] *vt* (person) mal renseigner; (letter) mal adresser.

miser ['maɪzə*] *n* avare *m/f*.

miserable ['mɪzərəbl] *a* malheureux(euse); (wretched) misérable.

miserly ['maɪzəlɪ] *a* avare.

misery ['mɪzərɪ] *n* (unhappiness) tristesse *f*; (pain) souffrances *fpl*; (wretchedness) misère *f*.

misfire [mɪs'faɪə*] *vi* rater; (car engine) avoir des ratés.

misfit ['mɪsfɪt] *n* (person) inadapté/e.

misfortune [mɪs'fɔ:tʃən] *n* malchance *f*, malheur *m*.

misgiving(s) [mɪs'gɪvɪŋ(z)] *n(pl)* craintes *fpl*, soupçons *mpl*.

misguided [mɪs'gaɪdɪd] *a* malavisé(e).

mishandle [mɪs'hændl] *vt* (treat roughly) malmener; (mismanage) mal s'y prendre pour faire or résoudre.

mishap ['mɪshæp] *n* mésaventure *f*.

mishear [mɪs'hɪə*] *vt irg* mal entendre.

misinform [mɪsɪn'fɔ:m] *vt* mal renseigner.

misinterpret [mɪsɪn'tə:prɪt] *vt* mal interpréter; **~ation** [-'teɪʃən] *n* interprétation erronée, contresens *m*.

misjudge [mɪs'dʒʌdʒ] *vt* méjuger, se méprendre sur le compte de.

mislay [mɪs'leɪ] *vt irg* égarer.

mislead [mɪs'li:d] *vt irg* induire en erreur; **~ing** *a* trompeur(euse).

mismanage [mɪs'mænɪdʒ] *vt* mal gérer; mal s'y prendre pour faire or résoudre etc; **~ment** *n* mauvaise gestion.

misnomer [mɪs'nəumə*] *n* terme or qualificatif trompeur or peu approprié.

misogynist [mɪ'sɒdʒɪnɪst] *n* misogyne *m/f*.

misplace [mɪs'pleɪs] *vt* égarer.

misprint ['mɪsprɪnt] *n* faute *f* d'impression.

mispronounce [mɪsprə'nauns] *vt* mal prononcer.

misread [mɪs'ri:d] *vt irg* mal lire.

misrepresent [mɪsrɛprɪ'zɛnt] *vt* présenter sous un faux jour.

miss [mɪs] *vt* (fail to get) manquer, rater; (regret the absence of): **I ~ him/it** il/cela me manque // *vi* manquer // *n* (shot) coup manqué; (fig): **that was a near ~** il s'en est fallu de peu; **to ~ out** *vt* oublier.

Miss [mɪs] *n* Mademoiselle *f*.

missal ['mɪsl] *n* missel *m*.

misshapen [mɪs'ʃeɪpən] *a* difforme.

missile ['mɪsaɪl] *n* (AVIAT) missile *m*; (object thrown) projectile *m*.

missing ['mɪsɪŋ] *a* manquant(e); (after escape, disaster: person) disparu(e); **to go ~** disparaître.

mission ['mɪʃən] *n* mission *f*; **~ary** *n* missionnaire *m/f*.

missive ['mɪsɪv] *n* missive *f*.

misspent ['mɪs'spɛnt] *a*: **his ~ youth** sa folle jeunesse.

mist [mɪst] *n* brume *f*, brouillard *m* // *vi* (also: **~ over**, **~ up**) devenir brumeux(euse); (windows) s'embuer.

mistake [mɪs'teɪk] *n* erreur *f*, faute *f* // *vt* (irg: like take) mal comprendre; se méprendre sur; **to make a ~** se tromper, faire une erreur; **to ~ for** prendre pour; **~n** *a* (idea etc) erroné(e); **to be ~n** faire erreur, se tromper; **~n identity** *n* erreur *f* d'identité.

mister ['mɪstə*] *n* (col) Monsieur *m*; see **Mr.**

mistletoe ['mɪsltəu] n gui m.
mistook [mɪs'tuk] pt of **mistake.**
mistranslation [mɪstræns'leɪʃən] n erreur f de traduction, contresens m.
mistreat [mɪs'triːt] vt maltraiter.
mistress ['mɪstrɪs] n (also: lover) maîtresse f; (in primary school) institutrice f; see **Mrs.**
mistrust [mɪs'trʌst] vt se méfier de.
misty ['mɪstɪ] a brumeux(euse).
misunderstand [mɪsʌndə'stænd] vt, vi irg mal comprendre; ~ing n méprise f, malentendu m.
misuse n [mɪs'juːs] mauvais emploi; (of power) abus m // vt [mɪs'juːz] mal employer; abuser de.
mitigate ['mɪtɪgeɪt] vt atténuer.
mitre, miter (US) ['maɪtə*] n mitre f; (CARPENTRY) onglet m.
mitt(en) ['mɪt(n)] n mitaine f; moufle f.
mix [mɪks] vt mélanger // vi se mélanger // n mélange m; dosage m; **to ~ up** vt mélanger; (confuse) confondre; ~**ed** a (assorted) assortis(ies); (school etc) mixte; ~**ed grill** n assortiment m de grillades; ~**ed-up** a (confused) désorienté(e), embrouillé(e); ~**er** n (for food) batteur m, mixeur m; (person): **he is a good ~er** il est très liant; ~**ture** n assortiment m, mélange m; (MED) préparation f; ~**up** n confusion f.
moan [məun] n gémissement m // vi gémir; (col: complain): **to ~ (about)** se plaindre (de); ~**ing** n gémissements mpl.
moat [məut] n fossé m, douves fpl.
mob [mɔb] n foule f; (disorderly) cohue f; (pej): **the ~** la populace // vt assaillir.
mobile ['məubaɪl] a mobile // n mobile m; ~ **home** n caravane f.
mobility [məu'bɪlɪtɪ] n mobilité f.
moccasin ['mɔkəsɪn] n mocassin m.
mock [mɔk] vt ridiculiser, se moquer de // a faux(fausse); ~**ery** n moquerie f, raillerie f; ~**ing** a moqueur(euse); ~**ingbird** n moqueur m; ~**-up** n maquette f.
mod [mɔd] a see **convenience.**
mode [məud] n mode m.
model ['mɔdl] n modèle m; (person: for fashion) mannequin m; (: for artist) modèle // vt modeler // vi travailler comme mannequin // a (railway: toy) modèle réduit inv; (child, factory) modèle; **to ~ clothes** présenter des vêtements; ~**ler,** ~**er** (US) n modeleur m; (~ maker) maquettiste m/f; fabricant m de modèles réduits.
moderate a,n ['mɔdərət] a modéré(e) // n (POL) modéré/e // vb ['mɔdəreɪt] vi se modérer, se calmer // vt modérer; **moderation** [-'reɪʃən] n modération f, mesure f; **in moderation** à dose raisonnable, pris(e) or pratiqué(e) modérément.
modern ['mɔdən] a moderne; ~**ize** vt moderniser.
modest ['mɔdɪst] a modeste; ~**y** n modestie f.
modicum ['mɔdɪkəm] n: **a ~ of** un minimum de.

modification [mɔdɪfɪ'keɪʃən] n modification f.
modify ['mɔdɪfaɪ] vt modifier.
modulation [mɔdju'leɪʃən] n modulation f.
module ['mɔdjuːl] n module m.
mohair ['məuhɛə*] n mohair m.
moist [mɔɪst] a humide, moite; ~**en** ['mɔɪsn] vt humecter; mouiller légèrement; ~**ure** ['mɔɪstʃə*] n humidité f; (on glass) buée f; ~**urizer** ['mɔɪstʃəraɪzə*] n produit hydratant.
molar ['məulə*] n molaire f.
molasses [məu'læsɪz] n mélasse f.
mold [məuld] n, vt (US) = **mould.**
mole [məul] n (animal) taupe f; (spot) grain m de beauté.
molecule ['mɔlɪkjuːl] n molécule f.
molehill ['məulhɪl] n taupinière f.
molest [məu'lɛst] vt tracasser; molester.
mollusc ['mɔləsk] n mollusque m.
mollycoddle ['mɔlɪkɔdl] vt chouchouter, couver.
molt [məult] vi (US) = **moult.**
molten ['məultən] a fondu(e).
moment ['məumənt] n moment m, instant m; importance f; ~**ary** a momentané(e), passager(ère); ~**ous** [-'mɛntəs] a important(e), capital(e).
momentum [məu'mɛntəm] n élan m, vitesse acquise; **to gather ~** prendre de la vitesse.
monarch ['mɔnək] n monarque m; ~**ist** n monarchiste m/f; ~**y** n monarchie f.
monastery ['mɔnəstərɪ] n monastère m.
monastic [mə'næstɪk] a monastique.
Monday ['mʌndɪ] n lundi m.
monetary ['mʌnɪtərɪ] a monétaire.
money ['mʌnɪ] n argent m; **to make ~** gagner de l'argent; faire des bénéfices rapporter; **danger ~** prime f de risque; ~**ed** a riche; ~**lender** n prêteur/euse; **order** n mandat m.
mongol ['mɔngəl] a,n (MED) mongolien(ne).
mongoose ['mɔnguːs] n mangouste f.
mongrel ['mʌngrəl] n (dog) bâtard m.
monitor ['mɔnɪtə*] n (SCOL) chef m de classe; (also: television ~) moniteur m // vt contrôler.
monk [mʌŋk] n moine m.
monkey ['mʌŋkɪ] n singe m; ~ **nut** n cacahuète f; ~ **wrench** n clé f à molette.
mono... ['mɔnəu] prefix: ~**chrome** a monochrome.
monocle ['mɔnəkl] n monocle m.
monogram ['mɔnəgræm] n monogramme m.
monologue ['mɔnəlɔg] n monologue m.
monopolize [mə'nɔpəlaɪz] vt monopoliser.
monopoly [mə'nɔpəlɪ] n monopole m.
monorail ['mɔnəureɪl] n monorail m.
monosyllabic [mɔnəusɪ'læbɪk] a monosyllabique; (person) laconique.
monotone ['mɔnətəun] n ton m (or voix f) monocorde.
monotonous [mə'nɔtənəs] a monotone.
monotony [mə'nɔtənɪ] n monotonie f.
monsoon [mɔn'suːn] n mousson f.
monster ['mɔnstə*] n monstre m.

monstrosity [mɔns'trɔsɪtɪ] n monstruosité f, atrocité f.
monstrous ['mɔnstrəs] a (huge) gigantesque; (atrocious) monstrueux(euse), atroce.
montage [mɔn'tɑ:ʒ] n montage m.
month [mʌnθ] n mois m; ~ly a mensuel(le) ; / ad mensuellement // n (magazine) mensuel m, publication mensuelle.
monument ['mɔnjumənt] n monument m; ~al [-'mɛntl] a monumental(e); ~al mason n marbrier m.
moo [mu:] vi meugler, beugler.
mood [mu:d] n humeur f, disposition f; to be in a good/bad ~ être de bonne/mauvaise humeur ; to be in the ~ for être d'humeur à, avoir envie de; ~y a (variable) d'humeur changeante, lunatique; (sullen) morose, maussade.
moon [mu:n] n lune f; ~beam n rayon m de lune; ~light n clair m de lune; ~lit a éclairé(e) par la lune.
moor [muə*] n lande f // vt (ship) amarrer // vi mouiller.
Moor [muə*] n Maure/Mauresque.
moorings ['muərɪŋz] npl (chains) amarres fpl; (place) mouillage m.
Moorish ['muərɪʃ] a maure (mauresque).
moorland ['muələnd] n lande f.
moose [mu:s] n, pl inv élan m.
moot [mu:t] vt soulever // a: ~ point point m discutable.
mop [mɔp] n balai m à laver // vt éponger, essuyer; to ~ up vt éponger; ~ of hair n tignasse f.
mope [məup] vi avoir le cafard, se morfondre.
moped ['məupɛd] n (Brit) cyclomoteur m.
moquette [mɔ'kɛt] n moquette f.
moral ['mɔrl] a moral(e) // n morale f; ~s npl moralité f.
morale [mɔ'rɑ:l] n moral m.
morality [mə'rælɪtɪ] n moralité f.
morally ['mɔrəlɪ] ad moralement.
morass [mə'ræs] n marais m, marécage m.
morbid ['mɔ:bɪd] a morbide.
more [mɔ:*] det plus de, davantage de // ad plus; ~ people plus de gens; I want ~ j'en veux plus or davantage; ~ dangerous than plus dangereux que; ~ or less plus ou moins; ~ than ever plus que jamais.
moreover [mɔ:'rəuvə*] ad de plus.
morgue [mɔ:g] n morgue f.
moribund ['mɔrɪbʌnd] a moribond(e).
morning ['mɔ:nɪŋ] n matin m; matinée f; in the ~ le matin; 7 o'clock in the ~ 7 heures du matin ; ~ sickness n nausées matinales.
Moroccan [mə'rɔkən] a marocain(e) // n Marocain/e.
Morocco [mə'rɔkəu] n Maroc m.
moron ['mɔ:rɔn] n idiot/e, minus m/f; ~ic [mə'rɔnɪk] a idiot(e), imbécile.
morose [mə'rəus] a morose, maussade.
morphine ['mɔ:fi:n] n morphine f.
Morse [mɔ:s] n (also: ~ code) morse m.
morsel ['mɔ:sl] n bouchée f.

mortal ['mɔ:tl] a, n mortel(le); ~ity [-'tælɪtɪ] n mortalité f.
mortar ['mɔ:tə*] n mortier m.
mortgage ['mɔ:gɪdʒ] n hypothèque f; (loan) prêt m (or crédit m) hypothécaire // vt hypothéquer.
mortified ['mɔ:tɪfaɪd] a mortifié(e).
mortuary ['mɔ:tjuərɪ] n morgue f.
mosaic [məu'zeɪɪk] n mosaïque f.
Moscow ['mɔskəu] n Moscou.
Moslem ['mɔzləm] a, n = **Muslim**.
mosque [mɔsk] n mosquée f.
mosquito, ~es [mɔs'ki:təu] n moustique m; ~ net n moustiquaire f.
moss [mɔs] n mousse f; ~y a moussu(e).
most [məust] det la plupart de ; le plus de // pronoun la plupart // ad le plus ; (very) très, extrêmement; the ~ (also: + adjective) le plus; ~ fish la plupart des poissons ; ~ of la plus grande partie de ; I saw ~ j'en ai vu la plupart ; c'est moi qui en ai vu le plus ; at the (very) ~ au plus ; to make the ~ of profiter au maximum de; ~ly ad surtout, principalement.
MOT n (abbr of Ministry of Transport): the ~ (test) la visite technique (annuelle) obligatoire des véhicules à moteur.
motel [məu'tɛl] n motel m.
moth [mɔθ] n papillon m de nuit; mite f; ~ball n boule f de naphtaline; ~-eaten a mité(e).
mother ['mʌðə*] n mère f // vt (care for) dorloter; ~hood n maternité f; ~-in-law n belle-mère f; ~ly a maternel(le); ~-of-pearl n nacre f; ~-to-be n future maman; ~ tongue n langue maternelle.
mothproof ['mɔθpru:f] a traité(e) à l'antimite.
motif [məu'ti:f] n motif m.
motion ['məuʃən] n mouvement m; (gesture) geste m; (at meeting) motion f // vt, vi: to ~ (to) sb to do faire signe à qn de faire; ~less a immobile, sans mouvement ; ~ picture n film m.
motivated ['məutɪveɪtɪd] a motivé(e).
motivation [məutɪ'veɪʃən] n motivation f.
motive ['məutɪv] n motif m, mobile m // a moteur(trice).
motley ['mɔtlɪ] a hétéroclite; bigarré(e), bariolé(e).
motor ['məutə*] n moteur m; (col: vehicle) auto f // a moteur(trice); ~bike n moto f; ~boat n bateau m à moteur; ~car n automobile f; ~cycle n vélomoteur m; ~cyclist n motocycliste m/f; ~ing n tourisme m automobile // a: ~ing accident n accident m de voiture; ~ing holiday n vacances fpl en voiture; ~ist n automobiliste m/f; ~ oil n huile f de graissage; ~ racing n course f automobile; ~ scooter n scooter m; ~ vehicle n véhicule m automobile; ~way n (Brit) autoroute f.
mottled ['mɔtld] a tacheté(e), marbré(e).
motto, ~es ['mɔtəu] n devise f.
mould, mold (US) [məuld] n moule m; (mildew) moisissure f // vt mouler, modeler; (fig) façonner; ~er vi (decay) moisir; ~ing n (in plaster) moulage m,

moulure f; (in wood) moulure; ~y a moisi(e).

moult, molt (US) [məʊlt] vi muer.

mound [maʊnd] n monticule m, tertre m.

mount [maʊnt] n mont m, montagne f; (horse) monture f; (for jewel etc) monture // vt monter // vi (also: ~ up) s'élever, monter.

mountain ['maʊntɪn] n montagne f // cpd de (la) montagne; ~eer [-'nɪə*] n alpiniste m/f; ~eering [-'nɪərɪŋ] n alpinisme m; to go ~eering faire de l'alpinisme; ~ous a montagneux(euse); (very big) gigantesque; ~ side n flanc m or versant m de la montagne.

mourn [mɔ:n] vt pleurer // vi: to ~ (for) se lamenter (sur); ~er n parent/e or ami/e du défunt; personne f en deuil or venue rendre hommage au défunt; ~ful a triste, lugubre; ~ing n deuil m // cpd (dress) de deuil; in ~ing en deuil.

mouse, pl mice [maʊs, maɪs] n souris f; ~trap n souricière f.

moustache [məs'ta:ʃ] n moustache(s) f(pl).

mousy ['maʊsɪ] a (person) effacé(e); (hair) d'un châtain terne.

mouth, ~s [maʊθ, -ðz] n bouche f; (of dog, cat) gueule f; (of river) embouchure f; (of bottle) goulot m; (opening) orifice m; ~ful n bouchée f; ~ organ n harmonica m; ~piece n (of musical instrument) embouchure f; (spokesman) porte-parole m inv; ~wash n bain de bouche; ~-watering a qui met l'eau à la bouche.

movable ['mu:vəbl] a mobile.

move [mu:v] n (movement) mouvement m; (in game) coup m; (: turn to play) tour m; (change of house) déménagement m // vt déplacer, bouger; (emotionally) émouvoir; (POL: resolution etc) proposer // vi (gen) bouger, remuer; (traffic) circuler; (also: ~ house) déménager; to ~ towards se diriger vers; to ~ sb to do sth pousser or inciter qn à faire qch; to get a ~ on se dépêcher, se remuer; to ~ about vi (fidget) remuer; (travel) voyager, se déplacer; to ~ along vi se pousser; to ~ away vi s'en aller, s'éloigner; to ~ back vi revenir, retourner; to ~ forward vi avancer // vt avancer; (people) faire avancer; to ~ in vi (to a house) emménager; to ~ on vi se remettre en route // vt (onlookers) faire circuler; to ~ out vi (of house) déménager; to ~ up vi avancer; (employee) avoir de l'avancement.

movement ['mu:vmənt] n mouvement m.

movie ['mu:vɪ] n film m; the ~s le cinéma; ~ camera n caméra f.

moving ['mu:vɪŋ] a en mouvement; émouvant(e).

mow, pt mowed, pp mowed or mown [meu, -n] vt faucher; (lawn) tondre; to ~ down vt faucher; ~er n faucheur/euse.

M.P. n abbr see member.

m.p.g. abbr = miles per gallon (30 m.p.g. = 29.5 l. aux 100 km).

m.p.h. abbr = miles per hour (60 m.p.h. = 96 km/h).

Mr ['mɪstə*] n: ~ X Monsieur X, M. X.

Mrs ['mɪsɪz] n: ~ X Madame X, Mme X.

Ms [mɪz] n (= Miss or Mrs): ~ X ≈ Madame X, Mme X.

M.Sc. abbr see master.

much [mʌtʃ] det beaucoup de // ad, n or pronoun beaucoup; ~ milk beaucoup de lait; how ~ is it? combien est-ce que ça coûte?; it's not ~ ce n'est pas beaucoup.

muck [mʌk] n (mud) boue f; (dirt) ordures fpl; to ~ about vi (col) faire l'imbécile; (waste time) traînasser; to ~ up vt (col: ruin) gâcher, esquinter; ~y a (dirty) boueux(euse), sale.

mucus ['mju:kəs] n mucus m.

mud [mʌd] n boue f.

muddle ['mʌdl] n pagaille f; désordre m, fouillis m // vt (also: ~ up) brouiller, embrouiller; to be in a ~ (person) ne plus savoir ou l'on en est; to get in a ~ (while explaining etc) s'embrouiller; to ~ through vi se débrouiller.

mud: ~dy a boueux(euse); ~ flats npl plage f de vase; ~guard n garde-boue m inv; ~pack n masque m de beauté; ~-slinging n médisance f, dénigrement m.

muff [mʌf] n manchon m.

muffin ['mʌfɪn] n petit pain rond et plat.

muffle ['mʌfl] vt (sound) assourdir, étouffer; (against cold) emmitoufler; ~d a étouffé(e), voilé(e).

mufti ['mʌftɪ] n: in ~ en civil.

mug [mʌg] n (cup) tasse f (sans soucoupe); (: for beer) chope f; (col: face) bouille f; (: fool) poire f // vt (assault) agresser; ~ging n agression f.

muggy ['mʌgɪ] a lourd(e), moite.

mulatto ['mju'lætəu] n mulâtre/sse.

mule [mju:l] n mule f.

mull [mʌl]: to ~ over vt réfléchir à, ruminer.

mulled [mʌld] a: ~ wine vin chaud.

multi... ['mʌltɪ] prefix mul...; ~coloured, ~colored (US) a multicol...

multifarious [mʌltɪ'fɛərɪəs] a divers(e), varié(e).

multiple ['mʌltɪpl] a, n multiple (m); ~ crash n carambolage m; ~ sclerosis n sclérose f en plaques; ~ store n grand magasin (à succursales multiples).

multiplication [mʌltɪplɪ'keɪʃən] n multiplication f.

multiply ['mʌltɪplaɪ] vt multiplier // vi se multiplier.

multitude ['mʌltɪtju:d] n multitude f.

mum [mʌm] n maman f // a: to keep ~ ne pas souffler mot; ~'s the word! motus et bouche cousue!

mumble ['mʌmbl] vt, vi marmotter, marmonner.

mummy ['mʌmɪ] n (mother) maman f; (embalmed) momie f.

mumps [mʌmps] n oreillons mpl.

munch [mʌntʃ] vt, vi mâcher.

mundane [mʌn'deɪn] a banal(e), terre à terre inv.

municipal [mju:'nɪsɪpl] a municipal(e); ~ity [-'pælɪtɪ] n municipalité f.

munitions [mju:'nɪʃənz] npl munitions fpl.

mural ['mjuərl] n peinture murale.

murder ['mə:də*] n meurtre m, assassinat m // vt assassiner; ~er n meurtrier m, assassin m; ~ess n meurtrière f; ~ous a meurtrier(ère).

murk [mə:k] n obscurité f; ~**y** a sombre, ténébreux(euse).

murmur ['mə:mə*] n murmure m // vt, vi murmurer.

muscle [mʌsl] n muscle m; **to ~ in** vi s'imposer, s'immiscer.

muscular ['mʌskjulə*] a musculaire; (person, arm) musclé(e).

muse [mju:z] vi méditer, songer // n muse f.

museum [mju:'zıəm] n musée m.

mushroom ['mʌʃrum] n champignon m // vi (fig) pousser comme un (or des) champignon(s).

mushy ['mʌʃı] a en bouillie; (pej) à l'eau de rose.

music ['mju:zık] n musique f; ~**al** a musical(e); (person) musicien(ne) // n (show) comédie musicale; ~**al box** n boîte f à musique; ~**al instrument** n instrument m de musique; ~ **hall** n music-hall m; ~**ian** [-'zıʃən] n musicien/ne; ~ **stand** n pupitre m à musique.

musket ['mʌskıt] n mousquet m.

Muslim ['mʌzlım] a, n musulman(e).

muslin ['mʌzlın] n mousseline f.

musquash ['mʌskwɔʃ] n loutre f.

• **mussel** [mʌsl] n moule f.

must [mʌst] auxiliary vb (obligation): **I ~ do it** je dois le faire, il faut que je le fasse; (probability): **he ~ be there by now** il doit y être maintenant, il y est probablement maintenant, **I ~ have made a mistake** j'ai dû me tromper // n nécessité f, impératif m.

mustard ['mʌstəd] n moutarde f.

muster ['mʌstə*] vt rassembler.

mustn't ['mʌsnt] = must not.

musty ['mʌstı] a qui sent le moisi or le renfermé.

mute [mju:t] a,n muet(te).

muted ['mju:tıd] a assourdi(e); voilé(e); (MUS) en sourdine; (: trumpet) bouché(e).

mutilate ['mju:tıleıt] vt mutiler; **mutilation** [-'leıʃən] n mutilation f.

mutinous ['mju:tınəs] a (troops) mutiné(e); (attitude) rebelle.

mutiny ['mju:tını] n mutinerie f // vi se mutiner.

mutter ['mʌtə*] vt,vi marmonner, marmotter.

mutton ['mʌtn] n mouton m.

mutual ['mju:tʃuəl] a mutuel(le), réciproque; ~**ly** ad mutuellement, réciproquement.

muzzle ['mʌzl] n museau m; (protective device) muselière f; (of gun) gueule f // vt museler.

my [maı] a mon(ma), mes pl.

myopic [maı'ɔpık] a myope.

myself [maı'sɛlf] pronoun (reflexive) me; (emphatic) moi-même; (after prep) moi.

mysterious [mıs'tıərıəs] a mystérieux(euse).

mystery ['mıstərı] n mystère m; ~ **story** n roman m à suspense.

mystic ['mıstık] n mystique m/f // a (mysterious) ésotérique; ~**al** a mystique.

mystify ['mıstıfaı] vt mystifier; (puzzle) ébahir.

mystique [mıs'ti:k] n mystique f.

myth [mıθ] n mythe m; ~**ical** a mythique; ~**ological** [mıθə'lɔdʒıkl] a mythologique; ~**ology** [mı'θɔlədʒı] n mythologie f.

N

nab [næb] vt pincer, attraper.

nag [næg] n (pej: horse) canasson m // vt (person) être toujours après, reprendre sans arrêt; ~**ging** a (doubt, pain) persistant(e) // n remarques continuelles.

nail [neıl] n (human) ongle m; (metal) clou m // vt clouer; **to ~ sb down to a date/price** contraindre qn à accepter or donner une date/un prix; ~**brush** n brosse f à ongles; ~**file** n lime f à ongles; ~ **polish** n vernis m à ongles; ~ **scissors** npl ciseaux mpl à ongles.

naïve [naı'i:v] a naïf(ïve).

naked ['neıkıd] a nu(e); ~**ness** n nudité f.

name [neım] n nom m; réputation f // vt nommer; citer; (price, date) fixer, donner; **in the ~ of** au nom de; ~ **dropping** n mention f (pour se faire valoir) du nom de personnalités qu'on connaît (ou prétend connaître); ~**less** a sans nom; (witness, contributor) anonyme; ~**ly** ad à savoir; ~**sake** n homonyme m.

nanny ['nænı] n bonne f d'enfants; ~ **goat** n chèvre f.

nap [næp] n (sleep) (petit) somme; **to be caught ~ping** être pris à l'improviste or en défaut.

napalm ['neıpɑ:m] n napalm m.

nape [neıp] n: ~ **of the neck** nuque f.

napkin ['næpkın] n serviette f (de table); (Brit: for baby) couche f (gen pl).

nappy ['næpı] n couche f (gen pl).

narcissus, pl **narcissi** [nɑ:'sısəs, -saı] n narcisse m.

narcotic [nɑ:'kɔtık] n (drug) stupéfiant m; (MED) narcotique m.

nark [nɑ:k] vt mettre en rogne.

narrate [nə'reıt] vt raconter, narrer.

narrative ['nærətıv] n récit m // a narratif(ive).

narrator [nə'reıtə*] n narrateur/trice.

narrow ['nærəu] a étroit(e); (fig) restreint(e), limité(e) // vi devenir plus étroit, se rétrécir; **to have a ~ escape** l'échapper belle; **to ~ sth down to** réduire qch à; ~ **gauge** a à voie étroite; ~**ly** ad: **he ~ly missed injury/the tree** il a failli se blesser/rentrer dans l'arbre; **he only ~ly missed the target** il a manqué la cible de peu or de justesse; ~**minded** a à l'esprit étroit, borné(e).

nasal ['neızl] a nasal(e).

nastily ['nɑ:stılı] ad (say, act) méchamment.

nastiness ['nɑ:stınıs] n (of remark) méchanceté f.

nasty ['nɑ:stı] a (person) méchant(e); très désagréable; (smell) dégoûtant(e); (wound, situation) mauvais(e), vilain(e); **it's a ~ business** c'est une sale affaire.

nation ['neɪʃən] n nation f.
national ['næʃənl] a national(e) // n (abroad) ressortissant/e; (when home) national/e; ~ **dress** n costume national; ~**ism** n nationalisme m; ~**ist** a,n nationaliste (m/f); ~**ity** [-'nælɪtɪ] n nationalité f; ~**ize** vt nationaliser; ~**ly** ad du point de vue national; dans le pays entier; ~ **park** n parc national.
nation-wide ['neɪʃənwaɪd] a s'étendant à l'ensemble du pays; (problem) à l'échelle du pays entier // ad à travers or dans tout le pays.
native ['neɪtɪv] n habitant/e du pays, autochtone m/f; (in colonies) indigène m/f // a du pays, indigène; (country) natal(e); (language) maternel(le); (ability) inné(e); a ~ **of Russia** une personne originaire de Russie; a ~ **speaker of French** une personne de langue maternelle française.
NATO ['neɪtəu] n (abbr of North Atlantic Treaty Organization) O.T.A.N.
natter ['nætə*] vi bavarder.
natural ['nætʃrəl] a naturel(le); ~ **gas** n gaz naturel; ~**ist** n naturaliste m/f; ~**ize** vt naturaliser; (plant) acclimater; ~**ly** ad naturellement; ~**ness** n naturel m.
nature ['neɪtʃə*] n nature f; by ~ par tempérament, de nature.
naught [nɔ:t] n zéro m.
naughty ['nɔ:tɪ] a (child) vilain(e), pas sage; (story, film) polisson(ne).
nausea ['nɔ:sɪə] n nausée f; ~**te** ['nɔ:sɪeɪt] vt écœurer, donner la nausée à.
nautical ['nɔ:tɪkl] a nautique; ~ **mile** n mille marin (= 1853 m).
naval ['neɪvl] a naval(e); ~ **officer** n officier m de marine.
nave [neɪv] n nef f.
navel ['neɪvl] n nombril m.
navigable ['nævɪgəbl] a navigable.
navigate ['nævɪgeɪt] vt diriger, piloter // vi naviguer; **navigation** [-'geɪʃən] n navigation f; **navigator** n navigateur m.
navvy ['nævɪ] n terrassier m.
navy ['neɪvɪ] n marine f; ~-**(blue)** a bleu marine inv.
neap [ni:p] n (also: ~**tide**) mortes- eaux fpl.
near [nɪə*] a proche // ad près // prep (also: ~ **to**) près de // vt approcher de; **to come** ~ vi s'approcher; ~**by** [nɪə'baɪ] a proche // ad tout près, à proximité; N~ **East** n Proche-Orient; ~**er** a plus proche // ad plus près; ~**ly** ad presque; I ~**ly fell** j'ai failli tomber; ~ **miss** n collision évitée de justesse; (when aiming) coup manqué de peu or de justesse; ~**ness** n proximité f; ~**side** n (AUT: right-hand drive) côté m gauche; ~-**sighted** a myope.
neat [ni:t] a (person, work) soigné(e); (room etc) bien tenu(e) or rangé(e); (solution, plan) habile; (spirits) pur(e); I **drink it** ~ je le bois sec or sans eau; ~**ly** ad avec soin or ordre; habilement.
nebulous ['nɛbjuləs] a nébuleux(euse).
necessarily ['nɛsɪsrɪlɪ] ad nécessairement.
necessary ['nɛsɪsrɪ] a nécessaire.

necessitate [nɪ'sɛsɪteɪt] vt nécessiter.
necessity [nɪ'sɛsɪtɪ] n nécessité f; chose nécessaire or essentielle.
neck [nɛk] n cou m; (of horse, garment) encolure f; (of bottle) goulot m; ~ **and** ~ à égalité.
necklace ['nɛklɪs] n collier m.
neckline ['nɛklaɪn] n encolure f.
necktie ['nɛktaɪ] n cravate f.
née [neɪ] a: ~ **Scott** née Scott.
need [ni:d] n besoin m // vt avoir besoin de; **to** ~ **to do** devoir faire; avoir besoin de faire.
needle ['ni:dl] n aiguille f // vt asticoter, tourmenter; ~**cord** n velours m milleraies.
needless ['ni:dlɪs] a inutile; ~**ly** ad inutilement.
needlework ['ni:dlwə:k] n (activity) travaux mpl d'aiguille; (object) ouvrage m.
needy ['ni:dɪ] a nécessiteux(euse); **in** ~ **circumstances** dans le besoin.
negation [nɪ'geɪʃən] n négation f.
negative ['nɛgətɪv] n (PHOT, ELEC) négatif m; (LING) terme m de négation // a négatif(ive); **to answer in the** ~ répondre par la négative.
neglect [nɪ'glɛkt] vt négliger // n (of person, duty, garden) le fait de négliger; (state of) ~ abandon m.
negligee ['nɛglɪʒeɪ] n déshabillé m.
negligence ['nɛglɪdʒəns] n négligence f.
negligent ['nɛglɪdʒənt] a négligent(e); ~**ly** ad par négligence; (offhandedly) négligemment.
negligible ['nɛglɪdʒɪbl] a négligeable.
negotiable [nɪ'gəuʃɪəbl] a négociable.
negotiate [nɪ'gəuʃɪeɪt] vi négocier // vt (COMM) négocier; (obstacle) franchir, négocier; **negotiation** [-'eɪʃən] n négociation f, pourparlers mpl; **negotiator** n négociateur/trice.
Negress ['ni:grɪs] n négresse f.
Negro ['ni:grəu] a (gen) noir(e); (music, arts) nègre, noir // n (pl: ~**es**) Noir/e.
neighbour, neighbor (US) ['neɪbə*] n voisin/e; ~**hood** n quartier m; voisinage m; ~**ing** a voisin(e), avoisinant(e); ~**ly** a obligeant(e); (relations) de bon voisinage.
neither ['naɪðə*] a, pronoun aucun(e) (des deux), ni l'un(e) ni l'autre // cj: **I didn't move and** ~ **did Claude** je n'ai pas bougé, (et) Claude non plus; ..., ~ **did I refuse** ..., (et or mais) je n'ai pas non plus refusé // ad: ~ **good nor bad** ni bon ni mauvais.
neo... ['ni:əu] prefix néo-.
neon ['ni:ɔn] n néon m; ~ **light** n lampe f au néon; ~ **sign** n enseigne (lumineuse) au néon.
nephew ['nɛvju:] n neveu m.
nerve [nə:v] n nerf m; (fig) sang-froid m, courage m; aplomb m, toupet m; **he gets on my** ~**s** il m'énerve; ~-**racking** a éprouvant (pour les nerfs).
nervous ['nə:vəs] a nerveux(euse); inquiet(ète), plein(e) d'appréhension; ~ **breakdown** n dépression nerveuse; ~**ly** ad nerveusement; ~**ness** n nervosité f; inquiétude f, appréhension f.
nest [nɛst] n nid m; ~ **of tables** n table f gigogne.

nestle ['nɛsl] vi se blottir.
net [nɛt] n filet m // a net(te); ~**ball** n netball m.
Netherlands ['nɛðələndz] npl: the ~ les Pays-Bas mpl.
nett [nɛt] a = net.
netting ['nɛtɪŋ] n (for fence etc) treillis m, grillage m.
nettle ['nɛtl] n ortie f.
network ['nɛtwəːk] n réseau m.
neurosis, pl **neuroses** [njuə'rəusɪs, -siːz] n névrose f.
neurotic [njuə'rɔtɪk] a, n névrosé(e).
neuter ['njuːtə*] a, n neutre (m) // vt (cat etc) châtrer, couper.
neutral ['njuːtrəl] a neutre // n (AUT) point mort; ~**ity** [-'trælɪtɪ] n neutralité f.
never ['nɛvə*] ad (ne ...) jamais; ~ **again** plus jamais; ~**ending** a interminable; ~**theless** [nɛvəðə'lɛs] ad néanmoins, malgré tout.
new [njuː] a nouveau(nouvelle); (brand new) neuf(neuve); ~**born** a nouveau-né(e), ~**comer** ['njuːkʌmə*] n nouveau venu/nouvelle venue; ~**ly** ad nouvellement, récemment; ~ **moon** n nouvelle lune; ~**ness** n nouveauté f.
news [njuːz] n nouvelle(s) f(pl); (RADIO, TV) informations fpl; **a piece of** ~ une nouvelle; ~ **agency** n agence f de presse; ~**agent** n marchand m de journaux; ~**flash** n flash m d'information; ~**letter** n bulletin m; ~**paper** n journal m; ~**reel** n actualités (filmées) fpl; ~ **stand** n kiosque m à journaux.
New Year ['njuː'jɪə*] n Nouvel An; ~'s Day n le jour de l'An; ~'s Eve n la Saint-Sylvestre.
New Zealand [njuː'ziːlənd] n la Nouvelle-Zélande.
next [nɛkst] a (seat, room) voisin(e), d'à côté; (meeting, bus stop) suivant(e); prochain(e) // ad la fois suivante; la prochaine fois; (afterwards) ensuite; **when do we meet** ~? quand nous revoyons-nous?; ~ **door** ad à côté; ~-**of-kin** n parent m le plus proche; ~ **time** ad la prochaine fois; ~ **to** prep à côté de; ~ **to nothing** presque rien.
N.H.S. n abbr of National Health Service.
nib [nɪb] n (of pen) (bec m de) plume f.
nibble ['nɪbl] vt grignoter.
nice [naɪs] a (holiday, trip) agréable; (flat, picture) joli(e); (person) gentil(le); (distinction, point) subtil(e); ~-**looking** a joli(e); ~**ly** ad agréablement; joliment; gentiment; subtilement.
niceties ['naɪsɪtɪz] npl subtilités fpl.
nick [nɪk] n encoche f // vt (col) faucher, piquer; **in the** ~ **of time** juste à temps.
nickel ['nɪkl] n nickel m; (US) pièce f de 5 cents.
nickname ['nɪkneɪm] n surnom m // vt surnommer.
nicotine ['nɪkətiːn] n nicotine f.
niece [niːs] n nièce f.
Nigeria [naɪ'dʒɪərɪə] n Nigéria m or f; ~**n** a nigérien(ne) // n Nigérien/ne.
niggardly ['nɪgədlɪ] a pingre.
niggling ['nɪglɪŋ] a tatillon(ne).

night [naɪt] n nuit f; (evening) soir m; **at** ~ la nuit; **by** ~ de nuit; ~**cap** n boisson prise avant le coucher; ~ **club** n boîte f de nuit; ~**dress** n chemise f de nuit; ~**fall** n tombée f de la nuit; ~**ie** ['naɪtɪ] n chemise f de nuit.
nightingale ['naɪtɪŋgeɪl] n rossignol m.
night life ['naɪtlaɪf] n vie f nocturne.
nightly ['naɪtlɪ] a de chaque nuit or soir; (by night) nocturne // ad chaque nuit or soir; nuitamment.
nightmare ['naɪtmɛə*] n cauchemar m.
night school ['naɪtskuːl] n cours mpl du soir.
night-time ['naɪttaɪm] n nuit f.
night watchman ['naɪt'wɔtʃmən] n veilleur m de nuit.
nil [nɪl] n rien m; (SPORT) zéro m.
nimble ['nɪmbl] a agile.
nine [naɪn] num neuf; ~**teen** num dix-neuf; ~**ty** num quatre-vingt-dix.
ninth [naɪnθ] a neuvième.
nip [nɪp] vt pincer // n pincement m.
nipple ['nɪpl] n (ANAT) mamelon m, bout m du sein.
nippy ['nɪpɪ] a (person) alerte, leste.
nitrogen ['naɪtrədʒən] n azote m.
no [nəu] det pas de, aucun(e) + sg // ad, n non (m); ~ **entry** défense d'entrer, entrée interdite; ~ **dogs** les chiens ne sont pas admis.
nobility [nəu'bɪlɪtɪ] n noblesse f.
noble ['nəubl] a noble; ~**man** n noble m; **nobly** ad noblement.
nobody ['nəubədɪ] pronoun personne (with negative).
nod [nɔd] vi faire un signe de (la) tête (affirmatif ou amical); (sleep) somnoler // n signe de (la) tête; **to** ~ **off** vi s'assoupir.
noise [nɔɪz] n bruit m; ~**less** a silencieux(euse); **noisily** ad bruyamment; **noisy** a bruyant(e).
nomad ['nəumæd] n nomade m/f; ~**ic** [-'mædɪk] a nomade.
no man's land ['nəumænzlænd] n no man's land m.
nominal ['nɔmɪnl] a (rent, fee) symbolique; (value) nominal(e).
nominate ['nɔmɪneɪt] vt (propose) proposer; (elect) nommer.
nomination [nɔmɪ'neɪʃən] n nomination f.
nominee [nɔmɪ'niː] n candidat agréé; personne nommée.
non... [nɔn] prefix non-; ~**alcoholic** a non-alcoolisé(e); ~**breakable** a incassable; ~**committal** ['nɔnkə'mɪtl] a évasif(ive); ~**descript** ['nɔndɪskrɪpt] a quelconque, indéfinissable.
none [nʌn] pronoun aucun/e; **he's** ~ **the worse for it** il ne s'en porte pas plus mal.
nonentity [nɔ'nɛntɪtɪ] n personne insignifiante.
non: ~-**fiction** n littérature f non-romanesque; ~-**flammable** a ininflammable.
nonplussed [nɔn'plʌst] a perplexe.
nonsense ['nɔnsəns] n absurdités fpl, idioties fpl.
non: ~-**smoker** n non-fumeur m; ~-**stick** a qui n'attache pas; ~-**stop** a

direct(e), sans arrêt (or escale) // ad sans arrêt.

noodles ['nu:dlz] npl nouilles fpl.

nook [nuk] n: ~s **and crannies** recoins mpl.

noon [nu:n] n midi m.

no one ['nəuwʌn] pronoun = **nobody**.

nor [nɔ:*] cj = **neither** // ad see **neither**.

norm [nɔ:m] n norme f.

normal ['nɔ:ml] a normal(e); ~ly ad normalement.

Normandy ['nɔ:məndi] n Normandie f.

north [nɔ:θ] n nord m // a du nord, nord (inv) // ad au or vers le nord; **N~ America** n Amérique f du Nord; ~**-east** n nord-est m; ~**ern** ['nɔ:ðən] a du nord, septentrional(e); **N~ern Ireland** n Irlande f du Nord; **N~ Pole** n pôle m Nord; **N~ Sea** n mer f du Nord; ~**ward(s)** ['nɔ:θwəd(z)] ad vers le nord; ~**-west** n nord-ouest m.

Norway ['nɔ:wei] n Norvège f.

Norwegian [nɔ:'wi:dʒən] a norvégien(ne) // n Norvégien/ne; (LING) norvégien m.

nose [nəuz] n nez m; (fig) flair m; ~**bleed** n saignement m de nez; ~**-dive** n (descente f en) piqué m; ~**y** a curieux(euse).

nostalgia [nɔs'tældʒɪə] n nostalgie f; **nostalgic** a nostalgique.

nostril ['nɔstrɪl] n narine f; (of horse) naseau m.

nosy ['nəuzɪ] a = **nosey**.

not [nɔt] ad (ne ...) pas; ~ **at all** pas du tout; **you must** ~ or mustn't **do this** tu ne dois pas faire ça; **he isn't...** il n'est pas... .

notable ['nəutəbl] a notable.

notably ['nəutəblɪ] ad en particulier.

notch [nɔtʃ] n encoche f.

note [nəut] n note f; (letter) mot m; (banknote) billet m // vt (also: ~ **down**) noter; (notice) constater; ~**book** n carnet m; ~**case** n porte-feuille m; ~**d** ['nəutɪd] a réputé(e); ~**paper** n papier m à lettres.

nothing ['nʌθɪŋ] n rien m; ~ **new** rien de nouveau; **for** ~ (free) pour rien, gratuitement.

notice ['nəutɪs] n avis m; (of leaving) congé m // vt remarquer, s'apercevoir de; **to take** ~ **of** prêter attention à; **to bring sth to sb's** ~ porter qch à la connaissance de qn; **to avoid** ~ éviter de se faire remarquer; ~**able** a visible; ~ **board** n (Brit) panneau m d'affichage.

notify ['nəutɪfaɪ] vt: **to** ~ **sth to sb** notifier qch à qn; **to** ~ **sb of sth** avertir qn de qch.

notion ['nəuʃən] n idée f; (concept) notion f.

notorious [nəu'tɔ:rɪəs] a notoire (souvent en mal).

notwithstanding [nɔtwɪθ'stændɪŋ] ad néanmoins // prep en dépit de.

nougat ['nu:gɑ:] n nougat m.

nought [nɔ:t] n zéro m.

noun [naun] n nom m.

nourish ['nʌrɪʃ] vt nourrir; ~**ing** a nourrissant(e); ~**ment** n nourriture f.

novel ['nɔvl] n roman m // a

nouveau(nouvelle), original(e); ~**ist** n romancier m; ~**ty** n nouveauté f.

November [nəu'vɛmbə*] n novembre m.

novice ['nɔvɪs] n novice m/f.

now [nau] ad maintenant; ~ **and then**, ~ **and again** de temps en temps; **from** ~ **on** dorénavant; ~**adays** ['nauədeɪz] ad de nos jours.

nowhere ['nəuwɛə*] ad nulle part.

nozzle ['nɔzl] n (of hose) jet m, lance f.

nuance ['nju:ɑ̃:ns] n nuance f.

nuclear ['nju:klɪə*] a nucléaire.

nucleus, pl nuclei ['nju:klɪəs, 'nju:klɪaɪ] n noyau m.

nude [nju:d] a nu(e) // n (ART) nu m; **in the** ~ (tout(e)) nu(e).

nudge [nʌdʒ] vt donner un (petit) coup de coude à.

nudist ['nju:dɪst] n nudiste m/f.

nudity ['nju:dɪtɪ] n nudité f.

nuisance ['nju:sns] n: **it's a** ~ c'est (très) ennuyeux or gênant; **he's a** ~ il est assommant or casse-pieds.

null [nʌl] a: ~ **and void** nul(le) et non avenu(e); ~**ify** ['nʌlɪfaɪ] vt invalider.

numb [nʌm] a engourdi(e) // vt engourdir.

number ['nʌmbə*] n nombre m; (numeral) chiffre m; (of house, car, telephone, newspaper) numéro m // vt numéroter; (include) compter; **a** ~ **of** un certain nombre de; **the staff** ~**s 20** le nombre d'employés s'élève à or est de 20; ~ **plate** n plaque f minéralogique or d'immatriculation.

numbness ['nʌmnɪs] n engourdissement m.

numeral ['nju:mərəl] n chiffre m.

numerical ['nju:'mɛrɪkl] a numérique.

numerous ['nju:mərəs] a nombreux(euse).

nun [nʌn] n religieuse f, sœur f.

nurse [nə:s] n infirmière f // vt (patient, cold) soigner; (hope) nourrir; ~**(maid)** n bonne f d'enfants.

nursery ['nə:sərɪ] n (room) nursery f; (institution) pouponnière f; (for plants) pépinière f; ~ **rhyme** n comptine f, chansonnette f pour enfants; ~ **school** n école maternelle; ~ **slope** n (SKI) piste f pour débutants.

nursing ['nə:sɪŋ] n (profession) profession f d'infirmière; ~ **home** n clinique f; maison f de convalescence.

nut [nʌt] n (of metal) écrou m; (fruit) noix f, noisette f, cacahuète f (terme générique en anglais); **he's** ~**s** (col) il est dingue; ~**case** n (col) dingue m/f; ~**crackers** npl casse-noix m inv, casse-noisette(s) m; ~**meg** ['nʌtmɛg] n (noix f) muscade f.

nutrient ['nju:trɪənt] n substance nutritive.

nutrition [nju:'trɪʃən] n nutrition f, alimentation f.

nutritious [nju:'trɪʃəs] a nutritif(ive), nourrissant(e).

nutshell ['nʌtʃɛl] n coquille f de noix; **in a** ~ en un mot.

nylon ['naɪlɔn] n nylon m; ~**s** npl bas mpl nylon.

O

oaf [əuf] n balourd m.

oak [əuk] n chêne m.

O.A.P. abbr see old.

oar [ɔ:*] n aviron m, rame f; **~sman/woman** rameur/euse.

oasis, pl **oases** [əu'eɪsɪs, əu'eɪsi:z] n oasis f.

oath [əuθ] n serment m; (swear word) juron m; **to take the ~** prêter serment; **on ~** sous serment; assermenté(e).

oatmeal ['əutmi:l] n flocons mpl d'avoine.

oats [əuts] n avoine f.

obedience [ə'bi:dɪəns] n obéissance f; **in ~ to** conformément à.

obedient [ə'bi:dɪənt] a obéissant(e).

obelisk ['ɔbɪlɪsk] n obélisque m.

obesity [əu'bi:sɪtɪ] n obésité f.

obey [ə'beɪ] vt obéir à; (instructions, regulations) se conformer à // vi obéir.

obituary [ə'bɪtjuərɪ] n nécrologie f.

object n ['ɔbdʒɪkt] objet m; (purpose) but m, objet m; (LING) complément m d'objet // vi [əb'dʒɛkt]: **to ~ to** (attitude) désapprouver; (proposal) protester contre, élever une objection contre; **I ~!** je proteste!; **he ~ed that ...** il a fait valoir or a objecté que ...; **~ion** [əb'dʒɛkʃən] n objection f; (drawback) inconvénient m; **if you have no ~ion** si vous n'y voyez pas d'inconvénient; **~ionable** [əb'dʒɛk-ʃənəbl] a très désagréable; choquant(e); **~ive** n objectif m // a objectif(ive); **~ivity** [ɔbdʒɪk'tɪvɪtɪ] n objectivité f; **~or** n opposant/e.

obligation [ɔblɪ'geɪʃən] n obligation f, devoir m; (debt) dette f (de reconnaissance).

obligatory [ə'blɪgətərɪ] a obligatoire.

oblige [ə'blaɪdʒ] vt (force): **to ~ sb to do** obliger or forcer qn à faire; (do a favour) rendre service à, obliger; **to be ~d to sb for sth** être obligé(e) à qn de qch; **obliging** a obligeant(e), serviable.

oblique [ə'bli:k] a oblique; (allusion) indirect(e).

obliterate [ə'blɪtəreɪt] vt effacer.

oblivion [ə'blɪvɪən] n oubli m.

oblivious [ə'blɪvɪəs] a: **~ of** oublieux(euse) de.

oblong ['ɔblɔŋ] a oblong(ue) // n rectangle m.

obnoxious [əb'nɔkʃəs] a odieux (euse); (smell) nauséabond(e).

oboe ['əubəu] n hautbois m.

obscene [əb'si:n] a obscène.

obscenity [əb'sɛnɪtɪ] n obscénité f.

obscure [əb'skjuə*] a obscur(e) // vt obscurcir; (hide: sun) cacher; **obscurity** n obscurité f.

obsequious [əb'si:kwɪəs] a obséquieux(euse).

observable [əb'zə:vəbl] a observable; (appreciable) notable.

observance [əb'zə:vns] n observance f, observation f.

observant [əb'zə:vnt] a observateur(trice).

observation [ɔbzə'veɪʃən] n observation f; (by police etc) surveillance f.

observatory [əb'zə:vətrɪ] n observatoire m.

observe [əb'zə:v] vt observer; (remark) faire observer or remarquer; **~r** n observateur/trice.

obsess [əb'sɛs] vt obséder; **~ion** [əb'sɛʃən] n obsession f; **~ive** a obsédant(e).

obsolescence [ɔbsə'lɛsns] n vieillissement m; **built-in** or **planned ~** (COMM) désuétude calculée.

obsolete ['ɔbsəli:t] a dépassé(e); démodé(e).

obstacle ['ɔbstəkl] n obstacle m; **~ race** n course f d'obstacles.

obstetrics [ɔb'stɛtrɪks] n obstétrique f.

obstinacy ['ɔbstɪnəsɪ] n obstination f.

obstinate ['ɔbstɪnɪt] a obstiné(e); (pain, cold) persistant(e).

obstreperous [əb'strɛpərəs] a turbulent(e).

obstruct [əb'strʌkt] vt (block) boucher, obstruer; (halt) arrêter; (hinder) entraver; **~ion** [əb'strʌkʃən] n obstruction f; obstacle m; **~ive** a obstructionniste.

obtain [əb'teɪn] vt obtenir // vi avoir cours; **~able** a qu'on peut obtenir.

obtrusive [əb'tru:sɪv] a (person) importun(e); (smell) pénétrant(e); (building etc) trop en évidence.

obtuse [əb'tju:s] a obtus(e).

obviate ['ɔbvɪeɪt] vt parer à, obvier à.

obvious ['ɔbvɪəs] a évident(e), manifeste; **~ly** ad manifestement; bien sûr.

occasion [ə'keɪʒən] n occasion f; (event) événement m // vt occasionner, causer; **~al** a pris(e) or fait(e) etc de temps en temps; occasionnel(le); **~al table** n table décorative.

occupation [ɔkju'peɪʃən] n occupation f; (job) métier m, profession f; **unfit for ~** (house) impropre à l'habitation; **~al disease** n maladie f du travail; **~al hazard** n risque m du métier.

occupier ['ɔkjupaɪə*] n occupant/e.

occupy ['ɔkjupaɪ] vt occuper; **to ~ o.s. with** or **by doing** s'occuper à faire.

occur [ə'kə:*] vi se produire; (difficulty, opportunity) se présenter; (phenomenon, error) se rencontrer; **to ~ to sb** venir à l'esprit de qn; **~rence** n présence f, existence f; cas m, fait m.

ocean ['əuʃən] n océan m; **~-going** a de haute mer; **~ liner** n paquebot m.

ochre ['əukə*] a ocre.

o'clock [ə'klɔk] ad: **it is 5 ~** il est 5 heures.

octagonal [ɔk'tægənl] a octogonal(e).

octane ['ɔkteɪn] n octane m.

octave ['ɔktɪv] n octave f.

October [ɔk'təubə*] n octobre m.

octopus ['ɔktəpəs] n pieuvre f.

odd [ɔd] a (strange) bizarre, curieux(euse); (number) impair(e); (left over) qui reste, en plus; (not of a set) dépareillé(e); **60-~** 60 et quelques; **at ~ times** de temps en temps; **the ~ one out** l'exception f; **~ity** n bizarrerie f; (person) excentrique m/f; **~-job man** n homme m à tout faire; **~ jobs** npl petits travaux divers; **~ly** ad bizarrement, curieusement; **~ments** npl (COMM) fins fpl de série; **~s** npl (in betting) cote f; **the ~s are against his coming** il y a peu de chances qu'il vienne; **it**

makes no ~s cela n'a pas d'importance ;
at ~s en désaccord.

ode [əud] n ode f.

odious ['əudɪəs] a odieux(euse), détestable.

odour, odor (US) ['əudə*] n odeur f ;
~less a inodore.

of [ɔv, əv] prep de ; **a friend ~ ours** un
de nos amis ; **3 ~ them** went 3 d'entre
eux y sont allés ; **the 5th ~ July** le 5 juillet ; **a boy ~ 10** un garçon de 10 ans.

off [ɔf] a,ad (engine) coupé(e) ; (tap)
fermé(e) ; (food: bad) mauvais(e),
avancé(e) ; (milk) tourné(e) ; (absent)
absent(e) ; (cancelled) annulé(e) // prep
de ; sur ; **to be ~** (to leave) partir, s'en
aller ; **to be ~ sick** être absent(e) pour
cause de maladie ; **a day ~** un jour de
congé ; **to have an ~ day** n'être pas en
forme ; **he had his coat ~** il avait enlevé
son manteau ; **the hook is ~** le crochet
s'est détaché ; le crochet n'est pas mis ;
10% ~ (COMM) 10% de rabais ; **5 km ~**
(the road) à 5 km (de la route) ; **~ the
coast** au large de la côte ; **a house ~ the
main road** une maison à l'écart de la
grand-route ; **I'm ~ meat** je ne mange
plus de viande ; je n'aime plus la viande ;
on the ~ chance à tout hasard.

offal ['ɔfl] n (CULIN) abats mpl.

offbeat ['ɔfbiːt] a excentrique.

off-colour ['ɔf'kʌlə*] a (ill) malade, mal
fichu(e).

offence, offense (US) [ə'fɛns] n (crime)
délit m, infraction f ; **to give ~ to** blesser, offenser ; **to take ~ at** se vexer de,
s'offenser de.

offend [ə'fɛnd] vt (person) offenser, blesser ; ~er n délinquant/e ; (against regulations) contrevenant/e.

offensive [ə'fɛnsɪv] a offensant(e),
choquant(e) ; (smell etc) très
déplaisant(e) ; (weapon) offensif(ive) // n
(MIL) offensive f.

offer ['ɔfə*] n offre f, proposition f // vt
offrir, proposer ; **'on ~'** (COMM) 'en promotion' ; ~ing n offrande f.

offhand [ɔf'hænd] a désinvolte // ad
spontanément.

office ['ɔfɪs] n (place) bureau m ; (position)
charge f, fonction f ; **to take ~** entrer en
fonctions ; ~ **block** n immeuble m de
bureaux ; ~ **boy** n garçon m de bureau ;
~r n (MIL etc) officier m ; (of organization)
membre m du bureau directeur ; (also:
police ~r) agent m (de police) ~ **work**
n travail m de bureau ; ~ **worker** n
employé/e de bureau.

official [ə'fɪʃl] a (authorized) officiel(le) //
n officiel m ; (civil servant) fonctionnaire
m/f ; employé/e de bureau ; ~ly ad officiellement.

officious [ə'fɪʃəs] a trop empressé(e).

offing ['ɔfɪŋ] n : **in the ~** (fig) en perspective.

off-: ~-licence n (Brit: shop) débit m de
vins et de spiritueux ; ~-**peak** a aux
heures creuses ; ~-**putting** a
rébarbatif(ive), —rebutant(e), —peu
engageant(e) ; ~-**season** a, ad hors-saison.

offset ['ɔfsɛt] vt irg (counteract) contrebalancer, compenser // n (also: ~
printing) offset m.

offshore [ɔf'ʃɔ:*] a (breeze) de terre ;
(island) proche du littoral ; (fishing)
côtier(ère).

offside ['ɔf'saɪd] a (SPORT) hors jeu // a
(AUT: with right-hand drive) côté droit.

offspring ['ɔfsprɪŋ] n progéniture f.

off-: ~-stage ad dans les coulisses ; ~-**the-
cuff** ad au pied levé ; de chic ; ~-**the-peg**
ad en prêt-à-porter ; ~-**white** a blanc
cassé inv.

often ['ɔfn] ad souvent ; **as ~ as not** la
plupart du temps.

ogle ['əugl] vt lorgner.

oil [ɔɪl] n huile f ; (petroleum) pétrole m ;
(for central heating) mazout m // vt
(machine) graisser ; ~**can** n burette f de
graissage ; (for storing) bidon m à huile ;
~ **change** n vidange f ; ~**field** n gisement
m de pétrole ; ~-**fired** a au mazout ; ~
level n niveau m d'huile ; ~ **painting** n
peinture f à l'huile ; ~ **refinery** n raffinerie
f de pétrole ; ~ **rig** n derrick m ; (at sea)
plate-forme pétrolière ; ~**skins** npl ciré m ;
~ **slick** n nappe f de mazout ; ~ **tanker**
n pétrolier m ; ~ **well** n puits m de pétrole ; ~y a huileux(euse) ; (food) gras(se).

ointment ['ɔɪntmənt] n onguent m.

O.K., okay ['əu'keɪ] excl d'accord ! // a
bien, en règle, en bon état ; pas mal //
vt approuver, donner son accord à ; **is it
~?, are you ~?** ça va ?

old [əuld] a vieux(vieille) ; (person) vieux,
âgé(e) ; (former) ancien(ne), vieux ; **how
are you?** quel âge avez-vous ? ; **he's 10
years ~** il a 10 ans, il est âgé de 10 ans ;
~ **age** n vieillesse f ; ~-**age pensioner**
(O.A.P.) n retraité/e ; ~**er brother/sis-
ter** frère/sœur aîné(e) ; ~-**fashioned** a
démodé(e) ; (person) vieux jeu inv ; ~
people's home n maison f de retraite.

olive ['ɔlɪv] n (fruit) olive f ; (tree) olivier
m // a (also: ~-**green**) (vert) olive inv ;
~ **oil** n huile f d'olive.

Olympic [əu'lɪmpɪk] a olympique ; **the ~
Games, the ~s** les Jeux mpl olympiques.

omelet(te) ['ɔmlɪt] n omelette f ;
ham/cheese ~ omelette au
jambon/fromage.

omen ['əumən] n présage m.

ominous ['ɔmɪnəs] a menaçant(e),
inquiétant(e) ; (event) de mauvais augure.

omission [əu'mɪʃən] n omission f.

omit [əu'mɪt] vt omettre.

on [ɔn] prep sur // ad (machine) en marche ;
(light, radio) allumé(e) ; (tap) ouvert(e) ; **is
the meeting still ~?** est-ce que la réunion
a bien lieu ? ; la réunion dure-t-elle
encore ? ; **when is this film ~?** quand
passe or passe-t-on ce film ? ; ~ **the train**
dans le train ; **~ the wall** sur le or au mur ;
~ **television** à la télévision ; ~ **learning
this** en apprenant cela ; ~ **arrival** à
l'arrivée ; ~ **the left** à gauche ; ~ **Friday**
vendredi ; ~ **Fridays** le vendredi ; **a week
~ Friday** vendredi en huit ; **to have one's
coat ~** avoir (mis) son manteau ; **to walk
etc ~** continuer à marcher etc ; **it's not
~!** pas question ! ; ~ **and off** de temps à
autre.

once [wʌns] ad une fois ; (formerly) autrefois // cj une fois que ; **at ~** tout de suite,
immédiatement ; (simultaneously) à la fois ;

all at ~ *ad* tout d'un coup ; ~ **a week** une fois par semaine ; ~ **more** encore une fois ; ~ **and for all** une fois pour toutes.

oncoming ['ɔnkʌmɪŋ] *a* (*traffic*) venant en sens inverse.

one [wʌn] *det, num une(e)* // *pronoun* une(e) ; (*impersonal*) on ; **this** ~ celui-ci/celle-ci ; **that** ~ celui-là/celle-là ; **the** ~ **book which...** l'unique livre que... ; ~ **by** un(e) par un(e) ; ~ **never knows** on ne sait jamais ; ~ **another** l'un(e) l'autre ; ~-**man** (*business*) dirigé(e) *etc* par un seul homme ; ~-**man band** *n* homme-orchestre *m* ; ~**self** *pronoun* se ; (*after prep, also emphatic*) soi-même ; ~-**way** *a* (*street, traffic*) à sens unique.

ongoing ['ɔngəʊɪŋ] *a* en cours ; suivi(e).

onion ['ʌnjən] *n* oignon *m*.

onlooker ['ɔnlʊkə*] *n* spectateur/trice.

only ['əʊnlɪ] *ad* seulement // *a* seul(e), unique // *cj* seulement, mais ; **an** ~ **child** un enfant unique ; **not** ~ non seulement ; **I** ~ **took one** j'en ai seulement pris un, je n'en ai pris qu'un.

onset ['ɔnsɛt] *n* début *m* ; (*of winter, old age*) approche *f*.

onshore ['ɔnʃɔ:*] *a* (*wind*) du large.

onslaught ['ɔnslɔ:t] *n* attaque *f*, assaut *m*.

onto ['ɔntu] *prep* = **on to**.

onus ['əʊnəs] *n* responsabilité *f*.

onward(s) ['ɔnwəd(z)] *ad* (*move*) en avant ; **from this time** ~ dorénavant.

onyx ['ɔnɪks] *n* onyx *m*.

ooze [u:z] *vi* suinter.

opacity [əʊ'pæsɪtɪ] *n* (*of substance*) opacité *f*.

opal ['əʊpl] *n* opale *f*.

opaque [əʊ'peɪk] *a* opaque.

OPEC [əʊpɛk] *n* (*abbr of Organization of Petroleum Exporting countries*) O.P.E.P. (Organisation des pays exportateurs de pétrole).

open ['əʊpn] *a* ouvert(e) ; (*car*) couvert(e) ; (*road, view*) dégagé(e) ; (*meeting*) public(ique) ; (*admiration*) manifeste, (*question*) non résolu(e) ; (*enemy*) déclaré(e) // *vt* ouvrir // *vi* (*flower, eyes, door, debate*) s'ouvrir ; (*shop, bank, museum*) ouvrir ; (*book etc: commence*) commencer, débuter ; **to** ~ **on to** *vt fus* (*subj: room, door*) donner sur ; **to** ~ **out** *vt* ouvrir // *vi* s'ouvrir ; **to** ~ **up** *vt* ouvrir ; (*blocked road*) dégager // *vi* s'ouvrir ; **in the** ~ (*air*) en plein air ; ~-**air** *a* en plein air ; ~-**ing** *n* ouverture *f* ; (*opportunity*) occasion *f* ; débouché *m* ; (*job*) poste vacant ; ~-**ly** *ad* ouvertement ; ~-**minded** *a* à l'esprit ouvert ; ~-**necked** *a* à col ouvert ; ~-**sandwich** *n* canapé *m* ; **the** ~-**sea** *n* le large.

opera ['ɔpərə] *n* opéra *m* ; ~ **glasses** *npl* jumelles *fpl* de théâtre ; ~ **house** *n* opéra *m*.

operate ['ɔpəreɪt] *vt* (*machine*) faire marcher, faire fonctionner ; (*system*) pratiquer // *vi* fonctionner ; (*drug*) faire effet ; **to** ~ **on sb (for)** (*MED*) opérer qn (de).

operatic [ɔpə'rætɪk] *a* d'opéra.

operating ['ɔpəreɪtɪŋ] *a*: ~ **table/theatre** table *f*/salle *f* d'opération.

operation [ɔpə'reɪʃən] *n* opération *f* ; **to be in** ~ (*machine*) être en service ;

(*system*) être en vigueur ; ~**al** *a* opérationnel(le).

operative ['ɔpərətɪv] *a* (*measure*) en vigueur // *n* (*in factory*) ouvrier/ère.

operator ['ɔpəreɪtə*] *n* (*of machine*) opérateur/trice ; (*TEL*) téléphoniste *m/f*.

operetta [ɔpə'rɛtə] *n* opérette *f*.

opinion [ə'pɪnɪən] *n* opinion *f*, avis *m* ; **in my** ~ à mon avis ; ~**ated** *a* aux idées bien arrêtées ; ~ **poll** *n* sondage *m* (d'opinion).

opium ['əʊpɪəm] *n* opium *m*.

opponent [ə'pəʊnənt] *n* adversaire *m/f*.

opportune ['ɔpətju:n] *a* opportun(e) ; **opportunist** [-'tju:nɪst] *n* opportuniste *m/f*.

opportunity [ɔpə'tju:nɪtɪ] *n* occasion *f* ; **to take the** ~ **of doing** profiter de l'occasion pour faire.

oppose [ə'pəʊz] *vt* s'opposer à ; ~**d to** *a* opposé(e) à ; **as** ~**d to** par opposition à ; **opposing** *a* (*side*) opposé(e).

opposite ['ɔpəzɪt] *a* opposé(e) ; (*house etc*) d'en face // *ad* en face // *prep* en face de // *n* opposé *m*, contraire *m* ; (*of word*) contraire *m* ; '**see** ~ **page**' 'voir ci-contre' ; **his** ~ **number** son homologue *m/f*.

opposition [ɔpə'zɪʃən] *n* opposition *f*.

oppress [ə'prɛs] *vt* opprimer ; ~**ion** [ə'prɛʃən] *n* oppression *f* ; ~**ive** *a* oppressif(ive).

opt [ɔpt] *vi*: **to** ~ **for** opter pour ; **to** ~ **to do** choisir de faire ; **to** ~ **out of** choisir de quitter.

optical ['ɔptɪkl] *a* optique ; (*instrument*) d'optique.

optician [ɔp'tɪʃən] *n* opticien/ne.

optimism ['ɔptɪmɪzəm] *n* optimisme *m*.

optimist ['ɔptɪmɪst] *n* optimiste *m/f* ; ~**ic** [-'mɪstɪk] *a* optimiste.

optimum ['ɔptɪməm] *a* optimum.

option ['ɔpʃən] *n* choix *m*, option *f* ; (*SCOL*) matière *f* à option ; (*COMM*) option ; **to keep one's ~s open** (*fig*) ne pas s'engager ; ~**al** *a* facultatif(ive) ; (*COMM*) en option.

opulence ['ɔpjʊləns] *n* opulence *f* ; abondance *f*.

opulent ['ɔpjʊlənt] *a* opulent(e) ; abondant(e).

or [ɔ:*] *cj* ou ; (*with negative*): **he hasn't seen** ~ **heard anything** il n'a rien vu ni entendu ; ~ **else** sinon ; ou bien.

oracle ['ɔrəkl] *n* oracle *m*.

oral ['ɔ:rəl] *a* oral(e) // *n* oral *m*.

orange ['ɔrɪndʒ] *n* (*fruit*) orange *f* // *a* orange *inv*.

oration [ɔ:'reɪʃən] *n* discours solennel.

orator ['ɔrətə*] *n* orateur/trice.

oratorio [ɔrə'tɔ:rɪəʊ] *n* oratorio *m*.

orb [ɔ:b] *n* orbe *m*.

orbit ['ɔ:bɪt] *n* orbite *f* // *vt* décrire une or des orbite(s) autour de.

orchard ['ɔ:tʃəd] *n* verger *m*.

orchestra ['ɔ:kɪstrə] *n* orchestre *m* ; ~**l** [-'kɛstrəl] *a* orchestral(e) ; (*concert*) symphonique.

orchid ['ɔ:kɪd] *n* orchidée *f*.

ordain [ɔ:'deɪn] *vt* (*REL*) ordonner ; (*decide*) décréter.

ordeal [ɔ:'di:l] *n* épreuve *f*.

order ['ɔ:də*] *n* ordre *m* ; (*COMM*) commande *f* // *vt* ordonner ; (*COMM*) commander ; **in** ~ en ordre ; (*of document*) en

règle ; **in ~ of size** par ordre de grandeur ;
in ~ to do/that pour faire/que + *sub* ;
to ~ sb to do ordonner à qn de faire ;
the lower ~s (*pej*) les classes inférieures ;
~ form *n* bon m de commande ; **~ly** *a*
(MIL) ordonnance *f* // *a* (*room*) en ordre ;
(*mind*) méthodique ; (*person*) qui a de
l'ordre.

ordinal ['ɔːdɪnl] *a* (*number*) ordinal(e).

ordinary ['ɔːdnrɪ] *a* ordinaire, normal(e) ;
(*pej*) ordinaire, quelconque.

ordination [ɔːdɪ'neɪʃən] *n* ordination *f*.

ordnance ['ɔːdnəns] *n* (MIL: *unit*) service
m du matériel ; **O~ Survey map** *n* ≈
carte *f* d'État-major.

ore [ɔː*] *n* minerai m.

organ ['ɔːgən] *n* organe m ; (MUS) orgue m,
orgues *fpl* ; **~ic** [ɔː'gænɪk] *a* organique.

organism ['ɔːgənɪzəm] *n* organisme m.

organist ['ɔːgənɪst] *n* organiste m/f.

organization [ɔːgənaɪ'zeɪʃən] *n* organisation *f*.

organize ['ɔːgənaɪz] *vt* organiser ; **~d labour** *n* main-d'œuvre syndiquée ; **~r** *n*
organisateur/trice.

orgasm ['ɔːgæzəm] *n* orgasme m.

orgy ['ɔːdʒɪ] *n* orgie *f*.

Orient ['ɔːrɪənt] *n*: **the ~** l'Orient m ;
oriental [-'entl] *a* oriental(e) // *n*
Oriental/e.

orientate ['ɔːrɪənteɪt] *vt* orienter.

orifice ['ɔrɪfɪs] *n* orifice m.

origin ['ɔrɪdʒɪn] *n* origine *f*.

original [ə'rɪdʒɪnl] *a* original(e) ; (*earliest*)
originel(le) // *n* original m ; **~ity** [-'nælɪtɪ]
n originalité *f* ; **~ly** *ad* (*at first*) à l'origine.

originate [ə'rɪdʒɪneɪt] *vi*: **to ~ from** être
originaire de ; (*suggestion*) provenir de ; **to
~ in** prendre naissance dans ; avoir son
origine dans ; **originator** auteur m.

ornament ['ɔːnəmənt] *n* ornement m ;
(*trinket*) bibelot m ; **~al** [-'mentl] *a*
décoratif(ive) ; (*garden*) d'agrément ;
~ation [-'teɪʃən] *n* ornementation *f*.

ornate [ɔː'neɪt] *a* très orné(e).

ornithologist [ɔːnɪ'θɔlədʒɪst] *n* ornithologue m/f.

ornithology [ɔːnɪ'θɔlədʒɪ] *n* ornithologie *f*.

orphan ['ɔːfn] *n* orphelin/e // *vt*: **to be
~ed** devenir orphelin ; **~age** *n* orphelinat
m.

orthodox ['ɔːθədɔks] *a* orthodoxe.

orthopaedic, orthopedic (US)
[ɔːθə'piːdɪk] *a* orthopédique.

oscillate ['ɔsɪleɪt] *vi* osciller.

ostensible [ɔs'tensɪbl] *a* prétendu(e) ;
apparent(e) ; **ostensibly** *ad* en apparence.

ostentation [ɔsten'teɪʃən] *n* ostentation *f*.

ostentatious [ɔsten'teɪʃəs] *a* préten-
tieux(euse) ; ostentatoire.

osteopath ['ɔstɪəpæθ] *n* ostéopathe m/f.

ostracize ['ɔstrəsaɪz] *vt* frapper
d'ostracisme.

ostrich ['ɔstrɪtʃ] *n* autruche *f*.

other ['ʌðə*] *a* autre ; **~ than** autrement
que ; à part ; **~wise** *ad,cj* autrement.

otter ['ɔtə*] *n* loutre *f*.

ought *pt* **ought** [ɔːt] *auxiliary vb*: **I ~ to
do it** je devrais le faire, il faudrait que je
le fasse ; **this ~ to have been corrected**

cela aurait dû être corrigé ; **he ~ to win**
il devrait gagner.

ounce [auns] *n* once *f* (= *28.35 g* ; *16 in
a pound*).

our ['auə*] *a* notre, *pl* nos ; **~s** *pronoun*
le(la) nôtre, les nôtres ; **~selves** *pronoun
pl* (*reflexive, after preposition*) nous ; (*emphatic*) nous-mêmes.

oust [aust] *vt* évincer.

out [aut] *ad* dehors ; (*published, not at home
etc*) sorti(e) ; (*light, fire*) éteint(e) ; **~ here**
ici ; **~ there** là-bas ; **he's ~** (*absent*), il
est sorti ; (*unconscious*) il est sans connaissance ; **to be ~ in one's calculations**
s'être trompé dans ses calculs ; **to
run/back** *etc* **~** sortir en courant/en
reculant *etc* ; **~ loud** *ad* à haute voix ; **~
of** (*outside*) en dehors de ; (*because of:
anger etc*) par ; (*from among*): **~ of 10** sur
10 ; (*without*): **~ of petrol** sans essence,
à court d'essence ; **made ~ of wood** en
or de bois ; **~ of order** (*machine*) en
panne ; (TEL: *line*) en dérangement ; **~-
of-the-way** écarté(e) ; (*fig*) insolite.

outback ['autbæk] *n* campagne isolée ; (*in
Australia*) intérieur m.

outboard ['autbɔːd] *n*: **~ (motor)**
(moteur m) hors-bord m.

outbreak ['autbreɪk] *n* accès m ; début m ;
éruption *f*.

outbuilding ['autbɪldɪŋ] *n* dépendance *f*.

outburst ['autbəːst] *n* explosion *f*, accès
m.

outcast ['autkɑːst] *n* exilé/e ; (*socially*)
paria m.

outclass [aut'klɑːs] *vt* surclasser.

outcome ['autkʌm] *n* issue *f*, résultat m.

outcry ['autkraɪ] *n* tollé m (général).

outdated [aut'deɪtd] *a* démodé(e).

outdo [aut'duː] *vt irg* surpasser.

outdoor [aut'dɔː*] *a* de or en plein air ;
~s *ad* dehors ; au grand air.

outer ['autə*] *a* extérieur(e) ; **~ space**
espace m cosmique ; **~ suburbs** *npl*
grande banlieue.

outfit ['autfɪt] *n* équipement m ; (*clothes*)
tenue *f* ; **'~ter's'** 'confection pour
hommes'.

outgoings ['autgəuɪŋz] *npl* (*expenses*)
dépenses *fpl*.

outgrow [aut'grəu] *vt irg* (*clothes*) devenir
trop grand(e) pour.

outing ['autɪŋ] *n* sortie *f* ; excursion *f*.

outlandish [aut'lændɪʃ] *a* étrange.

outlaw ['autlɔː] *n* hors-la-loi m *inv* // *vt*
(*person*) mettre hors la loi ; (*practice*) proscrire.

outlay ['autleɪ] *n* dépenses *fpl* ; (*investment*) mise *f* de fonds.

outlet ['autlet] *n* (*for liquid etc*) issue *f*,
sortie *f* ; (*for emotion*) exutoire m ; (*for
goods*) débouché m ; (*also: retail ~*) point
m de vente.

outline ['autlaɪn] *n* (*shape*) contour m ;
(*summary*) esquisse *f*, grandes lignes.

outlive [aut'lɪv] *vt* survivre à.

outlook ['autluk] *n* perspective *f*.

outlying ['autlaɪɪŋ] *a* écarté(e).

outmoded [aut'məudɪd] *a* démodé(e) ;
dépassé(e).

outnumber [aut'nʌmbə*] vt surpasser en nombre.

outpatient ['autpeıʃənt] n malade m/f en consultation externe.

outpost ['autpəust] n avant-poste m.

output ['autput] n rendement m, production f.

outrage ['autreıdʒ] n atrocité f, acte m de violence ; scandale m // vt outrager ; ~ous [-'reıdʒəs] a atroce ; scandaleux(euse).

outrider ['autraıdə*] n (on motorcycle) motard m.

outright ad [aut'raıt] complètement ; catégoriquement ; carrément ; sur le coup // a ['autraıt] complet(ète) ; catégorique.

outset ['autset] n début m.

outside [aut'saıd] n extérieur m // a extérieur(e) // ad (au) dehors, à l'extérieur // prep hors de, à l'extérieur de ; at the ~ (fig) au plus or maximum ; ~ lane n (AUT: in Britain) voie f de droite ; ~-left/-right (FOOTBALL) ailier gauche/droit ; ~r n (in race etc) outsider m ; (stranger) étranger/ère.

outsize ['autsaız] a énorme ; (clothes) grande taille irr.

outskirts ['autskə:ts] npl faubourgs mpl.

outspoken [aut'spəukən] a très franc(he).

outstanding [aut'stændıŋ] a remarquable, exceptionnel(le) ; (unfinished) en suspens ; en souffrance ; non réglé(e).

outstay [aut'steı] vt: to ~ one's welcome abuser de l'hospitalité de son hôte.

outstretched [aut'stretʃt] a (hand) tendu(e) ; (body) étendu(e).

outward ['autwəd] a (sign, appearances) extérieur(e) ; (journey) (d')aller ; ~ly ad extérieurement ; en apparence.

outweigh [aut'weı] vt l'emporter sur.

outwit [aut'wıt] vt se montrer plus malin que.

oval ['əuvl] a,n ovale (m).

ovary ['əuvərı] n ovaire m.

ovation [əu'veıʃən] n ovation f.

oven ['ʌvn] n four m ; ~proof a allant au four.

over ['əuvə*] ad (par-)dessus // a (or ad) (finished) fini(e), terminé(e) ; (too much) en plus // prep sur ; par-dessus ; (above) au-dessus de ; (on the other side of) de l'autre côté de ; (more than) plus de ; (during) pendant ; ~ here ici ; ~ there là-bas ; all ~ (everywhere) partout ; (finished) fini(e) ; ~ and ~ (again) à plusieurs reprises ; ~ and above en plus de ; to ask sb ~ inviter qn (à passer) ; to go ~ to sb's passer chez qn.

over... ['əuvə*] prefix: ~abundant surabondant(e).

overact [əuvər'ækt] vi (THEATRE) outrer son rôle.

overall a,n ['əuvərɔ:l] a (length) total(e) ; (study) d'ensemble // n (Brit) blouse f // ad [əuvər'ɔ:l] dans l'ensemble, en général // ~s npl bleus mpl (de travail).

overawe [əuvər'ɔ:] vt impressionner.

overbalance [əuvə'bæləns] vi basculer.

overbearing [əuvə'bɛərıŋ] a impérieux(euse), autoritaire.

overboard ['əuvəbɔ:d] ad (NAUT) par-dessus bord.

overcast ['əuvəka:st] a couvert(e).

overcharge [əuvə'tʃɑ:dʒ] vt: to ~ sb for sth faire payer qch trop cher à qn.

overcoat ['əuvəkəut] n pardessus m.

overcome [əuvə'kʌm] vt irg triompher de ; surmonter ; to be ~ by être saisi(e) de ; succomber à ; être victime de ; ~ with grief accablé(e) de douleur.

overcrowded [əuvə'kraudıd] a bondé(e).

overcrowding [əuvə'kraudıŋ] n surpeuplement m ; (in bus) encombrement m.

overdo [əuvə'du:] vt irg exagérer ; (overcook) trop cuire.

overdose ['əuvədəus] n dose excessive.

overdraft ['əuvədrɑ:ft] n découvert m.

overdrawn [əuvə'drɔ:n] a (account) à découvert.

overdrive ['əuvədraıv] n (AUT) (vitesse) surmultipliée f.

overdue [əuvə'dju:] a en retard ; (recognition) tardif(ive).

overestimate [əuvər'estımeıt] vt surestimer.

overexcited [əuvərık'saıtıd] a surexcité(e).

overexertion [əuvərıg'zə:ʃən] n surmenage m (physique).

overexpose [əuvərık'spəuz] vt (PHOT) surexposer.

overflow vi [əuvə'fləu] déborder // n ['əuvəfləu] trop-plein m ; (also: ~ pipe) tuyau m d'écoulement, trop-plein m.

overgrown [əuvə'grəun] a (garden) envahi(e) par la végétation.

overhaul vt [əuvə'hɔ:l] réviser // n ['əuvəhɔ:l] révision f.

overhead ad [əuvə'hɛd] au-dessus // a ['əuvəhɛd] aérien(ne) ; (lighting) vertical(e) ; ~s npl frais généraux.

overhear [əuvə'hıə*] vt irg entendre (par hasard).

overjoyed [əuvə'dʒɔıd] a ravi(e), enchanté(e).

overland ['əuvələnd] a, ad par voie de terre.

overlap vi [əuvə'læp] se chevaucher // n ['əuvələp] chevauchement m.

overleaf [əuvə'li:f] ad au verso.

overload [əuvə'ləud] vt surcharger.

overlook [əuvə'luk] vt (have view on) donner sur ; (miss) oublier, négliger ; (forgive) fermer les yeux sur.

overlord ['əuvələ:d] n chef m suprême.

overnight [əuvə'naıt] ad (happen) durant la nuit ; (fig) soudain // a d'une (or de) nuit ; soudain(e) ; he stayed there ~ il y a passé la nuit ; if you travel ~... si tu fais le voyage de nuit... ; he'll be away ~ il ne rentrera pas ce soir.

overpass ['əuvəpɑ:s] n pont autoroutier.

overpower [əuvə'pauə*] vt vaincre ; (fig) accabler ; ~ing a irrésistible ; (heat, stench) suffocant(e).

overrate [əuvə'reıt] vt surestimer.

overreact [əuvəri:'ækt] vi réagir de façon excessive.

override [əuvə'raıd] vt (irg: like ride) (order, objection) passer outre à ; (decision)

annuler ; **overriding** a prépondérant(e).
overrule [əuvə'ru:l] vt (decision) annuler ;
(claim) rejeter.
overseas [əuvə'si:z] ad outre-mer ;
(abroad) à l'étranger // a (trade) exté-
rieur(e) ; (visitor) étranger(ère).
overseer ['əuvəsiə*] n (in factory) contremaître m.
overshadow [əuvə'ʃædəu] vt (fig)
éclipser.
overshoot [əuvə'ʃu:t] vt irg dépasser.
oversight ['əuvəsait] n omission f, oubli
m.
oversimplify [əuvе'simplifai] vt simplifier à l'excès.
oversleep [əuvə'sli:p] vi irg se réveiller
(trop) tard.
overspill ['əuvəspil] n excédent m de
population.
overstate [əuvə'steit] vt exagérer ;
~**ment** n exagération f.
overt [əu'və:t] a non dissimulé(e).
overtake [əuvə'teik] vt irg dépasser,
doubler ; **overtaking** n (AUT)
dépassement m.
overthrow [əuvə'θrəu] vt irg (government)
renverser.
overtime ['əuvətaim] n heures fpl supplémentaires.
overtone ['əuvətəun] n (also: ~**s**) note f,
sous-entendus mpl.
overture ['əuvətʃuə*] n (MUS, fig)
ouverture f.
overturn [əuvə'tə:n] vt renverser // vi se
retourner.
overweight [əuvə'weit] a (person) trop
gros(se) ; (luggage) trop lourd(e).
overwhelm [əuvə'welm] vt accabler ;
submerger ; écraser ; ~**ing** a (victory,
defeat) écrasant(e) ; (desire) irrésistible.
overwork [əuvə'wə:k] n surmenage m //
vt surmener // vi se surmener.
overwrought [əuvə'rɔ:t] a excédé(e).
owe [əu] vt devoir ; **to ~ sb sth, to ~
sth to sb** devoir qch à qn.
owing to ['əuiŋtu:] prep à cause de, en raison de.
owl [aul] n hibou m.
own [əun] vt posséder // a propre ; **a room
of my ~** une chambre à moi, ma propre
chambre ; **to get one's ~ back** prendre
sa revanche ; **on one's ~** tout(e) seul(e) ;
to ~ up vi avouer ; ~**er** n propriétaire
m/f ; ~**ership** n possession f.
ox, pl **oxen** [ɔks, 'ɔksn] n bœuf m.
oxide ['ɔksaid] n oxyde m.
oxtail ['ɔksteil] n: ~ **soup** soupe f à la
queue de bœuf.
oxygen ['ɔksidʒən] n oxygène m ; ~
mask/tent n masque m/tente f à oxygène.
oyster ['ɔistə*] n huître f.
oz. abbr of **ounce(s)**.
ozone ['əuzəun] n ozone m.

P

p [pi:] abbr of **penny**, **pence**.
p.a. abbr of **per annum**.
P.A. see **public**, **personal**.

pa [pɑ:] n (col) papa m.
pace [peis] n pas m ; (speed) allure f ;
vitesse f // vi: **to ~ up and down** faire
les cent pas ; **to keep ~ with** aller à la
même vitesse que ; (events) se tenir au
courant de ; ~**maker** n (MED) stimulateur
m cardiaque.
pacification [pæsifi'keiʃən] n
pacification f.
pacific [pə'sifik] a pacifique // n: **the P~
(Ocean)** le Pacifique, l'océan m Pacifique.
pacifist ['pæsifist] n pacifiste m/f.
pacify ['pæsifai] vt pacifier ; (soothe)
calmer.
pack [pæk] n paquet m ; ballot m ; (of
hounds) meute f ; (of thieves etc) bande f ;
(of cards) jeu m // vt (goods) empaqueter,
emballer ; (in suitcase etc) emballer ; (box)
remplir ; (cram) entasser ; (press down)
tasser ; damer ; **to ~ (one's bags)** faire
ses bagages ; **to ~ one's case** faire sa
valise.
package ['pækidʒ] n paquet m ; ballot m ;
(also: ~ **deal**) marché global ; forfait m ;
~ **tour** n voyage organisé.
packet ['pækit] n paquet m.
pack ice ['pækais] n banquise f.
packing ['pækiŋ] n emballage m ; ~ **case**
n caisse f (d'emballage).
pact [pækt] n pacte m ; traité m.
pad [pæd] n bloc(-notes) m ; (for inking)
tampon encreur ; (col: flat) piaule f // vt
rembourrer ; ~**ding** n rembourrage m ;
(fig) délayage m.
paddle ['pædl] n (oar) pagaie f // vi
barboter, faire trempette ; ~ **steamer** n
bateau m à aubes ; **paddling pool** n petit
bassin.
paddock ['pædək] n enclos m ; paddock
m.
paddy ['pædi] n: ~ **field** n rizière f.
padlock ['pædlɔk] n cadenas m // vt
cadenasser.
padre ['pɑ:dri] n aumônier m.
paediatrics, pediatrics (US)
[pi:di'ætriks] n pédiatrie f.
pagan ['peigən] a,n païen(ne).
page [peidʒ] n (of book) page f ; (also:
~ **boy**) groom m, chasseur m ; (at wedding)
garçon m d'honneur // vt (in hotel etc)
(faire) appeler.
pageant ['pædʒənt] n spectacle m
historique ; grande cérémonie ; ~**ry** n
apparat m, pompe f.
pagoda [pə'gəudə] n pagode f.
paid [peid] pt, pp of **pay** // a (work, official)
rémunéré(e) ; **to put ~ to** mettre fin à,
régler.
pail [peil] n seau m.
pain [pein] n douleur f ; **to be in ~** souffrir,
avoir mal ; **to have a ~ in** avoir mal à
or une douleur à or dans ; **to take ~s to
do** se donner du mal pour faire ; ~**ed** a
peiné(e), chagrin(e) ; ~**ful** a
douloureux(euse), difficile, pénible ;
~**fully** ad (fig: very) terriblement ; ~**killer**
n calmant m ; ~**less** a indolore ; ~**staking**
['peinzteikiŋ] a (person) soigneux(euse) ;
(work) soigné(e).
paint [peint] n peinture f // vt peindre ;
(fig) dépeindre ; **to ~ the door blue**

peindre la porte en bleu ; **to ~ in oils** faire de la peinture à l'huile ; **~brush** n pinceau m ; **~er** n peintre m ; **~ing** n peinture f ; *(picture)* tableau m ; **~-stripper** n décapant m.

pair [peə*] n *(of shoes, gloves etc)* paire f ; *(of people)* couple m ; duo m ; paire ; **~ of scissors** (paire de) ciseaux mpl ; **~ of trousers** pantalon m.

pajamas [pɪ'dʒɑːməz] npl *(US)* pyjama(s) m*(pl)*.

Pakistan [pɑːkɪ'stɑːn] n Pakistan m ; **~i** a pakistanais(e) // n Pakistanais/e.

pal [pæl] n *(col)* copain/copine.

palace ['pæləs] n palais m.

palatable ['pælɪtəbl] a bon(bonne), agréable au goût.

palate ['pælɪt] n palais m.

palaver [pə'lɑːvə*] n palabres fpl or mpl ; histoire(s) f*(pl)*.

pale [peɪl] a pâle ; **to grow ~** pâlir ; **~ blue** a bleu pâle inv ; **~ness** n pâleur f.

Palestine ['pælɪstaɪn] n Palestine f ; **Palestinian** [-'tɪnɪən] a palestinien(ne) // n Palestinien/ne.

palette ['pælɪt] n palette f.

palisade [pælɪ'seɪd] n palissade f.

pall [pɔːl] n *(of smoke)* voile m // vi : **to ~ (on)** devenir lassant (pour).

pallid ['pælɪd] a blême.

pally ['pælɪ] a *(col)* copain(copine).

palm [pɑːm] n *(ANAT)* paume f ; *(also: ~ tree)* palmier m ; *(leaf, symbol)* palme f // vt : **to ~ sth off on sb** *(col)* refiler qch à qn ; **~ist** n chiromancien/ne ; **P~ Sunday** n le dimanche des Rameaux.

palpable ['pælpəbl] a évident(e), manifeste.

palpitation [pælpɪ'teɪʃən] n palpitation(s) f*(pl)*.

paltry ['pɔːltrɪ] a dérisoire ; piètre.

pamper ['pæmpə*] vt gâter, dorloter.

pamphlet ['pæmflət] n brochure f.

pan [pæn] n *(also: sauce~)* casserole f ; *(also: frying ~)* poêle f ; *(of lavatory)* cuvette f // vi *(CINEMA)* faire un panoramique.

panacea [pænə'sɪə] n panacée f.

Panama ['pænəmɑː] n Panama m ; **~ canal** n canal m de Panama.

pancake ['pænkeɪk] n crêpe f.

panda ['pændə] n panda m ; **~ car** n ≈ voiture f pie inv.

pandemonium [pændɪ'məunɪəm] n tohu-bohu m.

pander ['pændə*] vi : **to ~ to** flatter bassement ; obéir servilement à.

pane [peɪn] n carreau m (de fenêtre).

panel ['pænl] n *(of wood, cloth etc)* panneau m ; *(RADIO, TV)* invités mpl, experts mpl ; **~ling, ~ing** *(US)* n boiseries fpl.

pang [pæŋ] n : **~s of remorse** pincements mpl de remords ; **~s of hunger/conscience** tiraillements mpl d'estomac/de la conscience.

panic ['pænɪk] n panique f, affolement m // vi s'affoler, paniquer ; **~ky** a *(person)* qui panique or s'affole facilement.

pannier ['pænɪə*] n *(on animal)* bât m ; *(on bicycle)* sacoche f.

panorama [pænə'rɑːmə] n panorama m ; **panoramic** a panoramique.

pansy ['pænzɪ] n *(BOT)* pensée f ; *(col)* tapette f, pédé m.

pant [pænt] vi haleter // n : see **pants**.

pantechnicon [pæn'tɛknɪkən] n (grand) camion de déménagement.

panther ['pænθə*] n panthère f.

panties ['pæntɪz] npl slip m, culotte f.

pantomime ['pæntəmaɪm] n spectacle n de Noël.

pantry ['pæntrɪ] n garde-manger m inv ; *(room)* office f or m.

pants [pænts] n *(woman's)* culotte f, slip m ; *(man's)* slip m, caleçon m ; *(US: trousers)* pantalon m.

papacy ['peɪpəsɪ] n papauté f.

papal ['peɪpəl] a papal(e), pontifical(e).

paper ['peɪpə*] n papier m ; *(also: wall~)* papier peint ; *(also: news~)* journal m ; *(study, article)* article m ; *(exam)* épreuve écrite // a en or de papier // vt tapisser (de papier peint) ; **(identity) ~s** npl papiers (d'identité) ; **~back** n livre m de poche ; livre broché or non relié // a : **~back edition** édition brochée ; **~ bag** n sac m en papier ; **~ clip** n trombone m ; **~ hankie** n mouchoir m en papier ; **~ mill** n papeterie f ; **~weight** n presse-papiers m inv ; **~work** n paperasserie f.

papier-mâché ['pæpɪeɪ'mæʃeɪ] n papier mâché.

paprika ['pæprɪkə] n paprika m.

par [pɑː*] n pair m ; *(GOLF)* normale f du parcours ; **on a ~ with** à égalité avec, au même niveau que.

parable ['pærəbl] n parabole f *(REL)*.

parabola [pə'ræbələ] n parabole f *(MATH)*.

parachute ['pærəʃuːt] n parachute m // vi sauter en parachute ; **~ jump** n saut m en parachute.

parade [pə'reɪd] n défilé m ; *(inspection)* revue f ; *(street)* boulevard m // vt *(fig)* faire étalage de // vi défiler.

paradise ['pærədaɪs] n paradis m.

paradox ['pærədɒks] n paradoxe m ; **~ical** [-'dɒksɪkl] a paradoxal(e).

paraffin ['pærəfɪn] n : *(oil)* pétrole (lampant) ; **liquid ~** huile f de paraffine.

paragraph ['pærəɡrɑːf] n paragraphe m.

parallel ['pærəlɛl] a parallèle ; *(fig)* analogue // n *(line)* parallèle f ; *(fig, GEO)* parallèle m.

paralysis [pə'rælɪsɪs] n paralysie f.

paralytic [pærə'lɪtɪk] a paralysé(e) ; paralysant(e).

paralyze ['pærəlaɪz] vt paralyser.

paramount ['pærəmaunt] a : **of ~ importance** de la plus haute or grande importance.

paranoia [pærə'nɔɪə] n paranoïa f.

paraphernalia [pærəfə'neɪlɪə] n attirail m, affaires fpl.

paraphrase ['pærəfreɪz] vt paraphraser.

paraplegic [pærə'pliːdʒɪk] n paraplégique m/f.

parasite ['pærəsaɪt] n parasite m.

paratrooper ['pærətruːpə*] n parachutiste m *(soldat)*.

parcel ['pɑːsl] n paquet m, colis m // vt

(*also*: ~ **up**) empaqueter; ~ **post** *n* service *m* de colis postaux.

parch [pɑːʃ] *vt* dessécher; ~**ed** *a* (*person*) asoiffé(e).

parchment ['pɑːtʃmənt] *n* parchemin *m*.

pardon ['pɑːdn] *n* pardon *m*; grâce *f* // *vt* pardonner à; (*LAW*) gracier; ~! pardon!; ~ **me!** excusez-moi!; **I beg your** ~! pardon!, je suis désolé!; **I beg your** ~? pardon?

parent ['pɛərənt] *n* père *m* or mère *f*; ~**s** *npl* parents *mpl*; ~**al** [pə'rɛntl] *a* parental(e), des parents.

parenthesis, *pl* **parentheses** [pə'rɛnθɪsɪs, -siːz] *n* parenthèse *f*.

Paris ['pærɪs] *n* Paris.

parish ['pærɪʃ] *n* paroisse *f*; (*civil*) commune *f* // *a* paroissial(e); ~**ioner** [pə'rɪʃənə*] *n* paroissien/ne.

Parisian [pə'rɪzɪən] *a* parisien(ne) // *n* Parisien/ne.

parity ['pærɪtɪ] *n* parité *f*.

park [pɑːk] *n* parc *m*, jardin public // *vt* garer // *vi* se garer; ~**ing** *n* stationnement *m*; ~**ing lot** *n* (*US*) parking *m*, parc *m* de stationnement; ~**ing meter** *n* parcomètre *m*; ~**ing place** *n* place *f* de stationnement.

parliament ['pɑːləmənt] *n* parlement *m*; ~**ary** [-'mɛntərɪ] *a* parlementaire.

parlour, parlor (*US*) ['pɑːlə*] *n* salon *m*.

parochial [pə'rəukɪəl] *a* paroissial(e); (*pej*) à l'esprit de clocher.

parody ['pærədɪ] *n* parodie *f*.

parole [pə'rəul] *n*: **on** ~ en liberté conditionnelle.

parquet ['pɑːkeɪ] *n*: ~ **floor(ing)** parquet *m*.

parrot ['pærət] *n* perroquet *m*; ~ **fashion** *ad* comme un perroquet.

parry ['pærɪ] *vt* esquiver, parer à.

parsimonious [pɑːsɪ'məunɪəs] *a* parcimonieux(euse).

parsley ['pɑːslɪ] *n* persil *m*.

parsnip ['pɑːsnɪp] *n* panais *m*.

parson ['pɑːsn] *n* ecclésiastique *m*; (*Church of England*) pasteur *m*.

part [pɑːt] *n* partie *f*; (*of machine*) pièce *f*; (*THEATRE etc*) rôle *m*; (*MUS*) voix *f*; partie *f* // *a* partiel(le) // *ad* = **partly** // *vt* séparer // *vi* (*people*) se séparer; (*roads*) se diviser; **to take** ~ **in** participer à, prendre part à; **on his** ~ de sa part; **for my** ~ en ce qui me concerne; **for the most** ~ en grande partie; dans la plupart des cas; **to** ~ **with** *vt fus* se séparer de; se défaire de; (*take leave*) quitter, prendre congé de; **in** ~ **exchange** en reprise.

partial ['pɑːʃl] *a* partiel(le); (*unjust*) partial(e); **to be** ~ **to** aimer, avoir un faible pour; ~**ly** *ad* en partie, partiellement.

participate [pɑː'tɪsɪpeɪt] *vi*: **to** ~ (**in**) participer (à), prendre part (à); **participation** [-'peɪʃən] *n* participation *f*.

participle ['pɑːtɪsɪpl] *n* participe *m*.

particle ['pɑːtɪkl] *n* particule *f*.

particular [pə'tɪkjulə*] *a* particulier(ère); spécial(e); (*detailed*) détaillé(e); (*fussy*) difficile; méticuleux(euse); ~**s** *npl* détails *mpl*; (*information*) renseignements *mpl*;

~**ly** *ad* particulièrement; en particulier.

parting ['pɑːtɪŋ] *n* séparation *f*; (*in hair*) raie *f* // *a* d'adieu.

partisan [pɑːtɪ'zæn] *n* partisan/e // *a* partisan(e); de parti.

partition [pɑː'tɪʃən] *n* (*POL*) partition *f*, division *f*; (*wall*) cloison *f*.

partly ['pɑːtlɪ] *ad* en partie, partiellement.

partner ['pɑːtnə*] *n* (*COMM*) associé/e; (*SPORT*) partenaire *m/f*; (*at dance*) cavalier/ère // *vt* être l'associé *or* le partenaire *or* le cavalier de; ~**ship** *n* association *f*.

partridge ['pɑːtrɪdʒ] *n* perdrix *f*.

part-time ['pɑːt'taɪm] *a*,*ad* à mi-temps, à temps partiel.

party ['pɑːtɪ] *n* (*POL*) parti *m*; (*team*) équipe *f*; groupe *m*; (*LAW*) partie *f*; (*celebration*) réception *f*; soirée *f*; fête *f*.

pass [pɑːs] *vt* (*time, object*) passer; (*place*) passer devant; (*car, friend*) croiser; (*exam*) être reçu(e) à, réussir; (*candidate*) admettre; (*overtake, surpass*) dépasser; (*approve*) approuver, accepter // *vi* passer; (*SCOL*) être reçu(e) *or* admis(e), réussir // *n* (*permit*) laissez-passer *m inv*; carte *f* d'accès *or* d'abonnement; (*in mountains*) col *m*; (*SPORT*) passe *f*; (*SCOL*: *also*: ~ **mark**): **to get a** ~ être reçu(e) (sans mention); **to** ~ **sth through a ring etc** (faire) passer qch dans un anneau *etc*; **could you** ~ **the vegetables round?** pourriez-vous faire passer les légumes?; **to** ~ **away** *vi* mourir; **to** ~ **by** *vi* passer // *vt* négliger; **to** ~ **for** passer pour; **to** ~ **out** *vi* s'évanouir; ~**able** *a* (*road*) praticable; (*work*) acceptable.

passage ['pæsɪdʒ] *n* (*also*: ~**way**) couloir *m*; (*gen, in book*) passage *m*; (*by boat*) traversée *f*.

passenger ['pæsɪndʒə*] *n* passager/ère.

passer-by [pɑːsə'baɪ] *n* passant/e.

passing ['pɑːsɪŋ] *a* (*fig*) passager(ère); **in** ~ en passant.

passion ['pæʃən] *n* passion *f*; amour *m*; **to have a** ~ **for sth** avoir la passion de qch; ~**ate** *a* passionné(e).

passive ['pæsɪv] *a* (*also LING*) passif(ive).

Passover ['pɑːsəuvə*] *n* Pâque (*juive*).

passport ['pɑːspɔːt] *n* passeport *m*.

password ['pɑːswəːd] *n* mot *m* de passe.

past [pɑːst] *prep* (*further than*) au delà de, plus loin que; après; (*later than*) après // *a* passé(e); (*president etc*) ancien(ne) // *n* passé *m*; **he's** ~ **forty** il a dépassé la quarantaine, il a plus de *or* passé quarante ans; **it's** ~ **midnight** il est plus de minuit, il est passé minuit; **for the** ~ **few/3 days** depuis quelques/3 jours; ces derniers/3 derniers jours; **to run** ~ passer en courant; **he ran** ~ **me** il m'a dépassé en courant; il a passé devant moi en courant.

pasta ['pæstə] *n* pâtes *fpl*.

paste [peɪst] *n* (*glue*) colle *f* (de pâte); (*jewellery*) strass *m*; (*CULIN*) pâté *m* (à tartiner); pâte *f* // *vt* coller.

pastel ['pæstl] *a* pastel *inv*.

pasteurized ['pæstəraɪzd] *a* pasteurisé(e).

pastille ['pæstl] *n* pastille *f*.

pastime ['pɑːstaɪm] *n* passe-temps *m inv*, distraction *f*.

pastoral ['pɑːstərl] a pastoral(e).

pastry ['peɪstrɪ] n pâte f; (cake) pâtisserie f.

pasture ['pɑːstʃə*] n pâturage m.

pasty n ['pæstɪ] petit pâté (en croûte) // a ['peɪstɪ] pâteux(euse); (complexion) terreux(euse).

pat [pæt] vt donner une petite tape à // n: a ~ **of butter** une noisette de beurre.

patch [pætʃ] n (of material) pièce f; (spot) tache f; (of land) parcelle f // vt (clothes) rapiécer; a **bad** ~ une période difficile; **to** ~ **up** vt réparer; ~**work** n patchwork m; ~**y** a inégal(e).

pate [peɪt] n: a **bald** ~ un crâne chauve or dégarni.

pâté ['pæteɪ] n pâté m, terrine f.

patent ['peɪtnt] n brevet m (d'invention) // vt faire breveter // a patent(e), manifeste; ~ **leather** n cuir verni; ~ **medicine** n spécialité f pharmaceutique.

paternal [pə'tɜːnl] a paternel(le).

paternity [pə'tɜːnɪtɪ] n paternité f.

path [pɑːθ] n chemin m, sentier m; allée f; (of planet) course f; (of missile) trajectoire f.

pathetic [pə'θetɪk] a (pitiful) pitoyable; (very bad) lamentable, minable; (moving) pathétique.

pathologist [pə'θɒlədʒɪst] n pathologiste m/f.

pathology [pə'θɒlədʒɪ] n pathologie f.

pathos ['peɪθɒs] n pathétique m.

pathway ['pɑːθweɪ] n chemin m, sentier m.

patience ['peɪʃns] n patience f; (CARDS) réussite f.

patient ['peɪʃnt] n patient/e; malade m/f // a patient(e) // ~**ly** ad patiemment.

patio ['pætɪəʊ] n patio m.

patriotic [pætrɪ'ɒtɪk] a patriotique; (person) patriote.

patrol [pə'trəʊl] n patrouille f // vt patrouiller dans; ~ **car** n voiture f de police; ~**man** n (US) agent m de police.

patron ['peɪtrən] n (in shop) client/e; (of charity) patron/ne; ~ **of the arts** mécène m; ~**age** ['pætrənɪdʒ] n patronage m, appui m; ~**ize** ['pætrənaɪz] vt être (un) client or un habitué de; (fig) traiter avec condescendance; ~ **saint** n saint(e) patron(ne).

patter ['pætə*] n crépitement m, tapotement m; (sales talk) boniment m // vi crépiter, tapoter.

pattern ['pætən] n modèle m; (SEWING) patron m; (design) motif m; (sample) échantillon m.

paunch [pɔːntʃ] n gros ventre, bedaine f.

pauper ['pɔːpə*] n indigent/e; ~**'s grave** n fosse commune.

pause [pɔːz] n pause f, arrêt m; (MUS) silence m // vi faire une pause, s'arrêter.

pave [peɪv] vt paver, daller; **to** ~ **the way for** ouvrir la voie à.

pavement ['peɪvmənt] n (Brit) trottoir m.

pavilion [pə'vɪlɪən] n pavillon m; tente f.

paving ['peɪvɪŋ] n pavage m, dallage m; ~ **stone** n pavé m.

paw [pɔː] n patte f // vt donner un coup de patte à; (subj: person: pej) tripoter.

pawn [pɔːn] n gage m; (CHESS, also fig) pion m // vt mettre en gage; ~**broker** n prêteur m sur gages; ~**shop** n mont-de-piété m.

pay [peɪ] n salaire m; paie f // vb (pt,pp **paid** [peɪd]) vt payer // vi payer; (be profitable) être rentable; **to** ~ **attention (to)** prêter attention (à); **to** ~ **back** vt rembourser; **to** ~ **for** vt payer; **to** ~ **in** vt verser; **to** ~ **up** vt régler; ~**able** a payable; ~ **day** n jour m de paie; ~**ee** n bénéficiaire m/f; ~**ing** a payant(e); ~**ment** n paiement m; règlement m; versement m; ~ **packet** n paie f; ~**roll** n registre m du personnel; ~ **slip** n bulletin m de paie.

p.c. abbr of **per cent**.

pea [piː] n (petit) pois.

peace [piːs] n paix f; (calm) calme m, tranquillité f; ~**able** a paisible; ~**ful** a paisible, calme; ~**keeping** n maintien m de la paix; ~ **offering** n gage m de réconciliation.

peach [piːtʃ] n pêche f.

peacock ['piːkɒk] n paon m.

peak [piːk] n (mountain) pic m, cime f; (fig: highest level) maximum m; (: of career, fame) apogée m; ~ **period** n période f de pointe.

peal [piːl] n (of bells) carillon m; ~**s of laughter** éclats mpl de rire.

peanut ['piːnʌt] n arachide f, cacahuète f; ~ **butter** n beurre m de cacahuète.

pear [pɛə*] n poire f.

pearl [pɜːl] n perle f.

peasant ['peznt] n paysan/ne.

peat [piːt] n tourbe f.

pebble ['pebl] n galet m, caillou m.

peck [pek] vt (also: ~ **at**) donner un coup de bec à; (food) picorer // n coup m de bec; (kiss) bécot m; ~**ing order** n ordre m des préséances; ~**ish** a (col): **I feel** ~**ish** je mangerais bien quelque chose, j'ai la dent.

peculiar [pɪ'kjuːlɪə*] a étrange, bizarre, curieux(euse); particulier(ère); ~ **to** particulier à; ~**ity** [pɪkjuːlɪ'ærɪtɪ] n particularité f; (oddity) bizarrerie f.

pecuniary [pɪ'kjuːnɪərɪ] a pécuniaire.

pedal ['pedl] n pédale f // vi pédaler.

pedantic [pɪ'dæntɪk] a pédant(e).

peddle ['pedl] vt colporter.

pedestal ['pedəstl] n piédestal m.

pedestrian [pɪ'destrɪən] n piéton m // a piétonnier(ère); (fig) prosaïque, terre à terre inv; ~ **crossing** n passage clouté m.

pediatrics [piːdɪ'ætrɪks] n (US) = **paediatrics**.

pedigree ['pedɪgriː] n ascendance f; (of animal) pedigree m // cpd (animal) de race.

peek [piːk] vi jeter un coup d'œil (furtif).

peel [piːl] n pelure f, épluchure f; (of orange, lemon) écorce f // vt peler, éplucher // vi (paint etc) s'écailler; (wallpaper) se décoller; ~**ings** npl pelures fpl, épluchures fpl.

peep [piːp] n (look) coup d'œil furtif; (sound) pépiement m // vi (look) jeter un coup d'œil (furtif); **to** ~ **out** vi se montrer (furtivement); ~**hole** n judas m.

peer [pɪə*] vi: to ~ at regarder attentivement, scruter // n (noble) pair m; (equal) pair m, égal/e; ~age n pairie f; ~less n incomparable, sans égal.

peeved [pi:vd] a irrité(e), ennuyé(e).

peevish ['pi:vɪʃ] a grincheux(euse), maussade.

peg [pɛg] n cheville f; (for coat etc) patère f; (also: clothes ~) pince f à linge; off the ~ ad en prêt-à-porter.

pejorative [prˈdʒɔrətɪv] a péjoratif(ive).

pekingese [pi:kɪˈni:z] n pékinois m.

pelican ['pɛlɪkən] n pélican m.

pellet ['pɛlɪt] n boulette f; (of lead) plomb m.

pelmet ['pɛlmɪt] n cantonnière f; lambrequin m.

pelt [pɛlt] vt: to ~ sb (with) bombarder qn (de) // vi (rain) tomber à seaux // n peau f.

pelvis ['pɛlvɪs] n bassin m.

pen [pɛn] n (for writing) stylo m; (for sheep) parc m.

penal ['pi:nl] a pénal(e); ~ize vt pénaliser; (fig) désavantager; ~ servitude n travaux forcés.

penalty ['pɛnltɪ] n pénalité f; sanction f; (fine) amende f; (SPORT) pénalisation f; ~ (kick) n (FOOTBALL) penalty m.

penance ['pɛnəns] n pénitence f.

pence [pɛns] npl of penny.

pencil ['pɛnsl] n crayon m // vt: to ~ sth in noter qch au crayon; ~ sharpener n taille-crayon(s) m inv.

pendant ['pɛndnt] n pendentif m.

pending ['pɛndɪŋ] prep en attendant // a en suspens.

pendulum ['pɛndjuləm] n pendule m; (of clock) balancier m.

penetrate ['pɛnɪtreɪt] vt pénétrer dans; pénétrer; penetrating a pénétrant(e); penetration [-'treɪʃən] n pénétration f.

penfriend ['pɛnfrɛnd] n correspondant/e.

penguin ['pɛŋgwɪn] n pingouin m.

penicillin [pɛnɪˈsɪlɪn] n pénicilline f.

peninsula [pəˈnɪnsjulə] n péninsule f.

penis ['pi:nɪs] n pénis m, verge f.

penitence ['pɛnɪtns] n repentir m.

penitent ['pɛnɪtnt] a repentant(e).

penitentiary [pɛnɪˈtɛnʃərɪ] n (US) prison f.

penknife ['pɛnnaɪf] n canif m.

pennant ['pɛnənt] n flamme f, banderole f.

penniless ['pɛnɪlɪs] a sans le sou.

penny, pl **pennies** or **pence** ['pɛnɪ, 'pɛnɪz, pɛns] n penny m (pl pennies) (new: 100 in a pound; old: 12 in a shilling; on tend à employer 'pennies' ou 'two-pence piece' etc pour les pièces, 'pence' pour la valeur).

pension ['pɛnʃən] n retraite f; (MIL) pension f; ~able a qui a droit à une retraite; ~er n retraité/e; ~ fund n caisse f de retraite.

pensive ['pɛnsɪv] a pensif(ive).

pentagon ['pɛntəgən] n pentagone m.

Pentecost ['pɛntɪkɔst] n Pentecôte f.

penthouse ['pɛnthaus] n appartement m (de luxe) en attique.

pent-up ['pɛntʌp] a (feelings) refoulé(e).

penultimate [pɛˈnʌltɪmət] a pénultième, avant-dernier(ère).

people ['pi:pl] npl gens mpl; personnes fpl; (citizens) peuple m // n (nation, race) peuple m // vt peupler; 4/several ~ came 4/plusieurs personnes sont venues; the room was full of ~ la salle était pleine de monde or de gens; ~ say that... on dit or les gens disent que.

pep [pɛp] n (col) entrain m, dynamisme m; to ~ up vt remonter.

pepper ['pɛpə*] n poivre m; (vegetable) poivron m // vt poivrer; ~mint n (plant) menthe poivrée; (sweet) pastille f de menthe.

peptalk ['pɛptɔ:k] n (col) (petit) discours d'encouragement.

per [pə:*] prep par; ~ hour (miles etc) à l'heure; (fee) (de) l'heure; ~ kilo etc le kilo etc; ~ day/person par jour/personne; ~ cent pour cent; ~ annum par an.

perceive [pəˈsi:v] vt percevoir; (notice) remarquer, s'apercevoir de.

percentage [pəˈsɛntɪdʒ] n pourcentage m.

perceptible [pəˈsɛptɪbl] a perceptible.

perception [pəˈsɛpʃən] n perception f; sensibilité f; perspicacité f.

perceptive [pəˈsɛptɪv] a pénétrant(e); perspicace.

perch [pə:tʃ] n (fish) perche f; (for bird) perchoir m // vi (se) percher.

percolator ['pə:kəleɪtə*] n percolateur m; cafetière f électrique.

percussion [pəˈkʌʃən] n percussion f.

peremptory [pəˈrɛmptərɪ] a péremptoire.

perennial [pəˈrɛnɪəl] a perpétuel(le); (BOT) vivace // n plante f vivace.

perfect a,n ['pə:fɪkt] a parfait(e) // n (also: ~ tense) parfait m // vt [pəˈfɛkt] parfaire; mettre au point; ~ion [-ˈfɛkʃən] n perfection f; ~ionist n perfectionniste m/f; ~ly ad parfaitement.

perforate ['pə:fəreɪt] vt perforer, percer; **perforation** [-ˈreɪʃən] n perforation f; (line of holes) pointillé m.

perform [pəˈfɔ:m] vt (carry out) exécuter, remplir; (concert etc) jouer, donner // vi jouer; ~ance n représentation f, spectacle m; (of an artist) interprétation f; (of player etc) prestation f; (of car, engine) performance f; ~er n artiste m/f; ~ing a (animal) savant(e).

perfume ['pə:fju:m] n parfum m // vt parfumer.

perfunctory [pəˈfʌŋktərɪ] a négligent(e), pour la forme.

perhaps [pəˈhæps] ad peut-être; ~ he'll... peut-être qu'il... .

peril ['pɛrɪl] n péril m; ~ous a périlleux(euse).

perimeter [pəˈrɪmɪtə*] n périmètre m; ~ wall n mur m d'enceinte.

period ['pɪərɪəd] n période f; (HISTORY) époque f; (SCOL) cours m; (full stop) point m; (MED) règles fpl d'époque; ~ic [-ˈɔdɪk] a périodique; ~ical [-ˈɔdɪkl] a périodique // n périodique m; ~ically [-ˈɔdɪklɪ] ad périodiquement.

peripheral [pə'rıfərəl] a périphérique.

periphery [pə'rıfərı] n périphérie f.

periscope ['pərıskəup] n périscope m.

perish ['perıʃ] vi périr, mourir; (decay) se détériorer; ~**able** a périssable; ~**ing** a (col: cold) glacial(e).

perjure ['pə:dʒə*] vt: **to** ~ **o.s.** se parjurer; **perjury** (LAW: in court) faux témoignage; (breach of oath) parjure m.

perk [pə:k] n avantage m, à-côté m; **to** ~ **up** vi (cheer up) se ragaillardir; ~**y** a (cheerful) guilleret(te), gai(e).

perm [pə:m] n (for hair) permanente f.

permanence ['pə:mənəns] n permanence f.

permanent ['pə:mənənt] a permanent(e); ~**ly** ad de façon permanente.

permeable ['pə:mıəbl] a perméable.

permeate ['pə:mıeıt] vi s'infiltrer // vt s'infiltrer dans; pénétrer.

permissible [pə'mısıbl] a permis(e), acceptable.

permission [pə'mıʃən] n permission f, autorisation f.

permissive [pə'mısıv] a tolérant(e); **the** ~ **society** la société de tolérance.

permit n ['pə:mıt] permis m // vt [pə'mıt] permettre; **to** ~ **sb to do** autoriser qn à faire, permettre à qn de faire.

permutation [pə:mju'teıʃən] n permutation f.

pernicious [pə:'nıʃəs] a pernicieux(euse), nocif(ive).

pernickety [pə'nıkıtı] a pointilleux(euse), tatillon(ne).

perpendicular [pə:pən'dıkjulə*] a,n perpendiculaire (f).

perpetrate ['pə:pıtreıt] vt perpétrer, commettre.

perpetual [pə'pɛtjuəl] a perpétuel(le).

perpetuate [pə'pɛtjueıt] vt perpétuer.

perpetuity [pə:pı'tju:ıtı] n: **in** ~ à perpétuité.

perplex [pə'plɛks] vt rendre perplexe; (complicate) embrouiller.

persecute ['pə:sıkju:t] vt persécuter; **persecution** [-'kju:ʃən] n persécution f.

persevere [pə:sı'vıə*] vi persévérer.

Persian ['pə:ʃən] a persan(e) // n (LING) persan m; **the** (~) **Gulf** n le golfe Persique.

persist [pə'sıst] vi: **to** ~ (**in doing**) persister (à faire), s'obstiner (à faire); ~**ence** n persistance f, obstination f; opiniâtreté f; ~**ent** a persistant(e), tenace.

person ['pə:sn] n personne f; ~**able** a de belle prestance, au physique attrayant; ~**al** a personnel(le); individuel(le); ~**al assistant (P.A.)** n secrétaire privé/e; ~**al call** (TEL) communication f avec préavis; ~**ality** [-'nælıtı] n personnalité f; ~**ally** ad personnellement; ~**ify** [-'sɔnıfaı] vt personnifier.

personnel [pə:sə'nɛl] n personnel m; ~ **manager** n chef m du personnel.

perspective [pə'spɛktıv] n perspective f.

perspex ['pə:spɛks] n sorte de plexiglas.

perspicacity [pə:spı'kæsıtı] n perspicacité f.

perspiration [pə:spı'reıʃən] n transpiration f.

perspire [pə'spaıə*] vi transpirer.

persuade [pə'sweıd] vt persuader.

persuasion [pə'sweıʒən] n persuasion f.

persuasive [pə'sweısıv] a persuasif(ive).

pert [pə:t] a (brisk) sec(sèche), brusque; (bold) effronté(e), impertinent(e).

pertaining [pə:'teınıŋ]: ~ **to** prep relatif(ive) à.

pertinent ['pə:tınənt] a pertinent(e).

perturb [pə'tə:b] vt perturber; inquiéter.

Peru [pə'ru:] n Pérou m.

perusal [pə'ru:zl] n lecture (attentive).

Peruvian [pə'ru:vjən] a péruvien(ne) // n Péruvien/ne.

pervade [pə'veıd] vt se répandre dans, envahir.

perverse [pə'və:s] a pervers(e); (stubborn) entêté(e), contrariant(e).

perversion [pə'və:ʃn] n perversion f.

perversity [pə'və:sıtı] n perversité f.

pervert n ['pə:və:t] perverti/e // vt [pə'və:t] pervertir.

pessimism ['pɛsımızəm] n pessimisme m.

pessimist ['pɛsımıst] n pessimiste m/f; ~**ic** [-'mıstık] a pessimiste.

pest [pɛst] n animal m (or insecte m) nuisible; (fig) fléau m.

pester ['pɛstə*] vt importuner, harceler.

pesticide ['pɛstısaıd] n pesticide m.

pestle ['pɛsl] n pilon m.

pet [pɛt] n animal familier; (favourite) chouchou m // vt choyer // vi (col) se peloter; ~ **lion** n lion apprivoisé.

petal ['pɛtl] n pétale m.

peter ['pi:tə*]: **to** ~ **out** vi s'épuiser; s'affaiblir.

petite [pə'ti:t] a menu(e).

petition [pə'tıʃən] n pétition f // vt adresser une pétition à.

petrified ['pɛtrıfaıd] a (fig) mort(e) de peur.

petrify ['pɛtrıfaı] vt pétrifier.

petrol ['pɛtrəl] n (Brit) essence f; ~ **engine** n moteur m à essence.

petroleum [pə'trəulıəm] n pétrole m.

petrol: ~ **pump** n (in car, at garage) pompe f à essence; ~ **station** n station-service f; ~ **tank** n réservoir m d'essence.

petticoat ['pɛtıkəut] n jupon m.

pettifogging ['pɛtıfɔgıŋ] a chicanier(ère).

pettiness ['pɛtınıs] n mesquinerie f.

petty ['pɛtı] a (mean) mesquin(e); (unimportant) insignifiant(e), sans importance; ~ **cash** n menue monnaie; ~ **officer** n second-maître m.

petulant ['pɛtjulənt] a irritable.

pew [pju:] n banc m (d'église).

pewter ['pju:tə*] n étain m.

phallic ['fælık] a phallique.

phantom ['fæntəm] n fantôme m; (vision) fantasme m.

Pharaoh ['fɛərəu] n pharaon m.

pharmacist ['fɑ:məsıst] n pharmacien/ne.

pharmacy ['fɑ:məsı] n pharmacie f.

phase [feız] n phase f, période f // vt: **to** ~ **sth in/out** introduire/supprimer qch progressivement.

Ph.D. (abbr = Doctor of Philosophy) title ≈ Docteur m en Droit or Lettres etc // n ≈ doctorat m; titulaire m d'un doctorat.

pheasant ['feznt] n faisan m.
phenomenon, pl **phenomena** [fə'nɔmɪnən, -nə] n phénomène m.
phew [fju:] excl ouf!
phial ['faɪəl] n fiole f.
philanderer [fɪ'lændərə*] n don Juan m.
philanthropic [fɪlən'θrɔpɪk] a philanthropique.
philanthropist [fɪ'lænθrəpɪst] n philanthrope m/f.
philatelist [fɪ'lætəlɪst] n philatéliste m/f.
philately [fɪ'lætəlɪ] n philatélie f.
Philippines ['fɪlɪpi:nz] npl (also: **Philippine Islands**) Philippines fpl.
philosopher [fɪ'lɔsəfə*] n philosophe m.
philosophical [fɪlə'sɔfɪkl] a philosophique.
philosophy [fɪ'lɔsəfɪ] n philosophie f.
phlegm [flɛm] n flegme m; **~atic** [flɛg'mætɪk] a flegmatique.
phobia ['fəubjə] n phobie f.
phone [fəun] n téléphone m // vi téléphoner; **to be on the ~** avoir le téléphone; (be calling) être au téléphone; **to ~ back** vt,vi rappeler.
phonetics [fə'nɛtɪks] n phonétique f.
phoney ['fəunɪ] a faux(fausse), factice // n (person) charlatan m; fumiste m/f.
phonograph ['fəunəgrɑːf] n (US) électrophone m.
phony ['fəunɪ] a,n = **phoney**.
phosphate ['fɔsfeɪt] n phosphate m.
phosphorus ['fɔsfərəs] n phosphore m.
photo ['fəutəu] n photo f.
photo... ['fəutəu] prefix: **~copier** n machine f à photocopier; **~copy** n photocopie f // vt photocopier; **~electric** a photoélectrique; **~genic** [-'dʒɛnɪk] a photogénique; **~graph** n photographie f // vt photographier; **~grapher** [fə'tɔgrəfə*] n photographe m/f; **~graphic** ['græfɪk] a photographique; **~graphy** [fə'tɔgrəfɪ] n photographie f; **~stat** ['fəutəustæt] n photocopie f, photostat m.
phrase [freɪz] n expression f; (LING) locution f // vt exprimer; **~book** n recueil m d'expressions (pour touristes).
physical ['fɪzɪkl] a physique; **~ly** ad physiquement.
physician [fɪ'zɪʃən] n médecin m.
physicist ['fɪzɪsɪst] n physicien/ne.
physics ['fɪzɪks] n physique f.
physiology [fɪzɪ'ɔlədʒɪ] n physiologie f.
physiotherapist [fɪzɪəu'θerəpɪst] n kinésithérapeute m/f.
physiotherapy [fɪzɪəu'θɛrəpɪ] n kinésithérapie f.
physique [fɪ'ziːk] n physique m; constitution f.
pianist ['pi:ənɪst] n pianiste m/f.
piano [pɪ'ænəu] n piano m.
piccolo ['pɪkələu] n piccolo m.
pick [pɪk] n (tool: also: **~axe**) pic m, pioche f // vt choisir; (gather) cueillir; **take your ~** faites votre choix; **the ~ of** le(la) meilleur(e) de; **to ~ a bone** ronger un os; **to ~ one's teeth** se curer les dents; **to ~ pockets** pratiquer le vol à la tire; **to ~ on** vt fus (person) harceler; **to ~ out** vt choisir; (distinguish)

distinguer; **to ~ up** vi (improve) remonter, s'améliorer // vt ramasser; (telephone) décrocher; (collect) passer prendre; (learn) apprendre; **to ~ up speed** prendre de la vitesse; **to ~ o.s. up** se relever.
picket ['pɪkɪt] n (in strike) gréviste m/f participant à un piquet de grève; piquet m de grève // vt mettre un piquet de grève devant; **~ line** n piquet m de grève.
pickle ['pɪkl] n (also: **~s**: as condiment) pickles mpl // vt conserver dans du vinaigre or dans de la saumure.
pick-me-up ['pɪkmiːʌp] n remontant m.
pickpocket ['pɪkpɔkɪt] n pickpocket m.
pickup ['pɪkʌp] n (on record player) bras m pick-up; (small truck) pick-up m inv.
picnic ['pɪknɪk] n pique-nique m // vi pique-niquer; **~ker** n pique-niqueur/euse.
pictorial [pɪk'tɔːrɪəl] a illustré(e).
picture ['pɪktʃə*] n image f; (painting) peinture f, tableau m; (photograph) photo(graphie) f; (drawing) dessin m; (film) film m // vt se représenter; (describe) dépeindre, représenter; **the ~s** le cinéma m; **~ book** n livre m d'images.
picturesque [pɪktʃə'rɛsk] a pittoresque.
picture window ['pɪktʃəwɪndəu] n baie vitrée, fenêtre f panoramique.
piddling ['pɪdlɪŋ] a (col) insignifiant(e).
pidgin ['pɪdʒɪn] a: **~ English** n pidgin m.
pie [paɪ] n tourte f; (of meat) pâté m en croûte.
piebald ['paɪbɔːld] a pie inv.
piece [piːs] n morceau m; (of land) parcelle f; (item): **a ~ of furniture/advice** un meuble/conseil // vt: **to ~ together** rassembler; **in ~s** (broken) en morceaux, en miettes; (not yet assembled) en pièces détachées; **to take to ~s** démonter; **~meal** ad par bouts; **~work** n travail m aux pièces.
pier [pɪə*] n jetée f; (of bridge etc) pile f.
pierce [pɪəs] vt percer, transpercer.
piercing ['pɪəsɪŋ] a (cry) perçant(e).
piety ['paɪətɪ] n piété f.
piffling ['pɪflɪŋ] a insignifiant(e).
pig [pɪg] n cochon m, porc m.
pigeon ['pɪdʒən] n pigeon m; **~hole** n casier m; **~-toed** a marchant les pieds en dedans.
piggy bank ['pɪgɪbæŋk] n tirelire f.
pigheaded ['pɪg'hɛdɪd] a entêté(e), têtu(e).
piglet ['pɪglɪt] n petit cochon, porcelet m.
pigment ['pɪgmənt] n pigment m; **~ation** [-'teɪʃən] n pigmentation f.
pigmy ['pɪgmɪ] n = **pygmy**.
pigsty ['pɪgstaɪ] n porcherie f.
pigtail ['pɪgteɪl] n natte f, tresse f.
pike [paɪk] n (spear) pique f; (fish) brochet m.
pilchard ['pɪltʃəd] n pilchard m (sorte de sardine).
pile [paɪl] n (pillar, of books) pile f; (heap) tas m; (of carpet) épaisseur f // vb (also: **~ up**) vt empiler, entasser // vi s'entasser.
piles [paɪlz] n hémorroïdes fpl.
pileup ['paɪlʌp] n (AUT) télescopage m, collision f en série.
pilfer ['pɪlfə*] vt chaparder; **~ing** n chapardage m.

pilgrim ['pɪlgrɪm] *n* pèlerin *m*; **~age** *n* pèlerinage *m*.

pill [pɪl] *n* pilule *f*; **the ~** la pilule.

pillage ['pɪlɪdʒ] *vt* piller.

pillar ['pɪlə*] *n* pilier *m*; **~ box** *n* (*Brit*) boîte *f* aux lettres.

pillion ['pɪljən] *n* (*of motor cycle*) siège *m* arrière; **to ride ~** être derrière; (*on horse*) être en croupe.

pillory ['pɪlərɪ] *n* pilori *m* // *vt* mettre au pilori.

pillow ['pɪləu] *n* oreiller *m*; **~case** *n* taie *f* d'oreiller.

pilot ['paɪlət] *n* pilote *m* // *cpd* (*scheme etc*) pilote, expérimental(e) // *vt* piloter; **~ boat** *n* bateau-pilote *m*; **~ light** *n* veilleuse *f*.

pimp [pɪmp] *n* souteneur *m*, maquereau *m*.

pimple ['pɪmpl] *n* bouton *m*; **pimply** *a* boutonneux(euse).

pin [pɪn] *n* épingle *f*; (*TECH*) cheville *f* // *vt* épingler; **~s and needles** fourmis *fpl*; **to ~ sb against/to** clouer qn contre/à; **to ~ sb down** (*fig*) obliger qn à répondre.

pinafore ['pɪnəfɔ:*] *n* tablier *m*; **~ dress** *n* robe-chasuble *f*.

pincers ['pɪnsəz] *npl* tenailles *fpl*.

pinch [pɪntʃ] *n* pincement *m*; (*of salt etc*) pincée *f* // *vt* pincer; (*col: steal*) piquer, chiper // *vi* (*shoe*) serrer; **at a ~** à la rigueur.

pincushion ['pɪnkuʃən] *n* pelote *f* à épingles.

pine [paɪn] *n* (*also: ~ tree*) pin *m* // *vi*: **to ~ for** aspirer à, désirer ardemment; **to ~ away** *vi* dépérir.

pineapple ['paɪnæpl] *n* ananas *m*.

ping [pɪŋ] *n* (*noise*) tintement *m*; **~-pong** ® *n* ® ping-pong *m* ®.

pink [pɪŋk] *a* rose // *n* (*colour*) rose *m*; (*BOT*) œillet *m*, mignardise *f*.

pin money ['pɪnmʌnɪ] *n* argent *m* de poche.

pinnacle ['pɪnəkl] *n* pinacle *m*.

pinpoint ['pɪnpɔɪnt] *n* pointe *f* d'épingle // *vt* indiquer (avec précision).

pinstripe ['pɪnstraɪp] *n* rayure très fine.

pint [paɪnt] *n* pinte *f* (= 0.56 l).

pinup ['pɪnʌp] *n* pin-up *f* *inv*.

pioneer [paɪə'nɪə*] *n* explorateur/trice; (*early settler*) pionnier *m*; (*fig*) pionnier *m*, précurseur *m*.

pious ['paɪəs] *a* pieux(euse).

pip [pɪp] *n* (*seed*) pépin *m*; (*time signal on radio*) top *m*.

pipe [paɪp] *n* tuyau *m*, conduite *f*; (*for smoking*) pipe *f*; (*MUS*) pipeau *m* // *vt* amener par tuyau; **~s** *npl* (*also: bag~s*) cornemuse *f*; **to ~ down** *vi* (*col*) se taire; **~ dream** *n* chimère *f*, utopie *f*; **~line** *n* pipe-line *m*; **~r** *n* joueur/euse de pipeau (*or* de cornemuse); **~ tobacco** *n* tabac *m* pour la pipe.

piping ['paɪpɪŋ] *ad*: **~ hot** très chaud(e).

piquant ['pi:kənt] *a* piquant(e).

pique [pi:k] *n* dépit *m*.

piracy ['paɪərəsɪ] *n* piraterie *f*.

pirate ['paɪərət] *n* pirate *m*; **~ radio** *n* radio *f* pirate.

pirouette [pɪru'ɛt] *n* pirouette *f* // *vi* faire une *or* des pirouette(s).

Pisces ['paɪsi:z] *n* les Poissons *mpl*; **to be ~** être des Poissons.

pistol ['pɪstl] *n* pistolet *m*.

piston ['pɪstən] *n* piston *m*.

pit [pɪt] *n* trou *m*, fosse *f*; (*also: coal ~*) puits *m* de mine; (*also: orchestra ~*) fosse *f* d'orchestre // *vt*: **to ~ sb against sb** opposer qn à qn; **~s** *npl* (*AUT*) aire *f* de service; **to ~ o.s. against** se mesurer à.

pitch [pɪtʃ] *n* (*throw*) lancement *m*; (*MUS*) ton *m*; (*of voice*) hauteur *f*; (*SPORT*) terrain *m*; (*NAUT*) tangage *m*; (*tar*) poix *f* // *vt* (*throw*) lancer // *vi* (*fall*) tomber; (*NAUT*) tanguer; **to ~ a tent** dresser une tente; **to be ~ed forward** être projeté en avant; **~-black** *a* noir(e) comme poix; **~ed battle** *n* bataille rangée.

pitcher ['pɪtʃə*] *n* cruche *f*.

pitchfork ['pɪtʃfɔ:k] *n* fourche *f*.

piteous ['pɪtɪəs] *a* pitoyable.

pitfall ['pɪtfɔ:l] *n* trappe *f*, piège *m*.

pith [pɪθ] *n* (*of plant*) moelle *f*; (*of orange*) intérieur *m* de l'écorce; (*fig*) essence *f*; vigueur *f*.

pithead ['pɪthɛd] *n* bouche *f* de puits.

pithy ['pɪθɪ] *a* piquant(e); vigoureux(euse).

pitiable ['pɪtɪəbl] *a* pitoyable.

pitiful ['pɪtɪful] *a* (*touching*) pitoyable; (*contemptible*) lamentable.

pitiless ['pɪtɪlɪs] *a* impitoyable.

pittance ['pɪtns] *n* salaire *m* de misère.

pity ['pɪtɪ] *n* pitié *f* // *vt* plaindre; **what a ~!** quel dommage!; **~ing** *a* compatissant(e).

pivot ['pɪvət] *n* pivot *m* // *vi* pivoter.

pixie ['pɪksɪ] *n* lutin *m*.

placard ['plækɑ:d] *n* affiche *f*.

placate [plə'keɪt] *vt* apaiser, calmer.

place [pleɪs] *n* endroit *m*, lieu *m*; (*proper position, rank, seat*) place *f*; (*house*) maison *f*, logement *m*; (*home*): **at/to his ~** chez lui // *vt* (*object*) placer, mettre; (*identify*) situer; reconnaître; **to take ~** avoir lieu; se passer; **to ~ an order** passer une commande; **to be ~d** (*in race, exam*) se placer; **out of ~** (*not suitable*) déplacé(e), inopportun(e); **in the first ~** d'abord, en premier; **~ mat** *n* set *m* de table.

placid ['plæsɪd] *a* placide; **~ity** [plə'sɪdɪtɪ] *n* placidité *f*.

plagiarism ['pleɪdʒjərɪzm] *n* plagiat *m*.

plagiarize ['pleɪdʒjəraɪz] *vt* plagier.

plague [pleɪg] *n* fléau *m*; (*MED*) peste *f*.

plaice [pleɪs] *n*, *pl* *inv* carrelet *m*.

plaid [plæd] *n* tissu écossais.

plain [pleɪn] *a* (*clear*) clair(e), évident(e); (*simple*) simple, ordinaire; (*frank*) franc(franche); (*not handsome*) quelconque, ordinaire; (*cigarette*) sans filtre; (*without seasoning etc*) nature *inv*; (*in one colour*) uni(e) // *ad* franchement, carrément // *n* plaine *f*; **in ~ clothes** (*police*) en civil; **~ly** *ad* clairement; (*frankly*) carrément, sans détours; **~ness** *n* simplicité *f*.

plaintiff ['pleɪntɪf] *n* plaignant/e.

plait [plæt] *n* tresse *f*, natte *f* // *vt* tresser, natter.

plan [plæn] *n* plan *m*; (*scheme*) projet *m* // *vt* (*think in advance*) projeter; (*prepare*) organiser // vi faire des projets; **to ~ to do** projeter de faire.

plane [pleɪn] n (AVIAT) avion m; (tree) platane m; (tool) rabot m; (ART, MATH etc) plan m // a plan(e), plat(e) // vt (with tool) raboter.

planet ['plænɪt] n planète f.

planetarium [plænɪ'tɛərɪəm] n planétarium m.

plank [plæŋk] n planche f; (POL) point m d'un programme.

plankton ['plæŋktən] n plancton m.

planner ['plænə*] n planificateur/trice.

planning ['plænɪŋ] n planification f; **family ~** planning familial.

plant [plɑːnt] n plante f; (machinery) matériel m; (factory) usine f // vt planter; (colony) établir; (bomb) déposer, poser.

plantation [plæn'teɪʃən] n plantation f.

plant pot ['plɑːntpɔt] n pot m (de fleurs).

plaque [plæk] n plaque f.

plasma ['plæzmə] n plasma m.

plaster ['plɑːstə*] n plâtre m; (also: **sticking ~**) pansement adhésif // vt plâtrer; (cover): **to ~ with** couvrir de; **in ~** (leg etc) dans le plâtre; **~ed** a (col) soûl(e); **~er** n plâtrier m.

plastic ['plæstɪk] n plastique m // a (made of plastic) en plastique; (flexible) plastique, malléable; (art) plastique.

plasticine ['plæstɪsiːn] n ® pâte f à modeler.

plastic surgery ['plæstɪk'səːdʒərɪ] n chirurgie f esthétique.

plate [pleɪt] n (dish) assiette f; (sheet of metal, PHOT) plaque f; (in book) gravure f; **gold/silver ~** (dishes) vaisselle f d'or/d'argent.

plateau, ~s or **~x** ['plætəu, -z] n plateau m.

plateful ['pleɪtful] n assiette f, assiettée f.

plate glass [pleɪt'glɑːs] n verre m (de vitrine).

platelayer ['pleɪtleɪə*] n (RAIL) poseur m de rails.

platform ['plætfɔːm] n (at meeting) tribune f; (stage) estrade f; (RAIL) quai m; **~ ticket** n billet m de quai.

platinum ['plætɪnəm] n platine m.

platitude ['plætɪtjuːd] n platitude f, lieu commun m.

platoon [plə'tuːn] n peloton m.

platter ['plætə*] n plat m.

plausible ['plɔːzɪbl] a plausible; (person) convaincant(e).

play [pleɪ] n jeu m; (THEATRE) pièce f (de théâtre) // vt (game) jouer à; (team, opponent) jouer contre; (instrument) jouer de; (play, part, piece of music, note) jouer // vi jouer; **to ~ down** vt minimiser; **to ~ up** vi (cause trouble) faire des siennes; **to ~ act** vi jouer la comédie; **~ed-out** a épuisé(e); **~er** n joueur/euse; (THEATRE) acteur/trice; (MUS) musicien/ne; **~ful** a enjoué(e); **~goer** n amateur/trice de théâtre, habitué/e des théâtres; **~ground** n cour f de récréation; **~group** n garderie f; **~ing card** n carte f à jouer; **~ing field** n terrain m de sport; **~mate** n camarade m/f, copain/copine; **~-off** n (SPORT) belle f; **~ on words** n jeu m de mots; **~pen**

n parc m (pour bébé); **~thing** n jouet m; **~wright** n dramaturge m.

plea [pliː] n (request) appel m; (excuse) excuse f; (LAW) défense f.

plead [pliːd] vt plaider; (give as excuse) invoquer // vi (LAW) plaider; (beg): **to ~ with sb** implorer qn.

pleasant ['plɛznt] a agréable; **~ly** ad agréablement; **~ness** n (of person) amabilité f; (of place) agrément m; **~ry** n (joke) plaisanterie f; **~ries** npl (polite remarks) civilités fpl.

please [pliːz] vt plaire à // vi (think fit): **do as you ~** faites comme il vous plaira; **~!** s'il te (or vous) plaît; **my bill, ~** l'addition, s'il vous plaît; **~ yourself!** à ta (or votre) guise!; **~d** a: **~d (with)** content(e) (de); **~d to meet you** enchanté (de faire votre connaissance); **pleasing** a plaisant(e), qui fait plaisir.

pleasurable ['plɛʒərəbl] a très agréable.

pleasure ['plɛʒə*] n plaisir m; **'it's a ~'** 'je vous en prie'; **~ steamer** n vapeur m de plaisance.

pleat [pliːt] n pli m.

plebiscite ['plɛbɪsɪt] n plébiscite m.

plebs [plɛbz] npl (pej) bas peuple.

plectrum ['plɛktrəm] n plectre m.

pledge [plɛdʒ] n gage m; (promise) promesse f // vt engager; promettre.

plentiful ['plɛntɪful] a abondant(e), copieux(euse).

plenty ['plɛntɪ] n abondance f; **~ of** beaucoup de; (bien) assez de.

pleurisy ['pluərɪsɪ] n pleurésie f.

pliable ['plaɪəbl] a flexible; (person) malléable.

pliers ['plaɪəz] npl pinces fpl.

plight [plaɪt] n situation f critique.

plimsolls ['plɪmsəlz] npl (chaussures fpl) tennis fpl.

plinth [plɪnθ] n socle m.

plod [plɔd] vi avancer péniblement; (fig) peiner; **~der** n bûcheur/euse; **~ding** a pesant(e).

plonk [plɔŋk] (col) n (wine) pinard m, piquette f // vt: **to ~ sth down** poser brusquement qch.

plot [plɔt] n complot m, conspiration f; (of story, play) intrigue f; (of land) lot m de terrain, lopin m // vt (mark out) pointer; relever; (conspire) comploter // vi comploter; **~ter** n conspirateur/trice.

plough, plow (US) [plau] n charrue f // vt (earth) labourer; **to ~ back** vt (COMM) réinvestir; **to ~ through** vt fus (snow etc) avancer péniblement dans; **~ing** n labourage m.

ploy [plɔɪ] n stratagème m.

pluck [plʌk] vt (fruit) cueillir; (musical instrument) pincer; (bird) plumer // n courage m, cran m; **to ~ one's eyebrows** s'épiler les sourcils; **to ~ up courage** prendre son courage à deux mains; **~y** a courageux(euse).

plug [plʌg] n bouchon m, bonde f; (ELEC) prise f de courant; (AUT: also: **sparking ~**) bougie f // vt (hole) boucher; (col: advertise) faire du battage pour, matraquer; **to ~ in** vt (ELEC) brancher.

plum [plʌm] n (fruit) prune f // a: ~ **job** n (col) travail m en or.

plumb [plʌm] a vertical(e) // n plomb m // ad (exactly) en plein // vt sonder.

plumber ['plʌmə*] n plombier m.

plumbing ['plʌmɪŋ] n (trade) plomberie f; (piping) tuyauterie f.

plumbline ['plʌmlaɪn] n fil m à plomb.

plume [plu:m] n plume f, plumet m.

plummet ['plʌmɪt] vi plonger, dégringoler.

plump [plʌmp] a rondelet(te), dodu(e), bien en chair // vt: to ~ **sth** (down) on laisser tomber qch lourdement sur; to ~ **for** (col: choose) se décider pour.

plunder ['plʌndə*] n pillage m // vt piller.

plunge [plʌndʒ] n plongeon m // vt plonger // vi (fall) tomber, dégringoler; to **take the** ~ se jeter à l'eau; **plunging** a (neckline) plongeant(e).

pluperfect [plu:'pə:fɪkt] n plus-que-parfait m.

plural ['pluərl] a pluriel(le) // n pluriel m.

plus [plʌs] n (also: ~ **sign**) signe m plus // prep plus; **ten/twenty** ~ plus de dix/vingt; **it's a** ~ c'est un atout; ~ **fours** npl pantalon m (de) golf.

plush [plʌʃ] a somptueux(euse) // n peluche f.

ply [plaɪ] n (of wool) fil m; (of wood) feuille f, épaisseur f // vt (tool) manier; (a trade) exercer // vi (ship) faire la navette; **three** ~ (wool) n laine f trois fils; to ~ **sb with** drink donner continuellement à boire à qn; ~ **wood** n contre-plaqué m.

P.M. abbr see **prime**.

p.m. ad (abbr of post meridiem) de l'après-midi.

pneumatic [nju:'mætɪk] a pneumatique.

pneumonia [nju:'məunɪə] n pneumonie f.

P.O. abbr see **post office**.

• **poach** [pəutʃ] vt (cook) pocher; (steal) pêcher (or chasser) sans permis // vi braconner; ~**ed** a (egg) poché(e); ~**er** n braconnier m; ~**ing** n braconnage m.

pocket ['pɔkɪt] n poche f // vt empocher; **to be out of** ~ en être de sa poche; ~**book** n (wallet) portefeuille m; (notebook) carnet m; ~ **knife** n canif m; ~ **money** n argent m de poche.

pockmarked ['pɔkmɑ:kt] a (face) grêlé(e).

pod [pɔd] n cosse f // vt écosser.

podgy ['pɔdʒɪ] a rondelet(te).

poem ['pəuɪm] n poème m.

poet ['pəuɪt] n poète m; ~**ic** [-'ɛtɪk] a poétique; ~ **laureate** n poète lauréat (nommé et appointé par la Cour royale); ~**ry** n poésie f.

poignant ['pɔɪnjənt] a poignant(e); (sharp) vif(vive).

point [pɔɪnt] n (tip) pointe f; (in time) moment m; (in space) endroit m; (GEOM, SCOL, SPORT, on scale) point m; (subject, idea) point m, sujet m; (also: **decimal** ~): **2 ~ 3** (2.3) 2 virgule 3 (2,3) // vt (show) indiquer; (wall, window) jointoyer; (gun etc): to ~ **sth** at braquer or diriger qch sur // vi montrer du doigt; ~**s** npl (AUT) vis platinées; (RAIL) aiguillage m; **to make a** ~ faire une remarque; **to make one's** ~ se faire comprendre; **to get the** ~ comprendre, saisir; **to come to the** ~ en

venir au fait; **there's no** ~ **(in doing)** cela ne sert à rien (de faire); **good** ~**s** qualités fpl; **to** ~ **out** vt faire remarquer, souligner; **to** ~ **to** montrer du doigt; (fig) signaler; ~**-blank** ad (also: **at** ~**-blank range**) à bout portant; (fig) catégorique; ~**ed** a (shape) pointu(e); (remark) plein(e) de sous-entendus; ~**edly** ad d'une manière significative; ~**er** n (stick) baguette f; (needle) aiguille f; (dog) chien m d'arrêt; ~**less** a inutile, vain(e); ~ **of view** n point m de vue.

poise [pɔɪz] n (balance) équilibre m; (of head, body) port m; (calmness) calme m // vt placer en équilibre; **to be** ~**d for** (fig) être prêt à.

poison ['pɔɪzn] n poison m // vt empoisonner; ~**ing** n empoisonnement m; ~**ous** a (snake) venimeux(euse); (substance etc) vénéneux(euse).

poke [pəuk] vt (fire) tisonner; (jab with finger, stick etc) piquer; pousser du doigt; (put): to ~ **sth in(to)** fourrer or enfoncer qch dans // n (to fire) coup m de tisonnier; to ~ **about** vi fureter.

poker ['pəukə*] n tisonnier m; (CARDS) poker m; ~**-faced** a au visage impassible.

poky ['pəukɪ] a exigu(ë).

Poland ['pəulənd] n Pologne f.

polar ['pəulə*] a polaire; ~ **bear** n ours blanc.

polarize ['pəuləraɪz] vt polariser.

pole [pəul] n (of wood) mât m, perche f; (ELEC) poteau m; (GEO) pôle m.

Pole [pəul] n Polonais/e.

polecat ['pəulkæt] n (US) putois m.

polemic [pɔ'lɛmɪk] n polémique f.

pole star ['pəulstɑ:*] n étoile polaire f.

pole vault ['pəulvɔ:lt] n saut m à la perche.

police [pə'li:s] n police f; (man: pl inv) policier m, homme m; // vt maintenir l'ordre dans; ~ **car** n voiture f de police; ~**man** n agent m de police, policier m; ~ **record** n casier m judiciaire; ~ **state** n état policier; ~ **station** n commissariat m de police; ~**woman** n femme-agent f.

policy ['pɔlɪsɪ] n politique f; (also: **insurance** ~) police f (d'assurance).

polio ['pəulɪəu] n polio f.

Polish ['pəulɪʃ] a polonais(e) // n (LING) polonais m.

polish ['pɔlɪʃ] n (for shoes) cirage m; (for floor) cire f, encaustique f; (for nails) vernis m; (shine) éclat m, poli m; (fig: refinement) raffinement m // vt (put polish on shoes, wood) cirer; (make shiny) astiquer, faire briller; (fig: improve) perfectionner; to ~ **off** vt (work) expédier; (food) liquider; ~**ed** a (fig) raffiné(e).

polite [pə'laɪt] a poli(e); ~**ly** ad poliment; ~**ness** n politesse f.

politic ['pɔlɪtɪk] a diplomatique; ~**al** [pə'lɪtɪkl] a politique; ~**ian** [-'tɪʃən] n homme m politique, politicien m; ~**s** npl politique f.

polka ['pɔlkə] n polka f; ~ **dot** n pois m.

poll [pəul] n scrutin m, vote m; (also: **opinion** ~) sondage m (d'opinion) // vt obtenir.

pollen ['pɔlən] n pollen m; ~ **count** n taux m de pollen.

pollination [pɔlı'neıʃən] n pollinisation f.
polling booth ['pəulıŋbu:ð] n isoloir m.
polling day ['pəulıŋdeı] n jour m des élections.
polling station ['pɔlıŋsteıʃən] n bureau m de vote.
pollute [pə'lu:t] vt polluer.
pollution [pə'lu:ʃən] n pollution f.
polo ['pəuləu] n polo m; ~-**neck** n à col roulé.
polyester [pɔlı'ɛstə*] n polyester m.
polygamy [pə'lıgəmı] n polygamie f.
Polynesia [pɔlı'ni:zıə] n Polynésie f.
polytechnic [pɔlı'tɛknık] n (college) I.U.T. m, Institut m Universitaire de Technologie.
polythene ['pɔlıθı:n] n polyéthylène m; ~ **bag** n sac m en plastique.
pomegranate ['pɔmıgrænıt] n grenade f.
pommel ['pɔml] n pommeau m.
pomp [pɔmp] n pompe f, faste f, apparat m.
pompous ['pɔmpəs] a pompeux(euse).
pond [pɔnd] n étang m; mare f.
ponder ['pɔndə*] vi réfléchir // vt considérer, peser; ~**ous** a pesant(e), lourd(e).
pontiff ['pɔntıf] n pontife m.
pontificate [pɔn'tıfıkeıt] vi (fig): **to** ~ (**about**) pontifier (sur).
pontoon [pɔn'tu:n] n ponton m.
pony ['pəunı] n poney m; ~**tail** n queue f de cheval; ~ **trekking** n randonnée f à cheval.
poodle ['pu:dl] n caniche m.
pooh-pooh [pu:'pu:] vt dédaigner.
pool [pu:l] n (of rain) flaque f; (pond) mare f; (artificial) bassin m; (also: **swimming** ~) piscine f; (sth shared) fonds commun; (money at cards) cagnotte f; (billiards) poule f // vt mettre en commun.
poor [puə*] a pauvre; (mediocre) médiocre, faible, mauvais(e) // npl: **the** ~ les pauvres mpl; ~**ly** ad pauvrement; médiocrement // a souffrant(e), malade.
pop [pɔp] n (noise) bruit sec; (MUS) musique f pop; (US: col: father) papa m // vt (put) fourrer, mettre (rapidement) // vi éclater; (cork) sauter; **to** ~ **in** vi entrer en passant; **to** ~ **out** vi sortir; **to** ~ **up** vi apparaître, surgir; ~**concert** n concert m pop; ~**corn** n pop-corn m.
pope [pəup] n pape m.
poplar ['pɔplə*] n peuplier m.
poplin ['pɔplın] n popeline f.
poppy ['pɔpı] n coquelicot m; pavot m.
populace ['pɔpjuləs] n peuple m.
popular ['pɔpjulə*] a populaire; (fashionable) à la mode; ~**ity** [-'lærıtı] n popularité f; ~**ize** vt populariser; (science) vulgariser.
populate ['pɔpjuleıt] vt peupler.
population [pɔpju'leıʃən] n population f.
populous ['pɔpjuləs] a populeux(euse).
porcelain ['pɔ:slın] n porcelaine f.
porch [pɔ:tʃ] n porche m.
porcupine ['pɔ:kjupaın] n porc-épic m.
pore [pɔ:*] n pore m // vi: **to** ~ **over** s'absorber dans, être plongé(e) dans.
pork [pɔ:k] n porc m.

pornographic [pɔ:nə'græfık] a pornographique.
pornography [pɔ:'nɔgrəfı] n pornographie f.
porous ['pɔ:rəs] a poreux(euse).
porpoise ['pɔ:pəs] n marsouin m.
porridge ['pɔrıdʒ] n porridge m.
port [pɔ:t] n (harbour) port m; (opening in ship) sabord m; (NAUT: left side) bâbord m; (wine) porto m; **to** ~ (NAUT) à bâbord.
portable ['pɔ:təbl] a portatif(ive).
portal ['pɔ:tl] n portail m.
portcullis [pɔ:t'kʌlıs] n herse f.
portend [pɔ:'tɛnd] vt présager, annoncer.
portent ['pɔ:tɛnt] n présage m.
porter ['pɔ:tə*] n (for luggage) porteur m; (doorkeeper) gardien/ne; portier m.
porthole ['pɔ:thəul] n hublot m.
portico ['pɔ:tıkəu] n portique m.
portion ['pɔ:ʃən] n portion f, part f.
portly ['pɔ:tlı] a corpulent(e).
portrait ['pɔ:treıt] n portrait m.
portray [pɔ:'treı] vt faire le portrait de; (in writing) dépeindre, représenter; ~**al** n portrait m, représentation f.
Portugal ['pɔ:tjugl] n Portugal m.
Portuguese [pɔ:tju'gi:z] a portugais(e) // n, pl inv Portugais/e; (LING) portugais m.
pose [pəuz] n pose f; (pej) affectation f // vi poser; (pretend): **to** ~ **as** se poser en // vt poser, créer; ~**r** n question embarrassante.
posh [pɔʃ] a (col) chic inv.
position [pə'zıʃən] n position f; (job) situation f // vt mettre en place or en position.
positive ['pɔzıtıv] a positif(ive); (certain) sûr(e), certain(e); (definite) formel(le), catégorique; indéniable, réel(le).
posse ['pɔsı] n (US) détachement m.
possess [pə'zɛs] vt posséder; ~**ion** [pə'zɛʃən] n possession f; ~**ive** a possessif(ive); ~**ively** ad d'une façon possessive; ~**or** n possesseur m.
possibility [pɔsı'bılıtı] n possibilité f; éventualité f.
possible ['pɔsıbl] a possible; **if** ~ si possible; **as big as** ~ aussi gros que possible.
possibly ['pɔsıblı] ad (perhaps) peut-être; **if you** ~ **can** si cela vous est possible; **I cannot** ~ **come** il m'est impossible de venir.
post [pəust] n poste f; (collection) levée f; (letters, delivery) courrier m; (job, situation) poste m; (pole) poteau m // vt (send by post, MIL) poster; (appoint): **to** ~ **to** affecter à; (notice) afficher; ~**age** n affranchissement m; ~**al** a postal(e); ~**al order** n mandat(-poste) m; ~**box** n boîte f aux lettres; ~**card** n carte postale.
postdate [pəust'deıt] vt (cheque) postdater.
poster ['pəustə*] n affiche f.
poste restante [pəust'rɛstɑ̃:nt] n poste restante.
posterior [pɔs'tıərıə*] n (col) postérieur m, derrière m.
posterity [pɔs'tɛrıtı] n postérité f.
postgraduate ['pəust'grædjuət] n ≈ étudiant/e de troisième cycle.

posthumous ['pɔstjuməs] a posthume ; **~ly** ad après la mort de l'auteur, à titre posthume.

postman ['pəustmən] n facteur m.

postmark ['pəustmɑ:k] n cachet m (de la poste).

postmaster ['pəustmɑ:stə*] n receveur m des postes.

post-mortem [pəust'mɔ:təm] n autopsie f.

post office ['pəustɔfɪs] n (building) poste f ; (organization) postes fpl ; **~ box (P.O. box)** n boîte postale (B.P.).

postpone [pəs'pəun] vt remettre (à plus tard), reculer ; **~ment** n ajournement m, renvoi m.

postscript ['pəustskrɪpt] n post-scriptum m.

postulate ['pɔstjuleɪt] vt postuler.

posture ['pɔstʃə*] n posture f, attitude f // vi poser.

postwar [pəust'wɔ:*] a d'après-guerre.

posy ['pəuzɪ] n petit bouquet.

pot [pɔt] n (for cooking) marmite f, casserole f ; (for plants, jam) pot m ; (col: marijuana) herbe f // vt (plant) mettre en pot ; **to go to ~** aller à vau-l'eau.

potash ['pɔtæʃ] n potasse f.

potato, ~es [pə'teɪtəu] n pomme f de terre ; **~ flour** n fécule f.

potency ['pəutnsɪ] n puissance f, force f ; (of drink) degré m d'alcool.

potent ['pəutnt] a puissant(e) ; (drink) fort(e), très alcoolisé(e).

potentate ['pəutnteɪt] n potentat m.

potential [pə'tɛnʃl] a potentiel(le) // n potentiel m ; **~ly** ad en puissance.

pothole ['pɔthəul] n (in road) nid m de poule ; (underground) gouffre m, caverne f ; **~r** n spéléologue m/f; **potholing** n: **to go potholing** faire de la spéléologie.

potion ['pəuʃən] n potion f.

potluck [pɔt'lʌk] n: **to take ~** tenter sa chance.

potpourri [pəu'purɪ:] n pot-pourri m.

potshot ['pɔtʃɔt] n: **to take ~s at** canarder.

potted ['pɔtɪd] a (food) en conserve ; (plant) en pot.

potter ['pɔtə*] n potier m // vt: **to ~ around, ~ about** bricoler ; **~y** n poterie f.

potty ['pɔtɪ] a (col: mad) dingue // n (child's) pot m ; **~-training** n apprentissage m de la propreté.

pouch [pautʃ] n (ZOOL) poche f ; (for tobacco) blague f.

pouf(fe) [pu:f] n (stool) pouf m.

poultice ['pəultɪs] n cataplasme m.

poultry ['pəultrɪ] n volaille f ; **~ farm** n élevage m de volaille.

pounce [pauns] vi: **to ~ (on)** bondir (sur), fondre sur // n bond m, attaque f.

pound [paund] n livre f (weight = 453g, 16 ounces ; money = 100 new pence, 20 shillings) ; (for dogs, cars) fourrière f // vt (beat) bourrer de coups, marteler ; (crush) piler, pulvériser ; (with guns) pilonner // vi (beat) battre violemment, taper ; **~ sterling** n livre f sterling.

pour [pɔ:*] vt verser // vi couler à flots ; (rain) pleuvoir à verse ; **to ~ away** or **off** vt vider ; **to ~ in** vi (people) affluer, se précipiter ; **to ~ out** vi (people) sortir en masse // vt vider ; déverser ; (serve: drink) verser ; **~ing** a: **~ing rain** pluie torrentielle.

pout [paut] n moue f // vi faire la moue.

poverty ['pɔvətɪ] n pauvreté f, misère f ; **~-stricken** a pauvre, déshérité(e).

powder ['paudə*] n poudre f // vt poudrer ; **~ room** n toilettes fpl (pour dames) ; **~y** a poudreux(euse).

power ['pauə*] n (strength) puissance f, force f ; (ability, POL: of party, leader) pouvoir m ; (MATH) puissance f ; (mental) facultés mentales ; (ELEC) courant m // vt faire marcher ; **~ cut** n coupure f de courant ; **~ed** a: **~ed by** actionné(e) par, fonctionnant à, **~ful** a puissant(e) ; **~less** a impuissant(e) ; **~ line** n ligne f électrique ; **~ point** n prise f de courant ; **~ station** n centrale f électrique.

powwow ['pauwau] n assemblée f.

pox [pɔks] n see **chicken**.

p.p. abbr (= per procurationem): **~ J. Smith** pour M. J. Smith.

P.R. abbr of **public relations.**

practicability [præktɪkə'bɪlɪtɪ] n possibilité f de réalisation.

practicable ['præktɪkəbl] a (scheme) réalisable.

practical ['præktɪkl] a pratique ; **~ joke** n farce f ; **~ly** ad (almost) pratiquement.

practice ['præktɪs] n pratique f ; (of profession) exercice m ; (at football etc) entraînement m ; (business) cabinet m ; clientèle f // vt,vi (US) = **practise** ; **in ~** (in reality) en pratique ; **out of ~** rouillé(e) ; **2 hours' piano ~** 2 heures de travail or d'exercices au piano ; **~ match** n match m d'entraînement.

practise, (US) practice ['præktɪs] vt (work at: piano, one's backhand etc) s'exercer à, travailler ; (train for: skiing, running etc) s'entraîner à ; (a sport, religion, method) pratiquer ; (profession) exercer // vi s'exercer, travailler ; (train) s'entraîner ; **to ~ for a match** s'entraîner pour un match ; **practising** a (Christian etc) pratiquant(e) ; (lawyer) en exercice.

practitioner [præk'tɪʃənə*] n praticien/ne.

pragmatic [præg'mætɪk] a pragmatique.

prairie ['prɛərɪ] n savane f ; (US): **the ~s** la Prairie.

praise [preɪz] n éloge(s) m(pl), louange(s) f(pl) // vt louer, faire l'éloge de ; **~worthy** a digne de louanges.

pram [præm] n landau m, voiture f d'enfant.

prance [prɑ:ns] vi (horse) caracoler.

prank [præŋk] n farce f.

prattle ['prætl] vi jacasser.

prawn [prɔ:n] n crevette f (rose).

pray [preɪ] vi prier.

prayer [prɛə*] n prière f ; **~ book** n livre m de prières.

preach [pri:tʃ] vt,vi prêcher ; **to ~ at sb** faire la morale à qn ; **~er** n prédicateur m.

preamble [pri'æmbl] *n* préambule *m*.
prearranged [pri:ə'reɪndʒd] a organisé(e) *or* fixé(e) à l'avance.
precarious [pri'kɛərɪəs] *a* précaire.
precaution [pri'kɔ:ʃən] *n* précaution *f*; ~**ary** *a* (*measure*) de précaution.
precede [pri'si:d] *vt,vi* précéder.
precedence [prɛsɪdəns] *n* préséance *f*.
precedent ['prɛsɪdənt] *n* précédent *m*.
preceding [pri'si:dɪŋ] *a* qui précède (*or* précédait).
precept ['pri:sɛpt] *n* précepte *m*.
precinct ['pri:sɪŋkt] *n* (*round cathedral*) pourtour *m*, enceinte *f*; **pedestrian ~** *n* zone piétonnière; **shopping ~** *n* centre commerical.
precious ['prɛʃəs] *a* précieux(euse).
precipice ['prɛsɪpɪs] *n* précipice *m*.
precipitate *a* [pri'sɪpɪtɪt] (*hasty*) précipité(e) // *vt* [pri'sɪpɪteɪt] précipiter; **precipitation** [-'teɪʃən] *n* précipitation *f*.
precipitous [pri'sɪpɪtəs] *a* (*steep*) abrupt(e), à pic.
précis, *pl* **précis** ['preɪsi:, -z] *n* résumé *m*.
precise [pri'saɪs] *a* précis(e); ~**ly** *ad* précisément.
preclude [pri'klu:d] *vt* exclure, empêcher; **to ~ sb from doing** empêcher qn de faire.
precocious [pri'kəuʃəs] *a* précoce.
preconceived [pri:kən'si:vd] *a* (*idea*) préconçu(e).
precondition [pri:kən'dɪʃən] *n* condition *f* nécessaire.
precursor [pri:'kə:sə*] *n* précurseur *m*.
predator ['prɛdətə*] *n* prédateur *m*, rapace *m*; ~**y** *a* rapace.
predecessor ['pri:dɪsɛsə*] *n* prédécesseur *m*.
predestination [pri:dɛstɪ'neɪʃən] *n* prédestination *f*.
predetermine [pri:dɪ'tə:mɪn] *vt* déterminer à l'avance.
predicament [pri'dɪkəmənt] *n* situation *f* difficile.
predicate ['prɛdɪkɪt] *n* (LING) prédicat *m*.
predict [pri'dɪkt] *vt* prédire; ~**ion** [-'dɪkʃən] *n* prédiction *f*.
predominance [pri'dɒmɪnəns] *n* prédominance *f*.
predominant [pri'dɒmɪnənt] *a* prédominant(e); ~**ly** *ad* en majeure partie; surtout.
predominate [pri'dɒmɪneɪt] *vi* prédominer.
pre-eminent [pri:'ɛmɪnənt] *a* prééminent(e).
pre-empt [pri:'ɛmt] *vt* acquérir par droit de préemption; (*fig*): **to ~ the issue** conclure avant même d'ouvrir les débats.
preen [pri:n] *vt*: **to ~ itself** (*bird*) se lisser les plumes; **to ~ o.s.** s'admirer.
prefab ['pri:fæb] *n* bâtiment préfabriqué.
prefabricated [pri:'fæbrikeɪtɪd] *a* préfabriqué(e).
preface ['prɛfəs] *n* préface *f*.
prefect ['pri:fɛkt] *n* (*Brit: in school*) élève chargé(e) de certaines fonctions de discipline; (*in France*) préfet *m*.
prefer [pri'fə:*] *vt* préférer; ~**able** ['prɛfrəbl] *a* préférable; ~**ably** ['prɛfrəblɪ]

ad de préférence; ~**ence** ['prɛfrəns] *n* préférence *f*; ~**ential** [prɛfə'rɛnʃəl] *a* préférentiel(le) ~**ential treatment** traitement *m* de faveur.
prefix ['pri:fɪks] *n* préfixe *m*.
pregnancy ['prɛgnənsɪ] *n* grossesse *f*.
pregnant ['prɛgnənt] *a* enceinte *af*.
prehistoric ['pri:hɪs'tɔrɪk] *a* préhistorique.
prehistory [pri:'hɪstərɪ] *n* préhistoire *f*.
prejudge [pri:'dʒʌdʒ] *vt* préjuger de.
prejudice ['prɛdʒudɪs] *n* préjugé *m*; (*harm*) tort *m*, préjudice *m* // *vt* porter préjudice à; ~**d** *a* (*person*) plein(e) de préjugés; (*view*) préconçu(e), partial(e).
prelate ['prɛlət] *n* prélat *m*.
preliminary [pri'lɪmɪnərɪ] *a* préliminaire; **preliminaries** *npl* préliminaires *mpl*.
prelude ['prɛlju:d] *n* prélude *m*.
premarital ['pri:'mærɪtl] *a* avant le mariage.
premature ['prɛmətʃuə*] *a* prématuré(e).
premeditated [pri:'mɛdɪteɪtɪd] *a* prémédité(e).
premeditation [pri:mɛdɪ'teɪʃən] *n* préméditation *f*.
premier ['prɛmɪə*] *a* premier(ère), capital(e), primordial(e) // *n* (POL) premier ministre.
première ['prɛmɪɛə*] *n* première *f*.
premise ['prɛmɪs] *n* prémisse *f*; ~**s** *npl* locaux *mpl*; **on the ~s** sur les lieux; sur place.
premium ['pri:mɪəm] *n* prime *f*.
premonition [prɛmə'nɪʃən] *n* prémonition *f*.
preoccupation [pri:ɔkju'peɪʃən] *n* préoccupation *f*.
preoccupied [pri:'ɔkjupaɪd] *a* préoccupé(e).
prep [prɛp] *n* (SCOL: *study*) étude *f*; ~ **school** *n* = **preparatory school.**
prepackaged [pri:'pækɪdʒd] *a* préempaqueté(e).
prepaid [pri:'peɪd] *a* payé(e) d'avance.
preparation [prɛpə'reɪʃən] *n* préparation *f*; ~**s** *npl* (*for trip, war*) préparatifs *mpl*.
preparatory [pri'pærətərɪ] *a* préparatoire; ~ **school** *n* école primaire privée.
prepare [pri'pɛə*] *vt* préparer // *vi*: **to ~ for** se préparer à; ~**d for** preparé(e) à; ~**d to** prêt(e) à.
preponderance [pri'pɒndərəns] *n* prépondérance *f*.
preposition [prɛpə'zɪʃən] *n* préposition *f*.
preposterous [pri'pɒstərəs] *a* absurde.
prerequisite [pri:'rɛkwɪzɪt] *n* condition *f* préalable.
prerogative [pri'rɔgətɪv] *n* prérogative *f*.
presbyterian [prɛzbɪ'tɪərɪən] *a,n* presbytérien(ne).
presbytery ['prɛzbɪtərɪ] *n* presbytère *m*.
preschool [pri:'sku:l] *a* préscolaire.
prescribe [pri'skraɪb] *vt* prescrire.
prescription [pri'skrɪpʃən] *n* prescription *f*; (MED) ordonnance *f*.
prescriptive [pri'skrɪptɪv] *a* normatif(ive).
presence ['prɛzns] *n* présence *f*; ~ **of mind** *n* présence d'esprit.
present ['prɛznt] *a* présent(e) // *n* cadeau *m*; (*also*: ~ **tense**) présent *m* // *vt*

[pri'zεnt] présenter ; (give): to ~ sb with sth offrir qch à qn ; at ~ en ce moment ; ~able [pri'zεntabl] a présentable ; ~ation [-'teiʃən] n présentation f ; (gift) cadeau m, présent m ; (ceremony) remise f du cadeau ; ~-day a contemporain(e), actuel(le) ; ~ly ad (soon) tout à l'heure, bientôt ; (at present) en ce moment.

preservation [prεzə'veiʃən] n préservation f, conservation f.

preservative [pri'zə:vətiv] n agent m de conservation.

preserve [pri'zə:v] vt (keep safe) préserver, protéger ; (maintain) conserver, garder ; (food) mettre en conserve // n (for game, fish) réserve f ; (often pl: jam) confiture f ; (: fruit) fruits mpl en conserve.

preside [pri'zaid] vi présider.

presidency [prεzidənsi] n présidence f.

president ['prεzidənt] n président/e ; ~ial [dεnʃi] a présidentiel(le).

press [prεs] n (tool, machine, newspapers) presse f ; (for wine) pressoir m ; (crowd) cohue f, foule f // vt (push) appuyer sur ; (squeeze) presser, serrer ; (clothes: iron) repasser ; (pursue) talonner ; (insist): to ~ sth on sb presser qn d'accepter qch // vi appuyer, peser ; se presser ; we are ~ed for time le temps nous manque ; to ~ for sth faire pression pour obtenir qch ; to ~ on vi continuer ; ~ agency n agence f de presse ; ~ conference n conférence f de presse ; ~ cutting n coupure f de presse ; ~-gang n recruteurs de la marine (jusqu'au 19ème siècle) ; ~ing a urgent(e), pressant(e) // n repassage m ; ~ stud n bouton-pression m.

pressure ['prεʃə*] n pression f ; (stress) tension f ; ~ cooker n cocotte-minute f ; ~ gauge n manomètre m ; ~ group n groupe m de pression ; **pressurized** a pressurisé(e).

prestige [prεs'ti:ʒ] n prestige m.

prestigious [prεs'tidʒəs] a prestigieux(euse).

presumably [pri'zju:məbli] ad vraisemblablement.

presume [pri'zju:m] vt présumer, supposer ; to ~ to do (dare) se permettre de faire.

presumption [pri'zʌmpʃən] n supposition f, présomption f ; (boldness) audace f.

presumptuous [pri'zʌmpʃəs] a présomptueux(euse).

presuppose [pri:sə'pəuz] vt présupposer.

pretence, pretense (US) [pri'tεns] n (claim) prétention f ; to make a ~ of doing faire semblant de faire ; on the ~ of sous le prétexte de.

pretend [pri'tεnd] vt (feign) feindre, simuler // vi (feign) faire semblant ; (claim): to ~ to sth prétendre à qch ; to ~ to do faire semblant de faire.

pretense [pri'tεns] n (US) = **pretence**.

pretentious [pri'tεnʃəs] a prétentieux(euse).

preterite [prεtərit] n prétérit m.

pretext ['pri:tεkst] n prétexte m.

pretty ['priti] a joli(e) // ad assez.

prevail [pri'veil] vi (win) l'emporter, prévaloir ; (be usual) avoir cours ; (persuade): to ~ (up)on sb to do

persuader qn de faire ; ~ing a dominant(e).

prevalent ['prεvələnt] a répandu(e), courant(e).

prevarication [priværi'keiʃən] n (usage m de) faux-fuyants mpl.

prevent [pri'vεnt] vt: to ~ (from doing) empêcher (de faire) ; ~able a évitable ; ~ative a préventif(ive) ; ~ion [-'vεnʃən] n prévention f ; ~ive a préventif(ive).

preview ['pri:vju:] n (of film) avant-première f ; (fig) aperçu m.

previous ['pri:viəs] a précédent(e) ; antérieur(e) ; ~ to doing avant de faire ; ~ly ad précédemment, auparavant.

prewar [pri:'wɔ:*] a d'avant-guerre.

prey [prei] n proie f // vi: to ~ on s'attaquer à ; it was ~ing on his mind ça le rongeait or minait.

price [prais] n prix m // vt (goods) fixer le prix de ; tarifer ; ~less a sans prix, inestimable ; ~ list n liste f des prix, tarif m.

prick [prik] n piqûre f // vt piquer ; to ~ up one's ears dresser or tendre l'oreille.

prickle ['prikl] n (of plant) épine f ; (sensation) picotement m.

prickly ['prikli] a piquant(e), épineux(euse) ; (fig: person) irritable ; ~ heat n fièvre f miliaire ; ~ pear n figue f de Barbarie.

pride [praid] n orgueil m ; fierté f // vt: to ~ o.s. on se flatter de ; s'enorgueillir de.

priest [pri:st] n prêtre m ; ~ess n prêtresse f ; ~hood n prêtrise f, sacerdoce m.

prig [prig] n poseur/euse, fat m.

prim [prim] a collet monté m, guindé(e).

primarily ['praimərili] ad principalement, essentiellement.

primary ['praiməri] a primaire ; (first in importance) premier(ère), primordial(e) ; ~ colour n couleur fondamentale ; ~ school n école primaire f.

primate n (REL) ['praimit] primat m ; (ZOOL) ['praimeit] primate m.

prime [praim] a primordial(e), fondamental(e) ; (excellent) excellent(e) // vt (gun, pump) amorcer ; (fig) mettre au courant ; in the ~ of life dans la fleur de l'âge ; ~ minister (P.M.) n premier ministre ; ~r n (book) premier livre, manuel m élémentaire ; (paint) apprêt m ; (of gun) amorce f.

primeval [prai'mi:vl] a primitif(ive).

primitive ['primitiv] a primitif(ive).

primrose ['primrəuz] n primevère f.

primus (stove) ['praiməs(stəuv)] n ® réchaud m de camping.

prince [prins] n prince m.

princess [prin'sεs] n princesse f.

principal ['prinsipl] a principal(e) // n (headmaster) directeur m, principal m ; (money) capital m, principal m.

principality [prinsi'pæliti] n principauté f.

principally ['prinsipli] ad principalement.

principle ['prinsipl] n principe m.

print [print] n (mark) empreinte f ; (letters) caractères mpl ; (fabric) imprimé m ; (ART) gravure *f*, estampe *f*; (*PHOT*) épreuve *f* // *vt* imprimer; (*publish*) publier; (*write in capitals*) écrire en majuscules; **out of ~** épuisé(e); **~ed matter** *n* imprimés *mpl*; **~er** *n* imprimeur *m*; **~ing** *n* impression *f*; **~ing press** *n* presse *f* typographique; **~out** *n* listage *m*.

prior ['praɪə*] *a* antérieur(e), précédent(e) // *n* prieur *m*; **~ to doing** avant de faire.

priority [praɪ'ɔrɪtɪ] *n* priorité *f*.

priory ['praɪərɪ] *n* prieuré *m*.

prise [praɪz] *vt*: **to ~ open** forcer.

prism ['prɪzəm] *n* prisme *m*.

prison ['prɪzn] *n* prison *f*; **~er** *n* prisonnier/ère.

prissy ['prɪsɪ] *a* bégueule.

pristine ['prɪstiːn] *a* virginal(e).

privacy ['prɪvəsɪ] *n* intimité *f*, solitude *f*.

private ['praɪvɪt] *a* privé(e); personnel(le); (*house, car, lesson*) particulier(ère) // *n* soldat *m* de deuxième classe; **'~'** (*on envelope*) 'personnelle'; **in ~** en privé; **~ eye** *n* détective privé; **~ly** *ad* en privé; (*within oneself*) intérieurement.

privet ['prɪvɪt] *n* troène *m*.

privilege ['prɪvɪlɪdʒ] *n* privilège *m*; **~d** *a* privilégié(e).

privy ['prɪvɪ] *a*: **to be ~ to** être au courant de; **P~ council** *n* conseil privé.

prize [praɪz] *n* prix *m* // *a* (*example, idiot*) parfait(e); (*bull, novel*) primé(e) // *vt* priser, faire grand cas de; **~ fight** *n* combat professionnel; **~ giving** *n* distribution *f* des prix; **~winner** *n* gagnant/e.

pro [prəʊ] *n* (*SPORT*) professionnel/le; **the ~s and cons** le pour et le contre.

probability [prɔbə'bɪlɪtɪ] *n* probabilité *f*.

probable ['prɔbəbl] *a* probable; **probably** *ad* probablement.

probation [prə'beɪʃən] *n* (*in employment*) essai *m*; (*LAW*) liberté surveillée; (*REL*) noviciat *m*, probation *f*; **on ~** (*employee*) à l'essai; (*LAW*) en liberté surveillée; **~ary** *a* (*period*) d'essai.

probe [prəʊb] *n* (*MED, SPACE*) sonde *f*; (*enquiry*) enquête *f*, investigation *f* // *vt* sonder, explorer.

probity ['prəʊbɪtɪ] *n* probité *f*.

problem ['prɔbləm] *n* problème *m*; **~atic** ['-mætɪk] *a* problématique.

procedure [prə'siːdʒə*] *n* (*ADMIN, LAW*) procédure *f*; (*method*) marche *f* à suivre, façon *f* de procéder.

proceed [prə'siːd] *vi* (*go forward*) avancer; (*go about it*) procéder; (*continue*): **to ~ (with)** continuer, poursuivre; **to ~ to** aller à; passer à; **to ~ to do se** mettre à faire; **~ing** *n* procédé *m*, façon d'agir *f*; **~ings** *npl* mesures *fpl*; (*LAW*) poursuites *fpl*; (*meeting*) réunion *f*, séance *f*; (*records*) compte rendu; actes *mpl*; **~s** ['prəʊsiːdz] *npl* produit *m*, recette *f*.

process ['prəʊsɛs] *n* processus *m*; (*method*) procédé *m* // *vt* traiter; **~ed cheese** fromage fondu; **in ~** en cours; **~ing** *n* traitement *m*.

procession [prə'sɛʃən] *n* défilé *m*, cortège *m*; (*REL*) procession *f*.

proclaim [prə'kleɪm] *vt* déclarer, proclamer.

proclamation [prɔklə'meɪʃən] *n* proclamation *f*.

proclivity [prə'klɪvɪtɪ] *n* inclination *f*.

procrastination [prəʊkræstɪ'neɪʃən] *n* procrastination *f*.

procreation [prəʊkrɪ'eɪʃən] *n* procréation *f*.

procure [prə'kjʊə*] *vt* (*for o.s.*) se procurer; (*for sb*) procurer.

prod [prɔd] *vt* pousser // *n* (*push, jab*) petit coup, poussée *f*.

prodigal ['prɔdɪgl] *a* prodigue.

prodigious [prə'dɪdʒəs] *a* prodigieux(euse).

prodigy ['prɔdɪdʒɪ] *n* prodige *m*.

produce *n* ['prɔdjuːs] (*AGR*) produits *mpl* // *vt* [prə'djuːs] produire; (*to show*) présenter; (*cause*) provoquer, causer; (*THEATRE*) monter, mettre en scène; **~r** *n* (*THEATRE*) metteur *m* en scène; (*AGR, CINEMA*) producteur *m*.

product ['prɔdʌkt] *n* produit *m*.

production [prə'dʌkʃən] *n* production *f*; (*THEATRE*) mise *f* en scène; **~ line** *n* chaîne *f* (de fabrication).

productive [prə'dʌktɪv] *a* productif(ive).

productivity [prɔdʌk'tɪvɪtɪ] *n* productivité *f*.

profane [prə'feɪn] *a* sacrilège; (*lay*) profane.

profess [prə'fɛs] *vt* professer.

profession [prə'fɛʃən] *n* profession *f*; **~al** *n* (*SPORT*) professionnel/le // *a* professionnel(le); (*work*) de professionnel; **he's a ~al man** il exerce une profession libérale; **~alism** *n* professionnalisme *m*.

professor [prə'fɛsə*] *n* professeur *m* (*titulaire d'une chaire*).

proficiency [prə'fɪʃənsɪ] *n* compétence *f*, aptitude *f*.

proficient [prə'fɪʃənt] *a* compétent(e), capable.

profile ['prəʊfaɪl] *n* profil *m*.

profit ['prɔfɪt] *n* bénéfice *m*; profit *m* // *vi*: **to ~ (by or from)** profiter (de); **~ability** ['-bɪlɪtɪ] *n* rentabilité *f*; **~able** *a* lucratif(ive), rentable.

profiteering [prɔfɪ'tɪərɪŋ] *n* (*pej*) mercantilisme *m*.

profound [prə'faʊnd] *a* profond(e).

profuse [prə'fjuːs] *a* abondant(e); (*with money*) prodigue; **~ly** *ad* en abondance, profusion; **profusion** ['-'fjuːʒən] *n* profusion *f*, abondance *f*.

progeny ['prɔdʒɪnɪ] *n* progéniture *f*; descendants *mpl*.

programme, program (*US*) ['prəʊgræm] *n* programme *m*; (*RADIO, TV*) émission *f* // *vt* programmer; **programming, programing** (*US*) *n* programmation *f*.

progress *n* ['prəʊgrɛs] progrès *m* // *vi* [prə'grɛs] progresser, avancer; **in ~** en cours; **to make ~** progresser, faire des progrès, être en progrès; **~ion** [-'grɛʃən] *n* progression *f*; **~ive** [-'grɛsɪv] *a* progressif(ive); (*person*) progressiste; **~ively** [-'grɛsɪvlɪ] *ad* progressivement.

prohibit [prə'hɪbɪt] vt interdire, défendre ; **to ~ sb from doing** défendre or interdire à qn de faire ; **~ion** [prəuɪ'bɪʃən] n (US) prohibition f; **~ive** a (price etc) prohibitif(ive).

project n ['prɔdʒɛkt] (plan) projet m, plan m ; (venture) opération f, entreprise f; (gen scol: research) étude f, dossier m // vb [prə'dʒɛkt] vt projeter // vi (stick out) faire saillie, s'avancer.

projectile [prə'dʒɛktaɪl] n projectile m.

projection [prə'dʒɛkʃən] n projection f; saillie f.

projector [prə'dʒɛktə*] n projecteur m.

proletarian [prəulɪ'tɛərɪən] a prolétarien(ne) // n prolétaire m/f.

proletariat [prəulɪ'tɛərɪət] n prolétariat m.

proliferate [prə'lɪfəreɪt] vi proliférer ; **proliferation** [-'reɪʃən] n prolifération f.

prolific [prə'lɪfɪk] a prolifique.

prologue ['prəulɔg] n prologue m.

prolong [prə'lɔŋ] vt prolonger.

prom [prɔm] n abbr of **promenade** ; (US: ball) bal m d'étudiants.

promenade [prɔmə'nɑːd] n (by sea) esplanade f, promenade f; **~ concert** n concert m (de musique classique) ; **~ deck** n pont m promenade.

prominence ['prɔmɪnəns] n proéminence f; importance f.

prominent ['prɔmɪnənt] a (standing out) proéminent(e) ; (important) important(e).

promiscuity [prɔmɪs'kjuːɪtɪ] n (sexual) légèreté f de mœurs.

promiscuous [prə'mɪskjuəs] a (sexually) de mœurs légères.

promise ['prɔmɪs] n promesse f // vt,vi promettre ; **promising** a prometteur(euse).

promontory ['prɔməntrɪ] n promontoire m.

promote [prə'məut] vt promouvoir ; (venture, event) organiser, mettre sur pied ; (new product) lancer ; **~r** n (of sporting event) organisateur/trice ; **promotion** [-'məuʃən] n promotion f.

prompt [prɔmpt] a rapide // ad (punctually) à l'heure // vt inciter ; provoquer ; (THEATRE) souffler (son rôle or ses répliques) à ; **to ~ sb to do** inciter or pousser qn à faire ; **~er** n (THEATRE) souffleur m ; **~ly** ad rapidement, sans délai ; ponctuellement ; **~ness** n rapidité f; promptitude f.

promulgate ['prɔmʌlgeɪt] vt promulguer.

prone [prəun] a (lying) couché(e) (face contre terre) ; **~ to** enclin(e) à.

prong [prɔŋ] n pointe f; (of fork) dent f.

pronoun ['prəunaun] n pronom m.

pronounce [prə'nauns] vt prononcer // vi: **to ~ (up)on** se prononcer sur ; **~d** a (marked) prononcé(e) ; **~ment** n déclaration f.

pronunciation [prənʌnsɪ'eɪʃən] n prononciation f.

proof [pruːf] n preuve f; (test, of book, PHOT) épreuve f; (of alcohol) degré m // a: **~ against** à l'épreuve de ; **to be 70° ~** ≈ titrer 40 degrés ; **~reader** n correcteur/trice (d'épreuves).

prop [prɔp] n support m, étai m // vt (also:

~ up) étayer, soutenir ; (lean): **to ~ sth against** appuyer qch contre or à.

propaganda [prɔpə'gændə] n propagande f.

propagation [prɔpə'geɪʃən] n propagation f.

propel [prə'pɛl] vt propulser, faire avancer ; **~ler** n hélice f; **~ling pencil** n porte-mine m inv.

propensity [prə'pɛnsɪtɪ] n propension f.

proper ['prɔpə*] a (suited, right) approprié(e), bon(bonne) ; (seemly) correct(e), convenable ; (authentic) vrai(e), véritable ; (col: real) n + fini(e), vrai(e) ; **~ly** ad correctement, convenablement ; bel et bien ; **~ noun** n nom m propre.

property ['prɔpətɪ] n (things owned) biens mpl; propriété(s) f(pl); immeuble m ; terres fpl, domaine m ; (CHEM etc: quality) propriété f; **it's their ~** cela leur appartient, c'est leur propriété ; **~ owner** n propriétaire m.

prophecy ['prɔfɪsɪ] n prophétie f.

prophesy ['prɔfɪsaɪ] vt prédire // vi prophétiser.

prophet ['prɔfɪt] n prophète m ; **~ic** [prə'fɛtɪk] a prophétique.

proportion [prə'pɔːʃən] n proportion f; (share) part f; partie f // vt proportionner ; **~al, ~ate** a proportionnel(le).

proposal [prə'pəuzl] n proposition f, offre f; (plan) projet m ; (of marriage) demande f en mariage.

propose [prə'pəuz] vt proposer, suggérer // vi faire sa demande en mariage ; **to ~ to do** avoir l'intention de faire ; **~r** n (of motion etc) auteur m.

proposition [prɔpə'zɪʃən] n proposition f.

propound [prə'paund] vt proposer, soumettre.

proprietary [prə'praɪətərɪ] a de marque déposée.

proprietor [prə'praɪətə*] n propriétaire m/f.

propulsion [prə'pʌlʃən] n propulsion f.

pro rata [prəu'rɑːtə] ad au prorata.

prosaic [prəu'zeɪɪk] a prosaïque.

prose [prəuz] n prose f; (scol: translation) thème m.

prosecute ['prɔsɪkjuːt] vt poursuivre ; **prosecution** [-'kjuːʃən] n poursuites fpl judiciaires ; (accusing side) accusation f; **prosecutor** n procureur m ; (also: **public ~**) ministère public.

prospect n ['prɔspɛkt] perspective f; (hope) espoir m, chances fpl // vt,vi [prə'spɛkt] prospecter ; **~s** npl (for work etc) possibilités fpl d'avenir, débouchés mpl; **prospecting** n prospection f; **prospective** a (possible) éventuel(le) ; (certain) futur(e) ; **prospector** n prospecteur m.

prospectus [prə'spɛktəs] n prospectus m.

prosper ['prɔspə*] vi prospérer ; **~ity** [-'spɛrɪtɪ] n prospérité f; **~ous** a prospère.

prostitute ['prɔstɪtjuːt] n prostituée f.

prostrate ['prɔstreɪt] a prosterné(e) ; (fig) prostré(e).

protagonist [prə'tægənɪst] n protagoniste m.

protect [prə'tɛkt] vt protéger; ~ion n protection f; ~ive a protecteur(trice); ~or n protecteur/trice.

protégé ['prəutɛʒeɪ] n protégé m; ~e n protégée f.

protein ['prəuti:n] n protéine f.

protest n ['prəutɛst] protestation f // vi [prə'tɛst] protester.

Protestant ['prɔtɪstənt] a,n protestant(e).

protocol ['prəutəkɔl] n protocole m.

prototype ['prəutətaɪp] n prototype m.

protracted [prə'træktɪd] a prolongé(e).

protractor [prə'træktə*] n rapporteur m.

protrude [prə'tru:d] vi avancer, dépasser.

protuberance [prə'tju:bərəns] n protubérance f.

proud [praud] a fier(ère); (pej) orgueilleux(euse); ~ly ad fièrement.

prove [pru:v] vt prouver, démontrer // vi: to ~ correct etc s'avérer juste etc; to ~ o.s. montrer ce dont on est capable; to ~ o.s./itself (to be) useful etc se montrer or se révéler utile etc.

proverb ['prɔvə:b] n proverbe m; ~ial [prə'və:bɪəl] a proverbial(e).

provide [prə'vaɪd] vt fournir; to ~ sb with sth fournir qch à qn; to ~ for vt (person) subvenir aux besoins de; (emergency) prévoir; ~d (that) cj à condition que + sub.

Providence ['prɔvɪdəns] n Providence f.

providing [prə'vaɪdɪŋ] cj à condition que + sub.

province ['prɔvɪns] n province f; **provincial** [prə'vɪnʃəl] a provincial(e).

provision [prə'vɪʒən] n (supply) provision f; (supplying) fourniture f; approvisionnement m; (stipulation) disposition f; ~s npl (food) provisions fpl; ~al a provisoire; ~ally ad provisoirement.

proviso [prə'vaɪzəu] n condition f.

provocation [prɔvə'keɪʃən] n provocation f.

provocative [prə'vɔkətɪv] a provocateur(trice), provocant(e).

provoke [prə'vəuk] vt provoquer; inciter.

prow [prau] n proue f.

prowess ['praus] n prouesse f.

prowl [praul] vi (also: ~ about, ~ around) rôder // n: on the ~ à l'affût; ~er n rôdeur/euse.

proximity [prɔk'sɪmɪtɪ] n proximité f.

proxy ['prɔksɪ] n procuration f; by ~ par procuration.

prudence ['pru:dns] n prudence f.

prudent ['pru:dnt] a prudent(e).

prudish ['pru:dɪʃ] a prude, pudibond(e).

prune [pru:n] n pruneau m // vt élaguer.

pry [praɪ] vi: to ~ into fourrer son nez dans.

psalm [sɑ:m] n psaume m.

pseudo- ['sju:dəu] prefix pseudo-; ~nym n pseudonyme m.

psyche ['saɪkɪ] n psychisme m.

psychiatric [saɪk'ætrɪk] a psychiatrique.

psychiatrist [saɪ'kaɪətrɪst] n psychiatre m/f.

psychiatry [saɪ'kaɪətrɪ] n psychiatrie f.

psychic ['saɪkɪk] a (also: ~al) (méta)psychique; (person) doué(e) de télépathie or d'un sixième sens.

psychoanalyse [saɪkəu'ænəlaɪz] vt psychanalyser.

psychoanalysis, pl **lyses** [saɪkəu'nælɪsɪs, -sɪ:z] n psychanalyse f.

psychoanalyst [saɪkəu'ænəlɪst] n psychanalyste m/f.

psychological [saɪkə'lɔdʒɪkl] a psychologique.

psychologist [saɪ'kɔlədʒɪst] n psychologue m/f.

psychology [saɪ'kɔlədʒɪ] n psychologie f.

psychopath ['saɪkəupæθ] n psychopathe m/f.

psychosomatic ['saɪkəusə'mætɪk] a psychosomatique.

psychotic [saɪ'kɔtɪk] a,n psychotique (m/f).

P.T.O. abbr (= please turn over) T.S.V.P. (tournez s'il vous plaît).

pub [pʌb] n (abbr of public house) pub m.

puberty ['pju:bətɪ] n puberté f.

public ['pʌblɪk] a public(ique) // n public m; the general ~ le grand public; ~ address system (P.A.) sonorisation f; hauts-parleurs mpl.

publican ['pʌblɪkən] n patron m de pub.

publication [pʌblɪ'keɪʃən] n publication f.

public: ~ company n société f anonyme (cotée en bourse); ~ **convenience** n toilettes fpl; ~ **house** n pub m.

publicity [pʌb'lɪsɪtɪ] n publicité f.

publicly ['pʌblɪklɪ] ad publiquement.

public: ~ opinion n opinion publique; ~ **relations (PR)** n relations publiques; ~ **school** n (Brit) école privée; ~-**spirited** a qui fait preuve de civisme.

publish ['pʌblɪʃ] vt publier; ~er n éditeur m; ~ing n (industry) édition f; (of a book) publication f.

puce [pju:s] a puce.

puck [pʌk] n (elf) lutin m; (ICE HOCKEY) palet m.

pucker ['pʌkə*] vt plisser.

pudding ['pudɪŋ] n dessert m, entremets m; (sausage) boudin m.

puddle ['pʌdl] n flaque f d'eau.

puerile ['pjuəraɪl] a puéril(e).

puff [pʌf] n bouffée f; (also: powder ~) houppette f // vi: to ~ one's pipe tirer sur sa pipe // vi sortir par bouffées; (pant) haleter; to ~ out smoke envoyer des bouffées de fumée; ~ed a (col: out of breath) tout(e) essoufflé(e).

puffin ['pʌfɪn] n macareux m.

puff pastry ['pʌf'peɪstrɪ] n pâte feuilletée.

puffy ['pʌfɪ] a bouffi(e), boursouflé(e).

pugnacious [pʌg'neɪʃəs] a pugnace, batailleur(euse).

pull [pul] n (tug): to give sth a ~ tirer sur qch; (fig) influence f // vt tirer; (muscle) se claquer // vi tirer; to ~ a face faire une grimace; to ~ to pieces mettre en morceaux; to ~ one's punches ménager son adversaire; to ~ one's weight y mettre du sien; to ~ o.s. together se ressaisir; to ~ sb's leg faire marcher qn; to ~ apart vt séparer; (break) mettre en pièces, démantibuler; to

~ down vt baisser, abaisser ; (tree) démolir ; (house) abattre ; **to ~ in** vi (AUT: at the kerb) se ranger ; (RAIL) entrer en gare ; **to ~ off** vt enlever, ôter ; (deal etc) conclure ; **to ~ out** vi démarrer, partir ; se retirer ; (AUT: come out of line) déboîter // vt sortir ; arracher ; (withdraw) retirer ; **to ~ round** vi (unconscious person) revenir à soi ; (sick person) se rétablir ; **to ~ through** vi s'en sortir ; **to ~ up** vi (stop) s'arrêter // vt remonter ; (uproot) déraciner, arracher ; (stop) arrêter.

pulley ['pulɪ] n poulie f.

pull-in ['pulɪn] n (AUT) parking m.

pullover ['puləuvə*] n pull-over m, tricot m.

pulp [pʌlp] n (of fruit) pulpe f ; (for paper) pâte f à papier.

pulpit ['pulpɪt] n chaire f.

pulsate [pʌl'seɪt] vi battre, palpiter ; (music) vibrer.

pulse [pʌls] n (of blood) pouls m ; (of heart) battement m ; (of music, engine) vibrations fpl.

pulverize ['pʌlvəraɪz] vt pulvériser.

puma ['pjuːmə] n puma m.

pummel ['pʌml] n rouer de coups.

pump [pʌmp] n pompe f ; (shoe) escarpin m // vt pomper ; (fig: col) faire parler ; **to ~ up** vt gonfler.

pumpkin ['pʌmpkɪn] n potiron m, citrouille f.

pun [pʌn] n jeu m de mots, calembour m.

punch [pʌntʃ] n (blow) coup m de poing ; (fig: force) vivacité f, mordant m ; (tool) poinçon m ; (drink) punch m // vt (hit) : **to ~ sb/sth** donner un coup de poing à qn/sur qch ; (make a hole) poinçonner, perforer ; **to ~ a hole (in)** faire un trou (dans) ; **~-drunk** a sonné(e) ; **~-up** n (col) bagarre f.

• **punctual** ['pʌŋktjuəl] a ponctuel(le) ; **~ity** [-'ælɪtɪ] n ponctualité f.

punctuate ['pʌŋktjueɪt] vt ponctuer ; **punctuation** [-'eɪʃən] n ponctuation f.

puncture ['pʌŋktʃə*] n crevaison f // vt crever.

pundit ['pʌndɪt] n individu m qui pontifie, pontife m.

pungent ['pʌndʒənt] a piquant(e) ; (fig) mordant(e), caustique.

punish ['pʌnɪʃ] vt punir ; **~able** a punissable ; **~ment** n punition f, châtiment m.

punt [pʌnt] n (boat) bachot m ; (FOOTBALL) coup m de volée.

punter ['pʌntə*] n (gambler) parieur/euse.

puny ['pjuːnɪ] a chétif(ive).

pup [pʌp] n chiot m.

pupil ['pjuːpl] n élève m/f.

puppet ['pʌpɪt] n marionnette f, pantin m.

puppy ['pʌpɪ] n chiot m, petit chien.

purchase ['pəːtʃɪʃ] n achat m // vt acheter ; **~r** n acheteur/euse.

pure [pjuə*] a pur(e).

purée ['pjuəreɪ] n purée f.

purge [pəːdʒ] n (MED) purge f ; (POL) épuration f, purge // vt purger ; (fig) épurer, purger.

purification [pjuərɪfɪ'keɪʃən] n purification f.

purify ['pjuərɪfaɪ] vt purifier, épurer.

purist ['pjuərɪst] n puriste m/f.

puritan ['pjuərɪtən] n puritain/e ; **~ical** [-'tænɪkl] a puritain(e).

purity ['pjuərɪtɪ] n pureté f.

purl [pəːl] n maille f à l'envers // vt tricoter à l'envers.

purple ['pəːpl] a violet(te) ; cramoisi(e).

purport [pəː'pɔːt] vi: **to ~ to be/do** prétendre être/faire.

purpose ['pəːpəs] n intention f, but m ; **on ~** exprès ; **~ful** a déterminé(e), résolu(e) ; **~ly** ad exprès.

purr [pəː*] n ronronnement m // vi ronronner.

purse [pəːs] n porte-monnaie m inv, bourse f // vt serrer, pincer.

purser ['pəːsə*] n (NAUT) commissaire m du bord.

pursue [pə'sjuː] vt poursuivre ; **~r** n poursuivant/e.

pursuit [pə'sjuːt] n poursuite f ; (occupation) occupation f, activité f ; **scientific ~s** recherches fpl scientifiques.

purveyor [pə'veɪə*] n fournisseur m.

pus [pʌs] n pus m.

push [puʃ] n poussée f ; (effort) gros effort ; (drive) énergie f // vt pousser ; (button) appuyer sur ; (thrust) : **to ~ sth (into)** enfoncer qch (dans) ; (fig) mettre en avant, faire de la publicité pour // vi pousser ; appuyer ; **to ~ aside** vt écarter ; **to ~ off** vi (col) filer, ficher le camp ; **to ~ on** vi (continue) continuer ; **to ~ over** vt renverser ; **to ~ through** vt (measure) faire voter ; **to ~ up** vt (total, prices) faire monter ; **~chair** n poussette f ; **~ing** a dynamique ; **~over** n (col): it's a ~over c'est un jeu d'enfant ; **~y** a (pej) arriviste.

puss, pussy(-cat) [pus, 'pusɪ(kæt)] n minet m.

put, pt, pp put [put] vt mettre, poser, placer ; (say) dire, exprimer ; (a question) poser ; (estimate) estimer ; **to ~ about** vi (NAUT) virer de bord // vt (rumour) faire courir ; **to ~ across** vt (ideas etc) communiquer ; faire comprendre ; **to ~ away** vt (store) ranger ; **to ~ back** vt (replace) remettre, replacer ; (postpone) remettre ; (delay) retarder ; **to ~ by** vt (money) mettre de côté, économiser ; **to ~ down** vt (parcel etc) poser, déposer ; (pay) verser ; (in writing) mettre par écrit, inscrire ; (suppress: revolt etc) réprimer, faire cesser ; (attribute) attribuer ; **to ~ forward** vt (ideas) avancer, proposer ; (date) avancer ; **to ~ in** vt (gas, electricity) installer ; (application, complaint) soumettre ; **to ~ off** vt (light etc) éteindre ; (postpone) remettre à plus tard, ajourner ; (discourage) dissuader ; **to ~ on** vt (clothes, lipstick etc) mettre ; (light etc) allumer ; (play etc) monter ; (food, meal) servir ; (airs, weight) prendre ; (brake) mettre ; **to ~ on the brakes** freiner ; **to ~ out** vt mettre dehors ; (one's hand) tendre ; (news, rumour) faire courir, répandre ; (light etc) éteindre ; (person: inconvenience) déranger, gêner ; **to ~ up** vt (raise) lever, relever, remonter ; (pin up) afficher ; (hang) accrocher ; (build) construire, ériger ; (a tent) monter ; (increase) augmenter ;

(*accommodate*) loger ; **to ~ up with** *vt fus* supporter.

putrid ['pju:trɪd] *a* putride.

putt [pʌt] *vt* poter (la balle) // *n* coup roulé ; **~er** *n* (GOLF) putter *m* ; **~ing green** *n* green *m*.

putty ['pʌtɪ] *n* mastic *m*.

put-up ['putʌp] *a*: ~ **job** *n* affaire montée.

puzzle ['pʌzl] *n* énigme *f*, mystère *m* ; (*jigsaw*) puzzle *m* ; (*also*: **crossword ~**) problème *m* de mots croisés // *vt* intriguer, rendre perplexe // *vi* se creuser la tête ; **puzzling** *a* déconcertant(e), inexplicable.

PVC *abbr of* polyvinyl chloride.

pygmy ['pɪgmɪ] *n* pygmée *m/f*.

pyjamas [pɪ'dʒɑ:məz] *npl* pyjama *m*.

pylon ['paɪlən] *n* pylône *m*.

pyramid ['pɪrəmɪd] *n* pyramide *f*.

python ['paɪθən] *n* python *m*.

Q

quack [kwæk] *n* (*of duck*) coin-coin *m inv* ; (*pej: doctor*) charlatan *m*.

quad [kwɔd] *abbr of* **quadrangle**, **quadruplet**.

quadrangle ['kwɔdræŋgl] *n* (MATH) quadrilatère *m* ; (*courtyard: abbr*: **quad**) cour *f*.

quadruped ['kwɔdruped] *n* quadrupède *m*.

quadruple [kwɔ'drupl] *a,n* quadruple (*m*) // *vt*, *vi* quadrupler ; **~t** [-'dru:plɪt] *n* quadruplé/e.

quagmire ['kwægmaɪə*] *n* bourbier *m*.

quail [kweɪl] *n* (ZOOL) caille *f*.

quaint [kweɪnt] *a* bizarre ; (*old-fashioned*) désuet(ète) ; au charme vieillot, pittoresque.

quake [kweɪk] *vi* trembler // *n abbr of* **earthquake**.

Quaker ['kweɪkə*] *n* quaker/esse.

qualification [kwɔlɪfɪ'keɪʃən] *n* (*degree etc*) diplôme *m* ; (*ability*) compétence *f*, qualification *f* ; (*limitation*) réserve *f*, restriction *f*.

qualified ['kwɔlɪfaɪd] *a* diplômé(e) ; (*able*) compétent(e), qualifié(e) ; (*limited*) conditionnel(le).

qualify ['kwɔlɪfaɪ] *vt* qualifier ; (*limit: statement*) apporter des réserves à // *vi*: **to ~ (as)** obtenir son diplôme (de) ; **to ~ (for)** remplir les conditions requises (pour) ; (SPORT) se qualifier (pour).

qualitative ['kwɔlɪtətɪv] *a* qualitatif(ive).

quality ['kwɔlɪtɪ] *n* qualité *f* // *cpd* de qualité ; **the ~ papers** la presse d'information.

qualm [kwɑ:m] *n* doute *m* ; scrupule *m*.

quandary ['kwɔndrɪ] *n*: **in a ~** devant un dilemme, dans l'embarras.

quantitative ['kwɔntɪtətɪv] *a* quantitatif(ive).

quantity ['kwɔntɪtɪ] *n* quantité *f* ; **~ surveyor** *n* métreur *m* vérificateur.

quarantine ['kwɔrntiːn] *n* quarantaine *f*.

quarrel ['kwɔrl] *n* querelle *f*, dispute *f* // *vi* se disputer, se quereller ; **~some** *a* querelleur(euse).

quarry ['kwɔrɪ] *n* (*for stone*) carrière *f* ;

(*animal*) proie *f*, gibier *m* // *vt* (*marble etc*) extraire.

quart [kwɔ:t] *n* ≈ litre *m* (= *2 pints*).

quarter ['kwɔ:tə*] *n* quart *m* ; (*of year*) trimestre *m* ; (*district*) quartier *m* // *vt* partager en quartiers *or* en quatre ; (MIL) caserner, cantonner ; **~s** *npl* logement *m* ; (MIL) quartiers *mpl*, cantonnement *m* ; **a ~ of an hour** un quart d'heure ; **~-deck** *n* (NAUT) plage *f* arrière ; **~ final** *n* quart *m* de finale ; **~ly** *a* trimestriel(le) // *ad* tous les trois mois ; **~master** *n* (MIL) intendant *m* militaire de troisième classe ; (NAUT) maître *m* de manœuvre.

quartet(te) [kwɔ:'tet] *n* quatuor *m* ; (*jazz players*) quartette *m*.

quartz [kwɔ:ts] *n* quartz *m* ; **~ watch** *n* montre *f* à quartz.

quash [kwɔʃ] *vt* (*verdict*) annuler, casser.

quasi- ['kweɪzaɪ] *prefix* quasi- + *noun* ; quasi, presque + *adjective*.

quaver ['kweɪvə*] *n* (MUS) croche *f* // *vi* trembler.

quay [ki:] *n* (*also*: **~side**) quai *m*.

queasy ['kwi:zɪ] *a* (*stomach*) délicat(e) ; **to feel ~** avoir mal au cœur.

queen [kwi:n] *n* (*gen*) reine *f* ; (CARDS *etc*) dame *f* ; **~ mother** *n* reine mère *f*.

queer [kwɪə*] *a* étrange, curieux(euse) ; (*suspicious*) louche ; (*sick*): **I feel ~** je me sens pas bien // *n* (*col*) homosexuel *m*.

quell [kwɛl] *vt* réprimer, étouffer.

quench [kwɛntʃ] *vt* (*flames*) éteindre ; **to ~ one's thirst** se désaltérer.

query ['kwɪərɪ] *n* question *f* ; (*doubt*) doute *m* ; (*question mark*) point *m* d'interrogation // *vt* mettre en question *or* en doute.

quest [kwɛst] *n* recherche *f*, quête *f*.

question ['kwɛstʃən] *n* question *f* // *vt* (*person*) interroger ; (*plan, idea*) mettre en question *or* en doute ; **it's a ~ of doing** il s'agit de faire ; **there's some ~ of doing** il est question de faire ; **beyond ~** *ad* sans aucun doute ; **out of the ~** hors de question ; **~able** *a* discutable ; **~ing** *a* interrogateur(trice) // *n* interrogatoire *m* ; **~ mark** *n* point *m* d'interrogation.

questionnaire [kwɛstʃə'nɛə*] *n* questionnaire *m*.

queue [kju:] *n* queue *f*, file *f* // *vi* faire la queue.

quibble ['kwɪbl] *vi* ergoter, chicaner.

quick [kwɪk] *a* rapide ; (*reply*) prompt(e), rapide ; (*mind*) vif(vive) // *ad* vite, rapidement // *n*: **cut to the ~** (*fig*) touché(e) au vif ; **be ~!** dépêche-toi! ; **~en** *vt* accélérer, presser ; (*rouse*) stimuler // *vi* s'accélérer, devenir plus rapide ; **~lime** *n* chaux vive ; **~ly** *ad* vite, rapidement ; **~ness** *n* rapidité *f* ; promptitude *f* ; vivacité *f* ; **~sand** *n* sables mouvants ; **~step** *n* (*dance*) fox-trot *m* ; **~-witted** *a* à l'esprit vif.

quid [kwɪd] *n*, *pl inv* (*Brit: col*) livre *f*.

quiet ['kwaɪət] *a* tranquille, calme ; (*ceremony, colour*) discret(ète) // *n* tranquillité *f*, calme *m* ; **keep ~!** tais-toi! ; **on the ~** en secret, en cachette ; **~en** (*also*: **~en down**) *vi* se calmer, s'apaiser // *vt* calmer, apaiser ; **~ly** *ad* tranquillement, calmement ;

discrètement ; ~**ness** *n* tranquillité *f*, calme *m* ; silence *m*.

quill [kwɪl] *n* plume *f* (d'oie).

quilt [kwɪlt] *n* édredon *m* ; (**continental**) ~ *n* couverture *f* édredon ; ~**ing** *n* ouatine *f* ; molletonnage *m*.

quin [kwɪn] *abbr of* **quintuplet**.

quince [kwɪns] *n* coing *m* ; (*tree*) cognassier *m*.

quinine [kwɪ'ni:n] *n* quinine *f*.

quintet(te) [kwɪn'tɛt] *n* quintette *m*.

quintuplet [kwɪn'tju:plɪt] *n* quintuplé/e.

quip [kwɪp] *n* remarque piquante *or* spirituelle, pointe *f* // *vt*: ... **he** ~**ped** ... lança-t-il.

quirk [kwə:k] *n* bizarrerie *f*.

quit, *pt*, *pp* **quit** *or* **quitted** [kwɪt] *vt* quitter // *vi* (*give up*) abandonner, renoncer ; (*resign*) démissionner ; **to** ~ **doing** arrêter de faire ; **notice to** ~ congé *m* (signifié au locataire).

quite [kwaɪt] *ad* (*rather*) assez, plutôt ; (*entirely*) complètement, tout à fait ; **I** ~ **understand** je comprends très bien ; ~ **a few of them** un assez grand nombre d'entre eux ; ~ (**so)! exactement!**

quits [kwɪts] *a*: ~ (**with**) quitte (envers).

quiver ['kwɪvə*] *vi* trembler, frémir // *n* (*for arrows*) carquois *m*.

quiz [kwɪz] *n* (*game*) jeu-concours *m* ; test *m* de connaissances // *vt* interroger ; ~**zical** *a* narquois(e).

quoits [kwɔɪts] *npl* jeu *m* du palet.

quorum ['kwɔ:rəm] *n* quorum *m*.

quota ['kwəʊtə] *n* quota *m*.

quotation [kwəʊ'teɪʃən] *n* citation *f* ; (*of shares etc*) cote *f*, cours *m* ; (*estimate*) devis *m* ; ~ **marks** *npl* guillemets *mpl*.

quote [kwəʊt] *n* citation *f* // *vt* (*sentence*) citer ; (*price*) donner, fixer ; (*shares*) coter // *vi*: **to** ~ **from** citer ; **to** ~ **for a job** établir un devis pour des travaux.

quotient ['kwəʊʃənt] *n* quotient *m*.

R

rabbi ['ræbaɪ] *n* rabbin *m*.

rabbit ['ræbɪt] *n* lapin *m* ; ~ **hole** *n* terrier *m* (de lapin) ; ~ **hutch** *n* clapier *m*.

rabble ['ræbl] *n* (*pej*) populace *f*.

rabid ['ræbɪd] *a* enragé(e).

rabies ['reɪbi:z] *n* rage *f*.

RAC *n* *abbr of* **Royal Automobile Club**.

raccoon [rə'ku:n] *n* raton *m* laveur.

race [reɪs] *n* race *f* ; (*competition*, *rush*) course *f* // *vt* (*person*) faire la course avec ; (*horse*) faire courir ; (*engine*) emballer // *vi* courir ; ~**course** *n* champ *m* de courses ; ~**horse** *n* cheval *m* de course ; ~ **relations** *npl* rapports *mpl* entre les races ; ~**track** *n* piste *f*.

racial ['reɪʃl] *a* racial(e) ; ~ **discrimination** *n* discrimination raciale ; ~**ism** *n* racisme *m* ; ~**ist** *a*, *n* raciste *m/f*.

racing ['reɪsɪŋ] *n* courses *fpl* ; ~ **car** *n* voiture *f* de course ; ~ **driver** *n* pilote *m* de course.

racist ['reɪsɪst] *a,n* (*pej*) raciste (*m/f*).

rack [ræk] *n* (*also*: **luggage** ~) filet *m* à bagages ; (*also*: **roof** ~) galerie *f* // *vt* tourmenter ; **magazine** ~ *n* porte-revues

m inv ; **shoe** ~ *n* étagère *f* à chaussures ; **toast** ~ *n* porte-toast *m*.

racket ['rækɪt] *n* (*for tennis*) raquette *f* ; (*noise*) tapage *m* ; vacarme *m* ; (*swindle*) escroquerie *f* ; (*organized crime*) racket *m*.

racoon [rə'ku:n] *n* = **raccoon**.

racquet ['rækɪt] *n* raquette *f*.

racy ['reɪsɪ] *a* plein(e) de verve ; osé(e).

radar ['reɪdɑ:*] *n* radar *m* // *cpd* radar *inv*.

radiance ['reɪdɪəns] *n* éclat *m*, rayonnement *m*.

radiant ['reɪdɪənt] *a* rayonnant(e) ; (PHYSICS) radiant(e).

radiate ['reɪdɪeɪt] *vt* (*heat*) émettre, dégager // *vi* (*lines*) rayonner.

radiation [reɪdɪ'eɪʃən] *n* rayonnement *m* ; (*radioactive*) radiation *f*.

radiator ['reɪdɪeɪtə*] *n* radiateur *m* ; ~ **cap** *n* bouchon *m* de radiateur.

radical ['rædɪkl] *a* radical(e).

radii ['reɪdɪaɪ] *npl of* **radius**.

radio ['reɪdɪəʊ] *n* radio *f* ; **on the** ~ à la radio ; ~ **station** *n* station *f* de radio.

radio... ['reɪdɪəʊ] *prefix*: ~**active** *a* radioactif(ive) ; ~**activity** *n* radioactivité *f* ; ~**grapher** [-'ɔgrəfə*] *n* radiologue *m/f* (*technicien*) ; ~**graphy** [-'ɔgrəfɪ] *n* radiographie *f* ; ~**logy** [-'ɔlədʒɪ] *n* radiologie *f* ; ~**therapist** *n* radiothérapeute *m/f*.

radish ['rædɪʃ] *n* radis *m*.

radium ['reɪdɪəm] *n* radium *m*.

radius, *pl* **radii** ['reɪdɪəs, -ɪaɪ] *n* rayon *m* ; (ANAT) radius *m*.

raffia ['ræfɪə] *n* raphia *m*.

raffish ['ræfɪʃ] *a* dissolu(e) ; canaille.

raffle ['ræfl] *n* tombola *f*.

raft [rɑ:ft] *n* (*also*: **life** ~) radeau *m* ; (*logs*) train *m* de flottage.

rafter ['rɑ:ftə*] *n* chevron *m*.

rag [ræg] *n* chiffon *m* ; (*pej: newspaper*) feuille *f*, torchon *m* ; (*for charity*) attractions organisées par les étudiants au profit d'œuvres de charité // *vt* chahuter, mettre en boîte ; ~**s** *npl* haillons *mpl* ; ~**-and-bone man** *n* chiffonnier *m* ; ~**bag** *n* (*fig*) ramassis *m*.

rage [reɪdʒ] *n* (*fury*) rage *f*, fureur *f* // *vi* (*person*) être fou(folle) de rage ; (*storm*) faire rage, être déchaîné(e) ; **it's all the** ~ cela fait fureur.

ragged ['rægɪd] *a* (*edge*) inégal(e), qui accroche ; (*cuff*) effiloché(e) ; (*appearance*) déguenillé(e).

raid [reɪd] *n* (MIL) raid *m* ; (*criminal*) hold-up *m inv* ; (*by police*) descente *f*, rafle *f* // *vt* faire un raid sur or un hold-up dans or une descente dans ; ~**er** *n* malfaiteur *m* ; (*plane*) bombardier *m*.

rail [reɪl] *n* (*on stair*) rampe *f* ; (*on bridge*, *balcony*) balustrade *f* ; (*of ship*) bastingage *m* ; (*for train*) rail *m* ; ~**s** *npl* rails *mpl*, voie ferrée *f* ; **by** ~ par chemin de fer ; ~**ing(s)** *n(pl)* grille *f* ; ~**road** *n* (US), ~**way** *n* chemin *m* de fer ; ~**wayman** *n* cheminot *m* ; ~**way station** *n* gare *f*.

rain [reɪn] *n* pluie *f* // *vi* pleuvoir ; **in the** ~ sous la pluie ; ~**bow** *n* arc-en-ciel *m* ; ~**coat** *n* imperméable *m* ; ~**drop** *n* goutte *f* de pluie ; ~**fall** *n* chute *f* de pluie ; (*measurement*) hauteur *f* des précipitations ;

~proof a imperméable; **~storm** n pluie torrentielle; **~y** a pluvieux(euse).

raise [reɪz] n augmentation f // vt (lift) lever; hausser; (build) ériger; (increase) augmenter; (a protest, doubt) provoquer, causer; (a question) soulever; (cattle, family) élever; (crop) faire pousser; (army, funds) rassembler; (loan) obtenir; **to ~ one's voice** élever la voix.

raisin ['reɪzn] n raisin sec.

raj [rɑːdʒ] n empire m (aux Indes).

rajah ['rɑːdʒə] n radja(h) m.

rake [reɪk] n (tool) râteau m; (person) débauché m // vt (garden) ratisser; (fire) tisonner; (with machine gun) balayer; **to ~ through** (fig: search) fouiller (dans).

rakish ['reɪkɪʃ] a dissolu(e); cavalier(ère).

rally ['rælɪ] n (POL etc) meeting m, rassemblement m; (AUT) rallye m; (TENNIS) échange m // vt rassembler, rallier // vi se rallier; (sick person) aller mieux; (Stock Exchange) reprendre; **to ~ round** vt fus se rallier à; venir en aide à.

ram [ræm] n bélier m // vt enfoncer; (soil) tasser; (crash into) emboutir; percuter; éperonner.

ramble ['ræmbl] n randonnée f // vi (pej: also: **~ on**) discourir, pérorer; **~r** n promeneur/euse, randonneur/euse; (BOT) rosier grimpant; **rambling** a (speech) décousu(e); (BOT) grimpant(e).

ramification [ræmɪfɪ'keɪʃən] n ramification f.

ramp [ræmp] n (incline) rampe f; dénivellation f; (in garage) pont m.

rampage [ræm'peɪdʒ] n: **to be on the ~** se déchaîner // vi: **they went rampaging through the town** ils ont envahi les rues et ont tout saccagé sur leur passage.

rampant ['ræmpənt] a (disease etc) qui sévit.

rampart ['ræmpɑːt] n rempart m.

ramshackle ['ræmʃækl] a (house) délabré(e); (car etc) déglingué(e).

ran [ræn] pt of **run**.

ranch [rɑːntʃ] n ranch m; **~er** n propriétaire m de ranch; cowboy m.

rancid ['rænsɪd] a rance.

rancour, rancor (US) ['ræŋkə*] n rancune f.

random ['rændəm] a fait(e) or établi(e) au hasard // n: **at ~** au hasard.

randy ['rændɪ] a (col) excité(e); lubrique.

rang [ræŋ] pt of **ring**.

range [reɪndʒ] n (of mountains) chaîne f; (of missile, voice) portée f; (of products) choix m, gamme f; (MIL: also: **shooting ~**) champ m de tir; (also: **kitchen ~**) fourneau m de cuisine) // vt (place) mettre en rang, placer; (roam) parcourir // vi: **~ over** couvrir; **to ~ from ... to** aller de ... à; **~r** n garde m forestier.

rank [ræŋk] n rang m; (MIL) grade m; (also: **taxi ~**) station f de taxis // vi: **to ~ among** compter or se classer parmi // a (qui sent) fort(e); extrême; **the ~s** (MIL) la troupe; **the ~ and file** (fig) la masse, la base.

rankle ['ræŋkl] vi (insult) rester sur le cœur.

ransack ['rænsæk] vt fouiller (à fond); (plunder) piller.

ransom ['rænsəm] n rançon f; **to hold sb to ~** (fig) exercer un chantage sur qn.

rant [rænt] vi fulminer; **~ing** n invectives fpl.

rap [ræp] n petit coup sec; tape f // vt frapper sur or à; taper sur.

rape [reɪp] n viol m // vt violer.

rapid ['ræpɪd] a rapide; **~s** npl (GEO) rapides mpl; **~ity** [rə'pɪdɪtɪ] n rapidité f.

rapist ['reɪpɪst] n auteur m d'un viol.

rapport [ræ'pɔː*] n entente f.

rapture ['ræptʃə*] n extase f, ravissement m; **to go into ~s over** s'extasier sur; **rapturous** a extasié(e); frénétique.

rare [rɛə*] a rare; (CULIN: steak) saignant(e).

rarebit ['rɛəbɪt] n see **Welsh**.

rarefied ['rɛərɪfaɪd] a (air, atmosphere) raréfié(e).

rarely ['rɛəlɪ] ad rarement.

rarity ['rɛərɪtɪ] n rareté f.

rascal ['rɑːskl] n vaurien m.

rash [ræʃ] a imprudent(e), irréfléchi(e) // n (MED) rougeur f, éruption f.

rasher ['ræʃə*] n fine tranche (de lard).

rasp [rɑːsp] n (tool) lime f.

raspberry ['rɑːzbərɪ] n framboise f; **~ bush** n framboisier m.

rasping ['rɑːspɪŋ] a: **~ noise** grincement m.

rat [ræt] n rat m.

ratable ['reɪtəbl] a = **rateable**.

ratchet ['rætʃɪt] n: **~ wheel** roue f à rochet.

rate [reɪt] n (ratio) taux m, pourcentage m; (speed) vitesse f, rythme m; (price) tarif m // vt classer; évaluer; **to ~ sb/sth as** considérer qn/qch comme; **to ~ sb/sth among** classer qn/qch parmi; **~s** npl (Brit) impôts locaux; (fees) tarifs mpl; **~able value** n valeur locative imposable; **~ of exchange** n taux m or cours m du change; **~ of flow** n débit m; **~payer** n contribuable m/f (payant les impôts locaux).

rather ['rɑːðə*] ad plutôt; **it's ~** expensive c'est assez cher; (too much) c'est un peu cher; **I would** or **I'd ~ go** j'aimerais mieux or je préférerais partir; **I had ~ go** il vaudrait mieux que je parte.

ratification [rætɪfɪ'keɪʃən] n ratification f.

ratify ['rætɪfaɪ] vt ratifier.

rating ['reɪtɪŋ] n classement m; cote f; (NAUT: category) classe f; (: sailor) matelot m.

ratio ['reɪʃɪəu] n proportion f; **in the ~ of 100 to 1** dans la proportion de 100 contre 1.

ration ['ræʃən] n (gen pl) ration(s) f(pl) // vt rationner.

rational ['ræʃənl] a raisonnable, sensé(e); (solution, reasoning) logique; (MED) lucide; **~e** [-'nɑːl] n raisonnement m; justification f; **~ize** vt rationaliser; (conduct) essayer d'expliquer or de motiver; **~ly** ad raisonnablement; logiquement.

rationing ['ræʃnɪŋ] n rationnement m.

rat poison ['rætpɔɪzn] n mort-aux-rats f inv.

rat race ['rætreɪs] n foire f d'empoigne.

rattle ['rætl] n cliquetis m; (louder) bruit m de ferraille; (object: of baby) hochet m; (: of sports fan) crécelle f // vi cliqueter; faire un bruit de ferraille or du bruit // vt agiter (bruyamment); ~**snake** n serpent m à sonnettes.

raucous ['rɔːkəs] a rauque; ~**ly** ad d'une voix rauque.

ravage ['rævɪdʒ] vt ravager; ~**s** npl ravages mpl.

rave [reɪv] vi (in anger) s'emporter; (with enthusiasm) s'extasier; (MED) délirer.

raven ['reɪvən] n corbeau m.

ravenous ['rævənəs] a affamé(e).

ravine [rə'viːn] n ravin m.

raving ['reɪvɪŋ] a: ~ **lunatic** n fou furieux/folle furieuse.

ravioli [rævɪ'əʊlɪ] n ravioli mpl.

ravish ['rævɪʃ] vt ravir; ~**ing** a enchanteur(eresse).

raw [rɔː] a (uncooked) cru(e); (not processed) brut(e); (sore) à vif, irrité(e); (inexperienced) inexpérimenté(e); ~ **material** n matière première.

ray [reɪ] n rayon m; ~ **of hope** n lueur f d'espoir.

rayon ['reɪɔn] n rayonne f.

raze [reɪz] vt raser, détruire.

razor ['reɪzə*] n rasoir m; ~ **blade** n lame f de rasoir.

Rd abbr of **road**.

re [riː] prep concernant.

reach [riːtʃ] n portée f, atteinte f; (of river etc) étendue f // vt atteindre; parvenir à // vi s'étendre; **out of/within ~** (object) hors de/à portée; **within easy ~ (of)** (place) à proximité (de), proche (de); **to ~ out** vi: **to ~ out for** allonger le bras pour prendre.

react [riː'ækt] vi réagir; ~**ion** [-'ækʃən] n réaction f; ~**ionary** [-'ækʃənrɪ] a,n réactionnaire (m/f).

reactor [riː'æktə*] n réacteur m.

read, pt,pp **read** [riːd, rɛd] vi lire // vt lire; (understand) comprendre, interpréter; (study) étudier; (subj: instrument etc) indiquer, marquer; **to ~ out** vt lire à haute voix; ~**able** a facile or agréable à lire; ~**er** n lecteur/trice; (book) livre m de lecture; (at university) maître m de conférences; ~**ership** n (of paper etc) (nombre m de) lecteurs mpl.

readily ['rɛdɪlɪ] ad volontiers, avec empressement; (easily) facilement.

readiness ['rɛdɪnɪs] n empressement m; **in ~** (prepared) prêt(e).

reading ['riːdɪŋ] n lecture f; (understanding) interprétation f; (on instrument) indications fpl; ~ **lamp** n lampe f de bureau; ~ **room** n salle f de lecture.

readjust [riːə'dʒʌst] vt rajuster; (instrument) régler de nouveau // vi (person): **to ~ (to)** se réadapter (à).

ready ['rɛdɪ] a prêt(e); (willing) prêt, disposé(e); (quick) prompt(e); (available) disponible // ad: ~-**cooked** tout(e) cuit(e) (d'avance) // n: **at the ~** (MIL) prêt à faire feu; (fig) tout(e) prêt(e); ~ **cash** n (argent m) liquide m; ~-**made** a tout(e) fait(e); ~-**mix** n (for cakes etc) préparation f en

sachet; ~ **reckoner** n barème m; ~-**to-wear** a en prêt-à-porter.

real [rɪəl] a réel(le); véritable; **in ~ terms** dans la réalité; ~ **estate** n biens fonciers or immobiliers; ~**ism** n (also ART) réalisme m; ~**ist** n réaliste m/f; ~**istic** [-'lɪstɪk] a réaliste.

reality [riː'ælɪtɪ] n réalité f; **in ~** en réalité, en fait.

realization [rɪəlaɪ'zeɪʃən] n prise f de conscience; réalisation f.

realize ['rɪəlaɪz] vt (understand) se rendre compte de; (a project, COMM: asset) réaliser.

really ['rɪəlɪ] ad vraiment.

realm [rɛlm] n royaume m.

ream [riːm] n rame f (de papier).

reap [riːp] vt moissonner; (fig) récolter; ~**er** n (machine) moissonneuse f.

reappear [riːə'pɪə*] vi réapparaître, reparaître; ~**ance** n réapparition f.

reapply [riːə'plaɪ] vi: **to ~ for** faire une nouvelle demande d'emploi concernant; reposer sa candidature à.

rear [rɪə*] a de derrière, arrière inv; (AUT: wheel etc) arrière // n arrière m, derrière m // vt (cattle, family) élever // vi (also: ~ **up**) (animal) se cabrer; ~-**engined** a (AUT) avec moteur à l'arrière; ~**guard** n arrière-garde f.

rearm [riː'ɑːm] vt, vi réarmer; ~**ament** n réarmement m.

rearrange [riːə'reɪndʒ] vt réarranger.

rear-view ['rɪəvjuː] a: ~ **mirror** n (AUT) rétroviseur m.

reason ['riːzn] n raison f // vi: **to ~ with sb** raisonner qn, faire entendre raison à qn; **to have ~ to think** avoir lieu de penser; **it stands to ~ that** il va sans dire que; ~**able** a raisonnable; (not bad) acceptable; ~**ably** ad raisonnablement; **one can ~ably assume that ...** on est fondé à or il est permis de supposer que ...; ~**ed** a (argument) raisonné(e); ~**ing** n raisonnement m.

reassemble [riːə'sɛmbl] vt rassembler; (machine) remonter.

reassert [riːə'səːt] vt réaffirmer.

reassure [riːə'ʃʊə*] vt rassurer; **to ~ sb of** donner à qn l'assurance répétée de; **reassuring** a rassurant(e).

reawakening [riːə'weɪknɪŋ] n réveil m.

rebate ['riːbeɪt] n (on product) rabais m; (on tax etc) dégrèvement m; (repayment) remboursement m.

rebel n ['rɛbl] rebelle m/f // vi [rɪ'bɛl] se rebeller, se révolter; ~**lion** n rébellion f, révolte f; ~**lious** a rebelle.

rebirth [riː'bəːθ] n renaissance f.

rebound vi [rɪ'baʊnd] (ball) rebondir; (bullet) ricocher // n ['riːbaʊnd] rebond m; ricochet m.

rebuff [rɪ'bʌf] n rebuffade f // vt repousser.

rebuild [riː'bɪld] vt irg reconstruire.

rebuke [rɪ'bjuːk] n réprimande f, reproche m // vt réprimander.

rebut [rɪ'bʌt] vt réfuter; ~**tal** n réfutation f.

recall [rɪ'kɔːl] vt rappeler; (remember) se rappeler, se souvenir de // n rappel m; **beyond ~** a irrévocable.

recant [rɪ'kænt] vi se rétracter ; (REL) abjurer.

recap ['riːkæp] n récapitulation f // vt, vi récapituler.

recapture [riː'kæptʃə*] vt reprendre ; (atmosphere) recréer.

recede [rɪ'siːd] vi s'éloigner ; reculer ; redescendre ; receding a (forehead, chin) fuyant(e) ; receding hairline n front dégarni.

receipt [rɪ'siːt] n (document) reçu m ; (for parcel etc) accusé m de réception ; (act of receiving) réception f ; ~s npl (COMM) recettes fpl.

receive [rɪ'siːv] vt recevoir ; (guest) recevoir, accueillir.

receiver [rɪ'siːvə*] n (TEL) récepteur m, combiné m ; (of stolen goods) receleur m ; (COMM) administrateur m judiciaire.

recent ['riːsnt] a récent(e) ; ~ly ad récemment ; as ~ly as pas plus tard que.

receptacle [rɪ'sɛptɪkl] n récipient m.

reception [rɪ'sɛpʃən] n réception f ; (welcome) accueil m, réception ; ~ desk n réception ; ~ist n réceptionniste m/f.

receptive [rɪ'sɛptɪv] a réceptif(ive).

recess [rɪ'sɛs] n (in room) renfoncement m ; (for bed) alcôve f ; (secret place) recoin m ; (POL etc: holiday) vacances fpl.

recharge [riː'tʃɑːdʒ] vt (battery) recharger.

recipe ['rɛsɪpɪ] n recette f.

recipient [rɪ'sɪpɪənt] n bénéficiaire m/f ; (of letter) destinataire m/f.

reciprocal [rɪ'sɪprəkl] a réciproque.

reciprocate [rɪ'sɪprəkeɪt] vt retourner, offrir en retour.

recital [rɪ'saɪtl] n récital m.

recite [rɪ'saɪt] vt (poem) réciter ; (complaints etc) énumérer.

reckless ['rɛkləs] a (driver etc) imprudent(e) ; (spender etc) insouciant(e) ; ~ly ad imprudemment ; avec insouciance.

reckon ['rɛkən] vt (count) calculer, compter ; (consider) considérer, estimer ; (think): I ~ that ... je pense que ... ; to ~ on vt fus compter sur, s'attendre à ; ~ing n compte m, calcul m ; estimation f ; the day of ~ing le jour du Jugement.

reclaim [rɪ'kleɪm] vt (land) amender ; (: from sea) assécher ; (: from forest) défricher ; (demand back) réclamer (le remboursement or la restitution de) ; reclamation [rɛklə'meɪʃən] n amendement m ; assèchement m ; défrichement m.

recline [rɪ'klaɪn] vi être allongé(e) or étendu(e) ; reclining a (seat) à dossier réglable.

recluse [rɪ'kluːs] n reclus/e, ermite m.

recognition [rɛkəg'nɪʃən] n reconnaissance f ; to gain ~ être reconnu(e) ; transformed beyond ~ méconnaissable.

recognizable ['rɛkəgnaɪzəbl] a: ~ (by) reconnaissable (à).

recognize ['rɛkəgnaɪz] vt: to ~ (by/as) reconnaître (à/comme étant).

recoil [rɪ'kɔɪl] vi (gun) reculer ; (spring) se détendre ; (person): to ~ (from) reculer (devant) // n recul m ; détente f.

recollect [rɛkə'lɛkt] vt se rappeler, se souvenir de ; ~ion [-'lɛkʃən] n souvenir m.

recommend [rɛkə'mɛnd] vt recommander ; ~ation [-'deɪʃən] n recommandation f.

recompense ['rɛkəmpɛns] vt récompenser ; (compensate) dédommager.

reconcilable ['rɛkənsaɪləbl] a (ideas) conciliable.

reconcile ['rɛkənsaɪl] vt (two people) réconcilier ; (two facts) concilier, accorder ; to ~ o.s. to se résigner à ; reconciliation [-sɪlɪ'eɪʃən] n réconciliation f ; conciliation f.

recondition [riːkən'dɪʃən] vt remettre à neuf ; réviser entièrement.

reconnaissance [rɪ'kɔnɪsns] n (MIL) reconnaissance f.

reconnoitre, reconnoiter (US) [rɛkə'nɔɪtə*] (MIL) vt reconnaître // vi faire une reconnaissance.

reconsider [riːkən'sɪdə*] vt reconsidérer.

reconstitute [riː'kɔnstɪtjuːt] vt reconstituer.

reconstruct [riːkən'strʌkt] vt (building) reconstruire ; (crime) reconstituer ; ~ion [-kʃən] n reconstruction f ; reconstitution f.

record n ['rɛkɔːd] rapport m, récit m ; (of meeting etc) procès-verbal m ; (register) registre m ; (file) dossier m ; (also: police ~) casier m judiciaire ; (MUS: disc) disque m ; (SPORT) record m // vt [rɪ'kɔːd] (set down) noter ; (relate) rapporter ; (MUS: song etc) enregistrer ; in ~ time dans un temps record inv ; to keep a ~ of noter ; off the ~ a officieux(euse) ; to keep the ~ straight (fig) mettre les choses au point ; ~ card n (in file) fiche f ; ~er n (LAW) avocat nommé à la fonction de juge ; (MUS) flûte f à bec ; ~ holder n (SPORT) détenteur/trice du record ; ~ing n (MUS) enregistrement m ; ~ library n discothèque f ; ~ player n électrophone m. •

recount [rɪ'kaʊnt] vt raconter.

re-count n ['riːkaʊnt] (POL: of votes) pointage m // vt [riː'kaʊnt] recompter.

recoup [rɪ'kuːp] vt: to ~ one's losses récupérer ce qu'on a perdu, se refaire.

recourse [rɪ'kɔːs] n recours m ; expédient m ; to have ~ to recourir à, avoir recours à.

recover [rɪ'kʌvə*] vt récupérer // vi (from illness) se rétablir ; (from shock) se remettre ; (country) se redresser.

re-cover [riː'kʌvə*] vt (chair etc) recouvrir.

recovery [rɪ'kʌvərɪ] n récupération f ; rétablissement m ; redressement m.

recreate [riː'krɪeɪt] vt recréer.

recreation [rɛkrɪ'eɪʃən] n récréation f ; détente f ; ~al a pour la détente, récréatif(ive).

recrimination [rɪkrɪmɪ'neɪʃən] n récrimination f.

recruit [rɪ'kruːt] n recrue f // vt recruter ; ~ing office n bureau m de recrutement ; ~ment n recrutement m.

rectangle ['rɛktæŋgl] n rectangle m ; rectangular [-'tæŋgjʊlə*] a rectangulaire.

rectify ['rɛktɪfaɪ] vt (error) rectifier, corriger ; (omission) réparer.

rector ['rɛktə*] n (REL) pasteur m ; rectory n presbytère m.

recuperate [rɪ'kjuːpəreɪt] vi récupérer; (from illness) se rétablir.

recur [rɪ'kə:*] vi se reproduire; (idea, opportunity) se retrouver; (symptoms) réapparaître; ~**rence** n répétition f; réapparition f; ~**rent** a périodique, fréquent(e); ~**ring** a (MATH) périodique.

red [rɛd] n rouge m; (POL: pej) rouge m/f // a rouge; **in the** ~ (account) à découvert; (business) en déficit; ~ **carpet treatment** n réception f en grande pompe; **R**~ **Cross** n Croix-Rouge f; ~ **currant** n groseille f (rouge); ~**den** vt,vi rougir; ~**dish** a rougeâtre; (hair) plutôt roux(rousse).

redecorate [ri:'dɛkəreɪt] vt refaire à neuf, repeindre et retapisser; **redecoration** ['-'reɪʃən] n remise f à neuf.

redeem [rɪ'di:m] vt (debt) rembourser; (sth in pawn) dégager; (fig, also REL) racheter; ~**ing** a (feature) qui sauve, qui rachète (le reste).

redeploy [ri:dɪ'plɔɪ] vt (resources) réorganiser.

red-haired [rɛd'hɛəd] a roux(rousse).

red-handed [rɛd'hændɪd] a: **to be caught** ~ être pris(e) en flagrant délit or la main dans le sac.

redhead ['rɛdhɛd] n roux/rousse.

red herring ['rɛd'hɛrɪŋ] n (fig) diversion f, fausse piste.

red-hot [rɛd'hɔt] a chauffé(e) au rouge, brûlant(e).

redirect [ri:daɪ'rɛkt] vt (mail) faire suivre.

redistribute [ri:dɪ'strɪbju:t] vt redistribuer.

red-letter day ['rɛdlɛtə'deɪ] n grand jour, jour mémorable.

red light ['rɛd'laɪt] n: **to go through a** ~ (AUT) brûler un feu rouge; **red-light district** n quartier réservé.

redness ['rɛdnɪs] n rougeur f; (of hair) rousseur f.

redo [ri:'du:] vt irg refaire.

redolent ['rɛdəulnt] a: ~ **of** qui sent; (fig) qui évoque.

redouble [ri:'dʌbl] vt: **to** ~ **one's efforts** redoubler d'efforts.

redress [rɪ'drɛs] n réparation f.

red tape ['rɛd'teɪp] n (fig) paperasserie f (administrative).

reduce [rɪ'dju:s] vt réduire; (lower) abaisser; '~ **speed now'** (AUT) 'ralentir'; **at a** ~**d price** (of goods) au rabais, en solde; (of ticket etc) à prix réduit; **reduction** [rɪ'dʌkʃən] n réduction f; (of price) baisse f; (discount) rabais m; réduction.

redundancy [rɪ'dʌndənsɪ] n licenciement m, mise f au chômage.

redundant [rɪ'dʌndnt] a (worker) mis(e) au chômage, licencié(e); (detail, object) superflu(e); **to make** ~ licencier, mettre au chômage.

reed [ri:d] n (BOT) roseau m; (MUS: of clarinet etc) anche f.

reef [ri:f] n (at sea) récif m, écueil m.

reek [ri:k] vi: **to** ~ **(of)** puer, empester.

reel [ri:l] n bobine f; (TECH) dévidoir m; (FISHING) moulinet m; (CINEMA) bande f // vt (TECH) bobiner; (also: ~ **up**) enrouler // vi (sway) chanceler.

re-election [ri:ɪ'lɛkʃən] n réélection f.

re-engage [ri:ɪn'geɪdʒ] vt (worker) réembaucher.

re-enter [ri:'ɛntə*] vt rentrer dans; **re-entry** n rentrée f.

ref [rɛf] n (col: abbr of referee) arbitre m.

refectory [rɪ'fɛktərɪ] n réfectoire m.

refer [rɪ'fə:*] vt: **to** ~ **sb** (or **sth**) **to** (dispute, decision) soumettre qch à; (inquirer: for information) adresser or envoyer qn à; (reader: to text) renvoyer qn à; **to** ~ **to** vt fus (allude to) parler de, faire allusion à; (apply to) s'appliquer à; (consult) se reporter à; ~**ring to your letter** (COMM) en réponse à votre lettre.

referee [rɛfə'ri:] n arbitre m; (for job application) répondant/e // vt arbitrer.

reference ['rɛfrəns] n référence f, renvoi m; (mention) allusion f, mention f; (for job application: letter) références; lettre f de recommandation; (: person) répondant/e; **with** ~ **to** en ce qui concerne; (COMM: in letter) me référant à; '**please quote this** ~' (COMM) 'prière de rappeler cette référence'; ~ **book** n ouvrage m de référence.

referendum, pl **referenda** [rɛfə'rɛndəm, -də] n référendum m.

refill vt [ri:'fɪl] remplir à nouveau; (pen, lighter etc) recharger // n ['ri:fɪl] (for pen etc) recharge f.

refine [rɪ'faɪn] vt (sugar, oil) raffiner; (taste) affiner; ~**d** a (person, taste) raffiné(e); ~**ment** n (of person) raffinement m; ~**ry** n raffinerie f.

reflect [rɪ'flɛkt] vt (light, image) réfléchir, refléter; (fig) refléter // vi (think) réfléchir, méditer; **to** ~ **on** vt fus (discredit) porter atteinte à, faire tort à; ~**ion** ['-'flɛkʃən] n réflexion f; (image) reflet m; (criticism): ~**ion on** critique f de; atteinte f à; **on** ~**ion** réflexion faite; ~**or** n (also AUT) réflecteur m.

reflex ['ri:flɛks] a, n réflexe (m); ~**ive** [rɪ'flɛksɪv] a (LING) réfléchi(e).

reform [rɪ'fɔ:m] n réforme f // vt réformer; **the R**~**ation** [rɛfə'meɪʃən] n la Réforme; ~**ed** a amendé(e), assagi(e); ~**er** n réformateur/trice.

refrain [rɪ'freɪn] vi: **to** ~ **from doing** s'abstenir de faire // n refrain m.

refresh [rɪ'frɛʃ] vt rafraîchir; (subj: food) redonner des forces à; (: sleep) reposer; ~**er course** n cours m de recyclage; ~**ment room** n buffet m; ~**ments** npl rafraîchissements mpl.

refrigeration [rɪfrɪdʒə'reɪʃən] n réfrigération f.

refrigerator [rɪ'frɪdʒəreɪtə*] n réfrigérateur m, frigidaire m.

refuel [ri:'fjuəl] vt ravitailler en carburant // vi se ravitailler en carburant.

refuge ['rɛfju:dʒ] n refuge m; **to take** ~ **in** se réfugier dans.

refugee [rɛfju'dʒi:] n réfugié/e.

refund n ['ri:fʌnd] remboursement m // vt [rɪ'fʌnd] rembourser.

refurbish [ri:'fə:bɪʃ] vt remettre à neuf.

refurnish [ri:'fə:nɪʃ] vt remeubler.

refusal [rɪ'fju:zəl] n refus m.

refuse n ['rɛfju:s] ordures fpl, détritus mpl // vt, vi [rɪ'fju:z] refuser ; ~ **collection** n ramassage m d'ordures ; ~ **collector** n éboueur m.

refute [rɪ'fju:t] vt réfuter.

regain [rɪ'geɪn] vt regagner ; retrouver.

regal ['ri:gl] a royal(e) ; ~**ia** [rɪ'geɪlɪə] n insignes mpl de la royauté.

regard [rɪ'gɑ:d] n respect m, estime f, considération f // vt considérer ; **to give one's** ~**s to** faire ses amities à ; '**with kindest** ~**s**' 'bien amicalement' ; ~**ing**, as ~**s, with** ~ **to** en ce qui concerne ; ~**less** ad quand même ; ~**less of** sans se soucier de.

regatta [rɪ'gætə] n régate f.

regency ['ri:dʒənsɪ] n régence f.

regent ['ri:dʒənt] n régent/e.

régime [reɪ'ʒi:m] n régime m.

regiment ['rɛdʒɪmənt] n régiment m ; ~**al** [-'mɛntl] a d'un or du régiment ; ~**ation** [-'teɪʃən] n réglementation excessive.

region ['ri:dʒən] n région f ; **in the** ~ **of** (fig) aux alentours de ; ~**al** a régional(e) ; ~**al development** n aménagement m du territoire.

register ['rɛdʒɪstə*] n registre m ; (also: **electoral** ~) liste électorale // vt enregistrer, inscrire ; (birth) déclarer ; (vehicle) immatriculer ; (luggage) enregistrer ; (letter) envoyer en recommandé ; (subj: instrument) marquer // vi se faire inscrire ; (at hotel) signer le registre ; (make impression) être (bien) compris(e) ; ~**ed** a (design) déposé(e) ; (letter) recommandé(e).

registrar ['rɛdʒɪstrɑ:*] n officier m de l'état civil ; secrétaire (général).

registration [rɛdʒɪs'treɪʃən] n (act) enregistrement m ; inscription f ; (AUT: also: ~ **number**) numéro m d'immatriculation.

registry ['rɛdʒɪstrɪ] n bureau m de l'enregistrement ; ~ **office** n bureau m de l'état civil ; **to get married in a** ~ **office** ≈ se marier à la mairie.

regret [rɪ'grɛt] n regret m // vt regretter ; **to** ~ **that** regretter que + sub ; ~**fully** ad à or avec regret ; ~**table** a regrettable.

regroup [ri:'gru:p] vt regrouper // vi se regrouper.

regular ['rɛgjulə*] a régulier(ère) ; (usual) habituel(le), normal(e) ; (soldier) de métier ; (COMM: size) ordinaire // n (client etc) habitué/e ; ~**ity** [-'lærɪtɪ] n régularité f ; ~**ly** ad régulièrement.

regulate ['rɛgjuleɪt] vt régler ; **regulation** [-'leɪʃən] n (rule) règlement m ; (adjustment) réglage m // cpd réglementaire.

rehabilitation ['ri:həbɪlɪ'teɪʃən] n (of offender) réhabilitation f ; (of disabled) rééducation f, réadaptation f.

rehash [ri:'hæʃ] vt (col) remanier.

rehearsal [rɪ'hə:səl] n répétition f.

rehearse [rɪ'hə:s] vt répéter.

reign [reɪn] n règne m // vi régner ; ~**ing** a (monarch) régnant(e) ; (champion) actuel(le).

reimburse [ri:ɪm'bə:s] vt rembourser.

rein [reɪn] n (for horse) rêne f.

reincarnation [ri:ɪnkɑ:'neɪʃən] n réincarnation f.

reindeer ['reɪndɪə*] n (pl inv) renne m.

reinforce [ri:ɪn'fɔ:s] vt renforcer ; ~**d concrete** n béton armé ; ~**ment** n (action) renforcement m ; ~**ments** npl (MIL) renfort(s) m(pl).

reinstate [ri:ɪn'steɪt] vt rétablir, réintégrer.

reissue [ri:'ɪʃju:] vt (book) rééditer ; (film) ressortir.

reiterate [ri:'ɪtəreɪt] vt réitérer, répéter.

reject n ['ri:dʒɛkt] (COMM) article m de rebut // vt [rɪ'dʒɛkt] refuser ; (COMM: goods) mettre au rebut ; (idea) rejeter ; ~**ion** [rɪ'dʒɛkʃən] n rejet m, refus m.

rejoice [rɪ'dʒɔɪs] vi: **to** ~ **(at** or **over)** se réjouir (de).

rejuvenate [rɪ'dʒu:vəneɪt] vt rajeunir.

rekindle [ri:'kɪndl] vt rallumer ; (fig) raviver.

relapse [rɪ'læps] n (MED) rechute f.

relate [rɪ'leɪt] vt (tell) raconter ; (connect) établir un rapport entre ; ~**d** a apparenté(e) ; ~**d to** apparenté à ; **relating: relating to** prep concernant.

relation [rɪ'leɪʃən] n (person) parent/e ; (link) rapport m, lien m ; ~**ship** n rapport m, lien m ; (personal ties) relations fpl, rapports ; (also: **family** ~**ship**) lien m de parenté ; (affair) liaison f.

relative ['rɛlətɪv] n parent/e // a relatif(ive) ; (respective) respectif(ive) ; **all her** ~**s** toute sa famille ; ~**ly** ad relativement.

relax [rɪ'læks] vi se relâcher ; (person: unwind) se détendre // vt relâcher ; (mind, person) détendre ; ~**ation** [ri:læk'seɪʃən] n relâchement m ; détente f ; (entertainment) distraction f ; ~**ed** a relâché(e) ; détendu(e) ; ~**ing** a délassant(e).

relay ['ri:leɪ] n (SPORT) course f de relais // vt (message) retransmettre, relayer.

release [rɪ'li:s] n (from prison, obligation) libération f ; (of gas etc) émission f ; (of film etc) sortie f ; (record) disque m ; (device) déclencheur m // vt (prisoner) libérer ; (book, film) sortir ; (report, news) rendre public, publier ; (gas etc) émettre, dégager ; (free: from wreckage etc) dégager ; (TECH: catch, spring etc) déclencher ; (let go) relâcher ; lâcher ; desserrer ; **to** ~ **one's grip** or **hold** lâcher prise ; **to** ~ **the clutch** (AUT) débrayer.

relegate ['rɛləgeɪt] vt reléguer.

relent [rɪ'lɛnt] vi se laisser fléchir ; ~**less** a implacable.

relevance ['rɛləvəns] n pertinence f ; ~ **of sth to sth** rapport m entre qch et qch.

relevant ['rɛləvənt] a approprié(e) ; (fact) significatif(ive) ; (information) utile, pertinent(e) ; ~ **to** ayant rapport à, approprié à.

reliability [rɪlaɪə'bɪlɪtɪ] n sérieux m ; solidité f.

reliable [rɪ'laɪəbl] a (person, firm) sérieux(euse) ; (method) sûr(e) ; (machine) solide ; **reliably** ad: **to be reliably informed** savoir de source sûre.

reliance [rɪ'laɪəns] n: ~ **(on)** confiance f (en) ; besoin m (de), dépendance f (de).

relic ['rɛlɪk] n (REL) relique f ; (of the past) vestige m.

relief [rɪ'li:f] n (from pain, anxiety) soulagement m ; (help, supplies) secours m(pl) ; (of guard) relève f; (ART, GEO) relief m; ~ **road** n route f de délestage; ~ **valve** n soupape f de sûreté.

relieve [rɪ'liːv] vt (pain, patient) soulager; (bring help) secourir; (take over from: gen) relayer; (: guard) relever; **to ~ sb of sth** débarrasser qn de qch.

religion [rɪ'lɪdʒən] n religion f; **religious** a religieux(euse); (book) de piété.

reline [riː'laɪn] vt (brakes) refaire la garniture de.

relinquish [rɪ'lɪŋkwɪʃ] vt abandonner; (plan, habit) renoncer à.

relish ['rɛlɪʃ] n (CULIN) condiment m; (enjoyment) délectation f // vt (food etc) savourer; **to ~ doing** se délecter à faire.

relive [riː'lɪv] vt revivre.

reload [riː'ləud] vt recharger.

reluctance [rɪ'lʌktəns] n répugnance f.

reluctant [rɪ'lʌktənt] a peu disposé(e), qui hésite; **~ly** ad à contrecœur, sans enthousiasme.

rely [rɪ'laɪ]: **to ~ on** vt fus compter sur; (be dependent) dépendre de.

remain [rɪ'meɪn] vi rester; **~der** n reste m; (COMM) fin f de série; **~ing** a qui reste; **~s** npl restes mpl.

remand [rɪ'mɑːnd] n: **on ~** en détention préventive // vt: **to ~ in custody** écrouer; renvoyer en détention provisoire; **~ home** n maison f d'arrêt.

remark [rɪ'mɑːk] n remarque f, observation f // vt (faire) remarquer, dire; (notice) remarquer; **~able** a remarquable.

remarry [riː'mærɪ] vi se remarier.

remedial [rɪ'miːdɪəl] a (tuition, classes) de rattrapage.

remedy ['rɛmədɪ] n: ~ **(for)** remède m (contre or à) // vt remédier à.

remember [rɪ'mɛmbə*] vt se rappeler, se souvenir de; ~ **me to** (in letter) rappelez-moi au bon souvenir de; **remembrance** n souvenir m; mémoire f.

remind [rɪ'maɪnd] vt: **to ~ sb of sth** rappeler qch à qn; **to ~ sb to do** faire penser à qn à faire, rappeler à qn qu'il doit faire; **~er** n rappel m; (note etc) pense-bête m.

reminisce [rɛmɪ'nɪs] vi: ~ **(about)** évoquer ses souvenirs (de).

reminiscences [rɛmɪ'nɪsnsɪz] npl réminiscences fpl, souvenirs mpl.

reminiscent [rɛmɪ'nɪsnt] a: ~ **of** qui rappelle, qui fait penser à.

remission [rɪ'mɪʃən] n rémission f; (of debt, sentence) remise f; (of fee) exemption f.

remit [rɪ'mɪt] vt (send: money) envoyer; **~tance** n envoi m, paiement m.

remnant ['rɛmnənt] n reste m, restant m; **~s** npl (COMM) coupons mpl, fins fpl de série.

remorse [rɪ'mɔːs] n remords m; **~ful** a plein(e) de remords, **~less** a (fig) impitoyable.

remote [rɪ'məut] a éloigné(e), lointain(e); (person) distant(e); ~ **control** n télécommande f; **~ly** ad au loin; (slightly) très vaguement; **~ness** n éloignement m.

remould ['riːməuld] n (tyre) pneu rechapé.

removable [rɪ'muːvəbl] a (detachable) amovible.

removal [rɪ'muːvəl] n (taking away) enlèvement m; suppression f; (from house) déménagement m; (from office: sacking) renvoi m; (MED) ablation f; ~ **man** n déménageur m; ~ **van** n camion m de déménagement.

remove [rɪ'muːv] vt enlever, retirer; (employee) renvoyer; (stain) faire partir; (doubt, abuse) supprimer; ~**r** (for paint) décapant m; (for varnish) dissolvant m; **~rs** npl (company) entreprise f de déménagement.

remuneration [rɪmjuːnə'reɪʃən] n rémunération f.

rename [riː'neɪm] vt rebaptiser.

rend, pt, pp **rent** [rɛnd, rɛnt] vt déchirer.

render ['rɛndə*] vt rendre; (CULIN: fat) clarifier; **~ing** n (MUS etc) interprétation f.

rendez-vous ['rɒndɪvuː] n rendez-vous m inv // vi opérer une jonction, se rejoindre.

renegade ['rɛnɪgeɪd] n rénégat/e.

renew [rɪ'njuː] vt renouveler; (negotiations) reprendre; (acquaintance) renouer; **~al** n renouvellement m; reprise f.

renounce [rɪ'nauns] vt renoncer à; (disown) renier.

renovate ['rɛnəveɪt] vt rénover; (art work) restaurer; **renovation** [-'veɪʃən] n rénovation f; restauration f.

renown [rɪ'naun] n renommée f; **~ed** a renommé(e).

rent [rɛnt] pt, pp of **rend** // n loyer m // vt louer; **~al** n (for television, car) (prix m de) location f.

renunciation [rɪnʌnsɪ'eɪʃən] n renonciation f; (self-denial) renoncement m.

reopen [riː'əupən] vt rouvrir; **~ing** n réouverture f.

reorder [riː'ɔːdə*] vt commander de nouveau; (rearrange) réorganiser.

reorganize [riː'ɔːgənaɪz] vt réorganiser.

rep [rɛp] n (COMM: abbr of **representative**) représentant m (de commerce); (THEATRE: abbr of **repertory**) théâtre m de répertoire.

repair [rɪ'pɛə*] n réparation f // vt réparer; **in good/bad** ~ en bon/mauvais état; ~ **kit** n trousse f de réparations; ~ **man** n réparateur m; ~ **shop** n (AUT etc) atelier m de réparations.

repartee [rɛpɑː'tiː] n repartie f.

repay [riː'peɪ] vt irg (money, creditor) rembourser; (sb's efforts) récompenser; **~ment** n remboursement m; récompense f.

repeal [rɪ'piːl] n (of law) abrogation f; (of sentence) annulation f // vt abroger; annuler.

repeat [rɪ'piːt] n (RADIO, TV) reprise f // vt répéter; (pattern) reproduire; (promise, attack, also COMM: order) renouveler; (SCOL: a class) redoubler; **~edly** ad souvent, à plusieurs reprises.

repel [rɪ'pɛl] vt (lit, fig) repousser; **~lent** a repoussant(e) // n: **insect** ~**lent** insectifuge m; **moth** ~**lent** produit m antimite(s).

repent [rɪ'pɛnt] vi: **to ~ (of)** se repentir (de); **~ance** n repentir m.

repercussion [riːpə'kʌʃən] n (consequence) répercussion f.

repertoire ['rɛpətwɑ:*] n répertoire m.
repertory ['rɛpətərɪ] n (also: ~ theatre) théâtre m de répertoire.
repetition [rɛpɪ'tɪʃən] n répétition f; (of promise, COMM: order etc) renouvellement m.
repetitive [rɪ'pɛtɪtɪv] a (movement, work) répétitif(ive); (speech) plein(e) de redites.
replace [rɪ'pleɪs] vt (put back) remettre, replacer; (take the place of) remplacer; (TEL): '~ the receiver' 'raccrochez'; ~ment n replacement m; remplacement m; (person) remplaçant/e; ~ment part n pièce f de rechange.
replenish [rɪ'plɛnɪʃ] vt (glass) remplir (de nouveau); (stock etc) réapprovisionner.
replete [rɪ'pli:t] a rempli(e); (well-fed) rassasié(e).
replica ['rɛplɪkə] n réplique f, copie exacte.
reply [rɪ'plaɪ] n réponse f // vi répondre.
report [rɪ'pɔ:t] n rapport m; (PRESS etc) reportage m; (also: school ~) bulletin m (scolaire); (of gun) détonation f // vt rapporter, faire un compte rendu de; (PRESS etc) faire un reportage sur; (bring to notice: occurrence) signaler; (: person) dénoncer // vi (make a report) faire un rapport (or un reportage); (present o.s.): to ~ (to sb) se présenter (chez qn); it is ~ed that on dit or annonce que; ~ed speech n (LING) discours indirect; ~er n reporter m.
reprehensible [rɛprɪ'hɛnsɪbl] a répréhensible.
represent [rɛprɪ'zɛnt] vt représenter; (explain): to ~ to sb that expliquer à qn que; ~ation [-'teɪʃən] n représentation f; ~ations npl (protest) démarche f; ~ative n représentant/e; (US: POL) député m // a représentatif(ive), caractéristique.
repress [rɪ'prɛs] vt réprimer; ~ion [-'prɛʃən] n répression f; ~ive a répressif(ive).
reprieve [rɪ'pri:v] n (LAW) grâce f; (fig) sursis m, délai m // vt gracier; accorder un sursis or un délai à.
reprimand ['rɛprɪmɑ:nd] n réprimande f // vt réprimander.
reprint n ['ri:prɪnt] réimpression f // vt [ri:'prɪnt] réimprimer.
reprisal [rɪ'praɪzl] n représailles fpl.
reproach [rɪ'prəutʃ] n reproche m // vt: to ~ sb with sth reprocher qch à qn; beyond ~ irréprochable; ~ful a de reproche.
reproduce [ri:prə'dju:s] vt reproduire // vi se reproduire; **reproduction** [-'dʌkʃən] n reproduction f; **reproductive** [-'dʌktɪv] a reproducteur(trice).
reprove [rɪ'pru:v] vt (action) réprouver; (person): to ~ (for) blâmer (de); **reproving** a réprobateur(trice).
reptile ['rɛptaɪl] n reptile m.
republic [rɪ'pʌblɪk] n république f; ~an a,n républicain(e).
repudiate [rɪ'pju:dɪeɪt] vt (wife, accusation) répudier; (friend) renier.
repulse [rɪ'pʌls] vt repousser.
repulsion [rɪ'pʌlʃən] n répulsion f.
repulsive [rɪ'pʌlsɪv] a repoussant(e), répulsif(ive).

reputable ['rɛpjutəbl] a de bonne réputation; (occupation) honorable.
reputation [rɛpju'teɪʃən] n réputation f; to have a ~ for être réputé(e) pour.
repute [rɪ'pju:t] n (bonne) réputation; ~d a réputé(e); ~dly ad d'après ce qu'on dit.
request [rɪ'kwɛst] n demande f; (formal) requête f // vt: to ~ (of or from sb) demander (à qn); ~ stop n (for bus) arrêt facultatif.
requiem ['rɛkwɪəm] n requiem m.
require [rɪ'kwaɪə*] vt (need: subj: person) avoir besoin de; (: thing, situation) demander; (want) vouloir; exiger; (order) obliger; ~d a requis(e), voulu(e); if ~d s'il le faut; ~ment n exigence f; besoin m; condition requise.
requisite ['rɛkwɪzɪt] n chose nécessaire // a requis(e), nécessaire; toilet ~s accessoires mpl de toilette.
requisition [rɛkwɪ'zɪʃən] n: ~ (for) demande f (de) // vt (MIL) réquisitionner.
reroute [ri:'ru:t] vt (train etc) dérouter.
resale ['ri:'seɪl] n revente f.
rescind [rɪ'sɪnd] vt annuler; (law) abroger; (judgment) rescinder.
rescue ['rɛskju:] n sauvetage m; (help) secours mpl // vt sauver; ~ party n équipe f de sauvetage; ~r n sauveteur m.
research [rɪ'sə:tʃ] n recherche(s) f(pl) // vt faire des recherches sur; ~er n chercheur/euse; ~ work n recherches fpl; ~ worker n chercheur/euse.
resell [ri:'sɛl] vt irg revendre.
resemblance [rɪ'zɛmbləns] n ressemblance f.
resemble [rɪ'zɛmbl] vt ressembler à.
resent [rɪ'zɛnt] vt éprouver du ressentiment de, être contrarié(e) par; ~ful a irrité(e), plein(e) de ressentiment; ~ment n ressentiment m.
reservation [rɛzə'veɪʃən] n (booking) réservation f; (doubt) réserve f; (protected area) réserve f; (on road: also: central ~) bande f médiane; to make a ~ (in an hotel/a restaurant/a plane) réserver or retenir une chambre/une table/une place.
reserve [rɪ'zə:v] n réserve f; (SPORT) remplaçant/e // vt (seats etc) réserver, retenir; ~s npl (MIL) réservistes mpl; in ~ en réserve; ~d a réservé(e); **reservist** n (MIL) réserviste m.
reservoir ['rɛzəvwɑ:*] n réservoir m.
reshape [ri:'ʃeɪp] vt (policy) réorganiser.
reshuffle [ri:'ʃʌfl] n: Cabinet ~ (POL) remaniement ministériel.
reside [rɪ'zaɪd] vi résider.
residence ['rɛzɪdəns] n résidence f; ~ permit n permis m de séjour.
resident ['rɛzɪdənt] n résident/e // a résidant(e).
residential [rɛzɪ'dɛnʃəl] a de résidence; (area) résidentiel(le).
residue ['rɛzɪdju:] n reste m; (CHEM, PHYSICS) résidu m.
resign [rɪ'zaɪn] vt (one's post) se démettre de // vi démissionner; to ~ o.s. to (endure) se résigner à; ~ation [rɛzɪg'neɪʃən] n démission f; résignation f; ~ed a résigné(e).

resilience [rı'zılıəns] n (of material) élasticité f; (of person) ressort m.
resilient [rı'zılıənt] a (person) qui réagit, qui a du ressort.
resin ['rezın] n résine f.
resist [rı'zıst] vt résister à; ~**ance** n résistance f.
resolute ['rezəlu:t] a résolu(e).
resolution [rezə'lu:ʃən] n résolution f.
resolve [rı'zɔlv] n résolution f // vt (decide): **to ~ to do** résoudre or décider de faire; (problem) résoudre; ~**d** a résolu(e).
resonant ['rezənənt] a résonnant(e).
resort [rı'zɔ:t] n (town) station f; (recourse) recours m // vi: **to ~ to** avoir recours à; **in the last ~** en dernier ressort.
resound [rı'zaund] vi: **to ~ (with)** retentir (de); ~**ing** a retentissant(e).
resource [rı'sɔ:s] n ressource f; ~**s** npl ressources; ~**ful** a plein(e) de ressource, débrouillard(e); ~**fulness** n ressource f.
respect [rıs'pekt] n respect m // vt respecter; **with ~ to** en ce qui concerne; **in ~ of** sous le rapport de, quant à; **in this ~** sous ce rapport, à cet égard; ~**ability** [-ə'bılıtı] n respectabilité f; ~**able** a respectable; ~**ful** a respectueux(euse).
respective [rıs'pektıv] a respectif(ive); ~**ly** ad respectivement.
respiration [respı'reıʃən] n respiration f.
respirator ['respıreıtə*] n respirateur m.
respiratory [res'pırətərı] a respiratoire.
respite ['respaıt] n répit m.
resplendent [rıs'plendənt] a resplendissant(e).
respond [rıs'pɔnd] vi répondre; (to treatment) réagir.
response [rıs'pɔns] n réponse f; (to treatment) réaction f.
responsibility [rıspɔnsı'bılıtı] n responsabilité f.
responsible [rıs'pɔnsıbl] a (liable): ~ **(for)** responsable (de); (character) digne de confiance; (job) qui comporte des responsabilités; **responsibly** ad avec sérieux.
responsive [rıs'pɔnsıv] a qui n'est pas réservé(e) or indifférent(e).
rest [rest] n repos m; (stop) arrêt m, pause f; (MUS) silence m; (support) support m, appui m; (remainder) reste m, restant m // vi se reposer; (be supported): **to ~ on** appuyer or reposer sur; (remain) rester // vt (lean): **to ~ sth on/against** appuyer qch sur/contre; **the ~ of them** les autres; **it ~s with him** c'est à lui de.
restart [ri:'stɑ:t] vt (engine) remettre en marche; (work) reprendre.
restaurant ['restərəŋ] n restaurant m; ~ **car** n wagon-restaurant m.
rest cure ['restkjuə*] n cure f de repos.
restful ['restful] a reposant(e).
rest home ['resthəum] n maison f de repos.
restitution [restı'tju:ʃən] n (act) restitution f; (reparation) réparation f.
restive ['restıv] a agité(e), impatient(e); (horse) rétif(ive).

restless ['restlıs] a agité(e); ~**ly** ad avec agitation.
restock [ri:'stɔk] vt réapprovisionner.
restoration [restə'reıʃən] n restauration f; restitution f.
restore [rı'stɔ:*] vt (building) restaurer; (sth stolen) restituer; (peace, health) rétablir.
restrain [rıs'treın] vt (feeling) contenir; (person): **to ~ (from doing)** retenir (de faire); ~**ed** a (style) sobre; (manner) mesuré(e); ~**t** n (restriction) contrainte f; (moderation) retenue f; (of style) sobriété f.
restrict [rıs'trıkt] vt restreindre, limiter; ~**ed area** n (AUT) zone f à vitesse limitée; ~**ion** [-kʃən] n restriction f, limitation f; ~**ive** a restrictif(ive).
rest room ['restrum] n (US) toilettes fpl.
result [rı'zʌlt] n résultat m // vi: **to ~ in** aboutir à, se terminer par.
resume [rı'zju:m] vt, vi (work, journey) reprendre.
resumption [rı'zʌmpʃən] n reprise f.
resurgence [rı'sə:dʒəns] n réapparition f.
resurrection [rezə'rekʃən] n résurrection f.
resuscitate [rı'sʌsıteıt] vt (MED) réanimer; **resuscitation** [-'teıʃn] n réanimation f.
retail ['ri:teıl] n (vente f au) détail m // cpd de or au détail // vt vendre au détail; ~**er** n détaillant/e; ~ **price** n prix m de détail.
retain [rı'teın] vt (keep) garder, conserver; (employ) engager; ~**er** n (servant) serviteur m; (fee) acompte m, provision f.
retaliate [rı'tælıeıt] vi: **to ~ (against)** se venger (de); **to ~ (on sb)** rendre la pareille (à qn); **retaliation** [-'eıʃən] n représailles fpl, vengeance f.
retarded [rı'tɑ:dıd] a retardé(e).
retch [retʃ] vi avoir des haut-le-coeur.
retentive [rı'tentıv] a: ~ **memory** excellente mémoire.
rethink ['ri:'θıŋk] vt repenser.
reticence ['retısns] n réticence f.
reticent ['retısnt] a réticent(e).
retina ['retınə] n rétine f.
retinue ['retınju:] n suite f, cortège m.
retire [rı'taıə*] vi (give up work) prendre sa retraite; (withdraw) se retirer, partir; (go to bed) (aller) se coucher; ~**d** a (person) retraité(e); ~**ment** n retraite f; **retiring** a (person) réservé(e); **retiring age** n âge m de la retraite.
retort [rı'tɔ:t] n (reply) riposte f; (container) cornue f // vi riposter.
retrace [ri:'treıs] vt reconstituer; **to ~ one's steps** revenir sur ses pas.
retract [rı'trækt] vt (statement, claws) rétracter; (undercarriage, aerial) rentrer, escamoter // vi se rétracter; rentrer; ~**able** a escamotable.
retrain [ri:'treın] vt (worker) recycler; ~**ing** n recyclage m.
retread [ri:'tred] vt (AUT: tyre) rechaper.
retreat [rı'tri:t] n retraite f // vi battre en retraite; (flood) reculer.
retrial [ri:'traıəl] n nouveau procès.

retribution [rɛtrɪ'bjuːʃən] n châtiment m.

retrieval [rɪ'triːvəl] n récupération f; réparation f; recherche f et extraction f.

retrieve [rɪ'triːv] vt (sth lost) récupérer; (situation, honour) sauver; (error, loss) réparer; (COMPUTERS) rechercher; ~**r** n chien m d'arrêt.

retrospect ['rɛtrəspɛkt] n: **in** ~ rétrospectivement, après coup; ~**ive** [-'spɛktɪv] a (law) rétroactif(ive).

return [rɪ'tɜːn] n (going or coming back) retour m; (of sth stolen etc) restitution f; (recompense) récompense f; (FINANCE: from land, shares) rapport m; (report) relevé m, rapport m / cpd (journey) aller et retour; (ticket) aller et retour; (match) retour // vi (person etc: come back) revenir; (: go back) retourner // vt rendre; (bring back) rapporter; (send back) renvoyer; (put back) remettre; (POL: candidate) élire; ~**s** npl (COMM) recettes fpl; bénéfices mpl; **many happy** ~**s (of the day)!** bon anniversaire!; ~**able** a (bottle etc) consigné(e).

reunion [riː'juːnɪən] n réunion f.

reunite [riːjuː'naɪt] vt réunir.

rev [rɛv] n (abbr of **revolution**: AUT) tour m // vb (also: ~ **up**) vt emballer // vi s'emballer.

revamp ['riː'væmp] vt (house) retaper; (firm) réorganiser.

reveal [rɪ'viːl] vt (make known) révéler; (display) laisser voir; ~**ing** a révélateur(trice); (dress) au décolleté généreux or suggestif.

reveille [rɪ'vælɪ] n (MIL) réveil m.

revel ['rɛvl] vi: **to** ~ **in sth/in doing** se délecter de qch/à faire.

revelation [rɛvə'leɪʃən] n révélation f.

reveller ['rɛvlə*] n fêtard m.

revelry ['rɛvlrɪ] n festivités fpl.

revenge [rɪ'vɛndʒ] n vengeance f; (in game etc) revanche f // vt venger; **to take** ~ se venger; ~**ful** a vengeur(eresse); vindicatif(ive).

revenue ['rɛvənjuː] n revenu m.

reverberate [rɪ'vɜːbəreɪt] vi (sound) retentir, se répercuter; (light) se réverbérer; **reverberation** [-'reɪʃən] n répercussion f; réverbération f.

revere [rɪ'vɪə*] vt vénérer, révérer.

reverence ['rɛvərəns] n vénération f, révérence f.

reverent ['rɛvərənt] a respectueux(euse).

reverie ['rɛvərɪ] n rêverie f.

reversal [rɪ'vɜːsl] n (of opinion) revirement m.

reverse [rɪ'vɜːs] n contraire m, opposé m; (back) dos m, envers m; (AUT: also: ~ **gear**) marche f arrière // a (order, direction) opposé(e), inverse // vt (turn) renverser, retourner; (change) renverser, changer complètement; (LAW: judgment) réformer // vi (AUT) faire marche arrière; ~**d charge call** n (TEL) communication f en PCV.

reversion [rɪ'vɜːʃən] n retour m.

revert [rɪ'vɜːt] vi: **to** ~ **to** revenir à, retourner à.

review [rɪ'vjuː] n revue f; (of book, film) critique f // vt passer en revue; faire la critique de; ~**er** n critique m.

revise [rɪ'vaɪz] vt (manuscript) revoir, corriger; (opinion) réviser, modifier; (study: subject, notes) réviser; **revision** [rɪ'vɪʒən] n révision f.

revitalize [riː'vaɪtəlaɪz] vt revitaliser.

revival [rɪ'vaɪvəl] n reprise f; rétablissement m; (of faith) renouveau m.

revive [rɪ'vaɪv] vt (person) ranimer; (custom) rétablir; (hope, courage) redonner; (play, fashion) reprendre // vi (person) reprendre connaissance; (hope) renaître; (activity) reprendre.

revoke [rɪ'vəuk] vt révoquer; (promise, decision) revenir sur.

revolt [rɪ'vəult] n révolte f // vi se révolter, se rebeller; ~**ing** a dégoûtant(e).

revolution [rɛvə'luːʃən] n révolution f; (of wheel etc) tour m, révolution; ~**ary** a, n révolutionnaire (m/f); **rev(olution) counter** n compte-tours m inv; ~**ize** vt révolutionner.

revolve [rɪ'vɔlv] vi tourner.

revolver [rɪ'vɔlvə*] n revolver m.

revolving [rɪ'vɔlvɪŋ] a (chair) pivotant(e); (light) tournant(e); ~ **door** n (porte f à) tambour m.

revue [rɪ'vjuː] n (THEATRE) revue f.

revulsion [rɪ'vʌlʃən] n dégoût m, répugnance f.

reward [rɪ'wɔːd] n récompense f // vt: **to** ~ **(for)** récompenser (de); ~**ing** a (fig) qui (en) vaut la peine.

rewind [riː'waɪnd] vt irg (watch) remonter; (ribbon etc) réembobiner.

rewire [riː'waɪə*] vt (house) refaire l'installation électrique de.

reword [riː'wɜːd] vt formuler or exprimer différemment.

rewrite [riː'raɪt] vt irg récrire.

rhapsody ['ræpsədɪ] n (MUS) rhapsodie f; (fig) éloge délirant.

rhetoric ['rɛtərɪk] n rhétorique f; ~**al** [rɪ'tɔrɪkl] a rhétorique.

rheumatic [ruː'mætɪk] a rhumatismal(e).

rheumatism ['ruːmətɪzəm] n rhumatisme m.

Rhine [raɪn] n: **the** ~ le Rhin.

rhinoceros [raɪ'nɔsərəs] n rhinocéros m.

Rhodesia [rəu'diːʒə] n Rhodésie f; ~**n** a rhodésien(ne) // n Rhodésien/ne.

rhododendron [rəudə'dɛndrn] n rhododendron m.

Rhone [rəun] n: **the** ~ le Rhône.

rhubarb ['ruːbɑːb] n rhubarbe f.

rhyme [raɪm] n rime f; (verse) vers mpl.

rhythm ['rɪðm] n rythme m; ~**ic(al)** a rythmique; ~**ically** ad avec rythme.

rib [rɪb] n (ANAT) côte f // vt (mock) taquiner.

ribald ['rɪbəld] a paillard(e).

ribbed [rɪbd] a (knitting) à côtes; (shell) strié(e).

ribbon ['rɪbən] n ruban m; **in** ~**s** (torn) en lambeaux.

rice [raɪs] n riz m; ~**field** n rizière f; ~ **pudding** n riz m au lait.

rich [rɪtʃ] a riche; (gift, clothes) somptueux(euse); **the** ~ les riches mpl; ~**es** npl richesses fpl; ~**ness** n richesse f.

rickets ['rɪkɪts] n rachitisme m.

rickety ['rɪkɪtɪ] *a* branlant(e).

rickshaw ['rɪkʃɔ:] *n* pousse(-pousse) *m inv.*

ricochet ['rɪkəʃeɪ] *n* ricochet *m* // *vi* ricocher.

rid, *pt*, *pp* **rid** [rɪd] *vt*: **to ~ sb of** débarrasser qn de; **to get ~ of** se débarrasser de; **good riddance!** bon débarras!

ridden ['rɪdn] *pp of* **ride**.

riddle ['rɪdl] *n* (*puzzle*) énigme *f* // *vt*: **to be ~d with** être criblé(e) de.

ride [raɪd] *n* promenade *f*, tour *m*; (*distance covered*) trajet *m* // *vb* (*pt* **rode**, *pp* **ridden** [rəud, 'rɪdn]) *vi* (*as sport*) monter (à cheval), faire du cheval; (*go somewhere: on horse, bicycle*) aller (à cheval or bicyclette etc); (*journey: on bicycle, motor cycle, bus*) rouler // *vt* (*a certain horse*) monter; (*distance*) parcourir, faire; **we rode all day/all the way** nous sommes restés toute la journée en selle/avons fait tout le chemin en selle *or* à cheval; **to ~ a horse/bicycle/camel** monter à cheval/à bicyclette/à dos de chameau; **to ~ at anchor** (*NAUT*) être à l'ancre; **horse/car ~** promenade *or* tour à cheval/en voiture; **to take sb for a ~** (*fig*) faire marcher qn; rouler qn; **~r** *n* cavalier/ère; (*in race*) jockey *m*; (*on bicycle*) cycliste *m/f*; (*on motorcycle*) motocycliste *m/f*; (*in document*) annexe *f*, clause additionnelle.

ridge [rɪdʒ] *n* (*of hill*) faîte *m*; (*of roof, mountain*) arête *f*; (*on object*) strie *f*.

ridicule ['rɪdɪkju:l] *n* ridicule *m*; dérision *f* // *vt* ridiculiser, tourner en dérision.

ridiculous [rɪ'dɪkjuləs] *a* ridicule.

riding ['raɪdɪŋ] *n* équitation *f*; **~ school** *n* manège *m*, école *f* d'équitation.

rife [raɪf] *a* répandu(e); **~ with** abondant(e) en.

riffraff ['rɪfræf] *n* racaille *f*.

rifle ['raɪfl] *n* fusil *m* (à canon rayé) // *vt* vider, dévaliser; **~ range** *n* champ *m* de tir; (*indoor*) stand *m* de tir.

rift [rɪft] *n* fente *f*, fissure *f*; (*fig: disagreement*) désaccord *m*.

rig [rɪg] *n* (*also:* **oil ~**: *on land*) derrick *m*; (*: at sea*) plate-forme pétrolière // *vt* (*election etc*) truquer; **to ~ out** *vt* habiller; (*pej*) fringuer, attifer; **to ~ up** *vt* arranger, faire avec des moyens de fortune; **~ging** *n* (*NAUT*) gréement *m*.

right [raɪt] *a* (*true*) juste, exact(e); (*correctly chosen: answer, road etc*) bon(bonne); (*suitable*) approprié(e), convenable; (*just*) juste, équitable; (*morally good*) bien *inv*; (*not left*) droit(e) // *n* (*title, claim*) droit *m*; (*not left*) droite *f* // *ad* (*answer*) correctement; (*not on the left*) à droite // *vt* redresser // *excl* bon!; **to be ~** (*person*) avoir raison; (*answer*) être juste *or* correct(e); **~ now** le moment même; tout de suite; **~ against the wall** tout contre le mur; **~ ahead** tout droit; droit devant; **~ in the middle** en plein milieu; **~ away** immédiatement; **by ~s** en toute justice; **on the ~** à droite; **~ angle** *n* angle droit; **~eous** ['raɪtʃəs] *a* droit(e), vertueux(euse); (*anger*) justifié(e); **~eousness** ['raɪtʃəsnɪs] *n* droiture *f*, vertu *f*; **~ful** *a* (*heir*) légitime;

~fully *ad* à juste titre, légitimement; **~-handed** *a* (*person*) droitier(ère); **~-hand man** *n* bras droit (*fig*); **the ~-hand side** le côté droit; **~ly** *ad* bien, correctement; (*with reason*) à juste titre; **~-minded** *a* sensé(e), sain(e) d'esprit; **~ of way** *n* droit *m* de passage; (*AUT*) priorité *f*; **~ wing** *n* (*MIL, SPORT*) aile droite; (*POL*) droite *f*; **~-wing** *a* (*POL*) de droite.

rigid ['rɪdʒɪd] *a* rigide; (*principle*) strict(e); **~ity** [rɪ'dʒɪdɪtɪ] *n* rigidité *f*; **~ly** *ad* rigidement; (*behave*) inflexiblement.

rigmarole ['rɪgmərəul] *n* galimatias *m*; comédie *f*.

rigor mortis ['rɪgə'mɔ:tɪs] *n* rigidité *f* cadavérique.

rigorous ['rɪgərəs] *a* rigoureux (euse); **~ly** *ad* rigoureusement.

rigour, rigor (*US*) ['rɪgə*] *n* rigueur *f*.

rig-out ['rɪgaut] *n* (*col*) tenue *f*.

rile [raɪl] *vt* agacer.

rim [rɪm] *n* bord *m*; (*of spectacles*) monture *f*; (*of wheel*) jante *f*; **~less** *a* (*spectacles*) à monture invisible; **~med** *a* bordé(e); jant(e).

rind [raɪnd] *n* (*of bacon*) couenne *f*; (*of lemon etc*) écorce *f*.

ring [rɪŋ] *n* anneau *m*; (*on finger*) bague *f*; (*also:* **wedding ~**) alliance *f*; (*for napkin*) rond *m*; (*of people, objects*) cercle *m*; (*of spies*) réseau *m*; (*of smoke etc*) rond; (*arena*) piste *f*, arène *f*; (*for boxing*) ring *m*; (*sound of bell*) sonnerie *f*; (*telephone call*) coup *m* de téléphone // *vb* (*pt* **rang**, *pp* **rung** [ræŋ, rʌŋ]) *vi* (*person, bell*) sonner; (*also:* **~ out**: *voice, words*) retentir; (*TEL*) téléphoner // *vt* (*TEL: also:* **~ up**) téléphoner à; **to ~ the bell** sonner; **to ~ back** *vt, vi* (*TEL*) rappeler; **to ~ off** *vi* (*TEL*) raccrocher; **~ binder** *n* classeur *m* à anneaux; **~leader** *n* (*of gang*) chef *m*, meneur *m*.

ringlets ['rɪŋlɪts] *npl* anglaises *fpl*.

ring road ['rɪŋrəud] *n* route *f* de ceinture.

rink [rɪŋk] *n* (*also:* **ice ~**) patinoire *f*.

rinse [rɪns] *n* rinçage *m* // *vt* rincer.

riot ['raɪət] *n* émeute *f*, bagarres *fpl* // *vi* faire une émeute, manifester avec violence; **a ~ of colours** une débauche *or* orgie de couleurs; **to run ~** se déchaîner; **~er** *n* émeutier/ère, manifestant/e; **~ous** *a* tapageur(euse); tordant(e); **~ously funny** tordant(e).

rip [rɪp] *n* déchirure *f* // *vt* déchirer // *vi* se déchirer; **~cord** *n* poignée *f* d'ouverture.

ripe [raɪp] *a* (*fruit*) mûr(e); (*cheese*) fait(e); **~n** *vt* mûrir // *vi* mûrir; se faire; **~ness** *n* maturité *f*.

riposte [rɪ'pɔst] *n* riposte *f*.

ripple ['rɪpl] *n* ride *f*, ondulation *f*; égrènement *m*, cascade *f* // *vi* se rider, onduler // *vt* rider, faire onduler.

rise [raɪz] *n* (*slope*) côte *f*, pente *f*; (*hill*) élévation *f*; (*increase: in wages*) augmentation *f*; (*: in prices, temperature*) hausse *f*, augmentation *f*; (*fig: to power etc*) essor *m*, ascension *f* // *vi* (*pt* **rose**, *pp* **risen** [rəuz, 'rɪzn]) s'élever, monter; (*prices*) augmenter, monter; (*waters, river*) monter; (*sun, wind, person: from chair, bed*) se lever; (*also:* **~ up**: *rebel*) se révolter;

se rebeller ; **to give ~ to** donner lieu à ; **to ~ to the occasion** se montrer à la hauteur.

risk [rɪsk] n risque m ; danger m ∥ vt risquer ; **to take** or **run the ~ of doing** courir le risque de faire ; **at ~** en danger ; **at one's own ~** à ses risques et périls ; **~y** a risqué(e).

risqué [ˈriːskeɪ] a (joke) risqué(e).

rissole [ˈrɪsəul] n croquette f.

rite [raɪt] n rite m.

ritual [ˈrɪtjuəl] a rituel(le) ∥ n rituel m.

rival [ˈraɪvl] n rival/e ; (in business) concurrent/e ∥ a rival(e) ; qui fait concurrence ∥ vt être en concurrence avec ; **to ~ sb/sth in** rivaliser avec qn/qch de ; **~ry** n rivalité f ; concurrence f.

river [ˈrɪvə*] n rivière f ; (major, also fig) fleuve m ; **~bank** n rive f, berge f ; **~bed** n lit m (de rivière or de fleuve) ; **~side** n bord m de la rivière or du fleuve ∥ cpd (port, traffic) fluvial(e).

rivet [ˈrɪvɪt] n rivet m ∥ vt riveter ; (fig) river, fixer.

Riviera [rɪvɪˈɛərə] n: **the (French) ~** la Côte d'Azur.

RN abbr of Royal Navy.

road [rəud] n route f ; (small) chemin m ; (in town) rue f ; (fig) chemin, voie f ; '**~ up**' 'attention travaux' ; **~block** n barrage routier ; **~hog** n chauffard m ; **~ map** n carte routière ; **~side** n bord m de la route, bas-côté m ∥ cpd (situé(e) etc) au bord de la route ; **~sign** n panneau m de signalisation ; **~ user** n usager m de la route ; **~way** n chaussée f ; **~worthy** a en bon état de marche.

roam [rəum] vi errer, vagabonder ∥ vt parcourir, errer par.

roar [rɔː*] n rugissement m ; (of crowd) hurlements mpl ; (of vehicle, thunder, storm) grondement m ∥ vi rugir ; hurler ; gronder ; **to ~ with laughter** éclater de rire ; **a ~ing fire** une belle flambée ; **to do a ~ing trade** faire des affaires d'or.

roast [rəust] n rôti m ∥ vt (meat) (faire) rôtir.

rob [rɔb] vt (person) voler ; (bank) dévaliser ; **to ~ sb of sth** voler or dérober qch à qn ; (fig: deprive) priver qn de qch ; **~ber** n bandit m, voleur m ; **~bery** n vol m.

robe [rəub] n (for ceremony etc) robe f ; (also: **bath ~**) peignoir m ∥ vt revêtir (d'une robe).

robin [ˈrɔbɪn] n rouge-gorge m.

robot [ˈrəubɔt] n robot m.

robust [rəuˈbʌst] a robuste ; (material, appetite) solide.

rock [rɔk] n (substance) roche f, roc m ; (boulder) rocher m ; roche ; (sweet) ≈ sucre m d'orge ∥ vt (swing gently: cradle) balancer ; (: child) bercer ; (shake) ébranler, secouer ∥ vi (se) balancer ; être ébranlé(e) or secoué(e) ; **on the ~s** (drink) avec des glaçons ; (ship) sur les écueils ; (marriage etc) en train de craquer ; **to ~ the boat** (fig) jouer les trouble-fête ; **~-bottom** n (fig) niveau le plus bas ; **~ery** n (jardin m de) rocaille f.

rocket [ˈrɔkɪt] n fusée f ; (MIL) fusée, roquette f.

rock face [ˈrɔkfeɪs] n paroi rocheuse.

rock fall [ˈrɔkfɔːl] n chute f de pierres.

rocking chair [ˈrɔkɪntʃeə*] n fauteuil m à bascule.

rocking horse [ˈrɔkɪŋhɔːs] n cheval m à bascule.

rocky [ˈrɔkɪ] a (hill) rocheux(euse) ; (path) rocailleux(euse) ; (unsteady: table) branlant(e).

rod [rɔd] n (metallic) tringle f ; (TECH) tige f ; (wooden) baguette f ; (also: **fishing ~**) canne f à pêche.

rode [rəud] pt of ride.

rodent [ˈrəudnt] n rongeur m.

rodeo [ˈrəudɪəu] n rodéo m.

roe [rəu] n (species: also: **~ deer**) chevreuil m ; (of fish) œufs mpl de poisson ; **soft ~** laitance f ; **~ deer** n chevreuil m ; chevreuil femelle.

rogue [rəug] n coquin/e ; **roguish** a coquin(e).

role [rəul] n rôle m.

roll [rəul] n rouleau m ; (of banknotes) liasse f ; (also: **bread ~**) petit pain ; (register) liste f ; (sound: of drums etc) roulement m ; (movement: of ship) roulis m ∥ vt rouler ; (also: **~ up:** string) enrouler ; (also: **~ out:** pastry) étendre au rouleau ∥ vi rouler ; (wheel) tourner ; (sway: person) se balancer ; **to ~ by** vi (time) s'écouler, passer ; **to ~ in** vi (mail, cash) affluer ; **to ~ over** vi se retourner ; **to ~ up** vi (col: arrive) arriver, s'amener ∥ vt (carpet) rouler ; **~ call** n appel m ; **~ed gold** a plaqué or inv ; **~er** n rouleau m ; (wheel) roulette f ; **~er skates** npl patins mpl à roulettes.

rollicking [ˈrɔlɪkɪŋ] a bruyant(e) et joyeux(euse) ; (play) bouffon(ne) ; **to have a ~ time** s'amuser follement.

rolling [ˈrəulɪŋ] a (landscape) onduleux(euse) ; **~ pin** n rouleau m à pâtisserie ; **~ stock** n (RAIL) matériel roulant.

roll-on-roll-off [ˈrəulɔnˈrəulɔf] a (ferry) transroulier(ère).

roly-poly [ˈrəulɪˈpəulɪ] n (CULIN) roulé m à la confiture.

Roman [ˈrəumən] a romain(e) ∥ n Romain/e ; **~ Catholic** a, n catholique (m/f).

romance [rəˈmæns] n histoire f (or film m or aventure f) romanesque ; (charm) poésie f ; (love affair) idylle f ∥ vi enjoliver (à plaisir), exagérer.

Romanesque [rəuməˈnɛsk] a roman(e).

Romania [rəuˈmeɪnɪə] n Roumanie f ; **~n** a roumain(e) ∥ n Roumain/e.

romantic [rəˈmæntɪk] a romantique ; sentimental(e).

romanticism [rəˈmæntɪsɪzəm] n romantisme m.

romp [rɔmp] n jeux bruyants ∥ vi (also: **~ about**) s'ébattre, jouer bruyamment.

rompers [ˈrɔmpəz] npl barboteuse f.

rondo [ˈrɔndəu] n (MUS) rondeau m.

roof [ruːf] n toit m ; (of tunnel, cave) plafond m ∥ vt couvrir (d'un toit) ; **the ~ of the mouth** la voûte du palais ; **~ garden** n toit-terrasse m ; **~ing** n toiture f ; **~ rack** n (AUT) galerie f.

rook [ruk] n (*bird*) freux m; (CHESS) tour f // vt (*cheat*) rouler, escroquer.

room [ru:m] n (*in house*) pièce f; (*also: bed~*) chambre f (à coucher); (*in school etc*) salle f; (*space*) place f; ~s npl (*lodging*) meublé m; '~s to let' 'chambres à louer'; ~**ing house** n (US) maison f de rapport; ~**mate** n camarade m/f de chambre; ~ **service** n service m des chambres (*dans un hôtel*); ~**y** a spacieux(euse); (*garment*) ample.

roost [ru:st] n juchoir m // vi se jucher.

rooster ['ru:stə*] n coq m.

root [ru:t] n (BOT, MATH) racine f; (*fig: of problem*) origine f, fond m // vt (*plant, belief*) enraciner; **to ~ about** vi (*fig*) fouiller; **to ~ for** vt fus applaudir; **to ~ out** vt extirper.

rope [rəup] n corde f; (NAUT) cordage m // vt (*box*) corder; (*climbers*) encorder; **to ~ sb in** (*fig*) embringuer qn; **to know the ~s** (*fig*) être au courant, connaître les ficelles; ~ **ladder** n échelle f de corde.

rosary ['rəuzərı] n chapelet m; rosaire m.

rose [rəuz] pt of **rise** // n rose f; (*also: ~bush*) rosier m; (*on watering can*) pomme f // a rose.

rosé ['rəuzeı] n rosé m.

rose: ~**bed** n massif m de rosiers; ~**bud** n bouton m de rose; ~**bush** n rosier m.

rosemary ['rəuzmərı] n romarin m.

rosette [rəu'zɛt] n rosette f; (*larger*) cocarde f.

roster ['rɔstə*] n: **duty ~** tableau m de service.

rostrum ['rɔstrəm] n tribune f (*pour un orateur etc*).

rosy ['rəuzı] a rose; **a ~ future** un bel avenir.

rot [rɔt] n (*decay*) pourriture f; (*fig: pej*) idioties fpl, balivernes fpl // vt, vi pourrir.

rota ['rəutə] n liste f, tableau m de service; **on a ~ basis** par roulement.

rotary ['rəutərı] a rotatif(ive).

rotate [rəu'teıt] vt (*revolve*) faire tourner; (*change round: crops*) alterner; (:*jobs*) faire à tour de rôle // vi (*revolve*) tourner; **rotating** a (*movement*) tournant(e); **rotation** [-'teıʃən] n rotation f; **in rotation** à tour de rôle.

rotor ['rəutə*] n rotor m.

rotten ['rɔtn] a (*decayed*) pourri(e); (*dishonest*) corrompu(e); (*col: bad*) mauvais(e), moche; **to feel ~** (*ill*) être mal fichu(e).

rotting ['rɔtıŋ] a pourrissant(e).

rotund [rəu'tʌnd] a rondelet(te); arrondi(e).

rouble, ruble (US) ['ru:bl] n rouble m.

rouge [ru:ʒ] n rouge m (à joues).

rough [rʌf] a (*cloth, skin*) rêche, rugueux(euse); (*terrain*) accidenté(e); (*path*) rocailleux(euse); (*voice*) rauque, rude; (*person, manner: coarse*) rude, fruste; (: *violent*) brutal(e); (*district, weather*) mauvais(e); (*plan*) ébauché(e); (*guess*) approximatif(ive) // n (GOLF) rough m; (*person*) voyou m; **to ~ it** vivre à la dure; **to play ~** jouer avec brutalité; **to sleep ~** coucher à la dure; **to feel ~** être mal fichu(e), **to ~ out** vt (*draft*) ébaucher; ~**en** vt (*a surface*) rendre rude or rugueux(euse); ~**ly** ad (*handle*) rudement, brutalement; (*make*) grossièrement; (*approximately*) à peu près, en gros; ~**ness** n rugosité f; rudesse f; brutalité f; ~ **work** n (*at school etc*) brouillon m.

roulette [ru:'lɛt] n roulette f.

Roumania [ru:'meınıə] n = **Romania**.

round [raund] a rond(e) // n rond m, cercle m; (*of toast*) tranche f; (*duty: of policeman, milkman etc*) tournée f; (: *of doctor*) visites fpl; (*game: of cards, in competition*) partie f; (BOXING) round m; (*of talks*) série f // vt (*corner*) tourner; (*bend*) prendre; (*cape*) doubler // prep autour de // ad: **right ~, all ~** tout autour; **the long way ~** (par) le chemin le plus long; **all the year ~** toute l'année; **it's just ~ the corner** c'est juste après le coin; (*fig*) c'est tout près; **to go ~** faire le tour or un détour; **to go ~ an obstacle** contourner un obstacle; **go ~ the back** passe par derrière; **to go ~ a house** visiter une maison, faire le tour d'une maison; **to go the ~s** (*disease, story*) circuler; **to ~ off** vt (*speech etc*) terminer; **to ~ up** vt rassembler; (*criminals*) effectuer une rafle de; (*prices*) arrondir (au chiffre supérieur); ~**about** n (AUT) rond-point m (à sens giratoire); (*at fair*) manège m (de chevaux de bois) // a (*route, means*) détourné(e); ~ **of ammunition** n cartouche f; ~ **of applause** n ban m, applaudissements mpl; ~ **of drinks** n tournée f; ~ **of sandwiches** n sandwich m; ~**ed** a arrondi(e); (*style*) harmonieux(euse); ~**ly** ad (*fig*) tout net, carrément; ~-**shouldered** a au dos rond; ~**sman** n livreur m; ~ **trip** n (*voyage m*) aller et retour m; ~**up** n rassemblement m; (*of criminals*) rafle f.

rouse [rauz] vt (*wake up*) réveiller; (*stir up*) susciter; provoquer; éveiller; **rousing** a (*welcome*) enthousiaste.

rout [raut] n (MIL) déroute f // vt mettre en déroute.

route [ru:t] n itinéraire m; (*of bus*) parcours m; (*of trade, shipping*) route f; 'all ~s' (AUT) 'toutes directions'; ~ **map** n (*for journey*) croquis m d'itinéraire; (*for trains etc*) carte f du réseau.

routine [ru:'ti:n] a (*work*) ordinaire, courant(e); (*procedure*) d'usage // n (*pej*) routine f; (THEATRE) numéro m; **daily ~** occupations journalières.

roving ['rəuvıŋ] a (*life*) vagabond(e); ~ **reporter** n reporter volant.

row [rəu] n (*line*) rangée f; (*of people, seats, KNITTING*) rang m; (*behind one another: of cars, people*) file f // vi (*in boat*) ramer; (*as sport*) faire de l'aviron // vt (*boat*) faire aller à la rame or à l'aviron; **in a ~** (*fig*) d'affilée.

row [rau] n (*noise*) vacarme m; (*dispute*) dispute f, querelle f; (*scolding*) réprimande f, savon m // vi se disputer, se quereller.

rowdiness ['raudınıs] n tapage m, chahut m; (*fighting*) bagarre f.

rowdy ['raudı] a chahuteur(euse); bagarreur(euse) // n voyou m.

rowing ['rəuɪŋ] n canotage m ; (as sport) aviron m ; ~ **boat** n canot m (à rames).

rowlock ['rɔlək] n dame f de nage, tolet m.

royal ['rɔɪəl] a royal(e) ; ~**ist** a, n royaliste (m/f).

royalty ['rɔɪəltɪ] n (royal persons) (membres mpl de la) famille royale ; (payment: to author) droits mpl d'auteur ; (: to inventor) royalties fpl.

r.p.m. abbr (AUT: = revs per minute) tr/mn (tours/minute).

R.S.P.C.A. n (abbr of Royal Society for the Prevention of Cruelty to Animals), ≈ S.P.A..

R.S.V.P. abbr (= répondez s'il vous plaît) R.S.V.P.

Rt Hon. abbr (= Right Honourable) titre donné aux députés de la Chambre des communes.

rub [rʌb] n (with cloth) coup m de chiffon or de torchon ; (on person) friction f // vt frotter ; frictionner ; **to ~ sb up the wrong way** prendre qn à rebrousse-poil ; **to ~ off** vi partir ; **to ~ off on** déteindre sur.

rubber ['rʌbə*] n caoutchouc m ; (Brit: eraser) gomme f (à effacer) ; ~ **band** n élastique m ; ~ **plant** n caoutchouc m (plante verte) ; ~ **stamp** n tampon m ; ~-**stamp** vt (fig) approuver sans discussion ; ~**y** a caoutchouteux(euse).

rubbish ['rʌbɪʃ] n (from household) ordures fpl ; (fig:pej) choses fpl sans valeur ; camelote f ; bêtises fpl, idioties fpl ; ~ **bin** n boîte f à ordures, poubelle f ; ~ **dump** n (in town) décharge publique, dépotoir m.

rubble ['rʌbl] n décombres mpl ; (smaller) gravats mpl.

ruble ['ru:bl] n (US) = **rouble**.

ruby ['ru:bɪ] n rubis m.

rucksack ['rʌksæk] n sac m à dos.

ructions ['rʌkʃənz] npl grabuge m.

rudder ['rʌdə*] n gouvernail m.

ruddy ['rʌdɪ] a (face) coloré(e) ; (sky) rougeoyant(e) ; (col: damned) sacré(e), fichu(e).

rude [ru:d] a (impolite: person) impoli(e) ; (: word, manners) grossier(ère) ; (shocking) indécent(e), inconvenant(e) ; ~**ly** ad impoliment ; grossièrement ; ~**ness** n impolitesse f ; grossièreté f.

rudiment ['ru:dɪmənt] n rudiment m ; ~**ary** [-'mentərɪ] a rudimentaire.

rueful ['ru:ful] a triste.

ruff [rʌf] n fraise f, collerette f.

ruffian ['rʌfɪən] n brute f, voyou m.

ruffle ['rʌfl] vt (hair) ébouriffer ; (clothes) chiffonner ; (water) agiter ; (fig: person) émouvoir, faire perdre son flegme à.

rug [rʌg] n petit tapis ; (for knees) couverture f.

rugby ['rʌgbɪ] n (also: ~ **football**) rugby m.

rugged ['rʌgɪd] a (landscape) accidenté(e) ; (tree bark) rugueux(euse) ; (features, kindness, character) rude ; (determination) farouche.

rugger ['rʌgə*] n (col) rugby m.

ruin ['ru:ɪn] n ruine f // vt ruiner ; (spoil: clothes) abîmer ; ~**s** npl ruine(s) ; ~**ation** [-'neɪʃən] n ruine f ; ~**ous** a ruineux(euse).

rule [ru:l] n règle f ; (regulation) règlement m ; (government) autorité f, gouvernement m // vt (country) gouverner ; (person) dominer ; (decide) décider ; (draw: lines) tirer à la règle // vi commander ; décider ; (LAW) statuer ; **as a ~** normalement, en règle générale ; ~**d** a (paper) réglé(e) ; ~**r** n (sovereign) souverain/e ; (leader) chef m (d'État) ; (for measuring) règle f ; **ruling** a (party) au pouvoir ; (class) dirigeant(e) // n (LAW) décision f.

rum [rʌm] n rhum m // a (col) bizarre.

Rumania [ru:'meɪnɪə] n = **Romania**.

rumble ['rʌmbl] n grondement m ; gargouillement m // vi gronder ; (stomach, pipe) gargouiller.

rummage ['rʌmɪdʒ] vi fouiller.

rumour, rumor (US) ['ru:mə*] n rumeur f, bruit m (qui court) // vt: **it is ~ed that** le bruit court que.

rump [rʌmp] n (of animal) croupe f ; ~**steak** n rumsteck m.

rumpus ['rʌmpəs] n (col) tapage m, chahut m ; (quarrel) prise f de bec.

run [rʌn] n (pas m de) course f ; (outing) tour m or promenade f (en voiture) ; parcours m, trajet m ; (series) suite f, série f ; (THEATRE) série de représentations ; (SKI) piste f // vb (pt ran, pp run [ræn, rʌn]) vt (operate: business) diriger ; (: competition, course) organiser ; (: hotel, house) tenir ; (force through: rope, pipe) : **to ~ sth through** faire passer qch à travers ; (: pass: hand, finger): **to ~ sth over** promener or passer qch sur ; (water, bath) faire couler // vi courir ; (pass: road etc) passer ; (work: machine, factory) marcher ; (bus, train: operate) être en service ; (: travel) circuler ; (continue: play) se jouer ; (: contract) être valide ; (slide: drawer etc) glisser ; (flow: river, bath) couler ; (colours, washing) déteindre ; (in election) être candidat, se présenter ; **there was a ~ on** (meat, tickets) les gens se sont rués sur ; **to break into a ~** se mettre à courir ; **in the long ~** à longue échéance ; à la longue ; en fin de compte ; **in the short ~** à brève échéance, à court terme ; **on the ~** en fuite ; **I'll ~ you to the station** je vais vous emmener or conduire à la gare ; **to ~ a risk** courir un risque ; **to ~ about** vi (children) courir çà et là ; **to ~ across** vt fus (find) trouver par hasard ; **to ~ away** vi s'enfuir ; **to ~ down** vi (clock) s'arrêter (faute d'avoir été remonté) // vt (AUT) renverser ; (criticize) critiquer, dénigrer ; **to be ~ down** être fatigué(e) or à plat ; **to ~ off** vi s'enfuir ; **to ~ out** vi (person) sortir en courant ; (liquid) couler ; (lease) expirer ; (money) être épuisé(e) ; **to ~ out of** vt fus se trouver à court de ; **to ~ over** vt sep (AUT) écraser // vt fus (revise) revoir, reprendre ; **to ~ through** vt fus (instructions) reprendre, revoir ; **to ~ up** vt (debt) laisser accumuler ; **to ~ up against** (difficulties) se heurter à ; ~**away** a (horse) emballé(e) ; (truck) fou(folle) ; (inflation) galopant(e).

rung [rʌŋ] pp of **ring** // n (of ladder) barreau m.

runner ['rʌnə*] n (in race: person) coureur/euse ; (: horse) partant m ; (on sledge) patin m ; (on curtain) suspendeur _m_; (_for drawer etc_) coulisseau _m_; (_carpet: in hall etc_) chemin _m_; ~ **-up** _n_ second/e.

running ['rʌnɪŋ] _n_ course _f_; direction _f_; organisation _f_; marche _f_, fonctionnement _m_ // _a_ (_water_) courant(e); (_commentary_) suivi(e); **6 days** ~ 6 jours de suite.

runny ['rʌnɪ] _a_ qui coule.

run-of-the-mill ['rʌnəvðə'mɪl] _a_ ordinaire, banal(e).

runt [rʌnt] _n_ (_also: pej_) avorton _m_.

run-through ['rʌnθru:] _n_ répétition _f_, essai _m_.

runway ['rʌnweɪ] _n_ (AVIAT) piste _f_ (d'envol _ou_ d'atterrissage).

rupee [ru:'pi:] _n_ roupie _f_.

rupture ['rʌptʃə*] _n_ (MED) hernie _f_ // _vt_: **to ~ o.s.** se donner une hernie.

rural ['ruərl] _a_ rural(e).

ruse [ru:z] _n_ ruse _f_.

rush [rʌʃ] _n_ course précipitée; (_of crowd_) ruée _f_, bousculade _f_; (_hurry_) hâte _f_, bousculade; (_current_) flot _m_ // _vt_ transporter _or_ envoyer d'urgence; (_attack: town etc_) prendre d'assaut; (_col: overcharge_) estamper; faire payer // _vi_ se précipiter; **don't ~ me!** laissez-moi le temps de souffler!; ~ **es** _npl_ (BOT) jonc _m_; ~ **hour** _n_ heures _fpl_ de pointe _ou_ d'affluence.

rusk [rʌsk] _n_ biscotte _f_.

Russia ['rʌʃə] _n_ Russie _f_; ~ **n** _a_ russe // _n_ Russe _m/f_; (LING) russe _m_.

rust [rʌst] _n_ rouille _f_ // _vi_ rouiller.

rustic ['rʌstɪk] _a_ rustique // _n_ (_pej_) rustaud/e.

rustle ['rʌsl] _vi_ bruire, produire un bruissement // _vt_ (_paper_) froisser; (_US: cattle_) voler.

rustproof ['rʌstpru:f] _a_ inoxydable; ~ **ing** _n_ traitement _m_ antirouille.

rusty ['rʌstɪ] _a_ rouillé(e).

rut [rʌt] _n_ ornière _f_; (ZOOL) rut _m_.

ruthless ['ru:θlɪs] _a_ sans pitié, impitoyable; ~ **ness** _n_ dureté _f_, cruauté _f_.

rye [raɪ] _n_ seigle _m_; ~ **bread** _n_ pain _m_ de seigle.

S

sabbath ['sæbəθ] _n_ sabbat _m_.

sabbatical [sə'bætɪkl] _a_: ~ **year** _n_ année _f_ sabbatique.

sabotage ['sæbətɑ:ʒ] _n_ sabotage _m_ // _vt_ saboter.

saccharin(e) ['sækərɪn] _n_ saccharine _f_.

sack [sæk] _n_ (_bag_) sac _m_ // _vt_ (_dismiss_) renvoyer, mettre à la porte; (_plunder_) piller, mettre à sac; **to get the** ~ être renvoyé _or_ mis à la porte; **a ~ful of** un (plein) sac de; ~ **ing** _n_ toile _f_ à sac; renvoi _m_.

sacrament ['sækrəmənt] _n_ sacrement _m_.

sacred ['seɪkrɪd] _a_ sacré(e).

sacrifice ['sækrɪfaɪs] _n_ sacrifice _m_ // _vt_ sacrifier.

sacrilege ['sækrɪlɪdʒ] _n_ sacrilège _m_.

sacrosanct ['sækrəʊsæŋkt] _a_ sacro-saint(e).

sad [sæd] _a_ (_unhappy_) triste; (_deplorable_) triste, fâcheux(euse); ~ **den** _vt_ attrister, affliger.

saddle ['sædl] _n_ selle _f_ // _vt_ (_horse_) seller; **to be ~d with sth** (_col_) avoir qch sur les bras; ~ **bag** _n_ sacoche _f_.

sadism ['seɪdɪzm] _n_ sadisme _m_; **sadist** _n_ sadique _m/f_; **sadistic** [sə'dɪstɪk] _a_ sadique.

sadly ['sædlɪ] _ad_ tristement; fâcheusement.

sadness ['sædnɪs] _n_ tristesse _f_.

safari [sə'fɑ:rɪ] _n_ safari _m_.

safe [seɪf] _a_ (_out of danger_) hors de danger, en sécurité; (_not dangerous_) sans danger; (_cautious_) prudent(e); (_sure: bet etc_) assuré(e) // _n_ coffre-fort _m_; ~ **from** à l'abri de; ~ **and sound** sain(e) et sauf(sauve); **(just) to be on the ~ side** pour plus de sûreté, par précaution; ~ **guard** _n_ sauvegarde _f_, protection _f_ // _vt_ sauvegarder, protéger; ~ **keeping** _n_ bonne garde; ~ **ly** _ad_ sans danger, sans risque; (_without mishap_) sans accident.

safety ['seɪftɪ] _n_ sécurité _f_; ~ **belt** _n_ ceinture _f_ de sécurité; ~ **curtain** _n_ rideau _m_ de fer; ~ **first!** la sécurité d'abord!; ~ **pin** _n_ épingle _f_ de sûreté _or_ de nourrice.

saffron ['sæfrən] _n_ safran _m_.

sag [sæg] _vi_ s'affaisser, fléchir; pendre.

sage [seɪdʒ] _n_ (_herb_) sauge _f_; (_man_) sage _m_.

Sagittarius [sædʒɪ'tɛərɪəs] _n_ le Sagittaire; **to be** ~ être du Sagittaire.

sago ['seɪgəʊ] _n_ sagou _m_.

said [sed] _pt, pp_ of **say**.

sail [seɪl] _n_ (_on boat_) voile _f_; (_trip_): **to go for a** ~ faire un tour en bateau // _vt_ (_boat_) manœuvrer, piloter // _vi_ (_travel: ship_) avancer, naviguer; (: _passenger_) aller _or_ se rendre (en bateau); (_set off_) partir, prendre la mer; (SPORT) faire de la voile; **they ~ed into Le Havre** ils sont entrés dans le port du Havre; **to ~ through** _vi_, _vt fus_ (_fig_) réussir haut la main; ~ **boat** _n_ (US) bateau _m_ à voiles, voilier _m_; ~ **ing** _n_ (SPORT) voile _f_; **to go ~ing** faire de la voile; ~ **ing boat** _n_ bateau _m_ à voiles, voilier _m_; ~ **ing ship** _n_ grand voilier; ~ **or** _n_ marin _m_, matelot _m_.

saint [seɪnt] _n_ saint/e; ~ **ly** _a_ saint(e), plein(e) de bonté.

sake [seɪk] _n_: **for the** ~ **of** pour (l'amour de), dans l'intérêt de; par égard pour; **for pity's** ~ par pitié.

salad ['sæləd] _n_ salade _f_; ~ **bowl** _n_ saladier _m_; ~ **cream** _n_ (sorte _f_ de) mayonnaise _f_; ~ **dressing** _n_ vinaigrette _f_; ~ **oil** _n_ huile _f_ de table.

salaried ['sælərɪd] _a_ (_staff_) salarié(e), qui touche un traitement.

salary ['sælərɪ] _n_ salaire _m_, traitement _m_.

sale [seɪl] _n_ vente _f_; (_at reduced prices_) soldes _mpl_; **'for ~'** 'à vendre'; **on** ~ en vente; **on ~ or return** vendu(e) avec faculté de retour; ~ **room** _n_ salle _f_ des ventes; ~ **sman** _n_ vendeur _m_; (_representative_) représentant _m_ de commerce; ~ **smanship** _n_ art _m_ de la vente; ~ **swoman** _n_ vendeuse _f_.

salient ['seɪlɪənt] _a_ saillant(e).

saliva [sə'laɪvə] _n_ salive _f_.

sallow ['sæləʊ] _a_ cireux(euse).

salmon ['sæmən] _n_, _pl inv_ saumon _m_; ~ **trout** _n_ truite saumonée.

saloon [sə'lu:n] n (US) bar m; (AUT) berline f; (ship's lounge) salon m.

salt [sɔlt] n sel m // vt saler // cpd de sel; (CULIN) salé(e); ~ **cellar** n salière f; ~**-free** a sans sel; ~**y** a salé.

salutary ['sæljutəri] a salutaire.

salute [sə'lu:t] n salut m // vt saluer.

salvage ['sælvɪdʒ] n (saving) sauvetage m; (things saved) biens sauvés or récupérés // vt sauver, récupérer.

salvation [sæl'veɪʃən] n salut m; S~ **Army** n Armée f du Salut.

salver ['sælvə*] n plateau m de métal.

salvo ['sælvəu] n salve f.

same [seɪm] a même // pronoun: the ~ le(la) même, les mêmes; the ~ **book as** le même livre que; **all** or **just the ~** tout de même, quand même; **to do the ~** faire de même, en faire autant; **to do the ~ as sb** faire comme qn; **the ~ again!** (in bar etc) la même chose!

sample ['sɑ:mpl] n échantillon m; (MED) prélèvement m // vt (food, wine) goûter.

sanatorium, pl **sanatoria** [sænə'tɔ:rɪəm, -rɪə] n sanatorium m.

sanctify ['sæŋktɪfaɪ] vt sanctifier.

sanctimonious [sæŋktɪ'məunɪəs] a moralisateur(trice).

sanction ['sæŋkʃən] n sanction f // vt cautionner, sanctionner.

sanctity ['sæŋktɪtɪ] n sainteté f, caractère sacré.

sanctuary ['sæŋktjuərɪ] n (holy place) sanctuaire m; (refuge) asile m; (for wild life) réserve f.

sand [sænd] n sable m // vt sabler; ~**s** npl plage f (de sable).

sandal ['sændl] n sandale f.

sandbag ['sændbæg] n sac m de sable.

sandcastle ['sændkɑ:sl] n château m de sable.

sand dune ['sænddju:n] n dune f de sable.

sandpaper ['sændpeɪpə*] n papier m de verre.

sandpit ['sændpɪt] n (for children) tas m de sable.

sandstone ['sændstəun] n grès m.

sandwich ['sændwɪtʃ] n sandwich m // vt (also: ~ **in**) intercaler; ~**ed between** pris en sandwich entre; **cheese/ham** ~ sandwich au fromage/jambon; ~ **course** n cours m de formation professionnelle.

sandy ['sændɪ] a sablonneux(euse); (colour) sable inv, blond roux inv.

sane [seɪn] a (person) sain(e) d'esprit; (outlook) sensé(e), sain(e).

sang [sæŋ] pt of **sing**.

sanguine ['sæŋgwɪn] a optimiste.

sanitarium, pl **sanitaria** [sænɪ'tɛərɪəm, -rɪə] n (US) = **sanatorium**.

sanitary ['sænɪtərɪ] a (system, arrangements) sanitaire; (clean) hygiénique; ~ **towel**, ~ **napkin** (US) n serviette f hygiénique.

sanitation [sænɪ'teɪʃən] n (in house) installations fpl sanitaires; (in town) système m sanitaire.

sanity ['sænɪtɪ] n santé mentale; (common sense) bon sens.

sank [sæŋk] pt of **sink**.

Santa Claus [sæntə'klɔ:z] n le Père Noël.

sap [sæp] n (of plants) sève f // vt (strength) saper, miner.

sapling ['sæplɪŋ] n jeune arbre m.

sapphire ['sæfaɪə*] n saphir m.

sarcasm ['sɑ:kæzm] n sarcasme m, raillerie f.

sarcastic [sɑ:'kæstɪk] a sarcastique.

sarcophagus, pl **sarcophagi** [sɑ:'kɔfəgəs, -gaɪ] n sarcophage m.

sardine [sɑ:'di:n] n sardine f.

Sardinia [sɑ:'dɪnɪə] n Sardaigne f.

sardonic [sɑ:'dɔnɪk] a sardonique.

sartorial [sɑ:'tɔ:rɪəl] a vestimentaire.

sash [sæʃ] n écharpe f; ~ **window** n fenêtre f à guillotine.

sat [sæt] pt,pp of **sit**.

satanic [sə'tænɪk] a satanique, démoniaque.

satchel ['sætʃl] n cartable m.

satellite ['sætəlaɪt] a, n satellite (m).

satin ['sætɪn] n satin m // a en or de satin, satiné(e).

satire ['sætaɪə*] n satire f; **satirical** [sə'tɪrɪkl] a satirique; **satirize** ['sætɪraɪz] vt faire la satire de, satiriser.

satisfaction [sætɪs'fækʃən] n satisfaction f.

satisfactory [sætɪs'fæktərɪ] a satisfaisant(e).

satisfy ['sætɪsfaɪ] vt satisfaire, contenter; (convince) convaincre, persuader; ~**ing** a satisfaisant(e).

saturate ['sætʃəreɪt] vt: **to** ~ (**with**) saturer (de); **saturation** [-'reɪʃən] n saturation f.

Saturday ['sætədɪ] n samedi m.

sauce [sɔ:s] n sauce f; ~**pan** n casserole f.

saucer ['sɔ:sə*] n soucoupe f.

saucy ['sɔ:sɪ] a impertinent(e).

sauna ['sɔ:nə] n sauna m.

saunter ['sɔ:ntə*] vi: **to** ~ **to** aller en flânant or se balader jusqu'à.

sausage ['sɔsɪdʒ] n saucisse f; ~ **roll** n friand m.

savage ['sævɪdʒ] a (cruel, fierce) brutal(e), féroce; (primitive) primitif(ive), sauvage // n sauvage m/f // vt attaquer férocement; ~**ry** n sauvagerie f, brutalité f, férocité f.

save [seɪv] vt (person, belongings) sauver; (money) mettre de côté, économiser; (time) (faire) gagner; (food) garder; (avoid: trouble) éviter // vi (also: ~ **up**) mettre de l'argent de côté // n (SPORT) arrêt m (du ballon) // prep sauf, à l'exception de.

saving ['seɪvɪŋ] n économie f // a: **the** ~ **grace of** ce qui rachète; ~**s** npl économies fpl; ~**s bank** n caisse f d'épargne.

saviour ['seɪvjə*] n sauveur m.

savour, savor (US) ['seɪvə*] n saveur f, goût m // vt savourer; ~**y** a savoureux(euse); (dish: not sweet) salé(e).

savvy ['sævɪ] n (col) jugeote f.

saw [sɔ:] pt of **see** // n (tool) scie f // vt (pt **sawed**, pp **sawed** or **sawn** [sɔ:n]) scier; ~**dust** n sciure f; ~**mill** n scierie f.

saxophone ['sæksəfəun] n saxophone m.
say [seɪ] n: **to have one's ~** dire ce qu'on a à dire; **to have a ~** avoir voix au chapitre // vt (pt, pp **said** [sɛd]) dire; **could you ~ that again?** pourriez-vous répéter ceci?; **that is to ~** c'est-à-dire; **to ~ nothing of** sans compter; **~ that ... mettons** or **disons que ...; that goes without ~ing** cela va sans dire, cela va de soi; **~ing** n dicton m, proverbe m.
scab [skæb] n croûte f; (pej) jaune m; **~by** a croûteu(euse).
scaffold ['skæfəuld] n échafaud m; **~ing** n échafaudage m.
scald [skɔ:ld] n brûlure f // vt ébouillanter; **~ing** a (hot) brûlant(e), bouillant(e).
scale [skeɪl] n (of fish) écaille f; (MUS) gamme f; (of ruler, thermometer etc) graduation f, échelle (graduée); (of salaries, fees etc) barème m; (of map, also size, extent) échelle f // vt (mountain) escalader; (fish) écailler; **~s** npl balance f, (larger) bascule f; **on a large ~** sur une grande échelle, en grand; **~ drawing** n dessin m à l'échelle; **~ model** n modèle m à l'échelle; **small-~ model** réduit.
scallop ['skɔləp] n coquille f Saint-Jacques.
scalp [skælp] n cuir chevelu // vt scalper.
scalpel ['skælpl] n scalpel m.
scamp [skæmp] vt bâcler.
scamper ['skæmpə*] vi: **to ~ away, ~ off** détaler.
scan [skæn] vt scruter, examiner; (glance at quickly) parcourir; (poetry) scander; (TV, RADAR) balayer.
scandal ['skændl] n scandale m; (gossip) ragots mpl; **~ize** vt scandaliser, indigner; **~ous** a scandaleu(euse).
Scandinavia [skændɪ'neɪvɪə] n Scandinavie f; **~n** a scandinave // n Scandinave m/f.
scant [skænt] a insuffisant(e); **~y** a peu abondant(e), insuffisant(e), maigre.
scapegoat ['skeɪpgəut] n bouc m émissaire.
scar [skɑ:] n cicatrice f // vt laisser une cicatrice or une marque à.
scarce [skɛəs] a rare, peu abondant(e); **~ly** ad à peine, presque pas; **scarcity** n rareté f, manque m, pénurie f.
scare [skɛə*] n peur f; panique f // vt effrayer, faire peur à; **to ~ sb stiff** faire une peur bleue à qn; **bomb ~** alerte f à la bombe; **~crow** n épouvantail m; **~d** a: **to be ~d** avoir peur; **~monger** n alarmiste m/f.
scarf, scarves [skɑ:f, skɑ:vz] n (long) écharpe f; (square) foulard m.
scarlet ['skɑ:lɪt] a écarlate; **~ fever** n scarlatine f.
scarves [skɑ:vz] npl of **scarf**.
scary ['skɛərɪ] a (col) qui fiche la frousse.
scathing ['skeɪðɪŋ] a cinglant(e), acerbe.
scatter ['skætə*] vt éparpiller, répandre; (crowd) disperser // vi se disperser; **~brained** a écervelé(e), étourdi(e); **~ed** a épars(e), dispersé(e).
scatty ['skætɪ] a (col) loufoque.
scavenger ['skævəndʒə*] n éboueur m.

scene [si:n] n (THEATRE, fig etc) scène f; (of crime, accident) lieu(x) m(pl), endroit m; (sight, view) spectacle m, vue f; **to appear on the ~** faire son apparition; **~ry** n (THEATRE) décor(s) m(pl); (landscape) paysage m; **scenic** a scénique; offrant de beaux paysages or panoramas.
scent [sɛnt] n parfum m, odeur f; (fig: track) piste f; (sense of smell) odorat m // vt parfumer; (smell, also fig) flairer.
sceptic, skeptic (US) ['skɛptɪk] n sceptique m/f; **~al** a sceptique; **~ism** ['skɛptɪsɪzm] n scepticisme m.
sceptre, scepter (US) ['sɛptə*] n sceptre m.
schedule ['ʃɛdju:l] n programme m, plan m; (of trains) horaire m; (of prices etc) barème m, tarif m // vt prévoir; **as ~d** comme prévu; **on ~** à l'heure (prévue); à la date prévue; **to be ahead of/behind ~** avoir de l'avance/du retard.
scheme [ski:m] n plan m, projet m; (method) procédé m; (dishonest plan, plot) complot m, combine f; (arrangement) arrangement m, classification f // vt,vi comploter, manigancer; **scheming** a rusé(e), intrigant(e) // n manigances fpl, intrigues fpl.
schism ['skɪzəm] n schisme m.
schizophrenic [skɪtsə'frɛnɪk] a schizophrène.
scholar ['skɔlə*] n érudit/e; **~ly** a érudit(e), savant(e); **~ship** n érudition f; (grant) bourse f (d'études).
school [sku:l] n (gen) école f; (in university) faculté f; (secondary school) collège m, lycée m // cpd scolaire // vt (animal) dresser; **~book** n livre m scolaire or de classe; **~boy** n écolier m; collégien m, lycéen m; **~days** npl années fpl de scolarité; **~girl** n écolière f; collégienne f, lycéenne f; **~ing** n instruction f, études fpl; **~-leaving age** n âge m de fin de scolarité; **~master** n (primary) instituteur m; (secondary) professeur m; **~mistress** n institutrice f; professeur m; **~ report** n bulletin m (scolaire); **~room** n (salle f de) classe f; **~teacher** n instituteur/trice; professeur m.
schooner ['sku:nə*] n (ship) schooner m, goélette f; (glass) grand verre (à xérès).
sciatica [saɪ'ætɪkə] n sciatique f.
science ['saɪəns] n science f; **~ fiction** n science-fiction f; **scientific** [-'tɪfɪk] a scientifique; **scientist** n scientifique m/f; (eminent) savant m.
scintillating ['sɪntɪleɪtɪŋ] a scintillant(e), étincelant(e).
scissors ['sɪzəz] npl ciseaux mpl; **a pair of ~** une paire de ciseaux.
sclerosis [sklɪ'rəusɪs] n sclérose f.
scoff [skɔf] vt (col: eat) avaler, bouffer // vi: **to ~ (at)** (mock) se moquer (de).
scold [skəuld] vt gronder, attraper, réprimander.
scone [skɔn] n sorte de petit pain rond au lait.
scoop [sku:p] n pelle f (à main); (for ice cream) boule f à glace; (PRESS) reportage exclusif or à sensation; **to ~ out** vt évider, creuser; **to ~ up** vt ramasser.
scooter ['sku:tə*] n (motor cycle) scooter m; (toy) trottinette f.

scope [skəup] n (capacity: of plan, undertaking) portée f, envergure f; (: of person) compétence f, capacités fpl; (opportunity) possibilités fpl; **within the ~ of** dans les limites de.

scorch [skɔ:tʃ] vt (clothes) brûler (légèrement), roussir; (earth, grass) dessécher, brûler; **~ed earth policy** n politique f de la terre brûlée; **~er** n (col: hot day) journée f torride; **~ing** a torride, brûlant(e).

score [skɔ:*] n score m, décompte m des points; (MUS) partition f; (twenty) vingt // vt (goal, point) marquer; (success) remporter // vi marquer des points; (FOOTBALL) marquer un but; (keep score) compter les points; **on that ~** sur ce chapitre, à cet égard; **to ~ well/6 out of 10** obtenir un bon résultat/6 sur 10; **~board** n tableau m; **~card** n (SPORT) carton m; feuille f de marque; **~r** n auteur m du but; marqueur m de buts; (keeping score) marqueur m.

scorn [skɔ:n] n mépris m, dédain m // vt mépriser, dédaigner; **~ful** a méprisant(e), dédaigneux(euse).

Scorpio ['skɔ:piəu] n le Scorpion; **to be ~** être du Scorpion.

scorpion ['skɔ:piən] n scorpion m.

Scot [skɔt] n Écossais/e.

scotch [skɔtʃ] vt faire échouer; enrayer; étouffer; **S~** n whisky m, scotch m.

scot-free ['skɔt'fri:] a sans être puni(e); sans payer.

Scotland ['skɔtlənd] n Écosse f.

Scots [skɔts] a écossais(e); **~man/woman** Écossais/e.

Scottish ['skɔtiʃ] a écossais(e).

scoundrel ['skaundrl] n vaurien m; (child) coquin m.

scour ['skauə*] vt (clean) récurer; frotter; décaper; (search) battre, parcourir; **~er** n tampon abrasif or à récurer.

scourge [skə:dʒ] n fléau m.

scout [skaut] n (MIL) éclaireur m; (also: **boy ~**) scout m; **to ~ around** explorer, chercher.

scowl [skaul] vi se renfrogner, avoir l'air maussade; **to ~ at** regarder de travers.

scraggy ['skrægi] a décharné(e), efflanqué(e), famélique.

scram [skræm] vi (col) ficher le camp.

scramble ['skræmbl] n bousculade f, ruée f // vi avancer tant bien que mal (à quatre pattes or en grimpant); **to ~ for** bousculer or se disputer pour (avoir); **~d eggs** npl œufs brouillés.

scrap [skræp] n bout m, morceau m; (fight) bagarre f; (also: **~ iron**) ferraille f // vt jeter, mettre au rebut; (fig) abandonner, laisser tomber; **~s** npl (waste) déchets mpl; **~book** n album m.

scrape [skreip] vt,vi gratter, racler // n: **to get into a ~** s'attirer des ennuis; **~r** n grattoir m, racloir m.

scrap: **~ heap** n tas m de ferraille; (fig): **on the ~ heap** au rancart or rebut; **~ merchant** n marchand m de ferraille; **~ paper** n papier m brouillon; **~py** a fragmentaire, décousu(e).

scratch [skrætʃ] n égratignure f, rayure f; éraflure f; (from claw) coup m de griffe // a: **~ team** n équipe de fortune or improvisé(e) // vt (record) rayer; (paint etc) érafler; (with claw, nail) griffer // vi (se) gratter; **to start from ~** partir de zéro; **to be up to ~** être à la hauteur.

scrawl [skrɔ:l] n gribouillage m // vi gribouiller.

scrawny ['skrɔ:ni] a décharné(e).

scream [skri:m] n cri perçant, hurlement m // vi crier, hurler; **to be a ~** être impayable.

scree [skri:] n éboulis m.

screech [skri:tʃ] n cri strident, hurlement m; (of tyres, brakes) crissement m, grincement m // vi hurler; crisser, grincer.

screen [skri:n] n écran m, paravent m; (CINEMA, TV) écran m; (fig) écran, rideau m // vt masquer, cacher; (from the wind etc) abriter, protéger; (film) projeter; (book) porter à l'écran; (candidates etc) filtrer; **~ing** n (MED) test m (or tests) de dépistage.

screw [skru:] n vis f; (propeller) hélice f // vt visser; **to have one's head ~ed on** avoir la tête sur les épaules; **~driver** n tournevis m; **~y** a (col) dingue, cinglé(e).

scribble ['skribl] n gribouillage m // vt gribouiller, griffonner.

scribe [skraib] n scribe m.

script [skript] n (CINEMA etc) scénario m, texte m; (in exam) copie f.

Scripture ['skriptʃə*] n Écriture Sainte.

scriptwriter ['skriptraitə*] n scénariste m/f, dialoguiste m/f.

scroll [skrəul] n rouleau m.

scrounge [skraundʒ] vt (col): **to ~ sth (off or from sb)** se faire payer qch (par qn), emprunter qch (à qn) // vi: **to ~ on sb** vivre aux crochets de qn; **~r** n parasite m.

scrub [skrʌb] n (clean) nettoyage m (à la brosse); (land) broussailles fpl // vt (floor) nettoyer à la brosse; (pan) récurer; (washing) frotter; (reject) annuler.

scruff [skrʌf] n: **by the ~ of the neck** par la peau du cou.

scruffy ['skrʌfi] a débraillé(e).

scrum(mage) ['skrʌm(idʒ)] n mêlée f.

scruple ['skru:pl] n scrupule m.

scrupulous ['skru:pjuləs] a scrupuleux(euse).

scrutinize ['skru:tinaiz] vt scruter, examiner minutieusement.

scrutiny ['skru:tini] n examen minutieux.

scuff [skʌf] vt érafler.

scuffle ['skʌfl] n échauffourée f, rixe f.

scull [skʌl] n aviron m.

scullery ['skʌləri] n arrière-cuisine f.

sculptor ['skʌlptə*] n sculpteur m.

sculpture ['skʌlptʃə*] n sculpture f.

scum [skʌm] n écume f, mousse f; (pej: people) rebut m, lie f.

scurrilous ['skʌriləs] a haineux(euse), virulent(e); calomnieux(euse).

scurry ['skʌri] vi filer à toute allure.

scurvy ['skə:vi] n scorbut m.

scuttle ['skʌtl] n (NAUT) écoutille f; (also: **coal ~**) seau m (à charbon) // vt (ship) saborder // vi (scamper): **to ~ away, ~ off** détaler.

scythe [saið] n faux f.

sea [si:] n mer f // cpd marin(e), de (la) mer, maritime; **on the ~** (boat) en mer;

(*town*) au bord de la mer; **to be all at ~** (*fig*) nager complètement; **~ bird** *n* oiseau *m* de mer; **~board** *n* côte *f*; **~ breeze** *n* brise *f* de mer; **~farer** *n* marin *m*; **~food** *n* fruits *mpl* de mer; **~ front** *n* bord *m* de mer; **~going** *a* (*ship*) de haute mer; **~gull** *n* mouette *f*.

seal [si:l] *n* (*animal*) phoque *m*; (*stamp*) sceau *m*, cachet *m*; (*impression*) cachet, estampille *f* // *vt* sceller; (*envelope*) coller; (: *with seal*) cacheter.

sea level ['si:lɛvl] *n* niveau *m* de la mer.

sealing wax ['si:lɪŋwæks] *n* cire *f* à cacheter.

sea lion ['si:laɪən] *n* lion *m* de mer.

seam [si:m] *n* couture *f*; (*of coal*) veine *f*, filon *m*.

seaman ['si:mən] *n* marin *m*.

seamless ['si:mlɪs] *a* sans couture(s).

seamy ['si:mɪ] *a* louche, mal famé(e).

seance ['seɪɔns] *n* séance *f* de spiritisme.

seaplane ['si:pleɪn] *n* hydravion *m*.

seaport ['si:pɔ:t] *n* port *m* de mer.

search [sə:tʃ] *n* (*for person, thing*) recherche(s) *f(pl)*; (*of drawer, pockets*) fouille *f*; (*LAW: at sb's home*) perquisition *f* // *vt* fouiller; (*examine*) examiner minutieusement; scruter; *vi*: **to ~ for** chercher; **to ~ through** *vt fus* fouiller; **in ~ of** à la recherche de; **~ing** *a* pénétrant(e); minutieux(euse); **~light** *n* projecteur *m*; **~ party** *n* expédition *f* de secours; **~ warrant** *n* mandat *m* de perquisition.

seashore ['si:ʃɔ:*] *n* rivage *m*, plage *f*, bord *m* de (la) mer.

seasick ['si:sɪk] *a* qui a le mal de mer.

seaside ['si:saɪd] *n* bord *m* de la mer; **~ resort** *n* station *f* balnéaire.

season ['si:zn] *n* saison *f* // *vt* assaisonner, relever; **~al** *a* saisonnier(ère); **~ing** *n* assaisonnement *m*; **~ ticket** *n* carte *f* d'abonnement.

seat [si:t] *n* siège *m*; (*in bus, train: place*) place *f*; (*PARLIAMENT*) siège; (*buttocks*) postérieur *m*; (*of trousers*) fond *m* // *vt* faire asseoir, placer; (*have room for*) avoir des places assises pour, pouvoir accueillir; **~ belt** *n* ceinture *f* de sécurité; **~ing room** *n* places assises.

sea water ['si:wɔ:tə*] *n* eau *f* de mer.

seaweed ['si:wi:d] *n* algues *fpl*.

seaworthy ['si:wə:ðɪ] *a* en état de naviguer.

sec. *abbr of* **second(s)**.

secede [sɪ'si:d] *vi* faire sécession.

secluded [sɪ'klu:dɪd] *a* retiré(e), à l'écart.

seclusion [sɪ'klu:ʒən] *n* solitude *f*.

second ['sɛkənd] *num* deuxième, second(e) // *ad* (*in race etc*) en seconde position; (*RAIL*) en seconde // *n* (*unit of time*) seconde *f*; (*in series, position*) deuxième *m/f*, second/e; (*SCOL*) ≈ licence *f* avec mention bien *or* assez bien; (*AUT*: *also*: **~ gear**) seconde *f*; (*COMM*: *imperfect*) article *m* de second choix // *vt* (*motion*) appuyer; **~ary** *a* secondaire; **~ary school** *n* collège *m*, lycée *m*; **~ class** *a* de deuxième classe; **~er** *n* personne *f* qui appuie une motion; **~hand** *a* d'occasion; de seconde main; **~ hand** *n* (*on clock*) trot-

teuse *f*; **~ly** *ad* deuxièmement; **~ment** [sɪ'kɔndmənt] *n* détachement *m*; **~-rate** *a* de deuxième ordre, de qualité inférieure; **~ thoughts** *npl* doutes *mpl*; **on ~ thoughts** à la réflexion.

secrecy ['si:krəsɪ] *n* secret *m*; **in ~** en secret, dans le secret.

secret ['si:krɪt] *a* secret(ète) // *n* secret *m*.

secretarial [sɛkrɪ'tɛərɪəl] *a* de secrétaire, de secrétariat.

secretariat [sɛkrɪ'tɛərɪət] *n* secrétariat *m*.

secretary ['sɛkrətərɪ] *n* secrétaire *m/f*; (*COMM*) secrétaire général; **S~ of State (for)** (*Brit*: *POL*) ministre *m* (de).

secretive ['si:krətɪv] *a* réservé(e); (*pej*) cachottier(ère), dissimulé(e).

sect [sɛkt] *n* secte *f*; **~arian** [-'tɛərɪən] *a* sectaire.

section ['sɛkʃən] *n* coupe *f*, section *f*; (*department*) section; (*COMM*) rayon *m*; (*of document*) section, article *m*, paragraphe *m* // *vt* sectionner; **~al** *a* (*drawing*) en coupe.

sector ['sɛktə*] *n* secteur *m*.

secular ['sɛkjulə*] *a* profane; laïque; séculier(ère).

secure [sɪ'kjuə*] *a* (*free from anxiety*) sans inquiétude, sécurisé(e); (*firmly fixed*) solide, bien attaché(e) (or fermé(e) etc); (*in safe place*) en lieu sûr, en sûreté // *vt* (*fix*) fixer, attacher; (*get*) obtenir, se procurer.

security [sɪ'kjurɪtɪ] *n* sécurité *f*; mesures *fpl* de sécurité; (*for loan*) caution *f*, garantie *f*.

sedate [sɪ'deɪt] *a* calme; posé(e) // *vt* donner des sédatifs à.

sedation [sɪ'deɪʃən] *n* (*MED*) sédation *f*.

sedative ['sɛdɪtɪv] *n* calmant *m*, sédatif *m*.

sedentary ['sɛdntrɪ] *a* sédentaire.

sediment ['sɛdɪmənt] *n* sédiment *m*, dépôt *m*.

seduce [sɪ'dju:s] *vt* (*gen*) séduire; **seduction** [-'dʌkʃən] *n* séduction *f*; **seductive** [-'dʌktɪv] *a* séduisant(e), séducteur(trice).

see [si:] *vb* (*pt* **saw**, *pp* **seen**) [sɔ:, si:n]) *vt* (*gen*) voir; (*accompany*): **to ~ sb to the door** reconduire *or* raccompagner qn jusqu'à la porte // *vi* voir // *n* évêché *m*; **to ~ that** (*ensure*) veiller à ce que + *sub*, faire en sorte que + *sub*, s'assurer que; **to ~ off** *vt* accompagner (à la gare *or* à l'aéroport etc); **to ~ through** *vt* mener à bonne fin // *vt fus* voir clair dans; **to ~ to** *vt fus* s'occuper de, se charger de; **~ you!** au revoir!, à bientôt!

seed [si:d] *n* graine *f*; (*fig*) germe *m*; (*TENNIS*) tête *f* de série; **to go to ~** monter en graine; (*fig*) se laisser aller; **~ling** *n* jeune plant *m*, semis *m*; **~y** *a* (*shabby*) minable, miteux(euse).

seeing ['si:ɪŋ] *cj*: **~ (that)** vu que, étant donné que.

seek, *pt,pp* **sought** [si:k, sɔ:t] *vt* chercher, rechercher.

seem [si:m] *vi* sembler, paraître; **there seems to be ...** il semble qu'il y a ... ; on dirait qu'il y a ...; **~ingly** *ad* apparemment.

seen [si:n] *pp of* **see**.

seep [si:p] *vi* suinter, filtrer.

seer [sɪə*] n prophète/prophétesse, voyant/e.

seersucker [ˈsɪəsʌkə*] n cloqué m, étoffe cloquée.

seesaw [ˈsiːsɔː] n (jeu m de) bascule f.

seethe [siːð] vi être en effervescence; **to ~ with anger** bouillir de colère.

see-through [ˈsiːθruː] a transparent(e).

segment [ˈsɛgmənt] n segment m.

segregate [ˈsɛgrɪgeɪt] vt séparer, isoler; **segregation** [-ˈgeɪʃən] n ségrégation f.

seismic [ˈsaɪzmɪk] a sismique.

seize [siːz] vt (grasp) saisir, attraper; (take possession of) s'emparer de; (LAW) saisir; **to ~ (up)on** vt fus saisir, sauter sur; **to ~ up** vi (TECH) se gripper.

seizure [ˈsiːʒə*] n (MED) crise f, attaque f; (LAW) saisie f.

seldom [ˈsɛldəm] ad rarement.

select [sɪˈlɛkt] a choisi(e), d'élite; select inv // vt sélectionner, choisir; **~ion** [-ˈlɛkʃən] n sélection f, choix m; **~ive** a sélectif(ive); (school) à recrutement sélectif; **~or** n (person) sélectionneur/euse; (TECH) sélecteur m.

self [sɛlf] n (pl **selves** [sɛlvz]): **the ~** le moi inv // prefix auto-; **~-adhesive** a auto-collant(e); **~-assertive** a autoritaire; **~-assured** a sûr(e) de soi, plein(e) d'assurance; **~-catering** a avec cuisine, où l'on peut faire sa cuisine; **~-centred** a égocentrique; **~-coloured** a uni(e); **~-confidence** n confiance f en soi; **~-conscious** a timide, qui manque d'assurance; **~-contained** a (flat) avec entrée particulière, indépendant(e); **~-control** n maîtrise f de soi; **~-defeating** a qui a un effet contraire à l'effet recherché; **~-defence** n légitime défense f; **~-discipline** n discipline personnelle; **~-employed** a qui travaille à son compte; **~-evident** a évident(e), qui va de soi; **~-explanatory** a qui se passe d'explication; **~-indulgent** a qui ne se refuse rien; **~-interest** n intérêt personnel; **~-ish** a égoïste; **~-ishness** n égoïsme m; **~-lessly** ad sans penser à soi; **~-pity** n apitoiement m sur soi-même; **~-portrait** n autoportrait m; **~-possessed** a assuré(e); **~-preservation** n instinct m de conservation; **~-reliant** a indépendant(e); **~-respect** n respect m de soi, amour-propre m; **~-respecting** a qui se respecte; **~-righteous** a satisfait(e) de soi, pharisaïque; **~-sacrifice** n abnégation f; **~-satisfied** a content(e) de soi, suffisant(e); **~-seal** a (envelope) auto-collant(e); **~-service** n libre-service m, self-service m; **~-sufficient** a indépendant(e); **~-supporting** a financièrement indépendant(e); **~-taught** a autodidacte.

sell, pt,pp **sold** [sɛl, səuld] vt vendre // vi se vendre; **to ~ at** or **for 10F** se vendre 10F; **to ~ off** vt liquider; **~er** n vendeur/euse, marchand/e; **~ing price** n prix m de vente.

sellotape [ˈsɛləuteɪp] n ® papier collant, scotch m ®.

sellout [ˈsɛlaut] n trahison f, capitulation f; (of tickets): **it was a ~** tous les billets ont été vendus.

selves [sɛlvz] npl of **self**.

semantic [sɪˈmæntɪk] a sémantique; **~s** n sémantique f.

semaphore [ˈsɛməfɔː*] n signaux mpl à bras; (RAIL) sémaphore m.

semen [ˈsiːmən] n sperme m.

semi [ˈsɛmɪ] prefix semi-, demi-; à demi, à moitié; **~-breve** ronde f; **~-circle** n demi-cercle m; **~-colon** n point-virgule m; **~-conscious** a à demi conscient(e); **~-detached (house)** n maison jumelée or jumelle; **~-final** n demi-finale f.

seminar [ˈsɛmɪnɑː*] n séminaire m.

semiquaver [ˈsɛmɪkweɪvə*] n double croche f.

semiskilled [ˈsɛmɪˈskɪld] a: **~ worker** n ouvrier/ère spécialisé/e.

semitone [ˈsɛmɪtəun] n (MUS) demi-ton m.

semolina [sɛməˈliːnə] n semoule f.

senate [ˈsɛnɪt] n sénat m; **senator** n sénateur m.

send, pt,pp **sent** [sɛnd, sɛnt] vt envoyer; **to ~ sb to Coventry** mettre qn en quarantaine; **to ~ away** vt (letter, goods) envoyer, expédier; **to ~ away for** vt fus commander par correspondance, se faire envoyer; **to ~ back** vt renvoyer; **to ~ for** vt fus envoyer chercher; faire venir; **to ~ off** vt (goods) envoyer, expédier; (SPORT: player) expulser or renvoyer du terrain; **to ~ out** vt (invitation) envoyer (par la poste); **to ~ up** vt (person, price) faire monter; (parody) mettre en boîte, parodier; (blow up) faire sauter; **~er** n expéditeur/trice; **~-off** n: **a good ~-off** des adieux chaleureux.

senile [ˈsiːnaɪl] a sénile.

senility [sɪˈnɪlɪtɪ] n sénilité f.

senior [ˈsiːnɪə*] a (older) aîné(e), plus âgé(e); (of higher rank) supérieur(e) // a aîné/e; (in service) personne f qui a plus d'ancienneté; **~ity** [-ˈɔrɪtɪ] n priorité f d'âge, ancienneté f.

sensation [sɛnˈseɪʃən] n sensation f; **to create a ~** faire sensation; **~al** a qui fait sensation; (marvellous) sensationnel(le).

sense [sɛns] n sens m; (feeling) sentiment m; (meaning) signification f; (wisdom) bon sens // vt sentir, pressentir; **it makes ~** c'est logique; **~s** npl raison f; **~less** a insensé(e), stupide; (unconscious) sans connaissance; **anyone in his ~s** tout homme sensé.

sensibility [sɛnsɪˈbɪlɪtɪ] n sensibilité f; **sensibilities** npl susceptibilité f.

sensible [ˈsɛnsɪbl] a sensé(e), raisonnable; sage; pratique.

sensitive [ˈsɛnsɪtɪv] a: **~ (to)** sensible (à); **sensitivity** [-ˈtɪvɪtɪ] n sensibilité f.

sensual [ˈsɛnsjuəl] a sensuel(le).

sensuous [ˈsɛnsjuəs] a voluptueux(euse), sensuel(le).

sent [sɛnt] pt,pp of **send**.

sentence [ˈsɛntns] n (LING) phrase f; (LAW: judgment) condamnation f, sentence f; (: punishment) peine f // vt: **to ~ sb to death/to 5 years** condamner qn à mort/à 5 ans.

sentiment [ˈsɛntɪmənt] n sentiment m; (opinion) opinion f, avis m; **~al** [-ˈmɛntl] a sentimental(e); **~ality** [-ˈtælɪtɪ] n sentimentalité f, sensiblerie f.

sentry ['sɛntrɪ] n sentinelle f, factionnaire m.

separable ['sɛprəbl] a séparable.

separate a ['sɛprɪt] séparé(e), indépendant(e), différent(e) // vb ['sɛpəreɪt] vt séparer // vi se séparer; **~ly** ad séparément; **~s** npl (clothes) coordonnés mpl; **separation** [-'reɪʃən] n séparation f.

September [sɛp'tɛmbə*] n septembre m.

septic ['sɛptɪk] a septique; (wound) infecté(e).

sequel ['si:kwl] n conséquence f; séquelles fpl; (of story) suite f.

sequence ['si:kwəns] n ordre m, suite f; **~ of tenses** concordance f des temps.

sequin ['si:kwɪn] n paillette f.

serenade [sɛrə'neɪd] n sérénade f // vt donner une sérénade à.

serene [sɪ'ri:n] a serein(e), calme, paisible; **serenity** [sə'rɛnɪtɪ] n sérénité f, calme m.

sergeant ['sa:dʒənt] n sergent m; (POLICE) brigadier m.

serial ['sɪərɪəl] n feuilleton m // a (number) de série; **~ize** vt publier (or adapter) en feuilleton.

series ['sɪəri:s] n série f; (PUBLISHING) collection f.

serious ['sɪərɪəs] a sérieux(euse), réfléchi(e); grave; **~ly** ad sérieusement, gravement; **~ness** n sérieux m, gravité f.

sermon ['sə:mən] n sermon m.

serrated [sɪ'reɪtɪd] a en dents de scie.

serum ['sɪərəm] n sérum m.

servant ['sə:vənt] n domestique m/f; (fig) serviteur/servante.

serve [sə:v] vt (employer etc) servir, être au service de; (purpose) servir à; (customer, food, meal) servir; (apprenticeship) faire, accomplir; (prison term) purger // vi (also TENNIS) servir; (be useful): **to ~ as/for/to do** servir de/à/faire // n (TENNIS) service m; **it ~s him right** c'est bien fait pour lui; **to ~ out, ~ up** vt (food) servir.

service ['sə:vɪs] n (gen) service m; (AUT: maintenance) révision f // vt (car, washing machine) réviser; **the S~s** les forces armées; **to be of ~ to sb, to do sb a ~** rendre service à qn; **to put one's car in for (a) ~** donner sa voiture à réviser; **dinner ~** n service m de table; **~able** a pratique, commode; **~ area** n (on motorway) aire f de services; **~man** n militaire m; **~ station** n station-service f.

serviette [sə:vɪ'ɛt] n serviette f (de table).

servile ['sə:vaɪl] a servile.

session ['sɛʃən] n (sitting) séance f; (SCOL) année f scolaire (or universitaire); **to be in ~** siéger, être en session or en séance.

set [sɛt] n série f, assortiment m; (of tools etc) jeu m; (RADIO, TV) poste m; (TENNIS) set m; (group of people) cercle m, milieu m; (CINEMA) plateau m; (THEATRE) stage) scène f; (: scenery) décor m; (MATH) ensemble m; (HAIRDRESSING) mise f en plis // a (fixed) fixe, déterminé(e); (ready) prêt(e) // vb (pt, pp set) (place) mettre, poser, placer; (fix) fixer; (adjust) régler; (decide: rules etc) fixer, choisir; (TYP) composer // vi (sun) se coucher; (jam, jelly, concrete) prendre; **to be ~ on doing**

être résolu à faire; **to be (dead) ~ against** être (totalement) opposé à; **to ~ (to music)** mettre en musique; **to ~ on fire** mettre le feu à; **to ~ free** libérer; **to ~ sth going** déclencher qch; **to ~ sail** partir, prendre la mer; **to ~ about** vt fus (task) entreprendre, se mettre à; **to ~ aside** vt mettre de côté; **to ~ back** vt (in time): **to ~ back (by)** retarder (de); **to ~ off** vi se mettre en route, partir // vt (bomb) faire exploser; (cause to start) déclencher; (show up well) mettre en valeur, faire valoir; **to ~ out** vi: **to ~ out to do** entreprendre de, avoir pour but or intention de // vt (arrange) disposer; (state) présenter, exposer; **to ~ up** vt (organization) fonder, constituer; (record) établir; (monument) ériger; **to ~ up shop** (fig) s'établir, s'installer; **~back** n (hitch) revers m, contretemps m.

settee [sɛ'ti:] n canapé m.

setting ['sɛtɪŋ] n cadre m; (of jewel) monture f.

settle ['sɛtl] vt (argument, matter) régler; (problem) résoudre; (MED: calm) calmer // vi (bird, dust etc) se poser; (sediment) se déposer; (also: ~ down) s'installer, se fixer, se calmer; se ranger; **to ~ to sth** se mettre sérieusement à qch; **to ~ for sth** accepter qch, se contenter de qch; **to ~ in** vi s'installer; **to ~ on sth** opter or se décider pour qch; **to ~ up with sb** régler (ce que l'on doit à) qn; **~ment** n (payment) règlement m; (agreement) accord m; (colony) colonie f; (village etc) établissement m; hameau m; **~r** n colon m.

setup ['sɛtʌp] n (arrangement) manière f dont les choses sont organisées; (situation) situation f, allure f des choses.

seven ['sɛvn] num sept; **~teen** num dix-sept; **~th** num septième; **~ty** num soixante-dix.

sever ['sɛvə*] vt couper, trancher; (relations) rompre.

several ['sɛvərl] a,pronoun plusieurs (m/fpl); **~ of us** plusieurs d'entre nous.

severance ['sɛvərəns] n (of relations) rupture f; **~ pay** n indemnité f de licenciement.

severe [sɪ'vɪə*] a sévère, strict(e); (serious) grave, sérieux(euse); (hard) rigoureux(euse), dur(e); (plain) sévère, austère; **severity** [sɪ'vɛrɪtɪ] n sévérité f; gravité f; rigueur f.

sew, pt sewed, pp sewn [səu, səud, səun] vt,vi coudre; **to ~ up** vt (re)coudre; **it is all sewn up** (fig) c'est dans le sac or dans la poche.

sewage ['su:ɪdʒ] n vidange(s) f(pl).

sewer ['su:ə*] n égout m.

sewing ['səuɪŋ] n couture f; **~ machine** n machine f à coudre.

sewn [səun] pp of sew.

sex [sɛks] n sexe m; **to have ~ with** avoir des rapports (sexuels) avec; **~ act** n acte sexuel.

sextet [sɛks'tɛt] n sextuor m.

sexual ['sɛksjuəl] a sexuel(le).

sexy ['sɛksɪ] a sexy inv.

shabby ['ʃæbɪ] a miteux(euse); (behaviour) mesquin(e), méprisable.

shack [ʃæk] n cabane f, hutte f.
shackles [ˈʃæklz] npl chaînes fpl, entraves fpl.
shade [ʃeid] n ombre f; (for lamp) abat-jour m inv; (of colour) nuance f, ton m; (small quantity): **a ~ of** un soupçon de // vt abriter du soleil, ombrager; **in the ~** à l'ombre; **a ~ smaller** un tout petit peu plus petit.
shadow [ˈʃædəu] n ombre f // vt (follow) filer; **~ cabinet** n (POL) cabinet parallèle formé par le parti qui n'est pas au pouvoir; **~y** a ombragé(e); (dim) vague, indistinct(e).
shady [ˈʃeidi] a ombragé(e); (fig: dishonest) louche, véreux(euse).
shaft [ʃɑ:ft] n (of arrow, spear) hampe f; (AUT, TECH) arbre m; (of mine) puits m; (of lift) cage f; (of light) rayon m, trait m.
shaggy [ˈʃægi] a hirsute; en broussaille.
shake [ʃeik] vb (pt **shook**, pp **shaken**) [ʃuk, ˈʃeikn] vt secouer; (bottle, cocktail) agiter; (house, confidence) ébranler // vi trembler // n secousse f; **to ~ hands with sb** serrer la main à qn; **to ~ off** vt secouer; (fig) se débarrasser de; **to ~ up** vt secouer; **~-up** n grand remaniement; **shaky** a (hand, voice) tremblant(e); (building) branlant(e), peu solide.
shale [ʃeil] n schiste argileux.
shall [ʃæl] auxiliary vb: **I ~ go** j'irai.
shallot [ʃəˈlɔt] n échalote f.
shallow [ˈʃæləu] a peu profond(e); (fig) superficiel(le), qui manque de profondeur.
sham [ʃæm] n frime f; (jewellery, furniture) imitation f // a feint(e), simulé(e) // vt feindre, simuler.
shambles [ˈʃæmblz] n confusion f, pagaïe f, fouillis m.
shame [ʃeim] n honte f // vt faire honte à; **it is a ~ (that/to do)** c'est dommage (que + sub/de faire); **what a ~!** quel dommage!; **~-faced** a honteux(euse), penaud(e); **~-ful** a honteux(euse), scandaleux(euse); **~-less** a éhonté(e), effronté(e); (immodest) impudique.
shampoo [ʃæmˈpu:] n shampooing m // vt faire un shampooing à.
shamrock [ˈʃæmrɔk] n trèfle m (emblème national de l'Irlande).
shandy [ˈʃændi] n bière panachée.
shan't [ʃɑ:nt] = **shall not**.
shanty [ˈʃænti] n cabane f, baraque f; **~town** n bidonville m.
shape [ʃeip] n forme f // vt façonner, modeler; (statement) formuler; (sb's ideas) former; (sb's life) déterminer // vi (also: **~ up**) (events) prendre tournure; (person) faire des progrès, s'en sortir; **to take ~** prendre forme or tournure; **-shaped** suffix: **heart-shaped** en forme de cœur; **~less** a informe, sans forme; **~ly** a bien proportionné(e), beau(belle).
share [ʃɛə*] n (thing received, contribution) part f; (COMM) action f // vt partager; (have in common) avoir en commun; **to ~ out (among or between)** partager (entre); **~holder** n actionnaire m/f.
shark [ʃɑ:k] n requin m.
sharp [ʃɑ:p] a (razor, knife) tranchant(e), bien aiguisé(e); (point) aigu(guë); (nose,

chin) pointu(e); (outline) net(te); (cold, pain) vif(vive); (MUS) dièse; (voice) coupant(e); (person: quick-witted) vif(vive), éveillé(e); (: unscrupulous) malhonnête // n (MUS) dièse m // ad: **at 2 o'clock** ~ à 2 heures pile or tapantes; **look ~!** dépêche-toi!; **~en** vt aiguiser; (pencil) tailler; (fig) aviver; **~ener** n (also: **pencil ~ener**) taille-crayon(s) m inv; (also: **knife ~ener**) aiguisoir m; **~-eyed** a à qui rien n'échappe; **~-witted** a à l'esprit vif, malin(igne).
shatter [ˈʃætə*] vt fracasser, briser, faire voler en éclats; (fig: upset) bouleverser; (: ruin) briser, ruiner // vi voler en éclats, se briser, se fracasser.
shave [ʃeiv] vt raser // vi se raser // n: **to have a ~** se raser; **~n** a (head) rasé(e); **~r** n (also: **electric ~**) rasoir m électrique.
shaving [ˈʃeiviŋ] n (action) rasage m; **~s** npl (of wood etc) copeaux mpl; **~ brush** n blaireau m; **~ cream** n crème f à raser; **~ soap** n savon m à barbe.
shawl [ʃɔ:l] n châle m.
she [ʃi:] pronoun elle // cpd: **~-** femelle; **~-cat** n chatte f; **~-elephant** n éléphant m femelle; NB: for ships, countries follow the gender of your translation.
sheaf, sheaves [ʃi:f, ʃi:vz] n gerbe f.
shear [ʃiə*] vt (pt **~ed**, pp **~ed** or **shorn**) [ʃɔ:n]) (sheep) tondre; **to ~ off** vt tondre; (branch) élaguer; **~s** npl (for hedge) cisaille f(pl).
sheath [ʃi:θ] n gaine f, fourreau m, étui m; (contraceptive) préservatif m; **~e** [ʃi:ð] vt gainer; (sword) rengainer.
sheaves [ʃi:vz] npl of **sheaf**.
shed [ʃɛd] n remise f, resserre f // vt (pt,pp **shed**) (leaves, fur etc) perdre; (tears) verser, répandre.
she'd [ʃi:d] = **she had**; **she would**.
sheep [ʃi:p] n, pl inv mouton m; **~dog** n chien m de berger; **~ish** a penaud(e), timide; **~skin** n peau f de mouton.
sheer [ʃiə*] a (utter) pur(e), pur et simple; (steep) à pic, abrupt(e); (almost transparent) extrêmement fin(e) // ad à pic, abruptement.
sheet [ʃi:t] n (on bed) drap m; (of paper) feuille f; (of glass, metal) feuille, plaque f; **~ lightning** n éclair m en nappe(s); **~ metal** n tôle f.
sheik(h) [ʃeik] n cheik m.
shelf, shelves [ʃɛlf, ʃɛlvz] n étagère f, rayon m; **set of shelves** rayonnage m.
shell [ʃɛl] n (on beach) coquillage m; (of egg, nut etc) coquille f; (explosive) obus m; (of building) carcasse f // vt (crab, prawn etc) décortiquer; (peas) écosser; (MIL) bombarder (d'obus).
she'll [ʃi:l] = **she will**; **she shall**.
shellfish [ˈʃɛlfiʃ] n, pl inv (crab etc) crustacé m; (scallop etc) coquillage m; (pl: as food) crustacés; coquillages.
shelter [ˈʃɛltə*] n abri m, refuge m // vt abriter, protéger; (give lodging to) donner asile à // vi s'abriter, se mettre à l'abri; **~ed** a (life) retiré(e), à l'abri des soucis; (spot) abrité(e).
shelve [ʃɛlv] vt (fig) mettre en suspens or en sommeil; **~s** npl of **shelf**.

shepherd [ˈʃɛpəd] n berger m // vt (guide) guider, escorter; **~ess** n bergère f; **~'s pie** n ≈ hachis m Parmentier.
sheriff [ˈʃɛrif] n shérif m.
sherry [ˈʃɛri] n xérès m, sherry m.
she's [ʃiːz] = **she is**; **she has**.
shield [ʃiːld] n bouclier m // vt: **to ~ (from)** protéger (de or contre).
shift [ʃift] n (change) changement m; (of workers) équipe f, poste m // vt déplacer, changer de place; (remove) enlever // vi changer de place, bouger; **~ work** n travail m en équipe or par relais or par roulement; **~y** a sournois(e); (eyes) fuyant(e).
shilling [ˈʃiliŋ] n shilling m (= 12 old pence; 20 in a pound).
shilly-shally [ˈʃiliʃæli] vi tergiverser, atermoyer.
shimmer [ˈʃimə*] n miroitement m, chatoiement m // vi miroiter, chatoyer.
shin [ʃin] n tibia m.
shine [ʃain] n éclat m, brillant m // vb (pt,pp **shone** [ʃɔn]) vi briller // vt faire briller or reluire; (torch): **to ~ sth on** braquer qch sur.
shingle [ˈʃiŋgl] n (on beach) galets mpl; (on roof) bardeau m; **~s** n (MED) zona m.
shiny [ˈʃaini] a brillant(e).
ship [ʃip] n bateau m; (large) navire m // vt transporter (par mer); (send) expédier (par mer); (load) charger, embarquer; **~building** n construction navale; **~ canal** n canal m maritime or de navigation; **~ment** n cargaison f; **~per** n affréteur m, expéditeur m; **~ping** n (ships) navires mpl; (traffic) navigation f; **~shape** a en ordre impeccable; **~wreck** n épave f; (event) naufrage m; **~yard** n chantier naval.
shire [ˈʃaiə*] n comté m.
shirk [ʃəːk] vt esquiver, se dérober à.
shirt [ʃəːt] n (man's) chemise f; **in ~-sleeves** en bras de chemise; **~y** a (col) de mauvais poil.
shiver [ˈʃivə*] n frisson m // vi frissonner.
shoal [ʃəul] n (of fish) banc m.
shock [ʃɔk] n (impact) choc m, heurt m; (ELEC) secousse f; (emotional) choc, secousse f; (MED) commotion f, choc // vt choquer, scandaliser; bouleverser; **~ absorber** n amortisseur m; **~ing** a choquant(e), scandaleux(euse); épouvantable; révoltant(e); **~proof** a anti-choc inv.
shod [ʃɔd] pt,pp of **shoe**; **well-~** a bien chaussé(e).
shoddy [ˈʃɔdi] a de mauvaise qualité, mal fait(e).
shoe [ʃuː] n chaussure f, soulier m; (also: **horse~**) fer m à cheval // vt (pt,pp **shod** [ʃɔd]) (horse) ferrer; **~brush** n brosse f à chaussures; **~horn** n chausse-pied m; **~lace** n lacet m (de soulier); **~ polish** n cirage m; **~shop** n magasin m de chaussures; **~tree** n embauchoir m.
shone [ʃɔn] pt,pp of **shine**.
shook [ʃuk] pt of **shake**.
shoot [ʃuːt] n (on branch, seedling) pousse f // vb (pt,pp **shot** [ʃɔt]) vt (game) chasser; tirer; abattre; (person) blesser (or tuer)

d'un coup de fusil (or de revolver); (execute) fusiller; (film) tourner // vi (with gun, bow): **to ~ (at)** tirer (sur); (FOOTBALL) shooter, tirer; **to ~ down** vt (plane) abattre; **to ~ in/out** vi entrer/sortir comme une flèche; **to ~ up** vi (fig) monter en flèche; **~ing** n (shots) coups mpl de feu, fusillade f; (HUNTING) chasse f; **~ing range** n stand m de tir; **~ing star** n étoile filante.
shop [ʃɔp] n magasin m; (workshop) atelier m // vi (also: **go ~ping**) faire ses courses or ses achats; **~ assistant** n vendeur/euse; **~ floor** n ateliers mpl; (fig) ouvriers mpl; **~keeper** n marchand/e, commerçant/e; **~lifter** n voleur/euse à l'étalage; **~lifting** n vol m à l'étalage; **~per** n personne f qui fait ses courses, acheteur/euse; **~ping** n (goods) achats mpl, provisions fpl; **~ping bag** n sac m (à provisions); **~ping centre, ~ping center** (US) n centre commercial; **~-soiled** a défraîchi(e), qui a fait la vitrine; **~ steward** n (INDUSTRY) délégué/e syndical(e); **~ window** n vitrine f.
shore [ʃɔː*] n (of sea, lake) rivage m, rive f // vt: **to ~ (up)** étayer.
shorn [ʃɔːn] pp of **shear**; **~ of** dépouillé(e) de.
short [ʃɔːt] a (not long) court(e); (soon finished) court, bref(brève); (person, step) petit(e); (curt) brusque, sec(sèche); (insufficient) insuffisant(e) // n (also: **~ film**) court métrage; **(a pair of) ~s** un short; **to be ~ of sth** être à court de or manquer de qch; **I'm 3 ~** il m'en manque 3; **in ~** bref; en bref; **~ of doing** à moins de faire; **everything ~ of** tout sauf; **it is ~ for** c'est l'abréviation or le diminutif de; **to cut ~** (speech, visit) abréger, écourter; (person) couper la parole à; **to fall ~ of** ne pas être à la hauteur de; **to stop ~** s'arrêter net; **to stop ~ of** ne pas aller jusqu'à; **~age** n manque m, pénurie f; **~bread** n ≈ sablé m; **~-circuit** n court-circuit m // vt court-circuiter // vi se mettre en court-circuit; **~coming** n défaut m; **~(crust) pastry** pâte brisée; **~cut** n raccourci m; **~en** vt raccourcir; (text, visit) abréger; **~ening** n (CULIN) matière grasse; **~hand** n sténo(graphie) f; **~hand typist** n sténodactylo m/f; **~list** n (for job) liste f des candidats sélectionnés; **~lived** a de courte durée; **~ly** ad bientôt, sous peu; **~ness** n brièveté f; **~-sighted** a myope; (fig) qui manque de clairvoyance; **~ story** n nouvelle f; **~-tempered** a qui s'emporte facilement; **~-term** a (effect) à court terme; **~wave** n (RADIO) ondes courtes.
shot [ʃɔt] pt,pp of **shoot** // n coup m (de feu); (person) tireur m; (try) coup, essai m; (injection) piqûre f; (PHOT) photo f; **like a ~** comme une flèche; (very readily) sans hésiter; **~gun** n fusil m de chasse.
should [ʃud] auxiliary vb: **I ~ go now** je devrais partir maintenant; **he ~ be there now** il devrait être arrivé maintenant; **I ~ go if I were you** si j'étais vous j'irais; **I ~ like to** j'aimerais bien, volontiers.
shoulder [ˈʃəuldə*] n épaule f; (of road): **hard ~** accotement m // vt (fig) endosser, se charger de; **~ bag** n sac m à

bandoulière ; ~ **blade** n omoplate f; ~ **strap** n bretelle f.

shouldn't [ˈʃudnt] = **should not.**

shout [ʃaut] n cri m // vt crier // vi crier, pousser des cris ; **to give sb a** ~ appeler qn ; **to** ~ **down** vt huer ; ~**ing** n cris mpl.

shove [ʃʌv] vt pousser ; (col: put): **to** ~ **sth in** fourrer or ficher qch dans ; **to** ~ **off** vi (NAUT) pousser au large ; (fig: col) ficher le camp.

shovel [ˈʃʌvl] n pelle f // vt pelleter, enlever (or enfourner) à la pelle.

show [ʃəu] n (of emotion) manifestation f, démonstration f; (semblance) semblant m, apparence f; (exhibition) exposition f; salon m; (THEATRE) spectacle m, représentation f; (CINEMA) séance f // vb (pt —**ed,** pp **shown** [ʃəun]) vt montrer ; (courage etc) faire preuve de, manifester ; (exhibit) exposer // vi se voir, être visible ; **to** ~ **sb in** faire entrer qn ; **to** ~ **off** vi (pej) crâner // vt (display) faire valoir ; (pej) faire étalage de ; **to** ~ **sb out** reconduire qn (jusqu'à la porte) ; **to** ~ **up** vi (stand out) ressortir ; (col: turn up) se montrer // vt démontrer ; (unmask) démasquer, dénoncer ; ~**business** n le monde du spectacle ; ~**down** n épreuve f de force.

shower [ˈʃauə*] n (rain) averse f; (of stones etc) pluie f, grêle f; (also: ~**bath**) douche f // vi prendre une douche, se doucher // vt: **to** ~ **sb with** (gifts etc) combler qn de ; (abuse etc) accabler qn de ; (missiles) bombarder qn de ; ~**proof** a imperméable ; ~**y** a (weather) pluvieux(euse).

showground [ˈʃəugraund] n champ m de foire.

showing [ˈʃəuɪŋ] n (of film) projection f.

show jumping [ˈʃəudʒʌmpɪŋ] n concours m hippique.

showmanship [ˈʃəumənʃɪp] n art m de la mise en scène.

shown [ʃəun] pp of **show.**

show-off [ˈʃəuɔf] n (col: person) crâneur/euse, m'as-tu-vu/e.

showpiece [ˈʃəupi:s] n (of exhibition etc) joyau m, clou m.

showroom [ˈʃəurum] n magasin m or salle f d'exposition.

shrank [ʃræŋk] pt of **shrink.**

shrapnel [ˈʃræpnl] n éclats mpl d'obus.

shred [ʃred] n (gen pl) lambeau m, petit morceau f // vt mettre en lambeaux, déchirer ; (CULIN) râper ; couper en lanières.

shrewd [ʃru:d] a astucieux(euse), perspicace ; ~**ness** n perspicacité f.

shriek [ʃri:k] n cri perçant or aigu, hurlement m // vt,vi hurler, crier.

shrift [ʃrɪft] n: **to give sb short** ~ expédier qn sans ménagements.

shrill [ʃrɪl] a perçant(e), aigu(guë), strident(e).

shrimp [ʃrɪmp] n crevette grise.

shrine [ʃraɪn] n châsse f; (place) lieu m de pèlerinage.

shrink, pt **shrank,** pp **shrunk** [ʃrɪŋk, ʃræŋk, ʃrʌŋk] vi rétrécir ; (fig) se réduire ; se contracter // vt (wool) (faire) rétrécir // n (col: pej) psychanalyste ; ~**age** n rétrécissement m.

shrivel [ˈʃrɪvl] (also: ~ **up**) vt ratatiner, flétrir // vi se ratatiner, se flétrir.

shroud [ʃraud] n linceul m // vt: ~**ed in mystery** enveloppé(e) de mystère.

Shrove Tuesday [ˈʃrəuvˈtju:zdɪ] n (le) Mardi gras.

shrub [ʃrʌb] n arbuste m; ~**bery** n massif m d'arbustes.

shrug [ʃrʌg] n haussement m d'épaules // vt,vi: **to** ~ **(one's shoulders)** hausser les épaules ; **to** ~ **off** vt faire fi de.

shrunk [ʃrʌŋk] pp of **shrink** ; ~**en** a ratatiné(e).

shudder [ˈʃʌdə*] n frisson m, frémissement m // vi frissonner, frémir.

shuffle [ˈʃʌfl] vt (cards) battre ; **to** ~ **(one's feet)** traîner les pieds.

shun [ʃʌn] vt éviter, fuir.

shunt [ʃʌnt] vt (RAIL: direct) aiguiller ; (: divert) détourner // vi: **to** ~ **(to and fro)** faire la navette ; ~**ing** n (RAIL) triage m.

shush [ʃuʃ] excl chut!

shut, pt, pp **shut** [ʃʌt] vt fermer // vi (se) fermer ; **to** ~ **down** vt, vi fermer définitivement ; **to** ~ **off** vt couper, arrêter ; **to** ~ **up** vi (col: keep quiet) se taire // vt (close) fermer ; (silence) faire taire ; ~**ter** n volet m; (PHOT) obturateur m.

shuttle [ˈʃʌtl] n navette f; (also: ~ **service**) (service m de) navette f.

shuttlecock [ˈʃʌtlkɔk] n volant m (de badminton).

shy [ʃaɪ] a timide ; **to fight** ~ **of** se dérober devant ; ~**ness** n timidité f.

Siamese [saɪəˈmi:z] a: ~ **cat** chat siamois.

Sicily [ˈsɪsɪlɪ] n Sicile f.

sick [sɪk] a (ill) malade ; (vomiting): **to be** ~ vomir ; (humour) noir(e), macabre ; **to feel** ~ avoir envie de vomir, avoir mal au cœur ; **to be** ~ **of** (fig) en avoir assez de ; ~ **bay** n infirmerie f; ~**en** vt écœurer ; ~**ening** a (fig) écœurant(e), révoltant(e), répugnant(e).

sickle [ˈsɪkl] n faucille f.

sick: ~ **leave** n congé m de maladie ; ~**ly** a maladif(ive), souffreteux(euse) ; (causing nausea) écœurant(e) ; ~**ness** n maladie f; (vomiting) vomissement(s) m(pl); ~ **pay** n indemnité f de maladie.

side [saɪd] n côté m; (of lake, road) bord m // cpd (door, entrance) latéral(e) // vi: **to** ~ **with sb** prendre le parti de qn, se ranger du côté de qn ; **by the** ~ **of** au bord de ; ~ **by** ~ côte à côte ; **from all** ~**s** de tous côtés ; **to take** ~**s (with)** prendre parti (pour) ; ~**board** n buffet m; ~**boards,** ~**burns** npl (whiskers) pattes fpl; ~ **effect** n (MED) effet m secondaire ; ~**light** n (AUT) veilleuse f; ~**line** n (SPORT) (ligne f de) touche f; (fig) activité f secondaire ; ~**long** a oblique, de coin ; ~ **road** n petite route, route transversale ; ~**saddle** ad en amazone ; ~ **show** n attraction f; ~**track** vt (fig) faire dévier de son sujet ; ~**walk** n (US) trottoir m; ~**ways** ad de côté.

siding [ˈsaɪdɪŋ] n (RAIL) voie f de garage.

sidle [ˈsaɪdl] vi: **to** ~ **up (to)** s'approcher furtivement (de).

siege [si:dʒ] n siège m.

sieve [sɪv] *n* tamis *m*, passoire *f* // *vt* tamiser, passer (au tamis).

sift [sɪft] *vt* passer au tamis *or* au crible ; (*fig*) passer au crible.

sigh [saɪ] *n* soupir *m* // *vi* soupirer, pousser un soupir.

sight [saɪt] *n* (*faculty*) vue *f* ; (*spectacle*) spectacle *m* ; (*on gun*) mire *f* // *vt* apercevoir ; **in ~** visible ; (*fig*) en vue ; **out of ~** hors de vue ; **~seeing** *n* tourisme *m* ; **to go ~seeing** faire du tourisme ; **~seer** *n* touriste *m/f*.

sign [saɪn] *n* (*gen*) signe *m* ; (*with hand etc*) signe, geste *m* ; (*notice*) panneau *m*, écriteau *m* // *vt* signer ; **to ~ in/out** signer le registre (en arrivant/partant) ; **to ~ up** (*MIL*) *vt* engager // *vi* s'engager.

signal ['sɪgnl] *n* signal *m* // *vt* (*person*) faire signe à ; (*message*) communiquer par signaux.

signature ['sɪgnətʃə*] *n* signature *f* ; **~ tune** *n* indicatif musical.

signet ring ['sɪgnətrɪŋ] *n* chevalière *f*.

significance [sɪg'nɪfɪkəns] *n* signification *f* ; importance *f*.

significant [sɪg'nɪfɪkənt] *a* significatif(ive) ; (*important*) important(e), considérable.

signify ['sɪgnɪfaɪ] *vt* signifier.

sign language ['saɪnlæŋgwɪdʒ] *n* langage *m* par signes.

signpost ['saɪnpəust] *n* poteau indicateur.

silence ['saɪlns] *n* silence *m* // *vt* faire taire, réduire au silence ; **~r** *n* (*on gun*, *AUT*) silencieux *m*.

silent ['saɪlnt] *a* silencieux(euse) ; (*film*) muet(te) ; **~ly** *ad* silencieusement.

silhouette [sɪlu:'ɛt] *n* silhouette *f* // *vt*: **~d against** se profilant sur, se découpant contre.

silicon chip ['sɪlɪkən'tʃɪp] *n* plaquette *f* de silicium.

silk [sɪlk] *n* soie *f* // *cpd* de *or* en soie ; **~y** *a* soyeux(euse).

silly ['sɪlɪ] *a* stupide, sot(te), bête.

silt [sɪlt] *n* vase *f* ; limon *m*.

silver ['sɪlvə*] *n* argent *m* ; (*money*) monnaie *f* (en pièces d'argent) ; (*also*: **~ware**) argenterie *f* // *cpd* d'argent, en argent ; **~ paper** *n* papier *m* d'argent *or* d'étain ; **~-plated** *a* plaqué(e) argent ; **~smith** *n* orfèvre *m/f* ; **~y** *a* argenté(e).

similar ['sɪmɪlə*] *a*: **~ (to)** semblable (à) ; **~ity** [-'lærɪtɪ] *n* ressemblance *f*, similarité *f* ; **~ly** *ad* de la même façon, de même.

simile ['sɪmɪlɪ] *n* comparaison *f*.

simmer ['sɪmə*] *vi* cuire à feu doux, mijoter.

simple ['sɪmpl] *a* simple ; **~-minded** *a* simplet(te), simple d'esprit ; **simplicity** [-'plɪsɪtɪ] *n* simplicité *f* ; **simplification** [-'keɪʃən] *n* simplification *f* ; **simplify** ['sɪmplɪfaɪ] *vt* simplifier ; **simply** *ad* simplement ; avec simplicité.

simulate ['sɪmjuleɪt] *vt* simuler, feindre ; **simulation** [-'leɪʃən] *n* simulation *f*.

simultaneous [sɪmɔl'teɪnɪəs] *a* simultané(e) ; **~ly** *ad* simultanément.

sin [sɪn] *n* péché *m* // *vi* pécher.

since [sɪns] *ad,prep* depuis // *cj* (*time*) depuis que ; (*because*) puisque, étant

donné que, comme ; **~ then** depuis ce moment-là.

sincere [sɪn'sɪə*] *a* sincère ; **sincerity** [-'sɛrɪtɪ] *n* sincérité *f*.

sine [saɪn] *n* (*MATH*) sinus *m*.

sinew ['sɪnju:] *n* tendon *m* ; **~s** *npl* muscles *mpl*.

sinful ['sɪnful] *a* coupable.

sing, *pt* **sang**, *pp* **sung** [sɪŋ, sæŋ, sʌŋ] *vt,vi* chanter.

singe [sɪndʒ] *vt* brûler légèrement ; (*clothes*) roussir.

singer ['sɪŋə*] *n* chanteur/euse.

singing ['sɪŋɪŋ] *n* chant *m*.

single ['sɪŋgl] *a* seul(e), unique ; (*unmarried*) célibataire ; (*not double*) simple // *n* (*also*: **~ ticket**) aller *m* (simple) ; (*record*) 45 tours *m* ; **~s** *npl* (*TENNIS*) simple *m* ; **to ~ out** *vt* choisir ; distinguer ; **~ bed** *n* lit à une place ; **~-breasted** *a* droit(e) ; **in ~ file** en file indienne ; **~-handed** *ad* tout(e) seul(e), sans (aucune) aide ; **~-minded** *a* résolu(e), tenace ; **~ room** *n* chambre *f* à un lit *or* pour une personne.

singlet ['sɪŋglɪt] *n* tricot *m* de corps.

singly ['sɪŋglɪ] *ad* séparément.

singular ['sɪŋgjulə*] *a* singulier(ère), étrange ; remarquable ; (*LING*) (au) singulier, du singulier // *n* (*LING*) singulier *m* ; **~ly** *ad* singulièrement ; remarquablement ; étrangement.

sinister ['sɪnɪstə*] *a* sinistre.

sink [sɪŋk] *n* évier *m* // *vb* (*pt* **sank**, *pp* **sunk** [sæŋk, sʌŋk]) *vt* (*ship*) (faire) couler, faire sombrer ; (*foundations*) creuser ; (*piles etc*) : **to ~ sth into** enfoncer qch dans // *vi* couler, sombrer ; (*ground etc*) s'affaisser ; **to ~ in** *vi* s'enfoncer, pénétrer ; **a ~ing feeling** un serrement de cœur.

sinner ['sɪnə*] *n* pécheur/eresse.

Sino- ['saɪnəu] *prefix* sino-.

sinuous ['sɪnjuəs] *a* sinueux(euse).

sinus ['saɪnəs] *n* (*ANAT*) sinus *m inv*.

sip [sɪp] *n* petite gorgée // *vt* boire à petites gorgées.

siphon ['saɪfən] *n* siphon *m* ; **to ~ off** *vt* siphonner.

sir [sə*] *n* monsieur *m* ; **S~ John Smith** sir John Smith ; **yes ~** oui Monsieur.

siren ['saɪərn] *n* sirène *f*.

sirloin ['sə:lɔɪn] *n* aloyau *m*.

sirocco [sɪ'rɔkəu] *n* sirocco *m*.

sissy ['sɪsɪ] *n* (*col: coward*) poule mouillée.

sister ['sɪstə*] *n* sœur *f* ; (*nun*) religieuse *f*, (bonne) sœur ; (*nurse*) infirmière *f* en chef ; **~-in-law** *n* belle-sœur *f*.

sit, *pt,pp* **sat** [sɪt, sæt] *vi* s'asseoir ; (*assembly*) être en séance, siéger ; (*for painter*) poser // *vt* (*exam*) passer, se présenter à ; **to ~ tight** ne pas bouger ; **to ~ down** vi s'asseoir ; **to ~ up** *vi* s'asseoir ; (*not go to bed*) rester debout, ne pas se coucher.

sitcom ['sɪtkɔm] *n* (*abbr of* **situation comedy**) comédie *f* de situation.

site [saɪt] *n* emplacement *m*, site *m* ; (*also*: **building ~**) chantier *m* // *vt* placer.

sit-in ['sɪtɪn] *n* (*demonstration*) sit-in *m inv*, occupation *f* de locaux.

siting ['saɪtɪŋ] n (*location*) emplacement m.
sitter ['sɪtə] n (*for painter*) modèle m.
sitting ['sɪtɪŋ] n (*of assembly etc*) séance f; (*in canteen*) service m; ~ **room** n salon m.
situated ['sɪtjueɪtɪd] a situé(e).
situation [sɪtju'eɪʃən] n situation f; '~s **vacant/wanted**' 'offres/demandes d'emploi'.
six [sɪks] num six; ~**teen** num seize; ~**th** a sixième; ~**ty** num soixante.
size [saɪz] n taille f; dimensions fpl; (*of clothing*) taille; (*of shoes*) pointure f; (*glue*) colle f; **to** ~ **up** vt juger, jauger; ~**able** a assez grand(e) or gros(se); assez important(e).
sizzle ['sɪzl] vi grésiller.
skate [skeɪt] n patin m; (*fish: pl inv*) raie f // vi patiner; ~**board** n skateboard m, planche f à roulettes; ~**r** n patineur/euse; **skating** n patinage m; **skating rink** n patinoire f.
skeleton ['skɛlɪtn] n squelette m; (*outline*) schéma m; ~ **staff** n effectifs réduits.
skeptic ['skɛptɪk] n (*US*) = **sceptic**.
sketch [skɛtʃ] n (*drawing*) croquis m, esquisse f; (*THEATRE*) sketch m, saynète f // vt esquisser, faire un croquis or une esquisse de; ~ **book** n carnet m à dessin; ~ **pad** n bloc m à dessin; ~**y** a incomplet(ète), fragmentaire.
skew [skjuː] n: **on the** ~ de travers, en biais.
skewer ['skjuːə*] n brochette f.
ski [skiː] n ski m // vi skier, faire du ski; ~ **boot** n chaussure f de ski.
skid [skɪd] n dérapage m // vi déraper; ~**mark** n trace f de dérapage.
skier ['skiːə*] n skieur/euse.
skiing ['skiːɪŋ] n ski m.
ski jump ['skiːdʒʌmp] n saut m à skis.
skilful ['skɪlful] a habile, adroit(e).
ski lift ['skiːlɪft] n remonte-pente m inv.
skill [skɪl] n habileté f, adresse f, talent m; ~**ed** a habile, adroit(e); (*worker*) qualifié(e).
skim [skɪm] vt (*milk*) écrémer; (*soup*) écumer; (*glide over*) raser, effleurer // vi: **to** ~ **through** (fig) parcourir.
skimp [skɪmp] vt (*work*) bâcler, faire à la va-vite; (*cloth etc*) lésiner sur; ~**y** a étriqué(e); maigre.
skin [skɪn] n peau f // vt (*fruit etc*) éplucher; (*animal*) écorcher; ~**-deep** a superficiel(le); ~ **diving** n plongée sous-marine; ~ **graft** n greffe f de peau; ~**ny** a maigre, maigrichon(ne); ~ **test** n cuti-(réaction) f; ~**tight** a (*dress etc*) collant(e), ajusté(e).
skip [skɪp] n petit bond or saut m; (*container*) benne f // vi gambader, sautiller; (*with rope*) sauter à la corde // vt (*pass over*) sauter.
ski pants ['skiːpænts] npl fuseau m (de ski).
skipper ['skɪpə*] n (*NAUT, SPORT*) capitaine m // vt (*boat*) commander; (*team*) être le chef de.
skipping rope ['skɪpɪŋrəup] n corde f à sauter.

skirmish ['skəːmɪʃ] n escarmouche f, accrochage m.
skirt [skəːt] n jupe f // vt longer, contourner; ~**ing board** n plinthe f.
skit [skɪt] n sketch m satirique.
ski tow ['skiːtəu] n = **ski lift**.
skittle ['skɪtl] n quille f; ~**s** n (*game*) (jeu m de) quilles.
skive [skaɪv] (*Brit*) vi (col) tirer au flanc.
skulk [skʌlk] vi rôder furtivement.
skull [skʌl] n crâne m.
skunk [skʌŋk] n mouffette f; (*fur*) sconse m.
sky [skaɪ] n ciel m; ~**-blue** a bleu ciel inv; ~**light** n lucarne f; ~**scraper** n gratte-ciel m inv.
slab [slæb] n plaque f; dalle f.
slack [slæk] a (*loose*) lâche, desserré(e); (*slow*) stagnant(e); (*careless*) négligent(e), peu sérieux(euse) or consciencieux(euse) // n (*in rope etc*) mou m; ~**s** npl pantalon m; ~**en** (*also*: ~**en off**) vi ralentir, diminuer; (*in one's work, attention*) se relâcher // vt relâcher.
slag [slæg] n scories fpl; ~ **heap** n crassier m.
slam [slæm] vt (*door*) (faire) claquer; (*throw*) jeter violemment, flanquer; (*criticize*) éreinter, démolir // vi claquer.
slander ['slɑːndə*] n calomnie f; diffamation f // vt calomnier; diffamer; ~**ous** a calomnieux(euse); diffamatoire.
slang [slæŋ] n argot m.
slant [slɑːnt] n inclinaison f; (*fig*) angle m, point m de vue; ~**ed** a tendancieux(euse); ~**ing** a en pente, incliné(e); couché(e).
slap [slæp] n claque f, gifle f; tape f // vt donner une claque or une gifle or une tape à // ad (*directly*) tout droit, en plein; ~**dash** a fait(e) sans soin or à la va-vite; ~**stick** n (*comedy*) grosse farce, style m tarte à la crème; **a** ~**-up meal** un repas extra or fameux.
slash [slæʃ] vt entailler, taillader; (*fig: prices*) casser.
slate [sleɪt] n ardoise f // vt (*fig: criticize*) éreinter, démolir.
slaughter ['slɔːtə*] n carnage m, massacre m // vt (*animal*) abattre; (*people*) massacrer; ~**house** n abattoir m.
Slav [slɑːv] a slave.
slave [sleɪv] n esclave m/f // vi (*also*: ~ **away**) trimer, travailler comme un forçat; ~**ry** n esclavage m.
Slavic ['slævɪk] a slave.
slavish ['sleɪvɪʃ] a servile.
Slavonic [slə'vɔnɪk] a slave.
sleazy ['sliːzɪ] a miteux(euse), minable.
sledge [slɛdʒ] n luge f; ~**hammer** n marteau m de forgeron.
sleek [sliːk] a (*hair, fur*) brillant(e), luisant(e); (*car, boat*) aux lignes pures or élégantes.
sleep [sliːp] n sommeil m // vi (pt, pp **slept** [slɛpt]) dormir; (*spend night*) dormir, coucher; **to go to** ~ s'endormir; **to** ~ **in** vi (*lie late*) faire la grasse matinée; (*oversleep*) se réveiller trop tard; ~**er** n (*person*) dormeur/euse; (*RAIL: on track*) traverse f; (: *train*) train m de voitures-lits; ~**ily** ad d'un air endormi; ~**ing** a

qui dort, endormi(e); ~ing bag n sac m
de couchage; ~ing car n wagon-lits m,
voiture-lits f; ~ing pill n somnifère m;
~lessness n insomnie f; a ~less night
une nuit blanche; ~walker n
somnambule m/f; ~y a qui a envie de
dormir; (fig) endormi(e).

sleet [sli:t] n neige fondue.

sleeve [sli:v] n manche f; ~less a
(garment) sans manches.

sleigh [slei] n traîneau m.

sleight [slait] n: ~ of hand tour m de
passe-passe.

slender ['slɛndə*] a svelte, mince; faible,
ténu(e).

slept [slɛpt] pt,pp of sleep.

slice [slais] n tranche f; (round) rondelle
f // vt couper en tranches (or en rondelles).

slick [slik] a brillant(e) en apparence;
mielleux(euse) // n (also: oil ~) nappe f
de pétrole, marée noire.

slid [slid] pt,pp of slide.

slide [slaid] n (in playground) toboggan m;
(PHOT) diapositive f; (also: hair ~) barrette
f; (in prices) chute f, baisse f // vb (pt,pp
slid [slid]) vt (faire) glisser // vi glisser;
~ rule n règle f à calcul; sliding a (door)
coulissant(e); sliding scale n échelle f
mobile.

slight [slait] a (slim) mince, menu(e);
(frail) frêle; (trivial) faible, insignifiant(e);
(small) petit(e), léger(ère) (before n) // n
offense f, affront m // vt (offend) blesser,
offenser; the ~est le (or la) moindre; not
in the ~est pas le moins du monde, pas
du tout; ~ly ad légèrement, un peu.

slim [slim] a mince // vi maigrir, suivre
un régime amaigrissant.

slime [slaim] n vase f; substance
visqueuse; slimy a visqueux(euse),
gluant(e).

• sling [sliŋ] n (MED) écharpe f // vt (pt,pp
slung [slʌŋ]) lancer, jeter.

slip [slip] n faux pas; (mistake) erreur f;
étourderie f; bévue f; (underskirt)
combinaison f; (of paper) petite feuille,
fiche f // vt (slide) glisser // vi (slide)
glisser; (move smoothly): to ~ into/out
of se glisser or se faufiler dans/hors de;
(decline) baisser; to give sb the ~ fausser
compagnie à qn; a ~ of the tongue un
lapsus; to ~ away vi s'esquiver; to ~
in vt glisser; to ~ out vi sortir; ~ped
disc n déplacement m de vertèbres.

slipper ['slipə*] n pantoufle f.

slippery ['slipəri] a glissant(e);
insaisissable.

slip road ['sliprəud] n (to motorway)
bretelle f d'accès.

slipshod ['slipʃɔd] a négligé(e), peu
soigné(e).

slip-up ['slipʌp] n bévue f.

slipway ['slipwei] n cale f (de construction
or de lancement).

slit [slit] n fente f; (cut) incision f; (tear)
déchirure f // vt (pt,pp slit) fendre;
couper; inciser; déchirer.

slither ['slɪðə*] vi glisser, déraper.

slob [slɔb] n (col) rustaud/e.

slog [slɔg] n gros effort; tâche fastidieuse
// vi travailler très dur.

slogan ['sləugən] n slogan m.

slop [slɔp] vi (also: ~ over) se renverser;
déborder // vt répandre; renverser.

slope [sləup] n pente f, côte f; (side of
mountain) versant m; (slant) inclinaison f
// vi: to ~ down être or descendre en
pente; to ~ up monter; sloping a en
pente, incliné(e); (handwriting) penché(e).

sloppy ['slɔpi] a (work) peu soigné(e),
bâclé(e); (appearance) négligé(e),
débraillé(e); (film etc) sentimental(e).

slot [slɔt] n fente f // vt: to ~ into
encastrer or insérer dans; ~ machine n
distributeur m (automatique), machine f à
sous.

slouch [slautʃ] vi avoir le dos rond, être
voûté(e).

slovenly ['slʌvənli] a sale, débraillé(e),
négligé(e).

slow [sləu] a lent(e); (watch): to be ~
retarder // ad lentement // vt,vi (also: ~
down, ~ up) ralentir; ' ~ ' (road sign)
'ralentir'; ~ly ad lentement; in ~ motion
au ralenti; ~ness n lenteur f.

sludge [slʌdʒ] n boue f.

slug [slʌg] n limace f; (bullet) balle f;
~gish a mou(molle), lent(e).

sluice [slu:s] n vanne f; écluse f.

slum [slʌm] n taudis m.

slumber ['slʌmbə*] n sommeil m.

slump [slʌmp] n baisse soudaine,
effondrement m; crise f // vi s'effondrer,
s'affaisser.

slung [slʌŋ] pt,pp of sling.

slur [slə:*] n bredouillement m; (smear):
~ (on) atteinte f (à); insinuation
f (contre); (MUS) liaison f // vt mal
articuler; to be a ~ on porter atteinte à.

slush [slʌʃ] n neige fondue; ~y a (snow)
fondu(e); (street) couvert(e) de neige
fondue; (fig) sentimental(e).

slut [slʌt] n souillon f.

sly [slai] a rusé(e); sournois(e); on the ~
en cachette.

smack [smæk] n (slap) tape f; (on face)
gifle f // vt donner une tape à, gifler;
(child) donner la fessée à // vi: to ~ of
avoir des relents de, sentir; to ~ one's
lips se lécher les babines.

small [smɔ:l] a petit(e); ~ ads npl petites
annonces; ~holder n petit cultivateur; in
the ~ hours au petit matin; ~ish a plutôt
or assez petit; ~pox n variole f; ~ talk
n menus propos.

smarmy ['smɑ:mi] a (col)
flagorneur(euse), lécheur(euse).

smart [smɑ:t] a élégant(e), chic inv;
(clever) intelligent(e), astucieux(euse),
futé(e); (quick) rapide, vif(vive),
prompt(e) // vi faire mal, brûler; to ~en
up vi devenir plus élégant(e), se faire
beau(belle) // vt rendre plus élégant(e).

smash [smæʃ] n (also: ~-up) collision f,
accident m // vt casser, briser, fracasser;
(opponent) écraser; (hopes) ruiner,
détruire; (SPORT: record) pulvériser // vi se
briser, se fracasser; s'écraser; ~ing a
(col) formidable.

smattering ['smætəriŋ] n: a ~ of
quelques notions de.

smear [smɪə*] n tache f, salissure f; trace f; (MED) frottis m // vt enduire; (fig) porter atteinte à.

smell [smɛl] n odeur f; (sense) odorat m // vb (pt,pp smelt or smelled [smɛlt, smɛld]) vt sentir // vi (food etc): to ~ (of) sentir; (pej) sentir mauvais; ~y a qui sent mauvais, malodorant(e).

smile [smaɪl] n sourire m // vi sourire; **smiling** a souriant(e).

smirk [smə:k] n petit sourire suffisant or affecté.

smith [smɪθ] n maréchal-ferrant m; forgeron m; ~y n forge f.

smitten ['smɪtn] a: ~ with pris(e) de; frappé(e) de.

smock [smɔk] n blouse f, sarrau m.

smog [smɔg] n brouillard mêlé de fumée.

smoke [sməuk] n fumée f // vt, vi fumer; to have a ~ fumer une cigarette; ~d a (bacon, glass) fumé(e); ~r n (person) fumeur/euse; (RAIL) wagon m fumeurs; **smoking** n: 'no smoking' (sign) 'défense de fumer'; **smoking room** n fumoir m; **smoky** a enfumé(e); (surface) noirci(e) par la fumée.

smolder ['sməuldə*] vi (US) = **smoulder**.

smooth [smu:ð] a lisse; (sauce) onctueux(euse); (flavour, whisky) moelleux(euse); (movement) régulier(ère), sans à-coups or heurts; (person) doucereux(euse), mielleux(euse) // vt lisser, défroisser; (also: ~ out) (creases, difficulties) faire disparaître.

smother ['smʌðə*] vt étouffer.

smoulder ['sməuldə*] vi couver.

smudge [smʌdʒ] n tache f, bavure f // vt salir, maculer.

smug [smʌg] a suffisant(e), content(e) de soi.

smuggle ['smʌgl] vt passer en contrebande or en fraude; ~r n contrebandier/ère; **smuggling** n contrebande f.

smutty ['smʌtɪ] a (fig) grossier(ère), obscène.

snack [snæk] n casse-croûte m inv; ~ bar n snack(-bar) m.

snag [snæg] n inconvénient m, difficulté f.

snail [sneɪl] n escargot m.

snake [sneɪk] n serpent m.

snap [snæp] n (sound) claquement m, bruit sec; (photograph) photo f, instantané m; (game) sorte f de jeu de bataille // a subit(e); fait(e) sans réfléchir // vt faire claquer; (break) casser net; (photograph) prendre un instantané de // vi se casser net or avec un bruit sec; to ~ open/shut s'ouvrir/se refermer brusquement; to ~ at vt fus (subj: dog) essayer de mordre; to ~ off vt (break) casser net; to ~ up vt saisir sur, saisir; ~ fastener n bouton-pression m; ~py a prompt(e); ~shot n photo f, instantané m.

snare [snɛə*] n piège m // vt attraper, prendre au piège.

snarl [snɑ:l] n grondement m or grognement m féroce // vi gronder.

snatch [snætʃ] n (fig) vol m; (small amount): ~es of des fragments mpl or

bribes fpl de // vt saisir (d'un geste vif); (steal) voler.

sneak [sni:k] vi: to ~ in/out entrer/sortir furtivement or à la dérobée; ~y a sournois(e).

sneer [snɪə*] n ricanement m // vi ricaner, sourire d'un air sarcastique.

sneeze [sni:z] n éternuement m // vi éternuer.

snide [snaɪd] a sarcastique, narquois(e).

sniff [snɪf] n reniflement m // vi renifler // vt renifler, flairer.

snigger ['snɪgə*] n ricanement m; rire moqueur // vi ricaner; pouffer de rire.

snip [snɪp] n petit bout; (bargain) (bonne) occasion or affaire // vt couper.

sniper ['snaɪpə*] n (marksman) tireur embusqué.

snippet ['snɪpɪt] n bribes fpl.

snivelling ['snɪvlɪŋ] a (whimpering) larmoyant(e), pleurnicheur(euse).

snob [snɔb] n snob m/f; ~bery n snobisme m; ~bish a snob inv.

snooker ['snu:kə*] n sorte de jeu de billard.

snoop ['snu:p] vi: to ~ on sb espionner qn.

snooty ['snu:tɪ] a snob inv, prétentieux(euse).

snooze [snu:z] n petit somme // vi faire un petit somme.

snore [snɔ:*] vi ronfler; **snoring** n ronflement(s) m(pl).

snorkel ['snɔ:kl] n (of swimmer) tuba m.

snort [snɔ:t] n grognement m // vi grogner; (horse) renâcler.

snotty ['snɔtɪ] a morveux(euse).

snout [snaut] n museau m.

snow [snəu] n neige f // vi neiger; ~ball n boule f de neige; ~bound a enneigé(e), bloqué(e) par la neige; ~drift n congère f; ~drop n perce-neige m; ~fall n chute f de neige; ~flake n flocon m de neige; ~man n bonhomme m de neige; ~plough, ~plow (US) n chasse-neige m inv; ~storm n tempête f de neige.

snub [snʌb] vt repousser, snober // n rebuffade f; ~-nosed a au nez retroussé.

snuff [snʌf] n tabac m à priser.

snug [snʌg] a douillet(te), confortable.

so [səu] ad (degree) si, tellement; (manner: thus) ainsi, de cette façon // cj donc, par conséquent; ~ as to do afin de or pour faire; ~ that (purpose) afin que + infinitive, pour que or afin que +sub; (result) si bien que, de (telle) sorte que; ~ do I, ~ am I etc moi etc aussi; if ~ si oui; I hope ~ je l'espère; 10 or ~ 10 à peu près or environ; ~ far jusqu'ici, jusqu'à maintenant; (in past) jusque-là; ~ long! à bientôt!, au revoir!; ~ many tant de; ~ much ad tant // det tant de; ~ and ~ n un tel(une telle).

soak [səuk] vt faire or laisser tremper // vi tremper; to be ~ed through être trempé jusqu'aux os; to ~ in vi pénétrer, être absorbé(e); to ~ up vt absorber.

soap [səup] n savon m; ~flakes npl paillettes fpl de savon; ~ powder n lessive f, détergent m; ~y a savonneux(euse).

soar [sɔ:*] vi monter (en flèche), s'élancer.
sob [sɔb] n sanglot m // vi sangloter.
sober ['səubə*] a qui n'est pas (or plus) ivre; (sedate) sérieux(euse), sensé(e); (moderate) mesuré(e); (colour, style) sobre, discret(ète); **to ~ up** vt dégriser // vi se dégriser.
Soc. abbr of **society**.
so-called ['səu'kɔ:ld] a soi-disant inv.
soccer ['sɔkə*] n football m.
sociable ['səuʃəbl] a sociable.
social ['səuʃl] a social(e) // n (petite) fête; **~ club** n amicale f, foyer m; **~ism** n socialisme m; **~ist** a,n socialiste (m/f); **~ly** ad socialement, en société; **~ science** n sciences humaines; **~ security** n aide sociale; **~ welfare** n sécurité sociale; **~ work** n assistance sociale; **~ worker** n assistant/e social/e.
society [sə'saiəti] n société f; (club) société, association f; (also: **high ~**) (haute) société, grand monde.
sociological [səusiə'lɔdʒikl] a sociologique.
sociologist [səusi'ɔlədʒist] n sociologue m/f.
sociology [səusi'ɔlədʒi] n sociologie f.
sock [sɔk] n chaussette f // vt (hit) flanquer un coup à.
socket ['sɔkit] n cavité f; (ELEC: also: **wall ~**) prise f de courant; (: for light bulb) douille f.
sod [sɔd] n (of earth) motte f; (col!) con m (!); salaud m (!).
soda ['səudə] n (CHEM) soude f; (also: **~ water**) eau f de Seltz.
sodden ['sɔdn] a trempé(e); détrempé(e).
sodium ['səudiəm] n sodium m.
sofa ['səufə] n sofa m, canapé m.
soft [sɔft] a (not rough) doux/(douce); (not hard) doux; mou(molle); (not loud) doux, léger(ère); (kind) doux, gentil(le); (weak) indulgent(e); (stupid) stupide, débile; **~ drink** n boisson non alcoolisée; **~en** ['sɔfn] vt ramollir; adoucir; atténuer // vi se ramollir; s'adoucir; s'atténuer; **~-hearted** a au cœur tendre; **~ly** ad doucement; gentiment; **~ness** n douceur f; **~ware** n logiciel m, software m.
soggy ['sɔgi] a trempé(e); détrempé(e).
soil [sɔil] n (earth) sol m, terre f // vt salir; (fig) souiller; **~ed** a sale; (COMM) défraîchi(e).
solar ['səulə*] a solaire.
sold [səuld] pt,pp of **sell**; **~ out** a (COMM) épuisé(e).
solder ['səuldə*] vt souder (au fil à souder) // n soudure f.
soldier ['səuldʒə*] n soldat m, militaire m.
sole [səul] n (of foot) plante f; (of shoe) semelle f; (fish: pl inv) sole f // a seul(e), unique; **~ly** ad seulement, uniquement.
solemn ['sɔləm] a solennel(le); sérieux(euse), grave.
solicitor [sə'lisitə*] n (for wills etc) ≈ notaire m; (in court) ≈ avocat m.
solid ['sɔlid] a (not hollow) plein(e), compact(e), massif(ive); (strong, sound, reliable, not liquid) solide; (meal) consistant(e), substantiel(le) // n solide m.

solidarity [sɔli'dæriti] n solidarité f.
solidify [sə'lidifai] vi se solidifier // vt solidifier.
solidity [sə'liditi] n solidité f.
soliloquy [sə'liləkwi] n monologue m.
solitaire [sɔli'tɛə*] n (game, gem) solitaire m.
solitary ['sɔlitəri] a solitaire; **~ confinement** n (LAW) isolement m.
solitude ['sɔlitju:d] n solitude f.
solo ['səuləu] n solo m; **~ist** n soliste m/f.
solstice ['sɔlstis] n solstice m.
soluble ['sɔljubl] a soluble.
solution [sə'lu:ʃən] n solution f.
solve [sɔlv] vt résoudre.
solvent ['sɔlvənt] a (COMM) solvable // n (CHEM) (dis)solvant m.
sombre, **somber** (US) ['sɔmbə*] a sombre, morne.
some [sʌm] det (a few) quelques; (certain) certains(certaines); (a certain number or amount) see phrases below; (unspecified) un(e)... (quelconque) // pronoun quelques uns(unes); un peu // ad: **~ 10 people** quelque 10 personnes, 10 personnes environ; **~ children came** des enfants sont venus; **have ~ tea/ice-cream/water** prends du thé/de la glace/de l'eau; **there's ~ milk in the fridge** il y a un peu de lait or du lait dans le frigo; **~ (of it) was left** il en est resté un peu; **I've got ~** (i.e. books etc) j'en ai (quelques uns); (i.e. milk, money etc) j'en ai (un peu); **~body** pronoun quelqu'un; **~ day** ad un de ces jours, un jour ou l'autre; **~how** ad d'une façon ou d'une autre; (for some reason) pour une raison ou une autre; **~one** pronoun = **somebody**; **~place** ad (US) = **somewhere**.
somersault ['sʌməsɔ:lt] n culbute f, saut périlleux // vi faire la culbute or un saut périlleux; (car) faire un tonneau.
something ['sʌmθiŋ] pronoun quelque chose m; **~ interesting** quelque chose d'intéressant.
sometime ['sʌmtaim] ad (in future) un de ces jours, un jour ou l'autre; (in past): **~ last month** au cours du mois dernier.
sometimes ['sʌmtaimz] ad quelquefois, parfois.
somewhat ['sʌmwɔt] ad quelque peu, un peu.
somewhere ['sʌmwɛə*] ad quelque part.
son [sʌn] n fils m.
sonata [sə'nɑ:tə] n sonate f.
song [sɔŋ] n chanson f; **~book** n chansonnier m; **~writer** n auteur-compositeur m.
sonic ['sɔnik] a (boom) supersonique.
son-in-law ['sʌninlɔ:] n gendre m, beau-fils m.
sonnet ['sɔnit] n sonnet m.
sonny ['sʌni] n (col) fiston m.
soon [su:n] ad bientôt; (early) tôt; **~ afterwards** peu après; see also **as**; **~er** ad (time) plus tôt; (preference): **I would ~er do** j'aimerais autant or je préférerais faire; **~er or later** tôt ou tard.
soot [sut] n suie f.

soothe [su:ð] *vt* calmer, apaiser.

sop [sɔp] *n*: **that's only a** ~ c'est pour nous (*or* les *etc*) amadouer.

sophisticated [sə'fɪstɪkeɪtɪd] *a* raffiné(e); sophistiqué(e); hautement perfectionné(e), très complexe.

sophomore ['sɔfəmɔ:*] *n* (*US*) étudiant/e de seconde année.

soporific [sɔpə'rɪfɪk] *a* soporifique // *n* somnifère *m*.

sopping ['sɔpɪŋ] *a* (*also*: ~ **wet**) tout(e) trempé(e).

soppy ['sɔpɪ] *a* (*pej*) sentimental(e).

soprano [sə'prɑ:nəu] *n* (*voice*) soprano *m*; (*singer*) soprano *m/f*.

sorcerer ['sɔ:sərə*] *n* sorcier *m*.

sordid ['sɔ:dɪd] *a* sordide.

sore [sɔ:*] *a* (*painful*) douloureux(euse), sensible; (*offended*) contrarié(e), vexé(e) // *n* plaie *f*; ~**ly** *ad* (*tempted*) fortement.

sorrel ['sɔrəl] *n* oseille *f*.

sorrow ['sɔrəu] *n* peine *f*, chagrin *m*; ~**ful** *a* triste.

sorry ['sɔrɪ] *a* désolé(e); (*condition, excuse*) triste, déplorable; ~! pardon!, excusez-moi!; **to feel** ~ **for sb** plaindre qn.

sort [sɔ:t] *n* genre *m*, espèce *f*, sorte *f* // *vt* (*also*: ~ **out**: *papers*) trier; classer; ranger; (: *letters etc*) trier; (: *problems*) résoudre, régler; ~**ing office** *n* bureau *m* de tri.

SOS *n* (*abbr of save our souls*) S.O.S. *m*.

so-so ['səusəu] *ad* comme ci comme ça.

soufflé ['su:fleɪ] *n* soufflé *m*.

sought [sɔ:t] *pt,pp of* **seek.**

soul [səul] *n* âme *f*; ~**-destroying** *a* démoralisant(e); ~**ful** *a* plein(e) de sentiment; ~**less** *a* sans cœur, inhumain(e).

sound [saund] *a* (*healthy*) en bonne santé, sain(e); (*safe, not damaged*) solide, en bon état; (*reliable, not superficial*) sérieux(euse), solide; (*sensible*) sensé(e) // *ad*: ~ **asleep** dormant d'un profond sommeil // *n* (*noise*) son *m*; bruit *m*; (GEO) détroit *m*, bras *m* de mer // *vt* (*alarm*) sonner; (*also*: ~ **out**: *opinions*) sonder // *vi* sonner, retentir; (*fig: seem*) sembler (être); **to** ~ **one's horn** (AUT) actionner son avertisseur; **to** ~ **like** ressembler à; ~ **barrier** *n* mur *m* du son; ~ **effects** *npl* bruitage *m*; ~**ing** *n* (NAUT *etc*) sondage *m*; ~**ly** *ad* (*sleep*) profondément; (*beat*) complètement, à plate couture; ~**proof** *vt* insonoriser // *a* insonorisé(e); ~**track** *n* (*of film*) bande *f* sonore.

soup [su:p] *n* soupe *f*, potage *m*; **in the** ~ (*fig*) dans le pétrin; ~ **course** *n* potage *m*; ~**spoon** *n* cuiller *f* à soupe.

sour [sauə*] *a* aigre, acide; (*milk*) tourné(e), aigre; (*fig*) acerbe, aigre; revêche; **it's** ~ **grapes** c'est du dépit.

source [sɔ:s] *n* source *f*.

south [sauθ] *n* sud *m* // *a* sud *inv*, du sud // *ad* au sud, vers le sud; **S~ Africa** *n* Afrique *f* du Sud; **S~ African** *a* sud-africain(e) // *n* Sud-Africain/e; **S~ America** *n* Amérique *f* du Sud; **S~ American** *a* sud-américain(e) // *n* Sud-Américain/e; ~**east** *n* sud-est *m*; ~**erly** ['sʌðəlɪ] *a* du sud; au sud; ~**ern** ['sʌðən] *a* (du) sud; méridional(e); exposé(e) au

sud; **S~ Pole** *n* Pôle *m* Sud; ~**ward(s)** *ad* vers le sud; ~**-west** *n* sud-ouest *m*.

souvenir [su:və'nɪə*] *n* souvenir *m* (*objet*).

sovereign ['sɔvrɪn] *a,n* souverain(e); ~**ty** *n* souveraineté *f*.

soviet ['səuvɪət] *a* soviétique; **the S~ Union** l'Union *f* soviétique.

sow *n* [sau] truie *f* // *vt* [səu] (*pt* ~**ed**, *pp* **sown** [səun]) semer.

soy [sɔɪ] *n* (*also*: ~ **sauce**) sauce *f* de soja.

soya bean ['sɔɪəbi:n] *n* graine *f* de soja.

spa [spɑ:] *n* (*spring*) source minérale; (*town*) station thermale.

space [speɪs] *n* (*gen*) espace *m*; (*room*) place *f*; espace; (*length of time*) laps *m* de temps // *cpd* spatial(e) // *vt* (*also*: ~ **out**) espacer; ~**craft** *n* engin spatial; ~**man/woman** *n* astronaute *m/f*, cosmonaute *m/f*; ~**spacing** *n* espacement *m*; **single/double spacing** interligne *m* simple/double.

spacious ['speɪʃəs] *a* spacieux(euse), grand(e).

spade [speɪd] *n* (*tool*) bêche *f*, pelle *f*; (*child's*) pelle; ~**s** *npl* (CARDS) pique *m*; ~**work** *n* (*fig*) gros *m* du travail.

spaghetti [spə'gɛtɪ] *n* spaghetti *mpl*.

Spain [speɪn] *n* Espagne *f*.

span [spæn] *pt of* **spin** // *n* (*of bird, plane*) envergure *f*; (*of arch*) portée *f*; (*in time*) espace *m* de temps, durée *f* // *vt* enjamber, franchir; (*fig*) couvrir, embrasser.

Spaniard ['spænjəd] *n* Espagnol/e.

spaniel ['spænjəl] *n* épagneul *m*.

Spanish ['spænɪʃ] *a* espagnol(e), d'Espagne // *n* (LING) espagnol *m*.

spank [spæŋk] *vt* donner une fessée à.

spanner ['spænə*] *n* clé *f* (*de mécanicien*).

spare [spɛə*] *a* de réserve, de rechange; (*surplus*) de *or* en trop, de reste // *n* (*part*) pièce *f* de rechange, pièce détachée // *vt* (*do without*) se passer de; (*afford to give*) donner, accorder, passer; (*refrain from hurting*) épargner; (*refrain from using*) ménager; **to** ~ (*surplus*) en surplus, de trop; ~ **part** *n* pièce *f* de rechange, pièce détachée; ~ **time** *n* moments *mpl* de loisir.

sparing ['spɛərɪŋ] *a* modéré(e), restreint(e); ~ **of** chiche de; ~**ly** *ad* avec modération.

spark [spɑ:k] *n* étincelle *f*; (*fig*) étincelle, lueur *f*; ~(**ing**) **plug** *n* bougie *f*.

sparkle ['spɑ:kl] *n* scintillement *m*, étincellement *m*, éclat *m* // *vi* étinceler, scintiller; (*bubble*) pétiller; **sparkling** *a* étincelant(e), scintillant(e); (*wine*) mousseux (euse), pétillant(e).

sparrow ['spærəu] *n* moineau *m*.

sparse [spɑ:s] *a* clairsemé(e).

spasm ['spæzəm] *n* (MED) spasme *m*; (*fig*) accès *m*; ~**odic** [-'mɔdɪk] *a* spasmodique; (*fig*) intermittent(e).

spastic ['spæstɪk] *n* handicapé/e moteur.

spat [spæt] *pt,pp of* **spit.**

spate [speɪt] *n* (*fig*): ~ **of** avalanche *f* or torrent *m* de; **in** ~ (*river*) en crue.

spatter ['spætə*] *n* éclaboussure(s) *f(pl)* // *vt* éclabousser // *vi* gicler.

spatula ['spætjulə] *n* spatule *f*.

spawn [spɔ:n] *vt* pondre // *vi* frayer // *n* frai *m*.

speak, pt **spoke,** pp **spoken** [spi:k, spəuk, spəukn] vt (language) parler; (truth) dire // vi parler; (make a speech) prendre la parole; **to ~ to sb/of** or **about sth** parler à qn/de qch; **it ~s for itself** c'est évident; **~ up!** parle plus fort!; **~er** n (in public) orateur m; (also: **loud~er**) haut-parleur m; (POL): **the S~er** le président de la chambre des Communes; **to be on ~ing terms** se parler.

spear [spɪə*] n lance f // vt transpercer.

spec [spɛk] n (col): **on ~** à tout hasard.

special ['spɛʃl] a spécial(e); **take ~ care** soyez particulièrement prudents; **today's ~** (at restaurant) le menu; **~ist** n spécialiste m/f; **~ity** [spɛʃɪ'ælɪtɪ] n spécialité f; **~ize** vi: **to ~ize (in)** se spécialiser (dans); **~ly** ad spécialement, particulièrement.

species ['spi:ʃi:z] n espèce f.

specific [spə'sɪfɪk] a précis(e); particulier(ère); (BOT, CHEM etc) spécifique; **~ally** ad expressément, explicitement; **~ation** [spɛsɪfɪ'keɪʃn] n spécification f; stipulation f.

specify ['spɛsɪfaɪ] vt spécifier, préciser.

specimen ['spɛsɪmən] n spécimen m, échantillon m; (MED) prélèvement m.

speck [spɛk] n petite tache, petit point; (particle) grain m.

speckled ['spɛkld] a tacheté(e), moucheté(e).

specs [spɛks] npl (col) lunettes fpl.

spectacle ['spɛktəkl] n spectacle m; **~s** npl lunettes fpl; **spectacular** [-'tækjulə*] a spectaculaire // n (CINEMA etc) superproduction f.

spectator [spɛk'teɪtə*] n spectateur/trice.

spectra ['spɛktrə] npl of **spectrum.**

spectre, specter (US) ['spɛktə*] n spectre m, fantôme m.

spectrum, pl spectra ['spɛktrəm, -rə] n spectre m; (fig) gamme f.

speculate ['spɛkjuleɪt] vi spéculer; (try to guess): **to ~ about** s'interroger sur; **speculation** [-'leɪʃən] n spéculation f; conjectures fpl; **speculative** a spéculatif(ive).

speech [spi:tʃ] n (faculty) parole f; (talk) discours m, allocution f; (manner of speaking) façon f de parler, langage m; (enunciation) élocution f; **~ day** n (SCOL) distribution f des prix; **~less** a muet(te); **~ therapy** n orthophonie f.

speed [spi:d] n vitesse f; (promptness) rapidité f; **at full** or **top ~** à toute vitesse or allure; **to ~ up** vi aller plus vite, accélérer // vt accélérer; **~boat** n vedette f; hors-bord m inv; **~ily** ad rapidement, promptement; **~ing** n (AUT) excès m de vitesse; **~ limit** n limitation f de vitesse, vitesse maximale permise; **~ometer** [spɪ'dɔmɪtə*] n compteur m (de vitesse); **~way** n (SPORT) piste f de vitesse pour motos; **~y** a rapide, prompt(e).

speleologist [spɛlɪ'ɔlədʒɪst] n spéléologue m/f.

spell [spɛl] n (also: **magic ~**) sortilège m, charme m; (period of time) (courte) période // vt (pt,pp **spelt** or **~ed** [spɛlt, spɛld]) (in writing) écrire, orthographier; (aloud) épeler; (fig) signifier; **to cast a ~ on sb** jeter un sort à qn; **he can't ~** il fait des fautes d'orthographe; **~bound** a envoûté(e), subjugué(e); **~ing** n orthographe f.

spelt [spɛlt] pt,pp of **spell.**

spend, pt,pp **spent** [spɛnd, spɛnt] vt (money) dépenser; (time, life) passer; consacrer; **~ing money** n argent m de poche; **~thrift** n dépensier/ère.

spent [spɛnt] pt,pp of **spend** // a (patience) épuisé(e), à bout.

sperm [spə:m] n spermatozoïde m; (semen) sperme m; **~ whale** n cachalot m.

spew [spju:] vt vomir.

sphere [sfɪə*] n sphère f; (fig) sphère, domaine m; **spherical** ['sfɛrɪkl] a sphérique.

sphinx [sfɪŋks] n sphinx m.

spice [spaɪs] n épice f // vt épicer.

spick-and-span ['spɪkən'spæn] a impeccable.

spicy ['spaɪsɪ] a épicé(e), relevé(e); (fig) piquant(e).

spider ['spaɪdə*] n araignée f.

spiel [spi:l] n laïus m inv.

spike [spaɪk] n pointe f.

spill, pt,pp **spilt** or **~ed** [spɪl, -t, -d] vt renverser; répandre // vi se répandre.

spin [spɪn] n (revolution of wheel) tour m; (AVIAT) (chute f en) vrille f; (trip in car) petit tour, balade f // vb (pt **spun, span,** pp **spun** [spʌn, spæn]) vt (wool etc) filer; (wheel) faire tourner // vi tourner, tournoyer; **to ~ a yarn** débiter une longue histoire; **to ~ a coin** jouer à pile ou face; **to ~ out** vt faire durer.

spinach ['spɪnɪtʃ] n épinard m; (as food) épinards.

spinal ['spaɪnl] a vertébral(e), spinal(e); **~ cord** n moelle épinière.

spindly ['spɪndlɪ] a grêle, filiforme.

spin-drier [spɪn'draɪə*] n essoreuse f.

spine [spaɪn] n colonne vertébrale; (thorn) épine f, piquant m; **~less** a invertébré(e); (fig) mou(molle), sans caractère.

spinner ['spɪnə*] n (of thread) fileur/euse.

spinning ['spɪnɪŋ] n (of thread) filage m; (by machine) filature f; **~ top** n toupie f; **~ wheel** n rouet m.

spinster ['spɪnstə*] n célibataire f; vieille fille.

spiral ['spaɪərl] n spirale f // a en spirale // vi (fig) monter en flèche; **~ staircase** n escalier m en colimaçon.

spire ['spaɪə*] n flèche f, aiguille f.

spirit ['spɪrɪt] n (soul) esprit m, âme f; (ghost) esprit, revenant m; (mood) esprit, état m d'esprit; (courage) courage m, énergie f; **~s** npl (drink) spiritueux mpl, alcool m; **in good ~s** de bonne humeur; **in low ~s** démoralisé(e); **~ed** a vif(vive), fougueux(euse), plein(e) d'allant; **~ level** n niveau m à bulle.

spiritual ['spɪrɪtjuəl] a spirituel(le); religieux(euse) // n (also: **Negro ~**) spiritual m; **~ism** n spiritisme m.

spit [spɪt] n (for roasting) broche f // vi (pt, pp **spat** [spæt]) cracher; (sound) crépiter.

spite [spaɪt] n rancune f, dépit m // vt contrarier, vexer; **in ~ of** en dépit de, malgré; **~ful** a malveillant(e), rancunier(ère).

spitroast ['spɪt'rəust] vt faire rôtir à la broche.

spittle ['spɪtl] n salive f; bave f; crachat m.

spiv [spɪv] n (col) chevalier m d'industrie, aigrefin m.

splash [splæʃ] n éclaboussement m; (sound) plouf; (of colour) tache f // vt éclabousser; vi (also: ~ **about**) barboter, patauger.

splay [spleɪ] a: **~footed** marchant les pieds en dehors.

spleen [spli:n] n (ANAT) rate f.

splendid ['splɛndɪd] a splendide, superbe, magnifique.

splendour, splendor (US) ['splɛndə*] n splendeur f, magnificence f.

splice [splaɪs] vt épisser.

splint [splɪnt] n attelle f, éclisse f.

splinter ['splɪntə*] n (wood) écharde f; (metal) éclat m // vi se fragmenter.

split [splɪt] n fente f, déchirure f; (fig: POL) scission f // vb (pt, pp **split**) vt fendre, déchirer; (party) diviser; (work, profits) partager, répartir // vi se diviser; **to ~ up** vi (couple) se séparer, rompre; (meeting) se disperser; **~ting headache** n mal m de tête atroce.

splutter ['splʌtə*] vi bafouiller; postillonner.

spoil, pt,pp **spoilt** or **~ed** [spɔɪl, -t, -d] vt (damage) abîmer; (mar) gâcher; (child) gâter; **~s** npl butin m; **~sport** n trouble-fête m, rabat-joie m.

spoke [spəuk] pt of **speak** // n rayon m.

spoken ['spəukn] pp of **speak**.

spokesman ['spəuksmən] n porteparole m inv.

sponge [spʌndʒ] n éponge f // vt éponger // vi: **to ~ on** vivre aux crochets de; **~ bag** n sac m de toilette; **~ cake** n ≈ gâteau m de Savoie; **~r** n (pej) parasite m; **spongy** a spongieux(euse).

sponsor ['spɔnsə*] n (RADIO, TV) personne f (or organisme m) qui assure le patronage // vt patronner; parrainer; **~ship** n patronage m; parrainage m.

spontaneity [spɔntə'neiɪtɪ] n spontanéité f.

spontaneous [spɔn'teiniəs] a spontané(e).

spooky ['spu:kɪ] a qui donne la chair de poule.

spool [spu:l] n bobine f.

spoon [spu:n] n cuiller f; **~-feed** vt nourrir à la cuiller; (fig) mâcher le travail à; **~ful** n cuillerée f.

sporadic [spə'rædɪk] a sporadique.

sport [spɔ:t] n sport m; (person) chic type/chic fille f // vt arborer; **~ing** a sportif(ive); **to give sb a ~ing chance** donner sa chance à qn; **~s car** n voiture f de sport; **~s jacket** n veste f de sport; **~sman** n sportif m; **~smanship** n esprit sportif, sportivité f; **~s page** n page f des sports; **~swear** n vêtements mpl de sport; **~swoman** n sportive f; **~y** a sportif(ive).

spot [spɔt] n tache f; (dot: on pattern) pois m; (pimple) bouton m; (place) endroit m, coin m; (small amount): **a ~ of** un peu de // vt (notice) apercevoir, repérer; **on the ~** sur place, sur les lieux; **to come out in ~s** se couvrir de boutons, avoir une éruption de boutons; **~ check** n sondage m, vérification ponctuelle; **~less** a immaculé(e); **~light** n projecteur m; (AUT) phare m auxiliaire; **~ted** a tacheté(e), moucheté(e); à pois; **~ted with** tacheté(e) de; **~ty** a (face) boutonneux(euse).

spouse [spauz] n époux/épouse.

spout [spaut] n (of jug) bec m; (of liquid) jet m // vi jaillir.

sprain [spreɪn] n entorse f, foulure f // vt: **to ~ one's ankle** se fouler or se tordre la cheville.

sprang [spræŋ] pt of **spring**.

sprawl [sprɔ:l] vi s'étaler.

spray [spreɪ] n jet m (en fines gouttelettes); (container) vaporisateur m, bombe f; (of flowers) petit bouquet // vt vaporiser, pulvériser; (crops) traiter.

spread [sprɛd] n propagation f; (distribution) répartition f; (CULIN) pâte f à tartiner // vb (pt,pp **spread**) vt étendre, étaler; répandre; propager // vi s'étendre; se répandre; se propager.

spree [spri:] n: **to go on a ~** faire la fête.

sprig [sprɪg] n rameau m.

sprightly ['spraɪtlɪ] a alerte.

spring [sprɪŋ] n (leap) bond m, saut m; (coiled metal) ressort m; (season) printemps m; (of water) source f // vi (pt sprang, pp sprung [spræŋ, sprʌŋ]) bondir, sauter; **to ~ from** provenir de; **to ~ up** vi (problem) se présenter, surgir; **~board** n tremplin m; **~-clean** n (also: **~-cleaning**) grand nettoyage de printemps; **~time** n printemps m; **~y** a élastique, souple.

sprinkle ['sprɪŋkl] vt (pour) répandre; verser; **to ~ water etc on, ~ with water etc** asperger d'eau etc; **to ~ sugar etc on, ~ with sugar etc** saupoudrer de sucre etc; **~d with** (fig) parsemé(e) de.

sprint [sprɪnt] n sprint m // vi sprinter; **~er** n sprinteur/euse.

sprite [spraɪt] n lutin m.

sprout [spraut] vi germer, pousser; **(Brussels) ~s** npl choux mpl de Bruxelles.

spruce [spru:s] n épicéa m // a net(te), pimpant(e).

sprung [sprʌŋ] pp of **spring**.

spry [spraɪ] a alerte, vif(vive).

spud [spʌd] n (col: potato) patate f.

spun [spʌn] pt, pp of **spin**.

spur [spə:*] n éperon m; (fig) aiguillon m // vt (also: **~ on**) éperonner; aiguillonner; **on the ~ of the moment** sous l'impulsion du moment.

spurious ['spjuəriəs] a faux(fausse).

spurn [spə:n] vt repousser avec mépris.

spurt [spə:t] n jet m; (of energy) sursaut m // vi jaillir, gicler.

spy [spaɪ] n espion/ne // vi: **to ~ on** espionner, épier // vt (see) apercevoir; **~ing** n espionnage m.

sq. (MATH), **Sq.** (in address) abbr of **square**.

squabble ['skwɔbl] n querelle f, chamaillerie f // vi se chamailler.

squad [skwɔd] n (MIL, POLICE) escouade f, groupe m; (FOOTBALL) contingent m.

squadron ['skwɔdrn] n (MIL) escadron m; (AVIAT, NAUT) escadrille f.

squalid ['skwɔlɪd] a sordide, ignoble.

squall [skwɔ:l] n rafale f, bourrasque f.

squalor ['skwɔlə*] n conditions fpl sordides.

squander ['skwɔndə*] vt gaspiller, dilapider.

square [skwɛə*] n carré m; (in town) place f; (instrument) équerre f // a carré(e); (honest) honnête, régulier(ère) // vt (arrange) régler; arranger; (MATH) élever au carré // vi (agree) cadrer, s'accorder; **all** ~ quitte; à égalité; **a** ~ **meal** un repas convenable; **2 metres** ~ (de) 2 mètres sur 2; **1** ~ **metre** 1 mètre carré m; ~**ly** ad carrément.

squash [skwɔʃ] n (drink): **lemon/orange** ~ citronnade f/ orangeade f; (SPORT) squash m // vt écraser.

squat [skwɔt] a petit(e) et épais(se), ramassé(e) // vi s'accroupir; ~**ter** n squatter m.

squawk [skwɔ:k] vi pousser un or des gloussement(s).

squeak [skwi:k] n grincement m; petit cri // vi grincer, crier.

squeal [skwi:l] vi pousser un or des cri(s) aigu(s) or perçant(s).

squeamish ['skwi:mɪʃ] a facilement dégoûté(e); facilement scandalisé(e).

squeeze [skwi:z] n pression f; restrictions fpl de crédit // vt presser; (hand, arm) serrer; **to** ~ **out** vt exprimer; (fig) soutirer.

squelch [skwɛltʃ] vi faire un bruit de succion; patauger.

squib [skwɪb] n pétard m.

squid [skwɪd] n calmar m.

squint [skwɪnt] vi loucher // n: **he has a** ~ il louche, il souffre de strabisme.

squire ['skwaɪə*] n propriétaire terrien.

squirm [skwə:m] vi se tortiller.

squirrel ['skwɪrəl] n écureuil m.

squirt [skwə:t] n jet m // vi jaillir, gicler.

Sr abbr of **senior**.

St abbr of **saint**, **street**.

stab [stæb] n (with knife etc) coup m (de couteau etc); (col: try): **to have a** ~ **at (doing) sth** s'essayer à (faire) qch // vt poignarder.

stability [stə'bɪlɪtɪ] n stabilité f.

stabilize ['steɪbəlaɪz] vt stabiliser; ~**r** n stabilisateur m.

stable ['steɪbl] n écurie f // a stable.

stack [stæk] n tas m, pile f // vt empiler, entasser.

stadium ['steɪdɪəm] n stade m.

staff [stɑ:f] n (work force) personnel m; (: SCOL) professeurs mpl; (: servants) domestiques mpl; (MIL) état-major m; (stick) perche f, bâton m // vt pourvoir en personnel.

stag [stæg] n cerf m.

stage [steɪdʒ] n scène f; (profession): **the** ~ le théâtre; (point) étape f, stade m; (platform) estrade f // vt (play) monter, mettre en scène; (demonstration) organiser; (fig: perform: recovery etc) effectuer; **in** ~**s** par étapes, par degrés; ~**coach** n diligence f; ~ **door** n entrée f des artistes; ~ **fright** n trac m; ~ **manager** n régisseur m.

stagger ['stægə*] vi chanceler, tituber // vt (person) stupéfier; bouleverser; (hours, holidays) étaler, échelonner; ~**ing** a (amazing) stupéfiant(e), renversant(e).

stagnant ['stægnənt] a stagnant(e).

stagnate [stæg'neɪt] vi stagner, croupir.

stag party ['stægpɑ:tɪ] n enterrement m de vie de garçon.

staid [steɪd] a posé(e), rassis(e).

stain [steɪn] n tache f; (colouring) colorant m // vt tacher; (wood) teindre; ~**ed glass window** n vitrail m; ~**less** a (steel) inoxydable; ~ **remover** n détachant m.

stair [stɛə*] n (step) marche f; ~**s** npl escalier m; **on the** ~**s** dans l'escalier; ~**case**, ~**way** n escalier m.

stake [steɪk] n pieu m, poteau m; (BETTING) enjeu m // vt risquer, jouer; **to be at** ~ être en jeu.

stalactite ['stæləktaɪt] n stalactite f.

stalagmite ['stæləgmaɪt] n stalagmite m.

stale [steɪl] a (bread) rassis(e); (beer) éventé(e); (smell) de renfermé.

stalemate ['steɪlmeɪt] n pat m; (fig) impasse f.

stalk [stɔ:k] n tige f // vt traquer // vi marcher avec raideur.

stall [stɔ:l] n éventaire m, étal m; (in stable) stalle f // vt (AUT) caler // vi (AUT) caler; (fig) essayer de gagner du temps; ~**s** npl (in cinema, theatre) orchestre m.

stalwart ['stɔ:lwət] n partisan m fidèle.

stamina ['stæmɪnə] n vigueur f, endurance f.

stammer ['stæmə*] n bégaiement m // vi bégayer.

stamp [stæmp] n timbre m; (mark, also fig) empreinte f; (on document) cachet m // vi taper du pied // vt tamponner, estamper; (letter) timbrer; ~ **album** n album m de timbres(-poste); ~ **collecting** n philatélie f.

stampede [stæm'pi:d] n ruée f.

stance [stæns] n position f.

stand [stænd] n (position) position f; (MIL) résistance f; (structure) guéridon m; support m; (COMM) étalage m, stand m; (SPORT) tribune f // vb (pt,pp stood [stud]) vi être or se tenir (debout); (rise) se lever, se mettre debout; (be placed) se trouver // vt (place) mettre, poser; (tolerate, withstand) supporter; **to make a** ~ prendre position; **to** ~ **for parliament** se présenter aux élections (comme candidat à la députation); **it** ~**s to reason** c'est logique; cela va de soi; **to** ~ **by** vi (be ready) se tenir prêt // vt fus (opinion) s'en tenir à; **to** ~ **for** vt fus (defend) défendre, être pour; (signify) représenter, signifier; (tolerate) supporter, tolérer; **to** ~ **in for** vt fus remplacer; **to** ~ **out** vi (be prominent) ressortir; **to** ~ **up** vi (rise) se lever, se mettre debout; **to** ~ **up for** vt *fus* défendre ; **to ~ up to** *vt fus* tenir tête à, résister à.

standard ['stændəd] *n* niveau voulu ; (*flag*) étendard *m* // *a* (*size etc*) ordinaire, normal(e) ; courant(e) ; **~s** *npl* (*morals*) morale *f*, principes *mpl* ; **~ization** ['-zeɪʃən] *n* standardisation *f* ; **~ize** *vt* standardiser ; **~ lamp** *n* lampadaire *m* ; **~ of living** *n* niveau *m* de vie.

stand-by ['stændbaɪ] *n* remplaçant/e ; **~ ticket** *n* (AVIAT) billet *m* sans garantie.

stand-in ['stændɪn] *n* remplaçant/e ; (CINEMA) doublure *f*.

standing ['stændɪŋ] *a* debout *inv* // *n* réputation *f*, rang *m*, standing *m* ; **of many years' ~** qui dure *or* existe depuis longtemps ; **~ committee** *n* commission permanente ; **~ order** *n* (*at bank*) virement *m* automatique, prélèvement *m* bancaire ; **~ orders** *npl* (MIL) règlement *m* ; **~ room** *n* places *fpl* debout.

stand-offish [stænd'ɔfɪʃ] *a* distant(e), froid(e).

standpoint ['stændpɔɪnt] *n* point *m* de vue.

standstill ['stændstɪl] *n*: **at a ~** à l'arrêt ; (*fig*) au point mort ; **to come to a ~** s'immobiliser, s'arrêter.

stank [stæŋk] *pt of* **stink.**

stanza ['stænzə] *n* strophe *f* ; couplet *m*.

staple ['steɪpl] *n* (*for papers*) agrafe *f* // *a* (*food etc*) de base, principal(e) // *vt* agrafer ; **~r** *n* agrafeuse *f*.

star [stɑ:*] *n* étoile *f* ; (*celebrity*) vedette *f* // *vi*: **to ~ (in)** être la vedette (de) // *vt* (CINEMA) avoir pour vedette.

starboard ['stɑ:bəd] *n* tribord *m* ; **to ~** à tribord.

starch [stɑ:tʃ] *n* amidon *m* ; **~ed** *a* (*collar*) amidonné(e), empesé(e) ; **~y** *a* riche en féculents ; (*person*) guindé(e).

stardom ['stɑ:dəm] *n* célébrité *f*.

stare [stɛə*] *n* regard *m* fixe // *vt*: **to ~ at** regarder fixement.

starfish ['stɑ:fɪʃ] *n* étoile *f* de mer.

stark [stɑ:k] *a* (*bleak*) désolé(e), morne // *ad*: **~ naked** complètement nu(e).

starlight ['stɑ:laɪt] *n*: **by ~** à la lumière des étoiles.

starling ['stɑ:lɪŋ] *n* étourneau *m*.

starlit ['stɑ:lɪt] *a* étoilé(e) ; illuminé(e) par les étoiles.

starry ['stɑ:rɪ] *a* étoilé(e) ; **~-eyed** *a* (*innocent*) ingénu(e).

start [stɑ:t] *n* commencement *m*, début *m* ; (*of race*) départ *m* ; (*sudden movement*) sursaut *m* // *vt* commencer // *vi* partir, se mettre en route ; (*jump*) sursauter ; **to ~ doing sth** se mettre à faire qch ; **to ~ off** *vi* commencer ; (*leave*) partir ; **to ~ up** *vi* commencer ; (*car*) démarrer // *vt* déclencher ; (*car*) mettre en marche ; **~er** *n* (AUT) démarreur *m* ; (SPORT: *official*) starter *m* ; (: *runner, horse*) partant *m* ; (CULIN) entrée *f* ; **~ing handle** *n* manivelle *f* ; **~ing point** *n* point *m* de départ.

startle ['stɑ:tl] *vt* faire sursauter ; donner un choc à ; **startling** *a* surprenant(e), saisissant(e).

starvation [stɑ:'veɪʃən] *n* faim *f*, famine *f* ; **to die of ~** mourir de faim *or* d'inanition.

starve [stɑ:v] *vi* mourir de faim ; être affamé(e) // *vt* affamer ; **I'm starving** je meurs de faim.

state [steɪt] *n* état *m* // *vt* déclarer, affirmer ; formuler ; **the S~s** les États-Unis *mpl* ; **to be in a ~** être dans tous ses états ; **~ control** *n* contrôle *m* de l'État ; **~d** *a* fixé(e), prescrit(e) ; **~ly** *a* majestueux(euse), imposant(e) ; **~ment** *n* déclaration *f* ; (LAW) déposition *f* ; **~ secret** *n* secret *m* d'État ; **~sman** *n* homme *m* d'État.

static ['stætɪk] *n* (RADIO) parasites *mpl* // *a* statique ; **~ electricity** *n* électricité *f* statique.

station ['steɪʃən] *n* gare *f* ; poste *m* (militaire *or* de police *etc*) ; (*rank*) condition *f*, rang *m* // *vt* placer, poster.

stationary ['steɪʃnərɪ] *a* à l'arrêt, immobile.

stationer ['steɪʃənə*] *n* papetier/ère ; **~'s** (*shop*) *n* papeterie *f* ; **~y** *n* papier *m* à lettres, petit matériel de bureau.

station master ['steɪʃənmɑ:stə*] *n* (RAIL) chef *m* de gare.

station wagon ['steɪʃənwægən] *n* (US) break *m*.

statistic [stə'tɪstɪk] *n* statistique *f* ; **~s** *npl* (*science*) statistique *f* ; **~al** *a* statistique.

statue ['stætju:] *n* statue *f* ; **statuesque** ['-ɛsk] *a* sculptural(e).

stature ['stætʃə*] *n* stature *f* ; (*fig*) envergure *f*.

status ['steɪtəs] *n* position *f*, situation *f* ; prestige *m* ; statut *m* ; **the ~ quo** le statu quo ; **~ symbol** *n* marque *f* de standing, signe extérieur de richesse.

statute ['stætju:t] *n* loi *f* ; **~s** *npl* (*of club etc*) statuts *mpl* ; **statutory** *a* statutaire, prévu(e) par un article de loi.

staunch [stɔ:ntʃ] *a* sûr(e), loyal(e).

stave [steɪv] *n* (MUS) portée *f* // *vt*: **to ~ off** (*attack*) parer ; (*threat*) conjurer.

stay [steɪ] *n* (*period of time*) séjour *m* // *vi* rester ; (*reside*) loger ; (*spend some time*) séjourner ; **to ~ put** ne pas bouger ; **to ~ with friends** loger chez des amis ; **to ~ the night** passer la nuit ; **to ~ behind** *vi* rester en arrière ; **to ~ in** *vi* (*at home*) rester à la maison ; **to ~ on** *vi* rester ; **to ~ out** *vi* (*of house*) ne pas rentrer ; **to ~ up** *vi* (*at night*) ne pas se coucher.

STD *n* (*abbr of Subscriber Trunk Dialling*) l'automatique *m*.

steadfast ['stɛdfɑ:st] *a* ferme, résolu(e).

steadily ['stɛdɪlɪ] *ad* progressivement ; sans arrêt ; (*walk*) d'un pas ferme.

steady ['stɛdɪ] *a* stable, solide, ferme ; (*regular*) constant(e), régulier(ère) ; (*person*) calme, pondéré(e) // *vt* stabiliser ; assujettir ; calmer ; **to ~ oneself** reprendre son aplomb.

steak [steɪk] *n* (*meat*) bifteck *m*, steak *m* ; (*fish*) tranche *f* ; **~house** *n* ≈ grill-room *m*.

steal, *pt* **stole**, *pp* **stolen** [sti:l, stəul, 'stəuln] *vt,vi* voler.

stealth [stɛlθ] *n*: **by ~** furtivement ; **~y** *a* furtif(ive).

steam [sti:m] *n* vapeur *f* // *vt* passer à la vapeur ; (CULIN) cuire à la vapeur // *vi* fumer ; (*ship*): **to ~ along** filer ; **~ engine**

n locomotive *f* à vapeur ; ∼**er** *n* (bateau *m* à) vapeur *m* ; ∼**roller** *n* rouleau compresseur ; ∼**y** *a* embué(e), humide.

steed [sti:d] *n* coursier *m*.

steel [sti:l] *n* acier *m* // *cpd* d'acier ; ∼**works** *n* aciérie *f*.

steep [sti:p] *a* raide, escarpé(e) ; (*price*) très élevée(e), excessif(ive) // *vt* (faire) tremper.

steeple ['sti:pl] *n* clocher *m* ; ∼**chase** *n* steeple(-chase) *m* ; ∼**jack** *n* réparateur *m* de clochers et de hautes cheminées.

steeply ['sti:plɪ] *ad* en pente raide.

steer [stɪə*] *n* bœuf *m* // *vt* diriger, gouverner ; guider // *vi* tenir le gouvernail ; ∼**ing** *n* (*AUT*) conduite *f* ; ∼**ing column** *n* colonne *f* de direction ; ∼**ing wheel** *n* volant *m*.

stellar ['stɛlə*] *a* stellaire.

stem [stɛm] *n* tige *f* ; queue *f* ; (*NAUT*) avant *m*, proue *f* // *vt* contenir, endiguer, juguler ; **to** ∼ **from** *vt fus* provenir de, découler de.

stench [stɛntʃ] *n* puanteur *f*.

stencil ['stɛnsl] *n* stencil *m* ; pochoir *m* // *vt* polycopier.

step [stɛp] *n* pas *m* ; (*stair*) marche *f* ; (*action*) mesure *f*, disposition *f* // *vi* : **to** ∼ **forward** faire un pas en avant, avancer ; ∼**s** *npl* = **stepladder** ; **to** ∼ **down** *vi* (*fig*) se retirer, se désister ; **to** ∼ **off** *vt fus* descendre de ; **to** ∼ **over** *vt fus* marcher sur ; **to** ∼ **up** *vt* augmenter ; intensifier ; ∼**brother** *n* demi-frère *m* ; ∼**child** *n* beau-fils/belle-fille ; ∼**father** *n* beau-père *m* ; ∼**ladder** *n* escabeau *m* ; ∼**mother** *n* belle-mère *m* ; **stepping stone** *n* pierre *f* de gué ; (*fig*) tremplin *m* ; ∼**sister** *n* demi-sœur *f*.

stereo ['stɛrɪəu] *n* (*system*) stéréo *f* ; (*record player*) chaîne *f* stéréo // *a* (*also*: ∼**phonic**) *a* stéréophonique.

stereotype ['stɪərɪətaɪp] *n* stéréotype *m* // *vt* stéréotyper.

sterile ['stɛraɪl] *a* stérile ; **sterility** [-'rɪlɪtɪ] *n* stérilité *f* ; **sterilization** [-'zeɪʃən] *n* stérilisation *f* ; **sterilize** ['stɛrɪlaɪz] *vt* stériliser.

sterling ['stə:lɪŋ] *a* sterling *inv* ; (*silver*) de bon aloi, fin(e) ; (*fig*) à toute épreuve, excellent(e) ; ∼ **area** *n* zone *f* sterling *inv*.

stern [stə:n] *a* sévère *m* // *n* (*NAUT*) arrière *m*, poupe *f*.

stethoscope ['stɛθəskəup] *n* stéthoscope *m*.

stevedore ['sti:vədɔ:*] *n* docker *m*, débardeur *m*.

stew [stju:] *n* ragoût *m* // *vt*, *vi* cuire à la casserole ; ∼**ed tea** thé trop infusé.

steward ['stju:əd] *n* (*AVIAT*, *NAUT*, *RAIL*) steward *m* ; (*in club etc*) intendant *m* ; ∼**ess** *n* hôtesse *f*.

stick [stɪk] *n* bâton *m* ; morceau *m* // *vb* (*pt*, *pp* **stuck** [stʌk]) *vt* (*glue*) coller ; (*thrust*) : **to** ∼ **sth into** piquer *or* planter *or* enfoncer qch dans ; (*col*: *put*) mettre, fourrer ; (*col*: *tolerate*) supporter // *vi* se planter ; tenir ; (*remain*) rester ; **to** ∼ **out**, **to** ∼ **up** *vi* dépasser, sortir ; **to** ∼ **up for** *vt fus* défendre ; ∼**er** *n* auto-collant *m*.

stickleback ['stɪklbæk] *n* épinoche *f*.

stickler ['stɪklə*] *n* : **to be a** ∼ **for** être pointilleux(euse) sur.

sticky ['stɪkɪ] *a* poisseux(euse) ; (*label*) adhésif(ive).

stiff [stɪf] *a* raide ; rigide ; dur(e) ; (*difficult*) difficile, ardu(e) ; (*cold*) froid(e), distant(e) ; (*strong*, *high*) fort(e), élevée(e) ; ∼**en** *vt* raidir, renforcer // *vi* se raidir ; se durcir ; ∼ **neck** *n* torticolis *m* ; ∼**ness** *n* raideur *f*.

stifle ['staɪfl] *vt* étouffer, réprimer ; **stifling** *a* (*heat*) suffocant(e).

stigma, *pl* (*BOT*, *MED*, *REL*) ∼**ta**, (*fig*) ∼**s** ['stɪgmə, stɪg'mɑ:tə] *n* stigmate *m*.

stile [staɪl] *n* échalier *m*.

stiletto [stɪ'lɛtəu] *n* (*also*: ∼ **heel**) talon *m* aiguille.

still [stɪl] *a* immobile ; calme, tranquille // *ad* (*up to this time*) encore, toujours ; (*even*) encore ; (*nonetheless*) quand même, tout de même ; ∼**born** *a* mort-né(e) ; ∼ **life** *n* nature morte.

stilt [stɪlt] *n* échasse *f* ; (*pile*) pilotis *m*.

stilted ['stɪltɪd] *a* guindé(e), emprunté(e).

stimulant ['stɪmjulənt] *n* stimulant *m*.

stimulate ['stɪmjuleɪt] *vt* stimuler ; **stimulating** *a* stimulant(e) ; **stimulation** [-'leɪʃən] *n* stimulation *f*.

stimulus, *pl* **stimuli** ['stɪmjuləs, 'stɪmjulaɪ] *n* stimulant *m* ; (*BIOL*, *PSYCH*) stimulus *m*.

sting [stɪŋ] *n* piqûre *f* ; (*organ*) dard *m* // *vt* (*pt*,*pp* **stung** [stʌŋ]) piquer.

stingy ['stɪndʒɪ] *a* avare, pingre, chiche.

stink [stɪŋk] *n* puanteur *f* // *vi* (*pt* **stank**, *pp* **stunk** [stæŋk, stʌŋk]) puer, empester ; ∼**er** *n* (*col*) vacherie *f* ; dégueulasse *m/f* ; ∼**ing** *a* (*col*) : **a** ∼**ing...** un(e) foutu(e)... .

stint [stɪnt] *n* part *f* de travail // *vi* : **to** ∼ **on** lésiner sur, être chiche de .

stipend ['staɪpɛnd] *n* (*of vicar etc*) traitement *m*.

stipulate ['stɪpjuleɪt] *vt* stipuler ; **stipulation** [-'leɪʃən] *n* stipulation *f*, condition *f*.

stir [stə:*] *n* agitation *f*, sensation *f* // *vt* remuer // *vi* remuer, bouger ; **to** ∼ **up** *vt* exciter ; ∼**ring** *a* excitant(e) ; émouvant(e).

stirrup ['stɪrəp] *n* étrier *m*.

stitch [stɪtʃ] *n* (*SEWING*) point *m* ; (*KNITTING*) maille *f* ; (*MED*) point de suture ; (*pain*) point de côté // *vt* coudre, piquer ; suturer.

stoat [stəut] *n* hermine *f* (*avec son pelage d'été*).

stock [stɔk] *n* réserve *f*, provision *f* ; (*COMM*) stock *m* ; (*AGR*) cheptel *m*, bétail *m* ; (*CULIN*) bouillon *m* ; (*FINANCE*) valeurs *fpl*, titres *mpl* // *a* (*fig*: *reply etc*) courant(e) ; classique // *vt* (*have in stock*) avoir, vendre ; **well-**∼**ed** bien approvisionné(e) *or* fourni(e) ; **to take** ∼ (*fig*) faire le point ; **to** ∼ **up** *vt* remplir, garnir // *vi* : **to** ∼ **up (with)** s'approvisionner (en).

stockade [stɔ'keɪd] *n* palissade *f*.

stockbroker ['stɔkbrəukə*] *n* agent *m* de change.

stock exchange ['stɔkɪkstʃeɪndʒ] *n* Bourse *f* (des valeurs).

stocking ['stɔkɪŋ] *n* bas *m*.

stockist ['stɔkɪst] n stockiste m.

stock market ['stɔkmɑ:kɪt] n Bourse f, marché financier.

stock phrase ['stɔk'freɪz] n cliché m.

stockpile ['stɔkpaɪl] n stock m, réserve f // vt stocker, accumuler.

stocktaking ['stɔkteɪkɪŋ] n (COMM) inventaire m.

stocky ['stɔkɪ] a trapu(e), râblé(e).

stodgy ['stɔdʒɪ] a bourratif(ive), lourd(e).

stoic ['stəuɪk] n stoïque m/f; **~al** a stoïque.

stoke [stəuk] vt garnir, entretenir; chauffer; **~r** n chauffeur m.

stole [stəul] pt of **steal** // n étole f.

stolen ['stəuln] pp of **steal**.

stolid ['stɔlɪd] a impassible, flegmatique.

stomach ['stʌmək] n estomac m; (abdomen) ventre m // vt supporter, digérer; **~ ache** n mal m à l'estomac or au ventre.

stone [stəun] n pierre f; (pebble) caillou m, galet m; (in fruit) noyau m; (MED) calcul m; (weight) mesure de poids = 6.348 kg.; 14 pounds // cpd de or en pierre // vt dénoyauter; **~-cold** a complètement froid(e); **~-deaf** a sourd(e) comme un pot; **~mason** n tailleur m de pierre(s); **~work** n maçonnerie f; **stony** a pierreux(euse), rocailleux(euse).

stood [stud] pt,pp of **stand**.

stool [stu:l] n tabouret m.

stoop [stu:p] vi (also: **have a ~**) être voûté(e); (bend) se baisser, se courber.

stop [stɔp] n arrêt m; halte f; (in punctuation) point m // vt arrêter; (break off) interrompre; (also: **put a ~ to**) mettre fin à // vi s'arrêter; (rain, noise etc) cesser, s'arrêter; **to ~ doing sth** cesser or arrêter de faire qch; **to ~ dead** vi s'arrêter net; **to ~ off** vi faire une courte halte; **to ~ up** vt (hole) boucher; **~lights** npl (AUT) signaux mpl de stop, feux mpl arrière; **~over** n halte f; (AVIAT) escale f.

stoppage ['stɔpɪdʒ] n arrêt m; (of pay) retenue f; (strike) arrêt de travail.

stopper ['stɔpə*] n bouchon m.

stop-press ['stɔp'prɛs] n nouvelles fpl de dernière heure.

stopwatch ['stɔpwɔtʃ] n chronomètre m.

storage ['stɔ:rɪdʒ] n emmagasinage m; (COMPUTERS) mise f en mémoire or réserve.

store [stɔ:*] n provision f, réserve f; (depot) entrepôt m; (large shop) grand magasin // vt emmagasiner; **to ~ up** vt mettre en réserve, emmagasiner; **~room** n réserve f, magasin m.

storey, **story**, (US) ['stɔ:rɪ] n étage m.

stork [stɔ:k] n cigogne f.

storm [stɔ:m] n orage m, tempête f; ouragan m // vi (fig) fulminer // vt prendre d'assaut; **~ cloud** n nuage m d'orage; **~y** a orageux(euse).

story ['stɔ:rɪ] n histoire f; récit m; (US) = **storey**; **~book** n livre m d'histoires or de contes; **~teller** n conteur/euse.

stout [staut] a solide; (brave) intrépide; (fat) gros(se), corpulent(e) // n bière brune.

stove [stəuv] n (for cooking) fourneau m; (: small) réchaud m; (for heating) poêle m.

stow [stəu] vt ranger; cacher; **~away** n passager/ère clandestin(e).

straddle ['strædl] vt enjamber, être à cheval sur.

strafe [strɑ:f] vt mitrailler.

straggle ['strægl] vi (or marcher) en désordre; **~d along the coast** disséminé(e) tout au long de la côte; **~r** n traînard/e; **straggling**, **straggly** a (hair) en désordre.

straight [streɪt] a droit(e); (frank) honnête, franc(he) // ad (tout) droit; (drink) sec, sans eau // n: the ~ la ligne droite; **to put or get ~** mettre en ordre, mettre de l'ordre dans; **~ away**, **~off** (at once) tout de suite; **~ off**, **~ out** sans hésiter; **~en** vt (also: **~en out**) redresser; **~forward** a simple; honnête, direct(e).

strain [streɪn] n (TECH) tension f; pression f; (physical) effort m; (mental) tension (nerveuse); (MED) entorse f; (streak, trace) tendance f; élément m // vt tendre fortement; mettre à l'épreuve; (filter) passer, filtrer // vi peiner, fournir un gros effort; **~s** npl (MUS) accords mpl, accents mpl; **~ed** a (laugh etc) forcé(e), contraint(e); (relations) tendu(e); **~er** n passoire f.

strait [streɪt] n (GEO) détroit m; **~ jacket** n camisole f de force; **~-laced** a collet monté inv.

strand [strænd] n (of thread) fil m, brin m // vt (boat) échouer; **~ed** a en rade, en plan.

strange [streɪndʒ] a (not known) inconnu(e); (odd) étrange, bizarre; **~ly** ad étrangement, bizarrement; **~r** n inconnu/e; étranger/ère.

strangle ['stræŋgl] vt étrangler; **~hold** n (fig) emprise totale, mainmise f; **strangulation** [-'leɪʃən] n strangulation f.

strap [stræp] n lanière f, courroie f, sangle f; (of slip, dress) bretelle f // vt attacher (avec une courroie etc); (child etc) administrer une correction à.

strapping ['stræpɪŋ] a bien découplé(e), costaud(e).

strata ['strɑ:tə] npl of **stratum**.

stratagem ['strætɪdʒəm] n stratagème m.

strategic [strə'ti:dʒɪk] a stratégique.

strategist ['strætɪdʒɪst] n stratège m.

strategy ['strætɪdʒɪ] n stratégie f.

stratosphere ['strætəsfɪə*] n stratosphère f.

stratum, pl **strata** ['strɑ:təm, 'strɑ:tə] n strate f, couche f.

straw [strɔ:] n paille f.

strawberry ['strɔ:bərɪ] n fraise f; (plant) fraisier m.

stray [streɪ] a (animal) perdu(e), errant(e) // vi s'égarer; **~ bullet** n balle perdue.

streak [stri:k] n raie f, bande f, filet m; (fig: of madness etc): **a ~ of** une or des tendance(s) à // vt zébrer, strier // vi: **to ~ past** passer à toute allure; **~y** a zébré(e), strié(e); **~y bacon** n ≈ lard m (maigre).

stream [stri:m] n ruisseau m; courant m, flot m; (of people) défilé m ininterrompu, flot // vt (SCOL) répartir par niveau // vi ruisseler; **to** ~ **in/out** entrer/sortir à flots.

streamer ['stri:mə*] n serpentin m, banderole f.

streamlined ['stri:mlaind] a (AVIAT) fuselé(e), profilé(e); (AUT) aérodynamique; (fig) rationalisé(e).

street [stri:t] n rue f; ~**car** n (US) tramway m; ~ **lamp** n réverbère m.

strength [streŋθ] n force f; (of girder, knot etc) solidité f; ~**en** vt fortifier; renforcer; consolider.

strenuous ['strenjuəs] a vigoureux(euse), énergique; (tiring) ardu(e), fatigant(e).

stress [stres] n (force, pressure) pression f; (mental strain) tension (nerveuse); (accent) accent m // vt insister sur, souligner.

stretch [stretʃ] n (of sand etc) étendue f // vi s'étirer; (extend): **to** ~ **to/as far as** s'étendre jusqu'à // vt tendre, étirer; (spread) étendre; (fig) pousser (au maximum); **at a** ~ sans discontinuer, sans interruption; **to** ~ **a muscle** se distendre un muscle; **to** ~ **out** vi s'étendre // vt (arm etc) allonger, tendre; (to spread) étendre; **to** ~ **out for something** allonger la main pour prendre qch.

stretcher ['stretʃə*] n brancard m, civière f.

strewn [stru:n] a: ~ **with** jonché(e) de.

stricken ['strikən] a très éprouvé(e); dévasté(e); ~ **with** frappé(e) or atteint(e) de.

strict [strikt] a strict(e); ~**ly** ad strictement; ~**ness** n sévérité f.

stride [straid] n grand pas, enjambée f // vi (pt **strode**, pp **stridden** [strəud, 'stridn]) marcher à grands pas.

strident ['straidnt] a strident(e).

strife [straif] n conflit m, dissensions fpl.

strike [straik] n grève f; (of oil etc) découverte f; (attack) raid m // vb (pt,pp **struck** [strʌk]) vt frapper; (oil etc) trouver, découvrir // vi faire grève; (attack) attaquer; (clock) sonner; **to** ~ **a match** frotter une allumette; **to** ~ **down** vt (fig) terrasser; **to** ~ **out** vt rayer; **to** ~ **up** vt (MUS) se mettre à jouer; **to** ~ **up a friendship with** se lier d'amitié avec; ~**breaker** n briseur m de grève; ~**r** n gréviste m/f; (SPORT) buteur m; **striking** a frappant(e), saisissant(e).

string [striŋ] n ficelle f, fil m; (row) rang m; chapelet m; file f; (MUS) corde f // vt (pt,pp **strung** [strʌŋ]): **to** ~ **out** échelonner; **the** ~**s** npl (MUS) les instruments mpl à corde; ~ **bean** n haricot vert; ~**(ed) instrument** n (MUS) instrument m à cordes.

stringent ['strindʒənt] a rigoureux(euse); (need) impérieux(euse).

strip [strip] n bande f // vt déshabiller; dégarnir, dépouiller; (also: ~ **down**: machine) démonter // vi se déshabiller; ~ **cartoon** n bande dessinée.

stripe [straip] n raie f, rayure f; ~**d** a rayé(e), à rayures.

strip light ['striplait] n (tube m au) néon m.

stripper ['stripə*] n strip-teaseuse f.

striptease ['stripti:z] n strip-tease m.

strive, pt **strove**, pp **striven** [straiv, strəuv, 'strivn] vi: **to** ~ **to do** s'efforcer de faire.

strode [strəud] pt of **stride**.

stroke [strəuk] n coup m; (MED) attaque f; (caress) caresse f // vt caresser; **at a** ~ d'un (seul) coup; **on the** ~ **of 5** à 5 heures sonnantes; **a 2-~ engine** un moteur à 2 temps.

stroll [strəul] n petite promenade // vi flâner, se promener nonchalamment.

strong [strɔŋ] a fort(e); vigoureux(euse); solide; vif(vive); **they are 50** ~ ils sont au nombre de 50; ~**hold** n bastion m; ~**ly** ad fortement, avec force; vigoureusement; solidement; ~**room** n chambre forte.

strove [strəuv] pt of **strive**.

struck [strʌk] pt,pp of **strike**.

structural ['strʌktʃərəl] a structural(e); (CONSTR) de construction; affectant les parties portantes; ~**ly** ad du point de vue de la construction.

structure ['strʌktʃə*] n structure f; (building) construction f; édifice m.

struggle ['strʌgl] n lutte f // vi lutter, se battre.

strum [strʌm] vt (guitar) gratter de.

strung [strʌŋ] pt,pp of **string**.

strut [strʌt] n étai m, support m // vi se pavaner.

stub [stʌb] n bout m; (of ticket etc) talon m; **to** ~ **out** vt écraser.

stubble ['stʌbl] n chaume m; (on chin) barbe f de plusieurs jours.

stubborn ['stʌbən] a têtu(e), obstiné(e), opiniâtre.

stubby ['stʌbi] a trapu(e); gros(se) et court(e).

stuck [stʌk] pt,pp of **stick** // a (jammed) bloqué(e), coincé(e); ~-**up** a prétentieux(euse).

stud [stʌd] n clou m (à grosse tête); bouton m de col; (of horses) écurie f, haras m; (also: ~ **horse**) étalon m // vt (fig): ~**ded with** parsemé(e) or criblé(e) de.

student ['stju:dənt] n étudiant/e // cpd estudiantin(e); universitaire; d'étudiant.

studied ['stʌdid] a étudié(e), calculé(e).

studio ['stju:diəu] n studio m, atelier m.

studious ['stju:diəs] a studieux(euse), appliqué(e); (studied) étudié(e); ~**ly** ad (carefully) soigneusement.

study ['stʌdi] n étude f; (room) bureau m // vt étudier; examiner // vi étudier, faire ses études.

stuff [stʌf] n chose(s) f(pl), truc m; affaires fpl; (substance) substance f // vt rembourrer; (CULIN) farcir; ~**ing** n bourre f, rembourrage m; (CULIN) farce f; ~**y** a (room) mal ventilé(e) or aéré(e); (ideas) vieux jeu inv.

stumble ['stʌmbl] vi trébucher; **to** ~ **across** (fig) tomber sur; **stumbling block** n pierre f d'achoppement.

stump [stʌmp] n souche f; (of limb) moignon m // vt: **to be** ~**ed** sécher, ne pas savoir que répondre.

stun [stʌn] vt étourdir; abasourdir.

stung [stʌŋ] pt, pp of sting.

stunk [stʌŋk] pp of stink.

stunning ['stʌnɪŋ] a étourdissant(e), stupéfiant(e).

stunt [stʌnt] n tour m de force; truc m publicitaire; (AVIAT) acrobatie f // vt retarder, arrêter; ~ed a rabougri(e); ~man n cascadeur m.

stupefy ['stju:pɪfaɪ] vt étourdir; abrutir; (fig) stupéfier.

stupendous [stju:'pɛndəs] a prodigieux(euse), fantastique.

stupid ['stju:pɪd] a stupide, bête; ~ity [-'pɪdɪtɪ] n stupidité f, bêtise f; ~ly ad stupidement, bêtement.

stupor ['stju:pə*] n stupeur f.

sturdy ['stə:dɪ] a robuste, vigoureux(euse); solide.

sturgeon ['stə:dʒən] n esturgeon m.

stutter ['stʌtə*] n bégaiement m // vi bégayer.

sty [staɪ] n (of pigs) porcherie f.

stye [staɪ] n (MED) orgelet m.

style [staɪl] n style m; (distinction) allure f, cachet m, style m; stylish a élégant(e), chic inv.

stylized ['staɪlaɪzd] a stylisé(e).

stylus ['staɪləs] n (of record player) pointe f de lecture.

suave [swɑ:v] a doucereux(euse), onctueux(euse).

sub... [sʌb] prefix sub..., sous-; subconscious a subconscient(e) // n subconscient m; subdivide vt subdiviser; subdivision n subdivision f.

subdue [səb'dju:] vt subjuguer, soumettre; ~d a contenu(e), atténué(e); (light) tamisé(e); (person) qui a perdu de son entrain.

subject n ['sʌbdʒɪkt] sujet m; (SCOL) matière f // vt [səb'dʒɛkt]: to ~ to soumettre à; exposer à; to be ~ to (law) être soumis(e) à; (disease) être sujet(te) à; ~ion [-'dʒɛkʃən] n soumission f, sujétion f; ~ive a subjectif(ive); (LING) sujet(te); ~ matter n sujet m; contenu m.

sub judice [sʌb'dju:dɪsɪ] a devant les tribunaux.

subjunctive [səb'dʒʌŋktɪv] a subjonctif(ive) // n subjonctif m.

sublet [sʌb'lɛt] vt sous-louer.

sublime [sə'blaɪm] a sublime.

submachine gun ['sʌbmə'ʃi:ngʌn] n fusil-mitrailleur m.

submarine [sʌbmə'ri:n] n sous-marin m.

submerge [səb'mə:dʒ] vt submerger; immerger // vi plonger.

submission [səb'mɪʃən] n soumission f.

submissive [səb'mɪsɪv] a soumis(e).

submit [səb'mɪt] vt soumettre // vi se soumettre.

subordinate [sə'bɔ:dɪnət] a,n subordonné(e).

subpoena [səb'pi:nə] (LAW) n citation f, assignation f // vt citer or assigner (à comparaître).

subscribe [səb'skraɪb] vi cotiser; to ~ to (opinion, fund) souscrire à; (newspaper) s'abonner à; être abonné(e) à; ~r n (to periodical, telephone) abonné/e.

subscription [səb'skrɪpʃən] n souscription f; abonnement m.

subsequent ['sʌbsɪkwənt] a ultérieur(e), suivant(e); consécutif(ive); ~ly ad par la suite.

subside [səb'saɪd] vi s'affaisser; (flood) baisser; (wind) tomber; ~nce [-'saɪdns] n affaissement m.

subsidiary [səb'sɪdɪərɪ] a subsidiaire; accessoire // n filiale f.

subsidize ['sʌbsɪdaɪz] vt subventionner.

subsidy ['sʌbsɪdɪ] n subvention f.

subsistence [səb'sɪstəns] n existence f, subsistance f.

substance ['sʌbstəns] n substance f; (fig) essentiel m; a man of ~ un homme jouissant d'une certaine fortune.

substandard [sʌb'stændəd] a de qualité inférieure.

substantial [səb'stænʃl] a substantiel(le); (fig) important(e); ~ly ad considérablement; en grande partie.

substantiate [səb'stænʃɪeɪt] vt étayer, fournir des preuves à l'appui de.

substitute ['sʌbstɪtju:t] n (person) remplaçant/e; (thing) succédané m // vt: to ~ sth/sb for substituer qch/qn à, remplacer par qch/qn; substitution [-'tju:ʃən] n substitution f.

subterfuge ['sʌbtəfju:dʒ] n subterfuge m.

subterranean [sʌbtə'reɪnɪən] a souterrain(e).

subtitle [sʌb'taɪtl] n (CINEMA) sous-titre m.

subtle ['sʌtl] a subtil(e); ~ty n subtilité f.

subtract [səb'trækt] vt soustraire, retrancher; ~ion [-'trækʃən] n soustraction f.

subtropical [sʌb'trɒpɪkl] a subtropical(e).

suburb ['sʌbə:b] n faubourg m; the ~s la banlieue; ~an [sə'bə:bən] a de banlieue, suburbain(e).

subvention [səb'vɛnʃən] n (US: subsidy) subvention f.

subversive [səb'və:sɪv] a subversif(ive).

subway ['sʌbweɪ] n (US) métro m; (Brit) passage souterrain m.

sub-zero [sʌb'zɪərəu] a au-dessous de zéro.

succeed [sək'si:d] vi réussir; avoir du succès // vt succéder à; to ~ in doing réussir à faire; ~ing a (following) suivant(e).

success [sək'sɛs] n succès m; réussite f; ~ful a (venture) couronné(e) de succès; to be ~ful (in doing) réussir (à faire); ~fully ad avec succès.

succession [sək'sɛʃən] n succession f.

successive [sək'sɛsɪv] a successif(ive); consécutif(ive).

successor [sək'sɛsə*] n successeur m.

succinct [sək'sɪŋkt] a succinct(e), bref(brève).

succulent ['sʌkjulənt] a succulent(e).

succumb [sə'kʌm] vi succomber.

such [sʌtʃ] a, det tel(telle); (of that kind): ~ a book un livre de ce genre or pareil, un tel livre; ~ books des livres de ce genre or pareils, de tels livres; (so much): ~ courage un tel courage; ~ a long trip un si long voyage; ~ good books de si bons livres ; ~ **a long trip that** un voyage si *or* tellement long que ; ~ **a lot of** tellement *or* tant de ; **making** ~ **a noise that** faisant un tel bruit que *or* tellement de bruit que ; ~ **as** (*like*) tel(telle) que, comme ; **a noise** ~ **as to** un bruit de nature à ; **as** ~ *ad* en tant que tel(telle), à proprement parler ; ~**-and-**~ *det* tel(telle) ou tel(telle).

suck [sʌk] *vt* sucer ; (*breast, bottle*) téter ; ~**er** *n* (BOT, ZOOL, TECH) ventouse *f* ; (*col*) naïf/ïve, poire *f*.

suckle ['sʌkl] *vt* allaiter.

suction ['sʌkʃən] *n* succion *f*.

sudden ['sʌdn] *a* soudain(e), subit(e) ; **all of a** ~ soudain, tout à coup ; ~**ly** *ad* brusquement, tout à coup, soudain.

suds [sʌdz] *npl* eau savonneuse.

sue [su:] *vt* poursuivre en justice, intenter un procès à.

suede [sweɪd] *n* daim *m*, cuir suédé // *cpd* de daim.

suet ['sʊɪt] *n* graisse *f* de rognon *or* de bœuf.

Suez Canal ['su:ɪzkə'næl] *n* canal *m* de Suez.

suffer ['sʌfə*] *vt* souffrir, subir ; (*bear*) tolérer, supporter // *vi* souffrir ; ~**er** *n* malade *m/f* ; victime *m/f* ; ~**ing** *n* souffrance(s) *f(pl)*.

suffice [sə'faɪs] *vi* suffire.

sufficient [sə'fɪʃənt] *a* suffisant(e) ; ~ **money** suffisamment d'argent ; ~**ly** *ad* suffisamment, assez.

suffix ['sʌfɪks] *n* suffixe *m*.

suffocate ['sʌfəkeɪt] *vi* suffoquer ; étouffer ; **suffocation** [-'keɪʃən] *n* suffocation *f* ; (MED) asphyxie *f*.

sugar ['sʊgə*] *n* sucre *m* // *vt* sucrer ; ~ **beet** *n* betterave sucrière ; ~ **cane** *n* canne *f* à sucre ; ~**y** *a* sucré(e).

suggest [sə'dʒɛst] *vt* suggérer, proposer ; dénoter ; ~**ion** [-'dʒɛstʃən] *n* suggestion *f* ; ~**ive** *a* suggestif(ive).

suicidal ['sʊɪ'saɪdl] *a* suicidaire.

suicide ['sʊɪsaɪd] *n* suicide *m*.

suit [su:t] *n* (*man's*) costume *m*, complet *m* ; (*woman's*) tailleur *m*, ensemble *m* ; (CARDS) couleur *f* // *vt* aller à ; convenir à ; (*adapt*): **to** ~ **sth to** adapter *or* approprier qch à ; ~**able** *a* qui convient ; approprié(e) ; ~**ably** *ad* comme il se doit (*or se devait etc*), convenablement.

suitcase ['su:tkeɪs] *n* valise *f*.

suite [swi:t] *n* (*of rooms, also* MUS) suite *f* ; (*furniture*): **bedroom/dining room** ~ (ensemble *m* de) chambre *f* à coucher/salle *f* à manger.

sulfur ['sʌlfə*] *etc* (US) = **sulphur** *etc*.

sulk [sʌlk] *vi* bouder ; ~**y** *a* boudeur(euse), maussade.

sullen ['sʌlən] *a* renfrogné(e), maussade ; morne.

sulphur, sulfur (US) ['sʌlfə*] *n* soufre *m* ; ~**ic** [-'fjuərɪk] *a*: ~**ic acid** acide *m* sulfurique.

sultan ['sʌltən] *n* sultan *m*.

sultana [sʌl'tɑːnə] *n* (*fruit*) raisin sec de Smyrne.

sultry ['sʌltrɪ] *a* étouffant(e).

sum [sʌm] *n* somme *f* ; (SCOL *etc*) calcul *m* ; *f* ; **to** ~ **up** *vt,vi* résumer.

summarize ['sʌməraɪz] *vt* résumer.

summary ['sʌmərɪ] *n* résumé *m* // *a* (*justice*) sommaire.

summer ['sʌmə*] *n* été *m* // *cpd* d'été, estival(e) ; ~**house** *n* (*in garden*) pavillon *m* ; ~**time** *n* (*season*) été *m* ; ~ **time** *n* (*by clock*) heure *f* d'été.

summit ['sʌmɪt] *n* sommet *m* ; ~ (**conference**) *n* (conférence *f* au) sommet *m*.

summon ['sʌmən] *vt* appeler, convoquer ; **to** ~ **up** vt rassembler, faire appel à ; ~**s** *n* citation *f*, assignation *f* // *vt* citer, assigner.

sump [sʌmp] *n* (AUT) carter *m*.

sumptuous ['sʌmptjʊəs] *a* somptueux(euse).

sun [sʌn] *n* soleil *m* ; **in the** ~ au soleil ; ~**bathe** *vi* prendre un bain de soleil ; ~**burnt** *a* bronzé(e), hâlé(e) ; (*painfully*) brûlé(e) par le soleil ; ~ **cream** *n* crème *f* (anti-)solaire.

Sunday ['sʌndɪ] *n* dimanche *m*.

sundial ['sʌndaɪəl] *n* cadran *m* solaire.

sundry ['sʌndrɪ] *a* divers(e), différent(e) ; **all and** ~ tout le monde, n'importe qui ; **sundries** *npl* articles divers.

sunflower ['sʌnflaʊə*] *n* tournesol *m*.

sung [sʌŋ] *pp of* **sing**.

sunglasses ['sʌnglɑːsɪz] *npl* lunettes *fpl* de soleil.

sunk [sʌŋk] *pp of* **sink** ; ~**en** *a* submergé(e) ; creux(euse).

sun: ~**light** *n* (lumière *f* du) soleil *m* ; ~**lit** *a* ensoleillé(e) ; ~**ny** *a* ensoleillé(e) ; (*fig*) épanoui(e), radieux(euse) ; ~**rise** *n* lever *m* du soleil ; ~**set** *n* coucher *m* du soleil ; ~**shade** *n* (*over table*) parasol *m* ; ~**shine** *n* (lumière *f* du) soleil *m* ; ~**spot** *n* tache *f* solaire ; ~**stroke** *n* insolation *f*, coup *m* de soleil ; ~**tan** *n* bronzage *m* ; ~**tan oil** *n* huile *f* solaire ; ~**trap** *n* coin très ensoleillé.

super ['su:pə*] *a* (*col*) formidable.

superannuation [su:pərænju'eɪʃən] *n* cotisations *fpl* pour la pension.

superb [su:'pə:b] *a* superbe, magnifique.

supercilious [su:pə'sɪlɪəs] *a* hautain(e), dédaigneux(euse).

superficial [su:pə'fɪʃəl] *a* superficiel(le) ; ~**ly** *ad* superficiellement.

superfluous [su'pə:fluəs] *a* superflu(e).

superhuman [su:pə'hju:mən] *a* surhumain(e).

superimpose ['su:pərɪm'pəuz] *vt* superposer.

superintendent [su:pərɪn'tɛndənt] *n* directeur/trice ; (POLICE) ≈ commissaire *m*.

superior [su'pɪərɪə*] *a,n* supérieur(e) ; ~**ity** [-'ɔrɪtɪ] *n* supériorité *f*.

superlative [su'pə:lətɪv] *a* sans pareil(le), suprême // *n* (LING) superlatif *m*.

superman ['su:pəmæn] *n* surhomme *m*.

supermarket ['su:pəmɑ:kɪt] *n* supermarché *m*.

supernatural [su:pə'nætʃərəl] *a* surnaturel(le).

superpower ['su:pəpauə*] *n* (POL) grande puissance.

supersede [su:pə'si:d] *vt* remplacer, supplanter.

supersonic ['su:pǝ'sɔnɪk] a supersonique.
superstition [su:pǝ'stɪʃǝn] n superstition f.
superstitious [su:pǝ'stɪʃǝs] a superstitieux(euse).
supertanker ['su:pǝtæŋkǝ*] n pétrolier géant, superpétrolier m.
supervise ['su:pǝvaɪz] vt surveiller; diriger; **supervision** [-'vɪʒǝn] n surveillance f; contrôle m; **supervisor** n surveillant/e; (in shop) chef m de rayon; **supervisory** a de surveillance.
supper ['sʌpǝ*] n dîner m; (late) souper m.
supple ['sʌpl] a souple.
supplement n ['sʌplɪmǝnt] supplément m // vt [sʌplɪ'mɛnt] ajouter à, compléter; ~ary [-'mɛntǝrɪ] a supplémentaire.
supplier [sǝ'plaɪǝ*] n fournisseur m.
supply [sǝ'plaɪ] vt (provide) fournir; (equip): **to ~ (with)** approvisionner or ravitailler (en); fournir (en); alimenter (en) // n provision f, réserve f; (supplying) approvisionnement m; (TECH) alimentation f // cpd (teacher etc) suppléant(e); **supplies** npl (food) vivres mpl; (MIL) subsistances fpl; **~ and demand** l'offre f et la demande.
support [sǝ'pɔ:t] n (moral, financial etc) soutien m, appui m; (TECH) support m, soutien // vt soutenir, supporter; (financially) subvenir aux besoins de; (uphold) être pour, être partisan de, appuyer; (endure) supporter, tolérer; **~er** n (POL etc) partisan/e; (SPORT) supporter m.
suppose [sǝ'pǝuz] vt, vi supposer; imaginer; **to be ~d to do** être censé(e) faire; **~dly** [sǝ'pǝuzɪdlɪ] ad soi-disant; **supposing** cj si, à supposer que + sub; **supposition** [sʌpǝ'zɪʃǝn] n supposition f, hypothèse f.
suppress [sǝ'prɛs] vt réprimer; supprimer; étouffer; refouler; **~ion** [sǝ'prɛʃǝn] n suppression f, répression f; **~or** n (ELEC etc) dispositif m antiparasite.
supremacy [su'prɛmǝsɪ] n suprématie f.
supreme [su'pri:m] a suprême.
surcharge ['sǝ:tʃɑ:dʒ] n surcharge f; (extra tax) surtaxe f.
sure [ʃuǝ*] a (gen) sûr(e); (definite, convinced) sûr(e), certain(e); **~!** (of course) bien sûr!; **~ enough** effectivement; **to make ~ of** s'assurer de; vérifier; **~-footed** a au pied sûr; **~ly** ad sûrement; certainement.
surety ['ʃuǝrǝtɪ] n caution f.
surf [sǝ:f] n ressac m.
surface ['sǝ:fɪs] n surface f // vt (road) poser le revêtement de // vi remonter à la surface; faire surface; **~ mail** n courrier m par voie de terre (or maritime).
surfboard ['sǝ:fbɔ:d] n planche f de surf.
surfeit ['sǝ:fɪt] n: **a ~ of** un excès de; une indigestion de.
surfing ['sǝ:fɪŋ] n surf m.
surge [sǝ:dʒ] n vague f, montée f // vi déferler.
surgeon ['sǝ:dʒǝn] n chirurgien m.
surgery ['sǝ:dʒǝrɪ] n chirurgie f; (room) cabinet m (de consultation); **to undergo**

~ être opéré(e); **~ hours** npl heures fpl de consultation.
surgical ['sǝ:dʒɪkl] a chirurgical(e); **~ spirit** n alcool m à 90s.
surly ['sǝ:lɪ] a revêche, maussade.
surmise [sǝ:'maɪz] vt présumer, conjecturer.
surmount [sǝ:'maunt] vt surmonter.
surname [sǝ:neɪm] n nom m de famille.
surpass [sǝ:'pɑ:s] vt surpasser, dépasser.
surplus ['sǝ:plǝs] n surplus m, excédent m // a en surplus, de trop.
surprise [sǝ'praɪz] n (gen) surprise f; (astonishment) étonnement m // vt surprendre; étonner; **surprising** a surprenant(e), étonnant(e).
surrealist [sǝ'rɪǝlɪst] a surréaliste.
surrender [sǝ'rɛndǝ*] n reddition f, capitulation f // vi se rendre, capituler.
surreptitious [sʌrǝp'tɪʃǝs] a subreptice, furtif(ive).
surround [sǝ'raund] vt entourer; (MIL etc) encercler; **~ing** a environnant(e); **~ings** npl environs mpl, alentours mpl.
surveillance [sǝ:'veɪlǝns] n surveillance f.
survey n ['sǝ:veɪ] enquête f, étude f; (in housebuying etc) inspection f, (rapport m d')expertise f; (of land) levé m // vt [sǝ:'veɪ] passer en rev.1e; enquêter sur; inspecter; **~ing** n (of land) arpentage m; **~or** n expert m (arpenteur m) géomètre m.
survival [sǝ'vaɪvl] n survie f; (relic) vestige m.
survive [sǝ'vaɪv] vi survivre; (custom etc) subsister // vt survivre à, réchapper de; (person) survivre à; **survivor** n survivant/e.
susceptible [sǝ'sɛptǝbl] a: **~ (to)** sensible à; (disease) prédisposé(e) à.
suspect a, n ['sʌspɛkt] suspect(e) // vt [sǝs'pɛkt] soupçonner, suspecter.
suspend [sǝs'pɛnd] vt suspendre; **~ed sentence** n condamnation f avec sursis; **~er belt** n porte-jarretelles m inv; **~ers** npl jarretelles fpl; (US) bretelles fpl.
suspense [sǝs'pɛns] n attente f; (in film etc) suspense m.
suspension [sǝs'pɛnʃǝn] n (gen AUT) suspension f; (of driving licence) retrait m provisoire; **~ bridge** n pont suspendu.
suspicion [sǝs'pɪʃǝn] n soupçon(s) m(pl).
suspicious [sǝs'pɪʃǝs] a (suspecting) soupçonneux(euse), méfiant(e); (causing suspicion) suspect(e).
sustain [sǝs'teɪn] vt supporter; soutenir; corroborer; (suffer) subir; recevoir; **~ed** a (effort) soutenu(e), prolongé(e).
sustenance ['sʌstɪnǝns] n nourriture f; moyens mpl de subsistance.
swab [swɔb] n (MED) tampon m; prélèvement m.
swagger ['swægǝ*] vi plastronner, parader.
swallow ['swɔlǝu] n (bird) hirondelle f; (of food etc) gorgée f // vt avaler; (fig) gober; **to ~ up** vt engloutir.
swam [swæm] pt of swim.
swamp [swɔmp] n marais m, marécage m // vt submerger; **~y** a marécageux(euse).

swan [swɔn] *n* cygne *m*.

swap [swɔp] *n* échange *m*, troc *m* // *vt*: **to ~ (for)** échanger (contre), troquer (contre).

swarm [swɔ:m] *n* essaim *m* // *vi* fourmiller, grouiller.

swarthy ['swɔ:ði] *a* basané(e), bistré(e).

swastika ['swɔstɪkə] *n* croix gammée.

swat [swɔt] *vt* écraser.

sway [sweɪ] *vi* se balancer, osciller; tanguer // *vt* (*influence*) influencer.

swear, *pt* **swore**, *pp* **sworn** [swɛə*, swɔ:*, swɔ:n] *vi* jurer; **to ~ to sth** jurer de qch; **~word** *n* gros mot, juron *m*.

sweat [swɛt] *n* sueur *f*, transpiration *f* // *vi* suer; **in a ~** en sueur.

sweater ['swɛtə*] *n* tricot *m*, pull *m*.

sweaty ['swɛtɪ] *a* en sueur, moite *or* mouillé(e) de sueur.

swede [swi:d] *n* rutabaga *m*.

Swede [swi:d] *n* Suédois/e.

Sweden ['swi:dn] *n* Suède *f*.

Swedish ['swi:dɪʃ] *a* suédois(e) // *n* (*LING*) suédois *m*.

sweep [swi:p] *n* coup *m* de balai; (*curve*) grande courbe; (*range*) champ *m*; (*also*: **chimney ~**) ramoneur *m* // *vb* (*pt, pp* **swept** [swɛpt]) *vt* balayer // *vi* avancer majestueusement *or* rapidement; s'élancer; s'étendre; **to ~ away** *vt* balayer; entraîner; emporter; **to ~ past** *vi* passer majestueusement *or* rapidement; **to ~ up** *vt, vi* balayer; **~ing** (*gesture*) large; circulaire; **a ~ing statement** une généralisation hâtive.

sweet [swi:t] *n* dessert *m*; (*candy*) bonbon *m* // *a* doux(douce); (*not savoury*) sucré(e); (*fresh*) frais(fraîche), pur(e); (*fig*) agréable, doux; gentil(le); mignon(ne); **~bread** *n* ris *m* de veau; **~corn** *n* maïs sucré; **~en** *vt* sucrer; adoucir; **~heart** *n* amoureux/euse; **~ly** *ad* gentiment; mélodieusement; **~ness** *n* goût sucré; douceur *f*; **~ pea** *n* pois *m* de senteur; **to have a ~ tooth** aimer les sucreries.

swell [swɛl] *n* (*of sea*) houle *f* // *a* (*col*: *excellent*) chouette // *vb* (*pt* **~ed**, *pp* **swollen**, **~ed** ['swəʊlən]) *vt* augmenter; grossir // *vi* grossir, augmenter; (*sound*) s'enfler; (*MED*) enfler; **~ing** *n* (*MED*) enflure *f*; grosseur *f*.

sweltering ['swɛltərɪŋ] *a* étouffant(e), oppressant(e).

swept [swɛpt] *pt,pp* of **sweep**.

swerve [swə:v] *vi* faire une embardée *or* un écart; dévier.

swift [swɪft] *n* (*bird*) martinet *m* // *a* rapide, prompt(e); **~ness** *n* rapidité *f*.

swig [swɪg] *n* (*col*: *drink*) lampée *f*.

swill [swɪl] *n* pâtée *f* // *vt* (*also*: **~ out**, **~ down**) laver à grande eau.

swim [swɪm] *n*: **to go for a ~** aller nager *or* se baigner // *vb* (*pt* **swam**, *pp* **swum** [swæm, swʌm]) *vi* nager; (*SPORT*) faire de la natation; (*head, room*) tourner // *vt* traverser (à la nage); faire (à la nage); **~mer** *n* nageur/euse; **~ming** *n* nage *f*, natation *f*; **~ming baths** *npl* piscine *f*; **~ming cap** *n* bonnet *m* de bain; **~ming costume** *n* maillot *m* (de bain); **~ming**

pool *n* piscine *f*; **~suit** *n* maillot *m* (de bain).

swindle ['swɪndl] *n* escroquerie *f* // *vt* escroquer; **~r** *n* escroc *m*.

swine [swaɪn] *n*, *pl inv* pourceau *m*, porc *m*; (*col!*) salaud *m* (!).

swing [swɪŋ] *n* balançoire *f*; (*movement*) balancement *m*, oscillations *fpl*; (*MUS*) swing *m*; rythme *m* // *vb* (*pt, pp* **swung** [swʌŋ]) *vt* balancer; faire osciller; (*also*: **~ round**) tourner, faire virer // *vi* se balancer, osciller; (*also*: **~ round**) virer, tourner; **to be in full ~** battre son plein; **~ bridge** *n* pont tournant; **~ door** *n* porte battante.

swingeing ['swɪndʒɪŋ] *a* écrasant(e); considérable.

swinging ['swɪŋɪŋ] *a* rythmé(e); entraînant(e).

swipe [swaɪp] *n* grand coup; gifle *f* // *vt* (*hit*) frapper à toute volée; gifler; (*col*: *steal*) piquer.

swirl [swə:l] *n* tourbillon *m* // *vi* tourbillonner, tournoyer.

swish [swɪʃ] *a* (*col*: *smart*) rupin(e) // *vi* siffler.

Swiss [swɪs] *a* suisse // *n*, *pl inv* Suisse/esse; **~ German** *a* suisse-allemand(e).

switch [swɪtʃ] *n* (*for light, radio etc*) bouton *m*; (*change*) changement *m*, revirement *m* // *vt* (*change*) changer; intervertir; **to ~ off** *vt* éteindre; (*engine*) arrêter; **to ~ on** *vt* allumer; (*engine, machine*) mettre en marche; **~back** *n* montagnes *fpl* russes; **~board** *n* (*TEL*) standard *m*; **~board operator** standardiste *m/f*.

Switzerland ['swɪtsələnd] *n* Suisse *f*.

swivel ['swɪvl] *vi* (*also*: **~ round**) pivoter, tourner.

swollen ['swəʊlən] *pp* of **swell** // *a* (*ankle etc*) enflé(e).

swoon [swu:n] *vi* se pâmer.

swoop [swu:p] *n* (*by police etc*) rafle *f*, descente *f* // *vi* (*also*: **~ down**) descendre en piqué, piquer.

swop [swɔp] *n, vt* = **swap**.

sword [sɔ:d] *n* épée *f*; **~fish** *n* espadon *m*.

swore [swɔ:*] *pt* of **swear**.

sworn [swɔ:n] *pp* of **swear**.

swot [swɔt] *vt, vi* bûcher, potasser.

swum [swʌm] *pp* of **swim**.

swung [swʌŋ] *pt, pp* of **swing**.

sycamore ['sɪkəmɔ:*] *n* sycomore *m*.

sycophantic [sɪkə'fæntɪk] *a* flagorneur(euse).

syllable ['sɪləbl] *n* syllabe *f*.

syllabus ['sɪləbəs] *n* programme *m*.

symbol ['sɪmbl] *n* symbole *m*; **~ic(al)** [-'bɔlɪk(l)] *a* symbolique; **~ism** *n* symbolisme *m*; **~ize** *vt* symboliser.

symmetrical [sɪ'mɛtrɪkl] *a* symétrique.

symmetry ['sɪmɪtrɪ] *n* symétrie *f*.

sympathetic [sɪmpə'θɛtɪk] *a* compatissant(e); bienveillant(e), compréhensif(ive); **~ towards** bien disposé(e) envers; **~ally** *ad* avec compassion (*or* bienveillance).

sympathize ['sɪmpəθaɪz] *vi*: **to ~ with**

sb plaindre qn ; s'associer à la douleur de qn ; **~r** n (POL) sympathisant/e.

sympathy ['sɪmpəθɪ] n compassion f; **in ~ with** en accord avec; (strike) en or par solidarité avec; **with our deepest ~** en vous priant d'accepter nos sincères condoléances.

symphonic [sɪm'fɒnɪk] a symphonique.

symphony ['sɪmfənɪ] n symphonie f; **~ orchestra** n orchestre m symphonique.

symposium [sɪm'pəʊzɪəm] n symposium m.

symptom ['sɪmptəm] n symptôme m; indice m; **~atic** [-'mætɪk] a symptomatique.

synagogue ['sɪnəgɒg] n synagogue f.

synchromesh [sɪŋkrəʊ'mɛʃ] n synchronisation f.

synchronize ['sɪŋkrənaɪz] vt synchroniser // vi: **to ~ with** se produire en même temps que.

syncopated ['sɪŋkəpeɪtɪd] a syncopé(e).

syndicate ['sɪndɪkɪt] n syndicat m, coopérative f.

syndrome ['sɪndrəʊm] n syndrome m.

synonym ['sɪnənɪm] n synonyme m; **~ous** [sɪ'nɒnɪməs] a: **~ous (with)** synonyme (de).

synopsis, pl **synopses** [sɪ'nɒpsɪs, -siːz] n résumé m, synopsis m or f.

syntax ['sɪntæks] n syntaxe f.

synthesis, pl **syntheses** ['sɪnθəsɪs, -siːz] n synthèse f.

synthetic [sɪn'θɛtɪk] a synthétique; **~s** npl textiles artificiels.

syphilis ['sɪfɪlɪs] n syphilis f.

syphon ['saɪfən] n, vb = **siphon**.

Syria ['sɪrɪə] n Syrie f; **~n** a syrien(ne) // n Syrien/ne.

syringe [sɪ'rɪndʒ] n seringue f.

syrup ['sɪrəp] n sirop m; (also: **golden ~**) mélasse raffinée; **~y** a sirupeux(euse).

system ['sɪstəm] n système m; (order) méthode f; (ANAT) organisme m; **~atic** [-'mætɪk] a systématique; méthodique; **~s analyst** n analyste-programmeur m/f.

T

ta [tɑː] excl (Brit: col) merci!

tab [tæb] n (loop on coat etc) attache f; (label) étiquette f; **to keep ~s on** (fig) surveiller.

tabby ['tæbɪ] n (also: **~ cat**) chat/te tigré(e).

tabernacle ['tæbənækl] n tabernacle m.

table ['teɪbl] n table f // vt (motion etc) présenter; **to lay** or **set the ~** mettre le couvert or la table; **~ of contents** n table f des matières; **~cloth** n nappe f; **~ d'hôte** [tɑːbl'dəʊt] a (meal) à prix fixe; **~ lamp** n lampe f décorative; **~mat** n (for plate) napperon m, set m; (for hot dish) dessous-de-plat m inv; **~ salt** n sel fin or de table; **~spoon** n cuiller f de service; (also: **~spoonful:** as measurement) cuillerée f à soupe.

tablet ['tæblɪt] n (MED) comprimé m; (: for sucking) pastille f; (for writing) bloc m; (of stone) plaque f.

table: **~ tennis** n ping-pong m, tennis m de table; **~ wine** n vin m de table.

taboo [tə'buː] a, n tabou (m).

tabulate ['tæbjʊleɪt] vt (data, figures) mettre sous forme de table(s); **tabulator** n tabulateur m.

tacit ['tæsɪt] a tacite.

taciturn ['tæsɪtəːn] a taciturne.

tack [tæk] n (nail) petit clou; (stitch) point m de bâti; (NAUT) bord m, bordée f // vt clouer; bâtir // vi tirer un or des bord(s); **to change ~** virer de bord; **on the wrong ~** (fig) sur la mauvaise voie.

tackle ['tækl] n matériel m, équipement m; (for lifting) appareil m de levage; (RUGBY) plaquage m // vt (difficulty) s'attaquer à; (RUGBY) plaquer.

tacky ['tækɪ] a collant(e); pas sec(sèche).

tact [tækt] n tact m; **~ful** a plein(e) de tact; **~fully** ad avec tact.

tactical ['tæktɪkl] a tactique; **~ error** n erreur f de tactique.

tactics ['tæktɪks] n,npl tactique f.

tactless ['tæktlɪs] a qui manque de tact; **~ly** ad sans tact.

tadpole ['tædpəʊl] n têtard m.

taffy ['tæfɪ] n (US) (bonbon m au) caramel m.

tag [tæg] n étiquette f; **to ~ along** vi suivre.

tail [teɪl] n queue f; (of shirt) pan m // vt (follow) suivre, filer; **~s** (on coin) (le) côté) pile; **to ~ away, ~ off** vi (in size, quality etc) baisser peu à peu; **~back** n (AUT) bouchon m; **~ coat** n habit m; **~ end** n bout m, fin f; **~gate** n hayon m (arrière).

tailor ['teɪlə*] n tailleur m (artisan); **~ing** n (cut) coupe f; **~-made** a fait(e) sur mesure; (fig) conçu(e) spécialement.

tailwind ['teɪlwɪnd] n vent m arrière inv.

tainted ['teɪntɪd] a (food) gâté(e); (water, air) infecté(e); (fig) souillé(e).

take, pt **took**, pp **taken** [teɪk, tʊk, 'teɪkn] vt prendre; (gain: prize) remporter; (require: effort, courage) demander; (tolerate) accepter, supporter; (hold: passengers etc) contenir; (accompany) emmener, accompagner; (bring, carry) apporter, emporter; (exam) passer, se présenter à; **to ~ sth from** (drawer etc) prendre qch dans; (person) prendre qch à; **I ~ it that** je suppose que; **to ~ for a walk** (child, dog) emmener promener; **to ~ after** vt fus ressembler à; **to ~ apart** vt démonter; **to ~ away** vt emporter; enlever; **to ~ back** vt (return) rendre, rapporter; (one's words) retirer; **to ~ down** vt (building) démolir; (letter etc) prendre, écrire; **to ~ in** vt (deceive) tromper, rouler; (understand) comprendre, saisir; (include) couvrir, inclure; (lodger) prendre; **to ~ off** vi (AVIAT) décoller // vt (remove) enlever; (imitate) imiter, pasticher; **to ~ on** vt (work) accepter, se charger de; (employee) prendre, embaucher; (opponent) accepter de se battre contre; **to ~ out** vt sortir; (remove) enlever; (licence) prendre, se procurer; **to ~ sth out of** enlever qch de; prendre qch dans; **to ~ over** vt (business) reprendre // vi: **to ~ over from sb** prendre la relève de qn; **to ~ to** vt fus (person) se prendre d'amitié pour ; (*activity*) prendre goût à ; **to ~ up** *vt* (*one's story, a dress*) reprendre ; (*occupy: time, space*) prendre, occuper ; (*engage in: hobby etc*) se mettre à ; **~away** a (*food*) à emporter ; **~-home pay** *n* salaire net ; **~off** *n* (*AVIAT*) décollage *m* ; **~over** *n* (*COMM*) rachat *m* ; **~over bid** *n* offre publique d'achat.

takings ['teikiŋz] *npl* (*COMM*) recette *f*.

talc [tælk] *n* (*also:* **~um powder**) talc *m*.

tale [teil] *n* (*story*) conte *m*, histoire *f* ; (*account*) récit *m* ; (*pej*) histoire.

talent ['tælnt] *n* talent *m*, don *m* ; **~ed** a doué(e), plein(e) de talent.

talk [tɔːk] *n* propos *mpl* ; (*gossip*) racontars *mpl* (*pej*) ; (*conversation*) discussion *f* ; (*interview*) entretien *m* ; (*a speech*) causerie *f*, exposé *m* // *vi* (*chatter*) bavarder ; **to ~ about** parler de ; (*converse*) s'entretenir or parler de ; **to ~ sb out of/into doing** persuader qn de ne pas faire/de faire ; **to ~ shop** parler métier or affaires ; **to ~ over** *vt* discuter (de) ; **~ative** a bavard(e) ; **~er** *n* causeur/euse ; (*pej*) bavard/e.

tall [tɔːl] a (*person*) grand(e) ; (*building, tree*) haut(e) ; **to be 6 feet ~** ≈ mesurer 1 mètre 80 ; **~boy** *n* grande commode ; **~ness** *n* grande taille ; hauteur *f* ; **~ story** *n* histoire *f* invraisemblable.

tally ['tæli] *n* compte *m* // *vi:* **to ~ (with)** correspondre (à).

tambourine [tæmbə'riːn] *n* tambourin *m*.

tame [teim] a apprivoisé(e) ; (*fig: story, style*) insipide.

tamper ['tæmpə*] *vi:* **to ~ with** toucher à (*en cachette ou sans permission*).

tampon ['tæmpɔn] *n* tampon *m* hygiénique or périodique.

tan [tæn] *n* (*also:* **sun~**) bronzage *m* // *vt,vi* bronzer, brunir // a (*colour*) brun roux *inv*.

tandem ['tændəm] *n* tandem *m*.

tang [tæŋ] *n* odeur (or saveur) piquante.

tangent ['tændʒənt] *n* (*MATH*) tangente *f*.

tangerine [tændʒə'riːn] *n* mandarine *f*.

tangible ['tændʒəbl] a tangible.

tangle ['tæŋgl] *n* enchevêtrement *m* // *vt* enchevêtrer ; **to get in(to) a ~** s'emmêler.

tango ['tæŋgəu] *n* tango *m*.

tank [tæŋk] *n* réservoir *m* ; (*for processing*) cuve *f* ; (*for fish*) aquarium *m* ; (*MIL*) char *m* d'assaut, tank *m*.

tankard ['tæŋkəd] *n* chope *f*.

tanker ['tæŋkə*] *n* (*ship*) pétrolier *m*, tanker *m* ; (*truck*) camion-citerne *m*.

tanned [tænd] a (*skin*) bronzé(e).

tantalizing ['tæntəlaiziŋ] a (*smell*) extrêmement appétissant(e) ; (*offer*) terriblement tentant(e).

tantamount ['tæntəmaunt] a: **~ to** qui équivaut à.

tantrum ['tæntrəm] *n* accès *m* de colère.

tap [tæp] *n* (*on sink etc*) robinet *m* ; (*gentle blow*) petite tape // *vt* frapper or taper légèrement ; (*resources*) exploiter, utiliser ; **~-dancing** *n* claquettes *fpl*.

tape [teip] *n* ruban *m* ; (*also:* **magnetic ~**) bande *f* (magnétique) // *vt* (*record*) enregistrer (sur bande) ; **~ measure** *n* mètre *m* à ruban.

taper ['teipə*] *n* cierge *m* // *vi* s'effiler.

tape recorder ['teiprikɔːdə*] *n* magnétophone *m*.

tapered ['teipəd], **tapering** ['teipəriŋ] a fuselé(e), effilé(e).

tapestry ['tæpistri] *n* tapisserie *f*.

tapioca [tæpi'əukə] *n* tapioca *m*.

tappet ['tæpit] *n* (*AUT*) poussoir *m* (de soupape).

tar [tɑː] *n* goudron *m*.

tarantula [tə'ræntjulə] *n* tarentule *f*.

tardy ['tɑːdi] a tardif(ive).

target ['tɑːgit] *n* cible *f* ; (*fig: objective*) objectif *m* ; **~ practice** *n* exercices *mpl* de tir (à la cible).

tariff ['tærif] *n* (*COMM*) tarif *m* ; (*taxes*) tarif douanier.

tarmac ['tɑːmæk] *n* macadam *m* ; (*AVIAT*) aire *f* d'envol // *vt* goudronner.

tarnish ['tɑːniʃ] *vt* ternir.

tarpaulin [tɑː'pɔːlin] *n* bâche goudronnée.

tarragon ['tærəgən] *n* estragon *m*.

tart [tɑːt] *n* (*CULIN*) tarte *f* ; (*col: pej: woman*) poule *f* // a (*flavour*) âpre, aigrelet(te).

tartan ['tɑːtn] *n* tartan *m* // a écossais(e).

tartar ['tɑːtə*] *n* (*on teeth*) tartre *m* ; **~ sauce** *n* sauce *f* tartare.

task [tɑːsk] *n* tâche *f* ; **to take to ~** prendre à partie ; **~ force** *n* (*MIL, POLICE*) détachement spécial.

Tasmania [tæz'meiniə] *n* Tasmanie *f*.

tassel ['tæsl] *n* gland *m* ; pompon *m*.

taste [teist] *n* goût *m* ; (*fig: glimpse, idea*) idée *f*, aperçu *m* // *vt* goûter // *vi:* **to ~ of** (*fish etc*) avoir le or un goût de ; **it ~s like fish** ça a un or le goût de poisson, on dirait du poisson ; **what does it ~ like?** quel goût ça a? ; **you can ~ the garlic (in it)** on sent bien l'ail ; **can I have a ~ of this wine?** puis-je goûter un peu de ce vin? ; **to have a ~ of sth** goûter (à) qch ; **to have a ~ for** sth aimer qch, avoir un penchant pour qch ; **~ful** a de bon goût ; **~fully** ad avec goût ; **~less** a (*food*) qui n'a aucun goût ; (*remark*) de mauvais goût ; **tasty** a savoureux(euse), délicieux(euse).

tattered ['tætəd] a see **tatters**.

tatters ['tætəz] *mpl:* **in ~** (*also:* **tattered**) en lambeaux.

tattoo [tə'tuː] *n* tatouage *m* ; (*spectacle*) parade *f* militaire // *vt* tatouer.

tatty ['tæti] a (*col*) défraîchi(e), en piteux état.

taught [tɔːt] *pt,pp* of **teach**.

taunt [tɔːnt] *n* raillerie *f* // *vt* railler.

Taurus ['tɔːrəs] *n* le Taureau ; **to be ~** être du Taureau.

taut [tɔːt] a tendu(e).

tavern ['tævən] *n* taverne *f*.

tawdry ['tɔːdri] a (d'un mauvais goût) criard.

tawny ['tɔːni] a fauve (*couleur*).

tax [tæks] *n* (*on goods etc*) taxe *f* ; (*on income*) impôts *mpl*, contributions *fpl* // *vt* taxer ; imposer ; (*fig: strain: patience etc*) mettre à l'épreuve ; **~ation** [-'seiʃən] *n* taxation *f* ; impôts *mpl*, contributions *fpl* ; **~ avoidance** *n* évasion fiscale ; **~ collector** *n* percepteur *m* ; **~ evasion** *n* fraude fiscale ; ~ **exile** n personne qui s'expatrie pour fuir une fiscalité excessive ; **~-free** a exempt(e) d'impôts.

taxi ['tæksɪ] n taxi m // vi (AVIAT) rouler (lentement) au sol.

taxidermist ['tæksɪdə:mɪst] n empailleur/euse (d'animaux).

taxi: ~ **driver** n chauffeur m de taxi ; ~ **rank,** ~ **stand** n station f de taxis.

tax: ~ **payer** n contribuable m/f ; ~ **return** n déclaration f d'impôts or de revenus.

TB abbr of **tuberculosis.**

tea [ti:] n thé m ; (snack: for children) goûter m ; **high** ~ collation combinant goûter et dîner ; ~ **bag** n sachet m de thé ; ~ **break** n pause-thé f ; **~cake** n petit pain brioché.

teach, pt, pp **taught** [ti:tʃ, tɔ:t] vt: **to** ~ **sb sth,** ~ **sth to sb** apprendre qch à qn ; (in school etc) enseigner qch à qn // vi enseigner ; **~er** n (in secondary school) professeur m ; (in primary school) instituteur/trice ; **~ing** n enseignement m ; **~ing staff** n enseignants mpl.

tea cosy ['ti:kəuzɪ] n couvre-théière m.

teacup ['ti:kʌp] n tasse f à thé.

teak [ti:k] n teck m // a en or de teck.

tea leaves ['ti:li:vz] npl feuilles fpl de thé.

team [ti:m] n équipe f ; (of animals) attelage m ; ~ **games/work** jeux mpl/travail m d'équipe.

tea party ['ti:pɑ:tɪ] n thé m (réception).

teapot ['ti:pɔt] n théière f.

tear n [tɛə*] déchirure f ; [tɪə*] larme f // vb [tɛə*] (pt **tore,** pp **torn** [tɔ:*, tɔ:n]) vt déchirer // vi se déchirer ; **in** ~**s** en larmes ; **to burst into** ~**s** fondre en larmes ; **to** ~ **along** vi (rush) aller à toute vitesse ; **~ful** a larmoyant(e) ; ~ **gas** n gaz m lacrymogène.

tearoom ['ti:ru:m] n salon m de thé.

tease [ti:z] n taquin/e // vt taquiner ; (unkindly) tourmenter.

tea set ['ti:sɛt] n service m à thé.

teashop ['ti:ʃɔp] n pâtisserie-salon de thé f.

teaspoon ['ti:spu:n] n petite cuiller ; (also: **~ful:** as measurement) ≈ cuillerée f à café.

tea strainer ['ti:streɪnə*] n passoire f (à thé).

teat [ti:t] n tétine f.

teatime ['ti:taɪm] n l'heure f du thé.

tea towel ['ti:tauəl] n torchon m (à vaisselle).

tea urn ['ti:ə:n] n fontaine f à thé.

technical ['tɛknɪkl] a technique ; **~ity** [-'kælɪtɪ] n technicité f ; (detail) détail m technique ; **~ly** ad techniquement.

technician [tɛk'nɪʃn] n technicien/ne.

technique [tɛk'ni:k] n technique f.

technological [tɛknə'lɔdʒɪkl] a technologique.

technologist [tɛk'nɔlədʒɪst] n technologue m/f.

technology [tɛk'nɔlədʒɪ] n technologie f.

teddy (bear) ['tɛdɪ(bɛə*)] n ours m (en peluche).

tedious ['ti:dɪəs] a fastidieux(euse).

tedium ['ti:dɪəm] n ennui m.

tee [ti:] n (GOLF) tee m.

teem [ti:m] vi grouiller, abonder ; **to** ~ **with** grouiller de ; **it is** ~**ing (with rain)** il pleut à torrents.

teenage ['ti:neɪdʒ] a (fashions etc) pour jeunes, pour adolescents ; **~r** n jeune m/f, adolescent/e.

teens [ti:nz] npl: **to be in one's** ~ être adolescent(e).

tee-shirt ['ti:ʃə:t] n = T-shirt.

teeter ['ti:tə*] vi chanceler, vaciller.

teeth [ti:θ] npl of **tooth.**

teethe [ti:ð] vi percer ses dents.

teething ['ti:ðɪŋ] a: ~ **ring** n anneau m (pour bébé qui perce ses dents) ; ~ **troubles** npl (fig) difficultés initiales.

teetotal ['ti:'təutl] a (person) qui ne boit jamais d'alcool.

telecommunications ['tɛlɪkəmju:nɪ'keɪʃənz] n télécommunications fpl.

telegram ['tɛlɪgræm] n télégramme m.

telegraph ['tɛlɪgrɑ:f] n télégraphe m ; **~ic** [-'græfɪk] a télégraphique ; ~ **pole** n poteau m télégraphique.

telepathic [tɛlɪ'pæθɪk] a télépathique.

telepathy [tə'lɛpəθɪ] n télépathie f.

telephone ['tɛlɪfəun] n téléphone m // vt (person) téléphoner à ; (message) téléphoner ; ~ **booth,** ~ **box** n cabine f téléphonique ; ~ **call** n coup m de téléphone, appel m téléphonique ; communication f téléphonique ; ~ **directory** n annuaire m (du téléphone) ; ~ **exchange** n central m (téléphonique) ; ~ **number** n numéro m de téléphone ; ~ **operator** téléphoniste m/f, standardiste m/f ; **telephonist** [tə'lɛfənɪst] n téléphoniste m/f.

telephoto ['tɛlɪ'fəutəu] a: ~ **lens** n téléobjectif m.

teleprinter ['tɛlɪprɪntə*] n téléscripteur m.

telescope ['tɛlɪskəup] n télescope m // vi télescoper ; **telescopic** [-'skɔpɪk] a télescopique.

televiewer ['tɛlɪvju:ə*] n téléspectateur/trice.

televise ['tɛlɪvaɪz] vt téléviser.

television ['tɛlɪvɪʒən] n télévision f ; ~ **programme** n émission f de télévision ; ~ **set** n poste m de télévision.

tell, pt, pp **told** [tɛl, təuld] vt dire ; (relate: story) raconter ; (distinguish): **to** ~ **sth from** distinguer qch de // vi (have effect) se faire sentir, se voir ; **to** ~ **sb to do sth** dire à qn de faire ; **to** ~ **on** vt fus (inform against) dénoncer, rapporter contre ; **to** ~ **off** vt réprimander, gronder ; **~er** n (in bank) caissier/ère ; **~ing** a (remark, detail) révélateur(trice) ; **~tale** a (sign) éloquent(e), révélateur(trice) // n (CONSTR) témoin m.

telly ['tɛlɪ] n (col: abbr of **television**) télé f.

temerity [tə'mɛrɪtɪ] n témérité f.

temp [tɛmp] n (abbr of **temporary**) (secrétaire f) intérimaire f.

temper ['tɛmpə*] n (nature) caractère m ; (mood) humeur f ; (fit of anger) colère f // vt (moderate) tempérer, adoucir ; **to be in a** ~ être en colère ; **to lose one's** ~ se mettre en colère.

temperament ['tɛmprəmənt] n (nature) tempérament m; ~**al** [-'mɛntl] a capricieux(euse).

temperance ['tɛmpərns] n modération f; (in drinking) tempérance f.

temperate ['tɛmprət] a modéré(e); (climate) tempéré(e).

temperature ['tɛmprətʃə*] n température f; **to have** or **run a** ~ avoir de la fièvre; ~ **chart** n (MED) feuille f de température.

tempered ['tɛmpəd] a (steel) trempé(e).

tempest ['tɛmpɪst] n tempête f.

tempi ['tɛmpiː] npl of **tempo**.

template ['tɛmplɪt] n patron m.

temple ['tɛmpl] n (building) temple m; (ANAT) tempe f.

tempo ['tɛmpəu] n, ~**s** or **tempi** ['tɛmpəu, 'tɛmpiː] n tempo m; (fig: of life etc) rythme m.

temporal ['tɛmprəl] a temporel(le).

temporarily ['tɛmpərərɪlɪ] ad temporairement; provisoirement.

temporary ['tɛmpərərɪ] a temporaire, provisoire; (job, worker) temporaire; ~ **secretary** n (secrétaire f) intérimaire f.

temporize ['tɛmpəraɪz] vi atermoyer, transiger.

tempt [tɛmpt] vt tenter; **to** ~ **sb into doing** induire qn à faire; ~**ation** [-'teɪʃən] n tentation f; ~**ing** a tentant(e).

ten [tɛn] num dix.

tenable ['tɛnəbl] a défendable.

tenacious [tə'neɪʃəs] a tenace.

tenacity [tə'næsɪtɪ] n ténacité f.

tenancy ['tɛnənsɪ] n location f; état m de locataire.

tenant ['tɛnənt] n locataire m/f.

tend [tɛnd] vt s'occuper de // vi: **to** ~ **to do** avoir tendance à faire; (colour): **to** ~ **to** tirer sur.

tendency ['tɛndənsɪ] n tendance f.

tender ['tɛndə*] a tendre; (delicate) délicat(e); (sore) sensible; (affectionate) tendre, doux(douce) // n (COMM: offer) soumission f; (money): **legal** ~ cours légal // vt offrir; ~**ize** vt (CULIN) attendrir; ~**ly** ad tendrement; ~**ness** n tendresse f; (of meat) tendreté f.

tendon ['tɛndən] n tendon m.

tenement ['tɛnəmənt] n immeuble m (de rapport).

tenet ['tɛnət] n principe m.

tennis ['tɛnɪs] n tennis m; ~ **ball** n balle f de tennis; ~ **court** n (court m de) tennis; ~ **racket** n raquette f de tennis.

tenor ['tɛnə*] n (MUS) ténor m; (of speech etc) sens général.

tense [tɛns] a tendu(e); (person) tendu, crispé(e) // n (LING) temps m; ~**ness** n tension f.

tension ['tɛnʃən] n tension f.

tent [tɛnt] n tente f.

tentacle ['tɛntəkl] n tentacule m.

tentative ['tɛntətɪv] a timide, hésitant(e); (conclusion) provisoire.

tenterhooks ['tɛntəhuks] npl: **on** ~ sur des charbons ardents.

tenth [tɛnθ] num dixième.

tent: ~ **peg** n piquet m de tente; ~ **pole** n montant m de tente.

tenuous ['tɛnjuəs] a ténu(e).

tenure ['tɛnjuə*] n (of property) bail m; (of job) période f de jouissance; statut m de titulaire.

tepid ['tɛpɪd] a tiède.

term [tə:m] n (limit) terme m; (word) terme, mot m; (SCOL) trimestre m; (LAW) session f // vt appeler; ~**s** npl (conditions) conditions fpl; (COMM) tarif m; ~ **of imprisonment** peine f de prison; **in the short/long** ~ à court/long terme; **'easy** ~**s'** (COMM) 'facilités de paiement'; **to be on good** ~**s with** bien s'entendre avec, être en bons termes avec; **to come to** ~**s with** (person) arriver à un accord avec; (problem) faire face à.

terminal ['tə:mɪnl] a terminal(e); (disease) dans sa phase terminale // n (ELEC) borne f; (for oil, ore etc) terminal m; (also: **air** ~) aérogare f; (also: **coach** ~) gare routière.

terminate ['tə:mɪneɪt] vt mettre fin à // vi: **to** ~ **in** finir en or par.

termination [tə:mɪ'neɪʃən] n fin f; (of contract) résiliation f; ~ **of pregnancy** n (MED) interruption f de grossesse.

termini ['tə:mɪnaɪ] npl of **terminus**.

terminology [tə:mɪ'nɒlədʒɪ] n terminologie f.

terminus, pl **termini** ['tə:mɪnəs, 'tə:mɪnaɪ] n terminus m inv.

termite ['tə:maɪt] n termite m.

terrace ['tɛrəs] n terrasse f; (row of houses) rangée f de maisons (attenantes les unes aux autres); **the** ~**s** (SPORT) les gradins mpl; ~**d** a (garden) en terrasses.

terracotta ['tɛrə'kɒtə] n terre cuite.

terrain [tɛ'reɪn] n terrain m (sol).

terrible ['tɛrɪbl] a terrible, atroce; (weather, work) affreux(euse), épouvantable; **terribly** ad terriblement; (very badly) affreusement mal.

terrier ['tɛrɪə*] n terrier m (chien).

terrific [tə'rɪfɪk] a fantastique, incroyable, terrible; (wonderful) formidable, sensationnel(le).

terrify ['tɛrɪfaɪ] vt terrifier.

territorial [tɛrɪ'tɔːrɪəl] a territorial(e).

territory ['tɛrɪtərɪ] n territoire m.

terror ['tɛrə*] n terreur f; ~**ism** n terrorisme m; ~**ist** n terroriste m/f; ~**ize** vt terroriser.

terse [tə:s] a (style) concis(e); (reply) laconique.

test [tɛst] n (trial, check) essai m; (: of goods in factory) contrôle m; (of courage etc) épreuve f; (MED) examens mpl; (CHEM) analyses fpl; (exam: of intelligence etc) test m (d'aptitude); (: in school) interrogation f de contrôle; (also: **driving** ~) (examen du) permis m de conduire // vt essayer; contrôler; mettre à l'épreuve; examiner; analyser; tester; faire subir une interrogation (de contrôle) à.

testament ['tɛstəmənt] n testament m; **the Old/New T**~ l'Ancien/le Nouveau Testament.

test: ~ **case** n (LAW, fig) affaire-test f; ~ **flight** n vol m d'essai.

testicle ['tɛstɪkl] n testicule m.

testify ['tɛstɪfaɪ] vi (LAW) témoigner, déposer.

testimonial [tɛstɪ'məunɪəl] n (reference) recommandation f; (gift) témoignage m d'estime.

testimony ['tɛstɪmənɪ] n (LAW) témoignage m, déposition f.

test: ~ **match** n (CRICKET, RUGBY) match international; ~ **paper** n (SCOL) interrogation écrite; ~ **pilot** n pilote m d'essai; ~ **tube** n éprouvette f.

testy ['tɛstɪ] a irritable.

tetanus ['tɛtənəs] n tétanos m.

tether ['tɛðə*] vt attacher // n: **at the end of one's** ~ à bout (de patience).

text [tɛkst] n texte m; ~**book** n manuel m.

textile ['tɛkstaɪl] n textile m.

texture ['tɛkstʃə*] n texture f; (of skin, paper etc) grain m.

Thai [taɪ] a thaïlandais(e) // n Thaïlandais/e; (LING) thai m; ~**land** n Thaïlande f.

Thames [tɛmz] n: **the** ~ la Tamise.

than [ðæn, ðən] cj que; (with numerals): **more** ~ **10/once** plus de 10/d'une fois; **I have more/less** ~ **you** j'en ai plus/moins que toi; **she has more apples** ~ **pears** elle a plus de pommes que de poires.

thank [θæŋk] vt remercier, dire merci à; ~ **you (very much)** merci (beaucoup); ~**s** npl remerciements mpl // excl merci!; ~**s to** prep grâce à; ~**ful a:** ~**ful (for)** reconnaissant(e) (de); ~**less** a ingrat(e); **T~sgiving (Day)** n jour m d'action de grâce.

that [ðæt, ðət] cj que // det ce(cet + vowel or h mute), f cette; (not 'this'): ~ **book** ce livre-là // pronoun ce; (not 'this one') cela, ça; (the one) celui(celle); (relative: subject) qui; (: object) que, prep + lequel(laquelle); (with time): **on the day** ~ **he came** le jour où il est venu // ad: ~ **high** aussi haut; si haut; **it's about** ~ **high** c'est à peu près de cette hauteur; ~ **one** celui-là(celle-là); **what's** ~? qu'est-ce que c'est?; **who's** ~? qui est-ce?; **is** ~ **you?** c'est toi?; ~**'s what he said** c'est or voilà ce qu'il a dit; ~ **is...** c'est-à-dire..., à savoir...; **all** ~ tout cela, tout ça; **I can't work** ~ **much** je ne peux pas travailler autant que cela.

thatched [θætʃt] a (roof) de chaume; ~ **cottage** chaumière f.

thaw [θɔ:] n dégel m // vi (ice) fondre; (food) dégeler // vt (food) (faire) dégeler; **it's** ~**ing** (weather) il dégèle.

the [ðiː, ðə] det le, f la, (l' + vowel or h mute), pl les; (NB: à + le(s) = au(x); de + le = du; de + les = des).

theatre, theater (US) ['θɪətə*] n théâtre m; ~**goer** n habitué(e) du théâtre.

theatrical [θɪ'ætrɪkl] a théâtral(e); ~ **company** n troupe f de théâtre.

theft [θɛft] n vol m (larcin).

their [ðɛə*] a leur, pl leurs; ~**s** pronoun le(la) leur, les leurs; **it is** ~**s** c'est à eux; **a friend of** ~**s** un de leurs amis.

them [ðɛm, ðəm] pronoun (direct) les; (indirect) leur; (stressed, after prep) eux(elles); **I see** ~ je les vois; **give** ~ **the book** donne-leur le livre.

theme [θiːm] n thème m; ~ **song** n chanson principale.

themselves [ðəm'sɛlvz] pl pronoun (reflexive) se; (emphatic) eux-mêmes(elles-mêmes); **between** ~ entre eux(elles).

then [ðɛn] ad (at that time) alors, à ce moment-là; (next) puis, ensuite; (and also) et puis // cj (therefore) alors, dans ce cas // a: **the** ~ **president** le président d'alors or de l'époque; **from** ~ **on** dès lors.

theologian [θɪə'ləudʒən] n théologien/ne.

theological [θɪə'lɒdʒɪkl] a théologique.

theology [θɪ'ɒlədʒɪ] n théologie f.

theorem ['θɪərəm] n théorème m.

theoretical [θɪə'rɛtɪkl] a théorique.

theorize ['θɪəraɪz] vi élaborer une théorie; (pej) faire des théories.

theory ['θɪərɪ] n théorie f.

therapeutic(al) [θɛrə'pjuːtɪk(l)] a thérapeutique.

therapist ['θɛrəpɪst] n thérapeute m/f.

therapy ['θɛrəpɪ] n thérapie f.

there [ðɛə*] ad là, là-bas; ~, ~! allons, allons!; **it's** ~ c'est là; **he went** ~ il y est allé; ~ **is,** ~ **are** il y a; ~ **he is** le voilà; ~ **has been** il y a eu; **on/in** ~ là-dessus/ -dedans; **to go** ~ **and back** faire l'aller et retour; ~**abouts** ad (place) par là, près de là; (amount) environ, à peu près; ~**after** ad par la suite; ~**fore** ad donc, par conséquent; ~**'s** = ~ **is;** ~ **has.**

thermal ['θəːml] a thermique.

thermometer [θə'mɒmɪtə*] n thermomètre m.

thermonuclear ['θəːməu'njuːklɪə*] a thermonucléaire.

Thermos ['θəːməs] n ® (also: ~ **flask**) thermos m or f inv ®.

thermostat ['θəːməustæt] n thermostat m.

thesaurus [θɪ'sɔːrəs] n dictionnaire m synonymique.

these [ðiːz] pl pronoun ceux-ci(celles-ci) // pl det ces; (not 'those'): ~ **books** ces livres-ci.

thesis, pl **theses** ['θiːsɪs, 'θiːsiːz] n thèse f.

they [ðeɪ] pl pronoun ils(elles); (stressed) eux(elles); ~ **say that...** (it is said that) on dit que...; ~**'d** = **they had; they would;** ~**'ll** = **they shall; they will;** ~**'re** = **they are;** ~**'ve** = **they have.**

thick [θɪk] a épais(se); (crowd) dense; (stupid) bête, borné(e) // n: **in the** ~ **of** au beau milieu de, en plein cœur de; **it's 20 cm** ~ ça a 20 cm d'épaisseur; ~**en** vi s'épaissir // vt (sauce etc) épaissir; ~**ness** n épaisseur f; ~**set** a trapu(e), costaud(e) (fig); ~**skinned** a (fig) peu sensible.

thief, thieves [θiːf, θiːvz] n voleur/euse.

thieving ['θiːvɪŋ] n vol m (larcin).

thigh [θaɪ] n cuisse f; ~**bone** n fémur m.

thimble ['θɪmbl] n dé m (à coudre).

thin [θɪn] a mince; (person) maigre; (soup) peu épais(se); (hair, crowd) clairsemé(e); (fog) léger(ère) // vt (hair) éclaircir; **to** ~ **(down)** (sauce, paint) délayer.

thing [θɪŋ] *n* chose *f*; (*object*) objet *m*; (*contraption*) truc *m*; **~s** *npl* (*belongings*) affaires *fpl*; **for one ~** d'abord; **the best ~ would be to** le mieux serait de; **how are ~s?** comment ça va?

think, *pt, pp* **thought** [θɪŋk, θɔ:t] *vi* penser, réfléchir // *vt* penser, croire; (*imagine*) s'imaginer; **to ~ of** penser à; **what did you ~ of them?** qu'as-tu pensé d'eux?; **to ~ about sth/sb** penser à qch/qn; **I'll ~ about it** je vais y réfléchir; **to ~ of doing** avoir l'idée de faire; **I ~ so** je crois *or* pense que oui; **to ~ well of** avoir une haute opinion de; **to ~ over** *vt* bien réfléchir à; **to ~ up** *vt* inventer, trouver.

thinly ['θɪnlɪ] *ad* (*cut*) en tranches fines; (*spread*) en couche mince.

thinness ['θɪnnɪs] *n* minceur *f*; maigreur *f*.

third [θə:d] *num* troisième // *n* troisième *m/f*; (*fraction*) tiers *m*; (*SCOL: degree*) ≈ licence *f* avec mention passable; **a ~ of** le tiers de; **~ly** *ad* troisièmement; **~ party insurance** *n* assurance *f* au tiers; **~-rate** *a* de qualité médiocre; **the T~ World** *n* le Tiers-Monde.

thirst [θə:st] *n* soif *f*; **~y a** (*person*) qui a soif, assoiffé(e).

thirteen ['θə:'ti:n] *num* treize.

thirty ['θə:tɪ] *num* trente.

this [ðɪs] *det* ce(cet + *vowel or h mute*), *f* cette; (*not 'that'*): **~ book** ce livre-ci // *pronoun* ce; ceci; (*not 'that one'*) celui-ci(celle-ci); **~ is what he said** voici ce qu'il a dit.

thistle ['θɪsl] *n* chardon *m*.

thong [θɔŋ] *n* lanière *f*.

thorn [θɔ:n] *n* épine *f*; **~ bush** *n* buisson m d'épines; **~y a** épineux(euse).

thorough ['θʌrə] *a* (*search*) minutieux(euse); (*knowledge, research*) approfondi(e); (*work*) consciencieux(euse); (*cleaning*) à fond; **~bred** (*horse*) pur-sang *m inv*; **~fare** *n* rue *f*; **'no ~fare'** 'passage interdit'; **~ly** *ad* minutieusement; en profondeur; à fond; **he ~ly agreed** il était tout à fait d'accord.

those [ðəuz] *pl pronoun* ceux-là(celles-là) // *pl det* ces; (*not 'these'*): **~ books** ces livres-là.

though [ðəu] *cj* bien que + *sub*, quoique + *sub* // *ad* pourtant.

thought [θɔ:t] *pt, pp of* **think** // *n* pensée *f*; (*opinion*) avis *m*; (*intention*) intention *f*; **~ful a** pensif(ive); réfléchi(e); (*considerate*) prévenant(e); **~less a** étourdi(e); qui manque de considération.

thousand ['θauzənd] *num* mille; **~th** *num* millième; **one ~** mille; **~s of** des milliers de.

thrash [θræʃ] *vt* rouer de coups; donner une correction à; (*defeat*) battre à plate couture; **to ~ about** *vi* se débattre; **to ~ out** *vt* débattre de.

thread [θrɛd] *n* fil *m*; (*of screw*) pas *m*, filetage *m* // *vt* (*needle*) enfiler; **to ~ one's way between** se faufiler entre; **~bare** a râpé(e), élimé(e).

threat [θrɛt] *n* menace *f*; **~en** *vi* (*storm*) menacer // *vt*: **to ~en sb with sth/to do** menacer qn de qch/de faire.

three [θri:] *num* trois (*m inv*); **~-dimensional** *a* à trois dimensions; (*film*) en relief; **~fold** *ad*: **to increase ~fold** tripler; **~-piece suit** *n* complet *m* (avec gilet); **~-piece suite** *n* salon *m* comprenant un canapé et deux fauteuils assortis; **~-ply** *a* (*wood*) à trois épaisseurs; (*wool*) trois fils *inv*; **~-wheeler** *n* (*car*) voiture *f* à trois roues.

thresh [θrɛʃ] *vt* (*AGR*) battre; **~ing machine** *n* batteuse *f*.

threshold ['θrɛʃhəuld] *n* seuil *m*.

threw [θru:] *pt of* **throw**.

thrift [θrɪft] *n* économie *f*; **~y a** économe.

thrill [θrɪl] *n* frisson *m*, émotion *f* // *vi* tressaillir, frissonner // *vt* (*audience*) électriser; **to be ~ed** (*with gift etc*) être ravi; **~er** *n* film *m* (*or* roman *m or* pièce *f*) à suspense.

thrive, *pt* **thrived**, **throve** *pp* **thrived**, **thriven** [θraɪv, θrəuv, 'θrɪvn] *vi* pousser *or* se développer bien; (*business*) prospérer; **he ~s on it** cela lui réussit; **thriving** a vigoureux(euse); prospère.

throat [θrəut] *n* gorge *f*; **to have a sore ~** avoir mal à la gorge.

throb [θrɔb] *n* (*of heart*) pulsation *f*; (*of engine*) vibration *f*; (*of pain*) élancement *m* // *vi* (*heart*) palpiter; (*engine*) vibrer; (*pain*) lanciner; (*wound*) causer des élancements.

throes [θrəuz] *npl*: **in the ~ of** au beau milieu de; en proie à; **in the ~ of death** à l'agonie.

thrombosis [θrɔm'bəusɪs] *n* thrombose *f*.

throne [θrəun] *n* trône *m*.

throttle ['θrɔtl] *n* (*AUT*) accélérateur *m* // *vt* étrangler.

through [θru:] *prep* à travers; (*time*) pendant, durant; (*by means of*) par, par l'intermédiaire de; (*owing to*) à cause de // *a* (*ticket, train, passage*) direct(e) // *ad* à travers; **to put sb ~ to sb** (*TEL*) passer qn à qn; **to be ~** (*TEL*) avoir la communication; (*have finished*) avoir fini; **'no ~ way'** 'impasse'; **~out** *prep* (*place*) partout dans; (*time*) durant tout(e) le(la) // *ad* partout.

throve [θrəuv] *pt of* **thrive**.

throw [θrəu] *n* jet *m*; (*SPORT*) lancer *m* // *vt* (*pt* **threw**, *pp* **thrown** [θru:, θrəun]) lancer, jeter; (*SPORT*) lancer; (*rider*) désarçonner; (*fig*) déconcerter; (*pottery*) tourner; **to ~ a party** donner une réception; **to ~ away** *vt* jeter; **to ~ off** *vt* se débarrasser de; **to ~ out** *vt* jeter dehors; (*reject*) rejeter; **to ~ up** *vi* vomir; **~away** a à jeter; **~-in** *n* (*SPORT*) remise *f* en jeu.

thru [θru:] *prep, a, ad* (*US*) = **through**.

thrush [θrʌʃ] *n* grive *f*.

thrust [θrʌst] *n* (*TECH*) poussée *f* // *vt* (*pt, pp* **thrust**) pousser brusquement; (*push in*) enfoncer; **~ing** a dynamique; (*fig*) qui se met trop en avant.

thud [θʌd] *n* bruit sourd.

thug [θʌg] *n* voyou *m*.

thumb [θʌm] *n* (*ANAT*) pouce *m* // *vt* (*book*) feuilleter; **to ~ a lift** faire de l'auto-stop, arrêter une voiture; **~ index** *n* répertoire *m* (à onglets); **~nail** *n* ongle *m* du pouce; **~tack** *n* (*US*) punaise *f* (*clou*).

thump [θʌmp] *n* grand coup ; (*sound*) bruit sourd // *vt* cogner sur // *vi* cogner, frapper.

thunder ['θʌndə*] *n* tonnerre *m* // *vi* tonner ; (*train etc*): **to ~ past** passer dans un grondement *or* un bruit de tonnerre ; **~clap** *n* coup *m* de tonnerre ; **~ous** *a* étourdissant(e) ; **~storm** *n* orage *m* ; **~struck** *a* (*fig*) abasourdi(e) ; **~y** *a* orageux(euse).

Thursday ['θə:zdɪ] *n* jeudi *m*.

thus [ðʌs] *ad* ainsi.

thwart [θwɔ:t] *vt* contrecarrer.

thyme [taɪm] *n* thym *m*.

thyroid ['θaɪrɔɪd] *n* thyroïde *f*.

tiara [tɪ'ɑ:rə] *n* (*woman's*) diadème *m*.

tic [tɪk] *n* tic (nerveux).

tick [tɪk] *n* (*sound: of clock*) tic-tac *m* ; (*mark*) coche *f* ; (*ZOOL*) tique *f* ; (*col*): **in a ~** dans un instant // *vi* faire tic-tac // *vt* cocher ; **to ~ off** *vt* cocher ; (*person*) réprimander, attraper.

ticket ['tɪkɪt] *n* billet *m* ; (*for bus, tube*) ticket *m* ; (*in shop: on goods*) étiquette *f* ; (: *from cash register*) reçu *m*, ticket ; (*for library*) carte *f* ; **~ collector** *n* contrôleur/euse ; **~ holder** *n* personne munie d'un billet ; **~ office** *n* guichet *m*, bureau *m* de vente des billets.

tickle ['tɪkl] *n* chatouillement *m* // *vt* chatouiller ; (*fig*) plaire à ; faire rire ; **ticklish** *a* chatouilleux(euse).

tidal ['taɪdl] *a* à marée ; **~ wave** *n* raz-de-marée *m inv*.

tiddlywinks ['tɪdlɪwɪŋks] *n* jeu *m* de puce.

tide [taɪd] *n* marée *f* ; (*fig: of events*) cours *m* // *vt*: **to ~ sb over** dépanner qn.

tidily ['taɪdɪlɪ] *ad* avec soin, soigneusement.

tidiness ['taɪdɪnɪs] *n* bon ordre ; goût *m* de l'ordre.

tidy ['taɪdɪ] *a* (*room*) bien rangé(e) ; (*dress, work*) net(nette), soigné(e) ; (*person*) ordonné(e), qui a de l'ordre // *vt* (*also: ~ up*) ranger ; **to ~ o.s. up** s'arranger.

tie [taɪ] *n* (*string etc*) cordon *m* ; (*also: neck~*) cravate *f* ; (*fig: link*) lien *m* ; (*SPORT: draw*) égalité *f* de points ; match nul // *vt* (*parcel*) attacher ; (*ribbon*) nouer // *vi* (*SPORT*) faire match nul ; finir à égalité de points ; **'black/white '** 'smoking/habit de rigueur' ; **to ~ sth in a bow** faire un nœud à *or* avec qch ; **to ~ a knot in sth** faire un nœud à qch ; **to ~ down** *vt* attacher ; (*fig*): **to ~ sb down to** contraindre qn à accepter, fixer à qn ; **to ~ up** *vt* (*parcel*) ficeler ; (*dog, boat*) attacher ; (*arrangements*) conclure ; **to be ~d up** (*busy*) être pris *or* occupé.

tier [tɪə*] *n* gradin *m* ; (*of cake*) étage *m*.

tiff [tɪf] *n* petite querelle.

tiger ['taɪgə*] *n* tigre *m*.

tight [taɪt] *a* (*rope*) tendu(e), raide ; (*clothes*) étroit(e), très juste ; (*budget, programme, bend*) serré(e) ; (*control*) strict(e), sévère ; (*col: drunk*) ivre, rond(e) // *ad* (*squeeze*) très fort ; (*shut*) à bloc, hermétiquement ; **~s** *npl* collant *m* ; **~en** *vt* (*rope*) tendre ; (*screw*) resserrer ; (*control*) renforcer // *vi* se tendre, se resserrer ; **~-fisted** *a* avare ; **~ly** *ad* (*grasp*) bien, très fort ; **~-rope** *n* corde *f* raide.

tile [taɪl] *n* (*on roof*) tuile *f* ; (*on wall or floor*) carreau *m* ; **~d** *a* en tuiles ; carrelé(e).

till [tɪl] *n* caisse (enregistreuse) // *vt* (*land*) cultiver // *prep*, *cj* = **until**.

tiller ['tɪlə*] *n* (*NAUT*) barre *f* (du gouvernail).

tilt [tɪlt] *vt* pencher, incliner // *vi* pencher, être incliné(e).

timber ['tɪmbə*] *n* (*material*) bois *m* de construction ; (*trees*) arbres *mpl*.

time [taɪm] *n* temps *m* ; (*epoch: often pl*) époque *f*, temps ; (*by clock*) heure *f* ; (*moment*) moment *m* ; (*occasion, also MATH*) fois *f* ; (*MUS*) mesure *f* // *vt* (*race*) chronométrer ; (*programme*) minuter ; (*remark etc*) choisir le moment de ; **a long ~** un long moment, longtemps ; **for the ~ being** pour le moment ; **from ~ to ~** de temps en temps ; **in ~** (*soon enough*) à temps ; (*after some time*) avec le temps, à la longue ; (*MUS*) en mesure ; **in a week's ~** dans une semaine ; **on ~** à l'heure ; **5 ~s 5** 5 5 fois 5 ; **what ~ is it?** quelle heure est-il? ; **to have a good ~** bien s'amuser ; **~'s up!** c'est l'heure! ; **I've no ~ for it** (*fig*) cela m'agace ; **~ bomb** *n* bombe *f* à retardement ; **~keeper** *n* (*SPORT*) chronomètre *m* ; **~ lag** *n* décalage *m* ; (*in travel*) décalage *m* horaire ; **~less** *a* éternel(le) ; **~ limit** *n* limite *f* de temps, délai *m* ; **~ly** *a* opportun(e) ; **~ off** *n* temps *m* libre ; **~r** *n* (*in kitchen*) compte-minutes *m inv* ; **~-saving** *a* qui fait gagner du temps ; **~ switch** *n* minuteur *m* ; (*for lighting*) minuterie *f* ; **~table** *n* (*RAIL*) (indicateur) *m* horaire ; (*SCOL*) emploi *m* du temps ; **~ zone** *n* fuseau *m* horaire.

timid ['tɪmɪd] *a* timide ; (*easily scared*) peureux(euse).

timing ['taɪmɪŋ] *n* minutage *m* ; chronométrage *m* ; **the ~ of his resignation** le moment choisi pour sa démission ; **~ device** *n* mécanisme *m* de retardement.

timpani ['tɪmpənɪ] *npl* timbales *fpl*.

tin [tɪn] *n* étain *m* ; (*also: ~ plate*) fer-blanc *m* ; (*can*) boîte *f* (de conserve) ; (*for baking*) moule *m* (à gâteau) ; **~ foil** *n* papier *m* d'étain.

tinge [tɪndʒ] *n* nuance *f* // *vt*: **~d with** teinté(e) de.

tingle ['tɪŋgl] *n* picotement *m* ; frisson *m* // *vi* picoter.

tinker ['tɪŋkə*] *n* rétameur ambulant ; (*gipsy*) romanichel *m* ; **to ~ with** *vt* bricoler, rafistoler.

tinkle ['tɪŋkl] *vi* tinter // *n* (*col*): **to give sb a ~** passer un coup de fil à qn.

tinned [tɪnd] *a* (*food*) en boîte, en conserve.

tinny ['tɪnɪ] *a* métallique.

tin opener ['tɪnəupnə*] *n* ouvre-boîte(s) *m*.

tinsel ['tɪnsl] *n* guirlandes *fpl* de Noël (argentées).

tint [tɪnt] *n* teinte *f* ; (*for hair*) shampooing colorant.

tiny ['taɪnɪ] *a* minuscule.

tip [tɪp] *n* (*end*) bout *m* ; (*protective: on umbrella*) embout *m* ; (*gratuity*) pourboire *m* ; (*for coal*) terril *m* ; (*for rubbish*) décharge *f* ; (*advice*) tuyau *m* // *vt* (*waiter*) donner un pourboire à ; (*tilt*) incliner ; (*overturn: also: ~ over*)

renverser ; (*empty: also:* ~ **out**) déverser ;
~**-off** *n* (*hint*) tuyau *m* ; ~**ped** *a* (*cigarette*)
(à bout) filtre *inv* ; **steel-~ped** à bout
métallique, à embout de métal.

tipple ['tɪpl] *vi* picoler // *n*: **to have a ~**
boire un petit coup.

tipsy ['tɪpsɪ] *a* un peu ivre, éméché(e).

tiptoe ['tɪptəu] *n*: **on** ~ sur la pointe des
pieds.

tiptop ['tɪp'tɔp] *a*: **in** ~ **condition** en
excellent état.

tire ['taɪə*] *n* (*US*) = **tyre** // *vt* fatiguer
// *vi* se fatiguer ; ~**d** a fatigué(e) ; **to be**
~**d of** en avoir assez de, être las(lasse)
de ; ~**dness** *n* fatigue *f* ; ~**less** *a*
infatigable, inlassable ; ~**some** *a*
ennuyeux(euse) ; **tiring** *a* fatigant(e).

tissue ['tɪʃu:] *n* tissu *m* ; (*paper
handkerchief*) mouchoir *m* en papier,
kleenex *m* ® ; ~ **paper** *n* papier *m* de soie.

tit [tɪt] *n* (*bird*) mésange *f* ; **to give** ~ **for**
tat rendre coup pour coup.

titanium [tɪ'teɪnɪəm] *n* titane *m*.

titbit ['tɪtbɪt] *n* (*food*) friandise *f* ; (*news*)
potin *m*.

titillate ['tɪtɪleɪt] *vt* titiller, exciter.

titivate ['tɪtɪveɪt] *vt* pomponner.

title ['taɪtl] *n* titre *m* ; ~ **deed** *n* (*LAW*) titre
(constitutif) de propriété ; ~ **role** *n* rôle
principal.

titter ['tɪtə*] *vi* rire (bêtement).

tittle-tattle ['tɪtltætl] *n* bavardages *mpl*.

titular ['tɪtjulə*] *a* (*in name only*)
nominal(e).

tizzy ['tɪzɪ] *n*: **to be in a** ~ être dans tous
ses états.

to [tu:, tə] *prep* à ; (*towards*) vers ; envers ;
give it ~ **me** donne-le-moi ; **the key** ~
the front door la clé de la porte d'entrée ;
the main thing is ~... l'important est
de... ; **to go** ~ **France/Portugal** aller en
France/au Portugal ; **I went** ~ **Claude's**
je suis allé chez Claude ; **to go** ~
town/school aller en ville/à l'école ;
pull/push the door ~ tire/pousse la
porte ; **to go** ~ **and fro** aller et venir.

toad [təud] *n* crapaud *m* ; ~**stool** *n*
champignon (vénéneux) ; ~**y** *vi* flatter
bassement.

toast [təust] *n* (*CULIN*) pain grillé, toast *m* ;
(*drink, speech*) toast // *vt* (*CULIN*) faire
griller ; (*drink to*) porter un toast à ; **a**
piece *or* **slice of** ~ un toast ; ~**er** *n* grille-
pain *m inv* ; ~**master** *n* animateur *m* pour
réceptions ; ~**rack** *n* porte-toast *m*.

tobacco [tə'bækəu] *n* tabac *m* ; ~**nist** *n*
marchand(e) de tabac ; ~**nist's (shop)** *n*
(bureau *m* de) tabac *m*.

toboggan [tə'bɔgən] *n* toboggan *m* ;
(*child's*) luge *f*.

today [tə'deɪ] *ad,n* (*also fig*) aujourd'hui
(*m*).

toddler ['tɔdlə*] *n* enfant *m/f* qui
commence à marcher, bambin *m*.

toddy ['tɔdɪ] *n* grog *m*.

to-do [tə'du:] *n* (*fuss*) histoire *f*, affaire *f*.

toe [təu] *n* doigt *m* de pied, orteil *m* ; (*of
shoe*) bout *m* ; **to** ~ **the line** (*fig*) obéir,
se conformer ; ~**hold** *n* prise *f* ; ~**nail** *n*
ongle *m* de l'orteil.

toffee ['tɔfɪ] *n* caramel *m* ; ~ **apple** *n*
pomme caramélisée.

toga ['təugə] *n* toge *f*.

together [tə'gɛðə*] *ad* ensemble ; (*at same
time*) en même temps ; ~ **with** *prep* avec ;
~**ness** *n* camaraderie *f* ; intimité *f*.

toil [tɔɪl] *n* dur travail, labeur *m* // *vi*
travailler dur ; peiner.

toilet ['tɔɪlət] *n* (*lavatory*) toilettes *fpl*,
cabinets *mpl* // *cpd* (*bag, soap etc*) de
toilette ; ~ **bowl** *n* cuvette *f* des W.-C. ;
~ **paper** *n* papier *m* hygiénique ; ~**ries**
npl articles *mpl* de toilette ; ~ **roll** *n*
rouleau *m* de papier hygiénique ; ~ **water**
n eau *f* de toilette.

token ['təukən] *n* (*sign*) marque *f*,
témoignage *m* ; (*voucher*) bon *m*, coupon
m ; **book/record** ~ *n* chèque-livre/disque
m.

told [təuld] *pt, pp of* **tell.**

tolerable ['tɔlərəbl] *a* (*bearable*) tolérable ;
(*fairly good*) passable.

tolerance ['tɔlərns] *n* (*also:* TECH)
tolérance *f*.

tolerant ['tɔlərnt] *a*: ~ (**of**) tolérant(e) (à
l'égard de).

tolerate ['tɔləreɪt] *vt* supporter ; (*MED,
TECH*) tolérer ; **toleration** [-'reɪʃən] *n*
tolérance *f*.

toll [təul] *n* (*tax, charge*) péage *m* // *vi* (*bell*)
sonner ; **the accident** ~ **on the roads** le
nombre des victimes de la route ; ~**bridge**
n pont *m* à péage.

tomato, ~**es** [tə'mɑːtəu] *n* tomate *f*.

tomb [tuːm] *n* tombe *f*.

tombola [tɔm'bəulə] *n* tombola *f*.

tomboy ['tɔmbɔɪ] *n* garçon manqué.

tombstone ['tuːmstəun] *n* pierre tombale.

tomcat ['tɔmkæt] *n* matou *m*.

tomorrow [tə'mɔrəu] *ad,n* (*also fig*)
demain (*m*) ; **the day after** ~ après-
demain ; ~ **morning** demain matin.

ton [tʌn] *n* tonne *f* (= 1016 kg ; 20 cwt) ;
(*NAUT: also:* **register** ~) tonneau *m* (= 2.83
cu.m ; 100 cu. ft) ; ~**s of** (*col*) des tas de.

tonal ['təunl] *a* tonal(e).

tone [təun] *n* ton *m* ; (*of radio*) tonalité *f*
// *vi* s'harmoniser ; **to** ~ **down** *vt* (*colour,
criticism*) adoucir ; (*sound*) baisser ; **to** ~
up *vt* (*muscles*) tonifier ; ~**-deaf** *a* qui n'a
pas d'oreille.

tongs [tɔnz] *npl* pinces *fpl* ; (*for coal*)
pincettes *fpl* ; (*for hair*) fer *m* à friser.

tongue [tʌn] *n* langue *f* ; ~ **in cheek** *ad*
ironiquement ; ~**-tied** *a* (*fig*) muet(te) ; ~-
twister *n* phrase *f* très difficile à
prononcer.

tonic ['tɔnɪk] *n* (*MED*) tonique *m* ; (*MUS*)
tonique *f* ; (*also:* ~ **water**) tonic *m*.

tonight [tə'naɪt] *ad, n* cette nuit ; (*this
evening*) ce soir.

tonnage ['tʌnɪdʒ] *n* (*NAUT*) tonnage *m*.

tonne [tʌn] *n* (*metric ton*) tonne *f*.

tonsil ['tɔnsl] *n* amygdale *f* ; ~**litis** [-'laɪtɪs]
n amygdalite *f*.

too [tuː] *ad* (*excessively*) trop ; (*also*) aussi ;
~ **much** *ad* trop // *det* trop de ; ~ **many**
det trop de ; ~ **bad!** tant pis!

took [tuk] *pt of* **take.**

tool [tuːl] *n* outil *m* // *vt* travailler,

ouvrager ; ~ **box/kit** n boîte f/trousse f
à outils.
toot [tu:t] n coup m de sifflet (or de klaxon)
// vi siffler ; (with car-horn) klaxonner.
tooth, pl **teeth** [tu:θ, ti:θ] n (ANAT, TECH)
dent f ; ~**ache** n mal m de dents ; ~**brush**
n brosse f à dents ; ~**paste** n (pâte f)
dentifrice m ; ~**pick** n cure-dent m ; ~
powder n poudre f dentifrice.
top [tɔp] n (of mountain, head) sommet m ;
(of page, ladder) haut m ; (of box, cupboard,
table) dessus m ; (: of bottle) bouchon m ; (toy) toupie
f // a du haut ; (in rank) premier(ère) ;
(best) meilleur(e) // vt (exceed) dépasser ;
(be first in) être en tête de ; **on ~ of** sur ;
(in addition to) en plus de ; **from ~ to toe**
de la tête aux pieds ; **at the ~ of the list**
en tête de liste ; **to ~ up** vt remplir ;
~**coat** n pardessus m ; ~ **floor** n dernier
étage ; ~ **hat** n haut-de-forme m ; ~-
heavy a (object) trop lourd(e) du haut.
topic ['tɔpɪk] n sujet m, thème m ; ~**al** a
d'actualité.
top: ~less a (bather etc) aux seins nus ;
~**less swimsuit** n monokini m ; ~-**level**
a (talks) à l'échelon le plus élevé ; ~**most**
a le(la) plus haut(e).
topple ['tɔpl] vt renverser, faire tomber //
vi basculer ; tomber.
topsy-turvy ['tɔp si'tə:vi] a,ad sens
dessus-dessous.
torch [tɔ:tʃ] n torche f ; (electric) lampe f
de poche.
tore [tɔ:*] pt of tear.
torment n ['tɔ:mɛnt] tourment m // vt
[tɔ:'mɛnt] tourmenter ; (fig: annoy) agacer.
torn [tɔ:n] pp of tear // a : ~ **between**
(fig) tiraillé(e) entre.
tornado, ~es [tɔ:'neɪdəu] n tornade f.
torpedo, ~es [tɔ:'pi:dəu] n torpille f.
torpor ['tɔ:pə*] n torpeur f.
torque [tɔ:k] n couple m de torsion.
torrent ['tɔrnt] n torrent m ; ~**ial** [-'rɛnʃl]
a torrentiel(le).
torso ['tɔ:səu] n torse m.
tortoise ['tɔ:təs] n tortue f ; ~**shell**
['tɔ:təʃɛl] a en écaille.
tortuous ['tɔ:tjuəs] a tortueux(euse).
torture ['tɔ:tʃə*] n torture f // vt torturer.
Tory ['tɔ:ri] a tory (pl tories),
conservateur(trice) // n tory m/f,
conservateur/trice.
toss [tɔs] vt lancer, jeter ; (pancake) faire
sauter ; (head) rejeter en arrière ; **to ~ a
coin** jouer à pile ou face ; **to ~ up for
sth** jouer qch à pile ou face ; **to ~ and
turn** (in bed) se tourner et se retourner.
tot [tɔt] n (drink) petit verre ; (child)
bambin m.
total ['təutl] a total(e) // n total m // vt
(add up) faire le total de, totaliser ; (amount
to) s'élever à.
totalitarian [təutælɪ'tɛərɪən] a totalitaire.
totality [təu'tælɪti] n totalité f.
totem pole ['təutəmpəul] n mât m
totémique.
totter ['tɔtə*] vi chanceler.
touch [tʌtʃ] n contact m, toucher m ;
(sense, also skill: of pianist etc) toucher ;
(fig: note, also: FOOTBALL) touche f // vt

(gen) toucher ; (tamper with) toucher à ; **a
~ of** (fig) un petit peu de ; une touche de ;
in ~ with en contact ou rapport avec ; **to
get in ~ with** prendre contact avec ; **to
lose ~** (friends) se perdre de vue ; **to ~
on** vt fus (topic) effleurer, toucher ; **to ~
up** vt (paint) retoucher ; ~-**and-go** a
incertain(e) ; **it was ~-and-go whether
we did it** nous avons failli ne pas le faire ;
~**down** n atterrissage m ; (on sea)
amerrissage m ; ~**ed** a touché(e) ; (col)
cinglé(e) ; ~**ing** a touchant(e),
attendrissant(e) ; ~**line** n (SPORT) (ligne f
de) touche f ; ~**y** a (person) susceptible.
tough [tʌf] a dur(e) ; (resistant)
résistant(e), solide ; (meat) dur, coriace //
n (gangster etc) dur m ; ~ **luck!** pas de
chance! ; tant pis! ; ~**en** vt rendre plus
dur(e) (or plus résistant(e) or plus solide) ;
~**ness** n dureté f ; résistance f ; solidité f.
toupee ['tu:peɪ] n postiche m.
tour ['tuə*] n voyage m ; (also: **package
~**) voyage organisé ; (of town, museum)
tour m, visite f ; (by artist) tournée f //
vt visiter ; ~**ing** n voyages mpl
touristiques, tourisme m.
tourism ['tuərɪzm] n tourisme m.
tourist ['tuərɪst] n touriste m/f // ad
(travel) en classe touriste // cpd
touristique ; ~ **office** n syndicat m
d'initiative.
tournament ['tuənəmənt] n tournoi m.
tour operator ['tuər'ɔpəreɪtə*] n organisateur m de voyages.
tousled ['tauzld] a (hair) ébouriffé(e).
tout [taut] vi : **to ~ for** essayer de
raccrocher, racoler ; **to ~ sth (around)**
essayer de placer or (re)vendre qch.
tow [təu] vt remorquer ; **'on ~'** (AUT)
'véhicule en remorque'.
toward(s) [tə'wɔ:d(z)] prep vers ; (of
attitude) envers, à l'égard de ; (of purpose)
pour.
towel ['tauəl] n serviette f (de toilette) ;
(also: **tea ~**) torchon m ; ~**ling** n (fabric)
tissu-éponge m ; ~ **rail** n porte-serviettes
m inv.
tower ['tauə*] n tour f ; ~ **block** n tour
f (d'habitation) ; ~**ing** a très haut(e),
imposant(e).
towline ['təulaɪn] n (câble m de) remorque
f.
town [taun] n ville f ; **to go to ~** aller
en ville ; (fig) y mettre le paquet ; ~ **clerk**
n ≈ secrétaire m/f de mairie ; ~ **council**
n conseil municipal ; ~ **hall** n ≈ mairie
f ; ~ **planner** n urbaniste m/f ; ~
planning n urbanisme m.
towpath ['təupɑ:θ] n (chemin m de)
halage m.
towrope ['təurəup] n (câble m de)
remorque f.
toxic ['tɔksɪk] a toxique.
toy [tɔɪ] n jouet m ; **to ~ with** vt fus jouer
avec ; (idea) caresser ; ~**shop** m magasin
m de jouets.
trace [treɪs] n trace f // vt (draw) tracer,
dessiner ; (follow) suivre la trace de ;
(locate) retrouver ; **without ~** (disappear)
sans laisser de traces.
track [træk] n (mark) trace f ; (path: gen)
chemin m, piste f ; (: of bullet etc)

trajectoire f; (: of suspect, animal) piste ; (RAIL) voie ferrée, rails mpl ; (on tape, SPORT) piste // vt suivre la trace or la piste de ; **to keep ~ of** suivre ; **to ~ down** vt (prey) trouver et capturer ; (sth lost) finir par retrouver ; **~ed** a (AUT) à chenille ; **~er dog** n chien policier ; **~suit** n survêtement m.

tract [trækt] n (GEO) étendue f, zone f; (pamphlet) tract m; **respiratory ~** (ANAT) système m respiratoire.

tractor ['træktə*] n tracteur m.

trade [treɪd] n commerce m; (skill, job) métier m // vi faire du commerce ; **to ~ with/in** faire du commerce avec/le commerce de ; **to ~ in** vt (old car etc) faire reprendre ; **~-in** (value) n reprise f; **~mark** n marque f de fabrique ; **~name** n marque déposée ; **~r** n commerçant/e, négociant/e ; **~sman** n (shopkeeper) commerçant m; **~ union** n syndicat m; **~unionist** syndicaliste m/f; **trading** n affaires fpl, commerce m; **trading estate** n zone industrielle ; **trading stamp** n timbre-prime m.

tradition [trə'dɪʃən] n tradition f; **~s** npl coutumes fpl, traditions ; **~al** a traditionnel(le).

traffic ['træfɪk] n trafic m; (cars) circulation f // vi: **to ~ in** (pej: liquor, drugs) faire le trafic de ; **~ circle** n (US) rond-point m; **~ jam** n embouteillage m; **~ lights** npl feux mpl (de signalisation) ; **~ sign** n panneau m de signalisation ; **~ warden** n contractuel/le.

tragedy ['trædʒədɪ] n tragédie f.

tragic ['trædʒɪk] a tragique.

trail [treɪl] n (tracks) trace f, piste f; (path) chemin m, piste ; (of smoke etc) traînée f // vt traîner, tirer ; (follow) suivre // vi traîner ; **to ~ behind** vi traîner, être à la traîne ; **~er** n (AUT) remorque f; (US) caravane f; (CINEMA) court film de lancement ; **~ing plant** n plante rampante.

train [treɪn] n train m; (in underground) rame f; (of dress) traîne f // vt (apprentice, doctor etc) former ; (sportsman) entraîner ; (dog) dresser ; (memory) exercer ; (point: gun etc): **to ~ sth on** braquer qch sur // vi recevoir sa formation ; s'entraîner ; **one's ~ of thought** le fil de sa pensée ; **~ed** a qualifié(e), qui a reçu une formation ; dressé(e) ; **~ee** [treɪ'ni:] n stagiaire m/f; (in trade) apprenti/e ; **~er** n (SPORT) entraîneur/euse ; (of dogs etc) dresseur/euse ; **~ing** n formation f; entraînement m; dressage m; **in ~ing** (SPORT) à l'entraînement ; (fit) en forme ; **~ing college** n école professionnelle ; (for teachers) ≈ école normale.

traipse [treɪps] vi (se) traîner, déambuler.

trait [treɪt] n trait m (de caractère).

traitor ['treɪtə*] n traître m.

tram [træm] n (also: **~-car**) tram(way) m; **~line** n ligne f de tram(way).

tramp [træmp] n (person) vagabond/e, clochard/e // vi marcher d'un pas lourd // vt (walk through: town, streets) parcourir à pied.

trample ['træmpl] vt: **to ~ (underfoot)** piétiner ; (fig) bafouer.

trampoline ['træmpəli:n] n trampolino m.

trance [trɑ:ns] n transe f; (MED) catalepsie f.

tranquil ['træŋkwɪl] a tranquille ; **~lity** n tranquillité f; **~lizer** n (MED) tranquillisant m.

transact [træn'zækt] vt (business) traiter ; **~ion** [-'zækʃən] n transaction f; **~ions** npl (minutes) actes mpl.

transatlantic ['trænzət'læntɪk] a transatlantique.

transcend [træn'sɛnd] vt transcender ; (excel over) surpasser.

transcript ['trænskrɪpt] n transcription f (texte) ; **~ion** [-'skrɪpʃən] n transcription.

transept ['trænsɛpt] n transept m.

transfer n ['trænsfə*] (gen, also SPORT) transfert m; (POL: of power) passation f; (picture, design) décalcomanie f; (: stick-on) autocollant m // vt [træns'fə:*] transférer ; passer ; décalquer ; **to ~ the charges** (TEL) téléphoner en P.C.V. ; **~able** [-'fə:rəbl] a transmissible, transférable ; '**not ~able**' 'personnel'.

transform [træns'fɔ:m] vt transformer ; **~ation** [-'meɪʃən] n transformation f; **~er** n (ELEC) transformateur m.

transfusion [træns'fju:ʒən] n transfusion f.

transient ['trænzɪənt] a transitoire, éphémère.

transistor [træn'zɪstə*] n (ELEC, also: **radio**) transistor m.

transit ['trænzɪt] n: **in ~** en transit ; **~ lounge** n salle f de transit.

transition [træn'zɪʃən] n transition f; **~al** a transitoire.

transitive ['trænzɪtɪv] a (LING) transitif(ive).

transitory ['trænzɪtərɪ] a transitoire.

translate [trænz'leɪt] vt traduire ; **translation** [-'leɪʃən] n traduction f; (SCOL: as opposed to prose) version f; **translator** n traducteur/trice.

transmission [trænz'mɪʃən] n transmission f.

transmit [trænz'mɪt] vt transmettre ; (RADIO, TV) émettre ; **~ter** n émetteur m.

transparency [træns'pɛərnsɪ] n (PHOT) diapositive f.

transparent [træns'pærnt] a transparent(e).

transplant vt [træns'plɑ:nt] transplanter ; (seedlings) repiquer // n ['trænsplɑ:nt] (MED) transplantation f.

transport n ['trænspɔ:t] transport m // vt [træns'pɔ:t] transporter ; **~ation** [-'teɪʃən] n (moyen m de) transport m; (of prisoners) transportation f; **~ café** n ≈ restaurant m de routiers.

transverse ['trænzvə:s] a transversal(e).

transvestite [trænz'vɛstaɪt] n travesti/e.

trap [træp] n (snare, trick) piège m; (carriage) cabriolet m // vt prendre au piège ; (immobilize) bloquer ; (jam) coincer ; **to shut one's ~** (col) la fermer ; **~ door** n trappe f.

trapeze [trə'pi:z] n trapèze m.

trapper ['træpə*] n trappeur m.

trappings ['træpɪŋz] npl ornements mpl; attributs mpl.

trash [træʃ] n (pej: goods) camelote f; (: nonsense) sottises fpl; ~ **can** n (US) boîte f à ordures.

trauma ['trɔːmə] n traumatisme m; ~**tic** [-'mætɪk] a traumatisant(e).

travel ['trævl] n voyage(s) m(pl) // vi voyager; (move) se déplacer // vt (distance) parcourir; ~ **agent's** n agence f de voyages; ~**ler**, ~**er** (US) n voyageur/euse; ~**ler's cheque** n chèque m de voyage; ~**ling**, ~**ing** (US) n voyage(s) m(pl) // cpd (bag, clock) de voyage; (expenses) de déplacement; ~ **sickness** n mal m de la route (or de mer or de l'air).

traverse ['trævəs] vt traverser.

travesty ['trævəstɪ] n parodie f.

trawler ['trɔːlə*] n chalutier m.

tray [treɪ] n (for carrying) plateau m; (on desk) corbeille f.

treacherous ['trɛtʃərəs] a traître(sse).

treachery ['trɛtʃərɪ] n traîtrise f.

treacle ['triːkl] n mélasse f.

tread [trɛd] n pas m; (sound) bruit m de pas; (of tyre) chape f, bande f de roulement // vi (pt **trod** [trɔd], pp **trodden** [trɔd, 'trɔdn]) marcher; to ~ **on** vt fus marcher sur.

treason ['triːzn] n trahison f.

treasure ['trɛʒə*] n trésor m // vt (value) tenir beaucoup à; (store) conserver précieusement; ~ **hunt** n chasse f au trésor.

treasurer ['trɛʒərə*] n trésorier/ère.

treasury ['trɛʒərɪ] n trésorerie f; **the T~** (POL) le ministère des Finances.

treat [triːt] n petit cadeau, petite surprise // vt traiter; **it was a** ~ ça m'a (or nous a etc) vraiment fait plaisir; **to** ~ **sb to sth** offrir qch à qn.

treatise ['triːtɪz] n traité m (ouvrage).

treatment ['triːtmənt] n traitement m.

treaty ['triːtɪ] n traité m.

treble ['trɛbl] a triple // n (MUS) soprano m // vt, vi tripler; ~ **clef** n clé f de sol.

tree [triː] n arbre m; ~**lined** a bordé(e) d'arbres; ~**top** n cime f d'un arbre; ~ **trunk** n tronc m d'arbre.

trek [trɛk] n voyage m; randonnée f; (tiring walk) tirée f // vi (as holiday) faire de la randonnée.

trellis ['trɛlɪs] n treillis m, treillage m.

tremble ['trɛmbl] vi trembler; (machine) vibrer; **trembling** tremblement m; vibrations fpl // a tremblant(e); vibrant(e).

tremendous [trɪ'mɛndəs] a (enormous) énorme, fantastique; (excellent) formidable.

tremor ['trɛmə*] n tremblement m; (also: **earth** ~) secousse f sismique.

trench [trɛntʃ] n tranchée f.

trend [trɛnd] n (tendency) tendance f; (of events) cours m; (fashion) mode f; ~**y** a (idea) dans le vent; (clothes) dernier cri inv.

trepidation [trɛpɪ'deɪʃən] n vive agitation.

trespass ['trɛspəs] vi: **to** ~ **on** s'introduire sans permission dans; (fig) empiéter sur; **'no** ~**ing'** 'propriété privée', 'défense d'entrer'.

tress [trɛs] n boucle f de cheveux.

trestle ['trɛsl] n tréteau m; ~ **table** n table f à tréteaux.

trial ['traɪəl] n (LAW) procès m, jugement m; (test: of machine etc) essai m; (hardship) épreuve f; (worry) souci m; **to be on** ~ passer en jugement; **by** ~ **and error** par tâtonnements.

triangle ['traɪæŋgl] n (MATH, MUS) triangle m; **triangular** [-'æŋgjulə*] a triangulaire.

tribal ['traɪbəl] a tribal(e).

tribe [traɪb] n tribu f; ~**sman** n membre m de la tribu.

tribulation [trɪbju'leɪʃən] n tribulation f, malheur m.

tribunal [traɪ'bjuːnl] n tribunal m.

tributary ['trɪbjuːtərɪ] n (river) affluent m.

tribute ['trɪbjuːt] n tribut m, hommage m; **to pay** ~ **to** rendre hommage à.

trice [traɪs] n: **in a** ~ en un clin d'œil.

trick [trɪk] n ruse f; (clever act) astuce f; (joke) tour m; (CARDS) levée f // vt attraper, rouler; **to play a** ~ **on sb** jouer un tour à qn; ~**ery** n ruse f.

trickle ['trɪkl] n (of water etc) filet m // vi couler en un filet or goutte à goutte; **to** ~ **in/out** (people) entrer/sortir par petits groupes.

tricky ['trɪkɪ] a difficile, délicat(e).

tricycle ['traɪsɪkl] n tricycle m.

trifle ['traɪfl] n bagatelle f; (CULIN) ≈ diplomate m // ad: **a** ~ **long** un peu long; **trifling** a insignifiant(e).

trigger ['trɪgə*] n (of gun) gâchette f; **to** ~ **off** vt déclencher.

trigonometry [trɪgə'nɔmətrɪ] n trigonométrie f.

trilby ['trɪlbɪ] n (chapeau m en) feutre m.

trim [trɪm] a net(te); (house, garden) bien tenu(e); (figure) svelte // n (haircut etc) légère coupe; (embellishment) finitions fpl; (on car) garnitures fpl // vt couper légèrement; (decorate): **to** ~ **(with)** décorer de; (NAUT: a sail) gréer; ~**mings** npl décorations fpl; (extras: gen CULIN) garniture f.

Trinity ['trɪnɪtɪ] n: **the** ~ la Trinité.

trinket ['trɪŋkɪt] n bibelot m; (piece of jewellery) colifichet m.

trio ['triːəu] n trio m.

trip [trɪp] n voyage m; (excursion) excursion f; (stumble) faux pas // vi faire un faux pas, trébucher; (go lightly) marcher d'un pas léger; **on a** ~ en voyage; **to** ~ **up** vi trébucher // vt faire un croc-en-jambe à.

tripe [traɪp] n (CULIN) tripes fpl; (pej: rubbish) idioties fpl.

triple ['trɪpl] a triple.

triplets ['trɪplɪts] npl triplés/ées.

triplicate ['trɪplɪkət] n: **in** ~ en trois exemplaires.

tripod ['traɪpɔd] n trépied m.

tripper ['trɪpə*] n touriste m/f; excursionniste m/f.

trite [traɪt] a banal(e).

triumph ['traɪʌmf] n triomphe m // vi: **to** ~ **(over)** triompher de; ~**al** [-'ʌmfl] a triomphal(e); ~**ant** [-'ʌmfənt] a triomphant(e).

trivia ['trɪvɪə] npl futilités fpl.

trivial ['trɪvɪəl] a insignifiant(e); (commonplace) banal(e); ~**ity** [-'ælɪtɪ] n caractère insignifiant; banalité f.

trod [trɔd] *pt of* **tread** ; **~den** *pp of* **tread**.
trolley ['trɔlɪ] *n* chariot *m* ; **~ bus** *n* trolleybus *m*.
trollop ['trɔləp] *n* prostituée *f*.
trombone [trɔm'bəun] *n* trombone *m*.
troop [tru:p] *n* bande *f*, groupe *m* ; **~s** *npl* (MIL) troupes *fpl* ; (: *men*) hommes *mpl*, soldats *mpl* ; **to ~ in/out** *vi* entrer/sortir en groupe ; **~er** *n* (MIL) soldat *m* de cavalerie ; **~ing the colour** (*ceremony*) le salut au drapeau ; **~ship** *n* (navire *m* de) transport *m*.
trophy ['trəufɪ] *n* trophée *m*.
tropic ['trɔpɪk] *n* tropique *m* ; **in the ~s** sous les tropiques ; **T~ of Cancer/Capricorn** *n* tropique du Cancer/Capricorne ; **~al** *a* tropical(e).
trot [trɔt] *n* trot *m* // *vi* trotter ; **on the ~** (*fig: col*) d'affilée.
trouble ['trʌbl] *n* difficulté(s) *f(pl)*, problème(s) *m(pl)* ; (*worry*) ennuis *mpl*, soucis *mpl* ; (*bother, effort*) peine *f* ; (POL) conflits *mpl*, troubles *mpl* ; (MED) : **stomach** etc **~** troubles gastriques etc // *vt* déranger, gêner ; (*worry*) inquiéter // *vi* : **to ~ to do** prendre la peine de faire ; **~s** *npl* (POL etc) troubles *mpl* ; **to be in ~** avoir des ennuis ; (*ship, climber etc*) être en difficulté ; **to go to the ~ of doing** se donner le mal de faire ; **it's no ~!** je vous en prie! ; **what's the ~?** qu'est-ce qui ne va pas? ; **~d** *a* (*person*) inquiet(ète) ; (*epoch, life*) agité(e) ; **~-free** *a* sans problèmes *or* ennuis ; **~maker** *n* élément perturbateur, fauteur *m* de troubles ; **~shooter** *n* (*in conflict*) conciliateur *m* ; **~some** *a* ennuyeux(euse), gênant(e).
trough [trɔf] *n* (*also:* **drinking ~**) abreuvoir *m* ; (*also:* **feeding ~**) auge *f* ; (*channel*) chenal *m* ; **~ of low pressure** *n* (GEO) dépression *f*.
trounce [trauns] *vt* (*defeat*) battre à plates coutures.
troupe [tru:p] *n* troupe *f*.
trousers ['trauzəz] *npl* pantalon *m* ; **short ~** *npl* culottes courtes.
trousseau, *pl* **~x** *or* **~s** ['tru:səu, -z] *n* trousseau *m*.
trout [traut] *n*, *pl inv* truite *f*.
trowel ['trauəl] *n* truelle *f*.
truant ['truənt] *n*: **to play ~** faire l'école buissonnière.
truce [tru:s] *n* trêve *f*.
truck [trʌk] *n* camion *m* ; (RAIL) wagon *m* à plate-forme ; (*for luggage*) chariot *m* (à bagages) ; **~ driver** *n* camionneur *m* ; **~ farm** *n* (US) jardin maraîcher.
truculent ['trʌkjulənt] *a* agressif(ive).
trudge [trʌdʒ] *vi* marcher lourdement, se traîner.
true [tru:] *a* vrai(e) ; (*accurate*) exact(e) ; (*genuine*) vrai, véritable ; (*faithful*) fidèle.
truffle ['trʌfl] *n* truffe *f*.
truly ['tru:lɪ] *ad* vraiment, réellement ; (*truthfully*) sans mentir ; (*faithfully*) fidèlement ; **'yours ~'** (*in letter*) 'je vous prie d'agréer l'expression de mes sentiments respectueux.'
trump [trʌmp] *n* atout *m* ; **~ed-up** *a* inventé(e) (de toutes pièces).

trumpet ['trʌmpɪt] *n* trompette *f* ; (*player*) trompettiste *m/f*.
truncated [trʌŋ'keɪtɪd] *a* tronqué(e).
truncheon ['trʌntʃən] *n* bâton *m* (d'agent de police) ; matraque *f*.
trundle ['trʌndl] *vt, vi*: **to ~ along** rouler bruyamment.
trunk [trʌŋk] *n* (*of tree, person*) tronc *m* ; (*of elephant*) trompe *f* ; (*case*) malle *f* ; **~s** *npl* caleçon *m* ; (*also:* **swimming ~s**) maillot *m* de *or* slip *m* de bain ; **~ call** *n* (TEL) communication interurbaine ; **~ road** ≈ route nationale.
truss [trʌs] *n* (MED) bandage *m* herniaire ; **to ~ (up)** *vt* (CULIN) brider.
trust [trʌst] *n* confiance *f* ; (LAW) fidéicommis *m* ; (COMM) trust *m* // *vt* (*rely on*) avoir confiance en ; (*entrust*): **to ~ sth to sb** confier qch à qn ; **~ed** *a* en qui l'on a confiance ; **~ee** [trʌs'ti:] *n* (LAW) fidéicommissaire *m/f* ; (*of school etc*) administrateur/trice ; **~ful, ~ing** *a* confiant(e) ; **~worthy** *a* digne de confiance ; **~y** *a* fidèle.
truth, ~s [tru:θ, tru:ðz] *n* vérité *f* ; **~ful** *a* (*person*) qui dit la vérité ; (*description*) exact(e), vrai(e) ; **~fully** *ad* sincèrement, sans mentir ; **~fulness** *n* véracité *f*.
try [traɪ] *n* essai *m*, tentative *f* ; (RUGBY) essai // *vt* (LAW) juger ; (*test: sth new*) essayer, tester ; (*strain*) éprouver // *vi* essayer ; **to ~ to do** essayer de faire ; (*seek*) chercher à faire ; **to ~ on** *vt* (*clothes*) essayer ; **to ~ it on** (*fig*) tenter le coup, bluffer ; **to ~ out** *vt* essayer, mettre à l'essai ; **~ing** *a* pénible.
tsar [zɑ:*] *n* tsar *m*.
T-shirt ['ti:ʃə:t] *n* tee-shirt *m*.
T-square ['ti:skwɛə*] *n* équerre *f* en T.
tub [tʌb] *n* cuve *f* ; baquet *m* ; (*bath*) baignoire *f*.
tuba ['tju:bə] *n* tuba *m*.
tubby ['tʌbɪ] *a* rondelet(te).
tube [tju:b] *n* tube *m* ; (*underground*) métro *m* ; (*for tyre*) chambre *f* à air.
tuberculosis [tjubə:kju'ləusɪs] *n* tuberculose *f*.
tube station ['tju:bsteɪʃən] *n* station *f* de métro.
tubing ['tju:bɪŋ] *n* tubes *mpl* ; **a piece of ~** un tube.
tubular ['tju:bjulə*] *a* tubulaire.
TUC *n* (*abbr of* Trades Union Congress) confédération *f* des syndicats britanniques.
tuck [tʌk] *n* (SEWING) pli *m*, rempli *m* // *vt* (*put*) mettre ; **to ~ away** *vt* cacher, ranger ; **to ~ in** *vt* rentrer ; (*child*) border // *vi* (*eat*) manger de bon appétit ; attaquer le repas ; **to ~ up** *vt* (*child*) border ; **~ shop** *n* boutique *f* à provisions (*dans une école*).
Tuesday ['tju:zdɪ] *n* mardi *m*.
tuft [tʌft] *n* touffe *f*.
tug [tʌg] *n* (*ship*) remorqueur *m* // *vt* tirer (*sur*) ; **~-of-war** *n* lutte *f* à la corde.
tuition [tju:'ɪʃən] *n* leçons *fpl*.
tulip ['tju:lɪp] *n* tulipe *f*.
tumble ['tʌmbl] *n* (*fall*) chute *f*, culbute *f* // *vi* tomber, dégringoler ; (*with somersault*) faire une *or* des culbute(s) // *vt* renverser, faire tomber ; **~down** *a*

délabré(e) ; ~ **dryer** n séchoir m (à linge) à air chaud.

tumbler ['tʌmblə*] n verre (droit), gobelet m ; acrobate m/f.

tummy ['tʌmɪ] n (col) ventre m.

tumour ['tju:mə*] n tumeur f.

tumult ['tju:mʌlt] n tumulte m ; ~**uous** [-'mʌltjuəs] a tumultueux(euse).

tuna ['tju:nə] n, pl inv (also: ~ **fish**) thon m.

tune [tju:n] n (melody) air m // vt (MUS) accorder ; (RADIO, TV, AUT) régler, mettre au point ; **to be in/out of** ~ (instrument) être accordé/désaccordé ; (singer) chanter juste/faux ; **to be in/out of** ~ **with** (fig) être en accord/désaccord avec ; **to** ~ **in (to)** (RADIO, TV) se mettre à l'écoute (de) ; **to** ~ **up** vi (musician) accorder son instrument ; ~**ful** a mélodieux(euse) ; ~**r** n (radio set) radio-préamplificateur m ; **piano** ~**r** accordeur m de pianos ; ~**r amplifier** n radio-ampli m.

tungsten ['tʌŋstn] n tungstène m.

tunic ['tju:nɪk] n tunique f.

tuning ['tju:nɪŋ] n réglage m ; ~ **fork** n diapason m.

Tunisia [tju:'nɪzɪə] n Tunisie f ; ~**n** a tunisien(ne) // n Tunisien/ne.

tunnel ['tʌnl] n tunnel m ; (in mine) galerie f // vi creuser un tunnel (or une galerie).

tunny ['tʌnɪ] n thon m.

turban ['tə:bən] n turban m.

turbid ['tə:bɪd] a boueux(euse).

turbine ['tə:baɪn] n turbine f.

turbojet ['tə:bəu'dʒet] n turboréacteur m.

turbot ['tə:bət] n, pl inv turbot m.

turbulence ['tə:bjuləns] n (AVIAT) turbulence f.

turbulent ['tə:bjulənt] a turbulent(e) ; (sea) agité(e).

tureen [tə'ri:n] n soupière f.

turf [tə:f] n gazon m ; (clod) motte f (de gazon) // vt gazonner ; **the T~** n le turf, les courses fpl ; **to** ~ **out** vt (col) jeter ; jeter dehors.

turgid ['tə:dʒɪd] a (speech) pompeux(euse).

Turk [tə:k] n Turc/Turque.

turkey ['tə:kɪ] n dindon m, dinde f.

Turkey ['tə:kɪ] n Turquie f.

Turkish ['tə:kɪʃ] a turc(turque) // n (LING) turc m ; ~ **bath** n bain turc ; ~ **delight** n loukoum m.

turmoil ['tə:mɔɪl] n trouble m, bouleversement m.

turn [tə:n] n tour m ; (in road) tournant m ; (tendency: of mind, events) tournure f ; (performance) numéro m ; (MED) crise f, attaque f // vt tourner ; (collar, steak) retourner ; (milk) faire tourner ; (change): **to** ~ **sth into** changer qch en // vi tourner ; (person: look back) se (re)tourner ; (reverse direction) faire demi-tour ; (change) changer ; (become) devenir ; **to** ~ **into** se changer en ; **a good** ~ un service ; **a bad** ~ un mauvais tour ; **it gave me quite a** ~ ça m'a fait un coup ; '**no left** ~' (AUT) 'défense de tourner à gauche' ; **it's your** ~ c'est (à) votre tour ; **in** ~ à son tour ; **à tour de rôle** ; **to take** ~**s** se relayer ; **to take** ~**s at** faire à tour de rôle ; **to** ~ **about** vi faire demi-tour ;

faire un demi-tour ; **to** ~ **away** vi se détourner, tourner la tête ; **to** ~ **back** vi revenir, faire demi-tour ; **to** ~ **down** vt (refuse) rejeter, refuser ; (reduce) baisser ; (fold) rabattre ; **to** ~ **in** vi (col: go to bed) aller se coucher // vt (fold) rentrer ; **to** ~ **off** vi (from road) tourner // vt (light, radio etc) éteindre ; (engine) arrêter ; **to** ~ **on** vt (light, radio etc) allumer ; (engine) mettre en marche ; **to** ~ **out** vt (light, gas) éteindre // vi: **to** ~ **out to be...** s'avérer..., se révéler... ; **to** ~ **up** vi (person) arriver, se pointer ; (lost object) être retrouvé(e) // vt (collar) remonter ; (increase: sound, volume etc) mettre plus fort ; ~**around** n volteface f ; ~**ed-up** a (nose) retroussé(e) ; ~**ing** n (in road) tournant m ; ~**ing circle** n rayon m de braquage ; ~**ing point** n (fig) tournant m, moment décisif.

turnip ['tə:nɪp] n navet m.

turnout ['tə:naut] n (nombre m de personnes dans l') assistance f.

turnover ['tə:nəuvə*] n (COMM: amount of money) chiffre m d'affaires ; (: of goods) roulement m ; (CULIN) sorte de chausson.

turnpike ['tə:npaɪk] n (US) autoroute f à péage.

turnstile ['tə:nstaɪl] n tourniquet m (d'entrée).

turntable ['tə:nteɪbl] n (on record player) platine f.

turn-up ['tə:nʌp] n (on trousers) revers m.

turpentine ['tə:pəntaɪn] n (also: **turps**) (essence f de) térébenthine f.

turquoise ['tə:kwɔɪz] n (stone) turquoise f // a turquoise inv.

turret ['tʌrɪt] n tourelle f.

turtle ['tə:tl] n tortue marine ; ~**neck (sweater)** n pullover m à col montant.

tusk [tʌsk] n défense f.

tussle ['tʌsl] n bagarre f, mêlée f.

tutor ['tju:tə*] n (in college) directeur/trice d'études ; (private teacher) précepteur/trice ; ~**ial** [-'tɔ:rɪəl] (SCOL) (séance f de) travaux mpl pratiques.

tuxedo [tʌk'si:dəu] n (US) smoking m.

T.V. [ti:'vi:] n (abbr of **television**) télé f.

twaddle ['twɔdl] n balivernes fpl.

twang [twæŋ] n (of instrument) son vibrant ; (of voice) ton nasillard // vi vibrer // vt (guitar) pincer les cordes de.

tweed [twi:d] n tweed m.

tweezers ['twi:zəz] npl pince f à épiler.

twelfth [twelfθ] num douzième ; **T~ Night** n la fête des Rois.

twelve [twelv] num douze ; **at** ~ à midi ; (midnight) à minuit.

twentieth ['twentɪɪθ] num vingtième.

twenty ['twentɪ] num vingt.

twerp [twə:p] n (col) imbécile m/f.

twice [twaɪs] ad deux fois ; ~ **as much** deux fois plus.

twig [twɪg] n brindille f // vt, vi (col) piger.

twilight ['twaɪlaɪt] n crépuscule m.

twill [twɪl] n sergé m.

twin [twɪn] n, a jumeau(elle) // vt jumeler.

twine [twaɪn] n ficelle f // vi (plant) s'enrouler ; (road) serpenter.

twinge [twɪndʒ] n (of pain) élancement m ; (of conscience) remords m.

twinkle ['twɪŋkl] *n* scintillement *m*; pétillement *m* // *vi* scintiller; (*eyes*) pétiller.

twin town ['twɪn'taun] *n* ville jumelée.

twirl [twə:l] *n* tournoiement *m* // *vt* faire tournoyer // *vi* tournoyer.

twist [twɪst] *n* torsion *f*, tour *m*; (*in wire, flex*) tortillon *m*; (*in story*) coup *m* de théâtre // *vt* tordre; (*weave*) entortiller; (*roll around*) enrouler; (*fig*) déformer // *vi* s'entortiller; s'enrouler; (*road*) serpenter.

twit [twɪt] *n* (*col*) crétin/e.

twitch [twɪtʃ] *n* saccade *f*; (*nervous*) tic *m* // *vi* se convulser; avoir un tic.

two [tu:] *num* deux; **to put ~ and ~ together** (*fig*) faire le rapport; **~-door** (*AUT*) à deux portes; **~-faced** *a* (*pej: person*) faux(fausse); **~-fold** *ad*: **to increase ~fold** doubler; **~-piece** (*suit*) *n* (costume *m*) deux-pièces *m inv*; **~-piece** (*swimsuit*) *n* (maillot *m* de bain) deux-pièces *m inv*; **~-seater** *n* (*plane*) avion *m*) biplace *m*; (*car*) voiture *f* à deux places; **~-some** *n* (*people*) couple *m*; **~-way** *a* (*traffic*) dans les deux sens.

tycoon [taɪ'ku:n] *n*: (**business**) **~** gros homme d'affaires.

type [taɪp] *n* (*category*) genre *m*, espèce *f*; (*model*) modèle *m*; (*example*) type *m*; (*TYP*) type, caractère *m* // *vt* (*letter etc*) taper (à la machine); **~-cast** *a* (*actor*) condamné(e) à toujours jouer le même rôle; **~script** *n* texte dactylographié; **~writer** *n* machine *f* à écrire; **~written** *a* dactylographié(e).

typhoid ['taɪfɔɪd] *n* typhoïde *f*.

typhoon [taɪ'fu:n] *n* typhon *m*.

typhus ['taɪfəs] *n* typhus *m*.

typical ['tɪpɪkl] *a* typique, caractéristique.

typify ['tɪpɪfaɪ] *vt* être caractéristique de.

typing ['taɪpɪŋ] *n* dactylo(graphie) *f*; **~ error** *n* faute *f* de frappe; **~ paper** *n* papier *m* machine.

typist ['taɪpɪst] *n* dactylo *m/f*.

tyranny ['tɪrənɪ] *n* tyrannie *f*.

tyrant ['taɪərnt] *n* tyran *m*.

tyre, tire (*US*) ['taɪə*] *n* pneu *m*; **~ pressure** *n* pression *f* (de gonflage).

tzar [zɑ:*] *n* = tsar.

U

U-bend ['ju:'bɛnd] *n* (*AUT*) coude *m*, virage *m* en épingle à cheveux; (*in pipe*) coude.

ubiquitous [ju:'bɪkwɪtəs] *a* doué(e) d'ubiquité, omniprésent(e).

udder ['ʌdə*] *n* pis *m*, mamelle *f*.

UFO ['ju:fəu] *n* (*abbr of unidentified flying object*) O.V.N.I. (objet volant non identifié).

ugh [ə:h] *excl* pouah!

ugliness ['ʌglɪnɪs] *n* laideur *f*.

ugly ['ʌglɪ] *a* laid(e), vilain(e); (*fig*) répugnant(e).

UHF *abbr of ultra-high frequency*.

UHT *a* (*abbr of ultra-heat treated*): **~ milk** *n* lait upérisé *or* longue conservation.

U.K. *n abbr see* **united**.

ulcer ['ʌlsə*] *n* ulcère *m*; (*also*: **mouth ~**) aphte *f*.

Ulster ['ʌlstə*] *n* Ulster *m*.

ulterior [ʌl'tɪərɪə*] *a* ultérieur(e); **~ motive** *n* arrière-pensée *f*.

ultimate ['ʌltɪmət] *a* ultime, final(e); (*authority*) suprême; **~ly** *ad* en fin de compte; finalement; par la suite.

ultimatum [ʌltɪ'meɪtəm] *n* ultimatum *m*.

ultraviolet ['ʌltrə'vaɪəlɪt] *a* ultraviolet(te).

umbilical [ʌmbɪ'laɪkl] *a*: **~ cord** cordon ombilical.

umbrage ['ʌmbrɪdʒ] *n*: **to take ~** prendre ombrage, se froisser.

umbrella [ʌm'brɛlə] *n* parapluie *m*; (*fig*): **under the ~ of** sous les auspices de; chapeauté(e) par.

umpire ['ʌmpaɪə*] *n* arbitre *m* // *vt* arbitrer.

umpteen [ʌmp'ti:n] *a* je ne sais combien de; **for the ~th time** pour la nième fois.

UN, UNO *abbr see* **united**.

unabashed [ʌnə'bæʃt] *a* nullement intimidé(e).

unabated [ʌnə'beɪtɪd] *a* non diminué(e).

unable [ʌn'eɪbl] *a*: **to be ~ to** (ne pas) pouvoir, être dans l'impossibilité de; être incapable de.

unaccompanied [ʌnə'kʌmpənɪd] *a* (*child, lady*) non accompagné(e).

unaccountably [ʌnə'kauntəblɪ] *ad* inexplicablement.

unaccustomed [ʌnə'kʌstəmd] *a* inaccoutumée(e), inhabituel(le); **to be ~ to** sth ne pas avoir l'habitude de qch.

unadulterated [ʌnə'dʌltəreɪtɪd] *a* pur(e), naturel(le).

unaided [ʌn'eɪdɪd] *a* sans aide, tout(e) seul(e).

unanimity [ju:nə'nɪmɪtɪ] *n* unanimité *f*.

unanimous [ju:'nænɪməs] *a* unanime; **~ly** *ad* à l'unanimité.

unashamed [ʌnə'ʃeɪmd] *a* sans honte; impudent(e).

unassuming [ʌnə'sju:mɪŋ] *a* modeste, sans prétentions.

unattached [ʌnə'tætʃt] *a* libre, sans attaches.

unattended [ʌnə'tɛndɪd] *a* (*car, child, luggage*) sans surveillance.

unattractive [ʌnə'træktɪv] *a* peu attrayant(e).

unauthorized [ʌn'ɔ:θəraɪzd] *a* non autorisé(e), sans autorisation.

unavoidable [ʌnə'vɔɪdəbl] *a* inévitable.

unaware [ʌnə'wɛə*] *a*: **to be ~ of** ignorer, ne pas savoir, être inconscient(e) de; **~s** *ad* à l'improviste, au dépourvu.

unbalanced [ʌn'bælənst] *a* déséquilibré(e).

unbearable [ʌn'bɛərəbl] *a* insupportable.

unbeatable [ʌn'bi:təbl] *a* imbattable.

unbeaten [ʌn'bi:tn] *a* invaincu(e).

unbecoming [ʌnbɪ'kʌmɪŋ] *a* malséant(e), inconvenant(e).

unbeknown(st) [ʌnbɪ'nəun(st)] *ad*: **~ to** à l'insu de.

unbelief [ʌnbɪ'li:f] *n* incrédulité *f*.

unbelievable [ʌnbɪ'li:vəbl] *a* incroyable.

unbend [ʌn'bɛnd] *vb* (*irg*) *vi* se détendre // *vt* (*wire*) redresser, détordre.

unbounded [ʌn'baundɪd] *a* sans bornes, illimité(e).

unbreakable [ʌn'breɪkəbl] a incassable.

unbridled [ʌn'braɪdld] a débridé(e), déchaîné(e).

unbroken [ʌn'brəʊkən] a intact(e) ; continu(e).

unburden [ʌn'bə:dn] vt: **to ~ o.s.** s'épancher, se livrer.

unbutton [ʌn'bʌtn] vt déboutonner.

uncalled-for [ʌn'kɔ:ldfɔ:*] a déplacé(e), injustifié(e).

uncanny [ʌn'kænɪ] a étrange, troublant(e).

unceasing [ʌn'si:sɪŋ] a incessant(e), continu(e).

uncertain [ʌn'sə:tn] a incertain(e) ; mal assuré(e) ; **~ty** n incertitude f, doutes mpl.

unchanged [ʌn'tʃeɪndʒd] a inchangé(e).

uncharitable [ʌn'tʃærɪtəbl] a peu charitable.

uncharted [ʌn'tʃɑ:tɪd] a inexploré(e).

unchecked [ʌn'tʃɛkt] a non réprimé(e).

uncle [ʌŋkl] n oncle m.

uncomfortable [ʌn'kʌmfətəbl] a inconfortable ; (uneasy) mal à l'aise, gêné(e) ; désagréable.

uncommon [ʌn'kɒmən] a rare, singulier(ère), peu commun(e).

uncompromising [ʌn'kɒmprəmaɪzɪŋ] a intransigeant(e), inflexible.

unconditional [ʌnkən'dɪʃənl] a sans conditions.

uncongenial [ʌnkən'dʒi:nɪəl] a peu agréable.

unconscious [ʌn'kɒnʃəs] a sans connaissance, évanoui(e) ; (unaware) inconscient(e) // n: **the ~** l'inconscient m ; **~ly** ad inconsciemment.

uncontrollable [ʌnkən'trəʊləbl] a irrépressible ; indiscipliné(e).

uncork [ʌn'kɔ:k] vt déboucher.

uncouth [ʌn'ku:θ] a grossier(ère), fruste.

uncover [ʌn'kʌvə*] vt découvrir.

unctuous [ʌŋktjuəs] a onctueux(euse), mielleux(euse).

undaunted [ʌn'dɔ:ntɪd] a non intimidé(e), inébranlable.

undecided [ʌndɪ'saɪdɪd] a indécis(e), irrésolu(e).

undeniable [ʌndɪ'naɪəbl] a indéniable, incontestable.

under [ʌndə*] prep sous ; (less than) (de) moins de ; au-dessous de ; (according to) selon, en vertu de // ad au-dessous ; en dessous ; **from ~ sth** de dessous or de sous qch ; **~ there** là-dessous ; **~ repair** en (cours de) réparation.

under... [ʌndə*] prefix sous- ; **~-age** a qui n'a pas l'âge réglementaire ; **~carriage**, **~cart** n train m d'atterrissage ; **~clothes** npl sous-vêtements mpl ; (women's only) dessous mpl ; **~coat** n (paint) couche f de fond ; **~cover** a secret(ète), clandestin(e) ; **~current** n courant sous-jacent ; **~cut** n (CULIN) (morceau m de) filet m // vt irg vendre moins cher que ; **~developed** a sous-développé(e) ; **~dog** n opprimé m ; **~done** a (CULIN) saignant(e) ; (pej) pas assez cuit(e) ; **~estimate** vt sous-estimer, mésestimer ; **~exposed** a (PHOT) sous-exposé(e) ; **~fed** a sous-alimenté(e) ; **~foot** ad sous les pieds ; **~go** vt irg subir ; (treatment) suivre ; **~graduate** n étudiant/e (qui prépare la licence) ; **~ground** n métro m ; (POL) clandestinité f ; **~growth** n broussailles fpl, sous-bois m ; **~hand(ed)** a (fig) sournois(e), en dessous ; **~lie** vt irg être à la base de ; **~line** vt souligner ; **~ling** [ʌndəlɪŋ] n (pej) sous-fifre m, subalterne m ; **~mine** vt saper, miner ; **~neath** [ʌndə'ni:θ] ad (en) dessous // prep sous, au-dessous de ; **~paid** a sous-payé(e) ; **~pants** npl (Brit) caleçon m, slip m ; **~pass** n passage souterrain ; (on motorway) passage inférieur ; **~play** vt minimiser ; **~price** vt vendre à un prix trop bas ; **~privileged** a défavorisé(e), économiquement faible ; **~rate** vt sous-estimer, mésestimer ; **~shirt** n (US) tricot m de corps ; **~shorts** npl (US) caleçon m, slip m ; **~side** n dessous m ; **~skirt** n jupon m.

understand [ʌndə'stænd] vb (irg: like **stand**) vt, vi comprendre ; **I ~ that ...** je me suis laissé dire que... ; je crois comprendre que... ; **~able** a compréhensible ; **~ing** a compréhensif(ive) // n compréhension f ; (agreement) accord m.

understatement [ʌndə'steɪtmənt] n: **that's an ~** c'est (bien) peu dire, le terme est faible.

understood [ʌndə'stʊd] pt, pp of **understand** // a entendu(e) ; (implied) sous-entendu(e).

understudy [ʌndəstʌdɪ] n doublure f.

undertake [ʌndə'teɪk] vt irg entreprendre ; se charger de.

undertaker [ʌndəteɪkə*] n entrepreneur m des pompes funèbres, croque-mort m.

undertaking [ʌndə'teɪkɪŋ] n entreprise f ; (promise) promesse f.

underwater [ʌndə'wɔ:tə*] ad sous l'eau // a sous-marin(e).

underwear [ʌndəwɛə*] n sous-vêtements mpl ; (women's only) dessous mpl.

underweight [ʌndə'weɪt] a d'un poids insuffisant ; (person) (trop) maigre.

underworld [ʌndəwə:ld] n (of crime) milieu m, pègre f.

underwriter [ʌndəraɪtə*] n (INSURANCE) souscripteur m.

undesirable [ʌndɪ'zaɪərəbl] a peu souhaitable ; indésirable.

undies [ʌndɪz] npl (col) dessous mpl, lingerie f.

undisputed [ʌndɪ'spju:tɪd] a incontesté(e).

undistinguished [ʌndɪs'tɪŋgwɪʃt] a médiocre, quelconque.

undo [ʌn'du:] vt irg défaire ; **~ing** n ruine f, perte f.

undoubted [ʌn'daʊtɪd] a indubitable, certain(e) ; **~ly** ad sans aucun doute.

undress [ʌn'drɛs] vi se déshabiller.

undue [ʌn'dju:] a indu(e), excessif(ive).

undulating [ʌndjuleɪtɪŋ] a ondoyant(e), onduleux(euse).

unduly [ʌn'dju:lɪ] ad trop, excessivement.

unearth [ʌn'ə:θ] vt déterrer ; (fig) dénicher.

unearthly [ʌn'ə:θlɪ] a surnaturel(le) ; (hour) indu(e), impossible.

uneasy [ʌn'i:zɪ] a mal à l'aise, gêné(e) ; (worried) inquiet(ète).

uneconomic(al) [ʌniːkəˈnɔmɪk(l)] *a* peu économique ; peu rentable.

uneducated [ʌnˈɛdjukeɪtɪd] *a* sans éducation.

unemployed [ʌnɪmˈplɔɪd] *a* sans travail, en chômage // *n:* **the ~** les chômeurs *mpl*.

unemployment [ʌnɪmˈplɔɪmənt] *n* chômage *m*.

unending [ʌnˈɛndɪŋ] *a* interminable.

unenviable [ʌnˈɛnvɪəbl] *a* peu enviable.

unerring [ʌnˈəːrɪŋ] *a* infaillible, sûr(e).

uneven [ʌnˈiːvn] *a* inégal(e) ; irrégulier(ère).

unexpected [ʌnɪkˈspɛktɪd] *a* inattendu(e), imprévu(e).

unexploded [ʌnɪkˈspləudɪd] *a* non explosé(e) *or* éclaté(e).

unfailing [ʌnˈfeɪlɪŋ] *a* inépuisable ; infaillible.

unfair [ʌnˈfɛə*] *a:* **~ (to)** injuste (envers) ; **~ly** *ad* injustement.

unfaithful [ʌnˈfeɪθful] *a* infidèle.

unfamiliar [ʌnfəˈmɪlɪə*] *a* étrange, inconnu(e).

unfasten [ʌnˈfɑːsn] *vt* défaire ; détacher.

unfathomable [ʌnˈfæðəməbl] *a* insondable.

unfavourable, unfavorable *(US)* [ʌnˈfeɪvərəbl] *a* défavorable.

unfeeling [ʌnˈfiːlɪŋ] *a* insensible, dur(e).

unfinished [ʌnˈfɪnɪʃt] *a* inachevé(e).

unfit [ʌnˈfɪt] *a* en mauvaise santé ; pas en forme ; *(incompetent):* **~ (for)** impropre (à) ; *(work, service)* inapte (à).

unflagging [ʌnˈflægɪŋ] *a* infatigable, inlassable.

unflappable [ʌnˈflæpəbl] *a* imperturbable.

unflinching [ʌnˈflɪntʃɪŋ] *a* stoïque.

unfold [ʌnˈfəuld] *vt* déplier ; *(fig)* révéler, exposer // *vi* se dérouler.

unforeseen [ʌnfɔːˈsiːn] *a* imprévu(e).

unforgivable [ʌnfəˈgɪvəbl] *a* impardonnable.

unfortunate [ʌnˈfɔːtʃnət] *a* malheureux-(euse) ; *(event, remark)* malencontreux-(euse) ; **~ly** *ad* malheureusement.

unfounded [ʌnˈfaundɪd] *a* sans fondement.

unfriendly [ʌnˈfrɛndlɪ] *a* froid(e), inimical(e).

unfurnished [ʌnˈfəːnɪʃt] *a* non meublé(e).

ungainly [ʌnˈgeɪnlɪ] *a* gauche, dégingandé(e).

ungodly [ʌnˈgɔdlɪ] *a* impie ; **at an ~ hour** à une heure indue.

unguarded [ʌnˈgɑːdɪd] *a:* **~ moment** *n* moment *m* d'inattention.

unhappiness [ʌnˈhæpɪnɪs] *n* tristesse *f*, peine *f*.

unhappy [ʌnˈhæpɪ] *a* triste, malheu-reux(euse) ; **~ with** *(arrangements etc)* mécontent(e) de, peu satisfait(e) de.

unharmed [ʌnˈhɑːmd] *a* indemne, sain(e) et sauf(sauve).

unhealthy [ʌnˈhɛlθɪ] *a* *(gen)* malsain(e) ; *(person)* maladif(ive).

unheard-of [ʌnˈhəːdɔv] *a* inouï(e), sans précédent.

unhook [ʌnˈhuk] *vt* décrocher ; dégrafer.

unhurt [ʌnˈhəːt] *a* indemne, sain(e) et sauf(sauve).

unicorn [ˈjuːnɪkɔːn] *n* licorne *f*.

unidentified [ʌnaɪˈdɛntɪfaɪd] *a* non identifié(e).

uniform [ˈjuːnɪfɔːm] *n* uniforme *m* // *a* uniforme ; **~ity** [-ˈfɔːmɪtɪ] *n* uniformité *f*.

unify [ˈjuːnɪfaɪ] *vt* unifier.

unilateral [juːnɪˈlætərəl] *a* unilatéral(e).

unimaginable [ʌnɪˈmædʒɪnəbl] *a* inimaginable, inconcevable.

unimpaired [ʌnɪmˈpɛəd] *a* intact(e).

uninhibited [ʌnɪnˈhɪbɪtɪd] *a* sans inhibitions ; sans retenue.

unintentional [ʌnɪnˈtɛnʃənəl] *a* involontaire.

union [ˈjuːnjən] *n* union *f* ; *(also:* **trade ~)** syndicat *m* // *cpd* du syndicat, syndical(e) ; **U~ Jack** *n* drapeau du Royaume-Uni.

unique [juːˈniːk] *a* unique.

unison [ˈjuːnɪsn] *n:* **in ~** à l'unisson, en chœur.

unit [ˈjuːnɪt] *n* unité *f* ; *(section: of furniture etc)* élément *m*, bloc *m* ; *(team, squad)* groupe *m*, service *m*.

unite [juːˈnaɪt] *vt* unir // *vi* s'unir ; **~d** a uni(e) ; unifié(e) ; *(efforts)* conjugué(e) ; **U~d Kingdom (U.K.)** *n* Royaume-Uni *m* ; **U~d Nations (Organization) (UN, UNO)** *n* (Organisation *f* des) Nations unies (O.N.U.) ; **U~d States (of America) (US, USA)** *n* États-Unis *mpl*.

unit trust [ˈjuːnɪttrʌst] *n* *(Brit)* société *f* d'investissement.

unity [ˈjuːnɪtɪ] *n* unité *f*.

universal [juːnɪˈvəːsl] *a* universel(le).

universe [ˈjuːnɪvəːs] *n* univers *m*.

university [juːnɪˈvəːsɪtɪ] *n* université *f*.

unjust [ʌnˈdʒʌst] *a* injuste.

unkempt [ʌnˈkɛmpt] *a* mal tenu(e), débraillé(e) ; mal peigné(e).

unkind [ʌnˈkaɪnd] *a* peu gentil(le), méchant(e).

unknown [ʌnˈnəun] *a* inconnu(e).

unladen [ʌnˈleɪdn] *a* *(ship, weight)* à vide.

unlawful [ʌnˈlɔːful] *a* illégal(e).

unleash [ʌnˈliːʃ] *vt* détacher ; *(fig)* déchaîner, déclencher.

unleavened [ʌnˈlɛvnd] *a* sans levain.

unless [ʌnˈlɛs] *cj:* **~ he leaves** à moins qu'il (ne) parte ; **~ we leave** à moins de partir, à moins que nous (ne) partions ; **~ otherwise stated** sauf indication contraire.

unlicensed [ʌnˈlaɪsənst] *a* non patenté(e) pour la vente des spiritueux.

unlike [ʌnˈlaɪk] *a* dissemblable, différent(e) // *prep* à la différence de, contrairement à.

unlikely [ʌnˈlaɪklɪ] *a* improbable ; invraisemblable.

unlimited [ʌnˈlɪmɪtɪd] *a* illimité(e).

unload [ʌnˈləud] *vt* décharger.

unlock [ʌnˈlɔk] *vt* ouvrir.

unlucky [ʌnˈlʌkɪ] *a* malchanceux(euse) ; *(object, number)* qui porte malheur.

unmannerly [ʌnˈmænəlɪ] *a* mal élevé(e), impoli(e).

unmarried [ʌnˈmærɪd] a célibataire.

unmask [ʌnˈmɑːsk] vt démasquer.

unmistakable [ʌnmɪsˈteɪkəbl] a indubitable ; qu'on ne peut pas ne pas reconnaître.

unmitigated [ʌnˈmɪtɪgeɪtɪd] a non mitigé(e), absolu(e), pur(e).

unnatural [ʌnˈnætʃrəl] a non naturel(le) ; contre nature.

unnecessary [ʌnˈnɛsəsərɪ] a inutile, superflu(e).

unnerve [ʌnˈnəːv] vt faire perdre son sang-froid à.

UNO [juːnəu] n see united.

unobtainable [ʌnəbˈteɪnəbl] a (TEL) impossible à obtenir.

unoccupied [ʌnˈɔkjupaɪd] a (seat etc) libre.

unofficial [ʌnəˈfɪʃl] a non officiel(le) ; (strike) ≈ non sanctionné(e) par la centrale.

unorthodox [ʌnˈɔːθədɔks] a peu orthodoxe.

unpack [ʌnˈpæk] vi défaire sa valise, déballer ses affaires.

unpalatable [ʌnˈpælətəbl] a (truth) désagréable (à entendre).

unparalleled [ʌnˈpærəleld] a incomparable, sans égal.

unpleasant [ʌnˈplɛznt] a déplaisant(e), désagréable.

unplug [ʌnˈplʌg] vt débrancher.

unpopular [ʌnˈpɔpjulə*] a impopulaire.

unprecedented [ʌnˈprɛsɪdəntɪd] a sans précédent.

unpredictable [ʌnprɪˈdɪktəbl] a imprévisible.

unprepossessing [ˈʌnpriːpəˈzɛsɪŋ] a peu avenant(e).

unpretentious [ʌnprɪˈtɛnʃəs] a sans prétention(s).

unqualified [ʌnˈkwɔlɪfaɪd] a (teacher) non diplômé(e), sans titres ; (success) sans réserve, total(e).

unravel [ʌnˈrævl] vt démêler.

unreal [ʌnˈrɪəl] a irréel(le).

unreasonable [ʌnˈriːznəbl] a qui n'est pas raisonnable.

unrelated [ʌnrɪˈleɪtɪd] a sans rapport ; sans lien de parenté.

unrelenting [ʌnrɪˈlɛntɪŋ] a implacable ; acharné(e).

unreliable [ʌnrɪˈlaɪəbl] a sur qui (or quoi) on ne peut pas compter, peu fiable.

unrelieved [ʌnrɪˈliːvd] a (monotony) constant(e), uniforme.

unremitting [ʌnrɪˈmɪtɪŋ] a inlassable, infatigable, acharné(e).

unrepeatable [ʌnrɪˈpiːtəbl] a (offer) unique, exceptionnel(le).

unrepentant [ʌnrɪˈpɛntənt] a impénitent(e).

unrest [ʌnˈrɛst] n agitation f, troubles mpl.

unroll [ʌnˈrəul] vt dérouler.

unruly [ʌnˈruːlɪ] a indiscipliné(e).

unsafe [ʌnˈseɪf] a dangereux(euse), hasardeux(euse).

unsaid [ʌnˈsɛd] a: to leave sth ~ passer qch sous silence.

unsatisfactory [ˈʌnsætɪsˈfæktərɪ] a qui laisse à désirer.

unsavoury, unsavory (US) [ʌnˈseɪvərɪ] a (fig) peu recommandable, répugnant(e).

unscathed [ʌnˈskeɪðd] a indemne.

unscrew [ʌnˈskruː] vt dévisser.

unscrupulous [ʌnˈskruːpjuləs] a sans scrupules, indélicat(e).

unseemly [ʌnˈsiːmlɪ] a inconvenant(e).

unsettled [ʌnˈsɛtld] a perturbé(e) ; instable ; incertain(e).

unshaven [ʌnˈʃeɪvn] a non or mal rasé(e).

unsightly [ʌnˈsaɪtlɪ] a disgracieux(euse), laid(e).

unskilled [ʌnˈskɪld] a: ~ worker n manœuvre m.

unsophisticated [ʌnsəˈfɪstɪkeɪtɪd] a simple, naturel(le).

unspeakable [ʌnˈspiːkəbl] a indicible ; (bad) innommable.

unsteady [ʌnˈstɛdɪ] a mal assuré(e), chancelant(e), instable.

unstuck [ʌnˈstʌk] a: to come ~ se décoller ; (fig) faire fiasco.

unsuccessful [ʌnsəkˈsɛsful] a (attempt) infructueux(euse) ; (writer, proposal) qui n'a pas de succès ; (marriage) malheureux(euse), qui ne réussit pas ; to be ~ (in attempting sth) ne pas réussir ; ne pas avoir de succès ; (application) ne pas être retenu(e) ; ~ly ad en vain.

unsuitable [ʌnˈsuːtəbl] a qui ne convient pas, peu approprié(e) ; inopportun(e).

unsuspecting [ʌnsəˈspɛktɪŋ] a qui ne se méfie pas.

unswerving [ʌnˈswəːvɪŋ] a inébranlable.

untangle [ʌnˈtæŋgl] vt démêler, débrouiller.

untapped [ʌnˈtæpt] a (resources) inexploité(e).

unthinkable [ʌnˈθɪŋkəbl] a impensable, inconcevable.

untidy [ʌnˈtaɪdɪ] a (room) en désordre ; (appearance) désordonné(e), débraillé(e) ; (person) sans ordre, désordonné ; débraillé ; (work) peu soigné(e).

untie [ʌnˈtaɪ] vt (knot, parcel) défaire ; (prisoner, dog) détacher.

until [ənˈtɪl] prep jusqu'à ; (after negative) avant // cj jusqu'à ce que + sub, en attendant que + sub ; (in past, after negative) avant que + sub ; ~ then jusque-là.

untimely [ʌnˈtaɪmlɪ] a inopportun(e) ; (death) prématuré(e).

untold [ʌnˈtəuld] a incalculable ; indescriptible.

untoward [ʌntəˈwɔːd] a fâcheux (euse), malencontreux(euse).

untranslatable [ʌntrænzˈleɪtəbl] a intraduisible.

unused [ʌnˈjuːzd] a neuf(neuve).

unusual [ʌnˈjuːʒuəl] a insolite, exceptionnel(le), rare.

unveil [ʌnˈveɪl] vt dévoiler.

unwavering [ʌnˈweɪvərɪŋ] a inébranlable.

unwell [ʌnˈwɛl] a indisposé(e), souffrant(e).

unwieldy [ʌnˈwiːldɪ] a difficile à manier.

unwilling [ʌnˈwɪlɪŋ] a: to be ~ to do ne pas vouloir faire ; ~ly ad à contrecœur, contre son gré.

unwind [ʌn'waɪnd] *vb* (*irg*) *vt* dérouler // *vi* (*relax*) se détendre.

unwitting [ʌn'wɪtɪŋ] *a* involontaire.

unworthy [ʌn'wəːðɪ] *a* indigne.

unwrap [ʌn'ræp] *vt* défaire; ouvrir.

unwritten [ʌn'rɪtn] *a* (*agreement*) tacite.

up [ʌp] *prep*: **to go/be ~ sth** monter/être sur qch // *ad* en haut; en l'air; **~ there** là-haut; **~ above** au-dessus; **~ to** jusqu'à; **to be ~** (*out of bed*) être levé(e), être debout *inv*; **it is ~ to you** c'est à vous de décider, ça ne tient qu'à vous; **what is he ~ to?** qu'est-ce qu'il peut bien faire?; **he is not ~ to it** il n'en est pas capable; **~-and-coming** *a* plein d'avenir or de promesses; **~s and downs** *npl* (*fig*) hauts *mpl* et bas *mpl*.

upbringing ['ʌpbrɪŋɪŋ] *n* éducation *f*.

update [ʌp'deɪt] *vt* mettre à jour.

upend [ʌp'ɛnd] *vt* mettre debout.

upgrade [ʌp'greɪd] *vt* promouvoir; (*job*) revaloriser.

upheaval [ʌp'hiːvl] *n* bouleversement *m*; branle-bas *m*; crise *f*.

uphill [ʌp'hɪl] *a* qui monte; (*fig: task*) difficile, pénible // *ad*: **to go ~** monter.

uphold [ʌp'həuld] *vt irg* maintenir; soutenir.

upholstery [ʌp'həulstərɪ] *n* rembourrage *m*; (*of car*) garniture *f*.

upkeep ['ʌpkiːp] *n* entretien *m*.

upon [ə'pɔn] *prep sur*.

upper ['ʌpə*] *a* supérieur(e); du dessus // *n* (*of shoe*) empeigne *f*; **the ~ class** ≈ la haute bourgeoisie; **~-class** *a* ≈ bourgeois(e); **~most** *a* le(la) plus haut(e); en dessus.

upright ['ʌpraɪt] *a* droit(e); vertical(e); (*fig*) droit, honnête // *n* montant *m*.

uprising ['ʌpraɪzɪŋ] *n* soulèvement *m*, insurrection *f*.

uproar ['ʌprɔ:*] *n* tumulte *m*, vacarme *m*.

uproot [ʌp'ruːt] *vt* déraciner.

upset *n* ['ʌpsɛt] dérangement *m* // *vt* [ʌp'sɛt] (*irg: like set*) (*glass etc*) renverser; (*plan*) déranger; (*person: offend*) contrarier; (*: grieve*) faire de la peine à; bouleverser // *a* [ʌp'sɛt] contrarié(e); peiné(e); (*stomach*) détraqué(e), dérangé(e).

upshot ['ʌpʃɔt] *n* résultat *m*.

upside ['ʌpsaɪd]: **~-down** *ad* à l'envers.

upstairs [ʌp'stɛəz] *ad* en haut // *a* (*room*) du dessus, d'en haut // *n*: **there's no ~** il n'y a pas d'étage.

upstart ['ʌpstɑːt] *n* parvenu/e.

upstream [ʌp'striːm] *ad* en amont.

uptake ['ʌpteɪk] *n*: **he is quick/slow on the ~** il comprend vite/est lent à comprendre.

up-to-date ['ʌptə'deɪt] *a* moderne; très récent(e).

upturn ['ʌptəːn] *n* (*in luck*) retournement *m*.

upward ['ʌpwəd] *a* ascendant(e); vers le haut; **~(s)** *ad* vers le haut; **and ~(s)** et plus, et au-dessus.

uranium [juə'reɪnɪəm] *n* uranium *m*.

urban ['ə:bən] *a* urbain(e).

urbane [ə:'beɪn] *a* urbain(e), courtois(e).

urchin ['əːtʃɪn] *n* gosse *m*, garnement *m*; **sea ~** *n* oursin *m*.

urge [ə:dʒ] *n* besoin *m*; envie *f*; forte envie, désir *m* // *vt*: **to ~ sb to do** exhorter qn à faire, pousser qn à faire; recommander vivement à qn de faire; **to ~ on** *vt* aiguillonner, talonner.

urgency ['ə:dʒənsɪ] *n* urgence *f*; (*of tone*) insistance *f*.

urgent ['ə:dʒənt] *a* urgent(e); **~ly** *ad* d'urgence, sans délai.

urinal ['juərɪnl] *n* urinoir *m*.

urinate ['juərɪneɪt] *vi* uriner.

urn [ə:n] *n* urne *f*; (*also*: **tea ~**) fontaine *f* à thé.

us [ʌs] *pronoun* nous.

US, USA *n abbr see* **united**.

usage ['juːzɪdʒ] *n* usage *m*.

use *n* [juːs] emploi *m*, utilisation *f*; usage *m* // *vt* [juːz] se servir de, utiliser, employer; **she ~d to do it** elle le faisait (autrefois), elle avait coutume de le faire; **in ~** en usage; **out of ~** hors d'usage; **it's no ~** ça ne sert à rien; **to have the ~ of** avoir l'usage de; **to be ~d to** avoir l'habitude de, être habitué(e) à; **to ~ up** *vt* finir, épuiser; consommer; **~d** *a* (*car*) d'occasion; **~ful** *a* utile; **~fulness** *n* utilité *f*; **~less** *a* inutile; **~r** *n* utilisateur/trice, usager *m*.

usher ['ʌʃə*] *n* placeur *m*; **~ette** ['-rɛt] *n* (*in cinema*) ouvreuse *f*.

USSR *n*: **the ~** l'URSS *f*.

usual ['juːʒuəl] *a* habituel(le); **as ~** comme d'habitude; **~ly** *ad* d'habitude, d'ordinaire.

usurer ['juːʒərə*] *n* usurier/ère.

usurp [juː'zəːp] *vt* usurper.

utensil [juː'tɛnsl] *n* ustensile *m*.

uterus ['juːtərəs] *n* utérus *m*.

utilitarian [juːtɪlɪ'tɛərɪən] *a* utilitaire.

utility [juː'tɪlɪtɪ] *n* utilité *f*; (*also*: **public ~**) service public.

utilization [juːtɪlaɪ'zeɪʃn] *n* utilisation *f*.

utilize ['juːtɪlaɪz] *vt* utiliser; exploiter.

utmost ['ʌtməust] *a* extrême, le(la) plus grand(e) // *n*: **to do one's ~** faire tout son possible.

utter ['ʌtə*] *a* total(e), complet(ète) // *vt* prononcer, proférer; émettre; **~ance** *n* paroles *fpl*; **~ly** *ad* complètement, totalement.

U-turn ['juː'təːn] *n* demi-tour *m*.

V

v. *abbr of* **verse**, **versus**, **volt**; (*abbr of* **vide**) voir.

vacancy ['veɪkənsɪ] *n* (*job*) poste vacant; (*room*) chambre *f* disponible; '**no vacancies**' 'complet'.

vacant ['veɪkənt] *a* (*post*) vacant(e); (*seat etc*) libre, disponible; (*expression*) distrait(e).

vacate [və'keɪt] *vt* quitter.

vacation [və'keɪʃən] *n* vacances *fpl*; **~ course** *n* cours *mpl* de vacances.

vaccinate ['væksɪneɪt] *vt* vacciner; **vaccination** ['-neɪʃən] *n* vaccination *f*.

vaccine ['væksiːn] *n* vaccin *m*.

vacuum ['vækjum] n vide m; ~ cleaner n aspirateur m; ~ flask n bouteille f thermos ®.

vagary ['veigəri] n caprice m.

vagina [və'dʒainə] n vagin m.

vagrant ['veigrnt] n vagabond/e, mendiant/e.

vague [veig] a vague, imprécis(e); (blurred: photo, memory) flou(e); ~ly ad vaguement.

vain [vein] a (useless) vain(e); (conceited) vaniteux(euse); in ~ en vain.

valance ['væləns] n (of bed) tour m de lit.

valentine ['væləntain] n (also: ~ card) carte f de la Saint-Valentin.

valeting ['vælitiŋ] a: ~ service n pressing m.

valiant ['væliənt] a vaillant(e), courageux(euse).

valid ['vælid] a valide, valable; (excuse) valable; ~ity [-'liditi] n validité f.

valise [və'li:z] n sac de voyage.

valley ['væli] n vallée f.

valuable ['væljuəbl] a (jewel) de grande valeur; (time) précieux (euse); ~s npl objets mpl de valeur.

valuation [vælju'eiʃən] n évaluation f, expertise f.

value ['vælju:] n valeur f // vt (fix price) évaluer, expertiser; (cherish) tenir à; ~ added tax (VAT) n taxe f à la valeur ajoutée (T.V.A.); ~d a (appreciated) estimé(e); ~r n expert m (en estimations).

valve [vælv] n (in machine) soupape f; (on tyre) valve f; (in radio) lampe f.

van [væn] n (AUT) camionnette f; (RAIL) fourgon m.

vandal ['vændl] n vandale m/f; ~ism n vandalisme m; ~ize vt saccager.

vanguard ['vænga:d] n avant-garde m.

vanilla [və'nilə] n vanille f // cpd (ice cream) à la vanille.

vanish ['væniʃ] vi disparaître.

vanity ['væniti] n vanité f; ~ case n sac m de toilette.

vantage ['va:ntidʒ] n: ~ point bonne position.

vapour, vapor (US) ['veipə*] n vapeur f; (on window) buée f.

variable ['vεəriəbl] a variable; (mood) changeant(e).

variance ['vεəriəns] n: to be at ~ (with) être en désaccord (avec); (facts) être en contradiction (avec).

variant ['vεəriənt] n variante f.

variation [vεəri'eiʃən] n variation f; (in opinion) changement m.

varicose ['værikəus] a: ~ veins npl varices fpl.

varied ['vεərid] a varié(e), divers(e).

variety [və'raiəti] n variété f; (quantity) nombre m, quantité f; ~ show n (spectacle m de) variétés fpl.

various ['vεəriəs] a divers(e), différent(e); (several) divers, plusieurs.

varnish ['va:niʃ] n vernis m // vt vernir.

vary ['vεəri] vt, vi varier, changer; ~ing a variable.

vase [va:z] n vase m.

vast [va:st] a vaste, immense; (amount, success) énorme; ~ly ad infiniment, extrêmement; ~ness n immensité f.

vat [væt] n cuve f.

VAT [væt] n abbr see value.

Vatican ['vætikən] n: the ~ le Vatican.

vault [vɔ:lt] n (of roof) voûte f; (tomb) caveau m; (in bank) salle f des coffres; chambre forte; (jump) saut m // vt (also: ~ over) sauter (d'un bond).

vaunted ['vɔ:ntid] a: much-~ tant célébré(e).

VD n abbr see venereal.

veal [vi:l] n veau m.

veer [viə*] vi tourner; virer.

vegetable ['vedʒtəbl] n légume m // a végétal(e); ~ garden n potager m.

vegetarian [vedʒi'tεəriən] a, n végétarien(ne).

vegetate ['vedʒiteit] vi végéter.

vegetation [vedʒi'teiʃən] n végétation f.

vehemence ['vi:məns] n véhémence f, violence f.

vehicle ['vi:ikl] n véhicule m.

vehicular [vi'hikjulə*] a: 'no ~ traffic' 'interdit à tout véhicule'.

veil [veil] n voile m // vt voiler.

vein [vein] n veine f; (on leaf) nervure f; (fig: mood) esprit m.

velocity [vi'lɔsiti] n vélocité f.

velvet ['vεlvit] n velours m.

vending machine ['vendiŋməʃi:n] n distributeur m automatique.

vendor ['vεndə*] n vendeur/euse.

veneer [və'niə*] n placage m de bois; (fig) vernis m.

venerable ['vεnərəbl] a vénérable.

venereal [vi'niəriəl] a: ~ disease (VD) n maladie vénérienne.

Venetian [vi'ni:ʃən] a: ~ blind n store vénitien.

Venezuela [vεnε'zweilə] n Venezuela m; ~n a vénézuélien(ne) // n Vénézuélien/ne.

vengeance ['vεndʒəns] n vengeance f; with a ~ (fig) vraiment, pour de bon.

venison ['vεnisn] n venaison f.

venom ['vεnəm] n venin m; ~ous a venimeux(euse).

vent [vεnt] n orifice m, conduit m; (in dress, jacket) fente f // vt (fig: one's feelings) donner libre cours à.

ventilate ['vεntileit] vt (room) ventiler, aérer; ventilation [-'leiʃən] n ventilation f, aération f; ventilator n ventilateur m.

ventriloquist [vεn'triləkwist] n ventriloque m/f.

venture ['vεntʃə*] n entreprise f // vt risquer, hasarder // vi s'aventurer, se risquer.

venue ['vεnju:] n lieu m de rendez-vous or rencontre; (sport) lieu de la rencontre.

veranda(h) [və'rændə] n véranda f.

verb [və:b] n verbe m; ~al a verbal(e); (translation) littéral(e).

verbatim [və:'beitim] a, ad mot pour mot.

verbose [və:'bəus] a verbeux(euse).

verdict ['və:dikt] n verdict m.

verge [və:dʒ] n bord m; 'soft ~s' 'accotements non stabilisés'; on the ~ of doing sur le point de faire; to ~ on vt fus approcher de.

verger ['vəːdʒə*] n (REL) bedeau m.
verification [vɛrɪfɪ'keɪʃən] n vérification f.
verify ['vɛrɪfaɪ] vt vérifier.
vermin ['vəːmɪn] npl animaux mpl nuisibles; (insects) vermine f.
vermouth ['vəːməθ] n vermouth m.
vernacular [və'nækjulə*] n langue f vernaculaire, dialecte m.
versatile ['vəːsətaɪl] a (person) aux talents variés; (machine, tool etc) aux usages variés; aux applications variées.
verse [vəːs] n vers mpl; (stanza) strophe f; (in bible) verset m.
versed [vəːst] a: (well-)~ in versé(e) dans.
version ['vəːʃən] n version f.
versus ['vəːsəs] prep contre.
vertebra, pl ~e ['vəːtɪbrə, -briː] n vertèbre f.
vertebrate ['vəːtɪbrɪt] n vertébré m.
vertical ['vəːtɪkl] a vertical(e) // n verticale f; ~ly verticalement.
vertigo ['vəːtɪgəu] n vertige m.
verve [vəːv] n brio m; enthousiasme m.
very ['vɛrɪ] ad très // a: the ~ book which le livre même que; at the ~ end tout à la fin; the ~ last le tout dernier; at the ~ least au moins; ~ much beaucoup.
vespers ['vɛspəz] npl vêpres fpl.
vessel ['vɛsl] n (ANAT, NAUT) vaisseau m; (container) récipient m.
vest [vɛst] n tricot m de corps; (US: waistcoat) gilet m // vt: to ~ sb with sth, to ~ sth in sb investir qn de qch; ~ed interests npl (COMM) droits acquis.
vestibule ['vɛstɪbjuːl] n vestibule m.
vestige ['vɛstɪdʒ] n vestige m.
• **vestry** ['vɛstrɪ] n sacristie f.
vet [vɛt] n (abbr of veterinary surgeon) vétérinaire m/f // vt examiner minutieusement; (text) revoir.
veteran ['vɛtərn] n vétéran m; (also: war ~) ancien combattant; ~ car n voiture f d'époque.
veterinary ['vɛtrɪnərɪ] a vétérinaire; ~ surgeon n vétérinaire m/f.
veto ['viːtəu] n, pl ~es veto m // vt opposer son veto à.
vex [vɛks] vt fâcher, contrarier; ~ed a (question) controversé(e).
VHF abbr of very high frequency.
via ['vaɪə] prep par, via.
viable ['vaɪəbl] a viable.
viaduct ['vaɪədʌkt] n viaduc m.
vibrate [vaɪ'breɪt] vi: to ~ (with) vibrer (de); (resound) retentir (de); **vibration** [-'breɪʃən] n vibration f.
vicar ['vɪkə*] n pasteur m (de l'Église anglicane); ~**age** n presbytère m.
vice [vaɪs] n (evil) vice m; (TECH) étau m.
vice- [vaɪs] prefix vice-; ~**chairman** n vice-président/e.
vice squad ['vaɪsskwɔd] n ≈ brigade mondaine.
vice versa ['vaɪsɪ'vəːsə] ad vice versa.
vicinity [vɪ'sɪnɪtɪ] n environs mpl, alentours mpl.

vicious ['vɪʃəs] a (remark) cruel(le), méchant(e); (blow) brutal(e); ~**ness** n méchanceté f, cruauté f; brutalité f.
vicissitudes [vɪ'sɪsɪtjuːdz] npl vicissitudes fpl.
victim ['vɪktɪm] n victime f; ~**ization** [-'zeɪʃən] n brimades fpl; représailles fpl; ~**ize** vt brimer; exercer des représailles sur.
victor ['vɪktə*] n vainqueur m.
Victorian [vɪk'tɔːrɪən] a victorien(ne).
victorious [vɪk'tɔːrɪəs] a victorieux(euse).
victory ['vɪktərɪ] n victoire f.
video ['vɪdɪəu] cpd vidéo inv; ~ (-tape) recorder n magnétoscope m.
vie [vaɪ] vi: to ~ with lutter avec, rivaliser avec.
Vienna [vɪ'ɛnə] n Vienne.
view [vjuː] n vue f; (opinion) avis m, vue // vt (situation) considérer; (house) visiter; **on** ~ (in museum etc) exposé(e); **in my** ~ à mon avis; **in** ~ **of the fact that** étant donné que; **to have in** ~ avoir en vue; ~**er** n (viewfinder) viseur m; (small projector) visionneuse f; (TV) téléspectateur/trice; ~**finder** n viseur m; ~**point** n point m de vue.
vigil ['vɪdʒɪl] n veille f; ~**ance** n vigilance f; ~**ance committee** n comité m d'autodéfense; ~**ant** a vigilant(e).
vigorous ['vɪgərəs] a vigoureux(euse).
vigour, vigor (US) ['vɪgə*] n vigueur f.
vile [vaɪl] a (action) vil(e); (smell) abominable; (temper) massacrant(e).
vilify ['vɪlɪfaɪ] vt calomnier.
villa ['vɪlə] n villa f.
village ['vɪlɪdʒ] n village m; ~**r** n villageois/e.
villain ['vɪlən] n (scoundrel) scélérat m; (criminal) bandit m; (in novel etc) traître m.
vindicate ['vɪndɪkeɪt] vt défendre avec succès; justifier.
vindictive [vɪn'dɪktɪv] a vindicatif(ive), rancunier(ère).
vine [vaɪn] n vigne f; (climbing plant) plante grimpante; ~ **grower** n viticulteur m.
vinegar ['vɪnɪgə*] n vinaigre m.
vineyard ['vɪnjɑːd] n vignoble m.
vintage ['vɪntɪdʒ] n (year) année f, millésime m; ~ **wine** n vin m de grand cru.
vinyl ['vaɪnl] n vinyle m.
viola [vɪ'əulə] n alto m.
violate ['vaɪəleɪt] vt violer; **violation** [-'leɪʃən] n violation f.
violence ['vaɪələns] n violence f; (POL etc) incidents violents.
violent ['vaɪələnt] a violent(e); ~**ly** ad violemment; extrêmement.
violet ['vaɪələt] a (colour) violet(te) // n (plant) violette f.
violin [vaɪə'lɪn] n violon m; ~**ist** n violoniste m/f.
VIP n (abbr of very important person) V.I.P. m.
viper ['vaɪpə*] n vipère f.
virgin ['vəːdʒɪn] n vierge f // a vierge; **she is a** ~ elle est vierge; **the Blessed V~**

la Sainte Vierge; ~ity [-'dʒɪnɪtɪ] n
virginité f.
Virgo ['vɜːgəʊ] n la Vierge; **to be ~** être
de la Vierge.
virile ['vɪraɪl] a viril(e).
virility [vɪ'rɪlɪtɪ] n virilité f.
virtually ['vəːtjʊəlɪ] ad (almost)
pratiquement.
virtue ['vəːtjuː] n vertu f; (advantage)
mérite m, avantage m; **by ~ of** par le fait
de.
virtuoso [vəːtjʊ'əʊzəʊ] n virtuose m/f.
virtuous ['vəːtjʊəs] a vertueux(euse).
virulent ['vɪrʊlənt] a virulent(e).
virus ['vaɪərəs] n virus m.
visa ['viːzə] n visa m.
vis-à-vis [viːzə'viː] prep vis-à-vis de.
viscount ['vaɪkaʊnt] n vicomte m.
visibility [vɪzɪ'bɪlɪtɪ] n visibilité f.
visible ['vɪzəbl] a visible; **visibly** ad
visiblement.
vision ['vɪʒən] n (sight) vue f, vision f;
(foresight, in dream) vision; ~**ary** n
visionnaire m/f.
visit ['vɪzɪt] n visite f; (stay) séjour m //
vt (person) rendre visite à; (place) visiter;
~**ing card** n carte f de visite; ~**ing
professor** n ≈ professeur associé; ~**or**
n visiteur/euse; (in hotel) client/e; ~**ors'
book** n livre m d'or; (in hotel) registre m.
visor ['vaɪzə*] n visière f.
vista ['vɪstə] n vue f, perspective f.
visual ['vɪzjʊəl] a visuel(le); (nerve)
optique; ~ **aid** n support visuel (pour
l'enseignement).
visualize ['vɪzjʊəlaɪz] vt se représenter;
(foresee) prévoir.
vital ['vaɪtl] a vital(e); ~**ity** [-'tælɪtɪ] n
vitalité f; ~**ly** ad extrêmement; ~
statistics npl (fig) mensurations fpl.
vitamin ['vɪtəmɪn] n vitamine f.
vitiate ['vɪʃɪeɪt] vt vicier.
vivacious [vɪ'veɪʃəs] a animé(e), qui a de
la vivacité.
vivacity [vɪ'væsɪtɪ] n vivacité f.
vivid ['vɪvɪd] a (account) frappant(e);
(light, imagination) vif(vive); ~**ly** ad
(describe) d'une manière vivante;
(remember) de façon précise.
vivisection [vɪvɪ'sekʃən] n vivisection f.
V-neck ['viːnek] n décolleté m en V.
vocabulary [vəʊ'kæbjʊlərɪ] n vocabulaire
m.
vocal ['vəʊkl] a (MUS) vocal(e); (communication) verbal(e); (noisy) bruyant(e); ~
chords npl cordes vocales; ~**ist** n
chanteur/euse.
vocation [vəʊ'keɪʃən] n vocation f; ~**al**
a professionnel(le).
vociferous [və'sɪfərəs] a bruyant(e).
vodka ['vɒdkə] n vodka f.
vogue [vəʊg] n mode f; (popularity) vogue
f.
voice [vɔɪs] n voix f; (opinion) avis m //
vt (opinion) exprimer, formuler.
void [vɔɪd] n vide m // a: ~ **of** vide de,
dépourvu(e) de.
voile [vɔɪl] n voile m (tissu).
volatile ['vɒlətaɪl] a volatil(e); (fig)
versatile.

volcanic [vɒl'kænɪk] a volcanique.
volcano, ~**es** [vɒl'keɪnəʊ] n volcan m.
volition [və'lɪʃən] n: **of one's own ~** de
son propre gré.
volley ['vɒlɪ] n (of gunfire) salve f; (of
stones etc) pluie f, volée f; (TENNIS etc) volée
f; ~**ball** n volley(-ball) m.
volt [vəʊlt] n volt m; ~**age** n tension f,
voltage m.
voluble ['vɒljʊbl] a volubile.
volume ['vɒljuːm] n volume m; ~ **control**
n (RADIO, TV) bouton m de réglage du
volume.
voluntarily ['vɒləntrɪlɪ] ad volontairement; bénévolement.
voluntary ['vɒləntərɪ] a volontaire;
(unpaid) bénévole.
volunteer [vɒlən'tɪə*] n volontaire m/f //
vi (MIL) s'engager comme volontaire; **to ~
to do** se proposer pour faire.
voluptuous [və'lʌptjʊəs] a
voluptueux(euse).
vomit ['vɒmɪt] n vomissure f // vt, vi
vomir.
vote [vəʊt] n vote m, suffrage m; (cast)
voix f, vote; (franchise) droit m de vote //
vt (bill) voter; (chairman) élire // vi voter;
~ **of censure** n motion f de censure; ~
of thanks n discours m de remerciement;
~**r** n électeur/trice; **voting** n scrutin m.
vouch [vaʊtʃ]: **to ~ for** vt se porter
garant de.
voucher ['vaʊtʃə*] n (for meal, petrol) bon
m; (receipt) reçu m.
vow [vaʊ] n vœu m, serment m // vi jurer.
vowel ['vaʊəl] n voyelle f.
voyage ['vɔɪdʒ] n voyage m par mer,
traversée f.
vulgar ['vʌlgə*] a vulgaire; ~**ity** [-'gærɪtɪ]
n vulgarité f.
vulnerability [vʌlnərə'bɪlɪtɪ] n vulnérabi-
lité f.
vulnerable ['vʌlnərəbl] a vulnérable.
vulture ['vʌltʃə*] n vautour m.

W

wad [wɒd] n (of cotton wool, paper) tampon
m; (of banknotes etc) liasse f.
wade [weɪd] vi: **to ~ through** marcher
dans, patauger dans // vt passer à gué.
wafer ['weɪfə*] n (CULIN) gaufrette f; (REL)
pain m d'hostie f.
waffle ['wɒfl] n (CULIN) gaufre f; (col)
rabâchage m; remplissage m // vi parler
pour ne rien dire; faire du remplissage.
waft [wɒft] vt porter // vi flotter.
wag [wæg] vt agiter, remuer // vi remuer.
wage [weɪdʒ] n salaire m, paye f // vt:
to ~ war faire la guerre; ~**s** npl salaire,
paye; ~ **claim** n demande f
d'augmentation de salaire; ~ **earner** n
salarié/e; (breadwinner) soutien m de
famille; ~ **freeze** n blocage m des salaires.
wager ['weɪdʒə*] n pari m.
waggle ['wægl] vt, vi remuer.
wag(g)on ['wægən] n (horse-drawn)
chariot m; (truck) camion m; (RAIL) wagon
m (de marchandises).
wail [weɪl] n gémissement m; (of siren)
hurlement m // vi gémir; hurler.

waist [weɪst] n taille f, ceinture f; ~**coat** n gilet m; ~**line** n (tour m de) taille f.
wait [weɪt] n attente f // vi attendre; **to lie in** ~ **for** guetter; **I can't** ~ **to** (fig) je meurs d'envie de; **to** ~ **behind** vi rester (à attendre); **to** ~ **for** attendre; **to** ~ **on** vt fus servir; ~**er** n garçon m (de café), serveur m; 'no ~**ing**' (AUT) 'stationnement interdit'; ~**ing list** n liste f d'attente; ~**ing room** n salle f d'attente; ~**ress** n serveuse f.
waive [weɪv] vt renoncer à, abandonner.
wake [weɪk] vb (pt **woke**, ~**d**, pp **woken**, ~**d** [wəʊk, 'wəʊkn]) vt (also: ~ **up**) réveiller // vi (also: ~ **up**) se réveiller // n (for dead person) veillée f mortuaire; (NAUT) sillage m; ~**n** vt, vi = **wake**.
Wales [weɪlz] n pays m de Galles.
walk [wɔ:k] n promenade f; (short) petit tour; (gait) démarche f; (pace): **at a quick** ~ d'un pas rapide; (path) chemin m; (in park etc) allée f // vi marcher; (for pleasure, exercise) se promener // vt (distance) faire à pied; (dog) promener; **10 minutes**' ~ **from** à 10 minutes de marche de; **from all** ~**s of life** de toutes conditions sociales; ~**er** n (person) marcheur/euse; ~**ie-talkie** ['wɔ:kɪ'tɔ:kɪ] n talkie-walkie; ~**ing** n marche f à pied; ~**ing holiday** n vacances passées à faire de la randonnée; ~**ing shoes** npl chaussures fpl de marche; ~**ing stick** n canne f; ~**out** n (of workers) grève-surprise f; ~**over** n (col) victoire f or examen m etc facile; ~**way** n promenade f.
wall [wɔ:l] n mur m; (of tunnel, cave) paroi m; ~ **cupboard** n placard mural; ~**ed** a (city) fortifié(e).
wallet ['wɔlɪt] n portefeuille m.
wallflower ['wɔ:lflaʊə*] n giroflée f; **to be a** ~ (fig) faire tapisserie.
wallop ['wɔləp] vt (col) taper sur, cogner.
wallow ['wɔləʊ] vi se vautrer.
wallpaper ['wɔ:lpeɪpə*] n papier peint.
walnut ['wɔ:lnʌt] n noix f; (tree) noyer m.
walrus, pl ~ or ~**es** ['wɔ:lrəs] n morse m.
waltz [wɔ:lts] n valse f // vi valser.
wan [wɔn] a pâle; triste.
wand [wɔnd] n (also: **magic** ~) baguette f (magique).
wander ['wɔndə*] vi (person) errer, aller sans but; (thoughts) vagabonder; (river) serpenter; ~**er** n vagabond/e.
wane [weɪn] vi (moon) décroître; (reputation) décliner.
wangle ['wæŋgl] vt (col) se débrouiller pour avoir; carotter.
want [wɔnt] vt vouloir; (need) avoir besoin de; (lack) manquer de // n: **for** ~ **of** par manque de, faute de; ~**s** npl (needs) besoins mpl; **to** ~ **to do** vouloir faire; **to** ~ **sb to do** vouloir que qn fasse; **to be found** ~**ing** ne pas être à la hauteur.
wanton ['wɔntn] a capricieux(euse); dévergondé(e).
war [wɔ:*] n guerre f; **to go to** ~ se mettre en guerre.
ward [wɔ:d] n (in hospital) salle f; (POL) section électorale; (LAW: child) pupille m/f; **to** ~ **off** vt parer, éviter.

warden ['wɔ:dn] n (of institution) directeur/trice; (of park, game reserve) gardien/ne; (also: **traffic** ~) contractuel/le.
warder ['wɔ:də*] n gardien m de prison.
wardrobe ['wɔ:drəʊb] n (cupboard) armoire f; (clothes) garde-robe f; (THEATRE) costumes mpl.
warehouse ['wɛəhaʊs] n entrepôt m.
wares [wɛəz] npl marchandises fpl.
warfare ['wɔ:fɛə*] n guerre f.
warhead ['wɔ:hɛd] n (MIL) ogive f.
warily ['wɛərɪlɪ] ad avec prudence, avec précaution.
warlike ['wɔ:laɪk] a guerrier(ère).
warm [wɔ:m] a chaud(e); (thanks, welcome, applause) chaleureux(euse); **it's** ~ il fait chaud; **I'm** ~ j'ai chaud; **to** ~ **up** vi (person, room) se réchauffer; (water) chauffer; (athlete, discussion) s'échauffer // vt réchauffer; chauffer; (engine) faire chauffer; ~-**hearted** a affectueux(euse); ~**ly** ad chaudement; vivement; chaleureusement; ~**th** n chaleur f.
warn [wɔ:n] vt avertir, prévenir; ~**ing** n avertissement m; (notice) avis m; ~**ing light** n avertisseur lumineux.
warp [wɔ:p] vi travailler, se voiler // vt voiler; (fig) pervertir.
warrant ['wɔrnt] n (guarantee) garantie f; (LAW: to arrest) mandat m d'arrêt; (: to search) mandat de perquisition.
warranty ['wɔrəntɪ] n garantie f.
warrior ['wɔrɪə*] n guerrier/ère.
warship ['wɔ:ʃɪp] n navire m de guerre.
wart [wɔ:t] n verrue f.
wartime ['wɔ:taɪm] n: **in** ~ en temps de guerre.
wary ['wɛərɪ] a prudent(e).
was [wɔz] pt of **be**.
wash [wɔʃ] vt laver // vi se laver // n (paint) badigeon m; (washing programme) lavage m; (of ship) sillage m; **to give sth a** ~ laver qch; **to have a** ~ se laver, faire sa toilette; **to** ~ **away** vt (stain) enlever au lavage; (subj: river etc) emporter; **to** ~ **down** vt laver; laver à grande eau; **to** ~ **off** vi partir au lavage; **to** ~ **up** vi faire la vaisselle; ~**able** a lavable; ~**basin** n lavabo m; ~**er** n (TECH) rondelle f, joint m; ~**ing** n (linen etc) lessive f; ~**ing machine** n machine f à laver; ~**ing powder** n lessive f (en poudre); ~**ing-up** n vaisselle f; ~-**out** n (col) désastre m; ~**room** n toilettes fpl.
wasn't ['wɔznt] = **was not**.
wasp [wɔsp] n guêpe f.
wastage ['weɪstɪdʒ] n gaspillage m; (in manufacturing, transport etc) déchet m.
waste [weɪst] n gaspillage m; (of time) perte f; (rubbish) déchets mpl; (also: **household** ~) ordures fpl // a (material) de rebut; (heat) perdu(e); (food) inutilisé(e); (land) inculte; // vt gaspiller; (time, opportunity) perdre; ~**s** npl étendue f désertique; **to** ~ **away** vi dépérir; ~**bin** n corbeille f à papier; (in kitchen) boîte f à ordures; ~ **disposal unit** n broyeur m d'ordures; ~**ful** a gaspilleur(euse); (process) peu économique; ~ **ground** n terrain m vague; ~**paper basket** n corbeille f à papier.

watch [wɔtʃ] n montre f; (act of watching) surveillance f; guet m; (guard: MIL) sentinelle f; (: NAUT) homme m de quart; (NAUT: spell of duty) quart m // vt (look at) observer; (: match, programme) regarder; (spy on, guard) surveiller; (be careful of) faire attention à // vi regarder; (keep guard) monter la garde; **to ~ out** vi faire attention; **~dog** n chien m de garde; **~ful** a attentif(ive), vigilant(e); **~maker** n horloger/ère; **~man** n gardien m; (also: night ~man) veilleur de nuit; **~ strap** n bracelet m de montre.

water ['wɔ:tə*] n eau f // vt (plant) arroser; **in British ~s** dans les eaux territoriales Britanniques; **to ~ down** vt (milk) couper d'eau; (fig: story) édulcorer; **~ closet** n w.-c. mpl, waters mpl; **~colour** n aquarelle f; **~colours** npl couleurs fpl pour aquarelle; **~cress** n cresson m (de fontaine); **~fall** n chute f d'eau; **~ hole** n mare f; **~ ice** n sorbet m; **~ing can** n arrosoir m; **~ level** n niveau m de l'eau; (of flood) niveau m des eaux; **~ lily** n nénuphar m; **~logged** a détrempé(e); imbibé(e) d'eau; **~line** n (NAUT) ligne f de flottaison; **~ main** n canalisation f d'eau; **~mark** n (on paper) filigrane m; **~melon** n pastèque f; **~polo** n water-polo m; **~proof** a imperméable; **~shed** n (GEO) ligne f de partage des eaux; (fig) moment m critique, point décisif; **~skiing** n ski m nautique; **~ softener** n adoucisseur m d'eau; **~ tank** n réservoir m d'eau; **~tight** a étanche; **~works** npl station f hydraulique; **~y** a (colour) délavé(e); (coffee) trop faible.

watt [wɔt] n watt m.

wave [weɪv] n vague f; (of hand) geste m, signe m; (RADIO) onde f; (in hair) ondulation f // vi faire signe de la main; (flag) flotter au vent // vt (handkerchief) agiter; (stick) brandir; (hair) onduler; **~length** n longueur f d'ondes.

waver ['weɪvə*] vi vaciller; (voice) trembler; (person) hésiter.

wavy ['weɪvɪ] a ondulé(e); onduleux(euse).

wax [wæks] n cire f; (for skis) fart m // vt (car) lustrer // vi (moon) croître; **~en** a cireux(euse); **~works** npl personnages mpl de cire; musée m de cire.

way [weɪ] n chemin m, voie f; (path, access) passage m; (distance) distance f; (direction) chemin, direction f; (manner) façon f, manière f; (habit) habitude f, façon; (condition) état m; **which ~? —this ~** par où ou de quel côté? — par ici; **to be on one's ~** être en route; **to be in the ~** bloquer le passage; (fig) gêner; **to go out of one's ~ to do** (fig) se donner du mal pour faire; **in a ~** d'un côté; **in some ~s** à certains égards; d'un côté; **in the ~ of** en fait de, comme; **'~ in'** 'entrée'; **'~ out'** 'sortie'; **the ~ back** le chemin du retour; **this ~ and that** par-ci par-là; **'give ~'** (AUT) 'cédez la priorité'.

waylay [weɪ'leɪ] vt irg attaquer; (fig) **I got waylaid** quelqu'un m'a accroché.

wayward ['weɪwəd] a capricieux(euse), entêté(e).

W.C. ['dʌblju'si:] n w.-c. mpl, waters mpl.

we [wi:] pl pronoun nous.

weak [wi:k] a faible; (health) fragile; (beam etc) peu solide; **~en** vi faiblir // vt affaiblir; **~ling** n gringalet m; faible m/f; **~ness** n faiblesse f; (fault) point m faible.

wealth [wɛlθ] n (money, resources) richesse(s) f(pl); (of details) profusion f; **~y** a riche.

wean [wi:n] vt sevrer.

weapon ['wɛpən] n arme f.

wear [wɛə*] n (use) usage m; (deterioration through use) usure f; (clothing): sports/baby~ vêtements mpl de sport/pour bébés // vb (pt wore, pp worn [wɔ:*, wɔ:n]) vt (clothes) porter; mettre; (beard etc) avoir; (damage: through use) user // vi (last) faire de l'usage; (rub etc through) s'user; **town/evening ~** n tenue f de ville/de soirée; **~ and tear** n usure f; **to ~ away** vt user, ronger // vi s'user, être rongé(e); **to ~ down** vt user; (strength) épuiser; **to ~ off** vi disparaître; **to ~ on** vi se poursuivre; passer; **to ~ out** vt user; (person, strength) épuiser.

wearily ['wɪərɪlɪ] ad avec lassitude.

weariness ['wɪərɪnɪs] n épuisement m, lassitude f.

weary ['wɪərɪ] a (tired) épuisé(e); (dispirited) las(lasse); abattu(e) // vt lasser // vi: **to ~ of** se lasser de.

weasel ['wi:zl] n (ZOOL) belette f.

weather ['wɛðə*] n temps m // vt (wood) faire mûrir; (tempest, crisis) essuyer, être pris(e) dans; survivre à, tenir le coup durant; **~-beaten** a (person) hâlé(e); (building) dégradé(e) par les intempéries; **~ cock** n girouette f; **~ forecast** n prévisions fpl météorologiques, météo f; **~ vane** n = **~ cock.**

weave [wi:v], pt **wove**, pp **woven** [wi:v, wəʊv, 'wəʊvn] vt (cloth) tisser; (basket) tresser; **~r** n tisserand/e; **weaving** n tissage m.

web [wɛb] n (of spider) toile f; (on foot) palmure f; (fabric, also fig) tissu m; **~bed** a (foot) palmé(e); **~bing** n (on chair) sangles fpl.

wed [wɛd] vt (pt, pp **wedded**) épouser // n: **the newly-~s** les jeunes mariés.

we'd [wi:d] = **we had, we would.**

wedded ['wɛdɪd] pt,pp of **wed.**

wedding ['wɛdɪŋ] n mariage m; **silver/golden ~** n noces fpl d'argent/d'or; **~ day** n jour m du mariage; **~ dress** n robe f de mariage; **~ present** n cadeau m de mariage; **~ ring** n alliance f.

wedge [wɛdʒ] n (of wood etc) coin m; (under door etc) cale f; (of cake) part f // vt (fix) caler; (push) enfoncer, coincer; **~-heeled shoes** npl chaussures fpl à semelles compensées.

wedlock ['wɛdlɔk] n (union f du) mariage m.

Wednesday ['wɛdnzdɪ] n mercredi m.

wee [wi:] a (Scottish) petit(e); tout(e) petit(e).

weed [wi:d] n mauvaise herbe // vt désherber; **~-killer** n désherbant m.

week [wi:k] n semaine f; **~day** n jour m de semaine; (COMM) jour ouvrable; **~end** n week-end m; **~ly** ad une fois par semaine, chaque semaine // a,n hebdomadaire (m).

weep, pt, pp **wept** [wi:p, wɛpt] vi (person) pleurer ; **~ing willow** n saule pleureur.

weigh [weɪ] vt,vi peser ; **to ~ anchor** lever l'ancre ; **to ~ down** vt (branch) faire plier ; (fig: with worry) accabler ; **to ~ up** vt examiner ; **~bridge** n pont-bascule m.

weight [weɪt] n poids m ; **sold by ~** vendu(e) au poids ; **~lessness** n apesanteur f ; **~ lifter** n haltérophile m ; **~y** a lourd(e).

weir [wɪə*] n barrage m.

weird [wɪəd] a bizarre ; (eerie) surnaturel(le).

welcome ['wɛlkəm] a bienvenu(e) // n accueil m // vt accueillir ; (also: **bid ~**) souhaiter la bienvenue à ; (be glad of) se réjouir de ; **to be ~** être le(la) bienvenu(e) ; **welcoming** a accueillant(e) ; (speech) d'accueil.

weld [wɛld] n soudure f // vt souder ; **~er** n (person) soudeur m ; **~ing** n soudure f (autogène).

welfare ['wɛlfɛə*] n bien-être m ; **~ state** n État-providence m ; **~ work** n travail social.

well [wɛl] n puits m // ad bien // a: **to be ~** aller bien // excl eh bien! ; bon! ; enfin! ; **~ done!** bravo! ; **get ~ soon!** remets-toi vite! ; **to do ~ in sth** bien réussir en or dans qch.

we'll [wi:l] = **we will, we shall**.

well: **~-behaved** a sage, obéissant(e) ; **~-being** n bien-être m ; **~-built** a (building) bien construit(e) ; (person) bien bâti(e) ; **~-developed** a (girl) bien fait(e) ; **~-earned** a (rest) bien mérité(e) ; **~-groomed** a très soigné(e) de sa personne ; **~-heeled** a (col: wealthy) fortuné(e), riche.

wellingtons ['wɛlɪŋtənz] npl (also: **wellington boots**) bottes fpl de caoutchouc.

well: **~-known** a (person) bien connu(e) ; **~-meaning** a bien intentionné(e) ; **~-off** a aisé(e), assez riche ; **~-read** a cultivé(e) ; **~-to-do** a aisé(e), assez riche ; **~-wisher** n: **scores of ~-wishers had gathered** de nombreux amis et admirateurs s'étaient rassemblés ; **letters from ~-wishers** des lettres d'encouragement.

Welsh [wɛlʃ] a gallois(e) // n (LING) gallois m ; **~man/woman** n Gallois/e ; **~ rarebit** n croûte f au fromage.

went [wɛnt] pt of **go**.

wept [wɛpt] pt, pp of **weep**.

were [wə:*] pt of **be**.

we're [wɪə*] = **we are**.

weren't [wə:nt] = **were not**.

west [wɛst] n ouest m // a ouest inv, de or à l'ouest // ad à or vers l'ouest ; **the W~** n l'Occident m, l'Ouest ; **the W~ Country** n le sud-ouest de l'Angleterre ; **~erly** a (situation) à l'ouest ; (wind) d'ouest ; **~ern** a occidental(e), de or à l'ouest // n (CINEMA) western m ; **W~ Germany** n Allemagne f de l'Ouest ; **W~ Indies** npl Antilles fpl ; **~ward(s)** ad vers l'ouest.

wet [wɛt] a mouillé(e) ; (damp) humide ; (soaked) trempé(e) ; (rainy) pluvieux-

(euse) ; **to get ~** se mouiller ; **~ blanket** n (fig) rabat-joie m inv ; **~ness** n humidité f ; **'~ paint'** 'attention peinture fraîche' ; **~ suit** n combinaison f de plongée.

we've [wi:v] = **we have**.

whack [wæk] vt donner un grand coup à ; **~ed** a (col: tired) crevé(e).

whale [weɪl] n (ZOOL) baleine f.

wharf, wharves [wɔ:f, wɔ:vz] n quai m.

what [wɔt] excl quoi!, comment! // det quel(le) // pronoun (interrogative) que, prep + quoi ; (relative, indirect: object) ce que ; (: subject) ce qui ; **~ are you doing?** que fais-tu?, qu'est-ce que tu fais? ; **~ has happened?** que s'est-il passé?, qu'est-ce qui s'est passé? ; **~'s in there?** qu'y a-t-il là-dedans?, qu'est-ce qu'il y a là-dedans? ; **I saw ~ you did/is on the table** j'ai vu ce que vous avez fait/ce qui est sur la table ; **~ a mess!** quel désordre! ; **~ is it called?** comment est-ce que ça s'appelle? ; **~ about me?** et moi? ; **~ever** det: **~ever book** quel que soit le livre que (or qui) + sub ; n'importe quel livre // pronoun: **do ~ever is necessary/you want** faites (tout) ce qui est nécessaire/(tout) ce que vous voulez ; **~ever happens** quoi qu'il arrive ; **no reason ~ever or ~soever** pas la moindre raison.

wheat [wi:t] n blé m, froment m.

wheel [wi:l] n roue f ; (AUT: also: **steering ~**) volant m ; (NAUT) gouvernail m // vt pousser, rouler // vi (also: **~ round**) tourner ; **~barrow** n brouette f ; **~chair** n fauteuil roulant.

wheeze [wi:z] n respiration bruyante (d'asthmatique) // vi respirer bruyamment.

when [wɛn] ad quand ; cj quand, lorsque ; (whereas) alors que ; **on the day ~ I met him** le jour où je l'ai rencontré ; **~ever** ad quand donc // cj quand ; (every time that) chaque fois que.

where [wɛə*] ad,cj où ; **this is ~** c'est là que ; **~abouts** ad où donc // n: **sb's ~abouts** l'endroit où se trouve qn ; **~as** cj alors que ; **~ver** [-'ɛvə*] ad où donc // cj où que + sub.

whet [wɛt] vt aiguiser.

whether ['wɛðə*] cj si ; **I don't know ~ to accept or not** je ne sais pas si je dois accepter ou non ; **it's doubtful ~** il est peu probable que ; **~ you go or not** que vous y alliez ou non.

which [wɪtʃ] det (interrogative) quel(le), pl quels(quelles) ; **~ one of you?** lequel(laquelle) d'entre vous? ; **tell me ~ one you want** dis-moi lequel tu veux or celui que tu veux // pronoun (interrogative) lequel(laquelle), pl lesquels (lesquelles) ; (indirect) celui(celle) qui (or que) ; (relative: subject) qui ; (: object) que, prep + lequel(laquelle) (NB: à + lequel = auquel ; de + lequel = duquel) ; **I don't mind ~** peu importe lequel ; **the apple ~ you ate/~ is on the table** la pomme que vous avez mangée/qui est sur la table ; **the chair on ~** la chaise sur laquelle ; **the book of ~** le livre dont or duquel ; **he said he knew, ~ is true/I feared** il a dit qu'il le savait, ce qui est vrai/ce que je craignais; **after ~** après quoi; **in ~ case** auquel cas; **~ever** det: **take ~ever book you prefer** prenez le livre que vous préférez, peu importe lequel; **~ever book you take** quel que soit le livre que vous preniez; **~ever way you** de quelque façon que vous + sub.

whiff [wɪf] n bouffée f.

while [waɪl] n moment m // cj pendant que; (as long as) tant que; (whereas) alors que; bien que + sub; **for a ~** pendant quelque temps.

whim [wɪm] n caprice m.

whimper ['wɪmpə*] n geignement m // vi geindre.

whimsical ['wɪmzɪkl] a (person) capricieux(euse); (look) étrange.

whine [waɪn] n gémissement m // vi gémir, geindre; pleurnicher.

whip [wɪp] n fouet m; (for riding) cravache f; (Brit: POL: person) chef m de file (assurant la discipline dans son groupe parlementaire) // vt fouetter; (snatch) enlever (or sortir) brusquement; **~ped cream** n crème fouettée; **~round** n collecte f.

whirl [wə:l] n tourbillon m // vt faire tourbillonner; faire tournoyer // vi tourbillonner; **~pool** n tourbillon m; **~wind** n tornade f.

whirr [wə:*] vi bruire; ronronner; vrombir.

whisk [wɪsk] n (CULIN) fouet m // vt fouetter, battre; **to ~ sb away or off** emmener qn rapidement.

whisker [wɪskə*] n: **~s** (of animal) moustaches fpl; (of man) favoris mpl.

whisky, whiskey (Irlande, US) ['wɪskɪ] n whisky m.

whisper ['wɪspə*] n chuchotement m; (fig: of leaves) bruissement m; (rumour) rumeur f // vt,vi chuchoter.

whist [wɪst] n whist m.

whistle ['wɪsl] n (sound) sifflement m; (object) sifflet m // vi siffler.

white [waɪt] a blanc(blanche); (with fear) blême // n blanc m; (person) blanc/blanche m/f; **~bait** n blanchaille f; **~collar worker** n employé/e de bureau; **~ elephant** n (fig) objet dispendieux et superflu; **~ lie** n pieux mensonge; **~ness** n blancheur f; **~ paper** n (POL) livre blanc; **~wash** n (paint) lait m de chaux // vt blanchir à la chaux; (fig) blanchir.

whiting ['waɪtɪŋ] n, pl inv (fish) merlan m.

Whitsun ['wɪtsn] n la Pentecôte.

whittle ['wɪtl] vt: **to ~ away, ~ down** (costs) réduire, rogner.

whizz [wɪz] vi aller (or passer) à toute vitesse; **~ kid** n (col) petit prodige.

WHO n (abbr of World Health Organization) O.M.S. f (Organisation mondiale de la Santé).

who [hu:] pronoun qui; **~dunit** [hu:'dʌnɪt] n (col) roman policier; **~ever** pronoun: **~ever finds it** celui(celle) qui le trouve, (qui que ce soit), quiconque le trouve; **ask ~ever you like** demandez à qui vous voulez; **~ever he marries** qui que ce soit or quelle que soit la personne qu'il épouse; **~ever told you that?** qui a bien pu vous dire ça?, qui donc vous a dit ça?

whole [həʊl] a (complete) entier(ère), tout(e); (not broken) intact(e), complet(ète) // n (total) totalité f; (sth not broken) tout m; **the ~ of the time** tout le temps; **the ~ of the town** la ville tout entière; **on the ~, as a ~** dans l'ensemble; **~hearted** a sans réserve(s), sincère; **~sale** n (vente f en) gros m // a de gros; (destruction) systématique; **~saler** n grossiste m/f; **~some** a sain(e); (advice) salutaire; **wholly** ad entièrement, tout à fait.

whom [hu:m] pronoun que, prep + qui (check syntax of French verb used); (interrogative) qui.

whooping cough ['hu:pɪŋkɔf] n coqueluche f.

whopping ['wɔpɪŋ] a (col: big) énorme.

whore [hɔ:*] n (col: pej) putain f.

whose [hu:z] det: **~ book is this?** à qui est ce livre?; **~ pencil have you taken?** à qui est le crayon que vous avez pris?, c'est le crayon de qui que vous avez pris?; **the man ~ son you rescued** l'homme dont or de qui vous avez sauvé le fils; **the girl ~ sister you were speaking to** la fille à la sœur de qui or laquelle vous parliez // pronoun: **~ is this?** à qui est ceci?; **I know ~ it is** je sais à qui c'est.

Who's Who ['hu:z'hu:] n ≈ Bottin Mondain.

why [waɪ] ad pourquoi // excl eh bien!, tiens!; **the reason ~** la raison pour laquelle; **~ever** ad pourquoi donc, mais pourquoi.

wick [wɪk] n mèche f (de bougie).

wicked ['wɪkɪd] a mauvais(e), méchant(e); (not broken) inique; (mischievous) malicieux(euse).

wicker ['wɪkə*] n osier m; (also: **~work**) vannerie f.

wicket ['wɪkɪt] n (CRICKET) guichet m, espace compris entre les deux guichets.

wide [waɪd] a large; (region, knowledge) vaste, très étendu(e); (choice) grand(e) // ad: **to open ~** ouvrir tout grand; **to shoot ~** tirer à côté; **~-angle lens** n objectif m grand-angulaire; **~-awake** a bien éveillé(e); **~ly** ad (different) radicalement; (spaced) sur une grande étendue; (believed) généralement; **~n** vt élargir; **~ness** n largeur f; **~ open** a grand(e) ouvert(e); **~spread** a (belief etc) très répandu(e).

widow ['wɪdəʊ] n veuve f; **~ed** a (qui est devenu(e)) veuf(veuve); **~er** n veuf m.

width [wɪdθ] n largeur f.

wield [wi:ld] vt (sword) manier; (power) exercer.

wife, wives [waɪf, waɪvz] n femme (mariée), épouse f.

wig [wɪg] n perruque f.

wiggle ['wɪgl] vt agiter remuer // vi (loose screw etc) branler; (worm) se tortiller.

wild [waɪld] a sauvage; (sea) déchaîné(e); (idea, life) fou(folle); extravagant(e); **~s** npl régions fpl sauvages; **~erness** ['wɪldənɪs] n désert m, région f sauvage; **~-goose chase** n (fig) fausse piste; **~life** n faune f; **~ly** ad (applaud) frénétiquement; (hit, guess) au hasard; (happy) follement.

wilful ['wɪlful] *a* (*person*) obstiné(e); (*action*) délibéré(e); (*crime*) prémédité(e).

will [wɪl] *auxiliary vb*: **he ~ come** il viendra // *vt* (*pt, pp* **~ed**): **to ~ sb to do** souhaiter ardemment que qn fasse; **he ~ed himself to go on** par un suprême effort de volonté, il continua // *n* volonté *f*; testament *m*; **~ing** *a* de bonne volonté, serviable; **he's ~ing to do it** il est disposé à le faire, il veut bien le faire; **~ingly** *ad* volontiers; **~ingness** *n* bonne volonté.

willow ['wɪləu] *n* saule *m*.

will power ['wɪlpauə*] *n* volonté *f*.

wilt [wɪlt] *vi* dépérir.

wily ['waɪlɪ] *a* rusé(e).

win [wɪn] *n* (*in sports etc*) victoire *f* // *vb* (*pt, pp* **won** [wʌn]) *vt* (*battle, money*) gagner; (*prize*) remporter; (*popularity*) acquérir // *vi* gagner; **to ~ over, ~ round** *vt* gagner, se concilier.

wince [wɪns] *n* tressaillement *m* // *vi* tressaillir.

winch [wɪntʃ] *n* treuil *m*.

wind *n* [wɪnd] (*also MED*) vent *m* // *vb* [waɪnd] (*pt, pp* **wound** [waund]) *vt* enrouler; (*wrap*) envelopper; (*clock, toy*) remonter; (*take breath away*: [wɪnd]) couper le souffle à // *vi* (*road, river*) serpenter; **the ~(s)** (*MUS*) les instruments *mpl* à vent; **to ~ up** *vt* (*clock*) remonter; (*debate*) terminer, clôturer; **~break** *n* brise-vent *m inv*; **~fall** *n* coup *m* de chance; **~ing** *a* (*road*) sinueux(euse); (*staircase*) tournant(e); **~ instrument** *n* (*MUS*) instrument *m* à vent; **~mill** *n* moulin *m* à vent.

window ['wɪndəu] *n* fenêtre *f*; (*in car, train, also*: **~ pane**) vitre *f*; (*in shop etc*) vitrine *f*; **~ box** *n* jardinière *f*; **~ cleaner** *n*(*person*) laveur/euse de vitres; **~ frame** *n* châssis *m* de fenêtre; **~ ledge** *n* rebord *m* de la fenêtre; **~ pane** *n* vitre *f*, carreau *m*; **~sill** *n* (*inside*) appui *m* de la fenêtre; (*outside*) rebord *m* de la fenêtre.

windpipe ['wɪndpaɪp] *n* gosier *m*.

windscreen, windshield (*US*) ['wɪndskriːn, 'wɪndʃiːld] *n* pare-brise *m inv*; **~ washer** *n* lave-glace *m inv*; **~ wiper** *n* essuie-glace *m inv*.

windswept ['wɪndswɛpt] *a* balayé(e) par le vent.

windy ['wɪndɪ] *a* venté(e), venteux(euse); **it's ~** il y a du vent.

wine [waɪn] *n* vin *m*; **~ cellar** *n* cave *f* à vins; **~ glass** *n* verre *m* à vin; **~ list** *n* carte *f* des vins; **~ merchant** *n* marchand/e de vins; **~ tasting** *n* dégustation *f* (de vins); **~ waiter** *n* sommelier *m*.

wing [wɪŋ] *n* aile *f*; (*in air force*) groupe *m* d'escadrilles; **~s** *npl* (*THEATRE*) coulisses *fpl*; **~er** *n* (*SPORT*) ailier *m*.

wink [wɪŋk] *n* clin *m* d'œil // *vi* faire un clin d'œil; (*blink*) cligner des yeux.

winner ['wɪnə*] *n* gagnant/e.

winning ['wɪnɪŋ] *a* (*team*) gagnant(e); (*goal*) décisif(ive); **~s** *npl* gains *mpl*; **~ post** *n* poteau *m* d'arrivée.

winter ['wɪntə*] *n* hiver *m* // *vi* hiverner; **~ sports** *npl* sports *mpl* d'hiver.

wintry ['wɪntrɪ] *a* hivernal(e).

wipe [waɪp] *n* coup *m* de torchon (*or* de chiffon *or* d'éponge) // *vt* essuyer; **to ~ off** *vt* essuyer; **to ~ out** *vt* (*debt*) régler; (*memory*) oublier; (*destroy*) anéantir; **to ~ up** *vt* essuyer.

wire ['waɪə*] *n* fil *m* (de fer); (*ELEC*) fil électrique; (*TEL*) télégramme *m* // *vt* (*fence*) grillager; (*house*) faire l'installation électrique de; (*also*: **~ up**) brancher; **~ brush** *n* brosse *f* métallique.

wireless ['waɪəlɪs] *n* télégraphie *f* sans fil; (*set*) T.S.F. *f*.

wiry ['waɪərɪ] *a* noueux(euse), nerveux(euse).

wisdom ['wɪzdəm] *n* sagesse *f*; (*of action*) prudence *f*; **~ tooth** *n* dent *f* de sagesse.

wise [waɪz] *a* sage, prudent(e), judicieux(euse).

...wise [waɪz] *suffix*: time**~** en ce qui concerne le temps, question temps.

wisecrack ['waɪzkræk] *n* sarcasme *m*.

wish [wɪʃ] *n* (*desire,*) désir *m*; (*specific desire*) souhait *m*, vœu *m* // *vt* souhaiter, désirer, vouloir; **best ~es** (*on birthday etc*) meilleurs vœux; **with best ~es** (*in letter*) bien amicalement; **give her my best ~es** faites-lui mes amitiés; **to ~ sb goodbye** dire au revoir à qn; **he ~ed me well** il me souhaitait de réussir; **to ~ to do/sb to do** désirer *or* vouloir faire/que qn fasse; **to ~ for** souhaiter; **it's ~ful thinking** c'est prendre ses désirs pour des réalités.

wisp [wɪsp] *n* fine mèche (de cheveux); (of smoke) mince volute *f*; **a ~ of straw** un fétu de paille.

wistful ['wɪstful] *a* mélancolique.

wit [wɪt] *n* (*gen pl*) intelligence *f*, esprit *m*; présence *f* d'esprit; (*wittiness*) esprit; (*person*) homme/femme d'esprit; **to be at one's ~s' end** (*fig*) ne plus savoir que faire; **to ~** *ad* à savoir.

witch [wɪtʃ] *n* sorcière *f*; **~craft** *n* sorcellerie *f*.

with [wɪð, wɪθ] *prep* avec; **red ~ anger** rouge de colère; **the man ~ the grey hat** l'homme au chapeau gris; **to be ~ it** (*fig*) être dans le vent; **I am ~ you** (*I understand*) je vous suis.

withdraw [wɪθ'drɔː] *vb* (*irg*) *vt* retirer // *vi* se retirer; (*go back on promise*) se rétracter; **~al** *n* retrait *m*; (*MED*) état *m* de manque.

wither ['wɪðə*] *vi* se faner; **~ed** *a* fané(e), flétri(e); (*limb*) atrophié(e).

withhold [wɪθ'həuld] *vt irg* (*money*) retenir; (*decision*) remettre; (*permission*): **to ~ (from)** refuser (à); (*information*): **to ~ (from)** cacher (à).

within [wɪð'ɪn] *prep* à l'intérieur de // *ad* à l'intérieur; **~ sight of** en vue de; **~ a mile of** à moins d'un mille de; **~ the week** avant la fin de la semaine.

without [wɪð'aut] *prep* sans.

withstand [wɪθ'stænd] *vt irg* résister à.

witness ['wɪtnɪs] *n* (*person*) témoin *m*; (*evidence*) témoignage *m* // *vt* (*event*) être témoin de; (*document*) attester l'authenticité de; **to bear ~ to sth** témoigner de qch; **~ box, ~ stand** (*US*) *n* barre *f* des témoins.

witticism ['wɪtɪsɪzm] n mot m d'esprit.

witty ['wɪtɪ] a spirituel(le), plein(e) d'esprit.

wives [waɪvz] npl of **wife**.

wizard ['wɪzəd] n magicien m.

wk abbr of **week**.

wobble ['wɔbl] vi trembler; (chair) branler.

woe [wəu] n malheur m.

woke [wəuk] pt of **wake**; ~n pp of **wake**.

wolf, wolves [wulf, wulvz] n loup m.

woman, pl women ['wumən, 'wɪmɪn] n femme f; ~ **doctor** n femme f médecin; ~**ly** a féminin(e); ~ **teacher** n professeur m femme f.

womb [wu:m] n (ANAT) utérus m.

women ['wɪmɪn] npl of **woman**.

won [wʌn] pt,pp of **win**.

wonder ['wʌndə*] n merveille f, miracle m; (feeling) émerveillement m // vi: **to** ~ **whether** se demander si; **to** ~ **at** s'étonner de; s'émerveiller de; **to** ~ **about** songer à; it's no ~ **that** il n'est pas étonnant que + sub; ~**ful** a merveilleux(euse); ~**fully** ad (+ adjective) merveilleusement; (+ vb) à merveille.

wonky ['wɔŋkɪ] a (col) qui ne va or ne marche pas très bien.

won't [wəunt] = will not.

woo [wu:] vt (woman) faire la cour à.

wood [wud] n (timber, forest) bois m; ~**carving** n sculpture f en or sur bois; ~**ed** a boisé(e); ~**en** a en bois; (fig) raide; inexpressif(ive); ~**pecker** n pic m (oiseau); ~**wind** n (MUS) bois m; **the** ~**wind** (MUS) les bois; ~**work** n menuiserie f; ~**worm** n ver m du bois.

wool [wul] n laine f; **to pull the** ~ **over sb's eyes** (fig) en faire accroire à qn; ~**len**, ~**en** (US) a de laine; (industry) lainier(ère); ~**lens** npl lainages mpl; ~**ly**, ~**y** (US) a laineux(euse); (fig: ideas) confus(e).

word [wə:d] n mot m; (spoken) mot, parole f; (promise) parole; (news) nouvelles fpl // vt rédiger, formuler; **in other** ~**s** en d'autres termes; **to break/keep one's** ~ manquer à/tenir sa parole; **I'll take your** ~ **for it** je vous crois sur parole; **to send** ~ **of** prévenir de; ~**ing** n termes mpl, langage m; ~**y** a verbeux(euse).

wore [wɔ:*] pt of **wear**.

work [wə:k] n travail m; (ART, LITERATURE) œuvre f // vi travailler; (mechanism) marcher, fonctionner; (plan etc) marcher; (medicine) faire son effet // vt (clay, wood etc) travailler; (mine etc) exploiter; (machine) faire marcher or fonctionner; **to be out of** ~ être au chômage; ~**s** n (factory) usine f // npl (of clock, machine) mécanisme m; **Minister/Ministry of W**~**s** ministre m/ministère m des Travaux publics; **to** ~ **loose** vi se défaire, se desserrer; **to** ~ **on** vt fus travailler à; (principle) se baser sur; **to** ~ **out** vi (plans etc) marcher // vt (problem) résoudre; (plan) élaborer; **it** ~**s out at £100** ça fait 100 livres; **to get** ~**ed up** se mettre dans tous ses états; ~**able** a (solution) réalisable; ~**er** n travailleur/euse, ouvrier/ère; ~**ing class** n classe ouvrière; ~**ing-class** a ouvrier(ère);

~**ing man** n travailleur m; **in** ~**ing order** en état de marche; ~**man** n ouvrier m; ~**manship** n métier m, habileté f; facture f; ~**shop** n atelier m; ~-**to-rule** n grève f du zèle.

world [wə:ld] n monde m // cpd (champion) du monde; (power, war) mondial(e); **to think the** ~ **of sb** (fig) ne jurer que par qn; **out of this** ~ a extraordinaire; ~**ly** a de ce monde; ~-**wide** a universel(le).

worm [wə:m] n ver m.

worn [wɔ:n] pp of **wear** // a usé(e); ~-**out** a (object) complètement usé(e); (person) épuisé(e).

worried ['wʌrɪd] a inquiet(ète).

worrier ['wʌrɪə*] n inquiet.ète.

worry ['wʌrɪ] n souci m // vt inquiéter // vi s'inquiéter, se faire du souci; ~**ing** a inquiétant(e).

worse [wə:s] a pire, plus mauvais(e) // ad plus mal // n pire m; **a change for the** ~ une détérioration; ~**n** vt,vi empirer; ~ **off** a moins à l'aise financièrement; (fig): **you'll be** ~ **off this way** ça ira moins bien de cette façon.

worship ['wə:ʃɪp] n culte m // vt (God) rendre un culte à; (person) adorer; **Your W**~ (to mayor) Monsieur le Maire; (to judge) Monsieur le Juge; ~**per** n adorateur/trice; (in church) fidèle m/f.

worst [wə:st] a le(la) pire, le(la) plus mauvais(e) // ad le plus mal // n pire m; **at** ~ au pis aller.

worsted ['wustɪd] n: (wool) ~ laine peignée.

worth [wə:θ] n valeur f // a: **to be** ~ valoir; **it's** ~ **it** cela en vaut la peine; **50 pence** ~ **of apples** (pour) 50 pence de pommes; ~**less** a qui ne vaut rien; ~**while** a (activity) qui en vaut la peine; (cause) louable; **a** ~**while book** un livre qui vaut la peine d'être lu.

worthy [wə:ðɪ] a (person) digne; (motive) louable; ~ **of** digne de.

would [wud] auxiliary vb: **she** ~ **come** elle viendrait; **he** ~ **have come** il serait venu; ~ **you like a biscuit?** voulez-vous or voudriez-vous un biscuit? **he** ~ **go there on Mondays** il y allait le lundi; ~-**be** a (pej) soi-disant.

wound vb [waund] pt, pp of **wind** // n,vt [wu:nd] n blessure f // vt blesser; ~**ed in the leg** blessé à la jambe.

wove [wəuv] pt of **weave**; ~**n** pp of **weave**.

wrangle ['ræŋgl] n dispute f // vi se disputer.

wrap [ræp] n (stole) écharpe f; (cape) pèlerine f // vt (also: ~ **up**) envelopper; ~**per** n (of book) couverture f; ~**ping paper** n papier m d'emballage; (for gift) papier cadeau.

wrath [rɔθ] n courroux m.

wreath, ~s [ri:θ, ri:ðz] n couronne f.

wreck [rɛk] n (sea disaster) naufrage m; (ship) épave f; (pej: person) loque humaine // vt démolir; (ship) provoquer le naufrage de; (fig) briser, ruiner; ~**age** n débris mpl; (of building) décombres mpl; (of ship) épave f.

wren [rɛn] n (ZOOL) roitelet m.

wrench [rɛntʃ] n (TECH) clé f (à écrous); (tug) violent mouvement m de torsion; (fig) arrachement m // vt tirer violemment sur, tordre; **to ~ sth from** arracher qch (violemment) à or de.

wrestle ['rɛsl] vi: **to ~ (with sb)** lutter (avec qn); **to ~ with** (fig) se débattre avec, lutter contre; **~r** n lutteur/euse; **wrestling** n lutte f; (also: **all-in wrestling**) catch m; **wrestling match** n rencontre f de lutte (or de catch).

wretched ['rɛtʃid] a misérable; (col) maudit(e).

wriggle ['rɪgl] n tortillement m // vi se tortiller.

wring, pt, pp **wrung** [rɪŋ, rʌŋ] vt tordre; (wet clothes) essorer; (fig): **to ~ sth out of** arracher qch à.

wrinkle ['rɪŋkl] n (on skin) ride f; (on paper etc) pli m // vt rider, plisser // vi se plisser.

wrist [rɪst] n poignet m; **~ watch** n montre-bracelet f.

writ [rɪt] n acte m judiciaire; **to issue a ~ against sb** assigner qn en justice.

write, pt **wrote**, pp **written** [raɪt, raut, 'rɪtn] vt,vi écrire; **to ~ down** vt noter; (put in writing) mettre par écrit; **to ~ off** vt (debt) passer aux profits et pertes; (depreciate) amortir; **to ~ out** vt écrire; (copy) recopier; **to ~ up** vt rédiger; **~-off** n perte totale; **the car is a ~-off** la voiture est bonne pour la casse; **~r** n auteur m, écrivain m.

writhe [raɪð] vi se tordre.

writing ['raɪtɪŋ] n écriture f; (of author) œuvres fpl; **in ~** par écrit; **~ paper** n papier m à lettres.

written ['rɪtn] pp of **write**.

wrong [rɔŋ] a faux(fausse); (incorrectly •chosen: number, road etc) mauvais(e); (not suitable) qui ne convient pas; (wicked) mal; (unfair) injuste // ad faux // n tort m // vt faire du tort à, léser; **you are ~ to do it** tu as tort de le faire; **you are ~ about that, you've got it ~** tu te trompes; **to be in the ~** avoir tort; **what's ~?** qu'est-ce qui ne va pas?; **to go ~** (person) se tromper; (plan) mal tourner; (machine) tomber en panne; **~ful** a injustifié(e); **~ly** ad à tort; **~ side** n (of cloth) envers m.

wrote [raut] pt of **write**.

wrought [rɔːt] a: **~ iron** fer forgé.

wrung [rʌŋ] pt, pp of **wring**.

wry [raɪ] a désabusé(e).

wt. abbr of **weight**.

X Y Z

Xmas ['ɛksməs] n abbr of **Christmas**.

X-ray [ɛks'reɪ] n rayon m X; (photograph) radio(graphie) f // vt radiographier.

xylophone ['zaɪləfəun] n xylophone m.

yacht [jɔt] n yacht m; voilier m; **~ing** n yachting m, navigation f de plaisance; **~sman** n yacht(s)man m.

Yank [jæŋk] n (pej) Amerloque m/f.

yap [jæp] vi (dog) japper.

yard [jɑːd] n (of house etc) cour f; (measure) yard m (= 914 mm; 3 feet); **~stick** n (fig) mesure f, critère m.

yarn [jɑːn] n fil m; (tale) longue histoire.

yawn [jɔːn] n bâillement m // vi bâiller; **~ing** a (gap) béant(e).

yd. abbr of **yard(s)**.

year [jɪə*] n an m, année f; **every ~** tous les ans, chaque année; **to be 8 ~s old** avoir 8 ans; **~ly** a annuel(le) // ad annuellement.

yearn [jəːn] vi: **to ~ for sth/to do** aspirer à qch/à faire, languir après qch; **~ing** n désir ardent, envie f.

yeast [jiːst] n levure f.

yell [jɛl] n hurlement m, cri m // vi hurler.

yellow ['jɛləu] a,n jaune (m); **~ fever** n fièvre f jaune.

yelp [jɛlp] n jappement m; glapissement m // vi japper; glapir.

yeoman ['jəumən] n: **Y~ of the Guard** hallebardier m de la garde royale.

yes [jɛs] ad oui; (answering negative question) si // n oui m.

yesterday ['jɛstədɪ] ad,n hier (m).

yet [jɛt] ad encore; déjà // cj pourtant, néanmoins; **it is not finished ~** ce n'est pas encore fini or toujours pas fini; **must you go just ~?** dois-tu déjà partir?; **the best ~** le meilleur jusqu'ici or jusque-là; **as ~** jusqu'ici, encore; **a few days ~** encore quelques jours.

yew [juː] n if m.

Yiddish ['jɪdɪʃ] n yiddish m.

yield [jiːld] n production f, rendement m; rapport m // vt produire, rendre, rapporter; (surrender) céder // vi céder.

yodel ['jəudl] vi faire des tyroliennes, jodler.

yoga ['jəugə] n yoga m.

yog(h)ourt, yog(h)urt ['jəugət] n yaourt m.

yoke [jəuk] n joug m.

yolk [jəuk] n jaune m (d'œuf).

yonder ['jɔndə*] ad là(-bas).

you [juː] pronoun tu; (polite form) vous; (pl) vous; (complement) te,t' + vowel; vous; (stressed) toi; vous; (one): **fresh air does ~ good** l'air frais fait du bien; **~ never know** on ne sait jamais.

you'd [juːd] = **you had**; **you would**.

you'll [juːl] = **you will**; **you shall**.

young [jʌŋ] a jeune // npl (of animal) petits mpl; (people): **the ~** les jeunes, la jeunesse; **~ish** a assez jeune; **~ster** n jeune m (garçon m); (child) enfant m/f.

your [jɔː*] a ton(ta), pl tes; votre, pl vos.

you're [juə*] = **you are**.

yours [jɔːz] pronoun le(la) tien(ne), les tiens(tiennes); le(la) vôtre, les vôtres; **is it ~?** c'est à toi (or à vous)?; **yours sincerely/faithfully** je vous prie d'agréer l'expression de mes sentiments les meilleurs/mes sentiments respectueux or dévoués.

yourself [jɔː'sɛlf] pronoun (reflexive) te; vous; (after prep) toi; vous; (emphatic) toi-même; vous-même; **yourselves** pl pronoun vous; (emphatic) vous mêmes.

youth [juːθ] n jeunesse f; (young man: pl **~s** [juːðz]) jeune homme m; **~ful** a

jeune ; de jeunesse ; juvénile ; ~ **hostel** n
auberge f de jeunesse.
you've [ju:v] = **you have**.
Yugoslav ['ju:gəu'slɑ:v] a yougoslave //
n Yougoslave m/f.
Yugoslavia   ['ju:gəu'sla:viə]   n
Yougoslavie f.
Yule [ju:l]: ~ **log** n bûche f de Noël.

zany ['zeini] a farfelu(e), loufoque.
zeal [zi:l] n zèle m, ferveur f ;
empressement m ; ~**ous** ['zɛləs] a zélé(e) ;
empressé(e).
zebra ['zi:brə] n zèbre m ; ~ **crossing** n
passage m pour piétons.
zenith ['zɛnιθ] n zénith m.
zero ['zιərəu] n zéro m ; ~ **hour** n l'heure
f H.
zest [zɛst] n entrain m, élan m ; zeste m.
zigzag ['zιgzæg] n zigzag m // vi

zigzaguer, faire des zigzags.
zinc [zιŋk] n zinc m.
Zionism ['zaιənιzm] n sionisme m.
zip [zip] n (also: ~ **fastener**, ~**per**)
fermeture f éclair ® // vt (also: ~ **up**)
fermer avec une fermeture éclair ®.
zither ['zιðə*] n cithare f.
zodiac ['zəudιæk] n zodiaque m.
zombie ['zɔmbι] n (fig): **like a** ~ l'air
complètement dans les vapes, avec l'air
d'un mort vivant.
zone [zəun] n zone f ; (subdivision of town)
secteur m.
zoo [zu:] n zoo m.
zoological [zuə'lɔdʒικl] a zoologique.
zoologist [zu'ɔlədʒιst] n zoologiste m/f.
zoology [zu:'ɔlədʒι] n zoologie f.
zoom [zu:m] vi: **to** ~ **past** passer en
trombe ; ~ **lens** n zoom m, objectif m à
focale variable.

acquérir *1* acquérant *2* acquis *3* acquiers, acquérons, acquièrent *4* acquérais *5* acquerrai *7* acquière

ALLER *1* allant *2* allé *3* vais, vas, va, allons, allez, vont *4* allais *5* irai *6* irais *7* aille

asseoir *1* asseyant *2* assis *3* assieds, asseyons, asseyez, asseyent *4* asseyais *5* assiérai *7* asseye

atteindre *1* atteignant *2* atteint *3* atteins, atteignons *4* atteignais *7* atteigne

AVOIR *1* ayant *2* eu *3* ai, as, a, avons, avez, ont *4* avais *5* aurai *6* aurais *7* aie, aies, ait, ayons, ayez, aient

battre *1* battant *2* battu *3* bats, bat, battons *4* battais *7* batte

boire *1* buvant *2* bu *3* bois, buvons, boivent *4* buvais *7* boive

bouillir *1* bouillant *2* bouilli *3* bous, bouillons *4* bouillais *7* bouille

conclure *1* concluant *2* conclu *3* conclus, concluons *4* concluais *7* conclue

conduire *1* conduisant *2* conduit *3* conduis, conduisons *4* conduisais *7* conduise

connaître *1* connaissant *2* connu *3* connais, connaît, connaissons *4* connaissais *7* connaisse

coudre *1* cousant *2* cousu *3* couds, cousons, cousez, cousent *4* cousais *7* couse

courir *1* courant *2* couru *3* cours, courons *4* courais *5* courrai *7* coure

couvrir *1* couvrant *2* couvert *3* couvre, couvrons *4* couvrais *7* couvre

craindre *1* craignant *2* craint *3* crains, craignons *4* craignais *7* craigne

croire *1* croyant *2* cru *3* crois, croyons, croient *4* croyais *7* croie

croître *1* croissant *2* crû, crue, crus, crues *3* croîs, croissons *4* croissais *7* croisse

cueillir *1* cueillant *2* cueilli *3* cueille, cueillons *4* cueillais *5* cueillerai *7* cueille

devoir *1* devant *2* dû, due, dus, dues *3* dois, devons, doivent *4* devais *5* devrai *7* doive

dire *1* disant *2* dit *3* dis, disons, dites, disent *4* disais *7* dise

dormir *1* dormant *2* dormi *3* dors, dormons *4* dormais *7* dorme

écrire *1* écrivant *2* écrit *3* écris, écrivons *4* écrivais *7* écrive

ÊTRE *1* étant *2* été *3* suis, es, est, sommes, êtes, sont *4* étais *5* serai *6* serais *7* sois, sois, soit, soyons, soyez, soient

FAIRE *1* faisant *2* fait *3* fais, fais, fait, faisons, faites, font *4* faisais *5* ferai *6* ferais *7* fasse

falloir *2* fallu *3* faut *4* fallait *5* faudra *7* faille

FINIR *1* finissant *2* fini *3* finis, finis, finit, finissons, finissez, finissent *4* finissais *5* finirai *6* finirais *7* finisse

fuir *1* fuyant *2* fui *3* fuis, fuyons, fuient *4* fuyais *7* fuie

joindre *1* joignant *2* joint *3* joins, joignons *4* joignais *7* joigne

lire *1* lisant *2* lu *3* lis, lisons *4* lisais *7* lise

luire *1* luisant *2* lui *3* luis, luisons *4* luisais *7* luise

maudire *1* maudissant *2* maudit *3* maudis, maudissons *4* maudissait *7* maudisse

mentir *1* mentant *2* menti *3* mens, mentons *4* mentais *7* mente

mettre *1* mettant *2* mis *3* mets, mettons *4* mettais *7* mette

mourir *1* mourant *2* mort *3* meurs, mourons, meurent *4* mourais *5* mourrai *7* meure

naître *1* naissant *2* né *3* nais, naît, naissons *4* naissais *7* naisse

offrir *1* offrant *2* offert *3* offre, offrons *4* offrais *7* offre

PARLER *1* **parlant** *2* **parlé** *3* **parle, parles, parle, parlons, parlez, parlent** *4* **parlais, parlais, parlait, parlions, parliez, parlaient** *5* **parlerai, parleras, parlera, parlerons, parlerez, parleront** *6* **parlerais, parlerais, parlerait, parlerions, parleriez, parleraient** *7*

parle, parles, parle, parlions, parliez, parlent *impératif* **parle! parlez!**

partir *1* partant *2* parti *3* pars, partons *4* partais *7* parte

plaire *1* plaisant *2* plu *3* plais, plaît, plaisons *4* plaisais *7* plaise

pleuvoir *1* pleuvant *2* plu *3* pleut, pleuvent *4* pleuvait *5* pleuvra *7* pleuve

pourvoir *1* pourvoyant *2* pourvu *3* pourvois, pourvoyons, pourvoient *4* pourvoyais *7* pourvoie

pouvoir *1* pouvant *2* pu *3* peux, peut, pouvons, peuvent *4* pouvais *5* pourrai *7* puisse

prendre *1* prenant *2* pris *3* prends, prenons, prennent *4* prenais *7* prenne

prévoir *like* voir *5* prévoirai

RECEVOIR *1* recevant *2* reçu *3* reçois, reçois, reçoit, recevons, recevez, reçoivent *4* recevais *5* recevrai *6* recevrais *7* reçoive

RENDRE *1* rendant *2* rendu *3* rends, rends, rend, rendons, rendez, rendent *4* rendais *5* rendrai *6* rendrais *7* rende

résoudre *1* résolvant *2* résolu *3* résous, résolvons *4* résolvais *7* résolve

rire *1* riant *2* ri *3* ris, rions, *4* riais *7* rie

savoir *1* sachant *2* su *3* sais, savons, savent *4* savais *5* saurai *7* sache *impératif* sache, sachons, sachez

servir *1* servant *2* servi *3* sers, servons *4* servais *7* serve

sortir *1* sortant *2* sorti *3* sors, sortons *4* sortais *7* sorte

souffrir *1* souffrant *2* souffert *3* souffre, souffrons *4* souffrais *7* souffre

suffire *1* suffisant *2* suffi *3* suffis, suffisons *4* suffisais *7* suffise

suivre *1* suivant *2* suivi *3* suis, suivons *4* suivais *7* suive

taire *1* taisant *2* tu *3* tais, taisons *4* taisais *7* taise

tenir *1* tenant *2* tenu *3* tiens, tenons, tiennent *4* tenais *5* tiendrai *7* tienne

vaincre *1* vainquant *2* vaincu *3* vaincs, vainc, vainquons *4* vainquais *7* vainque

valoir *1* valant *2* valu *3* vaux, vaut, valons *4* valais *5* vaudrai *7* vaille

venir *1* venant *2* venu *3* viens, venons, viennent *4* venais *5* viendrai *7* vienne

vivre *1* vivant *2* vécu *3* vis, vivons *4* vivais *7* vive

voir *1* voyant *2* vu *3* vois, voyons, voient *4* voyais *5* verrai *7* voie

vouloir *1* voulant *2* voulu *3* veux, veut, voulons, veulent *4* voulais *5* voudrai *7* veuille *impératif* veuillez.

LES NOMBRES			NUMBERS
un (une)/premier(ère)	**1er 1 1st**		one/first
deux/deuxième	**2ème 2 2nd**		two/second
trois/troisième	**3ème 3 3rd**		three/third
quatre/quatrième	**4ème 4 4th**		four/fourth
cinq/cinquième	**5ème 5 5th**		five/fifth
six/sixième	**6**		six/sixth
sept/septième	**7**		seven/seventh
huit/huitième	**8**		eight/eighth
neuf/neuvième	**9**		nine/ninth
dix/dixième	**10**		ten/tenth
onze/onzième	**11**		eleven/eleventh
douze/douzième	**12**		twelve/twelfth
treize/treizième	**13**		thirteen/thirteenth
quatorze	**14**		fourteen
quinze	**15**		fifteen
seize	**16**		sixteen
dix-sept	**17**		seventeen
dix-huit	**18**		eighteen
dix-neuf	**19**		nineteen
vingt/vingtième	**20**		twenty/twentieth
vingt et un/vingt-et-unième	**21**		twenty-one/twenty-first
vingt-deux/vingt-deuxième	**22**		twenty-two/twenty-second
trente/trentième	**30**		thirty/thirtieth
quarante	**40**		forty
cinquante	**50**		fifty
soixante	**60**		sixty
soixante-dix	**70**		seventy
soixante et onze	**71**		seventy-one
soixante-douze	**72**		seventy-two
quatre-vingts	**80**		eighty
quatre-vingt-un	**81**		eighty-one
quatre-vingt-dix	**90**		ninety
quatre-vingt-onze	**91**		ninety-one
cent/centième	**100**		a hundred, one hundred/ hundredth
cent un/cent-unième	**101**		a hundred and one/ hundred-and-first
trois cents	**300**		three hundred
trois cent un	**301**		three hundred and one
mille/millième	**1,000**		a thousand, one thousand/ thousandth
cinq mille	**5,000**		five thousand
un million/millionième	**1,000,000**		a million, one million/millionth

il arrive le 7 (mai)	he's coming on the 7th (of May)
il habite au 7	he lives at number 7
au chapitre/à la page sept	chapter/page seven
il habite au 7ème (étage)	he lives on the 7th floor
il est arrivé le 7ème	he came (in) 7th
une part d'un septième	a share of one seventh

L'HEURE

THE TIME

quelle heure est-il? c'est or *il est*
à quelle heure? à

what time is it? it's ou *it is*
(at) what time? at

minuit	**00.00**	midnight
une heure (du matin)	**01.00**	one (o'clock) (a.m. *ou* in the morning), 1 a.m.
une heure dix	**01.10**	ten past one
une heure et quart, une heure quinze	**01.15**	a quarter past one, one fifteen
une heure et demie, une heure trente	**01.30**	half past one, one thirty
deux heures moins (le) quart, une heure quarante-cinq	**01.45**	a quarter to two, one forty-five
deux heures moins dix, une heure cinquante	**01.50**	ten to two, one fifty
midi, douze heures	**12.00**	twelve (o'clock), midday, noon
une heure (de l'après-midi), treize heures	**13.00**	one (o'clock) (p.m. *ou* in the afternoon)
sept heures (du soir), dix-neuf heures	**19.00**	seven (o'clock) (p.m. *ou* at night)

Au catalogue
Marabout

Formation Parascolaire

Parascolaire/Formation permanente

Dictionnaires

Vie professionnelle

Performance

Vie quotidienne